CB068233

Comentário Bíblico Pentecostal

Novo Testamento

Volume 1

Editado por French L. Arrington e Roger Strostad
Membros da Comissão Editorial da *Bíblia de Estudo Pentecostal*

Comentário Bíblico Pentecostal

Novo Testamento

Volume 1

11ª impressão

CPAD

Rio de Janeiro
2024

Todos os direitos reservados. Copyright © 2003 para a língua portuguesa da Casa Publicadora das Assembleias de Deus. Aprovado pelo Conselho de Doutrina.

É proibida a duplicação ou reprodução deste volume, no todo ou em parte, sob quaisquer formas ou meios (eletrônico, mecânico, gravação, fotocópia, distribuição na web e outros), sem permissão expressa da Editora.

Título do original em inglês: *Full Life Bible Commentary to the New Testament* Zondervan Publishing House
Grand Rapids, Michigan, EUA
Primeira edição em inglês: 1999
Tradução: Luís Aron de Macedo (Mateus a Romanos) e Degmar Ribas Júnior (1 Coríntios a Apocalipse)

Preparação de originais e revisão: Isael de Araujo, Joel Dutra, Alexandre Coelho, Luciana Alves, Kleber Cruz e Daniele Pereira
Capa: Rafael Paixão
Projeto gráfico: Rodrigo Sobral Fernandes
Editoração: Alexandre Soares

CDD: 220 – Bíblia
ISBN: 978-85-263-0961-6

As citações bíblicas foram extraídas da versão Almeida Revista e Corrigida, Edição de 1995, da Sociedade Bíblica do Brasil, salvo indicação em contrário.

Para maiores informações sobre livros, revistas, periódicos e os últimos lançamentos da CPAD, visite nosso site: https://www.cpad.com.br.

SAC — Serviço de Atendimento ao Cliente: 0800-021-7373

Casa Publicadora das Assembleias de Deus
Av. Brasil, 34.401, Bangu, Rio de Janeiro - RJ
CEP: 21.852-002

11ª impressão: 2024
Impresso no Brasil
Tiragem: 1.000

SUMÁRIO

Lista de Colaboradores... vi
Prefácio vii
Fotos, Mapas, Quadros e Diagramas....................... ix
Abreviaturas xi

Mateus 1
Marcos 159
Lucas...301
João 483
Atos dos Apóstolos. 621

LISTA DE COLABORADORES

Mateus	James B. Shelton	Professor da Oral Roberts University, em Tulsa, Oklahoma, Estados Unidos
Marcos	Jerry Camery-Hoggatt	Professor da Southern California College, em Costa Mesa, Califórnia, Estados Unidos
Lucas	French L. Arrington	Professor da Church of God Schoolof Theology, em Cleveland, Tennessee, Estados Unidos
João	Benny C. Aker	Professor do Assemblies of God Theological Seminary, em Springfield, Missouri, Estados Unidos
Atos dos Apóstolos	French L. Arrington	Professor da Church of God School of Theology, em Cleveland, Tennessee, Estados Unidos

PREFÁCIO

O que o saudoso Donald Stamps, autor das notas da *Bíblia de Estudo Pentecostal* (BEP), declarou sobre a referida Bíblia continua verdadeiro para este comentário:

> O propósito [...] é conduzir o leitor [...] a uma fé mais profunda na mensagem apostólica do Novo Testamento, a qual proporciona ao crente grande confiança de alcançar a mesma experiência dos crentes do Novo Testamento, mediante a plenitude do Cristo vivo na Igreja, como corpo (Ef 4.13), e a plenitude do Espírito Santo no crente individualmente (At 2.4; 4.31).

A *Bíblia de Estudo Pentecostal* e o *Comentário Bíblico Pentecostal* são volumes companheiros. Ou seja, este comentário foi planejado e escrito para complementá-la. Claro que a BEP lida com assuntos e temas proeminentes das Escrituras, ao passo que este comentário enfoca o plano de fundo dos livros do Novo Testamento e sua exposição. Cada volume é exclusivo, completo em si mesmo e pode ser usado independentemente. Um enriquece o outro, e usados juntos, a BEP e este comentário formam uma pequena biblioteca para o estudo bíblico.

A equipe de colaboradores deste comentário está em grande débito com os estudiosos da Bíblia do passado e do presente, pois tem aprendido com suas obras e *insights* da Palavra de Deus. Eles aceitam a Bíblia como a Palavra de Deus inspirada e autorizada, e vêm de formações que acentuam a importância da presença e dons do Espírito Santo na Igreja dos dias atuais. Nossos colaboradores deram o máximo de si para não serem apologéticos, polêmicos ou excessivamente técnicos. A meta foi usar um estilo e um vocabulário que tornassem a mensagem do Novo Testamento acessível a todos os que lerem o comentário.

A tradução deste comentário foi baseada na versão de João Ferreira de Almeida, Revista e Corrigida, edição de 1995 (RC), da Sociedade Bíblica do Brasil, mas os escritores ao comporem a exposição dos livros citam outras versões bíblicas onde uma ou mais traduções ajudam a esclarecer o significado. Em alguns lugares o texto grego é citado. Mesmo assim quando a língua original é mencionada, é fornecida uma transliteração para que os leitores leiam e pronunciem as palavras. Também é freqüente uma explicação estar imediatamente ao lado da transliteração. A intenção é expressar com precisão e de modo interessante o significado do Novo Testamento. Embora não seja explicitamente devocional, este comentário proporciona uma interpretação do texto que é a base perfeita para uso devocional e aplicação prática. Será útil para professores de Escola Dominical e obreiros cristãos, mas também de ajuda considerável para pregadores e, em particular, para estudantes de Teologia.

Os comentários deste volume focalizam os livros do Novo Testamento. Cada colaborador oferece uma introdução do livro, um esboço, uma interpretação seção por seção e uma breve bibliografia. As introduções dão as informações e orientações necessárias para o estudo. A interpretação foi baseada na estrutura, língua e plano de fundo do livro. O propósito ao abordar a interpretação desta maneira foi preservar o poder e o significado que o evangelho teve durante o século I – os quais ainda hoje tem.

Com gratidão lembramos Donald Stamps pela devoção manifestada a Deus e à sua Palavra. Estamos em imensa dívida com ele por prover uma Bíblia de Estudo para cristãos pentecostais. Sua visão e obra na BEP são em grande parte responsáveis pelo ímpeto e inspiração na preparação deste *Comentário Bíblico Pentecostal*.

Fazemos referência distinta às aptidões e labores do *staff* editorial da Zondervan Publishing House. A pessoa que merece menção especial é o doutor Verlyn D. Verbrugge, o editor sênior, que desde sua concepção inicial à sua forma final carregou "a parte do leão" do encargo de fazer com que este comentário se tornasse realidade. Seu conhecimento, habilidades e leitura cuidadosa de todos os manuscritos foram vitais à conclusão e qualidade do trabalho. Foi um prazer estar associado com ele. Outrossim na complementação de nossa tarefa queremos agradecer a todos os colaboradores deste volume por sua cooperação, paciência, generosidade e trabalho.

Oferecemos este comentário com a oração de que ele venha a ser uma grande bênção a todos os que o usarem, sobretudo aos que buscam a vontade de Deus para suas vidas estando "cheios com o Espírito Santo", e com a convicção de que a obra do Espírito Santo não está limitada aos tempos bíblicos. O Espírito ainda dá poder aos cristãos e faz "sinais e maravilhas" como Ele o fez no ministério de Jesus e continuou fazendo no ministério dos apóstolos. Desde o derramamento inicial do Espírito Santo no Dia de Pentecostes, o ministério do Espírito permanece o mesmo. Sua obra ainda é: exaltar Jesus Cristo, conduzir-nos a toda verdade e capacitar-nos ao seu serviço e para o evangelismo.

French L. Arrington e Roger Stronstad
Editores

N. do E.: As citações de livros não canônicos por parte dos comentaristas não têm nenhum caráter de autoridade bíblico-doutrinário, apenas valor histórico-informativo.

FOTOS, MAPAS, QUADROS E DIAGRAMAS

O Império Romano na Terra Santa 2
Cronologia do Novo Testamento 19
Cesaréia 21
A fuga para o Egito 23
Batismo no rio Jordão 28
Camadas de sal no mar Morto 45
Seitas judaicas 58
Milagres de Jesus 66,67
Jesus na Galiléia 71
Ruínas de Qumran 81
Mapa da Galiléia 96
Monte Tabor 105
Modelo do Templo de Herodes 119
O monte das Oliveiras 131
Tijolos de barro secos ao sol 136
Semana da Paixão 141
A cidade de Jerusalém 151
As viagens de Marcos com Paulo
e Barnabé 166
Locusta 178
O monte da tentação 183
A sinagoga de Cafarnaum 186
Os apóstolos 202
A região leste do mar da Galiléia 217
Nazaré 222
O mosaico de Tabgha 228
Galiléia e Decápolis 236
Betsaida 242
Transjordânia 255
Figueira 263
Betânia 275
Segundo andar do cenáculo 285
Reino de Herodes, o Grande 319
Belém 328
Ruínas de Cafarnaum 342
Pescadores 344
Parábolas de Jesus 360
Lâmpada de azeite 366
Monte Hermon 377
Mulher beduína arando um campo 383
Estrada romana entre Jericó
e Jerusalém 389
Ovelhas 421
Jericó 442
Sicômoro 445
O monte das Oliveiras 461
A sede do Sinédrio 469

O arco sobre a Via Dolorosa 473
Túmulo da família de Herodes 475
A família herodiana 485
Jarros antigos. 503
Mapa de Samaria 510
Poço de Jacó 511
Jesus em Samaria e Judéia 515
O Tanque de Betesda 519
O mar Morto 539
O Testemunho de João 547
O bom Pastor 558
O túmulo de Lázaro 566
Um jumentinho 569
A obra do Espírito Santo 584,585
Calvário de Gordon 605
O jardim do túmulo 605
Aparições da ressurreição 609
Pentecostes 630
Pedra dintel 647
Ruínas de uma antiga igreja cristã 661
A Porta do Leão 667
As viagens missionárias de
Pedro e Filipe 672
Teatro romano em Samaria 673
Damasco romana 677
A Porta Oriental de Damasco 678
Plano horizontal dos telhados
das casas 683
Igreja em caverna do primeiro
século em Antioquia 690
Monolito do período romano 691
Primeira viagem missionária
de Paulo 698
Uma coluna açoitamento 698
Igreja do quarto século em Pafos 698
Mapa de Listra e Derbe 704
Segunda viagem missionária
de Paulo 718
Cela da cadeia de Paulo e Silas
em Filipos 724
Escultura funerária do Leão
de Anfípolis 729
Terceira viagem missionária
de Paulo 741
O Ágora Mercantil 748
O templo de Vespasiano 748
As montanhas de Tarso 761

FOTOS, MAPAS, QUADROS E DIAGRAMAS

Cesaréia 773
Viagem de Paulo a Roma 793
Milagres dos apóstolos 799

Todas as fotos, salvo indicação em contrário, são de Neal e Joel Bierling.

ABREVIATURAS

1QM	Rolo da Guerra
1QS	Normas da Comunidade
AB	Anchor Bible
Ant.	Flávio Josefo, *Antiguidades Judaicas*
ARA	Almeida Revista e Atualizada
ARC	Almeida Revista e Corrigida
ASV	American Standard Version
b.	Talmude Babilônico
BAGD	Bauer, W. F. Arndt e F. W. Gingrich, *A Greek-English Lexicon of the New Testament and Other Early Christian Literature*, Chicago, 1979
BEP	Bíblia de Estudo Pentecostal
BJ	Bíblia de Jerusalém
CBQ	Catholic Biblical Quarterly
CGTC	Cambridge Greek Testament Commentary
CTJ	Calvin Theological Journal
DJG	*Dictionary of Jesus and the Gospels*, eds. J. B. Green e S. McKnight, Downers Grove, 1992
DPL	*Dictionary of Paul and His Letters*
DSB	Daily Study Bible
EBC	*Expositor's Bible Commentary*
EDNT	*Exegetical Dictionary of the New Testament*, eds. H. Balz e G. Schneider, Grand Rapids, 1990-1993
EGGNT	Exegetical Guide to the Greek New Testament
EGT	The Expositor's Greek Testament
EvQ	Evangelical Quarterly
ExpTim	Expository Times
GNB	Good News Bible
Hist. Ecl.	Eusébio, *História Eclesiástica*
HNTC	Harper New Testament Commentary
ICC	International Critical Commentary
Interp	Interpretação
JBL	*Journal of Biblical Literature*
JBP	Tradução de J. B. Phillips
JETS	Journal of the Evangelical Theological Society
JSNT	Journal for the Study of the New Testament
KJV	King James Version

ABREVIATURAS

LXX	Septuaginta
m.	Misná
Meg.	Megilá
Mek.	Mequilta
MNTC	Moffatt New Testament Commentary
NAB	New American Bible
NAC	New American Commentary
NASB	New American Standard Bible
NCB	New Century Bible
NCBC	New Century Bible Commentary
NEB	New English Bible
Neot	*Neotestamentica*
NIBC	New International Biblical Commentary
NICNT	New International Commentary on the New Testament
NIDNTT	*New International Dictionary of New Testament Theology*, ed. C. Brown, 4 vols., Grand Rapids, 1975-1985
NIDOTTE	*New International Dictionary of Old Testament Theology and Exegesis*, ed. W. A. VanGemeren, 5 vols., Grand Rapids, 1997
NIGTC	New International Greek Testament Commentary
NJB	New Jerusalem Bible
NKJV	New King James Version
NovT	Novum Testamentum
NRSV	New Revised Standard Version
NTS	New Testament Studies
NVI	Nova Versão Internacional
RC	Almeida Revista e Corrigida, Edição de 1995
REB	Revised English Bible
RevExp	Review and Expositor
RSV	Revised Standard Version
RV	Revised Version
SBLDS	Society of Biblical Literature Dissertation Series
SEÅ	Svensk exegtisk Årsbok
SJLA	Studies in Judaism in Late Antiquity
TDNT	*Theological Dictionary of the New Testament*, eds. G. Kittel e G. Friedrich, Grand Rapids, 1964-1976
TEV	Today's English Version
TNTC	Tyndale New Testament Commentary
TS	Theological Studies
WBC	Word Biblical Commentary
WTJ	Westminster Theological Journal

MATEUS
James B. Shelton

INTRODUÇÃO

A igreja primitiva uniu o escrito do Evangelho de Mateus com um dos apóstolos originais de Jesus chamado Mateus, também conhecido por Levi, um ex-cobrador de impostos a serviço dos romanos ou ao títere local. Pela força das armas, o Império Romano tomou o poder da Terra Santa em 63 a.C., e desde então vinha impondo opressivos impostos à nação. Muitos da população consideravam os cobradores de impostos como colaboradores dos romanos e traidores. Outros, sobretudo dentre o estabelecimento religioso, ficavam escandalizados com o fato de Jesus se associar e ministrar a "publicanos (cobradores de rendimentos públicos) e pecadores", e ter chamado Mateus para ser seu discípulo. A esta objeção Jesus respondeu: "Eu não vim para chamar os justos, mas os pecadores" (Mt 9.9-13). Em resposta à chamada de Cristo, Mateus tornou-se grande mestre e preservador dos ensinos de Jesus. Por esta razão a Igreja honrou o Evangelho que leva o nome de Mateus, colocando-o na primeira posição na ordem canônica do Novo Testamento.

Quando Mateus começou a escrever o Evangelho, vários documentos relativos a Jesus já tinham sido compostos. Entre eles estavam as cartas dos apóstolos, uma coletânea dos discursos de Jesus, versões antigas dos relatos de sua vida e o Evangelho de Marcos. Por que esses escritos não foram suficientes? Por que Mateus se sentiu compelido a escrever outra versão? Numa época em que um único pedaço de papiro valeria muitos dólares pelos padrões modernos e os serviços dos escribas eram caros, por que Mateus fez tais despesas, visto que poucas igrejas podiam se dar ao luxo de ter uma coleção extensiva de rolos de papel copiados à mão. Por que os cristãos primitivos estavam tão dispostos a arcar com as despesas, quando relatos orais, o livro de Marcos e outras narrativas acerca de Jesus estavam disponíveis? A resposta acha-se na natureza da revelação cristã.

1. O Agente É a Mensagem

Em outras religiões, relatos de revelações mostravam a pessoa em um estado alterado, no qual sua vontade era ab-rogada e o corpo tornava-se mero bocal do deus ou espírito, e a pessoa sequer tinha consciência do que estava sendo dito ou o que significava. Esta não era a norma para a experiência de revelação hebraica ou cristã. O profeta ou o escritor inspirado usava todas as suas faculdades físicas, mentais e espirituais para comunicar o que lhe fora revelado. Seu vocabulário exclusivo era usado como também as expressões comuns entre a comunidade. Às vezes até gramática ruim e sintaxe canhestra eram usadas; contudo, em sua soberania e escolha do recebedor da mensagem, Deus garantiu que o que Ele quis expressar seria comunicado completamente e sem impedimento.

A revelação cristã foi baseada no modelo da inspiração, e não no modelo da possessão. De fato, os cristãos entendiam que a possessão (i.e., controle e violação completos da vontade e pessoa do indivíduo) era má — daí a idéia de possessão maligna. Até o apóstolo João, quando experimentou a revelação apocalíptica das coisas celestiais com toda a sua espiritualidade, não ficou privado da vontade; pelo contrário, esperava-se que ele a usasse no meio da experiência (Ap 10.3,4). Esta reciprocidade entre o divino e o humano na revelação é exatamente o que se esperaria, levando-se em conta o entendimento cristão da verdade, pois Jesus Cristo é a Verdade (Jo 14.6). Ele não apenas falou a verdade; em seu estado divino-humano, Ele era a própria Verdade.

Não é de surpreender que a revelação cristã se assemelhasse à encarnação de

Deus com componentes humanos e divinos, os quais não devem ser confundidos nem separados. As palavras de Deus tornam-se as palavras dos seres humanos. Deus está tão livre de cuidados com sua soberania que Ele permite que a vontade humana coopere no seu empreendimento de comunicação, não diferente da descrição do dom de profecia feita por Paulo: "E os espíritos dos profetas estão sujeitos aos profetas" (1 Co 14.32). Não é apenas *o que* a Palavra de Deus diz que é importante, mas também *como* Ele a comunica; o agente também é uma mensagem. Deus quer que os seres humanos cooperem de moto próprio com os seus planos. A possessão e violação de criaturas racionais não é seu método nem sua mensagem.

2. Testemunhas Fiéis

O escritor de Mateus entendeu que a revelação de Deus não poderia ser um monólogo monolítico; a natureza do derramamento do Espírito Santo de Deus "sobre toda a carne" impedia tal feito (At 2.11). Jesus prometeu o Espírito Santo para que os discípulos fossem testemunhas (At 1.8), e não apenas uma única testemunha. Eles não deveriam ser meros instrumentos de música os quais Deus tocava; eles não tinham de ser autômatos, robôs sem raciocínio nem vontade própria. A igreja primitiva profeticamente dotada esperava ouvir mais que uma testemunha inspirada; por conseguinte, eles também estavam inclinados a ouvir o Evangelho de Mateus. No prefácio do Evangelho de Lucas, algo que nos Evangelhos se assemelha a uma bibliografia, o evangelista alista os diferentes tipos de fontes que usou: testemunhas oculares e fontes orais e escritas. Contava-se que haveria multiplicidade no testemunho.

Visto que a Revelação última de Deus, Jesus Cristo, aconteceu no tempo e no espaço (i.e., na história), Ele foi visto, ouvido e tocado pelas pessoas (1 Jo 1.1-4). Este evento revelador foi narrado por testemunhas oculares, testemunhos pessoais e registros escritos. Como portador deste registro histórico, Mateus merecia uma audiência entre seus contemporâneos. O testemunho contido no seu Evangelho não era o de alguém que por acaso viu o Jesus histórico, e sim o testemunho de um crente, um discípulo, alguém que prestava testemunho *apostólico* de Jesus.

A Igreja aceitou o testemunho do Evangelho de Mateus porque continha material que era reconhecido como ensino autêntico daqueles que tinham seguido Jesus em seu ministério terreno, e que tinham sido comissionados por Ele como líderes da Igreja, e fiduciários e intérpretes da sua mensagem e ministério (Lc 24.44-49). A Igreja incluiu no cânon do Novo Testamento só os livros que foram escritos por um apóstolo de Jesus do século I ou por alguém estreitamente associado com um apóstolo. O relato tinha de ser baseado

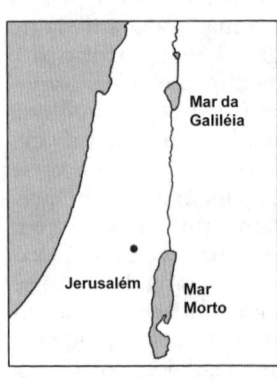

A Terra Santa era apenas uma pequena porção do Império Romano nos dias do Novo Testamento.

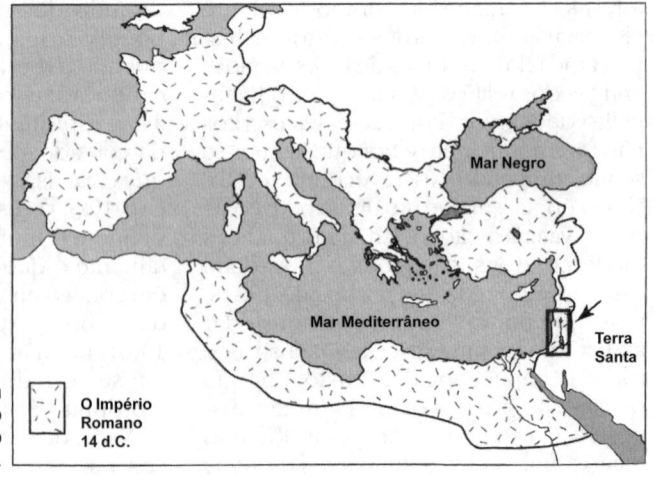

O Império Romano 14 d.C.

em fontes primitivas, e também tinha de ser autorizado, isto é, apostólico. Os membros da igreja primitiva "perseveravam na doutrina dos apóstolos" (At 2.42). Estes ensinos essenciais estavam na forma oral e escrita (Lc 1.1-4; 2 Ts 2.15).

A Igreja era considerada o árbitro destas coisas na função de "coluna e firmeza da verdade" (1 Tm 3.15). Embora as comunidades cristãs que tinham se desenvolvido em torno dos apóstolos tivessem um papel na compilação e preservação dos seus ensinos, os próprios apóstolos eram responsáveis pelos ensinos que tinham recebido de Jesus, os quais eles explicavam, aplicavam e passavam adiante para sucessores fiéis. As origens dos fundamentos da fé cristã estavam "associadas, não com comunidades anônimas, mas com portadores da tradição, indivíduos autorizados e bem conhecidos por todos" (Hengel, 1980, p. 26).

3. Como e Quando Mateus Escreveu

Mateus foi escrito em grego koiné. Seu estilo não é grego polido, em contraste com o estilo clássico encontrado em Lucas e na Epístola aos Hebreus. O grego de Mateus evoca um quê semítico, devido ao seu grego coloquial, às fontes hebraicas/aramaicas e à sua formação. Mateus usou fontes orais e escritas. O autor tentava ser preciso e lança mão de todos os recursos disponíveis para contar a história de Jesus. Não devemos ser dissuadidos com a idéia de fontes por trás de nossos Evangelhos. Jesus veio a um mundo literato, e Deus usou fontes orais e escritas para proclamar e registrar sua mensagem (cf. Lc 1.1-4).

A maioria dos estudiosos acredita que Mateus e Lucas usaram o Evangelho de Marcos, o Evangelho mais antigo existente, como fonte principal. Conforme Papias, escrevendo por volta da virada do século, o Evangelho de Marcos registra os ensinos de Pedro, que Marcos escreveu depois do martírio do apóstolo na perseguição da Igreja perpetrada pelo imperador Nero em 64 d.C. Se Mateus usou Marcos, então uma data para este Evangelho estaria entre 70 e 90 d.C. Já foi alegado que uma versão anterior de Marcos estivesse disponível muito antes. Além disso, Mateus apresenta as instruções de Jesus concernentes à adoração judaica no templo, talvez indicando que o templo ainda estava de pé na época da escrita, antes de ser destruído em 70 d.C. (Mt 5.23,24). A data poderia ser já na década de 50 d.C. Este comentarista não tentará solucionar a questão, mas mostrará evidências que indicam a data anterior ou a posterior, à medida que elas forem surgindo no texto.

Mais de noventa por cento de Marcos está expresso em Mateus e Lucas. Por conseguinte os primeiros três Evangelhos são chamados "sinóticos", que significa "ver junto". Mateus e Lucas também têm outra fonte de escrita em comum chamada "Q", proveniente da palavra alemã *Quelle*, que significa "fonte". A fonte Q consiste no material que Mateus e Lucas têm em comum, mas que Marcos não tem. Mateus e Lucas seguem fielmente o material Q — muitas vezes, palavra por palavra, até a ponto de acompanhar a ordem desajeitada das palavras gregas. Esta sintaxe grega incomum, provavelmente o resultado de um original hebraico ou aramaico que foi traduzido rigidamente para o grego, mostra bom uso semítico.

A fonte Q versa primariamente sobre os ensinos de Jesus. Mais uma vez, o testemunho de Papias é útil. Ele registra que Mateus escreveu "as declarações [*logia*] do Senhor" no "dialeto hebraico" (i.e., aramaico), e outros os traduziram conforme puderam. Note que Papias *não diz* que Mateus escreveu o Evangelho (*euangelion*) de Jesus, mas as declarações ou ensinamentos (*logia*) do Senhor. Esta pode ser referência ao material Q, um documento que já não existe. O Evangelho existente que leva seu nome pode ter sido escrito pelo apóstolo ou por seus seguidores vários anos depois da conclusão da fonte Q. O tom semítico da fonte Q expressa sua antiguidade e proximidade com o aramaico, idioma primo do hebraico e a língua usada na vida cotidiana da Terra Santa no século I.

Alguns estudiosos pensam que as passagens que Mateus e Lucas têm em comum são o resultado de Marcos e Lucas usarem Mateus, embora esta seja opinião minoritária. Um grupo ainda menor afirma a prioridade de Lucas. Muitos estudiosos advogam "a hipótese de quatro fontes" proposta por B. H. Streeter ou uma variação dela. Advogam que Mateus e Lucas usaram Marcos e o material Q, e que Mateus e Lucas tinham outras fontes exclusivas rotuladas, respectivamente, de "M" e "L". As fontes M e L representam as fontes orais e escritas. Este comentário assume tal cenário.

Alguém pode perguntar por que nos aborrecermos com a identificação de fontes, visto que isso não afeta a mensagem. Três razões são apresentadas:
1) Demonstra o cuidado que os escritores dos Evangelhos tomaram sendo fiéis à mensagem. Eles não inventaram espalhafatosamente histórias sobre Jesus sem consideração ao testemunho de testemunhas prévias;
2) Sabendo que fontes Mateus usou, podemos identificar mais prontamente os diferentes *insights* dirigidos pelo Espírito sobre o significado dos eventos de Jesus que os escritores dos Evangelhos têm em comum, mas dos quais eles têm entendimentos únicos. (Por exemplo, todos os quatro Evangelhos mencionam a descida do Espírito Santo sobre Jesus, mas cada um postula uma verdade espiritual exclusiva de seu significado.);
3) Identificando as passagens peculiares de Mateus vemos os temas especiais que o motivaram a escrever outro Evangelho.

4. Por que Mateus Foi Escrito?

Cada Evangelho foi escrito para uma audiência específica, a fim de atingir metas específicas. Não eram meras biografias ou compilações dos ensinos de Jesus; antes, foram escritos para expressar pontos teológicos únicos, como também apresentar a mensagem básica de Cristo. Mateus escreveu para atender necessidades específicas dos seus leitores. Ele pressupõe, por exemplo, que seus leitores tenham conhecimento dos costumes judaicos, ao passo que Marcos, quando relata os mesmos eventos, explica as práticas culturais para sua audiência gentia (e.g., Mt 15.1-9; Mc 7.1-13). Os leitores de Mateus eram judeus de fala grega, que viviam fora da Terra Santa.

Mateus também enfatizou a perseguição e a ordem eclesiástica nas passagens exclusivas do seu Evangelho (material M). Isto levou alguns estudiosos a sugerir que a comunidade de Mateus (ou que seus leitores) estava passando por perseguições. É presumível que Mateus tenha selecionado as declarações de Jesus que estavam particularmente afinadas com este assunto.

Não há dúvida de que Mateus teve ajuda na compilação e escrita, assim como Paulo teve em suas cartas (e.g., Rm 16.22; Gl 6.11). Marcos serviu como escrevente de Pedro. A ajuda de um amanuense não era incomum. Lembre-se também de que nenhum dos textos do Evangelho traz o nome do autor. Em cópias mais recentes a Igreja identificava o autor num título, ou às vezes com um prefácio dando detalhes biográficos. A Igreja entendia que este Evangelho expressava os ensinos que estavam associados com Mateus, o apóstolo de Jesus.

5. Temas Distintivos de Mateus

Mateus, como os outros escritores dos Evangelhos, tem um programa de trabalho específico. Há uma comunidade nos Evangelhos, mas também uma diversidade. Mateus, por exemplo, destaca o ensino de Jesus, ao passo que Marcos ressalta suas ações, registrando mais milagres que os outros escritores dos Evangelhos. Mateus levanta uma questão teológica característica que ele vê num acontecimento da vida de Jesus, ao mesmo tempo que os outros evangelistas, fazendo comentários sobre o mesmo acontecimento, salientam uma ramificação diferente. Em outras palavras, as ações de Jesus têm mais de um significado. É como se os quatro escritores dos Evangelhos pintassem o mesmo quadro, mas usassem cores diferentes. Vemos a cor pelo contraste; assim, ao longo do comentário poremos em contraste as diferentes questões dos evangelistas em passagens em comum.

a) Jesus, o Rei

O Evangelho de Mateus foi chamado "o Evangelho Real" e por boas razões: O escritor apresenta Jesus como o verdadeiro Rei de Israel. É por isso que Mateus toma grande cuidado em apresentar a genealogia de Jesus seguindo a sucessão dinástica de Davi, e destaca o rei Davi como o principal ponto de divisão em sua apresentação. (Contraste com Lucas, que liga Jesus em sua genealogia com Davi, mas por outra progressão de antepassados que não se sentaram no trono de Jerusalém.) A atenção de Mateus está voltada para Jesus como Rei, quando os outros evangelistas no mesmo ponto não o mencionam. Por exemplo, no seu relato do nascimento de Jesus, Mateus fala aos leitores sobre os magos que perguntaram: "Onde está aquele que é nascido rei dos judeus?" (Mt 2.2). Lucas não nos diz nada sobre os magos, mas fala sobre os anjos do céu que anunciam aos pastores marginalizados, não o nascimento de um Rei, mas do Salvador de todos os povos, tema que Lucas enfatiza (Lc 2.10,11). Ao longo do Evangelho, Mateus sublinha a realeza de Jesus.

Mateus também relaciona com Jesus as profecias do Antigo Testamento concernentes ao Messias. O termo *messias* provém da palavra hebraica que significa "ungir"; no Novo Testamento é traduzido por "o Cristo". Nos dias do Antigo Testamento, os sacerdotes e reis eram ungidos com óleo quando começavam seu mandato. Este ato indicava que eles foram separados para propósito santo. O Messias era aquEle a quem Deus levantaria para levar Israel de volta a Deus, guiá-lo à verdadeira adoração de Deus e reger não só sobre Israel, mas sobre o mundo inteiro. Visto que Jesus era o novo Rei, Mateus também ressaltou a natureza do Reino dos Céus como o reinado de Deus sobre o coração e mente do gênero humano.

b) Jesus, o Mestre

Mateus apresenta mais dos ensinos de Jesus do que os outros escritores dos Evangelhos. Ele aumenta o relato de Marcos com mais ensinos de Jesus, fazendo acréscimo crucial e necessário ao registro escrito da Igreja.

Mateus apresenta Jesus como Rei e também como Mestre (Rabi); por conseguinte, um Mestre-Rei. Jesus cumpre simultaneamente os papéis de Moisés, o legislador, e de Davi, o rei. Não causa surpresa que Mateus apresente os ensinos de Jesus como os ensinos do Reino ou Governo de Deus. Ele se refere ao "Reino dos Céus" por mais de trinta vezes e prefere esta expressão do que "o Reino", "o Reino de Deus" ou "o Reino do Pai" (o que usa ocasionalmente). Nenhum dos outros evangelistas usa "Reino dos Céus"; eles preferem "Reino de Deus". O governo de Deus é a característica principal do ensino de Jesus. Mateus usa "Reino dos Céus" como modo respeitoso de aludir ao Reino de Deus, a fim de conciliar sua audiência judaica que, por reverência a Deus, evitava falar seu nome diretamente, mas se referia indiretamente a Ele por "Senhor" ou fazia alguma menção ao céu (e.g., Dn 4.26).

Alguns estudantes da Bíblia tentaram fazer uma distinção entre o "Reino dos Céus", como um evento futuro, e o "Reino de Deus", como um momento presente, criando duas épocas ou dispensações distintas na maneira como vêem a história de salvação. Esta não é a intenção dos evangelistas. As passagens paralelas em Marcos, Lucas e João equiparam claramente "Reino dos Céus" com "Reino de Deus". Ademais, Mateus usa o termo de forma intercambiável em Mateus 19.23,24. Jesus quer que seus ensinos éticos sejam vivenciados no presente, e não em alguma era distante.

Mateus organiza seu livro diferentemente dos outros escritores dos Evangelhos. Ele tende a agrupar os ensinos de Jesus de acordo com os tópicos. Ele coloca estes blocos ou seções declaratórias entre outros blocos de material narrativo, que descrevem as obras de Jesus e o avanço de sua missão. É importante lembrar que os Evangelhos não são meras biografias cronológicas de Jesus, e sim testemunhos de quem Jesus é. O Espírito Santo impressionou cada escritor para apresentar a mesma mensagem de modo diferente, para que aspectos diferentes do ministério de Jesus fossem destacados.

Ao retratar Jesus como Mestre, Mateus apresenta cinco grupos principais de ensinos, com Jesus como o novo Moisés. Há os que sugerem que o propósito de Mateus era traçar um paralelo entre os ensinos de Cristo e os primeiros cinco livros no Antigo Testamento, conhecidos como Pentateuco. Esta é a razão de os ensinos de Jesus terem sido chamados "a nova Torá" (i.e., a nova lei). Estas seções pedagógicas estão emolduradas pelo começo do Evangelho (Mt 1—4, incluindo a genealogia e nascimento de Jesus, o ministério de João Batista e o começo do ministério de Jesus) e a conclusão (Mt 26—28, incluindo a trama para matar Jesus, a Última Ceia e a paixão, morte e ressurreição de Jesus). Os cinco discursos de ensino são:

1. O Sermão da Montanha (5.1—7.29)
2. A Chamada para a Missão (9.35—10.42)
3. As Parábolas do Reino (13.1-52)
4. As Instruções de Jesus à Igreja (18.1-35)
5. O Discurso no Monte das Oliveiras (24.1—25.46)

Cada seção conclui com palavras semelhantes: "Concluindo Jesus este discurso" (Mt 7.28); "Acabando Jesus de dar instruções" (Mt 11.1); "Jesus, concluindo essas parábolas" (Mt 13.53); "Concluindo Jesus esses discursos" (Mt 19.1); "Quando Jesus concluiu todos esses discursos" (Mt 26.1). Este esquema contém a maior parte dos ensinos de Mateus (veja Bruce, 1972, pp. 66-67).

c) Outros Assuntos Característicos

Orientação judaica. Mateus endereça o Evangelho aos judeus. Esta orientação está expressa em seu respeito pela lei judaica e as freqüentes referências aos fariseus. Mateus lhes reconhece a sabedoria e defende que suas instruções sejam guardadas (Mt 19.17,18; 23.2,3); não obstante, ele os condena por fazerem acréscimos aos mandamentos de Deus, "ensinando [...] preceitos dos homens" (Mt 15.9), e por pregarem mas não praticarem as estipulações da lei de Deus (Mt 23.1-3).

Ênfase nos gentios. Mateus destaca o lugar dos gentios. Ironicamente, o Evangelho que tem o estilo mais judaico e uma audiência judaica em mente, é o que também apresenta a mensagem como um evangelho para todas as nações e povos. Inicialmente as boas-novas são reservadas para as ovelhas perdidas da casa de Israel (Mt 10.6), mas Mateus conclui seu trabalho com uma comissão: "Ensinai todas as nações [ou, Fazei discípulos de todas as nações]" (Mt 28.19). Por vezes ele é um crítico da nação judaica (e.g., Mt 8.10-12; 21.43; 23.29-39; 27.24,25). Mateus luta com a tensão entre o bom da velha ordem e o programa maior do Reino dos Céus sempre em expansão. É significativo que só Mateus registre a declaração de Jesus: "Todo escriba instruído acerca do Reino dos céus é semelhante a um pai de família que tira do seu tesouro coisas novas e velhas" (Mt 13.52).

Provas das Escrituras. Mateus constantemente emprega provas bíblicas. A frase "Para que se cumprisse o que fora dito pelo profeta", é uma de suas expressões triviais. Quando os evangelistas mencionam o mesmo evento na vida de Jesus, só Mateus comenta que se cumpre a profecia do Antigo Testamento. É a referência à geografia, o lugar onde se deu o acontecimento, que ativa o reconhecimento de Mateus de que o acontecimento na vida de Jesus cumpre o acontecimento do Antigo Testamento que ocorreu no mesmo local.

Interesses eclesiásticos. Mateus está preocupado com as questões eclesiásticas (i.e., relativas à Igreja). Alguns exemplos são o Sermão da Montanha, a ética do Reino (Mt 13.1-33), a autoridade de Pedro na Igreja (Mt 16.17,19) e as diretivas para disciplina na Igreja (Mt 18.15-20).

Predições de perseguição. Mateus tem várias seções de avisos e instruções concernentes a perseguição (Mt 5.1-12; 10.16-23; 19.30; 20.16; 24.9-13), provavelmente porque o povo a quem ele escrevia estava sendo perseguido (cf. acima).

Narrativa da infância. Dos quatro evangelistas, apenas Lucas e Mateus dão detalhes acerca do nascimento de Jesus. Só Mateus nos fala sobre as visitações angelical a José, a matança dos inocentes por ordem de Herodes, a visita dos sábios, a estrela natalina e a fuga para o Egito. Em todos estes acontecimentos ele apresenta Jesus como Rei ou como o cumprimento da profecia do Antigo Testamento. Mateus se concentra em José no nascimento de Jesus, ao passo que Lucas ressalta o papel de Maria.

6. Mateus e o Espírito Santo

A apresentação de Mateus acerca do Espírito Santo é mais extensa que a de Marcos, mas não é tão desenvolvida quanto a de Lucas ou João. As características salientes de sua pneumatologia incluem o seguinte:

1) O Espírito Santo foi o agente da concepção de Jesus (Mt 1.18).
2) O batismo com o Espírito Santo e com fogo distingue o ministério de Jesus do de João Batista (Mt 3). O fogo é principalmente um batismo de julgamento. João Batista declara que Jesus é quem batiza para avisar os fariseus e saduceus que Ele fará justiça (Mt 3.11,12); Mateus indica aqui e em outro lugar (Mt 28.19) que o batismo com o Espírito Santo e o batismo de fogo são dois batismos diferentes. Os dois grupos endereçados na pregação de João Batista em Mateus são: (a) os verdadeiramente arrependidos; e (b) os fariseus e saduceus. Como está implícito na fórmula batismal em Mateus 28.19, o batismo com o Espírito Santo é para os crentes arrependidos. O fogo é para as árvores que não dão frutos (Mt 3.8-10).
3) Como em Marcos, a cena do batismo em Mateus identifica que Jesus é quem está associado com o Espírito Santo e que, portanto, é quem batiza. Nesta mesma ocasião, a voz do céu associa Jesus com o Messias, o Ungido (Mt 3.16,17).
4) O Espírito Santo guia Jesus (Mt 4.1).
5) O Espírito de Deus capacita Jesus a proclamar julgamento e levar a justiça à vitória. Mateus considera esta capacitação como cumprimento da profecia relativa à capacidade de Jesus curar e/ou sua manifesta evitação de conflito com os fariseus. Mateus vê o Espírito como a fonte da autoridade de Jesus (Mt 12.15-21).
6) Os títulos "o Espírito", "o Espírito Santo" e "o Espírito de Deus" são sinônimos (Mt 12).
7) O Espírito do Pai falará através dos crentes, quando eles forem confrontados pelas autoridades (Mt 10.19,20).
8) Falar contra as obras de Jesus é falar contra o Espírito Santo, que é pecado capital (Mt 12.22-32).
9) Como Marcos, o poder de Jesus fazer exorcismos e confrontar o Diabo é atribuído por Mateus à capacitação que Jesus recebeu do Espírito Santo (Mt 12.28).
10) Os profetas falaram pelo Espírito Santo (Mt 22.43).
11) Os discípulos de Jesus devem batizar em nome do Pai, do Filho e do Espírito Santo. Toda autoridade é dada a Jesus. Antes da ressurreição, Jesus opera pela autoridade do Espírito Santo. Jesus dispensa poder aos discípulos na Grande Comissão (Mt 28.18-20).

O material de Mateus sobre o Espírito Santo serve a dois de seus interesses distintos: o papel da Igreja (eclesiologia) e a identificação de Jesus (cristologia). Mateus fala das questões da Igreja quando os outros escritores dos Evangelhos não o fazem (e.g., Mt 16.17-19; 18.15-20; 20.1-16; 28.18-20). Mateus vê o Espírito Santo como a fonte de inspiração e autoridade para a Igreja (Mt 10.19,20; 28.18-20). Seguindo a direção de Marcos, Mateus ressalta a ligação de Jesus com o Espírito Santo para demonstrar sua filiação. Ele mostra que embora Jesus tenha se humilhado, aceitando o batismo pelas mãos de João Batista, Jesus é maior que João Batista. A descida do Espírito Santo em resultado do batismo de Jesus comprova a profecia de João Batista, de que o que viria depois dele lhE seria superior no Espírito Santo (Mt 3.11-17).

O entendimento da obra do Espírito Santo, comum ao material paulino e joanino e a Lucas e Mateus, indica uma pneumatologia muito difusa e básica, que excede o conteúdo apresentado em Marcos (Shelton, 1991, pp. 7-9).

ESBOÇO

1. **As Narrativas da Infância** (1.1—2.23).
    1.1. A Genealogia de Jesus Cristo (1.1-17).
    1.2. A Concepção e Nascimento de Jesus (1.18-25).

MATEUS

1.2.1. O Noivado e Casamento na Comunidade Judaica do Século I (1.18a).
1.2.2. A Concepção da Virgem (1.18b).
1.2.3. O Dilema de José (1.19).
1.2.4. O Sonho de José (1.20,21).
1.2.5. O Cumprimento da Profecia (1.22,23).
1.2.6. A Obediência de José (1.24).
1.2.7. A Virgindade de Maria Redeclarada (1.25).
1.3. Os Magos, Herodes e o Novo Rei (2.1-23).
1.3.1. Os Magos Vão a Jerusalém (2.1,2).
1.3.2. A Reação de Herodes e de Jerusalém diante das Novas (2.3-8).
1.3.3. Os Magos Seguem a Estrela para o Novo Rei (2.9-12).
1.3.4. A Fuga para o Egito (2.13-15).
1.3.5. A Matança dos Inocentes (2.16-18).
1.3.6. A Volta do Egito para Nazaré (2.19-23).

2. A Preparação para o Ministério (3.1—4.25).
2.1. João Batista Prepara o Caminho (3.1-12).
2.1.1. João, o Batista (3.1,2).
2.1.2. João, o Cumpridor da Profecia (3.3,4).
2.1.3. Os Frutíferos e os Infrutíferos (3.5-10).
2.1.4. A Profecia de João Batista acerca do Batismo com o Espírito Santo (3.11,12).
2.2. O Batismo de Jesus (3.13-17).
2.2.1. Jesus É Maior do que João Batista (3.13,14).
2.2.2. Por que Jesus se Submeteu ao Batismo? (3.15).
2.2.3. O Testemunho Divino no rio Jordão (3.16,17).
2.3. A Tentação de Jesus (4.1-11).
2.3.1. As Peregrinações no Deserto (4.1).
2.3.2. A Primeira Tentação (4.2-4).
2.3.3. A Segunda Tentação (4.5-7).
2.3.4. A Terceira Tentação (4.8-11).
2.4. O Começo do Ministério Público de Jesus (4.12-25).
2.4.1. Jesus Volta para a Galiléia (4.12-17).
2.4.2. A Chamada de Jesus aos Primeiros Discípulos (4.18-22).
2.4.3. O Ministério Triplo de Jesus (4.23-25).

3. O Sermão da Montanha: A Lei do Reino (O Primeiro Discurso: 5.1—7.29).
3.1. As Bem-aventuranças (5.1-12).
3.1.1. O Prólogo do Sermão (5.1,2).
3.1.2. Os Pobres de Espírito (5.3).
3.1.3. Os que Choram (5.4).
3.1.4. Os Mansos (5.5).
3.1.5. Os Famintos e Sedentos de Justiça (5.6).
3.1.6. Os Misericordiosos (5.7).
3.1.7. Os Limpos de Coração (5.8).
3.1.8. Os Pacificadores (5.9).
3.1.9. Os Perseguidos por causa da Justiça (5.10-12).
3.2. O Sal e a Luz (5.13-16).
3.3. Jesus É o Cumprimento da Lei (5.17-48).
3.3.1. O Princípio Básico (5.17-20).
3.3.2. A Raiva e o Assassinato (5.21-26).
3.3.3. O Adultério e o Divórcio (5.27-32).
3.3.4. Os Juramentos (5.33-37).
3.3.5. A Vingança e os Direitos (5.38-42).
3.3.6. O Amor pelos Inimigos (5.43-48).
3.4. Os Atos de Justiça (6.1-18).
3.4.1. As Esmolas (6.1-4).
3.4.2. A Oração e a Oração do Senhor (6.5-15).
3.4.2.1. A Oração Secreta (6.5,6).
3.4.2.2. A Oração Vã (6.7,8).
3.4.2.3. A Oração do Senhor (6.9-15).
3.4.2.3.1. "Pai Nosso, que estás nos céus" (6.9a).
3.4.2.3.2. "Santificado seja o teu nome" (6.9b).
3.4.2.3.3. "Venha o teu reino. Seja feita a tua vontade, tanto na terra como no céu" (6.10).
3.4.2.3.4. "O pão nosso de cada dia dá-nos hoje" (6.11).
3.4.2.3.5. "Perdoa-nos as nossas dívidas, assim como nós perdoamos aos nossos devedores" (6.12,14,15).
3.4.2.3.6. "E não nos induzas à tentação, mas livra-nos do mal" (6.13a).
3.4.2.3.7. "Porque teu é o Reino, e o poder, e a glória, para sempre. Amém!" (6.13b).
3.4.3. O Jejum (6.16-18).
3.5. Declarações Sapienciais (6.19—7.27).
3.5.1. Tesouros Terrenos e Tesouros Celestiais (6.19-21).
3.5.2. Olhos Bons e Olhos Maus (6.22,23).
3.5.3. Dois Senhores: Deus e o Dinheiro (6.24).

3.5.4. Cuidado e Preocupações (6.25-34).
3.5.5. Não Julgar ou Ser Julgados (7.1-5).
3.5.6. Cães e Porcos (7.6).
3.5.7. O Bom Pai Dá Bons Presentes (7.7-11).
3.5.8. A Regra de Ouro: O Resumo da Lei (7.12).
3.5.9. Dois Caminhos: O Largo e o Estreito (7.13,14).
3.5.10. Os Verdadeiros Profetas e os Falsos Profetas (7.15-23).
3.5.11. Os Construtores Sábios e os Construtores Tolos (7.24-27).
3.6. O Epílogo do Sermão (7.28,29).

4. Jesus e os Milagres: Narrativa (8.1—9.34).
4.1. A Cura do Leproso (8.1-4).
4.2. A Cura do Criado do Centurião (8.5-13).
4.3. A Cura da Sogra de Pedro (8.14,15).
4.4. Os Doentes Curados à Tarde (8.16,17).
4.5. Sobre Seguir Jesus (8.18-22).
4.6. Até os Ventos lhe Obedecem (8.23-27).
4.7. Os Endemoninhados Gadarenos (8.28-34).
4.8. A Cura do Paralítico (9.1-8).
4.9. A Chamada de Mateus, o Cobrador de Impostos (9.9-13).
4.10. O Novo Jejum e o Velho Jejum (9.14-17)
4.11. A Filha de Jairo e a Mulher com Hemorragia (9.18-26).
4.12. Os Dois Cegos (9.27-31).
4.13. O Mudo Endemoninhado (9.32-34).

5. A Chamada para a Missão
(O Segundo Discurso: 9.35—10.42).
5.1. Os Trabalhadores para a Colheita (9.35-38).
5.2. A Comissão dos Doze Apóstolos (10.1-4).
5.3. As Instruções aos Doze Apóstolos (10.5-42).
5.3.1. Diretrizes para a Missão (10.5-8).
5.3.2. Provisões para a Missão (10.9-16).
5.3.3. Diretivas para as Perseguições (10.17-42).
5.3.3.1. Estar Prevenido (10.17,18).
5.3.3.2. Palavras de Testemunho Providas pelo Espírito (10.19,20).
5.3.3.3. Inevitabilidade da Rejeição (10.21-25).
5.3.3.4. Testemunho Ousado (10.26-33).
5.3.3.5. Espada e Cruz (10.34-39).
5.3.3.6. Recompensa (10.40-42).

6. O Ministério e Confrontação: Narrativa (11.1—12.50)
6.1. João Batista (11.1-19).
6.1.1. A Pergunta de João Batista (11.1-6).
6.1.2. Jesus explica o Ministério de João Batista (11.7-15).
6.1.3. Os Meninos nas Praças (11.16-19).
6.2. Os Ais nas Cidades Galiléias (11.20-24).
6.3. Jesus É Grato ao Pai (11.25-27).
6.4. O Jugo de Jesus É Suave (11.28-30).
6.5. Jesus Confronta os Fariseus (12.1-50).
6.5.1. Os Discípulos de Jesus Violam o Sábado (12.1-8).
6.5.2. Uma Cura no Sábado (12.9-14).
6.5.3. AquEle que Cura Gentilmente (12.15-21).
6.5.4. Belzebu e Blasfêmia (12.22-37).
6.5.4.1. Os Fariseus Atribuem o Poder de Jesus a Belzebu (12.22-24).
6.5.4.2. Um Reino Dividido não Pode Permanecer (12.25-30).
6.5.4.3. A Blasfêmia contra o Espírito Santo (12.31-37).
6.5.5. O Sinal de Jonas (12.38-42).
6.5.6. O Retorno do Espírito Imundo (12.43-45).
6.5.7. As Verdadeiras Mães, Irmãos e Irmãs (12.46-50).

7. As Parábolas do Reino
(O Terceiro Discurso: 13.1-53).
7.1. A Parábola dos Tipos de Terra e sua Interpretação (13.1-9,18-23).
7.2. As Razões de Jesus Usar Parábolas (13.10-17).
7.3. A Parábola do Trigo e do Joio e sua Interpretação (13.24-30,36-43).
7.4. Duas Parábolas de Crescimento: O Grão de Mostarda e o Fermento (13.31-33).
7.5. Jesus e o Uso de Parábolas (13.34,35).
7.6. O Valor do Reino: O Tesouro Escondido e a Pérola (13.44-46).
7.7. A Parábola da Rede de Pesca (13.47-50).
7.8. A Parábola das Coisas Velhas e Novas (13.51-53).

MATEUS

8. Ministério e Oposição: Narrativa
(13.54—17.27).
8.1. Rejeição em Nazaré (13.54-58).
8.2. A Opinião de Herodes sobre Jesus e a Morte de João Batista (14.1-12).
8.3. A Alimentação para Cinco Mil Pessoas (14.13-21).
8.4. Jesus Anda por cima do Mar (14.22-33).
8.5. Jesus, AquEle que Cura (14.34-36).
8.6. Tradição e Mandamento (15.1-20).
8.6.1. A Acusação dos Fariseus contra os Discípulos de Jesus: "Por que transgridem os teus discípulos a tradição dos anciãos?" (15.1,2).
8.6.2. O Contra-ataque de Jesus: "Por que transgredis vós também o mandamento de Deus pela vossa tradição?" (15.3-11).
8.6.3. A Explicação Particular de Jesus aos Discípulos (15.12-20).
8.7. Jesus e a Mulher Cananéia (15.21-28).
8.8. Mais Curas (15.29-31).
8.9. A Alimentação para Quatro Mil Pessoas (15.32-39).
8.10. A Oposição dos Inimigos (16.3-12).
8.10.1. Os Fariseus e Saduceus Buscam um Sinal (16.1-4).
8.10.2. O Fermento dos Fariseus (16.5-12).
8.11. Jesus É o Messias (16.13—17.27).
8.11.1. A Confissão de Pedro (16.13-16).
8.11.2. Jesus Abençoa Pedro (16.17-20).
8.11.2.1. Simão Torna-se Pedro (16.17,18a).
8.11.2.2. A Igreja (16.18b).
8.11.2.3. As Chaves do Reino (16.19,20).
8.11.3. Jesus Prediz sua Morte (16.21-23).
8.11.4. O Discípulo Seguirá seu Mestre (16.24-28).
8.11.5. A Transfiguração de Jesus (17.1-13).
8.11.5.1. Jesus É Transfigurado (17.1,2).
8.11.5.2. A Aparição de Moisés e Elias (17.3,4).
8.11.5.3. A Voz da Nuvem (17.5-9).
8.11.5.4. Elias Vem Primeiro (17.10-13).
8.11.6. Jesus Cura o Menino Possuído por um Espírito (17.14-21).
8.11.7. Jesus Prediz novamente a Paixão (17.22,23).
8.11.8. O Messias Submete-se ao Imposto do Templo (17.24-27).

9. As Instruções de Jesus à Igreja
(O Quarto Discurso: 18.1-35).
9.1. O Maior É uma Criança (18.1-4).
9.2. Pedras de Tropeço para os Pequeninos (18.5-9).
9.3. Os Pequeninos e a Ovelha Perdida (18.10-14).
9.4. A Disciplina na Comunidade (18.15-20).
9.5. Perdoar Setenta vezes Sete (18.21,22).
9.6. O Servo Irreconciliável (18.23-35).

10. A Viagem a Jerusalém: Narrativa
(19.1—20.34).
10.1. Jesus Inicia a Jornada a Jerusalém (19.1,2).
10.2. Sobre o Divórcio (19.3-9).
10.3. Sobre o Celibato (19.10-12).
10.4. Jesus Abençoa os Pequeninos (19.13-15).
10.5. O Jovem Rico (19.16-22).
10.6. O Custo e a Recompensa do Discipulado (19.23-30).
10.7. A Parábola dos Trabalhadores na Vinha (20.1-16).
10.8. Jesus Prediz sua Paixão pela Terceiro Vez (20.17-19).
10.9. A Ambição e a Verdadeira Grandeza (20.20-28).
10.10. Jesus Cura Dois Cegos (20.29-34).

11. O Ministério em Jerusalém
(21.1—23.39).
11.1. A Entrada Triunfal (21.1-11).
11.2. A Purificação do Templo (21.12-17).
11.3. A Figueira É Amaldiçoada (21.18-22).
11.4. "Com que Autoridade"? (21.23-27).
11.5. A Parábola dos Dois Filhos (21.28-32).
11.6. A Parábola dos Lavradores Maus (21.33-46).
11.7. A Parábola das Bodas (22.1-14).
11.8. O Tributo a César (22.15-22).
11.9. Jesus Fala sobre a Ressurreição (22.23-13).
11.10. O Grande Mandamento (22.34-40).
11.11. O Filho de Davi (22.41-46).
11.12. Ai dos Escribas e Fariseus (23.1-36).
11.12.1. Indiciamento Geral (23.1-4).
11.12.2. Filactérios e Borlas (23.5).
11.12.3. Rabi, Pai, Mestre (23.6-12).
11.12.4. Os Ais (23.13-36).

11.12.4.1. O Primeiro Ai: Sobre não Entrar nem Deixar Outros Entrarem no Reino (23.13).
11.12.4.2. O Ai Interpolado: Sobre Roubar de Viúvas à Guisa de Oração (23.14).
11.12.4.3. O Segundo Ai: Sobre Tornar Prosélitos em Filhos do Inferno (23.15).
11.12.4.4. O Terceiro Ai: Sobre Fazer Juramentos (23.16-22).
11.12.4.5. O Quarto Ai: Sobre Dizimar (23.23,24).
11.12.4.6. O Quinto e Sexto Ais: Sobre a Impureza Interior (23.25-28).
11.12.4.7. O Sétimo Ai: Sobre Construir Sepulcros para os Profetas (23.29-36).
11.13. O Lamento de Jesus sobre Jerusalém (23.37-39).
12. O Discurso no Monte das Oliveiras (O Quinto Discurso: 24.1—25.46).
12.1. Predição da Destruição do Templo (24.1,2).
12.2. Acontecimentos antes do Fim (24.3-8).
12.3. Predição de Perseguições (24.9-14).
12.4. A Abominação que Causa Desolação (24.15-22).
12.5. Falsos Cristos e Falsos Profetas (24.23-28).
12.6. A Vinda do Filho do Homem (24.29-31).
12.7. A Parábola da Figueira (24.32-35).
12.8. O Sinal do Dilúvio (24.36-42).
12.9. O Alerta do Pai de Família (24.43,44).
12.10. A Parábola dos Dois Servos (24.45-51).
12.11. A Parábola das Dez Virgens (25.1-13).
12.12. A Parábola dos Dez Talentos (25.14-30).
12.13. O Último Julgamento (25.31-46).
13. Paixão e Ressurreição: Narrativas (26.1—28.20).
13.1. Acontecimentos que Levam ao Jardim do Getsêmani (26.1-35).
13.1.1. Jesus Prediz de novo sua Morte (26.1-5).
13.1.2. A Unção em Betânia (26.6-13).
13.1.3. Judas Trai Jesus (26.14-16).
13.1.4. Preparação para a Páscoa (26.17-19).
13.1.5. Jesus Prediz sua Traição (26.20-25).
13.1.6. A Ceia do Senhor (26.26-29).
13.1.7. Predição da Negação de Pedro
13.2. Jardim do Getsêmani, Prisão, Julgamento Judaico e a Negação de Pedro (26.36-75).
13.2.1. Jesus no Jardim do Getsêmani (26.36-46).
13.2.2. A Prisão de Jesus (26.47-56).
13.2.2.1. O Ato Traidor de Judas (26.47-50).
13.2.2.2. A Espada (26.51-54).
13.2.2.3. Jesus É Abandonado (26.55-56).
13.2.3. Jesus diante do Sinédrio (26.57-68).
13.2.4. Pedro Nega o Senhor (26.69-75).
13.3. Jesus É Entregue a Pilatos e a Morte de Judas (27.1-10).
13.4. Jesus Comparece Perante Pilatos (27.11-31a).
13.4.1. A Acusação (27.11-14).
13.4.2. Jesus ou Barrabás? (27.15-18,20-23).
13.4.3. A Esposa de Pilatos (27.19).
13.4.4. Pilatos lava as Mãos (27.24,25).
13.4.5. Jesus É Açoitado (27.26).
13.4.6. Os Soldados Zombam de Jesus (27.27-31a).
13.5. A Crucificação (27.31b-56).
13.5.1. Simão Carrega a Cruz de Jesus (27.31b,32).
13.5.2. Jesus É Pregado na Cruz (27.33-44).
13.5.3. A Morte de Jesus (27.45-50).
13.5.4. Testemunhos Apocalípticos da Morte de Jesus (27.51-54).
13.5.5. As Mulheres Testemunham a Crucificação (27.55-56).
13.6. O Sepultamento de Jesus (27.57-61).
13.7. A Colocação da Guarda à Entrada do Sepulcro (27.62-66).
13.8. A Ressurreição de Jesus (28.1-20).
13.8.1. As Mulheres Testemunham do Sepulcro Vazio e do Jesus Ressurreto (28.1-10).
13.8.2. A Conspiração dos Principais Sacerdotes e dos Guardas (28.11-15).
13.8.3. Jesus Aparece aos Discípulos e os Comissiona (28.16-20)

COMENTÁRIO

1. As Narrativas da Infância (1.1—2.23).

1.1. A Genealogia de Jesus Cristo (1.1-17)

Mateus começa sua apresentação sobre Jesus em conformidade com a prática do Antigo Testamento de unir personalidades importantes com seus antepassados, fornecendo um fluxo ininterrupto dos atos salvadores de Deus na história. Ele faz assim não somente para conformar-se com a convenção literária, mas também para unir Jesus com Abraão (o pai da nação de Israel), com Davi (o rei da promessa messiânica) e com a totalidade da história de salvação precedente, para mostrar que Jesus os cumpriu todos.

A estrutura de Mateus para a lista genealógica é evidente: "De sorte que todas as gerações, desde Abraão até Davi, são catorze gerações; e, desde Davi até a deportação para a Babilônia, catorze gerações; e, desde a deportação para a Babilônia até Cristo, catorze gerações" (Mt 1.17). Este arranjo de três grupos de quatorze levanta a pergunta se Mateus compôs a lista sozinho ou se ele a recebeu já pronta. Mateus pode ter usado uma genealogia existente, à qual ele acrescentou os nomes de José e Jesus, e então notou a característica simétrica da lista revista (Brown, 1977, p. 70). A lista é uma seleção de alguns dos antepassados de Jesus, pois os três grupos são constituídos por 750, 400 e 600 anos, respectivamente.

Quando a lista de Mateus é comparada com a sucessão dos reis no Antigo Testamento, percebemos que ele omitiu Acazias, Joás e Amazias (cf. 1 Cr 3.10-14). Alguns sugerem que estes foram omitidos por causa da maldade que cometeram, mas tal procedimento é inverossímil, visto que Mateus retém o rei mais execrável de todos os reis de Judá, Manassés, que até recorreu a sacrifícios humanos. A impressão de que Mateus usa uma lista abreviada também é evidenciada quando partes correspondentes da genealogia de Lucas têm mais gerações alistadas (Lc 3.24-38). O mistério do significado dos grupos de quatorze fica mais complexo quando notamos que o último grupo de Mateus só tem *treze* gerações. Talvez seja o resultado de Mateus perceber que os quatorze do último grupo estão implícitos, já que o segundo grupo não registra que Jeoaquim é o pai de Jeconias (Joaquim) e que Josias era de fato o avô de Jeconias (veja 2 Rs 23.31—24.17).

Levando-se em conta estas anomalias, temos de perguntar o que Mateus queria dizer com estes três grupos de quatorze. Há os que sugerem que quatorze é múltiplo de sete, que é considerado o número completo. Tanto três vezes quatorze, quanto seis vezes sete são quarenta e dois; assim, Jesus dá início à última época ou à conclusão da história de salvação, o que é paralelo a uma divisão das eras encontradas no livro pseudepigráfico de Enoque — mas isto na melhor das hipóteses não passa de conjetura (Brown, 1977, p. 75). Não podemos falar com certeza acerca do significado numerológico da apresentação de Mateus. As genealogias eram importantes para a nação judaica sobretudo depois do exílio, quando a identidade racial e a ortodoxia religiosa eram as principais preocupações.

Comparação entre a Genealogia de Mateus e a de Lucas. Inevitavelmente notamos as diferenças marcantes entre as apresentações feitas sobre Jesus em Mateus 1.1-16 e Lucas 3.23-38. As principais diferenças são:
1) Mateus trabalha de trás para frente, enquanto que Lucas trabalha de frente para trás.
2) O número dos nomes difere, sendo que a lista de Lucas é mais longa: Mateus começa com Abraão, ao passo que Lucas volta a Adão (e Deus); Mateus tem quarenta e um nomes de Jesus a Abraão, ao mesmo tempo que Lucas tem cinquenta e sete.
3) Muitos dos nomes nas listas não são idênticos. Por exemplo, em Mateus a linhagem de Davi emerge de Salomão e Roboão, enquanto que em Lucas o neto de Davi

é dado por Matatá, filho de Natã. Talvez seja o resultado de Mateus estar seguindo a descendência dinástica, ao passo que Lucas traça um descendência mais genética. Qualquer conceito de filiação era aceitável na mentalidade do antigo Oriente Próximo.

Várias explicações foram dadas para as diferenças nas genealogias:

1) Mateus arrola a genealogia de José, ao mesmo tempo que Lucas segue a família de Maria com a filiação de José sendo cumprida pelo fato de ele ser genro de Eli. Esta idéia foi popular durante séculos; contudo, em outro lugar Lucas se refere à linhagem davídica da família de José (Lc 1.27).
2) As listas estão incompletas. Esta é ocorrência comum em listas de reis no antigo Oriente Próximo nos séculos precedentes aos dias de Jesus. Às vezes só os ancestrais importantes eram arrolados.
3) A genealogia de Mateus é uma lista dinástica, e a de Lucas é uma verdadeira lista de descendentes (como mencionado acima). As genealogias judaicas eram feitas primariamente para mostrar as origens judaicas da família, e não necessariamente para apresentar uma contabilidade exaustiva de cada parente antigo.
4) Algumas das diferenças podem ser explicadas pela prática do levirato. Sob a lei hebraica, se um homem morresse e não deixasse nenhum herdeiro do sexo masculino para perpetuar-lhe o nome entre os israelitas, então o irmão sobrevivente ou outro parente masculino era obrigado a se casar com a esposa do defunto para dar um herdeiro para o nome do irmão dele (Dt 25.5-10). Isto explicaria algumas das divergências, mas em geral não é considerada a solução para todas as diferenças. O problema fica mais complicado pela possibilidade de outros tipos de adoção.
5) As listas são construções com significado talvez simbólico ou numerológico. Invencionice sem preocupação pela historicidade é improvável à luz do uso judaico de genealogias para estabelecer árvores genealógicas *bona fide*; contudo, o significado dos vários ancestrais que pode ter sido evidente para a igreja primitiva, para o leitor moderno é de difícil compreensão.
6) A lista é basicamente histórica, mas alguns pontos ficaram confusos pela transmissão.

Esta teoria, ainda que afirme o caráter histórico da genealogia, não demonstra sem possibilidade de controvérsias que as irregularidades estavam na fonte de Lucas e de Mateus. Esforços em explicar a natureza e função das genealogias para uma audiência dos dias atuais são cercados de dificuldades. Nenhuma solução é completamente satisfatória.[1]

Personalidades Importantes e as Principais Razões para a Genealogia em Mateus. As pessoas na lista de Mateus fazem veemente declaração teológica sobre a missão de Jesus.

1) Abraão associa Jesus com o pai da nação de Israel, com quem os judeus se identificavam (cf. Mt 3.9). Jesus produzirá um novo povo da fé.
2) Jesus é identificado como descendente do rei Davi e o sucessor do trono. Pela família de Davi seriam cumpridas as promessas messiânicas de restauração, prosperidade e fidelidade a Deus. Israel perdeu o rei no cativeiro babilônico, por causa de infidelidade, e excetuando um breve momento histórico de glória sob a dinastia levita e não-davídica dos hasmoneus (167-163 a.C.), os judeus permaneceram em grande parte sujeitos à vontade de nações estrangeiras e pagãs. Através de Jesus o trono de Davi e o Reino de Deus seriam cumpridos numa escala além da compreensão daqueles que esperavam a restauração de Israel.

Na lista dos ancestrais de Jesus, Mateus inclui quatro mulheres: Tamar, a nora de Judá, que o enganou para ficar grávida dele com o propósito de cumprir a obrigação de levirato e ter filhos que levassem o nome do finado marido; Raabe, a prostituta de Jericó, que escondeu os espias israelitas antes da queda da cidade diante dos filhos de Israel que estavam tomando posse da Terra Prometida; Rute, a moabita politeísta que se juntou à comunidade de Israel e se tornou a avó de Davi, e Bate-Seba, a mulher de Urias, com quem Davi cometeu adultério e mais tarde engendrou a morte do marido dela para encobrir o pecado cometido. Embora as mulheres fossem ocasionalmente mencionadas nas genealogias hebraicas, na maioria das vezes a sucessão masculina era destacada.

Ficamos a imaginar por que Mateus apresenta estas determinadas mulheres, algumas das quais não tinham credenciais excelentes. Umas foram identificadas como pecadoras; todas eram estrangeiras (ou casadas com estrangeiros, i.e., Bate-Seba, a esposa de Urias, o heteu). É possível que estas características expressem a meta de Jesus salvar os pecadores, e também expliquem o fato de serem incluídos maus exemplos régios como Salomão, Roboão, Acaz, Manassés, Jeoaquim e outros reis infiéis de Judá. A presença de mulheres estrangeiras na genealogia pressagia a extensão do Reino de Deus aos gentios no ministério de Jesus e seus seguidores. O que estas mulheres têm em comum é que todas estavam envolvidas numa união fora do comum, que contribuía para a ascendência do Messias. Neste aspecto o nascimento virginal de Jesus encaixa-se com o padrão que Mateus reconhecia nos ancestrais de Jesus.

Os leitores da atualidade não devem esperar que este documento antigo se conforme ao conceito moderno de árvores genealógicas, sirva para os mesmos propósitos ou tenha a precisão que os registros hodiernos proporcionam. O ponto principal que Mateus ressalta é que Jesus estava numa família judaica e tinha sólidos laços com a sucessão real de Davi e, em última instância, com Abraão, o antepassado original.

1.2. A Concepção e o Nascimento de Jesus (1.18-25)

1.2.1. O Noivado e Casamento na Comunidade Judaica do Século I (1.18a).

A cultura da comunidade judaica do século I esclarece a relação entre José e Maria. As mulheres se casavam ainda adolescentes, numa idade em que a atual sociedade ocidental categorizaria como menina. Este procedimento garantiria que as mulheres casassem no começo dos seus melhores anos para gerar filhos. Elas se casavam com homens mais velhos, que já estavam estabelecidos em seus negócios e podiam prover as necessidades básicas da esposa. Devemos lembrar que a expectativa de vida era menor, que o romance era um assunto periférico e que a sobrevivência e o bem-estar da família eram interesses primários. As mulheres eram raramente vistas em público e somente com véu, o que tornava impossível o reconhecimento de seus traços faciais. Só na procissão de casamento era considerado adequado que uma mulher aparecesse em público sem o véu. O judeu raramente — talvez nunca — falava com uma mulher em público.

A proposta de casamento era feita entre o pretendente e o pai da noiva em perspectiva. A menina menor de doze anos e meio podia ser noiva de qualquer homem sem o consentimento dela. Depois desse tempo a menina podia ter algum grau de influência na união proposta. O noivado ocorria um ano antes da finalização do matrimônio e era o processo por meio do qual a futura esposa era transferida da autoridade do pai para o marido. Era freqüente a troca de dotes, com o pai recebendo pagamento e, às vezes, vice-versa. Na época do noivado a mulher era considerada esposa legal do marido ainda que a união não tivesse sido consumada; o marido poderia se divorciar dela por comportamento impróprio, como aparecer em público sem véu, conversa excessiva com homens ou infidelidade (Jeremias, 1975, pp. 359-376).

Maria estava na adolescência quando ficou noiva de José, que talvez estivesse na casa dos trinta anos ou mais e era carpinteiro estabelecido (veja Mt 12.46; 13.55, onde José está ausente e presumivelmente morto; veja também Mc 3.31; 6.3; Jo 2.1-12; 19.25-27; At 1.14, embora Jo 6.42 talvez indique que José viveu o bastante para ver o ministério público de Jesus). É provável que o comércio de José envolvesse mais do que está implícito no significado atual de carpinteiro ou empreiteiro. Talvez ele fosse viúvo quando casou com Maria, já que a tradição da igreja não identificou que os "irmãos" e "irmãs" de Jesus são filhos de Maria; eles poderiam ter sido meios-irmãos e meias-irmãs de Jesus (os filhos de José de uma união anterior). Além disso, as palavras "irmão" e "irmã" também podem aludir a primos ou outros parentes. A ausência de irmão germano explicaria o motivo de Jesus entregar sua mãe ao discípulo amado e não a algum de seus parentes (Jo 19.26,27). O Evangelho de Mateus se concentra na perspectiva de José em relação às narrativas pertinentes à infância de Jesus, ao passo que Lucas enfatiza o papel de Maria (Lc 2.51).

1.2.2. A Concepção da Virgem (1.18b). "Estando Maria, sua mãe, desposada com José, antes de se ajuntarem, achou-se ter concebido do Espírito Santo" (v. 18b). Este relato surpreendente não pode ser devidamente apreciado por uma cosmovisão que impeça a possibilidade do miraculoso. Há os que presumem que a doutrina do nascimento virginal de Jesus era um esforço desajeitado feito pela igreja primitiva para encobrir seu nascimento ilegítimo. Outros sugerem que o ensino esteja no mesmo nível que os contos míticos de uniões sexuais de deidades com seres humanos, que resultaram em descendência com habilidades fenomenais (tais relatos eram correntes no século I). Nenhum motivo faria Mateus afastar-se dos seus leitores de orientação judaica. Mateus incluiu esta história espantosa porque cria que era verdadeira e essencial para sua mensagem; caso contrário, ele teria começado sua obra com os ministérios desenvolvidos de João Batista e Jesus, como Marcos (que é fonte de Mateus) o fez.

1.2.3. O Dilema de José (1.19). A notícia de que Maria estava grávida deixou José com algumas opções. Sob a antiga lei ele poderia entregá-la para ser executada (Dt 22.20,21). Ou poderia ter instigado um divórcio público, o que resultaria na humilhação de Maria. Mas Mateus descreve que José era homem "justo [*dikaios*]", palavra que também traz o significado de íntegro. Note que a justiça não exige a execução impiedosa da lei; antes, também pressupõe misericórdia. Nunca foi a intenção de Deus que sua lei fosse meramente vingativa; sua justiça, mesmo em suas expressões severas, foi designada a levar seu povo à salvação. Em José, a justiça e a misericórdia se encontraram.

1.2.4. O Sonho de José (1.20,21). Os sonhos desempenham papel importante na comunicação da vontade divina, e no caso de José abarca o aparecimento de um anjo do Senhor, que explicou que a criança tinha sido concebida pelo Espírito Santo e o instruiu a tomá-la como esposa. A expressão "anjo do Senhor" pode se referir a uma teofania. O anjo dirigiu-se a José como "filho de Davi", o que revela um dos principais interesses de Mateus, a ascendência real de Jesus. Era crucial que José aceitasse a criança como seu filho para unir Jesus à linhagem real de Davi.

O anjo também deu instruções para chamar a criança de Jesus. Jesus é um derivado do nome Josué, que significa "Deus salvará", e o anjo disse por quê: "Porque ele salvará o seu povo dos seus pecados" (v. 21). Indubitavelmente isto causou surpresa em José e em todos os judeus dos seus dias. Um Messias davídico que os libertasse da opressão romana como rei eles entenderiam, mas um Messias davídico com um tipo de função sacerdotal, sem falar num desempenho sacrifical no esquema das coisas, teria sido um novo *insight* do papel do Messias que o povo em geral não tinha antecipado.

1.2.5. O Cumprimento da Profecia (1.22,23). Estes dois versículos contêm a primeira ocorrência da fórmula freqüentemente citada por Mateus que indica o cumprimento de profecia na vida e ministério de Jesus. Ainda que todos os escritores dos Evangelhos atentem no cumprimento profético, esta é uma das principais características de Mateus (veja Introdução). A profecia da concepção da virgem registrada em Isaías 7.14 foi feita num tempo em que os reis de Israel e da Síria tinham unido forças na tentativa de conquistar o Reino de Judá. Em um dos momentos mais tristes da história de Judá, o profeta Isaías levou boas notícias ao rei Acaz, predizendo que os reinos de Israel e da Síria seriam devastados. O Senhor convidou Acaz a pedir um sinal de que isto ocorreria, mas Acaz se recusou. Isaías então respondeu que o Senhor mesmo daria um sinal:

> "Uma virgem conceberá, e dará à luz um filho, e será o seu nome Emanuel. Manteiga e mel comerá, até que ele saiba rejeitar o mal e escolher o bem. Na verdade, antes que este menino saiba rejeitar o mal e escolher o bem, a terra de que te enfadas será desamparada dos seus dois reis" (Is 7.14-16).

Em outras palavras, pelos dias em que o menino prometido fosse desmamado e soubesse a diferença entre o bem e o mal, a ameaça contra Judá cairia em ruínas.

O texto hebraico contém a palavra *'almah* ("menina-moça"), ao passo que a versão grega (LXX) traz o termo *parthenos* ("virgem"). Os escribas que traduziram o Antigo Testamento hebraico para o grego, entenderam que a mulher ainda não estava grávida — portanto, era virgem. Nem o texto hebraico, nem a LXX foram entendidos com o significado de que Isaías estava se referindo a uma concepção milagrosa e virginal que aconteceria nos dias do rei Acaz; e era altamente improvável que Isaías tivesse em mente uma concepção futura sem a ajuda de um homem. Tanto o texto hebraico quanto o grego deixa claro que está em vista uma mulher em particular. Talvez Isaías estivesse predizendo que a nova esposa do rei ficaria grávida e assim cumpriria o filho da promessa. O fato de que o sinal significava uma coisa no século VIII a.C. e outra no século I d.C. não quer dizer que Mateus manejou mal a profecia do Antigo Testamento; Deus tinha muito mais em mente do que Isaías ou Acaz jamais poderiam pensar ou imaginar.

Muitas interpretações errôneas e subseqüente degradação da profecia surgiram, porque os intérpretes modernos não entenderam a natureza da profecia judaica conforme era interpretada pelos rabinos, Jesus e Mateus. É crucial que exploremos este assunto para apreciarmos esta passagem e o restante dos anúncios de Mateus sobre o cumprimento da profecia do Antigo Testamento. A comunidade judaica tinha um conceito de homem incorporado; quer dizer, eles acreditavam que as experiências dos primeiros patriarcas de Israel, como a Páscoa e o Êxodo, eram realmente vividas pelos judeus do século I nos "lombos de seu pai", e considerando que Deus continua trabalhando de modo semelhante com seu povo, estes acontecimentos da correção e salvação de Deus foram revividos ou repetidos na história.

Por exemplo, Deus libertou os israelitas do cativeiro no Egito quando eles atravessaram o mar Vermelho milagrosamente. Séculos mais tarde, Ele permitiu que os assírios os levassem em cativeiro para puni-los por infidelidade. Predizendo o retorno, o profeta Oséias expressou a libertação nos termos da libertação anterior, o Êxodo: "Do Egito chamei a meu filho" (Os 11.1). Mais tarde Mateus vê o retorno de José, Maria e o menino Jesus do Egito à Terra Santa como outro cumprimento do Êxodo (Mt 2.15).

A compreensão judaica da tipologia também depende da idéia de recumprimento dos acontecimentos salvadores prévios. Um *tipo* é uma pessoa, imagem ou acontecimento do Antigo Testamento cujo papel e significado é repetido e cumprido mais tarde em outra pessoa, imagem ou acontecimento da história de salvação. Por exemplo, Mateus apresenta Jesus como o novo Moisés, visto que ele, como Moisés, apresenta o código de ética para o povo de Deus. Neste caso Jesus cumpre e transcende o papel de Moisés. Os hebreus ofereciam um cordeiro como sacrifício pelos pecados; Jesus como o Cordeiro de Deus cumpre o papel de cordeiro e é muito maior na eficácia do sacrifício. A profecia do Antigo Testamento tem o potencial de cumprimentos múltiplos — um *sensus plenior*, ou seja, um sentido mais pleno que só Deus pode revelar, à medida que Ele continua agindo no tempo e espaço e na história para expandir, completar e levar à plenitude o plano de salvação do mundo.

A lógica de Mateus em declarar o nascimento de Jesus como o cumprimento da profecia de Isaías para Acaz é: se o nascimento de um bebê que veio ao mundo pelos meios comuns era um sinal da promessa de salvação de Deus, quanto mais a concepção sobrenatural e o nascimento de Jesus são sinais! Se o filho de Acaz foi chamado de Emanuel, Deus conosco, quanto mais o Filho de Deus é, nascido de mulher, Emanuel! Dado os padrões repetitivos de Deus expressos na história de salvação, a observação de Mateus de que Isaías 7.14 teve seu cumprimento no nascimento de Jesus não é uma tramóia inteligente, e sim uma compreensão da mente e plano de Deus, que vê o filho sobrenatural de Maria como a razão de ser a meta e consumação de todas as palavras proféticas e atos salvadores de Deus ditas e feitos anteriormente.

Alguém sugeriu que a doutrina do nascimento virginal de Jesus procede de um uso imaginativo da passagem de Isaías manejado pela criatividade da igreja primitiva; ou seja, a Igreja arquitetou o relato para invalidar a pretensa ilegitimidade da concepção de Jesus. Muitos presumem que tal milagre é impossível, de acordo com uma cosmovisão moderna amplamente defendida, que confunde cientismo com ciência. Esta opinião também sofre de falta de base racional aceitável para tal atividade na igreja primitiva: Por que a igreja primitiva inventaria essa maquinação fenomenal a qual atrairia mais atenção a detalhes "inoportunos" concernentes à concepção de Jesus? Não seria melhor ter ignorado a suposta ilegitimidade e não mencionar o assunto, em vez de fabricar uma explicação que teria ofendido os judeus e suscitado a reprovação dos conhecedores do mundo e da vida? Considerando todas coisas, parece mais possível que o nascimento virginal realmente aconteceu, e que então, e somente então, a igreja primitiva viu o paralelo profético no livro de Isaías.

1.2.6. A Obediência de José (1.24). O ato de obediência de José era crucial para a realização da vinda do Messias. Ele aceitou a mulher e o ônus da comunidade que presumiria o pior; deste modo, Jesus pôde ser chamado o Filho de Davi e assumir seu ministério legítimo como Messias-Rei. A Escritura não registra uma única palavra que José tenha dito, só seus atos misericordiosamente íntegros e sua obediência. Os seguidores de Jesus devem seguir o exemplo silencioso do homem que foi para o Jesus humano sua primeira imagem do Pai divino.

1.2.7. A Virgindade de Maria Redeclarada (1.25). Este versículo dá origem à questão da virgindade perpétua de Maria, que advoga que José e Maria nunca tiveram relações sexuais mesmo depois de Jesus nascer. Uns objetam porque há referências bíblicas aos "irmãos" e "irmãs" de Jesus (e.g., Mt 13.55,56; Mc 6.3) e porque não há afirmação explícita da idéia nas Escrituras. Ademais, a passagem diz que *"antes [prin]* de se ajuntarem, achou-se ter concebido" (v. 18; ênfase minha) e "não a conheceu *até [heos]* que deu à luz seu filho" (v. 25; ênfase minha). Presume-se que o casal começou a ter relações conjugais depois do nascimento de Jesus.

Outros ressaltam que o emparelhamento do termo *prien* com o termo *heos* não indica necessariamente o reatamento de uma atividade que segue a cláusula antes/depois. Em outras passagens do Novo Testamento, onde o termo *heos* é usado, presume-se que o estado continuou depois do termo *heos*, sem mudança ou suspensão (e.g., Mt 5.18; 12.20; 13.33; 16.28; 18.22; 22.44); isto também é verdade na Septuaginta (e.g., Js 4.9). O termo *heos* também significa que o estado nunca terminará (e.g., 1 Tm 4.13). Depois de um elemento de negação, *heos* pode significar "até" ou "antes" (Bauer, W. F. Arndt e F. W. Gingrich, *A Greek-English Lexicon of the New Testament and Other Early Christian Literature*, Chicago, 1979, p. 335). Com este significado a passagem poderia ter este fraseado: "E não a conheceu *antes* de ela dar à luz um filho", o que ressaltaria o período de gestação durante o qual houve abstinência sexual. K. Beyer comenta que no idioma grego e nas línguas semíticas, esse tipo de negação não implica nada em relação ao que ocorria depois do tempo da palavra "até" (Brown, 1977, p. 132).

Como mencionado acima, os "irmãos" e "irmãs" de Jesus podem ser alusão aos primos ou outros parentes distantes (veja comentários sobre Mt 1.18a). Por exemplo, João declara que Maria, mãe de Jesus, e Maria, irmã (*adelphe*) dela, a esposa de Clopas, estavam juntas à cruz (Jo 19.25). Seria muito peculiar se a família de Maria tivesse duas filhas com o mesmo nome. Claro que "prima" seria a melhor tradução de *adelphe*. Se Maria, a esposa de Clopas, é a "outra Maria" que Mateus e Marcos comentam que estava na cena da crucificação, então ela seria a mãe de Tiago e de José (Mt 27.56,61; Mc 15.40). Estes homens, juntamente com Simão e Judas, são identificados como os "irmãos" (*adelphoi*) de Jesus (Mt 13.55). Se Maria, a esposa de Clopas, era a mãe deles, ela seria tia ou prima distante de Jesus, e os filhos dela seriam primos dEle.

Mateus não registra esta informação para negar ou apoiar a possibilidade da virgindade perpétua de Maria; não é por isso que ele escreve. Antes, ele afirma enfaticamente que de nenhuma maneira o bebê de Maria poderia ser filho de José, visto que ele não teve relações sexuais com ela antes ou depois da concepção do bebê, até o tempo em que a gestação se completasse. O motivo exclusivo de Mateus é defender a doutrina do nascimento virginal de Jesus. Presumindo que nem todos os primeiros ensinos foram exarados nas Escrituras (como se deduz de 2 Ts 2.15), então a origem apostólica da virgindade perpétua é uma possibilidade. Não deve ser um assunto que cause divisão entre os cristãos; até Martinho Lutero e João Calvino subscreveram a doutrina. A questão mais crucial que Mateus trata é *a origem divina de Jesus*.

1.3. Os Magos, Herodes e o Novo Rei (2.1-23)

1.3.1. Os Magos Vão a Jerusalém (2.1,2). O primeiro acontecimento que Mateus relata depois do nascimento de Jesus é os magos que chegam a Jerusalém, perguntando o paradeiro do rei recém-nascido e contando que a estrela os tinha alertado para este nascimento. Ardendo em ciúmes diante da sugestão de outro "rei dos judeus", o rei Herodes pergunta aos principais sacerdotes e escribas da lei onde o Cristo, o Messias, nasceria. Ironicamente, estes líderes religiosos, que mais tarde tornaram-se inimigos mortais de Jesus, foram os que verificaram para Herodes que Belém era o lugar onde o Messias nasceria. O estabelecimento de Belém como a localização do nascimento de Jesus é crucial para Mateus, não só por causa do significado profético (vv. 5,6), mas também porque atende ao tema freqüente da monarquia de Jesus (Belém é a cidade de Davi, o rei).

Na profecia que nomeou o local do nascimento do Messias, Miquéias estava predizendo que Deus usaria mais uma vez a insignificante Belém para guiar o povo de Israel depois que este fosse liberto do resultante julgamento dos maldosos assírios e do posterior exílio na Babilônia (Mq 5.2-4). A esta profecia Mateus inclui a referência ao "Guia que há de apascentar o meu povo de Israel". Miquéias 5.4 registra que "ele permanecerá e apascentará o povo na força do SENHOR", mas as palavras que Mateus insere ao término de sua citação da profecia de Miquéias são provenientes da antiga profecia davídica: "Tu apascentarás o meu povo de Israel e tu serás chefe sobre Israel" (2 Sm 5.2); de maneira típica e enfática Mateus faz o vínculo com o rei Davi. É significativo que dos escritores dos Evangelhos, só Mateus registre a narrativa dos magos e seu cumprimento da profecia. Os temas do rei e seu cumprimento, que dominam sua agenda teológica, motivaram-no a incluir este relato em seu Evangelho.

Mateus ajuda a estabelecer a data do nascimento de Jesus com a expressão: "No tempo do rei Herodes" (Mt 2.1), cujo reinado como rei da Judéia e áreas circunvizinhas durou de 37 a 4 a.C. Presumivelmente Jesus nasceu perto do fim do reinado de Herodes, visto que Mateus nota que a morte do malvado rei aconteceu antes que a família santa voltasse do Egito (v. 19). Isto significa que Jesus nasceu de quatro a seis anos antes de Cristo, de acordo com o calendário atualmente em uso![2]

Herodes, o Grande, era um político surpreendente; no tumultuoso século I

CRONOLOGIA DO NOVO TESTAMENTO

		Nascimento de Jesus
Morte de Herodes; Arquelau lhe sucedeu	4 a.C.	
Tibério César (autoridade nas províncias)	11 d.C.	
15.º ano de Tibério	26	Começo do ministério de Jesus
	30	Crucificação de Jesus, em 15 de nisã, sexta-feira
	34	Conversão de Saulo
Aretas em Damasco	37	Primeira visita de Paulo a Jerusalém
Morte de Agripa I	44	
Fome	46	Segunda visita de Paulo a Jerusalém
	47-49	Primeira Viagem Missionária de Paulo
	51	Conferência apostólica
Gálio, procônsul da Acaia (Corinto)	52	Segunda Viagem Missionária de Paulo
	54-57	Terceira Viagem Missionária de Paulo (Éfeso)
	58	Prisão de Paulo em Jerusalém
Festo sucede Félix na Judéia	60	
	61	Paulo, prisioneiro em Roma
	62	Morte de Tiago, irmão do Senhor
	63	Libertação de Paulo
Incêndio em Roma	64	
	67	Morte de Pedro e de Paulo
Queda de Jerusalém	70	
		João em Patmos
Morte de Domiciano	96	
	c. 98	Morte de João

ele, como um gato, sempre parecia cair com os pés no chão, apesar do fato de ser pego em intrigas com pessoas influentes e perigosas como César Augusto, Cássio, Marco Antônio e Cleópatra. Seu pai, Antípater II, idumeu convertido ao judaísmo, apoiou o regente hasmoneano Hircano II e subseqüentemente tornou-se o verdadeiro poder por trás do trono em Jerusalém. Em conseqüência disso, Herodes alcançou altas posições no governo judaico como também no romano.

Herodes fizera nome empreendendo grandes construções e edificando cidades, inclusive Cesaréia, nome dado em honra do imperador. Ele também construiu fortalezas e templos pagãos, anfiteatros, hipódromos e outros lugares nos quais as atividades helenísticas eram incentivadas. Sua prestimosidade às atividades pagãs não granjearam a estima dos judeus conservadores, que as encaravam como abominações e uma violação da lei de Deus. Quando reconstruiu, aumentou e embelezou o templo judaico em Jerusalém, ele ganhou alguma simpatia dos súditos judeus. Seu reinado trouxe muita prosperidade para a nação, acompanhada de um fardo enorme de imposto e antagonismo.

Herodes demonstrou ser um déspota astucioso e sanguinário, e até seus parentes tinham medo dele. Matou a esposa, filhos e parentes de quem suspeitou que estivessem tramando contra ele. Seus súditos também tinham motivo para temê-lo. Herodes executou quarenta e cinco dos aristocratas mais ricos que tinham apoiado seu predecessor hasmoneano e confiscou-lhes as propriedades para encher os cofres vazios. Execuções eram comuns. Esta descrição, dada pelo historiador judeu Josefo, encaixa-se com o relato de Mateus sobre a intenção dolosa de Herodes para com os magos, a raiva ao perceber que fora enganado, a tentativa de matar o menino Jesus e a ordem insensível de executar todas as crianças do sexo masculino nas redondezas de Belém.

1.3.2. A Reação de Herodes e de Jerusalém diante das Novas (2.3-8). Mateus nos conta que quando os magos chegaram perguntando sobre o novo rei, não foi apenas Herodes que ficou perturbado; toda a Jerusalém também ficou. O povo de Jerusalém tinha boas razões para se preocupar; não só era freqüente que a mudança de governo fosse sangrenta, mas as pessoas sabiam que Herodes sacrificaria muitos para se manter no poder. Ainda que a elite religiosa tenha respondido com facilidade a pergunta de Herodes sobre o lugar do nascimento do Messias, não temos registro de que eles tenham viajado alguns quilômetros para procurar o Messias — talvez porque estivessem com a mente absorta no ministério complexo e detalhado no templo (Hannom, *The Peril of the Preoccupied and Other Sermons* [O Perigo dos Preocupados e Outros Sermões], 1942). Embora esta acusação não possa ser comprovada, o relato do nascimento de Jesus indica que, excetuando-se algumas pessoas pobres, não muitos foram ver o novo rei. A lição tem aplicação sensata para o ministério da Igreja dos dias de hoje: Nós ministramos para adorar, ou adoramos o ministério?

Herodes podia ser louco e paranóico, mas não era burro. Ele era manhoso e falaz, com uma astúcia mortal e um fascínio que desarma. Sua sugestão de que os magos o informassem para que ele prestasse homenagens ao bebê era uma cortina de fumaça para encobrir suas intenções assassinas dirigidas ao novo bebê. A referência à adoração (*proskyneo* nos vv. 2,8,11) diz respeito a uma deidade ou ser humano de alta posição. Não podemos dizer com certeza o que os magos pretendiam, embora seja provável que fosse o último. Herodes, é claro, não pretendia nada. Mas dado o avanço da alça de mira de Mateus e sua cristologia, ele considerou que a adoração divina é mais apropriada aqui, pois Jesus deve ser adorado por judeus e gentios igualmente.

1.3.3. Os Magos Seguem a Estrela para o Novo Rei (2.9-12). A identidade dos magos (ou sábios) é um mistério que durante séculos tem vexado exegetas e encantado clérigos. Heródoto (século V a.C.) escreveu acerca de magos sacerdotais entre os medos, que eram peritos em interpretar sonhos. O Livro de Daniel menciona

Cesaréia, na costa mediterrânea, foi construída por Herodes, o Grande, e assim foi chamada em honra do imperador romano.

magos junto com mágicos, encantadores, adivinhos, feiticeiros, sábios e astrólogos/astrônomos. Nesses dias, a linha entre magia e adivinhação, por um lado, e ciência nascente, de outro, não era mantida com clareza. Não se pode dizer com certeza o quanto de cientista e o quanto de mágico eles eram. É bastante afirmar que Deus pode usar até antigas tradições e sabedorias pagãs para fornecer uma testemunha cosmopolita do nascimento do Messias.

Na transição de poder dos medos para o império persa, os magos continuaram com suas atividades, e relatórios de suas práticas aparecem durante a era romana. A referência a "Oriente" levou muitos a considerar a Pérsia/Pártia como sendo o país de origem dos visitantes estrangeiros de Jesus. Nos dias de Jesus eles podem ter sido os sacerdotes zoroástricos. As dádivas dos magos — incenso, ouro e mirra — eram produtos associados com a Arábia. É possível que eles sejam os judeus da Dispersão, que foram espalhados ao longo dos impérios romano e parto. Há amplas evidências arqueológicas entre as ruínas das sinagogas dessa era e nos escritos rabínicos que a comunidade judaica se interessava por astrologia.

A identidade e origem dos magos fica mais obscurecida quando notamos que a expressão "do Oriente [*anatole*, lit., "nascente, que sobe"]" pode se referir ao nascimento da estrela que sempre ocorria no leste por causa da rotação da terra, e é o padrão do trajeto planetário no céu. Considerando o destaque dado à estrela, o forte destes magos é a astronomia primordial do dia.

Assim como a identidade dos sábios, a natureza exata do fenômeno que veio a ser conhecido por "a estrela de Belém" permanece um mistério. Mateus é atraído para a história da estrela e dos magos que a seguiram não somente porque confirma a realeza de Jesus, mas também porque contrasta com muita vividez a devoção dos não-determinados estrangeiros com a injustiça da elite de Israel. Ao longo dos anos os comentaristas procuram explicar a estrela como uma parte natural do universo. Trata-se de esforço apropriado e louvável, pois Deus usa meios comuns para expressar sua mensagem sobrenatural. Contudo, nenhuma explanação astronômica comum (um cometa, uma supernova, o alinhamento dos planetas que teria a aparência de um corpo celeste [uma conjunção de Júpiter e Saturno ocorreu em 7 a.C.], um asteróide brincalhão) atesta inteiramente o conjunto da evidência. Nem o cinismo de uma suposta cosmovisão "iluminada" que presume que o relato é invencionice do evangelista, explica o fenômeno ou apreende a totalidade do significado da mensagem de Mateus.

Se a referência a "Oriente" (*anatole*) é figurativa de "nascimento", então o texto não pode estar dizendo que os magos seguiram a estrela até Jerusalém. "Antes, tendo visto o nascimento da estrela que eles associam com o Rei dos judeus, eles vão à capital dos judeus em busca de mais informação. Só no versículo 9 está claro que a estrela serviu como guia de Jerusalém para Belém" (Brown, 1977, p. 174). É precisamente aqui que as sugestões citadas acima são deficientes, já que os fenômenos astronômicos não podem explicar como os magos foram conduzidos a Belém, oito quilômetros ao sul de Jerusalém. Talvez o entendimento de Mateus sobre a natureza e movimento da estrela seja mais dependente do sobrenatural do que do natural.

A questão mais importante e respondível é: Qual é o significado do aparecimento da estrela no Evangelho de Mateus e no plano global de Deus na história de salvação? O que mais importa é que atesta o papel de Jesus como Rei. Assim como se dá com a genealogia terrena no contexto prévio do capítulo 1, a estrela fornece testemunho celestial da realeza de Jesus. O testemunho dos magos não deixa lugar para especulação quanto ao seu significado: "Onde está aquele que é nascido rei dos judeus? Porque vimos a sua estrela no Oriente e viemos a adorá-lo" (v. 2a).

Uma estrela já havia sido associada com o advento do Messias. Números 24.17, parte da profecia que Balaão entregou quando os israelitas estavam prestes a dar início à conquista da Terra Prometida, diz: "Uma estrela procederá de Jacó, e um cetro subirá de Israel". A maioria dos estudiosos identifica esta profecia estelar com o rei Davi, pois os versículos seguintes, com a referência à conquista das nações circunjacentes, foram distintamente cumpridos nas suas campanhas militares. Os contemporâneos de Mateus entenderam que a passagem é messiânica, fato demonstrado na obra pseudepigráfica *O Testamento dos Doze Patriarcas*, que associa uma figura messiânica levita e sacerdotal "com sua estrela [...] [que] subirá no céu como rei" (*Testemunho de Levi* 18.3). É interessante observar que tanto Balaão quanto os magos eram estrangeiros, e ambos profetizaram sobre o Messias hebraico (veja Brown, 1977, pp. 193-196, para mais comparações). Isto também contribui para o programa geral de Mateus de apresentar Jesus, o Rei, não só dos judeus mas de todos os povos.

Os três tesouros dos magos — incenso, ouro e mirra — eram dádivas associadas com a realeza, e este era o entendimento e intento de Mateus (v. 11). A Igreja mais tarde associou o ouro com Jesus como Rei, o incenso com Jesus como Sacerdote e a mirra como especiaria usada para embalsamento, relacionado-a com a morte e sepultamento de Jesus. Antes de os magos partirem, eles foram instruídos em sonho para não retornarem a Herodes, mas voltarem para casa por uma rota diferente pela qual vieram (v. 12).

1.3.4. A Fuga para o Egito (2.13-15). Depois da partida dos magos, José tem um sonho, entregue pelo "anjo do Senhor" (v. 13), advertindo-o a fugir para o Egito. Na Bíblia os anjos aparecem às vezes como seres humanos (e.g., Jz 13.16); outras vezes como criaturas brilhantes e que inspiram medo, cuja aparição e palavras os seres humanos mal podem suportar (e.g., Êx 3.2; Jz 13.6,19-21; 1 Cr 31.12; Dn 8.17). Não nos é informado que forma o anjo tomou no sonho de José. As gramáticas grega e hebraica sugerem que a expressão "o Anjo do Senhor" é tradução legítima. Às vezes no Antigo Testamento, o Anjo do Senhor não pode ser distinguido do próprio Deus e deve ser considerado como o próprio Senhor que aparece e fala (e.g., Gn 16.11-13; Jz 6.12-14). Se esta interpretação é a intenção de Mateus, então José tem uma revelação especial diretamente de Deus, uma experiência amedrontadora e magnífica, uma revelação especial para um homem especial, a fim de realizar a tarefa especial e mais urgente de salvar o menino Jesus.

A força do particípio do aoristo (*egertheis*, "levanta-te") junto com o aspecto aoristo do imperativo do verbo principal (*paralabe*, "toma") conota grande pressa e urgência. Em outras palavras: "Levanta-te da cama, sai daqui agora, e começa a fuga para o Egito, pois Herodes está a ponto de iniciar uma busca do menino Jesus". Note que José pega Maria e Jesus de noite para evitar que eles sejam descobertos pelos agentes do rei ou por outras testemunhas.

Havia uma grande comunidade judaica no Egito, sobretudo na cidade de Alexandria, mas onde a família santa ficou e se José encontrou ou não trabalho não nos é dito. Há os que sugerem que os presentes preciosos que os magos lhes deram os sustentaram no exílio. Lá, eles ficaram até a morte do rei Herodes. O fato de Jesus e seus pais sofrerem o exílio com paciência numa terra estrangeira deve promover a compaixão cristã pelos refugiados de perto e de longe.

Mateus vê o retorno de José, Maria e Jesus do Egito como um cumprimento geográfico de profecia e uma reencenação dos eventos históricos e tipos teológicos já anteriormente ocorridos nos procedimentos de Deus para com os hebreus (veja comentários sobre Mt 1.22,23). "Do Egito chamei o meu Filho" é de Oséias 11.1, onde o profeta descreve a prometida volta do exílio na Mesopotâmia nos termos da libertação da escravidão do Egito. Estes dois acontecimentos são vistos como atos salvadores de Deus. Mateus considera a viagem da família santa do Egito para a Terra Santa como um cumprimento até maior do primeiro Êxodo, visto que o próprio Salvador está voltando à terra do seu nascimento. Esta referência ao Êxodo pressagia o destaque que Mateus dá a Jesus como o novo Moisés, ponto que ele desenvolverá mais quando apresentar o ensino de Jesus.

1.3.5. A Matança dos Inocentes (2.16-18).

Quando os magos não voltaram para revelar a localização do rival ao trono, Herodes ficou enfurecido. Ele considerou a desobediência deles como escárnio; a palavra traduzida por "iludido" é depois usada em Mateus para descrever o escárnio suportado por Jesus na narrativa da paixão (Mt 27.29,31,41). Levando-se em conta seu reinado de terror (veja comentários sobre Mt 2.1,2), o assassinato de Herodes de todos os meninos de dois anos para baixo não está fora de seu caráter. O cômputo das vítimas, baseado na população provável, é de vinte a trinta crianças.

Há os que questionam a historicidade do acontecimento, visto que parece estranho que o plano e trama de Herodes permitissem que os magos e Jesus escapassem da rede de espionagem. Ademais, a demora de sua reação, às vezes calculada em um ano ou mais, parece igualmente inverossímil. Mas não podemos presumir que Herodes tenha mandado seguir os magos; mesmo que o fizesse, não há como prever que sua organização de inteligência fosse infalível. Outrossim Mateus acredita que a providência divina teve parte na fuga dos magos e de Jesus. O período de tempo entre a chegada dos magos a Jerusalém e à corte de Herodes e a partida deles de Belém pode ter sido pequeno. O limite de idade que Herodes escolheu para matar os bebês foi provavelmente averiguado pela determinação de quando a estrela apareceu a primeira vez. Os magos podem ter levado muito tempo para decidir responder ao sinal celestial

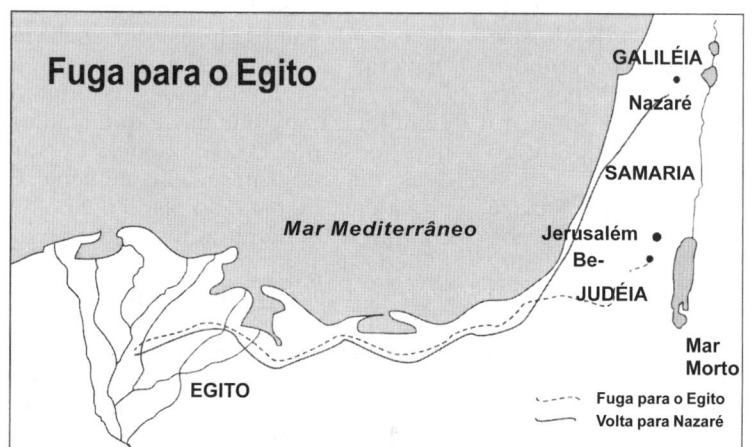

José e Maria fugiram para o Egito com o filho Jesus depois de serem avisados por um anjo. Eles voltaram somente depois da morte de Herodes, o Grande.

e eventualmente percorrer o caminho à Terra Santa em busca do bebê nascido para ser rei. O texto deixa a impressão que assim que os magos saíram, a família santa também deixou Belém.

Mateus percebe mais uma vez o cumprimento de profecia na matança dos inocentes, baseado na localização da tragédia: "Raquel chora seus filhos" (Jr 31.15). Jeremias clamou que Raquel, que morreu na era dos patriarcas e foi enterrada em Efrata (também chamada Belém, cf. Gn 35.19), choraria séculos depois quando seus descendentes seriam forçados a marchar para o cativeiro na Babilônia do ponto de organização próximo de Ramá. Efrata está a cerca de dezessete quilômetros ao norte de Jerusalém e ao sul de Betel, na área de Benjamim e perto de Ramá. Esta não deve ser confundida geograficamente com Belém de Judá, que fica a oito quilômetros ao sul de Jerusalém. Mais tarde alguns benjamitas do clã de Efrata migraram para a área de Belém de Judá; por conseguinte as cidades estavam estreitamente associadas.

O entendimento que Mateus tem sobre a profecia de Jeremias é que se Raquel chorou por sua morte na ocasião do exílio de Judá, que matou muitos dos seus descendentes no século VI a.C., então ela chorou novamente quando as vítimas infantis de Herodes foram sacrificadas no século I d.C. Mateus demonstra mais uma vez que o cumprimento maior da profecia ocorre em eventos associados com a vida de Jesus. Ele também se refere aos meninos assassinados a fim de unir a vida de Jesus com a de Moisés, cujo papel Jesus completará como o novo Legislador, pois Moisés também foi salvo da guerra de um déspota no caso das crianças hebréias no antigo Egito (Êx 2.1-10).

1.3.6. A Volta do Egito para Nazaré (2.19-23). Pela terceira vez José recebe instruções do anjo do Senhor num sonho. A família santa volta para sua pátria visto que Herodes, o Grande, está morto e já não procura a vida da criança. Avisado em outro sonho, José evita prudentemente estabelecer-se no território de Judá regido pelo filho e sucessor de Herodes, Arquelau, e fixa residência em Nazaré, na Galiléia, governada por Herodes Antipas, outro dos filhos de Herodes. Arquelau foi inumano ao suprimir uma insurreição, matando mais de três mil dos peregrinos que subiam para a Festa da Páscoa em Jerusalém. Ele se casou com a esposa do seu meio-irmão, fato que não lhe granjeou a afeição dos seus súditos mais piedosos. Seu reinado sofreu tamanho abalo que uma delegação de judeus e samaritanos, inimigos jurados, dirigiu-se a Roma e foi bem-sucedida ao solicitar que o governo fosse retirado das mãos dele. Ele foi exilado subseqüentemente na província romana da Gália. Herodes Antipas demonstrou ser um regente mais benigno na Galiléia.

Para Mateus a chegada da família santa a Nazaré cumpriu outra predição feita "pelos profetas": "Ele será chamado Nazareno". Não está claro a qual obra profética Mateus se refere. Talvez ele esteja citando uma obra que já não existente e que não foi incluída nem no cânon judaico ou no cristão. Sabemos que nem todas as referências no Novo Testamento são de livros canônicos; Judas 9, por exemplo, cita a *Assunção de Moisés*. Também foi sugerido que Mateus esteja fazendo um jogo de palavras, unindo "Nazareno" (*nazoraios*) a Isaías 11.1, onde o profeta diz que o Messias virá de um "rebento" (*netser*) que "brotará [...] do tronco de Jessé". Os termos *nazoraios* e *netser* têm sons semelhantes, embora não sejam do mesmo radical semítico.

Outra sugestão é que Mateus está unindo a cidade natal de Jesus com a palavra "nazireu". Ainda que Nazaré e nazireu (*nazir*) não tenham a mesma origem etimológica, argumenta-se que Mateus não pensa que é coincidência que as duas palavras soem semelhantemente; é providencial e parte do plano divino de cumprir a Escritura num sentido maior na vida de Jesus. O anúncio angelical do nascimento de Sansão, o juiz nazireu, contém fraseado similar ao anúncio do nascimento de Jesus feito pelos anjos (cf. Mt 1.20,21 com Jz 13.2-7). A despeito de Jesus ter atuado como líder carismático, dotado do Espírito Santo, Ele não cumpriu todas as exigências dietéticas e cerimoniais do voto de nazireu (Nm 6.1-21).

Considerando que Mateus comenta que a profecia foi dita "pelas *profetas*", ele pode ter várias acepções em mente para o significado do termo nazareno. O evangelista reputa que não foi por acidente que Jesus seria criado lá, e que o nome do torrão natal do Messias seria fértil em alusões à anterior história de salvação.

2. A Preparação para o Ministério (3.1—4.25).

2.1. João Batista Prepara o Caminho (3.1-12)

2.1.1. João, o Batista (3.1,2). Na época em que Mateus escreveu o Evangelho, João já havia recebido o título "batista" e tinha um notável grupo de partidários em comparação aos seguidores de Jesus (cf. At 19.1-4). Marcos designa o particípio grego *baptizon* a João, de forma que o texto grego diz: "Apareceu João batizando no deserto e pregando o batismo de arrependimento, para remissão de pecados" (Mc 1.4). Destas duas atividades, o título "batista" recebe seu significado. Não é apenas uma referência à lavagem cerimonial, mas é sinal de arrependimento e recebimento do perdão de Deus e da graça purificadora e preservadora. Consequentemente o batismo torna-se metonímia da mensagem de arrependimento que foi pregada. Embora o verbo *baptizo* signifique submergir ou imergir, também alude à lavagem que não implica necessariamente em imersão total (e.g., Mc 7.4). Com respeito a ser batizado com o Espírito Santo, o verbo "derramar" é usado em Atos (cf. At 1.5 com At 2.18,33). O modo do batismo não é tão crucial quanto um coração arrependido e o ato gracioso de Deus.

2.1.2. João, o Cumpridor da Profecia (3.3,4). Todos os quatros evangelistas registram uma versão da profecia de Isaías 40.3-5 que João Batista cumpre. O arrependimento é preeminente na mente de Mateus, quando apresenta o ministério de João Batista como requisito prévio necessário para o iminente Reino dos Céus, que Jesus está prestes a inaugurar (Mt 3.2; note a referência de Mateus a "Reino dos Céus" em vez de "Reino de Deus"; veja Introdução).

Mateus considera que João Batista é o profeta que devia preceder a vinda do Messias e o Reino messiânico. Ele apresenta o ministério de João Batista nos termos do ministério de Elias, o profeta do Antigo Testamento que intransigentemente exigiu que o obstinado Israel se arrependesse e seguisse o verdadeiro Deus de todo o coração. As vestes e aparência ascetas de João Batista são rememorativos de Elias e outros profetas do Antigo Testamento (Zc 13.4; esp. 2 Rs 1.8). Como Marcos, Mateus também segue a tradição que uma figura semelhante a Elias precederia o advento do Reino do Messias (veja Mt 17.10-13; Mc 9.11-13; cf. Ml 3.1; 4.5,6). Mateus identifica explicitamente João Batista como Elias em Mateus 3.3 e 11.14.[3]

Mateus demarca João Batista e seu ministério como a grande culminação da antiga era profética. Lucas, ao contrário, vê João Batista operando na antiga e na nova era profética: a antiga na qual João Batista é o arauto que prepara o caminho mediante o arrependimento, a nova em que o testemunho que João Batista deu de Jesus é descrito por "cheio do Espírito Santo", o que é idêntico ao testemunho dos discípulos depois do Pentecostes.

2.1.3. Os Frutíferos e os Infrutíferos (3.5-10). Como os profetas do Antigo Testamento, João Batista apresenta sua mensagem em paralelismo poético — dizendo uma coisa e então repetindo a idéia ou sua antítese na linha seguinte. Trata-se de característica da poesia hebraica e exprime a origem semítica dos Evangelhos. João Batista apresenta dois grupos distintos e antitéticos de pessoas: os arrependidos e os impenitentes, as árvores frutíferas e as estéreis, o trigo e a palha (v. 12). O grupo dos impenitentes, condenados por João Batista, são os fariseus e saduceus (v. 7). Lucas identifica os verdadeiramente arrependidos como as multidões, os cobradores de impostos e os soldados (Lc 3.10-14). Os fariseus e saduceus aparecem muitas vezes juntos no Evangelho de Mateus como inimigos claramente definidos de Jesus. Embora estes dois grupos discordassem nitidamente entre si em termos de política e teologia, na maior parte do tempo eles estavam unidos em sua oposição a Jesus.

É comum a palavra arrependimento (*metanoia*) ser entendida erroneamente por mera confissão de pecados; com mais precisão, diz respeito ao ato de "pensar de novo" (*meta* mais *noia*), quer dizer, reconsiderar e mudar o estilo de vida, de modo sociologicamente observável: "Produzi, pois, frutos dignos de arrependimento" (v. 8). É por isto que João Batista dirige sua contundente repreensão, "raça de víboras", aos fariseus e saduceus. Os judeus observaram a lavagem cerimonial, desde o simples ato de lavar as mãos a banhar o corpo inteiro em cisternas (como as encontradas nos sítios arqueológicos em Jerusalém e em Qumran, a comunidade do mar Morto). Os fariseus e saduceus presumiam que, considerando que eles eram filhos de Abraão, eles tinham direito de receber o rito de João Batista, mas ele estava exigindo que eles se arrependessem como se eles fossem gentios! O modelo batismal era batismo de prosélito, o qual era exigido de todos os gentios convertidos ao judaísmo. Tal exigência seria considerada presunção grosseira e afronta aos que pensavam que sua árvore genealógica e afiliação asseguravam seu acesso ao meio da graça.

A força da linguagem de João Batista dá a impressão que o julgamento já está pairando e a ponto de cair sobre os impenitentes. "E também, agora, está posto o machado à raiz das árvores", e a próxima machadada será dada e as cortará. A esterilidade resultará no fogo do julgamento.

2.1.4. A Profecia de João Batista acerca do Batismo com o Espírito Santo (3.11,12). No versículo 11 João Batista contrasta seu batismo com o do Messias que está vindo. A profecia de João Batista relativa ao Messias e seu batismo superior também contém um paralelismo antitético: João Batista batizou nas águas; seu Superior batizará com o Espírito Santo (*pneuma hagion*, que também pode ser traduzido por "vento santo") e com fogo. Mateus tem um significado duplo para a palavra grega *pneuma*, que pode significar espírito ou vento (o mesmo é verdade com relação à palavra hebraica *ruach*). Com a pá de joeirar o agricultor lança o trigo e a palha para cima, ao vento, a fim de separá-los, e depois usa o fogo para destruir a palha (v. 12).

O foco da mensagem de João Batista para os impenitentes é o batismo de julgamento, e para os arrependidos, o batismo de arrependimento. Só Jesus tem o poder de dar o Espírito (vento) e o fogo do batismo — um cumprimento profético mais pleno da capacitação para a missão e testemunho da igreja primitiva: "Porque, na verdade, João batizou com água, mas vós sereis batizados com o Espírito Santo. [...] Mas recebereis a virtude do Espírito Santo, que há de vir sobre vós; e ser-me-eis testemunhas" (At 1.5,8). Lucas apresenta o aspecto da capacitação do batismo com o Espírito, quando narra o próprio batismo e capacitação de Jesus pelo Espírito Santo (Lc 3.21.22).

João Batista considera que seu papel é o de um escravo humilde e indigno em contraste com o do Messias. O escravo mais humilde punha e tirava as sandálias dos pés do senhor, e João Batista afirma que ele não é digno nem de fazer isso! Ele deixa claro que não é candidato do messiado. Lucas e João ressaltam a negativa de João Batista (Lc 3.15-17; Jo 1.20; 3.28).

2.2. O Batismo de Jesus (3.13-17)

Quando Jesus foi batizado no rio Jordão, os céus se abriram, o Espírito Santo desceu sobre Ele como pomba e uma voz do céu confirmou que Ele é o Filho de Deus. Cada um dos Evangelhos Sinóticos registra esta informação; João menciona somente a descida do Espírito Santo, e não o próprio batismo de Jesus. Cada escritor dos Evangelhos apresenta este acontecimento-sinal para fazer certas declarações teológicas sobre Jesus. Marcos, por exemplo, o inclui porque oferece oportunidade para afirmar a razão de ele escrever — apresentar o "evangelho de Jesus Cristo, Filho de Deus" (Mc 1.1). Lucas enfatiza a capacitação que Jesus teve em resultado da descida do Espírito Santo (cf. Lc 4.1,14,18).

2.2.1. Jesus É Maior do que João Batista (3.13,14). Diferente de Lucas, Mateus ressalta o acontecimento do batismo de Jesus e chama atenção especial ao fato de que quando Jesus pediu para ser batizado por João Batista, este mostrou-se relutante em fazê-lo (vv. 13,14). O interesse de Mateus em escrever seu Evangelho inclui a cristologia, mas ele também deseja afirmar quem é Jesus em relação a João Batista. Lembre-se de que a audiência de Mateus era de orientação judaica, e talvez seus integrantes estivessem se perguntando: "Como pode Jesus ser maior do que João Batista se este o batizou?" (Note que a seita de João Batista perdurou por muito tempo depois dele e Jesus; veja At 19.1-4.) De acordo com Mateus, Jesus é maior do que João Batista; até o próprio João Batista reconheceu a superioridade de Jesus e estava renitente em consentir o pedido do Messias.

2.2.2. Por que Jesus se Submeteu ao Batismo? (3.15). Há várias maneiras de responder. De acordo com Lucas, era necessário para que Jesus recebesse o poder do Espírito Santo a fim de cumprir sua chamada como Messias. Em Mateus, Jesus disse: "Assim nos convém cumprir toda a justiça" (v. 15). Ele carecia de purificação de pecados? Não, pois o Novo Testamento destaca que o entendimento que os primeiros cristãos tinham de sacrifício exigia um sacrifício sem mancha nem pecado, como nos sacrifícios judaicos. Jesus é apresentado como o Cordeiro imaculado de Deus e o sacrifício pascal (e.g., Mt 26.17-29; Jo 1.29; Ap 5.6-8). Paulo também entendeu que Jesus não tinha pecados (2 Co 5.21); portanto, a purificação de pecados não é o ponto de debate para Jesus.

O freqüente tema de Mateus — cumprimento — afiança a resposta: para "cumprir toda a justiça". A justiça para Mateus não é meramente guardar normas e regulamentos. É verdade que Jesus não põe de lado a ética de Deus, antes a intensifica (e.g., Mt 5.21-48). Contudo a verdadeira justiça está baseada numa relação com Deus, que está implícita no seu perdão misericordioso, e num recebedor arrependido que deseja cumprir a justiça de Deus — e não no próprio entendimento que a pessoa tenha disso (Mt 5.20; 6.33). Uma chave para cumprir a justiça de Deus é oferecer misericórdia quando ela não é merecida (Mt 5.38-42; 18.21-35). Note que o pai terreno de Jesus, sendo homem "justo", não desejou expor Maria à vergonha pública quando ela achou-se grávida (Mt 1.19). Esta identificação misericordiosa com os necessitados de misericórdia, mitigada com um respeito ativo pela vontade de Deus, é característica da justiça de Jesus conforme a apresentação de Mateus (cf. Mt 18.35).

No batismo Jesus se identificou com os carentes de perdão, os quais, pela simples letra da lei, mereciam julgamento severo. Ele se identificou tanto com eles que entrou na água de banho suja deles e ficou com eles, apesar de Ele continuar pessoalmente limpo. Jesus cumpriu esta justiça surpreendente por obediência ao Pai. O batismo é o catalisador que aplica em nós a justiça misericordiosa de Deus, até os efeitos da cruz de Jesus e sua ressurreição que dá vida (Rm 6.3-7; 1 Pe 3.21). Os cristãos se unem com Jesus no batismo: Ele os encontra lá na água.

2.2.3. O Testemunho Divino no Rio Jordão (3.16,17). Três coisas principais aconteceram neste evento: os céus se abriram, o Espírito Santo desceu e uma voz do céu proclamou que Jesus é o Filho de Deus. Cada um destes fatos reveladores merecem atenção.

Os céus foram rasgados (cf. Mc 1.10). A palavra "abriram" expressa a idéia de revelação. A experiência de Jesus é rememorativa à chamada do profeta Ezequiel, que estava de pé ao lado do rio Quebar quando os céus se abriram; ele teve visões de Deus e o Espírito de Deus entrou nele (Ez 1.1; 2.2).

A pomba desceu. A associação do Espírito Santo com uma pomba era rara nas escrituras hebraicas e judaicas até o tempo de Jesus. O símbolo da pomba tornou-se imagem freqüente no cristianismo. Em Gênesis 1.2, o Espírito pairou sobre as águas, o que pode ser alusão a uma pomba, como

John Milton presume tão eloqüentemente na sua obra *Paraíso Perdido*:

> Tu dos primeiros
> Estavas presente, e com grandiosas
>   asas abertas
> Como pomba sentaste a chocar o
>   vasto abismo
> E o tornaste grávido.

O Espírito Santo capacitou os profetas do Antigo Testamento (e.g., Ez 2.2; Mq 3.8; Zc 7.12), e as profecias relativas ao Messias prediziam uma acompanhante dotação do Espírito (e.g., Is 42.1,5; 61.1-3). Assim Jesus recebe uma unção e capacitação especiais do Espírito Santo para proclamar a mensagem de Deus e fazer maravilhas. A vinda do Espírito sobre Ele é sinal de que Ele é o Messias, o Cristo (lit., "o Ungido"). Isto não significa que esta é a primeira vez que Jesus foi envolvido com o poder do Espírito; Ele foi concebido do Espírito Santo (Mt 1.20; Lc 1.35) e obviamente foi guiado pelo Espírito ao ministrar no templo quando era menino (Lc 2.46-52). Nem significa que Jesus foi "adotado" pelo Espírito no batismo e nesse momento tornou-se Messias, pois Ele era o Filho de Deus antes do batismo (Mt 1.20; 2.15; Lc 1.35; 2.49; Jo 1.1,14,18; 3.16).

A voz do céu falou: "*Este* é o meu Filho amado, em quem me comprazo" (Mt 3.17; em Mc 1.11 lemos: "*Tu* és o meu Filho amado, em quem me comprazo"; em Lc 3.22: "*Tu* és meu Filho amado; em ti me tenho comprazido" [ênfases minhas]). Esta mensagem reflete duas passagens do Antigo Testamento: "Tu és meu Filho; eu hoje te gerei" (Sl 2.7), e: "Eis aqui o meu Servo, a quem sustenho, o meu Eleito, em quem se compraz a minha alma; pus o meu Espírito sobre ele" (Is 42.1). O Salmo 2 descreve a entronização do rei Davi. No antigo Oriente Próximo, quando o rei assumia o trono, era considerado o filho do deus nacional, e assim o poder da deidade era investido no rei. Em sua coroação ele era considerado "gerado" do deus. Israel também considerava que o seu rei estava investido com o poder de Javé, o Deus deles.

A segunda parte da declaração da voz do céu alude a Isaías 42.1: "Meu Servo/Filho, Meu Eleito/Amado, em quem minha Alma se deleita" (tradução minha; veja também Gn 22.2). As palavras "servo", "criança", "filho" (todas traduções do termo grego *pais*) assume sentido messiânico em Isaías. "Amado" era usado como título messiânico nos círculos cristãos (cf Mt 17.5; Mc 1.11; 9.7; Lc 3.22; 2 Pe 1.17). A tradução do termo grego *ho agapetos* (lit., "o Amado") pela expressão "a quem eu amo", ainda que leitura possível, não trata a expressão como título messiânico. A palavra *agapetos* às vezes se refere a um único filho ou filha (e.g., Gn 22.2,12,16; Jz 11.34; Mc 12.6; Lc 20.13).

A combinação de um salmo de entronização de Davi, que identifica o rei como filho de Deus, e o uso do título "Amado, com quem Deus se compraz", acompanhado pela descida do Espírito Santo, mostra aos leitores de Mateus que Jesus é o Filho messiânico de Davi, o Filho de Deus capacitado pelo Espírito Santo para inaugurar o reinado de Deus e falar as suas palavras.

O uso de Mateus de "*Este* é o meu Filho" em vez de "*Tu* és o meu Filho amado"

O rio Jordão, onde Jesus foi batizado por João Batista, tornou-se escolha popular para batismos nos dias atuais. Este batismo aconteceu em Iardenite.

levanta uma questão: Jesus foi o único que ouviu a voz, ou João Batista e/ou as pessoas também a ouviram? Não podemos saber com certeza. Se a leitura "este" é original, então muitas pessoas a teriam ouvido, e a idéia de que Jesus era o Messias teria se espalhado; contudo, tal não foi o caso na primeira parte do seu ministério. De fato, durante algum tempo Jesus a considerou informação confidencial. É inevitável que o ministério de milagres de Jesus tivesse levado alguns a considerar a possibilidade de messiado. É possível que a voz disse "este", e os circunstantes a ouviram; para Jesus teria tido o significado de "tu", visto que dizia respeito a Ele diretamente. Se a voz tratasse Jesus por "tu" e houvesse espectadores que a ouvissem, então eles teriam tido a força de testemunhas concernentes a Jesus.

2.3. A Tentação de Jesus (4.1-11)

Na narrativa de Marcos a cerca da tentação de Jesus, lemos que o Espírito "impeliu" (*ekballo*) Jesus para o deserto a fim de ser tentado, visto que Marcos enfatiza as ações de Jesus no relato do seu Evangelho. Mateus e Lucas declaram que o Espírito "conduziu/levou" Jesus. Estes dois Evangelhos também registram o diálogo que Jesus teve com o Diabo, embora a ordem das tentações sejam diferentes. Talvez a ordem de Mateus expresse a ordem cronológica, ao passo que a versão de Lucas exprime uma procissão geográfica de um local tradicional a partir de uma tentação à outra. Mateus e Marcos comentam que "chegaram os anjos e o serviram" (Mt 4.11; cf. Mc 1.13), depois que sua peleja com Satanás estava finda. A referência a "feras" (Mc 1.13) pode aludir à restauração da natureza caída do Messias (cf. Is 11.6-9; Sl 91.11-13; Testamento de Naftali 8.4).

2.3.1. As Peregrinações no Deserto (4.1). A precedente história de salvação fornece um contexto para a provação de Jesus no deserto. Os paralelos entre a tentação de Jesus e as peregrinações dos filhos de Israel no deserto depois do Êxodo são notáveis e explicam a razão de Jesus ser exposto a esta prova. Ele esteve no deserto por quarenta dias antes de entrar em seu ministério, ao passo que os israelitas estiveram no deserto por quarenta anos antes de entrarem na Terra Prometida:

> "E te lembrarás de todo o caminho pelo qual o SENHOR, teu Deus, te guiou no deserto estes quarenta anos, para te humilhar, para te tentar, para saber o que estava no teu coração, se guardarias os seus mandamentos ou não. E te humilhou, e te deixou ter fome, e te sustentou com o maná, que tu não conheceste, nem teus pais o conheceram, para te dar a entender que o homem não viverá só de pão, mas que de tudo o que sai da boca do SENHOR viverá o homem" (Dt 8.2,3).

Jesus deu-se melhor no teste do que Israel. Aqui Ele cumpre a tipologia de Israel no deserto, a qual Mateus já havia estabelecido com Jesus: "Do Egito chamei o meu Filho" (Mt 2.15). Embora Satanás seja o agente das tentações, Deus as usou para provar seu povo e, mais tarde, Jesus. O verbo *peirazo* significa "tentar", mas também tem o sentido positivo de "provar, testar o caráter da pessoa" (e.g., Sl 26.2; Jo 6.6; 2 Co 13.5; Hb 11.17; Ap 2.2). Note também o paralelo entre o maná e as pedras transformadas em pão.

Tradicionalmente os comentaristas enfatizam as diferenças entre as tentações. A tentação para tornar as pedras em pães testou-o fisicamente; a tentação para lançar-se do alto do templo testou o conceito que Ele fazia da natureza do seu ministério messiânico; e a tentação para adorar o Diabo testou sua fidelidade espiritual a Deus. Não há dúvidas de que cada uma destas tentações afetou Jesus diferentemente, mas juntas elas tinham uma meta crucial: distrair Jesus de sua relação com Deus ou interrompê-la. As sugestões do Diabo involuntariamente foram úteis para a causa do Reino: O aço da resolução de Jesus em seguir Deus foi temperado no calor da tentação, a verdadeira natureza do seu ministério messiânico foi esclarecida e a primazia de sua relação com o Pai foi mantida e dada atenção indivisa.

2.3.2. A Primeira Tentação (4.2-4).

Depois de quarenta dias e quarenta noites de jejum, Jesus estava desesperadamente com fome; seu corpo ansiava por comida; era caso de sobrevivência. "O tentador" então sugeriu: "Se tu és o Filho de Deus, manda que estas pedras se tornem em pães" (v. 3). Esta sentença em grego é uma oração condicional de primeira classe, o que indica que o conteúdo da conjunção "se" é admitido como verdadeiro pelo falante; assim as palavras do tentador têm a seguinte significação: "*Visto que* tu és o Filho de Deus". O Diabo estava dizendo que já que Jesus era o Messias, não seria problema Ele fazer o milagre para comer.

O objetivo desta primeira tentação não era tanto fazer Jesus duvidar de sua relação com o Pai quanto era rompê-la. Uns pensam erroneamente que teria sido pecado Jesus ter suprido *milagrosamente* suas próprias necessidades. Não se trata disso, considerando que mais tarde Jesus multiplicou os pães e os peixes milagrosamente. Deus fez o alimento, e o alimento é bom. Deus fez o estômago e o instinto de enchê-lo. A cosmovisão cristã não nega a bondade das coisas materiais, mas o cristão não vive só para esta vida. C. S. Lewis, indiscutivelmente o maior escritor cristão do século XX, lança luz sobre o assunto na sua obra *Cartas do Diabo ao seu Aprendiz*. Nela, Screwtape, um tentador veterano, instrui um tentador principiante, Wormwood, na "arte" duvidosa da tentação:

> "Nunca esqueça que quando estamos lidando com algum prazer em sua forma saudável, normal e satisfatória, estamos, de certo modo, no campo do Inimigo [Deus]. Sei que já ganhamos muitas almas pelo prazer. Mesmo assim, é invenção dEle, não nossa. Ele fez os prazeres: até hoje todas as nossas pesquisas não nos capacitaram a produzir sequer um. Tudo o que podemos fazer é incentivar os seres humanos a tomar os mesmos prazeres que nosso Inimigo produziu, em ocasiões, ou modo, ou grau que Ele proibiu".

A questão é: "Como a sugestão de transformar pedras em pães era uma tentação, se não é inerentemente má?" A resposta de Jesus revela a resposta: "Está escrito: Nem só de pão viverá o homem, mas de toda a palavra que sai da boca de Deus" (v. 4). Jesus não estava no deserto para um piquenique, mas para ouvir Deus. O Espírito Santo o enviou para elucidar a verdadeira natureza do seu messiado e prepará-lo para seu ministério futuro. Quebrar o jejum teria afastado Jesus da tarefa à qual o Espírito Santo o tinha conduzido. É importante observar que Jesus venceu a tentação determinando a diferença entre comer, que em geral é considerado uma coisa boa, e jejuar, que era o melhor de Deus para a ocasião.

A escolha que Jesus enfrentou é semelhante a dos soldados ou atletas. Com o propósito de permanecerem prontos para a ação, os atletas se privam de coisas boas, como comida saborosa e prazer, a fim de atingirem a meta. As possibilidades boas os defrontam, mas eles não consideram que todas as opções boas fazem parte de sua chamada. Como Jesus sabia o que fazer? A citação de Deuteronômio 8.3 nos dá a resposta: Ele estava numa atitude de escuta em sua relação com o Pai. A lição importante a aplicarmos é que não é o bastante escolhermos uma coisa boa, mas a melhor, o melhor de Deus. Jesus ouviu atentamente as palavras que Deus já lhe tinha dito. O contexto em Deuteronômio resume-se em provar e testar os israelitas e ensiná-los a não confiar no próprio poder para prover as necessidades, mas confiar e obedecer a Deus. Obediência implica relação, que é a chave para entendermos as demais tentações.

Três vezes Jesus responde às tentações com as palavras: "Está escrito", usando um tempo perfeito que denota: "Está escrito e permanecerá".

2.3.3. A Segunda Tentação (4.5-7).

Não estamos certos se Jesus foi levado fisicamente para o ponto alto do templo em Jerusalém ou se Ele vivenciou o acontecimento numa visão. O ponto principal é que para Ele era uma tentação verdadeira. Mais uma vez Mateus registra as palavras do Diabo: "Se tu és o Filho de Deus", como se ele não tivesse dúvida (oração condicional de primeira classe). Assim o tentador *não está* dizendo: "Salta e sobrevive... Aposto que Tu não consegues". Antes, ele presume que Jesus pode fazê-lo com bastante facilidade.

Se Jesus tivesse exercido tal poder no recinto do templo, sua ação o teria identificado como o líder sobrenaturalmente ungido a quem os insurgentes ou extremistas esperavam que os comandasse numa reforma religiosa e numa rebelião contra os opressores romanos. Esta tentação voltou a assombrar Jesus mais tarde (e.g., Jo 6.15). Na entrada triunfal e na purificação do templo, tudo o que Jesus teria de dizer era: "Às armas!", e sua missão como Messias teria se reduzido a uma operação militar; em conseqüência disso, o plano de salvação espiritual estaria perdido. Esta tentação sempre estava a uma palavra de distância. Na oração de Jesus no jardim do Getsêmani, Ele expressou ao Pai a hesitação em cumprir seu messiado mediante abnegação. Note que Lucas 4.13 declara que as tentações de Jesus não terminaram no deserto, mas que o Diabo o deixou "por algum tempo".

O segredo da vitória de Jesus não estava na memorização mecânica das Escrituras. Ensopar-se com a Palavra de Deus é bom, mas até Satanás pode "declamar" a Escritura. Não foi apenas o conhecimento intelectual que Jesus tinha da Escritura que revelou o plano de Deus, mas sobretudo sua relação com o Pai divino. O único centro apropriado para interpretar a Escritura é uma relação viva com Deus! O que Jesus citou somente revelou essa relação preexistente.

Hoje em dia uns usam as Escrituras como um tipo de "luta romana" com Deus, de modo que se eles citam uma Escritura, Deus tem de cumpri-la. A mera "confissão da Palavra", como um feitiço, não era o segredo do sucesso de Jesus. A citação que o Diabo fez das Escrituras foi inútil. Não devemos ter a presunção de falar e aplicar a Palavra de Deus à parte da vontade de Deus. É o que significa falar em nome de Deus. Por exemplo, como alguém sabe a vontade do próprio cônjuge? Por associação freqüente. Somente nos relacionando com Deus é que podemos conhecer sua vontade.

2.3.4. A Terceira Tentação (4.8-11). O Diabo então levou Jesus a uma montanha alta, mostrou-lhe todos os reinos do mundo e a glória deles, e lhe disse: "Tudo isto te darei se, prostrado, me adorares". Jesus respondeu: "Vai-te, Satanás, porque está escrito: Ao Senhor, teu Deus, adorarás e só a ele servirás".

A princípio quase não parece que é uma tentação. Está desprovida de afetação, e a isca está bem exposta. Mas há um objeto de sedução aqui. Os profetas do Antigo Testamento predisseram que os descendentes de Davi regeriam sobre o mundo inteiro e que as pessoas adorariam o verdadeiro Deus em Jerusalém. Este prospecto seria muito fascinante para espalhar a ética do judaísmo pelo mundo todo. No entanto fazê-lo em resultado da adoração do maligno decretaria a morte para o povo de Deus. Não há nada tão mau quanto tornar o bem em mal. Foi sua relação com o Pai, e não a mera proficiência em "confessar a Palavra", que fez com que Jesus se saísse bem. Ele venceu esta tentação evitando agir de modo a diminuir sua relação com Deus. Jesus se preocupava com o estilo de vida como também com fins ou metas. Em muitos aspectos, seu estilo de vida — comunhão eterna com o Pai — era sua meta, pois só nesta relação Ele podia se sacrificar por pessoas como nós!

Jesus, além de citar a Escritura, dirigiu-se ao Diabo diretamente. Em geral Ele evitava diálogo com poderes demoníacos e os proibia de falar, mas aqui Ele ordenou que o Diabo saísse. A prática de Jesus está em contraste total com a prática popular de arengas longas com o Diabo no contexto da oração.

O fato de Jesus sofrer estas tentações é parte de sua identificação última com a humanidade. Ele se tornou ser humano. Ele ficou adulto e entrou nas águas purificadoras de nosso batismo, embora não tivesse pecado. Ele padeceu tentações em sua identificação conosco. Ele não suportou as tentações meramente como Deus, pois isso teria sido contrafação. Jesus era totalmente Deus *e* totalmente homem; portanto suas tentações foram reais, ainda que Ele fosse inocente. Ele *sofreu* tentações; suportar e não se entregar causam angústia e dor. Ele *não precisava* ter uma "natureza pecadora" para ser tentado e suportar a dor da declaração: "Não". Sua tentação era semelhante a de Adão e Eva que, apesar de não conhecerem pecado, suportaram tentação genuína.[4]

2.4. O Começo do Ministério Público de Jesus (4.12-25)

2.4.1. Jesus Volta para a Galiléia (4.12-17). O modo como cada escritor dos Evangelhos apresenta o início do ministério público de Jesus revela muito acerca dos propósitos e programas de trabalho de cada evangelista. Por exemplo, Marcos se concentra no anúncio que Jesus fez sobre a proximidade do "Reino de Deus" e no prosseguimento da mensagem que João Batista já tinha proclamado: "Arrependei-vos e crede no evangelho" (Mc 1.15). Mateus segue Marcos e apresenta estas duas mensagens de Jesus. De fato, ele destaca ainda mais a chamada ao arrependimento colocando-a na frente da citação: "Desde então, começou Jesus a pregar e a dizer: Arrependei-vos, porque é chegado o Reino dos céus" (Mt 4.17; quanto ao uso do termo "Reino dos Céus", veja Introdução). Ele também prefacia o anúncio de Jesus com a observação: "Desde então" (cf. Mt 16.21), o que indica que outra fase principal do ministério de Jesus está a ponto de acontecer (Kingsbury, 1975, pp. 7-25).

Mateus observa que o local do começo deste ministério cumpre a profecia, o que está em consonância com as suas freqüentes e muitas vezes exclusivas profecias de cumprimento geográfico (Mt 4.12,13; cf. Mt 2.6,15,18,23). O fato de Jesus ter se retirado para a Galiléia depois da prisão de João Batista, a fim de dar início ao seu trabalho público, não é coincidência para Mateus; ele encara como cumprimento de Isaías 9.1,2:

"Mas a terra que foi angustiada não será entenebrecida. Ele envileceu, nos primeiros tempos a terra de Zebulom e a terra de Naftali; mas, nos últimos, a enobreceu junto ao caminho do mar, além do Jordão, a Galiléia dos gentios. O povo que andava em trevas viu uma grande luz, e sobre os que habitavam na região da sombra de morte resplandeceu a luz".

Mateus vê em Jesus o cumprimento óbvio desta profecia da iluminação dos gentios que ocorreu na Galiléia e ao redor de Cafarnaum.

Jesus "voltou" quando ficou sabendo da prisão de João Batista (Mt 4.12). O verbo *anachoreo* ocorre quatorze vezes no Novo Testamento, dez delas em Mateus. Significa "voltar, retornar", mas também tem a conotação de "retirar-se, esconder-se, refugiar-se, abrigar-se" (Bauer, W. F. Arndt e F. W. Gingrich, *A Greek-English Lexicon of the New Testament and Other Early Christian Literature*, Chicago, 1979, p. 63). Mateus o usa neste último sentido, sobretudo depois de contextos onde Jesus tinha entrado em conflito com seus oponentes ou estado em perigo (Mt 2.12,14,22; 12.15; 14.13; 15.21). É como se Jesus seguisse o conselho que Ele mesmo deu depois aos discípulos: "E, se ninguém vos receber, nem escutar as vossas palavras, saindo daquela casa ou cidade, sacudi o pó dos vossos pés" (Mt 10.14). Embora Jesus pudesse e confrontasse publicamente, Ele evitava conflitos, preferindo trabalhar entre os que estivessem abertos ao reinado de Deus. Por conseguinte é apropriado que, quando Herodes Antipas, inimigo mútuo de João Batista e de Jesus, prendeu João Batista, Jesus tenha ido para o norte a fim de começar seu ministério entre os judeus numa região dominada por gentios. Mateus antecipa o ministério de Jesus estendendo-o a todas as nações (Mt 28.19).

2.4.2. A Chamada de Jesus aos Primeiros Discípulos (4.18-22). Mateus coloca a chamada dos discípulos neste ponto, porque segue a ordem fixada antes dele em Marcos e porque identifica a audiência primária para o Sermão da Montanha. Também é visto como parte crucial da próxima fase do trabalho de Jesus delineada em Mateus 4.17. Ele registra a chamada de só quatro discípulos, três dos quais formarão o círculo íntimo de Jesus. Depois registra a chamada de Mateus, o discípulo e ex-cobrador de impostos (Mt 9.9); ele apresenta uma lista completa dos Doze Apóstolos em Mateus 10.2-4.

Depois de Jesus ter deixado Nazaré, Ele se estabeleceu em Cafarnaum, que está junto ao mar da Galiléia (Mt 4.13). Enquanto estava lá, Ele se encontrou com vários pescadores, os quais Ele chamou para segui-lo. Estes homens não eram pobres, visto que tinham negócio próprio e empregados (Mc 1.20). Os nomes dos discípulos expressam o caráter multicultural da Galiléia: Simão, João e Tiago são nomes judaicos, ao passo que o nome de André é grego. Mateus também dá o apelido de Simão, Pedro (pedra), dado a ele por Jesus em Mateus 16.17-19 (veja comentários). Mateus está antecipando o evento futuro aqui.

É extraordinário que após serem chamados, eles "imediatamente" (ou "logo", Mt 4.20,22) deixam o trabalho, no qual estavam engajados, e a família para seguir Jesus. Considerando que Mateus omite o uso constante que Marcos faz de termos como "imediatamente", "logo", é ainda mais significativo que ele os use aqui. Mais tarde esta renúncia completa de vínculos respeitáveis, mas antigos, figuram proeminentemente nas perguntas dos discípulos e nos ensinos de Jesus (Mt 8.21; 19.27-30). Note que estes quatro homens podem ter sabido algo de Jesus antes e ter tido contato prévio com Ele (cf. Jo 1.35-51).

São igualmente surpreendentes as palavras com que Jesus os chama: "Vinde após mim, e eu vos farei pescadores de homens" (Mt 4.19). A inspiração desta metáfora vem da atividade imediatamente diante de Si. Jeremias 16.16 fala de pescadores e caçadores que capturam pecadores e lhes extorquem duplo castigo pelos pecados. Em contraste, Jesus chama os discípulos recentemente escolhidos para pescar em prol da salvação das almas e não para a sua destruição.

2.4.3. O Ministério Triplo de Jesus (4.23-25). Este sumário do ministério de Jesus um é dos muitos que Mateus dá aos leitores (e.g., Mt 8.16; 9.35; 12.15; 14.35,36; 15.30,31; 19.1,2). Esta descrição geral é programática para o ministério de Jesus. Na maior parte, Mateus enfoca a obra de Jesus na Galiléia. Ele também focaliza a população judaica, visto que era freqüente a atividade de Jesus nas sinagogas (Mt 4.23); Jesus manifestou relutância geral em proclamar as boas-novas aos gentios e samaritanos nessa ocasião (cf. Mt 10.5,6). Note também que Mateus está escrevendo numa época em que o cisma entre judeus e cristãos está completo: "Ensinando nas *suas* sinagogas" (Mt 4.23, ênfase minha; veja também Mc 1.39; Lc 4.15).

Ensinar, proclamar as boas-novas do Reino e curar todas as doenças são as três atividades principais de Jesus e tornam-se sinal do seu messiado e do irrompimento escatológico da nova era de Deus, que sacudirá, destruirá ou mudará as instituições da antiga era. Estas são as marcas distintivas do seu trabalho, o qual será rematado por sua obra última na cruz e na ressurreição e será perpetuado na comunidade que Ele comissiona para sucedê-lo (Mt 10.1-40; 28.16-20).

A fama de Jesus se espalha pelo território circunvizinho, e muitos trazem os doentes para serem alvo do seu poder compassivo e ouvirem sua pregação e ensino. Este ministério é propício para explicar como em poucos anos Jesus chamou a atenção de pagãos, judeus, ricos, pobres e os poderes temporais com os quais Ele colidiu. Também explica a origem da "multidão" (Mt 5.1) que está presente para ouvir o Sermão da Montanha que vem a seguir.

As doenças que Jesus curou são arroladas em detalhes e merecem discussão. Jesus curou pessoas com enfermidades, moléstias ou incômodos, em dor ou tormento severos e sob ataque ou angústia; Ele ministrou aos possessos de demônios e aos que sofriam de ataques apopléticos, bem como aos acometidos de paralisia ou portadores de más-formações físicas. Os "lunáticos" (Mt 4.24) pode ser referência ao funcionamento neurológico deficiente da epilepsia, mas no Novo Testamento esta afecção às vezes é associada com a possessão demoníaca. Em Mateus 17.14-21, por exemplo, os sintomas clássicos de um ataque epiléptico são atribuídos a um espírito ou atividade maligna (cf. Mc 9.14-29; Lc 9.37-43). Nos escritos médicos daquele tempo muitas enfermidades eram associadas com um espírito (*pneuma*), e esta pode ser uma descrição protocientífica da enfermidade. É provável que seja inexato descrever em termos demoníacos a maioria dos sintomas semelhantemente epilépticos, mas Jesus e seus contemporâneos entendiam que alguns casos de ataque ou estados catatônicos eram resultado de influência espiritual maligna. Hoje, em tais episódios, deve-se procurar soluções médicas como também oração por cura, e talvez, em alguns casos, a clássica explicação do século I não deva ser excluída. Nos outros lugares no Evangelho de Mateus expulsão de demônios e curas são consideradas duas atividades distintas (e.g., Mt 8.14-17).

3. O Sermão da Montanha: A Lei do Reino (O Primeiro Discurso: 5.1—7.29).

3.1. As Bem-Aventuranças (5.1-12)

3.1.1. O Prólogo do Sermão (5.1,2).

O Sermão da Montanha é um dos mais famosos ensinos de Jesus. No entanto, nem sempre é fácil de interpretar, sendo freqüentemente mal-entendido. É radical, revolucionário, provocativo e simples; não obstante, profundo. Anteriormente Mateus comparou Jesus com Moisés e o Êxodo (Mt 2). Aqui ele faz mais alusões ao penúltimo profeta e mestre do Antigo Testamento e mostra que Jesus é maior que Moisés. Talvez não seja acidental que Jesus comece seu ensino sobre a ética do novo Reino numa montanha, da mesma maneira que Moisés deu a lei no monte Sinai. Ademais, Jesus cita a antiga lei neste sermão, prossegue falando autorizadamente sobre ela e a amplia como se Ele tivesse maior autoridade que Moisés (e.g., Mt 5.17-48). Para ensinar Jesus se senta, e os discípulos e a multidão sentam-se à sua volta — a habitual postura pedagógica dos rabinos naquela época.

Há os que supõem (principalmente os dispensacionalistas) que as exigências do Reino de Jesus, conforme expostas no Sermão da Montanha, são impossíveis de guardar e, assim, descrevem como será o Reino de Deus no seu cumprimento do tempo do fim. Eles adotam esta posição fazendo distinção entre o Reino de Deus, que agora existe, e o Reino dos Céus, que será estabelecido no futuro. Esta diferença é estranha à mente de Mateus e dos outros escritores dos Evangelhos (veja Introdução). O consenso da Igreja, de ontem e de hoje, é que Jesus considerou que a ética deste sermão é possível de ser observada pelo poder da graça de Deus.

Grande parte do material deste sermão Lucas apresenta no Sermão da Planície (Lc 6.17-49). Ainda que se presuma que Mateus e Lucas tenham uma fonte comum a estes ensinos, Jesus poderia tê-los dito diferentemente em mais de uma ocasião. Mateus compilou os ensinos de Jesus tematicamente como o fez nas outras seções pedagógicas do Evangelho.

Estes pronunciamentos de Jesus obtêm o nome da palavra latina *beatitudo*, substantivo relacionado com *beatus*, que é como a Vulgata traduz o termo grego *makarios* (Mt 5.3-11). Esta forma de discurso não se originou com Jesus; ocorre freqüentemente nos Salmos e na literatura sapiencial do Antigo Testamento, e até os gregos tinham tais discursos. A forma se origina da literatura hebraica e judaica com que Jesus estava familiarizado (sobre esta formação, veja Guelich, 1982; Young, 1989). Ainda que a forma e espírito das bem-aventuranças provenham dos judeus, a singularidade dos ensinos de Jesus mostra que Ele cumpriu sua forma e espírito. Cada beatitude abrange três seções: o estado (i.e., "bem-aventurado"), a condição e a recompensa.

O que significa *makarios*? É difícil expressar em nosso idioma a força desta palavra grega e seu conceito hebraico subjacente. A tradução em português sagrou o termo "bem-aventurados". Além de ser uma bênção ou pronunciamento de bênção que o falante estende aos ouvintes que se qualificam, é também uma declaração da realidade ou essência daqueles que mostram a virtude mencionada no pronunciamento. "As bem-aventuranças esboçam as atitudes do verdadeiro discípulo, aquele que aceitou as demandas do Reino de Deus em contraste com as atitudes do 'homem do mundo', e as apresentam como o melhor meio de vida não apenas na sua bondade intrínseca, mas também nos resultados" (France, 1985, p. 108). Nenhuma palavra em nossa língua expressa adequadamente as nuanças do grego ou do hebraico.

Estas beatitudes estabelecem o sentido e a substância do restante do sermão. As questões da pobreza de espírito, choro, mansidão, justiça, misericórdia, limpeza de coração, paz e perseguição são desenvolvidas nos demais ensinos. Portanto temos de explorar cuidadosamente o significado de cada bem-aventurança para Jesus, a cosmovisão hebraica e a Igreja. Devemos tomar cuidado para distinguir estes conceitos das noções modernas que levam o mesmo nome.

3.1.2. Os Pobres de Espírito (5.3).

A expressão "pobres de espírito" tem muitos significados. As sugestões abundam: ser humildes, modestos ou miseráveis, carentes de bens materiais, visto que os indivíduos descritos são voluntariamente pobres em prol do Reino de Deus, ou ser destituídos de materialismo e ganância. A interpretação fica mais complicada porque a versão de Lucas do pronunciamento é: "Bem-aventurados vós, os pobres, porque vosso é o Reino de Deus" (Lc 6.20), o que ele contrasta com: "Mas ai de vós, ricos! Porque já tendes a vossa consolação" (Lc 6.24).

A solução acha-se no entendimento hebraico da palavra "pobres" (*ptochos*). As palavras no Antigo Testamento hebraico traduzidas por "pobres" esclarecem a expressão. É alusão a uma posição socioeconômica, mas também conota dependência de outra pessoa que pode chamá-la para prestar contas de suas ações. O salmista expressa sua dependência de Deus em termos de pobreza. Até um rei deve ver a si mesmo como pobre quando está diante de Deus.

À primeira vista o uso que Lucas faz da palavra "pobres" indica que ele está falando que a pobreza (i.e., a necessidade extrema) é uma bênção. Esta idéia é mais destacada pelo freqüente contraste que ele estabelece entre pobres e ricos (e.g., Lc 1.53; 6.20-24; 12.13-21; 16.19-31). Mas temos de perguntar *porque* Lucas contrasta ricos e pobres. Os ricos não são rejeitados pelo fato de terem riquezas, mas por se deleitarem na auto-suficiência e promoverem a pobreza (veja Lc 12.21). O rico é condenado por mostrar indiferença à situação difícil de Lázaro (Lc 16.19-31). Em Atos, também escrito por Lucas, a igreja de Jerusalém dispôs de bens para atender os necessitados e manter as riquezas em comum (At 2.44-46), e o fez voluntariamente (embora a propriedade privada não tenha sido completamente liquidada na igreja em geral, visto que Paulo pôde levantar uma coleta entre as igrejas gentias na dispersão para a igreja pobre de Jerusalém).

Os "pobres de espírito" são os que percebem que estão moral, espiritual e até fisicamente falidos sem a graça de Deus. Eles estão conscientes de que sempre necessitam de Deus. Como é então que são benditos? Eles são benditos porque estão cientes de que a sua fonte é Deus, e que todas as outras fontes não sancionadas por Deus são ídolos vãos. "Porque o meu povo fez duas maldades: a mim me deixaram, o manancial de águas vivas, e cavaram cisternas, cisternas rotas, que não retêm as águas" (Jr 2.13). Os desesperados, que não estão iludidos por sua auto-suficiência e que se lançam na misericórdia de Deus, encontrarão os recursos do Reino dos Céus nas mãos de Deus.

O "Reino dos Céus" pertence aos pobres de espírito. O que é o Reino dos Céus (sinônimo de "Reino de Deus"; veja Introdução)? Quando a pessoa faz parte de um reino, ela tem um rei. O Reino dos Céus requer obediência completa ao Rei — fisicamente, mentalmente e espiritualmente. Pedir: "Venha o Teu Reino", implica: "Que o meu Reino vá". O Rei do Reino dos Céus exige que reconheçamos sua soberania absoluta. É difícil Deus nos dar algo se nossas mãos estão cheias. A coisa mais preciosa que este mundo pode colocar em nossas mãos não passa de lixo comparada ao que Deus nos oferece.

Note que Jesus disse que o seu Reino *é* deles, não fala que *será* deles (France, 1985, p. 109):

> "Os tempos verbais (nas bem-aventuranças) estão no futuro, exceto na primeira e na última, indicando que o melhor ainda está por acontecer, quando o Reino de Deus for finalmente estabelecido e seus súditos entrarem na herança. Mas o tempo presente dos versículos 3 e 10 nos vedam a interpretação exclusivamente futura, pois Deus recompensa estas atitudes com seus respectivos resultados progressivamente na experiência do discípulo. A ênfase não está tanto no tempo presente ou futuro, quanto na *certeza* de que o discipulado não será em vão".

Por meio de Jesus o Reino já chegou em muitos aspectos, se bem que o melhor ainda está por vir. O casamento começou; a lua-de-mel virá.

O sintoma da falta de pobreza de espírito é uma auto-suficiência inexperiente, e desconsideração pela provisão de Deus e a exigência incondicional do seu reinado. Esta beatitude não está determinando uma discreta falsa humildade, como Bonhoeffer, o mártir dos tempos atuais (1963, p. 118), observou:

> "Ele os chama benditos, não por causa de privações ou da renúncia que fizeram, pois estas não são benditas em si mesmas. Só a chamada e a promessa, por cuja causa eles estão prontos a padecer pobreza e renúncia, podem justificar as bem-aventuranças. [...] O erro acha-se em procurar um tipo de comportamento humano como base para a bem-aventurança em vez de basear-se só na chamada e promessa de Jesus".

3.1.3. Os que Choram (5.4). Cada bem-aventurança se edifica na anterior, o que é característico da poesia hebraica. Em vez de estruturar-se na métrica ou na rima, a poesia hebraica estrutura-se no paralelismo. A segunda linha repete a idéia da linha prévia mas aumenta o significado. As pessoas que se conscientizam de que sem Deus elas estão espiritual e moralmente arruinadas (Mt 5.3) têm uma reação natural: choram, quer dizer, mostram uma expressão de pesar. Este choro se refere a uma resposta religiosa, e não apenas à tristeza por perda física.

Grande parte do fraseado e conceitos das bem-aventuranças de Mateus vem de Isaías 61. O contexto histórico deste capítulo é o exílio dos israelitas na Babilônia em conseqüência de desobediência e pecado. O remanescente que sobreviveu à destruição de Samaria (721 a.C.) e Jerusalém (587 a.C.) chorou pela perda da terra e da nação. As pessoas e coisas que lhes eram preciosas — como velhos amigos, a família, a cidade e o templo — foram destruídas. Embora alguns judeus tenham prosperado no exílio, muitos estavam em perigo e pobres. Os poucos judeus que permaneceram na Terra Prometida foram igualmente devastados. Ao mesmo tempo que Lucas ressaltou a unção do Espírito Santo e os pobres no uso que fez de Isaías 61 (Lc 4.18), Mateus concentrou-se nos temas de consolo para os que choram, restauração da prosperidade e reintegração da posse de terra.

Muitos salmos do Antigo Testamento também expressam tristeza e aflição, e clamam a Deus por libertação, perdão e restauração da relação certa com Ele (e.g., Sl 22; 51). Como os exilados, os pobres de espírito estão em angústia, totalmente dependentes da intervenção de Deus. O próprio Jesus chorou. Ele chorou sobre Jerusalém por tê-lo rejeitado e ser subseqüentemente destruída (Mt 23.37-39). Jesus chorou por seu amigo Lázaro, que havia morrido, ainda que Ele estivesse prestes a ressuscitá-lo (Jo 11.35). No jardim do Getsêmani Ele suportou grande agonia por causa do iminente sacrifício na cruz (Mt 26.39). Jesus cumpriu a descrição de Isaías acerca do "Servo Sofredor": "Homem de dores, experimentado nos trabalhos" (Is 53.3). Um dia Ele enxugará todas as lágrimas dos olhos do seu povo (Ap 21.4).

Chorar é ter remorso pelos pecados e arrepender-se por eles, renunciá-los e abandoná-los. Requer nossa inteira confiança na misericórdia de Deus e total empobrecimento de todos os outros recursos. Sintomas da falta desta beatitude são a petulância ao pecado, a falta de seriedade acerca de suas conseqüências e a presunção do perdão de Deus — "graça barata", como diz Bonhoeffer.

Os que choram "serão consolados". O consolo é o papel principal do Messias na restauração do povo, sua terra e o estabelecimento do Reino, como vimos em Isaías 61. Note também o que diz Isaías 40.1,2: "Consolai, consolai o meu povo, diz o vosso Deus. Falai benignamente a Jerusalém e bradai-lhe que já a sua servidão é acabada, que a sua iniqüidade está expiada e que já recebeu em dobro da mão do SENHOR, por todos os seus pecados" (veja também Is 49.13; 51.12; 66.13; Jr 31.13). Na época dos escritos rabínicos o Messias era chamado Menaém, que significa "o Consolador".

3.1.4. Os Mansos (5.5). Esta terceira bem-aventurança completa as primeiras duas e revela o segredo de vivenciar a ética do novo Reino. E. Stanley Jones (1931, pp. 51, 57) explica-a muito bem:

"A primeira beatitude sem a segunda termina numa indiferença estéril, mas com ela termina numa ligação frutífera. Este versículo atinge aqueles que diriam que a religião é uma 'mentalidade de fuga', um meio de fugir da dor e aflição. Eis aqui agora a religião escolhendo deliberadamente a tristeza para si mesma a fim de curá-la nos outros. [...]
"As primeiras duas beatitudes corrigiram-se e completaram-se pelo resultado mútuo numa síntese de duas e tornam-se uma terceira, isto é, os mansos que herdam a terra".

O que é mansidão? Mansidão é uma das palavras mais equivocadamente entendidas em nosso idioma. Seu significado no texto fica mais complicado pelas nuanças das palavras grega e hebraica que tenta traduzir. O termo grego é *praus*, palavra que a Septuaginta usa para traduzir o vocábulo hebraico que significa "pobre" ou "humilde". Em outras palavras, mansidão tinha larga conotação no hebraico. Dada a tendência em repetir idéias em paralelismo sinônimo, o significado primário de *praus* é mais ou menos equivalente ao significado de "pobres de espírito" na primeira bem-aventurança.

Muitos estudiosos acreditam que Jesus está aludindo ao Salmo 37.11, onde a LXX traduz a palavra hebraica pobre por *praus*: "Mas os mansos [pobres] herdarão a terra e se deleitarão na abundância de paz". No ambiente hebraico, "pobre" não denotava apenas a pessoa sem dinheiro. Também era um termo religioso que significava que os verdadeiramente justos reconheciam a ruína moral e espiritual em que viviam diante de um Deus santo e que qualquer mérito duradouro está baseado nos recursos e graciosidade de Deus. Portanto, trata-se de uma auto-descrição da pessoa que está em dificuldades desesperadoras, que sabe que só Deus pode ajudar (Sl 40.17; 102.1; Is 41.17; 49.13; 66.2; Sf 2.3; 3.12).

Dada a definição acima, até um rei rico que era justo se consideraria pobre e manso diante de Deus, se ele reinasse com amabilidade e justiça. No uso grego, Xenofonte deixa claro que "manso" não é sinônimo de "fraco", pois ele descreve um garanhão selvagem que, ao ser domesticado, ficou "manso". Aristóteles define a palavra com o sentido entre raiva excessiva e explosiva e raiva nenhuma. Nesta aplicação de humildade, a falta de poder não é a única questão. Na entrada triunfal de Jesus em Jerusalém, Mateus comenta que Jesus cumpriu a profecia de Zacarias 9.9 sendo "manso" (*praus*, Mt 21.5, "humilde"). Nos dias do Novo Testamento o termo "manso" tinha se tornado título que honra o Messias, talvez baseado na descrição de Moisés apresentada em Números 12.3: "E era o varão Moisés mui manso, mais do que todos os homens que havia sobre a terra". Em *Eclesiástico* 45.4 lemos o que Jesus, filho de Siraque, escreveu em relação a Moisés: "Pela sua fé e mansidão [*praus*] o santificou". Mateus apresenta Moisés como o principal protótipo do Messias, que seria o novo e melhor Legislador (cf., e.g., Mt 5.43,44).

Jesus modela a mansidão muito claramente — não como fraqueza mas, semelhante a Moisés antes dEle, como poder sob controle (Fp 2.3-11). Jesus era uma pessoa de poder. Ele curava as pessoas, expulsava demônios, caminhava sobre as águas e fazia milagres surpreendentes. Ele hostilizou seus inimigos políticos como quis, e não foram poucas as vezes em que eles o deixaram, derrotados em total retirada intelectual. Ele, em sua mansidão, demonstrou que a indignação justa naturalmente surge de um cuidado humilde por Deus e pelas pessoas. Não obstante Ele era a pessoa mais mansa que jamais existiu! E. Stanley Jones (1931, pp. 57, 58) descreve este aspecto do ministério de Jesus nos termos de "o terrível manso", que tem grande poder e determinação e serviço compassivo. Os mansos são terríveis porque não podem ser comprados ou vendidos; seu serviço aos outros dura mais que o tirano valentão.

Paulo fornece valioso comentário sobre esta beatitude quando inclui a mansidão na lista do fruto do Espírito em contraste com as obras da natureza humana pecadora (Gl 5.22,23). Ele freqüentemente associa mansidão com gentileza (2 Co 10.1, "benignidade"; Ef 4.2, "humildade"; Cl 3.11,12). Os crentes têm de ser humildes ("modestos") e mostrar perfeita cortesia (*praus*, "mansidão") para com todo o mundo (Tt 3.2); assim, a gentileza é parte integrante da mansidão.

A promessa para os mansos é que "eles herdarão a terra". Para entendermos esta parte da bem-aventurança, temos de olhar a história de Israel, os atos salvadores de Deus naquela história e o conceito de Terra Santa. Terra é um assunto na história de salvação desde o jardim do Éden, quando Adão e Eva foram expulsos dali e Deus prometeu um retorno ao paraíso edênico na terra de Israel (Gn 49.8-12). Quando Deus redimiu Israel da escravidão egípcia, a salvação veio como uma viagem à Terra Prometida. O mesmo é verdade acerca do fim do exílio na Assíria e do cativeiro babilônico, que resultaram na volta do povo e na restauração do templo em Jerusalém (veja Neemias). Mas os bens imóveis não são a única coisa pretendida. A terra era uma promessa dada aos que confiavam em Deus (Dt 4.1; 16.20). A Terra Prometida e sua possessão tornaram-se símbolos da ação futura de Deus para salvar o seu povo (Is 61.7).

A terra assume um significado maior, visto que é prometida aos mansos justos que humildemente servem a Deus. Só os justos receberão a bênção de Deus, ao passo que a prosperidade dos ímpios é efêmera (Sl 37). A prosperidade dos justos é contingente no amor que eles têm por Deus e na manutenção do concerto por amor e lealdade. Embora a prosperidade material seja conseqüência para os mansos que seguem a Deus, a herança da terra representa, em última instância, a vindicação final de Deus sobre os mansos. Quem se exalta será humilhado, e quem se humilha será exaltado (Mt 23.12). Quem se agarra à terra a perderá; ela só pode ser recebida como presente.

3.1.5. Os Famintos e Sedentos de Justiça (5.6).
Esta bem-aventurança revela muito sobre a natureza do Reino de Deus. Como vimos na bem-aventurança dos "pobres de espírito", esta bem-aventurança também tem um significado duplo em Mateus e Lucas. Lucas se concentra no estado socioeconômico da Igreja na sua versão da bem-aventurança da pobreza, e ele segue o mesmo padrão na sua versão desta bem-aventurança: "Bem-aventurados vós, que agora tendes fome, porque sereis fartos. Bem-aventurados vós, que agora chorais, porque haveis de rir" (Lc 6.21) Lucas condena os proponentes descuidados do materialismo grosseiro. Ele não condena as riquezas, mas o seu abuso e dificuldades em relação à espiritualidade.

Por outro lado, Mateus ressalta o aspecto espiritual quando menciona ter fome e sede *de justiça*. Tal procedimento está de acordo com o uso espiritual da palavra "pobres" que descreve a necessidade que a pessoa tem de Deus. Porém, a justiça de Deus não está destituída das ramificações sociais; os justos terão alívio dos sofrimentos porque a justiça é misericordiosa (Mt 25.36). Muitas ordens monásticas combinaram ambos os sentidos nos votos de pobreza, nos quais eles se identificam com os pobres e são totalmente dependentes da provisão física e espiritual de Deus.

As palavras "fome e sede" evidenciam muito sobre a mensagem de Jesus. No texto grego, ambas são particípios presentes, denotando ação ininterrupta, ou seja, um estilo de vida contínuo de fome e sede de justiça. Este tipo de pessoa busca a justiça assim como uma pessoa morta de fome busca comida ou um andarilho perdido no deserto anseia por água. A fome e sede são incessantes; a justiça é a prioridade mais alta, a necessidade primeira, a única coisa que satisfará.

Isto é paralelo ao relato do Êxodo do Antigo Testamento (Êx 17.11-32; Dt 8.15) no qual estavam presentes a fome e sede físicas e espirituais. Quando os israelitas buscavam a vontade de Deus em obediência, vinha a provisão abundante, mas a questão básica era espiritual. Deus disse a Israel que Ele os guiou no deserto "para te humilhar, para te tentar, para saber o que estava no teu coração. [...] E te humilhou, e te deixou ter fome, e te sustentou com o maná, [...] para te dar a entender que o homem não viverá só de pão, mas que de tudo o que sai da boca do SENHOR viverá o homem" (Dt 8.2,3). O Êxodo tornou-se um tipo ou tema repetido de provisão divina no futuro (e.g., Is 25.6; 41.17,18; 55.1-3). A sede como metáfora espiritual também é usada no Salmo 42.1-4.

O que Mateus quer dizer com a palavra "justiça"? Excetuando Lucas 1.75, Mateus é o único evangelista sinótico que usa a palavra. Ele não a usa como mera justificação legal; antes, ele encara a justiça como exigência ética e como dotação graciosa para ser vivenciada. O entendimento hebraico de justiça envolvia comportamento, vida e conduta — entendimento que Mateus fielmente conserva. Contudo nesta bem-aventurança a justiça também inclui a idéia de graça e do "exercício da justiça divina que resulta na vindicação almejada pelos perseguidos" (Gundry, 1994, p. 70).

Mateus não pretende que a justiça se refira à mera conduta, pois ele registra em 5.20 a explicação de Jesus de que a verdadeira justiça tem de exceder a dos escribas e fariseus. Esta não é simples exigência para entrada no Reino dos Céus. A parábola de Mateus sobre o servo perdoado de uma dívida ultrajante, que se recusa a perdoar um servo seu por uma dívida relativamente insignificante, esclarece o significado de justiça (Mt 18.23-35). A injustiça é destituída de amor e perdão, que são o meio de troca no novo Reino. Todas as transações são anuladas, se nenhuma moeda corrente que não a justiça de Deus for oferecida.

O ato gracioso de Deus leva a pessoa a uma nova relação com Deus, na qual a gratidão exige resposta similar em consonância com a natureza e vontade do benfeitor (Mt 5.6; 6.33). O semelhante deve gerar o semelhante. Assim o Reino traz uma nova relação entre Deus e sua criação, uma relação que se expressa em conduta correspondente de acordo com a vontade de Deus. Guelich (1982, p. 86) nota que o contexto de Mateus revela o "*dom* — a característica da justiça". A justiça não é tanto um recurso que a pessoa tem, quanto uma consciência de sua falta e um desejo motriz por ela. Assim a bem-aventurança do choro é paralela e explica esta. Bem-aventurados os que estão cientes de sua mediocridade miserável e desesperadamente buscam os recursos da justiça de Deus.

Os que têm fome de justiça "serão fartos". O termo traduzido por "fartos" significa "comer até ficar cheio". Na literatura secular, este verbo era usado para descrever o gado que tinha sido engordado. Aqueles cujo estilo de vida é buscar a justiça serão engordados com ela. Deus não é avaro para quem almeja as coisas certas. Visto que o tempo está no futuro, focaliza a atenção no vindouro banquete messiânico; nem todas as recompensas da justiça são imediatas. Ao mesmo tempo, nem todos os benefícios da justiça estão no futuro remoto; alguns efeitos, como a provisão de Deus, são aqui e agora (Mt 6.33).

Receber o perdão gracioso de Deus e unir-se ao Reino requerem renunciar o antigo reino, ou seja, arrepender-se. A verdadeira justiça não significa — nem jamais significou na antiga era — pura justiça do tipo olho por olho (Mt 5.38-42). Deus deseja escrever a justiça perdoadora no coração das pessoas, de forma que se torne parte da justiça delas e, assim, assegure que o padrão ético seja mantido (Jr 31.33). Não é por guarda simples das regras do Mestre, mas ter o coração e a natureza do Mestre. A justiça de Deus não é meramente forense; tem de ser metamórfica. O perdão não atingiu seu objetivo se não criou um coração grato.

3.1.6. Os Misericordiosos (5.7). Esta bem-aventurança é algo próximo da lei da reciprocidade. Paulo escreveu: "O que o homem semear, isso também ceifará" (Gl 6.7). O próprio Jesus testemunhou: "Dai, e ser-vos-á dado; boa medida, recalcada, sacudida e transbordando vos darão; porque com a mesma medida com que medirdes também vos medirão de novo" (Lc 6.38).

Contudo devemos tomar o cuidado para não reduzirmos esta bem-aventurança a mera lei do cosmo, uma refinada lei natural a ser explorada por quem quer que seja. A lei da reciprocidade funciona só dentro de uma relação com Deus e uma submissão ao seu senhorio. Todo o mundo conhece situações em que o bem não foi retribuído pelo bem na experiência humana, um corolário exagerado para a lei de Murphy: "Nenhuma ação boa ficará impune". Só numa relação de obediência a Deus, na qual Ele e sua vontade são amados acima de tudo, é que esta "lei" pode ser cumprida a despeito da maldade do mundo. Colheita atrasada significa colheita maior.

Tratar esta verdade como fórmula a ser manipulada *não é* cristianismo, nem é o espírito da religião hebraica; é magia, a manipulação de um espírito ou deidade que façam as coisas a seu modo, paganismo (At 19.15,16). Os sistemas que enfatizam estas verdades como leis manipuladoras deixam Deus na periferia da equação ou o consideram seu cativo, que *tem* de fazer o que declaram. Eles pensam em Jesus, o Senhor, como um gato que tem de lhes fazer a vontade se eles lhe torcem a cauda. Eles seguram o Leão de Judá pela cauda; eles devem é largá-la *cuidadosamente*.

Para receber misericórdia a pessoa tem de se submeter e estar em relação com a própria Misericórdia. Recebemos o convite misericordioso de Deus para salvação e união com o seu reinado. A misericórdia é parte do seu programa de trabalho. Como seus agentes e amigos, promovemos o programa da misericórdia — até às nossas custas. Receber misericórdia é ficar misericordioso. Como a justiça, a misericórdia é metamórfica, que muda o caráter. Se verdadeiramente recebermos a misericórdia de Deus, mudaremos e mostraremos misericórdia; caso contrário, não aceitaremos o ato misericordioso de Deus em nossa vida.

O que é misericórdia? Na Bíblia a misericórdia tem dois significados principais:
1) Indica que a pessoa foi perdoada de um mal cometido (Is 55.7).
2) É a palavra usada para benevolência que ajuda os necessitados (Lc 18.39). Dar esmolas é chamado ato de misericórdia; em grego a "esmolaria" está no mesmo grupo de palavras que a "misericórdia". Os dois significados principais são usados em Mateus, mas a misericórdia no contexto de julgamento é o sentido dominante no Sermão da Montanha.

É freqüente presumir que a misericórdia e a justiça são opostas, que a misericórdia é graça, e que a justiça é lei e retidão inflexíveis. Este não era o conceito hebraico de misericórdia nem de justiça. As duas estão estreitamente relacionadas: "A misericórdia e a verdade se encontraram; a justiça e a paz se beijaram" (Sl 85.10). O conceito de Deus acerca da justiça não é retribuição impetuosa, mas uma demora em irar-se e um procedimento misericordioso (Sl 86.15). Até o castigo que Deus deu em Israel por desobediência crassa não era meramente punitivo; foi designado a ser corretivo e, portanto, salvífico. A meta da justiça de Deus é uma misericórdia que mude e cure a vida. Seu conceito de justiça é misericordioso, e não apenas leis impávidas (veja Os 6.6). As definições modernas de misericórdia e justiça necessitam da suavidade e temperança uma da outra. A pessoa deve ser "justamente misericordiosa e misericordiosamente justa" (Guelich, 1982, p. 63).

Os misericordiosos "alcançarão misericórdia". Jesus tem em mente o dia do julgamento final, ainda que de certo modo os misericordiosos também recebam misericórdia hoje e possam dar o que recebem. Esta bem-aventurança descreve os que, ao errarem, receberam o perdão de Deus, os quais, por sua vez, tratam os que lhes ofendem como Deus fez quando eles lhe ofenderam. A misericórdia no Reino é como dinheiro na economia: Só quando está em circulação faz o melhor. É comum os frutos da misericórdia serem visitados sobre os misericordiosos no presente como pagamento inicial da recompensa do tempo do fim. Bonhoeffer (1963, p. 125) versa esta bem-aventurança assim: "Bem-aventurados os misericordiosos, porque eles têm o Misericordioso como Senhor".

3.1.7. Os Limpos de Coração (5.8). A pureza de coração é freqüentemente mal-entendida na Igreja contemporânea. O uso moderno da expressão "limpos de coração" sugere que significa pureza moral, motivos transparentes ou até pureza sexual. Ainda que este significado não seja estranho ao uso bíblico, o uso hebraico da expressão expressa algo mais essencial. A palavra "limpos" (no grego *katharos*) quer dizer puro, cerimonialmente puro ou moralmente puro (Bauer, W. F. Arndt e F. W. Gingrich, *A Greek-English Lexicon of the New Testament and Other Early Christian Literature*, Chicago, 1979, p. 388). O uso hebraico dá à expressão seu significado distintivo na Bíblia. Parte de nosso engano surge do fato de que os hebreus entendiam o "coração" mais que o lugar das emoções; também era o lugar das atividades espirituais e intelectuais do indivíduo, a pessoa interior, como queira.

No Antigo Testamento "coração" e "alma" são usados indistintamente.

O coração, no uso do Antigo Testamento, é o lugar onde ocorrem fantasias e visões (Jr 14.14). A tolice ou loucura (Pv 10.20,21) e os maus pensamentos também se originam e se desenvolvem no coração, assim como a vontade e a intenção (1 Rs 8.17) e a resolução de fazer coisas (Êx 36.2). Este conceito hebraico de coração é um termo inclusivo para a personalidade humana como um todo. É o centro giroscópico da pessoa, onde todos os pensamentos, sentimentos e intenções são equilibrados ou desequilibrados.

A promessa de que os limpos de coração "verão a Deus" alude ao Salmo 24, no qual "aquele que é limpo de mãos e puro de coração" "subirá ao monte do SENHOR" e "estará no seu lugar santo" (Sl 24.3,4). "Mãos limpas e um coração puro" indicam pureza externa e interna da pessoa inteira diante de um Deus que tudo vê. É uma orientação coerente da pessoa inteira, como uma bússola interior ou um dispositivo residente que dirige a pessoa constantemente a Deus (Sl 24.6; cf. Mt 12.35).

Mas como Deus pode ser visto? A promessa de ver a Deus está em nítido contraste com a advertência encontrada no livro de Êxodo, de que ninguém "verá a minha face [de Deus] e viverá" (Êx 33.20; cf. Êx 3.6; 19.21). Contudo Deus apareceu a Abraão, Moisés e Isaías (Gn 17.1; Êx 24.10,11; Dt 34.10; Is 6.1,5). Os crentes também têm a esperança de ver a Deus — no último dia (Hb 12.14; 1 Jo 3.2; Ap 22.4), quando eles comparecerem na presença de Deus e forem aprovados no Dia do Julgamento (cf. Mt 6.24,33; 22.37).

3.1.8. Os Pacificadores (5.9). Como se dá com algumas das outras bem-aventuranças, o conceito ocidental não se ajusta com as palavras que Jesus usa. Nossa palavra "paz" é paralelo lamentável ao que Jesus quis dizer. Definimos a paz como o estado oposto à guerra e a pacificação, como o ato de pôr de lado um conflito pela trégua — conceito que também se ajusta ao uso do grego clássico da palavra. A palavra hebraica *shalom* expressa melhor o intento de Jesus. *Shalom* é um estado de inteireza, integridade, nos indivíduos ou nações, incluindo segurança, saúde e riqueza no contexto do concerto de Deus com seu povo.

A paz verdadeira está baseada no "concerto de paz" feito entre Deus e seu povo (Ez 37.26). É a natureza da bênção de Deus por seu povo fiel, que está em relação certa com Ele. A simples ausência de peleja militar e riqueza material não é a paz de Deus. Por exemplo, no reinado de Jeroboão II, Israel estendeu suas fronteiras e gerou muita prosperidade material; mesmo assim o profeta Amós condenou a nação. Suas riquezas eram ganhos mal adquiridos às custas dos pobres, o produto da cobiça, injustiça e ilegalidade. Os bons tempos políticos mostraram ser a calma antes da tempestade, porque a nação estava prestes a sucumbir diante do poder que tinha enfraquecido seus vizinhos, o inumano e temeroso Império Assírio que destruiu Israel em 721 a.C.

A paz de Deus é muito mais profunda, mais completa e mais significativa. Números 6.24-26 expressa muito bem a idéia: "O SENHOR te abençoe e te guarde; o SENHOR faça resplandecer o seu rosto sobre ti e tenha misericórdia de ti; o SENHOR sobre ti levante o seu rosto e te dê a paz". A referência à face de Deus fala de sua presença, que é a fonte última de sua paz.

A paz de Deus provém da justiça: "E o efeito da justiça será paz, e a operação da justiça, repouso e segurança, para sempre" (Is 32.17). A paz e a justiça estão dispostas em par (e.g., Sl 72.7; 85.10; Is 48.18; 57.2; 60.17). Aquele que é pacificador (mais lit., "autor da paz") é reto (Ml 2.6) e fiel (2 Sm 20.19) e apóia a verdade (Et 9.30; Zc 8.16). *Shalom* vem da obediência a Deus. Nunca pode se obtida sem uma relação com Ele. A fonte de toda a paz é a presença de Deus. *Shalom* tem um sentido perfectivo, como no sentido de estar completamente equipado, sem faltar nada. Não é mera prosperidade material, pois até o justo Josias, que foi morto em batalha, morreu em paz por causa de sua obediência (2 Rs 22.20).

Este significado amplo e abrangente de paz continua no Novo Testamento (veja seu uso em Rm 8.6; 14.17; 15.13; Gl 5.22; Fp 4.7; Cl 3.15). A paz de Jesus é qualitativamente superior a qualquer coisa deste mundo: "Deixo-vos a paz, a minha paz vos dou; não vo-la dou como o mundo a dá. Não se turbe o vosso coração, nem se atemorize" (Jo 14.27). O uso dominante da paz no Novo Testamento expressa sua herança hebraica de inteireza, integridade, justiça e subseqüente bênção para o indivíduo e a comunidade que humilde e obedientemente vive na presença de Deus.

O papel de Jesus como autor da paz era parte da expectativa judaica que apregoava que o Messias estabeleceria paz e justiça universais e um paraíso edênico nos últimos dias (Is 9.6,7; 54.10; Ez 34.25-31; 37.26; Mq 5.4; Ag 2.9; Zc 8.12). Assim, o futuro Príncipe da Paz tinha a missão escatológica numa balança cósmica. Jesus começou o estabelecimento da paz do tempo do fim. Por sua morte e ressurreição Ele se tornou a paz entre Deus e nós (Rm 5.1; Ef 2.14-18; Cl 1.20). Recebemos esta paz, embora imerecidamente, como presente de Deus, mesmo quando somos seus inimigos (Rm 5.10; 2 Co 5.19; Cl 1.20,22). A paz que Jesus nos dá está baseada numa relação com Ele. Encontramos a paz quando somos íntimos de Jesus e pela intimidade de Jesus conosco.

Os pacificadores serão chamados "filhos de Deus". Esta bênção está no tempo verbal futuro, visto que tem em mente o julgamento final. O verbo também está na voz passiva, porque é Deus quem nos faz seus filhos na natureza, e não só no nome (Mt 5.45; Lc 6.35). Da mesma forma que Deus, nosso Pai, seremos os criadores da paz. Esta nomenclatura "filhos de Deus" é hebraica: os israelitas eram filhos de Deus considerando que eles tinham sido escolhidos por Ele, recebido o seu concerto e mantinham uma relação especial com Ele (Êx 4.22; Dt 14.1; Jr 31.9; Os 1.10). O Messias era, em sentido especial, o Filho de Deus (cf. Sl 2.7). A relação entre Deus e seus filhos nesta bem-aventurança não é inteiramente futurística, pois mesmo agora os cristãos são filhos de Deus (1 Jo 3.1,2).

Dada a natureza ampla e abrangente de *shalom*, os pacificadores são "criadores de inteireza [ou integridade]", cujo trabalho afeta toda a comunidade. Eles são mais que reconciliadores no fato de trabalharem pela cura e inteireza da sociedade. Esta definição mais vasta é apoiada no chamado de Jesus para "amarmos os inimigos" (Mt 5.44; cf. Lc 6.27). O último comentário sobre este aspecto da pacificação é o próprio Jesus, que morreu para reconciliar os inimigos de Deus com Ele (Rm 5.8). Assim também nós, como filhos de Deus, somos chamados a amar o não-amável e indigno, e a restabelecer a inteireza num mundo fragmentado e caído, sem o que nenhuma paz duradoura pode existir. Temos uma parte a desempenhar no estabelecimento do Reino.

3.1.9. Os Perseguidos por causa da Justiça (5.10-12). Esta bem-aventurança liga-se com as prévias, sobretudo com a do pacificador. Manter a paz é perigoso, mas criar a paz, fazer a paz e estabelecer a justiça exige mais sacrifício ainda. O sacrifício de Jesus na cruz é o exemplo último do preço do Autor da paz. Para que haja a verdadeira paz e inteireza, as convenções estabelecidas da sociedade projetadas somente para "manter a paz" ou perpetuar a injustiça têm de acabar. Como filho sulista dos Estados Unidos que cresceu nos anos cinqüenta e sessenta, testemunhei tal mudança. Freqüentemente ouço comentários como: "Ora essa, nós sempre tivemos duas fontes de água: uma para os negros e outra para os brancos", ou: "É para o próprio bem deles". Para estabelecer a verdadeira paz, as coisas tiveram de mudar, e às vezes havia um preço a pagar.

Esta bem-aventurança é paralela ao *status* de "pobres de espírito", no versículo 3, que também recebem o Reino. Como os pobres, os perseguidos se dão conta de que sem Deus a causa está perdida, mas com Deus a causa triunfará a despeito dos sofrimentos. A bem-aventurança acerca de ter fome e sede de justiça também se equipara a esta. A pessoa tem de buscar a inteireza como se a vida dependesse disso, e depende — para o indivíduo e a comunidade. Ser amigo de Deus é ser inimigo do mundo. Note que a perseguição é "por causa da justiça", não em conseqüência de estupidez ou teimosia egomaníaca. Como observado acima, a justiça é um dom e uma exigência — um dom que nos muda e nos autoriza a mudar, mas também é um código ético e um estilo de vida.

Os perseguidos — os que sofrem às mãos e bocas dos outros por causa de Jesus — são como os corajosos profetas de antigamente. A última bênção deve ser enumerada com o fiel que comparecerá no julgamento de Deus, banquetear-se-á nas bodas messiânicas e se unirá em incessantes louvores a Deus. Tudo o mais é de importância secundária (Mt 6.33; Mc 8.36).

3.2. O Sal e a Luz (5.13-16)

O "sal" é valorizado por dois atributos principais: gosto e conservação. Não perde sua salinidade se é cloreto de sódio puro. Isto nos leva à sugestão do que Jesus quis dizer quando disse com os discípulos deixariam de ser discípulos se eles perdessem o caráter de sal. O sal não refinado extraído do mar Morto continha mistura de outros minerais. Deste sal em estado natural o cloreto de sódio poderia sofrer lixiviação em conseqüência da umidade, tornando-o imprestável (Jeremias, 1972, p. 169). O ensino rabínico associava a metáfora do sal com sabedoria. Esta era a intenção de Jesus, visto que a palavra grega traduzida por "nada mais presta" tem "tolo" ou "louco" como seu significado radicular. É tolice ou loucura os discípulos perderem o caráter, já que assim eles são imprestáveis para o Reino e a Igreja, e colhem o desprezo de ambos.

No Antigo Testamento "luz" está associada com Deus (Sl 18.28; 27.1), e o Servo do Senhor e Jerusalém também estão revestidos com a luz de Deus. O Servo será luz para os gentios, e todas as nações virão à luz de Jerusalém (Is 42.6; 49.6; 60.1-3). É neste sentido de ser luz para as nações que Jesus identifica os discípulos como luz. Esta idéia antecipa a conclusão do Evangelho de Mateus: "Portanto, ide, ensinai todas as nações [ou fazei discípulos]" (Mt 28.19). No capítulo anterior, Mateus identificou Jesus como a "grande luz" de

Isaías na Galiléia gentia (Mt 4.15,16). Agora os discípulos são chamados para serem portadores da luz.

O "mundo" (*kosmos*) se levanta em contraste com o Reino dos Céus e é paralelo à palavra "terra" (*ge*) do versículo 13. Diz respeito ao lugar da habitação dos seres humanos. Pode ter sentido negativo (Mt 18.7) e se referir à presente era em relação à próxima.

A expressão: "Uma cidade edificada sobre um monte" pode ter sido inspirada pela descrição que Isaías fez de Jerusalém estar vestida com a luz de Deus como farol das nações (Is 60). O monte Sião também é paralelo à referência ao monte. Os discípulos devem levar a cabo a comissão de Jerusalém no esquema maior da história de salvação.

O "alqueire" era antiga unidade de medida de capacidade para secos, equivalente a nove litros. A questão é se deve ou não pôr luzes em lugares de máxima visibilidade, como numa luminária. Os cristãos devem ser visíveis. Mateus deixa isto claro com seu termo preferido: "assim". A luz dos discípulos é as boas obras que eles fazem. Não só os discípulos são luz, mas eles fazem a luz.

Não era incomum os judeus considerarem Deus como o Pai da nação de Israel, mas Ele ser o Pai de indivíduos é uma característica do ensino de Jesus e também está bem desenvolvido na literatura da Igreja. O termo "vosso Pai" ocorre freqüentemente no Sermão da Montanha (Mt 5.45; 6.1,9; 7.11). O motivo para fazermos obras é que as pessoas glorifiquem o Pai celestial, não a nós. Aqueles que fazem o bem por motivos egoístas recebem o odioso título de "hipócritas" (Mt 6.1-4).

3.3. Jesus É o Cumprimento da Lei (5.17-48)

3.3.1. O Princípio Básico (5.17-20). Os oponentes de Jesus o criticavam por não guardar as minúcias das observâncias tradicionais da lei judaica. Aqui Jesus deixa claro que Ele não está ausente para destruir a lei, mas para cumpri-la e até intensificá-la. Ele fixa padrões mais altos. Seu principal interesse é a razão de a lei existir; Ele insiste que guardar a lei começa com a atitude do coração. Por este princípio Jesus afirma simultaneamente o valor das pessoas e da lei. Neste aspecto Ele cumpre a lei antecipada por Jeremias: "Porei a minha lei no seu interior e a escreverei no seu coração; e eu serei o seu Deus, e eles serão o meu povo" (Jr 31.33b).

Como sucessor de Moisés, Jesus dá a palavra final na lei. Mas o que Ele quer dizer quando fala que *cumpre* a lei? Não significa que Ele simplesmente a observa. Nem quer dizer que Ele anulou o Antigo Testamento e as leis (como sugerido por Márcion e os hereges gnósticos). A obra de Jesus e sua Igreja está firmemente arraigada na história de salvação. Em certo sentido, Jesus deu à lei uma expressão mais plena, e em outro, transcendeu a lei, visto que Ele se tornou a corporificação do seu cumprimento. Mateus vê o cumprimento da lei em Jesus semelhantemente ao cumprimento da profecia do Antigo Testamento: O novo é como o velho, mas o novo é maior que o velho. Não só o novo cumpre o velho, mas o transcende. Jesus e a lei do novo Reino são o intento, destino e meta final da lei.

Note o fraseado enfático de Jesus em não abolir a lei (Mt 5.18). A expressão "em verdade vos digo que" aparece no começo das declarações mais enfáticas de Jesus. Esta palavra grega (*amen*) é a transliteração para o grego da palavra hebraica que Jesus falou, e é linguagem cristã especializada, denotando afirmação sagrada. Jesus assevera que nem um jota, a menor letra, nem uma serifa ou adorno numa letra, de nenhuma maneira passará até que tudo se cumpra.

Parece que a maneira na qual Jesus cumpre a lei varia de acordo com o tipo da lei. Muitas leis rituais foram completadas no sacrifício de Jesus (cf. a carta aos Hebreus) e então já não precisam ser observadas. O próprio Jesus considerou as leis dietéticas cumpridas, uma vez que a corrupção vem do coração (Mc 7.18,19; At 10.10-16; Gl 2.11-14). Outras leis são cumpridas na reinterpretação e reaplicação

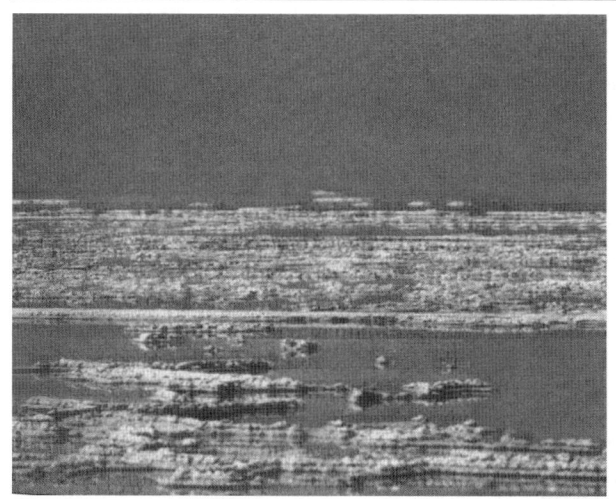

Salinas no mar Morto fornecem o sal necessário para a conservação dos alimentos. Jesus chamou os discípulos de "o sal da terra". Ele também os avisou que, quando o sal perde a salinidade, já não presta para mais nada.

de Jesus no espírito de uma lei internalizada profundamente sentida, como ocorre nas interpretações revolucionárias que Ele dá da antiga lei apresentada nas seções seguintes de Mateus 5.

A pessoa que minimiza o significado da antiga lei à parte da interpretação de Jesus da lei será chamado o menor no Reino (Mt 5.19). A palavra *lyo* (v. 19) significa relaxar, quebrar ou anular. Mais tarde, quando o gnosticismo menosprezou o mundo material e segregou a salvação a uma jurisdição espiritual, mítica ou não-histórica, os pais da igreja primitiva foram prontos em insistir na validade da obra de salvação de Deus no tempo, no espaço e na história como demonstrado no Antigo Testamento. Sem o contexto histórico, precedente e a promessa do velho, a declaração do novo pode significar qualquer coisa que algum autodenominado profeta queira significar.

A pressuposição de que Jesus estava perpetuando o mero legalismo e elevando o lance legalista evapora-se no calor da advertência de Jesus encontrada no versículo 20: "Porque vos digo que, se a vossa justiça não exceder a dos escribas e fariseus, de modo nenhum entrareis no Reino dos céus". A questão era a qualidade e fim da lei, e não sua quantidade.

3.3.2. A Raiva e o Assassinato (5.21-26).

Jesus também soterra a suposição do antinomianismo da sua parte. Ele mostra que o cumprimento tem de exceder a simples letra da lei e que o cumprimento tem de partir do coração. A observância sincera da lei excederá a fórmula tradicional da observância meticulosa.

A verdadeira batalha pela lei do Reino não está nas simples ações externas ou efetuação de movimentos, pouco importando quão detalhados sejam; antes, a batalha é ganha ou perdida no coração, onde reside a vontade. "O primeiro passo para se tornar santo é desejá-lo" (Francisco de Sales). A maioria dos pecados é premeditada; requerem-se ações anteriores e às vezes drásticas para evitar que a semente dê raiz e produza uma colheita amarga. Assim, os remédios de Jesus parecerão extremos, mas a malignidade tem de ser isolada e removida o quanto antes, para que haja a melhor chance de recuperação. A prevenção é suprema.

A voz passiva "foi dito" (vv. 21,27,31,33,38,43) é modo reverente de dizer: "Deus disse" (costume judaico de respeitar o nome de Deus, importante questão para a comunidade judaica à qual Mateus escrevia). Jesus segue persistentemente esta expressão com uma porção da lei do Antigo Testamento. Então vem sua declaração surpreendente: "Eu [*egó*, enfático], porém, vos digo...", com o que Ele intensifica a lei. Esta é a estrutura para as próximas seis seções. Jesus está agindo como bom mestre, que Ele descreve mais tarde, que tira dos seus depósitos tesouros novos e velhos (Mt 13.52).

A proibição no versículo 21 não é a matança em geral, mas assassinato, matança que é contrária à lei. Jesus intensifica a lei indo ao âmago da questão: a vontade humana. O assassinato começa com a raiva; a pessoa tem de lidar com a raiva a fim de evitar o assassinato. A raiva é expressa por palavras. A palavra *raca* é aramaica e significa literalmente "vazio, oco", e era aplicada de modo descortês. Jesus proíbe seu uso e diz que esta infração torna o indivíduo "réu do Sinédrio" (i.e., do julgamento). Usar a palavra "louco" (*moros*) é arriscar-se ao "fogo do inferno [*geena*]". Considerando que *raca* e *moros* são apresentados em estrutura paralela e dado que em outros lugares a palavra grega *moros* é empregada para traduzir a palavra aramaica *raqá*, não está claro se uma é mais ofensiva que a outra. Matutar sobre a diferença de intensidade das duas palavras é perder o ponto da questão: Jesus proíbe ambas.

Jesus leva esta regra além dos limites dos seus contemporâneos. Na comunidade de Qumran, a pessoa que usasse linguagem impudente ou blasfema teria sua ração de comida reduzida por até um ano; tal pessoa seria evitada e, em alguns casos, até expulsa da comunidade (Normas da Comunidade 6.23—7.5,15-18). Jesus leva a ofensa ao precipício do inferno. O uso de Mateus da palavra *geena* com o significado de inferno é tipicamente judaico. No vale de Hinom (do qual a palavra *geena* é derivada), onde outrora se faziam sacrifícios humanos a deuses estrangeiros, os judeus de Jerusalém queimavam lixo; por conseguinte o lugar tornou-se símbolo de maldição abrasadora e irrevogável.

Jesus espera que seus seguidores resolvam depressa as desavenças. Antes de sacrificar no altar do templo, a pessoa deve deixar a oferta e ir a quem a pessoa ofendeu, resolver as coisas e depois voltar para sacrificar (vv. 23,24). Jesus aconselha que o caso seja resolvido com o adversário legal antes que um juiz atue no caso. À primeira vista parece que Jesus está apenas oferecendo bons conselhos legais; mas considerando o contexto prévio, Ele está usando um exemplo de sabedoria legal convencional para incentivar os discípulos a resolver as coisas antes do julgamento final de Deus!

3.3.3. O Adultério e o Divórcio (5.27-32).

Jesus aborda novamente um dos Dez Mandamentos e afirma sua maior autoridade para interpretá-lo. Como alguns dos seus contemporâneos Ele vai às minúcias para restringir esta falta grave. Alguns fariseus fechariam os olhos ou andariam com a cabeça inclinada para não olhar uma mulher. Mas Jesus identifica o coração como a principal parte ofendida do ser humano, pois o coração é a sede da vontade, da imaginação e da intenção da pessoa, embora os olhos tenham sua parte. Jesus não está condenando a atração sexual natural, mas a luxúria ou desejo lúbrico (v. 28). A mensagem de Jesus é clara: Se a pessoa tratar da intenção do coração, então os olhos cuidarão de si mesmos.

Para chegar ao ponto desejado, Jesus recorre a relato hiperbólico: "Arranca-o [o olho]", e: "Corta-a [a mão direita]" (vv. 29,30). Jesus não está exigindo desmembramento, pois a batalha está no coração. A tentação deve ser evitada, porque nada menos que o sacrifício da pessoa inteira no inferno é que está em jogo.

Mateus apresenta o pronunciamento de Jesus sobre o divórcio com a mesma fórmula que usou anteriormente: "Foi dito... Eu, porém, vos digo". Ao reavaliar as leis do divórcio daquele tempo, Jesus mostra a sublime visão que Ele mantém sobre casamento, sua santidade e indissolubilidade. Ele alude ao certificado de divórcio da lei do Antigo Testamento (Dt 24.1-4). Classicamente, as escolas rabínicas de Hillel e Shammai mostram as posições antitéticas que existiam no judaísmo. O rabino Hillel disse que uma mulher poderia ser divorciada pelo marido por qualquer coisa que o desagradasse, até por queimar o jantar! O rabino Shammai disse que só ofensas sexuais atestadas por testemunhas garantiria que a esposa seria despedida. Jesus identifica-se com Shammai e declara que o divórcio feito com base que não na lascívia (*porneia*) seria equivalente a ter parte em adultério. O termo *porneia* quer dizer adultério, sexo antes do casamento, incesto ou coisa semelhante; daí a NVI traduzir a cláusula de exceção de Jesus por "infidelidade sexual". Esta cláusula de exceção não é uma nova condição, mas exprime que descobrir infidelidade cria um estado *de facto* do divórcio (France, 1985, p. 124).

No subseqüente estado adúltero da mulher que se casa com novo companheiro, a falta é colocada aos pés do primeiro homem que, de acordo com Jesus, obtém um divórcio frívolo. Ele precipita um estado adúltero da mulher que se casa outra vez (que então pode não ter tido voz ativa no segundo matrimônio, dado seu estado social). Mais tarde, quando Jesus insistiu nesta visão estrita do divórcio, os fariseus perguntaram: "Então, por que mandou Moisés dar-lhe carta de divórcio e repudiá-la?" Ele respondeu que Moisés tolerou esta prática "por causa da dureza do vosso coração". Jesus manteve a posição anterior exarada pela lei natural quando instruiu o povo que o Criador designou que o marido e a esposa fossem uma só carne e nunca se separassem (Mt 19.4-11). Na passagem em foco, Jesus diz que o homem que se divorcia da esposa por qualquer razão, exceto por infidelidade matrimonial, e se casa com outra mulher, comete adultério. A vontade de Deus é a permanência do matrimônio nesta terra. Assim Malaquias escreve que Deus diz que o casal é uma carne e que Ele "aborrece o repúdio [ou odeia o divórcio]", sobretudo por causa dos efeitos sobre os filhos (Ml 2.14-16).

3.3.4. Os Juramentos (5.33-37). Mateus apresenta pela quarta vez a fórmula "Foi dito... Eu, porém, vos digo". No comentário sobre a antiga lei Jesus faz um ajuste importante. Os juramentos eram permitidos e, em alguns casos, exigidos (e.g., Nm 5.19), mas Jesus proibiu o uso de juramentos. O emprego do advérbio *holos* ("de maneira nenhuma", Mt 5.34) indica que Jesus esperava que esta atividade cessasse completamente. Os juramentos que aludem indiretamente a Deus, pela referência a céu, terra e até a própria pessoa, eram proibidos, postura que respeita a transcendência e imanência de Deus ainda mais. A moratória de Jesus sobre juramentos e votos também elimina o cumprimento de votos tolos feitos imprudentemente. Ele atinge o cerne da questão: A pessoa honesta não tem necessidade de fazer juramento; um simples sim ou não é suficiente (veja também Tg 5.12).

3.3.5. A Vingança e os Direitos (5.38-42). Jesus intensifica novamente a força da antiga lei, transcende-a e cumpre o seu âmago. O princípio de olho por olho e dente por dente era comum no antigo Oriente Próximo e tinha o desígnio de manter feudos de sangue sob controle (Êx 21.24,25; Lv 24.20; Dt 19.21). Jesus exige que seus seguidores não reclamem seus direitos, que "não resist[am] ao mal". Ele não está nos instruindo a ficarmos sentados passivamente enquanto o mal triunfa, ou a sermos cúmplices implícitos de violência física quando podemos mantê-la sob controle. O sentido de Jesus levantar-se em favor do bem e atacar o mal torna impossível tal idéia. Considerando o contexto que se segue, parece que Ele está chamando os discípulos para rejeitarem seus direitos legítimos de propriedade e reparação de queixas. "Mal", neste contexto, não é tanto o Diabo ou o oposto do bem ideal, mas é aquele que quer desapossar injustamente o discípulo de sua dignidade ou propriedade.

Os exemplos que se seguem são exatamente isso, exemplos de como vivenciar o princípio. Mas qual é o princípio? Não é que os discípulos de Jesus devem ser intimidados à vontade ou que eles não são muito importantes. A resposta acha-se nas bem-aventuranças cruciais, onde temos a chave para destrancar o significado do restante do Sermão da Montanha: "Bemaventurados os mansos, porque eles herdarão a terra". Os mansos, os pobres de espírito, entendem que têm total confiança em Deus para o sustento próprio, e não nos recursos efêmeros e ilusórios das instituições do mundo. Santo Basílio, quando ameaçado por Modesto, o ajudante de toda confiança do imperador, com o confisco de sua propriedade, replicou: "Como podes ameaçar um homem que está morto para o mundo? Com exceção de minhas roupas e alguns livros, não tenho mais nada. Quanto à morte, ela me impulsiona para onde desejo estar" (Gregório, *Panegeric of Basil* [Panegírico de Basílio]).

A maior questão não é "os meus direitos" mas os assuntos do Reino de Deus. A pessoa pode estar legalmente correta numa ação judicial e acabar totalmente emaranhada no materialismo. "Algo tão bom nos aconteceu que não há nada comparativamente que possa ser tão ruim" (rev. Robert J. Stamps). Os discípulos podem se prender ligeiramente aos bens deste mundo porque eles sabem que Deus os sustentará. Deus é a sua fonte e fundação; tudo o mais é areia movediça.

"Não resistais" pode significar "não entreis em ação legal contra" e é provavelmente a intenção do texto. Bater na face direita refere-se a um golpe aplicado com as costas da mão, ato que no antigo Oriente Próximo era extremamente insultante, sem dizer que era doloroso. Oferecer a outra face teria sido a resposta mais surpreendente. Jesus sofreu o mesmo abuso no seu julgamento (Mt 26.67) e cumpriu o abuso do Servo Sofredor de Isaías (Is 50.6). Além disso, se um litigante quer lhe tirar a túnica (a roupa interior), dê-lhe a roupa exterior também (Mt 5.40). A lei proibia especificamente que alguém passasse frio (Êx 22.25-27). Amós condenou os ricos ímpios em Israel por reterem as capas dos pobres à noite como penhor de dívida (Am 2.8). Contudo, Jesus com efeito diz: "Nem mesmo se aproveitem de seus direitos básicos".

"Caminhar uma milha" diz respeito à prática muito ressentida das forças romanas que ocupavam a Terra Santa, que poderiam exigir que os cidadãos lhes levassem pacotes por 1.000 passos. Sob a autoridade desta regra de trabalho forçado, Simão de Cirene foi compelido a levar a cruz de Jesus (Mt 27.32). Quando Jesus sugeriu que eles caminhassem duas milhas voluntariamente, Ele não granjeou para si ou para os discípulos a estima dos revolucionários zelotes que praticavam violenta resistência à ocupação romana. Este procedimento equivalia a colaborar com o inimigo! No rastro destas injustas apropriações de propriedade vem a ordem de Jesus dizendo para dar àquele que pede. Os cristãos devem ser conhecidos por sua generosidade. Podemos confiar em Deus, pois Ele satisfará as necessidades dos seus filhos; é por isso que é possível agirmos como o Deus misericordioso que nos perdoou e nos sustenta.

3.3.6. O Amor pelos Inimigos (5.43-48).

O Antigo Testamento é específico em requerer o amor pelo próximo; Levítico 19.18 deixa claro que o próximo é um israelita. Lucas 10.29-37 amplia a definição de "próximo" incluindo todo aquele que estiver em necessidade, até um estrangeiro menosprezado. Não há ordem explícita de odiar os inimigos, mas a atitude é recomendada no Salmo 139.21: "Não aborreço eu, ó SENHOR, aqueles que te aborrecem"? (veja também Dt 30.7; Sl 26.5; 137.7-9). O Manual de Disciplina de Qumran exigia que todos da comunidade do mar Morto "amassem todos os filhos da luz [...] e odiassem todos os filhos das trevas" (Normas da Comunidade 1.9,10; veja também Normas da Comunidade 1.4). A versão da LXX do Salmo 139.22 diz: "Eu os odeio com um ódio perfeito [teleion]". Contraste com a conclusão de Mateus desta passagem: "Sede vós, pois, perfeitos [teleioi], como é perfeito o vosso Pai, que está nos céus" (Mt 5.48). Para Jesus a perfeição ou completude abrangia amar os inimigos.

Jesus inclui os inimigos tradicionais como objetos de amor. Na estrutura paralela do versículo 44, estes inimigos são identificados como perseguidores. Mateus freqüentemente levanta o tema da perseguição. Mais que evitar conflitos, Jesus conclama os discípulos a amar os que querem destruí-los, da mesma maneira que Ele o fez quando da cruz perdoou Seus inimigos (Lc 23.34), e exatamente como Estêvão o fez ao ser executado (At 7.60). Note o efeito profundo de ambos em Saulo de Tarso.

A marca do verdadeiro filho "do Pai que está no céu" (Mt 5.45) é ter o coração do Pai. Repare na acusação do irmão mais velho na parábola de Lucas do filho pródigo, o motivo de ele recusar amar seu irmão errante (Lc 15.25-31). Assim também Jesus exige amor incondicional. O perdão amoroso recebido de Deus requer que o perdão amoroso seja dado aos outros (Mt 6.12; 18.21-35). Como prova de que esta é a intenção de Deus, Jesus relata que o Pai envia o sol e a chuva necessários tanto para os justos quanto para os injustos (v. 45). Gostar de pessoas semelhantes a nós não é extraordinário, pois até os nefandos "cobradores de impostos" e "pagãos" fazem o mesmo (vv. 46,47).

"Sede vós, pois, perfeitos" (v. 48) é paralelo a Deuteronômio 18.13, que diz: "Perfeito [*teleios*, LXX] serás, como o SENHOR". Em nosso idioma a palavra "perfeito" tem o sentido de "sem defeito, incapaz de erro", o que fez com que alguns cristãos se desesperassem dos ensinos de Jesus, presumindo que o padrão é impossivelmente alto para meros seres humanos. Contudo o problema está na definição do termo em nosso idioma, não no grego. O termo *teleios* quer dizer "perfeição" ou "inteireza, integridade", sendo o que a pessoa foi projetada para ser. O desejo de Jesus é que este seja o resumo ou a meta das passagens anteriores. Assim como os filhos se assemelham aos pais, assim os discípulos devem se assemelhar em miniatura ao divino Pai amoroso. A questão não é perfeição infalível, mas obediência e imitação do Pai, cumprindo assim a razão de existir.

Esta plenitude ou meta da antiga lei é cumprida nos discípulos, que vivenciam a completude de Jesus da antiga lei. Somos chamados para ser diferentes com relação à raiva, assassinato, luxúria, adultério, divórcio, juramento, veracidade, vingança, direitos pessoais e propriedade no que tange ao próximo e aos que nos odeiam. Somos chamados para ser diferentes não apenas no que fazemos, mas também em nossos motivos. O discípulo de Jesus torna-se completo quando mostra a bem-aventurança dos "limpos de coração".

3.4. Os Atos de Justiça (6.1-18)

Entre os escritores dos Evangelhos só Mateus apresenta estas declarações de Jesus concernentes à esmola, oração e jejum, as quais eram exigências básicas do judaísmo: "Oração com jejum é bom, mas melhor do que ambos é a esmolaria com justiça" (Tobias 12.8). Estes atos básicos de justiça estavam perpetuados no cristianismo e foram assimilados no islamismo. Jesus dá prosseguimento ao tema iniciado no capítulo 5, qual seja, a justiça (um dos principais tópicos de Mateus). O que ele destaca sobre este assunto rememora as bem-aventuranças, o código de DNA para construir o Reino: pureza de motivos e integridade. Os verdadeiros súditos do Reino de Deus são os pobres de espírito, os limpos de coração, os mansos que servem somente à justiça. Jesus contrasta o que Ele entende por justiça com as noções populares dos seus dias.

Jesus começa esta parte do Sermão da Montanha com a solene advertência: "Guardai-vos de fazer a vossa esmola diante dos homens, para serdes vistos por eles; aliás, não tereis galardão junto de vosso Pai, que está nos céus" (Mt 6.1). No texto grego a palavra "esmola" (*dikaiosyne*, traduzida na NVI por "obras de justiça") é colocada no início da frase para dar ênfase, tendo a seguinte tradução literal: "A vossa esmola guardai-vos de fazer diante dos homens". A justiça não é apenas um estado, mas também uma ação, algo que a pessoa faz. Dado o contexto negativo que se segue, a NVI traduz corretamente a referência à justiça colocando-a entre aspas simples a fim de pôr em dúvida sua validade: As boas ações são feitas para auto-engrandecimento dos "atos de justiça"?

3.4.1. As Esmolas (6.1-4). Jesus presume que dar aos pobres é a norma. Ele não diz: "*Se*, pois, deres", mas: "*Quando*, pois, deres". Sua admoestação aqui é contra dar aos pobres pelos motivos errados. A razão que Jesus apresenta para fazer caridade sem ser visto, é que generosidade ostentosa não resulta em recompensa "do vosso Pai, que está nos céus". Mateus freqüentemente levanta a questão de pagamento e recompensa. O substantivo "galardão" (*misthos*, às vezes traduzido por "salário, recompensa") ocorre vinte e nove vezes no Novo Testamento, sendo encontrado dez vezes em Mateus; o verbo "recompensar" (*apodidomi*, v. 4) aparece quarenta e oito vezes no Novo Testamento e é achado dezoito vezes em Mateus. Estes ensinos sobre pagamento e recompensa por boas e más ações são usualmente colocados no contexto de julgamento do tempo do fim.

Jesus chama "hipócritas" (*hypocrites*) os que dão pelos motivos errados. Este é linguajar forte para descrever as atividades dos seus inimigos, ainda que anteriormente Ele tivesse advertido contra tais epítetos indiscriminados (Mt 5.22). Atividades auto-ilusórias atraem acentuada crítica de Jesus, e Ele acha necessário chamar a atenção das pessoas para o perigo. O termo *hypocrites* era originalmente usado para descrever atores — apropriado aqui, visto que o doador ostentoso está desempenhando para uma audiência. Salientar tal hipocrisia ocupa grande parte da atenção de Mateus. Das dezoito vezes que o termo *hypokrites* ocorre no Novo Testamento, quatorze estão no seu Evangelho. É quase sinônimo dos inimigos de Jesus: "escribas e fariseus, hipócritas" (e.g., Mt 23.13,15,23,25,27,29).

O verbo "serdes visto" (*theaomai*, v. 1) implica "espetáculo"; origina-se da mesma família de palavras da qual provém a palavra "teatro". Esta "justiça teatral" pode enganar os seres humanos, mas o ato é destituído do motivo puro de honrar a Deus através de um viver correto (Bruner, 1998a, p. 229). "Fazer tocar trombeta" (v. 2) é uma expressão figurativa que significa "chamar a atenção para alguém", pois não há evidência de que os fariseus jamais tenham subido em "palcos" públicos sob o clangor de trombetas. Ao fazerem esmola eles buscavam a própria glorificação das pessoas, em vez de dar aos pobres como ato de agradecimento voltado à glória de Deus.

O que vem a seguir em Mateus é puramente Jesus: "Em verdade vos digo que [*amen*] já receberam o seu galardão" (v. 2). "Já receberam" tem um sentido contábil, indicando que foi feito pagamento total e um recibo foi dado. O contrato foi cumprido; eles receberam pelo que negociaram — uma audiência iludida. Mas Deus não é iludido (Gl 6.3,7). O objetivo do afeto para o verdadeiro esmoleiro é principalmente Deus. A justiça que excede a dos fariseus (cf. Mt 5.20) busca proeminentemente agradar a Deus.

Outro assunto que aparece com freqüência na apresentação de Mateus dos ensinos de Jesus e é repetido em nosso texto é a palavra "oculto" ou "ocultamente, em secreto" (*kryptos*) e o verbo correspondente "esconder" (*krypto*). Eventualmente todas as coisas serão reveladas, e os segredos serão conhecidos na contabilidade final de Deus (e.g., Mt 10.26). A hipocrisia e a justiça ocultas serão reveladas. "Não saiba a tua mão esquerda o que faz a tua direita" (Mt 6.3) é uma hipérbole óbvia. A mensagem é clara: Não ostente boas ações.

3.4.2. A Oração e a Oração do Senhor (6.5-15).

3.4.2.1. A Oração Secreta (6.5,6).

Mais uma vez Jesus usa a forte palavra "hipócrita" para mostrar aos discípulos a antítese da justiça apropriada. De pé era postura de oração aceita entre os judeus — não é o que está sendo condenado. Nem é a oração pública o ponto da questão; Jesus orou na presença de outras pessoas (e.g., Mt 11.25,26) como o fez a igreja primitiva (e.g., At 4.24,31). Jesus está mais preocupado com a ardilosa orquestração de religiosidade. Na hora da oração, os espalhafatosos membros dos fariseus forjavam a aparência em lugares abarrotados de gente só para "mostrar" que eram santos. Jesus repete palavra por palavra a advertência solene: "Em verdade vos digo [*amen*] que já receberam o seu galardão" (v. 5).

Jesus conclama os discípulos a evitar a tentação do exibicionismo espiritual procedendo da seguinte maneira: Em suas respectivas casas, eles devem entrar no quarto interior (*tamieion*, em geral o quarto mais central, seguro e retirado numa casa judaica) e fechar ou chavear a porta. Lá, eles oram ao Pai em segredo, e o Pai que continuamente vê tudo os recompensará (Mt 6.6).

3.4.2.2. A Oração Vã (6.7,8).

Jesus não apenas adverte os discípulos contra orar como os fariseus, mas Ele também os aconselha a não orarem como os gentios faziam — os quais, usando de vãs repetições, presumiam que seriam ouvidos "por muito falarem" (Mt 6.7). O termo "vãs repetições" (*battalogeo*) ocorre só aqui no Novo Testamento. Os tradutores deste versículo calcularam que se trata de balbucio ininterrupto por causa do contexto que se segue. Contudo, nas raras ocorrências do termo em outras literaturas contemporâneas, pode significar conversa tola (Bauer, W. F. Arndt e F. W. Gingrich, *A Greek-English Lexicon of the New Testament and Other Early Christian Literature*, Chicago, 1979, p. 137).

Jesus não está proferindo uma proibição contra toda repetição na oração; caso contrário os Salmos teriam que ser descartados, e a oração de Jesus no jardim do Getsêmani violaria o seu próprio princípio. Em outro lugar Jesus ensinou que o povo deve "orar sempre e nunca desfalecer", no contexto de oração repetitiva (Lc 18.1-8). Ele também disse: "Continuai pedindo, e vos será dado", também no contexto de oração (Mt 7.7a, tradução minha). A RC faz boa versão quando traduz Mateus 6.7 por: "Não useis de vãs repetições". A referência aos gentios (*ethnikos*) é usada em Mateus na maioria das vezes em sentido negativo (veja também Mt 5.47; 18.17).

Que grande consolo é saber que Deus conhece nossas necessidades antes de expressarmos nossos pedidos. O assunto em questão não é repetição, mas relação. Os profetas de Baal chamavam e clamavam ao seu deus, pensando que gritos ruidosamente repetidos e auto-mutilação obteriam atenção e favor. Elias, que conhecia o verdadeiro Deus, orou simples e brevemente, e fogo caiu do céu (1 Rs 18.25-29). Os pagãos no mundo de Jesus recitavam muitos nomes divinos nas orações que faziam com a esperança de contatar uma entidade simpatizante na tentativa de ganhar poder sobre a deidade. Esta prática de magia ou manipulação é especificamente proibida no judaísmo e no cristianismo. Os atuais esforços em "usar" o nome de Jesus somente para obter o que quer que se queira tem mais laivos desta prática pagã do que o genuíno esforço de orar (cf. At 19.13-17). Repetição e decibéis não tornam Deus mais capaz de ouvir. Um deus com um déficit de atenção e deficiência de audição é um conceito pagão. Um bom pai se levanta atentamente pronto para ouvir o clamor dos filhos.

3.4.2.3. A Oração do Senhor (6.9-15).

Jesus não deixa os discípulos somente com uma lista de proibições, nem os entrega a seus próprios esquemas de oração. Ele oferece um padrão específico de oração. Uns consideram a Oração do Senhor mero esboço e, por conseguinte, recusam-se a fazê-la como uma oração decorada. É evidente que Jesus pretendia que orações improvisadas brotassem do seu exemplo, mas não há nada nesta passagem ou no paralelo lucano (Lc 11.1-4) que proíba o uso destas palavras de Jesus na oração congregacional e em particular. A Igreja que sucedeu a era apostólica entendia que esta oração seria recitada congregacionalmente, em cultos de adoração, e acreditava que ela estava preservando o padrão de adoração estabelecido pelos apóstolos.

A Oração do Senhor era parte integrante do culto de comunhão na igreja primitiva, como é atestada por Jerônimo, Ambrósio, Agostinho e Cirilo. O Didaquê cita a Oração do Senhor e ensina que o crente faça esta oração três vezes por dia (Didaquê 8.2,3). Este documento é datado de fins do século I e início do século II.

Mateus e Lucas incluem versões da Oração do Senhor. O contexto de Mateus está no Sermão da Montanha, com os discípulos e a multidão ouvindo. A versão de Lucas ocorre num lugar não revelado e em momentos de maior intimidade, quando os discípulos, vendo Jesus em oração, disseram: "Senhor, ensina-nos a orar, como também João ensinou aos seus discípulos" (Lc 11.1). Os discípulos de Jesus estavam lhe pedindo que os ensinasse uma oração que, como a oração do movimento de João Batista, os identificasse distintamente como seguidores de Jesus. Em outras palavras, qual é o programa de trabalho para o seu Reino na oração? A versão de Lucas é menor que a de Mateus, mas ambas podem ter vindo diretamente do próprio Jesus, visto que Ele ia de aldeia em aldeia ensinando, indubitavelmente com variações e ajustes inspirados que aconteciam à medida que Ele falava.

Uma parte do que Jesus ensinou nesta oração era original, enquanto que outras partes foram fundamentadas firmemente na prática inspirada do judaísmo. A estrutura básica da oração é paralela ao kadish[5] aramaico, que era usado na sinagoga (veja Jeremias, 1967, p. 98):

Exaltado e santificado seja o seu grande nome no mundo que Ele criou conforme a sua vontade.
Que o seu Reino domine ao longo de vossa vida e nos vossos dias
E por toda a vida de toda a casa de Israel prontamente e sem demora.
E a isto diga: Amém.

A primeira metade da Oração do Senhor (vv. 9,10) atém-se em honrar a Deus e seu Reino. A outra metade (vv. 11-13) consiste em pedidos pelas necessidades pessoais dos discípulos. Esta segunda parte assemelha-se em conteúdo e estrutura à oração judaica das Dezoito Bênçãos, ainda que as orações de Jesus sejam mais concisas e breves. Comentaremos as contribuições exclusivas de Jesus à medida que cada parte da oração for analisada.

3.4.2.3.1. "Pai nosso, que estás nos céus" (6.9a). Não era incomum os judeus considerarem Deus como Pai de Israel, mas como Pai de indivíduos numa relação especial era bastante inusitada. Esta experiência pai/filho era característica da relação de Jesus com Deus. Jesus chama Deus de "meu Pai" treze vezes em Mateus. Até este ponto ao longo do Sermão da Montanha, Jesus fala aos seus seguidores que eles compartilham uma experiência de família com Deus como Pai celestial, e com os outros como irmãos (Mt 5.9,16,22,23,45,47,48; 6.1,3,6,8). Embora seja palavra de cunho familiar, a expressão de Mateus: "Nosso Pai, que estás nos céus" é mais respeitável que o simples "Pai" de Lucas.

Reconstruindo a oração no idioma original aramaico, Jeremias sugere que o abrupto "Pai" de Lucas possa ter sido "Aba" (termo familiar como "papai" ou "papá"; cf. o uso de Aba em Mc 14.36; Rm 8.15; Gl 4.6). Isto mostra a intimidade única de Jesus com o Pai. Se Aba foi a palavra original usada por Jesus, então o contexto em Lucas assume maior significado: À medida que os discípulos estavam pedindo uma oração especial que os identificasse como seguidores do Reino de Jesus distinguindo-os dos outros grupos, Jesus está dizendo que o modo exclusivo de seus seguidores se dirigirem a Deus é como eles o fazem quando usam Aba. Se Aba também foi a intenção na versão de Mateus, então Deus é simultaneamente íntimo e generoso, ainda que poderoso e transcendente. Os cristãos na oração estão subindo ao colo do Construtor das galáxias, acariciando-lhe a bochecha e fazendo-lhe seus pedidos. A chave para a relação entre os cristãos e seu Deus é abordá-lo como Pai amoroso.

3.4.2.3.2. "Santificado seja o teu nome" (6.9b). A força da palavra "santificado" em hebraico, aramaico e grego é "ser santo" ou "ser santificado". Santidade significa primariamente ser posto de lado para propósito especial. No caso de Deus Ele é "o completamente outro". Isto expressa o respeito hebraico pelo nome de Deus que apareceu na sarça ardente, quando Moisés perguntou o nome de Deus e recebeu a resposta: "EU SOU O QUE SOU" (Êx 3.14). Não foi dado a Moisés um nome que ele pudesse usar magicamente para manipular Deus na concessão de pedidos. Deus respondeu afirmando sua existência. Os judeus dos dias de Jesus tremiam diante do nome de Javé e reverentemente usavam Adonai (Senhor). O nome de Deus e a pessoa de Deus são inseparáveis no pensamento hebraico (e.g., Êx 3.13,14; Is 52.6). Profanar o nome de Deus era profanar sua pessoa. Tal temeridade de semelhança pagã foi expressamente proibida no Decálogo (Êx 20.7).

Embora os cristãos tenham recebido o direito íntimo e familiar de se dirigirem a Deus por Aba, eles não o fazem atrevidamente, pois até este nome familiar é sagrado. Ele não é pai excessivamente tolerante; como já se disse: "Deus é Pai, e não avô!" Na igreja primitiva só depois de a pessoa ter se submetido a extenso período de instrução, oração, jejum e batismo, era-lhe permitido fazer a oração sagrada na primeira comunhão e dizer: "Pai!"

3.4.2.3.3. "Venha o teu Reino. Seja feita a tua vontade, tanto na terra como no céu" (6.10). Esta estrutura paralela é o que se esperaria de um mestre judeu habituado com a poesia hebraica. No paralelismo sinônimo, a primeira linha é repetida na segunda, mas a segunda acrescenta reflexão e *insight* ao pensamento original. É o que ocorre neste versículo. Esta petição também tem paralelo no kadish[5] (oração judaica) citada acima. Como visto na estrutura paralela das bem-aventuranças, este versículo provém da petição paralela que a antecede. Deus santifica seu nome arquitetando seu Reino em atos salvadores na história, de forma que os habitantes de terra digam: "Ele é o Deus vivo e para sempre permanente, e o seu reino não se pode destruir; o seu domínio é até ao fim" (Dn 6.26).

A expressão: "Venha o teu Reino" fixa o tom claramente escatológico, orientando os ouvintes ao cumprimento do tempo do fim no estabelecimento final do reinado de Deus no mundo. Requer o fim de toda instituição humana que não esteja em conformidade com a vontade de Deus. Este era princípio grandemente revolucionário para ser proferido no Império Romano do século I. Subseqüentemente seus seguidores desafiariam os grandes césares romanos. O mesmo se dá hoje se esta oração for dita e vivenciada com seriedade, pois ela lança o cristão contra muitas instituições e estilos de vida comumente aceitos.

É incorreto supor que esta chamada da vinda do Reino de Deus seja simples abdicação da ordem mundial dos dias atuais até que, no "meigo tchau-tchau", Deus eventualmente apareça para corrigir o sistema mundial.

1) A força do modo imperativo e do aspecto aoristo atinge o alvo da imediatidade e irrevogabilidade das demandas das normas de Deus: "*Que* o teu Reino venha, seja agora e para sempre".

2) A expressão adicionada "tanto na terra como no céu" compensa estrutural e tematicamente a parelha de versos. A mensagem de Jesus aqui não é que o Reino está "em algum lugar, por aí", numa dimensão espiritual que não afeta o mundo material e histórico no qual vivemos. O Reino concebido na mente do Infinito Criador do tempo pode, deve e tomará forma neste mundo mesmo no instante em que o leitor está respirando ao ler esta página. Em cada momento, em cada respiração que tomamos de Deus, nosso Senhor pergunta: "Tu deixarás que meu Reino venha?" Para orar sinceramente: "*Venha* o teu Reino", o discípulo tem de dizer: "*Vá* o meu reino".

Esta revolução de reino radical não deve ser apenas imposta nas ações dos governos mundiais, mas também na vida atual de cada discípulo, que é chamado para vivenciar o reino transformador de vidas fazendo a próxima coisa certa. A força da gramática é novamente: "Que a tua vontade seja feita na minha vida agora". Esta é característica da natureza dual do Reino dos Céus conforme é ensinada por Jesus e seus sucessores: num sentido já está, em outro ainda virá.

3.4.2.3.4. "O pão nosso de cada dia dá-nos hoje" (6.11). A primeira metade da oração aborda a glória e vontade de Deus, ao passo que as outras petições concernem às necessidades físicas e bem-estar espiritual dos discípulos. Certamente Jesus quer que esta oração seja modelo de toda oração cristã não só em conteúdo, mas também em forma e ordem. É apropriado que o louvor a Deus e o reconhecimento de sua soberania no mundo venham em primeiro lugar na oração. Sem a primeira metade, ela se assemelha a simples lista de compras, e para algumas pessoas Deus é reduzido a mero moço de recados, obrigado a suprir todo capricho humano. Com toda a familiaridade da Oração do Senhor, ela não compromete a norma universal de Deus. Súplicas, pedidos pessoais e intercessões devem ser acompanhadas pelo espírito de ação de graças (1 Tm 2.1).

A segunda metade constata que os discípulos são um povo necessitado, totalmente dependente da provisão graciosa de Deus. Uma vez mais, esta parte do Sermão da Montanha remonta à bem-aventurança inicial: "Bem-aventurados os pobres de espírito, porque deles é o Reino dos céus" (Mt 5.3). O discípulo verdadeiramente humilde reconhece que está moral e espiritualmente arruinado, à parte do exemplo e recursos de Deus para o viver santo.

Lucas registra o verbo "dar" no modo imperativo (*didou*), ao mesmo tempo que Mateus registra o tempo imperativo do aoristo (*dos*). Assim, a versão lucana significa "Dá-nos continuamente a cada dia", enquanto que a versão de Mateus revela mais urgência: "Dá-nos hoje o nosso pão *de cada dia*". O discípulo é visto como alguém que está na dependência total da misericórdia de Deus para a próxima refeição.

O termo "de cada dia" (*epiousios*) é raro tanto no Novo Testamento quanto nos escritos seculares daquele tempo; também pode significar "amanhã". O grande tradutor latino Jerônimo, escrevendo no século IV, nota que a obra não canônica do *Evangelho aos Hebreus* usou a palavra aramaica neste ponto para aludir ao termo "amanhã" na Oração do Senhor. Se esta é a tradução correta de *epiousios*, então alguns fatores estão em ação:

1) Pode ser referência às bodas messiânicas do tempo do fim. O solicitante está pedindo o cumprimento do Reino agora. A consumação do seu Reino resulta em abundância de comida (e.g., Is 55.1,2; 61.1-6).

2) O pedido para o suprimento do pão de amanhã não enfraquece necessariamente a impressão de que o discípulo é totalmente dependente de Deus. Ele proveu para hoje, Ele pode prover para amanhã. É provavelmente intencional o paralelo da provisão diária de Deus do maná no deserto. No aspecto prático de uma casa palestina daqueles dias, seria necessária a provisão de comida na véspera para a preparação da mesma para o dia seguinte.

3) O pão simboliza todas as necessidades materiais. Em Mateus 6.24-34 Jesus explica a necessidade de depender de Deus para as necessidades básicas. A despeito do intento original da palavra *epiousios* (diariamente/ amanhã), tanto a aplicação escatológica quanto a vigente estão evidentes no contexto de Mateus.

3.4.2.3.5. "Perdoa-nos as nossas dívidas, assim como nós perdoamos aos nossos devedores" (6.12,14,15).
Esta parte da oração explana algumas das bem-aventuranças. Exprime a mensagem inicial de João Batista e Jesus na seção anterior do Evangelho (Mt 3.8; 4.17). Confissão e arrependimento de pecados são marcas do verdadeiro discípulo; farisaísmo e presunção espiritual são severamente criticados. A penetrabilidade do pecado conforme exposta por Jesus, faz o leitor lembrar a bem-aventurança dos "pobres de espírito", porque eles cometeram pecado e estão em necessidade de perdão diário. Esta oração penitencial também sugere tristeza pelo pecado bem como admissão de culpa; da mesma forma está evidente a segunda característica do discipulado apresentada nas bem-aventuranças: "Bem-aventurados os que choram" (Mt 5.4).

A palavra "dívidas" é tradução literal de *opheilema*, palavra grega que se refere a obrigações financeiras, mas a palavra semítica original por trás dela usava a palavra "dívida" como expressão referente a pecado. "Transgressões" é tradução melhor. A oração registrada por Lucas diz: "Perdoa-nos os nossos *pecados*" (Lc 11.4; ênfase minha), exprimindo o intento original. Mateus 6.14,15 indica que Jesus tinha em mente pecados (*paraptoma*), e não simples dívidas financeiras. As Dezoito Bênçãos do judaísmo também pedem o perdão de Deus, mas não menciona o perdão dos outros.

O ensinamento de Jesus é espesso com as boas notícias do perdão de Deus e também com a chamada para os discípulos emularem o pai e perdoarem os que os ofenderam. Se o programa do Reino é perdão e restauração, então como embaixadores do Reino somos chamados a participar no programa de anistia até às nossas custas (2 Co 5.18-20). Os atos de perdão dos discípulos são os do Pai pelo poder do Espírito Santo: "Recebei o Espírito Santo. Àqueles a quem perdoardes os pecados, lhes são perdoados; e, àqueles a quem os retiverdes, lhes são retidos" (Jo 20.22,23; veja também At 7.60).

"Assim como nós perdoamos aos nossos devedores" também se edifica sobre as bem-aventuranças. Os discípulos perdoados têm fome do conceito de Deus de justiça que inclui misericórdia, e não retribuição humana colérica (Mt 5.6). Só os misericordiosos receberão misericórdia (Mt 5.7). Os que têm motivos puros (Mt 5.8), os pacificadores (Mt 5.9) que podem sofrer perseguição (Mt 5.10), serão chamados "filhos do Pai", pois como Ele eles perdoam.

Alguns cristãos ficaram incomodados com a significação deste versículo, visto que o perdão que recebemos é dependente do perdão que damos aos outros, mas este é o significado do comparativo "assim como" (*hōs*). Além disso, os versículos 14 e 15 dão ênfase à causa e efeito de perdoar e ser perdoado: "Se perdoardes [...], também vosso Pai celestial vos perdoará. [...] Se [...] não perdoardes [...], também vosso Pai vos não perdoará [...]". A sensata parábola de Jesus acerca do servo que foi perdoado mas não perdoou torna a conclusão inevitável (Mt 18.21-35). O perdão do servo incompassivo foi revogado: "Assim vos fará também meu Pai celestial, se do coração não perdoardes, cada um a seu irmão, as suas ofensas" (Mt 18.35; cf. também Mc 11.25,26; Lc 11.4; Tg 2.14-26). Não se trata de legalismo ou salvação por obras, pois tal perdão requer uma dotação miraculosa da graça de Deus e uma capacitação que vêm de um coração transformado (Rm 12.1,2; 2 Co 5.17).

3.4.2.3.6. "E não nos induzas à tentação, mas livra-nos do mal" (6.13a). Este pedido tem paralelo na oração matinal talmúdica, mas se já existia e era usada por Jesus não podemos ter certeza. Como no relato da tentação (Mt 4.1-11), o verbo "tentar" (*peirazo*) pode significar "testar, provar" em sentido neutro, bem como "induzir para o mal". A primeira acepção é mais apropriada aqui. No sentido de provar a fé, a prova é iniciada por Deus (e.g., Gn 22.1-19; Êx 15.25; 16.4; Dt 8.2-6; Sl 26.2). Provar também resulta em instrução, edificação e temperamento, que produz caráter e redunda em recompensa (Eclesiástico 2.1-6; Sabedoria 3.5; Tg 2.12; 1 Pe 1.6; Ap 2.10). Não obstante, a origem da prova nem sempre é de Deus, mas dos desejos maus (Tg 1.14), dos inimigos da fé e do Diabo (Mt 4.1-11; Lc 4.1-11; 1 Co 7.5; 10.6-13); Entretanto, Deus pode usar tudo para o bem (Rm 8.28).

Provar também tem uma dimensão escatológica que certamente segue o pedido: "Venha o teu Reino". O Dia do Senhor resulta em grande e terrível julgamento, bem como em grande e alegre recompensa. Este tema do julgamento, separação do bem e do mal, aparece com freqüência em Mateus; é um dos seus principais interesses e razões em escrever o Evangelho (Mt 3.7-12; 13.24-30,36-43,47-50; 25.14-46).

O pedido de ser poupado da prova é forte com o subjuntivo aoristo negativo, que significa: "Não comeces a nos pôr em prova". Os discípulos desejam evitar a tentação, não porque não confiem em Deus, mas porque eles sabem que sem Deus têm deploráveis recursos para resistir ao mal. Conseqüentemente eles também oram por livramento ou salvamento oportuno da possibilidade da tentação pelo "mal" ou "o Diabo". Esta atitude humilde foi apresentada anteriormente em duas das bem-aventuranças: "Bem-aventurados os pobres de espírito" (Mt 5.3), que reconhecem total dependência de Deus no âmbito da justiça; e: "Bem-aventurados os misericordiosos" (Mt 5.7), visto que o discípulos percebem que a vontade e a perseverança são pequenas e que estão desesperadamente carentes da fortificação de Deus.

3.4.2.3.7. "Porque teu é o Reino, e o poder, e a glória, para sempre. Amém!" (6.13b). A doxologia final não é achada nas cópias mais antigas e melhores de Mateus, nem se encontra na maioria dos manuscritos do paralelo em Lucas. Aparece depois da Oração do Senhor no Didaquê 8.2 (escrito em c. 100 d.C.). A doxologia era provavelmente uma resposta cristã de louvor e afirmação que seguia a Oração do Senhor na adoração. Sua forma litúrgica apareceu nas cópias gregas mais tardias de Mateus, sendo incorporada em nossas versões.

3.4.3. O Jejum (6.16-18). Depois destas instruções sobre oração, Mateus retorna ao já discutido assunto dos "atos de justiça" (Mt 6.1, NVI; "esmolas", RC). A expressão introdutória e a estrutura da seção assemelham-se à precedente: "quando jejuardes", "hipócritas", "em verdade vos digo que já receberam o seu galardão", "aos homens pareça [pareceres aos homens]", "teu Pai [...] te recompensará". Estas são palavras-chave que previamente ocorrem nas seções de esmolaria e oração. Assim Jesus liga o jejum com a esmolaria e a oração. Os judeus jejuavam no Dia da Expiação, no Ano-Novo e um dia para observar calamidades nacionais passadas. Eles também observavam jejuns individuais. Os fariseus jejuavam duas vezes por semana — segunda e quinta-feira (Lc 18.12; cf. Didaquê 8.1, o que dirige os cristãos a jejuar na quarta-feira e sexta-feira para não serem associados com os "hipócritas").

O jejum era acompanhado tradicionalmente pelos procedimentos de vestir-se com pano de saco, não tomar banho e não ungir o corpo ou a cabeça com óleo. Alguns fariseus faziam um espetáculo com os jejuns que observavam, cobrindo a cabeça ou aplicando copiosas demãos de cinza e sujeira no rosto, tornando-os pouco reconhecíveis. Jesus identificou-lhes os motivos dizendo que eles buscavam admiração humana pela abstinência extrema. (Jesus aprovou o pano de saco e as cinzas quando marcavam verdadeiro arrependimento, cf. Mt 11.21; Lc 10.13.) Deus recompensa o jejum que é observado para honrá-lo (talvez mais ou menos como receber cinzas na Quarta-Feira de Cinzas como marca de ser pecador necessitado da misericórdia de Deus).

O jejum é designado a melhorar a relação da pessoa com Deus, como também é tempo de purgação e refinamento de motivos. O jejum que Jesus fez no deserto demonstrou ser tempo de turbulência e prova. Os santos têm experimentado esse tipo de embate, mas eles também descrevem o jejum como tempo de purificação, limpeza, grande edificação espiritual e proximidade com Deus. A questão crucial é: "Atenção de quem estou tentando chamar com este jejum?" Jejuar deve ser mais que mero "regime relâmpago". Aqueles com sérias condições médicas só devem jejuar sob supervisão médica, como devem fazer os que jejuam por um extenso período de tempo.

3.5. Declarações Sapienciais (6.19—7.27)

3.5.1. Tesouros Terrenos e Tesouros Celestiais (6.19-21).

O ensino sobre fazer justiça terminou, e Jesus começa uma seção de ditados de sabedoria. O primeiro relaciona-se com um tópico favorito levantado por Mateus. A palavra "tesouro" (*thesauros*) ocorre neste Evangelho nove das dezessete vezes em que aparece no Novo Testamento. Pode se referir às riquezas materiais (e.g., Mt 2.11; 13.44), mas na maioria dos casos indica riquezas espirituais ou celestiais (e.g., Mt 12.35; 13.52; 19.21). O paralelismo da passagem indica um fundo semítico e exprime bem a antiguidade da declaração. Jesus contrasta tesouros terrenos, que inevitavelmente se decompõem, com a incorruptibilidade das riquezas celestiais. A expressão no versículo 19 traduzida literalmente é, "entesoureis tesouros", o que intensifica o valor do tesouro. Os ladrões "minam" (i.e., "escavam", *diorysso*) as casas terrenas daqueles dias para procurar moedas que eram comumente colocadas nas paredes ou sob o chão.

As coisas que entesouramos mostram as coisas que verdadeiramente estimamos. O "coração" diz respeito a emoções, vontade e intelecto (veja comentários sobre Mt 5.8).

3.5.2. Olhos Bons e Olhos Maus (6.22,23).

Esta é uma das declarações mais enigmáticas de Jesus, pois como é que trevas podem ser luz? A palavra "bons" (*haplous*) pode se referir a ver bem e sem impedimento, o oposto de visão dupla. Também é usado para conotar generosidade (e.g., Rm 12.8, "liberalidade"; 2 Co 8.2; 9.11, "beneficência"; 2 Co 9.13, "liberalidade"; Tg 1.5, "liberalmente"). "Olhos maus" indica cobiça, ganância ou mesquinhez (cf. "mau" em Mt 20.15). Aparecendo logo após à declaração sobre tesouros, Jesus está explicando que a pessoa pode colocar tesouros no céu sendo generosa (veja comentários sobre Mt 6.1-4). As trevas sendo mal-entendidas por luz denota pressuposições equivocadas e julgamentos valiosos. "Quão grandes serão tais trevas" mostra quão perigosa é a situação. Lembro as palavras de Satanás na obra de Milton: "Mal, sejas tu o meu bem!" Se a pessoa persiste em chamar o mal de bem ou o bem de mal, não há esperança de recuperação.

3.5.3. Dois Senhores: Deus e o Dinheiro (6.24).
Ninguém pode ser escravo (*douleuo*) de dois senhores. Só um será amado, e somente a um o escravo estará inclinado a dedicar atenção, especialmente quando os dois são Deus e o dinheiro. *Mamom* ("dinheiro") conota um sentido negativo, embora também alude a coisas materiais em sentido neutro. Certamente o amor do dinheiro e sua isca exaustiva é o que Mateus tem em mente. Mais uma vez, as palavras de Milton em *Paraíso Perdido* (Livro 1) nos esclarece. Quando ele descreve os anjos caídos no inferno que formavam seu capital, ele personifica o vício:

> Mamom os seduziu,
> Mamom, o espírito menos sublime que caiu
> Do céu, pois até no céu seus olhares e pensamentos
> Estavam sempre curvados para baixo, admirando mais
> As riquezas do pavimento do céu, o ouro pisado,
> Do que algo divino ou santo já desfrutado
> Em visão beatífica. [...]

A referência a "amar" e "odiar" é hiperbólica no sentido de que Deus deve ser amado mais (e.g., Gn 29.30,33). Este é o caso, visto que as questões de dinheiro que se seguem não são inerentemente más (Mt 6.25-34). Não é para o discípulo odiar o mundo material, mas evitar o materialismo e amar a Deus acima de todas as coisas.

3.5.4. Cuidado e Preocupações (6.25-34).
"Por isso" (v. 25) identifica que a passagem precedente é a razão para esta. Considerando que temos um Senhor bom e atencioso no céu, os discípulos podem ser generosos aos outros porque sabem que Ele tomará conta daqueles que o servirem. O verbo traduzido por "andeis cuidadosos" (*merimnao*) ocorre sete vezes neste Evangelho. "Não se preocupe" é a mensagem de grande consolo de Jesus para o verdadeiro crente. O imperativo presente negativo indica que não devemos continuar nos preocupando. O verbo também tem a conotação de esforçar-se ativamente; Lucas o usa no seu relato sobre a ocupada Marta, que se preocupava por muitas coisas, mas perdia a mais importante (Lc 10.41). Note o uso do verbo "andeis [...] inquietos" para descrever esta ação, no versículo 32.

Jesus dirige a atenção da audiência para pássaros comuns e relativamente insignificantes (v. 26), que mesmo não se preocupando com provisões, como as pessoas se preocupam, Deus os sustenta. Considerando que Deus estima os seres humanos mais que os pássaros, é certo que Ele proverá a subsistência dos discípulos. A descrição de Deus como "vosso Pai celestial" torna a garantia mais intensa: Aqueles que gozam da relação com Deus como filhos têm a preocupação e atenção paterna. Jesus não está racionalizando a preguiça ou a irresponsabilidade (veja Mt 25.14-30); antes, Ele está atacando um tipo de preocupação que surge da falta de fé e que é exibida num estilo de vida obcecado por provisões.

Este sintoma de "pequena fé" (v. 30) revela uma doença espiritual que presume e age como se Deus não se importasse ou fosse incapaz de dar sustento. Expressa, com efeito, presunção ateísta, pois a pessoa se comporta como se Deus não estivesse presente e atento. A palavra grega *psyche* (v. 25, "vida") diz respeito à alma, mas também se refere à vida em geral, se bem que a palavra é colocada em paralelo com "o corpo".

A RC traduz o termo grego *helikia* (v. 27, "vida", NVI) por "estatura", mas provavelmente alude a envelhecer ou ao período de vida, já que um côvado de altura (vinte centímetros) seria significativo, mas uma hora adicionada ao tempo de vida não seria, e Jesus está indicando que preocupação excessiva não produz benefícios importantes. Assim como a ciência médica têm mostrado desde então, preocupação indevida e estresse reduzem de fato a extensão da vida.

Nos versículos 28 a 31, Jesus apresenta outra razão para a pessoa não se preocu-

SEITAS JUDAICAS

Os Fariseus

Seita cujas raízes remontam ao século II a.C. — os hasidins.

1. Junto com a Torá, eles aceitavam como igualmente inspirado e autorizado, todo o material incluído na tradição oral.
2. Acerca do livre-arbítrio e da determinação, advogavam a opinião mediante a qual tornava impossível o livre-arbítrio ou a soberania de Deus anular um o outro.
3. Aceitavam uma hierarquia bastante desenvolvida de anjos e demônios.
4. Ensinavam que havia um futuro para os mortos.
5. Acreditavam na imortalidade da alma e na recompensa e retribuição depois da morte.
6. Eram defensores da igualdade humana.
7. A ênfase do ensino recaia na ética, e não na teologia.

Os Saduceus

Esta seita teve início durante o período hasmoneano (166-63 a.C.) e desapareceu em cerca de 70 d.C., com a queda de Jerusalém.

1. Negavam que a lei oral fosse autorizada e obrigatória.
2. Interpretavam a lei mosaica mais literalmente que os fariseus.
3. Eram muito rigorosos quanto à pureza levítica.
4. Atribuíam tudo ao livre-arbítrio.
5. Argumentavam que não havia ressurreição nem vida futura.
6. Rejeitavam a crença em anjos e demônios.
7. Repeliam a idéia de um mundo espiritual.
8. Só os livros de Moisés eram Escritura canônica.

Os Essênios

Originaram-se entre os hasidins, junto com os fariseus, de quem mais tarde se separaram (1 Macabeus 2.42; 7.13). Eram um grupo de judeus muito rígidos e zelosos que participaram com os macabeus numa revolta contra os sírios, em cerca de 165 a 155 a.C.

1. Seguiam estrita observância das leis de purificação exaradas na Torá.
2. Eram notáveis por sua posse comunal de propriedades.
3. Tinham forte senso de responsabilidade mútua.
4. A adoração diária era característica importante, juntamente com o estudo diário dos seus escritos sagrados.
5. Havia a necessidade de fazer solenes juramentos de devoção e obediência.
6. Ofereciam sacrifícios em dias santos e durante épocas sagradas.
7. O casamento não era condenado em princípio, mas evitado.
8. Atribuíam ao destino tudo o que acontecia.

Os Zelotes

Seita originada durante o reinado de Herodes, o Grande, em cerca de 6 a.C. e deixada de existir em 73 d.C. em Massada.

1. Opunham-se ao pagamento de tributos ou impostos a um imperador pagão, afirmando que devia-se submissão somente a Deus.
2. Proclamavam ferrenha lealdade às tradições judaicas.
3. Opunham-se ao uso do idioma grego na Palestina.
4. Profetizaram a vinda do tempo de salvação.

par. Os lírios não trabalham, e Deus os veste esplendorosamente. A expressão: "Salomão, em toda a sua glória" também foi mencionada nos escritos rabínicos. As maravilhas das riquezas salomônicas deixavam israelitas e pagãos boquiabertos (1 Rs 9.26—10.29); contudo, suas roupas eram "trapos" em comparação aos lírios vestidos por Deus.

Jesus ainda contrasta as flores e relvas de vida curta, mas bem vestidas, usadas como combustível, com os discípulos mais valorizados. O Antigo Testamento expressava o caráter temporário destas plantas em relação à brevidade da vida (e.g., Sl 37.2; 90.5,6; 102.11; 103.15; Is 40.6-8). Jesus promete que o Pai fará "muito mais" por seus filhos. Ele chama os discípulos que se preocupam de "vós, homens de pequena fé" (*oligopistoi*, lit., "os de pequena fé"). Esta palavra ocorre cinco vezes em Mateus (seis vezes no Novo Testamento inteiro); Jesus a usa para repreender e corrigir os discípulos. Pouca fé revela ignorância, é ineficaz e cria grande perigo (veja Mt 8.26; 14.31; 16.8; 17.20). Neste ponto, fé é essencialmente confiança.

Nos versículos 31 e 32, Jesus proíbe que torçamos as mãos de preocupação, imaginando como sobreviveremos. Com a estimativa de tal preocupação, Jesus repreende a audiência judaica, "porque todas essas coisas os gentios procuram" (v. 32). A implicação é deixar de agir como pagãos. O tempo presente do verbo "procurar" descreve um estilo de vida. "Vosso Pai celestial bem sabe que necessitais de todas essas coisas" identifica que a ação pagã é incredulidade para com Deus. A relação íntima com o bom Pai celestial deixa seus filhos certos de que Ele sabe cada uma das necessidades deles e está muito propenso a atuar seu amor provendo-lhes a subsistência.

Nos versículos 33 e 34, a palavra "primeiro", colocada no início da sentença grega para dar ênfase, mostra que o assunto não é se a pessoa deve trabalhar, mas qual deve ser sua prioridade. As preocupações do Reino devem vir em primeiro lugar na mente dos discípulos. A força do imperativo presente "buscai" indica que se trata de preocupação e atividade constantes do discípulo. Da mesma maneira que os pagãos consomem todo o tempo buscando segurança financeira, os discípulos promovem constantemente o Reino acima de tudo; a causa do Reino é a nossa paixão. Quando esta prioridade é estabelecida, segue-se a provisão do Reino.

A meta do Reino é a "justiça" (veja comentários sobre Mt 5.6). Jesus a redefine radicalmente dizendo que é mais que justiça legalista. A justiça de Deus leva em conta o perdão e a absolvição. Oferece misericórdia quando não é merecida, até aos maiores ofensores. O mundo acha escandaloso tal marca de justiça. Este estilo de vida de buscar a justiça do Reino edifica-se sobre a bem-aventurança apresentada por Jesus no princípio do sermão: "Bem-aventurados os que continuamente têm fome e sede de justiça" (Mt 5.6, tradução minha); Ele prometeu que eles seriam "saciados". Vemos que esta abundância também inclui provisão física.

O discípulo recebe o mandamento de não se preocupar com o amanhã. Estabelecer o Reino só pode ser feito hoje; amanhã não é prometido. É no presente, não no passado ou no futuro, que entramos em contato com a eternidade. Cada dia tem dificuldades ou coisas ruins (*kakia*, v. 34) o bastante para nos manter ocupados. Isto não quer dizer que o discípulo não deva fazer planos; até Jesus fazia planos e se orientava para uma meta e destino em Jerusalém.

3.5.5. Não Julgar ou Ser Julgado (7.1-5). Esta passagem é uma das declarações de Jesus mais equivocadamente interpretadas e erroneamente citadas. Sempre que a pessoa quer obstar críticas sobre atitudes, ações ou estilo de vida de alguém, objeções são encontradas na ordem: "Não julgueis". Obviamente não é o que Jesus pretendia aqui. Ele espera que julgamentos de valor sejam feitos, que o certo e o errado sejam identificados e que o digno e o indigno sejam discernidos, como vemos nos versículos seguintes (esp. o v. 6). O discípulo deve poder ver a falta no irmão de forma que tal pessoa seja trazida a uma correção gentil, mas firme (cf. Mt 18.15-17). Jesus nunca disse que o bem e o mal são idéias relativas determinadas por cada pessoa. A tradição profética pede discernimento e correção. A oferta de Deus de perdão não envolve libertinagem impenitente.

O que Jesus proíbe nesta passagem é a mania de criticar, a condenação e o espírito de hipocrisia. O imperativo presente em "não julgueis" (ou "parai de julgar") indica um estilo de vida e uma atitude habitual de condenação. Tal atitude obsta a misericórdia e sujeita o participante à mesma justiça rigorosa e implacável. A expressão: "Com a medida com que tiverdes medido vos hão de medir a vós" (v. 2) conota a retribuição divina e era usada nas obras rabínicas judaicas (e.g., M. *Sotá* 1.7). Esta declaração de Jesus remonta à Oração do Senhor no capítulo prévio, na qual Ele deixou claro que um espírito irreconciliável ou condenador revoga o perdão já recebido (Mt 6.14,15; cf. Mt 18.23-35).

Para ampliar seu ensino contra julgamento, Jesus focaliza a imagem do argueiro e da trave (vv. 3-5). A trave, ou tábua, é uma hipérbole que Jesus usa para condenar a pessoa que, com uma tábua no olho (i.e., uma grande falta), tenta tirar um farelo de serragem (um defeito menor) dos olhos de outra pessoa. Esta imagem ridícula intensifica a imperfeição e auto-ilusão da hipocrisia. Normalmente Jesus reserva o título "hipócrita" para os inimigos, mas aqui Ele o aplica aos discípulos. Ninguém está imune desta miopia ética; assim devemos provar a percepção da profundidade espiritual da pessoa.

3.5.6. Cães e Porcos (7.6). "As coisas santas" referem-se provavelmente à carne de um sacrifício santo feito no templo, a qual era reservada para os sacerdotes e suas famílias (Êx 29.33; Lv 2.3; 22.10-16; Nm 18.8-19). Os cães e porcos eram animais imundos e merecedores de comida imunda. A igreja primitiva aplicava esta proibição na eucaristia e, assim, coibia os não-cristãos de participarem. Mateus usou o verbo "pisar" em Mateus 5.13 para aludir ao ato de pisar o sal que não presta para mais nada. Esta declaração tem em vista a apostasia — ou seja, contaminar os tesouros do Reino com o lodo do mundo.[6] Mas visto que esta declaração não tem contexto próprio, só nos resta considerá-la uma das declarações enigmáticas de Jesus. O que o contexto anterior revela é que a proibição contra julgar demonstra que o discernimento entre santo e profano, bom e ruim, *não deve* ser proibido.

3.5.7. O Bom Pai Dá Bons Presentes (7.7-11). Esta passagem admite duas mensagens principais: oração persistente e um Pai celestial que deseja dar bons presentes aos filhos. A força dos três verbos imperativos ("pedi", "buscai" e "batei"), junto com os três particípios presentes correspondentes no versículo 8, indica que a oração deve ser um estilo de vida contínuo para os cristãos. A igreja primitiva, imitando Jesus e sua herança judaica, orava pelo menos três vezes por dia (Didaquê 8.3). A oração deve ser a própria respiração do discípulo. A oração persistente será respondida (cf. também Lc 11.5-13; 18.1-8). Isto é eco da mensagem de persistência da bem-aventurança: "Bem-aventurados os que têm fome e sede de justiça" (Mt 5.6).

Jesus apresenta argumentos provenientes da experiência da audiência na função de pais e filhos para mostrar a bondade do Pai celestial e sua generosa atenciosidade aos discípulos. Que pai na terra daria uma pedra ao filho que lhe pedira pão, ou uma serpente perigosa ao filho que lhe pedira peixe? A pergunta de Jesus: "Qual dentre vós é o homem que, pedindo-lhe pão o seu filho, lhe dará uma pedra?" é retórica. Tristemente, na atual sociedade, nem sempre isto pode ser suposto.

O adjetivo "maus" no versículo 11 diz respeito à depravação da humanidade, ou consta para pôr em contraste hiperbólico as atividades humanas e a bondade última de Deus. A versão de Mateus diz que o Pai dá "boas coisas", ao passo que Lucas diz que Ele dá "o Espírito Santo", que é o poder e fonte de todas as bênçãos de Deus (Lc 11.13; sobre este ponto veja Shelton, 1991, p. 96). A chave para entendermos esta declaração acha-se em experienciarmos a relação amorosa expressa na expressão: "Vosso Pai, que está nos céus". A generosidade do Pai celestial aos seus filhos excede de longe a do pai humano mais amoroso. Este ensino reforça as promessas anteriores da pronta provisão de Deus para o discípulo fiel (Mt 6.11,33).

3.5.8. A Regra de Ouro: O Resumo da Lei (7.12). A Regra de Ouro é um dos ensinos de Jesus mais conhecidos; muitos não sabem que ocorre em formas paralelas na literatura grega, românica, oriental e judaica. Amar o próximo como a si mesmo é parte da lei do Antigo Testamento (Lv 19.18; Mt 22.39), e admoestações semelhantes aparecem na literatura judaica mais ou menos da mesma época de Jesus (e.g., Eclesiástico 31.15; Tobias 4.15; 2 Enoque 61.1; Carta de Aristeas 20). Ainda que Mateus e Lucas tenham versões da declaração, só Mateus inclui a expressão: "Porque esta é a lei e os profetas". A versão de Mateus assemelha-se de perto com o ditado do rabino Hillel, falado pouco antes do tempo de Jesus: "O que te é odioso não faças a teu companheiro. Esta é toda a lei; tudo o mais é comentário" (h. *Sábado* 31a).

Alguém sugeriu que Jesus foi o primeiro a colocar a declaração na forma positiva, mas ela também ocorre na literatura judaica como mandamento positivo e negativo. O Didaquê cristão (c. 100 d.C.) cita esta declaração de Jesus, chama-a de "o modo de vida" e vincula-a com o resumo da lei em Mateus 22.38,39 (Didaquê 1.2; veja comentários sobre Mt 22.34-40). A referência a "a lei e os profetas" representa a Escritura inteira. Jesus coloca a Regra de Ouro como o ápice da sua descrição de fazer "justiça", a qual começou com Mateus 5.17-20.

3.5.9. Dois Caminhos: O Largo e o Estreito (7.13,14). O caminho da morte e o da vida aparecem no Antigo Testamento, na literatura intertestamental, nos escritos de Qumran e na literatura cristã primitiva (Dt 11.26-28; 30.15-20; Sl 1.6; 119.29,30; Jr 21.8; 2 Enoque 30.15; Testamento de Aser 1.3,5; 4 Esdras 7.1-9; Didaquê 1.1; 5.1; Normas da Comunidade 3.20,21). Na literatura de Qumran os dois caminhos são expostos como o "caminho da luz" e o "caminho das trevas". Jesus, de forma típica, apresenta as opções diante da audiência em paralelismo antitético: uma porta para a vida ou uma porta para a morte. A maioria das pessoas toma o caminho fácil, o qual é desastroso. A porta para a vida é difícil e restritiva; os verdadeiros discípulos são minoria. Dado o contexto de Mateus, a dificuldade da porta estreita é o caminho da justiça, na qual Jesus há pouco instruiu as pessoas.

3.5.10. Os Verdadeiros Profetas e os Falsos Profetas (7.15-23). A advertência de Jesus sobre os falsos profetas tem uma lição oportuna para a igreja atual. Só Mateus registra a advertência sobre os falsos profetas que são lobos vestidos (*endyma*) como ovelhas (*probaton*). Estas duas palavras fazem parte do vocabulário preferido de Mateus: Ele usa o termo *endyma* para dizer que as roupas são necessidade básica (Mt 6.25,28) e para identificar especificamente as pessoas que usam vestuário exclusivo como parte do Reino de Deus (Mt 3.4; 22.11,12; veja também Mt 28.2,3); ele usa o termo *probaton* para descrever os eleitos ou o povo de Israel (e.g., Mt 10.6; 15.24; 25.32,33). Neste ponto Jesus enfatiza que às vezes os falsos profetas não podem ser discernidos só por palavras ou ações. Embora façam grandiosos milagres (Mt 7.22), podem ser falsificações.

O Evangelho de Mateus torna o fruto dos profetas a verdadeira prova de tais ministérios. O caráter é essencial. O evangelista comenta muitas vezes o tema de árvores boas e ruins e seus frutos; seu interesse em produzir justiça o compele a repetir o tema. João Batista fala que a impenitência dos fariseus e saduceus é como árvore ruim (cf. Mt 3.8-12). Em Mateus 12.33,35 Jesus une a acusação dos fariseus (de que Ele faz o bem pelo poder do mal) com dar maus frutos e a chama de blasfêmia contra o Espírito Santo.

As comunidades cristãs do século I tinham de regularizar as profecias (e.g., 1 Co 12—14; 2 Pe 2.1; 1 Jo 4.1-3). Elas faziam parte da vida comum e adoração da igreja primitiva e se estenderam pelos séculos subseqüentes (veja Didaquê, Pastor de Hermas, Inácio, Irineu, Tertuliano, Montano e Cipriano).

Em algumas comunidades a prova para as profecias lidava com a negação protognóstica da carne de Jesus Cristo (1 Jo 4.1-3) ou com o espírito de legalismo (Gl 1.8,9). Aqui Mateus identifica que o fruto do erro é o antinomianismo, chamando estas pessoas de: "Vós que praticais a iniqüidade" (Mt 7.23). É presumível que as falsas profecias desacompanhadas do fruto de fazer justiça era um problema na comunidade cristã de Mateus. O Didaquê também julga os profetas quanto a eles terem ou não "o comportamento do Senhor". Mesmo que eles façam milagres, a doutrina e o estilo de vida são os critérios para discernimento (Didaquê 11.7-12).

Os discípulos não serão julgados pelo que dizem (e.g., "Senhor, Senhor") ou pelas maravilhas que fazem, mas pelo caráter vivenciado neste mundo (veja também a Parábola das Ovelhas e Bodes em Mt 25.31-46). Jesus sustenta que misericórdia dada será recebida com misericórdia (Mt 5.7; 6.14). Isto nunca pode ser simples obras de justiça, uma vez que os verdadeiros crentes sabem o quão desesperadamente eles carecerem de misericórdia, a misericórdia de Deus (Mt 5.7; 6.12). Mateus quer que o título "Senhor" (*kyrios*) seja mais que mero título de respeito, visto que ele está escrevendo depois da ressurreição de Jesus e que Jesus assume a prerrogativa divina do juiz do tempo do fim (Mt 7.23).

A expressão "naquele Dia" (v. 22) refere-se ao dia do julgamento (cf. Mt 24.36; Lc 10.12). Repare também na característica de Mateus: "Reino dos Céus" (Mt 7.21; veja Introdução e comentários sobre Mt 5.3). Este "governo de Deus" requer atos de misericórdia como sinal de que a misericórdia de Deus foi recebida no coração, pois o seu Reino de misericórdia visa dar perdão jurídico, bem como transformar a natureza, disposição e caráter do recipiente.

3.5.11. Os Construtores Sábios e os Construtores Tolos (7.24-27). Esta parábola é apresentada em paralelismo clássico: O sábio constrói sobre a rocha; o tolo constrói sobre a areia. A inundação e o temporal representam tempos difíceis e o julgamento do tempo do fim (note que o julgamento de Deus é descrito como uma inundação em Is 28.17; Ez 13.10-16). Aqui Jesus ressalta mais uma vez o comportamento: "Todo aquele, pois, que escuta estas minhas palavras e as pratica, assemelhá-lo-ei ao homem prudente, que edificou a sua casa sobre a rocha" (v. 24). Fazer a justiça é parte indispensável da preparação para os tempos difíceis da vida e para o julgamento final. Pelo fato de sabermos que temos um Pai celestial interessado e perdoador, perdoamos os outros e nos interessamos pelos assuntos do Reino dos Céus. Temos a consciência de que o Pai tem em mente os melhores interesses para conosco.

3.6. O Epílogo do Sermão (7.28.29)

É evidente que Mateus quer que esta seja a conclusão da primeira seção principal dos ensinos de Jesus, porque ele encerra com as palavras: "Concluindo Jesus este discurso" (v. 28). Cada uma das cinco principais unidades pedagógicas que Mateus apresenta tem um desfecho narrativo semelhante (Mt 7.28; 11.1; 13.53; 19.1; 26.1). Jesus é o novo Moisés que tem cinco apresentações principais da lei nova ou Torá, da mesma maneira que Moisés teve cinco livros da lei no Pentateuco (veja Introdução).

O que se segue é uma observação da resposta das multidões aos ensinos de Jesus, os quais elas reconhecem que são autorizados, ao contrário dos ensinos dos mestres da lei (veja também Mc 1.21-27; Lc 4.31-37). Mateus está direcionando o espanto das pessoas para as afirmações de Jesus, a fim de que Ele seja o Intérprete definitivo da antiga lei e o Doador da nova lei, cujas palavras serão a base de julgamento no ajuste de contas do tempo do fim.

4. Jesus e os Milagres: Narrativa (8.1—9.34).

Depois da extensa seção pedagógica chamada Sermão da Montanha (Mt 5—7), Mateus apresenta uma série de milagres feitos por Jesus. Estes dominam a narrativa dos capítulos 8 e 9 e são pontuados por ensinos intermitentes. Esta é sua tentativa de descarnar o esboço do ministério de Jesus fornecido antes: "ensinando... pregando... curando" (Mt 4.23). A atenção de Mateus é fixada mais nos ensinos de Jesus do que nas suas ações, aumentando o material que ele usa do Evangelho de Marcos (que é orientado à ação). Freqüentemente, quando mais de um Evangelista inclui uma seção pedagógica, a versão de Mateus está mais cheia e detalhada. Em nítido contraste ele abrevia os milagres do Evangelho de Marcos nos capítulos 8 e 9, fornecendo o mais simples dos detalhes.

4.1. A Cura do Leproso (8.1-4)

A lepra na Bíblia não era só uma enfermidade; abrangia uma variedade de doenças da pele. A lei judaica requeria que os leprosos fossem postos em quarentena até que estivessem curados; só depois de serem examinados por um sacerdote e fazerem os sacrifícios apropriados é que eles podiam ser reincorporados na comunidade (Lv 13—14). O leproso "adorou" (*proskyneo*) e dirigiu-se a Jesus por Senhor (*kyrios*). Estes dois atos indicam respeito ou deferência, já que o súdito se curva diante do príncipe. O vocativo *kyrie* também significa "senhor". O leproso não estava a par da natureza divina de Jesus, mas para os leitores de Mateus as palavras teriam maior significado, visto que eles sabiam da ressurreição de Jesus e teriam ouvido os apóstolos testemunharem do seu senhorio.

Jesus põe de lado a antiga lei e ao mesmo tempo a apóia.
1) Ele toca o leproso, ato que, para o bem da saúde da comunidade, era proibido pela lei judaica. Ele não apenas se solidariza profundamente pelos leprosos (cf. Mc 1.41), mas também ousa tocá-los para mostrar sua compaixão e revelar sua autoridade sobre a enfermidade pavorosa. Tecnicamente este ato teria tornado Jesus cerimonialmente imundo. Quando Ele o faz, a lepra deixa o homem imediatamente;
2) Ele ordena que o leproso limpo vá se apresentar ao sacerdote em conformidade com a lei mosaica e faça o sacrifício apropriado (Lv 14.1-32). Jesus cumpre a lei curando o leproso, contudo, Ele se submete às convenções quando apropriado (veja comentários sobre Mt 5.17).

Curiosamente Jesus ordena que o homem mantenha silêncio sobre a cura (Mt 8.4). Há os que conjeturam que Jesus o curou em particular, mas a referência às multidões acompanhantes torna tal idéia improvável (Mt 8.1). Jesus freqüentemente proíbe que os recebedores de cura contem como foram curados ou quem os curou. Na erudição liberal do século XIX uns sugeriram que se tratava da tentativa de Marcos (e de Mateus) explicar por que Jesus não reivindicou em público ser o Messias no seu ministério antes da crucificação. Eles se referem a esse procedimento por "o segredo messiânico". Entretanto, é mais provável que Jesus não quisesse revelar sua identidade prematuramente, visto que resultaria — e conseqüentemente resultou — na sua expulsão da sinagoga, forçando sua pregação abertamente. Na entrada triunfal em Jerusalém, Jesus se identificou deliberada e publicamente como sucessor messiânico ao trono de Davi, e a palavra do seu poder sobrenatural realmente tornou-se pública.

A expressão: "Para lhes servir de testemunho" (v. 4; lit., "para uma testemunha") pode indicar:
1) Mera complacência com a lei de Moisés, que exigia que os leprosos limpos fossem examinados pelos sacerdotes;
2) o respeito de Jesus à lei do Antigo Testamento; ou 3) uma testemunha (*martyrion*) do ministério de Jesus. É neste terceiro significado que Mateus usa a expressão em Mateus 10.18 e 24.14.

4.2. A Cura do Criado do Centurião (8.5-13)

Como o leproso, o centurião também era visto com desdém, já que era gentio e fazia parte das poderosas forças militares de ocupação dos odiosos suseranos dos judeus. Mateus apresenta o centurião como outro pária no crescente plano de salvação. Em Lucas 7.4,5 os anciãos dos judeus intercedem com Jesus a favor do centurião por causa de sua atitude simpatizante e encorajadora para com o judaísmo.

Não está claro no Evangelho de Mateus se Jesus responde ao centurião com uma afirmação ou uma pergunta; no original grego pode ser lido de ambas as maneiras. Se for uma afirmação, a presença do "eu" (*ego*) enfático mostraria que Jesus está ansioso em ajudar: "Eu mesmo irei e lhe darei saúde". Se for uma pergunta, o "eu" enfático significaria: "*Eu* irei e lhe darei saúde?", expressando forte reserva. Entrar numa casa gentia era considerado impróprio. Note que Jesus em várias ocasiões foi reticente em começar um ministério entre os gentios, visto que Ele tinha de ir primeiro para as ovelhas perdidas de Israel; a missão entre os gentios viria mais tarde (Mt 10.5,6; 15.24; 24.14; 28.19,20). A maioria das traduções calcula que se trata de uma declaração simples, que dá o consentimento de Jesus para acompanhar o centurião até a casa dele.

O centurião percebe a natureza da autoridade espiritual de Jesus; ele vê que transcende o espaço e governa a obediência de poderes espirituais menores. Ele afirma que na função de oficial militar, Jesus só tem de dar a ordem e ela será executada com ou sem sua presença física. É freqüente os Evangelhos registrarem que as pessoas se maravilham com Jesus, mas aqui é Jesus que se maravilha com a fé do centurião (Mt 8.10) — Ele não encontrou tamanha fé em Israel. Jesus antecipa o ministério futuro com os gentios comentando que "muitos virão do Oriente e do Ocidente", expressão usada para descrever o Israel disperso sendo reunido de volta na Terra Santa (Sl 107.3; Is 43.5,6; 49.12). Estes recém-chegados se assentarão para comer "com Abraão, e Isaque, e Jacó, no Reino dos céus", ao mesmo tempo que os "filhos do Reino" serão expulsos (Mt 8.12).

Aqui é revelado o caráter racialmente misto do Reino. O fato de os patriarcas comerem com os gentios seria odioso para muitos judeus, visto que aqueles seriam cerimonialmente imundos. A "mesa" se refere às bodas messiânicas do tempo do fim. As palavras "pranto e ranger de dentes" expressam o último julgamento sobre os ímpios. A lição é clara: Fé (i.e., confiança completa e segurança ativa em Jesus) é a exigência cardeal para a entrada no Reino. Tradição, linhagem racial e posição social rendem-se diante da confiança no poder e bondade de Jesus

4.3. A Cura da Sogra de Pedro (8.14,15).

Depois de curar o criado do centurião, Jesus entra na casa de Pedro em Cafarnaum (cf. Mc 1.29-31). Esta casa era a sede de Jesus para o seu ministério na Galiléia. Paredes em ruínas de uma casa palestina do século I, a qual pode ter sido a casa de Pedro, foram encontradas em baixo de uma igreja bizantina em Cafarnaum. Mais tarde Jesus separa Pedro como líder dos discípulos com autoridade singular. O ponto principal desta cura é que toda a humanidade — gentios, judeus, homens, mulheres, jovens e velhos — é objeto do amor e poder misericordioso de Jesus.

4.4. Os Doentes Curados à Tarde (8.16,17)

Mateus apresenta outro resumo do caráter ministerial de Jesus (cf. Mt 4.23-25). Ele observa que Jesus expulsou espíritos maus "com a sua palavra". Contraste este procedimento com o toque relatado na cura anterior. O método preferido por Jesus para exorcismo era verbal, sem contato físico. Isto não é coincidência e deve ser observado pela Igreja quando lida com tais situações. A cosmovisão de Jesus inclui a possibilidade de manifestação e molestamento demoníacos, visão que hoje em dia é sumariamente preterida como produto de superstição pré-científica, imaginação demasiadamente ativa ou instabilidade mental. Ainda que algumas enfermidades, hoje reconhecidas como devidas a desequilíbrios químicos ou neurológicos, fossem consideradas nos tempos bíblicos, o resultado de possessão demoníaca (e.g., epilepsia), o mundo moderno deveria reconsiderar a cosmografia do século I com respeito à realidade e infiltração do sobrenatural — tanto bom quanto mau. A realidade não pode estar limitada ao mero empirismo.

Visto que Mateus adapta a versão de Marcos deste sumário (Mc 1.32-34), ele acrescenta uma seção significativa mencionando que este evento cumpre a profecia do Antigo Testamento (Mt 8.17). Usando esta introdução que lhe é característica: "Para que se cumprisse o que fora dito pelo profeta", ele cita um dos cânticos do Servo Sofredor encontrados em Isaías: "Ele tomou sobre si as nossas enfermidades e levou as nossas doenças" (Is 53.4; veja Introdução: Temas Distintivos de Mateus; veja também comentários sobre Mt 1.22,23). A brevidade de Mateus ao descrever estes milagres demonstra que ele deseja afirmar que Jesus é o Mestre com autoridade divina e que suas ações bem como seu ensino cumprem a profecia.

4.5. Sobre Seguir Jesus (8.18-22)

No ponto culminante de sua popularidade Jesus deixa as multidões e atravessa o mar da Galiléia. Enquanto se prepara para partir, dois pseudo-discípulos se aproximam e declaram a intenção de segui-lo. Muitos estudiosos acreditam que para Mateus a viagem pelo lago é símbolo do verdadeiro discipulado em contraste com o tipo de discipulado só nas boas horas, visto que a história desta travessia do lago é precedida por um ensino que se concentra nas exigências radicais de seguir Jesus.

1) O primeiro suposto discípulo é mestre da lei mosaica, ou seja, escriba. Como regra geral Mateus apresenta estes mestres como inimigos de Jesus. Alguns comentaristas identificam presunção e uma autoconfiança excessivamente inflacionada na afirmação deste homem seguir Jesus "aonde quer que fores" (v. 19). Em face disto a resposta de Jesus parece lacônica. Talvez Ele queira recebê-lo mal para ver se ele é realmente sincero, ou deixar claro que, embora Deus provenha a subsistência do discípulo (Mt 6.25-34), seguir Jesus não é fácil.

O mestre da lei dirige-se a Jesus por "Mestre". Isto está de acordo com o uso do título "rabino" nos círculos judaicos e com a ênfase de Mateus em Jesus como Mestre. Além disso, em Mateus os não-discípulos se dirigem a Jesus por "Mestre" (veja também Mt 12.38; 22.16,24,36), ao passo que os discípulos o chamam de "Senhor". O mestre da lei era um discípulo prospectivo, afirmando sua resolução em seguir Jesus ao grau extremo, se bem que a possibilidade se fixe em que ele já era discípulo (cf. "outro de seus discípulos", Mt 8.21).

A resposta de Jesus: "As raposas têm covis, e as aves do céu têm ninhos, mas o Filho do Homem não tem onde reclinar a cabeça", tem sido interpretada de modos diferentes (v. 20). Talvez Jesus seja completamente pobre — que tendo deixado Cafarnaum agora Ele está sem casa; ou pode ser que Jesus esteja aludindo ao fato de que Ele foi rejeitado pelo povo. O título "Filho do Homem" era usado às vezes para denotar humanidade (veja Ez 2.3; 3.1,4). Na época do escrito de Daniel, a expressão assumiu uso especializado como título para o Messias, um Homem divino, que introduziria um Reino de Deus apocalíptico e do tempo do fim.

2) O outro hipotético seguidor é descrito especificamente por "discípulo". Ele também deseja acompanhar Jesus na travessia do lago, mas primeiro diz que tem de enterrar o pai. O sepultamento era tarefa muito importante na vida de um filho e tinha de ser feito dentro de um dia (Gn 50.5; Lv 21.2; Tobias 4.3; 6.14). Talvez o pai ainda não tivesse morrido, e o discípulo estava dizendo que assim que ele pusesse em ordem seus bens, obrigação incumbida a ele por lei, ele se uniria a Jesus. Mais uma vez a resposta de Jesus é chocante: "Segue-me e deixa aos mortos sepultar os seus mortos". Seguir Jesus é mais importante que obrigações religiosas e lealdades familiares.

O ensino de Jesus não é sem precedentes, pois durante o período de dedicação do nazireado, o indivíduo não podia se aproximar de um corpo morto, nem mesmo de parente (Nm 6.6,7). Restrições semelhantes aplicavam-se ao sumo sacerdote (Lv 21.10,11). A dedicação a Jesus era igualmente séria. O termo "os mortos" pode ter significado duplo: os mortos literais e os

OS MILAGRES DE JESUS

	Mateus	Marcos	Lucas	João
Milagres de cura e libertação				
O leproso	8.2-4	1.40-42	5.12,13	—
O criado do centurião romano	8.5-13	—	7.1-10	—
A sogra de Pedro	8.14,15	1.30,31	4.38,39	—
Os dois endemoninhados gadarenos	8.28-34	5.1-15	8.27-35	—
O paralítico em Cafarnaum	9.2-7	2.3-12	5.18-25	—
A mulher com fluxo de sangue	9.20-22	5.25-29	8.43-38	—
Os dois cegos	9.27-31	—	—	—
O endemoninhado mudo	9.32,33	—	—	—
O homem com a mão mirrada	12.10-13	3.1-5	6.6-10	—
O endemoninhado cego e mudo	12.22	—	11.14	—
A filha da mulher Cananéia	15.21-28	7.24-30	—	—
O menino endemoninhado	17.14-21	9.17-29	9.38-43	—
Os dois cegos (um é Bartimeu)	20.29-34	10.46-52	18.35-43	—
O surdo e gago	—	7.31-37	—	—
O endemoninhado na sinagoga	—	1.23-26	4.33-35	—
O cego em Betsaida	—	8.22-26	—	—
A mulher encurvada	—	—	13.10-13	—
O homem hidrópico	—	—	14.1-4	—

MATEUS 8

	Mateus	Marcos	Lucas	João
Milagres de cura e libertação (cont.)				
Os dez leprosos	—	—	17.11-19	—
O servo do sumo sacerdote	—	—	22.50,51	—
O filho de um oficial do rei em Cafarnaum	—	—	—	4.46-54
O paralítico no tanque de Betesda	—	—	—	5.1-9
O cego de nascença	—	—	—	9.1-7
Milagres de poder sobre as forças da natureza				
O apaziguamento da tempestade	8.23-27	4.37-41	8.22-25	—
Anda sobre o mar	14.25	6.48-51	—	6.19-21
A alimentação para cinco mil pessoas	14.15-21	6.35-44	9.12-17	6.5-13
A alimentação para quatro mil pessoas	15.32-39	8.1-9	—	—
A moeda na boca do peixe	17.24-27	—	—	—
A figueira que secou	21.18,19	11.12-14, 20-25	—	—
A pesca milagrosa	—	—	5.4-11	—
A água transformada em vinho	—	—	—	2.1-11
Outra pesca milagrosa	—	—	—	21.1-11
Milagres de ressurreição de mortos				
A filha de Jairo	9.18,19,23-25	5.22-24,38-42	8.41,42,49-56	—
O filho da viúva de Naim	—	—	7.11-15	—
Lázaro	—	—	—	11.1-44

mortos espirituais (i.e., aqueles que não seguem Jesus).

4.6. Até os Ventos lhe Obedecem (8.23-27)

Depois de breve interlúdio pedagógico (Mt 8.18-22), Mateus continua relatando os milagres de Jesus. Sua narrativa sobre o apaziguamento da tempestade tem dois níveis de significado. O ensino nunca está longe de sua mente. Já vimos na seção anterior que a viagem pelo lago serviu como ocasião para Jesus dar um desafio ao discipulado. Esta viagem ao discipulado é uma lição de vida, não são só palavras; demonstra o que significa seguir Jesus. O vocabulário que Mateus usa também serve para fazer a tempestade dizer algo sobre discipulado e apresentar Jesus como Senhor não apenas sobre a tempestade no mar, mas também sobre a fúria escatológica que engolfará o mundo na sua morte e nos últimos dias.

A expressão grega que Mateus usou em "tempestade tão grande" é literalmente "grande abalo [*seismos*]". Em outros lugares ele usa esta palavra — da qual é derivada a palavra portuguesa *sismo* — para aludir a terremoto (Mt 24.7; 27.54; 28.2). Esta palavra tem nuança escatológica, como é comum na literatura apocalíptica (como o livro de Apocalipse). Embora seja freqüente o fato de tempestades se levantarem no mar da Galiléia quase sem avisar, esta tempestade não é comum: As ondas são tão altas que o barco é escondido da visão.

Os discípulos perturbados acordam Jesus chamando-o de "Senhor" (*kyrie*). Os leitores de Mateus, lendo o Evangelho depois da ressurreição de Jesus, sabiam que este título significava mais que "senhor", e prontamente se torna algo mais para os discípulos que testemunham a aquietação desta tempestade assassina. O Antigo Testamento afirma que o mar obedece o Senhor Deus (Jó 38.8-11; Sl 65.5-8; 89.8,9) e que Ele é o Senhor da tempestade (Sl 29). Os judeus que acompanham Jesus são sabedores destas Escrituras. Não é de admirar que eles expressem espanto diante do poder de Jesus sobre a natureza e o salvamento deles com as palavras: "Que homem é este, que até os ventos e o mar lhe obedecem?" (Mt 8.27). Eles estão em companhia de mais que mero ser humano!

As duas perguntas que Jesus faz aos discípulos relativas ao medo e falta de fé, as quais só são apresentadas em Marcos (Mc 4.40), são resumidas por Mateus com sua expressão favorecida: "Homens de pequena fé" (*oligopistoi*; veja comentários sobre Mt 6.30). A aplicação ao discipulado aprendida pelos marinheiros-discípulos e pelos leitores de Mateus é clara. O discipulado envolve perigo, e a pessoa fica totalmente dependente do Senhor para salvação. Contudo, é melhor estar com o Mestre nas dificuldades que estar em outro lugar na facilidade. Como disse Corrie ten Boom: "Seguir Jesus em meio a tempestades é mais seguro do que percorrer um caminho conhecido".

4.7. Os Endemoninhados Gadarenos (8.28-34)

Mateus registra só os fundamentos simples deste exorcismo e omite detalhes de Marcos 5.1-20 que mostram a severidade da possessão, o terror de toda a comunidade e a instrução que o exorcizado recebeu de testemunhar às pessoas de Decápolis. Mas Mateus acrescenta que havia *dois* endemoninhados (cf. também Mt 9.27; 20.30). Talvez os outros escritores dos Evangelhos centralizam-se em só um deles, ou pode ser que Mateus esteja se referindo a dois endemoninhados para cumprir a exigência judaica de testemunho legal de pelo menos duas testemunhas (Dt 17.6; 19.15).

A expressão "antes do tempo" (Mt 8.29) diz respeito à idéia comumente mantida no judaísmo e no cristianismo de que o tormento destes espíritos malignos ocorrerá depois do julgamento do tempo do fim (e.g., Ap 14.10; 20.10; 1 Enoque 12.1-6; Jubileu 5.5-10; 10.1-13). A palavra grega traduzida por "tempo" (*kairos*) indica um momento crucial, uma ocasião momentosa, um tempo maduro para cumprimento (veja também o uso de *kairos* com relação à cruz em Mt 26.18 e ao julgamento em Mt 13.30).

Gadara situava-se na orla meridional do mar da Galiléia. A cidade, parte da confederação da Decápolis (Dez Cidades), ficava poucos quilômetros mais ao sudeste, nas montanhas. A área era dominada por população gentia, daí a presença de porcos (animais impuros). Jesus normalmente não tolerava comunicação com espíritos malignos. Antes, Ele os silenciava e os mandava sair. Esta ocasião foi exceção. Jesus perguntou o nome dos demônios, presumivelmente para saber com quem e com quantos Ele estava lidando. Quando lhe foi dada a resposta "Legião" (cf. Mc 5.9), Jesus tolerou o pedido das infestações serem lançadas nos porcos. Ele o permitiu porque era apropriado: espíritos imundos para animais imundos. Jesus mostrou sua autoridade sobre os espíritos maus. Em situações de possessão maligna, os ministros são aconselhados a seguir o padrão de Jesus, mantendo a comunicação com espíritos malignos ao mínimo. Ameaças vãs e arrogantes com tais espíritos não era a prática de Jesus, e os apóstolos as proibiram (2 Pe 2.10,11; Jd 8,9).

O destino dos demônios depois que os porcos se afogaram não nos é dito. Ironicamente, embora Jesus tivesse tornado a comunidade um lugar mais seguro, a população teve medo de sua bondade mais do que tinha temido o mal nos endemoninhados (veja Lc 8.37). Tão grande, tão luminosa, tão poderosa é a salvação de Deus que muitos preferem viver com trevas menos poderosas e até malignas. Uns escolheriam ouvir o chocalho das cadeias demoníacas à noite do que ouvir as palavras libertadoras do Mestre à luz do dia.

4.8. A Cura do Paralítico (9.1-8)

Jesus volta a cruzar o mar da Galiléia em direção a Cafarnaum ("à sua cidade"). Nestes versículos Ele demonstra autoridade sobre outro âmbito — a paralisia humana. Cada um dos milagres que Mateus fala algo sobre a natureza e ministério de Jesus. Anteriormente o evangelista apresentara Jesus como aquEle que tem controle sobre as doenças, demônios e a natureza, vistos de perto e de longe, em casa e no estrangeiro. Até dormindo Ele ainda é o Mestre. Quando Ele acalma a tempestade, os discípulos fazem a pergunta: "Que homem é este, que até os ventos e o mar lhe obedecem?" (Mt 8.27). As ramificações cristológicas desse milagre são surpreendentes, chocam e evidenciam a gravidade de seguir Jesus.

Na ocasião da cura do paralítico, na pressa de Mateus apresentar quem é Jesus, ele deixa de falar aos leitores que Jesus está pregando numa casa apinhada de gente e que os amigos do paralítico abrem um buraco no telhado da casa para abaixar o paralítico à presença de Jesus (Mc 2.1-4; Lc 5.17-19). Mateus conserva as palavras de Jesus ditas ao paralítico: "Filho, tem bom ânimo; perdoados te são os teus pecados" (Mt 9.2). O homem e seus amigos foram esperando cura física; eles não pedem ou antecipam perdão.

Os mestres da lei se escandalizam, presumindo que Jesus blasfemou contra Deus. Como Marcos e Lucas explicam, eles sentem que só Deus tem autoridade para perdoar pecados e que, assim, Jesus se atreve a agir como Deus. Jesus, "conhecendo os seus pensamentos", opõe-se à objeção deles intensificando o dilema teológico. Ao afirmar que Ele sabe que só Deus perdoa pecados, Ele mantém sua declaração original, como se dissesse: "Ide em frente, fazei a dedução lógica que vós achais tão ofensiva. Estou a ponto de provar que a dedução é certa!" Sua pergunta retórica: "O que é mais fácil: Perdoar pecados ou restaurar a saúde?" não precisa de resposta e valoriza o assunto. Para provar que "o Filho do Homem tem na terra autoridade para perdoar pecados", Ele cura o homem. Como no apaziguamento da tempestade, Jesus opera com prerrogativas de Deus; embora humano, Ele é mais que mero ser humano e maior que as idéias populares acerca da natureza e papel do Messias.

A multidão "maravilhou-se" (*phobeo*, lit., "amedrontou-se") e "glorificou a Deus, que dera tal poder aos homens". Não seria surpresa Mateus destacar como Deus deu autoridade para perdoar um *homem*; este procedimento está de acordo com o tema de Mateus de que Jesus é o Messias, o Filho de Deus, o sucessor do rei Davi (Sl 2.7), com a injunção divina de salvar as pessoas do pecado (Mt 1.20,21). Mas repare que Mateus diz que esta atividade e autoridade divinas foram delegadas aos *homens* — no plural! Não se trata de mero deslize da caneta ou generalização vaga que associa Jesus com a humanidade; pelo contrário, Mateus está antecipando a participação dos discípulos na agenda primária do Reino que é perdoar pecados.

Mateus explora mais este tema, quando declara que Pedro é a pedra a quem Jesus entregará as chaves do Reino e que o que o apóstolo ligar ou desligar na terra será ligado ou desligado no céu (Mt 16.16-19). Mais tarde Jesus estende esta mesma autoridade de ligar e desligar aos outros discípulos no contexto de disciplinar um irmão impenitente (Mt 18.15-20). Imediatamente após este último ensino, Mateus registra a pergunta de Pedro: "Senhor, até quantas vezes pecará meu irmão contra mim, e eu lhe perdoarei?" (Mt 18.21). No Evangelho de João, este tema é mais enfático: "Àqueles a quem perdoardes os pecados, lhes são perdoados; e, àqueles a quem os retiverdes, lhes são retidos" (Jo 20.23). Este ministério de perdão e reconciliação é parte da descrição de trabalho dos discípulos, não porque eles são divinos mas porque eles foram divinamente perdoados (Mt 18.23-35; 2 Co 5.18-20; 1 Jo 5.16; veja também comentários sobre Mt 16.18; 18.18).

Jesus honra a fé dos amigos do paralítico e perdoa o homem, como também cura as pernas dele. A igreja nem sempre aprecia o poder e papel da sua fé. Nosso Deus "é poderoso para fazer tudo muito mais abundantemente além daquilo que pedimos ou pensamos, segundo o poder que em nós opera" (Ef 3.20). "Esta é a vitória que vence o mundo: a nossa fé" (1 Jo 5.4).

4.9. *A Chamada de Mateus, o Cobrador de Impostos (9.9-13)*

Mateus apresenta outro interlúdio em sua apresentação dos milagres de Jesus: a chamada de Mateus, o cobrador de impostos (veja também Mc 2.13-17; Lc 5.27-32). Como cobrador de impostos e companheiro de pecadores, Mateus se coloca em nítido contraste com os dois discípulos voluntários no capítulo 8, que recebem dura resposta de Jesus; note que de acordo com Marcos, Mateus deixa *imediatamente* a coletoria e segue Jesus.

Pouco tempo depois Mateus recebe em casa Jesus, junto com alguns dos seus amigos "pecadores". Os fariseus que testemunham esta fraternização pedem uma explicação aos discípulos, pois comer com um pecador torna a pessoa cerimonialmente imunda e mancharia a reputação de qualquer fariseu. O que eles querem dizer é que Jesus assemelha-se à pessoa com quem Ele se associa — pecador. O próprio Jesus responde aos fariseus que os doentes, não os sãos, é que precisam de médico. Como é típico em Mateus, Jesus cita o Antigo Testamento (Os 6.6) para justificar suas ações: "Misericórdia quero e não sacrifício". Isto apóia o programa de Mateus de duas maneiras.

1) Ele vê a ação de Jesus como cumprimento da profecia do Antigo Testamento (veja Introdução: Outros Assuntos Característicos).
2) Ele já definiu que a natureza da verdadeira justiça é ser misericordioso, e aqui ele está dando continuação ao tema (e.g., Mt 1.19; 5.7,20; 6.1-4; 18.23-35). A expressão "ide e aprendei" é típica do ensino rabínico.

A ironia é que, embora Jesus tenha aludido aos fariseus como justos (Mt 9.12), na realidade Ele considera a justiça deles inadequada, visto que a própria pergunta que fazem trai uma deficiência de misericórdia. Anteriormente Jesus advertiu seus seguidores dizendo-lhes que a justiça deles deve exceder a dos fariseus (Mt 5.20). Sua marca de justiça excede a dos fariseus no ponto em que Ele ama os pecadores e lhes estende misericórdia, e Ele conta que os que o seguem façam o mesmo. A imagem do Messias que come à mesa pressagia a festa escatológica, que Jesus já disse que terá alguns convidados surpreendentes e algumas ausências surpreendentes (Mt 8.11,12). Ironicamente, um cobrador de impostos como Mateus que deseja comer com Jesus está em melhor forma do que os presunçosos fariseus. "Os pecadores que 'têm fome e sede de justiça' estão mais pertos da verdadeira justiça do que os convencidos" (France, 1985, p. 168).

4.10. O Novo Jejum e o Velho Jejum (9.14-17)

Os seguidores de João Batista jejuavam regularmente. De acordo com Marcos 2.18, tanto os seguidores de João Batista quanto os dos fariseus estavam jejuando naquele momento, mas os seguidores de Jesus não estavam observando o jejum. O Novo Testamento fala pouco sobre jejuar, embora os sucessores de Jesus o praticassem, como o fez o próprio Jesus (Mt 4.1,2; At 13.2,3; 14.23; Didaquê 8.1b; veja comentários sobre Mt 6.16-18). Não está claro se as objeções citadas aqui se referem ao jantar de Mateus.

O "noivo/esposo" diz respeito tanto a Jesus como a João Batista. A ausência de João Batista, que tinha sido encarcerado (Mt 4.12), era ocasião de tristeza e jejum para seus seguidores. Mas Jesus ainda está com seus seguidores e expressa alegria festejando. A alusão de Jesus ao esposo que será tirado, e o subseqüente jejum dos seus seguidores antecipa sua morte.

A Parábola do Pano Novo em Veste Velha e a dos Odres Velhos e Novos são bastante confusas, embora o significado geral seja claro. O novo Reino de Jesus é muito "novo" e muito grande para a velha estrutura: só um novo receptáculo pode contê-lo. As imagens de casamento, roupas novas e vinho são símbolos da celebração escatológica da salvação de Deus (cf. Mt 22.11; Jo 2.11; Ap 19.7,8; 21.2,9; 22.17). Jesus, na qualidade de portador da nova era, o Noivo que veio para a Noiva, exige alegria. Em certo sentido, Jesus cumpre a consumação das últimas coisas, o tempo do fim, com sua presença entre os discípulos antes da ressurreição e ascensão. Esta escatologia realizada terá sua maior completude na culminação cósmica do Reino que ainda está por vir.

O que é desconcertante nesta declaração é que embora Jesus perpetue grande parte do velho sistema, Ele simultaneamente requer uma mistura do velho e do novo (Mt 13.52); ademais, quando Ele partir, os discípulos praticarão o "velho" jejum. Esta confusão só surge se considerarmos esta declaração uma descrição do ministério inteiro de Jesus em vez de ser uma resposta direta a uma pergunta sobre ocasião específica: Jesus está comendo e comemorando enquanto a velha ordem jejua.

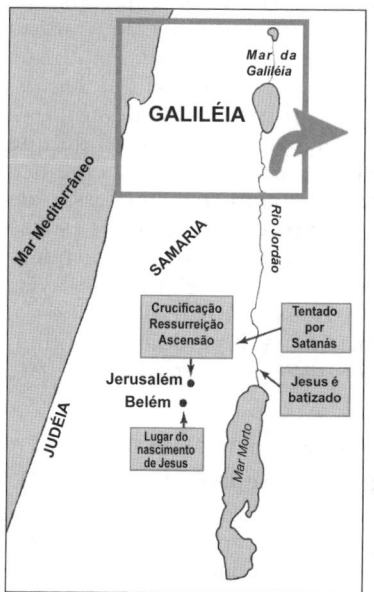

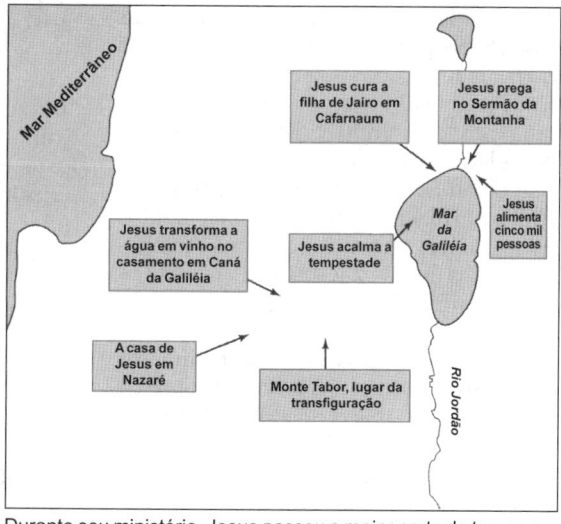

Durante seu ministério, Jesus passou a maior parte do tempo na Galiléia. Estes mapas mostram só alguns dos acontecimentos.

4.11. A Filha de Jairo e a Mulher com Hemorragia (9.18-26)

Mateus prossegue em seu relato sobre os milagres de Jesus. Uma comparação da sua versão destes dois milagres com Marcos 5.21-43 e Lucas 8.40-56 mostra que a versão de Mateus é significativamente menor. Ele não inclui o nome de Jairo ou menciona que a filha dele morreu durante a demora causada pela cura da mulher com hemorragia. Mateus simplesmente apresenta a menina morta.

Enquanto Jesus está se dirigindo à casa de Jairo, uma mulher assoma por trás dEle e toca "a orla da sua veste" (presumivelmente uma borla em cima da roupa de Jesus). Os judeus cosiam borlas nas roupas para lembrá-los de guardar a lei de Moisés (veja Nm 15.38,39; Dt 22.12). A ação ousada da mulher desconsidera a lei porque, de acordo com esta norma, sua condição era imunda, e tudo o que ela tocasse ficaria cerimonialmente imundo. Talvez seja esta a razão, segundo Marcos e Lucas, de a mulher estar relutante em admitir que tocou Jesus. Mas Jesus disse à mulher que ela tivesse ânimo, porque a fé dela a curou (*sozo*, verbo que em outras passagens significa "salvar").

Quando Jesus chega à casa da menina falecida, os tocadores de flauta e as carpideiras profissionais — parte exigida do funeral judaico — já estão lá. Quando Jesus lhes manda sair e insiste que a menina está "dormindo" e não morta, eles o ridicularizam. Considerando que na Escritura o sono é um eufemismo para morte, Jesus está dizendo que, embora a menina esteja morta, a situação é apenas temporária. Mais uma vez Jesus desconsidera os tabus cerimoniais e toca o corpo morto, tornando-se cerimonialmente imundo aos olhos de muitos, mas trazendo a menina à vida diante dos olhos dos pais dela e de Pedro, Tiago e João (veja Mc 5.37,40-43).

4.12. Os Dois Cegos (9.27-31)

A presença de dois relatos semelhantes de cegos curados por Jesus em Mateus (aqui e em Mt 20.29-34) parece enigmático, visto que Marcos e Lucas só mencionam uma versão desta cura. Além disso, Marcos 10.46-52 e Lucas 18.35-43 mencionam só um homem cego, ao passo que Mateus menciona dois (veja comentários sobre Mt 8.28-34).

Como em Mateus 20.29-34, os cegos dirigem-se a Jesus por "Filho de Davi" e lhe imploram que tenha misericórdia deles. Diferente do relato de Mateus 20, este milagre acontece numa casa onde Jesus pergunta aos cegos se eles crêem que Ele pode restabelecer-lhes a visão. Quando respondem afirmativamente, Jesus lhes restabelece a visão. Como nas outras histórias de cura narradas anteriormente, este episódio apóia a afirmação de que Jesus fala e ensina com autoridade.

4.13. O Mudo Endemoninhado (9.32-34)

A libertação do mudo endemoninhado tem paralelo em Mateus 12.22-24, que narra a cura de um endemoninhado que é cego e mudo. A estrutura e vocabulário destes dois relatos são semelhantes. Ambos comentam o assombro das pessoas e registram uma apreciação cínica dos fariseus (cf. também Mc 3.22; Lc 11.14,15). No presente episódio, os fariseus atribuem o poder de Jesus ao "príncipe dos demônios", enquanto que no segundo relato de Mateus lemos: "Belzebu, o príncipe dos demônios". Com a repetição da acusação de que Jesus está aliado com o "príncipe dos demônios", obtém-se a impressão de que o conflito com os inimigos está se formando e prestes a chegar a um ponto crítico. No segundo relato Jesus avisa que os fariseus estão em perigo de cometer blasfêmia imperdoável contra o Espírito Santo (veja comentários sobre Mt 12.31-37).

5. A Chamada para a Missão (O Segundo Discurso: 9.35—10.42).

Este discurso é a segunda das cinco principais unidades de ensino de Jesus, a qual Mateus concebeu deliberadamente para apresentar Jesus como o novo Moisés (veja comentários sobre Mt 5.21,22; veja também Introdução: Jesus, o Mestre). Nesta seção Jesus apresenta instruções aos seus seguidores, as quais ampliam a sua obra numa missão deles própria.

5.1. Os Trabalhadores para a Colheita (9.35-38)

Mateus prefacia a declaração sobre a colheita/seara abundante com, como é seu hábito, um resumo do ministério de Jesus (veja comentários sobre Mt 4.23-25). A obra tripla de ensinar, pregar e curar é repetida aqui. Este resumo dá fechamento à seção sobre milagres (Mt 8.1—9.34) e fornece transição para o ministério dos Doze Apóstolos. Arma o palco para uma seção principal de ensino de Jesus (Mt 10.5-42).

Mateus descreve a compaixão de Jesus pelas ovelhas sem pastor, a fim de explicar seu ministério às pessoas bem como definir a colheita para a qual Ele está a ponto de enviar os apóstolos (Mt 10). "As ovelhas sem pastor" é imagem que se reporta a Ezequiel 34, onde os pastores de Israel oprimem o rebanho e o deixam como presa para os animais selvagens (veja também 1 Rs 22.17; 2 Cr 18.16). O próprio Deus promete ser o Pastor delas (cf. Nm 27.17; 1 Rs 22.17; Zc 10.2,3). O povo de Israel é descrito como as ovelhas perdidas de Israel (e.g., Is 53.6), e o Messias é descrito como o Pastor (Ez 34.23; Mq 5.4,5; Zc 11.16). Mateus gosta deste tema e o usa em seu Evangelho (Mt 2.6; 10.6,16; 15.24; 25.31-46; 26.31).

A metáfora da colheita traz a idéia de julgamento (Is 17.11; Os 6.11; Jl 3.13). Mateus já tinha se referido ao tema da colheita quando João Batista profetizou duramente sobre julgamento na Parábola das Árvores Boas e Más, e na Parábola do Trigo e da Palha, onde o machado, a pá de joeirar e o fogo são ferramentas de julgamento (Mt 3.10-12). Aqui (Mt 9.37,38) a urgência da situação compele Jesus a exortar os discípulos a orar por operários para a colheita. "O Senhor da seara" é, obviamente, Deus.

5.2. A Comissão dos Doze Apóstolos (10.1-4)

Mateus alista os nomes dos Doze Apóstolos quando Jesus os envia na primeira missão que fazem (v. 1). Esta situação dá aos leitores a idéia de que a seleção dos Doze ocorreu antes. Ao escolher doze apóstolos Jesus está fazendo declaração deliberada. Assim como Israel teve doze patriarcas com os filhos de Jacó, os quais tinham jurisdição sobre suas respectivas tribos, assim também o novo Reino tem doze inspetores a quem são confiados o governo do novo Israel, a Igreja. Note que a comunidade de Qumran, que reputava ser o núcleo escatológico de Israel, também tinha um conselho de doze (Normas da Comunidade 8.1ss). A seleção dos Doze não é apenas para a missão prestes a acontecer, mas também os estabelece em posições permanentes de autoridade (veja Mt 16.18,19; 18.18-20; 19.27,28; 28.16,18-20). Jesus define a natureza da missão pela autoridade que Ele dá aos apóstolos "sobre os espíritos imundos, para os expulsarem e para curarem toda enfermidade e todo mal".

Esta passagem é a única vez que Mateus usa a palavra "apóstolo" (*apostolos*). Nos outros lugares ele apresenta estes homens por "os seus doze discípulos", "doze", "os doze", "os discípulos" ou "os seus discípulos". O termo *apostolos* tem uso mais geral no restante do Novo Testamento indicando alguém em missão ou um representante que não os Doze Apóstolos (Rm 16.7; 2 Co 8.23). O Didaquê (c. 100 d.C.) chama de apóstolos os pregadores-profetas itinerantes (Didaquê 11.4,6). Etimologicamente a palavra significa "o enviado", mas é diferente da ação simples de enviar alguém numa incumbência. Conota comissionamento com autoridade. Na literatura secular, o termo *apostolos* descreve alguém comissionado como capitão de navio. Note a referência à autoridade dada aos apóstolos em Mateus.

O termo *apostolos* tornou-se termo especializado com uma função especializada na Igreja. A igreja primitiva reconhecia o papel único dos Doze Apóstolos; em

Atos 1, antes mesmo do Pentecostes, a Igreja agiu prontamente e substituiu o ofício desocupado por Judas Iscariotes (At 1.15-26). Paulo sentiu que ele também tinha autoridade próxima da dos Doze por uma chamada sobrenatural, ainda que atrasada (1 Co 15.5-10). A "doutrina [ensino] dos apóstolos" era o vínculo crucial entre a Igreja e o ensino de Jesus (At 2.42). A Igreja apostólica media a verdade e a falsidade através do ensino, experiência e autoridade dos Doze e dos que estavam estreitamente associados com eles. A Igreja de fins do século I e início do século II entendia que os bispos eram os sucessores dos Doze Apóstolos, os guardiões da fé e os pastores dos fiéis, embora outros tivessem ministérios apostólicos análogos aos apóstolos originais no ponto em que eram pregadores, missionários e profetas itinerantes.

A ordem dos nomes dos apóstolos conforme está relacionada em Mateus 10.2-4, Marcos 3.16-19, Lucas 6.12-16 e Atos 1.13b é quase a mesma com poucas variações. Mateus une André com seu irmão Simão Pedro, colocando André mais para cima da lista. Em Atos, João está na segunda posição ao passo que é o terceiro em Mateus, Marcos e Lucas. Lucas arrola Pedro e João em primeiro lugar em Atos, para coincidir com o papel proeminente que eles desempenham na primeira parte de Atos. Todas as listas apresentam o círculo interno dos apóstolos — Pedro, Tiago e João — nas primeiras três ou quatro posições, visto que Jesus os escolheu para papel especial.

Mateus e Marcos colocam Tadeu na décima posição, enquanto que Lucas e Atos nomeiam Simão, o Zelote, como o número dez. Às vezes supõe-se que Tadeu é outro nome para Judas, o irmão de Tiago. Também parece que Simão, o Cananeu (que é o nome dado no texto grego em Mateus e Marcos) é a mesma pessoa nas listas de Lucas e Atos. A palavra "cananeu" provém da palavra aramaica traduzida por zelote.[7] Os zelotes eram judeus que defendiam a subversão violenta da ocupação romana e o estabelecimento de um reino judaico livre e independente. É triste mas apropriado que Judas Iscariotes, o traidor, esteja alistado por último.

Pedro sempre está na posição proeminente. Mateus prefacia "Simão, chamado Pedro" com a palavra "primeiro" (*protos*). Isto é mais que mera indicação de início de lista; antes, serve para enfatizar o papel saliente de Pedro na liderança e autoridade entre os apóstolos, que é interesse principal de Mateus. O apelido "Pedro" ("pedra") antecipa a ação de Jesus que o estabelece como fundação singular para o edifício da Igreja. A evidência do seu papel dominante como primeiro entre iguais é visto nos Evangelhos e em Atos (veja comentários sobre Mt 16.16-19). Certa tradição fidedigna observa que Pedro morreu em Roma, na perseguição movida por Nero, na qual o imperador culpou os cristãos pelo incêndio de Roma (64 d.C.). Pedro foi crucificado de cabeça para baixo a pedido, visto que ele se julgou indigno de morrer do mesmo modo que Jesus.

Vários itens são merecedores de nota em relação aos demais apóstolos na lista de Mateus. André, originalmente seguidor de João Batista, é justaposto ao nome de Pedro, já que eles estão relacionados. Foi ele que apresentou Pedro a Jesus (Jo 1.35-40). No Evangelho de João, André leva a Jesus vários discípulos em perspectiva (Jo 1.35-44; 6.8; 12.22). Os irmãos Tiago e João, ambos filhos de Zebedeu, eram conhecidos por "Filhos do Trovão" (Mc 3.17; veja também Mc 9.38-41; Lc 9.54-56). João é provavelmente o discípulo amado mencionado no Quarto Evangelho. A tradição relata que depois da queda de Jerusalém, João foi para Éfeso, onde exerceu influência sobre os futuros líderes da Igreja como Policarpo, Papias e Inácio.

Filipe de Betsaida não deve ser confundido com o diácono em Atos. Ele teve papel secundário no Quarto Evangelho (Jo 1.44; 6.5-7; 12.21,22; 14.8-14). Polícrates, bispo de Éfeso no século II, registra que Filipe ministrou na província romana da Ásia e foi enterrado na cidade de Hierápolis. Bartolomeu é identificado com Natanael de Caná de Galiléia, arrolado como discípulo no Evangelho de João (Jo 1.45-49; 21.2).

Tomé ficou conhecido por sua dúvida (Jo 20.24-27), mas valentemente determinou ir a Jerusalém, para morrer com o seu Mestre amado. Depois de ficar convencido da ressurreição física do Senhor, ele declarou que Jesus era: "Senhor meu, e Deus meu!" (Jo 20.28). Ele também era chamado "Dídimo", que quer dizer "Gêmeo". A tradição diz que ele foi martirizado na Índia, onde fundou uma igreja. Depois que os portugueses circunavegaram a África em 1498 e chegaram à Índia, acharam uma igreja nativa que afirmava ter sido fundada por Tomé.

Só o Evangelho de Mateus apresenta o apóstolo do mesmo nome com o título "o publicano", o que pode ser uma confissão por parte do escritor (Mt 9.9-11; 10.3). Judas Iscariotes entregou Jesus traiçoeiramente às autoridades. Talvez Iscariotes signifique que ele era de Queriote, embora haja os que consideram o nome derivado da palavra latina *sicarius*, termo referente a um grupo de assassinos semelhante aos zelotes. Outros sugerem que era derivado da palavra aramaica traduzida por "falsidade" ou que significava "cabeça vermelha". Judas serve como lembrança contínua de que os seguidores de Jesus devem estar vigilantes para que suas palavras e ações nunca traiam o Mestre. Os demais dos Doze são motivo de incentivo para o crente moderno imitar a devoção que dedicaram ao Reino.

5.3. As Instruções aos Doze Apóstolos (10.5-42)

As instruções de Jesus aos apóstolos antes da missão servem de ocasião para Mateus apresentar a segunda seção principal dos ensinos de Jesus, o Doador da nova Torá para o novo Reino. Mateus vê esta passagem como seção distinta do ensino de Jesus, fato que está claro pela frase final encontrada em Mateus 11.1a: "Acabando Jesus de dar instruções aos seus doze discípulos".

5.3.1. Diretrizes para a Missão (10.5-8). Só Mateus registra que esta missão particular estava limitada "às ovelhas perdidas da casa de Israel"; os gentios e samaritanos são, neste momento, evitados (vv. 5,6). Tendo mencionado uns poucos contatos com os gentios (Mt 8.5-13,28-34,: cf. Mt 15.21-28), Mateus antecipa que a principal extensão para as nações ocorrerá depois da ressurreição de Jesus (Mt 28.19,20). Este exclusivo interesse judaico é típico do programa teológico de Mateus. Outrossim, só Mateus fala neste contexto sobre a proclamação que deviam fazer: "É chegado o Reino dos céus" (Mt 10.7), a mesma mensagem que Jesus pregara quando começara seu ministério público (Mt 4.17). Seus discípulos devem continuar esse ministério. Jesus também ordena os apóstolos curarem os doentes, ressuscitarem os mortos, limparem os leprosos e fazerem exorcismos como o Mestre fez (Mt 10.8). Jesus já tinha-lhes dado autoridade para fazerem isso (Mt 10.1).

5.3.2. Provisões para a Missão (10.9-16). Marcos e Lucas têm essencialmente as mesmas instruções para os apóstolos, como as apresentadas aqui (Mc 6.8-11; Lc 9.3-5). Os apóstolos não devem levar virtualmente nada mais que as roupas que trajam quando forem fazer missão. Jesus diz: "De graça recebestes, de graça dai" (Mt 10.8). Quer dizer, visto que os apóstolos receberam os benefícios do Reino, eles devem oferecer o Evangelho em sua pujança sem custo algum. Contraste isto com a atitude de Simão que pensou que o poder de Deus poderia ser comprado e vendido (At 8.19).

Isto significa que Jesus deseja que seus missionários não atendam as próprias necessidades? Paulo e seu grupo fizeram justamente isso (1 Co 4.12; 2 Co 12.13-18). Mas Jesus não está proibindo toda provisão dos empreendimentos missionários. Se o estivesse, a igreja de Filipos teria errado quando sustentou Paulo em seus esforços evangelísticos fora da estadia em Filipos (Fp 4.10,14-16). A chave acha-se em Mateus 9.37,38, onde Jesus observou que a "seara é realmente grande", e que, portanto, os trabalhadores são urgentemente necessários para colhê-la. A urgência da colheita impele Jesus a enviar os apóstolos às pressas sem preparação e provisão prévias. Note que o próprio Jesus enviou certa feita os discípulos a comprar comida, e não confiou na caridade local para o sustento (Jo 4.8). A comunidade cristã representada no Didaquê considerou estes comandos de Jesus como normativos para sustentar apóstolos/profetas itinerantes (Didaquê 11.3-6). Em cada evento Deus atende as necessidades daqueles que são verdadeiramente comissionados e enviados por Ele.

Mateus inclui a bênção da paz sobre a casa daquele que dá hospitalidade aos apóstolos (Mt 10.13). Oferecer paz é oferecer inteireza, saúde e justiça (veja comentários sobre Mt 5.9). Receber acomodações, refeições e proteção de graça era aspecto comum da hospitalidade do antigo Oriente Próximo (veja Gn 18.1-8; 19.1-8; Jz 19.15-24).

A referência a sacudir o pó dos pés (Mt 10.14) alude a certa tradição judaica. Um judeu tiraria o pó das roupas e pés quando saísse de uma área pagã para que ele não se contaminasse com a terra imunda dos gentios. Sugerir que tal ação simbólica fosse dirigida a uma casa judaica seria afronta ultrajante, pois a estaria igualando com os gentios. Mateus leva o assunto mais adiante quando compara os que rejeitam a mensagem dos apóstolos com as pessoas de Sodoma e Gomorra, cidades que são símbolos de pecado odioso e infâmia. Eles estarão em pior situação no julgamento do que estas duas cidades más, porque eles receberam o evangelho e o rejeitaram!

Mateus e Lucas mencionam as "ovelhas ao meio de lobos". Note a ironia: O próprio Pastor (Jesus) envia o rebanho a uma alcatéia de lobos (Carson, 1984, p. 246)! A versão de Mateus inclui o aviso: "Sede prudentes como as serpentes e símplices como as pombas" (Mt 10.16). No mundo antigo, bem como na atual cultura ocidental, a serpente é símbolo do mal, embora o mundo antigo também a considerasse astuta e inteligente (e.g., Gn 3.1). A referência de Jesus à pomba impede que se entenda que esta passagem seja justificação de esperteza amoral. A palavra "símplices" significa literalmente "sem mistura"; em uso figurativo quer dizer puro em relação à moralidade e motivo. Richard France explica bem o significado: "Os cristãos não devem ser simplórios crédulos. Mas tampouco devem ser velhacos" (France, 1985, p. 182). Ingenuidade também não é atributo nem vantagem cristãos.

5.3.3. Diretivas para as Perseguições (10.17-42).

5.3.3.1. Estar Prevenido (10.17,18).

Jesus adverte os discípulos a não entrarem alegremente em situações perigosas. A astúcia evita certos conflitos. Até Jesus evitava conflitos desnecessários com os inimigos e em geral se retirava quando e onde Ele os confrontava (e.g., Mt 12.14-21; 21.12-17). Ele ensinou: "Bem-aventurados os que sofrem perseguição por causa da justiça", e não por causa de estupidez (Mt 5.10).

É inevitável que venham perseguições aos discípulos, assim como sucedeu com o Mestre, como açoites nas sinagogas e entre os gentios (Mt 10.17,18). Ao mencionar sinagogas e gentios, Mateus está voltando a um dos seus freqüentes temas, a questão judaico-gentia. A expressão "*suas* sinagogas" sugere que a divisão entre os judeus e a nova seita cristã estava acentuada na época em que Mateus escreveu. Este ensino de Jesus antecipa o posterior ministério da Igreja, de evangelizar todas as nações (Mt 28.19,20), fato que é reforçado pela constatação de que poucos versículos antes Jesus tinha dito para os apóstolos evitarem contato com os gentios durante esta campanha (Mt 10.5). Subseqüentemente os discípulos, assim como Jesus, suportaram julgamento negativo de judeus e gentios.

5.3.3.2. Palavras de Testemunho Providas pelo Espírito (10.19,20).

Nestes julgamentos diante de governantes religiosos e civis Jesus exorta os crentes a não se preocuparem sobre o que responder, pois "o Espírito de vosso Pai é que fala em vós" (cf. também Mc 13.11; Lc 12.11,12; 21.15). Estes julgamentos não são simples oportunidades de se defender, mas prestam testemunho (*martyrion*) da fé.

5.3.3.3. Inevitabilidade da Rejeição (10.21-25).

O material dos versículos 21 a 25 é, na maior parte, encontrado somente em Mateus. A idéia de dividir os verdadeiramente justos dos que se recusam a ouvir ou vivenciar o Evangelho interessa grandemente a Mateus (e.g., Mt 7.21-23; 13.24-30; 21.28-32; 22.1-14; 25.1-30). Jesus usa a linguagem de Miquéias 7.5,6, que descreve a dissolução da sociedade israelita. Os inimigos do crente podem ser encontrados em sua própria casa. A perseguição é ocasionada pela ofensa que o nome de Jesus traz (Mt 10.22). Isto nos lembra as palavras dos apóstolos ditas em perseguição posterior, quando eles foram açoitados pelo Sinédrio e proibidos de falar no nome de Jesus: eles se alegraram por "terem sido julgados dignos de padecer afronta pelo nome de Jesus" (At 5.40,41). A salvação implica a resistência firme dos discípulos frente à rejeição proveniente até da própria família. Mais tarde Jesus adverte que a salvação só virá ao discípulo que pacientemente perseverar (Mt 24.10-14).

A resposta apropriada à perseguição é mudar-se para outra cidade (Mt 10.23). Heroísmo impróprio era visto com desagrado pela igreja primitiva; os mártires voluntários eram considerados arrogantes. Haveria oportunidade suficiente para testemunhar em tempos de perigo. "A morte não faz o mártir; ela revela o mártir" (Dan Beller). Martírio (palavra derivada de *martyrion*, "testemunho") significa testemunho. Testemunhar com o próprio sangue é um dom, uma coroa só dada por Deus. É o testemunho último.

A referência a "as cidades de Israel" (Mt 10.23) tem desconcertado alguns leitores. Uns argumentam que a consumação final do tempo do fim, a segunda vinda, acontecerá antes de todas as cidades em Israel ouvirem Sua mensagem. Com certeza a expressão sobre a vinda do "Filho do Homem" torna esta interpretação possível. Significaria, como asseverou Albert Schweitzer em sua famosa obra *Quest for the Historical Jesus* (Em Busca do Jesus Histórico), que Jesus previu a culminação final do Reino para pouco tempo, mas percebeu que estava enganado quando Deus não o livrou da cruz. Contudo esta não era a intenção de Jesus no versículo 23. Quando Mateus estava escrevendo, ele de fato sabia que não era este o caso. Se o fosse, ficamos a imaginar por que ele não o omitiu em vez de ampliar esta pretensa *faux pas* de Jesus. Ademais, a expressão "aquele que perseverar até ao fim" está fora de lugar se, na mente de Jesus, a consumação das últimas coisas está a apenas alguns dias do seu cumprimento.

Também foi sugerido que a vinda de Jesus no versículo 23 não tem nada a ver com o distante tempo do fim; antes, Jesus está apenas afirmando que os apóstolos devem progredir imediatamente com a missão, já que Ele os seguirá e os alcançará na missão iminente. Isto se encaixaria bem com o contexto da missão dos setenta e dois discípulos, a quem Jesus enviou "adiante da sua face, de dois em dois, a todas as cidades e lugares aonde ele havia de ir" (Lc 10.1). Neste caso Jesus estava usando o título "Filho do Homem" simplesmente como uma auto-identificação cristológica, e não como uma referência a uma consumação iminente do novo Reino de acordo com o sentido de Daniel 7.13,14.

Outros intérpretes sugerem que o cumprimento do tempo do fim virá em etapas. Por exemplo, a "vinda do Filho do Homem" pode ser sinônimo da "vinda do Reino", aludindo à destruição de Jerusalém em 70 d.C. — evento que cumpriria o julgamento que Jesus prometeu já no versículo 17. Nesta interpretação a Igreja substitui o antigo Israel. Com a destruição de Jerusalém "o culto no templo desaparece, e o novo vinho necessariamente recebe novos odres" (Carson, 1984, p. 252). A igreja primitiva entendia que o cumprimento escatológico se realizaria em fases, fato que está claro em Atos 2.17-21, quando Pedro identificou os fenômenos no Dia do Pentecostes como cumprimentos dos últimos dias profetizados por Joel. O próprio Jesus reconheceu que alguns pontos escatológicos seriam parcialmente realizados antes da culminação das eras (e.g., Mt 4.17; 12.28).

Outra questão crucial envolve a identificação das "cidades de Israel" (Mt 10.23). Referem-se às cidades no itinerário da missão original, todas as cidades judaicas na Terra Santa, ou a todas as cidades na Palestina e na Diáspora que têm populações judaicas; ou Israel diz respeito à igreja judaica e cristã? Esta última sugestão se encaixa bem com o comentário de Jesus no Evangelho de Marcos: "Mas importa que o evangelho seja primeiramente pregado entre todas as nações" (Mc 13.10; cf. Mt 24.14). Se Jesus tinha em mente um grupo maior de cidades do que as do itinerário da primeira missão apostólica, então é claro que Ele não considerava que o cumprimento do tempo do fim estivesse poucos dias após a primeira missão. Todas as opções acima são, na melhor das hipóteses, tentativas para interpretar esta declaração de Jesus. Alguns dos seus ensinos nunca foram destinados a serem despojados do seu mistério. Intuição do tempo do fim é, no melhor dos casos, arriscado.

É suficiente dizer que Jesus mandou os discípulos prosseguirem prontamente com a missão prestes a ser feita, confiando em Deus para o sustento, sendo cautelosos e até ousados com o perigo, e sabendo que o aluno não está acima do professor. Tendo atendido as advertências de Jesus, o discípulo humilde e obediente não será surpreendido quando confrontado por rejeição, ódio e perseguição, mas os enfrentará com coragem e perseverança, baseado na promessa de que Deus fará o Reino aparecer por meio de Jesus.

5.3.3.4. Testemunho Ousado (10.26-33). "Não os temais" é característica da mensagem de Jesus para que a provisão e direção de Deus sustentem o verdadeiro discípulo. Jesus exige que os discípulos testemunhem corajosamente. A mensagem do Reino, a qual até esse momento Jesus vinha mantendo em segredo (note esp. suas instruções para as pessoas curadas manterem silêncio, e.g., Mt 9.30), agora deve ser proclamada decididamente diante de todos (Mt 10.26-28). Não obstante, Jesus sanciona o medo em um caso (v. 28). O foco não deve estar nas pessoas que podem executar o discípulo, mas no próprio Deus e seu julgamento. As palavras dos discípulos devem agradar a Deus e não meramente evitar a ira da autoridade humana.

Esta escolha de submissão última a Deus coloca o cristão contra o poder do Império Romano e, em última instância, significa que cada cristão de algum modo tem de falar contrário à *vox populi*, até sob o governo mais benigno. Pedro e os outros apóstolos vivenciaram isto, pois quando ameaçados pelas autoridades de Jerusalém declararam: "Mais importa obedecer a Deus do que aos homens" (At 5.29). Em meio a esta admoestação sensata Jesus oferece segurança e consolo em termos rememorativos ao Sermão da Montanha (Mt 6.26,27). Os pardais são pássaros pequenos, e eram servidos como comida para os pobres. No entanto, Deus está ciente de cada um deles, e, considerando que os discípulos são muito mais valiosos para Deus, Ele tomará conta deles. Nem um único fio de cabelo da cabeça de um discípulo cai sem que o Pai repare (Mt 10.29-31).

Com base no grande medo e no grande consolo, o discípulo deve confessar Jesus diante das pessoas. O que o discípulo diz sobre Jesus tem um efeito último, porque Jesus reconhecerá a pessoa diante "de meu Pai, que está nos céus". O oposto também é verdade: Negar Jesus resultará em maior repúdio do discípulo no céu (veja também Lc 12.2-9). Lucas compara o fracasso em dar testemunho de Jesus diante das autoridades como equivalente a cometer blasfêmia contra o Espírito Santo (Lc 12.8-12; veja comentários sobre Mt 12.31,32).

5.3.3.5. Espada e Cruz (10.34-39). Jesus não deixa o discípulo iludido sobre o preço de segui-lo. Submissão a Ele e ao Pai é visto pelos integrantes da família do discípulo como traição contra eles. Divisão e discussão ocorrem em famílias no que tange à chamada radical ao discipulado. O amor de Deus deve ser preeminente.

Jesus descreve o discipulado em termos de morte. Alguns estudiosos insistem que Jesus não poderia ter sabido com antecedência que Ele seria crucificado e que, portanto, a referência à "cruz" tem de ser uma sentença cristã colocada nos lábios do Senhor. Mas esta não é dedução necessária:

1) Presume que a profecia genuína é, na melhor das hipóteses, improvável;
2) Não há dúvida de que Jesus via ou tinha informações sobre crucificações executadas na Palestina pela ocupação romana. Ele sabia que se não liderasse o povo numa revolta militar, o que era popularmente esperado, inevitavelmente cairia vítima dos agentes do poder vigente naqueles dias, que o encaravam como ameaça. Na Terra Santa os romanos reservaram para si a opção e execução da pena de morte; por conseguinte a cruz não estaria longe da mente de Jesus. A predição de sua morte na cruz não era uma de suas predições mais espantosas. O que é mais pertinente aqui é a chamada para os discípulos o seguirem num viver sacrifical.

A razão para tal demanda radical de discipulado vem a seguir (Mt 10.39). Ironicamente aquele que busca preservar a vida, em última instância a perderá, ao passo que a vida perdida para o Reino resultará em sua preservação última. Como asseverou Jim Elliot, mártir missionário na América do Sul: "Bem-aventurado quem dá o que não pode manter para ganhar o que não pode perder".

5.3.3.6. Recompensa (10.40-42). Jesus volta ao assunto do discípulo ser rejeitado ou aceito pelas pessoas à medida que se faz missão. Sua declaração fornece uma parelha de versos paralela que garante que aqueles que recebem um "profeta" ou "justo" terá a recompensa/galardão de "profeta" ou "justo", respectivamente. Mateus inclui estas instruções não apenas porque os apóstolos as ouviram de Jesus, mas porque a Igreja mais tarde precisava de encorajamento para ser generosa com os ministros itinerantes (e.g., Fp 4.15-17; Didaquê 11.1-4).

Dar "um copo de água fria" era considerado parte básica da hospitalidade no Oriente Próximo, ato para o qual não se esperava recompensa; não obstante Jesus assegura aos discípulos que até o esforço mais minucioso em garantir a expansão das boas-novas *de modo algum* (o grego em Mt 10.42 contém um elemento de negação enfático) ficará sem recompensa. Assim, nem o apóstolo nem os que o apóiam precisam temer por suas vidas ou bem-estar enquanto testemunham corajosamente de Jesus neste mundo.

6. Ministério e Confrontação: Narrativa (11.1—12.50).

6.1. João Batista (11.1-19)

6.1.1. A Pergunta de João Batista (11.1-6). O versículo 1 funciona como texto de transição da seção pedagógica no capítulo 10 para outra parte do ministério de Jesus (veja comentários sobre Mt 7.28,29). Mateus e Lucas registram o preso João Batista mandar seus discípulos investigar as credenciais messiânicas de Jesus (veja também Lc 7.18-23). A pergunta é realmente curiosa, visto que ele tinha testemunhado os eventos ocorridos no batismo de Jesus e, de acordo com o Quarto Evangelho, identificado Jesus como o Messias (Jo 1.24-34; 3.25-36).

No melhor dos casos ficamos só a especular. Talvez João Batista tenha entendido mal a natureza do ministério do Messias. A idéia de que o Messias seria um libertador militar era popular, e João pode ter pensado que seu primo logo levantaria um exército, organizaria um golpe de estado e obteria o livramento dele da prisão. Talvez as condições do seu encarceramento o levassem a duvidar. É possível que João Batista, assim como a comunidade de Qumran, antecipasse mais de um messias. Em Qumran eles acreditavam que haveria três messias: um de Arão, um de Israel e um terceiro chamado o Profeta. João Batista viu Jesus obviamente como o profeta do tempo do fim, mas não sabia se Ele cumpriria os outros dois papéis. Um pouco antes, os seguidores de Jesus, que não jejuavam, foram contrastados com os discípulos de João Batista, que jejuavam (Mt 9.14). Junto com a associação de Jesus com gente de má fama pode ser que tudo isso lhe tenha feito hesitar.

Mateus e Lucas registram a resposta de Jesus: "Ide e anunciai a João as coisas que ouvis e vedes: Os cegos vêem, e os coxos andam; os leprosos são limpos, e os surdos ouvem; os mortos são ressuscitados, e aos pobres é anunciado o evangelho. E bem-aventurado é aquele que se não escandalizar em mim" (Mt 11.4-6). A resposta de Jesus pode revelar bem a natureza da pergunta de João Batista. O programa messiânico de Jesus não se ajustava às expectativas gerais e populistas. Contudo, Jesus considerou estes milagres salvíficos e compassivos como sinais do seu messiado. João Batista já apresentara anteriormente o ministério de Jesus como consumação iminente, apocalíptica e escatológica das eras (Mt 3.7-12). A referência de Jesus à ofensa em relação a João Batista pode ser muito útil para indicar que o conceito de messiado que João Batista tinha precisava de ajustes.

Questões relativas à compreensão de João Batista acerca do ministério de Jesus permanecem, sobretudo levando-se em conta o Quarto Evangelho, no qual João Batista descreve Jesus como o Cordeiro de Deus (Jo 1.29), conceito não convencional de Messias. Devemos notar que Mateus não compartilha nosso interesse moderno sobre o motivo da investigação de João Batista; o evangelista encara a pergunta como oportunidade para mostrar a natureza compassiva e poderosa do programa messiânico de Jesus.

6.1.2. Jesus explica o Ministério de João Batista (11.7-15). Jesus usa a ocasião das perguntas de João Batista para explicar seu ministério. Ele começa observando a ironia da situação histórica vigente: As multidões não tinham ido ao deserto para ver alguém esplendidamente vestido, como o rei Herodes; pelo contrário, elas tinham ido ver o João Batista grosseiramente vestido. A expressão "cana agitada pelo vento" pode ser traduzida como pergunta retórica, que supõe uma resposta negativa. João Batista, embora humildemente vestido, não era nada parecido a uma cana que balança com a mais leve brisa; ele era uma figura forte e rústica, que proclamava a verdade corajosamente diante de quem tinha o poder de retaliar se o desejasse, como alguém acabou fazendo. Em meio às desconfianças de João Batista, Jesus está defendendo-o enquanto elucida o papel do profeta em relação a si mesmo.

Mateus identifica João Batista como o mensageiro que prepara o caminho do Messias (o cumprimento de Ml 3.1), como também o precursor que vem antes do grande Dia do Senhor. Se Jesus considera João Batista o mensageiro que vem antes da presença de Deus, o "Elias" que vem antes do "dia grande e terrível do SENHOR" (Ml 4.5), então Ele se considera "a manifestação de Javé [que introduzirá] o Dia escatológico de Javé" (Carson, 1984, p. 264).

"Entre os que de mulher têm nascido", ninguém é "maior do que João Batista; mas aquele que é o menor no Reino dos céus é maior do que ele" (Mt 11.11). Esta declaração pode ser entendida de duas maneiras, visto que "menor" (*mikroteros*) também significa "mais jovem". Significa que o menor cristão na nova época é maior que João Batista, ou talvez Jesus queira dizer que *mikroteros* seja referência a si mesmo como alguém mais jovem e maior que João Batista. A última interpretação é menos problemática.

A alusão à violência e ao Reino no versículo 12 é uma das mais enigmáticas nos Evangelhos. Lucas escreve que desde João Batista "é anunciado o Reino de Deus, e todo homem emprega força [*biazetai*] para entrar nele" (Lc 16.16). Em resultado da pregação de Jesus, as pessoas são "arrombadoras de porta" para entrar. Contudo o termo "todo homem" é hiperbólico, já que em outro lugar Jesus diz que poucos encontram a porta estreita e muitos a rejeitam (Mt 7.14; veja Bruce, 1983, p. 116).

Mateus também usa a palavra *biazetai* no versículo 12, a qual pode ser traduzida como voz média ("é tomado à força", NVI) ou passiva ("se faz violência", RC). A primeira opção sugere que o Reino esteja na ofensiva, e "os que usam de força [violência]" (NVI) contra-atacam. Brad Young argumenta a favor da tradução da voz média ligando a declaração com Miquéias 2.13, onde aquele que abre a brecha liberta os cativos. Ele presume que, em vez do rompimento dos muros da cidade, é um aprisco que está sendo aberto. Os pastores controlavam o movimento das ovelhas de ida e volta do aprisco, que era um cercado de pedras, colocando ou tirando pedras da entrada. João Batista é parte deste rompimento do Reino (Young, 1995, pp. 51-53). Se a leitura na voz passiva é mantida, então o Reino está sendo atacado e homens violentos estão agarrando-o. Este último significado se encaixa bem com o encarceramento e subseqüente execução de João Batista, a morte de Jesus e a perseguição dos seus seguidores (até à época em que Mateus escreve seu Evangelho).

"Porque todos os profetas e a lei profetizaram até João" (Mt 11.13). Mateus viu que a divisão entre a velha era e a nova era um acontecimento que se deu ao término do ministério de João Batista e começo do ministério de Jesus.[8] Dos quatro escritores dos Evangelhos, só Mateus observa explicitamente que o próprio Jesus identifica João Batista como Elias. Lucas registra que o anjo Gabriel descreveu João Batista como o predecessor do Messias "no espírito e virtude de Elias" (Lc 1.17). No Evangelho joanino, João Batista recusou as sugestões de que ele fosse Elias (Jo 1.21), mas Jesus viu João Batista como o cumprimento do papel escatológico de Elias. Ao mesmo tempo, o próprio Jesus como o Messias que faz milagres se assemelha ao antigo profeta.

6.1.3. Os Meninos nas Praças (11.16-19). Jesus medita na situação não atraente na qual João Batista e Ele se acham. João Batista, vivendo a vida de asceta, e Jesus, associando-se com pecadores, são condenados pelo público, a quem Jesus descreve como crianças antipáticas e aborrecidas. É claro que as demandas do novo Reino e a anistia universal que Ele oferece seriam e ainda são ofensivas ao *status quo* da velha ordem.

O título "Filho do Homem" tem importância cristológica específica, visto que Jesus associa Seu ministério com a Senhora Sabedoria (e.g., Pv 1.20-33; 7.4; 8.1—9.12; Eclesiástico 24); Jesus se identifica como a Sabedoria encarnada. O Messias como sábio era menos popular que o Messias como libertador militar. Mateus conclui que a sabedoria é justificada por "suas ações", ou seja, os milagres que Jesus faz confirmam seu ensino.

6.2. Os Ais das Cidades Galiléias (11.20-24)

O diatribe contra as cidades galiléias de Corazim, Betsaida e Cafarnaum também é encontrado no Evangelho de Lucas (Lc 10.12-15), embora Mateus relacione as cidades impenitentes não só com Tiro e Sidom, mas também com Sodoma, a cidade odiosa cujo nome é a raiz etimológica para

Escombros do sítio arqueológico da comunidade de Qumran, na orla do mar Morto. Antigos rolos de papel, hoje chamados Rolos do Mar Morto, foram encontrados em 1947 numa caverna nas colinas atrás destas ruínas.

baixeza sexual no nosso idioma. Os profetas do Antigo Testamento condenaram Tiro e Sidom por sua auto-suficiência arrogante e adoração a Baal. Sua comercialização foi comparada à prostituição (Is 23; Ez 26—28; Jl 3.4; Am 1.9,10; Zc 9.2-4). Jesus declara as cidades galiléias mais culpáveis que as cidades fenícias, pois Tiro e Sidom teriam se arrependido se tivessem visto os sinais e maravilhas feitos por Jesus. As cidades da Galiléia permanecem indiferentes em meio à sua prosperidade material.

Pano de saco e cinzas são sinais de luto, grande angústia ou arrependimento (e.g., 1 Rs 21.27; Jó 42.6; Dn 9.3; Jl 1.8; Jn 3.5-8). Jesus reputa que haverá graus de castigo na vida após a morte (veja também Lc 12.47,48). A aplicabilidade desta repreensão para a moderna cristandade ocidental é muito deprimente.

6.3. Jesus É Grato ao Pai (11.25-27)

A expressão "naquele tempo" une estas palavras de Jesus com a seção prévia (veja também comentários sobre Mt 12.1; 14.1). Assim, apesar da decepção de Jesus por ter sido rejeitado na Galiléia, Ele se regozija que o Pai revelou "estas coisas" a seus seguidores, os "pequeninos", ao mesmo tempo que estas estão escondidas dos "sábios e instruídos". Esta revelação está baseada no "bom prazer" do Pai. A relação única de Jesus com o Pai expressa aqui é semelhante à relação dos dois expressa no Evangelho de João (e.g., Jo 14—17). Em Mateus, a relação de Jesus com o Pai no céu já foi mencionada (Mt 2.15; 3.17; 4.3; 8.29) e será comentada novamente (Mt 14.33; 16.16,17; 17.5; 21.37).

O Pai entregou todas as coisas nas mãos do Filho (Mt 11.27). Mateus usa linguagem semelhante para explicar como a autoridade dada ao Jesus ressurreto subscreve o testemunho que os discípulos deram depois da ressurreição (Mt 28.18). O uso do verbo "conhecer" (Mt 11.27) implica mais que mero conhecimento; indica relação íntima. Só para aqueles que não rejeitam Jesus é que o Pai e o Filho revelam esta relação (France, 1985, p. 200).

6.4. O Jugo de Jesus É Suave (11.28-30).

O jugo era símbolo rabínico da lei de Moisés. Jesus, filho de Siraque, falou a respeito de aceitar o jugo da Senhora Sabedoria e admoestou seus leitores a fazer o mesmo: "E submetei o vosso pescoço ao seu jugo, e receba a vossa alma a instrução. [...] Vede com vossos olhos, que eu trabalhei pouco, e achei para mim muito descanso" (Eclesiástico 51.34,35). Jesus, o Messias, não está exigindo uma observância opressiva da lei, a qual Ele confronta no capítulo seguinte (Mt 12.1-14) e em outro lugar (Mt 23.4); pois, como a Sabedoria personificada de Provérbios e Eclesiástico, é a pessoa de Jesus que contém e é a verdadeira Sabedoria. Tomar o jugo significa que é estabelecida uma relação na qual o discípulo aprende sabedoria do Mestre manso e humilde. Este trabalho dá descanso.

6.5. Jesus Confronta os Fariseus (12.1-50)

6.5.1. Os Discípulos de Jesus Violam o Sábado (12.1-8). Esta seção é um comentário sobre Mateus 11.28-30, mostrando que o jugo de Jesus é suave e leve em comparação ao legalismo opressivo dos fariseus em seus esforços de obedecer a leis divinas. A expressão "naquele tempo" (v. 1) torna a conexão clara. De acordo com a lei judaica, era permitido que qualquer pessoa entrasse no campo de alguém e apanhasse comida, contanto que não a cortasse com foice ou a levasse em recipiente (Dt 23.25). Estes viajantes e os pobres não precisavam passar fome. Contudo, os fariseus fizeram objeções aos discípulos de Jesus por arrancarem grãos *no sábado*. Alguns rabinos levavam tão a sério a proibição de trabalhar no sábado que proibiam a pessoa de cuspir nesse dia para que não perturbasse a terra e, assim, fosse interpretado como aradura no sábado. Eles limitavam a viagem no sábado a cerca de novecentos e sessenta metros. Carregar pertences de uma casa em chamas era proibido no sábado. Não era permitido que as mulheres se olhassem no espelho em dia de sábado para que elas não fossem tentadas a arrancar um cabelo branco.

Em contraste com os fariseus, Jesus tinha uma abordagem sensata da lei e adotava sua misericórdia inerente, em vez de se conformar com indiferença a cada jota e til de sua interpretação legalista. Jesus defende a ação dos discípulos dando exemplos das Escrituras nos quais as convenções religiosas eram postas de parte. O primeiro exemplo de Jesus é a ocasião em que o rei Davi e seus homens comeram o Pão da Proposição, que ficava em cima da mesa no Lugar Santo. A lei de Deus permitia que somente os sacerdotes consumissem esse pão (Êx 25.30; Lv 24.5-9), contudo, Davi e seus seguidores o comeram quando tiveram fome (1 Sm 21.1-6). Richard France sugere que Jesus cita este exemplo não apenas para justificar as ações dos discípulos, mas também para mostrar que sua autoridade para interpretar a lei é maior que Davi (France, 1985, pp. 202, 203). Três vezes neste capítulo Jesus diz que "está aqui quem é maior [mais]": maior do que o templo, mais do que Jonas e mais do que Salomão (Mt 12.6,41,42).

Só Mateus registra o segundo exemplo de autoridade sobre o sábado: a menção aos sacerdotes do Antigo Testamento que "violam o sábado" e, não obstante, "ficam sem culpa" (Mt 12.5). Mateus o inclui uma vez que sua audiência está mais familiarizada com as práticas judaicas que as audiências dos outros evangelistas (veja Introdução). Jesus está se referindo aos sacrifícios que a lei exigia que os sacerdotes fizessem no sábado além das ofertas habituais (Nm 28.9,10). Ele tem maior autoridade que a do templo, em cujo serviço os sacerdotes tinham a obrigação de trabalhar no sábado em aparente violação da lei.

Jesus cita Oséias 6.6 para justificar suas ações: "Misericórdia quero e não sacrifício". Anteriormente Mateus já tinha registrado o uso que Jesus fez deste versículo para justificar sua associação com os cobradores de impostos e pecadores, que precisavam do seu ministério (Mt 9.13). Jesus deixa claro que a antiga lei foi projetada para ser benéfica, e não odiosa às pessoas. A Misná permitia que se colhesse no sábado somente se a morte por fome estivesse iminente. No presente caso, os discípulos só estavam com fome. Mas a principal justificação de Jesus para a colheita no sábado não é a fome dos discípulos, mas a sua autoridade. Observe o que Marcos registra que Jesus declara aqui: "O sábado foi feito por causa do homem, e não o homem, por causa do sábado. Assim, o Filho do Homem até do sábado é senhor" (Mc 2.27b,28; abreviado em Mt 12.8). Usando a palavra "porque" (*gar*), Mateus diz que esta é a razão das ações de Jesus e dos discípulos no dia de sábado: Jesus é Senhor do sábado. Com certeza esta declaração teria sido altamente perturbadora para os inimigos de Jesus, visto que na mentalidade judaica só pode haver um Senhor do dia santo: Deus! É como se Jesus estivesse querendo dizer: "Se vós soubésseis com quem estais falando, não estaríeis fazendo essa pergunta!"

6.5.2. Uma Cura no Sábado (12.9-14). Mateus conecta claramente esta cura com a confrontação anterior: "E, partindo dali, chegou à sinagoga deles" (Mt 12.9). Esta passagem oferece prova adicional de que Jesus é "Senhor do sábado". Mateus, como comentamos, organiza seu material por tópicos. Note também a expressão "sinagoga *deles*", que denota a casa judaica de oração e adoração. A fenda entre as comunidades judaicas e cristãs estava bastante pronunciada quando Mateus escreveu este Evangelho.

Mateus alerta os leitores sobre um evento maior que está a ponto de acontecer, apresentando-o com a interjeição que lhe é característica: "Eis!" (*idou*, veja Mt 12.10). (Lamentavelmente esta palavra não é traduzida aqui na RC; *idou*, que ocorre duzentas vezes no Novo Testamento, sessenta vezes em Mateus.) A palavra "mirrada", que descreve a mão, significa literalmente "seca", mas é usada para descrever a paralisia.

Mateus traz o assunto enfaticamente a público quando comenta que os inimigos de Jesus lhe perguntam se "É lícito curar nos sábados?" Jesus mostra a inconsistência das tradições sabáticas dos fariseus e cita a exceção rabínica que permitia que os animais em sofrimento ou perigo fossem salvos por seus donos no sábado (Mt 12.11,12). A Misná permitia tratamento médico em situação de ameaça de vida (*Yoma* 8.6). Em outra situação a lei judaica permitia que a pessoa fosse salva de uma construção desmoronada se ela ainda estivesse viva. Caso estivesse morta, não se permitia trabalho adicional até o dia seguinte. Uns até consideravam que derramar água fresca numa perna ou braço deslocado e inchado era trabalho e, portanto, proibido no sábado.

Jesus mostra a inconsistência de um sistema de leis que oferecia ajuda para animais em sofrimento no sábado, mas a recusava para seres humanos. Ele vai ao âmago da questão — não a própria norma, mas a razão para a existência do sábado. Foi projetado para perpetuar a miséria, ou é um antegozo do descanso escatológico do Reino dos Céus na terra? Jesus conclui que "é, por conseqüência, lícito fazer bem nos sábados", fazendo eco a Oséias 6.6 novamente: "Porque eu quero misericórdia e não sacrifício" (veja comentários sobre Mt 12.7).

Ao curar o homem Jesus prova que Ele é Senhor do sábado e que o sábado existe para as bênçãos de Deus e para a humanidade. Mais uma vez Jesus demonstra que o seu Reino é diferente do que as pessoas usualmente esperam. A Misná estipulava que devia-se dar duas advertências de violação do sábado antes de se tomar ação contra o violador. Mateus apresentou duas violações, que logo após resultam em ação contra Jesus. Os fariseus tomam deliberação contra Ele, fazendo-o com que se retire.

6.5.3. AquEle que Cura Gentilmente (12.15-21). Mateus faz outro resumo do ministério de cura de Jesus (cf. Mt 4.23-25) e adiciona *insights* sobre o significado desse ministério, sobretudo com respeito a cumprimento de profecias. Por que Jesus evitou os fariseus conluiados, a quem Ele provocou?

1) Embora Jesus pudesse ser confrontante, seu ministério não é para contender, clamar ou para alguém ouvir pelas ruas a sua voz (Mt 12.19).

2) A recepção hostil na sinagoga dá oportunidade de Mateus aludir ao ministério de Jesus entre os gentios, o qual é um dos seus freqüentes temas (Mt 12.18,21). Mateus cita Isaías neste ponto, introduzido com sua frase muitas vezes usada: "Para que se cumprisse o que fora dito pelo profeta". O cumprimento que Jesus dá às profecias sempre está na mente e coração de Mateus. A "cana quebrada" e o "morrão que fumega" correspondem à compaixão que Jesus sente por aqueles que foram curados e que o seguem.

6.5.4. Belzebu e Blasfêmia (12.22-37)

6.5.4.1. Os Fariseus Atribuem o Poder de Jesus a Belzebu (12.22-24). Pelo uso da palavra "então" (v. 22), Mateus une a cura do endemoninhado cego e mudo com a confrontação de Jesus com os fariseus; aqui Ele está prestes a colidir com eles novamente. As pessoas que testemunharam o exorcismo sugeriram que era testemunho da realeza messiânica de Jesus como "Filho de Davi". Não é surpreendente que Mateus sublime este título real, visto que é freqüente ele declarar que Jesus é Rei.

Os fariseus contam que Jesus faz o bem pelo poder mau de Belzebu (o príncipe dos demônios; em alguns manuscritos se lê Belzebube). A acusação de que Jesus deriva seu poder deste príncipe demoníaco já fora levantada anteriormente (Mt 9.32-34; cf. também Mt 10.25). Tradicionalmente este título foi associado com Baal-Zebube, deus filisteu que é contrastado com o verdadeiro Deus em 2 Reis 1.2,3. "Belzebu" quer dizer "o senhor das moscas". Ainda que o significado original seja incerto, presume-se que o último seja um insultante jogo de palavras, que mostra o desprezo israelita pelos deuses maus dos seus vizinhos. No tempo de Jesus era considerado sinônimo do chefe dos demônios, Satanás.

6.5.4.2. Um Reino Dividido não Pode Permanecer (12.25-30). Jesus expõe a acusação dos fariseus como estúpida e condenável. Ele ataca a lógica da acusação de Belzebu, ressaltando que essa figura está devastando o reino de Satanás, não o construindo (vv. 25,26). Ele exige que os inimigos sejam consistentes e aplica a teoria de Belzebu aos exorcismos que eles faziam. Por fim, Ele afirma que é "pelo Espírito de Deus" que Ele expulsa demônios.

Ao atacar Jesus, os fariseus estão atacando a obra de Deus, porque a fonte do seu poder milagroso é o próprio Espírito Santo. Jesus tem poder sobre os assistentes de Satanás não por colusão, mas pelo fato de Ele ter amarrado Satanás e lhe pilhado a casa (Mt 12.29). Jesus afirma que aqueles que fazem estas críticas não são com Ele (v. 30). Não há território neutro: Se a pessoa não é com Ele, então é contra Ele. A implicação é que seus detratores são culpados do que o acusam; são eles que estão em conluio com Satanás.

6.5.4.3. A Blasfêmia contra o Espírito Santo (12.31-37). Jesus explica a seriedade potencial das acusações dos seus inimigos com terrível advertência. Blasfêmia ou acusações difamadoras contra o Filho do Homem são perdoáveis, mas falar contra a obra do Espírito Santo é particularmente perigoso. Ao longo dos anos leitores sérios desta passagem têm se preocupado com a possibilidade de cometerem uma ofensa imperdoável — e devem mesmo —; contudo, a ofensa de palavras descuidadas não é necessariamente irremediável. Em Mateus e Marcos a blasfêmia contra o Espírito Santo é dizer que as boas obras de Jesus são más. Lucas, preservando outra tradução, identifica a blasfêmia contra o Espírito Santo como o ato de não dar testemunho inspirado diante de autoridades e governantes e, ainda por cima, denunciar Jesus (Lc 12.8-12). Talvez Jesus aplicou esta ajuizada advertência a situações diferentes em ocasiões distintas. Note que em Mateus e Marcos a advertência é dirigida aos inimigos de Jesus; em Lucas é dirigida aos discípulos!

No caso de Mateus e Marcos, se a pessoa persiste em chamar o bem de mal e o mal de bem, então já não há esperança para tal pessoa — como não há chance de sobrevivência para quem diga que veneno é bom e que comida é ruim. Persistir rejeitando Jesus é, em última instância, desligar-se do Espírito Santo, não diferente do Satanás de Milton que diz: "Mal, sejas tu o meu bem". Se dizer algo contra as obras de Deus fosse irrevogavelmente condenador, então Paulo estaria perdido (At 7.57—8.3). Contudo, falar contra a obra do Espírito Santo ontem e hoje pode ser fatal (At 5.1-10).

Na versão lucana, se o fracasso em dar testemunho diante de governantes e autoridades fosse rigorosa lei de retribuição, então Pedro, que negou o Senhor três vezes, nunca poderia ter sido restaurado; no entanto foi (Mt 26.33,34,69-75; Lc 22.31; Jo 21.15-19). A história da igreja primitiva relata episódios de pessoas que negaram o Senhor em face de perseguição e imediatamente morreram. A possibilidade de ofensas imperdoáveis é real (Hb 6.4), mas o poder de evitá-las é grande (Lc 12.11,12). É melhor temer Deus que temer os seres humanos (Mt 10.26-29; veja Shelton, 1991, pp. 102-109).

Mateus deixa claro que consistência de estilo de vida e testemunho é o que está em pauta, quando logo em seguida ele menciona o fruto da árvore (Mt 12.33; veja também Mt 7.16-20). Jesus informa que as palavras da boca revelam o conteúdo e intento dos tesouros do coração (Mt 12.34,35). Toda palavra descuidada torna a pessoa passível de julgamento (vv. 36,37).

6.5.5. O Sinal de Jonas (12.38-42). Esta é uma das seções "duplas" de Mateus (repetida em Mt 16.1-4). Aqui os escribas (mestres da lei) e fariseus dirigem-se a Jesus com o respeitoso título "Mestre", mas o pedido que fazem desencadeia enérgica resposta por parte dEle. Ao pedirem um sinal, eles não estão apenas pedindo um milagre, pois Jesus já tinha feito milagres (os quais eles reconhecem, embora lhe questionassem a fonte do poder; cf. Mt 12.24). Provavelmente eles estão pedindo que Jesus prove a origem religiosa do seu ministério, predizendo algum grande acontecimento não diferente do que fizeram os profetas do Antigo Testamento (e.g., 1 Sm 2.27-33; 1 Rs 20.1-43; Is 7.10-25).

Jesus reprova os escribas e fariseus por pedirem que milagres específicos comprovem sua autenticidade. Ele diz que a geração deles é "má e adúltera". No Antigo Testamento, o adultério é usado figurativamente para descrever a infidelidade de Israel ao amor do seu Marido: Deus (Is 50.1; 57.3; Jr 2.1-5; Ez 16.15; Os 2.16-23). O verdadeiro seguidor de Deus está propenso ao ministério revelador de Jesus. Diz Suzanne de Dietrich (1961, p. 78): "Aqueles que rejeitam este amor não saberão como reconhecer Deus quando Ele chegar".

Embora apareça somente mais tarde (Mt 16.4), Jesus enigmaticamente dá aos inimigos um sinal divino do seu messiado, quando faz uma comparação da sua morte e ressurreição com o fato de Jonas ter estado na barriga do grande peixe por três dias e três noites. Ao comparar os fariseus com os cidadãos da má cidade de Nínive, Jesus mostra seu desprezo pela oposição e arrogância deles. Nínive era importante cidade da Assíria, um dos estados insolentes mais brutais e perversos do antigo Oriente Próximo. Sob o domínio da Assíria os israelitas sofreram grandemente. De fato, Jonas odiava tanto os assírios que desejou não lhes pregar, a fim de que não se arrependessem e fossem poupados do julgamento. Aqui Jesus está dizendo que os inimigos estarão em pior situação que os assírios quando o dia de ajuste de contas chegar.

Semelhantemente Jesus menciona a "Rainha do Sul" ou a Rainha de Sabá, que visitou Salomão. Ela também condenará "esta geração", pois Jesus é maior do que Jonas ou Salomão. Anteriormente Jesus já afirmara seu poder sobre o sábado, visto que Ele é maior que o rei Davi ou o templo (Mt 12.1-8).

No cálculo judaico, mesmo parte de um dia era considerada um dia inteiro; assim Mateus computa o tempo que Jesus ficará no sepulcro por três dias, ainda que não fossem literalmente setenta e duas horas. No caso de Jonas, sua "ressurreição" do grande peixe precedeu a mensagem de arrependimento aos ninivitas, ao passo que para Jesus a pregação precedeu a ressurreição; em ambos os casos, a ressurreição atestou o ministério. Porém, a audiência de Jesus será considerada mais responsável, visto que ela está sendo visitada por um profeta maior do que Jonas e um rei e sábio maior do que Salomão.

6.5.6. O Retorno do Espírito Imundo (12.43-45). A presença deste ensino de Jesus neste ponto parece um tanto quanto abrupta e deslocada. Mas lembre-se de que a abordagem de Mateus ao escrever o Evangelho é mais temática que cronológica. No seu modo de entender, esta parábola é aplicável à audiência anterior, pois ele implica que há uma comparação entre "esta geração má" (v. 45) e a situação difícil do homem tolo e repossuído pelo demônio. Ela fornece o desenlace lógico das acusações prévias de Jesus contra seus detratores, que exigiam um sinal: "Vós estais em pior estado que os ninivitas que creram em Jonas. Vossa rejeição da minha atual oferta de libertação resultará em ruína maior. A neutralidade não é uma possibilidade". Mateus intensifica esta submissão absoluta no contexto a seguir, quando registra o ensino de Jesus, de que até a família da pessoa não é exceção à submissão total exigida pelo Reino.

Tradicionalmente os demônios eram associados com o deserto, daí a referência a "lugares áridos". A menção aos sete demônios adicionais significa que é uma possessão completa, já que sete é considerado o número da perfeição. Mateus dá continuação ao tema da separação de Deus nas parábolas relativas ao tempo do fim e julgamento (Mt 25).

6.5.7. As Verdadeiras Mães, Irmãos e Irmãs (12.46-50). Mateus tem vários aspectos singulares em sua apresentação desta história que elucidou as relações familiares no Reino dos Céus:

1) O contexto é sem igual; só em Mateus este incidente segue a advertência do retorno do espírito maligno;
2) Mateus liga esta passagem acerca dos verdadeiros parentes com a precedente usando a expressão: "E, falando ele ainda" (v. 46), e o termo freqüente *idou* ("eis", não traduzido pela RC), um chamariz de atenção empregado para pontuar acontecimentos importantes (veja comentários sobre Mt 12.9-12);

3) Só Mateus observa que Jesus aponta "para os seus discípulos" (Mt 12.49) dizendo que eles são sua mãe e irmãos.

Caracteristicamente Mateus segue a prática judaica de evitar usar o nome de Deus fora da reverência santa. Assim ele diz: "Qualquer que fizer a vontade de meu Pai, que está nos céus" (v. 50). A menção de Mateus ao Pai completa a referência à família como mãe, irmã e irmão. A única solução para não ser possuído outra vez pelo inimigo (vv. 43-45) é o discipulado — constantemente seguir, ouvir e obedecer Jesus. Mateus une estes dois eventos, dando à audiência a escolha de reunir a família do discipulado ou ser saqueado por uma possessão demoníaca sétupla. Aqueles que chamam Deus de "Pai" só são discípulos se fizerem a vontade do Pai. (Para discussão detalhada acerca dos irmãos de Jesus, veja comentários sobre Mt 1.25.)

7. As Parábolas do Reino (O Terceiro Discurso: 13.1-53).

Nesta terceira principal seção pedagógica de seu Evangelho (veja Introdução e comentários sobre Mt 5), Mateus continua contrastando os inimigos do Reino com os verdadeiros discípulos, que ele apresentou no capítulo 12. Mateus conecta esta seção com o capítulo precedente quando diz: "Tendo Jesus saído de casa naquele dia, estava assentado junto ao mar. [...] E falou-lhe [à multidão] de muitas coisas por parábolas" (Mt 13.1-3a). Como mencionado anteriormente, Mateus apresenta Jesus como Mestre, e grande parte do seu Evangelho consiste em ensinamentos de Jesus. Esta particular coletânea de ensinos é formada por oito parábolas e três explicações de parábolas.

A parábola é o modo de instrução pelo qual Jesus é mais conhecido. São freqüentes a natureza e o significado das parábolas serem mal-entendidos e interpretados. A palavra "parábola" provém do verbo grego *paraballo*, que significa "atirar para o lado de" ou "fazer paralelo com", e é usado para comparar uma coisa com outra. Na Septuaginta, a tradução grega do Antigo Testamento, a palavra grega *parabole* é tradução da palavra hebraica *mashal*. É neste gênero hebraico que temos de nos agarrar a fim de entender o que Jesus quis dizer por "parábola". O termo *mashal* denota, é verdade, comparação, mas também se refere a uma similitude ampliada, ou mesmo a um pequeno dito sábio ou enigma. Não era forma fixa de literatura e incluía vários subgêneros; tem suas raízes na prática profética e rabínica de ensinar contando histórias (veja Young, 1989).

Antigos intérpretes presumiam que parábolas eram alegorias complexas, com muitos elementos nas parábolas contendo significado simbólico e na maioria das vezes oculto. Admite-se que as parábolas possam conter símbolos múltiplos (e.g., a Parábola dos Tipos de Terra em nossa passagem; cf. também Lc. 9.11-18), mas é erro supor que todas as parábolas tenham tantos símbolos quanto as pedras, pássaros e espinhos mencionados aqui. Símbolos múltiplos numa parábola são exceção, não regra. Tratar cada elemento como simbólico, digamos na Parábola do Bom Samaritano ou na Parábola do Filho Pródigo em Lucas, resultará em não entender o que Jesus quis dizer, além de ler significados na história nunca tencionados ou, na melhor das hipóteses, remotamente tencionados por Jesus. Por exemplo, identificar o hospedeiro na primeira parábola como a Igreja, os dois dinheiros como a lei e o Evangelho, ou os salteadores como "maus sujeitos" específicos é ir longe demais.

Adolf Jülicher e C. H. Dodd mostraram que Jesus contava parábolas habitualmente para chegar ao ponto desejado. Por exemplo, Jesus contou a Parábola do Bom Samaritano para responder a pergunta: "E quem é o meu próximo?" (Lc 10.29). Assim também em Mateus, Jesus usa as Parábolas do Pai de Família, dos Dois Servos, das Dez Virgens e dos Dez Talentos para exigir vigilância constante e serviço fiel (Mt 24.42—25.30). Demandar um significado simbólico para o azeite, as lâmpadas ou o número de talentos está na esfera de ação de Jesus. Mesmo que as parábolas tivessem símbolos múltiplos, elas ainda dizem o que se queria dizer.

Isto não significa que as parábolas nunca foram designadas a evocar novas aplicações quando as pessoas meditam nelas, as internalizam e as vivenciam.

Crucial pergunta a ser feita acerca das parábolas é: Por que Jesus contou esta história nesta ocasião? As parábolas de Mateus 13 abordam a questão da ordem mundial *versus* discípulos e a natureza resultante do Reino dos Céus.

7.1. A Parábola dos Tipos de Terra e sua Interpretação (13.1-9, 18-23)

Ironicamente, quando Jesus contou esta famosa parábola sobre cultivo, Ele estava num barco, pois grandes multidões o pressionavam na praia. É uma das poucas parábolas para as quais Jesus dá explicitamente uma interpretação. A parábola e a interpretação são encontradas em cada um dos Evangelhos Sinóticos (cf. Mc 4.1-9,13-20; Lc 8.4-8,11-15). O método de semeadura parece estranho aos leitores modernos, mas os agricultores do antigo Oriente Próximo semeavam primeiro e aravam depois (Jeremias, 1972, pp. 11, 12). A parábola é tradicionalmente chamada "a Parábola do Semeador", mas a atenção é focalizada nos tipos de terra.

Em sua interpretação da parábola Jesus explica como os quatro tipos de terra representam as diversas maneiras de as pessoas receberem a Palavra de Deus; os primeiros três tipos de terra não produzem fruto, enquanto que o quarto produz.

1) O caminho no qual algumas das sementes são semeadas representa os que ouvem mas não entendem. Somente ouvir não é o bastante; neste conjunto de parábolas assim como no contexto prévio, entender tem de ser demonstrado por ação e seu resultante fruto (e.g., Mt 11.20; 12.12,33,41,50; 13.8,44-46).
2) A terra com o substrato de pedra descreve aqueles que inicialmente aceitam as boas-novas com alegria, mas acovardam-se de produzir frutos em face das tribulações e perseguições, eventos normais para os seguidores de Jesus. (Em certas plantas, a adversidade produz mais e melhores frutos.) A deserção ocorre ao primeiro sinal de dificuldade; é imediata (Mt 13.21).
3) A terra com espinhos retrata as preocupações ou cuidados da vida, do mundo e da isca da riqueza. Assim, a semente é estéril, ou como diz Lucas 8.14: "Não dão fruto com perfeição". A história do príncipe jovem e rico fornece comentário deprimente sobre este tipo de terra: Ele recusou seguir Jesus e "retirou-se triste, porque possuía muitas propriedades" (Mt 19.22).
4) A pessoa que é como boa terra recebe a Palavra "a entende", isto é, produz frutos. Uns presumem que a colheita centuplicada é um exagero do efeito, mas em algumas situações agrícolas tal produtividade é possível. O ponto importante não é o fato de se tratar ou não de hipérbole, mas que o discípulo obediente produz muitos frutos, ao passo que os que não seguem Jesus não produzem nenhum. Lucas define a boa terra como os que "a conservam [a palavra] num coração honesto e bom, e dão fruto com perseverança" (Lc 8.15).

7.2. As Razões de Jesus Usar Parábolas (13.10-17)

A resposta de Jesus concernente ao uso que Ele faz de parábolas sublinha a contínua ênfase de Mateus no contraste entre os discípulos e as multidões. Jesus já não está se dirigindo aos muitos, mas está falando só aos discípulos. Somente eles têm permissão de "conhecer os mistérios [*mysteria*] do Reino dos céus". Nos Evangelhos a palavra *mysterion* ocorre apenas aqui e nas passagens paralelas em Marcos 4.11 e Lucas 8.10. Paulo usa a palavra *mysterion* para indicar que a verdade do Evangelho só vem por revelação (France, 1985, p. 221). Sem usar esta palavra, Mateus fala de Jesus revelar coisas às criancinhas, coisas estas que estão escondidas dos sábios (Mt 11.25-27).

O versículo 12 descreve a natureza paradoxal do Reino dos Céus: Aqueles que são inclinados a seguir e obedecer Jesus recebem cada vez mais entendimento, ao mesmo tempo que os que estão fora do Reino, a despeito de sua desenvoltura, recebem cada vez menos entendimento. A obediência, até certo ponto, precede o entendimento.

A questão do livre-arbítrio e da predestinação surge nos versículos 11 e 12. No versículo 11 Deus escolheu dar os segredos do Reino aos discípulos, e não aos incrédulos. Marcos cita Isaías 6.9,10 para mostrar que Jesus falou em parábolas "para que" (*hina*) alguns não entendam (Mc 4.12). Mateus 13.13 suaviza o "para que" de Marcos com "porque" (*hoti*). Ele faz isso talvez para abrir espaço à livre rejeição de Jesus por parte das multidões e seus inimigos. Os leitores da atualidade terão de aceitar que na literatura bíblica o assunto do livre-arbítrio e do determinismo não está resolvido, e que os dois modelos filosóficos são usados e mantidos em tensão dinâmica — e pelo mesmo autor (notavelmente Paulo).

Em Mateus 11.20-24 (a passagem sobre a rejeição de Jesus pelas cidades de Corazim e Betsaida), Mateus endossa claramente o conceito do livre-arbítrio. Ele também mantém a tensão entre a escolha soberana de Deus e a livre vontade humana sem as solucionar. Ele apresenta o "grande quadro" do grandioso desígnio de Deus que será executado a despeito da rejeição humana e da responsabilidade individual dos que persistem na "incredulidade crônica" (para inteirar-se de mais detalhes, veja Carson, 1984, pp. 308-310). Como logo veremos, Jesus tinha várias razões para construir tais ambigüidades nas Suas abordagens públicas.

Embora todos os escritores sinóticos aludam à passagem de Isaías acerca de ver e não estar vendo, e ouvir e não estar ouvindo (Is 6.9,10), Mateus caracteristicamente adiciona sua fórmula favorita sobre cumprimento profético (Mt 13.14) e cita mais extensivamente o profeta do que Marcos ou Lucas. Deus chamou Isaías para profetizar aos habitantes de Judá, ainda que Ele soubesse que por causa da insensibilidade dos corações eles não se arrependeriam. Para os discípulos Jesus dá palavras de conforto dizendo-lhes que os profetas e os justos desejaram ver, mas não viram, e ouvir, mas não ouviram, o que os olhos dos discípulos viram e os seus ouvidos ouviram. As palavras de Simeão, que abençoou o menino Jesus no templo, ecoam o sentimento: "Agora, Senhor, podes despedir em paz o teu servo, segundo a tua palavra, pois já os meus olhos viram a tua salvação" (Lc 2.29,30).

Outra razão que Jesus tem para ensinar em parábolas é que elas mantêm os acusadores com a guarda aberta à medida que eles procuram algo de que o condenar. Porém, em outras ocasiões Ele usou parábolas para comunicar-se claramente com os inimigos, como na Parábola do Bom Samaritano, que era a resposta à pergunta feita pelo doutor da lei: "E quem é o meu próximo?" Mesmo depois, os inimigos de Jesus entenderam as parábolas o bastante para saber que Ele estava falando contra eles (Mc 12.12). Ele também usou parábolas para fazer com que os ouvintes "abaixassem a guarda" e repensassem a posição, reavaliassem as prioridades e examinassem os corações (Stein, 1981, p. 35). (Acerca de Mt 13.18-23, veja comentários sobre a Parábola dos Tipos de Terra, acima.)

7.3. A Parábola do Trigo e do Joio e sua Interpretação (13.24-30,36-43)

Só Mateus apresenta a Parábola do Trigo e do Joio. Não é de surpreender já como os assuntos do tempo do fim e do julgamento ocupam sua atenção mais do que os outros evangelistas, e aparecem freqüentemente nas parábolas exclusivamente de Mateus. A Parábola do Trigo e do Joio também se conforma ao tema abrangente do ensino de Jesus nos capítulos 11 a 13: o contraste entre os inimigos, os supostos seguidores e os verdadeiros discípulos de Jesus.

O joio, em suas primeiras fases de crescimento, é virtualmente idêntico ao trigo novo. Na época em que o trigo e o joio podem ser identificados, ambas as espécies estão bem definidas, e a extração do joio não danificará a colheita. Os temas de reunir os grãos e queimar a palha são rememorativos da imagem de trigo/palha do julgamento do tempo do fim que Mateus apresentou no sermão de João Batista (Mt 3.12).

Como na Parábola dos Tipos de Terra, Jesus dá uma interpretação da história do trigo e do joio aos discípulos em particular (Mt 13.36). O Messias (o "Filho do Homem") é o Semeador da boa semente, enquanto que o Diabo semeia a semente ruim. Jesus também identifica o Filho do Homem como o Senhor da colheita, o Dono do Reino dos Céus e o Juiz do tempo do fim. A boa semente são os "filhos do Reino", ao passo que a semente ruim são "os filhos do Maligno". Identificando o trigo com os justos e o joio de aparência similar com o Maligno, Jesus atinge o sensato ponto desejado: que leva muito tempo para saber o que é o quê. Isto faz os ouvintes escrutarem seriamente o caráter da vida que levam.

O retrato da colheita como julgamento do tempo do fim completada por anjos motiva Mateus — só ele entre os escritores dos Evangelhos — a incluir esta parábola, visto que ele apresenta os ensinos de Jesus relativos ao tempo do fim. (Para mais detalhes sobre os deveres dos anjos no tempo do fim veja Mt 16.27; 24.31; 25.31.) Como nos capítulos 11 e 12 Mateus estabelece nítido contraste: os malfeitores sofrerão ardente tormento (choro e rangido de dentes; veja também Mt 8.12) em resultado do julgamento, ao passo que os justos brilharão tão radiantemente quanto o sol. Então a verdadeira natureza e valor de ambas espécies de plantas serão manifestas claramente.

Aqui o Reino é designado ao Filho do Homem e ao Pai (Mt 13.41,43). Não se trata de dois reinos separados, um na terra e outro no céu; antes, eles são um e o mesmo Reino. A razão provável por que o Filho do Homem e o Pai são mencionados um atrás do outro com o Reino é que Jesus e o Pai celestial são proeminentes no julgamento do tempo do fim (veja também Mt 16.27,28; 25.31-46; veja Kingsbury, 1969, p. 98). A conclusão de Jesus da interpretação da parábola requer avaliação séria e ação: "Quem tem ouvidos para ouvir, que ouça" (Mt 13.43; cf. Mt 11.15).

7.4. Duas Parábolas de Crescimento: O Grão de Mostarda e o Fermento (13.31-33)

Jesus diz que a semente de mostarda "é realmente a menor de todas as sementes". Trata-se de hipérbole, designada a enfatizar a natureza minúscula da semente. Entre os rabinos esta semente era usada proverbialmente por sua pequenez (M. *Nidá* 5.2). O que Jesus quer dizer é que se torna um arbusto de tamanho significativo e até proporciona abrigo para pássaros. Assim também o Reino dos Céus tem começo modesto não observado por muitos, mas eventualmente tem grande efeito. O avanço da igreja primitiva desde seu começo desanimador à transformação do Império Romano fornece comentário apropriado para o significado da passagem. A referência à árvore indica um império em expansão (e.g., Ez 17.23; 31.3-9; Dn 4.10-12); os pássaros representam as nações do império (Dn 4.20-22; veja France, 1985, p. 227).

A Parábola do Fermento reforça o começo da semente de mostarda. O fermento tem imagem negativa ou má na Bíblia, como em Mateus 16.6,11: "Adverti e acautelai-vos do fermento dos fariseus e saduceus". Também é usado negativamente no Antigo Testamento (e.g., Êx 12.15; Lv 2.11), embora também tenha imagem positiva (e.g., Lv 7.13; 23.15-18). Aqui Jesus usa o fermento para mostrar como um item pequeno e não observado pode penetrar o todo. Muitos não reconhecem que o Reino esteja em ação, porque está escondido e é considerado insignificante por muitos. Mas não devemos menosprezar o dia das coisas pequenas. O fruto segue a fidelidade (Gl 6.9). O trabalho do discípulo mais humilde pode ter efeitos de longo alcance.

7.5. Jesus e o Uso de Parábolas (13.34,35)

Fundamentando-se em Marcos 4.33,34, Mateus reitera a razão para Jesus usar parábolas. Lida com elucidar coisas ocultas, as quais, anteriormente neste capítulo, Jesus reserva para os discípulos. Para as multidões Ele fala em parábolas que só podem ser entendidas pelos verdadeiros crentes.

Como lhe é típico, Mateus vê esta razão do uso de parábolas como cumprimento de profecia do Antigo Testamento; aqui ele cita o Salmo 78.2, um salmo de Asafe. Asafe é considerado profeta porque em 1 Crônicas 25.2 e 2 Crônicas 29.30 ele é identificado como vidente. No Salmo 78 Asafe reconta a história de salvação dos israelitas. Os relatos históricos são presumivelmente de conhecimento comum, contudo Asafe diz que ele está revelando coisas escondidas. De certa forma Mateus vê o uso que Jesus faz de parábolas como algo ao mesmo tempo visível e secreto. Ele é atraído a este salmo por causa do uso da palavra hebraica traduzida por *parabole* (i.e., *mashal*; veja comentário introdutório de Mt 13) e da referência à revelação de coisas ocultas.

Mateus serve-se de amplo sentido quando vê o Antigo Testamento sendo tipologicamente cumprido em Jesus. Como sempre, o evangelista prefacia a Escritura cumprida com sua expressão favorita: "Para que se cumprisse o que fora dito pelo profeta". O salmo de Asafe tem significação mais abrangente em Jesus. (Em Mt 13.36-43, veja comentários sobre a Parábola do Trigo e do Joio, acima.)

7.6. O Valor do Reino: O Tesouro Escondido e a Pérola (13.44-46)

Enterrar tesouros era prática comum no antigo Oriente Próximo, onde calamidade, invasão e pilhagem aconteciam com freqüência, e tornou-se tema popular de narrativa. Jesus usa tal história para enfatizar o valor supremo do Reino dos Céus. Algumas pessoas questionam a ética do homem que comprou a terra sem informar o valor ao dono. J. D. M. Derrett comenta que na lei rabínica o trabalhador diário que achasse um tesouro na propriedade do empregador não podia extraí-lo sem dá-lo ao dono da propriedade. O descobridor evita este problema comprando a terra (Derrett, 1970, pp. 1-16). A ética da situação é ponto discutível, pois Jesus não está tratando de sua legalidade, mas do valor do Reino, que é tão precioso que o homem alegremente vende tudo o que tem para obtê-lo.

A mensagem é repetida eficazmente na parábola seguinte, que fala da pérola de grande valor. As pérolas eram altamente estimadas no mundo antigo. Plínio, o Velho, escreve que Cleópatra tinha um pérola no valor de cinco milhões de dólares em moeda corrente dos dias atuais (cem milhões de sestércios, *História Natural*). Que joalheiro hoje em dia não liquidaria todos os seus recursos para adquirir o grande Diamante da Esperança? O Reino vale muito mais que qualquer sacrifício, tanto quanto o valor da pérola se eclipsa comparativamente (veja também Fp 3.8-11). O Reino dos Céus é uma proposição que não pode se desperdiçada.

7.7. A Parábola da Rede de Pesca (13.47-50)

Nesta parábola Mateus retorna ao tema do julgamento e da divisão entre o bem e o mal. A explicação de Jesus sobre o significado da parábola é virtualmente idêntica à interpretação que Ele fez da Parábola do Trigo e do Joio, referindo-se a peixe ruim em vez de palha que é lançada no forno ardente. Esta estrutura paralela lembra o leitor a advertência na parábola anterior (Mt 13.24-30,36-43). A rede aqui é do tipo grande, manejada por vários homens.

7.8. A Parábola das Coisas Velhas e Novas (13.51-53)

Nesta última parábola Jesus instrui os discípulos e explica o propósito de Ele usar parábolas. Jesus pergunta primeiro se os discípulos entenderam as parábolas e seu significado. Ele descreve seu trabalho — e subseqüentemente o deles — como o do mestre da lei que interpreta e se utiliza de coisas velhas e novas. A chave para entendermos esta declaração acha-se nos versículos 34 e 35. Como o salmista, Jesus reconta a história de salvação e revela seu significado (Sl 78). Como um pai de família, Jesus descobre tesouros que são novos e velhos. Ele presume que a mensagem das parábolas tem autoridade, não diferente da revelação do Antigo Testamento. Note que seus ensinos não são mera novidade, mas voltam para "a criação do mundo" (Mt 13.35).

Mediante aplicação, os cristãos de hoje não devem só ficar cativados com o novo, mas também reaver as coisas preciosas das gerações anteriores de crentes. A contra-senha para os mestres do Reino deve ser "sempre o velho e sempre o novo".

Mateus conclui conscientemente esta seção principal dos ensinos de Jesus com uma expressão similar já usada por ele previamente: "E aconteceu que Jesus, concluindo essas parábolas" (Mt 13.53; veja comentários sobre Mt 7.28,29). Ele apresenta deliberadamente estas parábolas como unidade específica de ensino de Jesus; de acordo com o seu interesse abrangente em Jesus como o novo Mestre da lei.

8. Ministério e Oposição: Narrativa (13.54—17.27).

8.1. Rejeição em Nazaré (13.54-58)

Os Evangelhos Sinóticos dão ênfases diferentes na apresentação que fazem da rejeição de Jesus pelos moradores de sua cidade natal (Mt 13.54-58; Mc 6.1-6; Lc 4.16-30). Lucas enfatiza a capacitação de Jesus pelo Espírito Santo e seu ministério aos pobres e aos gentios (veja Shelton, 1991, pp. 63-70). Mateus dá continuação ao tema da divisão entre crentes e não-crentes, o que domina o capítulo 13. Os habitantes de Nazaré têm todas as evidências que precisam para crer em Jesus, mas por causa do seu início humilde eles o recusam (cf. Mc 6.6).

Mateus identifica Jesus como "o filho do carpinteiro", ao passo que Marcos o chama especificamente de "o carpinteiro" (Mc 6.3). Jesus seguiu a profissão de José. Pode ser melhor traduzir a palavra *tekton* por empreiteiro no ramo de construção que não trabalha só com madeira. Justino Mártir (século II d.C.) relata que Jesus fez arados e jugos na oficina de casa em Nazaré (*Dialogue with Trypho* [Diálogo com Trifo]).

Jesus foi rejeitado pelo povo de Nazaré e só pôde fazer alguns milagres (Mt 13.58). Mateus explica a rejeição em termos fortes (*skandalizo*; v. 57: "escandalizar-se", verbo que em Mt 5.29 e 11.6 expressa a rejeição de Jesus e descreve obstáculos à verdadeira fé); quer dizer, o povo de Nazaré "se escandalizou" em Jesus e suas reivindicações. Essas pessoas não estavam preparadas para atribuir seus ensinos e milagres a Deus. A pergunta que fizeram: "Donde veio a este a sabedoria e estas maravilhas?" (v. 54), foi respondida com a falta de fé que manifestavam (v. 58). (Com relação às questões levantadas pela referência aos irmãos e irmãs de Jesus, veja comentários sobre Mt 1.25.)

Apesar de Jesus ser o Messias e fazer milagres como sinal do seu ofício, curas e milagres são freqüentemente dependentes do beneficiário da fé e/ou da comunidade da fé — como é o caso na cura do criado do centurião, do paralítico abaixado pelo telhado, da mulher com fluxo de sangue e dos dois cegos (Mt 8.10,13; 9.2,22,28,29). Contudo Jesus às vezes fazia milagres na ausência de fé daqueles que o cercavam — como o apaziguamento da tempestade, o exorcismo do endemoninhado gadareno e a alimentação das milhares de pessoas (Mt 8.23-27,28-34; 14.15-21).

O poder de Jesus não trabalha automática ou magicamente. Como parte do plano misterioso de Deus, Ele nem sempre faz sua vontade na terra sem a participação dos seres humanos e sua fé. Ele permite e espera que os seres humanos tomem parte na execução da história de salvação. Ele dá aos discípulos a dignidade da causalidade no Reino e, mesmo agindo assim, Ele retém sua soberania.

8.2. A Opinião de Herodes sobre Jesus e a Morte de João Batista (14.1-12)

Mateus continua o tema da aceitação ou rejeição de Jesus. Ele une o material de

Herodes com o contexto prévio usando a expressão "naquele tempo". Ao ouvir falar do ministério de Jesus em sua jurisdição, Herodes Antipas, tetrarca da Galiléia, supõe que Jesus seja João Batista que voltou à vida, o homem a quem ele tinha condenado à morte depois de João Batista tê-lo reprovado por se casar com Herodias, esposa do seu irmão. Herodes atribui o poder miraculoso de Jesus a uma suposta ressurreição. Os evangelistas sinóticos incluem as especulações do povo concernentes à verdadeira identidade de Jesus, dizendo que Ele era Elias ou um dos profetas (cf. Mc 6.14-16; Lc 9.7-9).

Em Mateus, Herodes parece temeroso com a possibilidade de que João Batista pudesse estar vivo novamente. Isto acha-se em contraste com o relato de Lucas, onde Herodes está mais perplexo e desconta a possibilidade de que Jesus seja João Batista (veja Lc 9.9). Ambas as reações são acreditáveis. Embora duvidoso em um ponto, Herodes pode ter ficado mais temeroso ao nutrir o pensamento de que Jesus era João Batista ressuscitado a quem ele tinha executado, ato que havia lhe causado muita ansiedade (Mt 14.3-12).

Por que Herodes presumiria que Jesus era João Batista? Era porque ambos tinham executado milagres? De acordo com o registro bíblico, João Batista "não fez sinal algum" (Jo 10.41); nenhuma Escritura registra algum milagre feito por suas mãos. Mas o ministério de João Batista era comparável ao de Jesus em outro aspecto: A mensagem básica — uma chamada ao batismo e arrependimento — foi repetida no ministério de Jesus; só por isto já não causa surpresa Herodes ter associado Jesus com João Batista. A presença de Jesus era como um aborrecimento para o impenitente Herodes, assim como fora a presença de João Batista.

Josefo lança luz sobre a razão de João Batista ter sido preso, quando comenta que o povo seguia João Batista e que Herodes tinha medo de que ele pudesse mandar as multidões se rebelarem (*Antiguidades Judaicas*). Contudo, o ato de João Batista condenar Herodes por seu caso com Herodias, registrado em todos os três Evangelhos Sinóticos, é a principal queixa de Herodes. A prisão de João Batista foi um movimento obviamente controverso, considerando-se sua popularidade.

Mateus e Marcos fornecem um relato detalhado da intriga na residência do monarca e o subterfúgio sórdido que selou o destino de João Batista. A dança de Salomé na presença de Herodes e o pedido que ela fez de receber a cabeça de João Batista num prato, por sugestão da mãe, têm capturado a imaginação de artistas e músicos. Isto indica a depravação da corte de Herodes, revelando o quão superficial era seu compromisso com o judaísmo. Este incidente também mostra o quão penetrante era a influência do helenismo entre a elite governante judaica, pois em desconsideração óbvia da lei judaica, Herodes ordenou que João Batista fosse executado sem ser julgado, expondo-se como tirano do Oriente Próximo com os princípios de um pagão.

8.3. *A Alimentação para Cinco Mil Pessoas (14.13-21)*

Depois da morte de João Batista, Jesus se retira de barco para uma localização particular, talvez no intuito de iludir o assassino Herodes (veja comentários sobre Mt 15.21). Lucas registra que este lugar era Betsaida (Lc 9.10). Mas as multidões seguem a pé e interrompem abruptamente sua folga. Sentindo compaixão das multidões que não tinham líderes (cf. Mc 6.34), Jesus lhes cura os doentes. No fim do dia, quando os discípulos sugerem que as multidões sejam despedidas para as aldeias a fim de comprarem comida, Jesus lhes ordena que eles dêem comida para as pessoas. Eles informam Jesus dizendo que só têm cinco pães e dois peixes, o conteúdo do lanche de um menino (Jo 6.9). Apesar da falta de provisão, Jesus manda que as multidões se sentem e procede a fazer o milagre.

Os doze cestos cheios de comida que sobraram não são uso simbólico do número doze, mas indicação de que todos ficaram satisfeitos. É óbvio que a alimentação de milhares de pessoas é um acontecimento sobrenatural; *não é*, como sugerem os que têm problemas com o miraculoso, resultado das pessoas compartilharem seus almoços umas com as outras.

A linguagem e imagens da alimentação milagrosa estão férteis de significados:
1) Recorda a provisão milagrosa do maná no deserto depois do Êxodo (Êx 16; cf. Jo 6);
2) É paralelo da ação de Eliseu, que alimentou milagrosamente cem homens (2 Rs 4.42-44);
3) O maná está associado com o Messias nos escritos judaicos e cristãos (2 Baruque 29.8; Ap 2.17). Por este milagre Jesus está fazendo deliberada declaração messiânica. Ele atua como anfitrião de uma refeição, antecipando o banquete messiânico do tempo do fim, no qual Ele agirá como anfitrião na função de cabeça da comunidade (Ap 19.7-9). Por ora as ovelhas têm pastor (veja Mc 6.34).

As ações de Jesus na realização deste milagre têm paralelo notável com suas ações na Última Ceia: Ele "tomou o pão, e, abençoando-o, o partiu, e o deu aos discípulos" (Mt 26.26-29; cf. Mc 14.22-25; Lc 22.15-20; 1 Co 11.23-25). Estes paralelos também aparecem na refeição em Emaús, quando o Senhor ressurreto "foi conhecido no partir do pão" (Lc 24.35; cf. Lc 24.30-35). Em João, Jesus vincula deliberadamente a alimentação dos cinco mil com o maná e suas palavras concernentes a seu corpo e seu sangue (Jo 6.26,31-58). É significativo que os apóstolos apresentem os relatos da Última Ceia ou comunhão usando a "linguagem de milagre" desta alimentação miraculosa. Eles querem que a celebração das bodas do Senhor seja vista em termos de milagre.

8.4. *Jesus Anda por cima do Mar (14.22-33)*

Não está claro que destino os discípulos têm em mente quando embarcam para atravessar o mar da Galiléia. Em Lucas o milagre da alimentação acontece em Betsaida, enquanto que Mateus e Marcos o colocam num lugar deserto (Lc 9.10; cf. Mt 14.13; Mc 6.32). Contudo, depois da alimentação, Marcos diz que os discípulos foram "para o outro lado, a Betsaida" (Mc 6.45). Talvez o deserto mencionado em Mateus e Marcos fosse a zona rural adjacente a Betsaida, e os discípulos estavam tomando o barco em direção ao porto daquela cidade. Ou pode ser que estivessem se dirigindo a Cafarnaum, a oeste (Jo 6.16,17), com Betsaida como primeira parada.

Por que Jesus despede os discípulos e as multidões? De acordo com Mateus, Ele quer orar sozinho (Mt 14.23). João se refere ao frenesi messiânico que engolfou as testemunhas da alimentação milagrosa, o que resultou no desejo de fazerem Jesus rei à força (Jo 6.15). A fim de evitar o ato prematuro e precipitado das multidões, e possivelmente até dos discípulos, Ele os despacha e se isola nas montanhas.

Os discípulos acham-se numa violenta tempestade na quarta vigília da noite (de três às seis da manhã). Quando vêem Jesus andando sobre as águas, eles o tomam por um fantasma e ficam terrificados. Jesus os assegura com o enfático "Sou Eu" (*ego eimi*). Os leitores cristãos de Mateus podem ter entendido que esta declaração "Sou Eu" é idêntica à auto-identificação de Deus (veja Êx 3.14; Is 43.10; 51.12). Os escritores dos Evangelhos usam repetidamente a expressão *ego eimi* para se referir a Jesus nos contextos de revelação e atestação divina (e.g., Mc 14.62; Lc 24.39; Jo 8.58; 18.5,6). Depois da ressurreição e ascensão, os cristãos viram que as declarações e ações de Jesus tinham um significado maior quando vistos no "grande quadro" (cf. Jo 2.22).

Só Mateus registra que Pedro andou sobre as águas do mar (Mt 14.28-33). Ou isto é parte do programa de Mateus de destacar Pedro como líder, embora com defeitos (cf. Mt 16.17-19; 17.24-27), ou ele o está apresentando como discípulo típico. No tempo em que o Evangelho de Mateus foi escrito, a liderança de Pedro (pedra) já estava estabelecida (cf. também Atos e os escritos de Paulo). O autor de Mateus, escrevendo depois da morte de Pedro, está talvez apresentando precedente histórico para seu papel preeminente e para o dos seus sucessores.

Era adequado o pedido de Pedro andar sobre o mar? Uns dizem que sim, uma vez que os discípulos tinham recebido poder para fazer milagres (Mt 10.1). Outros sugerem que era presunção da parte dele. Outros ainda defendem que Pedro estava testando Jesus para ver se o "fantasma" era realmente Jesus, dizendo com efeito: "Se tu fores mesmo Jesus, então me manda andar até onde tu estás". Desta forma Pedro estaria arriscando a vida para provar a hipótese. Esta terceira interpretação não é apoiada pelo texto. "Se és tu" é melhor traduzido por "visto que és tu", considerando que a conjunção "se" é cláusula condicional de primeira classe que presume um fato (veja também Mt 4.3,6). Em outras palavras, Pedro está dizendo: "Tu és verdadeiramente o Senhor, e, se me permitires, irei andando até onde tu estás".

Pedro começa a afundar porque duvida, dando mais importância às circunstâncias que o cercavam do que confiando no Senhor que disse: "Vem". Depois que Jesus o salva, ele chama Pedro de "pessoa de pequena fé" (tradução literal de *oligopistos*), expressão favorita de Jesus encontrada em Mateus (Mt 6.30; 8.26; 14.31; 16.8; 17.20). Pedro tem fé o bastante para sair do barco, mas não o bastante para andar em meio à tempestade até Jesus. Note a mensagem semelhante no apaziguamento da tempestade registrado em Mateus 8.23-27.

Esta história milagrosa não só estabelece o fato de que Jesus executou milagres, mas fornece lição espiritual aos crentes. No antigo Oriente Próximo o mar era o domínio do caos e das forças destrutivas. Já no Antigo Testamento, as águas eram vistas como algo perigoso e destrutivo, e Deus é o Único que sobrepuja as águas e as ondas para preservar a vida (Jó 9.8; 38.16; Sl 77.19; Is 43.16). Para os primeiros leitores de Mateus a tempestade que os defronta era a perseguição, tópico que freqüentemente aparece no seu material exclusivo. Os cristãos devem sair e ser ousados, confiando em Jesus quando vulneráveis e sabendo que Ele é maior do que qualquer tempestade.

Os fins fornecidos por Mateus e Marcos parecem contraditórios. Marcos nota o assombro (*existemi*), falta de compreensão e dureza de coração por parte dos discípulos (Mc 6.51,52), ao passo que Mateus diz que eles "adoraram-no, dizendo: És verdadeiramente o Filho de Deus" (Mt 14.33). Devido ao milagre há pouco testemunhado, adoração e reconhecimento da natureza divina de Jesus é seguimento lógico. D. A. Carson (1984, p. 345) comenta que assombro pode ser usado em contextos de "adoração jovial (Lv 9.24 [LXX]; Lc 5.26)"; em Marcos o termo *existemi* "denota assombro em resposta a uma auto-revelação divina, mas sem medo".

Como harmonização dos dois relatos, os discípulos reverenciavam Jesus; mas dada a dúvida de Pedro acerca do poder salvador de Jesus quando ele andava sobre o mar, o "coração [deles] estava endurecido" (Mc 6.52). Como Marcos observa, eles não entenderam o significado da alimentação dos cinco mil. A lição dos pães e peixes era mais que mera previdência social; era, em última instância, uma revelação do poder por trás de todas as forças do cosmo. Jesus era não só a Fonte que supria todas as necessidades da multidão, mas também o Senhor.

8.5. *Jesus, aquEle que Cura (14.34-36)*

Jesus e os discípulos desembarcaram em Genesaré, que pode ser a cidade ou a planície fértil do mesmo nome situada na costa noroeste do mar da Galiléia. Tal região tinha forma triangular de cerca de nove quilômetros e meio ao longo da costa, estendendo-se por pouco mais de três quilômetros para o interior. Esta área está a apenas aproximadamente onze quilômetros por água da área de Betsaida. Jesus é bem conhecido nessa época, pois as pessoas o reconheceram e mandaram chamar todos os doentes da região para serem levados a Ele.

O mais leve contato com Jesus, como tocar a borla do manto de oração, resulta em cura. Aqui a fé não é especificamente mencionada como agente de cura, mas presumivelmente tem algum efeito, visto que a falta de fé em Nazaré tinha reduzido grandemente o ministério de Jesus naquela localidade (Mt 13.58). É como se as vestes de Jesus tivessem, usando a expressão de Oral Roberts, um "ponto de contato para a liberação da fé" para efetuar a cura. Mas o poder residia no próprio Jesus (Mc 5.30; Lc 8.46), e sua vontade estava envolvida (Mt 8.2,3). O modelo de cura aqui é sacramental, pois o poder de Deus reside na humanidade de Jesus e em tudo o que Ele toca. Uma vez que uma coisa comum é tocada por Jesus, já não é mais comum! Poder especial é dispensado por meios aparentemente comuns.

Mateus escolhe usar uma forma de palavra composta para designar curar/salvar (*diasozo*; i.e., *dia* [por] mais *sozo* [salvar]). Isto torna o sentido enfático e completo, "salvar por". Esta palavra descreve alguém levado com segurança havendo passado por naufrágio, salvamento ou proteção de danos. Neste contexto enfatiza a perfeição e eficácia da cura de Jesus. A outra vez que esta palavra é usada nos Evangelhos transmite o mesmo sentido de cura (Lc 7.3).

Tecnicamente sempre que Jesus entrava em contato físico com uma enfermidade ou com pecadores, Ele era considerado imundo pelos fariseus e outros grupos judaicos obcecados em guardar a lei ritual. Talvez seja por isso que na próxima história, os fariseus e escribas reclamem que Jesus é muito casual a respeito da pureza cerimonial (Mt 15.1,2). A principal questão não é: o que Jesus toca o torna imundo, mas o que *Ele* toca fica limpo e curado (veja também At 10.15). Ficar em contato com Jesus pelo arrependimento, sua Palavra e os meios físicos da graça como pontos de contato ou sacramentos é a chave da cura e transformação. Em certo sentido Jesus é a única pessoa na cidade que pode curar, pois toda essa graça em última instância vem dEle.

8.6. Tradição e Mandamento (15.1-20)

8.6.1. A Acusação dos Fariseus contra os Discípulos de Jesus: "Por que transgridem os teus discípulos a tradição dos anciãos?" (15.1,2). Mateus usa a palavra "então" (*tote*) para unir a demanda dos fariseus e escribas (mestres da lei) da lavagem cerimonial (v. 2) com o relato de curas no final do capítulo 14, no qual as pessoas cerimonialmente imundas tocavam Jesus para serem curadas. O termo *tote* é uma das palavras de transição favoritas de Mateus. Das cento e sessenta vezes que aparece no Novo Testamento, mais de cinqüenta ocorrem no Evangelho de Mateus.

A "tradição dos anciãos" era a composição de regulamentos designados a ampliar a lei mosaica e facilitar guardá-la. Conforme a tradição, os fariseus se lavavam depois de estar numa multidão, no caso de eles terem tocado uma pessoa cerimonialmente imunda; a questão para eles não era saúde ou higiene. Preocupando-se mais com a pureza cerimonial do que com a cura de doentes, eles consideravam Jesus e os discípulos violadores imundos da lei (cf. Mc. 7.3,4, que explica esta tradição para uma audiência gentia).

8.6.2. O Contra-ataque de Jesus: "Por que transgredis vós também o mandamento de Deus pela vossa tradição?" (Mt 15.3-11). Jesus não respon-

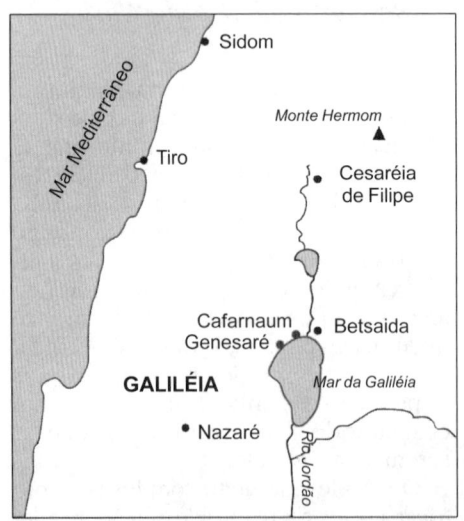

As ações de Jesus para alimentar as mais de cinco mil pessoas em Betsaida têm paralelos em suas ações na Última Ceia.

de diretamente a acusação dos fariseus; antes, nivela as próprias acusações contra a deles. Ele faz nítida distinção entre os mandamentos de Deus e as tradições bastante modernas dos inimigos, que não observavam as questões mais importantes da lei. Ele questiona as pressuposições e procedimentos operacionais padrões e mostra como suas tradições sabotavam a lei de Deus por fins egoístas. É como se Jesus estivesse dizendo: "Arrumai a vossa bagunça; então podereis criticar minhas práticas". Este é um contra-ataque ousado, já que os oponentes de Jesus são de Jerusalém e representam os oficiais nos grupos deles.

Jesus menciona como exemplo a lei mosaica sobre honrar os pais e falar bem deles, cuja infração merece a morte (veja Êx 20.12; 21.17; Dt 5.16). Ele cita a tradição de "Corbã" (cf. Mc 7.11), na qual as coisas dedicadas a Deus não podem ser usadas por coisas comuns. Mediante subterfúgio legalista alguns judeus esquivam-se do mandamento de Deus quanto a cuidar dos pais, dizendo que os bens que eles poderiam usar para ajudá-los haviam sido consagrados a Deus. Tem-se a impressão de que este dinheiro seria dado ao templo ou sinagoga. Desta forma, embora a pessoa que erre não estivesse amaldiçoando os pais, a recusa em atender-lhes a necessidade numa maquinada tecnicidade religiosa era equivalente a falar mal ou coisa pior! "Este tipo de transação inferior era tolerado pelas mesmas pessoas que ficavam chocadas por quem não lavasse as mãos. Era esta hipocrisia terrível que revoltava [Jesus]" (Vawter, 1967, pp. 187, 188). Mateus não explica o que é Corbã, presumindo que seus leitores tenham conhecimento dos costumes judaicos.

Neste momento Jesus aumenta progressivamente seu ataque sobre os inimigos, que sobe de intensidade até que Ele é aprisionado em Jerusalém. Ele os provoca e os força a mostrarem as intenções, política que se contrasta nitidamente com o hábito anterior de Ele evitar conflito. Jesus rotula publicamente os fariseus e escribas de "hipócritas", maledicência favorita para Mateus.

O interesse de Mateus no cumprimento de profecias o motiva a incluir Isaías 29.13. Nesta citação ele mais uma vez deixa claro que a obediência à lei de Deus deve ser sincera e não meramente verbal. Note que esta *não é* uma condenação de todas as tradições, mas só das que não mantêm o espírito da lei do amor de Deus.

Jesus conclui esta confrontação explicando às pessoas que o que as torna impuras não é o que entra pela boca, mas o que sai. Aqui Ele resume a natureza da lei: A intenção do coração é a chave da verdadeira espiritualidade. Este resumo é reminiscência da exposição de Jesus sobre a lei no Sermão da Montanha: Tanto a justiça quanto o pecado começam na vontade e intenção da pessoa (Mt 5.17-48). Mateus continuará martelando no assunto em outras passagens.

8.6.3. A Explicação Particular de Jesus aos Discípulos (15.12-20). Os discípulos de Jesus preocupam-se com o fato de que os fariseus e escribas ficam ofendidos. É compreensível, visto que estes líderes judeus são poderosos e em outras ocasiões Jesus tentou evitar confrontação com eles. A referência sobre arrancar plantas não plantadas pelo Pai celestial lembra a parábola do julgamento relativa ao trigo e joio (Mt 13.36-43). Deus chama Israel de a planta que Ele plantou. Aqueles que praticam legalidades superficiais que não envolvem intenção pura, não são o verdadeiro Israel. Descrevendo que os inimigos são cegos que conduzem cegos, Jesus prediz o desastre inevitável que cai sobre os possuidores de intenção impura. O mandamento "Deixai-os" soa como a ordem que o senhor do campo deu concernente ao pedido para retirar o joio prematuramente (Mt 13.28-30).

Pedro, como porta-voz dos discípulos, pede a explicação da parábola (Mt 15.15). Mateus já continuou e continuará ressaltando a proeminência de Pedro entre os discípulos. Aqui ele não usa o nome Simão, o prenome de Pedro, mas o título "Pedro" ("pedra"), o qual Jesus ainda o dará na narrativa (Mt 16.18).

A explicação particular da parábola aos discípulos é característica da prática de Jesus falar obtusamente em parábolas para as multidões, e mais tarde dar uma interpretação aos discípulos em particular (Mt 13.1-52). Nesta ocasião Ele fica surpreso por eles pedirem uma explicação, que vem logo a seguir do embate com os fariseus. Na interpretação Jesus reitera a essência dos seus ensinos. O bem e o mal não são ações meramente externas, mas provêm da intenção do coração. O coração puro produz comportamento condizente.

Mateus conclui a passagem citando novamente as palavras de Jesus sobre "comer sem lavar as mãos", o assunto que desencadeou seu ensino sobre a verdadeira pureza de coração em contraste com a limpeza cerimonial (Mt 15.2). Marcos, em contraste, vê as palavras de Jesus como a razão para a igreja primitiva pôr de parte as restrições dietéticas judaicas: "Ao dizer isto, Jesus declarou 'puros' todos os alimentos" (Mc 7.19, NVI). Mateus trata os assuntos críticos da sua audiência judaica da mesma maneira que Marcos trata os assuntos críticos para a sua audiência gentia.

8.7. Jesus e a Mulher Cananéia (15.21-28)

Jesus se retira para a área de Tiro e Sidom, duas cidades fenícias que partilhavam a religião e cultura com os cananeus, povos que controlavam a Terra Santa antes da chegada dos israelitas. Por conseguinte Mateus identifica a mulher como "cananéia". Em outros lugares quando ele usa o verbo grego *anachoreo* ("retirar-se, partir"), é para indicar uma retirada tática em face de hostilidade, o que se encaixa bem com o contexto anterior (e.g., Mt 2.12-14; 4.12; 12.15; 14.13).

Mateus começa o versículo 22 com sua palavra característica, designada a chamar a atenção (*idou*, "eis"), a qual ele usa antes de acontecimentos momentosos. Ao se referir à mulher como cananéia, Mateus está ressaltando que ela é gentia, da terra de Jezabel e adoração de Baal, lugar tradicionalmente hostil à devoção exclusiva a Javé. Ela se dirige a Jesus por "Senhor" (*kyrie*, proveniente de *kyrios*) três vezes (vv. 22,25,27), em contraste com uma vez de Marcos. Para Mateus o senhorio de Jesus é um tema freqüente. Esta palavra é um simples tratamento de respeito a superiores, mas os leitores de Mateus, ouvindo-a depois que a Igreja foi estabelecida, com certeza a entenderiam com maior significado, sobretudo considerando que Mateus descreve que a mulher caiu aos pés de Jesus num ato de homenagem ou adoração. Daniel J. Harrington (1991, vol. 1, pp. 236, 237) encara este evento como um paradigma de oração e considera que a sua grande fé é "a fé de petição".

O uso que a mulher faz do título "Filho de Davi" não serve apenas para Mateus enfatizar Jesus como Rei, mas também reconhece que a nação judaica é a primeira na agenda de salvação, visto que a salvação passa por um Messias judeu. Além disso, lembra os leitores de Mateus que a chamada para Israel iluminar as nações ainda permanece. O pedido dos discípulos para que Jesus despache a mulher significa que eles querem que Ele a despeça imediatamente sem atendê-la, ou que Ele acabe com a solicitação constante que ela faz de curar a filha.

A brusquidão da resposta de Jesus não lhe é característica, mas diversos fatores estão em ação. Jesus entrou em país pagão temporariamente para evitar conflito adicional com os inimigos. Ele não quer que a viagem seja uma missão ao gentios, embora tal opção é diminuída por um ministério gentio feito anteriormente (Mt 8.28-34). Jesus deixa claro que Ele é chamado para as "ovelhas perdidas da casa de Israel" (Mt 15.24). Talvez Ele esteja testando a mulher, dando-lhe oportunidade de provar a fé. Considerando que Jesus já curou a pedido do centurião gentio, é evidente que não se trata de preconceito étnico.

Qualquer que seja a motivação de Jesus, o leitor tem de reconhecer alguma tentativa da sua parte. Ao se referir indiretamente à mulher gentia como "cachorrinhos" (em sua declaração, os "cachorrinhos" são os gentios e os "filhos", os judeus), podemos aguçar o significado quando notamos que a palavra *kynarion* é um diminutivo para aludir a filhote de cachorro ou animal de estimação, ao invés de referir-se a um cão selvagem (v. 26). Em todo caso, a declaração permanece inflexível. A mulher é destemida e responde corajosamente que até os cachorrinhos domésticos têm permissão para comer as migalhas que caem da mesa dos seus donos. Ela quer dizer que para Jesus curar a filha endemoninhada bastaria uma migalha do seu poder.

A surpreendente resposta de Jesus de que esta mulher pagã tem grande fé é rememorativa do elogio que Ele fez da grande fé do centurião romano (Mt 8.5-13). Esta cura em favor de um gentio antecipa o ministério universal que o Jesus ressurreto ordena ao término de Mateus (Mt 28.19,20).

8.8. Mais Curas (15.29-31)

Jesus deixa a área de Tiro e Sidom e vai para a região da Galiléia — provavelmente o lado oriental da Galiléia, em Decápolis (veja Mc 7.31-37), que tinha uma população predominantemente gentia. Isto o coloca fora da jurisdição de Herodes, de quem Jesus se afastara desde a execução de João Batista (Mt 14.1-13; veja Carson, 1984, p. 356). Grandes multidões vão a Jesus em busca de cura, e Ele as cura. A lista das curas milagrosas (Mt 15.31) é semelhante às profecias de cura de Isaías: "Então, os olhos dos cegos serão abertos, e os ouvidos dos surdos se abrirão. Então, os coxos saltarão como cervos, e a língua dos mudos cantará, porque águas arrebentarão no deserto, e ribeiros, no ermo" (Is 35.5,6; veja também Is 29.18,19).

A frase introdutória de Mateus: "E, subindo a um monte, assentou-se lá" (Mt 15.29) assemelha-se à introdução do Sermão da Montanha, onde Jesus como rabino se assentou (Mt 5.1); aqui o Mestre se senta para curar. Os milagres compassivos de Jesus são parte de sua mensagem. Aqui verdadeiramente o meio é a mensagem (veja também Mc 1.27; Lc 4.36). A resposta das pessoas que glorificam (*doxazo*, lit., "glorificar") o "Deus *de* Israel" apóia a probabilidade de que Jesus está curando gentios, pois por qual outro motivo Mateus destacaria que os judeus estavam louvando o Deus de Israel (Mt 15.31; cf. Mt 9.8)? O ministério aos gentios ajuda a explicar por que outro banquete milagroso se segue.

8.9. A Alimentação para Quatro Mil Pessoas (15.32-39)

Esta é a segunda alimentação milagrosa registrada neste Evangelho (veja Mt 14.13-21; cf. também Mc 6.32-44; 8.1-10). Os convidados para a segunda refeição milagrosa são gentios, ao passo que os convidados para a primeira refeição são judeus. Mateus e Marcos estão chegando ao ponto teológico desejado de que ambos os grupos são considerados merecedores de receber os benefícios do Reino dos Céus. Nestas duas refeições vemos a salvação de Deus oferecida a todos em Israel e a todas as nações. Neste milagre sete cestos são recolhidos (esforços em ver significado no número "sete" contra "doze", na alimentação anterior, não têm sido bem-sucedidos). A palavra traduzida por "cestos" (*spyris*) não é a mesma palavra usada para aludir às cestas da refeição judaica, destacando ainda mais as implicações gentias (Bauer, W. F. Arndt e F. W. Gingrich, *A Greek-English Lexicon of the New Testament and Other Early Christian Literature*, Chicago, 1979, p. 447).

Todos os quatro Evangelhos relacionam as alimentações milagrosas ao maná que Israel recebeu no deserto (Êx 16.4-12) e à refeição eucarística que Jesus instituiu antes da paixão e morte. As palavras que Jesus falou ao fazer estes milagres são quase idênticas às palavras usadas para descrever o que Ele fez na Ceia do Senhor (veja comentários sobre Mt 14.13-21; 26.26-29). Embora os peixes também façam parte da refeição, eles não são enfatizados em nenhuma das alimentações.

Mateus nota que "quatro mil" se referem apenas aos homens presentes (Mt 15.38). Com mulheres e crianças, o número podia subir a dez mil pessoas. A população do país era calculada em meio milhão de pessoas. Neste caso, as multidões alimentadas em ambos os milagres teriam sido porção considerável da população, e muitos mais milhares teriam ouvido falar do portento.

Não está claro onde Jesus vai a seguir, pois a localização exata do território de Magdala (Mt 15.39) é desconhecida. Presumivelmente está no lado ocidental, lado judaico do mar de Galiléia, visto que em Mateus 16.1-12 Jesus é confrontado novamente pelos fariseus e saduceus.

8.10. A Oposição dos Inimigos (16.1-12)

8.10.1. Os Fariseus e Saduceus Buscam um Sinal (16.1-4).
A controvérsia entre Jesus e os inimigos continua a aumentar progressivamente. Esta passagem é semelhante a um pedido que os fariseus fizeram a Jesus para que lhes mostrasse um sinal (Mt 12.38,39). Em ambas as ocasiões, Jesus oferece o "sinal de Jonas", que diz respeito à sua morte, enterro e ressurreição. Aqui Mateus une os fariseus e saduceus em causa comum contra Jesus, embora eles raramente concordassem entre si nas questões teológicas ou práticas. Mateus é o único escrito dos Evangelhos que une os dois grupos (Mt 3.7; 16.1,6,11,12; 22.34).[9] As últimas referências ao Sinédrio, controlado pelos fariseus e saduceus, apóiam o fato de que os dois grupos apresentaram um ataque conjunto contra Jesus (e.g., Mt 26.59, "conselho"). O verbo "tentarem" (*peirazo*) é o mesmo usado para aludir à tentação que Satanás maquinou contra Jesus no deserto (Mt 4.1-11), e assim vincula os inimigos de Jesus com o Maligno.

Nos versículos 2 e 3 Jesus critica os líderes religiosos dos seus dias, porque eles podem predizer o tempo, mas não podem deduzir pelos sinais e maravilhas que Jesus já fez que Ele é o Messias. É inverossímil presumir que Jesus queira dizer que a expressão "os sinais dos tempos" (Mt 16.3) tenha relação com o tempo do fim; antes, tem relação com os eventos maravilhosos que se manifestam nos próprios dias dos que o criticavam. Nos livros proféticos do Antigo Testamento, adultério representa infidelidade a Deus. (Para inteirar-se de mais detalhes quanto a este e ao sinal de Jonas, veja comentários sobre Mt 12.38,39.)

8.10.2. O Fermento dos Fariseus (16.5-12).
A levedura é usada como sinal tanto positivo quanto negativo (veja comentários sobre Mt 13.33). Aqui descreve a influência negativa e penetrante na sociedade conforme visto por Jesus. A princípio os discípulos estão confusos, uma vez que lhe dizem que não têm pão para comer. Talvez eles tenham entendido mal a advertência de Jesus, com o significado: "Não compreis pão que contenha a levedura dos fariseus e saduceus", ou talvez as leis relativas a comida *kosher* estejam sendo investigadas.

Esta é a quarta e última vez que ocorre a identificação "homens de pequena fé" (*oligopistos*) em Mateus (Mt 6.30; 8.26; 14.31; 16.8). Fé aqui se refere à falta de entendimento que pode levar à falta de confiança. A lição a ser aprendida com os milagres de alimentação de Jesus é que Deus proverá a subsistência dos que o seguem. Jesus deixa claro que suas advertências não têm nada a ver com a necessidade física imediata deles; antes, é o ensino dos fariseus e saduceus que o preocupam.

8.11. Jesus É o Messias (16.13—17.17)

8.11.1. A Confissão de Pedro (16.13-16).
Poucas passagens evocam mais controvérsia e poucas sustentam tamanha importância crucial concernente à natureza da Igreja conforme Jesus a visionava. A confissão de Pedro é encontrada em cada um dos Evangelhos Sinóticos; Mateus e Marcos comentam que aconteceu em Cesaréia de Filipe, ao passo que Lucas reporta tipicamente que Jesus fez a pergunta decisiva depois de um período de oração (Mc 8.27-30; Lc 9.18-21). Levando-se em conta o contexto precedente, Jesus rejeita a autoridade dos fariseus e saduceus e confere autoridade singular a Pedro (Meier, 1990, p. 179).

Cesaréia de Filipe está na extremidade meridional do monte Hermom na nascente do rio Jordão. Era centro de adoração ao deus Pã e predominantemente helenístico.

Atrás da cidade ficava um enorme penhasco escarpado, lugar apropriado para a declaração de Jesus sobre "pedra".

A versão de Mateus da pergunta que Jesus faz difere da apresentada por Marcos ou Lucas. Ele se refere a "o Filho do Homem", enquanto que os últimos dois perguntam o que dizem os homens "que *eu sou*?" A expressão "Filho do Homem" é um modo de se referir à humanidade, conforme é usada em Ezequiel (e.g., Ez 2.1,3; 3.1; veja também Sl 8.4; 80.17), ou Jesus quer que seja um título do Messias, dando-lhe um novo significado? A segunda opção é plausível, visto que Jesus explicou sua missão em termos de "um como o filho do homem" que aparece em Daniel 7.13. Não aparece como título messiânico antes do tempo de Jesus. Seu uso titular ao Messias é empregado em todos os quatro Evangelhos, e considerando seu caráter semítico (*ben adam* e *bar nasha*, em hebraico e aramaico, respectivamente), parece ter sido título primitivo usado para se referir a Cristo (Mt 14.60; 26.63,64).

Só Mateus alista Jeremias como uma das identificações de Jesus sugeridas na mente do povo. Talvez Mateus inclua Jeremias porque ele predisse o julgamento de Deus e sofreu por isso, entristecendo-se às lágrimas acerca da situação difícil do povo. Ele é prenúncio apto do ministério de Jesus.

A resposta de Pedro é um tanto quanto diferente em cada Evangelho (veja Mc 8.29 ["o Cristo"]; Lc 9.20 ["o Cristo de Deus"]; cf. Jo 6.69 ["o Cristo, o Filho de Deus"]). A versão mais longa de Mateus ("o Cristo, o Filho do Deus vivo") ajuda a deixar claro que a origem de Jesus não tem nada a ver com os santuários dos deuses pagãos em Cesaréia de Filipos.

8.11.2. Jesus Abençoa Pedro (16.17-20). Esta bênção e comissão de Pedro só aparecem em Mateus. A passagem tem vários aspectos característicos do estilo de Mateus, mas também denuncia vários aspectos aramaicos e semíticos que indicam sua antiguidade. O aramaico é a língua por trás do texto grego que temos hoje.

8.11.2.1. Simão Torna-se Pedro (16.17,18a). Ao dar a bênção, Jesus se dirige a Pedro por "Simão Barjonas" (*Simão Bariona*) e reconhece que o único meio de ele saber que Jesus é o Cristo é mediante revelação divina, e não mediante especulação humana. *Bariona* ("*Bar Jona*") é termo aramaico que significa "filho de Jonas". Jesus dá a Simão o novo nome "Pedro" (*petros*), que significa "pedra", visto que eles estão diante da grande pedra atrás da cidade tendo o monte Hermom visível à distância. Sobre esta pedra (*petra*) Jesus promete edificar a Igreja. É evidente que Jesus quer que a primeira pedra, Pedro, seja identificado com a segunda pedra.

Alguns estudiosos tentam distanciar as duas pedras comentando que Pedro é *petros* em grego (substantivo masculino), ao passo que a segunda pedra é *petra* (substantivo feminino). Eles sustentam que a primeira pedra denota uma pedrinha e a última, uma considerável formação geológica. Esta interpretação afirma que a *petra* sobre a qual Jesus edifica é a *confissão* de Pedro, não o homem Pedro.

É razoável que *petra* se torne *petros* quando se refere a Simão, porque em grego é natural que o homem traga a forma masculina do substantivo, e não a feminina. Do contrário seria como chamar André de Andréa! Além disso, a alegada diferença entre *petros* e *petra* se evapora quando o aramaico original é considerado: "Tu és *Kepha* e sobre esta *kepha* edificarei a minha igreja". (*Kepha* é o nome original de "Cefas", usado para se referir a Pedro.) O significado mais óbvio do texto em aramaico, grego ou em nosso idioma é que Pedro é a pedra, opinião apoiada pela maior parte da erudição protestante. O uso de *petros/petra* em relação a edificar no contexto que se segue, exprime o ensino da Igreja em que Jesus e os apóstolos são a fundação da Igreja (At 2.42; Ef 2.20,21; Cl 1.18; 1 Tm 3.15; 1 Pe 2.4-7).

8.11.2.2. A Igreja (16.18b). Mateus é o único Evangelho a usar a palavra "igreja" (*ekklesia*). A *idéia* por trás do conceito "igreja" está no Antigo Testamento; *ekklesia* e outras palavras gregas eram usadas para traduzir a palavra hebraica *qahal*, a qual distinguia o povo justo de Deus dos outros povos. A comunidade de Qumran também defendia a idéia de uma comunidade eleita na mesma era na qual Jesus ministrou. Estabelecer uma comunidade messiânica não é alienígena a Jesus, o Judeu.

Há quem sugira que Jesus nunca poderia ter visionado estabelecer uma Igreja, já que Ele antecipou a consumação iminente do tempo do fim. Diversas questões mitigam contra tal sugestão:

1) É remoto que o Messias judeu não estabelecesse uma comunidade do tempo do fim para participar do banquete messiânico.
2) Jesus estava reunindo discípulos e seguidores em número cada vez mais crescente. Note que Jesus está estabelecendo a Igreja com base na autoridade apostólica. A excentricidade do individualismo e a pluralidade de denominações que impregnam a cultura ocidental teriam soado estranho a Jesus e seus seguidores. (Para cientificar-se de mais detalhes acerca do interesse de Mateus no papel de Pedro, veja comentários sobre Mt 10.2.)

8.11.2.3. As Chaves do Reino (16.19,20). O fato de Pedro receber as chaves é comissão exclusiva, levando-se em conta o Antigo Testamento. Em Isaías as chaves se referem ao poder do mordomo, o primeiro-ministro do rei. Eliaquim recebeu a chave de Davi do rei Ezequias, a qual ele usava sobre o ombro. Ele era o representante singular do rei; lidar com ele era lidar com o poder do rei. "E porei a chave da casa de Davi sobre o seu ombro, e abrirá, e ninguém fechará, e fechará, e ninguém abrirá" (Is 22.22). Embora depois os outros apóstolos recebam comissão semelhante (Mt 18.18,19), eles não recebem as chaves do braço direito do Messias. Outrossim, os rabinos recebiam uma chave como sinal de que estavam qualificados para ensinar a lei.

Ligar e desligar têm significado variado na experiência da Igreja (e.g., expulsar demônios, oferecer o perdão de Deus, pronunciar doutrinas e prescrever certas práticas). No contexto histórico dos dias de Jesus, ligar e desligar diziam respeito à prática de os rabinos exigirem que seus seguidores observem as leis ou de eles os liberarem de obrigações. Pedro torna-se o principal mestre e realizador dos ensinos de Jesus. O ofício de Pedro não seria executado sem a direção do Espírito Santo (Jo 14.16,17,26; At 4.8). Seu caráter destemperado exibido na passagem a seguir e na prisão de Jesus demonstra que o cumprimento da comissão que ele recebeu só é feito por graça especial.

Aqui o ofício de Pedro é único. Ao longo desta passagem Jesus se dirige a Pedro pessoalmente (na segunda pessoa do singular). Ele ainda não está instruindo os outros (veja Mt 18.18). Jesus também lhe dá duas outras comissões (Lc 22.31,32; Jo 21.15-17). Ademais, em Atos Pedro tem papel proeminente como *primus inter pares* ("primeiro entre iguais") entre os apóstolos.

Baseado somente nesta passagem não se pode estabelecer que os sucessores de Pedro foram dotados com comissão singular e autoridade primária na Igreja. Jesus desejava que houvesse um senso de hierarquia na comunidade messiânica com a ordem ascendente dos discípulos: os Setenta, os Doze, os três (Pedro, Tiago e João) e finalmente Pedro (veja também At 6.1-8; 8.4,14; 15.4,13-19; Tt 1.5). Levando-se em conta o fato de que a maioria dos estudiosos pensa que o Evangelho de Mateus foi escrito depois da morte de Pedro, Mateus pode ter em mente o sucessor de Pedro. A Igreja que os primeiros apóstolos deixaram para trás presumia que este poder singular continuava. Nem tudo em que a igreja primitiva acreditava foi escrito (veja 2 Ts 2.15).

Jesus ordenou que os discípulos mantivessem segredo concernente à sua identidade messiânica, fato que não é surpreendente. Anteriormente Ele já tinha pedido às pessoas que Ele curara que permanecem silentes, a fim de que nenhuma palavra fosse dita prematuramente e seus inimigos se levantassem. Aqui a ordem para estar calado é explicada melhor na passagem seguinte.

8.11.3. Jesus Prediz sua Morte (16.21-23). Jesus revela um novo aspecto do seu ministério, para o qual os discípulos ainda não estão prontos: Seu sofrimento, morte e ressurreição. Esta não era a idéia popular do Messias, que tinha de ser um líder militar que libertasse os judeus da opressão romana e introduzisse uma nova era de justiça. Pedro passa a reprovar Jesus, pois ele não quer nem pode imaginar que o seu Mestre, o Messias, jamais venha a se ferir. Os discípulos não vêem o Messias como o Servo Sofredor de Isaías (Is 52.13—53.12).

A contra-repreensão de Jesus (Mt 16.23) deixa claro o quanto é crucial este papel. Identificar Pedro com Satanás nos faz lembrar das tentações que Jesus suportou no deserto, onde o papel do Messias foi um dos pontos de contenção (Mt 4.1-11). Jesus chama Pedro de "escândalo [pedra de tropeço]", o que o contrasta com a pedra de edificação da passagem anterior. Se os discípulos são incapazes de lidar com a morte do Messias, então é mais que sensato mandar-lhes silenciar (Mt 16.20).

8.11.4. O Discípulo Seguirá seu Mestre (16.24-28). Ao revelar a natureza do Messias-Rei, Jesus revela a natureza do Reino e do verdadeiro discípulo. Se sofrimento e morte aguardam o Mestre, certamente aguardam o discípulo também. A natureza do discipulado envolve um morrer ininterrupto para as coisas contrárias ao Reino. Mas não se trata de exercício no masoquismo, pois, paradoxalmente, a lei do Reino é: Só o que é entregue é que pode ser ganho. Fazer de modo diferente seria praticar uma forma de idolatria. O discípulo deve estar disposto a morrer (Lc 9.23 acrescenta "cada dia"). Alguns discípulos até morrerão fisicamente pelo Reino.

O discípulo está propenso a morrer porque o que está em jogo é alto: Ganhar a alma ou perdê-la. O discípulo se sacrifica, sabendo perfeitamente que o Filho do Homem julgará suas ações na Segunda Vinda (Mt 16.26,27, citando Sl 62.12; Pv 24.12; quanto ao uso do termo *cruz*, veja comentários sobre Mt 10.38).

O versículo 28 sugere que alguns dos discípulos não morrerão antes de verem cumprido o julgamento do tempo do fim. Não está claro o que Jesus sabia referente ao esquema de atividades do tempo do fim (Mt 24.36). Parece que Mateus, que registra esta declaração de Jesus, também não tem problema em comentar que a missão deve ser estendida a todas as nações (Mt 28.19,20). Em outras palavras, o tempo do fim começa com o ministério de Jesus, e sua consumação completa ainda está por acontecer.

Pode ser significativo que esta predição de Jesus concernente à sua vinda em glória ocorra logo antes da sua transfiguração em Mateus 17.1-9. Em certo sentido aqueles "que aqui estão" não viram a morte, até que viram prolepticamente a glória futura de Jesus nesse evento. A natureza do tempo do fim é "já, mas ainda não", como um casamento antes da consumação.

8.11.5. A Transfiguração de Jesus (17.1-13). A transfiguração de Jesus dá confirmação divina da confissão de Pedro de que Jesus é o Messias (Mt 16.16). Também confirma que o entendimento do messiado de Jesus tem um componente não só de sofrimento e morte (a cruz), mas também de glória. É um cumprimento proléptico da predição feita por Jesus em Mateus 16.28, um antegozo do estabelecimento final do Reino.

8.11.5.1. Jesus É Transfigurado (17.1,2). A referência a "seis dias" (v. 1) é rememorativa do tempo entre o aparecimento da nuvem de glória e o começo da revelação da lei a Moisés no monte Sinai (Êx 24.16). Note que tempos precisos entre eventos é raro nos Evangelhos Sinóticos. Lucas diz "oito dias", que é uma expressão grega para aludir a uma semana. Os três discípulos do círculo íntimo — Pedro, Tiago e João — são quem Jesus permite ver seu momento particular de comunhão com o Pai, bem como participar nos eventos reveladores especiais (veja também Mt 26.36; cf. Mc 5.37). Isto fala de uma hierarquia nascente na igreja primitiva (Mt 16.18,19; 17.24-27; 18.18; 20.20-23). Moisés também tinha uma companhia de três homens — Arão, Nadabe e Abiú — na sua experiência no monte Sinai (Êx 24.1,9).

O "alto monte" (Mt 17.1) também rememora Moisés recebendo a lei, e nos Evangelhos as revelações e teofanias ocorrem em montanhas (e.g., Mt 5.1; 15.29; 28.16). Tradicionalmente o monte Tabor é identificado como a localização da transfiguração de Jesus, lugar que se situa consideravelmente ao sul de Cesaréia de Filipe. Talvez este evento ocorreu entre as alturas da área do monte Hermom.

A palavra "transfigurou-se" (*metamorphoo*, Mt 17.2) é a origem da palavra "metamorfose", indicando mudança profunda. A palavra é usada com respeito a crentes em Romanos 12.2 e 2 Coríntios 3.18, mas aqui refere-se a uma mudança externa e interna. Até as vestes de Jesus mudaram de aparência. O brilho do seu rosto é paralelo à aparência de Moisés depois de ele ter estado na presença de Deus no monte Sinai (Êx 34.29).

8.11.5.2. A Aparição de Moisés e Elias (17.3,4).
Moisés e Elias são as figuras principais da Lei e dos Profetas (veja também Mt 5.17; 7.12; 11.13; 22.40). Deste modo estas duas figuras do Antigo Testamento dão testemunho divino à revelação de Jesus. Elias ascendeu ao céu, enquanto que Moisés morreu; os ensinos judaicos posteriores dizem que o seu corpo foi admitido ao céu. Lucas diz que eles também sabem sobre o iminente "êxodo" de Jesus. Os santos no céu não cessam de existir, nem estão em estado comatoso. Eles estão vivos e aptos para se comunicar com os que habitam a terra — nesta ocasião, com Jesus. Embora a transfiguração de Jesus revele principalmente sua natureza como o Messias celestial, também mostra que os santos que faleceram são participantes ativos e testemunhas do trabalho contínuo de Deus (Hb 12.1). A morte não é não-existência para o crente de Deus.

Na versão de Mateus, Pedro chama Jesus de "Senhor" (*kyrios*), enquanto que em Marcos ele o trata de "Mestre" (Mt 17.4; Mc 9.5). Em Mateus os inimigos de Jesus o tratam de "mestre". A sugestão feita por Pedro de eles construírem "três tabernáculos" (*skene*, "tabernáculo, tenda, barraca") sugere a Festa dos Tabernáculos, embora não fosse época (Lv 23.39-43). A Tenda da Reunião no deserto indicava a presença de Deus (Êx 33.7-11). Em Mateus não está claro o que Pedro pretendia. Marcos lança luz sobre a observação de Pedro com a declaração: "Pois não sabia o que dizia, porque estavam assombrados" (Mc 9.6). O que está nitidamente claro no que se segue é que a questão não é três tabernáculos para três profetas, mas *um* Filho celestial.

8.11.5.3. A Voz da Nuvem (17.5-9).
Estes versículos dão esclarecimento divino. Pedro ainda está falando, quando uma nuvem luminosa os obscurece. Mateus usa a palavra que ele separou para chamar atenção — "eis" (*idou*) — duas vezes no versículo 5 (a RC traduziu-a uma vez), indicando profunda mudança nos acontecimentos prestes a ocorrer. A nuvem luminosa recorda a presença de Deus e sua glória no deserto depois do Êxodo, na doação da lei e no tabernáculo e templo (Êx 16.10; 19.9; 24.15,16; 33.9; 2 Macabeus 2.8). Este é o shekiná, a glória do Deus visível. Os discípulos (Mt 17.6) não conseguem permanecer na presença da nuvem de glória, como foi o caso com os sacerdotes quando o shekiná encheu o templo de Salomão depois de a arca ter sido colocada no interior (1 Rs 8.10,11).

A voz do céu é diferente em cada Evangelho Sinótico. Mateus registra aqui as mesmas palavras celestiais que foram faladas no batismo de Jesus (para inteirar-se de mais detalhes acerca do título "amado", veja comentários sobre Mt 3.17). A resposta final da sugestão de Pedro de fazer três tabernáculos é a visão singular de Jesus ao término da transfiguração (Mt 17.8). No versículo 9 os discípulos são ordenados mais uma vez a manterem silêncio até a ressurreição de Jesus.

8.11.5.4. Elias Vem Primeiro (17.10-13).
O aparecimento de Elias com Jesus leva os discípulos a perguntar como interagir os papéis destes dois. A crença dos "escribas" (v. 10) refere-se a Malaquias 4.6 (veja também Eclesiástico 48.1-12). Não há evidência explícita de que antes de Jesus o papel escatológico de Elias teria um cumprimento *tanto* por um precursor do Messias *quanto* por uma figura Elias-Messias. Os discípulos entenderam que o Messias seria o Elias do tempo do fim. Considerando que eles tinham acabado de ver Elias na transfiguração como evento separado e distinto de Jesus, é natural que eles tivessem algumas perguntas a fazer.

O monte Tabor, o lugar tradicional da transfiguração de Jesus, tem atualmente dois mosteiros situados em seu cume.

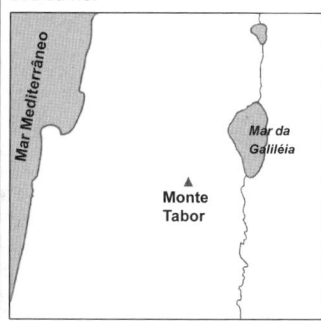

Jesus reinterpreta o papel escatológico de Elias em termos de precursor, a quem Ele identifica explicitamente por João Batista (cf. Mt 17.7-13 e Mt 11.12-14 com Mc 1.2; 9.13; Lc 7.24-35; veja comentários sobre Mt 3.3,4; 11.7-15). Era como se, tendo visto o antigo Elias, os discípulos esperassem o advento imediato do Dia do Senhor. A resposta de Jesus é que eles já tinham visto Elias e que o esquema de atividades que eles mantinham para o fim precisava de correção; há mais para vir antes do fim. Jesus reitera o anúncio da proximidade de sua morte e ressurreição (Mt 17.22,23).

8.11.6. Jesus Cura o Menino Possesso por um Espírito (17.14-21). Depois da experiência da transfiguração no cume da montanha, Jesus e os três discípulos são confrontados por um espírito maligno, que contrariou as tentativas dos outros discípulos de expulsá-lo. O principal interesse de Mateus aqui é expor a incredulidade dos discípulos e apresentar o ensino de Jesus sobre o poder da fé. O filho é chamado literalmente de "aluado" (*seleniazomai*) ou lunático (certas traduções vêem a situação como uma forma de epilepsia). Mateus nota que a enfermidade é de origem demoníaca e que requer expulsão. O assunto é mais complicado pelo fato de que Mateus se refere a uma cura (v. 16). (Para saber mais acerca da relação entre espíritos e enfermidades no século I, veja comentários sobre Mt 4.23-25.)

Jesus reprova os discípulos, chamando-os de "geração incrédula e perversa!" (Mt 17.17). Como Moisés Ele também desce da montanha da revelação somente para encontrar a infidelidade no sopé (cf. Êx 32). Jesus identifica os discípulos com o espírito da época, o qual Ele já tinha condenado: "Geração má e adúltera" (Mt 12.38-45). Ele comenta que a razão de eles fracassarem nos esforços de expulsar o demônio era devido à pouca ou inadequada fé (*oligopistia*) que tinham (veja comentários acerca do adjetivo relacionado em Mt 6.30; 8.26; 14.31; 16.8). Jesus declara que um pequeno montante de fé remove toda a impossibilidade (veja também Mt 13.31,32). Entre os rabinos, mover uma montanha era expressão figurativa referente a possibilidade remota (cf. Is 54.10; 1 Co 13.2).

8.11.7. Jesus Prediz novamente a Paixão (17.22,23). Pela segunda vez Jesus prediz seu sofrimento e morte, muito para a aflição dos seus seguidores. Agora Ele acrescenta que será entregue (*paradidomi*, i.e., traído) aos inimigos (veja também Mt 26.15-21).

8.11.8. O Messias Submete-se ao Imposto do Templo (17.24-27). Todo judeu homem devia pagar um imposto anual para a manutenção do templo (Êx 30.11-16). Como Rei, Jesus não é obrigado a pagá-lo, mas para evitar escândalo Ele o paga. Seus seguidores também devem evitar escândalo desnecessário e cumprir a chamada do Senhor à humildade (Mt 5.5). Este relato do pagamento de impostos só aparece em Mateus, o que está de acordo com o Evangelho que leva o nome do ex-cobrador de impostos que virou discípulo. O fato de Pedro agir por procuração de Jesus e pagar o imposto por ambos está em concordância com a autoridade recentemente recebida como primeiro-ministro de Jesus (Mt 16.18,19) e é ainda outro exemplo de Pedro atuar como representante dos discípulos (e.g., Mt 14.28-33; 16.16,17; 18.21,22).

9. As Instruções de Jesus à Igreja (O Quarto Discurso: 18.1-35).

Este é o quarto principal bloco pedagógico de Cristo que Mateus apresenta no seu programa de mostrar o Senhor como o novo Moisés. Como paralelo aos cinco livros do Antigo Testamento atribuídos a Moisés, Mateus oferece cinco agrupamentos principais dos ensinos de Jesus (veja Introdução e comentários sobre Mt 5.1-12). Mateus identifica claramente o começo e o fim da seção: "Naquela mesma hora" (Mt 18.1) e "concluindo Jesus esses discursos" (Mt 19.1). Nesta seção Jesus dá instruções aos discípulos relativas à natureza da grandiosidade do Reino dos Céus e instruções adicionais sobre a disciplina e autoridade na Igreja. Apesar de os versículos 15 a 17 terem certo tom legal, a maior parte da narrativa de Mateus é mais pastoral.

9.1. O Maior É uma Criança (18.1-4)

A questão concernente a quem é o maior no Reino surge do reconhecimento de Jesus de que, ainda que Ele seja Rei, Ele condescende em pagar impostos a fim de evitar causar escândalo. Esta ação perturba a compreensão mais convencional de grandeza que os discípulos mantêm. Em meio ao grande poder e autoridade que Jesus tinha dado aos discípulos (veja comentários sobre Mt 16.14-19), Jesus revela que a natureza do seu Reino está baseada na humildade simples e confiante de uma criança. A palavra "criança" (*paidion*) refere-se a uma criança de doze anos ou mais nova, a qual na cultura judaica não tinha *status* social significativo.

Esta é a natureza paradoxal do Reino dos Céus: A natureza inocente e servil é a verdadeira essência do reinado de Jesus. Todo verdadeiro governo eclesiástico tem de servir e refletir estes valores (veja também Mt 20.25-28). Jesus virou de cabeça para baixo os valores do mundo. A aceitação de Jesus é medida pela aceitação dos membros verdadeiramente humildes da Igreja (Mt 18.5,6; veja também Mt 5.3,5; 10.40; 23.12; 25.31-46). O verbo "converterdes" (Mt 18.3) é literalmente "virar" (*strepho*), indicando profunda mudança de comportamento por parte dos discípulos.

9.2. Pedras de Tropeço para os Pequeninos (18.5-9)

O substantivo *skandalon* e o verbo *skandalizo* são traduzidos por "escândalo" e "escandalizar", respectivamente (RC; cf. Mt 17.27)). Outras traduções possíveis são "ofensa", "pedra de tropeço", "fazer pecar", "fazer errar". Dos quarenta e quatro usos desta família de palavras no Novo Testamento, Mateus o usa dezenove vezes, na maioria das vezes em contextos de aceitação ou rejeição de Jesus ou em contextos sobre julgamento. É muito restrito interpretar "fazer pecar", quando outros escândalos podem estar em vista.

O contexto aqui é claramente de julgamento e danação potencial — temas freqüentes em Mateus. Dos doze usos do Novo Testamentos da palavra de raiz hebraica traduzida por "fogo do inferno" ou "inferno" (*geena*), Mateus emprega sete vezes (Mt 5.22,29,30; 10.28; 18.9; 23.15,33). Quanto a arrancar o olho ou amputar uma mão ou pé e o fogo de inferno, veja comentários em Mateus 5.29,30. Neste contexto estas expressões dizem respeito a excomunhão de um membro escandalizado. "Ai" (Mt 18.7) também é indicativo de julgamento.

9.3. Os Pequeninos e a Ovelha Perdida (18.10-14)

Os "pequeninos", os seguidores humildes de Jesus, têm o que é comumente chamado de "anjos da guarda", que "sempre vêem a face de meu Pai que está nos céus" (v.

10). A referência à "face" de Deus indica sua presença (veja também Gn 48.16; Dn 2.28; 6.22; Hb 1.4; Tobias 5.4). Em outras palavras, os escândalos às pessoas sem *status* na terra são expostos diante da própria face de Deus.

Tentativas em identificar o anjo de um pequenino com o seu espírito semelhante ao corpo (cf. também At 12.15) não são convincentes e criam outros problemas. Considerando que um anjo livra Pedro em Atos 12, "o seu anjo" não pode ser identificado com o espírito do apóstolo. Os santos serão *como* anjos, mas agora eles não são anjos nem jamais o serão (Mt 22.30; Lc 20.36; 2 Baruque 51.5).[10]

A versão de Mateus da Parábola da Ovelha Perdida (ou Desgarrada) é encontrada num contexto diferente do Evangelho de Lucas (Lc 15.3-7). Em Lucas é a primeira das três parábolas sobre coisas de valor que foram perdidas — a ovelha perdida, a moeda perdida e o filho perdido (Lc 15.3-32) — e é endereçada aos inimigos de Jesus, que consideram falta gravosa Ele se associar com pecadores (Lc 15.1-2). Em Mateus é endereçada aos discípulos e ressalta a preocupação compassiva que eles devem ter pela pessoa que erra.

O pastor aqui é Deus Pai (Mt 18.10,14). Os discípulos de Jesus, sobretudo os Doze, devem emular o pastor no cuidado dos pequeninos. Esta parábola teria significação importante para os pastores na audiência de Mateus. Em Ezequiel 34 os pastores de Israel foram reprovados, porque não cuidaram das ovelhas que tinham se extraviado. Deus, ao contrário, pastoreia o povo. Em Mateus o aviso para não dar causa ou ocasião de pecado ou escândalo entre os pequeninos é dirigido aos pastores.

O verbo grego usado nos versículos 12 e 13 e traduzido por "desgarrar" é *planao* em vez de *apollymi* ("perder") que aparece em Lucas 15. Das quinze vezes que o verbo *planao* é usado nos Evangelhos, Mateus a emprega oito vezes. É empregado freqüentemente para aludir à fraude praticada por falsos profetas e falsos cristos (veja também as palavras relacionadas *plane* e *planos* que aparecem em Mt 27.63-64). Mateus está profundamente preocupado com a falsa liderança e o logro. Sua versão desta parábola é mais ominosa do que a de Lucas, porque Mateus sugere que não é certo que a ovelha será encontrada: "E, *se*, porventura, a acha" (Mt 18.13, ênfase minha). As ovelhas perdidas têm a atenção especial de Deus, e Ele não quer que nenhuma se perca ou seja destruída (*apollymi*, v. 14).

9.4. A Disciplina na Comunidade (18.15-20)

Muitos dos manuscritos importantes omitem a expressão "contra ti", no versículo 15, a qual provavelmente não estava no texto original. Jesus está instruindo os discípulos a não tratar afrontas pessoais tanto quanto pecados em geral. Esta compreensão mais ampla relativa a pecados encaixa-se com o tema que Mateus apresenta no começo do capítulo.

Jesus segue o ensino da lei judaica — instruindo seus seguidores a confrontar o pecado.

1) A Torá ensinava que o próximo deveria ser corrigido quando achado em pecado; ignorar o pecado era participar da culpa (Lv 19.17, "não sofrerás pecado"). A correção era feita reservadamente para preservar a dignidade de ambas as partes — o irmão acusado pode não ser culpado, e o acusador pode estar enganado;
2) A Torá exigia que duas ou três testemunhas sustentassem a acusação se o ofensor se recusasse a atender o cotejo inicial (Dt 19.15; cf. Mt 18.16).

Se a pessoa em pecado recusa atender depois da reunião com testemunha, Jesus instrui que o assunto seja levado diante da "igreja" (Mt 18.17). Isto demonstra a natureza jurídica das instruções; sua preocupação não é com afrontas pessoais maçantes, mas com questões sérias que podem resultar em expulsão da comunidade. (Quanto ao uso da palavra "igreja" que descreve a comunidade messiânica, veja comentários em Mt 16.18.) Chamar um crente impenitente de "gentio e publicano [cobrador de impostos]" expressa o caráter judaico de Mateus e sua audiência. (Quanto à prática cristã de evitar o recalcitrante, veja 1 Co 5.1-5; 2 Ts 3.6-15, 2 Jo 10.)

Este procedimento de três passos para lidar com o pecado é semelhante ao da comunidade de Qumran (Normas da Comunidade 5.24—6.2). É impossível dizer se Jesus assimilou esta prática da seita do século I, a qual escreveu os Rolos do Mar Morto. Suas instruções relativas a arrependimento e restauração são bastante generosas, em contraste com os castigos severos da comunidade de Qumran aos que cometiam infrações, incluindo excomunhão irrevogável.

Neste contexto, "ligar" e "desligar" (Mt 18.18) referem-se ao poder de os discípulos oferecerem perdão ou imporem excomunhão. Jesus já dera esta autoridade a Pedro (veja comentários sobre Mt 16.17-19). Embora os demais discípulos recebam agora poder semelhante, Jesus não lhes dá as chaves do Reino, o que indica que Ele pretendia um papel especial a Pedro.

A referência a "dois ou três reunidos" (v. 20) tem implicação legal, visto que a literatura judaica menciona este padrão para o estudo da Torá: "Se dois se sentam juntos e as palavras da lei estão entre eles, o shekiná [a presença gloriosa de Deus] habita entre eles" (M. *Aboth* 3.2). Assim as decisões da comunidade têm por trás o peso da autoridade de Deus.

Em relação a pedir "qualquer coisa" em comum acordo com outra pessoa (v. 19), o contexto da disciplina eclesiástica deve ser observado. Não se trata de carta-branca para o indivíduo ter todo e qualquer capricho que desejar; a pessoa tem de falar segundo a vontade e glória de Deus (Jo 14.13; 15.5,16).

9.5. Perdoar Setenta vezes Sete (18.21,22)

A instrução anterior pertinente ao perdão (v. 18) levanta uma questão na mente de Pedro (note a palavra de ligação "então", no v. 21). Levando-se em conta a comissão que ele recebeu a respeito de ligar e desligar (Mt 16.17-19), Pedro pede esclarecimentos sobre como ele deve exercer tal responsabilidade de pronunciar perdão a um irmão que pecar contra ele. Não podemos presumir que pecado contra Pedro ou outro discípulo seja apenas afrontas pessoais. Pecados contra pessoas são pecados contra Deus, como indicam os Dez Mandamentos (Êx 20.1-17; Dt 5.6-21; cf. 1 Jo 4.20). O pecado tem efeito horizontal e vertical, um bofetão no rosto de Deus e da humanidade.

É indubitável que Pedro pensou que foi generoso ao oferecer perdão até sete vezes; tradicionalmente os rabinos sugeriam três vezes. A resposta de Jesus pode ser traduzida de duas maneiras: como setenta e sete vezes ou sete vezes setenta (i.e., quatrocentos e noventa). Se esta é uma referência antitética à vingança de Lameque (Gn 4.24), então setenta e sete é mais provável. A questão mais crucial não é o número correto, mas a atitude correta — estar sempre pronto a perdoar.

9.6. O Servo Irreconciliável (18.23-35)

A chamada de Jesus ao perdão imediato é a ocasião para esta parábola. Mateus une fortemente as duas passagens com as palavras "por isso" (*dia touto*, tradução literal). Jesus começa dando um exemplo de perdão extravagante. O fato de um servo (provavelmente ministro da corte) dever dez mil talentos é incrível; Jesus exagera a soma astronômica para causar efeito. Um talento era alta denominação de dinheiro, equivalente de seis a dez mil dinheiros ou denários (um denário era o salário mínimo de um operário pelo trabalho de um dia). Em termos do dinheiro de hoje, seria uma dívida na casa dos bilhões de dólares. O servo nunca viveria o suficiente para acumular ou fraudar tal quantia. É situação tão desesperadora, que ele e sua família terão de ser vendidos como escravos (v. 25), mas até isso apenas faria cócegas na importância devida. Responder como o homem esperaria pagar está além da função da parábola.

Com piedade o rei cancela a quantia bizarra (v. 26), a qual agora é graciosamente chamada de empréstimo (*daneion*; "dívida"). Mas depois que o servo sai da presença do rei, ele encontra um conservo que lhe deve cem denários (aproximadamente o salário mínimo de três meses). O ato de agarrar o homem pela garganta está em nítido contraste com a compaixão do rei (v. 28). O servo perdoado rejeita o mesmo pedido que ele há pouco fizera ao rei e lança o conservo na prisão.

Os outros servos falam ao rei sobre as ações do infame. O rei chama o servo de "malvado", rescinde o perdão que ele havia dado e o entrega aos torturadores da prisão até que ele lhe pagasse a dívida. É óbvio que isto se refere ao castigo eterno — item importante na agenda de Mateus. Note também que as palavras "dívida" (*opheiletes*) e "devia" (*opheilomenon*, vv. 32-34) são derivadas do mesma família de palavras que se refere a pecado ou ofensa na Oração do Senhor (*opheilema*; Mt 6.12-15). Este é comentário sensato sobre a Oração do Senhor e o Sermão da Montanha, que dizem que não será dado perdão a uma pessoa irreconciliável (veja comentários sobre Mt 6.14,15; veja também Lc 6.36). É claro que partindo do estado do primeiro servo, o perdão não pode ser ganho, "mas nós podemos perdê-lo" (Meier, 1990, p. 209).

O perdão de Deus é de graça e, portanto, trata-se de ato de graça não merecida; o que a pessoa faz em resposta à graça, determina onde ela passará a eternidade. O perdão aceito muda o coração de quem o recebe, se for verdadeiramente eficaz. A frase "se do coração não perdoardes, cada um a seu irmão" (v. 35) frustra o pretexto de legalismo e salvação própria; não obstante, a exigência de Deus para obter um perdão duradouro obsta um programa de graça barata que não transforma aquele que a recebe.

10. A Viagem a Jerusalém: Narrativa (19.1—20.34).

10.1. Jesus Inicia a Jornada a Jerusalém (19.1,2)

Mateus conclui o discurso de Jesus (v. 1a; veja comentários sobre Mt 7.28,29) e dedica-se à sua viagem final da Galiléia a Jerusalém. Como Marcos, Ele registra um itinerário que evita Samaria e atravessa a região além do Jordão, rota que a maioria dos judeus tomava entre a Galiléia e a capital judaica (Mc 10.1). É diferente do relato de Lucas que fala de Jesus passar por uma aldeia samaritana nesta mesma viagem. Nenhum dos relatos é um itinerário completo.

Mateus menciona uma cura no início da viagem (Mt 19.2), mas os ensinos de Jesus é o que predomina ao longo da narrativa. Visto que esta seção não termina em Mateus 22.46 com a frase identificadora "Concluindo Jesus esses discursos" (cf. Mt 19.1 com Mt 7.28,29), não é considerada uma das cinco principais seções de ensino. A narrativa destaca o conflito de Jesus com os inimigos, o qual se intensifica à medida que Ele se aproxima de Jerusalém. Lá, Jesus entregará o seu quinto, principal e final bloco de ensino, conhecido por Sermão Profético (Mt 24.1—25.46).

10.2. Sobre o Divórcio (19.3-9)

Os fariseus tentam Jesus com uma pergunta sobre divórcio. O verbo "testar" (*peirazo*) é a mesma palavra usada para aludir à ocasião em que Jesus foi tentado pelo Diabo (Mt 4.1). A versão de Marcos registra os fariseus fazendo uma pergunta simples relativa à legalidade do divórcio (Mc 10.2), enquanto que Mateus acrescenta a expressão "por qualquer motivo" (Mt 19.3). A pergunta parece irrelevante e inconseqüente em face das prementes necessidades de cura. Presumivelmente os fariseus tinham ouvido falar dos ensinos de Jesus sobre casamento e o estrito padrão que Ele fixou para seus seguidores, mais exigente que a lei mosaica (Mt 5.27-32).

Os fariseus estão tentando atrair Jesus para a controvérsia contínua que havia entre duas escolas de pensamento rabínico (os rabinos Hillel e Shammai) concernente ao divórcio. Hillel permitia que o homem se divorciasse da esposa por qualquer negligência, ao passo que Shammai só permitia o divórcio em caso de imoralidade sexual (veja também comentários sobre Mt 5.31,32). A resposta de Jesus atravessa completamente a controvérsia examinando qual era o desígnio de Deus para o casamento (Mt 19.4-6). Um homem e uma mulher têm de ser unidos como uma só carne (Gn 1.27; 2.24; 1 Co 6.16; Ef 5.31). Jesus conclui que o desígnio de Deus é que a união seja indissolúvel, e que não é da sua vontade que os seres humanos procurem desfazer a união entre marido e esposa.

Em seguida, os fariseus questionam a permissão que Moisés deu ao divórcio, pergunta esta que joga na ramificação lógica da primeira pergunta de Jesus. Se Deus criou a instituição do casamento com vistas a uma fusão irrevogável de dois em um, então a ação que frustra ou ignora esse intento divino é menos que complacência com a vontade de Deus. Jesus faz uma pergunta melhor — Não é: "O que a lei permite?", mas: "Qual é o desígnio de Deus?"

Jesus presume a existência da lei natural. Sua repreensão da dureza do coração das pessoas é particularmente forte. Dureza de coração indica frieza, rebelião e obstinação, às vezes no contexto de incredulidade e desconfiança de Deus (Pv 17.20; Jr 4.4; Ez 3.7; Eclesiástico 16.9; Mc 10.5; 16.14). A referência de Jesus à "vossa mulher" arroja o assunto sobre motivo impuro e escapatória legal até a porta dos inimigos! Tais acusações os enfurecem a ponto de eles subseqüentemente o matarem.

Jesus não vê a exceção do divórcio como *mandamento*, mas como *permissão* (cf. Mt 19.7 com Mt 19.8). No caso de adultério, o perdão do profeta Oséias à esposa, Gômer, demonstra que até este impedimento não é algo impossível. O efeito do divórcio sobre os filhos é notório e cruel. O uso indiscriminado do divórcio na recente civilização ocidental tornou-se uma epidemia de rebelião e voluntariedade. "E não fez ele somente um, sobejando-lhe espírito? E por que somente um? Ele buscava uma semente de piedosos; portanto, guardai-vos em vosso espírito, e ninguém seja desleal para com a mulher da sua mocidade. Porque o SENHOR, Deus de Israel, diz que aborrece o repúdio e aquele que encobre a violência com a sua veste, diz o SENHOR dos Exércitos" (Ml 2.15,16).

Tem sido questão de debate se o adultério é motivo para divórcio *e* novo casamento. Note que só Mateus inclui as palavras "não sendo por causa de prostituição" (Mt 19.9; cf. com Mc 10.11). Não está claro se Jesus tolera o novo casamento em caso de adultério. A exceção de Mateus, justaposta com a citação que Marcos faz de Deuteronômio 24.1-4, elucida que é errado casar novamente por qualquer outro motivo. Considerando os comentários aqui e no Sermão da Montanha (Mt 5.31,32), como também o ensino de Paulo (1 Co 6.16; Ef 5.31), a Igreja obrigou os membros a cumprir a sublime opinião do casamento e tem sido avessa a aprovar o divórcio e o recasamento. A questão não é: "O que é permissível?", mas: "Qual é o desígnio de Deus?"

10.3. Sobre o Celibato (19.10-12)

Os discípulos expressam reserva acerca do casamento com relação à sua indissolubilidade. No versículo 11 não está claro se o termo "palavra" se refere ao ensino sobre casamento, aos comentários dos discípulos ou à declaração sobre o celibato. A palavra "porque" (gar), no versículo 12, liga-a com a última opção. Jesus usa a palavra "eunucos" no sentido literal e figurado. A leitura mais literal é: "Porque há eunucos que assim nasceram do ventre da mãe; e há eunucos que foram castrados pelos homens; e há eunucos que se castraram a si mesmos por causa do Reino dos céus" (RC). Defeitos físicos e crueldade humana são literais, mas "eunucos que se castraram a si mesmos" são figurados.

A lei de Moisés tinha uma visão negativa da castração, encarando-a como algo cerimonialmente inaceitável a Deus (Lv 22.24; Dt 23.1). Na sociedade judaica os solteiros eram depreciativamente chamados eunucos, de forma que esta declaração serve como defesa do estado de solteiro de Jesus. Note o celibato provável de João Batista e Paulo. Outrossim os essênios eram conhecidos por ficarem solteiros, e parece que alguns da comunidade de

Qumran também eram solteiros. A natureza opcional de "Quem pode receber isso, que o receba" é incomum no ensino de Jesus. É evidente que Jesus aprova o celibato e o casamento (Mt 19.4,5). Há diferentes chamadas e diferentes dons para os discípulos.

10.4. Jesus Abençoa os Pequeninos (19.13-15)

Como os patriarcas de antigamente, os rabinos abençoavam as crianças (Misná, *Soferim* 18.5). Os discípulos reprovam as pessoas que levam crianças para Jesus, ainda que não nos seja dito por quê. As crianças não tinham presença significativa nos principais assuntos. Jesus não está dizendo que as crianças possuem o Reino dos Céus, mas aqueles que são como crianças compõem o Reino (veja comentários sobre Mt 18.2-6). O ato de Jesus impor as mãos está associado com a bênção (Gn 48.8-20).

10.5. O Jovem Rico (19.16-22)

Este incidente é registrado em todos os três Evangelhos Sinóticos, e cada relato proporciona informação adicional (Mc 10.17-22; Lc 18.18-23). Mateus descreve que o homem que se aproxima de Jesus é jovem e rico (Mt 19.20,22), ao passo que Lucas o chama de príncipe (Lc 18.18). Marcos e Lucas registram que o jovem se dirige a Jesus por "Bom Mestre", enquanto que Mateus torna em substantivo o adjetivo "bom" (Mt 19.16,17). Em Marcos e Lucas, Jesus rejeita o título "bom", reservando-o a Deus somente; em contraste, Mateus persiste falando do "bom" em geral (v. 17).

Por que Mateus diverge dos outros Evangelhos Sinóticos? Ainda que uma resposta firme a esta pergunta não possa ser dada, devemos observar que a palavra "bom" aqui não tem implicação ética, mas ontológica. Um bom carpinteiro faz uma boa casa, e o fato de a casa ser boa é derivado do bom fabricante. A expressão última pertinente ao que é bom só pode ser Deus, pois Ele é a medida de tudo o que é bom. Comparar com Deus o santo mais piedoso é como comparar uma vela com o sol. Não vendo diminuição da natureza de Jesus, Mateus permite a equação final: "Não há bom, senão um só que é Deus" (v. 17). Esta declaração é rememorativa do Shema: "Ouve, Israel, o SENHOR, nosso Deus, é o único SENHOR" (Dt 6.4). A referência de Jesus a um Deus bom que controla tudo tem o propósito de corrigir qualquer tentativa de auto-salvação.

A razão por que Mateus se concentra no ato bom em vez de enfatizar o bom mestre está clara na resposta de Jesus: "Se queres, porém, entrar na vida, guarda os mandamentos" (Mt 19.17b). A justiça é algo que a pessoa tem de vivenciar e receber, sendo esta parte essencial da mensagem de Mateus (e.g., Mt 5.17-20,43-48; 18.21-35). O jovem se fixa num penúltimo ato bom que vai assegurar a vida eterna. Respondendo à palavra de Jesus sobre obedecer os mandamentos de Deus, o jovem pergunta: "Quais?" Jesus cita diversos mandamentos e conclui com a declaração geral: "E amarás o teu próximo como a ti mesmo". Este mandamento final é a justificação para Jesus exigir que o jovem proveja a subsistência dos pobres dando-lhes sua riqueza. A pergunta do príncipe: "Que me falta ainda?" (Mt 19.20) indica que ele sabe que o conceito convencional de justiça precisa de completude; ele está buscando fazer algo além do que é exigido.

O que Jesus exige do jovem é de fato fenomenal — dar sua riqueza grandiosa para ajudar os pobres. A bondade radical e absoluta que ele busca é Deus, e Deus não tolera rivais da atenção do jovem; sua riqueza o obsta. O último ato bom do ser humano é dedicar-se completamente a Deus. A palavra "perfeito", no versículo 21, é *teleios*, que indica completude, não perfeição absoluta (veja comentários sobre Mt 5.48).

Esta chamada para vender tudo é algo exigido de todos os crentes? Temos numerosos exemplos de pessoas que literalmente vivenciaram isto (cf. At 2.45), mas não foi exigido que todos se privem da riqueza pessoal (cf. At 5.4). Mateus 19.26 indica que é possível que os ricos sejam salvos. As demandas do discipulado variam, como demonstra a Parábola dos Trabalhadores na Vinha registrada em Mateus 20.1-16. Uma coisa é clara: Todo discípulo deve estar propenso a dispensar qualquer coisa que o Mestre ache que venha a impedir o seu andar com Deus. A ação de dar todos os bens não é em si mesma completa, pois Jesus acrescenta: "E vem e segue-me" (Mt 19.21; veja também 1 Co 13.3).

A resposta do jovem é sensata e tremendamente paradigmática para muitos hoje em dia. Ele sai tristemente, querendo seguir Jesus mas agarrando-se à sua inclinação ao materialismo. O tesouro no céu dura. A coisa que preservamos acima de todo custo revela nossos verdadeiros afetos e valores (veja comentários sobre Mt 6.19-21; 13.45,46).

10.6. O Custo e a Recompensa do Discipulado (19.23-30)

O Evangelho de Mateus, que foi escrito tendo em mente os judeus, inclui a palavra semítica *amen* ("em verdade vos digo"), que é a transliteração para o grego, e usa a expressão "Reino dos Céus" no versículo 23 em vez de "Reino de Deus". Note que "Reino de Deus" aparece no versículo 24 (veja Introdução; veja também Mt 6.33; 12.25-28; 19.24; 21.31,43). As duas expressões são sinônimas, e não duas eras ou entidades separadas.

No versículo 24 Jesus emprega linguagem hiperbólica para enfatizar a dificuldade que a riqueza traz ao discipulado (veja também Mt 13.22). O versículo 26 deixa claro que Jesus está expressando o que parece ser fisicamente impossível. Os discípulos podem ter ficado surpresos com a declaração de Jesus, visto que tradicionalmente considerava-se que a riqueza era resultado da bênção de Deus (Dt 28.1-14), embora os perigos da riqueza também sejam comentados no judaísmo (Pv 15.16; 30.8,9; Ez 7.19; Eclesiástico 31.5-7). Aqui novamente Jesus inverteu os valores do mundo (veja Mt 20.24-28).

A pergunta dos discípulos, no versículo 25: "Quem poderá, pois, salvar-se?", contém em si a suposição popular de que as riquezas servem de indicação da bênção de Deus. Se os ricos não serão bem-sucedidos, então como é que os demais serão salvos? Aqui Jesus revela que a verdadeira fonte de salvação é Deus, que pode fazer todas as coisas (v. 26). "Vida eterna" (v. 29) está unido com o verbo "salvar-se" (*sozo*; v. 25), o verbo usado nos Evangelhos para descrever salvamento de perigo ou cura. Isto mostra a idéia mais ampla de salvação em relação ao cumprimento do tempo do fim.

A resposta de Pedro é quase investigatória, quando ele pergunta o que os discípulos receberão por abandonar tudo para seguir Jesus (v. 27). Mas a resposta de Jesus não é uma repreensão; Ele a aceita como pergunta válida. Ele promete recompensa escatológica no fato de os apóstolos se sentarem futuramente em doze tronos e julgarem as doze tribos. Não é necessário identificar estas tribos com Israel ou com a Igreja, o novo Israel. Jesus promete que o custo de segui-lo trará grande recompensa em termos de família, terra e casas. A expressão "cem vezes tanto" não deve ser reduzida a mera forma de competição espiritual com um pagamento de cem por um. As fórmulas têm laivos de magia ou manipulação. Jesus quer dizer que eles serão grandemente abençoados (veja comentários sobre Mt 13.8,23). As recompensas serão terrenas e eternas.

A declaração relativa aos primeiros serem últimos e vice-versa (v. 30), significa, no contexto, que o reconhecimento final surpreenderá muitos. Mas serve principalmente como lide para a Parábola dos Trabalhadores na Vinha (Mt 20.1-16).

10.7. A Parábola dos Trabalhadores na Vinha (20.1-16)

Só Mateus registra esta parábola, que também poderia ser chamada a Parábola do Empregador Misericordioso (veja comentários sobre Mt 13 relativo ao uso que Jesus faz de parábolas). Ele a emoldura começando e terminando com os mesmos dizeres: muitos primeiros serão derradeiros, e muitos derradeiros serão primeiros (Mt 19.30, a ordem é invertida em Mt 20.16). Deste modo Ele não deixa dúvida de qual seja o ponto principal da parábola. Vindo logo depois da história do jovem rico, "muitos primeiros" são os judeus que guardam a lei e são relativamente ricos; "muitos derradeiros" são os trabalhadores pobres que trabalham por um denário, o pagamento básico por um dia de trabalho.

Os pobres nos dias de Jesus viviam de dia a dia; um dia sem trabalho significava um dia sem comida. Não é surpresa que eles tendiam a trabalhar até em dias santos, o que era uma afronta para os devotos observadores da lei. A vinha é alusão a Israel, que foi descrito assim pelos profetas (veja Is 5.1-7; Jr 12.10; Mt 21.33-46). A colheita é imagem de julgamento e tempo do fim, sobretudo para Mateus (Mt 3.12; 13.39,47-50; 21.34).

A hora terceira, sexta, nona e undécima são nove da manhã, meio-dia, três da tarde e cinco da tarde, respectivamente. Os homens estão inativos não porque sejam preguiçosos, mas porque não lhes foi oferecido trabalho (Mt 22.7). A ordem inversa de pagamento, na qual os últimos trabalhadores são os primeiros a serem pagos, não só enfatiza a idéia último-primeiro, mas também expõe a cobiça dos primeiros trabalhadores. Quando aqueles que trabalharam ao longo do calor do dia vêm o senhor dando aos trabalhadores que trabalharam só por uma hora o salário de um dia inteiro, eles esperam que ele lhes dê recompensa muito maior, talvez tanto quanto doze denários! O murmúrio que fazem ao receber um salário justo revela a cobiça dos corações. O olho mau (v. 15) é figura apta para aludir a cobiça e ciúme (veja Mt 6.23).

O pai de família está sendo generoso com os últimos trabalhadores que, junto com suas famílias, sofreriam sem o básico para a sobrevivência. Estes são os proscritos, aqueles que vivem na periferia da respeitabilidade, os "publicanos e pecadores" amparados por Jesus (Mt 11.19). Isto também lembra os leitores de Mateus que Jesus não veio "chamar os justos, mas os pecadores" (Mt 9.13). Misericórdia, não sacrifício, é a política de Jesus para os necessitados (Mt 12.1-7; 9.13, citando Os 6.6). O jovem rico não recebe mais, porém lhe é exigido que dê mais a fim de seguir Jesus e alcançar a vida eterna. Assim Jesus é justo e misericordioso. Talvez os leitores de Mateus tenham achado necessário defender a prática de estender o Reino aos marginalizados (Harrington, 1991, p. 285).

10.8. Jesus Prediz sua Paixão pela Terceira Vez (20.17-19)

Pela terceira vez Jesus prediz seu sofrimento e morte (veja Mt 16.21; 17.22,23); desta feita há um senso de urgência, visto que Ele e os discípulos estão a ponto de entrar em Jerusalém, onde se dará sua morte. "Subindo Jesus a Jerusalém" é mencionado duas vezes para dar ênfase (vv. 17,18). Jesus chama a atenção para a gravidade do evento iminente com sua palavra característica "eis" (*idou*, v. 18).

Jesus identifica especificamente que sua morte será por crucificação, que é método de execução romana, e não judaica. Anteriormente Jesus já tinha dado indicações de sua presciência da cruz (Mt 10.38; 16.24). Ele também entra em pormenores sobre a natureza do seu martírio, que não será glorioso, elegante e asseado, mas de escárnio e açoite. Esta terceira predição dá ocasião para a passagem do cálice do sofrimento que vem a seguir, na qual a morte de Jesus é descrita como "resgate de muitos" (v. 28). (Para inteirar-se de mais detalhes sobre a natureza profética desta declaração, veja comentários sobre Mt 10.38; 16.21,23.)

10.9. A Ambição e a Verdadeira Grandeza (20.20-28)

Este incidente proporciona explicação adicional sobre a declaração "primeiros/últimos e últimos/primeiros" feita por Jesus (Mt 19.30; 20.16). A ambição da família de Zebedeu provê contraste chocante para a predição de Jesus sobre sua morte (Mt 20.17-19). Mateus une os dois (este incidente e a predição) com sua palavra freqüentemente usada "então". O incidente dá oportunidade para explicar mais a respeito do papel da morte de Jesus, como também para corrigir a ambição mundana dos discípulos.

Pode ser que Tiago, João e a mãe deles, com a suposição de que a posição preeminente de Pedro esteja caindo, considerem que o fato de Jesus ter repreendido e corrigido Pedro é oportunidade para avanço político no Reino (Mt 16.22,23; 19.27,30; veja France, 1985, p. 292). A mãe de Tiago e João, talvez compreensivelmente, pede posições preferenciais para os filhos no "regime" de Jesus; Marcos escreve que os próprios homens fazem o pedido (Mc 10.35). Deixar-se desviar com a questão sobre quem na verdade fez a pergunta, é ignorar o fato de que o ponto principal de Mateus é que todos os três estão diante de Jesus quando o favor é pedido. Se a mãe, os filhos ou todos os três fazem o pedido, as palavras de correção de Jesus acertam o alvo. Nos demais discípulos a ambição também se encontra imediatamente abaixo da superfície (Mt 20.24).

A mãe de Tiago e João ajoelha-se diante de Jesus. Não se trata de ato de adoração divina, mas de demonstração de respeito (cf. Mt 2.2; 8.2), ainda que em algumas ocasiões tal genuflexão fosse reconhecimento de que Jesus era mais que mero homem (Mt 14.33; 28.9,17). Para os leitores de Mateus, com a vantagem de compreensão tardia, a mãe estava inconscientemente mostrando honra formal. Seus dois filhos, que prometeram manter sigilo, sabem que Jesus é o ser divino que foi transfigurado diante dos olhos deles (Mt 17.1-8). Tiago e João podem estar pensando no banquete da vitória final, quando Jesus fala sobre "o cálice" (v. 22).

Nesta passagem Jesus não tem em mente o cálice da alegria messiânica; aqui o cálice é de sofrimento, imagem repetidamente usada no Antigo Testamento (Is 51.17; Jr 25.15; 49.12; 51.7; Lm 4.21,22; Ez 23.32,33). O cálice da Última Ceia também será posto no contexto do sofrimento (Mt 26.27,28,39,42). Em outras palavras, Jesus está perguntando se os dois discípulos estão dispostos a beber esta bebida amarga. Eles realmente estão: Tiago foi morto por Herodes (At 12.2), e João foi encarcerado em Patmos (Ap 1.9). O discípulo não está acima do Mestre (Mt 10.24).

A referência a sentar-se à direita e à esquerda de Jesus tem ecos de sua promessa, de os discípulos se sentarem em doze tronos para julgarem Israel (Mt 19.28). As posições direita e esquerda seriam o segundo e terceiro assentos de autoridade depois de Jesus. Trata-se claramente de um desafio à posição que Pedro já tinha recebido (Mt 16.17-19). Na época em que Mateus escrevia, Pedro provavelmente já estava morto, e talvez sua primazia fosse questionada. Aqui Mateus parece apoiar a primazia dos sucessores de Pedro. Só Mateus registra "meu Pai", uma de suas referências favoritas a Deus nos lábios de Jesus (e.g., Mt 7.21; 10.32,33). Só a Deus pertence a escolha dos líderes.

Quando os outros ficam rancorosos com Tiago e João, Jesus aborda a essência da grandeza no Reino (vv. 24-28). Ecoando o tema "primeiros/últimos e últimos/primeiros", Ele mais uma vez vira de cabeça para baixo os valores deste mundo. Os gentios se assenhoreiam dos outros e exercem autoridade. Eles dominam seus súditos. Jesus descreve a grandeza em termos de serviço e de escravidão também; o contraste entre o conceito que o mundo faz de grandeza e o conceito de Jesus é absoluto.

Jesus está a ponto de se tornar o exemplo supremo de serviço na sua morte sacrifical. A palavra "resgate" (*lytron*) era usada para descrever a libertação de cativeiro mediante compra. "De [*anti*] muitos" significa "em lugar de muitos", o que esclarece que Jesus morrerá no lugar dos "muitos" (possivelmente os eleitos ou a comunidade do concerto; veja Dn 12.2,3; Normas da Comunidade 6.11-13). Esta declaração alude à figura do Servo Sofredor profetizado por Isaías (Is 53.11,12). Mateus entende que a iminente morte de Jesus é um sacrifício perdoador, fato já antecipado em Mateus 1.21, onde ele registra que o nome de Jesus, "o Senhor salva", indica que "ele salvará o seu povo dos seus pecados".

10.10. Jesus Cura Dois Cegos (20.29-34)

Jesus cura dois cegos em Jericó concluindo seu ministério antes de entrar em Jerusalém. Jesus sabe que Ele está a caminho de morrer, contudo, Ele caracteristicamente se detém para curar dois cegos. Em meio ao fervor messiânico e esperanças nacionalistas, Ele deixa muitos esperando a fim de ministrar a duas pessoas necessitadas. Não há dúvida de que Mateus quer que isto seja programático para seus leitores.

Mateus usa sua palavra-chamariz "eis" (*idou*) para apresentar os *dois* cegos (Mc 10.46 e Lc 18.35 registram só *um* cego; cf. fenômeno similar em Mateus com dois endemoninhados [Mt 8.28], dois outros cegos [Mt 9.27] e dois jumentos na entrada triunfal de Jesus [Mt 21.2,7]). Várias sugestões foram feitas para explicar a tendência de Mateus "duplicar", nenhuma das quais é completamente satisfatória:
1) Uns indicam que Mateus quis fornecer duas testemunhas para o milagre fazendo com que duas pessoas recebessem a cura, visto que a lei judaica exigia testemunhas múltiplas; contudo, semelhante procedimento é desnecessário já que outras pessoas testemunharam o milagre;
2) Outros comentam que a duplicação é uma característica estilística de Mateus, cujo propósito escapa dos leitores modernos;
3) É possível que neste ponto Mateus não esteja usando Marcos como fonte.

Os cegos se dirigem a Jesus por "Filho de Davi" (Mt 20.30; cf. Mt 9.27-31). Isto antecipa a confissão messiânica das multidões, quando Jesus entra em Jerusalém e repete deliberadamente o ato de Salomão, filho de Davi, que montou numa mula no mesmo vale onde foi proclamado rei (1 Rs 1.33-53). Lá, as multidões em Jerusalém também saúdam Jesus como "Filho de Davi" (Mt 21.9). Só Mateus registra o uso desse título, de acordo com sua apresentação característica de Jesus, o Rei. Mas aqui em Jericó o "Filho de Davi" é retratado como aquEle que cura os necessitados (veja também Mt 9.27-31; 12.22-24; 15.21-28), enquanto que as multidões vêem as necessidades dos cegos como um impedimento à compreensão que têm do programa do Messias. Na tradição judaica, Salomão, filho de Davi e o homem mais sábio que já viveu (1 Rs 4.31), também sabia exorcizar demônios e curar pessoas (e.g., Josefo, *Antiguidades Judaicas*; Testamento de Salomão). Jesus cumpre o papel de Salomão como exorcista, e aquEle que cura como também o papel de sábio e rei.[11]

Os cegos dirigem-se a Jesus por "Filho de Davi" e "Senhor" (kyrie), quando clamam: "Tem misericórdia de nós". Como comentado em outro lugar, pode ser mero tratamento respeitoso, mas os leitores têm a vantagem de compreensão tardia, e o uso do título "Senhor" assume significado intensificado, cada vez mais assemelhando-se a uma oração. A expressão "tem misericórdia" junto com a palavra "Senhor" pode ter sido uma frase usada na liturgia da comunidade de Mateus (Meier, 1990, p. 230).

Quando os cegos são levados a Jesus, eles usam "Senhor" novamente quando pedem que Ele lhes abra os olhos (Mt 20.33). O fato de Jesus curar estes dois homens destaca sua "íntima compaixão" (Mt 20.34; veja também Mt 18.27), talvez surpreendente, na medida em que Ele está ciente de estar indo em direção à morte. A abertura dos olhos tem significado duplo. Os cegos pedem que Jesus lhes cure os olhos físicos (*ophthalmoi*), mas Mateus diz que Jesus lhes toca os *ommata*, outra palavra para se referir a olhos (que em outro lugar no Novo Testamento só ocorre em Mc 8.23). Platão usa esta palavra poeticamente para descrever os olhos da alma (veja também 1 Clemente 19.3). Talvez Mateus queira mostrar que mais que olhos físicos são curados, pois logo que os dois cegos são curados, eles seguem Jesus — não só o acompanham a Jerusalém, mas o seguem no discipulado.

Mateus está contrastando a "cegueira", a ambição avarenta de Tiago e João (Mt 20.20-28) com a humildade, a fé persistente e o *insight* destes dois mendigos cegos, que seguem Jesus incondicionalmente. Ele também contrasta a visão restabelecida dos homens com a cegueira espiritual dos inimigos de Jesus, com quem Ele logo se encontrarão em Jerusalém. Ao contrário da outra cura dos dois cegos (Mt 9.27-31), Jesus não exige silêncio. O tempo para o silêncio passou. Ele está a ponto de representar seu papel como Rei e receber aclamação régia das pessoas na sua entrada triunfal em Jerusalém (Mt 21.1-9).

11. O Ministério em Jerusalém (21.1—23.39).

11.1. A Entrada Triunfal (21.1-11)

Jesus faz sua aproximação de Betfagé (que significa "casa de figos"), um subúrbio de Jerusalém no monte das Oliveiras. Ele proclama seu messiado deliberadamente quando monta o jumentinho em Jerusalém. Não está claro se Jesus combinou anteriormente com os donos para tomar emprestado os animais, ou se os discípulos simplesmente pegaram a jumenta e seu jumentinho em obediência a Jesus. A última opção é mais provável, uma vez que Ele antecipa possíveis objeções (v. 3). O que poderia ser interpretado por roubo é uma requisição dos animais para uso oficial, que era prerrogativa de reis e rabinos. A resposta que os discípulos devem dar é clara: "O Senhor precisa deles". "Senhor" (*kyrios*) significa "mestre" ou "dono", mas para o leitor cristão tem maior significado como título divino.

Marcos, Lucas e João registram que Jesus usa um jumentinho, ao passo que Mateus diz que Jesus manda os discípulos buscarem o jumentinho com sua mãe (Mt 21.2; Mc 11.2; Lc 19.30; Jo 12.14). Já observamos a tendência de Mateus mencionar duas pessoas quando os outros Evangelhos mencionam só uma (e.g., Mt 8.28; 9.27; 20.30). É possível que Mateus tenha informação historicamente precisa sobre dois animais neste episódio. Talvez a mãe seja trazida para manter o jumentinho calmo. A referência paralela de Zacarias 9.9 a um jumento *e* um asninho, filho de jumenta, obviamente o mesmo animal, pode ter sido a inspiração para os dois. Qualquer solução sugerida para os "dois" de Mateus não é completamente satisfatória.

A questão mais importante é que Jesus deliberadamente se identifica como o Messias e, assim, cumpre a profecia. Até aqui não é feita menção nos Evangelhos de Jesus viajar montado num animal; com certeza Ele não precisaria ir montado num jumentinho para perfazer a distância de Betfagé aos portões da cidade, a qual poderia ter sido percorrido à pé. Dos escritores sinóticos, só Mateus nota que as ações de Jesus cumprem a profecia (Mt 21.4,5; cf. também Jo 12.14,15). Isto é característico do registro freqüente de Mateus aludir o cumprimento de profecia com sua expressão introdutória: "Para que se cumprisse o que foi dito pelo profeta". A primeira parte de sua citação é de Isaías 62.11 e a segunda, de Zacarias 9.9. O monte das Oliveiras é o local da volta do Messias (veja Zc 14.4).

No uso que Mateus faz de Zacarias 9.9, ele omite as palavras "justo e Salvador", e a descrição subseqüente de um Messias vitorioso, preferindo enfatizar Jesus como humilde (*praus*; veja Mt 5.5; 12.18-21). O jumentinho é um transporte de paz, não de guerra; o conquistador vem como pacificador humilde. A profecia de Zacarias tem ecos do retorno de Davi do leste, depois que a insurreição de Absalão foi debelada. Outrossim, o fato de outro "Filho de Davi", Salomão, ter montado a mula de Davi, seu pai, quando foi coroado na fonte de Giom no mesmo vale ao longo do qual Jesus está agora indo montado no jumentinho (1 Rs 1.38) não teria passado despercebido pela audiência judaica de Mateus.

As roupas sobre o jumentinho servem de sela e decoração festiva. Jesus se senta sobre as vestes no jumentinho. O ato de as multidões espalharem suas vestes na estrada diante de Jesus assemelha-se à ação das pessoas quando Jeú foi declarado rei. Ele ficou em cima das roupas das pessoas como sinal de que ele era o senhor dos donos das roupas (2 Rs 9.13).

Embora as ações de cortar e espalhar ramos e gritar "Hosana" sejam mais rememorativas da Festa dos Tabernáculos e da Festa da Dedicação, é muito claro que este evento ocorreu na época da Páscoa (veja também Jo 12.1,12). Presumivelmente algumas das mesmas atividades aconteciam em várias celebrações judaicas. Os Salmos de Hallel (Sl 113—118) eram usados regularmente nas festividades. "Hosana" é a versão grega transliterada da expressão hebraica, "Salva-nos" (Sl 118.25), que era termo usado mais como exclamação de louvor do que oração de ajuda. Repare que no Salmo 118 seguem-se estas palavras: "Bendito aquele que vem em nome do SENHOR; nós vos bendizemos desde a Casa do SENHOR" (Sl 118.26).

Dos escritores dos Evangelhos só Mateus registra especificamente que as multidões se dirigem a Jesus por "Filho de Davi" (Mt 21.9), embora esteja implícito em Marcos 11.10, Lucas 19.38 e João 12.13. Isto está de acordo com a ênfase de Mateus em Jesus como o Rei davídico e tem ecos no modo como os cegos se dirigiram a Jesus na passagem anterior (Mt 20.31) e no clamor das crianças, quando mais tarde Jesus cura no templo (Mt 21.14,15). Também só Mateus diz que toda a Jerusalém se alvoroçou ou foi sacudida (Mt 21.10). Ainda que Mateus queira que aqui o significado seja figurado, ele usa o verbo grego *seio* (relacionado com o substantivo *seismos*, que significa "tempestades, terremotos, perturbações civis"). A vinda de Jesus a Jerusalém, junto com sua morte e ressurreição, é literal e figuradamente um evento que sacode as fundações da terra e da sociedade (veja também Mt 24.7; 27.51,54; 28.2,4; Hinnebusch, 1980). A entrada de Jesus em Jerusalém é um acontecimento apocalíptico. Note a semelhança deste tumulto com a perturbação na qual Jerusalém ficou quando da chegada dos magos que traziam notícias do nascimento de Jesus (Mt 2.3).

A multidão também se refere a Jesus como "o profeta de Nazaré da Galiléia" (Mt 21.11). Esta nomenclatura indica a opinião espontânea do público de quem é Jesus (veja Mt 16.14). Mateus também está afirmando que Jesus é o Profeta a quem muitos judeus anteciparam como parte do cumprimento da promessa de Moisés registrada em Deuteronômio 18.15-18.

11.2. A Purificação do Templo (21.12-17)

Ainda que Mateus possa estar escrevendo depois da destruição do templo que ocorreu em 70 d.C., o registro histórico requer a inclusão deste incidente. Talvez ele esteja tentando mostrar que a Igreja é a verdadeira comunidade do templo (Meier, 1990, pp. 235, 236), questão crucial para os crentes de antes e depois da destruição do templo. Ele também pode estar dando resposta cristã à destruição, que mesmo com quarenta anos de antecedência Jesus sabia que algo estava errado no sistema. Uns julgam que Mateus, na época em que escrevia, não se importou em relatar a purificação de um templo em ruínas; por conseguinte, ele escreveu *antes* da destruição (veja Introdução: Como e Quando Mateus Escreveu).

As ações de Jesus ocorrem no pátio dos gentios, a parte externa do templo, aberta a judeus e gentios igualmente. Era aqui que se dava a venda necessária de animais para os sacrifícios. Estas transações só podiam ser feitas com moedas tírias; assim, havia intenso câmbio de moeda corrente. Não há condenação explícita da prática, a menos que a referência a "covil de ladrões" seja denúncia geral de fraude comum. Jeremias usou esta expressão não para denunciar a prática na adoração feita no templo, mas sim para criticar o estilo de vida das pessoas que contaminavam o lugar santo (Jr 7.1-15).

Agindo no papel de Filho de Davi, pois como tal Ele foi aclamado em sua entrada triunfal, Jesus deseja revolucionar o uso do templo, o qual foi desviado da oração para práticas menos importantes. Este negócio monopólico controlado pelos sacerdotes e levitas gerava muita riqueza, tornando a corrupção uma possibilidade constante. As ações de Jesus são pressagiadas por Zacarias, que predisse que no Dia do Senhor nenhum cananeu ou comerciante estaria "na Casa do SENHOR dos Exércitos" (Zc 14.21; veja também Ml 3.1-5; Salmos de

Salomão 17.30). O templo tinha sido purificado depois da abominação da desolação introduzida pelo pagão Antíoco Epifânio (c. 168 a.C.) e da conquista de Jerusalém feita pelo romano Pompeu em 66 d.C. Aqui a extrema ação de Jesus declara que mais uma vez o templo foi profanado, desta vez pelos próprios judeus.

Mateus observa o uso apropriado do templo pela presença de cegos e coxos, e por Jesus os curar. Seu ancestral Davi proibiu que os cegos e coxos entrassem no templo, mas Jesus, na função de Messias e Rei reformador, inverte este edito (2 Sm 5.8). Mateus já tinha visto que Jesus "é maior do que o templo" e, portanto, capaz de revisá-lo (Mt 12.6). Isaías predisse a rescisão das exclusões cerimoniais para os justos, que experimentariam o templo como uma "casa de oração" (Is 56.1-7).

As crianças aclamam Jesus como "Filho de Davi", apresentado aqui como aquEle que cura (cf. Mt 9.27-31; 12.22-24; 15.21-28; veja comentários sobre Mt 20.29-34). Estas crianças estão em contraste com a elite religiosa, os principais sacerdotes e os doutores da lei (escribas), que estão furiosos com o *insight* das crianças (veja comentários sobre Mt 11.25 para o vínculo entre as crianças e os crentes). Só uma vez antes Mateus agrupou os principais sacerdotes e os doutores da lei, quando inconscientemente ajudaram Herodes na sua tentativa de matar o menino Jesus (Mt 2.4). Em breve eles se juntarão ao poder secular para matar Jesus.

Este crescente conflito entre Jesus e os inimigos vem aumentado continuamente desde que Ele deixou de lado a política de evitar confrontações (Mt 12.13-21) e começou a contra-atacar (Mt 16.1-12). Ele sabe que o conflito com os principais sacerdotes e escribas é inevitável (Mt 16.21; 20.18), e à medida que o tempo certo se aproxima, Ele leva a batalha implacavelmente para a porta deles. Estes grupos intencionalmente cegos estão em contraste com os cegos de Jericó, que agora vêem e seguem Jesus (Mt 20.34).

Jesus responde aos oponentes de forma tipicamente rabínica: "Nunca lestes [...]?" (Mt 21.16). Ele cita o Salmo 8.2, que diz que da boca das crianças Deus ordenou o louvor. Mais uma vez Mateus enfatiza o cumprimento de profecia. Embora Jesus não cite o restante do versículo, seus inimigos cultos sabem o que se segue: "Por causa dos teus adversários, para fazeres calar o inimigo e vingativo". Está claro que foi demarcado um limite; mesmo com a presença de milagres sobrenaturais no templo e com a volta da Glória ao templo, os inimigos não vêem.

11.3. A Figueira É Amaldiçoada (21.18-22)

A maldição que Jesus lança sobre a figueira é uma de suas ações mais enigmáticas. A natureza destrutiva deste milagre é chocante, e inicialmente não parece característica de Jesus. Mas ela se encaixa com a postura agressiva que Ele assume ao entrar em Jerusalém pela última vez, conforme é visto na purificação do templo (Mt 21.12-16) e nas subseqüentes confrontações com os líderes judeus (Mt 21.23—22.46), e serve muito bem para o tema principal dos ensinos finais do Senhor antes da crucificação: o julgamento (Mt 23—25). O tempo é um tanto quanto diferente em Marcos (antes da purificação), embora seu significado seja essencialmente o mesmo.

Este episódio da figueira sendo amaldiçoada por Jesus tem no mínimo dois significados em Mateus:

1) Dada sua proximidade com a purificação do templo, é um indiciamento dos principais sacerdotes e escribas, que se opõem às ações de Jesus. Em Jeremias 8.4-13 a frutificação das pessoas é devido à "falsa pena dos escribas", à falsidade dos profetas e sacerdotes. Em resultado, Jeremias escreve: "Já não há [...] figos na figueira, e a folha caiu" (Jr 8.13; veja também Os 9.10-16; Mq 7.1). Jesus não é o único dos seus dias a ver os defeitos na liderança do templo; é por esta mesma razão que a comunidade de Qumran se isolou na região do mar Morto.

2) Jesus também usa a imagem da figueira seca como lição para os discípulos sobre o poder da fé e a eficácia da oração (Mt 21.21,22). Em ocasiões anteriores, Jesus censurou os discípulos pela ineficácia da

fé deles (Mt 6.30; 8.26; 14.31; 16.8; 17.20). O monte a que Jesus se refere é provavelmente o monte das Oliveiras que Zacarias disse que nos últimos dias seria dividido (Zc 14.4). Jesus não está dizendo aqui que a fé é uma chave para adquirir qualquer capricho insignificante. Devemos evitar teologias que reduzem a oração e a fé a uma fórmula tão-somente para que a pessoa obtenha o que se quer, em vez de ser para o avanço do Reino de Deus. Tiago, João e a mãe deles criam indubitavelmente que o pedido que faziam seria concedido, mas não o foi (Mt 20.20-28). A eficácia da fé pressupõe uma relação confiante com Deus, não uma manipulação da bondade de Deus (Mt 8.10; 9.2,22; 15.28). A primeira é crença verdadeira, ativa e eficaz; a última é magia que beira a bruxaria.

11.4. "Com que Autoridade"? (21.23-27)

Jesus agora confronta abertamente "os príncipes dos sacerdotes e os anciãos do povo" (Marcos e Lucas adicionam "escribas", ou seja, os doutores da lei; Mc 11.27-33; Lc 20.1-8). Estes grupos controlavam o Sinédrio, o principal corpo administrativo judaico em Jerusalém. Os anciãos representam as famílias influentes. Antes disto, a maior parte do conflito de Jesus era com os fariseus, que controlavam muitas das sinagogas fora de Jerusalém. Mas em breve eles também se unirão contra Jesus com estes outros grupos, junto com os herodianos e saduceus, com quem eles freqüentemente entravam em desavenças (Mt 21.45; 22.15,16,23,34,41). Com sua entrada em Jerusalém Jesus mudou sua tática habitual de evasão diante de provocação direta, tendo executado ações que deliberadamente afirmavam seu messiado. Quando os inimigos contra-atacavam, Ele avançava ainda mais, abandonando toda reserva.

Numa outra escaramuça os discípulos de Jesus expressaram preocupação sobre a conseqüência de ofender os poderes locais (Mt 15.12). Quanto mais eles devem ter ficado perturbados com a gravidade de antagonizar deliberadamente os mais supremos poderes da nação na própria capital! Esta é a primeira das cinco confrontações entre Jesus e seus oponentes, que se conclui em Mateus 22.46.

Jesus expulsou os cambistas do grande Pátio dos Gentios, que cercava o templo e seus átrios sagrados e murados, aqui mostrados numa maquete de Jerusalém. Ele censurou o povo dizendo que o templo seria usado para oração.

Jesus está ensinando quando os principais sacerdotes e os anciãos o confrontam com uma pergunta sobre a fonte da autoridade dEle (Mt 21.23). Usando método tipicamente rabínico, Jesus faz uma contra-pergunta. Ele não consente com o poder deles, mas sugere que o seu poder é maior. A pergunta que fazem é projetada a colocá-lo em posição na qual Ele possa ser acusado de blasfêmia (Harrington, 1991, p. 299), acusação esta que mais tarde vem à tona no julgamento (Mt 26.63-65).

A pergunta de Jesus relativa à origem do batismo de João Batista (i.e., sua pregação, veja Mc 1.4; Lc 7.29,30; cf. Mt 21.31,32) é um contra-ataque brilhante, que coloca os inimigos à beira de um tremendo desastre político; o movimento dos inimigos, "cheque", é respondido com um "xeque-mate" imediato. Eles estão bem cientes do dilema em que se encontram. Se eles dizem que João Batista era do céu, então o fato de eles rejeitarem o batismo de João Batista os condena (veja Mt 3.7; Lc 7.29,30). Contudo, eles não ousam dizer que a mensagem de João Batista estava errada, porque ele foi aclamado pelo povo (Lc 7.29; cf. Josefo, *Antiguidades Judaicas*).

A aprovação de João Batista e Jesus pelas massas é a razão de os líderes não poderem se mover contra Jesus a despeito de estarem na sua esfera de influência mais forte: o templo e a capital. A estratégia de Jesus mudar seu ministério para a cidade densamente habitada é brilhante. Note que eles ousam se mover contra Jesus só depois que o traidor Judas divulga quando e onde o Mestre estará separado da turba de adoradores.

A resposta dos líderes judeus à contra-pergunta de Jesus é mais diplomática que direta: "Não sabemos". A verdade é que eles estão com medo de dizer o que realmente pensam. A resposta de Jesus mostra que Ele está no controle: "Nem eu vos digo com que autoridade faço isso". Ele não se sente constrangido a responder pela autoridade deles. Com a recusa Ele está dizendo efetivamente que a fonte do seu poder é tão óbvia quanto a de João Batista.

11.5. A Parábola dos Dois Filhos (21.28-32)

Jesus continua contra-atacando os inimigos com três parábolas que tratam da rejeição dos líderes de Israel. Mateus introduz estas parábolas com a expressão: "Mas que vos parece?" (cf. Mt 17.25; 18.12). De acordo com os profetas, a vinha nas duas primeiras parábolas representa Israel (Sl 80.8-19; Jr 2.21; Ez 19.10). Na Parábola dos Dois Filhos, o primeiro filho representa os pecadores arrependidos que agora servem ao Pai, ao passo que o segundo filho retrata os líderes que honram a Deus com os lábios mas cujo coração está longe (Is 29.13). Anteriormente Jesus já tinha se associado com os publicanos e pecadores, e os inimigos lançaram-lhe isso em rosto (Mt 9.9-13). Agora Ele menciona os pecadores para reprovar os principais sacerdotes e anciãos. A chamada de João Batista ao arrependimento teve profundo impacto nos pecadores arrependidos que viviam na periferia da respeitabilidade (veja esp. Lc 3.10-14; 7.29,30).

O uso do título respeitoso "senhor" (*kyrie*, Mt 21.30) é típico de Mateus e provavelmente tem significado duplo para ele e sua audiência. Nos lábios do filho hipócrita, faz o leitor lembrar das palavras ditas anteriormente por Jesus: "Nem todo o que me diz: Senhor, Senhor! entrará no Reino dos céus, mas aquele que faz a vontade de meu Pai, que está nos céus" (Mt 7.21).

Previamente em seu ministério, Jesus explicava as parábolas aos discípulos em particular (Mt 13.13-16,36), mas agora, Ele ousada e diretamente explica a parábola aos líderes judeus, provavelmente com o propósito de forçar todos os que ouvem a escolher ou rejeitar: "Em verdade vos digo que os publicanos e as meretrizes entram adiante de vós no Reino de Deus" (Mt 21.31). Jesus deixa aberta a possibilidade de que a elite "respeitável" venha a seguir os publicanos e pecadores no Reino de Deus, mas considerando o caráter apocalíptico da parábola, soa friamente como palavras de julgamento final.

11.6. A Parábola dos Lavradores Maus (21.33-46)

Mateus deseja que esta parábola amplie a mensagem da anterior; por conseguinte ele diz: "Ouvi, ainda, outra parábola" (v. 33). Os "servos" (v. 34) enfatizam as múltiplas testemunhas que Deus enviou a Israel através dos profetas. No Antigo Testamento Israel é descrito como a vinha de Deus (Sl 80.8; Is 5.1-7; Jr 2.21; Ez 19.10). Conseqüentemente o dono é Deus, e os lavradores são os líderes de Israel, quer dizer, os principais sacerdotes e anciãos (Mt 21.23). Os lavradores não só bateram nos servos, mas também mataram e apedrejam alguns deles (v. 35). Isto faz a história se adequar com a experiência dos profetas que Jesus está a ponto de sofrer com paciência.

O envio do filho do pai de família ocorre numa era distinta ("por último", v. 37), o que indissoluvelmente vincula o filho com Jesus. Como Jesus, na paixão prestes a acontecer, o filho é lançado fora da vinha e depois é morto (v. 39) — exatamente como aconteceria com Jesus, que foi conduzido para fora da cidade de Jerusalém e depois crucificado.

As ações dos arrendatários não parecem tão estranhas quando observamos o costume do século I. Uma tradição dizia que os arrendatários tinham direito à terra se o dono não tivesse colhido sua parte da colheita em quatro anos; outra afirmava que a terra de um prosélito que morria sem herdeiro seria concedida aos arrendatários. Todos os esforços em explicar tal comportamento são supérfluos; cobiça e ciúme são os motivos operacionais. Os principais sacerdotes e anciãos reconhecem que as ações dos arrendatários são odiosas e, ao condená-los, eles se condenavam: "Dará afrontosa morte aos maus" (v. 41). O fraseado desta expressão é enfático em grego e inclui um jogo de palavras. Mateus está enfatizando a certeza de julgamento dos inimigos de Jesus: "Os maus ele vai destruí-los maldosamente".

Aqui Jesus se identifica publicamente como o Filho de Deus; previamente apenas os discípulos estavam a par disso (Mt 16.16). Talvez este seja o incidente que dá aos inimigos a acusação que eles usarão no julgamento de Jesus: "Conjuro-te pelo Deus vivo que nos digas se tu és o Cristo, o Filho de Deus" (Mt 26.63).

Mateus registra diversas vezes que Jesus usou a expressão: "Nunca lestes nas Escrituras" (Mt 21.42), quando se identifica numa passagem do Antigo Testamento (Mt 12.3; 19.4; 21.16; veja também Mc 12.10). A imagem da pedra referindo-se a Jesus, o Messias, evoca várias alusões ao Antigo Testamento além do Salmo 118.22,23 (Is 8.14,15; Dn 2.34,35,44,45). Esta imagem é importante imagem messiânica (Rm 9.32,33; 1 Pe 2.4-8). O Reino dado a outra nação (Mt 21.43,44) diz respeito à transferência do Reino de Deus a uma "nação" (*ethnos*). Não se refere aos gentios *per se*, pois nesse caso o termo seria usado no plural: "nações" (*ethne*). Embora a predominante rejeição da Igreja pelos judeus e a destruição de Jerusalém garanta um grupo de constituintes predominantemente gentio para a Igreja, aqui Jesus está dizendo que uma nova liderança será instalada para o Reino de Deus.

No versículo 44 a referência a pedra que despedaça não está em muitas antigas cópias importantes de Mateus. Se pertence a este Evangelho (cf. Lc 20.18), Jesus está predizendo que o ato de os líderes rejeitarem Jesus os levará à própria destruição, como também tem resultados desastrosos para muitas pessoas. Quando os principais sacerdotes percebem que Jesus os está acusando, querem prendê-lo mas não podem porque têm medo das pessoas que o consideram profeta (Mt 21.45,46; cf. Mt 21.11).

11.7. A Parábola das Bodas (22.1-14)

Jesus continua seu contra-ataque contra os principais sacerdotes e anciãos com uma terceira parábola. Mateus liga-a com as duas precedentes usando a expressão: "Jesus [...] tornou a falar-lhes em parábolas". Lucas tem uma parábola estreitamente alinhada a esta (Lc 14.15-24), que trata de um banquete preparado por "certo homem". A versão de Mateus implica a festa de casamento de um rei, de acordo com sua ênfase na realeza de Jesus. Enquanto Lucas informa que os convidados dão desculpas detalhadas, Mateus diz simplesmente que eles não iriam.

Mateus começa a parábola usando uma de suas frases favoritas. "O Reino dos céus é semelhante a". Nela, o filho de um rei está se casando, cena que tem implicações escatológicas e de julgamento final (veja também Mt 25.1-13; Ap 19.7-9). A gravidade do convite é menosprezada na ocupação com assuntos de menor importância (Mt 22.3,5; veja também Mt 13.22; 19.16-26). Como faz na Parábola dos Lavradores Maus (Mt 21.35), Mateus registra a perseguição e o assassinato dos servos, tornando a história paralela ao martírio dos profetas.

O rei desprezado fica com raiva, de forma que o convite é estendido a qualquer um que vá; destrói a cidade daqueles que rejeitaram a chamada e assassinaram os emissários que ele mandou. Talvez esta seja referência à futura destruição de Jerusalém (70 d.C.). Embora os condenados sejam os líderes dos judeus, a nação inteira de Israel sofre em conseqüência.

O tema de julgamento não termina com a destruição daqueles que rejeitaram o convite. Jesus nota que "tanto maus como bons" atendem o convite e estão no banquete (v. 10). Um destes novos convidados está inadequadamente vestido. Não nos é dito por que o rei objeta este homem. Talvez roupas especiais tenham sido fornecidas ou o homem não teve tempo ou meios de arranjar uma — são questões que não nos são respondidas e são irrelevantes para o ponto principal da parábola. Como no antigo concerto, assim será na comunidade do novo Reino: Os maus serão eliminados dos bons (veja Mt 13.1-50). As "trevas exteriores" e o "pranto e ranger de dentes" (Mt 22.13) representam o julgamento final e irrevogável. Tanto o Israel de antigamente como a comunidade da Igreja passarão pelo julgamento.

Aqui Jesus está dando uma interpretação cristã da história de salvação. A liderança da comunidade eleita de Deus passa dos centros judaicos convencionais de poder para a Igreja emergente (cf. Mt 21.43-45). A palavra "escolhidos" (*eklektoi*, Mt 22.14) pode ser termo para aludir a "comunidade messiânica de salvação", e não tem o propósito de ser uma declaração sobre predestinação. Esta palavra é usada deste modo no Novo Testamento, na literatura de Qumran e no livro pseudepigráfico de Enoque (veja Jeremias, 1971, p. 131). A eleição ao longo do Evangelho de Mateus é pressuposta na ação de Deus e na resposta do povo (Mt 5.17-20; 18.23-35). O versículo 14 serviria como advertência dissonante a "fazer cada vez mais firme a vossa vocação e eleição" (2 Pe 1.10; veja também Rm 8.28-33).

11.8. O Tributo a César (22.15-22).

Os fariseus e os herodianos agora se unem para emaranhar Jesus numa pergunta ardilosa, embora os fariseus sejam os agressores primários. Os herodianos eram partidários políticos de Herodes Antipas, que, como governante na Galiléia, devia seu poder às forças romanas de ocupação. Aqui estão dois aliados improváveis, pois os fariseus encaram os herodianos como agentes de um odiado governo estrangeiro e simpatizantes do helenismo, com cuja mentalidade Antíoco IV tinha anteriormente ameaçado a própria existência do judaísmo.

Este é o começo de uma nova ofensiva contra Jesus depois que Ele atacou verbalmente os inimigos no templo (Mt 21.12-16). O que se segue é uma série de ataques e contra-ataques sobre questões políticas, sociais e teológicas. Fingindo aprovar Jesus, os fariseus expressam a realidade da popularidade de Jesus com as massas usando um imparcial "Mestre" (Mt 22.16; veja comentários sobre Mt 8.18-22). Então eles apresentam a Jesus uma pergunta: "É lícito pagar o tributo a César ou não?" (Mt 22.17).

À primeira vista a pergunta é bastante inocente, mas trata-se de uma armadilha bidirecional. Se Jesus responde sim, Ele está para perder o favor que tem com o povo, que acha que o tributo dado às forças de ocupação romana é um enorme fardo e lembrança do *status* de dominado. Tal resposta pode pôr Jesus numa "lista" de assassinos dos zelotes. Em contraste, uma resposta negativa agrada o povo, mas o coloca em oposição direta aos romanos e seus companheiros herodianos, e põe em risco a possibilidade de prisão.

Jesus percebe a "malícia" ou más intenções dos seus interrogadores e os enfurece dizendo que eles são "hipócritas" (Mt 22.18), acusação que Ele repete muitas vezes no capítulo 23. Ele pede uma moeda de um denário romano (veja comentários sobre Mt 20.1-7), a moeda usada para pagar impostos. Esta moeda tinha a figura, o nome e o título de César, "Filho do Divino Augusto", objeto muito ofensivo e idólatra para os judeus. Ainda que o pedido de Jesus soe inocente, é na verdade uma contra-armadilha, pois quando os inimigos tiram um denário das *próprias* bolsas, traem o quanto *eles* estão envolvidos no assunto! Visto que pela lei o povo tinha de pagar o imposto com a moeda de César e só com a dele, Jesus está dizendo que para começar se dê (ou devolva, *apodidomî*) ao imperador o que claramente é dele. Em outras palavras, o imposto deve ser pago, mas Jesus evita cair na armadilha dos inimigos levantando uma questão muito mais importante: O que devemos a Deus?

Aqueles que odeiam a ocupação romana aprovariam a pergunta mais premente de Jesus, pois Ele não está dizendo que é adequado obedecer cegamente um poder secular. Em algumas questões temos de resistir, mas o imposto não é uma delas. Jesus é mestre em discernir as questões mais importantes e fazer perguntas melhores (cf. Mt 9.4-6; 12.1-13; 16.13-16; 20.22). Jesus não usa esta manobra apenas para frustrar os planos dos adversários, mas a oferece como princípio diretivo para os cristãos. Os que ouviram isso "maravilharam-se" (Mt 22.22), tanto pelo brilho da astúcia de Jesus em safar-se da armadilha e ficar em posição de força, quanto pela sabedoria de saber a diferença entre obrigações menores e obrigações indispensáveis.

11.9. Jesus Fala sobre a Ressurreição (22.23-33)

Ainda como outra grande arma no crescente arranjo dos oponentes de Jesus, os saduceus fazem uma pergunta no esforço de apanhar Jesus numa armadilha. Esta pergunta ocorre "no mesmo dia" em que sucedeu a confrontação com os fariseus e herodianos. Os saduceus também se dirigem a Jesus por "Mestre" (veja comentários sobre Mt 8.18-22). A pergunta sobre a ressurreição expressa a posição teológica que eles mantêm, a qual nega a vida depois da morte — doutrina que Jesus e os fariseus advogam (At 23.8). Os saduceus reconheciam só o Pentateuco como escrito autorizado, e visto que as passagens mais explícitas a respeito da ressurreição estão em outros lugares (e.g., Is 26.19; Dn 12.2), eles negavam tal ensino.

A pergunta sobre a mulher que ficou viúva sete vezes e a ressurreição diz respeito à prática do levirato, no qual um irmão de homem falecido poderia ser chamado para se casar com a viúva. Assim ele geraria filhos para perpetuar o nome do irmão (Dt 25.5,6; cf. Gn 38.8). Os saduceus escolhem especificamente uma prática do Pentateuco na tentativa de mostrar que o conceito da ressurreição é incompatível com a Torá, e não fazia parte do plano nos escritos de Moisés. Na opinião deles a idéia de uma mulher ter sete maridos na vida após a morte é absurda, levando-os a concluir que a doutrina da ressurreição é insustentável.

Jesus leva em conta que os saduceus entendem mal a natureza da vida depois da morte, a qual tem caráter diferente da vida terrena. Ele não diz que os crentes se tornarão anjos, mas que eles serão *como* anjos, em cujas atividades normais não se incluem o casamento (veja 1 Co 15.35-50; cf. comentários sobre Mt 18.6-11). Semelhantes complexidades terrenas não são problemas para Deus prometer a ressurreição; poucos detalhes nos são dados, e sim uma certeza bem fundada (1 Jo 3.2).

Jesus alude a Êxodo 3.6, que mostra que a vida depois da morte não é incompatível nem completamente ausente nos cinco livros de Moisés. Na sarça ardente Deus fala com Moisés, dizendo: "Eu *sou* o Deus de teu pai, o Deus de Abraão, o Deus de Isaque e o Deus de Jacó" (ênfase minha). Jesus acha significativo que Deus não disse "era". Os patriarcas estão bem vivos. Deus continua tendo uma relação com os crentes na função de "o Deus [...] dos vivos". Aqui Jesus assume o papel de intérprete e árbitro últimos da Escritura (veja comentários sobre Mt 5.17,18). Esta passagem também antecipa a própria ressurreição de Jesus (Mt 28.1-10). Como na seção prévia, Mateus registra a surpresa do povo com o ensino de Jesus (Mt 22.33).

11.10. O Grande Mandamento (22.34-40)

A pergunta acerca do maior mandamento era tema comum entre os rabinos, e Jesus provavelmente abordou-a em várias ocasiões (Lucas registra os comentários de Jesus sobre o resumo da lei num ponto anterior do seu ministério; veja Lc 10.25-28). Os fariseus conferenciam entre si depois de ouvirem como Jesus silenciara os saduceus (Mt 22.34). Um deles, doutor da lei ou advogado (*nomikos*; em Mc 12.28 temos *grammateus*, "mestre da lei", ou seja, escriba), faz a pergunta a Jesus, mais uma vez na tentativa de prová-lo ou tentá-lo (*peirazo*, Mt 22.35).

Em face disso, a pergunta concernente a "qual é o grande mandamento da lei" parece inocente, já que era ponto de debate longamente discutido entre os rabinos; mas aqui a intenção é induzir Jesus a cair numa armadilha. Fazer com que Ele identifique *uma* lei como a maior, dá chance de Ele ser acusado de minimizar outros assuntos capitais. Jesus evita a armadilha dando na verdade *dois* mandamentos que regem o uso de todos os outros. Entre os muitos regulamentos da lei hebraica, era comum os rabinos distinguirem entre assuntos mais importantes e menos importantes da lei de Deus. Por exemplo, o modo como a pessoa tratava os pais era mais crucial do que o modo como ela tratava o ninho de um passarinho ou que tipos de tecido podiam ser usados para fazer roupa (Dt 5.16; 22.6-12). Jesus também falou contra estar preocupado com leis mais triviais, ao mesmo tempo que negligencia o "mais importante da lei, o juízo, a misericórdia e a fé" (Mt 23.23). A resposta de Jesus fornece instrução importante para os crentes.

Uma vez mais os inimigos de Jesus se dirigem a Ele por "Mestre", ao passo que seus seguidores o chamam de "Senhor" (veja comentários sobre Mt 8.18-22). Jesus responde ligando Deuteronômio 6.5, que faz parte do Shema (o qual os judeus recitavam diariamente), com Levítico 19.18 para conectar o amor de Deus com o amor da humanidade. Jesus não está substituindo a lei com duas diretrizes. Pelo contrário, como Ele testemunhou no Sermão da Montanha, Ele intensifica a lei (Mt 5.17-20). Estes dois mandamentos sobre o amor são a "constituição" do Reino, a partir da qual todas as outras leis serão julgadas e todas as aplicações da lei consideradas apropriadas ou não. Estes dois mandamentos garantem que a lei inteira se conformará ao espírito do Reino. O "coração", a "alma" e o "pensamento [mente]" não são partes separadas de uma pessoa, mas participam em áreas sobrepostas envolvendo as emoções, a vontade e o intelecto (e.g., Sl 14.1; 139.13-24; 140.2).

Embora a popular Regra de Ouro fosse esposada no judaísmo antes dos dias de Jesus (veja comentários sobre Mt 7.12), Ele pode ser o primeiro mestre a unir Deuteronômio 6.5 com Levítico 19.18, como a expressão última da lei de Deus. O amor por Deus não é desculpa para negligenciar as necessidades dos outros na premissa de que tal amor seja a primeira lei e amar os outros, a segunda. Os ensinos de Jesus deixam claro que o amor por Deus é expresso amando os seres humanos (Mt 6.14,15; 18.23-35; Lc 15.3-32; cf. Tg 1.27; 1 Jo 2.10,11; 3.17; 4.20,21).

Jesus entende que estes dois mandamentos são a chave para todas as outras leis, já que os outros mandamentos estão "dependurados" (*kremannymi*) nestes dois. A palavra *kremannymi* é termo legal judaico para aludir à dependência de um estatuto menos importante em relação a um maior. Devemos nos lembrar de como os judeus escreviam naqueles dias. As letras ficavam dependuradas numa linha traçada na página como roupas num varal. Mas se esta é a imagem que Jesus tem em mente, não podemos afirmar com certeza.

Os leitores judeus a quem Mateus endereçou este Evangelho podem ter estado em conflito com os judeus que questionavam a interpretação mais ampla que a igreja fazia da lei. Para responder a esta questão, Mateus enfatiza o papel dos fariseus nesta passagem e dá instruções sobre como responder. Gundry (1994, pp. 28, 447) sugere que a referência a "reuniram-se" (proveniente de *synago*, v. 34) tem relação indireta com a sinagoga judaica e alude ao Salmo 2.2, onde as nações e os reis conspiram e "se levantam [se reúnem]" (*synago*, na LXX) contra "o SENHOR e [...] o seu ungido".

11.11. O Filho de Davi (22.41-46)

Mais uma vez os fariseus "se reúnem", o que também pode ser referência velada às sinagogas judaicas (veja comentários sobre Mt 21.34-40). Jesus entra em conversa com eles concernente à filiação do Messias. Os fariseus — e presumivelmente também os escribas entre eles (cf. Mc 12.35-37) — respondem à pergunta de Jesus sobre o Messias dizendo que este era filho "de Davi" (Mt 22.42).

Insistindo em sua pergunta, Jesus cita Davi no Salmo 110.1: "Disse o SENHOR [*Javé*] ao meu Senhor [de Davi; "Senhor" é tradução de *Adonai*, i.e., o descendente de Davi: Jesus]". Esta passagem é difícil de entender, a menos que percebamos que o salmista está falando profeticamente de Jesus como o descendente de Davi. Da perspectiva de Jesus, Davi não está falando de si mesmo sobre o trono, mas de Jesus. Caso contrário, o salmo é tão-somente um salmo de entronização real, no qual um súdito do novo rei está dizendo que Deus lutará as batalhas dele. O significado último do salmo é que o filho ou sucessor de Davi é maior que Davi. Javé está contando que Jesus é o sucessor de Davi que se senta à sua mão direita até que Ele derrote todos os inimigos. Sentar-se à destra ou poder de Deus é ter o poder de Deus investido no ocupante do trono. (Quanto a detalhes sobre a mão direita de Deus na relação com Jesus, veja Mc 16.19; At 2.34,35; Hb 1.3; 8.1; 10.12.)

Aqui, como em outros lugares nos Evangelhos, Jesus é tratado por "Senhor" [*kyrios*], expressão que tem maior significância aqui do que um simples "senhor". Mateus já usou o título "Senhor" com maior significado (e.g., Mt 15.21-28; 16.16 com 22, e o uso dos discípulos depois da transfiguração). Nesta interpretação Jesus une o conceito do Antigo Testamento de um Filho de Davi Messias com a testemunha divina que falou no batismo e na transfiguração de Jesus, de que Ele é o divino Filho de Deus (Mt 3.17; 17.5). Jesus já declarou que Ele é maior que Davi, o templo, Jonas e Salomão (veja Mt 12.3,4,6,41,42). É provável que Ele também tenha em mente a figura divina que aparece em Daniel 7.14, que recebe o Reino do Ancião de Dias.

Embora a suposição de que Davi esteja falando de Jesus pareça estranha a alguns hoje em dia, a exegese aqui é plausível aos círculos rabínicos de outrora. Quando Jesus cita o Salmo 110.1: "Disse o SENHOR ao meu Senhor", Ele está apresentando uma antinomia rabínica que coloca lado a lado duas coisas que são verdadeiras, mas parecem contraditórias. Em geral este método soluciona o conflito demonstrando que ambos podem ser verdadeiros. Mas aqui Jesus apresenta a questão, e não a soluciona. Vincent Taylor (1966, p. 493) escreve: "O caráter alusivo da declaração meio esconde e meio revela o 'segredo messiânico'." Jesus deixa que seus oponentes façam a dedução: "Vós concordais que o Messias será o Filho de Davi, e se Eu o sou, como as multidões dizem: 'O Filho de Davi' (Mt 21.9,15), então o que isso me torna?"

Lembre-se de que em Mateus 21.33-46 Jesus se identificou com o filho do pai de família que plantou uma vinha (Deus). Jesus é maior que um mero filho de Davi; Ele é o Filho de Deus! Ele é ambos (veja Rm 1.3,4). Seus inimigos são incapazes de responder, não porque estejam confusos ou não saibam, mas porque têm medo de levar o argumento de Jesus ao fim lógico que Ele propõe. Eles não podem lhe responder palavra alguma. De fato, daquele dia em diante ninguém ousou fazer-lhe mais perguntas (Mt 22.46). Mateus retrata Jesus como o Intérprete Mestre das Escrituras, que nesta série de confrontações derrota os inimigos de maneira tão cabal que o único movimento que lhes resta é esperar por uma oportunidade para prendê-lo, quando as multidões de adoradores não estiverem presentes para interferir.

11.12. Ai dos Escribas e Fariseus (23.1-36)

11.12.1. Indiciamento Geral (23.1-4). Jesus continua seu contra-ataque com os escribas e fariseus, mas agora sua audiência são as multidões e os discípulos, que acabaram de testemunhá-lo levando a melhor sobre os inimigos. Anteriormente Jesus teve confrontações com os fariseus, mas em geral Ele se retirava para evitar uma crise (e.g., Mt 9.1-9; 12.1-21). Levando-se em conta que o Senhor revelou que tinha de ir a Jerusalém e morrer, Ele ficou mais direto em sua agressão (Mt 16.1-12). Agora o vento forte de sua fúria está solto. A maior parte do material deste capítulo só é encontrado em Mateus.

Os escribas (ou, mestres da lei) copiavam manuscritos para o governo, o templo e a sinagoga; portanto, eles estavam familiarizados com as Escrituras e faziam comentários sobre como vivenciar a lei e as tradições judaicas. Foi Esdras, com seus companheiros escribas, que firmou o judaísmo na Terra Santa depois do Exílio (Ed 7.6,11-13; Ne 8.1,4,9,13; 13.1-3). Na época de Jesus eles faziam parte do Sinédrio, o corpo governante dos assuntos religiosos da nação. Embora nem todos os escribas fossem fariseus, muitos estavam associados com eles, visto que com freqüência eles são mencionados juntos e identificados (veja esp. Mc 2.16; At 23.9).

Os fariseus, ironicamente, estavam próximos de Jesus em muitas questões teológicas. Eles criam na ressurreição dos mortos e em anjos e demônios, e, como autoridade, aceitavam a Torá (a Lei), os Profetas e os Escritos do Antigo Testamento. Em contraste, os saduceus negavam estas crenças e só reconheciam a Torá como Escritura. Onde Jesus e os fariseus discordavam era na interpretação e aplicação da lei de Deus.

Jesus reconhece que os fariseus são sucessores de Moisés quando diz que eles ocupam a "cadeira de Moisés" e falam com autoridade concernente à prática da lei (Mt 23.2). Ele ensina que as pessoas façam o que os fariseus dizem, mas que não sigam o exemplo deles (v. 3). Este versículo pode ser abordado de diversas maneiras:
1) Significa guardar *todos* os seus regulamentos em minúcias, mas evitar a hipocrisia dos fariseus. Esta interpretação é improvável visto que Jesus já desafiou e fez atos contrários às tradições deles (Mt 8.3,21,22; 9.1-18; 12.1-13);
2) É concebível que a aprovação que Jesus dá às normas dos fariseus seja sarcástica; "se quiserdes tentar observar todos esses regulamentos, ide em frente";
3) A melhor possibilidade é que Jesus aprova o sistema de regulamentos que mostram como guardar a lei de Deus. Muitas das regras dos rabinos eram sábias: fazer justiça aos outros, respeitar a propriedade, mostrar compaixão e honrar a Deus. Não obstante Ele achou que algumas das regras eram opressivas e contraproducentes — sobretudo as que encorajavam observar a letra da lei ao mesmo tempo em que não havia pureza de coração. A despeito disso Jesus não era um libertino reacionário. Ele aumentou radicalmente as exigências da lei para assegurar a boa intenção do coração (Mt 5.17-48). Em contraste com as pesadas leis que eles advogavam, o jugo de Jesus é suave, e o seu fardo é leve (Mt 11.29,30).

11.12.2. Filactérios e Borlas (23.5).

A principal queixa de Jesus era que os fariseus faziam obras para aparecer e receber a aprovação das pessoas em vez de as fazerem para Deus (veja Mt 6.1-8,16-18). Os filactérios eram pequenas caixas ou bolsas de couro amaradas ao braço e à testa por correias, também de couro, e que continham trechos das Escrituras em cumprimento literal do mandamento de sempre manter as Escrituras diante dos olhos (Êx 13.9; Dt. 6.4-9; 11.13-21). Os judeus punham este artefato durante os períodos de oração. Alguns usavam filactérios grandes e ostentosos, com faixas largas para parecerem que eram especialmente piedosos. A lei ordenava especificamente que os homens usassem franjas ou "borlas" costuradas na bainha das roupas exteriores para lembrá-los da lei (Nm 15.37-41; Dt 22.12). Os orgulhosos usavam borlas para ostentação e espetáculo espiritual.

11.12.3. Rabi, Pai, Mestre (23.6-12).

Jesus critica os fariseus por aspirarem guardar o primeiro lugar de honra em eventos públicos e serem chamados de "Rabi" ("mestre, professor"; lit., "o grande"). Jesus proíbe usar o título porque Ele é o grande Mestre, e todos são irmãos diante dEle. Não devemos chamar homem algum de pai ou mestre, pois o Deus no céu é o Pai e Jesus é o Mestre.

Uns empregam esta passagem para denunciar a antiga prática de chamar de "pai" os sacerdotes cristãos de várias igrejas. Duas coisas precisam ser consideradas aqui:

1) Se levarmos este ensino a um literal extremo, então o pai humano não pode ser chamado de pai, e expressões como "pai da aviação" ou pai Abraão devem ser proibidas. Aqueles que insistem em proibir esta expressão para aludir a líderes espirituais deveriam ser consistentes, e nunca usar a palavra "mestre" ou "professor" para descrever o indivíduo que instrui outras pessoas, e todos os títulos administrativos também seriam suspeitos.

2) O próprio Paulo usa o título "pai" em relação a seus convertidos (1 Co 4.15; veja também Fp 2.22). João também a usa para descrever a si mesmo (implicitamente) e a outros (explicitamente) na Igreja (1 Jo 2.1,13,14). Ou seja, a igreja primitiva não entendeu que estas instruções de Jesus fossem proibições de chamar os anciãos espirituais de "pais" e estabelecer uma anarquia igualitária. Com efeito um ambiente familiar fomentava tal terminologia. O contexto não proíbe claramente o uso destas palavras para pessoas em diferentes ofícios; antes, Jesus está dizendo para não tratarmos os fariseus, os escribas ou outra pessoa como o *Mestre Supremo* da lei, indo a ponto de lhes prestar honra e submissão que só a Deus são devidas. Neste sentido Jesus não está desfazendo a autoridade que Ele já delegou aos apóstolos (Mt 16.18,19; 18.18).

O que é mais crucial do que o uso dos títulos é a atitude de humildade e serviço, pois até em grupos que proíbem semelhantes títulos pode estar emboscada a falta grave da arrogância orgulhosa e da presunção no poder de Deus. Jesus promete que os altivos serão humilhados e os humildes, exaltados. Isto não apóia a opinião de que nenhuma honra deve ser outorgada na Igreja. Jesus reitera aqui o dito que desestabiliza o mundo de que no seu Reino o servo é maior (cf. Mt 20.25-28). Gregório, o Grande, Papa do século VI, escolheu o título "Servo dos servos de Deus".

11.12.4. Os Ais (23.13-36)

11.12.4.1. O Primeiro Ai: Sobre não Entrar nem Deixar Outros Entrarem no Reino (23.13).

Jesus deixa de lidar com a multidão em geral e agride os fariseus diretamente, identificando-os como "hipócritas" (veja comentários sobre Mt 6.1-4; 7.5; 15.7; 22.18, a respeito do significado de "hipócrita"). A palavra inclui o significado de ator, o qual é particularmente apropriado aqui. Mateus usa sua expressão favorita "Reino dos Céus", no qual seus inimigos nem entrarão nem permitirão outros entrar.

11.12.4.2. O Ai Interpolado: Sobre Roubar de Viúvas à Guisa de Oração (23.14).

Este versículo não está nos melhores e mais antigos manuscritos, e é provavelmente uma interpolação escribal de Marcos 12.40 ou Lucas 20.47. As cópias que o contêm em Mateus colocam-no aqui ou antes do versículo 13. É uma condenação dos escribas e fariseus por cobrirem a cobiça financeira e o roubo com a camuflagem da oração.

11.12.4.3. O Segundo Ai: Sobre Tornar Prosélitos em Filhos do Inferno (23.15). Jesus não está condenando os escribas e fariseus por fazerem convertidos (*proselytos*), pois esperava-se que Israel fosse luz para ganhar convertidos (e.g., Is 42.6; 49.6). O que Ele odeia é que os "convertidos" ficam piores do que os que os convertem.

11.12.4.4. O Terceiro Ai: Sobre Fazer Juramentos (23.16-22). Em Mateus 5.33-37 Jesus afirmou que juramentos não são necessários para os discípulos; antes, as palavras devem ser cridas por si mesmas por causa da integridade consistente de quem as profere. Jesus critica severamente jogos de palavras que criam escapatória a fim de evitar cumprir obrigações. Jurar pelo altar, a oferta sobre ele, o templo ou o seu ouro, ou (como em Mt 5.33-37) pela própria cabeça, a terra ou o céu choca-se em última instância com Deus, e deve, então, ser evitado por reverência a Ele. Tal prática é absurda; a verdade não precisa de juramento.

11.12.4.5. O Quarto Ai: Sobre Dizimar (23.23,24). A lei requeria dar um décimo de vários bens, como grão, vinho e óleo (Lv 27.30; Dt 14.22-29). O quão extensivo o dízimo deveria ser praticado era motivo de debate no século I. Alguns até contavam as folhas das ervas do jardim. Jesus não condena a contabilidade meticulosa, mas se aborrece com tais pormenores ao mesmo tempo que a pessoa negligencia "o mais importante da lei" (veja comentários sobre Mt 22.34-40). Em meio a ofertas opulentas, questões importantes ficam por atender, como por exemplo não "prati[car] a justiça, e am[ar] a beneficência, e and[ar] humildemente com o teu Deus" (Mq 6.8).

A expressão "Coais um mosquito e engolis um camelo" deve ter provocado riso entre a multidão, visto que em aramaico Jesus criou o trocadilho: "Vós coais um *qamla* e engolis um *gamla*" (Black, 1954, pp. 175, 176). Levando-se em conta que estes dois animais eram considerados imundos, Jesus está chamando as atividades dos escribas e fariseus de imundas, não adequadamente judaicas. Esta é a questão central para estas denúncias.

11.12.4.6. O Quinto e Sexto Ais: Sobre a Impureza Interior (23.25-28). Os fariseus eram meticulosos sobre a lavagem cerimonial de copos e pratos. Contudo, a cobiça e a satisfação excessiva dos próprios desejos os contaminava. Os sepulcros eram caiados ou branqueados com gesso para que as pessoas evitassem tocá-los e ficar cerimonialmente impuras (o que acontecia se a pessoa tocasse em cadáveres). Ambos parecem limpos pelo lado de fora, mas estão imundos pelo lado de dentro (veja Tobias 2.3-9, onde fazer um enterro resulta em estar proibido de entrar em casa naquela noite).

11.12.4.7. O Sétimo Ai: Sobre Construir Sepulcros para os Profetas (23.29-36). Jesus continua o tema da morte descrevendo os monumentos magníficos que os judeus erigiram sobre os profetas. Por exemplo, Herodes construiu um grande edifício de mármore em cima do sepulcro de Davi (Josefo, *Antiguidades Judaicas*). Jesus despreza a vanglória dos inimigos que afirma que eles nunca teriam matado os profetas como os antepassados deles o fizeram. A "[plena] medida" significa que assim como os antepassados foram punidos, assim também os escribas e fariseus serão punidos por perseguirem e matarem Jesus e seus seguidores.

É evidente que este ai fez os leitores originais de Mateus lembrarem a morte de Jesus e a discussão entre os cristãos judeus e os judeus, que são vistos aqui como uma sinagoga separada (cf. Mt 10.17). Considerando que os judeus não faziam execuções por crucificação, Mateus antecipa uma perseguição mais ampla, que inclui a hostilidade pagã contra os cristãos (como ocorreu nos reinados de Nero, em 64 d.C., e Domiciano, em c. 90 d.C.). Isto também antecipa o aviso de Jesus sobre perseguições registrado em outros lugares de Mateus (Mt 10.23; 24.9).

Jesus chama os inimigos de "raça de víboras", da mesma maneira que João Batista o fizera (Mt 23.33; cf. Mt 3.7). Ele compara o derramamento do seu sangue inocente e o dos seus seguidores com as mortes de Abel e Zacarias. O Antigo Testamento hebraico termina com 2 Crônicas, no qual Zacarias, filho de Jeoiada, é morto; ambas as mortes pedem vingança (Gn 4.10; 2 Cr 24.22). "Esta geração" antecipa julgamento iminente, que logo ocorrerá com a destruição de Jerusalém (veja também "geração" em Mt 11.16; 12.39,41; 16.4; 17.17; 24.34).

11.13. O Lamento de Jesus sobre Jerusalém (23.37-39)

Este lamento fornece transição entre o diatribe de Jesus contra os inimigos e sua predição do julgamento e destruição de Jerusalém, no capítulo 24. Em Mateus estes versículos são o segundo maior discurso de Jesus às multidões. A galinha ou pássaro que junta os pintinhos é rememorativo de Deus dar refúgio à sombra de suas asas (Sl 36.7; veja também Dt 32.11; Rt 2.12; Sl 17.8; 57.1; 61.4; 91.4; Is 31.5). A "casa" (Mt 23.38) se refere ao templo e é lembrete da destruição do primeiro templo; uma vez mais Deus parte de sua casa (cf. Ez 10.18,19; 11.22-25). "Jerusalém" representa o país inteiro.

Este pesar de Jesus explica sua ira anterior; a frivolidade dos líderes de Israel e sua rejeição de Jesus puseram o julgamento em movimento. A força das palavras "desde agora" (*ap'arti*, em Mt 23.39; lit., "daqui em diante") mostra que o julgamento apocalíptico de Israel está próximo. Jesus é enfático na conclusão da visitação divina; o duplo negativo em grego (*ou me*) fecha enfaticamente a porta: "me não vereis mais" (tradução literal; o "me" foi colocado na frente para dar ênfase).

A entrada de Jesus em Jerusalém é saudada com a aclamação: "Bendito aquele que vem em nome do SENHOR" (Sl 118.26). Agora que está prestes a partir mediante a morte, Ele deseja ouvir a aclamação mais uma vez, mas de um povo verdadeiramente preparado para entrar no Reino. O fato de que Ele venha a ouvi-la novamente não é certo (*eipete*, "[vós] digais", é um subjuntivo aoristo, Mt 23.39). Assim a relação de Jesus com Israel é um mistério ainda a ser decifrado (Rm 9—11).

12. O Discurso no Monte das Oliveiras (O Quinto Discurso: 24.1—25.46)

Ao término de cada uma das cinco seções de ensino de Jesus, Mateus adiciona o comentário editorial: "Quando Jesus concluiu todos esses discursos", ou algo semelhante (Mt 7.28; 11.1; 13.53; 19.1; 26.1; veja comentários sobre Mt 7.28, 29). Há quem sugira que esta seção de ensino começa mais cedo, com a disputa de Jesus com os inimigos (Mt 21.28—23.39). Embora os capítulos 21 a 23 dimanam claramente dos capítulos 24 e 25, já que eles compartilham temas semelhantes, há diversas razões por que os capítulos 24 e 25 são a unidade intencional à qual a conclusão em Mateus 26.1 se refere.

1) A audiência na seção anterior é formada primariamente pelos inimigos de Jesus; nas outras seções pedagógicas de Mateus os discípulos são a audiência, como é o caso aqui (Mt 24.3).
2) É manifesto que a gélida predição de Jesus: "Me não vereis mais", é sua conclusão ao discurso feito aos escribas, fariseus e multidão (Mt 23.39).
3) Jesus sai deliberadamente da área do templo e se retira para o monte das Oliveiras a fim de ensinar os discípulos. Ele assume de novo a postura pedagógica tradicional quando se senta (Mt 24.3; veja também Mt 5.1; 13.2).

Esta seção é uma das mais complexas dos ensinos de Jesus. Sistemas escatológicos completos têm sido inventados para explicar a passagem, com muitos pontos desnorteantes e contrapontos e opiniões entre teorias competidoras. Não está no escopo desta obra desvendar todas elas e criticá-las exaustivamente; veremos como esta passagem se encaixa no esquema de Mateus e de Jesus, e não tentaremos arrancar do texto fatos que o próprio Jesus não sabia (Mt 24.36).

Cada tipo de literatura usado na revelação do Novo Testamento deve ser respeitado por suas características próprias. Aqui os gêneros dominantes são *profecia* e *apocalipse*. Caracteristicamente a *profecia* avisa o relapso do iminente julgamento e promessas que abençoam o crente. Também prediz eventos futuros. Freqüentemente a profecia trata do julgamento ou libertação de Deus, os quais ocorrem por instituições terrenas existentes ou pessoas na história.

Embora a profecia possa ter características apocalípticas, nos dias de Jesus o termo *apocalipse (apocalypis*, "revelação") tinha se tornado um tipo distinto de literatura. Este tipo via o julgamento e as promessas de Deus vindo através da invasão de um cosmo divino ao mundo terreno, engolfando-o e transformando-o. Simbolismo e expressões figurativas são usadas para exprimir a nova era divina e espiritual em termos compreensíveis para a era presente. Animais e metais representam reinos, e corpos celestes, como estrelas, lua e sol, são símbolos de mudança cataclísmica. Para tornar o assunto mais complicado, na experiência apocalíptica não se pode estar completamente seguro quando determinado item deve ser entendido literal ou figuradamente, ou de ambas as formas.

Particularmente útil para interpretar esta passagem é o entendimento que Mateus tem de profecia e seu uso repetido na história de salvação. Deus repete certas ações de julgamento ou salvação quando trata do seu povo; sua justiça e misericórdia exigem tais ações. "Tipos" repetidos ocorrem, são cumpridos e depois são cumpridos de novo à medida que Deus interage com Israel. Como comentado anteriormente, Mateus identifica repetidos cumprimentos de uma profecia anterior. Por exemplo, ele apresentou múltiplos cumprimentos do êxodo do Egito no retorno do cativeiro assírio conforme predição de Oséias 11.1 e na viagem que a família santa fez do Egito à Palestina (Mt 2.15). Ele registra outros repetidos cumprimentos de profecia em Mateus 1.23 e 2.6,18,23. Neste sentido Jesus é o "senso mais amplo" ou *sensus plenior* de profecia proferida anteriormente.

Não devemos nos surpreender de que até as profecias de Jesus apresentadas em trajes apocalípticos tenham um cumprimento mais imediato na história e cumprimentos posteriores no tempo do fim, no julgamento final e no estabelecimento cabal do reinado de Deus. Precisamos olhar duas vezes em interpretações que reduzem o mistério da consumação de todas as coisas a diagramas lineares e fórmulas rígidas e frágeis. Apocalipse significa *mistério revelado*, e não necessariamente *mistério explicado*. Deve levar o leitor ao arrependimento, adoração e espanto, e não à exclamação: "Oh, consegui!" O tema central desta passagem é o julgamento que lida com a destruição de Jerusalém e a vinda do Filho do Homem.

12.1. Predição da Destruição do Templo (24.1,2)

Em Marcos 13.1,2 os discípulos estão admirando todos os edifícios do templo que Herodes, o Grande, havia construído. Muitas das pedras eram enormes, e até o dia de hoje sua colocação é considerada uma maravilha da engenharia. Jesus prediz que as maravilhas do templo serão destruídas. Esta predição confirma que Jesus estava se referindo ao templo quando disse no final do capítulo anterior: "Eis que a vossa casa vos ficará deserta" (Mt 23.38).

12.2. Acontecimentos antes do Fim (24.3-8)

Jesus se retira intencionalmente do templo e da cidade e começa a ensinar no monte das Oliveiras, ao oriente, à plena vista da cidade cuja destruição Ele está a ponto de predizer. Esta montanha é lugar muito apropriado para o ensino sobre o tempo do fim, levando-se em conta a profecia de Zacarias: "E, naquele dia, estarão os seus pés sobre o monte das Oliveiras, que está defronte de Jerusalém para o oriente; e o monte das Oliveiras será fendido pelo meio" (Zc 14.4).

Os discípulos fazem uma pergunta acerca do sinal "da tua vinda [de Jesus] e do fim do mundo" (Mt 24.3). A estrutura do grego (um artigo definido para os dois substantivos "vinda" e "fim") mostra que os discípulos consideravam que a "vinda" (*parousia*) e o "fim do mundo" era o mesmo evento. A resposta de Jesus corrige a idéia, observando que diversas dores de parto precederão a culminação do Reino na sua Vinda. O termo *parousia* significa literalmente "presença", e era usado para descrever as visitas de estado oficiais de dignitários; por conseguinte tornou-se termo técnico para aludir à Vinda de Jesus. Jesus não vê a destruição do templo como o tempo da sua *parousia*. Note que Ele usa a expressão "consumação dos séculos", que é semelhante à expressão "fim do mundo", em suas instruções pós-ressurreição aos discípulos, para eles evangelizarem todas as nações (Mt 28.19,20).

Jesus adverte os discípulos a se precaverem de assumir uma culminação prematura do Reino quando prediz que os falsos messias virão propositadamente o nome de Jesus (Mt 24.5). Antes do fim, ocorrerão em vários lugares guerras, fomes e terremotos. (Quanto ao termo "terremoto" [*seismos/seio*] como tema favorito de Mateus no sentido literal e figurativo, veja Mt 8.24; 21.10; 24.7; 27.51,54; 28.2,4.)

12.3. Predição de Perseguições (24.9-14).

Mateus faz comentário adicional sobre estes tempos aterrorizantes com seu aviso de tribulação e morte às mãos de "todas as gentes [nações]" (v. 9). Ele vincula esta passagem com a seção prévia com sua palavra freqüentemente usada "então" (*tote*). Esta referência às nações demonstra que Mateus não antecipa um retorno imediato de Jesus.

O evangelista está intensamente preocupado com as perseguições (veja Mt 10.17-22, onde é ressaltada a perseguição às mãos da comunidade judaica). O Evangelho de Mateus é o único que registra no Discurso no Monte das Oliveiras (que também é conhecido por Sermão Profético), que a perseguição virá de dentro da Igreja como também de fora (Mt 24.10-12). Como Jesus, seus seguidores serão entregues ou traídos (*paradidomî*) por judeus, gentios e membros da Igreja (cf. Mt 17.22). Muitos "serão escandalizados", ou seja, se afastarão da fé (veja comentários sobre Mt 5.29; 13.21). Em resultado de os falsos profetas desviarem muitos, a iniqüidade

O monte das Oliveiras, ao oriente da Cidade Velha de Jerusalém, com a Igreja de Todas as Nações no sopé, aqui mostrado no canto inferior esquerdo. O jardim do Getsêmani está ao lado da igreja.

ou a ilegalidade (*anomia*) abundará e fará com que o amor de muitos esfrie ou se apague, da mesma forma que a água apaga o fogo.

Cada um dos evangelistas sinóticos avisa que a salvação só pode ser ganha pela resistência paciente e ininterrupta (Mt 24.13). A natureza da salvação tem três aspectos:
1) Imediato, em certo ponto;
2) Preservador; e
3) Ininterrupto. No Novo Testamento a pessoa é salva, foi salva, está sendo salva continuamente e será salva (tempos aoristo, perfeito, presente e futuro: e.g., Rm 8.14; Ef 2.8; 1 Co 1.18; Mt 10.22 e Rm 5.10, respectivamente). Alguns dos leitores de Mateus esperavam uma salvação de solução rápida mediante a volta breve de Jesus, e outros não estavam preparados para suportar e evitar a iniqüidade obedientemente; o amor destes se extinguirá (Meier, 1990, pp. 279, 281). A Grande Comissão deve ser cumprida antes do fim (Mt 24.14; 28.19,20).

12.4. A Abominação que Causa Desolação (24.15-22)

Esta profanação do templo foi predita em Daniel 9.27, 11.31 e 12.11. Este evento tem tido cumprimentos repetidos; em 167 a.C., por exemplo, Antíoco IV Epifânio, o regente helenístico da Síria, ofereceu um porco como sacrifício a Zeus no templo do verdadeiro Deus (veja 1 Macabeus 1.21-29; 4.36-51; 2 Macabeus 5.15-17; 6.1-5). A expressão "está no lugar santo" faz lembrar o edito do imperador Calígula, que ordenou que uma grande estátua sua fosse erigida no templo judaico, fato não realizado por que a morte o acometeu antes (40-41 d.C.). Os zelotes judeus profanaram o templo na insurreição que promoveram em 67/68 d.C. (Josefo, *Guerras Judaicas*). Finalmente, os romanos destruíram o templo quando sufocaram a rebelião dos zelotes (70 d.C.). Esta imagem tornou-se símbolo apocalíptico para os cristãos do tempo do fim (e.g., 2 Ts 2.3,4). A frase expressa entre parênteses "quem lê, que entenda" (Mt 24.15) diz respeito a Daniel 12.10, onde o profeta conclama os leitores para verem a relevância da profecia diante da situação deles.

A calamidade será tão súbita e severa que as pessoas não terão tempo de voltar às casas para apanhar o que quer que seja. Só os desembaraçados e com pés velozes escaparão. No inverno as estradas da Palestina ficavam lamacentas e intransitáveis. Fuga no sábado traz à lembrança o dilema dos judeus no tempo dos Macabeus. Eles se recusaram a viajar ou se defender no sábado, e foram chacinados pelos selêucidas. Os lutadores pela liberdade arrazoaram que seria melhor quebrar o sábado para guardar muitos outros (1 Macabeus 2.29-41; 2 Macabeus 6.11). Talvez isto seja indicação de que a comunidade de Mateus mantinha rígida observância dos regulamentos sabáticos, ou que a fuga de cristãos no sábado provocaria a hostilidade judaica.[12]

Considerando que a tribulação descrita aqui é a pior a ocorrer na história do mundo (Mt 24.21), há a indicação de que múltiplos cumprimentos estão em vista. A destruição romana de Jerusalém é símbolo de julgamento apocalíptico e cataclismo final, da mesma maneira que a "nova Jerusalém" se torna símbolo divino do cumprimento do tempo do fim das promessas de Deus (Ap 3.12; 21.2,10). Não pode ser menção apenas à Jerusalém do século I, pois se Deus não intervir, toda a humanidade será destruída (Mt 24.22).

12.5. Falsos Cristos e Falsos Profetas (24.23-28)

Pretendentes messiânicos e falsos profetas eram comuns no século I (At 5.36; 21.38). Jesus já advertira que a realização de milagres não é garantia de que aquele que os faz é um verdadeiro seguidor do "Senhor" (Mt 7.21-23). Os falsos profetas podem ser tão convincentes que, "se possível fora", até os eleitos de Deus seriam enganados (Mt 24.24). Note os lugares reservados dos falsos messias: nos desertos isolados ou nos quartos internos de dissimuladas sociedades espirituais da elite, como sucedeu mais tarde nos cultos gnósticos.

Era popularmente presumido que o Messias estaria escondido; por conseguinte ele estava supostamente nos quartos internos (cf. Jo 7.27). Em contraste, Jesus usa duas imagens para enfatizar a natureza inconfundível e universalmente óbvia de sua Vinda.

1) É como o relâmpago no céu; qualquer um sabe que aconteceu. Considerando que há pouco o tempo antes do fim foi descrito como um período extenso, o foco na imagem de um relâmpago não significa que a Segunda Vinda ocorra imediatamente sem aviso, mas que será visto claramente. Não haverá necessidade de adivinhadores "espiritualmente iluminados" para revelá-la.

2) A Vinda de Jesus é descrita em termos de abutres; onde vemos abutres circulando, é certo que há corpo morto. No Antigo Testamento abutres e águias não são delineados claramente. Uns traduzem *aetoi* por águias e vêem nisto a alusão aos emblemas de águia levados pelas legiões romanas, mas é óbvio que este evento da *parousia* transcende a guerra romano-judaica do século I. A imagem dos abutres, levando-se em conta a carnificina do massacre romano dos habitantes de Jerusalém, em 70 d.C., torna-se gélida imagem apocalíptica que aguarda um cumprimento mais cataclísmico.

12.6. A Vinda do Filho do Homem (24.29-31)

"Logo depois da aflição daqueles dias" até os céus serão sacudidos. Tal imagem é vista freqüentemente nos escritos apocalípticos de judeus e cristãos (e.g., Is 13.10; Ez 32.7; Jl 2.10,31; 3.15; Am 8.9; Ag 2.6,21; Ap 6.12,13; 8.12; 12.4). Ela tem definitivamente significado simbólico, mas não presumamos que seja meramente simbólica. Isto responde à inquirição original dos discípulos relativa ao sinal da Vinda de Jesus (Mt 24.3). A *parousia* de Jesus afetará todo o cosmo. É freqüente que na literatura apocalíptica estas calamidades cósmicas representem o julgamento sobre as nações. Se o julgamento da Babilônia e Edom espatifou os céus, quanto mais o julgamento final! Por conseguinte, "todas as tribos da terra se lamentarão" (Mt 24.30) quando Ele vier, mas os eleitos serão reunidos. Anteriormente Mateus tinha registrado as palavras acerca do trigo que é colhido no celeiro e a palha destruída (Mt 3.11,12; 13.24-30).

O sinal do "Filho do Homem vindo sobre as nuvens do céu" (Mt 24.30) vem de Daniel 7.13,14, passagem que contrasta os reinos animalescos da terra com o regente divino do Ancião de Dias, que dá o governo para a figura do homem celestial. Note a presença dos "seus anjos" no julgamento final (Mt 13.39,41,49; 25.31-40). Quanto ao "clangor de trombeta" que chama os judeus espalhados no exílio de volta para casa, veja Isaías 27.13 (veja também Ap 8.2—9.21; 10.7). Os eleitos são reunidos "desde os quatro ventos" (Mt 24.31).

12.7. A Parábola da Figueira (24.32-35)

As folhas da figueira, diferente de muitas árvores na Palestina, caem. Antes do calor do verão começa a produzir novas folhas. O fato de isso ocorrer antes da colheita indica julgamento.

As palavras "esta geração" (v. 34) têm levantado muitas perguntas. Jesus esperava que a destruição de Jerusalém e a segunda vinda sucedessem dentro do período de vida daqueles que o ouviam? A expressão "todas essas coisas" só se refere ao julgamento em Jerusalém, ou abrange também todos os eventos apocalípticos, tribulação, sucessão de guerras, fomes e terremotos? Jesus estava equivocado ao presumir que sua Vinda se seguiria logo após a queda de Jerusalém, visto que Ele diz que só Deus Pai sabe o dia (v. 36)? Tratava-se de uma retratação?

Em resposta a estas questões, primeiro temos de perguntar o que Jesus quis dizer por "geração" (*genea*). Esta palavra significa o período de vida de uma geração que alcança a velhice, ou pode significar raça (Bauer, W. F. Arndt e F. W. Gingrich, *A Greek-English Lexicon of the New Testament and Other Early Christian Literature*, Chicago, 1979, p. 154). Aqui talvez signifique que os judeus ainda existirão quando Ele voltar. Além disso, o que Jesus dizer quer por sua aparição?

É sua ressurreição? Neste ponto Lucas diz que o "Reino" está próximo (Lc 21.31). Em certo sentido os judeus tinham visto e estavam prestes a ver a realização do Reino em etapas — os milagres, a transfiguração, a ressurreição e a ascensão de Jesus. Isto estaria de acordo com o *sensus plenior*, os repetidos cumprimentos que culminarão num cumprimento final. Jesus tem em mente os acontecimentos imediatos de julgamento sobre a nação judaica, quando Ele se refere a "todas essas coisas".

Muitos reputam que Mateus foi escrito em sua forma final depois da queda de Jerusalém (70 d.C.), provavelmente nos anos oitenta. Neste caso, temos de perguntar por que o autor registraria um pretenso "engano" de Jesus se "todas essas coisas" diz respeito exclusivamente à sua Segunda Vinda e ao cumprimento completo da consumação das últimas coisas. Obviamente Mateus não viu "todas essas coisas" sob essa luz. É provável que ele tenha em mente a queda da cidade e suas calamidades como precursores do fim. Nos escritos proféticos e apocalípticos, eras extensas e cumprimentos demorados são comuns. A perspectiva de Jesus pode ser igual a dos antigos profetas, que viam vários acontecimentos posteriores no mesmo horizonte — como se fossem duas montanhas distantes que parecem estar lado a lado, quando de fato estão separadas por quilômetros.

Numa escala apocalíptica, "próximo" (v. 33) pode não estar tão perto quanto a experiência humana o entende (2 Pe 3.3-10). O Reino já está aqui e ainda deve ser consumado. Se Daniel 7.13,14 é o modelo das palavras de Jesus, então Ele está falando "não de uma 'vinda à terra', mas de uma vinda a Deus para receber vindicação e autoridade" (France, 1985, p. 344). Nenhuma resposta completamente satisfatória pode ser dada ao que Jesus tinha em mente quando contou a Parábola da Figueira. Sob a luz do versículo 36 Ele não pretendia fazer um relato tim-tim por tim-tim do tempo do fim. Nunca foi sua intenção que fizéssemos detalhados diagramas do tempo do fim.

12.8. O Sinal do Dilúvio (24.36-42)

Aqui a Vinda do Filho do Homem se assemelha à destruição de Jerusalém (Mt 24.16-20); será súbita e inesperada, sob o pretexto de paz, a calma antes da tempestade. Mas seus seguidores sabem melhor, porque foram-lhes dados os sinais. Os dias antes do dilúvio são um sinal ou tipo dos dias antes da *parousia*. Os que são "levados" (vv. 40,41) são os salvos, não os perdidos, visto que eles são levados com Jesus (*paralambano*; veja Mt 1.20; 18.16; 20.17 para inteirar-se deste significado). Jesus não dá detalhes sobre para onde eles são levados. Ele não está respondendo esta pergunta; antes, Ele está ressaltando a divisão radical do julgamento final que Ele já apresentou e prossegue mais tarde nesta seção de ensino (Mt 13.24-30,36-43,47-50; 24.45—25.46).

Tentativas em fazer esta passagem se conformar com outras passagens apocalípticas no Novo Testamento ou reconstruções imaginativas do tempo do fim são muito especulativas para serem levadas a sério. Aqui Jesus recusa-se a se ajustar a um esquema de atividades. Como comentado acima, seus ensinos são um mistério revelado, *não* um mistério explicado; por conseguinte, a incerteza do significado do pronunciamento de "esta geração". O que não está claro é quando; o que está claro é até que ponto será o julgamento.

12.9. O Alerta do Pai de Família (24.43,44)

Jesus imediatamente reforça a subitaneidade de sua Vinda com outra parábola: "Estai vós apercebidos" (v. 44). A palavra traduzida por "arrombada" (v. 43) significa literalmente "cavar por", exprimindo o fato de que as casas eram feitas de barro seco ao sol (veja comentários sobre Mt 6.19). Embora haja sinais tumultuosos da Segunda Vinda, também serão acompanhados por uma sensação entorpecida de falsa segurança nos negócios feitos diariamente associados em geral com a paz e uma sociedade estável (cf. Lc 12.39,40).

12.10. A Parábola dos Dois Servos (24.45-51)

Jesus conta outra parábola (que também poderia ser chamada de Parábola do Servo Bom e do Servo Mau) sobre o tema da prontidão (cf. Mt 12.41-46). Nesta descrição, o senhor, voltando de uma visita inesperada, encontra o servo administrador satisfazendo ou recusando-se a satisfazer as necessidades dos outros servos. Considerando a crítica que Jesus fez aos líderes judeus por desconsiderarem o bem-estar das pessoas, este servo opressivo e esbanjador serve de comentário sobre as ações dos governantes rejeitados (Mt 23.1-4,23,24).

O castigo do servo mau é severo. É igual ao dos "hipócritas" (Mt 24.51; veja comentários sobre Mt 6.2-5,16; cf. também Mt 15.7; 22.18; 23.13-15,29). Jesus deixa claro que este não é mero castigo terreno, mas de julgamento eterno (quanto ao choro e ranger de dentes, veja também Mt 8.12; 13.42,50; 22.13; 25.30).

12.11. A Parábola das Dez Virgens (25.1-13)

Mateus dá prosseguimento à última seção pedagógica de Jesus, iniciada no capítulo 24, com outra parábola (só encontrada em Mateus) sobre o tópico da perseverança como condição prévia para a salvação última. Esta parábola está de acordo com o reincidente tema do autor sobre o julgamento e o tempo do fim. Uma de suas expressões favoritas, "Reino dos Céus", também é usada aqui.

A Parábola das Dez Virgens é um comentário adicional sobre a Parábola dos Dois Servos (Mt 24.45-51). Note como Mateus liga as duas parábolas com o conectivo "então" (*tote*) usado freqüentemente por ele. Na parábola anterior os servos são recompensados ou condenados de acordo com o comportamento íntegro ou abusivo de cada um. Nesta parábola as virgens prudentes e loucas (ou sábias e tolas) são avisadas a perseverar enquanto esperam o noivo. Visto que Jesus tinha parado de condenar os líderes judeus (Mt 23.39), sua intenção tem de ser que as virgens prudentes e loucas sejam seus seguidores. Quando Mateus registra esta parábola décadas depois de Jesus tê-la ensinado, as virgens loucas são os cristãos que pensam que a Vinda de Jesus está tão iminente que eles não estão preparados para ficar esperando.

Não nos é dito exatamente o que o azeite (ou óleo) representa aqui. São as boas obras referidas na parábola anterior? É evidente que Jesus não criou uma alegoria extensiva com muitos significados ocultos; entretanto o contexto requer que Jesus seja o noivo, tema popular na igreja primitiva (e.g., Mt 9.15; Jo 3.29; 2 Co 11.2; Ef 5.21-33; Ap 21.2,9; 22.17). Não é sem importância o fato de Jesus usar uma imagem que os profetas do Antigo Testamento identificam com o próprio Deus, sendo Israel identificado com a noiva (Is 54.5; Jr 31.32; Os 2.16). Aqui as virgens na festa de casamento são os membros da Igreja, ao passo que a festa de casamento simboliza o tempo do fim (veja também Mt 22.1-34). Tentar ver mais simbolismo nesta parábola é ler demais o texto (veja comentários sobre parábolas em Mt 13).

Tradicionalmente o noivo vai primeiro para a casa do pai da noiva, para finalizar o contrato e levá-la a sua casa, para a festa de casamento. As "damas de honra" são uma descrição inexata das dez virgens, já que elas não estão na companhia da noiva, mas esperando o retorno do noivo à sua casa. As "lâmpadas" poderiam ser tochas empapadas de óleo usadas para a procissão do casamento; por conseguinte as mulheres prudentes levam jarros de óleo para enchê-las quando necessário. Se as virgens prudentes compartilhassem o óleo, nenhuma delas teria luz para saudar o Senhor. A porta está fechada, e a exclusão da festa é final. Dada a presença da danação eterna nas parábolas paralelas constantes antes e depois desta, é claro que não está em vista uma comutação da pena. Note o paralelo com a Parábola das Bodas em Mateus 22.1-14, onde a pessoa sem roupas adequadas é expulsa da festa de casamento.

Mateus registra tipicamente as cinco mulheres loucas dirigindo-se ao noivo por

"Senhor, senhor", um dos seus títulos favoritos para aludir a Jesus (veja comentários sobre Mt 15.21-28). A resposta: "[Eu] vos não conheço" (Mt 25.12), é hiperbólica, uma vez que elas estão na festa do noivo. As palavras "[Eu] vos não conheço" e o tratamento, "Senhor, senhor", antecipam a última parábola desta seção, na qual os "bodes" dirigem-se ao Rei juiz por "Senhor" (Mt 25.44). Também lembra o leitor o tremendo aviso de Jesus na primeira seção: "Nem todo o que me diz: Senhor, Senhor! entrará no Reino dos céus. [...] Nunca vos conheci; apartai-vos de mim, vós que praticais a iniqüidade" (Mt 7.21-23). A obediência fiel, e não a mera fascinação por sinais e maravilhas, é o que será recompensada.

12.12. A Parábola dos Dez Talentos (25.14-30)

Jesus continua falando sobre a demora de sua Segunda Vinda e a necessidade de fazer sua vontade. O paralelo em Lucas registra especificamente a razão de Jesus ter contado a parábola: "[As pessoas] cuidavam que logo se havia de manifestar o Reino de Deus" (Lc 19.11). Na versão de Lucas é um nobre que parte de viagem para tomar a posse de um reino (Lc 19.11-27). A inspiração para esta parábola pode ter surgido quando Arquelau, filho de Herodes, o Grande, foi para Roma receber o reino de Judá. A palavra grega *talanton*, usada somente por Mateus, é uma moeda de alto valor, dependendo do metal do qual é feito (em contraste com a palavra *mna* que Lucas usa, a qual tinha consideravelmente menos valor, Lc 19.13). Em certo ponto um talento era igual a seis mil denários, sendo o valor de um denário o salário de um dia para os trabalhadores (veja Mt 18.23-28). (Em nosso idioma usamos a palavra *talento* para nos referirmos à habilidade que a pessoa tenha, sentido este proveniente desta parábola.) Emprestar dinheiro para ganhar juros e enterrar tesouros de moedas eram práticas comuns nessa época.

Quando o nobre volta, cada servo o trata de "Senhor" (*kyrie*). Para os leitores de Mateus conotava a divindade de Jesus. Embora todos o chamem de Senhor, nem todos são servos fiéis. Todo aquele que trabalha fielmente nos negócios do Reino é aprovado e convidado a "entra[r] no gozo do teu senhor" (Mt 25.21,23). O servo infiel afirma que sua inação é resultado de medo do senhor, que teria ficado bravo se o servo tivesse investido o dinheiro num empreendimento improdutivo. Em vez de arriscar a perder, ele enterra o tesouro como garantia (cf. Mt 13.44). Mas ele se condena com as próprias palavras. O senhor o chama de "mau e negligente servo" (Mt 25.26). Fazer o trabalho do Reino obtém abundância na consumação do tempo do fim, ao mesmo tempo que a negligência (ou a preguiça) é recompensada com a danação eterna (veja comentários sobre Mt 24.51). Jesus ensinou que a *prática* da justiça e do perdão gracioso de Deus são indispensáveis para a salvação última.

12.13. O Último Julgamento (25.31-46)

Jesus é o "Filho do Homem". Quando Mateus usa este título messiânico, ele o faz para predizer o sofrimento e morte de Jesus ou para retratar sua Segunda Vinda. Das aproximadamente

Tijolos de barro secos ao sol ainda são usados para construções nos dias de hoje.

trinta vezes que ocorrem em Mateus, sete vezes aparecem nos capítulos 24 e 25. Nesta seção, os temas dominantes são a *parousia* (Segunda Vinda) do Filho do Homem e o julgamento. Assemelha-se a Daniel 7.13,14, quando "um como o filho do homem" recebe o Reino do Ancião de Dias. A glória concomitante e o acompanhamento angelical exaltam a finalidade apocalíptica da sua Vinda (Zc 14.5; Mt 13.41; 16.27; 18.10; 24.31; 25.31).

A identificação das "nações" (*ethne*) é decisiva para a interpretação. Se diz respeito aos gentios (e é freqüente que *ethne* signifique povos que não os judeus), então este julgamento é distinto do julgamento dos judeus predito por Jesus (Mt 23.37—24.3). Neste cenário os gentios serão julgados pela forma como eles tratam os missionários cristãos ou os cristãos em geral (quanto à expressão "pequeninos irmãos", veja Mt 12.48-50; 18.2-14; 28.10; quanto a missionários/apóstolos, veja Mt 10.40-42). É provável que este não seja um julgamento distinto, mas de todas as nações, inclusive Israel (e.g., Mt 24.9-14). A separação das ovelhas e bodes não representa um julgamento das nações que são simpatizantes aos cristãos das que não o são, mas um julgamento da Igreja de todas as nações. Repare que os dois grupos chamam Jesus de "Senhor". Esta divisão é rememorativa da Parábola do Trigo e do Joio e da Parábola da Rede de Pesca, no capítulo 13, da Parábola do Trigo e da Palha, em Mateus 3.11,12, e da Parábola dos Discípulos Verdadeiros e Falsos, em Mateus 7.21-27. Estes são julgamentos sobre a comunidade cristã.

É óbvio que o que se faz aos outros terá um efeito quando tal pessoa comparecer no último julgamento, mas Mateus 7.23 deixa claro que este joeiramento final dos eleitos é dependente de se conhecer Jesus também. Estar separado de Jesus é o castigo supremo, que a própria pessoa impõe sobre si mesma. Quanto ao julgamento apresentado em termos de ovelhas e bodes, veja Ezequiel 34.17.

Como na parábola anterior, Jesus requer punição eterna e recompensa eterna. As boas obras aqui explicam como a pessoa desenvolve os talentos dados pelo Senhor em Mateus 25.14-30. Aqueles que argumentam que a punição não é eterna (*aionion*), mas vigente por um período ou era limitada, são compelidos a considerar que a recompensa da vida também é limitada. É claro que Mateus está apresentando uma punição interminável e uma vida interminável para os malditos e os eleitos, respectivamente (v. 46). O julgamento é o inferno, visto que o fogo representa o inferno (Mt 5.22; 13.42,50; 18.8,9).

Aqui o Filho do Homem é descrito como Rei (Mt 25.34; cf. Mt 13.41; 16.28; 19.28). O Reino que os crentes herdam está preparado para eles desde "a criação do mundo" (Mt 25.34), ao passo que o inferno foi "preparado para o diabo e seus anjos" (Mt 25.41). Note o contraste entre eles e os anjos do Filho do Homem (v. 31). Com o versículo 46, Jesus termina sua última seção de ensino (veja comentários sobre Mt 26.1).

13. Paixão e Ressurreição: Narrativas (26.1—28.20).

13.1. Acontecimentos que Levam ao Jardim do Getsêmani (26.1-35)

Mateus termina a quinta e última seção de ensino (Mt 24—25) com sua conclusão típica: "Quando Jesus concluiu todos esses discursos" (Mt 26.1; veja comentários sobre Mt 7.28,29). Repare na palavra "todos" (cf. Mt 7.28; 11.1; 13.53; 19.1), que indica que o ensino de Jesus, o novo Moisés, está completo. A paixão está a ponto de começar. Esta terminologia é rememorativa da denúncia do ensino de Moisés: "E, acabando Moisés de falar todas estas palavras" (Dt 32.45). Depois desta, Jesus está, na maior parte, silencioso.

Quanto aos acontecimentos que conduzem à morte de Jesus, Mateus segue Marcos em geral. Todos os três Evangelhos Sinóticos colocam a conspiração final contra Jesus dois dias antes da Páscoa (e da Festa dos Pães Asmos; veja Mc 14.1; Lc 22.1). Com isto eles não querem dizer quarenta e oito horas, mas "depois de amanhã". A Páscoa começava com a morte dos cordeiros na tarde de quinta-feira, o décimo quarto dia do mês de nisã, e continuava na sexta-feira, o décimo quinto que se iniciava com o pôr-do-sol (o mesmo dia pelo cômputo dos dias de hoje; lembre-se de que o dia judaico começava com o pôr-do-sol).

13.1.1. Jesus Prediz de novo sua Morte (26.1-5). Pela quarta vez Jesus prediz aos discípulos sua prisão e morte iminentes (Mt 16.21; 17.22,23; 20.18,19). Em cada predição Ele acrescenta informações mais específicas. Nesta, Ele identifica mais uma vez que o modo de execução será a crucificação. A morte de Jesus é parte de um plano divino no qual os inimigos participam inconscientemente. Mateus une o "Filho do Homem" com a Páscoa. É evidente que ele vê o papel do Filho do Homem em termos sacrificais. Ele identifica os conspiradores, que são "os príncipes dos sacerdotes, e os escribas, e os anciãos do povo" (cf. "os principais dos sacerdotes e os escribas" em Mc 14.1 e Lc 22.2).

Estes líderes judeus desenvolvem a conspiração no palácio de Caifás, o sumo sacerdote, que serviu no ofício de 18 a 36 d.C. (veja comentários sobre Mt 26.57). Em Mateus, noutras palavras, é a aristocracia governante que por fim age contra Jesus, e não os habituais fariseus e escribas (que mais tarde se unem em Mt 26.57; 27.41). Embora os líderes judeus desejem matar Jesus em segredo, eles estão hesitantes porque temem que uma revolta messiânica se desencadeie entre as multidões do povo reunido para a festa (cf. também Jo 11.47,48). Mas sem o saberem eles alteram o plano para se conformar com a cronologia de profecia de Jesus, no versículo 2, porque eles não podem resistir à oportunidade que a deserção de Judas lhes oferece durante a festa.

Esta indecisão também pode ser entendida como medo de prender Jesus *publicamente* no meio das massas que lhe são simpatizantes. Lucas escreve que os líderes queriam matá-lo, mas estavam irresolutos, "porque temiam o povo"; ele também nota que Judas procurou uma chance de trair Jesus na ausência das multidões (Lc 22.2,6). Se esta é a razão para a reserva que mantiveram, então eles foram espertos em prender Jesus à noite, fora da cidade, no jardim do Getsêmani, longe das multidões.

13.1.2. A Unção em Betânia (26.6-13). Todos os quatro Evangelhos registram uma mulher que unge Jesus (Mc 14.3-9; Lc 7.36-50; Jo 12.1-8). Em Mateus Jesus está na casa de Simão, o Leproso, e uma mulher (aparentemente não uma pecadora) unge a cabeça do Senhor. Os discípulos (esp. Judas, de acordo com João) objetam o desperdício feito em desconsideração dos pobres. Jesus reputa esta unção uma antecipação do seu sepultamento. Por causa das diferenças nas histórias da unção, o pai eclesiástico, Orígenes, sugeriu que houve três unções. Muitos estudiosos modernos presumem que houve apenas uma. É provável que a narrativa de Lucas seja uma unção ocorrida anteriormente e que os outros três Evangelhos registram a mesma unção imediatamente antes da morte de Jesus com detalhes variados.

Curiosamente o anfitrião é "Simão, o Leproso". Visto que os leprosos eram cerimonialmente imundos e ficavam sob quarentena, presume-se que ele era um ex-leproso, talvez um dos que foram curados por Jesus; por causa da duração de sua enfermidade, ele tinha adquirido a alcunha de "o Leproso".

De acordo com Marcos, o valor do perfume era de trezentos denários (veja Mc 14.5). Alabastro é uma forma translúcida de gesso usado para esculpir frascos de perfume. O gargalo estreito lacrava o recipiente e evitava a evaporação. Para abrir o frasco a pessoa tinha de quebrá-lo. Os recipientes eram pequenos e forneciam o perfume apenas para uma aplicação.

O original grego não deixa claro se Jesus soube sobrenaturalmente que os discípulos se aborreceram com a honra extravagante que lhe fora conferida. Jesus não considera que a ação tenha sido extravagante ou exorbitante, mas "boa" (*kalon*, Mt 26.10). Jesus já tinha antecipado que o Evangelho seria proclamado pelo mundo todo (Mt 24.14; veja também Mt 28.19,20). Jesus promete que o ato generoso da mulher, relacionado ao seu sepultamento, seria proclamado continuamente. Este ato amoroso está em nítido contraste com o conluio das autoridades (Mt 26.3-5) e a união de Judas ao conluio (Mt 26.14-16).

13.1.3. Judas Trai Jesus (26.14-16). Judas, um dos Doze, procura entregar Jesus aos principais sacerdotes. Podemos supor seus motivos. Judas pede especificamente dinheiro para fazer a traição (v. 15). Talvez a aprovação que Jesus dera ao "desperdício" feito pela mulher com o perfume precioso no incidente anterior tenha sido particularmente perturbador. Talvez a resignação de Jesus à sua morte (v. 12) fosse idéia do messiado que ia contra suas convicções triunfalistas. Ou talvez ele pensasse, como é presumível que Saulo/Paulo tenha feito originalmente, que Jesus fosse um falso profeta. Lucas e João escrevem que Satanás entrou em Judas. Embora agisse de moto próprio, ele inconscientemente cooperou com o Diabo e os propósitos eternos de Deus (Jo 17.12).

O preço, trinta moedas de prata, é soma significativa (cerca de cento e vinte denários, ou cerca de quatro meses de salário básico). A quantia também era o preço de substituição de um escravo que foi morto (Êx 21.32). Também foi o insultante salário oferecido ao verdadeiro pastor de Zacarias 11.12,13, que lançou a quantia de volta ao oleiro (o que antecipa o remorso e suicídio de Judas registrados em Mt 27.3-10). Mateus usa a expressão "desde então" para identificar transições importantes no seu relato (e.g., Mt 4.17; 16.21). Judas agora põe em movimento os acontecimentos que conduzem à prisão, morte e ressurreição de Jesus. É ponto sem retorno para todos eles, com conseqüências apavorantes para Judas.

13.1.4. Preparação para a Páscoa (26.17-19). A Festa dos Pães Asmos, que durava do décimo quinto ao vigésimo primeiro dia do mês de nisã, sobrepunha a Páscoa. A Páscoa começava com a matança de cordeiros no crepúsculo do décimo quarto dia e a refeição da Páscoa no crepúsculo do décimo quinto dia (Êx 12.1-8). Essa noite corresponde a nossa quinta-feira, visto que, de acordo com a contagem ocidental, a meia-noite marca o fim de um dia e o começo de outro. Em contraste, o dia judaico começava com o pôr-do-sol. Jesus celebrou a refeição da Páscoa na noite que *começou* no décimo quinto dia de nisã e morreu no mesmo dia, algumas horas antes que terminasse.

O Evangelho de João tem uma cronologia diferente para a Última Ceia e a morte de Jesus (cf. Jo 13.1 com Jo 18.28; 19.14). Na narrativa de João, Jesus ministra a Ceia do Senhor no décimo quarto dia de nisã, na noite que começa aquele dia pelo cômputo judaico. Isto faz a morte de Jesus cair no mesmo dia, na tarde seguinte. Nesta cronologia Jesus teria morrido no mesmo tempo em que os cordeiros estavam sendo sacrificados em preparação da refeição da Páscoa (veja Mc 14.12). Qual era, segundo a cronologia joanina, a refeição que Jesus e os discípulos tiveram vinte e quatro horas antes do tempo tradicional da refeição da Páscoa? Era um kidish ou um haburá, comidas cerimoniais gerais, ou Jesus celebrou deliberadamente a refeição da Páscoa um dia antes, talvez porque os inimigos estavam se movendo depressa contra Ele e Ele sabia que o tempo era curto (Lc 22.15,16)?

Esforços em harmonizar o Evangelho de João com os Evangelhos Sinóticos são complexos, e não desprovidos de problemas.[13] Basta dizer que independente de quando Jesus celebrou a primeira Ceia do Senhor e foi subseqüentemente crucificado, viu ambos os eventos no contexto da Páscoa, e Ele mesmo sendo o Cordeiro sacrifical.

13.1.5. Jesus Prediz sua Traição (26.20-25). Mateus observa corretamente que Jesus se reclinou à mesa para participar da refeição, já que naquela época os convidados descansavam em divãs enquanto comiam. Jesus introduz o anúncio da traição com a expressão tipicamente semítica, "em verdade vos digo" (*amen*). O fato de estas palavras arderem na psique da igreja primitiva está claro na reação dos discípulos — eles "entristeceram-se muito" (*lypeo sphodra*, v. 22). Anteriormente Mateus tinha usado estas palavras para expressar a consternação que os discípulos sentiram quando Jesus predisse sua morte (Mt 17.23; cf. Mt 18.31). Aqui mais uma vez eles são vencidos pelas notícias inacreditavelmente tristes; Jesus não só morrerá, mas um deles tomará parte nisto.

Cada um dos discípulos pergunta se é ele, dirigindo-se a Jesus pelo título "Senhor" (*kyrie*; veja Mt 15.21-27). Judas pergunta: "Porventura, sou eu, Rabi?" (Mt 26.25). No Evangelho de Mateus os inimigos de Jesus o tratam comumente de Rabi ou Mestre (e.g., Mt 8.19; 9.11; 12.38; 22.16,24,36). Aqui, no caso de Judas, Mateus é friamente consistente.

A resposta de Jesus: "O que mete comigo a mão no prato, esse me há de trair" (Mt 26.23) não é identificação clara de Judas como o traidor, mas é deliberadamente vaga (veja também Sl 41.9). Se Jesus tivesse apontado Judas abertamente, é duvidoso que os discípulos tivessem permanecido sentados ociosamente e permitido que ele saísse sem ser abordado. O Evangelho de João deixa óbvio que Judas era o traidor, quando Jesus lhe deu o pedaço de pão (Jo 13.26); contudo, os discípulos pensam que quando Judas sai, foi enviado por Jesus para uma pequena missão (Jo 13.27-30). A ação de Jesus e suas palavras eram um tanto quanto enigmáticas. Jesus observa que a traição do "Filho do Homem" está de acordo com a Escritura, e seria melhor o traidor não ter nascido.

A resposta de Jesus a Judas: "Tu o disseste" (*sy eipas*), é afirmação indireta, talvez necessária, para evitar que os discípulos o contivessem. No julgamento, Jesus usará esta expressão de novo (Mt 26.64; 27.11). Quanto aos motivos de Judas, veja comentários sobre Mateus 26.14-16.

13.1.6. A Ceia do Senhor (26.26-29). A refeição da Páscoa era composta de alimentos específicos, cordeiro pascal com ervas e verduras amargas, para lembrar os judeus da libertação da escravidão no Egito. Cantavam-se os Salmos de Hallel (Sl 113—118). Entremeados na refeição há quatro cálices de vinho. O primeiro ocorria depois da oração de ação de graças, o segundo, com o prato principal, o terceiro, com outra oração de ação de graças, e o quarto com o cântico dos demais salmos.

A bênção ou ação de graças de Jesus sucede com o terceiro cálice. Esta bênção não se refere ao pão, mas a uma bênção de Deus que ocorria na cerimônia da Páscoa. Os verbos usados no versículo 26: "tomou o pão", "abençoando-o [*eucharisteo*]", "partiu" e "deu" são os mesmos usados para descrever os milagres da alimentação dos milhares de pessoas (veja comentários sobre Mt 14.19; 15.36). Não é desprovido de significado que a igreja primitiva tenha apresentado a Ceia do Senhor na linguagem de milagre. A eucaristia, o nome da ceia, provém da palavra grega traduzida pelo verbo "abençoar".

A versão de Mateus da Ceia do Senhor inclui as palavras "para remissão dos pecados" (Mt 26.28). Isto recorda Mateus 1.21: "Porque ele salvará o seu povo dos seus pecados" (veja também Mt 20.28). A Ceia do Senhor tem mais que meras implicações pascais; utiliza vários acontecimentos do Antigo Testamento. Na função do cordeiro pascal Jesus salva vicariamente da morte e introduz uma era de liberdade (Êx 12). O "sangue do Novo Testamento [novo concerto]" (Mt 26.28) tem ecos do sacrifício do concerto de sangue registrado em Êxodo 24.8, no qual Moisés lança metade do sangue dos animais sacrificais no altar de Deus e aspergia a outra metade no povo (veja também Zc 9.11; Hb 8.1-13; 9.11—10.18,29; 13.23). Isto estabeleceu uma nova relação entre Deus e o povo. Este novo concerto, também descrito por Lucas e Paulo (Lc 22.20; 1 Co 11.25), foi antecipado em Jeremias 31.31-34 e é qualitativamente superior ao velho (cf. Hb 8.7-13). O sofrimento vicário também está aludido no cântico do Servo Sofredor de Isaías 52.13 a 53.12. O derramamento do sangue tem implicações sacrificais (Lv 1—7; 16).

13.1.7. Predição da Negação de Pedro (26.30-35). O "hino" (v. 30) se refere a um dos hinos conclusivos da celebração da Páscoa. Este versículo serve de transição, que conclui a refeição da Páscoa e muda a jurisdição para o monte das Oliveiras. Jesus prediz que todos os discípulos se escandalizarão (v. 31, *skandalizo*). Mateus usa esta palavra muitas vezes (e.g., Mt 11.6; 13.57; 15.12). Esta deserção ocorrerá "esta noite" e mostra o quão rápido os acontecimentos estão

SEMANA DA PAIXÃO
Betânia, o Monte das Oliveiras e Jerusalém

1. A Chegada em Betânia — sexta-feira.
João 12.1 — Jesus chegou a Betânia seis dias antes da Páscoa para passar um tempo com os amigos, Maria, Marta e Lázaro. Enquanto estava ali, Maria, num gesto de humildade, ungiu os pés de Jesus com um perfume precioso. Esta atitude carinhosa indicava a devoção de Maria por Jesus e sua disposição em servi-lo.

2. O Dia de Descanso — sábado.
(Não mencionado nos Evangelhos) — Levando-se em conta que o dia seguinte era sábado, o Senhor passou o dia de maneira tradicional com os amigos.

3. A Entrada Triunfal — domingo.
Mateus 21.1-11; Marcos 11.1-11; Lucas 19.28-44; João 12.12-19 — No primeiro dia da semana Jesus entrou em Jerusalém montado num jumentinho, cumprindo, assim, antiga profecia (Zc 9.9). A multidão o saudou com "Hosana" e as palavras do Salmo 118.25,26, atribuindo-lhe desta forma um título messiânico como o agente do Senhor, o próximo Rei de Israel.

4. A Purificação do Templo — segunda-feira.
Mateus 21.10-17; Marcos 11.15-18; Lucas 19.45-48 — No dia seguinte Ele retornou ao templo e encontrou o pátio dos gentios repleto de comerciantes e cambistas, que obtinham grande lucro ao trocarem moedas judaicas por dinheiro "pagão". Jesus os expulsou e virou suas mesas.

5. O Dia de Controvérsia e Parábola — terça-feira.
Mateus 21.23—24.51; Marcos 11.27—13.37; Lucas 20.1—21.36 — Em Jerusalém: Jesus safou-se das armadilhas postas pelos sacerdotes. No monte das Oliveiras, contemplando Jerusalém (tarde de terça-feira, localização exata: desconhecida): Jesus ensinou por meio de parábolas e advertiu o povo contra os fariseus. Ele predisse a destruição do grande templo de Herodes e falou aos discípulos sobre acontecimentos futuros, inclusive de sua Vinda.

6. O Dia de Descanso — quarta-feira.
(Não mencionado nos Evangelhos) — As Escrituras não mencionam este dia, mas a contagem dos dias (Mc 14.1; Jo 12.1) indica que houve outro dia a respeito do qual os Evangelhos nada registram.

7. A Páscoa, a Última Ceia — quinta-feira.
Mateus 26.17-30; Marcos 14.12-26; Lucas 22.7-23; João 13.1-30 — Num cenáculo, Jesus preparou a si mesmo e aos discípulos para a sua morte. Ele deu um novo significado à refeição da Páscoa. O pão e o cálice de vinho representavam, respectivamente, o seu corpo, que logo seria sacrificado, e o seu sangue, que em breve seria derramado. E assim Ele instituiu "a Ceia do Senhor". Depois de cantarem um hino eles foram ao jardim do Getsêmani, onde Jesus orou em agonia por saber o que sucederia.

8. A Crucificação — sexta-feira.
Mateus 27.1-66; Marcos 15.1-47; Lucas 22.66—23.56; João 18.28—19.37 — Depois da traição, prisão, deserção, julgamentos falsos, negação, condenação, açoitamentos e escárnio, exigiram que Jesus levasse a cruz ao "Lugar da Caveira", onde Ele foi crucificado com outros dois prisioneiros.

9. No Sepulcro — sexta-feira.
O corpo de Jesus foi colocado no sepulcro antes das seis da tarde de sexta-feira, quando começava o sábado e todo o trabalho cessava, e ali ficou durante todo o sábado.

10. A Ressurreição — domingo.
Mateus 28.1-13; Marcos 16.1-20; Lucas 24.1-49; João 20.1-31 — De manhã cedo, as mulheres foram ao sepulcro e descobriram que a pedra que fecha a entrada do sepulcro havia sido removida. Um anjo lhes informou que Jesus estava vivo e lhes deu uma mensagem. Jesus apareceu a Maria Madalena no jardim, a Pedro, a dois discípulos na estrada de Emaús e, mais tarde, naquele mesmo dia, a todos os discípulos, exceto Tomé. Sua ressurreição foi estabelecida como fato.

prestes a se desenrolarem (Mt 26.31,34). Também terá cumprimento a profecia de Zacarias 13.7, relativa ao ferimento do pastor e a dispersão do rebanho de Israel no exílio. Zacarias 9 a 14 apresenta o pastor-rei como figura messiânica. Aqui Jesus prediz a ressurreição e antecipa a reunião deles na Galiléia (Mt 26.32; veja Mt 28).

Pedro mais uma vez contradiz enfaticamente Jesus (Mt 26.33,35) da mesma maneira que ele o fizera em Mateus 16.21-23. Jesus prediz a negação tripla de Pedro que dirá que ele jamais conheceu Jesus (Mt 26.34; veja Mt 26.69-75).

13.2. Jardim do Getsêmani, Prisão, Julgamento Judaico e a Negação de Pedro (26.36-75)

13.2.1. Jesus no Jardim do Getsêmani (26.36-46). Jesus e os discípulos deixam a cidade e atravessam o vale de Cedrom, ao oriente do monte das Oliveiras, especificamente para o jardim do Getsêmani (que significa "lagar de azeitonas"). O Evangelho de João diz que era um horto ou jardim (Jo 18.1), e Lucas nota que Jesus ia ali com freqüência (Lc 22.39). Jesus leva consigo Pedro e os filhos de Zebedeu. Talvez porque Pedro tivesse sido designado o principal apóstolo (veja comentários sobre Mt 16.16-19) e porque Tiago e João tinham inconscientemente se oferecido para beber o cálice de Jesus (Mt 20.20-23). Estes três discípulos também tinham testemunhado a transfiguração de Jesus (Mt 17.1-8).

Mateus registra três sessões de oração angustiada; Jesus "está chei[o] de tristeza" (*perilypos*, Mt 26.38; veja também Sl 42.6; 43.5). Jesus se prostra com o rosto em terra, para demonstrar não só a agonia de alma, mas também sua submissão ao Pai (Mt 26.39). Jesus se dirige a Deus por "meu Pai" e pergunta "se é possível" que o cálice lhe seja removido. Aqui o cálice é o sofrimento e morte iminentes (veja comentários sobre Mt 20.20-23).

Jesus volta aos três discípulos e os encontra dormindo, presumivelmente exaustos pela tensão dos últimos dias. Ele os reprova dirigindo-se a Pedro como o líder entre eles (veja comentários sobre Mt 16.16-19). Até nos momentos de maior necessidade e agonia Jesus expressa preocupação pelos discípulos, pois a ordem para eles vigiarem é em favor tanto deles quanto dEle próprio. Eles devem orar a fim de evitar a tentação, que é referência à provação que eles estão prestes a passar, na qual como grupo se comportarão inadequadamente. Repare o paralelo entre esta ocasião de oração e a da Oração do Senhor: "Pai", "seja feita a tua vontade" e "não nos induzas à tentação" (Mt 6.9-13). Jesus praticou o que pregou; Ele orou. Talvez Mateus veja as três orações distintas de Jesus em contraste com as três negações de Pedro (Mt 26.69-75).

A palavra "hora" indica que um acontecimento crucial é iminente (v. 45). O título "Filho do Homem" é unido tipicamente com o sofrimento e a morte de Jesus. Visto que Ele sabe que Judas está prestes a traí-lo, Ele ordena que os discípulos se levantem e partam! Jesus está no controle da traição, pois é parte necessária do plano de redenção e cumprimento da Escritura. Na verdade, o que Ele está dizendo é: "Levantai-vos, vamos encontrar o meu traidor". Ninguém tomará a vida de Jesus; Ele se entrega por livre vontade (Jo 10.18).

13.2.2. A Prisão de Jesus (26.47-56)

13.2.2.1. O Ato Traidor de Judas (26.47-50). Jesus ainda está falando, quando a comitiva dos principais sacerdotes, acompanhada de uma "*grande* multidão" fortemente armada, chega junto com Judas (vv. 47,48). Por que a grande multidão? Os inimigos não podem prendê-lo na cidade por medo do povo (Mt 21.46); assim eles movem-se contra Jesus fora da cidade e à noite quando menos pessoas estão em volta dEle. Mas Jesus e os discípulos não estão completamente sós. Muitos peregrinos que vieram para a Festa da Páscoa estavam acampados no monte das Oliveiras; assim, por medo da turba, os líderes judeus trazem uma turba para capturar Jesus.

A presença de numerosos peregrinos nas redondezas explica por que Judas tem de dar um sinal que identifica Jesus como o alvo deles. O beijo, sinal de respeito e lealdade, torna-se sinal de hipocrisia e traição. Entre alguns rabinos o discípulo só pode lhe beijar os pés ou a testa sob permissão; a ação de Judas pode ter sido feita com uma atitude de presunção e desaforo. Suas palavras a Jesus soam ocas e hipócritas. Uma vez mais, Judas se dirige a Jesus por "Rabi" (veja comentários sobre Mt 26.25).

A saudação de Jesus a Judas, chamando-o de "amigo" (*hetairos*) — mordacidade de repreensão irônica —, não é a palavra grega habitualmente traduzida por amigo (*philos*). Sócrates usou esta palavra para se referir a seus alunos, e significa companheiro, vizinho, camarada de farda, partidário político ou alguém de determinada fraternidade ou organização. Era usado no judaísmo para aludir aos que observavam escrupulosamente a lei. A palavra ocorre três vezes em Mateus (Mt 20.13; 22.12 e aqui). Em cada ocasião "denota uma relação mutuamente vinculativa entre aquele que fala e aquele que ouve que o último desconsiderou ou desprezou" (*Theological Dictionary of the New Testament*, eds. G. Kittel e G. Friedrich, Grand Rapids, 1964-1976, vol. 2, p. 701). Também conota o significado "companheiro de mesa" (France, 1985, p. 375), o que acentua a deslealdade de Judas, uma vez que ele tinha participado da Ceia do Senhor, que ratificou o novo concerto e sua alegada submissão a Jesus.

As próximas palavras de Jesus (Mt 26.50) podem ser traduzidas como uma pergunta: "A que vieste?", ou como uma ordem: "Faze o que tu viste fazer". A última opção deve ser preferida, visto que Jesus sabe por que Judas veio, e Judas tem certeza de que Jesus sabe. Esta ordem ressalta mais uma vez que Jesus está no controle do que está acontecendo (veja comentários sobre Mt 26.45).

13.2.2.2. A Espada (26.51-54). Todos os quatro Evangelhos registram uma tentativa atamancada de livrar Jesus pela força, que resultou no escravo do sumo sacerdote ficar sem orelha (Mc 14.47; Lc 22.49-51; Jo 18.10,11). João diz que o agressor foi Simão Pedro. Considerando que é freqüente Mateus incluir referências a Pedro, é provável que Mateus não saiba quem foi o agressor. Lucas registra que Jesus curou o escravo ferido (Lc 22.51). Jesus instrui Pedro a colocar a espada na bainha e acrescenta palavras que proíbem a violência (Mt 26.52; veja também Mt 5.38-42; Ap 13.10). É curioso que em Lucas Jesus tinha dito que os discípulos comprassem espadas (Lc 22.35-38)! Estas duas ordens têm de ser equilibradas; talvez a autodefesa seja tolerada, mas o ataque não provocado não. O exemplo e a prática de Jesus são caracteristicamente de não-violência.

Jesus afirma que, se Ele quiser, Ele pode pedir ao Pai doze legiões de anjos para o livrar, indicando que o próprio céu viria em seu socorro. Esta declaração reforça que Jesus está no controle e deliberadamente cumpre as Escrituras concernentes a Si mesmo. A comunidade de Qumran cria que os anjos lutariam ao lado deles na batalha do tempo do fim contra os pagãos (Rolo da Guerra 7.6). Mas Jesus recusa uma solução cósmica de efeito rápido, como Satanás lhe tinha oferecido na tentação (Mt 4.6,7).

13.2.2.3. Jesus É Abandonado (26.55,56). Mateus deixa claro que a deserção dos discípulos é acontecimento importante quando usa as palavras "naquela hora" (NIV; "então", RC). Jesus fala à multidão hostil. Sua repreensão expõe a deslealdade dos inimigos. Durante dias Ele ensinara no templo publicamente, contudo agora eles movem-se sub-repticiamente contra Ele. Com a pergunta que Ele faz no versículo 55, Ele dá a entender que *não está* "chefiando alguma rebelião" (NIV). Afinal de contas, ao proibir os discípulos de defenderem a Ele ou a si mesmos, Ele prova aos inimigos que não é revolucionário. Mateus pode estar levantando a questão porque a comunidade a quem ele escreveu, composta por cristãos judeus, precisava responder aos judeus que difamavam o Messias ao dizerem que Ele era um impostor que incitava a populaça.

Os discípulos indubitavelmente estão confusos com a aquiescência de Jesus para com as autoridades apesar de suas predições. Eles estavam prontos a lutar (Mt 26.35), e não há que duvidar que a rendição dEle expunha a todos em perigo, segundo pensavam; eles abandonaram o campo sem o líder. Isto cumpre Zacarias 13.7, que observa que quando o pastor é atingido duramente, as ovelhas se espalham (veja Mt 26.31).

13.2.3. Jesus diante do Sinédrio (26.57-68).

Jesus é levado perante Caifás, o sumo sacerdote. Anás, seu sogro, tinha sido sumo sacerdote, mas fora deposto; contudo ele continuava sendo o verdadeiro poder por trás do ofício, mantido ostensivamente por uma sucessão de seus filhos e o genro, Caifás. "Pedro o seguiu [Jesus] de longe" para ver qual seria o resultado do julgamento (v. 58).

O conselho se reuniu à noite. Lei judaica mais tardia proibiu que questões importantes fossem julgadas à noite. Este julgamento era ilegal, ou esta reunião era informal, mas de manhã culminou num julgamento formal? Já que o governo de ocupação romano proibia que os judeus decidissem casos que envolvessem a pena de morte, qualquer decisão que o Sinédrio tomasse era na melhor das hipóteses provisória. Considerando que o conselho estava no processo de obter falsas testemunhas enquanto o julgamento ocorria, o caso todo era *ad hoc* (para este fim específico) e estava corrompido (v. 59).

De acordo com Marcos, os relatos das falsas testemunhas não eram harmônicos (Mc 14.56). Como Marcos, Mateus registra a acusação que Jesus disse que podia destruir o templo e reedificá-lo em três dias (Mt 26.61; cf. Mt 27.40). A este registro, Mateus acrescenta que foram *duas* testemunhas falsas que o afirmaram; em casos primordiais, a lei mosaica requeria um mínimo de duas testemunhas para a condenação (Dt 17.6). Esta acusação seria verossímil, levando-se em conta a hostilidade de Jesus demonstrada na purificação do templo (Mt 21.12,13) e considerando a predição que Ele fizera da destruição do templo (Mt 24.2). João explica que a declaração de Jesus sobre a destruição do templo referia-se à sua morte e ressurreição (Jo 2.19-21). Esta acusação contra Jesus vem novamente à tona no julgamento de Estêvão (At 6.14). Mas o foco último para a adoração da novel Igreja não era o templo, mas algo maior que o templo (veja Mt 12.6).

Jesus recusa-se a responder a acusação mesmo quando o sumo sacerdote o exige. O silêncio de Jesus é imitação consciente do Servo Sofredor de Isaías: "Ele foi oprimido, mas não abriu a boca; como um cordeiro, foi levado ao matadouro e, como a ovelha muda perante os seus tosquiadores, ele não abriu a boca" (Is 53.7).

Só quando o sumo sacerdote adjura Jesus pelo "Deus vivo" é que Ele responde outra acusação, a de que Ele havia dito falsamente que era o Messias (Mt 26.63). A combinação de "Filho de Deus" e "Deus vivo" é rememorativa da confissão cristológica de Pedro (Mt 16.16). A acusação que por fim é escrita sobre a cruz de Jesus dizia ter Ele afirmado ser o Messias davídico (Mt 27.37). A pergunta do sumo sacerdote foi apresentada em tom sarcástico ou incrédulo, visto que ninguém consideraria que a figura aparentemente impotente de Jesus seria o Messias invencível.

Mateus registra a resposta indireta e idêntica de Jesus à acusação, igual a que Ele dera a Judas um pouco antes (veja comentários sobre Mt 26.25). O restante da resposta de Jesus é mais direto. Ele se descreve como o Filho do Homem de Daniel 7.14, que recebe o reino do Ancião de Dias. Ele diz aos inimigos que mais tarde eles não o verão com aparência impotente e estando amarrado, mas vindo na glória apocalíptica. "À direita do Todo-poderoso" é tradução literal. A palavra traduzida por "Todo-poderoso" é referência respeitosa a Deus sem usar o nome sagrado.

O sumo sacerdote rasga as vestes em sinal da gravidade do crime e insiste que Jesus blasfemou, crime punível com a morte. Ele pode ter considerado as palavras de Jesus como uma usurpação do poder de Deus e, portanto, equivalente a blasfêmia (Catchpole, 1971, p. 126).

Os membros do conselho cuspiram no rosto de Jesus, deram-lhe murros e bofetadas. O próprio sumo sacerdote pode não apenas ter aprovado o abuso que Jesus recebeu, mas até designou a tarefa àqueles em cujas mãos Jesus sofria. As narrativas de Marcos e Lucas ajudam a esclarecer o que está acontecendo. Num esforço de provar que o infeliz cativo não é o Messias, eles o vendam e pedem ao suposto profeta messiânico que lhes diga quem está batendo nEle. Esperava-se que o Messias tivesse tais habilidades proféticas (veja Salmos de Salomão 17.37; cf. também Is 11.2).

13.2.4. Pedro Nega o Senhor (26.69-75). Agora Mateus retoma a história de Pedro iniciada em Mateus 26.58. Enquanto as autoridades judaicas examinam Jesus, Pedro está sentado no pátio, presumindo que ele não é reconhecido. A menina que o questiona é criada de um sumo sacerdote (Mt 26.69; Mc 14.66). O diminutivo *paidiske* transmite o significado "pequeno". Em outras palavras, o discípulo que jurou que morreria lutando pelo Mestre se acovarda diante de uma menininha escrava! Neste relato da primeira negação de Pedro, Mateus ressalta que o discípulo nega o Senhor "diante de todos", tornando uma negação pública (Mt 26.70).

Marcos reporta que a mesma menina pergunta mais uma vez, ao passo que Mateus observa que foi outra menina escrava que fez a segunda pergunta. Isto é típico do uso de "dois" feito por Mateus (veja Mt 8.28; 9.27; 20.30), talvez para afirmar a insistência judaica de múltiplas testemunhas para condenação. Nesta segunda identificação de Pedro como um dos discípulos de Jesus, ele lança mão de um "juramento" para negar qualquer relação dele com o Senhor, prática que Jesus tinha proibido (Mt 26.72; cf. Mt 5.33-37). A multidão faz a mesma acusação, por causa do sotaque galileu de Pedro. Neste momento Pedro amaldiçoa. O original grego pode ser traduzido que Pedro pronunciou uma maldição sobre si mesmo ou que ele amaldiçoou o Senhor, ação que mais tarde o governo romano exigiria dos cristãos em troca de suas vidas (France, 1985, p. 383).

Há uma quarta testemunha da negação de Pedro — um galo. Depois desta terceira negação, todos os quatro Evangelhos registram um galo que canta; até a natureza levanta a voz em protesto contra o fato de Pedro negar Jesus (Mt 26.74; Mc 14.72; Lc 22.60; Jo 18.27). Isto faz Pedro lembrar a predição de sua tripla negação de Jesus (Mt 26.34), e ele sai e chora "amargamente".

Pedro torna-se exemplo de esperança para o pecador. Pouco importando quão grave seja o pecado cometido, arrependimento e restauração sempre são possíveis. Mateus logo fornecerá o contraste com Judas, que, embora arrependido, não se volta para Deus (Mt 27.3-10). Mateus não registra a restauração de Pedro (cf. Jo 21.15-19). Ele presume que seus leitores saibam o grande papel que a "pedra" desempenhou no estabelecimento da igreja.

13.3. Jesus É Entregue a Pilatos; A Morte de Judas (27.1-10)

De manhã, com a alvorada, os principais sacerdotes e anciãos decidem matar Jesus. De acordo com a lei judaica, esta decisão não deveria ter sido tomada à noite (veja comentários sobre Mt 26.59-66). Visto que pela lei romana os judeus estavam proibidos de fazer execuções, eles tinham de entregar Jesus a Pôncio Pilatos, o governador romano responsável pela Judéia de 26 a 36 d.C. Provavelmente não é sem importância que o verbo grego usado para traduzir "entregar" Jesus a Pilatos (*paradidomi*) seja o mesmo usado para descrever o ato de Judas trair Jesus. Josefo relata que Pilatos era um governante matreiro, que em mais de uma ocasião massacrou judeus e samaritanos para impor sua vontade e manter a ordem. Reclamações haviam sido feitas aos superiores de Pilatos concernentes à sua brutalidade (*Antiguidades Judaicas*; *Guerras Judaicas*). Parece que Pilatos estava em Jerusalém durante a Páscoa para evitar desordens mediante presença maciça do exército.

No relato do remorso e suicídio de Judas (Mt 27.3-10), ele se dá conta de sua culpa e sente-se pesaroso, mas sua tristeza não o conduz ao arrependimento (veja Mt 3.8;

Lc 3.8-14). Quando ele tenta se livrar do dinheiro de sangue devolvendo-o aos sacerdotes, que tinham lhe dado, eles se recusam a aceitá-lo de volta à tesouraria do templo, visto que está manchado. Eles usam as trinta moedas de prata para comprar um campo para servir de cemitério de estranhos.[14] O ponto principal é que em contraste com o Pedro penitente e sua posterior restauração, Judas se desespera da capacidade de Deus redimir.

Mateus atribui a Jeremias uma profecia que é principalmente de Zacarias 11.12,13 (com alusões a Jr 18.2,3; 19.1-13; 32.6-15). Combinação de citações era procedimento típico da exegese rabínica. Quanto a comentários sobre o cumprimento de profecia em relação a Judas e sobre o assunto da predestinação, veja Mt 26.14-16,21-26,31.

13.4. Jesus Comparece perante Pilatos (27.11-31a)

Mateus chama Pilatos de "governador". Embora escrevendo principalmente de uma perspectiva judaica, Mateus faz menção ocasional do papel dos gentios. Aqui ele apresenta o papel do governo romano, a suprema força política terrena na Terra Santa, sobre a execução injusta de Jesus. Ultimamente os estudiosos têm tentado minimizar ou negar o papel dos judeus na morte de Jesus por medo da violência que acompanha o tormento do anti-semitismo. Mateus deixa claro que os líderes judeus, e em certo sentido o povo judeu, foram responsáveis pela morte de Jesus (vv. 22,23). Contudo ele também assevera que os gentios, na pessoa de Pilatos e seus soldados, também foram culpados.

A solução da acusação do anti-semitismo *não é* mudar o texto do Novo Testamento ou questionar sua confiabilidade, mas ressaltar a nítida culpa de *toda* a humanidade, pois todo aquele que peca ajudou a fincar o prego nas mãos e pés de nosso Senhor e depois desafiadoramente dançou debaixo da cruz, com o sangue a gotejar sobre si (Rm 3.23; Hb 6.6). Os judeus não eram culpados porque fossem judeus, mas porque eram seres humanos caídos, assim como o eram Pilatos e seus associados.

O fato de Jesus comparecer perante Pilatos cumpre sua própria predição: "Sereis até conduzidos à presença dos governadores e dos reis, por causa de mim, para lhes servir de testemunho, a eles e aos gentios" (Mt 10.17,18). O que é verdade para os discípulos, é verdade para o Mestre (Mt 10.24). Note que Mateus menciona governadores *e gentios* (cf. Lc 12.11,12). Isto serve de lembrete de que, como Jesus, os cristãos sofrerão (Brown, 1994, p. 735). Se Mateus está escrevendo no reinado do imperador Domiciano, então a menção dos gentios diz respeito à perseguição romana de cristãos e judeus, a qual, em comparação, torna a violência judaica contra a Igreja registrada em Atos como mera picada de abelha. Mateus está avisando os seguidores de Jesus a estarem prontos para sofrer como Jesus.

13.4.1. A Acusação (27.11-14). A pergunta de Pilatos: "És tu o Rei dos judeus?", pode ter laivos de sarcasmo e ironia, visto que Jesus está amarrado diante dele. A resposta de Jesus: "Tu o disseste" (tradução literal de *sy legeis*; veja comentários sobre expressão semelhante usada em Mt 26.25,64), é uma afirmação indireta. Mateus declara explicitamente que no julgamento romano Jesus permanece calado diante dos principais sacerdotes e anciãos que o acusavam, da mesma maneira que Ele o fez no julgamento judaico (Mt 27.12-14; cf. Mt 26.62,63; contraste com Mc 15.3). É provável que Mateus tenha em mente Isaías 42.2 e 53.7: "Não clamará, não se exaltará, nem fará ouvir a sua voz na praça"; e: "Ele [...] foi levado ao matadouro e [...] ele não abriu a boca". Pilatos ficou pasmo com o silêncio de Jesus (cf. Is 52.15).

13.4.2. Jesus ou Barrabás? (27.15-18,20-23). Neste ponto, Lucas registra o exame feito em Jesus por Herodes e a declaração subseqüente que Pilatos fez sobre a inocência de Jesus (Lc 23.6-13); Mateus, em contraste, prossegue imediatamente mencionando a oferta de anistia de Pilatos. Só nos Evangelhos ficamos sabendo do costume pascal de oferecer liberdade a um prisioneiro. Uns pensam que a Misná sugira, embora vagamente, o costume de libertar um prisioneiro (*Pesahim* 8.6). Talvez Pilatos tenha feito uma adaptação local para os judeus a fim de aplacá-los quanto ao assunto. Sob a lei romana, Pilatos só podia libertar um prisioneiro que não tivesse sido condenado; presumivelmente o veredicto de Barrabás não havia sido dado.

Quem era Barrabás? Mateus diz que era "um preso bem conhecido" (Mt 27.16). De Marcos e Lucas ficamos sabendo que ele era um rebelde e assassino, que tinha se envolvido numa insurreição na cidade (Mc 15.7; Lc 23.19). Seu nome significa "o filho do pai". Alguns manuscritos de Mateus registram o nome "Jesus Barrabás" (Jesus era nome comum entre os judeus naqueles dias). Se esta variante estiver correta, então é manifestadamente irônico: O povo pede a libertação do rebelde chamado "Jesus, o filho do pai", ao mesmo tempo que pedia a morte de Jesus, o Filho do Pai! (Note as referências freqüentes de Mateus a Jesus chamando Deus de "meu Pai" em Mt 7.21; 11.27; 16.17; 18.10; 26.42.) Pilatos oferece libertar Jesus, porque ele sabe que Jesus é inocente e vítima de inveja (Mt 27.18).

13.4.3. A Esposa de Pilatos (27.19). Mateus registra o sonho da esposa de Pilatos como outra razão para libertar Jesus. Ela declara Jesus é "justo [*dikaios*]". Dado o uso freqüente de Mateus da família léxica de justiça (veja comentários sobre Mt 3.15; 5.6), ele quer que o significado seja duplo. Mateus "está dando prosseguimento ao motivo obsessivo de sangue inocente que corre de Judas (Mt 27.4) por este versículo (Mt 27.19) até a tentativa de Pilatos lavar as mãos desse sangue (Mt 27.24)" (Brown, 1994, p. 806). Apesar do empenho de Pilatos soltar Jesus, os líderes persuadem o povo a pedir a morte de Jesus.

13.4.4. Pilatos Lava as Mãos (27.24,25). A ação de Pilatos lavar as mãos para declarar sua inocência parece mais um costume judaico que romano (veja Dt 21.6-9; Sl 26.6-10; Is 1.15,16). Pilatos pode estar adaptando uma prática judaica. Só Mateus registra esta ação e a resposta de todo o povo: "O seu sangue caia sobre nós e sobre nossos filhos" (Mt 27.25). O povo aceita a afirmação de Pilatos de que eles são responsáveis pela morte de Jesus. Não há que duvidar que os leitores do século I viram a destruição de Jerusalém como cumprimento deste juramento. Esta resposta da multidão de nenhuma maneira exonera Pilatos; ele era o governante supremo da região controlada pelo exército romano. Ele podia ter salvo um homem inocente; a responsabilidade estava inteiramente em suas mãos.

A rejeição da multidão cumpre as palavras de Jesus ditas anteriormente: "Para que sobre vós caia todo o sangue justo, que foi derramado sobre a terra, [...] sobre esta geração" (Mt 23.35,36). Mateus também quer mostrar a culpa da comunidade judaica no conflito com a igreja do século I. Ele apresenta o cristianismo como o sucessor legítimo do judaísmo (veja também At 3.13,14).

13.4.5. Jesus É Açoitado (27.26). O açoitamento era parte comum do processo de crucificação. O Antigo Testamento limitava os açoites a quarenta (Dt 25.3; veja também 2 Co 11.24), mas os soldados romanos não estavam sob tais restrições. O açoite usado em crimes capitais era o *flagellum*, que consistia em correias de couro com pedaços de osso ou metal nas pontas. Esfolava até chegar aos ossos e às vezes provocava a morte da vítima antes da crucificação (Josefo, *Guerras Judaicas*).

13.4.6. Os Soldados Zombam de Jesus (27.27-31a). A audiência (ou "pretório") que outrora se pensava que fosse a fortaleza de Antônia, era provavelmente o palácio de Herodes (a fortaleza era um quartel para as tropas). Parte do escárnio que Jesus suportou às mãos romanas foi ser despido e vestido com uma "capa de escarlate". Lucas registra que Herodes e os soldados escarneceram de Jesus vestindo-o com uma "roupa resplandecente" antes de devolvê-lo a Pilatos (Lc 23.11). Talvez a capa de Jesus tenha vindo de Herodes, embora esta idéia indique que tenha havido dois escárnios pelos soldados, com os soldados romanos retirando a capa e pondo-a novamente. Marcos e João identificam que a capa era "púrpura" (Mc 15.17; Jo 19.2). A antiga cor púrpura não corresponde necessariamente à cor dos dias atuais; assim as cores escarlata e púrpura são mais próximas à cor vermelha atual. Ambas as cores estavam associadas com riqueza e posição (Ap 17.4). Talvez a capa colocada sobre Jesus fosse uma capa dos soldados romanos, a qual era escarlata (a cor púrpura também era usada para descrever estes capotes; veja Bauer, W. F. Arndt e F. W. Gingrich, *A Greek-English Lexicon of the New Testament and Other Early Christian Literature*, Chicago, 1979, p. 694). Isto estaria mais de acordo com a farsa improvisada que a cana e os espinhos sugerem.

A "cana" serve de falso cetro; os soldados a usaram para bater em Jesus repetidamente na cabeça. Os "espinhos" imitam uma coroa helenística, que tinha raios dourados radiando da cabeça do monarca (visto comumente em moedas antigas). Com qualquer coisa à mão os soldados conspiram para fazer Jesus parecer um rei espantalho. Eles o escarnecem postando-se diante dEle como uma tropa em revista por um monarca, curvando-se diante dEle e o saudando como "o rei dos judeus" — a descrição do crime colocada acima da sua cabeça na cruz. O quanto será surpreendente, para aqueles que se curvaram uma vez, o fato de que eles se curvarão duas vezes! Aqueles que o zombaram de rei um dia o reconhecerão como Senhor (Fp 2.10,11), e aquele que eles feriram com uma cana um dia regerá sobre eles com uma vara de ferro (Ap 19.15). Com a menção da cana, da genuflexão dos soldados e do uso duplo do verbo "escarnecer", Mateus intensifica o tratamento vergonhoso que Jesus suportou às mãos dos gentios. Ele tinha predito o açoite e o escárnio às mãos dos gentios (Mt 20.19).

13.5. A Crucificação (27.31b-56)

A crucificação era forma romana de execução, reservada para escravos e não-cidadãos que tinham cometido crimes hediondos. O modo judaico habitual de execução era apedrejamento, mas os dominadores romanos reservavam a pena de morte como prerrogativa imperial. A crucificação era o instrumento de tortura mais horroroso que levava à morte. A vítima era amarrada ou pregada num poste e ficava ali até que ocorresse a morte por asfixia, pois o diafragma ficava contraído e a respiração só era possível quando a vítima se levantava na cruz. Os tipos de cruz e as posições nas quais os criminosos eram colocados eram tão variados quanto a imaginação pode ser cruel. Por vezes pedaços toscos de madeira serviam de suportes para os pés ou assentos estreitos, prolongando a agonia. Considerando que Jesus morreu num tempo relativamente curto (levava dias para a vítima morrer), é provável que Ele não teve uma cruz equipada com estas "amenidades".

A vítima era crucificada nua, e assim sucedeu com Jesus uma vez que seus captores dividiram as roupas dEle entre si (Mt 27.35). É presumível que os romanos tenham vestido Jesus para que Ele marchasse ao local de execução a fim de respeitar a sensibilidade judaica, pois era comum fazerem as vítimas desfilarem despidas até o lugar da crucificação. Se Jesus usava uma tanga quando estava na cruz (como é retratado nas pinturas) é no melhor dos casos especulativo. Jesus levou só a viga transversal da cruz e não a cruz inteira ao local de execução. Suas mãos foram sobrepostas acima da viga enquanto a levava sobre o pescoço.

13.5.1. Simão Carrega a Cruz de Jesus (27.31b,32). Os maus tratos que Jesus recebeu cobram seu preço, pois Jesus estava muito fraco para carregar a cruz pelo trajeto inteiro. Assim os soldados romanos forçaram Simão, o Cireneu, a levar a viga transversal (v. 32), prática militar comum (cf. At 5.41). Cirene era uma cidade grega da África do Norte; Marcos identifica este Simão com o pai de Alexandre e Rufo, pessoas que os seus leitores possivelmente conheciam. É muito provável que a família ficou cristã, talvez em resultado do pai deles ter levado a cruz do Messias. Lucas dá mais detalhes relativos aos acontecimentos ocorridos no caminho para a crucificação (Lc 23.27-32).

13.5.2. Jesus É Pregado na Cruz (27.33-44).

Jesus foi crucificado fora da cidade, num local que corresponde aos mandados hebraicos concernentes a execuções (Lv 24.14; Nm 15.35,36; At 7.58; Hb 13.12,13). O lugar se chamava Gólgota, do aramaico "caveira" (a palavra latina para caveira é *calvaria*, da qual temos Calvário). Sua localização exata não é certa, mas o local mais provável fica perto da Igreja do Santo Sepulcro, ao norte da cidade.

Antes de os soldados pregarem Jesus à cruz, eles lhe oferecem vinho misturado com fel. Depois de Jesus ter provado a bebida, Ele a recusa. A mistura de vinho com fel seria insalubre e, portanto, um escárnio da sede de Jesus. Reconhecendo um brincadeira cruel ao primeiro gole, Ele rejeita o insulto. Mateus tem em mente o Salmo 69.21: "Deram-me fel por mantimento, e na minha sede me deram a beber vinagre".[15]

As roupas dos condenados tornavam-se pilhagem dos executores. De acordo com João, eles jogaram sortes sobre as roupas de Jesus, e assim cumprem o Salmo 22.18 (Jo 19.23,24). Os soldados mantêm Jesus sob vigília (Mt 27.36). Jesus está sob constante guarda; não havia jeito de seus seguidores o retirarem da cruz. Isto antecipa a colocação de uma guarda no sepulcro de Jesus a fim de impedir que os discípulos roubassem o corpo (Mt 27.62-66). Todos os quatro Evangelhos apresentam basicamente a mesma inscrição da acusação que foi colocada acima da cabeça de Jesus: "ESTE É JESUS, O REI DOS JUDEUS". Isto se encaixa com a ênfase de Mateus em Jesus, o Rei. João nota que a inscrição estava em hebraico, latim e grego. De acordo com Marcos, Jesus é crucificado na hora terceira (nove horas da manhã).

Para aumentar a vergonha Jesus é crucificado com dois "ladrões" ou insurretos, talvez companheiros de Barrabás. (Quanto ao ato de sacudir a cabeça como sinal de insulto, veja Sl 22.7,8; 109.25; Lm 2.15.) As multidões jogam no rosto de Jesus as próprias palavras que Ele dissera relativas a destruir e reconstruir o templo em três dias (Mt 26.61; Jo 2.19; At 6.14). O desafio que fazem para Ele descer da cruz, "se és o Filho de Deus", é rememorativo das tentações no deserto, postas diante dEle por Satanás para escapar dos rigores do jejum (Mt 4.1-11).

Os principais sacerdotes e anciãos acrescentam os próprios insultos, zombando de Jesus como "o Rei de Israel" que deveria ter o poder de descer milagrosamente da cruz. O tema de Mateus de Jesus, o Rei, é transmitido nas palavras adicionais: "[Ele] confiou em Deus; livre-o agora, se o ama; porque disse: Sou Filho de Deus" (Mt 27.43). Estas palavras e a situação difícil de Jesus são surpreendentemente semelhantes a Sabedoria de Salomão 2.16-20, onde o justo é o Filho de Deus e o injusto o tortura. Os ladrões crucificados com Jesus também o ultrajam. Lucas observa que um dos dois afirma a inocência de Jesus e é recebido por Jesus no seu Reino (Lc 23.39-43).

13.5.3. A Morte de Jesus (27.45-50).

Por volta do meio-dia ("a hora sexta") a terra ficou às escuras até às três horas da tarde ("a hora nona"), quando Jesus morre. Isto se assemelha à profecia de Amós: "Farei que o sol se ponha ao meio-dia e a terra se entenebreça em dia de luz" (Am 8.9). O contexto em Mateus parece igual ao de Amós: o julgamento da terra.

Jesus clama na hora nona, perguntando por que Deus o abandonou. Ele cita o Salmo 22.1, salmo de desamparo. Contudo o salmo termina em esperança, o que leva alguns a concluir que Jesus não se desesperou completamente. A citação de Jesus é um grito de desespero (e.g., "Às vezes me sinto como um órfão de mãe"; veja também Jo 16.32,33). Brown (1994, pp. 1047-1051) considera as palavras um grito literal de abandono e as une com a descrição do sofrimento de Jesus (Hb 4.14-16; 5.7-10): "É na cruz que Jesus aprendeu até mais inteiramente 'a obediência, por aquilo que padeceu'. É aqui onde Ele tinha feito 'grande clamor' e é aqui que Ele será ouvido 'quanto ao que temia' e é aperfeiçoado".

Levando-se em conta a cristologia calcedônia ortodoxa que afirmava que Jesus Cristo era perfeitamente Deus e perfeitamente homem e tão unido que o que afetava um afetava o outro, podemos fazer a pergunta: Deus Pai estava abandonando Deus Filho na crucificação? Ontologicamente parece inverossímil. Mas da mesma maneira que o cordeiro pascal era abandonado no sacrifício, Jesus foi realmente posto de lado. Há os que dizem que, pelo fato de Deus não poder olhar Jesus, que fora feito "pecado" (2 Co 5.21), Ele então olhou em outra direção ou abandonou Jesus, pois o pecado não pode permanecer em sua presença. Este procedimento dá a entender que Jesus era mais um bode expiatório que um cordeiro. Jesus não estava perdido ou foi rejeitado; antes, Deus olhou o seu sacrifício e o considerou aceitável (Jo 16.32,33).

Não se pode dizer que Jesus tenha sido totalmente rejeitado por Deus, já que, de acordo com Lucas, as últimas palavras de Jesus foram: "Pai, nas tuas mãos entrego o meu espírito" (Lc 23.46). "A questão sobre a oração de Jesus na cruz é a omissão de Deus agir sem sugestão acerca do por quê" (Brown, 1994, p. 1051, n. 54). Considerando as outras palavras de Jesus na cruz — como: "Pai, perdoa-lhes", "Hoje estarás comigo no Paraíso" e "Pai, nas tuas mãos entrego o meu espírito" — é óbvio que Ele experimentou um amplo espectro de emoções (Lc 23.34,43,46). Jesus entrou num tempo no qual os santos que o seguiram experimentam ocasionalmente, a noite escura da alma, quando o céu está em silêncio.

A versão de Mateus acerca do clamor de Jesus ter sido abandonado por Deus é uma combinação de palavras hebraicas e aramaicas. Esta mistura pode ser atribuída aos targuns (paráfrases aramaicas das Escrituras hebraicas), os quais continham alguma mistura de aramaico e hebraico. Ou talvez Jesus e seus contemporâneos falassem uma mistura dos dois idiomas (Gundry, 1967, pp. 63-66). A multidão entende equivocadamente o clamor de Jesus: "*Eli, Eli*" (Mt 27.46) como uma chamada por Elias (v. 47). Semelhante interpretação errada não é sem razão, visto que Jesus está indubitavelmente enfraquecido pelos açoites e maus tratos recebidos e levando-se em conta a algazarra circense causada pelos vitupérios das multidões. Havia uma tradição, talvez reportando-se ao século I, que dizia que Elias viria ajudar os justos em tempos de dificuldade (*Theological Dictionary of the New Testament*, eds. G. Kittel e G. Friedrich, Grand Rapids, 1964-1976, vol. 2, pp. 930-991). É certo que Elias tinha vindo anteriormente para encorajar Jesus na transfiguração (Mt 17.3), mas sua ausência aqui confirma a opinião preconcebida da multidão de que Jesus está morrendo justamente.

O "vinagre" (bebida comum de vinagre de vinho diluído com água; cf. Lc 23.36) é ato de escárnio (veja comentários sobre Mt 27.34) ou de compaixão. A necessidade de uma cana para alcançar a boca de Jesus, indica que a cruz é alta e os pés dEle não estavam sobre o chão. Qualquer que seja o motivo, não está claro em Mateus se Ele o bebeu. Embora João 19.30 relata que Jesus o tenha bebido.

No momento da morte de Jesus, "ele entregou o espírito" (Mt 27.50). Isto indica que Jesus morreu, e não que Ele dispensou o Espírito Santo aos crentes. Esta expressão é usada na LXX para indicar morte (e.g., Gn 35.18; 1 Ed 4.21; Eclesiástico 38.23; Sabedoria 16.1-14). O Evangelho de João usa expressão semelhante (Jo 9.30). O verbo grego traduzido por "clamando" (*krazo*) também aparece com freqüência na versão grega do Salmo 22, a fonte do clamor de abandono de Jesus. Seu alto brado requereria considerável quantidade de força e indica que Ele voluntariamente entregou o espírito (veja também Lc 23.46; veja France, 1985, p. 399).

Várias teorias quanto à causa precisa da morte de Jesus têm sido sugeridas: asfixia, desidratação, choque ou colapso cardíaco congestivo. Este fato não pode ser comprovado, visto que uma necrópsia é impossível, não só porque dois mil anos já se passaram, mas principalmente porque nosso Senhor ressuscitou fisicamente.

13.5.4. Testemunhos Apocalípticos da Morte de Jesus (27.51-54). Diversos acontecimentos miraculosos ocorreram em resposta ao clamor final de Jesus. O véu do templo rasgou-se de alto a baixo (v. 51). Havia dois véus no templo: um separava o Lugar Santo do pátio exterior, e o outro separava o Lugar Santo do Santíssimo Lugar, onde estava a arca do concerto. O véu interior simbolizava o acesso dos crentes a Deus (em Hebreus o véu interior é admitido: Hb 4.16; 6.19,20; 9.11-28; 10.19-22).

O terremoto é elemento freqüente que Mateus usa de modo figurado e literal (*seismos/seio*, veja Mt 8.24; 21.10; 24.7; 27.51,54; 28.2,4). Pode ser visto como símbolo apocalíptico figurativo que expressa a gravidade da morte de Jesus. Há presumivelmente um terremoto aqui, mas ainda tem implicação apocalíptica. Em resultado da abertura da terra, os santos de antigamente ressuscitam (Mt 27.53). Mateus reuniu vários sinais apocalípticos nesta passagem, porque ele comenta que eles apareceram às pessoas em Jerusalém *depois* da ressurreição de Jesus.

Ao sentirem o terremoto o centurião e seus homens testificam que Jesus tinha de ser o "Filho de Deus". Alguns estudiosos sugerem que estes homens não poderiam ter feito tal declaração com semelhante significação teológica, porque eles eram pagãos e não

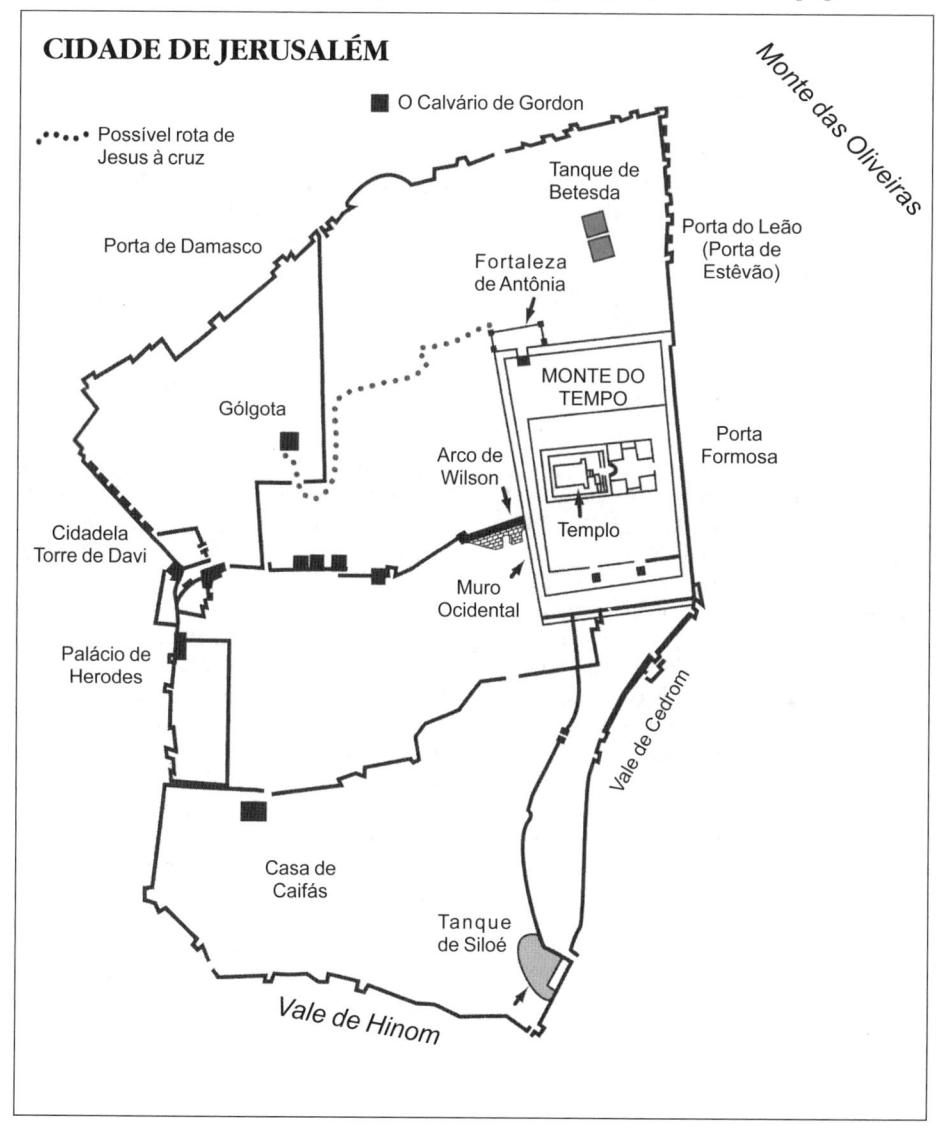

CIDADE DE JERUSALÉM

- O Calvário de Gordon
- ••••• Possível rota de Jesus à cruz
- Tanque de Betesda
- Porta de Damasco
- Fortaleza de Antônia
- Porta do Leão (Porta de Estêvão)
- MONTE DO TEMPO
- Gólgota
- Arco de Wilson
- Porta Formosa
- Templo
- Cidadela Torre de Davi
- Muro Ocidental
- Palácio de Herodes
- Monte das Oliveiras
- Vale de Cedrom
- Casa de Caifás
- Tanque de Siloé
- Vale de Hinom

judeus (veja também Mc 15.39; Lc 23.47). Mas os pagãos tinham conceitos de seres humanos divinos nas suas mitologias. Ademais, seria surpreendente se estes soldados romanos estacionados na Judéia não estivessem cientes das expectativas messiânicas dos judeus, visto que a presença deles em Jerusalém era principalmente para garantir que as rebeliões surgidas pelo messianismo tivessem vida curta. De maior importância é a razão de Mateus preservar o testemunho do centurião: Cumpre as predições de Jesus de que os gentios substituirão a comunidade judaica na qualidade de seguidores de Jesus (e.g., Mt 8.11,12; 21.43).

13.5.5. As Mulheres Testemunham a Crucificação (27.55,56).
Mateus faz breve comentário sobre a presença de mulheres na crucificação e sobre o fato de elas testemunharem o evento de longe. Todos os quatro Evangelhos registram a fidelidade das discípulas em contraste com os Onze discípulos restantes. O Evangelho de João alude a um incidente da mãe de Jesus e o discípulo amado ao pé da cruz (Jo 19.25-27).

13.6. O Sepultamento de Jesus (27.57-61)

Sabendo que sua audiência judaica sabe sobre o dia da preparação antes do sábado, Mateus não explica este dia como Marcos o faz (Mc 15.42-47). Ele identifica que José de Arimatéia era "discípulo", acrescentando que era "rico" (Mt 27.57). José envolve às pressas o corpo de Jesus numa mortalha, já que o iminente sábado proibia mais atividades. Ele coloca o corpo no seu próprio sepulcro. Duas mulheres chamadas Maria, identificadas por Marcos como Maria Madalena e Maria, mãe de José (Mc 15.47), testemunham o sepultamento. Depois do sábado as mulheres planejam terminar a preparação do corpo (cf. Mc 16.1; Lc 23.56).

13.7. A Colocação da Guarda à Entrada do Sepulcro (27.62-66)

Só Mateus registra a colocação da guarda e a controvérsia que resultou neste ato. Pilatos permite que os principais sacerdotes e os fariseus postem uma guarda para frustrar qualquer tentativa de roubar o corpo, numa suposta trama de ressurreição por parte dos discípulos. Uns julgam que os guardas eram os soldados do templo, portanto, judeus. Outros sugerem que eles eram soldados romanos fornecidos por Pilatos. A última opção é a mais provável, já que a pena romana por dormir estando de sentinela era a morte, e os principais sacerdotes e anciãos prometem impedir que Pilatos aja no alegado abandono de dever dos soldados (Mt 28.11-15).

13.8. A Ressurreição de Jesus (28.1-20)

13.8.1. As Mulheres Testificam do Sepulcro Vazio e do Jesus Ressurreto (28.1-10).
"Maria Madalena e a outra Maria" vão ao sepulcro cedo no dia seguinte ao sábado. Estas duas tinham testemunhado a morte de Jesus (Mt 27.56) e o sepultamento (Mt 27.61); agora testemunham o sepulcro vazio e o próprio Jesus ressurreto. Mateus usa o testemunho delas para confirmar que Jesus realmente tinha morrido e ressuscitado, refutando desta forma o rumor anticristão de que os discípulos roubaram o corpo (Mt 28.13-15). Marcos registra Salomé como terceira testemunha, ao passo que Lucas alista mais mulheres (Mc 16.1; Lc 24.10).

Diferente de Marcos e Lucas, Mateus não diz que as mulheres estavam indo ungir o corpo de Jesus (cf. Mc 16.1; Lc 24.1). Mateus já tinha registrado a unção de Jesus feita por uma mulher não identificada na casa de Simão, o Leproso. Jesus disse que este ato foi feito em antecipação do Seu sepultamento (Mt 26.6-13). Os judeus costumavam vigiar o sepulcro no caso de o "defunto" reviver, vítima de um enterro prematuro (*Semahot* 8.1). Assim as mulheres estavam indo retomar a vigília ("foram ver") do corpo depois que elas tinham se retirado por ser sábado.

No caminho houve um terremoto (veja comentários sobre Mt 27.51). A palavra traduzida por "assombrados" (*seismos*), que foi como os guardas ficaram, é derivada da família de palavras de terremoto/sacudir; isto está de acordo com o uso figurado e literal de Mateus. Ele pontua este acontecimento extraordinário com a sua palavra designada a chamar a atenção "eis" (*idou*).

Um anjo do Senhor, que é a causa do terremoto, retira a pedra. Mateus menciona um "anjo do Senhor" somente aqui e em Mateus 1.20; assim o começo e o clímax da história de Jesus são explicados por este tipo especial de anjo, cujas aparições por vezes são paralelas com a manifestação do próprio Deus (e.g., Êx 14.19; Nm 22.22; Jz 6.11-24; 2 Rs 1.3,4). A aparência do anjo é de um branco brilhante. Depois de comentar brevemente que os guardas ficam abalados e paralisados de medo, Mateus se concentra no encontro angelical das mulheres. Dado seu brilho ofuscante, a ordem do anjo: "Não tenhais medo", não causa surpresa. Então ele informa que Jesus ressurgiu dos mortos e as convida a ir e ver "o lugar onde o Senhor [Jesus] jazia" (Mt 28.6).

O anjo ordena que as mulheres voltem e informem os discípulos para se encontrarem com Jesus na Galiléia — e que o façam bem depressa (vv. 7,8). Cheias de medo e com grande alegria as mulheres obedecem ao anjo. Mateus ressalta as aparições galiléias de Jesus, a fim de pôr em contraste a grande rejeição que Ele teve em Jerusalém e sua subseqüente condenação da cidade (Mt 23.38,39). Lucas e João também registram aparições de Jesus aos apóstolos em Jerusalém.

O Jesus ressurreto encontra as mulheres no caminho. Mateus mais uma vez pontua este encontro com sua palavra-chamariz "eis" (*idou*). Note que em seu estado ressuscitado Jesus é corpóreo; as mulheres agarram-se aos pés de Jesus (Mt 28.9). O verbo grego traduzido por "adoraram" (*proskyneo*) também significa que elas simplesmente se ajoelharam diante de Jesus. É usado para expressar respeito por pessoas de alta posição e por Deus. Mas as ações delas parecem ser mais que honra meramente expressa a um regente comum e humano. Aqui e no versículo 17 o verbo *proskyneo* diz respeito a expressar honra extraordinária a um ser extraordinário.

Como o anjo, Jesus acalma-lhes os medos. A seguir Ele manda elas irem contar aos "irmãos" dEle para que saiam de Jerusalém e vão para a Galiléia a fim de encontrá-lo lá (v. 10). "Irmãos" referem-se aos onze apóstolos ou aos seus seguidores fiéis em geral. Conforme Paulo, quinhentas pessoas viram o Senhor ressuscitado (1 Co 15.6). Anteriormente Mateus identificara que os seguidores de Jesus são seus parentes (e.g., Mt 5.22,23; 7.3,5; 12.49,50; 18.15,21,35; 23.8).

13.8.2. A Conspiração dos Principais Sacerdotes e dos Guardas (28.11-15).
Mateus registrou a colocação dos guardas à entrada do sepulcro (Mt 27.62-66) e o medo paralisante que eles sentiram com a ressurreição de Jesus (Mt 28.4); agora ele registra o falso testemunho que dão ao dizerem que os discípulos roubaram o corpo de Jesus. Foram os principais sacerdotes que sugeriram a mentira. Se o destacamento da guarda eram soldados romanos, a declaração de que tinham dormido teria resultado na própria execução; assim, teria sido necessário as autoridades porem os soldados em segurança contra Pilatos, o governador romano. A afirmação de que teriam dormido era contraditória, porque ao dormirem eles não teriam como saber que o corpo fora roubado e por quem! Como na traição de Judas, dinheiro passou de mãos em mãos para que Jesus e o seu Reino fossem difamados (Mt 26.15). Este rumor degradante ainda estava em circulação entre os judeus na época em que o Evangelho foi escrito (Mt 28.15; fins dos anos oitenta do século I?). De acordo com Justino Mártir, esse rumor ainda era falado no século II.

13.8.3. Jesus Aparece aos Discípulos e os Comissiona (28.16-20). Como prometido, Jesus aparece aos discípulos na Galiléia. Aqui a localização para a aparição é um monte específico — talvez o monte da transfiguração (Mt 17.1-8).

Os discípulos, como as mulheres, adoram ajoelhados (*proskyneo*) diante de Jesus. Alguns duvidam ou estão hesitantes (o verbo *distazo* pode ser traduzido de ambas as maneiras). Embora seja especificamente

O ANTIGO TESTAMENTO NO NOVO TESTAMENTO

NT	AT	ASSUNTO	NT	AT	ASSUNTO
Mt 1.23	Is 7.14	O nascimento virginal de Jesus	Mt 17.10,11	Ml 4.5,6	Elias vem
Mt 2.6	Mq 5.2	O nascimento de Jesus em Belém	Mt 18.16	Dt 10.15	Duas ou três testemunhas
Mt 2.15	Os 11.1	Meu Filho virá do Egito	Mt 19.4	Gn 1.27; 5.2	A criação dos seres humanos
Mt 2.18	Jr 31.15	Choro em Ramá	Mt 19.5	Gn 2.24	A instituição do casamento
Mt 3.3	Is 40.3	Voz do deserto			
Mt 4.4	Dt 8.3	Não só de pão	Mt 19.19	Lv 19.18	Amar o próximo como a si mesmo
Mt 4.6	Sl 91.11,12	Anjos protetores	Mt 21.5	Zc 9.9	O Domingo de Ramos
Mt 4.7	Dt 6.16	Não tentar Deus	Mt 21.19	Sl 118.26	Bendito é aquEle que vem
Mt 4.10	Dt 6.13	Servir só a Deus			
Mt 4.15,16	Is 9.1,2	A Galiléia dos gentios	Mt 21.13	Is 56.7	A casa de oração de Deus
Mt 5.21	Êx 20.13; Dt 5.17	O Sexto Mandamento	Mt 21.13	Jr 7.11	Covil de salteadores
Mt 5.27	Êx 20.14; Dt 5.18	O Sétimo Mandamento	Mt 21.16	Sl 8.2	Crianças que louvam a Deus
Mt 5.31	Dt 24.1	A carta de divórcio	Mt 21.42	Sl 118.22,23	A pedra rejeitada
Mt 5.38	Êx 21.24; Lv 24.20	Olho por olho	Mt 22.24	Dt 25.5	Viúva do irmão
Mt 5.43	Lv 19.18	Amar o próximo como a si mesmo	Mt 22.32	Êx 3.6	O Deus vivo
			Mt 22.37	Dt 6.5	Amar Deus
Mt 8.17	Is 53.4	Levar nossas enfermidades	Mt 22.39	Lv 19.18	Amar o próximo como a si mesmo
Mt 9.13	Os 6.6	Misericórdia, não sacrifício	Mt 22.44	Sl 110.1	À mão direita de Deus
Mt 10.35	Mq 7.6	Uma casa dividida	Mt 23.39	Sl 118.26	Bendito é aquEle que vem
Mt 11.10	Ml 3.1	Mensageiro enviado à frente	Mt 24.15	Dn 9.27; 11.31	Abominação da desolação
Mt 12.7	Os 6.6	Misericórdia, não sacrifício	Mt 24.29	Is 13.10; 34.4	O tempo do fim
Mt 12.18-21	Is 42.1-4	O Servo do Senhor	Mt 24.30	Dn 7.13,14	A vinda do Filho do Homem
Mt 12.40	Jn 1.17	Três dias e três noites	Mt 26.31	Zc 13.7	Ferir o pastor
Mt 13.14,15	Is 6.9,10	Ver e não perceber	Mt 26.64	Dn 7.13,14	A vinda do Filho do Homem
Mt 13.35	Sl 78.2	Falar em parábolas			
Mt 15.4	Êx 20.12; Dt 5.16	O Quinto Mandamento	Mt 17.9,10	Zc 11.13	Trinta moedas de prata
Mt 15.4	Êx 21.17; Lv 20.9	Amaldiçoar os pais	Mt 27.35	Sl 22.18	A divisão de roupas por sortes
Mt 15.8,9	Is 29.13	Adoração hipócrita	Mt 27.46	Sl 22.1	O brado de abandono
Mt 16.27	Pv 24.12	O justo julgamento de Deus			

identificado que os Onze estão presentes, outros "irmãos" também podem estar ali (cf. Mt 28.10). Se as aparições aos Onze em Jerusalém, registrados em Lucas e João, forem levadas em conta, é improvável que os Onze duvidassem, considerando que eles já o tinham visto (Lc 24.36-53; Jo 20.19,29), e nem ficariam hesitantes em se ajoelhar e adorá-lo. Em outras palavras, os duvidosos são os outros discípulos que não os Onze.

A comissão de Jesus aos discípulos contém quatro usos da palavra *pas* ("todo, todas, tudo, todos"): *todo* o poder no céu e na terra é dado a Jesus (v. 18); os discípulos devem ir e ensinar (ou fazer discípulos de) *todas* as nações (v. 19); os discípulos devem ensinar *tudo* o que Jesus tinha-lhes mandado (v. 20); Jesus promete estar com eles "*todos* os dias", até à consumação dos séculos (v. 20). Esta comissão abrangente é uma conclusão apropriada ao Evangelho, que enfatiza os ensinos e autoridade de Jesus. Jesus não recebe esta autoridade com a ressurreição; Ele a recebeu antes. Durante o curso do seu ministério, Ele perdoa pecados (Mt 9.6), cura, tem poder sobre a natureza (Mt 14.22-34) e ensina com autoridade: "As minhas palavras não hão de passar" (Mt 24.35). Depois da ressurreição, sua autoridade tem uma aplicação mais ampla (Carson, 1984, pp. 594, 595).

Com base em sua autoridade Jesus comissiona os onze para fazerem discípulos em todo o mundo. Discipulado é muito mais que ter o nome da pessoa numa lista de membros ou advogar aparências culturais. É fazer a vontade de Deus tendo-o como Pai e submeter-se a uma maior responsabilidade ética (e.g., Mt 5.20-48; 12.48-50). O termo "nações" em Mateus se refere aos gentios (e.g., Mt 4.15; 6.32; 12.18; 20.19,25). A expressão "todas as nações" indica que, em resultado da rejeição de Jesus pelas autoridades judaicas, o Evangelho foi estendido aos gentios (Mt 8.10-12; 12.21; 23.37,38). O tempo do trabalho limitado aos judeus terminou (Mt 10.6; 15.24).

É razoável atribuir a fórmula batismal: "Em nome do Pai, e do Filho, e do Espírito Santo", ao próprio Jesus como pedra de toque do seu ensino, e não meramente a uma fórmula tardia da igreja. Jesus falou muitas vezes sobre sua relação com o Pai e com o Espírito Santo (e.g., Mt 10.32,33; 11.27; 26.39,42,53; cf. Mt 1.18,20; 3.11; 12.31,32). Tais agrupamentos trinitários também ocorrem em obras do Novo Testamento escritas anteriormente (e.g., 1 Co 12.4-6; 2 Co 13.13; 2 Ts 2.13,14; veja também Ef 4.4-6; 1 Pe 1.2; Ap 1.4-6). Todos os três estavam presentes no batismo de Jesus; nesta passagem, Mateus vê todos os três envolvidos no batismo cristão (Mt 3.16,17).

Ensinar faz parte do processo de discipulado tanto quanto batizar. Os ensinos de Jesus devem ser aprendidos e observados como a Torá do novo Reino (Mt 5.21,22,27,28,33,34). Suas palavras durarão mais que o céu e a terra (Mt 24.35). Jesus requer obediência a todos os seus ensinos, não diferente de Deus no Antigo Testamento (Êx 29.35; Dt 1.3; 7.11; 12.11-14).

A consoladora promessa de Jesus estar presente com os discípulos "todos os dias" é expresso enfaticamente. Esta promessa estende-se até à conclusão desta era, ou seja, a volta do Senhor Jesus (Mt 24.3). Este é o grande cumprimento da promessa registrada no início do Evangelho de Mateus de que Jesus é o "Emanuel: [...] Deus conosco" (Mt 1.23).[16]

NOTAS

[1] A comparação das genealogias de Mateus e Lucas descrita há pouco foi tomada do trabalho do autor em *The Complete Biblical Library: The New Testament Study Bible, Luke*, eds. R. W. Harris, S. H. Horton e G. G. Seaver, 1987, pp. 105, 107.

[2] A razão para esta irregularidade é que depois da queda de Roma, quando a igreja começou a converter seu sistema de datação segundo o cômputo romano a.C./d.C., o cálculo estava inexato em cerca de quatro anos.

[3] Lucas inclui Malaquias 4.5,6 na descrição que o anjo Gabriel faz do papel de João Batista (Lc 1.17). Em geral ele prefere identificar Jesus com Elias, visto que o antigo profeta, como Jesus, era

bem conhecido por fazer milagres. Lucas apresenta numerosas comparações entre os milagres de Jesus e os de Elias e seu sucessor, Eliseu, de quem Mateus e Marcos não dizem nada (e.g., Mt 4.25-27; 9.54; 12.54-56; 20.50-53; 24.49; At 1.9). O Evangelho de João comenta que João Batista negou que ele fosse o Elias do tempo do fim (Jo 1.21).

[4]Gostaria de expressar minha gratidão ao Oral Roberts University Center for Lifelong Education e à World Library Press pela permissão concedida para usar meu comentário anteriormente publicado *Study Guide for Luke-Acts*, pp. 76-79; *The Complete Biblical Library: The New Testament Study Bible, Luke*, eds. R. W. Harris, S. H. Horton e G. G. Seaver, 1987, pp. 111-119.

[5]Oração judaica, em aramaico, entoada em diversos momentos do culto religioso pelo *kantor*, ou por um órfão, parente enlutado ou pela congregação religiosa. (N. do T.)

[6]Em outros lugares Mateus associa os gentios a cães imundos (Mt 15.26), mas aqui a mulher cananéia não é condenada, e sim aprovada por sua fé.

[7]O significado "cananeu" é improvável, visto que o tornaria gentio.

[8]No Evangelho de Lucas o trabalho de João Batista é apresentado como, em certo sentido, parte do novo e do velho, visto que ele une João Batista com o Espírito Santo em termos pós-Pentecostes (veja Shelton, 1991, pp. 33-45, 165-177). Lucas prefere identificar *Jesus* com o novo Elias pelas numerosas alusões ao trabalho do antigo profeta em sua apresentação do ministério de Jesus (cf. Lc 4.25-30 com 1 Rs 17 e 2 Rs 5; Lc 7.11-17 com 1 Rs 17.24 e 24.50-53; At 1.9,11 com 2 Rs 2.11,12; 2 Rs 9.51 com 2 Rs 2.1 e 24.49; At 1.4 com 2 Rs 2). A figura de Elias é um paradigma que descreve Jesus como o trabalhador do milagre messiânico.

[9]Se for dada uma data mais recente ao escrito de Mateus (cerca de 85 d.C.), a presença dos saduceus é um tanto quanto desconcertante, visto que eles deixaram de ser um poder influente no judaísmo quando o templo (o qual eles controlavam) foi destruído pelos romanos em 70 d.C. Por que Mateus introduziria no texto um grupo que já não tinha pertinência aos seus leitores? Alguns acham que isto indica uma data mais cedo para a escrita do Evangelho.

[10]Mateus 18.11 não aparece nos manuscritos mais antigos deste Evangelho. Este versículo pode ter se originado de uma interpolação escribal advinda de Lucas 19.10 ou de outra fonte comum (veja Metzger, 1971, p. 45).

[11]Veja D. C. Duling, "The Therapeutic Son of David: An Element in Matthew's Christological Apologetic", *NTS* 24, 1978, pp. 392-410.

[12]Eusébio (*História Eclesiástica*) relata que quando os zelotes se rebelaram contra Roma, os cristãos em Jerusalém, avisados por profecia, fugiram de Jerusalém para a cidade de Pela, na Transjordânia, escapando da carnagem do assédio romano de Jerusalém, tão graficamente retratada por Josefo (*Guerras Judaicas*).

[13]Há quem sugere que uma tradição segue um calendário solar usado por algumas seitas judaicas, ao passo que outra tradição do Evangelho está usando um calendário lunar. Esta solução não responde todas as perguntas. Esforços em harmonizar as duas cronologias podem ser favorecidas quando se leva em conta que alguns grupos judaicos consideravam o começo do dia com o *amanhecer*, mas simultaneamente esta informação complica ainda mais a obtenção de uma resolução segura. Ademais, os saduceus e fariseus podem ter guardado datas diferentes para a Páscoa. Quanto a uma explicação interessante sobre as várias teorias, veja Marshall, 1980, esp. pp. 62-75.

[14]De acordo com Atos, o próprio Judas compra um campo no qual ele cai e é estripado (At 1.16-20). Aqui em Mateus ele se enforca. Tentativas em harmonizar as duas narrativas são problemáticas. Não é surpreendente que neste dia confuso, traumático e horroroso, os detalhes sejam pouco precisos.

[15]Marcos registra que a bebida foi misturada com mirra, o que teria um efeito narcótico. Jesus se recusa a beber o narcótico, porque Ele está propenso a aceitar

o cálice de sofrimento posto diante dEle por Deus (Brown, 1994, p. 942).

[16]Agradecimentos são estendidos à esposa do autor, Sally Moore Shelton, pelos serviços de digitação, edição e correção tão graciosamente prestados (Mt 20.25-28). Gratidão também é dada a Trevor Bakhuis, por sua ajuda.

BIBLIOGRAFIA

Matthew Black, *An Aramaic Approach to the Gospels and Acts* (1954); Dietrich Bonhoeffer, *The Cost of Discipleship* (1963); Raymond E. Brown, *The Birth of the Messiah: A Commentary on the Infancy Narratives in Matthew and Luke* (1977); idem, *The Death of the Messiah: A Commentary on the Passion Narratives in the Four Gospels* (1994); F. F. Bruce, *Message of the New Testament* (1972); idem, *The Hard Sayings of Jesus* (1983); Frederick Dale Bruner, *Matthew 1—12: The Christbook* (1998a); idem, *Matthew 13—28: The Churchbook* (1998b); D. A. Carson, "Matthew", *The Expositor's Bible Commentary* (1984), vol. 8, pp. 3-599; D. R. Catchpole, *The Trial of Jesus* (1971); J. D. M. Derrett, *The Law in the New Testament* (1970); Suzanne de Dietrich, *The Gospel According to Matthew*, Layman's Bible Commentary (1961); Richard T. France, *The Gospel According to Matthew: An Introduction and Commentary*, Tyndale New Testament Commentary (1985); R. Guelich, *The Sermon on the Mount: A Foundation for Understanding* (1982); Robert Gundry, *Matthew: A Commentary on His Handbook for a Mixed Church Under Persecution* (1994); idem, *The Use of the Old Testament in St. Matthew's Gospel* (1967); Daniel J. Harrington, *Sacra Pagina: The Gospel of Matthew* (1991); Martin Hengel, "The Sources of the History of Earliest Christianity", *Acts and the History of Earliest Christianity* (1980); Paul Hinnebusch, *St. Matthew's Earthquake: Judgment and Discipleship in the Gospel of Matthew* (1980); Joachim Jeremias, *The Prayers of Jesus* (1967); idem, *New Testament Theology: The Proclamation of Jesus* (1971); idem, *The Parables of Jesus* (1972); idem, *Jerusalem in the Time of Jesus: An Investigation into Economic and Social Conditions During the New Testament Period* (1975); E. Stanley Jones, *The Christ of the Mount: A Working Philosophy of Life* (1931); Jack D. Kingsbury, *The Parables of Jesus in Matthew 13* (1969); idem, *Matthew: Structure, Christology, and Kingdom* (1975); I. Howard Marshall, *Last Supper and Lord's Supper* (1980); John P. Meier, *Matthew, New Testament Message* (1990); Bruce M. Metzger, *Textual Commentary on the Greek New Testament* (1971); James B. Shelton, *Mighty in Word and Deed: The Role of the Holy Spirit in Luke-Acts* (1991); Robert H. Stein, *An Introduction to the Parables of Jesus (1981); Vincent Taylor, The Gospel According to St. Mark (1960); Bruce Vawter, The Four Gospels: An Introduction (1967); Brad H. Young, Jesus and His Jewish Parables (1989); idem, Jesus the Jewish Theologian (1995).*

MARCOS
Jerry Camery-Hoggatt

INTRODUÇÃO

Quando fui convidado a escrever este comentário sobre Marcos "de uma perspectiva pentecostal", fiquei a princípio confuso. O que é exatamente uma "perspectiva pentecostal"? Como ela difere de outras interpretações? Os resultados de tal estudo poderiam ser apresentados de modo que fossem academicamente responsáveis e ao mesmo tempo soassem verdadeiros a pastores e leigos cuja experiência de adoração e vida eclesiástica nasceram e são nutridas dentro da tradição pentecostal, da mesma forma que a minha?

1. Interpretando Marcos

a) Abordagens para Interpretar Marcos

Os assuntos surgidos por tais questões estão mais claros para os colaboradores deste comentário que trabalham com a literatura paulina e com Atos, visto que é onde encontramos os textos que compreendem nossa experiência pentecostal. Mas e quanto à tradição narrativa dos Evangelhos? E quanto a Marcos, que não tem nada direto a dizer aos crentes sobre a operação dos dons carismáticos (cf. comentários sobre Mc 16.9-20)? Este evangelista não menciona línguas. O próprio Espírito Santo só é mencionado cinco vezes (Mc 1.8,12; 3.29; 12.36; 13.11), nenhuma das quais da forma como os pentecostais tendem a enfatizar.

Marcos tem milagres, com certeza, e estes levantam a questão da interpretação à qual os pentecostais têm entendimento especial, mas não é adequado num comentário pentecostal simplesmente afirmar o que os pentecostais fiéis sempre afirmaram sobre milagres, isto é, que eles realmente aconteceram. Uma leitura minuciosa de Marcos indicará que sua teologia não estava muito preocupada com milagres nem hesitante a esse respeito, ou pelo menos hesitante sobre a noção triunfalista de que Deus sempre e de todas as formas vindicará o seu povo mediante milagres ou fará o evangelho avançar mediante "sinais e maravilhas". O próprio texto diz manifestamente o oposto (Mc 8.11-13), e na medida em que afirmamos o milagre como meio primário e central de Deus mostrar "sinais e maravilhas", vemo-nos trabalhando com uma cosmovisão diferente da que o próprio Marcos dava por certo.

É óbvio que uma interpretação pentecostal deste Evangelho é mais que dizer que, porque o Espírito Santo promete nos guiar a toda a verdade (Jo 16.13), qualquer verdade que descobrirmos em Marcos será uma verdade exclusivamente espiritual (i.e., pentecostal). Esse versículo em João não significa que o Espírito Santo vai intuitivamente nos conduzir a uma compreensão adequada da Escritura. Não nos desculpa da tarefa difícil de estudarmos a fim de aprendermos o que a Palavra de Deus significa. Se queremos afirmar a autoridade da Escritura, temos de permitir que a Bíblia controle nosso entendimento do Espírito, em vez de usar nosso encontro com o Espírito para controlar nosso entendimento da Bíblia. O enfoque de João 16.13 é que o Espírito nos conduzirá a um encontro revelador e transformador de vida com Jesus, que é a Palavra de Deus.

Temos de reconhecer que leitores diferentes da Escritura podem muito bem ir a um texto com intenções boas e corações abertos, mas alcançar entendimentos incompatíveis com seu significado. Ainda que como protestantes afirmemos que todos os crentes têm o direito de determinar por si mesmos o significado da Escritura, esta afirmação não quer dizer que todas as interpretações são igualmente válidas. Podemos, de fato, tirar conclusões erradas de nosso estudo da Bíblia, e quando o fazemos contribuímos para nossa destruição (cf. 2 Pe 3.16).

Em outras palavras, temos de ter um modo claro de decidir quais interpretações são válidas e quais não o são. Caso contrário, usaremos a Escritura para validar nossas próprias idéias, como se elas fossem inspiradas, em vez de precisarem ser julgadas pelo padrão da Palavra de Deus. Nossas interpretações têm de trabalhar dentro de limites; dito de outra maneira, nossas estruturas interpretativas (chamadas "paradigmas") têm de ser *críticas* — não porque sejam hostis ao texto bíblico, mas porque são cuidadosas ("críticas") em não fazer afirmações que não possam ser apoiadas pela evidência do próprio texto bíblico. Para que um paradigma seja crítico, suas regras de evidência e seus procedimentos de avaliação têm de ser postos à mesa de modo que o leitor que usa seus resultados saiba como tais resultados foram alcançados. Há um benefício inquietante, mas importante aqui: Quando pomos nossos paradigmas na mesa, também expomos nossos preconceitos secretos e programas de trabalho ocultos.[1]

Os estudiosos da Bíblia usam muitos paradigmas críticos para interpretar a Escritura, cada um designado a dar um tipo diferente de informação — por exemplo, crítica da fonte, crítica da forma, crítica da região, crítica textual e crítica sociológica. Em geral, a erudição *evangélica* usa o que se chama exegese histórico-gramatical — um método de interpretação que tenta descobrir qual era a intenção do autor quando ele escreveu o texto bíblico (veja Fee e Stuart, 1982). Pressupõe-se que o que quer que a Bíblia signifique hoje, deve ser consistente com a intenção do autor original. E considerando que os autores queriam que seus textos fossem lidos e entendidos dentro de contextos históricos, culturais e lingüísticos específicos, a exegese se concentra nas questões da história, da cultura e da língua.

b) *O Paradigma Usado neste Comentário: A Crítica da Resposta do Leitor*

Recentemente o método de interpretação que focaliza o autor foi suplementado por importante mudança de perspectiva. Em vez de perguntar diretamente o que o autor intentava, fazemos a mesma pergunta indiretamente focalizando o outro lado do processo de transmissão, o leitor, e as atividades de leitura pelas quais os leitores descobrem o significado dos textos. Este paradigma é chamado *crítica da resposta do leitor* (veja, e.g., McKnight, 1985; Camery-Hoggatt, 1995). Neste comentário, trato o Evangelho de Marcos a partir desta perspectiva.

Para eliminar mal-entendidos, tenho de deixar claro que há padrões da crítica da resposta do leitor que permitem o leitor ver num texto escrito qualquer coisa que ele queira ver. Isto é particularmente prevalecente no que se chama pós-modernismo. Para os pós-modernistas radicais, o próprio contexto histórico e cultural torna-se a estrutura interpretativa para descobrir a verdade num texto, e eles rejeitam a idéia de que haja uma leitura única, correta e normativa da Escritura. Tal abordagem é incompatível com um compromisso claro com a autoridade da Bíblia.

A crítica da resposta do leitor que estou propondo começa com os leitores originais do texto bíblico (chamo-os "leitores autorais"). Precisamos, por assim dizer, entrar na mente desses leitores e procurar entender o texto das Escrituras da mesma maneira que eles o teriam entendido primeiro. Esta abordagem da leitura suscita duas perguntas principais:

- Que repertório de informação espera-se que o leitor autoral deste texto saiba como precondição de leitura?
- Como se espera que o leitor use essa informação para informar e moldar o processo de leitura?

Em princípio o procedimento é bastante simples: Ao responder estas duas perguntas o intérprete dos dias de hoje esclarece os tipos de estratégias que o autor usou para prender a atenção do leitor e administrar as respostas do leitor ao texto. Mas é simples só em princípio; na prática requer sutil trabalho interpretativo. Pelo fato de estarmos distanciados do mundo do século I por mudanças radicais na cultura, temos de ser meticulosos sobre como nos propomos em responder a primeira pergunta, e porque os processos pelos quais manejamos a língua são complexos, devemos ter cuidado sobre como respondemos a segunda.

Por exemplo, se os leitores autorais de Marcos faziam parte de uma comunidade sob perseguição, então ele esperava que eles achassem que as palavras do Discurso do Monte das Oliveiras (Mc 13) fossem um bálsamo para as próprias feridas. Se Marcos escrevia para cristãos em vez de não-cristãos, este fato teria moldado e informado o modo como ele formulou sua história. Se a comunidade para a qual Marcos escreveu estava dividida sobre questões devocionais ou teológicas, então o leitor que ele tinha em vista abordaria o texto com uma posição, com compromissos e interesses adquiridos, talvez até com lealdades familiares na linha visual. O texto pode confirmar ou desafiar os compromissos existentes do leitor, mas o leitor não é neutro e imparcial. Para alguns dos leitores de Marcos, este Evangelho deve ter sido consolador e encorajador, ao passo que para outros, foi perturbador, e quem sabe até enfurecedor.

Este método de interpretação também significa deliberadamente agrupar entre parênteses informação que os leitores autorais de Marcos *não poderiam* ter sabido. Por exemplo, em Marcos 9.1 Jesus prediz que alguns dos ali presentes "não provarão a morte sem que vejam chegado o Reino de Deus com poder". Esses leitores não poderiam saber que dois mil anos depois estaríamos lendo essa predição, a qual levantaria questões problemáticas. Tão legítimas quanto sejam nossas questões — e certamente são legítimas — este comentário notará quando elas não teriam ocorrido ao leitor de Marcos e não as levará em conta como fatores no processo interpretativo.

Observaremos três coações interpretativas que são um tanto incomuns para uma interpretação evangélica de Marcos.
1) Agruparemos entre parênteses as considerações de outros Evangelhos e leremos Marcos por si só. Isto porque o leitor de Marcos não poderia ter conhecimento dos outros Evangelhos e não teria usado essa informação para entender o que Marcos escreveu.
2) Respeitaremos o modo como Marcos pôs em seqüência seu material. De certo modo, material mais simples prepara o leitor para ler material mais complexo, mas presumiremos que o leitor não saiba que ele está sendo tratado desta maneira. (O método de crítica que faz isto é a crítica retórica, como é usado neste livro no comentário de Benny C. Aker sobre o Evangelho de João.)
3) Observaremos a interação das convenções e coações à medida que o texto se desdobrar. Por exemplo, Marcos nunca pensou que o leitor desmantelasse o texto em partes componentes ou avaliasse a história por sua precisão histórica — duas questões típicas dos dias atuais que se perguntam dos Evangelhos. Onde a erudição convencional tende a desmontar o texto, os leitores procuram naturalmente entender o modo pelo qual as partes trabalham juntas. Onde a erudição convencional tende a *analisar* os dados históricos acerca das personagens, os leitores tendem a *identificar-se* com as personagens.

O ponto básico é que se desejamos entender o texto no modo como Marcos esperava que os leitores autorais o entendessem, devemos, segundo nossa capacidade, reproduzir o que Marcos esperava que seus leitores fizessem.

c) *A Crítica da Resposta do Leitor e a Pregação Pentecostal*

Quando interpretamos este Evangelho nesta estrutura, descobrimos que Marcos é mais igual a um sermão narrativo do que a uma coletânea de detalhes históricos. É um tipo de pregação, e, como toda pregação, tem uma relação complexa com o contexto: Primeiramente o pregador tenta ouvir o texto em seu contexto original, para depois destinar esse mesmo texto a um contexto novo e diferente, um no qual as verdadeiras questões da vida possam ser profundamente diferentes das questões para as quais o texto foi preparado. O que torna legítimo que o façamos para nossas congregações é que os evangelistas — Mateus, Marcos, Lucas e João — e outros pregadores cristãos primitivos o fizeram antes de nós. Da perspectiva da resposta do leitor, o que importa não é tanto os detalhes como o modo no qual os detalhes foram organizados para dar ao leitor uma nova consciência de Deus em ação no mundo.

Note que este processo é uma questão de *proclamar* tanto quanto de *informar*. Os evangelistas relatam a informação factual sobre Jesus, mas eles usam os fatos a fim de intimar o ouvinte a uma visão diferente, um novo encontro com Jesus, a Palavra de Deus. Esse novo encontro é centralmente o trabalho do Espírito! (Com isso retornamos a Jo 16.13!) A questão não é só o que se esperava que o leitor *soubesse*, mas também o que se esperava que o leitor *fizesse*.

Os pregadores pentecostais sempre souberam disto: A língua não é apenas *in*formativa, também é *per*formativa, quer dizer, faz coisas. Julgamos um sermão não só pela precisão de sua exegese, mas também pelo poder de sua libertação. Não pequena parte do enorme impacto da pregação pentecostal acha-se em sua consideração ao poder da Palavra proclamada. A linguagem da Bíblia é igualmente ampla: A Bíblia nos fala sobre Deus, conclama-nos à conversão.

Nossa abordagem ao Evangelho de Marcos traz quatro vantagens para a pregação pentecostal:

1) A crítica da resposta do leitor pode ser entendida como outro modo de se descobrir a intenção do autor. O autor quer que os leitores respondam ao texto de certo modo. Nosso método de interpretação também é compatível com a doutrina ricamente desenvolvida da inspiração e autoridade da Escritura.
2) A crítica da resposta do leitor é coexistente com a crença carismática de que a Escritura é transformadora de vidas. O texto conclama o leitor à conversão, e essa conclamação é central à intenção do autor.
3) A crítica da resposta do leitor aborda o texto de modo que fica próximo das necessidades do pregador, visto que a chamada à conversão dentro do texto pode se tornar a chamada proclamadora do sermão.
4) A crítica da resposta do leitor de Marcos afirma o sobrenatural e o miraculoso conforme são apresentados no texto. O autor esperava claramente que o leitor cresse em milagres, em demônios, em vozes do céu e em palavras proféticas inspiradas. A crítica da resposta do leitor insiste que o intérprete dos dias hodiernos deva estar disposto a agrupar entre parênteses qualquer objeção a milagres e ler como se tais coisas realmente aconteciam (e acontecem).

2. O Leitor Autoral

Do precedente, está claro que a perspectiva interpretativa assumida neste comentário depende de uma definição bastante específica do termo *leitor autoral*. Quem é o "leitor" de Marcos? Seguramente não é o leitor dos dias atuais que traz ao texto um repertório de idéias completamente estranhas a respeito do mundo. Nem é o leitor "carismático" moderno, que se apóia no Espírito Santo para preencher os vazios do texto e assim torna irrelevante a exegese crítica, mas que não tem critérios de validade pelos quais decidir se ele "compreendeu" o Espírito Santo corretamente. O leitor autoral que Marcos tinha em mente também não deve ser confundido com as personagens da história que estão "dentro" da ação, e não podem ouvir as explicações do narrador acerca do que está acontecendo.

Neste comentário visionaremos leitor autoral como um ser humano verdadeiro — ou antes, uma comunidade de seres humanos — a quem Marcos endereçou sua narrativa. Esta comunidade chegou à leitura com um repertório específico de habilidades e compreensões, um certo conhecimento do mundo e como funcionava. O que então podemos saber da Igreja de Marcos? O que Marcos esperava que seus leitores soubessem como pressuposição do processo de leitura?

a) Conhecimento Cultural e Político em Geral

Podemos saber certas coisas do leitor de Marcos pelo conhecimento geral do mundo antigo. Por exemplo, o leitor tomava parte do conhecimento cultural que era dado como certo ao longo do mundo antigo — como o fato de que a semeadura precedia a aradura (cf. Mc 4.1-9), que era proibido os judeus trabalharem no sábado (Mc 3.1-6) e que precursores comestíveis de figos (chamados *taqsh*) aparecem nas figueiras antes dos próprios figos (Mc 11.13). No mundo dado como certo por Marcos, o poder político dominante era Roma, o *status* social de uma pessoa era estabelecido como questão de moralidade e a ordem natural estava infestada de poderes demoníacos.

b) Conhecimento Judaico

Marcos também presume que o leitor possuía conhecimento detalhado do judaísmo, sua literatura e suas práticas diárias. Assim, outros elementos significativos do repertório de informação do antigo leitor podem ser compilados de um estudo da literatura judaica contemporânea. Nos últimos anos nosso entendimento do judaísmo do século I foi radicalmente mudado por novas descobertas e por nova maneira de entender dados antigos.

Nesta área, três mudanças notáveis imediatamente se destacam.

1) Pelo fato de ser a literatura judaica principalmente religiosa, e porque nossos interesses são motivados por um desejo de entender a teologia judaica como pano de fundo para o conteúdo teológico do Novo Testamento, temos a tendência a limitar nossas observações às questões teológicas abstratas ou às nossas atuais questões de prática religiosa. Qual era a distância da "jornada permitida num sábado"? Qual era a crença dos rabinos sobre a vinda do Messias? Mas isto é distorcido no ponto em que realça interesses teológicos às custas dos interesses não-religiosos. A literatura judaica é teológica, claro, mas expressa sua teologia em uma língua, e a língua pressupõe cultura. Temos visto um aumento de interesse do que se poderia chamar aspectos "sociais" do judaísmo do século I. Como um ou outro grupo social, os judeus observavam certas normas monárquicas, normas de etiqueta, pressuposições sobre a relação de pais e filhos, idéias básicas acerca de dinheiro e investimento e assim por diante.

> Muitas dessas práticas e crenças nos pareceriam estranhas, talvez até censuráveis; não obstante, são componentes essenciais da tarefa interpretativa. A própria leitura que os judeus fazem do conteúdo teológico de suas tradições orais e escritas dependem às vezes de tal conhecimento comum como meio adequado de construir um batente de pedra! Assim, as dimensões sociais destes textos são uma questão de interesse crescente entre os estudiosos.[2]

2) Mesmo dentro da esfera religiosa, o judaísmo do século I era muito menos unido do que julgávamos. Até recentemente era comum presumir que os judeus estavam de acordo não só nas questões fundamentais, mas também nos detalhes incidentais da devoção diária. Assim, se um intérprete achasse uma única citação de uma única autoridade judaica, tal citação era considerada quadro representativo do que todos os judeus criam. Mas trata-se de grave equívoco. Em seu recente livro *Judaisms and Their Messiahs* (Judaísmos e seus Messias, 1988), Jacob Neusner argumenta que o judaísmo do século I estava mais profundamente dividido, e suas seitas suspeitavam mais umas das outras do que previamente se pensara. O plural no título do livro de Neusner foi escolhido a propósito. Havia judaísmos.

> De fato já não é mais possível dizer com certeza que "os judeus" concordavam plenamente sobre qualquer coisa em particular, exceto talvez que havia um Deus, e que o povo de Deus deveria ser separado pela circuncisão. Se o registro bíblico é evidência proveitosa, eles com certeza estavam divididos em suas decisões a respeito do que fazer com Jesus!

3) A antiga erudição tomava como certo uma divisão acentuada entre o judaísmo e o helenismo, quer dizer, entre o modo de pensamento hebraico e grego. Esta suposição também se esmigalhou sob o peso da evidência histórica. Em 1968, Martin Hengel demonstrou com muita propriedade que, para os judeus comuns do século I, a vida cotidiana ao longo da bacia mediterrânea estava mais completamente helenizada do que imagináramos previamente.

c) Conhecimento Cristão

Os leitores autorais de Marcos também eram cristãos que teriam respondido à forma de narração empregada por ele dentro de uma viva experiência de Igreja, com suas preocupações da vida real para pôr em prática a fé cristã num mundo hostil e pagão. Eles não conheciam a futura história da fé cristã, mas conheciam e entendiam a vida e a experiência cristãs dentro de um momento específico no tempo. Cada uma das três mudanças em nosso entendimento do judaísmo do século I foi equiparada de perto por mudanças em nosso entendimento do cristianismo do século I.

1) Há um aumento de atenção nas dimensões *sociais* da vida cristã primitiva. Como qualquer grupo social, as primevas comunidades cristãs precisavam ter modos eficazes de estabelecer limites entre os que pertencem e os que não pertencem ao grupo, e de transitar por esses limites em qualquer direção. Eles precisavam ter maneiras de diferenciar papéis, de negociar e impor limites de autoridade, de estabelecer normas de comportamento e de dar autorizações e aplicar sanções contra membros do grupo que violavam tais normas. Cada vez mais os estudiosos têm se perguntado quais seriam esses limites, normas e autorizações, e o papel que os escritos bíblicos representavam em sua definição e reforço. Isto acarreta necessariamente mudança fundamental de paradigma: Em vez de perguntar o que os apóstolos diziam ou pensavam, hoje está se tornando cada vez mais comum os estudiosos perguntarem o que os cristãos comuns diziam e pensavam e qual poderia ter sido a experiência de conversão à fé cristã para alguém que tinha sido criado, digamos, numa casa pagã, ou cuja decisão de seguir Jesus tinha significado expulsão de uma casa judaica ortodoxa.

2) O cristianismo do século I era consideravelmente menos unido do que nós acostumamos a acreditar. Havia discussões entre facções judaicas e gentias da Igreja (At 15; Gl 2), discussões entre Paulo e outros missionários que trabalhavam nos mesmos campos (Gl 2.11-14; cf. 1 Co 1.10—4.21), discussões entre Paulo e seus seguidores sobre até que ponto ele tinha autoridade para fazer as extraordinárias afirmações que fazia (2 Co 2.1-4) e até discussões sobre quais critérios poderiam ser usados para responder semelhantes questões. Se os cristãos enfrentavam o martírio valentemente, às vezes era porque eles tinham sido traídos por outros cristãos (e.g., Mc 13.12,13).

Se nos dispuséssemos a ler a Bíblia com cuidado, teríamos a impressão de que a maior parte da literatura do Novo Testamento nasceu de conflitos. É claro que nem todos os cristãos primitivos compreendiam Jesus ou o significado do evento Cristo da mesma maneira. Eles tinham abordagens contraditórias à circuncisão, discutiam sobre línguas e diferiam consideravelmente acerca de questões básicas do certo e do errado. Em outras palavras, o cristianismo primevo era mais parecido com a Igreja atual do que teríamos imaginado, como diz Frank Macchia, teólogo pentecostal: "Deus presente numa situação confusa".[3]

3) O cristianismo primitivo estava mais profundamente afetado por sua exposição a idéias gregas do que tínhamos suposto. Há uma razão simples para isso. No mundo antigo, os *pater familias*, os "cabeças" de grandes famílias, eram as pessoas que decidiam a religião da casa inteira. Um bom exemplo do Novo Testamento é a história do carcereiro de Filipos, registrada em Atos 16.25-34. O carcereiro converteu-se e foi batizado "com toda a sua casa" (At 16.34). Se, como parece provável, esta conversão representa um padrão, então um número significativo de novos-convertidos teria se tornado cristão sem um entendimento *pessoal* e claro dos assuntos da fé, que é o que esperaríamos dos convertidos em nossas igrejas.

Quando grupos familiares se convertiam em massa, algumas destas pessoas traziam consigo suas idéias pagãs, que teriam causado desafios expressivos para a Igreja novata. Estes suscitavam questões importantes sobre a pureza da prática e até sobre a natureza da própria fé. Podemos argumentar que entre as razões subjacentes para o aparecimento de um corpo especificamente cristão de literatura, foi a necessidade de fazer com que os assuntos da fé fizessem sentido para os convertidos, cujas idéias fundamentais sobre a vida tinham sido estampadas na imprensa pagã.

Estes três novos entendimentos requerem considerável reavaliação dos assuntos para os quais os escritores bíblicos dirigiam a atenção e um reexame das conclusões exegéticas que já alcançamos. Como veremos neste comentário, os leitores autorais de Marcos não são espectadores neutros e isolados, mas quase certamente já chegavam à leitura comprometidos com posições particulares. Os leitores de Marcos podem ter sido os contendores na briga.

d) Marcos e sua Igreja

O que foi dito até aqui poderia ser dito de toda a literatura cristã primitiva. A questão mais específica é: Podemos focalizar nossa atenção mais detidamente e desenvolver um quadro da situação imediata para a qual Marcos endereçou sua narração particular do Evangelho? Que acontecimentos e experiências específicos definiram as questões da fé para as quais ele dirige sua atenção? Nesta seção levantaremos estas questões e usaremos dois paradigmas de interpretação bastante diferentes. Usaremos o paradigma de um historiador para tratar da questão sobre o plano de fundo histórico imediato e um paradigma sociológico para reconstruir o suposto mundo da comunidade de Marcos (tanto as coisas que eram dadas por certas quanto as que estão sob disputa).

Autoria. O Evangelho de Marcos é tecnicamente anônimo. O título que aparece em algumas bíblias — "O Santo Evangelho Segundo São Marcos" — é acréscimo de um editor e não faz parte da inerrante Palavra de Deus. As questões sobre quem escreveu este Evangelho, e por que e quando, são assuntos da investigação histórica. Nossa dificuldade com Marcos é que há duas tradições primitivas muito diferentes, uma que afirma que o Evangelho de Marcos era uma condensação do Evangelho de Mateus (patrocinada especialmente por Agostinho) e outra teoria mais antiga afirma que dependia principalmente da pregação de Pedro. A referência mais remota a esta segunda teoria é uma tradição citada por Eusébio, que se refere a um volume (hoje perdido) escrito por Papias, bispo de Hierápolis, ao redor de 140 d.C., que Marcos foi tradutor e registrador da pregação de Pedro (segundo Eusébio, *História Eclesiástica*). Três outras testemunhas do século II estabelecem a mesma conexão: *O Prólogo Anti-Marcionista* (c. 160-180), Irineu, *Contra Heresias* (c. 175) e *O Cânon Muratoriano* (c. 170-190).

Também é tradicional, e na minha opinião altamente provável, que o Marcos em vista aqui é o "João, que tinha por sobrenome Marcos", de Atos 12.12 — antigamente companheiro de Paulo. Seu nome dual (hb. *yohanan*; lat. *marcus* [ou gr. *markos*]) pode indicar ascendência mista, embora haja indicação de que tais nomes eram comuns entre os judeus helenistas do século I (e.g., José Justo, At 1.23). Residente de Jerusalém (Mc 12.12), Marcos é identificado como sobrinho ou primo de Barnabé (Cl 4.10), rico proprietário de terras cipriota que figura proeminentemente nos primeiros capítulos de Atos.

Certa tradição coloca a Ceia do Senhor em Jerusalém, na casa de Maria, mãe de Marcos, da qual (supõe-se) ele teria tido ocasião de seguir bem de perto os movimentos de Jesus em Jerusalém. Note que a descrição dos acontecimentos em Atos permite a inferência de que esta casa era grande e bem montada, visto que tinha um pátio e espaço para "muitos" se reunirem para oração (At 12.12,13a). A presença de uma criada (At 12.13b) e a ligação com o proprietário de terras Barnabé (At 4.36,37; Cl 4.10) associam-se para sugerir que a família de Marcos era abastada, e o fato de que Pedro foi lá diretamente ao ser liberto da prisão (At 12.12) indica que este era um conhecido lugar comum para reuniões cristãs primitivas.

De acordo com Atos 13.4-16, Paulo e Barnabé levaram Marcos com eles na primeira viagem missionária que fizeram a Chipre (At 13.13), depois a Perge, na Panfília (At 13.13a), onde Marcos os deixou e voltou a Jerusalém (At 13.13b). O texto não apresenta as razões para a retirada, mas em Atos 15.39 está claro que, quaisquer que sejam, eram inaceitáveis para Paulo. Por vários anos Marcos fica ausente do registro histórico, só reaparecendo em Colossenses 4.10 como companheiro — e talvez assistente de Paulo (veja também 2 Tm 4.11; Fm 24). A ligação de Marcos com Pedro e Roma é consistente com uma referência em 1 Pedro 5.13: "A vossa co-eleita em Babilônia vos saúda, e meu filho Marcos". Aqui a palavra "filho" não tem o significado literal, mas indica uma relação pessoal e íntima.

Irineu e o *Prólogo Anti-Marcionista* relatam que Marcos escreveu logo depois da morte de Pedro. Estas citações permitem a conclusão de que Marcos escreveu depois do incêndio que destruiu Roma em julho de 64 d.C. Esta situação foi quase trágica para os cristãos. O historiador romano Suetônio acusa que o incêndio foi provocado por Nero, e ainda que não tenha sido comprovado, o registro histórico deixa claro que a acusação teve pronta aceitação nas ruas. O rumor acendeu o pavio seco do ressentimento público contra Nero. Para neutralizar isto, Nero criou um bode expiatório mandando prender e castigar os cristãos. Uma segunda série de tradições sugere que Pedro e Paulo pereceram nesta conflagração — Pedro por crucificação de cabeça para baixo, e Paulo por decapitação.

Esta é a reconstrução tradicional da situação de vida que ocasionou o escrito de Marcos: Marcos, o Evangelho aos romanos, foi escrito nos anos que se seguiram o incêndio de Roma para uma igreja sob muita coerção, que se debatia com os problemas de diferentes facções teológicas e étnicas e lamentava a perda de um de seus pilares e talvez muitos de seus membros.

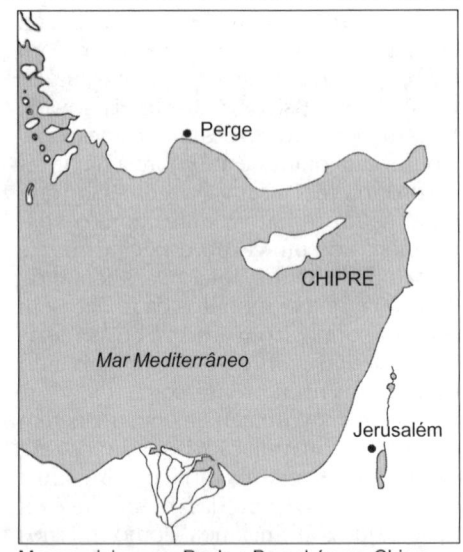

Marcos viajou com Paulo e Barnabé para Chipre e para Perge na primeira viagem missionária que fizeram. Depois ele voltou a Jerusalém. A tradição diz que Marcos escreveu o Evangelho de Marcos depois do incêndio de Roma em 64 d.C.

Os estudiosos dos dias de hoje são cautelosos em tomar esta tradição em seu significado manifesto. Vários elementos dentro do Evangelho não parecem se ajustar com as conclusões gerais expressas acima. Talvez em primeiro lugar, o Evangelho de Marcos caracteriza Pedro no modo mais desfavorável, tornando-o pouco mais que um parvo (Mc 9.6; cf. também Mc 8.33; 14.66-72). A reconstrução tradicional entende que a substância do Evangelho vem principalmente da pregação de Pedro. Mas estudos da crítica da forma mostram que Marcos, como os outros Evangelhos, contém elementos de uma variedade de fontes — umas orais, outras já reunidas em agrupamentos menores, algumas associadas por tema ou "palavra-gancho". A narrativa da paixão está ligada por uma série de vínculos cronológicos apertados, o que sugere que já era uma sucessão conjunta até que Marcos a assumisse. Se Pedro é uma das fontes de Marcos, ele pode ter desempenhado um papel um tanto quanto mais pequeno do que a tradição sugere.

Este quadro oferece controle próprio que governa o processo de leitura. Por exemplo, se Marcos foi escrito primeiro, não o foi para que o registro de Marcos fosse completado com informação dos outros Evangelhos. É altamente improvável, por exemplo, que os leitores de Marcos teriam levado para sua leitura a alta cristologia de João 1.1-18, ou a mesma fórmula para a Ceia do Senhor como a que estamos acostumados de 1 Coríntios 11. No comentário que se segue, agruparemos entre parênteses tal informação a menos que seja sugerido pelo próprio texto.

No que diz respeito à exegese, esta é a função negativa da pesquisa histórica: Ajuda-nos a excluir de consideração as tradições teológicas ou litúrgicas que procedem de setores diferentes da vida da Igreja. A função positiva da pesquisa histórica é que ela nos ajuda a localizar o texto dentro de contextos históricos específicos, e depois introduz informação de fora desses contextos para esclarecer o que o autor queria dizer. A pesquisa histórica da crítica é absolutamente necessária se queremos que nossa leitura do texto seja informada por um repertório literário apropriado.

Perspectivas Sociológicas. Até recentemente, a pesquisa histórica só podia nos proporcionar informações básicas. Nos últimos anos, os estudiosos dentro da sociologia têm-se perguntado se uma leitura cuidadosa do próprio texto bíblico não poderia dar mais robustez às informações, e talvez trazer um pouco do espírito de então ao nosso entendimento da vida cristã primitiva. Em vez de contentar-se com o testemunho dos pais da Igreja e as declarações diretas que a Escritura faz, também podemos respigar informação dos tipos de argumentos encontrados dentro da própria Escritura. A narrativa fornece indícios indiretos acerca do mundo dado por certo; olhando com cuidado podemos achar estes indícios: o que eles explicam, o que tomam como certo, o que presumem que os leitores já saibam.

1) *Uma Comunidade de Crentes.* As evidências internas deixam claro que o leitor de Marcos não é estranho à história de Jesus. O indício crítico é o modo pelo qual Marcos confia no conhecimento das tradições cristãs e judaicas que o leitor já tenha. Com efeito, Marcos explica muitas vezes um elemento da história lembrando o leitor de alguma informação externa, conhecimento que se espera que o leitor traga à leitura. Este hábito é ilustrado pelo modo de Marcos apresentar personagens. Em Marcos 15.21, Simão, o Cireneu, é apresentado como "pai de Alexandre e de Rufo", apresentação que soa desajeitada, a menos que o leitor saiba quem eram Alexandre e Rufo. A apresentação de Judas Iscariotes é particularmente notável: Em Marcos 3.19, ele é apresentado como "Judas Iscariotes, o que o traiu". Conta-se como certo que o leitor saiba que haverá uma traição, embora esta seja a primeira menção de traição na narrativa. Também supõe-se que o leitor saiba quem são os oponentes de Jesus — saduceus, fariseus e herodianos. Estes grupos aparecem ao longo da narrativa sem explanação, com exceção de uma nota em Marcos 12.18 dizendo que os saduceus não crêem na ressurreição.

Também espera-se que o leitor conheça certos detalhes das práticas do culto judaico, costumes, pressuposições e perspectivas teológicas. É verdade que neste relato as evidências estão um pouco divididas. Marcos 7.3-5 contém uma descrição detalhada do ritual de lavagem judaico, o que sugere que Marcos incluiu o aparte como ajuda para alguns da comunidade que não estavam familiarizados com tais coisas. Mas em sua maioria, uma considerável sutileza teológica informa o restante da leitura. Por exemplo, é importante que Jesus viole as leis sabáticas judaicas (e.g., Mc 3.1-6), ainda que a narrativa não explique quais são ou mesmo se elas existem. Marcos presume que o leitor tem essa informação em mãos. Moisés e Elias figuram proeminentemente na história da transfiguração de Jesus em Marcos 9.2-8; contudo, a narrativa pressupõe que o leitor constate que eles são figuras escatologicamente significativas. Talvez mais extraordinário é que Marcos espera que os leitores reconheçam e entendam as insinuações volumosas e sutis ao Antigo Testamento e à literatura intertestamentária (veja esp. Mc 1.1-14; Mc 11—16). Na mesma índole, o rasgar do véu do templo em Marcos 15.38 é um momento profundamente teológico na narrativa de Marcos, o qual não faria sentido a alguém pouco conhecedor das práticas do culto judaico.

2) *Uma Comunidade Eucarística*. A seção central deste Evangelho produz outra nuança teológica quase impalpável. Em 1969, como conclusão da volumosa discussão de Marcos 6.52, Quentin Quesnell argumentou que as questões primárias em Marcos têm a ver com a Ceia do Senhor, quer dizer, com a eucaristia. Marcos 6.1 a 8.30 contém várias insinuações sutis à eucaristia, mas estas não fariam sentido a menos que o leitor trouxesse à leitura um conhecimento rico das práticas litúrgicas cristãs. Isto é especialmente assim em Marcos 6.1 a 8.14, seção na qual o "pão" desempenha papel importante e simbólico (veja comentários sobre esta seção). De acordo com Quesnell, Marcos implica o que João deixa explícito depois: Jesus é o Pão da Vida (veja Jo 6.22-59). Embora Quesnell talvez esteja exagerando o caso, esta seção de Marcos ressalta a eucaristia como refeição escatológica, que une em um Corpo os dois fatores antagônicos na cristandade: judeus e gentios.

3) *Uma Comunidade Carismática*. Também há traços na narrativa que pelo menos indicam que a Igreja de Marcos era uma comunidade carismática. Aqui temos de ser sobretudo cautelosos, porque as evidências históricas, que são bastante exíguas, são interpretadas de muitas maneiras, e os intérpretes pentecostais devem ser especialmente prudentes para evitar ler o que o texto não diz. A despeito dos dispensacionalistas e cessacionalistas, o argumento de que os dons carismáticos tenham desaparecido com o término de Atos não pode ser sustentado. Contudo quaisquer evidências na igreja de Marcos sobre a presença contínua do Espírito são implícitas e indiretas, embutidas na estrutura da retórica que Marcos usa para inculcar seus pontos teológicos; seria ir longe demais sugerir que os dons carismáticos operavam lá da mesma forma que operam em nossas igrejas hoje.

Examinemos esta questão com alguns detalhes, discutindo em primeiro lugar a retórica de Atos como ilustração. Os fatores históricos são estes: Atos foi escrito algum tempo depois dos acontecimentos que descreve. Quando Lucas escreveu as tradições da igreja primitiva — certamente mais tarde, talvez já nos anos oitenta — ele talhou o modo como as informou para ensinar aos leitores coisas específicas sobre a obra de Deus no mundo e o modo no qual Ele continua trabalhando. Isso quer dizer que, para Lucas os acontecimentos que cercavam a vida primitiva da Igreja eram como o restante da história de salvação no ponto em que eles continuavam sendo ideologicamente significativos. (De fato, a razão de *pregarmos* Atos, em vez de somente selecionar informação dele, é que compartilhamos a mesma crença.)

Lucas projetou o relato da história a fim de causar esse significado, e de maneira a trazer à luz seu significado para a audiência. Para nosso propósito, este o ponto importante: o cerne do argumento de Lucas é que a presença dos dons carismáticos entre os crentes gentios valida a legitimidade da missão gentia (At 10.44-48; 11.15-18). É por isso que ele se esmera para mostrar que os dons carismáticos foram distribuídos amplamente, não só nas igrejas judaicas, mas também nas igrejas gentias.

A sutileza acha-se na natureza do argumento de Lucas. Em sua narrativa, Lucas descreve os acontecimentos que ocorreram durante os primeiros anos da Igreja, mas ele espera que os leitores entendam e respondam adequadamente à narrativa, pelo fato de ele ter escrito em data muito mais posterior. Se os dons carismáticos tivessem deixado de operar na época em que ele escreveu Atos, ou seja, se a presença do Espírito já não era claramente relacionada com sinais identificáveis — então a força retórica da narrativa teria sido perdida e se tornado contraproducente. Por exemplo, em Atos 11.15, Pedro apresenta o argumento a favor da missão gentia, mostrando que "caiu sobre eles o Espírito Santo, como também sobre nós ao princípio". Ele avança mais o ponto no versículo 17: "Quem era, então, eu, para que pudesse resistir a Deus?" O ponto da narrativa — e o ponto que Lucas seguramente queria que os leitores ouvissem e apreciassem — é que a missão aos gentios é obra de Deus, porque foi validada pela presença do Espírito.

Se os dons carismáticos tivessem sido perdidos na vida normal da Igreja em 60 d.C. (como argumentam os cessacionistas), o contra-argumento pode ser feito com força igual, talvez com maior força: O Espírito abandonou os gentios, e a missão gentia não é mais válida! Mas Lucas presume que não é assim. O próprio sucesso do argumento depende da presença contínua do Espírito na vida da Igreja. Se os dons carismáticos tivessem acabado, todo o argumento de Lucas já não seria válido ou instigador.

Este é o argumento feito na narrativa de Lucas, e assim teria sido entendido pela comunidade cristã à qual ele se dirige; mas tal não teria sido entendido do mesmo modo na narrativa de Marcos? Não podemos saber com certeza, mas há indicação de que a retórica de Marcos pressupõe a mesma coisa. Por exemplo, em Marcos 9.23, durante o exorcismo de um menino endemoninhado, Jesus promete que "tudo é possível", e em Marcos 11.22-24, logo após a figueira ter secado, Ele promete que "tudo o que pedirdes, orando, crede que o recebereis e tê-lo-eis" (Mc 11.24). A única exigência é que creiamos (Mc 11.23) e que perdoemos (Mc 11.25). Esta evidência é um pouco mais forte se, como Kee sugere, os ataques contra Jesus tinham significado retórico secundário para Marcos e sua Igreja. Kee (1977, p. 139) desenvolve essa tese com referência específica à controvérsia de Belzebu em Marcos 3.22-29:

> "A comunidade que se via como extensão do ministério de Jesus — especificamente em fazer exorcismos (Mc 6.7; 9.14-29,38s) — está apelando para uma palavra de Jesus como garantia de que está cumprido seu ministério pelo poder que vem de Deus. Atribuir a seus membros poderes satânicos é, como no caso de Jesus, uma calúnia contra o Espírito de Deus".

Kee também argumenta (1977, p. 139) que "é o Espírito que sustentará os seguidores de Jesus, quando eles forem chamados a julgamento diante das autoridades (Mc 13.11), da mesma maneira que Ele o foi". Aqui a retórica de Marcos, como Lucas, depende da presença sustentadora do Espírito como elemento real e necessário à vida da Igreja. Se o Espírito se mostrasse ausente em momentos de crise, a promessa extraordinária de Marcos 13.11 teria sido evidência de que a Igreja fora abandonada! Assim, vários elementos se combinam para indicar que é pelo menos historicamente aceitável que a Igreja de Marcos sabia e apreciava a presença do Espírito como realidade presente em sua vida diária. O que teria sido essa presença e como teria se manifestado são questões que permanecem obscuras.

4) *Uma Comunidade Perseguida.* As evidências internas também são compatíveis com a tradição de que Marcos foi escrito para uma comunidade que passava por perseguições. Se começamos com a tradição de que Marcos foi escrito logo depois do incêndio de Roma em 64 d.C., perguntamos então se o caráter do livro é consistente com a tradição (veja artigo na seção 2.5.7).

No mínimo, o trauma da traição às autoridades (cf. Mc 13.9-13) seria sentido profundamente, visto que pelo menos alguns membros da comunidade já estavam sendo rejeitados dentro de suas famílias por causa da decisão de seguirem Jesus. No mundo antigo, a família era tudo. Deixar a família era desonrar a própria pessoa, e ser repudiado pela família era ser humilhado publicamente. Não há que duvidar que alguns da comunidade de Marcos tinham chegado à fé a grande custo pessoal.

Esta questão é levantada em Marcos 10.28-31, onde o leitor de Marcos ouviu uma palavra de Jesus que abordava sua situação: A pessoa perde a família, mas ganha uma Igreja. O texto clássico para explorar esta situação é Marcos 13.9-13, e se, como sugere van Iersel (1988), a traição em mira em Marcos 13.12 se refere aos membros de igrejas que se reuniam em casa, então o senso de traição teria sido especialmente angustiante. De vez em vez encontraremos que a preocupação ecoou dentro da narrativa, e afetou número surpreendente das histórias de Marcos.

5) *Uma Comunidade Estilhaçada.* Dois elementos do texto sugerem que a comunidade do Evangelho de Marcos estava começando a se despedaçar.
a) Marcos parece preocupado com os fatores que levaram alguns cristãos a abandonar a fé e voltar ao judaísmo ou ao paganismo de sua mocidade. A Parábola do Semeador (Mc 4.1-9) manifesta esta preocupação de forma direta; e menos diretamente, mas com mais importância, a análise de Marcos do significado da parábola (Mc 4.10-20) mostra que, na sua leitura, eram estes os elementos que se destacavam. As terríveis profecias de perseguições do tempo do fim apresentadas no Discurso do Monte das Oliveiras (Mc 13) contêm a surpreendente observação de que "o irmão entregará à morte o irmão, e o pai, o filho" (Mc 13.12a). Se a comunidade de Marcos está sofrendo a intensa perseguição descrita acima, era de se esperar que tais coisas estivessem acontecendo.
Como o leitor de Marcos, o próprio Jesus foi rejeitado pelas autoridades religiosas (Mc 3.6), por sua família (Mc 3.31-35), seu torrão natal (Mc 6.1-6) e seus amigos mais íntimos (Mc 14.50). Quando Pedro diz a Jesus: "Eis que nós tudo deixamos e te seguimos" (Mc 10.28), a resposta de Jesus (Mc 10.29,30) contém uma palavra de consolo ("Ninguém há, que tenha deixado casa, ou irmãos, ou irmãs, ou pai, ou mãe, ou mulher, ou filhos, ou campos, por amor de mim e do evangelho, que não receba cem vezes tanto, já neste tempo") e uma palavra de advertência (que com tais coisas virão "perseguições").
b) Também há evidência de fragmentação dentro do Corpo de Cristo. Como outras comunidades cristãs primitivas, há uma controvérsia contínua sobre a legitimidade e o significado da missão aos gentios. No comentário argumentarei que a alimentação dos cinco mil (Mc 6.30-44) e a alimentação dos quatro mil (Mc 8.1-10) são contados com atenção especial a números simbólicos, a detalhes geográficos e a vocabulário técnico de distinção étnica. Quando estes fatores são levados em conta, é especialmente significativo que a segunda alimentação milagrosa ocorra em território gentio. Se estas narrativas de alimentação milagrosa também aludem à eucaristia, então Marcos indica que são mais do que interesse histórico: As bênçãos de salvação são para os gentios também. Uma vez que este tema organizacional é reconhecido, muitos detalhes enigmáticos na seção central (Mc 6.1—8.30) tornam-se claros. Outras passagens em Marcos tratam da questão básica de quantos convertidos gentios espera-se que haja para se conformar com as normas de devoção judaica.

Em outras palavras, na Igreja de Marcos vemos indicações de conflitos que são visíveis ao longo da literatura do cristianismo primitivo. Sabemos de conflitos entre judeus e gentios em meados do século I (At 15; Gl 2) e no fim do século (cf. o Evangelho de João). O fracasso em solucionar o conflito de modo a satisfizer os crentes judeus talvez tenha levado alguns a abandonar seus compromissos cristãos e voltar ao judaísmo tradicional; tal cenário explicaria os temas subjacentes de Mateus, escrevendo de um lado do assunto, e de Lucas, escrevendo de outro. Marcos representa um ponto mais antigo nesta cronologia, pois vem depois de Gálatas, mas antes de Mateus e Lucas. É razoável presumir que os leitores estejam passando por este conflito vindo de dentro. Assim, um elemento essencial da agenda de Marcos é validar a missão gentia e solucionar as questões envolvidas. Se a comunidade está dividida sobre estas questões fundamentais, então é aposta segura que o leitor não é neutro, mas chega à leitura com compromissos já assumidos; tais compromissos anteriores teriam seguramente influenciado o processo de leitura.
6) *Uma Comunidade Apocalíptica.* Cada um dos principais aspectos deste retrato do leitor de Marcos, discutido até aqui, está ligado de algum modo com um apocalipcismo penetrante. Kee (1977) identifica que o apocalipcismo é a orientação primária da comunidade de Marcos como um todo. Tal característica explica o papel proeminente que Marcos dá a imagens escatológicas (veja esp. o Discurso do Monte das Oliveiras em

Mc 13, o que é falado enigmaticamente com imagem apocalíptica). Este grande bloco de material pode ter sido uma unidade independente, mas sua presença é sustentada por uma coletânea de amplo alcance de figuras e imagens escatológicas ao longo do Evangelho:

- Elias é mencionado seis vezes explicitamente (Mc 6.15; 8.23; 9.4,5,11-13; 15.35) e aludido duas vezes (Mc 1.2,3,6).
- Moisés aparece na história da transfiguração (Mc 9.4,5).
- No batismo de Jesus os céus se rasgaram (Mc 1.10).
- A amarração de Satanás (Mc 3.22-27) transmite significado escatológico.
- As suas histórias da alimentação milagrosa (Mc 6.30-44; 8.1-9) sugerem a grande refeição escatológica.

O que é importante não é a freqüência e proeminência destas imagens, mas o fato de que Marcos espera que o leitor as reconheça sem explicação. Se Kee tem razão, então estas imagens e figuras há muito tempo faziam parte do vocabulário de fé pela qual a igreja de Marcos entendia sua vida comum. O famoso aparte de Marcos em Marcos 13.14 ("quem lê, que entenda") sinaliza ao leitor que "*isto é aquilo*", como se a "abominação do assolamento" que Jesus há pouco mencionou estivesse ligado de alguma maneira com a atual crise.

Há mais uma nuança apocalíptica. Ao longo do livro o leitor é lembrado das realidades e verdades que estão além das realidades e verdades visíveis. Os membros da comunidade de Marcos são uma sociedade de *insight*, ou, antes, de *revelação*. *Insight* não é obtido por seres humanos tanto quanto é concedida por Deus. Esta visão da verdade tem estreita afinidade com outros movimentos apocalípticos judaicos. Susan Garrett (1998, p. 63) resume: "Na visão apocalíptica, os acontecimentos que transpiram no plano terrestre são meramente a reflexão ou superação dos acontecimentos que ocorrem num plano mais elevado e não visto".

Resumo. Inspecionamos vários aspectos da vida cristã primitiva. Os "leitores autorais" de Marcos teriam trazido consigo para a leitura tudo o que era dado por certo no mundo antigo, inclusive um senso rigidamente estruturado de estado social, da crença em demônios e da pressuposição de que nada é mais importante que a família.

Os cristãos de Marcos também teriam feito valer certos compromissos, crenças e costumes cristãos — embora estes ainda estivessem nas fases formativas e, assim, fossem questões de disputa. Essa controvérsia reflete incômoda mistura de judeus e convertidos do paganismo. Eles teriam conhecimento da eucaristia, mas não dos outros três Evangelhos. É provável que pelo menos alguns dos seus membros estavam engajados em pesquisar o Antigo Testamento, quando formalizaram as escoras teológicas da fé que mantinham. À medida que formos lendo, sempre perguntaremos como uma coisa como essa poderia ter soado aos ouvidos de uma congregação.

A comunidade de Marcos também mostra sinais inevitáveis de ruptura sob pressão, e leremos o Evangelho como se fosse escrito para lidar com as fontes e implicações dessas divisões. Estas são pessoas feridas, crentes em vez de pessoas de fora, cujas experiências de vida incluíam intensa perseguição, e que tinham perdido a família e amigos na arena de Nero, ou pior, para a apostasia. Elas esperavam ansiosamente o tempo do fim, no qual o Filho do Homem viria para acertar as coisas de uma vez por todas.

Todo aquele familiarizado com a história social do movimento pentecostal concordará que há excepcionais paralelos entre este retrato e o nosso. Assim como os leitores de Marcos, nós também somos por vezes duramente assediados por nossa fé; às vezes perseguidos por nossas crenças, crenças que parecem estranhas e assustadoras a nossos atormentadores. Temos confiado no Espírito para sermos guiados e recebermos poder na nossa grande luta contra as forças de Satanás — a quem chamamos "Inimigo", mas cujo nome ainda conheceremos. Temos descoberto que as boas-novas do Evangelho fazem o ministério cruzar as fronteiras sociais, étnicas e políticas de certo modo que às vezes causa conflito e dificuldade, mas que o vínculo de companheirismo que encontramos em Cristo é maior do que as diferenças que nos dividem. Como os cristãos do século I, por vezes achamos que esta lição é difícil. Por fim, como os cristãos de Marcos, temos nossa fascinação pelo tempo do fim, quando Deus tenderá a história para o fim. Em outras palavras, embora Marcos tenha composto o Evangelho para uma congregação verdadeira e histórica, para o crente pentecostal suas palavras de alguma maneira ainda soam inexplicavelmente verdadeiras.

ESBOÇO

Desde o princípio, os estudiosos têm tido dificuldade em pôr a narrativa de Marcos na forma de esboço. Para nosso propósito, é importante observar que ainda que esboços sejam ferramentas de pesquisa úteis, Marcos não contava que o leitor tivesse um esboço em mãos. Um esboço é bastante parecido como a visão aérea de uma estrada: A gente vê o começo e o fim ao mesmo tempo. O leitor experimenta a narrativa mais como um viajante na estrada, nunca sabendo o que pode haver depois da próxima curva. Parte do prazer da jornada pelo texto acha-se nas surpresas ao longo do caminho, nas mudanças de perspectiva graduais e súbitas ou nas novas explorações no terreno da narrativa. O intérprete que confia estritamente num esboço perde certos elementos de surpresa que podem ser centrais à intenção do autor.

Pelo fato de o leitor estar viajando pelo texto em seqüência, o narrador/autor tem de fornecer direção ao leitor, placas para assinalar que ele está passando para uma nova seção. Marcos usa muitos dos dispositivos literários padrões para guiar a leitura e dar direção: mudanças de personagem ou lugar, marcadores cronológicos, mudanças de tema, comentários de transição e resumos. Às vezes mudanças de enredo são assinalados pela coerência interna da própria história, sobretudo quando a história se conforma com as estruturas habituais de um gênero conhecido pelo leitor.

Três das técnicas estilísticas de Marcos chamam atenção especial.

1) Marcos assinala por vezes o fim de certa seção principal com um dispositivo estilístico conhecido por *inclusão*. Uma inclusão ocorre quando uma seção começa e termina com histórias temática e estruturalmente paralelas. Por exemplo, uma seção principal em Marcos 8.22 a 10.52 lida em parte com a cegueira dos discípulos. Esta seção principal começa e termina com histórias sobre Jesus curar cegos — o cego que foi tocado duas vezes (Mc 8.22-25) e o cego Bartimeu (Mc 10.46-52) —, as quais funcionam como "suportes de livro".

2) Marcos muitas vezes começa uma nova seção antes de terminar a última, criando uma ligação semelhante a um elo entre as seções. A história do cego que foi tocado duas vezes, registrada em Marcos 8.22-25, lança uma nova seção, mas a seção anterior não termina até a confissão de Pedro, em Marcos 8.27-30.

3) Marcos às vezes encadeia seções com histórias que estão muito estreitamente relacionadas com o que vem antes, tanto quanto com o que vem depois. Por exemplo, o apaziguamento da tempestade, em Marcos 4.35-41, está tematicamente ligado com a coletânea de parábolas que o precede (Mc 4.1-34), mas é semelhante na forma aos milagres que o seguem (Mc 5.1-43). Nesta qualidade, funciona como um tipo de ponte, unindo as duas seções e servindo de transição entre elas.

Estes três dispositivos criam um senso de unidade e coerência no todo, mas é uma unidade que não se submete facilmente ao esboço sistemático. Até o certo hábito de Marcos sobrepor seções principais, uma leitura cuidadosa dos sinais de transição padrão e das inclusões, produz um esboço de duas seções principais (Mc 1.2—8.30; 8.22—15.39). A primeira seção está dividida em sete subseções grandes, e a segunda em quatro. Como regra geral, os capítulos 1 a 10 tendem a estar organizados por tema, ao passo que os capítulos 11 a 16 estão organizados por cronologia. O livro começa com um cabeçalho (Mc 1.1) e termina com um epílogo curto (Mc 15.4—16.8).

1. Cabeçalho (1.1).

2. Jesus É o Messias (1.2—8.30).
   2.1. Prólogo (1.2-13).
   2.1.1. João Batista (1.2-6).
   2.1.2. A Pregação Messiânica de João Batista (1.7,8).
   2.1.3. O Batismo de Jesus (1.9-11).
   2.1.4. A Tentação de Jesus no Deserto (1.12,13).
   2.2. Acontecimentos de Abertura (1.14-45).
   2.2.1. O Ministério de Jesus na Galiléia (1.14,15).
   2.2.2. A Chamada dos Primeiros Discípulos (1.16-20).
   2.2.3. Ensinamentos e uma Expulsão de demônios na Sinagoga em Cafarnaum (1.21-28).
   2.2.4. A Sogra de Pedro (1.29-31).
   2.2.5. Os Doentes Curados à Noitinha (1.32-34).
   2.2.6. Jesus Deixa Cafarnaum (1.35-38).
   2.2.7. O Primeiro Circuito de Pregação na Galiléia (3.39).
   2.2.8. A Purificação do Leproso 1.40-45).
   2.3. Uma Série de Controvérsias (2.1—3.6).
   2.3.1. A Cura do Paralítico (2.1-12).
   2.3.2. A Chamada de Levi / Publicanos e Pecadores (2.13-17).
   2.3.3. A Pergunta sobre o Jejum (2.18-22).
   2.3.4. Colhendo Espigas no Sábado (2.23-28).
   2.3.5. O Homem com a Mão Mirrada (3.1-6).
   2.4. Mais Controvérsias (3.7-35).
   2.4.1. As Multidões junto ao Mar (3.7-12).
   2.4.2. A Escolha dos Doze (3.13-19a).
   2.4.3. Pensam que Jesus Está Louco (3.19b-20).
   2.4.4. Em Conluio com Satanás (3.22-30).
   2.4.5. Os Verdadeiros Parentes de Jesus (3.31-35).
   2.5. Parábolas (e um Milagre) de Promessa (4.1-34).
   2.5.1. A Parábola do Semeador (4.1-9).
   2.5.2. A Razão para Falar por Parábolas (4.10-12).
   2.5.3. A Interpretação da Parábola do Semeador (4.13-20).
   2.5.4. "Se alguém tem ouvidos para ouvir, que ouça" (4.21-25).
   2.5.5. A Parábola da Semente que Cresce em Segredo (4.26-29).
   2.5.6. A Parábola da Semente de Mostarda (4.30-32).
   2.5.7. O Uso que Jesus Fez de Parábolas (4.33-34).
   2.6. Milagres (4.35—5.43).
   2.6.1. O Apaziguamento da Tempestade (4.35-41).
   2.6.2. O Endemoninhado Gadareno (5.1-20).
   2.6.3. A Filha de Jairo / A Mulher com Fluxo Hemorrágico (5.21-43).
   2.7. A Salvação para os Gentios (Subtema: Um Profeta e mais que Profeta: 6.1—8.30).
   2.7.1. Jesus É Rejeitado em Nazaré (6.1-6a).
   2.7.2. O Comissionamento dos Doze (6.6b-13).
   2.7.3. Opiniões Relativas a Jesus (6.14-16).
   2.7.4. A Morte de João Batista (6.17-29).
   2.7.5. O Retorno dos Doze (6.30,31).
   2.7.6. A Alimentação dos Cinco Mil (6.32-44).
   2.7.7. Jesus Caminha sobre o Mar (6.45-52).
   2.7.8. As Curas em Genesaré (6.53-56).
   2.7.9. Contaminação — Tradicional e Real (7.1-23).
   2.7.10. A Mulher Siro-Fenícia (7.24-30).
   2.7.11. Jesus Cura um Surdo e Gago, e muitas outras Pessoas (7.31-37).
   2.7.12. A Alimentação dos Quatro Mil (8.1-10).
   2.7.13. Os Fariseus Buscam um Sinal (8.11-13).
   2.7.14. O Fermento dos Fariseus (8.14-21).
   2.7.15. O Cego que Foi Tocado Duas Vezes (8.22-26).
   2.7.16. A Confissão de Pedro (8.27-30).

3. Jesus É o Filho de Deus (8.22—15.39).
   3.1. Quem É Este Homem? — Subtema: Treinamento do Discipulado (8.22—10.52).
   3.1.1. O Cego que Foi Tocado Duas Vezes (8.22-26).
   3.1.2. A Confissão de Pedro (8.27-30).

3.1.3. A Primeira Predição da Paixão (8.31-33).
3.1.4. "Se alguém quiser vir após mim, negue-se a si mesmo" (8.34—9.1).
3.1.5. A Transfiguração de Jesus (9.2-8).
3.1.6. A Vinda de Elias (9.9-13).
3.1.7. Jesus Cura um Menino Endemoninhado (9.14-29).
3.1.8. A Segunda Predição da Paixão (9.30-32).
3.1.9. Uma Série de Histórias Propelidas por Palavras-Gancho (9.33-50).
3.1.9.1. A Verdadeira Grandeza (9.33-37).
3.1.9.2. Um Estranho Expulsa Demônios (9.38-41).
3.1.9.3. Avisos contra as Tentações (9.42-50).
3.1.10. Partida para a Judéia (10.1).
3.1.11. Sobre o Divórcio e o Novo Casamento (10.2-12).
3.1.12. Jesus Abençoa as Criancinhas (10.13-16).
3.1.13. Sobre as Riquezas e as Recompensas do Discipulado (10.17-31).
3.1.14. A Terceira Predição da Paixão (10.32-34).
3.1.15. A Precedência entre os Discípulos (10.35-45).
3.1.16. A Cura do Cego Bartimeu (10.46-52).
3.2. Julgamento em Jerusalém (11.1—12.44).
3.2.1. A Entrada Triunfal de Jesus (11.1-10).
3.2.2. Jesus Entra em Jerusalém (11.11).
3.2.3. O Julgamento contra a Figueira (11.12-14).
3.2.4. O Julgamento contra o Templo (11.15-17).
3.2.5. Os Principais Sacerdotes Conspiram contra Jesus (11.18,19).
3.2.6. A Figueira Seca (11.20-26).
3.2.7. A Pergunta sobre a Autoridade (11.27-33).
3.2.8. A Parábola dos Lavradores Maus (12.1-12).
3.2.9. Sobre Pagar Impostos a César (12.13-17).
3.2.10. A Pergunta sobre a Ressurreição (12.18-27).
3.2.11. O Grande Mandamento (12.28-34).
3.2.12. A Pergunta sobre o Filho de Davi (12.35-37a).
3.2.13. Ai dos Escribas (12.37b-40).
3.2.14. A Oferta da Viúva (12.41-44).
3.3. O Discurso do Monte das Oliveiras (13.1-37).
3.3.1. Predição da Destruição do Templo (13.1,2).
3.3.2. Sinais antes do Fim (13.3-8).
3.3.3. Predição de Perseguições (13.9-13).
3.3.4. A Abominação do Assolamento (13.14-20).
3.3.5. Os Falsos Cristos e os Falsos Profetas (13.21-23).
3.3.6. A Vinda do Filho do Homem (13.24-27).
3.3.7. "Olhai, vigiai" (13.28-37).
3.4. A Paixão (14.1—15.39).
3.4.1. Premeditação da Morte de Jesus (14.1,2).
3.4.2. A Unção em Betânia (14.3-9).
3.4.3. A Traição de Judas (14.10,11).
3.4.4. A Preparação para a Páscoa (14.12-17).
3.4.5. Jesus Prediz a Traição (14.18-21).
3.4.6. A Última Ceia (14.22-26).
3.4.7. A Negação de Pedro É Predita (14.27-31).
3.4.8. O Jardim do Getsêmani (14.32-42).
3.4.9. Jesus É Preso (14.43-52).
3.4.10. Jesus perante o Sinédrio (14.53-65).
3.4.11. A Negação de Pedro (14.66-72).
3.4.12. O Julgamento perante Pilatos (15.1-14).
3.4.13. "Salve, Rei dos Judeus!" (15.15-21).
3.4.14. A Crucificação de Jesus (15.22-39).

4. Epílogo (15.40—16.8).
4.1. As Testemunhas da Crucificação (15.40-41).
4.2. O Enterro de Jesus (15.42-47).
4.3. As Mulheres junto ao Túmulo (16.1-8).
[O "Fim Mais Longo" (16.9-20).]

COMENTÁRIO

1. Cabeçalho (1.1).

É talvez apropriado que a abertura de Marcos seja problemática, da mesma maneira que o fim. Três perguntas principais ocupam a atenção dos estudiosos aqui.

1) Quanto ao texto deste versículo, alguns manuscritos incluem as palavras "Filho de Deus", ao passo que outros as omitem. As evidências não são inequívocas, e argumentos irrefutáveis podem ser feitos em favor de ambas as leitura. Seguiremos a RC e as incluiremos.[4]
2) A nuança da palavra "princípio" (*arche*) é assunto importante. Há quatro opções:
   a) Marcos usa esta palavra para dizer que é o começo do Novo Testamento (referenciado nos vv. 2,3), de forma que a história sobre Jesus começa ali;
   b) Marcos diz respeito ao aparecimento de João Batista no deserto (apresentado no v. 4).
   c) O termo *arche* se refere a todo o complexo de acontecimentos descritos no prólogo (Mc 1.2-15).
   d) O "princípio do evangelho" designa a narrativa inteira do Evangelho de Marcos.

Argumentos em prol de cada uma dessas posições têm sido apresentados, ainda que nem todos sejam igualmente convincentes. A opção (a) é improvável porque requer que o leitor forneça um verbo; a opção (b) é duvidosa, já que negligencia a alusão ao Antigo Testamento nos versículos 2 e 3; a opção (c) é questionável, visto que o leitor de Marcos não teria como saber pelo versículo 1 que havia um prólogo de quatorze versículos que viriam imediatamente a seguir. Isto deixa a opção (d), que me parece a escolha óbvia.

O que as primeiras três opções têm em comum é que não levam em conta a seqüência do material. A posição do versículo 1 no livro e sua falta de verbo sugerem ao leitor que essas palavras servem como cabeçalho para o livro inteiro. Supunha-se que neste ponto, o "leitor", que lia o texto em voz alta para a igreja, faria uma pausa antes de se entregar à leitura do restante da narrativa.

3) Esta observação apóia conclusões relacionadas sobre o significado da palavra "evangelho" (*euangelion*). Embora alguns advoguem que a palavra designe qualquer "acontecimento histórico que introduz uma nova situação no mundo" (Lane, 1974, p. 43, conclusão baseada nos usos desta palavra no grego clássico), esta interpretação não reconhece que a Igreja já tinha desenvolvido seu uso mais restrito da palavra *euangelion*. Dentro da comunidade de Marcos, significados pagãos seriam seguramente substituídos pelos significados cristãos. Para eles, o "evangelho" está arraigado no complexo de acontecimentos e personagens que está traçado na narrativa que se segue, e que desabrocha na missão da própria Igreja. Quando a audiência de Marcos ouviu pela primeira vez as palavras "Princípio do evangelho de Jesus Cristo, Filho de Deus", é remoto que tivesse feito alguma associação pagã com a palavra "evangelho".

Também é importante observar que a estrutura do versículo 1 é paralela à estrutura do livro como um todo. Neste comentário seguiremos a divisão habitual de Marcos em duas metades. O clímax da primeira metade encontra-se na confissão de Pedro em Marcos 8.29: "Tu és o *Cristo*" (ênfase minha). O clímax da segunda metade encontra-se na confissão do centurião registrada em Marcos 15.39: "Verdadeiramente, este homem era o *Filho de Deus*" (ênfase minha). Estes fatos considerados juntos sugerem que, para Marcos, o "Princípio do evangelho de Jesus Cristo, Filho de Deus" é a história inteira acerca de Jesus. Esta história é o começo do Evangelho, *mas é só o começo*. Por inferência, a missão da Igreja que se segue deve ser a *continuação* do Evangelho, a história do grande documento de redenção na vida da Igreja.

Artigo: Ironia

Importantes questões cercam as funções retóricas do versículo 1. Podemos pôr isso em foco perguntando que diferença faz para o processo de leitura que este versículo esteja aqui, em vez de estar em outro lugar ou ter sido perdido. Com este versículo, Marcos coloca seus leitores em base privilegiada e, assim, os distancia de maneira importante dos pontos de vista das personagens dentro da história.

As ironias criadas constituem uma estratégia retórica amplamente distribuída no Evangelho de Marcos (para mais informações sobre este tópico, veja Camery-Hoggatt, 1992). A fim de entendermos como esta estratégia funciona, temos de nos lembrar de que as personagens dentro do Evangelho não ouvem a voz do narrador, não conhecem nada acerca de textos de transição e resumos, das alusões ao Antigo Testamento ou da explicação do narrador ao lado do leitor; não sabem que há uma crucificação futura ou que uma Igreja continuará o "evangelho de Jesus Cristo, Filho de Deus", depois que a narrativa se encerrar. Mas os leitores de Marcos sabem disso tudo, o que significa que eles trazem consigo indícios interpretativos críticos que não têm influência sobre as personagens da história, até quase o final da narrativa. Em termos literários, podemos dizer que as personagens não têm percepção desses acontecimentos (veja mais adiante a seção 2.2.1).

Em outras palavras, os *leitores* de Marcos têm em mãos um extenso repertório de informação com o qual avaliam e respondem ao desenvolvimento do enredo, e as conclusões alcançadas pelas *personagens* (que estão, afinal de contas, dentro da história) aparecerão grosseiramente inadequadas quando vistas contra esse repertório. De vez em quando o narrador criará estruturas específicas de referência nas quais o texto pode ser entendido de dois modos. Dentro da história, as personagens vêem uma coisa, enquanto que de fora, os leitores vêem outra. A questão não é que os leitores escolhem uma leitura alternativa dos fatos, mas que os leitores vêem ambas as opções, e de seu privilegiado ponto de observação criticam as idéias inadequadas defendidas pelos personagens da história.

As operações subjacentes nesta estratégia de retórica podem ser sutis: Para que os leitores critiquem as idéias das personagens, primeiro eles têm de adotar o ponto de vista do narrador. Veremos este efeito vezes sem conta à medida que abrimos caminho pela história de Jesus narrada por Marcos. Um exemplo clássico acha-se na história da negação de Pedro (Mc 14.54,66-72), unida como está com o julgamento de Jesus (Mc 14.55-65; veja seções 3.4.11 e 3.4.12). A estrutura é apresentada em Marcos 14.26-31: Jesus profetiza que Pedro o negará três vezes. Assim que os leitores de Marcos prosseguem pela narrativa, eles ouvem esta profecia só minutos antes de ouvirem a história do julgamento de Jesus. No momento climático do julgamento, os inimigos de Jesus o golpeiam e ordenam: "Profetiza" (Mc 14.65), mas Jesus permanece calado. O que os sacerdotes não podem ver, mas os leitores de Marcos vêem, é que lá fora, no pátio, naquele mesmo instante, uma profecia de Jesus está se cumprindo!

A ordem dos inimigos de Jesus para que Ele profetizasse está, então, teologicamente encoberta, mas por causa do modo como Marcos pôs em seqüência a revelação da informação, os leitores a vêem. Se eles respondem com uma palavra de julgamento — "o quanto estas pessoas são cegas!" —, é pelo simples fato de eles compartilharem o ponto de visão do narrador; eles foram levados à fé nos termos dele. Todas as ironias no Evangelho de Marcos começam com a informação fornecida pelo cabeçalho (Mc 1.1). É importante que este versículo esteja aqui, como a primeira exposição do leitor à história de Jesus.

2. Jesus É o Messias (1.2—8.30).

Tradicionalmente os intérpretes dividem o livro em duas metades (veja comentários sobre Mc 1.1). Ambas as metades começam com passagens que estão divinamente carregadas com imagens escatológicas. Elementos da história do batismo, em Marcos 1.9-11, serão repetidos na história da transfiguração, em Marcos 9.2-10. Elias reaparecerá, e a voz da nuvem será ouvida novamente. Ainda que estas duas metades pareçam equilibradas, também há importantes diferenças. Depois de Marcos

8.30, a narração faz uma volta decisiva. O interesse do narrador passa para o custo do discipulado e o enorme preço que Jesus tem de pagar se Ele quer cumprir sua missão. Não é sem importância que a confissão do centurião, que disse que Jesus é o "Filho de Deus" (Mc 15.39), não proceda dos milagres de Jesus, mas advenha da maneira que Ele morreu. A primeira metade do livro tem um programa de trabalho diferente: Estabelece a validade da confissão de Pedro em Marcos 8.27-30. A despeito da morte ignominiosa, Jesus é o Cristo!

2.1. Prólogo (1.2-13)

O material encontrado nestes versículos é comumente chamado de Prólogo de Marcos. Vários elementos unem esta seção da narrativa. Começa e termina com sinais que localizam a ação "no deserto" (Mc 1.3,4,12,13), fato que é teologicamente significativo por causa da citação combinada de Êxodo 23.20, Malaquias 3.1 e Isaías 40.3 em Marcos 1.2,3. Com exceção do breve relato da tentação no deserto, João Batista aparece como figura central por toda a parte (Mc 1.4-6,7,8,9-11,14), e então desaparece depois do versículo 14. O fato de ele aparecer "no deserto" (v. 4) valida a conexão com a profecia do Antigo Testamento (vv. 2,3) e indica que ele está num tipo de zona média entre a esperança de um Messias e a realização dessa esperança no aparecimento de Jesus. Os versículos 14 e 15 são transitivos e lançam a narrativa em direção completamente nova.

Os comentaristas destacam a maneira abrupta com que Marcos inicia sua narrativa. Não há sugestão da preexistência de Cristo (cf. Jo 1.1-18), nem genealogia para ligar a narrativa ao Antigo Testamento ou para atestar a linhagem davídica de Jesus (cf. Mt 1.1-18; Lc 3.23-38), nem arauto angelical para anunciar a chegada do recém-nascido Rei (Lc 2.8-20) e nem indício de acontecimento calamitosos (e.g., o massacre dos meninos em Belém, Mt 2.1-18). A narrativa de Marcos começa, sem cerimônia, com o aparecimento de João Batista no deserto.

Pode-se alegar que variações dos elementos supramencionados estão presentes na abertura de Marcos, mas estão presentes só para os leitores que possuem o repertório necessário do conhecimento de segundo plano. Certos elementos do prólogo dão à narrativa um tom suavemente escatológico, assinalando ao leitor que esta história tem implicações cósmicas. Superficialmente, João Batista (Mc 1.2-6) surge como qualquer outro profeta no deserto da Judéia, mas uma alusão direta e clara no versículo 6 lhe faz parecer um tipo de Elias, um arauto escatológico da era messiânica. O rasgar dos céus, a voz proveniente do céu e a alusão à literatura intertestamental na história do batismo (vv. 9-11) identificam Jesus como o "Filho de Deus", da mesma maneira que o fazem claramente as hostes angelicais de Lucas no seu relato posterior. Alusões literárias subjacentes e sutis na tentação no deserto (vv. 12,13) assinalam a presença do Segundo Adão — mais sutilmente do que o prólogo de João, mas não com menos poder. Para o leitor que possui o repertório apropriado das citações do Antigo Testamento e intertestamentais, o prólogo de Marcos está densamente acondicionado, talvez até sendo deslumbrante.

Artigo: Alusões

É claro que a estratégia retórica de Marcos apóia-se intensamente no uso da alusão, mas pelo fato de serem sutis as operações dessa estratégia, vale a pena comentar brevemente as maneiras nas quais elas influenciam o processo de leitura (para mais informações sobre isso, veja Camery-Hoggatt, 1995, pp. 114-133). Alusões literárias tendem a tornar o processo de leitura mais desafiador, porque exigem atividades mentais mais complicadas e complexas. Sempre que aparecem alusões, o texto secundário — ou seja, a fonte da alusão — intromete-se na interação do leitor com o texto primário.

Note, por exemplo, a descrição de Marcos sobre João Batista (Mc 1.6): "E João andava vestido de pêlos de camelo, e com um cinto de couro em redor de seus lombos, e comia gafanhotos e mel silvestre". Esta descrição está perto do início da narrativa de Marcos. Mesmo assim, muitos elementos alusivos já prepararam um complexo de esquemas que tem a ver com o aparecimento do Messias. A referência ao "profeta Isaías", no versículo 2a, associa-se com a citação combinada de Malaquias 3.1 e Isaías 40.3 em Marcos 1.2b,3 para evocar uma série de imagens visuais, as quais sugerem o profeta escatológico Elias. Ademais, é provável que o leitor tenha acesso em sua mente à informação mais específica de Malaquias 4.5: "Eis que eu vos envio o profeta Elias, antes que venha o dia grande e terrível do SENHOR".

Embora esta referência esteja apenas implícita, serve como plano de fundo do material que se segue. Marcos 1.6 estabelece fixamente a conexão quando descreve João Batista na mesma linguagem exata da descrição de Elias encontrada em 2 Reis 1.8.

2 Reis 1.8a	Marcos 1.6
Era [Elias] um homem vestido de pêlos e com os lombos cingidos de um cinto de couro	E João andava vestido de pêlos de camelo e com um cinto de couro em redor de seus lombos

Para o leitor de Marcos a alusão é clara. O narrador identificou a figura no deserto com João Batista, mas pela descrição o leitor também sabe que é Elias, o tisbita, arauto do vindouro Messias.

As alusões podem ter efeitos literários adicionais, não sendo o menos importante a validação da habilidade do narrador em narrar. Numa cultura oral, a habilidade em citar ou aludir a outras histórias tradicionais indica o domínio do material, e quando essa tradição faz sua marcação da literatura sagrada, também indica um alto nível de devoção e, portanto, de confiabilidade. Alusões que se referem à literatura sagrada também validam a teologia da própria narrativa. Marcos está dizendo a seus leitores que a história que ele conta está de algum modo ligada com os profetas de antigamente.

2.1.1. João Batista (1.2-6). Marcos inicia a narrativa propriamente com uma citação combinada de Êxodo 23.20, Malaquias 3.1 e Isaías 40.3. A sentença está incompleta, de forma que procura seu verbo no versículo 4: "Como está escrito no profeta Isaías, [...] João Batista apareceu no deserto" (tradução literal). Isto faz com que a citação nos versículos 2 e 3 funcionem como parênteses, um comentário sobre o significado da entrada em cena de João Batista. João Batista é homem com uma missão, o precursor de Cristo — como Elias, o esperado arauto do Messias.

Essas imagens são aprofundadas pela representação que Marcos faz de João Batista como eremita no deserto da Judéia (vv. 4-6). Note o modo como ele se esmerou para reforçar essa imagem. "Deserto" é repetido quatro vezes no prólogo (vv. 3,4,12,13); João Batista se veste toscamente e come gafanhotos e mel silvestre (v. 6).

Porém há mais para João Batista do que as impressões iniciais sugerem. Para o leitor que pode reconhecer a imagem, João Batista representa o reaparecimento de um movimento profético antigo e perdido. A impressão que João Batista dá é a de um profeta do Antigo Testamento, atroando a exigência de arrependimento. De fato, em famoso paralelo do Antigo Testamento, o manto de pêlos é sinal representativo de profeta: "E acontecerá, naquele dia, que os profetas se envergonharão, cada um da sua visão, quando profetizarem; nem mais se vestirão de manto de pêlos, para mentirem" (Zc 13.4). Mais condizente com a finalidade de nosso propósito, em 2 Reis 1.1-8, o profeta Elias é identificado especificamente com a referência à sua roupa (veja o artigo "Alusões", seção 2.1).

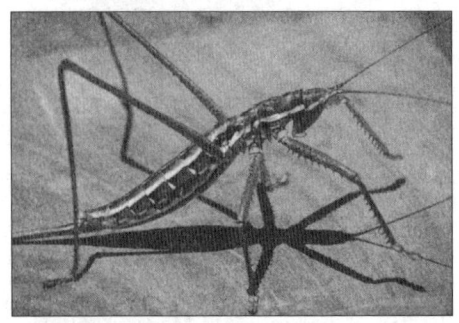

João Batista usou roupa de pêlos de camelo e um cinto em volta da cintura, e se alimentava de mel silvestre e gafanhotos.

Quando os leitores de Marcos leram a descrição de João Batista eles não deixaram de pensar: "É Elias, o tisbita". Observe que mais tarde Marcos vai validar esta conexão (Mc 9.11-13).

Essa alusão, acoplada com a citação de Malaquias 3.1 em Marcos 1.2, denota uma referência secundária a Malaquias, desta feita do capítulo 4, versículos 5 e 6:

> "Eis que eu vos envio o profeta Elias, antes que venha o dia grande e terrível do SENHOR; e converterá o coração dos pais aos filhos e o coração dos filhos a seus pais; para que eu não venha e fira a terra com maldição."

Assim a ordem de João Batista para que as pessoas se arrependam é incisiva, e as pessoas afluem ao rio Jordão para serem batizadas, porque vêem nele a reviravolta de algo profundo dentro do seu sonho coletivo: Elias apareceu! O Messias estará perto, é só aguardar.

É importante que João Batista seja incisivo. Tudo na narrativa aprofunda essa impressão, sobretudo a referência a seus trajes e dieta de gafanhotos e mel silvestre. De vez em quando os intérpretes apontam outras tradições dos moradores do deserto que comem gafanhotos, mas estas nos deixam sem explicação adequada sobre a razão de Marcos incluir esta observação aqui. O seu ponto central é diferente: A dieta estranha de João Batista está de acordo com o restante da descrição dada dele, e assim, acentua a impressão do deserto.

A incisividade tem seu próprio tipo de poder público, porque reforça a impressão de um profeta do Antigo Testamento, criada pela descrição das roupas de João Batista e as alusões à tradição de Elias. O versículo 5 fornece descrição vívida da aclamação pública que João Batista recebe. Haverá estreito paralelo verbal com o versículo 9, mas o leitor de Marcos ainda não sabe disso. A repetição da palavra grega *pas* no versículo 5 ("todos", duas vezes) dá ênfase ao grande número de pessoas que responderam. Entusiasmo semelhante vai ocorrer depois com Jesus (Mc 1.45; 2.1,2; 3.7-10), e a referência aqui pode preparar a leitor para as referências ali. As premissas do apoio comandado por João Batista continuarão e se aprofundarão no ministério de Jesus. Esta pode ser parte de um programa maior de ligar firmemente o ministério de João Batista com o de Jesus.

Em Marcos 6.14,16 e novamente em Marcos 8.28 haverá perguntas sobre a identidade de João Batista, e o sentimento popular verá Jesus como o João Batista que ressurgiu dos mortos. Em Marcos 11.27-33, Jesus defenderá suas atividades levantando a questão da legitimidade do batismo de João. Finalmente, em termos de técnica narrativa, o destino de João Batista antecipa e prepara o destino de Jesus — ou seja, a prisão (Mc 1.14) e execução (Mc 6.17-29) de João Batista pressagiam a prisão e execução de Jesus. Com efeito, morte por martírio é outro modo de João Batista preparar o caminho diante de Jesus.

A imagem de João Batista se agiganta no pano de fundo da narrativa de Marcos. É razoável conjeturar que a comunidade de Marcos tinha questões relacionadas com João Batista: sua identidade, sua ligação com Jesus e o lugar na economia da salvação. Examinaremos o plano de fundo histórico em nossa discussão sobre a pregação messiânica de João Batista em Marcos 1.7,8. O que vem à tona é um retrato de textura grosseira, que indica — não, exige — que João Batista é um indivíduo a ser levado em conta seriamente, alguém que não suporta deslealdades. João Batista é incisivo em favor do Reino.

2.1.2. A Pregação Messiânica de João Batista (1.7,8). Se os versículos 2 a 6 nos mostraram João Batista com a imagem de incisividade em prol do Reino como arauto profético do futuro Rei, esse retrato nos versículos 7 e 8 é usado como imagem contrastante daquele que vem depois de João Batista. Em sua pregação, João Batista não nos apresenta "o gentil Jesus, manso e humilde", mas antes "aquele que é mais forte". Assim o contraste é direto em vez de ser inverso: Se João Batista é incisivo em sua proclamação, *quanto mais incisivo* será aquele a quem João Batista proclama!

Neste resumo da pregação de João Batista, tudo se focaliza no contraste. O narrador nos apresenta duas parelhas de versos. Na primeira (v. 7), João Batista identifica que o sujeito da mensagem é "aquele que é mais forte do que eu", e depois ele aprofunda essa identificação dizendo que ele não é digno de fazer por essa pessoa nem a mais servil das tarefas — desatar as correias das sandálias dEle (tarefa reservada para escravos). O versículo 8 eleva o contraste a mais um grau, como deixa claro o paralelismo no versículo:

"Eu, em verdade, tenho-vos batizado com água;
ele, porém, vos batizará com o Espírito Santo".

Aqui também há algo de uma imagem misturada. João Batista chama Jesus de "aquele que é mais forte do que eu", mas ele também o descreve como "aquele que vem após mim". No vocabulário de Marcos identificado em outros lugares, o verbo "seguir após [opiso]" é uma designação técnica de discipulado. Jesus é apresentado como discípulo de João Batista? Esta possibilidade às vezes é sugerida, embora a ênfase dentro da narrativa direcione a atenção do leitor para outro lado.

Pode ser que a comunidade de Marcos tivesse encontrado detratores que argumentaram com alguma medida de poder de convicção que João Batista, e não Jesus, é o porta-voz de Deus. Talvez João Batista até seja o Messias, afinal de contas, Jesus vem depois de João Batista ("após mim"), e Ele se submeteu ao batismo de João. Ainda que não possamos saber com certeza se a Igreja de Marcos enfrentou tais desafios, o material dos versículos 7 e 8 teriam formado uma resposta decisiva: O próprio João Batista valida a afirmação da Igreja de que Jesus é o maior dos dois. Se alguém quer ser verdadeiro seguidor de João Batista, também deve segui-lo nessa questão. A lógica da comparação no versículo 8 reforça esta dimensão do contraste: João Batista só batizou nas águas, mas Jesus é aquEle que batiza com o Espírito Santo. Este é o significado do comentário de João Batista sobre as sandálias, no versículo 7: João Batista se degrada ao ponto *abaixo* de um dos discípulos de Jesus.

O leitor pentecostal está especialmente interessado na referência que João Batista faz ao Espírito Santo, no versículo 8. É claro que João Batista não tinha em mente a experiência cristã do enchimento do Espírito, tipicamente caracterizado por falar em línguas e pelos dons carismáticos como nós os entendemos de Atos. João Batista não viveu para ver os acontecimentos no Dia de Pentecostes. Antes, tudo no contexto dá a entender que, para João Batista, o Espírito era o sinal da era do tempo do fim, a própria imagem do julgamento por vir. É importante que a palavra grega traduzida aqui por "Espírito" (*pneuma*) queira dizer "vento" e "espírito". Para João Batista, a imagem perfeita do julgamento vindouro é, talvez, o vento siroco do deserto, que fustiga a areia e destrói tudo em seu caminho. É o que o "*pneuma* santo" faz? Nesse caso, teria sido uma imagem perturbadora, mas completamente de acordo com as próprias idéias de João Batista acerca de "aquele que é mais forte" que se seguirá no deserto.

Ao mesmo tempo que esta seja talvez a imagem pretendida por João Batista, pode-se argumentar também que o leitor de Marcos ouviu matizes no linguajar de João que este não pretendia. Isto seria sobretudo verdadeiro se, como discutido anteriormente (veja Introdução), a comunidade de Marcos experimentava o Espírito como parte integrante de sua vida coletiva. O leitor de Marcos teria ouvido nuanças de um tipo especialmente potente: "Eu, em verdade, tenho-vos batizado com água; ele, porém, vos batizará com o Espírito Santo". Nesse caso, o prenúncio de João acerca de batizar uma pessoa com o Espírito Santo também é uma promessa, mas uma promessa carregada de perigo.

As duas imagens não são decompostas facilmente em uma — o batismo com o Espírito como imagem de julgamento escatológico e o batismo com o Espírito como aperfeiçoamento para o ministério. Elas funcionam juntas só no plano de fundo. A despeito de tamanha diferença, é provável que elas estão mais estreitamente relacionadas com os leitores de Marcos do que conosco. As evidências históricas nos dizem que a igreja de Marcos encontrava-se em conflitos de proporções extraordinárias e cósmicas. No contexto de Marcos, o ministério é uma batalha na qual não há escaramuças secundárias, e as regras de lealdade são determinadas pelos movimentos dos poderes sobrenaturais (veja seção 2.1.4). Para Marcos, *tudo* tem significado escatológico.

2.1.3. O Batismo de Jesus (1.9-11). Com o batismo de Jesus as dimensões cósmicas do que aconteceu irrompem-se sobre o leitor maduro. A RC perde algo da força do grego que Marcos emprega aqui: "Viu os céus abertos [*schizo*, lit., "rasgarem-se"; veja ARA]". Esta extraordinária palavra reaparece ao término da narrativa de Marcos com um comentário de que o véu do templo "se rasgou" no momento da morte de Jesus (Mc 15.38). Este rasgar dos céus tem paralelos literários com uma descrição do esperado Messias encontrada no Testamento de Levi 18.6 (obra judaica intertestamental; veja comentários em Jeremias, 1971, pp. 50, 51):

> "Os céus serão abertos, e do templo de glória virá sobre ele a santificação, com a voz do Pai como de Abraão a Isaque. E a glória do Altíssimo será proferida sobre ele, e o espírito de entendimento e santificação repousará sobre ele".

As palavras do céu, no versículo 11, ganham peso por três razões, que se sobrepõem e reforçam umas às outras.
1) O conteúdo representa uma afirmação e chamada divina, e desse modo valida a declaração que o narrador fará depois em favor de Jesus. Trata-se da voz de Deus, afinal de contas.
2) Sua forma e estrutura evocam o complexo inteiro de imagens relacionadas com o Messias, e desse modo relacionam a narrativa com tradições mais antigas e mais respeitáveis.
3) As palavras preparam o leitor para a afirmação quase idêntica que virá mais tarde no momento da transfiguração, em Marcos 9.7 (contudo, é claro, o leitor ainda não o sabe).

Tudo isto não tem efeito sobre os personagens da história, que estão dentro da história e — com exceção de Jesus — não podem ouvir a voz de Deus ou as alusões de Marcos na história. Deus se dirige a Jesus diretamente, na segunda pessoa, e não há indicação de que outro personagem na narrativa a ouviu ou entendeu. A voz de Deus na cena da transfiguração (Mc 9.7), será dirigida aos circunstantes — Pedro, Tiago e João —, mas aqui é dirigida somente a Jesus.

O versículo 9 é muito paralelo ao versículo 5 em estrutura, fato que às vezes é levado como indicação de que Jesus se identifica com o Israel caído até no ponto do batismo (Lane, 1974, p. 55), mas os paralelos verbais não são aparentes para as personagens dentro da história. Do ponto de observação em que estão, Jesus não se mostra diferente dos outros que se submetem ao batismo de João no deserto.

Aqui há uma aplicação prática que às vezes é negligenciada pelos intérpretes: O Messias vem incógnito a Israel; para as pessoas dentro da história, a identidade dEle é oculta, algo ainda a ser revelado. A mão de Deus trabalha assim; Deus é o Mestre do toque hábil. Ele está em ação de forma dramática e vívida, mas sua obra só é visível aos que têm olhos para ver e ouvidos para ouvir. Este tema reaparece ao longo da história de Marcos sobre Jesus.

2.1.4. A Tentação de Jesus no Deserto (1.12,13). Leitores cuidadosos notam a brevidade relativa à história da tentação registrada por Marcos em comparação com os paralelos em Mateus 4.1-11 e Lucas 4.1-13, os quais contêm um diálogo longo entre Jesus e Satanás que detalha a tentação em termos de várias dimensões de poder. As respostas de Jesus ao Diabo há muito têm sido de proveito para a Igreja em suas reflexões críticas e devocionais sobre o significado da tentação. Em contraste, a história da tentação narrada por Marcos parece truncada, fazendo com que sua versão seja geralmente negligenciada. Mas tal atitude pode ser míope. Ao longo de Marcos, o ataque de Jesus sobre o demonismo é um tema teológico central e recorrente. Isto significa que as expulsões de demônios não são incidentais ao seu Evangelho, mas são essenciais para o âmago da questão.

Artigo: A Demonologia em Marcos

Poderíamos abordar as evidências de várias maneiras, e pouco importando como comecemos ou que precedentes sigamos, sempre chegamos à mesma conclusão: Para Marcos, a expulsão de demônios é um tema teológico importante e fundamental. Seis elementos apóiam esta conclusão:

1) As expulsões de demônios são ressaltados nas declarações de resumo de Marcos. Em quatro das cinco vezes nas quais ele resume as atividades curativas e missionárias de Jesus (Mc 1.34-39; 3.7-12; 6.53-56) ou as atividades dos discípulos (Mc 3.14,15; 6.12,13), a libertação de pessoas endemoninhadas desempenha um papel crítico e central.

2) Dos dezenove milagres específicos relatados em Marcos, quatro são claramente identificados como expulsão de demônios (Mc 1.21-28; 5.1-20; 7.24-30; 9.14-29), e alguns outros milagres incluem linguagem dessa obra (e.g., Mc 1.40-45; 4.35-41).

3) A chamada dos doze discípulos registrada em Marcos 3.13-19 contém uma referência explícita à autoridade de eles expulsarem demônios (Mc 3.15).

4) O breve diálogo sobre o estranho que expulsa demônios, em Marcos 9.38-41, sugere que onde quer que a obra de expulsar demônios avance no mundo, também é executada a obra de Cristo, mesmo para aqueles que não fazem parte do grupo de discípulos restritamente compreendido.

5) Algumas das referências aos poderes demoníacos ou satânicos mostram relações curiosas com o contexto. Por exemplo, as palavras de Jesus em Marcos 8.33 ("Retirate de diante de mim, Satanás") parecem abruptas e fora da conformidade de uma relação costumeira de Jesus com Pedro.

6) O Evangelho inteiro está apimentado com alusões a "Diabo", "Satanás" ou "Belzebu". Juntas este complexo de palavras diz respeito ao poder destrutivo do próprio Diabo ou à obra dos seus lacaios. Em contraste, a obra de redenção envolve a própria autoridade de Jesus ou a obra dos seus representantes, os discípulos.[5]

Como este complexo de referências deve ser entendido? Ainda que obviamente a libertação de endemoninhados seja um interesse dominante de Marcos, alguns dos elementos sugerem que ele o visionava diferentemente do que o fazemos. Para nós, o termo *expulsão de demônios* é considerado como subcategoria de *cura* ou *milagre*. As evidências em Marcos sugerem que este esquema deve ser invertido, de forma que os conceitos de milagre e cura sejam subordinados à categoria maior da libertação (cf. Kee, 1986, pp. 21-26). Isto explica a grande quantidade de material que Marcos dedicou a esse assunto (como mencionado acima). Para ele, milagre não é uma batalha com as forças naturais, mas com as forças antinaturais. Até as curas são parte dessa batalha, como é seu ministério de ensino.

A história da tentação em Marcos 1.12,13 advoga significados que são maiores e mais programáticos do que parece a princípio. Esta vitória de Jesus sobre Satanás é como um tipo de descrição resumida do Evangelho como um todo. A seu modo, é tanto quanto um resumo do poder do Evangelho, como os versículos 14 e 15 são um resumo do seu empuxo didático.

É verdade que o leitor moderno acha esta imagem da desinquietação demoníaca mais penetrante (veja também a seção 2.2.3). Nesse caso, é bom lembrar que para grande parte da história humana — na verdade, até hoje para quase todas as culturas não-ocidentais — a realidade e a penetrabilidade dos demônios são parte da ordem do universo dada como certa. O grande interesse de Marcos é mostrar não apenas que as forças demoníacas estão em todos os lugares, mas, onde quer que sejam encontradas e o quão fortes possam ser, Jesus é mais forte. É uma reflexão interessante e útil sobre nossa cultura que exatamente os elementos da história, que achamos inquietantes, têm dado a nossos irmãos e irmãs de outras culturas consolo e segurança. O Diabo nunca vencerá, porque suas maquinações malignas já foram desfeitas pela obra de Jesus.

Quando esta afirmação é ligada como um todo com o empuxo da abertura do prólogo, fornece pelo menos um eco do apóstolo Paulo (veja 1 Co 5.22,23,45-49): Aqui, no deserto, Jesus desempenha o papel do segundo Adão, invertendo a catástrofe na qual o primeiro Adão caiu vítima dos poderes satânicos.

2.2. Acontecimentos de Abertura (1.14-45).

Embora Marcos 1.14,15 esteja verbalmente ligado com o prólogo (cf. seção 2.2.1), o movimento de Jesus na Galiléia (v. 14) direciona a narrativa para uma arena inteiramente nova. Os vínculos cronológicos precisos encontrados nos versículos 21, 29, 32 e 35 organizam as histórias desta seção em volta de um período ministerial de dois dias em Cafarnaum, do qual o ministério maior de Jesus será lançado (v. 39). O sumário no versículo 39 ("[viajava Jesus] por toda a Galiléia") e a nota no versículo 45, dizendo que Ele "já não podia entrar publicamente na cidade", indicam a estrutura do ministério extenso que formará o contexto das histórias de controvérsia, que se seguirão nos capítulos 2 e 3 (veja seções 2.3 e 2.4).

2.2.1. O Ministério de Jesus na Galiléia (1.14,15).
Estes dois versículos são de transição. Vários elementos ligam esta seção com o que vem antes. A palavra "evangelho" (*euangelion*) é mencionada duas vezes, ecoando a mesma palavra no versículo 1. João Batista ainda está aqui. O fraseado e a dicção têm o sentido de resumo, o qual normalmente assinala algum tipo de fechamento. É, porém, um fechamento que convida o leitor a prosseguir lendo, a passar para a próxima fase da narrativa. É claro que a intenção do versículo 14 é tirar João Batista do enredo;

Um mosteiro foi construído nos rochedos íngremes, onde se supõe que seja o monte da tentação. Este terreno escabroso está na área em que se acredita que seja o deserto onde Jesus foi tentado por Satanás.

pelos indícios fornecidos neste Evangelho, o leitor quase certamente concluirá que a libertação de João da prisão é uma referência à sua morte.

No âmbito mais amplo de Marcos, os versículos 14 e 15 resumem e contextualizam o que se segue mais do que o que vem antes. Talvez mais significativo seja a mudança de lugar. Anteriormente Marcos se esmerara em colocar a ação no deserto (vv. 3,4,12,13); aqui o enredo passa para a Galiléia (v. 14). Assim, algo novo está em ação. Esse algo novo está resumido no versículo 15, que é um esboço condensado de todo o programa de pregação e ensino de Jesus, e não uma citação textual de um único sermão ou acontecimento: "O tempo está cumprido", disse ele. "O Reino de Deus está próximo. Arrependei-vos e crede no evangelho".

Há quatro partes neste versículo, embora a segunda ("o Reino de Deus está próximo") seja uma elaboração da primeira ("o tempo está cumprido"). O grego tem duas palavras para designar tempo: *chronos*, que se refere a tempo como uma realidade externa, o tipo de tempo que pode ser medido em termos fixos, e *kairos*, que diz respeito a algo mais interno, algo que só pode ser medido por um profundo senso interior de urgência ou sensibilidade ao tempo *apropriado*. Aqui Marcos escolhe a última palavra: É o *kairos* que está cumprido. O Reino é como um fruto de uma vinha, maduro para a colheita. Não haverá segunda chance. O tempo de agir é agora. Perder a oportunidade é perder tudo.

Contudo esta não é urgência para o seu próprio bem; é urgência para o bem do "Reino [*basileia*] de Deus". A pessoa tem de agir, mas *em favor do Reino*. Esta frase evoca ao leitor grande quantidade de imagens escatológicas e messiânicas (e.g., Sl 103.19; 145.11-13; Mq 4.7,8). Enquanto é comum pensarmos na palavra "reino" como um *lugar*, no vocabulário de Marcos implica a *autoridade* para reinar naquele lugar. A Versão dos Estudiosos traduz a palavra *basileia* por "governo imperial". A proclamação de Jesus de que o Reino de Deus está às portas é, então, uma palavra muscular: implica movimento, um tipo de excitamento, um desafio de batalha a todos os que se opõem à autoridade de Deus.

Lançando o ministério de Jesus assim, Marcos tem a certeza de que o leitor está na pista de tudo o que se segue. A única resposta adequada à proclamação do Reino é arrependimento e fé. Estas noções paralelas denotam não tristeza, mas a volta indiscriminada da pessoa para Deus. Aceitar o reinado de Deus é depor a si mesmo de sua posição centralizada de autoridade e, assim, pôr-se em movimento afinal, não apenas numa relação certa com Deus, mas também em relação consigo mesmo.

2.2.2. A Chamada dos Primeiros Discípulos (1.16-20). Esta próxima seção dá início a um agrupamento de quatro histórias conectadas por vínculos cronológicos (veja Mt 1.21,29,32,35). Há certa lógica inerente nas conexões entre estas histórias; por exemplo, as pessoas levam os doentes a Jesus depois do pôr-do-sol (Mc 1.32), presumivelmente por não poderem fazê-lo no sábado.

Dentro desta unidade Marcos nos brinda com duas narrações de chamada. Esta é uma forma que aparecerá depois em lugares improváveis (e.g., a cura de Bartimeu, em Mc 10.46-52), e vale a pena olhar cuidadosamente o modo como Marcos moldou estas histórias. Os versículos 16 a 18 são paralelos próximos dos versículos 19 e 20. Ambas as histórias são relatos parcos e simplificados dos primeiros encontros de Jesus com os primeiros discípulos. Os detalhes incluídos focalizam a atenção na direitura da chamada e na urgência da resposta (de fato, nos vv. 20,21 a palavra grega traduzida por "logo" [*euthys*] ocorre duas vezes nas sentenças sucessivas).

O fato de que estas narrativas de chamada estarem truncadas é notável. Marcos não diz ao leitor se os quatro pescadores tiveram encontro prévio com Jesus. O que nos é informado é que eles respondem "logo" à chamada (v. 18; cf. v. 20). Nada já narrado os preparou para este momento. Assim, quando eles respondem tão prontamente, fazem-no na força da própria chamada. Deste modo, o enfoque muda ligeiramente da resposta imediata e inquestionável dos pescadores à personalidade autorizada que pode evocar tal resposta. Ao mesmo tempo em que os discípulos têm muito a aprender sobre Jesus, os leitores de Marcos já sabem o suficiente para entender este poder enorme sobre as pessoas.

As palavras de Jesus são incluídas como simples detalhe elaborado sobre a chamada de Simão e André: "Vinde após mim, e eu farei que sejais pescadores de homens" (v. 17). Não está claro o que Simão e André teriam ouvido em tal declaração. Um inteligente trocadilho sobre a vocação deles? Um indício de aventura missionária? Talvez algo mais importante estivesse em vista: "Pescadores de homens" também são aqueles que dividem a pescaria por grupos, no processo que decide qual peixe manter e qual descartar (cf. Mt 13.47-50). A expressão pode ter intimações de poder em vez de evangelismo: "Segui-me e Eu vos darei autoridade sobre o destino de seres humanos". Quiçá seja o que Simão e André ouviram. Em todo caso, o leitor de Marcos teria ouvido mais do que eles, visto que neste ponto da narrativa Simão e André não sabiam nada sobre a identidade messiânica de Jesus.

Assim esta é uma história sobre quatro pescadores, mas também é uma história de exemplo, uma chamada ao leitor. Se os leitores de Marcos não reconhecem a chamada como uma chamada geral e a resposta dos pescadores como um exemplo, se eles devem sentir empatia pelos personagens da história e reivindicar como sua a promessa que eles receberam, então eles também têm de abandonar tudo e responder a uma figura misteriosa que simplesmente aparece e faz exigências inflexíveis e incômodas.

2.2.3. Ensinamentos e uma Expulsão de Demônios na Sinagoga de Cafarnaum (1.21-28). Não é sem significado que Marcos abre sua discussão sobre os poderosos feitos de Jesus com a libertação de endemoninhados. É óbvio que o demonismo é um interesse central de Marcos (veja "O Demonismo em Marcos", seção 2.1.4). O pastor ou estudioso dos dias de hoje, que trabalha dentro da tradição pentecostal, ouvirá provavelmente ecos desse interesse nas perguntas feitas por paroquianos e estudantes, ainda que a passagem do tempo e as mudanças na ciência e cultura tenham inevitavelmente mudado os tipos de perguntas feitas. Para o intérprete moderno, três perguntas parecem ocorrer periodicamente.

1) Os demônios ou poderes demoníacos na verdade existem, e como é que não os experimentamos com a mesma freqüência ou visibilidade como que vemos na Bíblia? O Diabo mudou de estratégia?
2) Há uma conexão entre as forças demoníacas e o que viemos a entender por doença física ou psicológica?[6]]
3) Os cristãos podem ficar possessos por demônios?

São perguntas importantes e urgentes que expressam uma cosmovisão e uma experiência religiosa completamente diferente das de Marcos e seus leitores. A existência de demônios era indiscutível no mundo antigo, assim como era a ligação entre o demônio e a doença (veja Kee, 1986). A terceira pergunta não está em consideração aqui ou em qualquer outro lugar em Marcos. Ao invés disso, os leitores de Marcos teriam feito perguntas próprias: Qual é a relação entre o demonismo e as várias deidades pagãs e outros poderes sobrenaturais? Há "mal-olhado", e como pode ser evitado? Há uma ligação entre o demonismo e o desejo humano para o mal, o suposto "mal *yetzer*" (veja Garrett, 1998, p. 20)? E como as forças demoníacas devem ser postas sob controle? Se Paulo trata da primeira pergunta em 1 Coríntios 8.4-8, Marcos trata desta última indiretamente neste primeiro milagre, a libertação na sinagoga.

Artigo: Forma de Milagre

Ainda que esta não seja a primeira indicação do sobrenatural em Marcos, é a primeira seção que toma a forma de história de milagre, e vale a pena fazer uma pausa para identificar os elementos-padrão desta forma na antiga convenção literária. Se reunirmos os milagres relatados na literatura antiga — judaica e cristã —, eles trazem semelhanças notáveis no formato. O seguinte padrão geral ocorre quase sempre na mesma sucessão e é encontrado ao longo das tradições, durante um extenso período de tempo e numa variedade de tipos de histórias de milagre: curas, ressurreições, libertações de endemoniados e milagres na natureza.

1) *Há uma descrição da cena.* Se há uma multidão tanto melhor, porque os integrantes da multidão servem de testemunhas oculares para comprovar o que o narrador descreve.
2) *Há uma descrição do problema.* Quanto mais sério o problema, mais extraordinário e impressionante o milagre. Em geral é feita uma exceção nas histórias que envolvem ressuscitação, presumivelmente porque a morte por conta própria é séria o bastante, embora às vezes isto também seja destacado.
3) *Há o milagre em si.* É freqüente as histórias de milagre conterem as palavras que Jesus falou, as quais são incomuns na literatura antiga. Eu suspeito que é porque o enfoque do milagre não está nas palavras em si, mas na devoção ou autoridade do realizador do milagre ou em Deus, que é, em última instância, quem faz o milagre. Esta distinção pode ser uma das maneiras nas quais podemos distinguir milagre de magia.
4) *Há em geral uma "prova" de que o milagre aconteceu.* A pessoa morta fala (Lc 7.15) ou come (Mc 5.43). O homem com a mão mirrada a estica e descobre que foi restabelecida (Mc 3.5). O vento cessa e há grande calma (Mc 4.39).
5) *Há uma aclamação dos circunstantes* que declaram que este foi realmente um grande milagre. Aclamações podem assumir várias formas, mas em geral afirmam que o milagre realmente aconteceu: "De sorte que todos se admiraram e glorificaram a Deus [por este milagre], dizendo: Nunca tal vimos" (Mc 2.12).

O denominador comum aqui é modo no qual estes elementos validam o milagre em si. O Elemento 1 arma a cena. O Elemento 2 mostra a seriedade da condição anterior incluindo uma descrição detalhada. Quanto mais gráfica a descrição, mais bem-sucedida a história de milagre. O Elemento 4 descreve uma prova e o Elemento 5 cita as testemunhas oculares para dar veracidade ao relatório do narrador. Ao mesmo tempo, dados que teriam desviado a atenção do leitor da eficácia do milagre são menosprezados.

O que é importante aqui é que a forma em si é amplamente atestada na literatura antiga e teria sido facilmente reconhecida pelo leitor. Não é de surpreender que Marcos teria adotado esta forma no modo como ele conta os milagres de Jesus. O que é surpreendente é o modo no qual ele modifica a forma, ou a combina com outras para mudar as perspectivas do leitor ou pôr em relevo nuanças especiais na história. Uma forma-padrão molda o processo de leitura de duas maneiras.

Jesus fez de Cafarnaum sua base. Lá, Ele ensinou e fez uma libertação. Esta sinagoga, no mar da Galiléia, em Cafarnaum, foi construída no século III ou IV.

1) Ajuda a latitude imaginativa do leitor a preencher os espaços vazios do texto (veja Introdução: "O Leitor Autoral"). Formas diferentes dão ao leitor diferentes graus de liberdade. Um salmo ou um poema dá ao leitor um tipo diferente de latitude do que, digamos, daria uma carta ou uma receita.
2) Quando uma forma é reconhecida amplamente, ela age como um tipo de modelo para o processo de leitura. Diz ao leitor o que antecipar a seguir.

Estas duas funções de forma estão relacionadas de perto com a sucessão da história, porque o leitor tem de descobrir que forma está em vista à medida que o texto se desdobra, uma palavra depois da outra. Os elementos de abertura são mais críticos: Os milagres tendem a começar de modo padronizado. Chamo essas aberturas-padrão de *sinais de gênero* (veja Camery-Hoggatt, 1995, 106-109, 130-132). Estes são importantes na leitura da literatura do Evangelho, porque contam ao leitor que estratégias interpretativas usar e estabelece uma série de expectativas sobre o que deve acontecer em seguida.

Este é um aspecto crítico da leitura, em parte porque nos ajuda a entender o que acontece quando o texto diverge da forma-padrão. Os sinais de gênero fixam uma série de expectativas no leitor, com estratégias interpretativas apropriadas, e o leitor é movido depressa para certa direção. As divergências interrompem esse movimento e exigem estratégias diferentes, às vezes criando áreas de tensão interna dentro do processo de leitura. Rompimentos exigem atenção e, assim, podem ter um peso especial. Por esta razão, o escritor pode criar uma forma sutil de ênfase variando os modos pelos quais os elementos de uma história diferem ou se conformam com o padrão. Quando estas variações refletem um padrão ou ponto de vista consistente, seu peso combinado fornece indícios críticos sobre o interesse primário do evangelista.

A libertação em Cafarnaum diverge da forma-padrão de libertação em pelo menos três modos.

1) As palavras do demônio em Marcos 1.24 são incomuns: "Ah! Que temos contigo, Jesus Nazareno? Vieste destruir-nos? Bem sei quem és: o Santo de Deus". As palavras não são incomuns só porque tais conversações são incomuns, mas porque parece que o demônio está tentando controlar Jesus. Esta impressão é aprofundada, porque o demônio se dirige a Jesus — a pessoa que vai expulsá-lo — usando a linguagem de expulsão. Ele até tenta afirmar controle sobre Jesus asseverando saber quem Jesus é! Na maioria das antigas histórias de expulsão, o exorcista controla o demônio identificando seus nomes secretos. Estas são palavras que esperaríamos ouvir do exorcista, e não do demônio.

Embora o demônio use a linguagem do exorcismo, suas palavras deixam claro quem é a autoridade final e quais devem ser seus motivos. A pergunta inicial do demônio ("Que temos contigo?") significa: "Nós não temos nada em comum!" A segunda pergunta ("Vieste destruir-nos?") está mais clara, mas a gramática grega permite duas traduções: a) Pode ser lido como pergunta, como está na maioria das traduções; b) pode ser lido como resposta à pergunta inicial: "O que Tu queres conosco? Tu vieste destruir-nos!" (note que os manuscritos gregos mais antigos não têm sinais de pontuação). Lido de qualquer modo, o texto torna compreensível que o aparecimento de Jesus na sinagoga significa o fim do reinado dos demônios nos assuntos humanos.

2) Esta observação geral é acentuada pelo segundo modo no qual esta história difere da forma-padrão de milagre. No mundo antigo, as histórias de exorcismo quase sempre contêm esconjurações longas e complexas e fórmulas de encantamento. É freqüente histórias de exorcismos pagãs também conterem referências a anéis mágicos e amuletos ou poções feitas de raízes de certas plantas. Estas coisas estão faltando aqui. Jesus não usa linguagem especial além da ordem de silenciar. O que é atordoante é a direitura e simplicidade do método: Ele simplesmente ordena e o demônio obedece. O demônio grita (v. 26), é claro, mas o grito estridente pode servir de forma secundária de validação, porque ocorre no ponto do milagre em que o leitor esperaria alguma prova de que o demônio tinha, de fato, partido.

3) Esta história inicia e termina com expressões de surpresa pelo *ensino* de Jesus. A conexão está mais clara no versículo 27, o qual pode ser pontuado como na NVI: "O que é isto? Um novo ensino — e com autoridade! Até aos espíritos imundos ele dá ordens, e eles lhe obedecem!" Mas também pode ser pontuado obtendo-se esta leitura: "O que é isto? Um novo ensino. Com autoridade ele até aos espíritos imundos dá ordens, e eles lhe obedecem!" De qualquer modo, a autoridade para fazer a expulsão torna-se dramática validação da autoridade de Jesus ensinar. Por implicação, a libertação é, em si, uma forma de ensino. Marcos usará esta estratégia de validação várias vezes nas próximas histórias (e.g., Mc 2.1-32; 3.1-6) — embora com certeza neste momento o leitor não está cônscio de que tais histórias jazem à frente na narrativa. Aqui, o ponto é que embora esta história esteja despida de detalhes estranhos, acentua insistentemente a potência do ministério pedagógico de Jesus.

Para resumir: Os seguintes quatro elementos se destacam, porque divergem da forma-padrão de libertação:
1) O demônio se dissocia de Jesus.
2) Sua tentativa de controlar Jesus ironicamente valida a identidade de Jesus como "o Santo de Deus".
3) Jesus não usa encantamentos ou dispositivos, mas simplesmente comanda a obediência do demônio.
4) O milagre é alojado dentro de uma discussão do ministério de *ensino* ("doutrina", vv. 22,27) de Jesus. Quando estes quatro elementos são considerados juntos, eles criam um sutil — mas importante — ponto culminante que o leitor de Marcos não teria deixado de notar: o *ensino* de Jesus é potente porque é sobrenatural, e sua autoridade estende-se sobre o mundo dos demônios.

Marcos insiste neste ponto culminante com uma engenhosa farpa no versículo 22: Jesus ensina com autoridade, e não como os escribas. Numa simples varredura narrativa, Marcos enfatiza a potência das palavras de Jesus e, no mesmo momento, torna os escribas impotentes em tal questão. Se Ele pode exorcizar demônios e eles não podem, talvez eles também não tenham autoridade genuína para ensinar.

Esta é a primeira referência de Marcos aos escribas, os quais aparecem na narrativa sem serem apresentados. Com efeito, no versículo 22, eles são mencionados bruscamente, como se o leitor já soubesse quem eles são. Estes líderes judeus aparecem em várias das histórias de Marcos, sempre no papel dos oponentes de Jesus. A nota brusca, no versículo 22, pela qual eles são habilmente mostrados como pessoas sem autoridade, colocará todas as referências posteriores sob uma luz negativa. Quando, mais tarde, estes mestres sugerirem que Jesus expulsa demônios porque está aliado com Belzebu (Mc 3.22-30), esta sugestão não terá peso e será um tipo de uvas verdes. Quando em Marcos 7.1-5, eles o repreenderem pela ação de os discípulos comerem com mãos sujas, semelhante objeção parecerá realmente mesquinha.

2.2.4. A Sogra de Pedro (1.29-31). Esta é uma história de milagre simples, muito próxima da forma-padrão (veja "Forma de Milagre", seção 2.2.3), desbastada de detalhes extras. Foi incluída aqui como parte de uma série de histórias ligadas por uma rubrica cronológica (veja vv. 21,29,32,35). A história nos conta indiretamente várias coisas: que a casa de Pedro ficava perto da sinagoga de Cafarnaum, que ele era casado e que fazia parte de suas responsabilidades cuidar de sua sogra. Estes são pequenos detalhes, mas que ajudam o leitor a construir um quadro mais rico e mais variado dos discípulos, e indicam o que teria custado aos novos discípulos a decisão de seguir Jesus. Esta, claro, só é uma preocupação secundária neste ponto da narrativa, mas aparecerá depois com maior clareza e força (veja Mc 10.28-31; 13.12,13).

Pelo menos três elementos desta história destacam-se por serem incomuns.
1) A transição do versículo 28 parece forçada porque o resumo do parágrafo anterior ampliou-se para incluir "toda a província da Galiléia".

2) A menção de Tiago e João (v. 29) parece desnecessária, visto que eles não desempenham papel adicional na história. Estes dois aspectos reforçam a sensação de simplicidade e direitura na narração. A transição difícil do versículo 28 parece ter sido causada pela nota de que "logo correu a sua fama por toda a província da Galiléia". Marcos pode ter incluído Tiago e João, porque eles servem de testemunhas oculares e, portanto, de fontes adicionais da validação do milagre. Talvez isto também informe o leitor de que todos os quatro dos primeiros discípulos estão cientes de que Jesus violou o sábado desde o início de seu ministério.

3) O fato de que a sogra de Pedro "servia-os" — ou seja, serviu algo para eles comerem —, é variação incomum no elemento de prova formal do milagre.

2.2.5. Os Doentes Curados à Noitinha (1.32-34). Esta é a terceira história numa série que descreve um dia na vida de Jesus (veja comentários sobre Mc 1.11-20). O versículo 32 indica que os habitantes da cidade trouxeram os doentes e os possessos "quando já estava se pondo o sol", isto é, depois que o sábado tinha acabado. Por causa da leis sabáticas, eles não podiam transportar os doentes durante o sábado. A impressão que os leitores de Marcos obtêm é que esta resposta que Jesus recebe é prova adicional do relato no versículo 28, de que "logo correu a sua fama por toda a província da Galiléia".

O versículo 34 sumariza a resposta de Jesus, mas acrescenta um elemento estranho: Jesus "não deixava os demônios falarem, porque o conheciam". Dessa forma somos apresentados ao problema que os estudiosos chamam de "o segredo messiânico".

Artigo: O Segredo Messiânico

Os fatos do segredo messiânico são bem conhecidos e só necessitam de recitação breve. Jesus muitas vezes ordenava silêncio de quem Ele curava (Mc 1.44; 7.36; 8.26) ou de quem tivesse testemunhado a cura (Mc 5.43), de demônios (Mc 1.34; 3.12) e dos discípulos depois que tivessem visto algum indício particularmente significativo de sua identidade (Mc 7.36; 8.30; 9.9). Ao mesmo tempo que ensina às multidões as verdades teológicas gerais, Ele restringe as explicações a discursos em particular com os discípulos (e.g., Mc 4.10-12), freqüentemente "em casa" e, portanto, longe das multidões.

Os estudiosos e pastores em vários campos oferecem explicações variadas sobre este segredo.

1) Uma resposta popular é que Jesus estava usando "psicologia inversa" como meio de divulgar sua mensagem. Porém, não há outra evidência histórica que sugira esta conclusão e, talvez mais criticamente, ela expressa um modo perigoso de interpretar a Escritura.

2) Uma interpretação mais comumente aceita entre os estudiosos é que o próprio Jesus nunca reivindicou *status* messiânico; assim, seu messiado nunca foi reconhecido durante seu ministério, mesmo por seus seguidores mais próximos. De acordo com esta visão, Jesus era apenas um simples pregador rural, e a idéia de que Ele era o Messias foi arquitetada na Igreja no transcurso de sua missão. Marcos é encarregado com a tarefa de reconciliar estas realidades históricas — que Jesus não fez reivindicação messiânica e que a Igreja estava fazendo cada vez mais reivindicações em favor de Jesus. O segredo messiânico é o resultado dessa reconciliação. A dificuldade primária é que a narrativa constantemente mostra os seguidores de Jesus desobedecendo suas ordens de silêncio sobre o assunto. Se Marcos pretendia que o segredo messiânico fosse uma maneira de explicar a ausência de rumores sobre a identidade de Jesus, então sua narrativa fracassa miseravelmente em cumprir o intento.

3) Menos comum, mas consistente com a visão apocalíptica da verdade sustentada por Marcos (veja Introdução), é a opinião de que os que estão do lado de fora simplesmente não podem entender o significado destes acontecimentos. É significativo que os discípulos sejam avisados para não dizer nada sobre o que tinham visto *até que o Filho do Homem ressuscitasse dos mortos* (Mc 9.9; veja seção 3.1.6). Trata-se

de procedimento engenhoso. Os discípulos podem não entender nada, mas é evidente que Marcos espera que os leitores entendam tudo. Isto sugere que o segredo messiânico tem conexões íntimas com ambas as idéias apocalípticas de um nível mais elevado da verdade, que tem de ser *revelada* em vez de *entendida*.

4) Certa interpretação mais freqüentemente advogada pelos protestantes é que Jesus foi pego entre más interpretações competidoras de sua missão. É óbvio que as multidões consideravam Jesus estritamente como alguém que curava, ensinava, profetizava ou como messias político, ao passo que as autoridades o consideravam um renegado social. Quanto mais as multidões cresciam, mais séria era a oposição das autoridades religiosas. O segredo messiânico era o modo de Jesus reduzir a velocidade do crescimento do seu movimento até os que discípulos pudessem ser mais adequadamente ensinados sobre o caminho da cruz.

O desfecho desta visão apocalíptica da verdade acha-se na maneira como Marcos dá ao segredo um bom efeito retórico. Até agora, os leitores de Marcos não foram informados sobre o segredo, mas isso não significa que eles não conheciam a informação que o segredo propunha proteger. O leitor cristão, que já conhece os elementos básicos da linha da história, está numa posição privilegiada já antes de a narrativa começar; e até o leitor que chega à narrativa como um completo desconhecedor da história recebeu essa informação especial em Marcos 1.1. Isto é, independente de as personagens da história saberem ou não sobre o segredo, o conteúdo do segredo — a identidade messiânica de Jesus com tudo o que está ligado a isso — nunca é um segredo ao leitor. Como vimos em nossa discussão sobre o versículo 1, Marcos explorará esta diferença para levar o leitor a um nível mais profundo e mais apropriado de fé.

2.2.6. Jesus Deixa Cafarnaum (1.35-38). Marcos agora nos brinda com uma breve cena de transição que esclarece mais a natureza da missão de Jesus: Eu "vim" para pregar (v. 38). A frase é ambígua: Jesus está explicando aos seus seguidores as razões para partirem de Cafarnaum naquela manhã? Quaisquer que sejam suas intenções imediatas, o leitor será inclinado a ver esta declaração dentro da estrutura maior do Evangelho, e não perderá suas nuanças secundárias.

É significativo que Marcos ligue a direta declaração de missão de Jesus com a primeira menção de que Ele tinha escapulido para orar. Marcos achará Jesus em oração em outros lugares (e.g., Mc 6.46; 14.32-40). Esta simples história de transição indica de modo claro que o senso de missão de Jesus está impregnado de oração, e lembra o leitor que até uma resposta pública entusiástica a um extraordinário dia de cura pode, a seu próprio modo, torna-se uma barulhada que abafa a voz de Deus.

2.2.7. O Primeiro Circuito de Pregação na Galiléia (1.39). O versículo 39 é um curto texto de transição que provém naturalmente do versículo 38. Como sumário, fecha a seção com uma nota leve e generalizada sobre as atividades de Jesus. É expressivo que Marcos resume o elemento miraculoso dessas atividades dizendo que Jesus "expulsava os demônios", visto que esta é a expressão maior da qual os milagres dessa natureza e curas são categorias subordinadas (veja "O Demonismo em Marcos", seção 2.1.4).

2.2.8. A Purificação do Leproso (1.40-45). Poucas histórias em Marcos levantam tantas perguntas não resolvidas quanto esta. Começaremos localizando as dificuldades e, em seguida, inspecionaremos as opções para solucioná-las. Cada opção deixa, de várias maneiras, as complicações do enredo sem resolver, o que explica por que a história da interpretação tem sido longa e frustrante.

O problema inicial acha-se na tradição textual do versículo 41. Na maioria dos manuscritos encontramos a palavra *splangchnisteis* ("movido de grande compaixão"), ao passo que em poucos manuscritos lemos a palavra *orgistheis* ("movido de paixão de ira"). Encontramos bons argumentos tanto a favor quanto contra cada uma das leituras. A RC, adotando a leitura da maioria das testemunhas, expressa a primeira opção. Se é correta, está claro quem está fazendo a ação: O leproso se prostra e Jesus responde com um toque compassivo. Se levarmos em conta a segunda opção, os pronomes repentinamente ficam obscuros. Quem está tocando quem, e quem está enfurecido? A gramática do grego deixa a questão em aberto. Talvez tenha sido o leproso que tocou Jesus numa ação enraivecida. Voltaremos a este problema.

Não há problema correspondente com os manuscritos no versículo 43, onde está claro que Jesus é o sujeito da oração e onde a raiva está evidente nos termos que Marcos escolheu. A RC traduz esta oração de certo modo a disfarçar a força das palavras gregas: "E, advertindo-o severamente, logo o despediu". O particípio grego traduzido por "advertindo-o severamente" é insolitamente vigoroso. A tradução de Herman Waetjen (1989, pp. 29, 85) expressa melhor as nuanças aqui: "E estando furioso com ele, Ele o expulsa [o verbo usado aqui é o verbo padrão para aludir a exorcismo] imediatamente, e lhe diz: 'Guarda a palavra para que tu não digas nada a ninguém'."

Finalmente, a história se encaixa com o contexto apenas de forma desajeitada. Neste ponto inicial da narrativa, porque Jesus advertiria o leproso para não dizer a ninguém o que tinha acontecido (v. 44)? O único detalhe que prepara esta advertência é encontrado no versículo 34, o qual neste ponto da leitura está oculto por conta própria. Ainda não foi apresentado um conflito com as autoridades.

Ficamos então com vários enigmas: Jesus estendeu a mão e tocou o homem num momento de compaixão? O homem tocou Jesus num acesso de raiva? Por que Jesus estava bravo nos versículos 43 e 44? Ele ficou irado com o homem pelo fato de ele tocá-lo? Ou talvez por ele não obedecer (futuramente) a ordem de não dizer nada a ninguém (vv. 44,45)? Ele estava irado com as devastações da lepra? Devemos entender que esta doença é lepra? Talvez um demônio tivesse possuído o leproso, de forma que o versículo 44 é endereçado a ele (veja Kee, 1977, p. 35).

Estas são perguntas difíceis, e pouco importando como as respondamos, as respostas levantam suas próprias questões. Jesus censuraria o paciente porque Ele está bravo com a enfermidade? Se Ele está irado porque o homem o desobedecerá, Ele está sendo profético? Esta ira é baseada em preempção? Se há um demônio em vez de ser uma doença, por que Marcos não disse com mais clareza? É evidente que esta história não tem a intenção de ser uma ilustração simples da atividade curativa que foi resumida no versículo 39, e ficamos imaginando por que Marcos colocou a história *aqui*, em vez de posicioná-la em outro lugar.

Uma boa sugestão é que esta história de milagre prepara para o que vem a seguir em Marcos 2.1-12. Ela encerra com a nota em Marcos 1.45, dizendo que "tendo ele [o homem] saído, começou a apregoar muitas coisas e a divulgar o que acontecera; de sorte que Jesus já não podia entrar publicamente na cidade, mas conservava-se fora em lugares desertos; e de todas as partes iam ter com ele". Isto explica a situação descrita Marcos 2.2: "E logo se ajuntaram tantos, que nem ainda nos lugares junto à porta eles cabiam; e anunciava-lhes a palavra". Em outras palavras, a história do leproso olhava para frente, e não para trás; não é uma ilustração do que vem antes, mas uma antecipação do que vem depois. Se a conexão com o que se segue é o que recomendava a história neste momento para Marcos, então pelo menos para ele o empuxo central da história tem de ter algo a ver com a crescente fama de Jesus e os problemas que se derivam disso.

Há outro modo no qual esta história prepara para o que vem a seguir: A linguagem é inflamada e bruta, com ira inexplicada. Há avisos para não falar muito, sobretudo para as pessoas erradas. Há complicações de enredo não resolvidas e perguntas sem resposta. Tudo isto, parece-me, é um tipo de narrativa que olha para frente, para as controvérsias de desenvolvimento que espreitam atrás dos palcos, nos bastidores, esperando a deixa do narrador. Tais controvérsias causam aflição ao leitor, e se — como suspeito — falam às urgências de uma Igreja que tem de fazer seu ministério em segredo, elas dão um frio na espinha do leitor. Que melhor maneira de se preparar para as histórias de raiva e ira que se seguem nos capítulos 2 e 3?

2.3. Uma Série de Controvérsias (2.1—3.6)

Marcos agora inclui uma série de histórias de controvérsia. Elas compartilham uma forma comum e estão ligadas por um tema em desenvolvimento, em vez de estarem unidas por vínculos cronológicos claros. Os ataques contra Jesus aumentam em volume e em sua proximidade a Ele. Na primeira história (Mc 2.1-12), as autoridades estão enfurecidas, mas não dizem nada (eles estão apenas "arrazoa[ndo] em seu coração", Mc 2.6,7). Na segunda (Mc 2.13-17), eles levantam objeções, mas não confrontam Jesus diretamente; ao invés disso, eles questionam os discípulos (Mc 2.16). Na terceira (Mc 2.18-22) e na quarta (2.23-28), eles questionam Jesus, mas só acerca do comportamento dos discípulos (Mc 2.18,24). Na quinta e última história (Mc 3.1-6) os encontramos observando Jesus de perto, procurando algum meio de acusá-lo diretamente (Mc 3.2). A série alcança um ápice arrepiante em Marcos 3.6, onde os oponentes de Jesus chegam à decisão de matá-lo.

A série tem outro tipo de coerência. Note como a história de abertura (Mc 2.1-12) e a de encerramento (Mc 3.1-6) usam milagres para validar a posição de Jesus na controvérsia. Assim, a unidade inteira forma uma inclusão à medida que estas duas histórias são paralelas uma à outra na estratégia e tema retóricos (sobre as inclusões, veja Introdução). O comentário final em Marcos 3.6 forma uma linha de lastro consistente, consistente o bastante para fechar a seção, e a narrativa imediatamente corta para uma seção sumária que descreve o agora entusiasmo público quase fanático que acompanhou a missão de Jesus (Mc 3.7-12).

Artigo: A Forma de Histórias de Pronunciamento

Da mesma maneira que acontece com as histórias de milagre (veja seção 2.2.3), as histórias de controvérsia tendem a entrar numa forma definida, uma subcategoria de um grupo maior de histórias que os estudiosos chamam *histórias de pronunciamento*. A estrutura geral das histórias de pronunciamento é simples: Tudo na história conduz a uma declaração (ou aforismo) curta e expressiva no fim, que "controla" as decisões do autor sobre o que incluir e o que omitir — muito semelhante ao modo como a parte final (onde está o sentido e a graça) de uma piada controla as decisões do humorista sobre o que incluir e o que omitir na piada. Uma vez que a história chega ao aforismo, ela pára.

Há vários tipos de histórias de pronunciamento. As histórias de pronunciamento *biográficas* apresentam o aforismo com um contexto narrativo, e o aforismo é dado em resposta a algo no contexto, em vez de um acontecimento (e.g., Mc 10.17-31). Às vezes o aforismo entra em resposta a uma pergunta. Se a pergunta é feita por um discípulo ou seguidor de Jesus, a história é chamada *diálogo escolástico*; se a pergunta é hostil, é um *diálogo de controvérsia*.

Para entendermos corretamente os diálogos de controvérsia de Marcos, temos de ter em mente três considerações adicionais.

1) As histórias de controvérsia eram indubitavelmente úteis para a Igreja como modo de responder os desafios trazidos de fora. São curtas, diretas e freqüentemente inteligentes; de fato, o aforismo é preservado por causa de sua astúcia ou sutileza. Em resultado disso, uma atenção cuidadosa aos detalhes mais sutis da sua linguagem pode fornecer pistas para os desafios que confrontaram a Igreja.

2) Os relatos bíblicos omitem importante elemento das histórias — o efeito do diálogo sobre a audiência. Esta espécie de mudança é um tipo de duelo verbal (veja Camery-Hoggatt, 1995, pp. 140-142) feito diante de uma galeria de espectadores. Para uma sociedade na qual a pessoa era publicamente honrada ou envergonhada pelo desempenho em tal duelo, a galeria não é apenas uma audiência de observadores;

com a própria presença eles participam do duelo. Se Jesus ganha o duelo, Ele humilha os oponentes na importantíssima arena da opinião pública.

3) Da mesma forma que acontece com todas as formas literárias, a intenção do autor pode ser assinalada pelo modo no qual a história diverge da norma (cf. seção 2.2.3). Por exemplo, as duas histórias que formam a abertura e o encerramento da série (Mc 2.1-12; 3.1-6) misturam formas de controvérsia com formas de milagre; as histórias resultantes são lembranças especialmente veementes que, quando Jesus age, Ele o faz com autoridade especial.

2.3.1. A Cura do Paralítico (2.1-12).

Marcos enfatiza a conexão com o texto precedente repetindo diversas palavras-chave que levam a história do leproso a um fim (Mc 1.40-45), embora isto seja mascarado um pouco na tradução. A abertura da cena em Marcos 1.1,2 ecoa e desenvolve o entusiasmo público de Marcos 1.45, toldado por um senso de perigo prolongado.

O versículo 3 assinala que um milagre está vindo. É importante lembrar que o leitor de Marcos não está consultando um esboço ou um comentário que lhe diz que esta história abre uma série de histórias de controvérsia. O capítulo 1 foi acondicionado com milagres, e é o que o leitor espera aqui. Com efeito, de acordo com as convenções literárias padrão, a história do paralítico começa e termina com uma história de milagre perfeitamente formada. Nada na abertura da história em si sugere que haja problemas se formando. Marcos esmera-se em destacar o amontoamento das multidões, característica-padrão das histórias de milagres, para presumivelmente fornecer testemunhas oculares do milagre. Este fato dá ocasião ao detalhe pitoresco de que o paralítico foi introduzido pelo telhado com a ajuda de amigos (vv. 3,4) — aspecto que acrescenta drama à história. O milagre acontece justamente como o leitor espera, e a narrativa inteira se encerra numa nota de aclamação no versículo 12: "Todos se admiraram [deste milagre] e glorificaram a Deus, dizendo: Nunca tal vimos".

No meio do milagre, Marcos incluiu uma controvérsia com os escribas (os doutores da lei). Superficialmente, o milagre e a controvérsia estão unidos somente de forma canhestra. Marcos não nos diz de onde estes escribas vieram e o que estão fazendo na casa. O impacto retórico da história acha-se, porém, não na controvérsia ou no milagre, mas nas fortes mudanças de imagem à medida que o leitor empurra as duas imagens juntas.

O aspecto de controvérsia desta história apresenta um elemento estranho no meio da história do milagre. Os escribas (que apareceram pela primeira vez no v. 6) estão em oposição aos amigos anônimos que abaixaram o paralítico pelo telhado (v. 4a). Suas objeções às ações de Jesus (vv. 8,9), ainda que não sejam ditas, levantam-se em contraste com as ações desses amigos, cujo precipitado gesto de desespero é interpretado como ato de fé (v. 5). Os escrúpulos religiosos destes mestres judeus parecem ainda mais vis, quando comparados com a fé dos amigos do paralítico. Por que uma pessoa desafiaria outra que pode fazer milagres?

Há outras interações importantes entre as duas partes da história. Seu impacto depende da relação entre o perdão de pecados, no versículo 5, e o ato de cura, no versículo 11. O ponto de conexão torna clara a estratégia geral de Marcos: a habilidade de Jesus curar o homem, o que pode ser demonstrado empiricamente, confirma seu direito de perdoar pecados, o que não pode ser demonstrado empiricamente. Assim, o milagre valida a posição de Jesus na controvérsia.

A pergunta que Jesus faz ("Qual é mais fácil?") é pergunta ardilosa, com várias implicações. Ele não pergunta o que é mais fácil *fazer*, mas o que é mais fácil *dizer*. Os mestres da lei supunham que o ato de Jesus pronunciar perdão é blasfêmia, visto que usurpa a autoridade de Deus (v. 7). Da perspectiva deles, Jesus está falando não só palavras vazias, fáceis de serem ditas e impossíveis de serem feitas, mas palavras ofensivas, palavras que nunca deveriam ter sido pronunciadas. Suas palavras usurpam a autoridade de Deus. Mas, como mostra o milagre, a palavra de Jesus tem autoridade, o que traz de volta o assunto do versículo 2: "E anunciava-lhes a palavra". O milagre, em outras palavras, confirma o poder e autenticidade da palavra de Jesus.

O fato de que pelo milagre os escribas são silenciados também é importante. Estabelece nítido contraste entre Jesus e seus antagonistas, um contraste que se aprofunda à medida que as histórias de controvérsia progridem. Mas este silêncio tem conseqüências ominosas. Eles são momentaneamente retirados do enredo, mas não ficarão muito tempo longe, quando voltarem, voltarão com ímpeto.

2.3.2. A Chamada de Levi / Publicanos e Pecadores (2.13-17). O curto episódio nos versículos 13 e 14 (na superfície, uma simples "narrativa de chamada" que é paralela à chamada dos quatro pescadores em Mc 1.16-20) ocorre principalmente como meio de apresentar Levi e passar o enredo para a casa dele. Mesmo assim, a chamada de Levi dá ao leitor uma pausa momentânea. Este pode ser um dos momentos em que temos de distinguir cuidadosamente entre os vários grupos que compõem a comunidade maior de Marcos (sobre a divisão na comunidade de Marcos, veja Introdução). Para os leitores judeus, seria angustiante ouvir que Jesus chama um publicano (cobrador de impostos, que é, afinal de contas, um traidor) como um dos seus discípulos. Mas para os leitores gentios, a chamada de Levi seria como tomar ar fresco, um sinal aberto de que Jesus ignora os antigos limites entre pessoas aceitáveis e inaceitáveis.

Se um princípio de interpretação bem fundado implica que elementos repetidos assinalam a presença de temas significantes, então é certo que o âmago desta história acha-se na ênfase em Jesus saber que Ele se associou com pessoas de má fama — pecadores em geral e publicanos em particular. A repetição nos versículos 15 e 16 toca as raias do fastio:

"[...] Também estavam sentados à mesa com Jesus e com seus discípulos muitos *publicanos e pecadores*, porque eram muitos e o tinham seguido. E os escribas e fariseus, vendo-o comer com os *publicanos e pecadores*, disseram aos seus discípulos: Por que come e bebe ele com os *publicanos e pecadores?*" (ênfase minha)

Marcos também se esforçou em destacar o grande número deste contingente de seguidores de Jesus (note a repetição de "muitos", no v. 15).

Os tradutores da NIV colocaram a palavra "pecadores" entre aspas para indicar que a palavra tem um alcance incomum de implicações. Designa uma classe de pessoas, não sendo meramente indivíduos que não guardam a lei em um ponto ou outro. A expressão semítica é "*am ha-aretz*" (o "povo da terra"), que era considerado culpado por causa da profissão que mantinham, seus hábitos de vestuário e ignorância. A simples presença deles contamina a terra. De acordo com os fariseus (como está expresso na literatura rabínica), seria quebra de decoro Jesus se associar com tais pessoas. Tudo na história focaliza a atenção do leitor em dois aforismos dos lábios de Jesus, registrados no versículo 17, os quais devem ser entendidos como os elementos controladores da história (veja "A Forma de Histórias de Pronunciamento", seção 2.3).

Estes são assuntos que afligiam a missão gentia e presumivelmente também a comunidade conflitada de Marcos. Nesse caso, as objeções expressas pelos escribas, no versículo 16, talvez tivessem ecoado um problema que preocupava os crentes judeus de Marcos. O fato de que Jesus *estivesse* na casa de Levi, é escandaloso; que Ele *comesse* lá, é ultrajante. Não surpreende nenhum pouco que os escribas façam tais perguntas. Mesmo assim, eles permanecem circunspetos: não dirigem as perguntas a Jesus, mas aos discípulos dEle. Os dois aforismos, no versículo 17, são a resposta de Jesus à pergunta feita.

Diferente do padrão de histórias de pronunciamento em outras obras, é freqüente as histórias de controvérsia em Marcos findarem com dois aforismos que se reforçam mutuamente, embora não se sobreponham inteiramente. Este é um exemplo principal. O primeiro aforismo ("Os sãos não necessitam de médico, mas sim os que estão doentes") utiliza uma declaração tradicional do povo. Se estivesse só, indicaria a legitimidade do contato de Jesus com os "pecadores". É o segundo aforismo que dirige o ponto para um nível diferente. Contém engenhosa ambigüidade. Jesus poderia ter querido dizer que o zelo dos "justos" já lhes é útil, e que agora a chamada de Deus é estendida para os pecadores, incluindo-os. Mas o contexto deste aforismo milita contra esta opinião. A hostilidade aberta dos "justos" os coloca *em oposição* aos pecadores que são chamados, e, assim, em oposição àquEle que os chama (cf. Descamps, 1950, pp. 98-110). A resposta de Jesus é igualmente excludente. Em outras palavras, Ele aceita categoricamente os desterrados e os pecadores, e rejeita os que pensam ser justos. O indivíduo que quer responder adequadamente à chamada de Jesus só pode fazê-lo na qualidade de pecador.

Esta história tem vastas implicações para Marcos. Num nível primário, levanta e responde perguntas sobre o comportamento de Jesus. Num nível secundário, levanta e endereça perguntas sobre o comportamento dos cristãos gentios, os quais, como Jesus, se associam com o tipo errado de pessoa, violam o sábado e não observam o calendário das festas. Não há que duvidar que alguns dos cristãos de Marcos em Roma eram "o tipo errado de pessoa". Para esses cristãos desterrados, este simples gesto de Jesus, esta liberdade para partido com publicanos e "pecadores", obliterou os limites artificiais da devoção e contaminação.

2.3.3. A Pergunta sobre o Jejum (2.18-22). A estrutura-padrão para histórias de pronunciamento (veja "A Forma de Histórias de Pronunciamento", seção 2.3) é que uma narrativa breve fornece o contexto para um aforismo pitoresco. Como comentado na seção 2.3.2, Marcos às vezes viola essa forma dando dois aforismos; aqui ele dá três. Os dois últimos são facilmente avaliados, porque são paralelos um ao outro na forma e conteúdo.

A imagem desta seção é direta. Exteriormente, o problema apresentando no versículo 18 tem a ver especificamente com o jejum, mas a narrativa insinua implicações mais amplas, porque os aforismos nos versículos 21 e 22 têm a ver com a atitude do asceticismo religioso. O versículo 18 não diz quem fez a pergunta sobre o jejum, a qual parece ser menos hostil do que as outras nesta seção. Não obstante, a pergunta é séria. Diz respeito ao fato de Jesus não observar os jejuns? Ou é outra coisa?

A atitude de asceticismo é assunto claramente religioso. Jejuns para propósitos religiosos eram comuns no mundo antigo, embora a observância de um calendário litúrgico de jejuns fosse característica distintiva do judaísmo. Qualquer um familiarizado com essas coisas saberia que festejar pode ser igualmente um ato religioso. O que torna radical o comportamento de Jesus é que Ele ignora as disciplinas do calendário litúrgico e as festas sempre e onde quer que a ocasião permita, mesmo que o calendário exija jejum. Esta dimensão de sua vida religiosa é paralela à sua propensão em violar as leis do sábado.

Os aforismos nos versículos 21 e 22 fornecem a dimensão de uma resposta que utiliza conhecimento cultural comum. Uma veste velha já encolheu pela exposição aos elementos, ao passo que um remendo novo não. Coser uma na outra provoca não só um rasgo posterior e maior, mas também um rasgamento das linhas de costura. Uma veste velha danificada requer um conserto com pano pré-encolhido. O ditado sobre o vinho envolve a mesma dinâmica, ainda que, é claro, a imagem tenha a ver com a expansão do odre por fermentação.

As duas declarações são mais ou menos paralelas no significado, embora a primeira tenha uma dimensão de julgamento ligeiramente maior, e a segunda trata mais diretamente da pergunta. A veste velha requer remendo só quando fica danificada. Este parece ser um comentário implícito sobre o judaísmo, algo que requer conserto. Mas o que tem isso a ver com o hábito de os discípulos ignorarem o calendário litúrgico? Jesus está sugerindo que as festividades que Ele e os discípulos desfrutam não são um conserto de uma veste velha, mas algo completamente novo.

O aforismo no versículo 22 trata mais da questão o velho *versus* novo: Os odres de vinho representam o judaísmo ou as disciplinas formais da devoção ascética judaica. De qualquer modo, essas coisas não são páreo para esse novo Reino que Jesus e os discípulos estão celebrando. O que Jesus está dispondo é inteiramente novo, e medir isso contra as regras inflexíveis e intransigentes do judaísmo é entender tudo errado. De fato, se o Reino fosse derramado nas velhas fôrmas de devoção, ele as destruiria totalmente.

O mesmo diz respeito aos dois aforismos finais, mas e quanto ao primeiro nos versículos 19 e 20? Vários elementos são dignos de nota: O contexto sugere que a palavra "esposo" (ou "noivo", NVI) identifica Jesus e que os discípulos são os "convidados" do casamento. Uma pergunta crítica a fazer é de onde procede a palavra "esposo", e quando e como veio a ser aplicada a Jesus.

A imagem de casamento é encontrada distribuída amplamente na linguagem coloquial da Palestina, e é indubitável que Jesus se apropriou desta declaração retirando-a deste repertório de imagens, pois o fato de os convidados de casamento jejuarem enquanto o noivo está com eles seria um insulto às famílias dos noivos. Este é seguramente o significado que os leitores originais de Marcos teriam sentido da expressão. É útil perceber que, aqui, a Igreja usava linguagem de noivo, à medida que gradualmente chegava a um acordo com a questão de quem Jesus era e o que Ele esperava (veja Jo 3.29; 2 Co 11.2; Ap 19.7; 21.2; cf. Ef 5.23). A palavra "esposo" foi elevada a título messiânico e descreve a relação distintiva entre Cristo e a Igreja.

Ao mesmo tempo, os cristãos da Igreja de Marcos — também discípulos de Jesus — jejuavam. Como é que eles devem entender a maneira pela qual o versículo se aplica a eles? Eles são como os oponentes de Jesus? O versículo 20 responde a pergunta nitidamente. O esposo foi tirado. Assim, embora exteriormente o comportamento deles seja o mesmo dos judeus e dos seguidores de João Batista, a realidade interna dos seus motivos é completamente diferente. Mesmo assim, permanece uma extensão lógica da razão de os discípulos originais *festejarem* durante o ministério terreno de Jesus.

2.3.4. Colhendo Espigas no Sábado (2.23-28).

Uma discussão erudita relativa a esta passagem centraliza-se em torno da precisão dos versículos 25 e 26. De acordo com 1 Samuel 21.3-6, foi Aimeleque, e não Abiatar, que deu o pão da proposição a Davi para seus homens comerem. Duas soluções básicas foram propostas para o dilema.

1) O erro aparente é resultado de uma glosa escribal que se introduziu na tradição do manuscrito em data muito antiga (não há apoio de manuscrito para esta teoria).
2) Marcos só está querendo indicar a passagem em geral na qual a apropriada referência do Antigo Testamento será achada (veja uso semelhante em Mc 12.26; cf. Lane, 1974, p. 116). Presumivelmente este problema não teria se apresentado ao leitor autoral de Marcos, sobretudo se o texto é lido depressa em voz alta.

O que está mais perto do ponto que desejamos chegar é a estrutura retórica da história e o modo no qual seus vários elementos põem em ordem o entendimento do leitor sobre a autoridade de Jesus. Como as outras histórias nesta seção, este é um diálogo de controvérsia (veja "A Forma de Histórias de Pronunciamento", seção 2.3), este concluindo-se com três aforismos. O primeiro (vv. 25,26) responde a pergunta do versículo 24. Os dois seguintes (vv. 27,28) aparecem como reflexão tardia ligada ao corpo principal da história para reiterar e arredondar seu tema básico.

Como padrão para tais histórias, começamos com um problema de apresentação: Os discípulos ofendem os fariseus por violarem o sábado. É difícil identificar a natureza precisa da ofensa, mas Marcos esperava claramente que seus leitores reconhecessem uma violação das leis sabáticas. O que emerge depois na história é que o assunto não é tanto que leis sabáticas se aplicam, mas se Jesus tem ou não autoridade para depô-las.

Questionando a ação dos discípulos (v. 24), os fariseus desafiam implicitamente a ortodoxia do mestre deles. A presença de testemunhas — ou seja, os discípulos — ressalta as apostas envolvidas no jogo que as autoridades escolheram jogar com Jesus. Ele responde chamando atenção à ação de Davi comer o pão da proposição dado por Abiatar (ou Aimeleque), em 1 Samuel 21.3-6. É significativo que a história em 1 Samuel não mencione o sábado. Se a estratégia de Jesus é citar um exemplo do Antigo Testamento de uma violação do sábado, então a estratégia falhará. Antes, o ponto é que Davi exerceu autoridade de emergência sobre coisas sagradas. Jesus está reivindicando ser igual a Davi.

Talvez a história esteja fazendo reivindicação em outro nível. A lógica rabínica usada por Jesus trabalha assim: O que se aplica a um caso menor seguramente se aplica a um caso maior. Portanto, se Davi pôde arbitrariamente apropriar-se de coisas sagradas, então é certo que Jesus — que é *maior* que Davi — pode exercer autoridade semelhante. A pressuposição, a qual se espera que os leitores compartilhem e que os fariseus certamente teriam questionado, é o fato de Jesus ser maior do que Davi.

A narrativa não informa a resposta das autoridades a este argumento; ao invés disso, passa rapidamente para dois aforismos sustentadores: "O sábado foi feito por causa do homem, e não o homem, por causa do sábado" (v. 27), e: "O Filho do Homem até do sábado é senhor" (v. 28). A primeira destas funciona por conta própria como resposta ao desafio feito pelos fariseus. Mas se Jesus deixasse o assunto neste ponto, a declaração também generalizaria a autoridade para violar o sábado, de forma que todo o mundo teria esta autoridade. A presença do aforismo final, no versículo 25, aguça o versículo 27 num comentário de transição conduzindo à reivindicação mais específica e mais significativa feita por Jesus de que o Filho de Homem até do sábado é Senhor.

Assim, Jesus declara liberdade das regras do sábado. Mas essa declaração não relativiza ou minimiza a importância do sábado. Ao invés disso, torna a autoridade especial de Jesus até mais clara, mostrando que ela transcende a de Davi, e que se estende até àquela observância judaica sagrada do dia de descanso.

2.3.5. O Homem com a Mão Mirrada (3.1-6).

A história do homem com a mão mirrada, em Marcos 3.1-6 dá um fechamento temporário para esta seção de controvérsias (o material de controvérsia recomeça em Mc 3.13). Esta história junta os fins soltos da série de controvérsia e conclui com o anúncio de que os fariseus tinham começado a conspirar com os herodianos para achar um meio de matar Jesus (v. 6) — a primeira menção de uma decisão formal de tirar Jesus de cena. Mas não é inesperada. Temos visto os antagonismos das autoridades aumentarem, a cada passo do caminho ficando mais pronunciados e apontado mais diretamente para Jesus. Nesta história, as autoridades cansam-se do *sparring* verbal. Eles estão calados, mas em seu antagonismo executam um golpe mortal.

Porém, há um contra-defesa retórica que é tão sutil que escapou da observação da maioria dos intérpretes de Marcos. Podemos pô-la em primeiro plano concentrando-se momentaneamente no efeito da pergunta retórica feita no versículo 4: "É lícito no sábado fazer bem ou fazer mal? Salvar a vida ou matar?" A pergunta de Jesus é instruída, claro, pela intenção de os inimigos levantarem acusações legais contra Ele: "E estavam observando-o se curaria no sábado, para o acusarem" (v. 2). Eles não respondem a pergunta de Jesus, no versículo 4, porque eles já se conluiaram contra Ele. O silêncio é então ominoso, indicação de que eles estão pouco dispostos ou não sabem responder positivamente, e que a intenção — sobre a qual eles também estão silenciosos — não pode ser harmonizada com os princípios da justiça que a pergunta implica.

Podemos apresentar esta questão de modo diferente. Do ponto de vista do leitor, as autoridades violaram a justiça no esforço de defender as leis do sábado. Há um tipo de ironia arguta: Eles quebram o espírito da lei para impedir Jesus de quebrar a letra. A conspiração subseqüente com os herodianos torna essa ironia mais pungente: É *sobre o sábado* que eles chegam a decisão de que Jesus deve ser morto. Marcos apenas precisa mostrar a ironia da decisão. A segunda parelha de versículos da pergunta não respondida de Jesus quase força a ironia ao ponto crítico. "É lícito no sábado [...] matar?" Deste modo Jesus pronuncia julgamento sobre as autoridades, ou antes os coloca em posição para pronunciar julgamento implícito sobre eles.

Há ainda várias outras mensagens, talvez menos óbvias.

1) A história mistura a forma de histórias de milagre com a forma de histórias de controvérsia de tal modo que cada uma acentua e enriquece a outra. Aqui os elementos de controvérsia são claramente dominantes, com o resultado de que a história é uma controvérsia na qual o milagre desempenha o papel secundário, mas crítico, de validar o direito de Jesus fazer suas declarações audaciosas. Com isto, a história forma uma inclusão com a controvérsia sobre o paralítico que é introduzido à casa pelo telhado, com a qual a série de controvérsia começou formalmente (Mc 2.1-12).

2) A mistura de formas tem outro efeito significativo: De acordo com a forma-padrão de milagre, o sucesso da cura é atestado pela aglomeração dos circunstantes (veja "Forma de Milagre", seção 2.2.3). Aqui, onde o leitor espera uma aclamação da multidão, a história apresenta uma reversão abrupta: Os fariseus e os herodianos maquinam contra Jesus, procurando algum meio de matá-lo (v. 6). Essa decisão não é, de jeito nenhum, inesperada. Tudo leva a isso — o *sparring* verbal, as acusações que sempre ficam mais abertas e são cada vez mais diretamente apontadas para Jesus — e até uma cura milagrosa não deflete a malícia em desenvolvimento dos atacantes de Jesus! A decisão de matar Jesus forma uma aclamação irônica, porque teria sido sem sentido não tivesse acontecido a cura de fato.

3) Claro que há um contexto no qual esta decisão de matar Jesus faz perfeito sentido, e pode ser útil revisar estes acontecimentos *da perspectiva de um judeu justo*. Jesus não é inocente, enfrentando acusações inventadas completamente fora de vista. Ele se comportou de modo ultrajante, mas como se deve entender tal comportamento? Se Ele não sabe o que está fazendo, Ele é um tolo; se sabe, é um renegado social e religioso. Bufão Ele não é. Se o fosse, Ele não teria podido silenciar os oponentes de maneira tão pronta. Resta apenas uma alternativa para os judeus justos: Jesus é um renegado, que sabe exatamente o que está fazendo, e estes são atos de um homem perigoso, afrontas organizadas contra a permanente ordem social e religiosa.

Ele chamou Levi, não *a despeito* do fato de que ele era publicano, mas *por causa* disso. Quando os discípulos, com o pleno conhecimento de Jesus, começaram a trabalhar nos campos em dia de sábado (veja Mc 2.23,24), Jesus sabia que havia fariseus por perto, e sabia que eles se ofenderiam. Com a história do homem com a mão mirrada, tudo é feito para atingir o ponto crítico. As autoridades ficam observando para encontrar uma brecha na armadura de Jesus, mas é Ele que escolhe este local para a batalha. Por que Ele escolheria este lugar e não outro menos conspícuo? Por que, se Ele não estivesse desempenhando para as multidões que estavam na tribuna de honra? Ele divertiu as multidões como um mágico o faz, usando milagres como um tipo de prestidigitação política para fomentar seus próprios fins perigosos. E Ele tem de ser detido.

4) Marcos, é claro, nos deu uma tomada diferente dessas cenas. Do seu ponto de vista, cada uma das histórias levanta questões de profunda implicação teológica. Jesus chamou Levi precisamente para chegar ao desejado ponto teológico. É importante que Ele tenha achado Levi "sentado na alfândega" (Mc 2.14); se isso nada diz, pelo menos nos fala que Levi não era um integrante das multidões que seguia Jesus quando Ele ensinava (v. 13). A chamada de Levi

é uma parábola ordenada, não um modo de marcar ponto com a multidão, mas um meio de ilustrar um ponto: O Reino de Deus que Jesus prega não reconhece limites tradicionais de devoção e contaminação. É significante que a história do homem com a mão mirrada venha logo depois da controvérsia sobre a colheita de espigas feita no sábado (Mc 2.23-28), quando as autoridades fizeram perguntas sobre o comportamento dos discípulos de Jesus. As declarações gêmeas que formaram a conclusão daquela história focaliza a atenção diretamente na questão da autoridade de Jesus; o leitor de Marcos aborda a presente história com esta preocupação já posta em nítido foco. Contudo, esta história troca de ênfase ligeiramente. Em vez de afirmar o seu direito soberano como Senhor do sábado (como Ele o fez em Mc 3.4), Jesus defende suas ações com um princípio ético mais geral: É certo fazer o bem no sábado — certo para qualquer pessoa.

5) A história de Marcos 3.1-6 está densamente impregnada com linguagem de tribunal de justiça. Assim, enquanto as imagens evocadas no versículo de abertura são todas imagens de sinagoga em adoração, as imagens secundárias são as de uma corte real. A mistura de imagens presenteia o leitor com outro comentário sutil sobre as calúnias de um sistema legal que Marcos claramente considerava corrupto. Pelo uso judicioso de acusação e contestação, e pela inconsistência entre as ações dos acusadores de Jesus e os princípios de justiça implícitos na pergunta, Marcos os acusa. Com esse procedimento ele convoca o leitor — como júri — a dar o veredicto muito diferente daquele pelo qual os acusadores de Jesus observavam.

2.4. Mais Controvérsias (3.7-35)

Diferente das controvérsias em Marcos 2.1 a 3.6, a série em Marcos 3.7-35 está livremente organizada. Na forma, o relato sobre as multidões junto ao mar (vv. 7-12) não é absolutamente uma controvérsia, mas um relatório sucinto da crescente fama de Jesus. Os versículos 13 a 19 narram a chamada dos Doze Discípulos, mas estes relatórios são pontuados por insinuações de problemas: As multidões se descontrolam (v. 10), há demônios (vv. 11,12,15) e Jesus é acusado de conluio com Belzebu (vv. 20-30).

Nas controvérsias anteriores vimos os fariseus fazendo ataques crescentes contra Jesus: quando não dizem nada sobre as suspeitas que tinham (Mc 2.6), quando perguntam aos discípulos sobre o comportamento de Jesus, em vez de se dirigirem a Ele diretamente (v. 16), e quando se dirigem, mas só para perguntar acerca do comportamento dos discípulos (vv. 18,24). Primeiramente eles abordam o próprio Jesus com reserva, depois com audácia crescente. No fim, eles chegam à decisão catastrófica de matá-lo (Mc 3.6), no ponto em que a narrativa passa a fazer uma descrição explosiva da enorme popularidade dEle para com as multidões. É evidente que as linhas de batalha foram traçadas. Narrando a chamada dos Doze justamente neste contexto (vv. 13-19), Marcos deixa claro que a decisão de seguir Jesus está sobrecarregada de perigos. De fato, a pessoa se arrisca a alienar não só as autoridades religiosas (vv. 22-30), mas até a própria família (vv. 21,31-35).

2.4.1. As Multidões junto ao Mar (3.7-12). Esta breve história diz ao leitor que muitas outras coisas aconteceram, as quais o narrador não teve tempo de contar. Marcos acentua aqui a "grande multidão" (v. 7; cf. v. 8) que se reúne ao redor de Jesus e dá uma lista inclusiva de lugares dos quais as pessoas vieram. Dentre as multidões, Jesus curou "muitos" (v. 10). Um tumulto de verbos descreve as multidões e endemoninhados. Os doentes "se arrojavam sobre ele, para lhe tocarem" (v. 10); os espíritos malignos "prostravam-se diante dele e clamavam, dizendo: Tu és o Filho de Deus" (v. 11). Em troca, Jesus os "ameaçava muito" (v. 12; "ele lhes dava ordens severas", NVI).

Marcos dá pinceladas rápidas e largas para retratar uma situação de grande energia e drama. Fazendo assim, ele salpica na narrativa um tema que veio sendo construído lentamente desde o aparecimento de Jesus na sinagoga em Cafarnaum, no capítulo 1: Seu ministério foi acompanhado de aclamação pública freneticamente entusiástica (Mc 1.28,32,37,39,45; 2.1,2,13). Voltaremos a este tema, mas aqui por um momento torna-se o enfoque central da atenção do narrador.

Provavelmente o aspecto mais enigmático destes versículos é a presença do barquinho, no versículo 9. Alguns comentaristas supõem que é o mesmo barco mencionado em Marcos 4.1, mas o leitor de Marcos ainda não poderia nem mesmo fazer essa pergunta, porque Marcos 4.1 acha-se à frente na leitura. Neste momento, o barco torna a cena mais concreta e vívida, ao mesmo tempo dando ocasião para a explicação nos versículos 9b a 11: Tudo, inclusive o barco, ressalta a sensação de drama. O tumulto na linguagem reflete o tumulto no enredo.

Por fim, uma nota sobre o significado desta história no enredo dominante de Marcos: Este entusiasmo alucinado vem imediatamente depois da decisão que as autoridades tomaram sobre matar Jesus (Mc 3.6). A nota que diz que Jesus "retirou-se" (v. 7) parece implicar que Ele escapuliu para lugar seguro. Os limites foram estabelecidos, e se o entusiasmo das multidões é contag*ioso*, para as autoridades também se trata de contág*io* — ou seja, uma propagação que deve ser contida. A luz do mundo lança um longa sombra. Algo dessa sombra é indicado pela linguagem de Marcos, pois mesmo que Jesus se retire, Ele não consegue se esconder. Os rumores voam, e Ele é descoberto e seguido no deserto. As multidões são tão grandes que Ele está em perigo de ser esmagado (*thlibo*, v. 9), palavra com implicações ominosas. Jesus sente o perigo e não permite os demônios dizerem quem Ele é (v. 12; cf. Mc 1.34,40-45).

Contudo a luz do mundo é ainda luz, e o versículo 12 finda a história com uma reviravolta sutil. Apesar dos perigos que espreitam o entusiasmo desvairado, Jesus silencia os demônios, ordenando-os "que não o manifestassem". Os demônios e o leitor entendem perfeitamente que Jesus não está se referindo a reconhecimento público, mas à sua identidade. Aqui, no contexto de tal comoção, a observação é quase humorística. O grego, no versículo 12, permite uma tradução diferente: "Ele os silenciou com firmeza para que não o tornassem *famoso*".

2.4.2. A Escolha dos Doze (3.13-19a).

A introdução da lista de discípulos neste ponto há muito que tem interessado os historiadores e excitado a curiosidade dos leitores comuns. Quem são estas pessoas? Por que Jesus as escolhe? Elas são de algum modo exemplos para outros seguirem? Marcos não tenta responder tais perguntas. De fato, com exceção de Judas Iscariotes e o círculo interno — Pedro, Tiago, João e André —, os discípulos nem mesmo são mencionados por nome em outro lugar da narrativa. Marcos se refere a eles pela designação coletiva de "os Doze". Eles se movem pela narrativa em massa, como se fossem uma única personagem.

A lista dos discípulos levanta várias questões: É Tiago, o filho de Alfeu (v. 18), o irmão de Levi (Mc 2.14)? Este é outro nome do próprio Levi? O leitor dos dias de hoje é apto a acrescentar outras perguntas, mas estas são antinaturais para o leitor autoral de Marcos, que não tinha Mateus e Lucas como pontos de comparação.

Mais próximo ao ponto desejado por Marcos está a abertura nos versículos 14 e 15, a qual estabelece claramente a natureza do discipulado: "E nomeou doze para que estivessem com ele e os mandasse a pregar e para que tivessem o poder de curar as enfermidades e expulsar os demônios". Assim "nomeados" para a tarefa de pregar e libertar endemonhiados, os Doze são chamados de *apóstolos* (v. 14, NVI). Esta oração contém um equilíbrio sutil. Estes apóstolos nomeados foram designados para desempenhar dois papéis: estarem com Jesus e ser enviados. O primeiro é pré-requisito para o segundo e expressa a profunda importância da associação com Jesus como aspecto da posição apostólica. Está claro pelo modo como Marcos usa a frase "para que estivessem com ele", que é assim que ele entende o significado de discipulado. Não podemos esperar cumprir a comissão do Senhor sem primeiro termos um conhecimento íntimo das estratégias do Mestre. Antes que sejamos enviados, temos de primeiro nos aproximar.

A gramática da passagem sugere que a simples comissão traz duas incumbências equilibradas: pregar e expulsar demônios. O fato de que expulsar demônios é parte integrante da comissão apostólica pode fazer o leitor moderno hesitar, mas já vimos que todo o ministério de cura de Jesus deve ser entendido como ato de derrotar Satanás. Pareceria que, para o leitor autoral de Marcos, quase não se pode esperar que o programa de Jesus para o Reino seja executado sem, de algum modo, derrotar Satanás em nome de Jesus.

Este é tema importante em Marcos, o qual reaparecerá no relato da transfiguração, em Marcos 9.2-10, onde a incapacidade de os discípulos efetuarem uma libertação os coloca numa conexão precária com os escribas, e mais tarde na história do estranho que expulsa demônios, em Marcos 9.38-41, onde terá implicações diretas para o próprio leitor de Marcos. É óbvio que este tema prende a atenção de Marcos como intérprete da tradição que ele está passando adiante. Ele logo voltará a esta questão com um relato de disputa com os escribas sobre a natureza da atividade de libertação de Jesus (Mc 3.22-30).

2.4.3. Pensam que Jesus Está Louco (3.19b-21). Esta breve história é de transição no sentido de que retira Jesus e os discípulos do monte (v. 13). A "multidão" (v. 20) é a mesma palavra que, nos versículos 7 a 12, tinha sido repetida como uma batida de tambor, e assim esta história põe o enredo de volta ao tumulto da atividade que cerca Jesus.

No versículo 21, o foco se concentra num grupo específico — a família de Jesus. Eles se dispõem a prender Jesus. Mas por quê? O sujeito do verbo seguinte é obscuro. Foi a *família* de Jesus que disse: "Está fora de si"? Ou a acusação veio de outro canto? A gramática parece favorecer a tradução anterior. De qualquer modo, a atividade de Jesus apresenta um embaraço público para sua família. Assim a cena está armada. A cortina permanecerá aberta, enquanto Jesus engaja-se num desafio diferente em palco aberto: Os escribas de Jerusalém o acusam de conspiração com Satanás. Marcos volta à pergunta da família de Jesus, nos versículos 31 a 35.

2.4.4. Em Conluio com Satanás (3.22-30). Esta história usa a forma de história de controvérsia que Marcos momentaneamente abandonou depois que as autoridades tinham resolvido matar Jesus (Mc 3.6; veja "A Forma de Histórias de Pronunciamento", seção 2.3). Embora o material interveniente não esteja na *forma* de controvérsia, ainda está carregada de tensão. Justapondo a estrondosa resposta das multidões (vv. 7-10) com um comentário generalizado sobre os demônios (vv. 11,12), Marcos colocou a chamada dos Doze num contexto de perigo genuíno e crescente. Os discípulos correm o risco de perder tudo se responderem a esta chamada.

Escolhas difíceis devem ser feitas. Para reforçar os perigos do discipulado, Marcos intercalou a controvérsia sobre o conluio com Satanás (vv. 22-30) no meio de uma confrontação entre Jesus e sua família (vv. 20b,21,31-35). O versículo 21 oferece uma reação humana natural da família de Jesus: "[Ele] está fora de si". No versículo 22, os escribas levam a acusação para outro nível: "[Ele] tem Belzebu". O fato de estarem estas duas passagens justapostas nos impede de tratar as perguntas separadamente, e a resposta de uma reforçará a resposta da outra. Deste modo, Marcos destaca que as questões das relações familiares não podem ser divorciadas da questão dos compromissos espirituais.

A acusação dos escribas emprega um termo arcaico, *Belzebu*. Este termo composto pode ser derivado de *baalzebu* ("senhor das moscas") ou *baal-zebube* ("senhor da sujeira") e era o nome de uma deidade filistéia (veja 2 Rs 1.16). O paralelo dentro do contexto esclarece que a palavra se refere a senhor (ou *baal*) dos demônios. A mudança de Belzebu para Satanás, no versículo 23, representa só pequena mudança de terminologia, mas que intensifica a questão na audição dos leitores gentios de Marcos.

A resposta de Jesus é clara. O que é surpreendente é a repetição: A palavra "reino"

MARCOS 3

OS APÓSTOLOS	QUEM ERAM	OUTROS NOMES	O QUE FIZERAM	QUANDO MORRERAM
PEDRO	Pescador; irmão de André; nasceu em Betsaida; filho de João; casado; morou em Cafarnaum	Também conhecido por Simão, Simeão, Cefas e Simão Pedro	Líder dos discípulos; Pedro e João se tornaram os líderes da igreja primitiva, sobretudo em Jerusalém	A tradição diz que Pedro morreu martirizado em Roma
ANDRÉ	Pescador; irmão de Pedro; nasceu em Betsaida; morou com Pedro em Cafarnaum; um discípulo de João Batista		Pregou em Cíntia; a tradição diz que ele pregou onde hoje é a Rússia	Foi crucificado em Patras, Grécia, numa cruz em forma de X, hoje chamada cruz de Santo André
MATEUS	Era publicano (cobrador de impostos)	Também conhecido por Levi	Escreveu o Evangelho de Mateus em cerca de 80 d.C. para os cristãos judeus	
SIMÃO		Também conhecido por "cananeu" e, depois, como Simão, o Zelote		
JOÃO	Pescador; amigo de Jesus; irmão de Tiago; filho de Zebedeu e Salomé (irmã de Maria, mãe de Jesus); proveniente da Galiléia, provavelmente de Betsaida; um discípulo de João Batista		João Pedro se tornaram os líderes da igreja primitiva; João escreveu cinco dos livros do Novo Testamento — o Evangelho de João, as três epístolas de João e Apocalipse	A tradição diz que ele morou em Éfeso; morreu perto do fim do século I
FILIPE	Nasceu em Betsaida		Entre os discípulos, no cenáculo, antes do Pentecostes	A tradição diz que ele fez trabalho missionário na Ásia Menor; a tradição também diz que ele morreu martirizado em Hierápolis, na Frígia
TOMÉ		Também conhecido por Dídimo, "o Gêmeo", e por "o Duvidoso Tomé"		A tradição diz que ele trabalhou na Índia, Pérsia e Pártia; morreu martirizado em Madras
JUDAS	Filho de Tiago	Também conhecido por Judas de Tiago e Judas	Pode ter sido o autor da Epístola de Judas	
TIAGO	Pescador; irmão de João; filho de Zebedeu			Foi executado por Herodes Agripa I, em cerca de 44 d.C.
BARTOLOMEU	Amigo de Filipe	Também conhecido por Natanael		A tradição diz que ele pregou na Ásia Menor e na Índia; morreu martirizado quando foi esfolado vivo na Armênia
TIAGO	Filho de Alfeu			
JUDAS ISCARIOTES	Filho de Simão	O sobrenome era Iscariotes	Nomeado tesoureiro pelos discípulos; traiu Jesus	Suicidou-se: Mateus diz que se enforcou, ao passo que em Atos lemos que ele, "precipitando-se, rebentou pelo meio, e todas as suas entranhas se derramaram".

(v. 24) é funcionalmente paralela com a palavra "casa" (v. 25), de tal forma que a última não é alusão a uma casa material, mas a uma família governante.

O que é menos óbvio é a lógica da resposta de Jesus. Envolve uma estratégia bastante audaciosa de conceder em consideração ao argumento dos termos dos oponentes: "Suponde que vós tendes razão que eu estou em conluio com Satanás. O resultado do meu ministério é que o reino de Satanás está chegando a um fim. Isto não mostra que o poder de Deus está em ação aqui?"

Os elementos reiterados dos versículos 24 e 26 especificam o significado do "valente", no versículo 27, como referência a Satanás. Por implicação, o ato de amarrar Satanás diz respeito à libertação que Jesus vinha fazendo. (É importante lembrar que, para Marcos, a inteireza do ministério de Jesus é uma batalha com as forças demoníacas; veja seção 2.1.4.) Mas o que se quer dizer com os "bens" do valente, os quais aquele que expulsa demônios rouba? Neste contexto, o que deve estar em vista é o enorme preço que a atividade demoníaca cobra da vida humana, e assim o até maior triunfo quando Jesus (o saqueador) arrebenta as cadeias das trevas e liberta o prisioneiro. Jesus amarra o senhor para libertar o cativo. A missão do Reino é mais que espionagem; é salvamento.

A linguagem de Jesus liga esta declaração com as precedentes, nos versículos 24 e 26. Há mudança engenhosa entre a primeira sentença e a segunda. Na primeira, Jesus usa uma palavra geral para se referir a "bens"; na segunda, Ele muda para a palavra específica "casa". Assim, o versículo 27 ecoa o dito sobre a "casa dividida", no versículo 25. Fazendo assim, Ele inverte o argumento no versículo 26 e esclarece que — a despeito da retórica — Jesus não está aliado com o Diabo.

Neste momento a defesa termina, e Jesus arremata: Não é o bastante negar as acusações levantadas contra Ele. O próprio fato de a pessoa levantar tais acusações é em si séria ofensa contra o Espírito Santo. É, como os versículos 28 e 29 deixam claro, uma forma de blasfêmia (cf. v. 30), um "pecado eterno".

De todas as passagens que lidam com espiritualidade, talvez nenhuma tenha causado tanta consternação pessoal quanto as palavras de Jesus sobre o pecado imperdoável registradas em Marcos 3.28. Muitos cristãos sinceros ficaram a imaginar se alguma falha pessoal representa esse pecado. Mas ao colocar esta declaração neste contexto, Marcos mostra que ela tem um âmbito restrito e seriedade profunda. T. W. Manson descreveu esta passagem em termos que honram estas duas restrições: "Aquele que blasfema contra o Espírito Santo se identificou tão completamente com o reino do mal que, para ele, o mal é bem, a feitura, beleza e a falsidade, verdade; e assim as operações do Espírito Santo lhe parecem loucura".[7]

Como esta declaração teria sido ouvida por Marcos e seus leitores? Esta pergunta em particular foi explorada como parte de uma investigação mais ampla sobre as atividades dos primeiros profetas cristãos. Muitos estudiosos hoje advogam que esta declaração era importante na igreja primitiva como advertência contra os que questionavam a legitimidade da atividade profética na Igreja. A igreja primitiva, inclusive a comunidade a quem Marcos está se dirigindo, era carismática, e os profetas eram ativos numa variedade de contextos eclesiásticos (veja Introdução). Não é difícil visionar o contexto no qual as atividades dos primeiros profetas cristãos se tornaram pontos de contenção. Nesse caso, esta declaração teria sido ouvida com urgência especial como aviso, não só contra os que condenavam a obra do Espírito Santo no ministério de Jesus, mas também contra os que condenavam a obra do Espírito na vida do crente, particularmente em suas expressões proféticas e carismáticas mais visíveis.

Quando tudo é dito sobre o assunto, a declaração acerca do pecado imperdoável permanece uma lembrança inquietante a respeito da seriedade das escolhas que fazemos. O Jesus de Marcos não é avesso a estabelecer rígidos limites, e mais tarde o evangelista ecoará estes sentimentos repetindo as palavras de Jesus aos apóstolos quando Este os enviar em missão de treinamento: "E, quando alguns vos não receberem, nem vos ouvirem, saindo dali, sacudi o pó que estiver debaixo dos vossos pés, em testemunho contra eles" (Mc 6.11).

Estranhamente, há o lado inverso da moeda. Num contexto de grande perseguição e conflito, onde a confrontação é acerca das realidades eternas, declarações como esta mostram nitidamente onde estão as linhas de batalha. No momento em que eles identificam quem são os de fora, eles também identificam e encorajam os que são de dentro, cuja lealdade os mantiveram no lado certo na terra de ninguém.

2.4.5. Os Verdadeiros Parentes de Jesus (3.31-35).

Neste ponto Marcos volta à tensão entre Jesus e sua família (v. 21). Havendo acabado de explorar a seriedade de se opor à obra do Espírito, agora ele explora as implicações práticas quando a lealdade ao Reino é contraposta pela família imediata do indivíduo. Os primeiros conflitos com a própria família de Jesus irrompem abruptamente. Jesus eficazmente dispensa sua família nuclear redefinindo-lhe a importância. Pela razão de esta ser uma história de pronunciamento, tudo se focaliza na declaração do versículo 35: "Porquanto qualquer que fizer a vontade de Deus, esse é meu irmão, e minha irmã, e minha mãe".

É importante reconhecer o papel crítico que a família desempenhava na sensibilidade do século I. O indivíduo isolado, sem recursos familiares ou compromissos de família, era algo inconcebível. A identidade pessoal era compreendida em termos de ligações familiares. Rejeitar a família ou ser rejeitado por ela era suicídio social, porque alienava as próprias ligações que tornavam possível a experiência humana. Assim, para que Jesus redefina o significado da unidade familiar, Ele cria um desafio que entra em choque contra um dos valores dados como certo na sociedade do século I. A primeira pergunta óbvia é: "O que provocaria este tipo de movimento escandaloso?"

Mas talvez esta pergunta seja em si um pouco míope. Antes, a lealdade da comunidade cristã em si mesma redefiniu a natureza da família. Em vários lugares, Marcos descreve as tensões entre Jesus e os que lhe eram mais próximos (Mc 3.21,31-35; 6.1-6). As passagens relacionadas descrevem tensões semelhantes entre os discípulos e suas famílias (Mc 10.28-31). No Discurso do Monte das Oliveiras, uma profecia de Jesus unirá este tipo de conflito com a perseguição futura semelhante àquela que supusemos que a congregação de Marcos só há pouco tinha experimentado (Mc 13.12). O ponto aqui é que os conflitos familiares já eram realidades para Marcos e seus leitores. Em Marcos 10.29-31, Jesus prometerá que os que perderam a família ganharão cem vez mais; aqui Ele promete que os que perderam a família a ganharão novamente na pessoa do próprio Jesus. Com esta grande promessa, Jesus diz àqueles que se reuniram ao redor dEle, e implicitamente o leitor, que ainda que o custo do discipulado possa ser alto, as compensações são ainda maiores.

2.5. Parábolas (e um Milagre) de Promessa (4.1-34)

Esta seção de parábolas tem sido assunto de esforços mais veementes na interpretação de qualquer outra seção de Marcos, exceto talvez na narrativa da paixão. É claro que há problemas. A cronologia é obscura, e há intenso debate sobre se a alegoria nos versículos 13 a 20 vieram de Jesus ou eram uma interpretação de Marcos sobre a parábola de Jesus. Os detalhes alegóricos destes versículos parecem mudar a ênfase do que, de outro modo, é central na própria parábola. Se estes versículos forem retirados, o material que resta ilustra um ponto diferente.

As parábolas de Jesus têm recebido atenção por conta própria, interesse compartilhado por todos que querem entender seu ensino, mas que levou os estudiosos a estudá-las fora do contexto literário dos Evangelhos. Isto ocorre muitas vezes com as parábolas de Marcos 4. O resultado é que os intérpretes impuseram as conclusões de um estudo abstrato das parábolas sobre o texto de Marcos.

Um resumo desse procedimento interpretativo é mais ou menos este: Retire os versículos 10 a 12, porque eles informam que aconteceu em outro lugar (Jesus estava só com os discípulos). Retire também os versículos 13 a 20, porque eles são o comentário de Marcos sobre a tradição. O que resta é uma coletânea de parábolas que compartilham um tema comum: o opressivo sucesso do Evangelho a despeito de catástrofe — tema encontrado em outros lugares do ensino de Jesus. As seções omitidas são tratadas como inconveniências a serem solucionadas em vez de servirem de comentário útil pelo qual Marcos estava instigando o leitor a ouvir outros matizes do discurso da parábola de Jesus.

O tema comum de sucesso, apesar da tragédia, deve com certeza ser encontrado aqui. Até este ponto o procedimento há pouco mencionado levou ao genuíno entendimento. Mas o procedimento padrão também foi torcido, porque obscurece outra dimensão destas histórias, as quais, na minha opinião, são igualmente significativas e provavelmente mais próximas do entendimento que Marcos tinha das parábolas.

Abordemos este assunto de ângulo diferente. É certo que Jesus contou a Parábola do Semeador. Marcos passou a parábola adiante basicamente como ele a recebera. Que elementos na parábola provocaram a intrusão dos versículos 10 a 12? O que prendeu a atenção de Marcos não foi o sucesso do Reino, mas as muitas razões pelas quais as pessoas desistem. De fato, este é um tema comum em Marcos (e.g., Mc 9.42-49; 10.29,30; 13.12-23; 14.27-31). Não admira nenhum pouco que seja isso o que ele tenha ouvido aqui conforme está expresso na parábola.

2.5.1. A Parábola do Semeador (4.1-9). Com a Parábola do Semeador somos apresentados a uma seção da narrativa completamente nova. Vários elementos chamam a atenção para a transição, muito notavelmente a nítida linha de lastro, em Marcos 3.35, e a menção de um novo contexto e um novo elenco de personagens, em Marcos 4.1. Por causa desta pronunciada transição e pelo fato de a Parábola do Semeador ter sua própria estrutura retórica interiormente coerente, o que segue tem sido interpretado independente da narrativa que precede.

É importante observar que a parábola está agrupada entre parênteses de ambos os lados pelos mandatos de ouvir com atenção: "Ouvi" (v. 3), e: "Quem tem ouvidos para ouvir, que ouça" (v. 9). Esta é preocupação dominante para Marcos. Na seção que vem imediatamente a seguir, Marcos inclui um aparte explicando por que algumas pessoas não ouvirão ou não entenderão os "mistérios do Reino" (vv. 11,12), e no versículo 13 Jesus passa a explicar a parábola iniciando com uma pergunta retórica: "Não *percebeis* esta parábola? Como, pois, *entendereis* todas as parábolas?" (ênfases minhas). Esse enfoque será revisitado nos versículos 23, 24 e 33. A intenção é que o discurso inteiro seja lido com a sensibilidade sintonizada com as nuances mais profundas e menos óbvias. Mas quais?

Um modo de responder essa pergunta a coloca dentro do contexto do próprio ministério de Jesus, identificando os elementos de oposição de Jesus e, para cada um, designando um lugar dentro da parábola dita. Terence Keegan (1994) fornece um resumo conveniente:

> "Os fariseus da Galiléia são a semente que caiu ao longo do caminho; os discípulos são a semente que caiu em solo rochoso; as multidões, prefiguradas por Herodes, são a semente que caiu entre espinhos; e os principais sacerdotes, escribas e anciãos são os espinhos responsáveis por estrangular a palavra".

A análise de Keegan é notável por sua atenção ao lugar da parábola dentro da estrutura global da narrativa do Evangelho, mas está limitada no fato de que depende que o leitor releia a história com elementos à disposição que só mais tarde entram na narrativa.

John Paul Heil (1992) definiu o contexto da parábola um tanto quanto mais estritamente, perguntando só o que apareceu *antes* na narrativa para aguçar a sensibilidade dos leitores. De acordo com Heil, o agricultor que "saiu [...] a semear" (v. 3) lembra as muitas vezes que o mesmo verbo (*exerchomai*) já foi usado em Marcos para descrever Jesus "sair" para administrar seu ministério (veja Mc 1.35,38; 2.13). Esta conexão convida o leitor de Marcos a entender que o agricultor aqui representa metaforicamente Jesus e sua obra, e o que, por sua vez, dá uma particular estrutura de referência para o significado da expressão "semear a semente", o que tem a ver com a obra de Deus no mundo. Esta impressão é confirmada mais tarde em Marcos 4.14, onde está nitidamente declarado: "O que semeia semeia *a palavra*" — a palavra-padrão de Marcos para aludir à obra do ministério de Jesus (veja Mc 2.2). Por ora, fica só a impressão, mas tão forte que proporciona a estrutura primária dentro da qual a parábola deve ser entendida.

Se o leitor mesmo subliminarmente entendeu que o agricultor é Jesus, então o restante da parábola será ligado às prósperas e declinantes venturas do ministério de Jesus. Nesta tendência, Heil mostrou corretamente que as várias maneiras nas quais a semente caiu lembrará, no mínimo, a hostilidade personificada pelos escribas (Mc 2.6,16; 3.22), pelos fariseus (Mc 2.16,24; 3.6) e pela própria família de Jesus (Mc 3.21,31-35). Da mesma sorte, a descrição de uma colheita excepcionalmente abundante na conclusão da parábola (Mc 4.8) recorda o sucesso crescente do ministério de Jesus a despeito da oposição (cf. "*toda* a cidade" [Mc 1.33]; "se ajuntaram *tantos*" [Mc 2.2]; "*toda* a multidão ia ter com Ele" [Mc 2.13; 3.7,8,20; 4.1]; ênfases minhas). Assim, em seus movimentos metafóricos a parábola expressa os movimentos maiores do ministério de Jesus, e as várias terras representam as personagens da história.

Quer sigamos Keegan ou Heil, o empuxo da história permanece essencialmente o mesmo: A parábola encoraja a audiência — quer os ouvintes de Jesus ou os leitores de Marcos — que mesmo em face de grande provação e decepção, o Reino de Deus terá sucesso.

Independente do que Marcos e seus leitores tenham pensado sobre as personagens da história, não há dúvida de que eles também teriam trazido à leitura suas próprias lembranças de pessoas da igreja que fracassaram na fé. Se, como argumentei na Introdução, a congregação de Marcos está lutando com o resultado da perseguição, então a Parábola do Semeador responde outra pergunta igualmente importante: Por que algumas pessoas que ouviram a palavra posteriormente desistiram da fé? A presença da intrusão dos versículos 10 a 20 indica que, para Marcos, esta pergunta era a principal, fato que nos dá uma pista para a leitura que Marcos fazia da parábola. Para esta leitura devemos evitar tornar as categorias muito específicas. A interpretação exposta nos versículos 13 a 20 deixará claro que pelo menos para Marcos os vários tipos de fracasso alistados na parábola denotam uma variedade de maneiras de perder a fé, e não as várias categorias de pessoas específicas.

Assim, a parábola oferece não só consolo, mas também aviso. Há um caminho para a salvação, mas muitas maneiras de se perder. Não é sem importância que "o que semeia semeia *a palavra*" (v. 14, ênfase minha), ao mesmo tempo que a própria parábola está demarcada, em cada lado, por mandatos para ouvir. Na vida, como nas parábolas, há mais do que os olhos percebem.

2.5.2. A Razão para Falar por Parábolas (4.10-12).

Os historiadores e teólogos há muito que tratam de decifrar esta pequena passagem. Exteriormente o assunto debatido está claro: Jesus quis dizer que Ele falava por parábolas para confundir as pessoas, ou Ele as usava para tornar a mensagem clara? O fato de que a discussão é tão duradoura e tão apaixonada é evidência, acho, de que pode haver algo errôneo em nosso método. Talvez se abordarmos a questão de ângulo diferente possamos chegar a conclusões mais nítidas e proveitosas.

É significativo que a passagem se intrometa no meio do discurso da parábola. O capítulo começa com uma referência a Jesus no barco sobre o mar (v. 1) e encerra com nota semelhante (v. 36). O versículo

10 localiza Jesus e seu grupo em outro lugar, sozinho com os discípulos. As notas cronológicas são obscuras; Marcos não diz ao leitor quando ou como a linha da história reverte à cena pública na praia. A presença do texto diruptivo dos versículos 10 a 20 é então um tanto problemática: O que instigou Marcos a colocá-lo aqui e não em outro lugar? A resposta óbvia é que a substância da Parábola do Semeador o levou a lembrar outra cena relacionada por tema e vocabulário, prática bastante comum em outros lugares deste Evangelho (veja seção 3.1.9). A essência deste parágrafo está encadeada de modo importante com o que Marcos considerou ser a essência da Parábola do Semeador.

Esta observação nos permite colocar estas duas cenas em focos ligeiramente diferentes. Visto que na experiência de Marcos as duas histórias tradicionais partilharam tema semelhante, então o que quer que ambas tenham em comum tem de ser uma pista para o entendimento de Marcos do que deve ter sido esse tema. O que a Parábola do Semeador e a presente passagem têm em comum é que ambas dão uma explicação sobre a razão de alguns ouvintes terem se escandalizado com a palavra. Nem toda atividade missionária dá uma colheita positiva; com efeito, alguns dos que desistiram já tinham ouvido a palavra e "logo com prazer a receb[ido]" (v. 16), mas o fato de terem caído da fé mostra que eles "não [tinham] raiz em si mesmos" (v. 17) e estavam, na verdade, entre os "que estão de fora" (v. 11). O coração das pessoas está encoberto à verdade; tudo está em enigmas.

Em outras palavras, dentro desta série não é apenas o tema comumente reconhecido do sucesso do Evangelho a despeito do fracasso, mas para Marcos e seus leitores também há o compromisso com o próprio fracasso. A pergunta não é somente: "A obra de Deus terá sucesso no mundo?", mas também: "Por que às vezes fracassa? Por que alguns que ouviram a palavra e a receberam com alegria a abandonam e caem pela beira do caminho?"

Embora o estado da pergunta não dê certeza absoluta, suspeito que a alusão a Isaías 6.9,10, em Marcos 4.12, já era conhecida na igreja de Marcos, explicando por que ele não precisa apresentar a citação, e simplesmente a coloca de improviso. De fato, se a comunidade estava se dilacerando sob as pressões da perseguição, a referência de Isaías 6 teria fornecido modo importante de dar sentido à apostasia. As pessoas pertencentes a um grupo social precisam de um tipo de explicação para o ato de alguns resolverem sair. As palavras de Jesus, nos versículos 10 a 12, acondicionadas tão firmemente com intimações de julgamento, dariam perfeitamente conta do recado: Para os que estão de fora — para aqueles que ficaram escandalizados com a palavra — tudo está em parábolas precisamente para que eles vejam, mas não percebam, e ouçam, mas não entendam.

Quer os leitores de Marcos tenham notado tais sutilezas, quer não, nossas conclusões sobre seu estilo redacional nos ajudam a chegar a melhores esclarecimentos sobre as preocupações que eles levaram ao processo de leitura. Eles ouvem a Parábola do Semeador e a declaração sobre a cegueira, e preenchem os espaços vazios com suas experiências: "Ah! Ah! Isto explica por que alguns de nossos irmãos e irmãs na fé caíram à beira do caminho, ou por que a palavra, que nos é tão forte, parece cair em ouvidos surdos. Eles 'só não entendem'; o Reino é um enigma que eles não podem atinar o sentido".

Na estrutura do fraseado equilibrado, o termo grego traduzido por parábola (aqui eu o traduzo por "enigma") é paralelo à expressão traduzida por "mistério do Reino":

| A vós vos é dado saber os mistérios do Reino de Deus | Aos que estão de fora todas essas coisas se dizem por "enigmas" |

Quer dizer, a declaração faz separação entre os que estão dentro e os que estão de fora, e a diferença entre eles é de percepção clara. O mistério (*mysterion*) do Reino é algo *dado*, não tomado; *revelado*, não entendido. Por mais que tentem, os que estão de fora experimentam tudo de modo confuso, como um "enigma". A palavra crítica aqui é *parabole*, que para Marcos tem um vasto alcance de significados. Originalmente os discípulos perguntaram acerca "da parábola", referência que parece ser à Parábola do Semeador. A resposta de Jesus é mais expansiva: Em vez de explicar essa parábola em particular, Ele explica que para os que estão de fora *tudo* é parabólico, *tudo* é confuso. Uma nuança da *parabole* deve ser vista como semelhante à palavra hebraica *mashal*, que pode significar "declaração escura, quebra-cabeça, enigma ou história parabólica".

Voltemos ao ponto crucial da discussão. A palavra grega que tem causado mais dificuldades aos intérpretes é *mepote* (a qual a NVI traduziu por "de outro modo"):

"Aos que estão de fora todas essas coisas se dizem por parábolas, para que, vendo, vejam e não percebam; e, ouvindo, ouçam e não entendam, para que [*mepote*] se não convertam, e lhes sejam perdoados os pecados" (RC; *mepote*, "para que [..]. não").

Superficialmente, estes versículos explicam o escândalo da palavra apresentando um escândalo diferente. Os intérpretes têm seguido duas estratégias básicas para remover a ofensa das palavras no versículo 12. Uma, é reinterpretar o versículo como um tipo de resposta irônica ou sarcástica, o oposto da intenção de Jesus: "Não queremos que eles se convertam agora, queremos?" Outro modo de remover a ofensa é reinterpretar a palavra *mepote* por "a menos que", e, desse modo tornar o entendimento condicional à conversão:

"Para que, vendo, vejam e não percebam; e, ouvindo, ouçam e não entendam, *a menos que* se convertam, e lhes sejam perdoados os pecados".

Esta interpretação é baseada num suposto original aramaico. Pode interpretar Jesus corretamente, mas sua interpretação não funcionará para Marcos ou seu leitor de fala grega, pois é comum Marcos interpretar os aramaísmos para seus leitores.

A pergunta crítica não é o que Marcos pretendia com o termo *mepote*, mas o que ele teria entendido com as expressões: "Vejam e não percebam" e "Ouvindo, ouçam e não entendam". Nossa tendência é identificar estes termos com o entendimento cognitivo, enquanto que para Marcos eles devem ter identificado disposições para com o Evangelho. Podemos obter uma medida de clareza a esse respeito olhando a Parábola dos Lavradores Maus, em Marcos 12.1-12. Marcos nos fala que os ouvintes — presumivelmente os principais sacerdotes, escribas e anciãos mencionados em Marcos 11.27 — entenderam claramente o significado da parábola (Mc 12.12), mas tomaram-na como ofensa, "porque entendiam que contra eles dizia esta parábola".

O ponto é que "entender" uma parábola requer mais que meramente decifrar seu referente ou analogia. A parábola faz exigências, demanda uma resposta e, por vezes, o faz de maneira surpreendente. "Ver" uma parábola e "perceber" seu significado é responder adequadamente a essa exigência. Temos de decifrar de que se trata a parábola, e até entendermos seu significado metafórico, mas ainda estarmos entre os que estão de fora, que vêem e não percebem, e ouvem e não entendem. O que é necessário, Marcos diz, é transformação, não informação; arrependimento, não mera anuência.

Esta não é a última vez que Marcos se ocupará com este tipo de julgamento. A linguagem de ver e não ver ocorrerá novamente em Marcos 8.14-19, onde os discípulos são censurados pelo fracasso de perceber ou entender o significado dos pães: "Para que arrazoais, que não tendes pão? Não considerastes, nem compreendestes ainda? Tendes ainda o vosso coração endurecido? Tendo olhos, não vedes? E, tendo ouvidos, não ouvis? E não vos lembrais" (vv. 17,18). Os paralelos entre estas duas histórias dificilmente é incidental, e o ponto de ambas as passagens é o mesmo: Ver e perceber são ir além do óbvio; ouvir e entender são ouvir com os ouvidos da fé; e ter corações que não estão endurecidos é estar disposto a responder com uma mente que crê e um coração fiel.

A insistência em tratar os versículos 10 a 12 como questão de informação é completamente desencaminhadora, como se a questão crucial fosse clareza de expressão. Para Isaías, para Jesus e para Marcos — e para seus ouvintes e leitores também — o ponto não era questão de *clareza*, mas de *escolha*: As parábolas forçam as pessoas a fazer uma escolha — exatamente como a vida em si força as pessoas a fazer suas escolhas — e se escolhem opor-se a Jesus e a sua obra no mundo (ou, neste contexto, elas seguem Jesus e, sob o encanto de uma sedução ou sob a pressão de uma perda, o abandonam), elas são arroladas entre os que vêem, mas não percebem, e ouvem, mas não entendem.

É isto que nos dá uma pista para o significado de *tudo* em Marcos 4.11 ("todas essas coisas"). A pergunta feita pelos seguidores de Jesus, no versículo 10, era sobre "as parábolas". A resposta de Jesus é sobre "tudo"; a resposta abrange mais que a pergunta. O que Marcos tem em vista é o papel de o próprio Evangelho forçar as pessoas a fazerem sua escolha: Tudo tem significado parabólico, a preocupação de Marcos com os fatores nessas escolhas suscita sua explicação da Parábola do Semeador, à qual Ele retornará na próxima seção.

2.5.3. A Interpretação da Parábola do Semeador (4.13-20).

Os estudiosos debatem se estes versículos podem ser atribuídos a Jesus como declarações autênticas. Uns afirmam que Marcos atribuiu falsamente esta explicação a Jesus, mas na verdade representa sua própria agenda teológica e pastoral. A visão alternativa é que eles são, de fato, palavras autênticas de Jesus, mas proferidas numa época mais tardia. De qualquer modo, o método-padrão de interpretação retira estas palavras do contexto imediato e trata a Parábola do Semeador sem referência a elas.

Nenhuma destas abordagens seria recomendada para o leitor autoral de Marcos. Talvez a melhor solução seja um acordo entre as duas. A interpretação da Palavra do Semeador apresentada nos versículos 14 a 20 não é uma palavra de Jesus. O grego tem um modo claro de indicar o começo de uma citação, mas nenhum modo claro de mostrar onde a citação termina. É o que sucede aqui. A citação apresentada no versículo 11 continua — argumento — até e inclusive o versículo 13, mas termina antes da interpretação da parábola, no versículo 14. A alegoria expressa a apropriação de Marcos da Parábola do Semeador para as necessidades de sua comunidade, e desse modo exibe implicitamente os princípios interpretativos que ele usava para apropriar-se dos elementos da tradição de Jesus.

Podemos abordar isto de ângulo diferente: O próprio Marcos é um "leitor" da Parábola do Semeador. Ele não criou a parábola, mas ele a "leu" (ou ouviu) conforme foi passada na tradição. Estes versículos nos dizem que elementos se destacavam quando ele lia a Palavra do Semeador e, assim, oferece pistas ao que ele esperava que o seu leitor fizesse. O leitor de Marcos teria considerado estes versículos pelo significado manifesto e, assim, teria ouvido um modo particularmente pertinente de compreender o significado da Palavra do Semeador.

2.5.4. "Se alguém tem ouvidos para ouvir, que ouça" (4.21-25).

A frase de transição: "E disse-lhes", é costura freqüente em Marcos. Nos versículos 21, 24 e 26 (a frase em grego é a mesma), a frase indica que Marcos vinha juntando material numa coletânea. No caso desta pequena seção, a exortação no versículo 24: "Atendei ao que ides ouvir", liga o segundo jogo de aforismo com o primeiro. É provável que a menção a um "cesto de medidas para secos", no versículo 21 ("cesto"), tenha provocado a inclusão da declaração sobre "medidas", no versículo 24, de forma que ainda que haja mudanças aparentes no sentido, a coletânea inteira é estampada com o sentido de um tema.

Nos versículos 21 a 23, o assunto do tema é a importância de ouvir com atenção, porque há mais acontecendo do que os olhos vêem. Jesus usa a metáfora da candeia (pequeno aparelho de iluminação) para tornar concreta esta afirmação. Neste contexto, é indubitável que o leitor de Marcos teria ouvido a palavra "candeia" como extensão da metáfora da "palavra", o assunto da Parábola do Semeador. Isto diz respeito ao propósito inteiro de Deus. (No v. 26, Marcos fornecerá a expressão "o Reino de Deus" para esta mesma realidade.) Há "algo mais" sobre os propósitos de Deus, algo que, por ora, requer atenção cuidadosa. Está inevitavelmente escondido daqueles que têm ouvidos, mas não ouvem.

A parábola também afirma o inverso: Que "algo mais" está inevitavelmente a ponto de ser revelado (v. 22), porque esta é a natureza das coisas. Não faria sentido Deus esconder seus propósitos mais do que um proprietário de imóvel recolhe uma candeia e a coloca debaixo de um "cesto" (lit., "celamim", medida de capacidade para secos equivalente a quase nove litros), que então não daria luz, ou debaixo de uma "cama", onde correria o risco de incêndio. Pode haver mais uma nuança aqui. De acordo com Josefo, apagava-se uma candeia sufocando-a debaixo de um cesto, a fim de evitar que o ambiente se enchesse de fumaça causticante (*Antiguidades Judaicas*). Quando Jesus faz a pergunta: "Vós trazeis uma candeia para pô-la debaixo de um cesto?", a implicação é que não se acende uma luminária somente para apagá-la.

Os versículos 24 e 25 pressionam a metáfora para direção diferente. Se o empuxo dos versículos 21 a 23 era que o propósito de Deus está agora obscuro, mas que será inevitavelmente revelado, o empuxo destes versículos é que a quantidade de luz que a pessoa terá depois depende, em medida significativa, do que a pessoa entende agora. De fato, a medida de um é a medida do outro. A seção encerra com uma nota paradoxal: Como alguém pode ser despojado de algo se ele não tem nada? O efeito do paradoxo é tornar a declaração mais radical, subir a lógica à cabeça, pôr a declaração preto no branco. Os ouvintes de Jesus e os leitores de Marcos são confrontados com a realidade de que os propósitos de Deus não podem ser escolhidos por acréscimos. É tudo ou nada, agora ou nunca, uma vez por todas.

2.5.5. A Parábola da Semente que Cresce em Segredo (4.26-29). Marcos muda agora para a expressão "Reino de Deus" em favor da realidade geral dos propósitos de Deus (implícitos no termo "palavra", no v. 14, e "candeia", no v. 21). A Parábola da Semente que Cresce em Segredo enfoca a atenção para o fato de que o semeador, uma vez terminado o trabalho, tem de esperar que a semente lance raízes. A semente cresce "por si mesma" (v. 28). O ponto não é que cresce sem ajuda — os agricultores ainda cuidam da plantação —, mas que mesmo assim seu crescimento ocorre misteriosamente. O fazendeiro semeia e a semente cresce, "não sabendo ele como". Assim é com o Reino.

O versículo 29 conclui a parábola em uma nota escatológica que é consoladora ou ominosa, dependendo da disposição do ouvinte para com Reino: Quando chegar a colheita, o agricultor "mete-lhe logo a foice". O crescimento da semente — primeiro o talo, depois a espiga, depois a semente na espiga (v. 28) — destaca que o que o observador atento sabe se seguirá tão inevitavelmente quanto a colheita segue a semeadura. Virá o tempo quando a espera termina. Assim é com o Reino.

2.5.6. A Parábola da Semente de Mostarda (4.30-32). A Parábola da Semente de Mostarda funde duas imagens diferentes.

1) A primeira gira em torno de um contraste entre a pequenez da semente e a enormidade do arbusto que cresce dela. A própria semente é descrita como "a menor de todas as sementes que há na terra" (v. 31). Isto corresponde a outras descrições da semente de mostarda, que é usada como ponto de comparação para descrever algo minúsculo (cf. Mt 17.20; Lc 17.6). Em contraste, quando a semente cria raiz e cresce, "faz-se a maior de todas as hortaliças", com grandes ramos,

"de tal maneira que as aves do céu podem aninhar-se debaixo da sua sombra" (v. 32). Este, claro, é o tema principal do discurso parabólico como um todo (veja seção 2.5). O Reino começa desfavoravelmente, contudo quando vem, vem com força total.

2) A parábola também contém alusão vívida a uma metáfora do Antigo Testamento, registrada em Ezequiel 17.22,23, referente a um movimento redentor que abrange o mundo inteiro:

"Assim diz o Senhor JEOVÁ: Também eu tomarei o topo do cedro e o plantarei; do principal dos seus renovos cortarei o mais tenro e o plantarei sobre um monte alto e sublime. No monte alto de Israel, o plantarei, e produzirá ramos, e dará fruto, e se fará um cedro excelente; e *habitarão debaixo dele todas as aves de toda sorte de asas e à sombra dos seus ramos habitarão*" (ênfases minhas).

A imagem operativa é de uma árvore grande que abriga a terra inteira. Essa imagem não é incomum na literatura do judaísmo apocalíptico (veja também Ez 31.6; Dn 4.10-12,20,21).

Assim é com o Reino. Como a glande que contém dentro de si a promessa do carvalho — ou, em termos do Oriente Médio, a semente minúscula que contém a promessa da volumosa mostardeira — o Reino introduz-se pouco a pouco e discretamente. Graça e poder vêm empacotados de forma surpreende e inesperada. Marcos quer que seus leitores saibam que Deus usará começos minúsculos e desfavoráveis, mesmo quando são começos perturbados por tragédias e lutas de uma Igreja em crise.

Esta é uma mensagem infinita que não respeita tempo. Não há que duvidar que Jesus contou esta história para encorajar seus seguidores em tempos de dificuldade. Marcos também a repetiu outra vez para sua congregação que enfrentava suas próprias dificuldades. Não podemos julgar o poder do Reino pelo modo como as coisas começam, mas pelo modo como terminam. Com freqüência, o que parece ser desastroso no fim se mostrará que é o poder de Deus em ação no mundo.

2.5.7. O Uso que Jesus Fez de Parábolas (4.33,34). Estes dois versículos resumem brevemente a seção de parábolas. O versículo 34 parece ser uma reflexão editorial sobre o ensino particular "aos Doze e os que estavam junto dEle", nos versículos 10 a 20.

Antes de deixarmos o discurso de parábolas, temos de refletir sobre as afirmações comuns que as unem. Na maior parte elas contrastam começos desfavoráveis e desastrosos com sucesso súbito, assombroso e opressivo (Mc 4.30-32). Apesar do perigo para a semente, a colheita vem tanto quanto cem vezes mais (Mc 4.3-20). O que hoje está oculto será inevitavelmente revelado (Mt 4.21-23), com todas as conseqüências potenciais para perdas ou ganhos (Mc 4.24,25). O Reino virá misteriosamente, mas virá tão inevitavelmente quanto a colheita segue a semeadura (Mc 4.26-29).

Os detalhes destas parábolas são precisos para a terra palestina. Não há dúvida de que teriam soado como nota de encorajamento especial para os discípulos de Jesus, já que eles lutavam por entender a falta da ação de Jesus, a subseqüente demora do Reino e a oposição inesperada, e às vezes severa, que eles encontravam das autoridades religiosas. Contudo, nosso enfoque esteve no leitor de Marcos, que se esforçava para chegar a um acordo com as desventuras que, talvez, estavam ficando cada vez mais caras. Famílias são destruídas; a Igreja é dividida; pessoas perdem a vida pela fé. A oposição experimentada pelos discípulos deflagrou-se em perseguição aberta para a geração de cristãos dos dias de Marcos. Quando lido contra semelhante tela de fundo, as palavras de julgamento expressas nas parábolas de Jesus teriam sido mais lancinantes e mais ameaçadoras, ao mesmo tempo que as dimensões de consolo e encorajamento teriam sido ainda mais profundas.

2.6. Milagres (4.35—5.43)

Os limites desta seção são difíceis de estabelecer. A seção abre com o apaziguamento da tempestade (Mc 4.35-41) que, na forma, é um milagre, mas, em conteúdo, é mais como uma parábola. Onde a seção termina? Os comentaristas quase universalmente a encerram depois da cura da filha de Jairo (fim de Mc 5), mas se os leitores de Marcos ouvissem o texto lido em voz alta sem consultar um esboço, eles não teriam sabido que uma nova seção tinha começado senão em Marcos 6.5, bem no meio da história de rejeição de Jesus em Nazaré. Quando se lê a narrativa naturalmente, a rejeição em Nazaré parece ser, a princípio, mais uma história de milagre. Parte de sua qualidade notável é o modo que inverte as expectativas do leitor; o leitor espera um milagre, mas recebe a informação de que Jesus "não podia fazer ali obras maravilhosas". Esse choque desencadeia a próxima seção. (Certifique-se de ler a seção 2.7.1 com relação aos milagres na seção 2.6.)

2.6.1. O Apaziguamento da Tempestade (4.35-41).

Esta história liga, como ponte, duas seções principais em Marcos, porque se relaciona *tematicamente* com o que precede, mas *formalmente* com o que segue. Diversas vezes em Marcos, a palavra ou a autoridade de Jesus ensinar é validada por milagres. A história da libertação em Cafarnaum (Mc 1.21-28) enfatiza essa ligação identificando a própria libertação como um tipo de ensino ou doutrina — "com autoridade" (Mc 1.27). Até as histórias de controvérsia em Marcos 2.1 a 3.6 são demarcadas em ambos os lados por histórias que entrelaçam milagre e autoridade (Mc 2.1-12; 3.1-6). De fato, na primeira história da série (a cura do paralítico) Jesus faz a audaciosa declaração de que o milagre demonstra sua autoridade para perdoar pecados (Mc 2.10).

Esta história do apaziguamento da tempestade faz precisamente o mesmo. O tema dominante do discurso parabólico foi a garantia de Jesus de que o Reino realmente terá sucesso; o fracasso vem, mas ainda há uma colheita excepcionalmente abundante (Mc 4.1-20). Este também pode ser a significação subjacente da Parábola da Candeia (Mc 4.21,22): Deus não acende uma candeia meramente para apagá-la ou cobri-la. A Parábola da Semente que Cresce em Segredo (Mc 4.26-29) sugere algo semelhante: A terra produz automaticamente de si mesma, sem causa visível. Apesar de tudo que é lhe é contrário, o Reino está vencendo.

É comum ver este tema tecido como uma linha luminosa ao longo do discurso parabólico, mas também é importante ver a textura de fundo mais escura contra a qual o tema faz tal contraste luminoso. Como vimos, os leitores de Marcos trouxeram consigo sensibilidade despedaçada, quase aos frangalhos pelos puxões e empurrões da fé contra a família, pela política de Deus contra a política da nação. A perseguição força a Igreja a consolidar seus limites, e ao fazer assim divide nitidamente entre os que são de dentro e os que estão de fora. Está bastante claro pelo próprio texto que a igreja de Marcos estava em crise — pais contra filhos (Mc 13.12), judeus contra gregos (Mc 6.1—8.30), talvez até líderes contra leigos. As parábolas oferecem encorajamento nesta crise. Se esta é a situação contra a qual devemos ler as parábolas, também é a situação contra a qual devemos ler o apaziguamento da tempestade. O desafio de Jesus aos discípulos no versículo 40 ("Por que sois tão tímidos? Ainda não tendes fé?") também desafia os sitiantes cristãos de Marcos.

Ao mesmo tempo esta história aprofunda o empuxo do discurso parabólico validando as palavras de Jesus com um milagre. A tempestade se torna uma metáfora para todas as forças que se opõem à obra de Deus no mundo, e o apaziguamento da tempestade se torna uma parábola decretada na qual Jesus realiza em ação o que Ele há poucos instantes proclamou em palavra.

Deste modo o apaziguamento da tempestade introduz a série de milagres que se segue no capítulo 5. Está claro pelas circunstâncias que este é um relato historicamente acreditável de um súbito pé-de-vento no mar da Galiléia. Semelhantes tempestades costumam surgir quando ventos de fim de tarde castigam a parte norte do lago. O barco

(v. 36) seria um artefato longo, raso e relativamente estreito, portanto, particularmente suscetível a afundamentos. A remada dos discípulos tinha a intenção de manter o barco de frente para o vento, visto que uma posição longitudinal teria emborcado-o quase imediatamente. É descrito que Jesus dorme "sobre uma almofada", um pedaço de madeira em geral mantido debaixo do assento do patrão da embarcação. Se os discípulos estivessem remando para dentro das ondas, então Jesus estava dormindo na parte do barco onde os movimentos para cima e para baixo não eram muito violentos. Quase certamente o grito de desespero dos discípulos, no versículo 38, era um chamado para ajudar a baldear água.

Claro que Marcos se esmerou em estruturar a história de acordo com o formato-padrão de milagre. Vários elementos da história podem ser explicados como variações da forma de milagre, talvez mais notavelmente a presença de "outros barquinhos", no versículo 36. Os outros barcos não desempenham mais nenhum papel na história, mas as histórias de milagre incluem testemunhas oculares adicionais sempre que possível. Quem sabe estes barquinhos tenham sido incluídos para servir esse propósito retórico.

Não obstante, Marcos abandona a forma-padrão de milagres de três modos.
1) É incomum que quem faz o milagre esteja dormindo.
2) O realizador de milagres não censura os circunstantes por lhes faltarem fé.
3) Os milagres terminam com brados de aclamação da multidão, ao passo que esta história é concluída com um pergunta sem resposta: "Mas quem é este que até o vento e o mar lhe obedecem?"

Quando estes três elementos são considerados juntos, ressaltam os elementos miraculosos da história, mas o fazem ao transformar o significado do sono de Jesus registrado no versículo 38. À primeira vista, Jesus parece estar dormindo por exaustão resultante de mero trabalho físico exigido por ensinar as multidões junto ao lago. O versículo 39 rebate essa impressão. Jesus dorme o sono da confiança de que nada pode destruir a obra de Deus no mundo. Sua pergunta aos discípulos — "Ainda não tendes fé?" — implica inversão: Aqueles que têm fé não têm razão para pânico, mesmo numa tempestade como esta.

Por seu conteúdo, o versículo 39 acerta o leitor como uma reversão. Marcos primeiro postula a perspectiva compreensível, mas natural, dos discípulos e o medo que sentem (v. 38), depois ele subverte essa perspectiva mostrando que é fundamentalmente falha. Todo leitor que de cara compartilha a perspectiva dos discípulos logo em seguida será apanhado na perspectiva de Jesus.

Os elementos milagrosos da história são destacados por três outras considerações.
1) A história pode conter uma série de referências oblíquas a Jonas 1.4-6,11,16. A linguagem é inexata e as histórias diferem em sua estrutura interior, mas vários paralelos em conceito sugerem que se espera que o leitor informado relacione estas duas histórias. Ambas registram grande tempestade no mar. Na história de Jonas, cada um dos marinheiros repetidamente "clamava [...] ao seu deus" (Jn 1.5). Jonas, porém, estava abaixo do convés principal, dormindo. O capitão o despertou e o desafiou: "Que tens, dormente? Levanta-te, invoca o teu Deus" (Jn 1.6). Na história de Marcos Jesus está dormindo, e os discípulos clamam por ajuda, nem sonhando que eles também estão "clamando ao próprio Deus". É possível, claro, que o ouvinte comum na audiência de Marcos tenha perdido estas alusões.
2) Também pode haver alusão ao Salmo 107.23-29, onde os mercadores numa tempestade no mar "clamam ao SENHOR na sua tribulação, e ele os livra das suas angústias. Faz cessar a tormenta, e acalmam-se as ondas" (Sl 107.28,29). Os paralelos na linguagem são sutis, mas o suficiente para recordar esta passagem dramática. Neste caso, há uma sutileza adicional. Exatamente como Marcos 1.3 transformou a citação de Isaías 40.3 lançando Jesus no papel de "SENHOR", assim a alusão ao Salmo 107 lança Jesus no papel de "SENHOR", cujos atos redentores são ruidosa e gloriosamente cantados.

3) As palavras de repreensão que Jesus esgrime contra os ventos, no versículo 39, são importadas do vocabulário técnico de exorcismo. Temos domínio não só sobre a natureza, mas também sobre as forças demoníacas? Os ventos que ameaçam o barco parecem uivar com a fúria dos demônios (note a libertação do endemoninhado gadareno que segue em Mc 5.1-20). De modo semelhante, o apaziguamento da tempestade vem livremente, mas de forma poderosa, logo em seguida à declaração de Jesus, registrada em Marcos 3.27: "Ninguém pode roubar os bens do valente, entrando-lhe em sua casa, se primeiro não manietar o valente". Dificilmente Marcos poderia ter feito transição mais adequada à história do endemoninhado gadareno.

De fato, a conexão entre as duas histórias pode ser mais próxima superficialmente do que este vínculo temático. O apaziguamento da tempestade encerra-se em Marcos 4.41 com uma pergunta sem resposta: "Mas quem é este que até o vento e o mar lhe obedecem?" Mas, por natureza, os leitores se sentem pouco à vontade com perguntas deixadas sem resposta, de forma que o leitor é instigado a fornecer a resposta que escapou ao entendimento faltoso dos discípulos: "Este é Jesus, o Filho de Deus". Esta resposta — talvez feita subliminarmente — é ecoada e validada pelas palavras da Legião a somente sete versículos mais adiante: "Que tenho eu contigo, Jesus, Filho do Deus Altíssimo?" (Mc 5.7).

2.6.2. O Endemoninhado Gadareno (5.1-20). A história do endemoninhado gadareno é uma das mais longas e a mais assustadoras histórias do Evangelho de Marcos. Todos os elementos tradicionais da forma de milagre estão presentes (veja "Forma de Milagre", seção 2.2.3), embora cada um deles seja ampliado além de todas as normas. A história também contém elementos incomuns e destacáveis. Há uma conversa desusada entre Jesus e o demônio (ou demônios), na qual o demônio usa a linguagem de expulsão numa tentativa de controlar Jesus: "Conjuro-te por Deus que não me atormentes" (vv. 7-10). O povo da cidade fica assustado com o milagre (vv. 14-17); com certeza isto deturpa a forma-padrão de "acla-mação" numa nova forma estranha. Jesus parece violar o segredo messiânico (veja "O Segredo Messiânico", seção 2.2.5) quando envia o endemoninhado — agora liberto — para casa "para os teus, e anuncia-lhes quão grandes coisas o Senhor te fez e como teve misericórdia de ti" (vv. 19,20).

O resultado é uma narrativa que é enrolada e espectral. É como se Marcos se pusesse a esboçar esta libertação em grandes pinceladas, e depois preenchesse os espaços vazios com atenção extra aos detalhes. A riqueza de detalhes retarda o enredo e torna-o mais visual, de forma que a história que revela fica surpreendente por sua imagem descritiva.

É importante que esta história venha imediatamente depois do apaziguamento da tempestade. Porque essa história de milagre contém ecos dessa linguagem (veja comentários sobre Mc 4.35-41), o leitor já está afinado com a presença do endemoninhado. Este é o cenário no qual a história começa em Marcos 5.1-5. Como ocorre com outras histórias de milagre, esta começa com uma descrição do problema, um tipo de "antes" do quadro (vv. 3-5). Esta descrição é incomum por causa de seus detalhes vívidos. Este detalhe arma a cena para um contraste com o versículo 15, o qual mostra o endemoninhado "assentado, vestido e em perfeito juízo". Assim Marcos demonstra o grande poder da *palavra* de Jesus, a qual se mostra ser mais poderosa do que as medidas protetoras que o povo da cidade tinha tomado, medidas estas que não tinham controlado o demônio.

Entre estes dois momentos na narrativa está a estranha conversa entre Jesus e o endemoninhado, nos versículos 6 a 12. O fato de que o endemoninhado "adorou" Jesus (v. 6) não deve ser considerado como expressão de adoração, mas de mesura ou homenagem, um reconhecimento de que alguém está na presença de um poder maior. A linguagem do demônio aprofunda a vênia. Ele roga repetidamente a Jesus, no versículo 7 ("Conjuro-te por Deus que não me atormentes"), outra vez no versículo 10 ("E rogava-lhe muito que os não enviasse para fora daquela província"), então de novo no versículo 12 ("E todos aqueles demônios lhe rogaram, dizendo: Manda-nos para aqueles porcos, para que entremos neles"). A imagem está densamente acondicionada, com referências repetidas à submissão e humilhação.

Entrosado com a imagem de mesura está o fato de que o demônio tenta ameaçar e dominar Jesus, deixando escapar o nome e o título do Senhor (v. 7) e afirmando ser chamado por "Legião, [...] porque somos muitos" (v. 9). Talvez mais distintivo seja o uso que o demônio faz da linguagem de libertação ao se dirigir a Jesus: "Conjuro-te por Deus que não me atormentes" (v. 7). Esta expressão é frase técnica usada por exorcistas no desempenho do exorcismo (e.g., At 19.13). Que estranho que tal linguagem fosse usada por um *demônio*! E que esquisito que *Jesus* concedesse o pedido do demônio, no versículo 13. Estas imagens são fundidas num tipo de quebra-cabeça narrativo: Há algo mais do que os olhos percebem, mas o quê?

Esse "algo mais" é a batalha pela alma humana. Na luta entre o povo da cidade, o homem e o demônio, está claro quem até agora tem vencido. O poder selvagem do endemoninhado é compendiado nas correntes quebradas e neste animal humano que se esquiva da sociedade, dilacera a própria carne e à noite uiva de agonia num cemitério.

O ponto é que Jesus não vê um animal humano, mas um ser humano, que foi saqueado por este espírito maligno e violento. Marcos permite que a voz humana se introduza na conversa estridente, nos versículos 7 a 10. Por exemplo, a gramática não deixa claro quem está falando, no versículo 10: "E rogava-lhe muito que os não enviasse para fora daquela província". Quem está implorando a Jesus — o demônio ou o homem, ou ambos? Talvez por trás da voz do demônio Jesus ouve o clamor do ser humano, um filho de Deus que foi expulso da cidade e deixado para apodrecer num cemitério.

As histórias de milagre terminam com alguma prova de que o milagre aconteceu de verdade e uma aclamação da multidão, os quais validam o relato do contador de histórias fornecendo evidências e testemunhos objetivos. Aqui, estas duas funções são servidas inicialmente pelo frenética debandada dos porcos (v. 13), o terror dos porqueiros (v. 14) e do povo da cidade (vv. 15,17), e a mudança dramática no endemoninhado, que agora está sentado, quieto, "vestido e em perfeito juízo" (v. 15). A reação dos habitantes da cidade mostra claramente uma deturpação na forma de aclamação: "[Eles] começaram a rogar-lhe que saísse do seu território".

Por que eles estão com medo? Superficialmente, a presença de Jesus mudou uma catástrofe em outra, e perda dos porcos é citada como a razão por desejarem se livrar dEle. Mas há outra razão, uma mais próxima da estratégia retórica de Marcos. O versículo 17 é paralelo a um versículo principal na história do apaziguamento do mar: Eles quiseram se livrar de Jesus porque eles estavam com medo *dEle* (cf. Mc 4.40,41). A perda dos porcos e a cena chocante do endemoninhado sentado e em perfeito juízo, são evidências de que Jesus tem poder sobre-humano. É mais que certo que o seu poder excede o deles, mas eles não sabem de quem procede ou qual sua disposição para com eles. A perda dos porcos é catastrófica do ponto de vista deles, e sugere que o poder é, de alguma forma, malévolo. O fato de que eles são gentios que criam porcos, enquanto que Jesus é judeu, a quem os porcos são ofensivos, só lhes acentua a confusão e o medo.

Há várias linhas de tensão nesta história — tensão entre Jesus e a legião de demônios, tensão entre Jesus e o povo da cidade, tensão entre o endemoninhado e o povo da cidade. Cada linha esforça-se contra as outras, de forma que do momento em diante em que Jesus aparece na cena a atmosfera fica progressivamente carregada. Não é de admirar que o povo da cidade entre em pânico!

O complexo de tensões é finalmente resolvido quando o ex-endemoninhado pede permissão para ir com Jesus (v. 18). O fato de que esta é linguagem de discipulado cristão (cf. Mc 3.14) predispõe o leitor a ouvir o pedido como resposta apropriada para o que aconteceu. Mas Jesus recusa o pedido e envia o homem para casa. Por quê? Marcos não diz. Ele deixa a questão para a especulação do leitor. Mas ele oferece diretrizes nos versículos 19 e 20. Nestes versículos, a linguagem também é claramente cristã. A mensagem deve ser proclamada em Decápolis, ou seja, entre os gentios. Talvez Marcos queira deixar claro que a mensagem do Evangelho — incluindo a libertação das forças das atividades demoníacas — também é para os gentios. Ele quer mostrar aos leitores um Jesus que também oferece uma fonte viva de reafirmação para os habitantes da cidade, pois o único encontro com Jesus os deixara confusos e terrificados.

Argumentei em outro lugar que o domínio dos demônios é tema controlador em Marcos (veja comentários sobre Mc 1.12,13; 3.22-30). Este princípio do Reino vivenciado em Marcos 5.1-20 num momento de redenção compele ainda mais suas implicações espectrais e amedrontadoras. Deus não está alheio de nossos medos. Jesus acha-se entre os saqueados e os desterrados, e até em sua ira por ordem Ele se preocupa em reafirmar as pessoas cuja experiência do Reino as deixa assustadas e confusas.

2.6.3. A Filha de Jairo / A Mulher com Fluxo Hemorrágico (5.21-43).

Esta seção de Marcos inclui dois milagres que estão entrelaçados. Esta é a primeira ocorrência de algo que os estudiosos de Marcos identificam por "intercalação", e mais informalmente como "sanduíches de Marcos". Outras ocorrências são Marcos 6.6b-13 [14-29] 30,31; 11.12-14 [15-19] 20-26; 14.1,2 [3-9] 10,11; 14.53,54 [55-65] 66-72.

Em cada um desses casos, uma história é começada (A^1), uma segunda história é contada na totalidade (B), então a primeira história é terminada (A^2). O resultado é uma narrativa complexa, na qual as duas histórias interagem uma com a outra de maneira importante. Às vezes a técnica de intercalação permite que uma história sirva de comentário teológico sobre a outra, como na história da purificação do templo (Marcos 11.15-17) que foi intercalada no meio da maldição (vv. 12-14) e secagem da figueira (vv. 20-26).

Outras vezes a interação é retórica, como aqui. A história de Jairo começa (Mt 5.21-24); a história da mulher hemorrágica é contada na totalidade (vv. 25-34); então a história de Jairo é completada (vv. 35-43). Há paralelos incidentais entre as duas histórias: Ambas envolvem pessoas do sexo feminino, ambas encerram Jesus que entra em contato direto com alguém ou algo que é ritualmente imundo e ambas contêm o número "doze". Estes paralelos incidentais, porém, são de importância secundária. Mais para o ponto desejado por Marcos está o efeito do encontro com a mulher, nos versículos 25 a 34, o qual pára o movimento do enredo e, desse modo, ressalta significativamente a tensão da história de Jairo. A marcha dolorosamente lenta à casa de Jairo, a interrupção e o relatório de alguns do principal da sinagoga de que a menina morrera, tudo combina para tornar este um episódio de muito suspense.

Vários elementos são paralelos aos detalhes da história do endemoninhado gadareno (Mc 5.1-20). Jairo é "um dos principais da sinagoga", mas como o endemoninhado, ele se prostra aos pés de Jesus (v. 22; cf. v. 6; a mulher com a hemorragia também se prostra diante de Jesus, no v. 33). Como o endemoninhado, também é dito que Jairo "rogava-lhe muito" (v. 23, escrito no tempo presente e, portanto, denotando ação contínua). Estas linhas de conexão estabelecem o endemoninhado e Jairo como contrastes literários, um pertencente ao ponto mais baixo na escala social, o outro, ao mais alto, mas ambos desesperadamente em necessidade de ajuda de Jesus. Em seu trabalho com o endemoninhado, Jesus mostra compaixão pelos desolados, os saqueados e os desterrados; aqui Ele se move com preocupação igual pelos privilegiados e a elite.

Os versículos 21 a 24 armam a cena. O pedido que Jairo fez a Jesus é irôni-

Nesta região a leste do mar da Galiléia, Jesus curou um homem possuído por demônios concedendo o pedido que os demônios lhe fizeram de serem enviados "para aqueles porcos". Os porcos saíram em disparada guinchando ladeira abaixo, caíram no lago e se afogaram.

co no sentido de que ele pede mais do que sabe: "Minha filha está moribunda; rogo-te que venhas e lhe imponhas as mãos para que sare e viva". Trata-se de pedido desesperado, e feito num contexto de profundo tumulto. As multidões se apinham. Jairo está prostrado ao chão. O ar está impregnado de desespero, e o leitor é convidado a tomar parte no desespero que Jairo deve ter sentido. A multidão enceta uma caminhada lenta à casa de Jairo.

A chegada da mulher na cena pára o progresso da marcha. Desse modo a expectativa é consideravelmente ressaltada. Os discípulos sentem isso. O diálogo é conciso, rude e quase acusatório: "Vês que a multidão te aperta, e dizes: Quem me tocou?" (v. 31). Quando Jesus parece fazer hora, a expectativa aumenta.

Claro que a história da mulher com fluxo hemorrágico tem seus próprios movimentos internos. Alguns dos elementos-padrão para histórias de milagre foram modificados, aparentemente por causa da inconveniência da condição dela. Não há prova formal, e mal podemos esperar pelo relato das testemunhas oculares para validar a afirmação do narrador. Por outro lado, a afirmação de que um milagre aconteceu é sustentada de vários modos. A mulher "sentiu no seu corpo" que tinha sido curada (v. 29). Semelhantemente, Jesus "conhece[u] que a virtude de si mesmo saíra" (v. 30a).

Estas são "visões interiores", mas fortes o bastante para se tornarem externas e, assim, publicamente visíveis. Jesus está disposto a parar o movimento da multidão, e até a retardar sua ida a uma emergência para saber o que aconteceu (v. 30b); e a mulher, apesar do terror, vem à frente para confessar "toda a verdade" (v. 33). Finalmente, a história termina com um pronunciamento autorizado, que valida a fé da mulher e o milagre (v. 34). A "prova" do milagre é então cumprida — primeiro pela repetição, depois pelo acordo entre a mulher e Jesus, e então por um pronunciamento autorizado.

Algumas pessoas da parte de Jairo chegam agora. Há uma mudança urgente. A esta altura, a história atingiu o nível de frenesi. Jesus leva só o círculo íntimo de discípulos (v. 37) e se dirige à casa de Jairo. As multidões presumivelmente ficaram para trás (tal coisa é possível?), e o seu lugar foi ocupado pelas carpideiras, que já estavam trabalhando a cena na casa de Jairo (v. 38). Note a reversão súbita que ocorre nos versículos 38 a 40. As carpideiras choram e lamentam; em resposta à palavra que Jesus pronuncia no versículo 39 ("A menina não está morta, mas dorme"), instantaneamente elas passam para a derrisão. As palavras de Jesus podem ter sido entendidas como ironia sutil. Na verdade, a menina está literalmente morta; todo o movimento do enredo depende disso. Jesus não está rejeitando essa noção, mas está sobrepondo-a numa estrutura de referência secundária — ou quem sabe, primária. A morte não é final ou cabal. A tragédia pode ser ocasião de misericórdia e graça, até quando a situação é tão desesperadora quanto esta.

O fato de Jesus expulsar as carpideiras pode ser simbólico, mas na narrativa também serve de simples tática exclusivista. Porque não crêem não lhes é permitido ver um milagre de imenso significado. Aqui temos um paralelo literal da explicação que Jesus deu às parábolas, em Marcos 4.11,12: "A vós vos é dado saber os [enigmas]" (veja os comentários sobre esses versículos). As palavras de Jesus são verdadeiras tanto de modo figurado, quanto literal.

A intercalação das duas histórias dá ocasião para um tipo diferente de realce literário. À medida que as histórias progridem, o ponto de comparação para Jairo muda das diferenças em relação ao endemoninhado para as diferenças em relação à mulher. Jairo e a mulher se lançam aos pés de Jesus, embora o efeito do gesto seja um pouco diferente em cada caso. A mulher prostra-se aos pés de Jesus por medo de ser castigada por seu ato indecoroso de ter-lhe tocado as roupas. Jairo prostra-se como modo de expressar deferência num momento de crise extrema. Contudo, o leitor sente que Jairo, o principal da sinagoga, tem de aprender da mulher e estar preparado, mediante a cura que ela recebeu, para a ressurreição da própria filha.

2.7. A Salvação aos Gentios (Subtema: Um Profeta e mais que Profeta) (6.1—8.30)

Dois temas principais estão entrelaçados na narrativa seguinte.

1) O primeiro é a identificação de Jesus como profeta para os gentios: a) Jesus se identifica como profeta (Mc 6.4); b) Os discípulos partem num tipo de "missão de treinamento" (Mc 6.6b-13), muito parecido com as escolas de profetas no Antigo Testamento; c) Na tentativa de o público dar sentido à identidade de Jesus (Mc 6.14-16), ele o vê como uma nova figura dentro do movimento profético, semelhante a João Batista (veja seções 2.1.1 e 2.1.2); d) Como Elias e Eliseu, Jesus fornece pão milagroso no deserto (Mc 6.30-44) e estende as bênçãos de salvação para os gentios (Mc 7.24-37; 8.1-10). Estas afirmações entram na resposta à pergunta feita em Marcos 6.3 — "Não é este o carpinteiro"? — e implicitamente colocam Jesus dentro da estrutura de restauração do movimento profético. Como o leitor já sabe, e como os discípulos vão ver em Marcos 8.27-30, a designação *profeta*, porquanto verdadeira, não é toda a verdade: Jesus também é o Messias. Ele é profeta, contudo mais que profeta.

2) Entrelaçado com este primeiro tema está uma série de alusões à Ceia do Senhor. Estas referências são óbvias quando consideramos o complexo conjunto de dificuldades com as quais a seção é crivada: a) A primeira e mais óbvia dificuldade é a escrita cifrada em Marcos 6.52. Os discípulos ficaram terrificados quando viram Jesus andando sobre o mar, porque "não tinham compreendido o milagre dos pães". O que há com os pães que, tivessem os discípulos entendido, eles não teriam tido medo de ver Jesus andando sobre as águas? Por que Marcos atribui o fracasso de eles entenderem à dureza dos seus corações? Marcos não fala sobre estas coisas ao leitor, porque ele espera que o leitor vá à história com esse conhecimento em mão; b) Em Marcos 7.24-30, o autor nos conta a história de uma mulher siro-fenícia, que implorou que Jesus expulsasse um demônio de sua filha. Superficialmente, a resposta de Jesus é ofensiva: "Deixa primeiro saciar os

filhos, porque não convém tomar o pão dos filhos e lançá-lo aos cachorrinhos". Jesus está sendo racista? E por que Ele fala em "pão" em vez de "carne"? Os cachorros comem carne, e não pão; c) Em Marcos 8.4, os discípulos perguntam a Jesus: "Donde poderá alguém satisfazê-los [os integrantes da multidão] de pão aqui no deserto?" Neste contexto a pergunta faz pouco sentido. Só há pouco tempo Jesus tinha alimentado uma multidão maior com menos provisão (Mc 6.30-44); d) Em Marcos 8.14, o evangelista nos fala que os discípulos tinham esquecido de trazer pão, "e no barco não tinham consigo senão um pão". Contudo, em Marcos 8.16, parece que eles não têm nenhum pão. Qual é o certo? Um pão ou nenhum? e) Finalmente, uma série de perguntas retóricas em Marcos 8.14-21 aborda novamente o fracasso de os discípulos entenderem algo importante sobre o pão nos dois milagres de alimentação, e tem-se a distinta impressão de que se espera que o leitor entenda o que os discípulos não atinaram.

Mas o que é isso? Marcos fornece ao leitor uma série de indicações: a) A indicação mais visível é a preocupação com o "pão" (*artos*), palavra que ocorre dezessete vezes nesta seção e só três vezes nos outros lugares de Marcos. Cada uma das passagens alistadas acima tem algo a ver com pão. Na discussão a seguir argumentarei que, para Marcos e seu leitor, o *artos* dos dois milagres de alimentação (Mc 6.30-44; 8.1-9) estava ligado com o tema abrangente da mesa de comunhão. O termo *artos* funciona como elemento simbólico na narrativa; b) Marcos está preocupado com elementos que contaminam, os quais vigoram como movimento central do enredo, no capítulo 7, e assim, formam um tipo de ponto crítico na seção como um todo. A narrativa passa de mãos contaminadas (Mc 7.1-8) para corações contaminados (Mc 7.14-23), para pessoas contaminadas (Mc 7.24-30). Expressão importante desta preocupação é um enfoque subsidiário nos gentios ao longo desta seção do Evangelho; c) Há um aumento de interesse sobre a identidade de Jesus nesta seção. De fato, ela começa e termina com esta pergunta, pois a rejeição em Nazaré, em Marcos 6.1-6, forma uma inclusão com a história da confissão de Pedro, em Marcos 8.27-30. Embora estas duas histórias sejam bastante diferentes na estrutura, são paralelas em seu interesse sobre a identidade de Jesus. Em Marcos 6.2,3, os habitantes de Nazaré fazem a pergunta: "De onde lhe vêm essas coisas? [...] Não é este o carpinteiro"? A pergunta é feita outra vez em Marcos 6.14-16 e respondida, finalmente, por Pedro em Marcos 8.27-30: "Mas vós quem dizeis que eu sou?", pergunta Jesus; Pedro responde, com *insight* apenas parcial: "Tu és o Cristo" (v. 29).

Estas três indicações ao intento de Marcos estão estreitamente entrelaçadas. Por exemplo, há conexões sutis entre a pergunta sobre a identidade de Jesus e o tema da Ceia do Senhor. Por exemplo, se o pão representa metaforicamente a mesa de comunhão e o leitor informado sabe que Jesus, ao quebrar o pão, "quebra o próprio corpo", então a preocupação com o pão ao longo da narrativa também está conectado de modo sutil, mas importante, com a pergunta sobre sua identidade. Marcos pode estar pedindo ao leitor que reconheça por inferência algo que João fala abertamente ao seu leitor — que Jesus é "o pão da vida" (Jo 6.35-40). Marcos espera que os leitores façam a conexão destas indicações admitidamente mais sutis. Jesus é o próprio "um pão" no barco (cf. Mc 8.14 com Jo 6.25-59).

A pergunta da Ceia do Senhor também está ligada de modo importante com a pergunta da contaminação. É importante que a alimentação dos cinco mil tenha ocorrido na Galiléia, que é território judaico, ao passo que a alimentação dos quatro mil tenha acontecido em Decápolis, que é território gentio. Com efeito, Jesus tomou uma rota inadequada e planejada, que parece ter deliberadamente marginado o território principalmente judaico da Galiléia central (Mc 7.31). Marcos está informando ao leitor que a salvação de bênçãos também vai para os gentios, um ardil narrativo crítico que valida a missão gentia. Não admira que a abertura da seção comece com a rejeição de Jesus no seu próprio torrão natal (Mc 6.1-6) e com a resposta de Jesus: "Não há profeta sem honra, senão na sua terra, entre os seus parentes e na sua casa" (Mc 6.4).

Para o leitor evangélico dos dias atuais tudo isso parece indevidamente especulativo. Sugiro que vamos ao texto com certos pontos cegos.

1) Temos nosso repertório de habilidades provenientes de nossa vida de igreja, as quais nem sempre se sobrepõem às habilidades que o leitor de Marcos teria trazido para as histórias. Por exemplo, quase todas as igrejas protestantes recitam os elementos da Ceia do Senhor na tradição transmitida em 1 Coríntios 11.23-26, enquanto que a igreja de Marcos parece ter observado uma tradição completamente diferente (cf. Mc 14.22-25). A linguagem das histórias de alimentação é estreitamente paralela à história de Marcos da Última Ceia, mas isso nos é mais difícil perceber, porque estamos mais acostumados a ler a versão de Paulo.

2) Nossos hábitos devocionais e homiléticos nos levaram a ler estas histórias isoladamente umas das outras, e assim perdemos o modo no qual as mensagens compartilham temas comuns, que ressoam para pôr em relevo matizes teológicos mais profundos. Meu argumento é que Marcos esperava que o leitor autoral ouvisse ou lesse a narrativa como um todo ligado e integrado, no qual as partes se empilham uma na outra pela cadência inevitável da voz do leitor.

3) Nossa preocupação com a historicidade da narrativa nos deixa pouco à vontade com a idéia de que o próprio Marcos pode ter sido mais místico. É correto, argumentamos, acreditar que as histórias aconteceram da maneira como foram descritas, mas nos é mais incômodo supor que Marcos pensou que elas poderiam ter tido significativos em algum outro nível.

Todas estas são dificuldades a ser vencidas, mas quando consideradas juntas, elas dão configuração e formam os assuntos mais básicos da interpretação bíblica. Elas indicam que nosso modo-padrão de ler a Bíblia pode ter nos ocultado elementos importantes e vibrantes da vida cristã primitiva. Estes elementos — tensão veemente sobre a identidade de Jesus, discussão vigorosa sobre o lugar dos gentios na economia de salvação, debates fogosos sobre questões de tabu, lei, certo e errado, impureza e contaminação — enunciam uma igreja na qual semelhantes questões foram consideradas com grande seriedade. As seções que se seguem tomam posição em tais questões; fazendo assim elas tratam de assuntos que podem ter estado bem perto dos motivos de discórdia para Marcos e sua igreja.

2.7.1. Jesus É Rejeitado em Nazaré (6.1-6a).

A história da rejeição em Nazaré, por levantar a questão sobre a identidade de Jesus e pelo aumento no interesse em sua rejeição, desencadeia a próxima seção principal de Marcos. Mas ela também está intimamente ligada com a seção que precede. O contexto e os sinais de gênero iniciais, no versículo 2, informam o leitor a esperar um milagre, mas essa expectativa será dramaticamente interrompida antes que a história alcance o clímax, no versículo 6.

Tudo depende da seqüência aqui. A história terminará com atordoante reversão de expectativa, mas o leitor — aceitando um elemento da história depois do outro — não sabe, a princípio, que isso está vindo. Ao contrário, a história começa com uma nota positiva: Jesus voltou "à sua terra" acompanhado pelos discípulos. Acostumamo-nos a chamar esta história de "A Rejeição em Nazaré", mas o próprio Marcos não especifica que é este o lugar onde a visita aconteceu. Suspeito que o motivo para ele deixar a questão em aberto é que usando a palavra *patris* ("terra"), no versículo 1, ele posiciona o leitor a ouvir o aforismo de Jesus acerca da rejeição, no versículo 4: "Não há profeta sem honra, senão na sua terra [*patris*]".

No sábado, Jesus "começou a ensinar na sinagoga" (v. 2). Marcos não nos diz o conteúdo do ensino de Jesus, mas por esta altura o leitor veio a entender este termo em sentido amplo, como a incluir tudo sobre o ministério de Jesus. Em Marcos 1.22-28, o ensino ("doutrina") é especificamente associado com a libertação; em Marcos 2.13-15, com a aceitação pressurosa de Jesus dos desterrados sociais e religiosos.

Talvez a conexão mais vívida aqui seja com a libertação na sinagoga, em Marcos 1.21-28. As duas histórias abrem com linguagem quase idêntica:

Marcos 1.21,22	Marcos 6.1,2
[Jesus e os discípulos] entraram em Cafarnaum e, logo no Sábado e, indo ele à sinagoga, ali ensinava e maravilharam-se da sua doutrina	[Jesus] chegou [...] e os seus discípulos o seguiram à sua terra chegando o sábado começou a ensinar na sinagoga e muitos, ouvindo-o, se admiravam

O ponto da comparação é que os paralelos no fraseado mostram que as linhas de abertura da história de Nazaré não contêm indicação da rejeição que está a ponto de ocorrer, e deixam a narrativa aberta à interpretação mais ampla do ensino de Jesus. Na abertura do capítulo 6, tudo *parece* positivo: Quando Jesus ensina, coisas surpreendentes acontecem. Utilizando estes sinais de gênero, o leitor antecipa que um milagre se seguirá. Além disso, a presente história vem depois de uma série de histórias de milagre que ocuparam a atenção do leitor, desde o apaziguamento da tempestade, em Marcos 4.35-41. Estas histórias estabelecem um tipo de ritmo na narrativa — a tempestade, a libertação do endemoninhado gadareno (Mc 5.1-20), a ressurreição da filha de Jairo (5.21-24,35-43) e a cura de uma mulher com fluxo hemorrágico (Mc 5.25-34). Sem qualquer resumo ou linha de lastro para informar o leitor que a seção de milagre chegou a um fim, o leitor naturalmente antecipa outro milagre.

A surpresa dos moradores da cidade parece ser, a princípio, simples maravilha. Repare que eles conectam os *milagres* de Jesus com sua *sabedoria* (v. 2b), os quais ambos até aqui tiveram associações positivas na narrativa. A questão sobre a família de Jesus é positiva também: Este é o carpinteiro, um dos nossos, que finalmente se deu bem. Tudo isso termina de forma abrupta com um aparte sem cerimônia de Marcos ao final do versículo 3: "E escandalizavam-se nele". O verbo usado aqui (*skandalizomai*) é uma palavra forte em Marcos (veja Mc 9.42-50).

A plena força da rejeição agora cai em cima do leitor como de uma cilada. A linha final do versículo 3 faz o leitor bracejar: A surpresa não é de admiração, mas de incredulidade. A pergunta sobre a família de Jesus é uma expressão de afronta social, afronta motivada talvez por autorizações sociais contra ir além da posição da pessoa. Jesus é um camponês, afinal de contas, que direito Ele tem de fazer declarações grandiosas como estas? A observação sobre sua ascendência, no versículo 3, de repente assume coloração negativa: Eles o chamam de "filho de Maria", em vez de se referirem ao pai, como se esperaria de um patronímico semítico. Eles estão insinuando que há algo suspeito sobre a ascendência dEle? Seu pai o repudiou, da mesma forma que os outros membros da família parecem tê-lo feito (veja Mc 3.21)? Jesus é ilegítimo? Nós sabemos quem é seu pai? Estas perguntas são levantadas, mas a narrativa as responde. As suspeitas se amontoam.

O trabalho do leitor subitamente se aprofunda em timbre e complexidade, como observado por uma mudança nos sinais de gênero. Em vez do milagre esperado, Marcos escreve uma história de pronunciamento (veja "A Forma de Histórias de Pronunciamento", seção 2.3). A mudança não se afoga nas indicações do milagroso. O pronunciamento no versículo 4 se dá onde o milagre deve estar, mas ocorre como explicação do *fracasso* de Jesus fazer milagres! Deste modo, a história também retoma e aprofunda uma dimensão da história de Jairo que a segue: Lá, as pessoas riram (Mc 5.40), aqui, zombam (Mc 6.2,3). Lá, por causa do riso, os circunstantes são expulsos da casa (Mc 5.40) e, assim, impedidos de ver um milagre de proporções verdadeiramente surpreendentes; aqui, por causa da incredulidade deles, as mãos de Jesus estão quase completamente atadas: "E não podia fazer ali obras maravilhosas" (Mc 6.5).

Marcos inculca o ponto no versículo 6, evocando uma última vez a forma-padrão

Embora Nazaré fosse a casa de Jesus, os habitantes da cidade não criam que "o carpinteiro" pudesse ensinar na sinagoga e fazer milagres. Na realidade, eles ficaram ofendidos. Jesus disse: "Não há profeta sem honra, senão na sua terra".

para histórias de milagre, embora aqui, também, com dramática reversão. Os milagres terminam com uma expressão de surpresa, que serve para validar o milagre quando informa as reações das testemunhas oculares. Aqui, porém, temos a absoluta surpresa de *Jesus* no fracasso de *eles* crerem! Vindo imediatamente depois da ressurreição da filha de Jairo, a informação de Marcos, de que as mãos de Jesus estão atadas em Nazaré, faz o leitor entender que a incredulidade é mais mortal que a própria morte.

A história da rejeição em Nazaré lança uma nova seção principal (veja comentários na seção 2.6). Aqui, discutiremos só os elementos que se relacionam com o que segue à medida que a narrativa muda de direção. Há dois elementos:
1) A pergunta sobre a identidade de Jesus, feita aqui em termos dramáticos (vv. 2,3);
2) A rejeição em si, nítida preocupação visto que a maioria dos detalhes sobre esta história que foi preservada relacionam-se com isso. Os compatriotas de Jesus estão pasmos (v. 2a); eles pedem suas credenciais (vv. 2b,3a); eles se ofendem (v. 3b); Jesus interpreta a lição, usando o que provavelmente é um ditado popular (v. 4); Suas mãos estão atadas (v. 5); e, numa reversão dramática da forma de milagre, Ele fica surpreso com a incredulidade deles (v. 6).

Ao entrelaçar os elementos gêmeos do questionamento sobre a identidade de Jesus e do tema da rejeição, Marcos cutuca o leitor na direção da fé; há, afinal de contas, uma maneira certa de fazer a pergunta sobre quem Jesus é, e há uma maneira errada. O leitor que está em campos opostos pode não entender completamente e achar que, como as personagens dentro da história, ele atou as mãos de Deus. Estes dois elementos direcionam a atenção do leitor para questões que ficam cada vez mais importantes à medida que a narrativa muda de direção.

Antes de deixarmos esta seção, deveríamos tentar lê-la com a afinidade sintonizada com o sofrimento da própria igreja de Marcos. Quando Jesus é rejeitado pela cidade natal, os leitores que experimentaram perda familiar ou rompimento de uma amizade por causa da fé em Jesus trazem sensibilidade especial à leitura; eles entendem o que significa estar "sem honra" em sua própria casa (v. 4). Este é um tema para o qual Marcos repetidamente volta. Os leitores modernos podem ter dificuldade em compreender o quão traumático teria sido para um indivíduo no mundo antigo ser desligado da família. Para os antigos, a própria identidade pessoal estava embutida na unidade familiar, e deixá-la voluntariamente era não só perigoso, mas infame também. A pessoa literalmente desonrava os pais e a si mesma. Do mesmo modo, ser excluído pela família era ser publicamente estigmatizado (veja comentários sobre Mc 3.31-35). As evidências internas e externas dão a entender que os leitores de Marcos passavam por trauma desse tipo. Só podemos adivinhar sua magnitude.

Claro que isto significa que os leitores de Marcos eram forçados a declarar sua lealdade e fazer escolhas dolorosas. Em face deste choque terrível, Marcos oferece importante palavra de consolo: Que leitor que perdeu tudo, que Jesus também não tenha perdido? Que leitor que foi rejeitado pelos que deveriam conhecê-lo melhor, que Jesus não tenha sofrido o mesmo? Na próxima seção principal (Mc 8.22—10.52), que focaliza o custo do discipulado, e no Discurso do Monte das Oliveiras (Mc 13.1-37), que coloca os sofrimentos da Igreja num contexto escatológico, Marcos levantará de novo a pergunta sobre perder a família. O assunto nunca é a pessoa perder a família por uma razão frívola, mas sempre responder às sublimes declarações do Evangelho. De fato, o ponto pode ser exatamente este: Se a coisa mais preciosa do mundo, a identidade pessoal, é a ligação da pessoa com sua família, quanto mais deve valer o Evangelho se ele deve ser estimado acima dela!

Neste contexto, esta seção advoga implicações teológicas mais amplas. Jesus foi rejeitado por Israel: como diria o Evangelho de João: "Veio para o que era seu, e os seus não o receberam" (Jo 1.11). Que melhor maneira de abrir uma seção da narrativa que mostra a legitimidade da missão de Jesus aos gentios?

2.7.2. O Comissionamento dos Doze (6.6b-13). A história do comissionamento dos Doze foi acrescentada por causa de sua importância para o tema geral que Marcos está desenvolvendo ao longo desta unidade — a legitimidade da missão para os gentios. Esta seção retrata o fio afiado que conduz ao ponto em que se tem de ter a liberdade para cortar as perdas, ir em frente, deixar os impenitentes e os que não aceitam, e deixá-los viver com as conseqüências de suas decisões. Na rejeição em Nazaré, Marcos tratou de como é ser rejeitado pela família e amigos. Aqui, ele volta à questão da rejeição. Sobre este aspecto, o empuxo do versículo 11 retoma o tom amargo do aforismo de Jesus registrado no versículo 4.

Por sua parte, os discípulos não devem ter motivos ulteriores sobre a maneira na qual eles administram a missão. O refinamento dos motivos deve ser realizado por um ato de balanceamento bastante delicado: As instruções descritas nos versículos 8 e 9 são designadas a tornar os discípulos dependentes dos seus anfitriões e, assim, sem recursos de manipular situações sociais. Ao mesmo tempo, a proibição contra abandonar o anfitrião original em cada aldeia é designado a tornar os discípulos independentes da pressão de se mudar para moradia mais socialmente aceitável ou influente, caso lhes seja oferecida.

Estes dois conjuntos de proibições vigoram num tipo de tensão dinâmica. Um impede o discípulo de manipular a situação social, ao passo que o outro o veda de ser manipulado. Considerados juntos eles permitem o missionário concentrar-se, sem distração, na proclamação do evangelho, no cuidado com os doentes e na expulsão de espíritos imundos (vv. 12,13).

Esta seção tem a ver com mais que etiqueta social. O interesse de Jesus em transcender as pressões sociais expressa dimensão importante do evangelho. Dois aspectos do fundo cultural se combinam para pôr essa dimensão em foco mais claro.

1) Em todo o mundo antigo a hospitalidade mundial para estranhos era obrigação social e moral universalmente vinculadora.
2) A ordem social era encarada com grande seriedade, porque pensava-se que refletia a ordem natural. O estado social da pessoa deveria ser aceito, não só como resultado de haveres econômicos e políticos, mas porque era de alguma maneira ordenado na estrutura da própria realidade que deveria haver classes sociais. A coisa moral devia permanecer onde a pessoa estava. Até hoje, nas aldeias do Oriente Médio, mantêm-se hierarquias sociais que remon-

tam gerações. Para a pessoa, mover-se para cima ou para baixo da escala social é vergonhoso porque reflete uma afronta à ordem moral.

Estas duas realidades sociais se combinam para fornecer o pano de fundo da preocupação de Jesus de que os discípulos não abandonem seus anfitriões originais. Com efeito, num mundo que tomava estas obrigações seriamente, para um evangelista itinerante abandonar um anfitrião original para hospedar-se numa casa mais influente, contestaria a suficiência de sua hospitalidade e sujeitaria a ele e sua casa ao ridículo público. Claro que isto é o contrário ao espírito do evangelho.

O versículo 11 deixa claro que as palavras de Jesus não estão sem o seu fio mais afiado, e provavelmente é este fio mais afiado que é responsável, neste momento, pela presença da seção na narrativa: No ponto em que o anfitrião — ou no que diz respeito ao assunto, qualquer pessoa em determinado lugar — se recusa a receber o missionário, quando ele recusa ouvir o Evangelho, ele realmente deveria ser trazido à condenação pública. O ato simbólico de sacudir o pó dos pés representa a mais forte forma possível de repreensão pública. O evangelho não é apenas uma palavra de graça, mas nos movimentos dos seus emissários também é uma parábola de julgamento.

2.7.3. Opiniões Relativas a Jesus (6.14-16). Esta curta seção serve de transição para a história da decapitação de João Batista. Os elementos básicos serão repetidos em Marcos 8.27-30. Eles permitem o leitor esboçar uma impressão da especulação pública cada vez mais crescente sobre a identidade e missão de Jesus. Fato mais interessante é a especulação de Herodes de que Jesus era o "João [Batista que] ressuscitou dos mortos" (v. 16).

É de conhecimento público que Herodes era homem supersticioso, e o comentário registrado aqui deve ser entendido literalmente. Pode ser, porém, que o comentário fosse uma observação mais generalizada sobre o quanto é difícil ficar livre de pessoas interioranas e perigosas como João Batista. Da perspectiva de Herodes, o enorme apoio popular a Jesus é simplesmente uma extensão do apoio que João Batista tinha recebido. Em todo caso, a observação oferece vislumbre da mente de um homem exasperado e apreensivo. A morte de João Batista (vv. 17-29) demonstrará que Herodes era o tipo de homem que mal mantinha um tipo de controle precário sobre a própria casa, da mesma forma que mostra, ainda com mais clareza, a que profundidade tal homem poderia se afundar.

2.7.4. A Morte de João Batista (6.17-29). Esta história curta e horrorosa não se encaixa nitidamente na seção. Sua inclusão pode ter sido provocada pelo relato das especulações sobre a identidade de Jesus, nos versículos 14 e 15, sobretudo o comentário de que algumas pessoas pensaram que Jesus era o "João [Batista que] ressuscitou dos mortos". Em nenhuma outra parte Marcos descreve os acontecimentos que cercaram a morte de João Batista. Há indicação disso no seu comentário em Marcos 1.14, que Jesus começou seu ministério "depois que João foi entregue à prisão", mas esta é só uma sugestão (este versículo também pode ser lido que Jesus começou seu ministério "depois que João foi entregue *ao executor*"). Em todo caso, a morte de João Batista capturou a imaginação da tradição.

Este é um conto divagador e terrível, mas maravilhosamente contado. Em outro lugar, descrevi a retórica deste conto em termos do desenvolvimento de sua caracterização de João Batista e Herodes (Camery-Hoggatt, 1995, pp. 144-146). Nesta forma de ironia dramática, o herói irônico é lançado contra o pretendente. O caráter recatado de João Batista já foi estabelecido com respeito a Jesus (Mc 1.7,8). Ele desempenha papel secundário nesta história — a única parte em que ele fala é numa condenação memorável da relação adúltera de Herodes com sua cunhada, Herodias. Não obstante, João Batista é um gigante moral; em contraste, Herodes está destruído no julgamento moral do leitor. Ele é um tolo moral, tropeçando precipitadamente em sua própria abolição.

A história também pode ser analisada em termos de seu estilo retórico. Muitos estudiosos sugerem que há sensualidade na dança da filha de Herodias. Nesse caso, Marcos depreciou esse aspecto consideravelmente. Ele só informa que ela "*agradou* a Herodes e aos que estavam com ele à mesa" (v. 22; ênfase minha). Fica-se a perguntar por que a insinuação sexual não se acha mais perto da superfície, mas a história inteira está impregnada de narração incompleta: "E Herodias o espiava e queria matá-lo, mas não podia" (v. 19; ela positivamente o *odiava*); "Não te é lícito possuir a mulher de teu irmão" (v. 18; todo o mundo sabia disso; com certeza a linguagem de João Batista era mais forte); "[ela] agradou a Herodes e aos que estavam com ele à mesa" (v. 22). Muita coisa ficou sem ser dita, mas o ouvinte atento quase não pode deixar de ouvir por trás da palavra "ceia" algo grosseiro o bastante para os gostos de militares (v. 21).

Ao mesmo tempo, há toques contrários ao senso comum. Expresso no contexto de repetida narração incompleta, a oferta de Herodes à jovem torna-se recompensa incrível — e impossível — para uma noite de dança (v. 22). Esse é precisamente o ponto. O "rei" lhe faz surpreendente oferta, sem que ela tivesse solicitado nada: "Pede-me o que quiseres, e eu to darei [...], até metade do meu reino". Ou não foi solicitado? A dança em si já não era uma solicitação? Se esse fosse o caso, então a oferta do rei faz perfeito sentido. Marcos nos teria informado que o devasso não a está recompensando por um prazer passageiro, ele está pedindo o preço dela por algo mais.

Da perspectiva dela e de sua mãe, uma espada na garganta de João Batista é um golpe de mestre. João, parece, é a única voz corajosa o bastante para condenar Herodes publicamente pelo que este fez. A filha de Herodias não pode com facilidade aceitar a oferta de Herodes; não pode, isto é, enquanto João Batista está vivo. Com João morto, podem haver outras ofertas. Com João morto, a consciência de Herodes também morre. Herodes se equivoca, a tensão aumenta. As conseqüências são incríveis. É igualmente incrível que Herodias explorasse uma situação como esta; afinal, trata-se de sua filha e de seu marido. Mas que Herodias promovesse tais amores ilícitos não é mais incrível que a sua parte na dança. Ela parece não ter tido escrúpulo algum.

Há outra linha de tensão nesta história que também requer comentário antes que avancemos: Herodes e Herodias são postos em contraste mediante paralelo entre os versículos 19 e 20. "E Herodias o espiava e queria matá-lo [João Batista]", ao passo que "Herodes temia a João". Estas duas são visões interiores. Elas informam o leitor sobre a tensão crítica nas subjacentes estruturas dinâmicas da história. É esta tensão que estabelece o plano de fundo da execução de João Batista, no processo que assassina o caráter de Herodes. O velho rei foi engabelado, humilhado num momento de paixão e confusão moral; o fato de que ele foi adiante com a execução mostra que lhe faltou a clareza moral e a coragem pessoal para se desvencilhar da armadilha de sua esposa.

A história comporta-se por si mesma como indiciamento horrível de um tolo político. Por que Marcos investiu tanto espaço em tal conto horripilante? Por que está aqui?

1) Talvez, remotamente, é o primeiro plano para a controvérsia entre Jesus e os fariseus, em Marcos 10.2-12. Esta controvérsia se concentrará na mesma questão — divórcio — e ocorre na "Judéia, além do Jordão", no território do mesmo Herodes Antipas. Para o leitor, que sabe que o local tradicional da execução de João Batista é a fortaleza de Maquero, junto ao rio Jordão, o pedido dos fariseus para que Jesus tomasse posição pública sobre o divórcio *nessa localização* soa com maior perigo, porque Marcos incluiu *esta* história *aqui*.

2) Mais poderosamente, tão desconexo e indefinido como é, a morte de João Batista prepara de algum modo a morte de Jesus. Jesus e João Batista estão tão intimamente ligados que o destino de um pressagia o destino do outro; o enredo de João Batista é o enredo de Jesus em miniatura. A morte de João Batista lança sombra forte e dura-

doura sobre a narrativa, uma sombra que só fica mais forte e mais ominosa à medida que aumenta a oposição contra Jesus.

Mas o elemento do irônico de alguma maneira também permanece aqui. Como João Batista, Jesus assumirá o papel de herói irônico, que subjugará a oposição. Como João Batista, Ele estará calado em seu julgamento, mas até o silêncio falará alto. E o que é mais importante, Ele mostrará por um supremo ato de sacrifício a verdade profundamente irônica de que, no poder de Deus, mais está acontecendo do que os olhos vêem.

2.7.5. O Retorno dos Doze (6.30,31). Este curto texto de transição devolve o leitor ao enredo primário e prepara e estabelece o contexto para a alimentação dos cinco mil que vem a seguir. Só em outro lugar os discípulos de Jesus são referidos por "apóstolos" (Mc 3.14, NVI). Não há dúvida de que aqui a palavra serve para distinguir os seguidores de Jesus dos discípulos de João Batista, mencionados no versículo anterior (Mc 6.29).

2.7.6. A Alimentação dos Cinco Mil (6.32-44). Este milagre está estreitamente relacionado com a alimentação dos quatro mil registrada em Marcos 8.1-10 (veja comentários lá). O presente milagre é uma das histórias mais simbolicamente carregadas no Evangelho de Marcos, embora não seja imediatamente evidente, porque os símbolos ganham cada vez mais ascendência sobre o leitor, acumulando-se pouco a pouco de vez em vez. O processo de leitura é um processo de descoberta. O peso cumulativo irromperá como uma nova consciência de que mais está acontecendo do que os olhos vêem.

No centro dos símbolos está a palavra grega *artos*, traduzida por "pão". Como vimos na discussão de abertura da seção maior (veja acima, seção 2.7), esta palavra torna-se referência eventualmente clara, embora oblíqua, a Jesus, o Pão da Vida, o Um Pão com os discípulos no barco (veja Mc 8.14-21). Se virmos Jesus como o "pão", então a história assume nuanças importantes da Última Ceia. Essas nuanças são reforçadas por alusões quase diretas à linguagem da Ceia do Senhor — não na versão de Paulo, à qual estamos acostumados, mas à versão encontrada em Marcos 14.22-25, com que Marcos e seu leitor teriam estado mais familiarizados. É digno de nota que o conjunto de paralelos inclui a linguagem de outra história de alimentação de Marcos, a alimentação dos quatro mil, encontrada em Marcos 8.1-11. De fato, os paralelos são bastante surpreendentes:

Marcos 6.41	Marcos 8.6	Marcos 14.22
E, tomando ele os cinco pães [*labon tous ... artous*] e os dois peixes, levantou os olhos ao céu, e abençoou [*eulogesen*], e partiu os pães [*kateklasen tous artous*], e deu-os aos seus discípulos [*kai edidou tois mathetais autou*]	E, tomando os sete pães [*labon tous ... artous*] e tendo dado graças [*eucharistesas*], partiu-os [*eklasen*] e deu-os aos seus discípulos [*kai edidou tois mathetais autou*]	E, comendo eles, tomou Jesus pão [*labon arton*], e, abençoando-o [*eulogesas*], o partiu [*eklasen*], e deu-lho [*kai edoken autois*]

Espera-se claramente que o leitor de Marcos ouça as várias alusões à Ceia do Senhor nas histórias das duas alimentações. Estes elementos lançarão o leitor numa reflexão sobre o significado teológico das alimentações, mas o fará situando essa reflexão dentro da estrutura maior de uma cristologia eucarística.

Se é assim, então a pergunta de Jesus aos discípulos, no versículo 38 ("Quantos pães tendes?"), é pergunta significativa, da mesma maneira que a ordem no versículo 37 de que os discípulos devem lhes dar algo de comer é implicitamente uma ordem para a missão. Embora os discípulos compreensivelmente não entendam a alusão, conta-se que o leitor a entenda. Vários detalhes na história se associam para enfocar a atenção no fracasso de os discípulos reconhecerem este aspecto de sua experiência. Nos versículos 35 e 36, os discípulos fazem a pergunta sobre como alimentar as multidões crescentes, mas o que informa a pergunta deles? Não é que eles não viram o próprio Jesus em sua identidade como o Pão? sua instrução no versículo 37 provoca resposta incompreensivelmente semelhante: "Isso levaria oito meses do salário de um homem".

Mais tarde Marcos faz comentário explícito que indica a maneira na qual ele esperava que seu leitor desenvolvesse as indicações que ele dera. Por exemplo, em Marcos 8.4 Jesus é confrontado novamente com grande multidão, e os discípulos farão outra pergunta incompreensível: "Donde poderá alguém satisfazê-los de pão aqui no deserto?" Vindo tão pouco tempo depois da alimentação miraculosa de mais pessoas com menos provisão, a pergunta é surpreendente. Com tais detalhes, Marcos mostra ao seu leitor algo sobre a identidade de Jesus, que ele espera que o leitor entenda plenamente. Em Marcos 6.52, ele o diz diretamente: Depois que o discípulos ficam terrificados quando vêem Jesus andando sobre as águas, Marcos explica esse terror em termos de o fracasso em não compreenderem algo sobre o *artos*: "[Eles] não tinham compreendido o milagre dos pães".

Há duas complicações iniciais nesta interpretação.
1) Se Jesus é realmente o "um pão" que tinham consigo no barco, por que o narrador dá-se ao trabalho de observar que sobraram *doze* pães na primeira alimentação e *sete*, na segunda? Estes números parecem ser de grande significado para Marcos, porque estão no centro do enigma que Jesus apresenta aos discípulos, em Mateus 8.14-21.
2) O que devemos fazer com os peixes, visto que até onde sabemos, não tiveram lugar na primitiva eucaristia cristã? De fato, este é um dos pontos nos quais os paralelos entre as narrativas das alimentações milagrosas e a Ceia do Senhor se rompem. Mas enquanto o significado simbólico dos peixes permanece um mistério não resolvido, é provável que tenha apenas significado secundário.

A questão sobre a multiplicidade das sobras de pão leva-nos a um diferente conjunto de símbolos. Estes têm a ver com diferenças étnicas entre as duas multidões, as quais Marcos deixa claro por uma variedade de detalhes. A primeira alimentação milagrosa ocorre na Galiléia, território judaico; a segunda, em Decápolis, território gentio (veja Mc 7.31). Na segunda alimentação milagrosa, Marcos usa a palavra grega que se refere a cestos para uso geral e de múltiplas finalidades (*spuridai*); na primeira, os cestos são chamados de *kophinoi*, identificados tipicamente como cestos judaicos. O *kophinos* era um tipo de cesto de lanche, o qual os judeus ortodoxos levavam consigo para garantir que comessem comida *kosher*.[8] Não se podia, afinal de contas, confiar no que se comprava nas ruas. Os romanos satirizavam os judeus por carregarem os *kophinoi* por todos os lugares (e.g., Juvenal, *Sátiras*). A palavra *kophinos*, encontrada em Marcos 6.43, não tem o propósito de mostrar a enormidade do milagre, mas chamar a atenção para sua qualidade judaica.

Isto também serve de indicação para o significado dos números cinco e doze (e, na alimentação dos quatro mil, sete). Metáforas numéricas são difíceis de serem aceitas para a mentalidade dos dias atuais, talvez porque usamos números como ferramenta de precisão científica. Devemos nos colocar na posição dos leitores autorais de Marcos, que teriam entendido os números como metáforas. Em outros lugares ele deu indicação clara de que esperava esta resposta (Mc 8.14-21). O número cinco é evocativo dos cinco livros da Torá; o número doze traz à lembrança as tribos de Israel; o número sete lembra o truísmo judaico de que sete é o número da perfeição, e (talvez por extensão) a crença de que há setenta nações na terra. Assim, Marcos usa estes números para reforçar a distinção étnica maior entre as duas narrativas de alimentação milagrosa, em que a alimentação dos cinco mil era uma alimentação judaica, ao passo que a alimentação dos quatro mil era gentia.

Além disso, a imagem de Jesus milagrosamente alimentando multidões no deserto pode trazer à memória as imagens de Elias, que milagrosamente forneceu comida para uma viúva e seu filho (1 Rs 17.8-16), e, mais poderosamente, de um milagre famoso no qual Eliseu ordenou que seu criado desse comida a cem homens (2 Rs 4.42-44). Há paralelo solto entre a ordem de Jesus aos discípulos, em Marcos 6.37, e a ordem de Eliseu ao criado para compartilhar com as pessoas os vinte pães de cevada trazidos por um homem de Baal-Salisa: "Dá ao povo, para que coma" (2 Rs 4.42). Em todas as três histórias, as provisões foram milagrosamente estendidas a ponto de ter sobra de comida. Deste modo, Marcos coloca Jesus no prumo dentro da tradição profética, uma conexão que prepara o leitor para a pergunta sobre a identidade profética de Jesus no julgamento (Mc 14.53-65).

Há três matizes adicionais aqui.

1) A alimentação dos cinco mil alarga e aprofunda nosso entendimento sobre o que significa que Jesus "começou a ensinar-lhes [as multidões] muitas coisas" (Mc 6.34). Com efeito, a alimentação é uma parábola ordenada, com a identidade de Jesus como o Pão da Vida que serve de centro organizador da parábola.

2) O fato de que Jesus viu as multidões judaicas "como ovelhas que não têm pastor" (v. 34) é julgamento claro sobre as autoridades judaicas, que não puderam ou não quiseram cuidar do rebanho de Deus (cf. Ez 34).

3) A alimentação dos cinco mil prepara o leitor para entender a alimentação dos quatro mil de modo importante. Pode-se dizer que, ainda que a primeira alimentação milagrosa não seja dependente da segunda, seguramente a segunda depende da primeira.

Ao longo desta discussão nos movemos de um lado para o outro através da narrativa para classificar o repertório de nuanças de fundo evocado pelas alusões secundárias à Ceia do Senhor e à literatura apocalíptica. Para o leitor autoral de Marcos, as nuanças teriam descido pelo oleoduto lingüístico sem serem classificadas, revelando um elemento depois do outro num processo cumulativo de descoberta literária. A alimentação dos cinco mil é um movimento inicial nesse processo, e a descoberta continuará a se desdobrar à medida que a narrativa avançar.

2.7.7. Jesus Caminha sobre o Mar (6.45-52). Esta história é parte de um complexo maior de histórias que lidam com significados simbólicos nas alimentações dos cinco mil e dos quatro mil (certifique-se de ler os comentários sobre a esta seção que começa com o ponto 2.7).

Em todos os quatro Evangelhos, a história de Jesus andando sobre as águas segue a alimentação dos cinco mil. A nota secreta em Marcos 6.51,52, de que os discípulos "ficaram muito assombrados e maravilhados, pois não tinham compreendido o milagre dos pães", indica que Marcos vê estreita conexão teológica. A própria nota pressupõe que o leitor traz informação de fora da leitura, e sugeri em outro lugar que a informação externa envolve a identificação de Jesus como o Pão da Vida. A natureza e posição de Marcos 6.52 dão a entender a expectativa de Marcos de que, nesta altura da narrativa, as alusões a Jesus como o Pão da Vida teriam ficado

Marcos conta como Jesus em duas ocasiões alimentou milagrosamente multidões. Na primeira vez, Ele alimentou cinco mil homens com apenas cinco pães e dois peixes. A segunda alimentação, escreveu Marcos, foi para quatro mil homens. Desta feita eles começaram com sete pães e alguns peixinhos, contudo recolheram sete cestos cheios de sobra de comida. Este mosaico encontra-se em Tabgá, na orla ocidental do mar da Galiléia.

conscientes para o leitor, e poderiam servir de chaves para o enigma que os discípulos são incapazes de decifrar.

Tudo na narrativa prepara o enigma, mas o faz explorando uma série de alusões e questões problemáticas. À medida que a história se desdobra, começa a trazer à memória o apaziguamento da tempestade (Mc 4.35-41). É a essência dessa história, não os detalhes específicos, que vêm em primeiro plano agora. Na primeira história Jesus tinha usado palavras de libertação para acalmar a tempestade. O fato de que "o vento lhes era contrário" (Mc 6.48) reforça a ligação com a história do apaziguamento da tempestade ao recordar tal linguagem. Na primeira história, o vento é personificado e é hostil, talvez até endemoninhado.

Desta vez os discípulos estão sós quando o vento começa a bufar. Este pode ser o fundo psicológico contra o qual devemos entender o medo de eles verem um "fantasma" (talvez melhor, uma "aparição") sobre as águas. Tenha em mente que os discípulos já estavam inclinados a interpretar uma aparição como figura má. Em sua mente, as forças demoníacas do apaziguamento da tempestade talvez tenham voltado. O que eles têm de fazer quando Jesus não está com eles? Foi-lhes dada autoridade para expulsar demônios, mas será o bastante?

A referência à quarta vigília da noite, no versículo 48, marca que a hora do milagre foi aproximadamente às três horas da manhã. Mais notável é a frase "andando sobre o mar", que evoca uma multidão de textos acerca da deidade que anda sobre as águas. Quando posta contra o plano de fundo destes textos, a frase liga-se com o conhecimento anterior do leitor de que Jesus é "o Filho de Deus", e deste modo traz à lembrança a imagem literária de uma teofania (aparição divina).

Vários detalhes da história reforçam a imagem. A mais conhecida é o uso que Jesus faz do nome divino "Sou Eu", no versículo 50, no qual nos deteremos brevemente. A imagem de uma teofania é o contexto maior sobre o qual devemos avaliar o dito enigmático de Marcos de que Jesus estava a ponto de "passar adiante deles" (v. 48). Isto é especialmente estranho, visto que parece contradizer a observação na sentença anterior de que Jesus "aproximou-se deles". O que quer dizer "passar adiante" aqui? Muitas vezes na tradição do Antigo Testamento, temos a descrição de que Deus "passou adiante" num espetáculo de majestade divina (e.g., Êx 33.19,22; 1 Rs 19.11). Deus "passa adiante" para permitir uma visão de soslaio, ou melhor, uma "consciência" de soslaio por causa da crença comum de que ninguém podia olhar para a forma divina sem ser destruído. Na LXX, em Amós 7.8 e 8.2, o mesmo verbo aparece num pronunciamento divino que Deus nunca mais "passará" pelos filhos de Israel, mas os abandonará aos seus próprios estratagemas.

O que até aqui temos visto reforça e aprofunda a impressão de uma teofania. O que vem nos versículos 49 e 50 é um comentário implícito sobre a cegueira dos discípulos quanto à verdadeira identidade de Jesus: Eles trazem consigo suas memórias da linguagem de expulsão de demônios, no capítulo 4, e em seu pânico concluem que o que vêem é algum tipo de aparição. Ironicamente, eles estão vendo o oposto; embora os discípulos não reconheçam Jesus, o leitor de Marcos reconhece.

Jesus convoca os discípulos: "Tende bom ânimo, sou eu; não temais" (v. 50). Isto funciona em três níveis.

1) Este ponto da narrativa lembra as palavras de Jesus registradas em Marcos 4.40: "Por que sois tão tímidos? Ainda não tendes fé?" A memória também reapresenta a pergunta sem resposta que os discípulos fizeram em Marcos 4.41: "Mas quem é este que até o vento e o mar lhe obedecem?"

2) Dentro da narrativa, o versículo 50 exorta os discípulos a reconhecer que seus medos eram infundados. A estrutura da narrativa indica que eles só podiam ter tal reconhecimento mediante uma revisão da compreensão que têm sobre quem Jesus é.

3) A frase que Jesus fala: "Sou Eu", é provável alusão ao nome divino falado por Deus a Moisés numa teofania em Êxodo 3.14: "EU SOU O QUE SOU", o qual no grego da LXX é soletrado do mesmo modo.

Quando estas três nuanças são consideradas juntas, elas sugerem sutil reviravolta literária numa antiga forma de literatura: Os discípulos têm medo, como as pessoas geralmente o têm diante de uma teofania, mas eles estão com medo pelos motivos errados. Claro que o problema não é que a pessoa deva ter medo pelos motivos certos, mas, antes, que não há motivo para medo. As palavras de Jesus aos discípulos destacam esse fato pela repetição e evocação de numerosos textos do Antigo Testamento que exortam a pessoa a achar fé e confiança no poder vicário de Deus.

Marcos oferece explicação ao que impediu os discípulos de verem esta grande verdade: "Pois não tinham compreendido o milagre dos pães; antes, o seu coração estava endurecido" (v. 52). De todas as passagens difíceis em Marcos, talvez nenhuma é mais enigmática do que esta. Como os *pães* provêem a chave para a figura que anda sobre as águas? A conclusão de Quentin Quesnell (1969, p. 276), o intérprete católico romano, de que a referência é uma escrita cifrada que aponta a eucaristia (onde a vida pode ser encontrada), pode chocar a sensibilidade protestante por ir além do necessário. Há, porém, muito a recomendá-la, não sendo o item menos importante a série de alusões à Última Ceia embutidas na história da alimentação dos cinco mil na seção anterior (veja comentários sobre Mc 6.32-44). Tivessem os discípulos visto a aparição pelos olhos da fé, tivessem sabido que com Deus mais está acontecendo do que os olhos vêem, tivessem eles entendido o fato irônico de que nem sequer a ameaça de desastre separa a pessoa do amor de Deus — nos termos de Marcos, tivessem eles "entendido acerca dos pães" —, eles teriam sabido que não havia razão para medo. Não aqui. Jamais.

2.7.8. As Curas em Genesaré (6.53-56). Marcos ocasionalmente retrata os movimentos de Jesus com pincel largo e algumas pinceladas rápidas (veja também Mc 1.32-34; 3.7-12; 4.33,34; 6.30,31; 7.31-37). Tais resumos lembram o leitor que a história é representativa, em vez de ser exaustiva, e acrescentam uma qualidade profunda e veloz aos movimentos de Jesus.

2.7.9. Contaminação — Tradicional e Real (7.1-23). Antes que nos lancemos numa investigação desta seção longa e complicada, devemos nos desviar de nosso propósito momentaneamente e examinar uma das estratégias composicionais de Marcos: *organização por palavras-gancho*. Marcos nem sempre segue uma cronologia histórica no arranjo do seu material. Enquanto que notas cronológicas precisas juntam a narrativa depois da entrada triunfal de Jesus (Mc 11.1—16.8), tais notas são raras na primeira metade do Evangelho. O material aparece mais freqüentemente organizado por tema.

Às vezes em Marcos uma narrativa tematicamente relacionada é interrompida por uma intrusão, incitada por palavra ou frase extraordinária na história sendo contada. À medida que ele escrevia uma história, certa palavra ou frase o fez lembrar de outra história com os mesmos elementos. Aparentemente ele optava por incluir esses elementos imediatamente, embora significasse interromper um tema coerente. A frase usada para aludir a este processo é *organização por palavras-gancho*. Em alguns lugares forma a principal coluna estrutural da narrativa (veja esp. seção 3.1.9).

Este método organizacional nos diz algo de como Marcos lia as fontes que ele tinha à disposição. Ele era, afinal de contas, não só um contador destas histórias mas também um recebedor, alguém que passava à frente uma tradição que tinha recebido, e ele entendia a tradição de modo particular. A seção longa e complexa que lida com a questão da contaminação está unida pela repetida palavra-gancho "tradição" (vv. 3,5,8,9,13). Há uma narrativa maior e coerente (nos vv. 1-8 e 14-23), que é interrompida por um aparte menor (nos vv. 9-13).

Comecemos com a história maior. O que está em jogo aqui é a verdadeira natureza da contaminação e, por implicação, a santidade. A explicação dos costumes judaicos, nos versículos 3 e 4, foi provavelmente incluída para o benefício dos leitores gentios, alguns dos quais teriam necessitado de uma explicação. Os principais atores da história são certos fariseus e escribas "que tinham vindo de Jerusalém" (v. 1). A impressão criada é que uma "força-tarefa" especial veio investigar, de modo um tanto quanto formal, a prática de Jesus. O leitor que conhece que o fim da história é a crucificação em Jerusalém pode ouvir uma sugestão de perigo iminente. Jesus já fez muito para levantar as suspeitas das autoridades (veja Mc 2.1—3.6; 3.22-30). Uma investigação formal fornecerá munição para mais tarde.

A presente história foi escrita como outra história de controvérsia, embora Marcos se esmere especialmente para esclarecer as condições do debate (veja "A Forma de Histórias de Pronunciamento", seção 2.3). A pergunta feita no versículo 5 ("Por que não andam os teus discípulos conforme a tradição dos antigos, mas comem com as mãos por lavar?") parece que foi uma pergunta feita contra os membros da própria igreja de Marcos. Neste caso, os leitores de Marcos teriam um investimento pessoal na resposta de Jesus.

Jesus responde nos versículos 6 a 8, citando Isaías 29.13. Esta linguagem é incomumente forte, até para Marcos. Pintando este texto do Antigo Testamento no quadro, Jesus indica que os fariseus e escribas abandonaram a verdadeira perspectiva da lei e, em seu lugar, substituíram uma postura superficial e hipócrita. Talvez haja um trocadilho aqui. Jesus chama as autoridades de "hipócritas" (derivado de *hypocrites*, lit., "ator de teatro"). Este é um termo novo no vocabulário religioso judaico, talvez proveniente da introdução do teatro na vida judaica. Os líderes religiosos são "como atores que encenavam para adulação pública" (Batey, 1984, p. 564). Esta descrição é consistente com o que Isaías diz: "Este povo se aproxima de mim e, com a boca e com os lábios, me honra, mas o seu coração se afasta para longe de mim". Esta é devoção que se veste para representar uma peça. É *script*, mas não Escritura, uma máscara da verdadeira devoção.

Como é freqüente acontecer em Marcos, a declaração é enigmática, e os discípulos recebem uma explicação mais concreta nos versículos 14 a 23. Aqui Jesus declara que as regras da comida *kosher*[8] são uma violação da lei. Em seu lugar, Ele põe uma ética interiorizada, arraigada no coração humano, em vez de estar na lei externa. Jesus está convencido de que o coração humano ou a mente é o campo de batalha dos espíritos da verdade e da perversidade (cf. também Rm 1.29-31).

Assim o material dos versículos 1 a 8 e 14 a 23 mantém-se junto como exploração integrada e complexa da natureza da santidade e da perversidade. Abrindo com o desafio feito pelos fariseus e escribas e apontando estes grupos como o ímpeto do ataque sarcástico de Jesus, nos versículos 6 a 8, Marcos deixa claro que tem em vista uma devoção de tipo diferente da ratificada pelas autoridades judaicas. Se as autoridades simplesmente fizeram as perguntas erradas — como podem esperar chegar às respostas corretas?

Entre estas duas metades, Marcos intercalou um sumário, ataque quase mordaz aos fariseus pela tendência que eles têm a usar a letra da lei para manipular o caminho em torno do espírito. O versículo 9 abre com um jogo de palavras: "Bem invalidais o mandamento de Deus para guardardes a vossa tradição". A ironia aqui fica mais clara se nos permitirmos algumas liberdades na tradução. A palavra "bem" pode ter soado nos ouvidos dos leitores assim: "O quão formosamente vós fazeis uma coisa feia!", ou, talvez: "Vós fazeis da ilegalidade uma grande justiça".

A prática que Jesus condena está documentada em fontes exteriores. A palavra crítica é a palavra aramaica *corbã*, que Marcos translitera e a traduz para os leitores. Esta palavra se refere a uma "maldição", um "voto" ou "algo sacrificado [ou dado] a Deus". Marcos traduz *corbã* pela palavra grega *doron*, a qual a RC traduziu por "oferta ao Senhor". Fazemos bem em lembrar que estes conceitos estão estreitamente relacionados no pensamento judaico. Algo posto de parte para Deus já não deve ser usado para outro propósito. Pode até ser destruído para simbolizar a totalidade deste princípio. Pode-se especificar tal oferta por um voto; apenas pronunciando a palavra *corbã* constitui um voto que liga a Deus. Com base em Números 30.2, tais votos são obrigatórios, mesmo que, para mantê-los, a pessoa tenha de violar outro estatuto bíblico.

Há outra consideração no caso que Jesus discute aqui: As reivindicações de Deus (i.e., as iniciadas pelo voto) são superiores às reivindicações dos pais, porque, como é óbvio, o próprio Deus é superior aos pais. Esta atitude ganha o comentário esfolador de Jesus registrado no versículo 13: "Invalidando, assim, a palavra de Deus pela vossa tradição, que vós ordenastes". O ponto mais exato aqui é que as reivindicações de Deus são melhor demonstradas no todo da Escritura (o que exige que a pessoa honre os pais) do que na ocorrência isolada de um voto pessoal.

Mas há um ponto mais amplo a ser considerado. Ainda que a discussão acerca do *corbã* seja intrusa, sua presença expande a questão partindo de uma discussão sobre determinada ocorrência das leis alimentares rabínicas para incluir a questão da lei em si. A objeção de Jesus não é a uma ocorrência particular da lei rabínica, mas à total estrutura interpretativa pela qual a lei é formulada, a tradição pela qual é passada e as autorizações pelas quais é obrigada.

Quatro detalhes da passagem reforçam esta inclusão.
1) Há um comentário geral nos versículos 3 e 4: "E muitas outras coisas há que receberam para observar".
2) No versículo 7 lemos que Jesus está preocupado com as "doutrinas que são mandamentos de homens".
3) Tema similar aparece no versículo 13: "E muitas coisas fazeis semelhantes a estas".
4) Finalmente, e talvez mais concretamente, a própria alternativa ética de Jesus, sua ética interiorizada "do coração", põe em dúvida a ética dos mandamentos que ficavam por trás da objeção dos escribas e fariseus, nos versículos 2 e 5. Enquanto não seja prático ler Marcos à luz de Mateus, pode ser que aqui tenhamos um paralelo retórico com Mateus 5.20: "Porque vos digo que, se a vossa justiça não exceder a dos escribas e fariseus, de modo nenhum entrareis no Reino dos céus".

Façamos uma pausa e consideremos os modos pelos quais esta história pode ter sido ouvida por uma congregação etnicamente misturada. Para os membros judaicos, os princípios de devoção que Jesus apresenta teriam soado inexplicavelmente familiares. De fato, Jesus teria se assemelhado muito a um profeta que se levanta contra o estatuto, mas firmemente dentro da tradição. Para os membros gentios, o empuxo teria sido o modo no qual Jesus está *em oposição à* devoção pelo legalismo. A condenação dos "escribas que tinham vindo de Jerusalém" soa estranhamente como a descrição que Lucas fez dos judeu-cristãos — Paulo os chama "judaizantes" —, "que tinham descido da Judéia" para a Antioquia a fim de exigir que os convertidos gentios se submetessem à circuncisão (At 15.1-4) e adotassem os costumes judaicos (Gl 2.11-17).

Ainda que o *relato* de Lucas sobre este conflito tenha sido escrito depois de Marcos, o conflito em si veio antes, como demonstra a data de Gálatas. Não podia ser que a contenção continuou e se espalhou pela Igreja? Neste caso, o leitor gentio de Marcos teria ouvido a insistência de Jesus sobre uma ética interiorizada com um tipo de alívio. De fato, o próprio Marcos interpreta a linguagem de Jesus do modo mais amplo possível: "E, assim, considerou ele puros todos os alimentos" (Mc 7.19, ARA).

De maneira global, o empuxo desta passagem se encaixa nitidamente com o tema mais amplo do progresso do Evangelho que inclui os gentios. Por definição, eles são considerados *povos* contaminados. Essa progressão se aguçará consideravelmente nas histórias seguintes: Jesus trará as bênçãos da salvação à família de uma mulher grega, "siro-fenícia de nação" (Mc 7.26), e depois, com alusão notável à Ceia do Senhor, para as comunidades gentias de Decápolis (Mc 8.1-10).

2.7.10. A Mulher Siro-Fenícia (7.24-30).

Esta história funde duas formas diferentes ao envolver um milagre (vv. 24-26,29,30) em volta de uma história de pronunciamento (vv. 27,28). O leitor deste comentário é exortado a revisar as discussões dessas duas formas (veja "Forma de Milagre" e "A Forma de Histórias de Pronunciamento", seções 2.2.3 e 2.3, respectivamente). A história também está integralmente conectada com seu contexto literário (revise os comentários gerais na seção 2.7).

Esta unidade em Marcos causou muita confusão na mente popular. As palavras cruciais estão no versículo 21: "Deixa primeiro saciar os filhos, porque não convém tomar o pão dos filhos e lançá-lo aos cachorrinhos". Jesus estava sendo racista? Considerando os detalhes pelo seu valor manifesto, alguns cristãos primitivos podem ter interpretado dessa maneira. Marcos certamente enfatiza o fato de que a mulher era gentia. Ele situa a história na região gentia de Tiro e Sidom (v. 24) e identifica que a mulher era "grega, siro-fenícia de nação" (v. 26). É óbvio que este é assunto de pouca monta para Marcos, e o modo franco no qual ele levanta a questão sugere que não queria que o leitor deixasse de entender o ponto.

O ponto aqui é que o versículo 27 é irônico. Ler apenas o que está na superfície da narrativa é interpretá-la mal. Deve ser lida como um pouco de atrevimento. Esta é ironia de tipo especial, às vezes chamada "ironia peirástica" (derivado do termo grego *peirazo*, "pôr em prova"). Este tipo de ironia é um desafio verbal tencionado a provar a resposta da outra pessoa. Pode na verdade declarar o oposto da verdadeira intenção de quem fala. Excelente exemplo é achado em Gênesis 19.2, onde os anjos do Senhor provam a seriedade da oferta de hospitalidade feita por Ló declarando o oposto de suas verdadeiras intenções: "Não! Antes, na rua passaremos a noite".

Há indícios de que é exatamente assim que Marcos entende esta declaração.
1) A primeira — e, na minha opinião, é suficiente — é a localização da história nesta série de afirmações da missão gentia. Se Marcos pensava que a declaração indicava o obstáculo de Jesus para aquela missão, ele poderia muito bem ter omitido o episódio inteiro.
2) Outra evidência é a sagacidade na construção da própria declaração. Envolve um conjunto de metáforas e uma alusão. As metáforas são os "filhos" (denotando, com certeza, os judeus) e os "cachorrinhos" (epíteto judaico comum para referir-se aos gentios). Quando Jesus faz a pergunta, a referência ao "pão" (*artos*) traz à consciência todo o complexo de significados desta palavra que foram levantados anteriormente em Marcos 6.1 a 8.30 (veja comentários sobre Mc 2.7). Diz respeito indiretamente às bênçãos de salvação, mas neste contexto alude também à Ceia do Senhor. O empuxo da ironia peirástica é este: "Os cachorros — os gentios — receberão o que lhes pertence em breve, mas só mais tarde, quando as migalhas forem jogadas fora como lixo. Os judeus primeiro. Os gentios depois. Certo?" Mas a declaração de Jesus é lançada como desafio, um enigma a ser resolvido, um dito espirituoso que requer resposta mais engenhosa.

A resposta da mulher é brilhante, pois estende a metáfora adicionando o elemento das migalhas e colocando os cachorrinhos debaixo da mesa. No processo, destrói a implicação da primeira parte do versículo 27. As migalhas caem para os cachorros, e caem intencionalmente. Lane (1974, p. 263) tem razão: "Se os cachorros comem as migalhas debaixo da mesa, então eles são alimentados ao mesmo tempo que os filhos".

A combinação de forma de milagre com forma de histórias de pronunciamento não é incomum em Marcos (e.g., Mc 2.1-12; 3.1-6). Em outros lugares, quando esta combinação aparece, o milagre serve a controvérsia; o mesmo se dá aqui. O princípio organizacional da passagem é a conversa entre Jesus e a mulher (vv. 27,28). De fato, enquanto vários elementos não são necessários para um milagre, eles servem como plano de fundo para essa conversa e, assim, aprofundam o significado da pergunta de Jesus e da resposta da mulher. O próprio milagre presta para esse propósito. Quando Jesus lhe cura a filha, Ele demonstra em termos certos que todas as bênçãos do Reino são estendidas aos gentios que crêem.

2.7.11. Jesus Cura um Surdo e Gago, e Muitas Outras Pessoas (7.31-37).

De certo modo, esta seção serve de função resumidora (cf. também Mc 1.39; 3.7-12; 6.53-56). O resumo é concretizado e estimulado de duas maneiras.

1) Há o problema da rota tortuosa de Jesus (v. 31): "E ele, tornando a sair dos territórios de Tiro e de Sidom, foi até ao mar da Galiléia, pelos confins de Decápolis". Esta tradução disfarça sério problema. A Versão dos Estudiosos retém algo da dificuldade: "Então Ele deixou as regiões de Tiro e viajou por Sidom ao mar da Galiléia, por meio da região conhecida por Decápolis". Um rápido olhar num mapa mostra que é desajeitado e até inverossímil, semelhante a: "Então Ele saiu da cidade do Rio de Janeiro e viajou por Vitória para chegar a São Paulo, pelo meio da Região Sul". E tem mais, a rota não corresponde ao sistema de estradas e leva a atravessar uma cadeia de montanhas, depois passa por um vale, em seguida chega ao topo de um planalto alto.

Estudiosos conservadores defendem que a rota é intencional, parte dos esforços maiores de Jesus em manter segredo os seus movimentos. E o que é mais importante, a linguagem leva o enredo diretamente para a região de Decápolis (território gentio), que é o ponto da seção maior (veja seção 2.7). Se o leitor original de Marcos não chegou a reconhecer a improbabilidade desta rota, este fato simplesmente reforçaria a sensação de que os movimentos de Jesus foram deliberados. A cura de um surdo, em outras palavras, ocorre em território gentio. Assim Jesus continua a representar o padrão dos profetas Elias e Eliseu estendendo os benefícios de salvação aos que estão de fora. Que melhor maneira haveria de preparar o leitor para a alimentação dos quatro mil que se segue em Marcos 8.1-10?

2) Também devemos notar a maneira na qual Jesus cura o surdo e gago, nos versículos 33 e 34. Às vezes Jesus cura por palavra autorizada. Outras vezes Ele cura a distância. Por vezes a cura inclui um gesto ou toque. Isto sugere que nesses casos Jesus esteja usando uma técnica "de magia"? Em minha opinião indica profundo conhecimento de psicologia humana e a habilidade de Jesus curar não só o corpo, mas também a mente e o coração. Aqui há importante lição sobre as operações da graça. Enquanto o poder curativo de Deus não exige um toque para ser eficaz, as pessoas feridas às vezes precisam de um toque para reconhecer a presença desse poder. Um toque pode ajudar na crença.

Marcos nos dá a palavra de Jesus: "Efatá", junto com a tradução: "Abre-te". Aqui temos uma violação da norma de histórias de milagre, que tende a não registrar as palavras pronunciadas pelo fazedor de milagres (veja "Forma de Milagre", seção 2.2.3). Por que Marcos as inclui aqui? Talvez ele deseja fornecer um modelo para os cristãos que curam. Mais provavelmente, ele deseja mostrar que o poder curativo não reside tanto nas palavras quanto na pessoa que realiza a cura. O leitor é convidado a tentá-las, mas descobrirá que estas palavras não são mágicas. Este milagre é uma cura representativa, algo que acentua o resumo, porque sugere que *todos* os milagres de Jesus eram eficazes.

2.7.12. A Alimentação dos Quatro Mil (8.1-10).

Este milagre está estreitamente relacionado com a alimentação dos cinco mil registrada em Marcos 6.32-44 (veja comentários naquela seção; veja também comentários na seção 2.7). A primeira alimentação é para os judeus na Galiléia e a segunda, para os gentios em Decápolis. Paralelos verbais próximos com a história de Marcos da Ceia do Senhor (veja comentários sobre Mc 6.32-44; 14.22-25) sugerem que estas duas histórias devem ser entendidas em conexão com a mesa de comunhão; implicitamente, o "pão" (*artos*), que é quebrado para as multidões, é o próprio Jesus.

A coisa mais surpreendente sobre esta alimentação é que nem os discípulos nem as multidões parecem estar cientes da alimentação milagrosa anterior. Com efeito, do ponto de vista de um historiador a pergunta dos discípulos, em Marcos 8.4 ("Donde poderá alguém satisfazê-los de pão aqui no deserto?"), propõe algo de um quebra-cabeça. Os discípulos tinham testemunhado o primeiro partir do pão. E será que é provável que nenhuma destas quatro mil pessoas estava presente na ocasião anterior? Se abordarmos as duas alimentações milagrosas deste ponto de vista, os problemas mostram-se insuperáveis. As soluções sugeridas são que houve só uma alimentação milagrosa, ao passo que Marcos pensou erradamente que houve duas. Ou talvez houvesse uma explicação natural para a multiplicação dos pães e não houve milagre algum. Note que nenhum dos dois milagres tem registro de espanto pela multiplicação da comida.

Mas talvez a pergunta histórica seja a pergunta errada a fazer para esta narrativa em particular. Se abordarmos a narrativa da perspectiva orientada ao leitor, algo completamente diferente ocorre: O efeito de Marcos 8.4 é enfocar a atenção na teimosia surpreendente dos discípulos. Esta é uma dessas ocorrências importantes onde Marcos tem seqüenciado a narrativa para conduzir o leitor a determinada direção. A esta altura, o leitor está ciente de que Jesus é o *artos*, e a pergunta implícita em Marcos 8.2,3 está teologicamente carregada: "Há o bastante desse *artos* para alimentar os gentios também?" A resposta correta, claro, é que há o bastante para alimentar o mundo inteiro, mas os discípulos não entenderam essa implicação inteiramente. O leitor entendeu.

2.7.13. Os Fariseus Buscam um Sinal (8.11-13). Esta seção está estreitamente relacionada com o seu contexto, tanto o que precede quanto o que segue. Ao longo de Marcos 6.1 a 8.30 há repetidas alusões e referências a Jesus como o "pão" da vida, o *artos* da Ceia do Senhor (veja comentários iniciais na seção 2.7). Ainda que cada referência tenha sido oblíqua, elas tiveram um efeito cumulativo sobre a leitura, de forma que quando o leitor alcança esta conversa com os fariseus, ele está bem ciente que há mais em Jesus do que os olhos vêem.

A virada crucial da frase está no versículo 12: "Por que pede esta geração um sinal? Em verdade vos digo que a esta geração não se dará sinal algum". Jesus poderia ter querido dizer isto em vários níveis: "Eu não executarei milagres para provar minha identidade"; ou: "Já há milagres o bastante"; ou: "O 'sinal do céu' está em pé, aqui, falando convosco, e vós estais pouco dispostos ou sois incapazes de perceber isto". Nenhum sinal será dado a esta geração, não porque não haja mais sinais, mas porque os fariseus — que são o epítome de "esta geração" — estão moralmente cegos ao sinal que já foi dado. (Esta cegueira moral é o "fermento dos fariseus", em Mc 8.15.)

A linguagem de Jesus é forte, embora esteja mascarada pela linguagem bem torneada da tradução. O versículo 12b é literalmente uma "fórmula de maldição", encurtada para aumentar a potência: "Se esta geração *receber* um sinal..." Jesus deixa a frase sem completar para ressaltar só quais seriam as conseqüências num caso como esse.

2.7.14. O Fermento dos Fariseus (8.14-21). Esta história é outra de um complexo maior de histórias que tratam do significado simbólico da palavra "pão" (*artos*). O leitor deve reler os comentários sobre Marcos 6.33-44 e 8.1-13. Ao longo desta seção maior (Mc 6.1—8.30), Marcos entrelaçou quatro temas.

1) Ele desenvolve o tema de "o Evangelho para os gentios" usando números simbólicos para judeus e gentios (veja comentários sobre Mc 6.32-44), fazendo distinção cuidadosa das palavras gregas para se referir aos cestos usados nas duas histórias de alimentação milagrosa (veja comentários sobre Mc 6.32-44) e tracejando o movimento deliberado de Jesus a partir da Galiléia e no território gentio, primeiro para Tiro e Sidom (Mc 7.24-30), então por rota indireta a Decápolis (Mc 7.31). De fato, se o ponto desta parte da narrativa é que o Evangelho era para os gentios, então a explicação de Marcos 6.1-6 torna-se explicação para a seção como um todo: "Não há profeta sem honra, senão na sua terra, entre os seus parentes e na sua casa" (Mc 6.4).

2) O segundo tema está entrelaçado com o primeiro — a pergunta da identidade de Jesus. Esta pergunta foi feita pela primeira vez na sinagoga de Nazaré (Mc 6.2,3), mas depois é feita de novo (Mc 6.14,16) por via de apresentar a morte de João Batista (Mc 6.17-29). As especulações de Herodes e das multidões (Jesus é o João Batista ressurgido dos mortos, Elias ou outro dos profetas) serão todas repetidas ao término da seção (Mc 8.27-30). Em Marcos 6.49, os discípulos pensam erroneamente que Jesus é um fantasma. Em Marcos 8.11-13, os fariseus exigirão um "sinal do céu", sem imaginar que o pedido deles é admissão irônica de que eles não podem reconhecer o "sinal" que está diante deles.

3) Tivemos várias ocasiões de demonstrar as alusões à Última Ceia (veja comentários sobre Mc 6.32-44). Todas tiveram a ver, de uma maneira ou outra, com o significado simbólico da palavra *artos*, e Marcos incluiu indícios de que o pão é o próprio Jesus.

4) A tudo isto os discípulos estavam cegos. Quando viram Jesus andando sobre as águas, eles pensaram que era um fantasma e gritaram de medo (Mc 6.49). Marcos enfatizou que a razão de eles pensarem que Jesus era um fantasma era que eles "não tinham compreendido o milagre dos pães; antes, o seu coração estava endurecido" (Mc 6.52). De fato, como os fariseus em Marcos 8.11-13, os discípulos fizeram perguntas bastante estranhas (e.g., as mostradas em Mc 7.18,19; 8.4).

Estes quatro temas são importantíssimos, mas para nosso propósito mais importantes são as respostas que eles presumivelmente evocaram nos leitores originais de Marcos. Cada nuança importante que os discípulos não entenderam é anotada e contada contra eles. Quando os habitantes da cidade perguntam: "De onde lhe vêm essas coisas?" (Mc 6.12), o leitor responde: "De seu Pai". Quando eles perguntaram: "Não é este o carpinteiro, filho de Maria"? (Mc 6.3), o leitor responde: "Sim, mas Ele também é o Filho de Deus". Quando os discípulos supuseram que Jesus era um "fantasma" (Mc 6.49), o leitor sabe que Ele não é. Quando Marcos explica que os discípulos "não tinham compreendido o milagre dos pães; antes, o seu coração estava endurecido" (Mc 6.52), é pedido que o leitor compartilhe desse julgamento. Quando os discípulos perguntam como eles encontrarão pão o suficiente para alimentar as multidões no deserto (Mc 8.4), o leitor sabe que ali há pão o bastante para alimentar o mundo inteiro. As perguntas dos discípulos e as reações dos leitores estão em nítido contraste entre si. Quando Jesus pergunta aos discípulos: "Quantos pães tendes?" (Mc 8.5), o leitor sabe a resposta correta: "Um".

Argumentei que a narrativa convida esta série de respostas como parte central de sua estratégia retórica. Estas respostas requerem mudança sutil de perspectiva. A fim de que os leitores de Marcos executem com bom êxito este ato de julgamento, eles têm de se envolver com o ponto de vista de Marcos. Com efeito, deste ponto de vista, fica claro que dentro da história de Jesus "tudo" está em parábolas! Aqui eu argumentaria que essa mudança de perspectiva é tanto parte do plano de fundo desta seção como de qualquer coisa encontrada na própria narrativa.

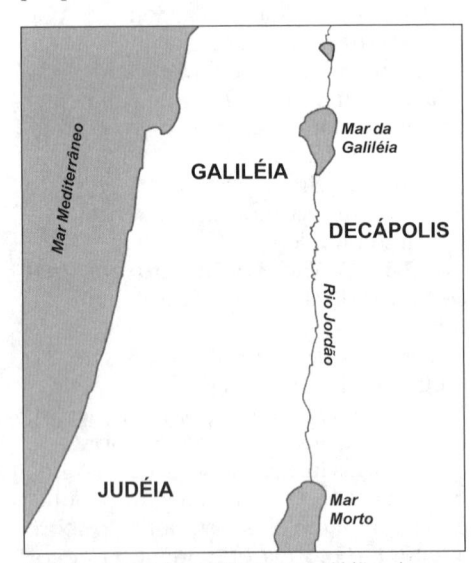

Por duas vezes Jesus alimentou multidões de milhares de pessoas: uma vez na Galiléia, para os judeus, e a segunda vez em Decápolis, para os gentios.

É importante que estas reações dos leitores de Marcos venham em série, isto é, uma depois da outra. A consciência dos quatro temas supramencionados tem sido uma consciência acumulativa. Nesta história do fermento dos fariseus, tudo é levado a um clímax desconcertante. O último "espaço vazio" preenchido pelo leitor imediatamente antes desta história é a reação irônica do leitor ao pedido que os fariseus fazem de um sinal do céu: "Jesus é o próprio sinal". O "fermento" dos fariseus, no versículo 15, é a habitual cegueira moral, o tipo de cegueira que recusa ver a verdade diante de si. Como comentamos em Marcos 8.12, a recusa de Jesus dar um sinal é uma fórmula de maldição abreviada. Veremos essa mesma tensão irromper sobre os discípulos, nos versículos 17 a 21, culminando numa ordem nitidamente formulada: "Vós ainda não entendeis?"

Marcos se demorará momentaneamente em preparar o leitor para esse acesso final ligando o problema da cegueira com o simbolismo do pão. Note o estranho comentário sobre o pão, nos versículos 14 e 16: "E no barco não tinham consigo senão um pão" (v. 14). Este "um pão" não desempenha papel algum na história. Por que Marcos gastaria tinta em preservar um detalhe aparentemente insignificante? Não contribui para a história e parece contradizer a observação de que os discípulos "se esqueceram de levar pão" (v. 14), bem como o próprio comentário dos discípulos de que "não temos pão" (v. 16). É claro que este é precisamente o ponto. Eles têm mesmo o pão, da mesma maneira que os fariseus tinham um "sinal do céu"; mas eles são incapazes de ver o que é. O "um pão" que os discípulos tinham consigo no barco é o próprio Jesus.

Assim o comentário de abertura no versículo 14a, de que "eles se esqueceram de levar pão", é uma declaração direta do fato; o aparte do narrador no versículo 14b, de que "no barco [...] [eles] tinham consigo [...] um pão", é um comentário teologicamente carregado sobre a identidade de Jesus; e a resposta dos discípulos no versículo 16, de que "não temos pão", é uma confissão irônica da cegueira dessa dimensão da identidade de Jesus. Neste momento, a narrativa torna-se desajeitada. Não é justamente esta cegueira o próprio "fermento" contra o que Jesus os está advertindo?

É a confissão irônica da cegueira dos discípulos que instiga a resposta de Jesus, nos versículos 17 a 19: "Para que arrazoais, que não tendes pão? Não considerastes, nem compreendestes ainda?" Entendido deste modo, a história é uma extensão da recusa de Jesus dar um sinal para os fariseus e é, assim, um tipo de julgamento irônico sobre esse pedido de sinal, vendo que Ele mesmo é o sinal de Deus. Não entender isso aqui, como ali, é uma forma de "dureza de coração" (cf. v. 17).

2.7.15. O Cego que Foi Tocado Duas Vezes (8.22-26). Com a história do "cego que foi tocado duas vezes", Marcos introduz a maior transição no livro. Até este ponto, Jesus vinha crescendo em aclamação do público, e com isso houve um aumento de oposição. Dentro da própria história ninguém sabe quem Jesus é na verdade — exceto o Pai, João Batista, os demônios e o próprio Jesus. Para os demais, a identidade de Jesus e a natureza de sua missão eram misteriosas e difíceis, mal entendidas por seus oponentes, as multidões e até os discípulos.

O fato de que os oponentes de Jesus o entenderam mal está suficientemente evidente pela oposição que empreenderam à obra de Jesus, mas para os leitores de Marcos suas maquinações políticas também são evidência de oposição a Deus. As multidões entenderam Jesus de muitas maneiras — como realizador de milagres, contendor político, talvez um revolucionário, um tipo de tradição profética ou sapiencial, um demagogo social. O que quer que pensem, Marcos deixará claro que qualquer entendimento da identidade e missão de Jesus é incompleta e distorcida até que a cruz e a ressurreição sejam levadas em conta. A passagem surpreendente e irônica que acabamos de deixar (Mc 8.14-21) deixa claro que os discípulos também entenderam mal a identidade de Jesus e a natureza de sua missão.

Ao longo desta ladainha de entendimentos confusos, Marcos deu indícios de que com Jesus está ocorrendo mais do que pode parecer a princípio. Há importantes implicações para entender o verdadeiro significado do discipulado. Não é insignificante que este milagre de visão restaurada venha logo em seguida das palavras severas de Jesus aos discípulos: "Não considerastes, nem compreendestes ainda? Tendes ainda o vosso coração endurecido? Tendo olhos, não vedes? E, tendo ouvidos, não ouvis?" (Mt 8.17,18). Como comentado acima, o fracasso em ver e ouvir é evidência de um tipo de cegueira moral, uma obtusidade do espírito que impede de ver e de ouvir. Jesus se referiu a essa cegueira moral como o "fermento dos fariseus", e bem no momento em que Ele acautelou os discípulos contra isto, eles ironicamente expressam o fracasso em entender.

Para Marcos, a história de Jesus é uma parábola com força de ordem, que deve ser entendida em dois níveis. Colocando a história do cego que foi tocado duas vezes neste exato contexto, ele deixa óbvio que o milagre da visão restaurada também é significativo em dois níveis. Como os outros milagres no livro, é um tipo de parábola com força de ordem. Este cego literal representa os discípulos cegos, que vêem, mas não enxergam, que ouvem, mas não entendem. Esta história também é um subenredo literário que expressa os desenvolvimentos do enredo principal: A história intima que os discípulos também vão ter um "segundo toque", mas somente depois de se debaterem com uma visão incompleta e borrada de Jesus.

A próxima seção (Mc 8.27-30) apresentará essa visão borrada com surpreendente claridade: Na resposta a uma pergunta direta — "Quem dizem os homens que eu sou?" —, Pedro fará uma confissão verdadeira, mas mal compreendida: "Tu és o Cristo". Ao longo da seção seguinte (Mc 8.22—15.39), as respostas dos discípulos a Jesus indicarão que eles simplesmente não entendem o significado dessa confissão. As estratégias retóricas de Marcos envolvem engenhosa mudança de identificações. Não narra meramente ao leitor os fracassos dos discípulos; ele dá o julgamento. Fazendo assim, ele quer que o leitor tome posição, a fim de que este tome parte no ponto de vista "iluminado" do qual o julgamento procede. Esta é exigência sutil ao leitor, mas Marcos não oferece alternativa; o leitor que não compartilha os julgamentos da narrativa cai sob a mesma condenação.

Pelo fato de esta breve história do cego que foi tocado duas vezes funcionar como uma parábola narrativa, serve de transição perfeita para Marcos 8.27-30. Acautela o leitor contra fazer mais da confissão de Pedro do que lhe é autorizado; mas ao mesmo tempo promete implicitamente que os discípulos, cegos talvez por suas aspirações de poder não respondidas, algum dia terão o segundo toque de *insight*.

2.7.16. A Confissão de Pedro (8.27-30).

Com esta história chegamos ao ápice da primeira metade deste Evangelho (veja comentários sobre Mc 1.1; 1.2—8.30). É por esta razão significativa que no momento preciso da confissão de Pedro, a cegueira dos discípulos fica explícita. Eles sabem agora que Jesus é o Cristo, mas não sabem o que o título lhe exigirá ou o que exigirá deles. Se esta é a transição essencial na narrativa, também é a ironia suprema da narrativa. A confissão de Pedro só é precisa no vocabulário. As implicações políticas com as quais está imbuída correm em direções completamente erradas, e o leitor é forçado a uma crise de lealdade que expressa a dos discípulos.

Contra o plano de fundo da predição da paixão de Jesus, nos versículos que vêm a seguir (Mc 8.31,32), a confissão de Pedro é difícil. Assinala ao leitor a ironia cega da confissão. Como Pedro a tenciona, a confissão ("Tu és o Cristo") é uma sombra da verdade. Ele fica atordoado por visões de esplendor e cego por um flash de falsa luz. A percepção de que Jesus tem de sofrer e morrer é a verdadeira luz, mas é assustadora e excruciante em sua intensidade.

Há tensão retórica aqui, acentuada por um número de movimentos irônicos. Esperaríamos que a identidade momentânea de conhecimento, em Marcos 8.9, conduziria a um ponto de vista comum, o qual, por sua vez, eliminaria mais ironias. Há, de fato, menos ironias, mas as que há são mais pronunciadas. Os discípulos continuam a falar sem pensar expressando duplos significados, mas agora estes significados são ironias que eles deveriam saber. Sua cegueira permanente (assunto dominante de Mc 8.31—10.52) tem como contraponto implícito a consciência em desenvolvimento por parte do leitor. No ponto além da redenção onde os discípulos ficam confusos, para o leitor fica cristalinamente claro.

3. Jesus É o Filho de Deus (8.22—15.39).

Com a confissão de Pedro, em Marcos 8.27-30, a história de Marcos dá uma virada radical. Ao longo da primeira metade (esp. desde Mc 6.1), o foco da atenção esteve na pergunta urgente sobre a identidade de Jesus. Essa pergunta foi feita repetidamente na narrativa (e.g., Mc 1.22,24; 2.7,25; 4.41; 6.2,3,14,15), e tudo foi ordenado para confirmar a primeira metade da cláusula de abertura do autor: "Princípio do evangelho de Jesus Cristo" (Mc 1.1). Marcos não apenas mostrou para o leitor quem é Jesus, mas também mostrou que a identidade de Jesus não é entendida pelas outras personagens da história. Isto significa, em parte, que as outras pessoas possuem pontos de vista defeituosos a partir dos quais eles entendem o significado das histórias das quais são parte. Até os demônios, que sabem que Jesus é "o Santo de Deus" (Mc 1.24; cf. Mc 5.7), não fazem a mínima idéia da grande batalha na qual estão engajados.

Mas os indícios que as personagens não entendem são oferecidos para os leitores de Marcos. Os dois grupos não podem deixar de abordar a história de pontos de observação diferentes. A resultante dissonância no entendimento entre o que é mantido pelas pessoas e o que é mantido pelos leitores representa elemento sutil, mas pungente, da estratégia retórica de Marcos: À medida que as personagens tropeçam pelo enredo, o leitor não pode ajudar, mas assume um ponto de vista superior, um ponto de vista informado pelas dimensões da narrativa que as personagens não podem ouvir. Efetivamente, é o único ponto de vista a partir do qual as operações internas da narrativa podem funcionar. Mas é um ponto de vista emocional e psicologicamente dissonante, um que racionalmente exige que eles prestem melhor atenção, a fim de que vejam o que não pode ser visto e isso finalmente se torne *pungente* — se de algum modo tal fosse possível.

Quando Pedro faz a confissão em Marcos 8.27-30, o leitor experimenta um alívio momentâneo: "Finalmente, Pedro entendeu". Mas será? À medida que a confissão prossegue, fica claro que a confissão é um flash de *insight*, que quase não contém iluminação. Jesus é realmente o Cristo, mas sua ascensão ao poder virá — para as pessoas dentro da história virá inesperadamente — por aclamação às mãos de uma turba zombeteira e brutal de guardas palacianos, e por uma coroação que o encontra pendurado numa cruz. O fato de que Jesus é o Cristo é a verdade mais superficial; o fato de que lhe custará tudo é a mais profunda.

Na próxima seção (Mc 8.31—15.39), Marcos ajuda o leitor a fazer a transição entre estas duas afirmações aparentemente opostas. À medida que o faz, ele muda o enfoque da identidade de Jesus como o "Cristo" para sua identidade como o "Filho de Deus". Da mesma maneira que a primeira metade culmina com a confissão de Pedro de que Jesus é o "Cristo" (Mc 8.27-30), a segunda metade culmina com a confissão do centurião de que Jesus é o "Filho de Deus" (Mc 15.39).

Mas algo mais está acontecendo aqui. Ao longo do livro o ponto crítico não se baseia nestas duas confissões teologicamente carregadas. Marcos mostrou que é perfeitamente possível obter os fatos certos, mas entender mal seu significado. Esta é a questão para a qual ele se volta agora, sobretudo na primeira unidade da segunda metade (Mc 8.22—10.52), que explora o custo do discipulado. Não é sem significado que a confissão do centurião — de que Jesus é o Filho de Deus — tenha ocorrido ao pé da cruz. Marcos teria entendido muito bem a declaração de Dietrich Bonhoeffer: "Quando Jesus chama um homem, Ele lhe ordena que vá e morra".

3.1. Quem É Este Homem? — Subtema: Treinamento do Discipulado (8.22—10.52)

Como vimos em nossa discussão sobre o cego de Betsaida (Mc 8.22-26) e sobre a confissão de Pedro (Mc 8.27-30), não é o bastante saber que Jesus é o Cristo. Temos também de enfrentar as conseqüências terríveis dessa realidade. Há mais à Verdade do que a verdade; uma *declaração* de fé exige que seja aprofundada num *compromisso* de fé, e uma chamada à liderança deve ser transformada numa chamada à servidão. A estrutura da narrativa de Marcos exprime esta compreensão dupla, chamando o leitor primeiro para compartilhar a declaração de fé na confissão de Pedro, depois para aprofundar e transformar essa declaração com uma reflexão teológica sobre a vinda da crucificação. O subtema da seção prévia — "Quem é este homem?" — torna-se tema primário da seção que se segue.

Em Marcos 8.31, o evangelista apresenta um subtema novo que traz consigo sensata implicação: O que acontece com Jesus acontecerá com seus seguidores também. Os discípulos têm de aprender que para eles, como para Jesus, liderança é serviço, derrota é vitória e morte é o caminho para a vida. Marcos realizará esta transformação extraordinária engastando a narrativa com três predições específicas da paixão por vir (Mc 8.31-33; 9.30-32; 10.32-34). As predições estão explícitas, mas a narrativa indica com clareza igual que os discípulos não entendem seu significado. Acompanhando cada predição há um diálogo com os discípulos que indica que eles estão cegos ao que Ele está dizendo. Não é insignificante que esta seção esteja demarcada por histórias de cegos (de Betsaida, Mc 8.22-26; Bartimeu, Mc 10.46-52).

Estas mudanças não são meramente relatos de tentativas fracassadas de ensinar. Quando o leitor depara a confusão dos discípulos, ele tem de fazer um tipo de julgamento e tomar posição, mas a estrutura retórica da narrativa limita rigidamente os tipos de posições que o leitor é livre para tomar. O leitor que *concorda* com os discípulos ou toma parte em seus mal-entendidos, coloca-se sob julgamento do ponto de vista implícito na história. Assim, pode-se dizer que Marcos maneja a resposta do leitor aos discípulos, e os métodos pelos quais esse manejo se dá são claramente visíveis. Enquanto a narrativa não se desdobra num modo coerente (as partes ainda fariam sentido, se tivessem sido organizadas em seqüência diferente), não parece estar ligada por uma linha de integração. Marcos atinge o objetivo declarando o ponto, ridicularizando-o e inculcando-o pela repetição.

3.1.1. O Cego que Foi Tocado Duas Vezes (8.22-26).
Neste comentário a história do cego que foi tocado duas vezes é discutido em dois lugares. De algum modo, a história exprime o tema da cegueira que dominou a seção prévia (veja seção 2.7.15). De fato, uma dimensão principal de toda essa seção era uma reflexão teológica sobre a identidade de Jesus, sobre a qual os discípulos foram frustrantes em não discernir. Ocorre um momento de alívio quando Pedro faz sua famosa confissão: Jesus é o Cristo (Mc 8.29), e os demônios sabem quem é Jesus. No que diz respeito ao que precede, a história do cego que foi tocado duas vezes em Betsaida sugere ao leitor que Pedro finalmente chegou a *ver* Jesus claramente.

Mas isto não se comprovará que é assim. Esta história também está orientada para o que se segue. Junto com a história do cego Bartimeu, registrada em Marcos 10.46-52, ela forma uma inclusão que agrupa entre parênteses uma seção principal na qual Jesus tenta repetidamente e sem sucesso prevenir os discípulos da catástrofe gigantesca que os aguarda em Jerusalém. Apesar de tudo — o reconhecimento súbito de Pedro de que Jesus é o Cristo (Mc 8.27-30), as maquinações crescentes das autoridades, a intenção de Jesus manter segredo dos seus movimentos, até as predições repetidas da paixão (veja seção 3.1.3) — os discípulos ainda não entendem. Como o cego de Betsaida, eles precisam de um segundo toque.

Esta pequena e enigmática história de milagre está estrategicamente situada. Ela expressa o que precede de um modo (veja seção 2.7.15) e o que segue, de outro. Marcos fala ao leitor que o homem, "olhando firmemente, ficou restabelecido e já via ao longe e distintamente a todos" (Mc 8.25). O que aconteceu com ele acontecerá, a seu tempo, com os discípulos.

3.1.2. A Confissão de Pedro (8.27-30). No presente comentário a história da confissão de Pedro é discutida em dois lugares (veja seção 2.7.16). Em certo sentido é o clímax de uma longa reflexão teológica sobre a verdadeira identidade de Jesus (Mc 6.1—8.30; veja comentários na seção 2.7). De fato, por causa do contrapeso estrutural em Marcos 1.1, a confissão de Pedro de que Jesus é o *Cristo* é conclusão da totalidade da primeira metade do livro, e é equilibrada pela confissão do centurião ao pé da cruz de que Jesus é o *Filho de Deus* (Mc 15.39). Estes dois temas não são discretos, mas estão entrosados e são contrastados ao longo do livro. O que temos é uma mudança de ênfase. Em sentido secundário, a confissão de Pedro abre a segunda metade do livro (veja também comentários sobre Mc 8.22-26, na seção 2.7.15).

3.1.3. A Primeira Predição da Paixão (8.31-33). Esta é a primeira de três predições da paixão (veja também Mc 9.30-32; 10.32-34). A primeira e a terceira são precisas, a terceira mais do que a primeira. A frase: "E *começou* a ensinar-lhes" (Mc 8.31, ênfase minha) e o uso do imperfeito nos verbos sugerem que estes momentos na narrativa são as três tentativas *representativas* na instrução. Jesus tentou repetidamente tornar claro este aspecto de sua missão aos discípulos.

Por que Marcos repete a predição por três vezes? Para responder esta pergunta temos de explorar a dinâmica da leitura em voz alta. Em todos os relatos, os antigos leitores nunca liam em silêncio, mesmo quando estavam a sós. Isto significa que algumas das atividades que são comumente parte da leitura silenciosa teriam sido desconhecidas, como retroceder ou pausar para refletir numa frase notável ou numa imagem evocativa. São estas pausas que nos interessam aqui. Tais lapsos de som e sentido são frágeis. Uma pausa não deve ser feita por muito tempo. Se o for, pode se tornar intrusa e causar distração. De fato, até quando a pessoa interrompe para responder as perguntas ou oferecer explicações, as pausas podem ter um efeito diruptivo no processo de escuta. Não se deve deixar que danifiquem a experiência de escuta. O leitor tem de manter a narrativa em andamento.

A repetição é um modo de superar esta obrigação básica da leitura em voz alta. Pela repetição, o escritor pode criar ênfase, inculcar um ponto ou oferecer diversidade de explicações. É o que ocorre aqui. Repetindo a predição da paixão por três vezes, Marcos pode acentuar a deliberação cabal da decisão de Jesus e a incapacidade de os discípulos entenderem o que essa decisão significará. A repetição também cria um tipo de cadência na narrativa, de modo que a viagem de Jesus para Jerusalém torna-se mais que uma viagem — torna-se sua marcha de morte.

Marcos deixa uma coisa patente: Quando Jesus começou esta marcha para Jerusalém, Ele sabia exatamente qual seria o resultado. Sua crucificação não foi uma inesperada e trágica reviravolta dos acontecimentos, mas o resultado de uma escolha calculada e lúcida. Quando Jesus conclama os discípulos — e indiretamente os leitores — a fazerem a mesma escolha (Mc 8.34—9.1), Ele pede que eles sigam somente aonde Ele mesmo já teve a coragem de ir.

Em Marcos 8.31,32, como se dá nas outras predições de paixão, os discípulos não entendem. Aqui, a voz contestante é a "confissão" de Pedro, que tinha sido registrada só a dois versículos antes. A reversão é surpreendente: Pedro finalmente entendeu o fato básico de que "Jesus é o Cristo", mas sua resposta a esta primeira predição mostra dramaticamente que ele não tem o verdadeiro entendimento do que significa. Conhecimento nem sempre se traduz por *insight*, mesmo que o conhecimento tenha sido correto. Como o cego que foi tocado duas vezes (veja comentários sobre Mc 8.22-26), Pedro precisa de um segundo toque. Se o indivíduo quer ver além da verdade e chegar à Verdade, o indivíduo deve aprender "as coisas que são de Deus" e não "as que são dos homens" (v. 33).

Este é desafio sério. Realmente, na medida em que Pedro não compreende as coisas de Deus, ele pode estar do lado de Satanás. O fato de Jesus se dirigir a Pedro por "Satanás" lembra o leitor de que as preocupações mais profundas da história têm a ver com assuntos de importância sobrenatural, que a batalha a ser lutada e vencida é a batalha no plano do Espírito em vez do plano da política, como indubitavelmente Pedro e os outros discípulos teriam preferido.

3.1.4. "Se alguém quiser vir após mim, negue-se a si mesmo" (8.34—9.1).

Ao longo deste comentário temos lido a narrativa contra o pano de fundo de uma igreja em crise. Grande parte dessa crise foi impulsionada pela perseguição. Algumas das histórias de Marcos sobre Jesus teriam sido ouvidas com urgência especial pelos vários membros da congregação: Famílias podem ter sido postas contra famílias (Mc 3.31-35; 6.4; 10.28-31; 13.12,13), e judeus contra gregos (Mc 6.1—8.26). Pode ter havido um grande enfraquecimento (veja comentários sobre Mc 4.1-20).

Ao longo de Marcos 8.31 a 10.52, Marcos enfoca a atenção no custo do discipulado (veja comentários introdutórios na seção 3). Os presentes versículos formam parte de um pequeno complexo de histórias que estabelecem o tom da seção maior. Em Marcos 8.31-33, Jesus pela primeira vez anuncia claramente aos discípulos que Ele tem de ir para Jerusalém e morrer, um anúncio que Pedro entendeu mal (v. 32). A repreensão de Pedro a Jesus, no versículo 33, é lancinante. O que agora vem em Marcos 8.34 a 9.1 prolonga a resposta de Jesus à repreensão de Pedro e transmite a seriedade da predição da paixão a um nível mais profundo. O custo do messiado será a morte na cruz; o custo do discipulado pode ser a morte na arena. Jesus pressente um tempo no qual seus seguidores têm de fazer escolhas não menos devastadoras, não menos caras, do que a escolha que Ele mesmo teve de fazer.

É difícil saber o que os ouvintes de Jesus teriam feito com este monólogo. O que

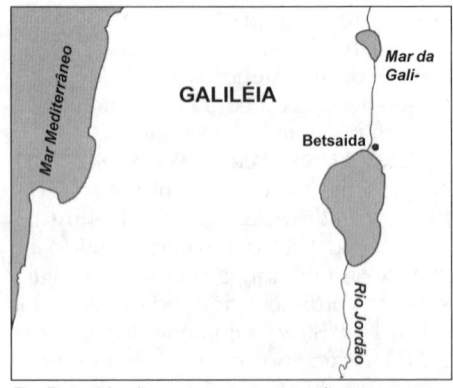

Em Betsaida, Jesus tocou um cego duas vezes e o homem viu "ao longe e distintamente a todos". O que aconteceu com esse homem acontecerá com os discípulos. Eles verão claramente que Jesus é o Cristo.

Pedro teria ouvido? Talvez a referência à cruz — mencionada aqui pela primeira vez — especifica a maneira da morte de Jesus. A crucificação era forma romana de execução. Jesus estava soando o grito de batalha de uma revolta política, avisando seus seguidores que eles podem perder a vida no motim? A pergunta é: "Que aproveitaria ao homem ganhar todo o mundo e perder a sua alma?" (v. 36), um grito de liberdade, um tipo de versão do século I do mote: "Independência ou morte"?

Os leitores de Marcos teriam ouvido estas palavras diferentemente. Para eles, aqui não há intimações de perigo. As palavras de Jesus não lhe dizem o que esperar; antes, eles interpretam o que já aconteceu. À medida que a passagem se desdobra, todos os horrores desta "predição" são chamados à consciência do leitor como memórias — de fortunas familiares saqueadas, de amigos perdidos no martírio, de outros amigos cuja fé lhes tinha falhado nos momentos cruciais de decisão, de filhos que consignaram os pais às chamas (veja Mc 13.12,13).

É minha suspeita que, para os leitores de Marcos, as memórias de perda pessoal teriam tornado estes versículos os mais emocionalmente dolorosos do livro inteiro. Jesus fez um pronunciamento solene, cuja seriedade é aprofundada de dois modos.

1) Os temas básicos são repetidos. Ainda que a dicção não seja perfeitamente paralela,

os sinais estruturais ao longo da passagem indicam paradas parciais e paralelismos:
Versículo 34: Se alguém quiser vir após mim...
Versículo 35a: Qualquer que quiser salvar a sua vida...
Versículo 35b: Qualquer que perder a sua vida...
Versículo 38: Qualquer que... se envergonhar de mim.

2) O versículo 35 está estruturado de maneira quiasmática, o que acentua a sensação de pronunciamento solene:

A Qualquer que quiser salvar a sua vida
  B perdê-la-á,
  B^1 mas qualquer que perder a sua vida por amor de mim e do evangelho,
A^1 esse a salvará.

Talvez mais devastador de todos seja o versículo 38. Para o leitor romano de Marcos, que ouviu estas palavras em resultado de sacrifício e traição, este versículo fala de um julgamento terrível que está por vir. Até no calor da tribulação Jesus não tolera deslealdade. Para os cristãos que fracassaram na prova da fé, estas palavras de Jesus são os pronunciamentos da perdição.

Até aqui em nossa leitura, todo este solilóquio contém as palavras mais ajuizadas que Jesus falou. Mas é importante lembrar que o Evangelho de Marcos não foi escrito para cristãos caducos, mas para aqueles que até aqui tinham sobrevivido à perseguição. Para eles, as palavras de Jesus redefinem o significado da perda que sofreram: Os amigos e família que foram martirizados na arena não morreram em vão. A morte na arena é uma forma de discipulado supremo, um modo de seguir Cristo: "Qualquer que perder a sua vida por amor de mim e do evangelho, esse a salvará" (v. 35).

Há outro ponto de observação do qual ler estas terríveis palavras de Jesus. O mártir que perde a vida para a arena não enfrenta o fim sozinho, pois Jesus o precedeu. Que sacrifício Jesus requer dos discípulos que Ele já não o tenha feito? Contudo esse sacrifício não lhe é menos difícil do que o é para seus seguidores. Jesus não é falastrão sobre a perda deles. Pelo motivo de os versículos 34 a 37 elucidarem e interpretarem a predição de Jesus de sua própria morte, eles têm um tipo de qualidade auto-refletiva. Que ouvinte atento não ouviria o acontecimento nestas palavras, por vir logo em seguida a declaração de Jesus sobre sua intenção de ir para Jerusalém e morrer? Tecnicamente, o significado dual desta declaração é irônico no ponto em que significa algo para Jesus que está oculto aos ouvintes. Os discípulos deveriam saber o que é, mas não o sabem.

Geralmente, na literatura trágica grega, a ironia nos lábios do protagonista à medida que ele marcha para a destruição evoca um profundo senso de horror na audiência. Aqui, o horror é mitigado por um senso quase tangível do *pathos* (sofrimento) das palavras de Jesus. Na predição de sua paixão, Ele indicou que sua morte, que se aproximava, é necessária (cf. "importara", v. 31). Ele pondera a morte por martírio como questão de decisão ativa — uma decisão que Ele mesmo tinha tomado, uma nova "tentação" com a qual Marcos começa a segunda metade do livro. Esta ponderação é mascarada pelo tratamento direto aos discípulos e às multidões e pela generalização "se alguém", no versículo 34.

Com relação a Marcos 9.1, de quase qualquer ponto de observação, depois da passagem da primeira geração de cristãos, esta declaração levantou um importante problema de interpretação. Se esta declaração se refere à Segunda Vinda, pareceria que Jesus cometeu um erro. Uma maneira típica de solucionar as dificuldades criadas por isso, é a sugestão de que quando Jesus mencionou a "chegada do Reino de Deus", Ele quis se referir à transfiguração (Mc 9.2-10) ou à crucificação (Mc 15).

Para o leitor de Marcos a passagem foi lida contra a tela de fundo das respostas que eles deram ao monólogo registrado nos versículos 34 a 38. Eles ainda tinham recordações vívidas de morte por martírio na arena. Em termos psicológicos, os cinco versículos "prepararam" o leitor para Marcos 9.1. Eu suspeito que quando Marcos escreveu os versículos 34 a 38, o tema subjacente da resistência sob perseguição o fez lembrar da declaração sobre o Reino de Deus que vem com poder. Podemos ser mais precisos: A menção de "glória" e "anjos", no versículo 38, instigou a memória de Marcos. Uma das tradições disponíveis para Marcos associaram estas palavras com uma terceira palavra, "poder" (veja Mc 13.26,27). Lá e aqui, a imagem opressiva é poder que vem depois da perseguição. O pertinente paralelo no discurso do Monte das Oliveiras contém promessa semelhante (veja Mc 13.30,31).

O que Marcos quis dizer com esta declaração? As associações entre poder e sofrimento estão claras, no ponto em que os sofrimentos associados com o tempo do fim conterão a promessa do seu oposto (Mc 13.3-37). Mas isto é verdade sobre qualquer sofrimento. Se o leitor ler acerca de enfrentar a morte e pensar em sua perda para a arena, a promessa de que o Reino de Deus virá com poder surge como grande encorajamento, como se dá com as palavras de Jesus no Discurso do Monte das Oliveiras: "Quem perseverar até ao fim, esse será salvo" (Mc 13.13).

3.1.5. A Transfiguração de Jesus (9.2-8).

Comecemos com o mais amplo contexto possível: A referência a "seis" dias, em Marcos 9.2, une a história da transfiguração com a narrativa que a precede, mas a qual aspecto da narrativa? Uma leitura cuidadosa dos sinais transitivos no capítulo 8 sugere que as três seções em Marcos 8.27 a 9.1 (a primeira predição da paixão [Mc 8.31,32a], a repreensão de Pedro [Mc 8.32b,33] e a exortação às multidões [Mc 8.34—9.1]) são extensões da confissão de Pedro e são interpretadas como a suceder no mesmo dia. Assim, a referência "seis dias depois" orienta o leitor de volta à confissão em Marcos 8.27-30, e não à declaração enigmática em Marcos 9.1.

Mesmo na tradução, a história da transfiguração de Jesus evoca um forte senso do numinoso. Marcos empenhou-se em reforçar esse senso quando colocou esta história diretamente entre o monólogo de Jesus sobre tomar a cruz (Mc 8.34—9.1) e a incapacidade de os discípulos exorcizarem um demônio (Mc 9.14-29). Intercalando esta história entre estas duas lembranças dolorosas dos custos e perigos do ministério, Marcos exalta o impacto da cena no monte.

O monte no qual ocorre a transfiguração não é nomeado. O foco da atenção está na *altura*, e não na *localização*. A cena que se desdobra diante do leitor é elevada — de modo literal e figurado — para outro plano. Lá, está descrito que Jesus "transfigurou-se" (v. 2b), e que suas vestes "tornaram-se resplandecentes" (v. 3). Os comentários adicionais sobre a brancura demonstram que a imagem que os discípulos vêem é sobrenatural. A cena adquire quase um aspecto visionário — como algo de uma visão profética do Antigo Testamento. O aparecimento de Moisés e Elias reforça a imagem (v. 4) e dá um significado escatológico ao acontecimento, visto que se esperava que Moisés e Elias aparecessem no tempo do fim. A nuvem e a voz (v. 7) dão à imagem uma nova profundidade, como acontece com o desaparecimento súbito de todo o mundo, menos de Jesus (v. 8). Quando estes elementos são considerados juntos, eles criam impressão veemente de uma teofania, o aparecimento de uma figura divina.

Em seu contexto literário, esta imagem é reforçada e acentuada por três outros aspectos do texto:

1) A referência aos "seis dias", em Marcos 9.2 lança uma série de alusões oblíquas a Êxodo 24.16-18, que descreve a subida de Moisés ao monte Sinai, onde ele esperou seis dias antes de receber as tábuas de pedra que contêm a lei e os mandamentos. As alusões são surpreendentes, mas não aparecem relacionadas na narrativa. Antes, aparecem a princípio quase fortuitamente, acumulando e ganhando força à medida que a narrativa se desdobra. A nuvem, que forma o vínculo de ligação final e decisivo com a história de Moisés, é retida até o versículo 7.

2) As alusões à história do monte Sinai são reforçadas por outras referências a uma vasta extensão de textos do Antigo Testamento e intertestamentais que descrevem aparições divinas. Por exemplo, o brilho em si recorda vividamente a aparência do rosto

de Moisés, em Êxodo 34.29 (cf. também Dn 12.3). As vestes de Jesus resplandecentes, em extremo brancas (v. 3), evocam as vestes do "Ancião de Dias", em Daniel 7.9. A nuvem (v. 7) lembra indiretamente as muitas referências do Antigo Testamento a Deus manifestar sua glória proveniente de uma nuvem (e.g., Êx 16.10; 24.15-18; 34.5; 40.34-38). O autor de 2 Macabeus 2.8 promete que a glória do Senhor vai reaparecer "e ver-se-á uma nuvem, como também se manifestava a Moisés". Em outras palavras, a história da transfiguração está densamente acondicionada em imagem sobrenatural, como uma série de fogos de artifício que detonam na mente do leitor à medida que a leitura se desdobra.

3) Este é o contexto no qual devemos entender o aparecimento de Moisés e Elias. O leitor logo será lembrado que no tempo do fim Elias aparecerá e "restaurará [...] todas as coisas" (Mc 9.12,13), mas a maneira na qual o lembrete é apresentado sugere que isto é de conhecimento geral, algo até entendido pelos escribas (v. 11). O contexto provável no qual os versículos 11 a 13 devem ser entendidos é o complexo de imagens de Malaquias (Ml 3.1; 4.5,6), no qual Elias aparece para "prepara[r] o caminho do Senhor" (Mc 1.3). O que os discípulos não entendem — e o que foi claramente entendido por Jesus e os leitores de Marcos — é que Elias já apareceu na pessoa de João Batista. O leitor já sabe disso por causa das alusões em Marcos 1.4-8, e a referência em Marcos 9.12 deixará este ponto claro também para os discípulos.

Embora a audiência de Marcos talvez não tenha entendido a complexidade destas alusões à medida que eles *ouviam* a leitura do Evangelho pela primeira vez, não há que duvidar que eles perceberam que no cume do monte houve uma manifestação da glória de Deus. Eles também notaram a misteriosa voz da nuvem — eco surpreendente da voz do céu ouvida no batismo de Jesus (Mc 1.9-11). Observe a seqüência: Marcos acondicionou a narrativa num conjunto acumulativo de imagens, as quais alcançam sua massa crítica no versículo 7, onde tudo se reúne para se concentrar na voz da nuvem. Isto dá à voz o caráter de um raio; ocupa o lugar central e controlador da história, muito semelhante à parte final de uma piada, onde está o sentido e a graça, sendo a parte que lhe controla a estrutura.

Com uma exceção: No vórtice dessa imagem redemoinhadora, Marcos pausa a cena nos versículos 5 e 6 para reforçar o fracasso dos discípulos em entender. Estes versículos desviam a atenção do enfoque da narrativa. Do ponto de vista composicional, eles apresentam um tipo de quebra-cabeça narrativo: Por que Marcos interromperia o fluxo de movimento de uma cena majestosa e numinosa para introduzir um quadro dos discípulos batendo cabeça e não entendendo? Se lemos esta história sem esses dois versículos, ela flui suavemente. Por que esta intrusão difícil e desajeitada?

Uma explicação é que o terror que os discípulos experimentaram é reação natural ao numinoso e, portanto, contribui para essa dimensão da cena, em vez de diminuí-la. É claro que Mateus retratou o terror desse modo (Mt 17.6). Para o leitor de Marcos, a confusão e o medo serão mais provavelmente entendidos no contexto maior do fracasso absoluto de os discípulos entenderem a natureza do ministério de Jesus. O Jesus de Marcos já acusou os discípulos várias vezes por este fracasso — mais incisivamente, em Marcos 8.14-21, e mais recentemente na repreensão de Pedro a Jesus, em Marcos 8.32. Assim, para o leitor de Marcos, o fracasso em compreender Marcos 9.5,6 é parte desse retrato maior e mais negativo dos discípulos.

A voz da nuvem no versículo 7 faz a narrativa voltar ao seu enfoque primário. Seu efeito global nivela um julgamento atordoante em Pedro por seu fracasso em entender o significado do que está acontecendo. A mensagem falada do céu repete quase literalmente o endosso divino pronunciado sobre Jesus na cena do rio Jordão, com duas exceções:

1) Desta feita os verbos são colocados na segunda pessoa do plural, de forma que os discípulos são tratados diretamente, e
2) a voz ensina os discípulos: "A ele ouvi". Não deve ser sem importância que o verbo aqui esteja no presente e possa ser

traduzido por: "A ele continuai ouvindo". A voz da nuvem oferece a solução para a ignorância dos discípulos? Esta solução também é oferecida ao leitor?

3.1.6. A Vinda de Elias (9.9-13). A figura de Elias desempenha papel significante no drama que se está desenrolando. Marcos o menciona pelo nome não menos que nove vezes (Mc 6.15; 8.28; 9.4,5,11,12,13; 15.35,36), e alusões às suas atividades ecoam pelas narrativas das alimentações milagrosas (veja comentários sobre Mc 6.1—8.30). Alusões a Elias figuraram proeminentemente no prólogo (veja comentários sobre Mc 1.2-15), no qual a missão (Mc 1.2,3) e as vestes (Mc 1.6) de João Batista lembraram os leitores do papel de Elias. Elias aparecerá novamente na cena da crucificação (Mc 15.34-36), na qual os circunstantes supõem que as palavras de abandono na cruz — "Eloí, Eloí, lemá sabactâni?" — dirigem-se a esse profeta do Antigo Testamento.

Das nove referências a Elias encontradas em Marcos, três aparecem nesta seção e duas na precedente história, a transfiguração. Aqui a discussão é incitada pelas palavras acauteladoras de Jesus nos versículos 9 e 10: "Ordenou-lhes [Jesus] que a ninguém contassem o que tinham visto, até que o Filho do Homem ressuscitasse dos mortos. E eles retiveram o caso entre si, perguntando uns aos outros que seria aquilo, ressuscitar dos mortos".

Para os leitores de Marcos, esta ordem de manter silêncio contém um mandato implícito a seu oposto, visto que agora eles possuem uma perspectiva pós-ressurreição da qual entendem o significado de todas estas coisas. A palavra grega *logos* no versículo 10 ("E eles retiveram o caso [*logos*] entre si, perguntando uns aos outros que seria aquilo, ressuscitar dos mortos"), certamente não transmite referência alguma a Jesus, o *Logos* divino, como temos em João 1.1,14, havendo sido corretamente traduzida neste contexto. Contudo, a palavra *logos* também é a palavra taquigráfica de Marcos para se referir ao Evangelho ou ao ministério de pregação de Jesus (veja Mc 2.2). Aqui, esta é a provável razão para a ordem formal que Jesus deu para guardar silêncio sobre o fato: Eles não deviam falar sobre este assunto até que tivessem um entendimento mais adequado de seu significado, o qual só viria depois que o Filho do Homem fosse ressuscitado e os acontecimentos da vida de Jesus — incluindo a transfiguração — fossem revelados em seu verdadeiro significado à luz da cruz.

Os discípulos parecem ter dificuldade, colocando as palavras de Jesus sobre a própria morte em suas idéias mais convencionais sobre o Reino messiânico (veja seção 3.1.3). De fato, Elias, que apareceu só momentos antes na transfiguração, entrou na glória divina sem ter sofrido a morte (2 Rs 2.11). Por isso, acham as palavras de Jesus enigmáticas (v. 10). A pergunta sobre Elias (v. 11) tenta ligar os comentários de Jesus sobre a ressurreição com "o dia grande e terrível do SENHOR" antecipado em Malaquias 4.5,6 (veja também Ml 3.1-4). Baseado nesta profecia, a reaparição de Elias como precursor de Deus ou do Messias era tema comum na escatologia popular, encontrado amplamente distribuído na literatura judaica (e.g., Eclesiástico 48.10) e cristã (e.g., Jo 1.21,25).

Esta especulação difundida é o contexto no qual os discípulos entenderam o aparecimento de Elias na transfiguração (Mc 9.4,5) e as palavras de Jesus sobre a ressurreição (Mc 9.9). Tudo isto deve antecipar os acontecimentos do tempo do fim e, portanto, têm de estar no futuro. Qualquer percepção de que Ele está se referindo à própria morte em futuro imediato lhes é perdida, embora, é claro, não o seja para o leitor de Marcos.

Jesus responde nos versículos 12 e 13 que Elias *já* veio, de modo que as condições requeridas na tradição já foram satisfeitas. De fato, a morte de Elias na pessoa de João Batista (Mc 6.17-29) serve não só como precursor da morte de Jesus, mas de modo triste também cumpre a Escritura (sobre a qual, veja, talvez 1 Rs 19.2,10,14). João Batista, como Jesus, enfrentou a morte "como está escrito" sobre ele.

3.1.7. Jesus Cura um Menino Endemoninhado (9.14-29). Como ocorre com várias outras das histórias de milagre relatadas por Marcos, a história da libertação do menino endemoninhado levanta perguntas significativas e não resolvidas. Qual é a controvérsia mencionada, mas não descrita, no versículo 14? Por que Marcos menciona os escribas no versículo 14b, quando eles não desempenham papel algum no restante do enredo? Por que a multidão "ficou espantada" (v. 15)?

Além disso, por que Jesus está exasperado, no versículo 19? Esta aparente exasperação suscita perguntas próprias: a pergunta de Jesus no versículo 19 permanece sem resposta. Por que eles estão aqui? Eles não contribuem para a história, e dão ao leitor uma pausa séria. A quem Jesus está chamando "geração incrédula"? Os discípulos? O pai? A multidão? Os escribas? Como devemos entender a resposta de Jesus ao pai: "Se tu podes" (v. 23)? É uma pergunta, como traduz a NIV? Ou é uma réplica enfática, como corretamente traduz a RC? Se é uma pergunta, é retórica? Se é uma réplica, não deprecia o clamor do pai por ajuda? Se o versículo 23 é estruturalmente paralelo ao versículo 19, o leitor pode supor que Jesus está escarnecendo do pai; contudo a resposta que o pai dá no versículo 24 ("Eu creio, Senhor! Ajuda a minha incredulidade") indica que o pai, por seu modo desesperado, tomou o comentário como encorajamento para agir na própria fé. (Este elemento da história é paralelo ao comentário de Jesus à mulher com o fluxo hemorrágico, em Mc 5.34, e à mulher siro-fenícia, em Mc 7.29.)

Por que a multidão vêm correndo à cena, no versículo 25 ("concorria"), quando parece que já tinha se reunido, no versículo 15? Por que o aparecimento da multidão, no versículo 25, impele Jesus a ação? Talvez Jesus queira antecipar o engrossamento da multidão ou evitar despertar sua hostilidade, como implica o versículo 25; mas os movimentos de abertura da história, nos versículos 14 a 24, indicam que uma grande multidão já estava presente e que a multidão preliminar tinha um contingente hostil (v. 15).

Estas são dificuldades nos *detalhes* da história, mas também há dificuldades com a *estrutura* da história. A história não entra na forma-padrão de milagre (veja comentários sobre "Forma de Milagre", seção 2.2.3) e as divergências parecem romper o fluxo normal do enredo. Por exemplo, a forma-padrão de milagre abre com uma declaração da seriedade do problema. Aqui, a função é servida por uma pergunta de Jesus no versículo 21, mas ela ocorre no meio da história, enquanto o menino está em convulsão. Parece indevidamente clínico, até antinatural ou descuidado, Jesus fazer tal pergunta enquanto o menino está sofrendo um episódio de violência demoníaca. Além disso, a duração do tempo em que o menino está sendo atormentado não parece ter sido um fator no desempenho factual da expulsão de demônios por Jesus.

A história dá uma guinada bastante abrupta, levantando questões que dirigem a atenção do leitor para "fora do palco", por assim dizer, para outros assuntos não facilmente resolvidos. Na resposta de tais perguntas, preocupar-nos-emos principalmente com o efeito retórico da narrativa sobre os ouvintes originais deste Evangelho. Começaremos observando que, a despeito de esta história abandonar a estrutura convencional de histórias de milagre, praticamente cada elemento dessa estrutura é encontrado aqui em forma realçada. A natureza do problema é estabelecida nos versículos 17 e 18, e depois reforçada no versículo 21. A própria convulsão (v. 20) tem praticamente o mesmo efeito. A forma-padrão de milagre exige que o libertador pronuncie adjurações apropriadas, as quais Jesus faz no versículo 25. Pode ser importante que Marcos informe as palavras textuais de Jesus, que não são adjurações esotéricas, mas simples ordens diretas. A "prova" do milagre, no versículo 26, contém a declaração especialmente dramática de que os circunstantes pensaram que o menino estivesse morto.

Entretecidas com estes elementos estão as linhas de um padrão diferente — a incapacidade de os discípulos efetuarem a cura sozinhos. A história abre com o comentário do pai: "Eu disse aos teus discípulos que o expulsassem, e não puderam" (v. 18), e é concluído pela pergunta confusa dos discípulos: "Por que o não pudemos nós expulsar?" (v. 28).

Talvez a presença dos escribas, no versículo 14, esteja de algum modo relacionado com este tema. Os escribas e os discípulos estavam discutindo algo. O texto está alinhando os discípulos com os escribas? Se os discípulos estão todos em mira na réplica exasperada de Jesus, no versículo 19, então a associação pode ter implicações profundamente negativas. A linguagem do versículo 19 é próxima da expressão de Jesus dita aos fariseus hostis que buscavam um sinal, em Marcos 8.11-13, e à expressão "geração adúltera e pecadora", mencionada em Marcos 8.38.

Ademais, Marcos já indicara que os escribas eram impotentes em assuntos que têm a ver com o demonismo (Mc 11.22; veja também Mc 3.22-30). Aqui, ele amplia este indiciamento e inclui os próprios discípulos, mencionando a denúncia duas vezes e reforçando-a ao associá-los com os escribas. Não está claro por que ele faz assim, mas o efeito é surpreendente: O peso inteiro da passagem converge na impotência de os discípulos efetuarem uma libertação. Na ausência de Jesus, eles retornaram a métodos antigos e consultaram os escribas.

É aqui que o ponto da passagem fica evidente. Esta história forma, de alguma maneira, um poderoso contraponto literário com a história da transfiguração que a precedeu (Mc 9.2-12). Lá, o círculo íntimo dos discípulos testemunhou a teofania de Jesus — vestido de branco atordoante, conversando com Moisés e Elias, atestado pela voz de Deus. Aqui, eles são devolvidos à realidade de um mundo onde a incredulidade e o fracasso, a discussão, a confusão e até a desgraça pública são perigos sempre presentes. As soluções oferecidas pelos escribas não são de nenhum proveito.

Para muitos leitores modernos, a linha final do versículo 29 ("Esta casta não pode sair com coisa alguma, a não ser com oração e jejum") não é de peso o bastante para responder a pergunta dos discípulos. Mas para os leitores que têm a oração em alta conta, esta resposta é completamente adequada, não apenas à pergunta dos discípulos, mas também para o vasto alcance de perguntas implícitas nesta história complicada. Se tomarmos o comentário de Jesus no versículo 29 como importante linha de lastro, então a história se ajusta perfeitamente em seu contexto. À sombra do monte da transfiguração, na faina diária do ministério forçado além dos limites humanos, para os discípulos desinformados da teofania, para aqueles cujo conhecimento da história sempre jazerão no testemunho das testemunhas, a resposta às questões da vida é oração. As soluções oferecidas pelos escribas se mostrarão desprezíveis.

3.1.8. A Segunda Predição da Paixão (9.30-32). Esta é a segunda das três predições da paixão (veja também Mc 8.31-33; 10.32-34; veja comentários sobre Mc 8.31-33). A predição forma a tela de fundo para a conversação apresentada nos versículos 33 a 50 sobre quem é verdadeiramente maior no Reino de Deus.

3.1.9. Uma Série de Histórias Propelidas por Palavras-Gancho (9.33-50). As três histórias a seguir estão unidas na forma de um único discurso entre Jesus e os discípulos, ocorrido em Cafarnaum. A pergunta de Jesus e o silêncio dos discípulos nos versículos 33 e 34 abrem a série focalizando a atenção do leitor no assunto da verdadeira grandeza. A gente esperaria que os versículos subseqüentes levariam essa atenção a um foco mais claro. Não é o que ocorre. A seção percorre um terreno bastante largo, suscitando e fazendo perguntas sem conexão com o assunto que a abriu.

A passagem contém uma série de frases repetidas. O verbo grego *skandalizo* ("escandalizar") é repetido quatro vezes nos versículos 42 a 48, a palavra grega *pyr* ("fogo") é repetida três vezes nos versículos 48 e 49, e o vocábulo grego *halas* e seus derivados ("sal"), cinco vezes nos versículos 48 a 50. A parte final do versículo 50 liga a série inteira de volta ao discurso sobre a verdadeira grandeza, nos versículos 33 a 37, e lembra o leitor que o problema inicial era a altercação entre os discípulos.

Considerado independentemente, o significado de cada uma das declarações é claro; as dificuldades da passagem têm a ver com as ligações internas entre as declarações. O versículo 43 está ligado de forma desajeitada com o versículo 42, porque as linhas de abertura do parágrafo dizem respeito com causar escândalo a um pequenino, ao passo que os versículos que vem a seguir têm relação com escandalizar o próprio caráter. Isto é, o versículo 43 está ligado com o versículo 42, não porque compartilhem um tema comum, mas porque compartilham certo vocabulário surpreendente. Semelhante série de transições aparentemente desajeitadas liga os vários elementos dos versículos 47 a 50. O versículo 50 liga o discurso inteiro de volta ao problema apresentado nos versículos 33 a 37, mas não está claramente ligado com a declaração sobre pecado e escândalo nos versículos 42 a 49. Como é que estes versículos devem ser explicados?

Todo esse sortimento foi compilado por *palavra-gancho* (veja comentários sobre Mc 7.1-23). Marcos decidiu incluir a declaração sobre Jesus colocar uma criança no meio dos discípulos, registrada nos versículos 36 e 37, porque ilustrava de modo prático e dramático, a declaração de Jesus dita no versículo 35: "Se alguém quiser ser o primeiro, será o derradeiro de todos e o servo de todos". A menção de receber uma criança em nome de Jesus (v. 37) lembrou o escritor de duas tradições desconexas.

1) A primeira é instigada pela referência ao nome de Jesus (vv. 38-41) num diálogo entre Jesus e João sobre pessoas expulsarem demônios "em teu nome [de Jesus]" (v. 38); isto por sua vez provoca a resposta de Jesus à pergunta (vv. 39,40) e outra declaração sobre o nome dEle (v. 41).
2) O escritor então volta ao diálogo original no versículo 37, retomando a declaração sobre uma criança (v. 42). O paralelo estrutural sublinha um paralelismo contrastante no conteúdo, onde receber uma criança fica em oposição a levar uma criança a pecar. O elemento surpreendente no versículo 42 é o verbo *skandalidzo*, que serve de mnemônica para a série de declarações sobre a mão, o pé e o olho que levam a pessoa a pecar (vv. 43-48). Esta série terminou com uma referência ao inextinguível fogo do inferno, onde "onde o seu bicho não morre, e o fogo nunca se apaga". A menção do "fogo" (v. 48) lembrou o escritor de outra declaração sobre fogo: "Cada um será salgado com fogo" (ligado no v. 49). Finalmente, a menção de sal o fez recordar uma série de declarações desconexas sobre sal (compiladas como o v. 50).

3.1.9.1. A Verdadeira Grandeza (9.33-37).

Esta história de abertura arma o palco para a discussão séria que se segue. O versículo 33 identifica a cena em Cafarnaum, embora o assunto à mão seja a discussão que tinha ocorrido anteriormente, pelo caminho. Aqui o detalhe importante é o comentário do narrador registrado no versículo 34 que, depois de Jesus ter-lhes perguntado o que estavam discutindo, "eles calaram-se" (lit., "eles ficaram calados"). Este silêncio é crítico para a potência da história: Jesus "lê" a mente deles — de forma muito semelhante ao que Ele tinha feito quando leu as mentes dos escribas, em Marcos 2.1-12 —, e Ele responde ao erro que eles se recusavam a declarar em voz alta. Este silêncio também dá a entender que eles provavelmente sabiam que a altercação sobre quem era maior estava fundamentalmente fora da concordância com a concepção feita por Jesus, de sua missão e o papel que eles desempenhariam nessa missão.

Na estratégia retórica de Marcos, a pergunta e o silêncio dos discípulos apresentam o assunto da passagem: O que significa ser "o maior" no Reino de Deus? De fato, como vimos, este é o tema global de Marcos 8.22 a 10.52. Marcos aborda novamente esse tema com a breve ilustração da criança que serve de tipo de "parábola corporificada".

É comum ver esta ilustração como um tipo de exortação à simplicidade infantil ou fé confiante, mas é quase certo que não é o que está em vista aqui. Ao invés disso, o exemplo da criança é o oposto direto e físico do assunto apresentado na passagem, a tendência perturbadora dos discípulos fazerem manobras por posição e *status*. Jesus não está lhes prescrevendo que sejam infantis no sentido de serem simples; Ele está lhes dizendo que sejam infantis no sentido de serem comuns, modestos e despretensiosos. No século I (e conseqüentemente para os leitores originais deste Evangelho), é assim que as crianças eram vistas. Em outras palavras, a criança simboliza humildade e falta de poder.

O princípio que Jesus está ilustrando mostra-se explicitamente declarado no versículo 35: "Se alguém quiser ser o primeiro, será o derradeiro de todos e o servo de todos". Marcos voltará a este tema em Marcos 10.43,44, onde ele lembrará os leitores que "qualquer que, entre vós, quiser ser grande será vosso serviçal. E qualquer que, dentre vós, quiser ser o primeiro será servo de todos". Nesta última passagem, Marcos oferece autorização adicional e simples para tomar tal abordagem radical à grandeza — o próprio exemplo de Jesus (Mc 10.45), incorporado com poder e clareza distintivas no seu sacrifício. Essa autorização também está implícita no atual contexto.

Ao longo desta seção, as exortações à servidão atingem o ponto e o contraponto com as repetidas tentativas de Jesus falar aos discípulos que Ele vai a Jerusalém para morrer. Esta é uma história contada à luz do seu fim. Mas as exortações à servidão também trazem uma promessa implícita:

> "Qualquer que receber uma destas crianças em meu nome a mim me recebe; e qualquer que a mim me receber recebe não a mim, mas ao que me enviou" (v. 37).

Jesus constrói um tipo de contabilidade gradual, subindo da ordem mais baixa à mais alta. Visto que a criança é apresentada como exemplo, pede-se que os discípulos — e os leitores de Marcos — creiam que, da mesma maneira que a catástrofe da cruz não é a palavra final, assim também as posições humilhantes de criança e criado são o caminho do cristão à verdadeira grandeza!

3.1.9.2. Um Estranho Expulsa Demônios (9.38-41). A expressão "em meu nome" (Mc 9.37) leva diretamente a esta seção (veja comentários na seção 3.1.9). Superficialmente, o conteúdo das declarações em Marcos 9.38-41 é separado em frações: A seção abre com uma pergunta sobre libertação de endemoninhados feitos em nome de Jesus por aqueles que não fazem parte da turma de discípulos de Jesus (vv. 38-40), ao passo que o versículo 41 conduz a direção diferente, acerca de recompensas aos que dão um copo de água em nome de Jesus.

O que une estes dois assuntos dissimilares é a abertura de Jesus à ajuda proveniente de fontes inesperadas. Fiel à forma, os discípulos abordam o assunto do ponto de vista do poder: "Quem controla o uso do nome de Jesus?" Jesus aborda a questão do ponto de vista do avanço do Reino: "A que utilidade serviu o nome de Jesus?"

1) O próprio fato de que alguém possa usar o nome de Jesus representa desse modo um reconhecimento implícito, mas importante, de sua autoridade: "Ninguém há que faça milagre em meu nome e possa logo falar mal de mim" (v. 39).

2) Talvez mais amplamente, se o uso do nome de Jesus promove o Reino, então, em última instância, os movimentos da obra de Deus avançam no mundo: "Porque quem não é contra nós é por nós" (v. 40). Com isso não podemos deixar de lembrar o comentário pungente de Paulo quando estava preso (Fp 1.15-18a):
"Verdade é que também alguns pregam a Cristo por inveja e porfia, mas outros de boa mente. [...] Mas que importa? Contanto que Cristo seja anunciado de toda a maneira, ou com fingimento, ou em verdade, nisto me regozijo e me regozijarei ainda".

3.1.9.3. Avisos contra as Tentações (9.42-50). Este agrupamento de declarações é a conclusão de uma série de declarações ligadas por palavra-gancho (veja comentários sobre Mc 9.33-50). Os paralelos são inexatos entre os elementos repetidos, fato que era causa de certa consternação para os copistas que acrescentaram o material nos versículos 44 e 46 (a NVI retirou tais versículos por falta de apoio adequado de manuscritos).

A série de paralelos começa na verdade com a promessa no versículo 37, que é equilibrada por ameaças contrabalançantes nos versículos 42 a 48. O empuxo das séries está claro pelo versículo 47, mas a troca de imagens no versículo 48 apresenta um problema: O que se quer dizer com as expressões: "O seu bicho não morre" e "O fogo nunca se apaga"? Estas declarações são desconexas, ligadas por causa da palavra-gancho "fogo", nos versículos 43, 48 e 49? Ou elas estão integralmente ligadas com as imagens apresentadas nos versículos 42 a 47? J. D. Derrett (1973) apresenta razões convincentes em favor de uma ligação íntima com o que precede. Ele argumenta que a seção inteira joga com a imagem física da amputação como era feita na medicina antiga. Por motivos óbvios, havia a necessidade de cauterizar o corte da amputação; na verdade, a cauterização era um tratamento comum, embora desesperado, utilizado para estancar o avanço da infecção. Se a cauterização não fosse eficaz, a gangrena se manifestaria, às vezes acompanhada de bichos. O tratamento comum para deter a gangrena e erradicar os bichos era esfregar sal na ferida infeccionada.

É importante entender o contexto cultural no qual semelhantes medidas horríveis eram consideradas necessárias. O trabalho físico era freqüentemente perigoso, e acidentes aconteciam. A medicina era primitiva e o serviço de saúde pública, pobre. Até uma doença de pouca importância poderia se tornar grave em pouco tempo. Melhor amputar que morrer, mesmo que a amputação exigisse tais medidas desesperadoras como cauterização em chama viva. Mas é justamente isso que a seção está dizendo sobre o pecado: A amputação é melhor que a morte. A linguagem sobre bichos, sal e fogo que permeia a passagem está integralmente ligada com a imagem de amputação.

Claro que estes elementos criam estruturas de referência secundária para estas palavras, sobretudo a palavra "fogo", nos versículos 43 e 48b, e a palavra "bicho" no versículo 48a. Ainda que tais medidas sejam terribilíssimas, elas evitam uma conseqüência ainda mais terrível, depois, no inferno (vv. 43,46,47). Aqui, o bicho é morto pelo sal; lá, o bicho "não morre" (v. 48a). Aqui, o fogo é somente temporário; lá, o fogo "nunca se acaba" (v. 43). Esta última afirmação foi tirada de Isaías 66.24, que conclui o livro de Isaías com uma imagem especialmente vívida de corpos que se deterioram no fogo de inferno.

Esta vívida imagem de amputação, sobrecarregada com seus perigos inerentes e inevitável sofrimento profundo, serve de lembrança horripilante da seriedade da chamada ao discipulado. O que melhora o dia é o sal (v. 50), esfregado como último recurso na ferida aberta, mas servindo de remédio. O discipulado cristão nem sempre é negócio tão simples ou tão jovial como gostaríamos. Às vezes o médico tem de amputar para curar, da mesma maneira que de vez em quando a dor e a dificuldade são os escalpelos nas mãos do Grande Médico que, em última instância, veria seu povo inteiro.

3.1.10. Partida para a Judéia (10.1). Com o movimento de Jesus para Judéia e Transjordânia, o enredo passa para dentro da esfera de Jerusalém e os perigos que Ele já antecipou. Tais perigos tornam-se de repente e notavelmente evidentes na controvérsia resultante sobre o divórcio e novo casamento (Mc 10.2-12). Este curto texto de transição prepara a controvérsia de duas maneiras (quanto a isto, veja comentários na próxima seção).

1) Deixa claro que a controvérsia sobre o divórcio ocorre na Transjordânia.
2) Reapresenta as multidões e, assim, estabelece um foro público para o duelo verbal que se segue.

3.1.11. Sobre o Divórcio e o Novo Casamento (10.2-12). As próximas três seções estão ligadas a questões da vida familiar: a questão de marido e mulher (vv.

2-12), o tratamento de crianças (vv. 13-16) e o assunto de pais e irmãos (vv. 17-22). Uma conversação generalizada entre Jesus e Pedro, nos versículos 28 a 31, ligará a perda da família com a promessa do Reino, concluindo toda a seção de declarações de discipulado. Ainda que a seção pressuponha assuntos importantes da lei e cultura judaicas, outros detalhes teriam tido significado especial para a situação romana, à qual o Evangelho de Marcos é dirigido.

Não há narrativa sobre como os cristãos romanos de Marcos teriam ouvido esta conversa lancinante sobre divórcio. Alguns consideram que esta seção põe em relevo que as mulheres, bem como os homens, podem iniciar o divórcio. Nesse caso, Marcos não é o primeiro crente a ter mencionado tal possibilidade no mundo grego, pois Paulo também equilibra instruções para homens com instruções para mulheres (1 Co 7.10-16). As instruções de Paulo sobre o divórcio nos informam que, no mínimo, alguns em Corinto se debatiam com esta questão. Há evidências nos escritos clássicos de que o divórcio também era assunto acalorado em Roma. O divórcio era comum e facilmente obtido em todo o mundo antigo. Consideradas em seu valor manifesto, as palavras de Jesus restringem esta prática comum, e o que por si exigiria uma explicação. Paulo defende a restrição com base de que o cônjuge crente ocasiona, de alguma maneira, a santificação do não-crente (1 Co 7.14-16). Aqui, em Marcos, Jesus defende a restrição usando uma referência ao mandato da criação, em Gênesis 1.27 e 2.24.

Ainda que a passagem possa ter sido ouvida pelos gentios da congregação de Marcos, as linhas básicas do argumento são judaicas e teriam sido entendidas mais claramente pelos judeus. Mas a narrativa preparou até os gentios para reconhecer um perigo crescente aqui. Duas vezes Jesus preveniu os discípulos do iminente julgamento em Jerusalém (Mc 8.31-33; 9.30-32). O movimento na Judéia mencionado em Marcos 10.1 leva essa tragédia mais perto do seu fim inevitável.

Dois aspectos da história aprofundam o senso de perigo.

1) A controvérsia ocorre na presença de uma multidão (v. 1), detalhe que ressalta as balizas da discussão.
2) A pergunta sobre o divórcio é feita no território da Judéia, "além do Jordão", isto é, no território do mesmo Herodes Antipas que decapitou João Batista (veja comentários sobre Mc 6.17-29). De certo modo, aquela história preparou esta, de forma que quando os fariseus fazem a pergunta: "É lícito ao homem repudiar sua mulher?" (Mc 10.2), o leitor é incitado a lembrar a acusação de João Batista contra Herodes (Mc 6.18) e a superstição de Herodes de que Jesus era o próprio João Batista que ressurgiu dos mortos (Mc 6.16). De acordo com a tradição, João Batista foi decapitado na fortaleza de Herodes, na Transjordânia; quase não se pode deixar de supor que se trate da fortaleza de Maquero.

Jesus responde com uma contra-pergunta, no versículo 3: "Que vos mandou Moisés?" Não há que duvidar que esta é boa estratégia do debatedor — descobrir a posição dos oponentes. A posição que os fariseus desenvolvem no versículo 4 está baseada numa ambigüidade particularmente na primeira parte de Deuteronômio 24.1-4:

"Quando um homem tomar uma mulher e se casar com ela, então, será que, se não achar graça em seus olhos, por nela achar coisa feia, ele lhe fará escrito de repúdio, e lho dará na sua mão, e a despedirá da sua casa" (v. 1).

Durante o tempo de Jesus um debate rabínico tinha-se cristalizado em torno da interpretação destas palavras. A escola mais conservadora de Shammai concentrava-se na frase: "Nela achar coisa feia", e argumentava que o único fundamento legítimo para o divórcio era a falta de castidade. A escola mais liberal de Hillel enfocava a frase: "Se não achar graça em seus olhos", e alegava que o homem podia se divorciar legitimamente da esposa por praticamente qualquer causa. O comentário de Marcos, que esclarece que os fariseus fizeram a pergunta "tentando-o" (Mc 10.2), e a resposta que deram a Jesus, no versículo 4, indicam que eles estão tomando o lado de Hillel. Também está evidente que eles esperavam que Jesus tomasse a outra opinião e condenasse o divórcio. À sombra da fortaleza de Herodes, em Maquero, esta posição está sobrecarregada de perigo. Herodes, afinal de contas, tinha prendido João Batista por expressar franca oposição ao casamento de Herodes com sua cunhada, Herodias (Mc 6.18), e mais tarde ele tinha reagido à popularidade crescente de Jesus recordando o que ele havia feito com João Batista (v. 16). A pergunta dos fariseus pode ter tido a intenção de forçar Jesus a assumir posição perigosa.

Esta é a função retórica da pergunta de Jesus, no versículo 3. Quando Ele lhes pergunta pela leitura que fazem da lei, Ele os força a expor a público a posição que mantêm. Assim Ele revela as diferenças entre eles, mas também seus motivos por fazerem esta pergunta precisamente neste lugar. Pelo menos de modo figurado, eles desembainharam uma espada sobre Ele; a tensão cresce.

Jesus não evita o golpe. Antes, Ele o enfrenta cara a cara, nos versículos 6 a 9. Os fariseus citaram a Escritura e apresentaram argumentos com base em detalhes da lei; Jesus cita Escritura mais antiga e alega fundamentado na ordem da criação. Eles interpretaram Moisés; Jesus interpreta a intenção de Deus, argumentando contra o divórcio baseado na concepção de que a união em uma só carne no centro do casamento é parte da ordem criada e da vontade de Deus.

Há outra diferença na posição que defendem. Embora os fariseus tenham perguntado sobre o direito do homem divorciar-se da mulher (v. 11), a resposta de Jesus amplia a proibição e inclui também o divórcio iniciado pela mulher (v. 12). Ao ampliar o seu mandato incluindo a mulher, Jesus mostra que a mulher também é diretamente responsável diante de Deus pelo papel em manter a saúde e a viabilidade do casamento.

Da mesma forma que as conclusões de Jesus são muito diferentes das obtidas por Seus oponentes, é importante observar que Ele emprega os princípios *deles* na interpretação. A estratégia interpretativa trabalha assim: Se dois textos bíblicos compartilham um tema comum, eles podem ser unidos para formar um novo texto que é maior e mais abrangente do que qualquer um dos dois separados. Jesus faz isto unindo Gênesis 1.27 com 2.24 para criar um novo texto composto. Em sua nova relação, estes dois versículos definem a fonte da santidade do casamento — a união em uma só carne entre o homem e a mulher é a vontade de Deus. Em oposição a isto, o divórcio — até o divórcio que é legalmente permitido em Deuteronômio 24.1 — representa uma concessão à pecaminosidade humana; é questão de fracasso.

Trata-se de um jogo mortalmente sério que os fariseus estão jogando — e pelas regras deles, não pelas de Jesus. Eles fizeram as regras. Empregando a lógica rabínica na montagem de suas respostas, Jesus mostra que Ele pode vencê-los no território deles. Mas o campo de batalha também é o território de Herodes Antipas e sua cunhada, agora esposa, Herodias, e a pergunta dos fariseus é um tipo de mina de terra estrategicamente colocada. Ele pisa na mina, mas a explosão não ocorre — não agora, nem aqui. Tudo está se movendo muito depressa. O fim de Jesus não será aqui, na Transjordânia, por uma espada à sombra da fortaleza de Maquero. Será depois, em Jerusalém, numa cruz à sombra do templo.

3.1.12. Jesus Abençoa as Criancinhas (10.13-16). Não há vínculo narrativo claro que ligue esta curta passagem com a discussão sobre o divórcio que a precede. Parece ter sido incluída como parte de uma pequena coletânea de declarações que têm a ver com a vida familiar (veja comentários na seção prévia). Contudo a presente seção não trata apenas do tratamento de crianças, como superficialmente a história sugere. Como a passagem famosa em Marcos 9.33-37 (veja comentários), Jesus faz das crianças um exemplo a ser emulado, não porque elas sejam inocentes e confiadas, mas porque são vulneráveis e impotentes. "Qualquer que não receber o Reino de Deus como uma criança de maneira nenhuma entrará nele" (v. 15).

3.1.13. Sobre as Riquezas e as Recompensas do Discipulado (10.17-31).

Os versículos 17 a 31 formam uma longa e complexa série de diálogos. Considerados individualmente, cada um destes versículos tem a estrutura de história de pronunciamento (veja "A Forma de Histórias de Pronunciamento", seção 2.3), terminando num aforismo. Esta seção particular poderia ter sido encerrada em vários lugares sem perda de sentido narrativo. Por exemplo, o versículo 21 oferece uma conclusão satisfatória. O mesmo se dá no versículo 22. O versículo 23 dá início à série novamente, e o versículo 25 faz um terceiro encerramento. O versículo 26 abre a série outra vez, e o versículo 27 faz um quarto fechamento. Quando parece haver uma conclusão da passagem, ela avoluma-se de novo.

As extensas declarações sobre deixar tudo por causa do Evangelho (vv. 29,30) e o aforismo equilibrado do versículo 31 ligam a seção inteira. A história sobre o jovem rico abre a série e, porquanto a encerre provisoriamente no versículo 22, terá sua conclusão última nas afirmações radicais nos versículos 29 a 31.

Ao longo deste comentário temos lido o texto contra uma tela de fundo de crise, na qual os cristãos de Marcos perderam tudo por causa do evangelho. Aqui, um novo elemento radical é introduzido na demanda que Marcos exige de seus leitores: pobreza *voluntária*. Até por causa do comentário ampliado sobre a riqueza nos versículos 24 e 25, devemos nos guardar de ver isto na função de outro mandamento, como os alistados nos versículos 18 e 19, da mesma maneira que a adição de "Vendei tudo o que tiverdes e dai aos pobres" fosse completar as exigências que o jovem rico tem de cumprir se ele quiser "herdar a vida eterna" (v. 17). Ao invés disso, a conclusão da série (vv. 28-30) generaliza o conteúdo para incluir o deixar "tudo" (v. 28) para seguir Jesus. O foco da atenção é colocado em seguir Jesus e deixar para trás *qualquer coisa* que impeça a pessoa de agir assim.

O versículo 31 impressiona o assunto com clareza especial: "Muitos primeiros serão derradeiros, e muitos derradeiros serão primeiros". Quer dizer, pede-se que a pessoa abandone as fontes de *status* e segurança, sempre que a segurança estiver embutida em qualquer coisa que não seja da vontade de Deus. Assim esta história ecoa o tema da seção como um todo, sobretudo a série de declarações sobre a verdadeira grandeza (Mc 9.33-37). No caso do jovem rico, um obstáculo entre ele e a salvação era sua dependência das riquezas.

Mas esta mensagem representa um rompimento fundamental nos valores do judaísmo antigo. O assunto das riquezas está relacionado de perto com a questão da devoção judaica introduzida nos versículos 18 e 19. De fato, sem suas riquezas, o jovem rico não poderia ter feito a afirmação que fez no versículo 20: "Tudo isso [todos esse mandamentos] guardei desde a minha mocidade". Na mente dos judeus justos, a simples dificuldade e as despesas em manter positivamente a pureza ritual excluía os pobres de obter o Reino de Deus. Jesus pediu ao jovem rico que abandonasse suas riquezas e adotasse uma concepção radicalmente diferente do que significa ser santo. Como é que um discípulo sem casa, representando um pregador itinerante, poderia esperar continuar satisfazendo as rígidas demandas impostas pelo legalismo judaico? Pedro expressará a mesma pergunta depois no versículo 26: "[Se os ricos não podem se salvar,] quem poderá, pois, salvar-se?"

O versículo 22 leva a história a um fim provisional. Continuando a cena nos versículos 23 a 31, Marcos deixa claro que a riqueza pode ser, de certo modo, um problema à fé que a pobreza não seja. Contudo estes versículos também mostram que a fé pode ser investida em muitas coisas diferentes. Marcos menciona a família e a propriedade explicitamente, mas é evidente que a lista é representativa, não exaustiva. O cristão moderno precisa ser lembrado de que qualquer reivindicação de *status*, segurança ou poder que possuamos empalidece à luz do evangelho. Perder tais coisas pelo evangelho é perda pequena: Jesus promete um retorno cem vezes maior (v. 30a).

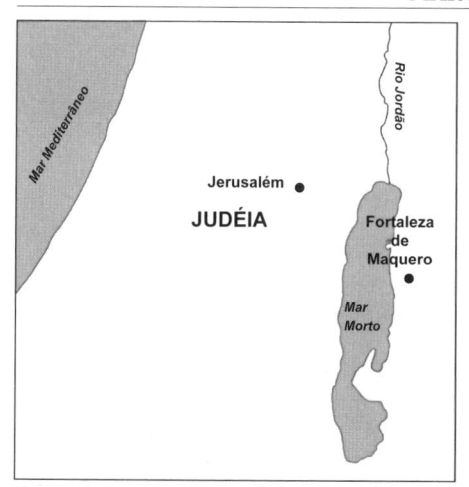

Em sua jornada para Jerusalém, Jesus viajou pela região da Transjordânia, no território de Herodes Antipas, que tinha mandado decapitar João Batista. Acredita-se que João Batista tenha sido morto na fortaleza de Herodes, na Transjordânia, que pode ter sido Maquero.

Mas com um ardil: O retorno cêntuplo é temperado com um comentário sensato. Tais coisas vêm "com perseguições" (v. 30b). Assim, o Jesus de Marcos lembra os discípulos — e o leitor de Marcos também — de que esta não é uma fórmula mágica que apaga a realidade da perda; antes, fornece o contexto maior do Reino de Deus como a definidora estrutura de referência na qual a perda pode ser entendida. Os cristãos romanos de Marcos, lendo o Evangelho contra o pano de fundo de abandono e traição, teriam ouvido algo estranhamente pessoal nas palavras de Jesus sobre "deixa[r] casa, ou irmãos, ou irmãs, ou pai, ou mãe, ou mulher, ou filhos, ou campos, por amor de mim e do evangelho" (v. 29).

Marcos já disse ao leitor que ganhar o mundo inteiro e perder a alma não é de nenhum lucro (Mc 8.34—9.1). Aqui ele vira a fórmula: Perder tudo e ganhar o Reino, mesmo "com perseguições" é, em última instância, ganhar tudo o que importa e perder tudo o que não importa.

É difícil ver o quanto esta fórmula é colossal em seu contexto social e histórico. Já vimos o quanto a família é central no mundo antigo (veja comentários sobre Mc 3.31-35). Nesta seção anterior Marcos mostrou que quem perde a família por causa do Reino recupera a perda na pessoa de Jesus. Aqui, ele mostra que quem perde a família por causa do Reino recupera a perda na vida da Igreja. A Igreja é, afinal de contas, a família de Deus. Em nenhum lugar Jesus degrada a família. Antes, Ele usa o que todo o mundo entendia pelo mais alto bem social como modo de demonstrar o incomparável valor do Reino de Deus.

3.1.14. A Terceira Predição da Paixão (10.32-34).

Esta é a última e mais detalhada das três predições da paixão (veja também Mc 8.31-33; 9.30-32; veja comentários sobre Mc 8.31-33). De fato, os elementos mencionados nos versículos 33 e 34 serão mais tarde cumpridos justamente dentro da própria narrativa. Jesus e os discípulos sobem a Jerusalém (Mc 11.1), onde Ele é entregue aos anciãos, principais sacerdotes e escribas (Mc 14.18-21,43,53-65), que o condenam à morte (Mc 14.64) e o entregam aos gentios (Mc 15.1ss), os quais, por sua vez, o escarnecem (Mc 15.16-20), o açoitam (Mc 15.15) e o matam (Mc 15.22-37). Depois de três dias, Ele ressuscita (Mc 16.1-8). Em sua maioria, a linguagem da predição é repetida precisamente nos momentos de cumprimento, de forma que quando os leitores de Marcos chegam à paixão (Mc 14.1—15.47), eles se lembram de que Jesus sabia de antemão que estes acontecimentos se sucederiam. Essa memória afeta significativamente o modo como eles responderão às ações dos personagens dentro da história (e.g., veja comentários sobre Mc 14.66-72).

Poderíamos abordar esta pergunta de perspectiva diferente: Como a paixão seria lida diferentemente caso estas três predições não tivessem sido registradas? A resposta mais óbvia é que Jesus pareceria ter sido vítima, alguém que esteve no lugar errado e na hora errada. Mas é justamente isso o que *não* acontece. Estranhamente — ironicamente — Jesus está no controle dos acontecimentos; Ele é mestre do seu destino. São as predições da paixão que esclarecem essa ironia.

A totalidade da paixão se mostrará, mais tarde, irônica, porque mantém dimensões para o leitor que estão completamente fora de vista para as personagens da história. Em certo sentido, essas ironias tiveram seu início em Marcos 1.1 (veja comentários); aqui a terceira predição da paixão enfoca essas ironias, certificando-se de que o leitor entende o caminho mortalmente sério pelo qual Jesus se aproxima de Jerusalém (v. 32).

3.1.15. A Precedência entre os Discípulos (10.35-45).

Este diálogo extenso diz em termos claros e precisos o que foi indiretamente insinuado ao longo desta seção maior (Mc 8.22—10.52): Se o próprio Jesus tem de morrer por sua missão, então o mesmo deve suceder com os discípulos. Em outros lugares, a "morte" é literal (e.g., Mc 8.34—9.1), e os discípulos não lhe entendem o significado; aqui torna-se figurada, mas fácil de entender. Há muitas maneiras de "morrer" pelo Reino, e ainda que tomar o lugar de alguém na arena possa ser uma delas, morrer para si mesmo é outra coisa. Deste modo, o mandado "tomai a cruz" torna-se princípio da ética cristã, e não uma regra a ser seguida tanto quanto não é uma história a ser representada repetidas vezes nas relações humanas. Não admira que Marcos coloque a narrativa no ápice de sua seção sobre o treinamento do discipulado. Tudo nesta seção focaliza-se nas palavras atordoantes de Jesus registradas nos versículos 42 a 44:

> "Sabeis que os que julgam ser príncipes das gentes, delas se assenhoreiam, e os seus grandes usam de autoridade sobre elas; mas entre vós não será assim; antes, qualquer que, entre vós, quiser ser grande, será vosso serviçal. E qualquer que, dentre vós, quiser ser o primeiro será servo de todos".

Jesus já tinha chegado a este mesmo ponto anteriormente, quando usou crianças como exemplos (Mc 9.33-37; 10.13-16). Aqui Ele chega ao ponto desejado usando o próprio sacrifício como exemplo. A razão por que seus seguidores devem fazer isto é "porque o Filho do Homem também não veio para ser servido, mas para servir e dar a sua vida em resgate de muitos" (Mc 10.45).[9]

Marcos atinge esta meta *ironicamente*, quer dizer, do modo como ele estrutura a história. As ironias dependem de o leitor ler a história contra um pano de fundo de conhecimento sobre a crucificação, informação que não foi apresentada na narrativa, mas que deve ser trazida de fora. Os detalhes externos são específicos: Tem-se como certo que o leitor sabe que as palavras "cálice" (*poterion*) e "batismo" são referências oblíquas à morte de Jesus (veja esp. *poterion*, em Mc 14.36). Quando estes significados são combinados imediatamente após à mais explícita das predições da paixão (Mc 10.32-34), eles amoldam nossa compreensão do pedido que os discípulos fizeram, no versículo 37: "Concede-nos que, na tua glória, nos assentemos, um à tua direita, e outro à tua esquerda". Espera-se que o leitor reconheça estas palavras como outra referência indireta aos dois salteadores que serão crucificados com Jesus, "um à sua direita, e outro à esquerda" (Mc 15.27).

Este também é o contexto no qual devemos entender o significado da palavra "glória", em Marcos 10.37. A "glória" de Jesus é a cruz. Quando Ele fala a Tiago e João que eles na verdade beberão "o cálice" que Ele beber, o leitor já sabe que Tiago encontrou o destino de mártir às mãos de Herodes (cf. At 12.2)! A conversação cambaleia à borda de um precipício.

Mas os discípulos na história não sabem disso. Eles fazem a pergunta somente de um impulso pessoal por poder, e entendem as respostas de Jesus apenas dentro do contexto da marcha para Jerusalém, a qual — muito naturalmente — esperam que venha a terminar num ataque de algum tipo. O que eles querem e o que ouvem de Jesus tem um significado mais básico. Por "glória" eles querem dizer a futura posição de chefe de estado. "Sentar-se um à sua direita e outro à sua esquerda" é assumir posições de poder quando Ele tiver uma corte. Quando Jesus lhes pergunta: "Podeis vós beber o cálice [*poterion*] que eu bebo"?, eles só ouvem: "Vós estais dispostos a me servir como degustadores de vinho?" Não podemos afirmar com certeza, mas eles teriam ouvido a referência ao batismo de modo semelhante, tendo algo a ver com a violência da revolução que se aproxima.

O ponto da discussão é que a conversação se desenvolve em dois níveis — um político, o outro teológico:

MARCOS 10 - AÇÕES E REAÇÕES ADVERSAS

"Concede-nos que, na tua glória, nos assentemos, um à tua direita, e outro à tua esquerda" (v. 37).	*O que os discípulos quiseram dizer:* "Queremos ter posições de honra na corte".	*O que Jesus ouve:* "Vamos ser crucificados contigo".
"Não sabeis o que pedis; podeis vós beber o cálice que eu bebo e ser batizados com o batismo com que eu sou batizado?" (v. 38)	*O que Jesus quis dizer:* "Vós estais pedindo uma morte horrível. Estais dispostos a serdes crucificados comigo?"	*O que os discípulos ouvem:* "Vós estais dispostos a servirdes como meus criados especiais, até como meus degustadores de vinho?"

Por outro lado, espera-se que os leitores de Marcos ouçam os dois níveis de significado. O poder da história não se encontra em um nível ou outro, mas na tensão quase elétrica entre ambos. A retórica da narrativa não dá ao leitor a opção de tomar a opção inferior. O diálogo irônico não exige que o leitores assumam a visão superior; força-os a reconhecer o quanto Jesus e os discípulos se tornaram dessemelhantes, o quanto não é cristão o agarramento deles por poder. O leitor que começou a narrativa acreditando que os líderes cristãos deveriam governar "do modo como os gentios fazem", ficarão sabendo que, entre cristãos, "qualquer que [...] quiser ser o primeiro será servo de todos". A coisa mais notável é que Marcos tenha usado habilidade retórica de contador de história para ensinar essa verdade aos leitores muito antes que os versículos 42 a 45 a tornassem elemento explícito do texto.

3.1.16. A Cura do Cego Bartimeu (10.46-52). A história da cura do cego Bartimeu apresenta-se ao leitor com sutil mudança de ênfase. A expectativa inicial do leitor — que a história será sobre um milagre — é tanto subvertida quanto suplementada e, desse modo, recebe um significado diferente.

O truque narrativo acha-se na seqüência da história. Os sinais de gênero nos versículos de abertura dizem ao leitor que espere um milagre (veja "Forma de Milagre", seção 2.2.3). O cego e a multidão antecipam um milagre de cura. De acordo com a forma-padrão de milagre, o que *deveria* acontecer é um encontro com quem faz milagres, quando então a pessoa é curada, a "prova" é demonstrada de algum modo e depois aprovada na aclamação da multidão. Estas coisas acontecem, eventualmente, mas por ora são suspensas, e o leitor é apresentado com elementos de uma forma completamente diferente.

O que começa como milagre desenvolve-se numa "narrativa de chamada" (veja a chamada dupla do cego no v. 49). O descarte da capa (v. 50) é elemento comum de narrativa de chamada. Finalmente, esta história termina com a nota de que, quando Bartimeu recebeu visão, ele "seguiu a Jesus pelo caminho" (v. 52). Isto é engenhoso. O fato de Bartimeu ter seguido Jesus serve indiretamente de "prova" e apresenta ênfase diferente. Enquanto a forma e o conteúdo assinalam ao leitor que esta é uma cura, a forma *secundária* indica que também é, de alguma maneira, sobre discipulado, sobre responder à chamada de Jesus.

Não é de admirar que Marcos encerre esta seção com uma história como esta. A seção começou com a cura do cego que foi tocado duas vezes (veja comentários sobre Mc 8.22-26), a qual pressagiou o fracasso dos discípulos em entender o ensino de Jesus de que Ele tem de ir a Jerusalém para morrer (veja seção 3.1). Na estrutura retórica desta história, o cego Bartimeu viu claramente que Jesus era o "Filho de Davi" e "[o] seguiu [...] pelo caminho" (vv. 47-52), o que serve como outro tipo de contraste para os discípulos, que deveriam ter visto Jesus, mas não o viram.

3.2. Julgamento em Jerusalém (11.1—12.44)

Intitulei esta seção de "Julgamento em Jerusalém", embora de certo modo este título se aplique ao livro como um todo e, certamente, à narrativa da paixão. Em sentido mais restrito, esta seção põe a confrontação com as autoridade em foco nítido e, assim, forma a tela de fundo do julgamento e crucificação de Jesus.

A seção é composta por dois movimentos grandes.

1) Jesus organiza o que parece ser um "ataque" à cidade (Mc 11.1-10), fazendo reivindicações não só de seus locais santos, mas também de seus símbolos religiosos e políticos. Esta entrada triunfal de Jesus é seguida por um circuito de inspeção pela cidade e pelo templo (v. 11) e, depois, por demonstração veemente da paixão profética no templo (vv. 15-17). Marcos intercala a purificação do templo com a maldição (vv. 12-14) e secagem da figueira (vv. 20-26), de forma que tanto o significado quanto o poder das ações de Jesus fiquem claros. As autoridades já não podem mais agüentar. Elas reconhecem a ameaça contra si e dão a resposta que acreditam que devam dar.

2) A resultante série de confrontações, em Marcos 11.27 a 12.44, aguça os assuntos. Aqui Marcos apresenta a forma de controvérsia como estrutura na qual depender os pronunciamentos autorizados de Jesus (veja "A Forma de Histórias de Pronunciamento", seção 2.3). Já vimos este tipo de encontro antes, apesar de agora Jesus estar no campo das autoridades. À medida que a narrativa se aproxima de sua conclusão inevitável, as controvérsias ressaltam as balizas e refocalizam a atenção na seriedade das ações de Jesus. Há outro sentido no qual as controvérsias dão movimento ao programa retórico de Marcos: Jesus apresenta outro desempenho virtuoso na primorosa destreza do duelo verbal, de maneira que, mais tarde, quando Jesus está calado em seu julgamento (diante do Sinédrio [Mc 14.61]; diante de Pilatos [Mc 15.5]), o leitor reconhece que este silêncio é escolha deliberada.

3.2.1. A Entrada Triunfal de Jesus (11.1-10).

Quando Jesus e os discípulos finalmente entram em Jerusalém, a narrativa começa uma fase nova e mais perigosa. De certo modo, tudo o que aconteceu e foi escrito até aqui preparou para este momento. A marcha para Jerusalém enche o leitor com um senso de medo. Este medo já apareceu em Marcos 1.14, quando João Batista "foi entregue à prisão" e, talvez, ao executor. Em Marcos 3.6, os herodianos e os fariseus tomaram conselho contra Jesus "procurando ver como o matariam". Em Marcos 6.1-6, Jesus foi rejeitado em seu torrão natal. A morte de João Batista, registrada em Marcos 6.17-29, adensou a sombra crescente que agora paira sobre a narrativa como uma nuvem tormentosa e ameaçadora. Depois de Pedro fazer sua famosa confissão (Mc 8.26-30), Jesus respondeu com o anúncio de que Ele ia a Jerusalém para morrer (Mc 8.31-33), mas Pedro não teria nada a ver com isso (Mc 8.34,35). Jesus tentou novamente dizer aos discípulos em Marcos 9.30-32, porém mais uma vez eles não entenderam (Mc 9.33-50). Ele tentou pela terceira vez, em Marcos 10.32-34, desta feita de maneira inequívoca e precisa, mas eles se recusaram a entender (Mc 10.35-45).

Marcos também mediu o passo segundo a cadência desta grande e sombria marcha dando o tom em Jesus ir em direção a Jerusalém (Mc 8.27; 9-33; 10.32,33,52). As contra-marcações são as chamadas repetidas para os discípulos tomarem a cruz (Mc 8.34) e seguirem Jesus, abandonarem toda esperança de poder político (Mc 9.33-37) e beberem "o cálice" que Ele vai beber (Mc 10.38). Mas é óbvio que eles constantemente não entendem o que isso significava.

Quando a entrada triunfal de Jesus é lida em oposição ao grande sentimento de medo, tudo de repente é invertido. A entrada "vitoriosa" de Jesus na cidade montado simbolicamente num jumentinho, o entusiasmo frenético das multidões, os ramos das palmeiras, os grandes gritos de hosana, o cântico de vitória — tudo resulta num grande choque de alívio. Afinal de contas, aqui não há sombra.

Tanto mais por seu *efeito*; e quanto ao seu *conteúdo*? É claro que a entrada triunfal de Jesus foi organizada por seu significado simbólico, talvez até arranjado de antemão pelo próprio Jesus. Como tal, é um tipo de parábola promulgada e, assim, uma extensão do ministério pedagógico de Jesus. Jesus — Filho de Davi, o Rei conquistador — entra em Jerusalém para cumprir a Escritura (Zc 9.9):

> "Alegra-te muito, ó filha de Sião; exulta, ó filha de Jerusalém; eis que o teu rei virá a ti, justo e Salvador, pobre e montado sobre um jumento, sobre um asninho, filho de jumenta".

A alusão a Zacarias 9.9 está oculta na narrativa. Marcos deixa ao leitor a ação de descobrir essa alusão pelas indicações da própria narrativa. Outras indicações na estrutura da história sugerem uma alusão secundária a Gênesis 49.10,11, em si, um texto messiânico:

> "O cetro não se arredará de Judá, nem o legislador dentre seus pés, até que venha Siló; e a ele se congregarão os povos. Ele amarrará o seu jumentinho à vide e o filho da sua jumenta, à cepa mais excelente; ele lavará a sua veste no vinho e a sua capa, em sangue de uvas".

Estes são textos evocados pela linha da história. As multidões, que estão dentro da própria história e, portanto, não ouvem as alusões, não obstante apanham o significado do jumentinho e organizam uma demonstração jubilosa, ainda que improvisada. Aqui, também, tudo tem significado messiânico. As vestes espalhadas pelo caminho recordam 2 Reis 9.12,13. Os ramos de palmeira lembram a chegada triunfante de Simão Macabeus (1 Macabeus 13.51), que foi a Jerusalém para assumir o trono. O cântico antifônico em Marcos 11.9,10 pega sua sugestão do Salmo 118.25,26, um dos salmos de Hallel, tipicamente cantados pelos peregrinos quando se aproximavam de Jerusalém. É um momento de entusiasmo delirante, no qual Jesus assume o papel de rei messiânico, que chega abertamente para recuperar o que é legalmente de Deus.

3.2.2. Jesus Entra em Jerusalém (11.11).
Este curto texto de transição amarra a história da entrada triunfal de Jesus (Mc 11.1-10) e move o enredo para Betânia, uma aldeia no lado distante do monte das Oliveiras. A observação de Jesus: "Tendo visto tudo ao redor", cria a impressão de uma inspeção e, assim, completa a imagem geral de um rei e general conquistador que inspeciona o território recentemente conquistado.

Até aqui, em nossa leitura de Marcos, o material foi organizado pela *forma* (e.g., histórias de milagre e histórias de pronunciamento), por *tema* (e.g., o evangelho aos gentios [Mc 6.1—8.30]) ou por *palavra-gancho* (veja seção 2.7.9). Em Marcos 11.11, a nota cronológica: "Como fosse já tarde", marca uma mudança para uma organização livremente baseada na cronologia. Daqui por diante, as notas cronológicas se tornarão o modo predominante de ligar as partes da narrativa e demarcar suas transições. Por causa desta mudança, as partes da narrativa estão mais estreitamente vinculadas umas com as outras, de maneira que pedem que sejam lidas juntas como um relato único e integrado. Este relato, que constitui quase 40 por cento de Marcos, indica que os acontecimentos que cercam a crucificação eram de significado crucial no programa teológico do evangelista.

3.2.3. O Julgamento contra a Figueira (11.12-14).
Temos de examinar esta história primeiro como teria sido *ouvida* numa apresentação oral do Evangelho. O episódio inteiro está contido em apenas cinqüenta e seis palavras gregas e teria levado pouco mais de um minuto ou dois para ser lido. Nesse tempo, pede-se que o ouvinte ouça e entenda uma história que tem desconcertado e incomodado os intérpretes quase desde o começo da Igreja. Levanta perguntas significantes: Se "não era tempo de figos" (v. 13), por que Jesus procurou por frutos em primeiro lugar? O que é talvez mais incômodo é a aparente arbitrariedade — até violência — da ação de Jesus contra a árvore.

O leitor aprende subseqüentemente (vv. 20,21) que as histórias da figueira que secou e da purificação do templo estão intercaladas, de forma que cada história complementa e aprofunda as nuances retóricas da outra (veja comentários sobre Mc 5.21-43). O que é bastante surpreendente é o modo abrupto que a história da figueira é concluída, no versículo 14. Isto suscita imagens terríveis e violentas de Jesus, imagens que não são fáceis de reconciliar com o que sabemos do caráter dEle. Então, sem avisar, a história pára, deixando o leitor suspenso. A falha na conclusão força o leitor a continuar confuso à medida que a narrativa avança para a purificação do templo (vv. 15-17). Isto é, pede-se que o leitor compreenda a história do templo sem ter finalizado uma compreensão da história da figueira. Estas duas atividades de interpretação ocorrem ao mesmo tempo, de maneira que uma história se torna comentário da outra.

Em outros lugares, Marcos tratou as narrativas do Evangelho como acontecimentos simbólicos, acontecimentos que estão incrustados de significado teológico (veja comentários sobre Mc 4.10-12). A entrada triunfal de Jesus é um recente caso ilustrativo: Jesus aproveitou uma grande ocasião para *ensinar* por meio de um gesto simbólico. Na presente história, a imagem se serve de freqüentes imagens do Antigo Testamento de Deus como um proprietário de terras, que voltou para recolher o rendimento de suas colheitas. (Esta metáfora fica explícita na história da Parábola dos Lavradores Maus, em Mc 12.1-12.)

Um paralelo surpreendente aqui é Miquéias 7.1, no qual o profeta lamenta a falta de retidão na terra:

> "Ai de mim! Porque estou como quando são colhidas as frutas do verão, como os rabiscos da vindima: não há cacho de uvas para comer, nem figos temporãos que a minha alma desejou".

Mais de acordo com nossa passagem está Jeremias 8.13, onde o Senhor expressa angústia pela nação devido às suas ações más:

> "Certamente os apanharei, diz o SENHOR; já não há uvas na vide, nem figos na figueira, e a folha caiu; e até aquilo mesmo que lhes dei se irá deles".

Se o leitor pode ouvir tais associações como estas implícitas na presente história, o julgamento contra a figueira é prevalecente com simbolismo profético. É um gesto de julgamento que aponta além de si mesmo para uma verdade teológica maior. A narrativa opera agora em dois níveis de referência — um literal e o outro parabólico. Ao término do versículo 14 está evidente que o impacto literal da "maldição" de Jesus é dirigido à figueira: "Nunca mais coma alguém fruto de ti". Qual é a referência parabólica? Por causa dos paralelos do Antigo Testamento, o leitor vê isso como referência geral a Israel e, portanto, na experiência dos cristãos de Marcos aos judeus. Quando a narrativa passa imediatamente para a purificação do templo (outro ato profético), a referência parabólica deste ato profundamente simbólico entra de repente em foco: É um julgamento explícito e condenatório contra as ministrações dos sacerdotes e o próprio templo.

3.2.4. O Julgamento contra o Templo (11.15-17). A intercalação desta história entre as duas metades da história da figueira (vv. 12-14 e vv. 20-26; veja comentários sobre Mc 5.21-43) dá a entender que os dois acontecimentos devem ser lidos juntos. Como vimos na seção prévia, a história da figueira deixa o leitor de Marcos com várias perguntas não respondidas. Mais está acontecendo do que um ato de ira, mas o quê? O que significa o fato de que "não era tempo de figos" (v. 13)? Se não era, por que Jesus esperava encontrar frutos? A história levanta estas perguntas, mas congela-se sem respondê-las; elas pairam na mente do leitor e sangram sobre a interpretação do leitor na história da purificação do templo.

Ainda que a interrupção da história tenha sido abrupta, o julgamento sobre a figueira não se encerra sem deixar que estas questões sejam tratadas O contexto está cheio de imagens do Messias — o entusiasmo frenético da multidão na entrada triunfal de Jesus (Mc 11.1-10), a linguagem poderosamente evocada do profeta Jeremias e os gritos de hosana, o "circuito de inspeção" da cidade e do templo (v. 11) e a sugestão de Israel na imagem da figueira (vv. 12-34). O fato de que a figueira não tinha figos evoca a imagem usada pelo profeta Jeremias para descrever que Javé está lamentando o fracasso da fé em Israel (Jr 8.13; veja comentários sobre Mc 11.1-10). O ponto desta análise é que as camadas poderosas de imagens messiânicas, junto com as complicações de enredo não resolvidas da história da figueira, prepararam o leitor para esperar um ato de julgamento profético contra o templo, o selo do judaísmo "oficial".

Nenhuma outra história em Marcos mostra-se igual à purificação do templo por seu puro drama furioso. Jesus é uma figura sobressalente e turbulenta aqui, destruindo mesas e cadeiras, detendo o tráfico, não levando nenhum prisioneiro. Note a seqüência da história. No princípio, a explosão de Jesus parece não ter sido provocada. As razões são dadas, mas não até o versículo 17, depois que a invectiva explodisse pelo templo. O que está acontecendo no templo é um eco do que tinha acontecido com a figueira lá fora na estrada. Por que Jesus está fazendo isto? O leitor está preparado com a resposta: Pela mesma razão que Ele fez o que fez com a figueira — Ele foi e procurou frutos, mas não os achou.

No versículo 16, a interação das metáforas é claramente teológica. Na pessoa de Jesus, Javé também veio à vinha procurar frutos e não achou nenhum. Então, logo a seguir, o versículo 17 deixa claro exatamente o que significa Jesus, "chegando a ela [a figueira], não achou senão folhas" (veja v. 13):

> "Não está escrito: A minha casa será chamada por todas as nações casa de oração? Mas vós a tendes feito covil de ladrões".

Há várias nuanças sobrepondo-se aqui. A referência a uma "casa [...] chamada por todas as nações casa de oração", retirada de Isaías 56.7, explica a reação de Jesus à cena: O problema não é que compra e venda aconteçam por si, mas o local onde aconteciam: no pátio dos gentios. Quando montaram barracas dentro do complexo do templo, os comerciantes apropriaram-se do único lugar legítimo que os gentios tinham de adoração. Pode não ser insignificante que a igreja de Marcos estava em contenção sobre o lugar dos gentios na economia de salvação. Pelo menos *alguns* dos leitores de Marcos teria ouvido estas palavras com alívio.

A segunda metade do versículo 17 contém uma alusão a Jeremias 7.11: "É, pois, esta casa, que se chama pelo meu nome, uma caverna de salteadores aos vossos olhos?" O ponto da alusão não é que os vendedores e compradores no templo "roubam" as pessoas, talvez majorando os preços para levar vantagem da situação aglomerante e estressante. Ladrões não roubam pessoas num *covil*. O covil dos ladrões é o lugar de retirada e segurança depois dos roubos que ocorriam em outro lugar. O texto completo de Jeremias 7.9-11 deixa este ponto explícito:

"Furtareis vós, e matareis, e cometereis adultério, e jurareis falsamente, e queimareis incenso a Baal, e andareis após outros deuses que não conhecestes, e então vireis, e vos poreis diante de mim nesta casa, que se chama pelo meu nome, e direis: Somos livres, podemos fazer todas estas abominações? É, pois, esta casa, que se chama pelo meu nome, uma caverna de salteadores aos vossos olhos?"

> A sobreposição das duas histórias tem outro efeito retórico: A virada das mesas dos cambistas e o espalhar das moedas, a expulsão dos comerciantes, a proibição de levar "algum vaso" (i.e., qualquer coisa") pelos recintos do templo — tudo foi feito tematicamente paralelo à declaração no versículo 14: "Nunca mais coma alguém fruto de ti".

É ato escandaloso, escandaloso da mesma forma que a secagem da figueira foi escandalosa, e pelas mesmas razões: Este ato profético termina com os negócios comuns do templo. Este tema ecoará outra vez ao longo da narrativa da paixão que se segue. O leitor o ouvirá talvez mais vividamente na abertura do Discurso do Monte das Oliveiras: "Vês estes grandes edifícios? Não ficará pedra sobre pedra que não seja derribada" (Mc 13.2; veja também Mc 13.14-23). Soará de novo como uma das falsas acusações levantadas contra Jesus no "julgamento" diante do Sinédrio (Mc 14.58) e, mais tarde, como um insulto arremessado contra Ela na cruz (Mc 15.29) e finalmente — num momento de supremo simbolismo teológico — no rasgamento do véu do templo, de alto a baixo, no instante preciso em que Jesus "expirou" (Mt 15.37,38).

O leitor de Marcos não precisa esperar por este padrão para sentir o medo ou a esperança no ato profético de Jesus contra o templo. Para tudo isso é dado uma conclusão absolutamente atordoante, no versículo 20: "E eles, passando pela manhã, viram que a figueira se tinha secado desde as raízes".

3.2.5. Os Principais Sacerdotes Conspiram contra Jesus (11.18,19).

Marcos intercalou outra história — o curto episódio sobre a conspiração das autoridades contra Jesus, colocado aqui para explorar o efeito da história da purificação do templo. A ação de Jesus contra o templo tem significado teológico como ato profético e como passo na revisão da redenção (veja comentários sobre Mc 11.15-17), mas as autoridades religiosas não podem ver isso. Elas reagem às implicações sociais do ato: O que Jesus fez destroça a ordem social estabelecida. Virar as mesas é o que menos conta. Para os leitores judeus — para quem o templo era o próprio centro do universo —, Ele virou o mundo de cabeça para baixo (veja comentários sobre Mc 11.20-26).

Jesus fez este tipo de coisas antes (Mc 3.1-6), e a omissão das autoridades tinha começado a se amontoar desde cedo na narrativa (e.g., Mc 2.1—3.6, esp. Mc 3.6). Na primeira metade do Evangelho, seus movimentos estavam restritos a ações nos flancos. Desde a confissão de Pedro, em Marcos 8.27-30, as autoridades desapareceram da narrativa formal, exceto dentro das predições de Jesus de que eles finalmente o assassinariam (Mc 8.31-33; 9.30-32; 10.32-34). Eles reapareceram brevemente em Marcos 10.2-12, onde desafiaram Jesus na pergunta sobre o divórcio, e depois desapareceram de novo. Nesta história, eles reaparecem com ímpeto.

É importante lembrar o quanto a ação de Jesus no templo é socialmente diruptiva. Em toda a sociedade antiga havia um forte senso de que as pessoas devessem ficar em seu *lugar* ou *posição social*. Nunca se devia desafiar os superiores; fazê-lo poderia trazer represálias instantâneas e severas. A expressão técnica para o assunto aqui é o padrão social "honra-vergonha". Quando a honra é desafiada, sobretudo em público, a pessoa *sempre* tem de revidar. Do ponto de vista dos líderes judeus, Jesus desafiou os superiores numa exibição de incrível desaforo.

É importante que o desaforo também seja público. As autoridades têm de entrar em ação, a qual deve ser decisiva e absoluta, embora tenha de ser executada com cautela por medo da multidão (Mc 11.18; veja Mc 14.1,2). O enredo espessa. As autoridades começam a colocar as forças em posição para um ataque frontal.

3.2.6. A Figueira Seca (11.20-26).

A secagem da figueira é chocante não apenas por si só, mas também porque preenche a simbólica purificação do templo (veja comentários sobre Mc 11.12-17). Pela razão de estar ligada à figueira, a purificação do templo é mais que simples ação corretiva; é uma conclusão simbólica do templo. As palavras de Jesus à figueira ("Nunca mais coma alguém fruto de ti", v. 14) são dirigidas efetivamente para o templo também. Pela mesma estratégia retórica, as palavras de Pedro a Jesus, registradas no versículo 21, também são acerca do templo: "Mestre, eis que a figueira que tu amaldiçoaste se secou" — e secou "desde as raízes" (v. 20) — e, portanto, não pode mais ser recuperada.

É difícil descrever o quão caótico — e portanto terrível — o mundo seria para um judeu sem o templo. O monstruoso tamanho de seu complexo e o esplendor de sua ornamentação faziam do templo fonte de orgulho pessoal e nacional. Mais importante que isso, suas funções religiosas o fizeram pedra fundamental do mundo. O cristão moderno concebe que Deus está presente em todos os lugares. Os judeus antigos acreditavam nisso, mas também acreditavam que havia um único *lugar* em todo o mundo onde Deus estava especialmente presente — o templo e seu santuário interior, o Santíssimo Lugar. Por isso, o templo era o lugar onde a terra encontrava o céu, o ponto central ao redor do qual girava o restante da ordem criada. Remover o templo do mapa do mundo era rasgar o próprio mapa. Como a pessoa de fé poderia viver se não houvesse templo? Deus ainda ouviria as orações das pessoas? Como obteríamos perdão?

Estas são as perguntas que Jesus trata nos versículos 23 a 25. "Tende fé em Deus", diz Ele aos discípulos no versículo 23. A RC perde um detalhe gramatical importante aqui. A expressão "fé em Deus" é traduzida literalmente por "fé [ou fidelidade] de Deus". Uma paráfrase poderia esclarecer a idéia: "O próprio Deus não fica espantado com a destruição do templo, então por que o povo de Deus deveria se espantar?" Além disso, o verbo traduzido como imperativo: "Tende", também pode ser traduzido como indicativo: "Tendes". Em outras palavras, a oração pode ter a leitura: "Vós tendes a fidelidade de Deus". Por que, então, vocês exigem um templo?

Com a fidelidade de Deus à disposição, o crente pode dizer a este monte: "Vai, lança-te ao mar" (v. 23). Note que Jesus não está se referindo a qualquer monte, mas "a *este* monte", isto é, ao monte do templo, o monte Sião. Em outras palavras, Jesus não está falando aqui sobre ter fé para afastar os grandes obstáculos da vida, mas ter fé para viver em dependência direta de Deus, sem o templo ou suas práticas cúlticas intervenientes. Para a antiga mente judaica, criado desde a infância para reverenciar o templo, esta era proposição terrificante.

Sem um templo, Deus ouvirá nossas orações? Jesus responde a pergunta no versículo 24. A pessoa pode orar, Jesus sugere, até sem o templo ou seus sacerdotes, porque as orações estão baseadas diretamente na fidelidade de Deus.

Sem um templo, como receber o perdão? A resposta de Jesus no versículo 25 torna o perdão com Deus dependente, de maneira importante, do perdão dos crentes uns aos outros. Superficialmente, esta é uma "condição", adicionada à fé na graça de Deus. Neste contexto, esta "condição" transmite reafirmação. O templo pode ser destruído, da mesma maneira que a figueira secou desde as raízes, mas não ficamos sem Deus no mundo.

A cessação da adoração no templo não faz parte nem mesmo de nossas lembranças, mas para os judeus e cristãos do século I foi uma catástrofe de primeira magnitude. Contudo a questão levantada naquela época não está tão distante dos assuntos que cristãos e judeus dos dias atuais têm de enfrentar. A reafirmação de Jesus ainda é reafirmação real: Deus ainda é Deus, e ainda está no trono. A fidelidade de Deus permanece imutável. Deus ouve e responde as orações, e continua a perdoar pecados. Mesmo em face de catástrofe tão grande como a destruição do templo, o mundo não perdeu seu centro.

A história da figueira que não tinha frutos e foi amaldiçoada por Jesus está unida em Marcos com a purificação do templo. Em ambos os casos, estava faltando o "fruto". Na figueira, Jesus "não achou senão folhas". No templo, Ele achou um "covil de ladrões". Jesus disse aos discípulos, depois que eles viram a figueira seca: "Tudo o que pedirdes, orando, crede que o recebereis e tê-lo-eis".

3.2.7. A Pergunta sobre a Autoridade (11.27-33). O assunto desta breve seção é "autoridade" (*exousia*, v. 28 [duas vezes], vv. 29,33), embora os níveis de autoridade envolvidos aqui não sejam compreendidos da mesma maneira pelos leitores e pelas personagens.

O que os líderes religiosos querem dizer com "estas coisas", no versículo 28? É óbvio que eles pretendem que a pergunta seja compreendida num nível político e se refere diretamente à devastação que Jesus há pouco fizera no templo, junto com suas implicações sociais (veja comentários sobre Mc 11.18,19). Os leitores de Marcos reconhecem um nível secundário e ouvem a pergunta como referência à cessação formal de adoração no templo e a mudança na economia da salvação em si. A diferença é retoricamente paralela ao pedido dos fariseus de um "sinal do céu", em Marcos 8.11-13 (veja comentários), em todo o tempo cegos ao fato de que o próprio Jesus era o sinal do céu, que estava na presença deles, em carne.

Os líderes judeus desafiaram o direito de Jesus entrar em ação no templo. Considerando que Ele é um camponês sem treinamento teológico formal ou autoridade reconhecida, suas ações são vergonhosas e infames. A lógica subjacente é simples: Numa sociedade de honra-vergonha, espera-se que todo o mundo se mantenha dentro de sua posição social. A pergunta deles é golpe sério num duelo verbal, e os líderes estão certos de que Jesus não conseguirá se defender da pancada. Considerando que Ele é camponês que carece de credenciais sacerdotais e treinamento teológico formal, Ele não tem *status* protocolar para representar qualquer papel no templo, senão o de peregrino e adorador. Não há resposta que Ele possa dar para legitimar tal comportamento ultrajante, como o que Ele fez.

Para a surpresa e desânimo desses líderes, Jesus escora facilmente o golpe deflagrado contra Ele, servindo-se de uma contra-pergunta. A lógica dos versículos 30 a 33 é clara. Num único golpe, Ele amortece a pancada e os força a admitir a cegueira de perceberem o movimento de Deus ou a arriscar a condenação do povo. Visto que a multidão liga Jesus com João Batista (veja Mc 6.14-16; 8.27,28), qualquer julgamento que as autoridades façam sobre João Batista será automaticamente aplicado a Jesus. Os líderes não podem condenar João Batista sem arrecadar a ira da multidão; mas se eles elogiam João Batista, o povo ficará a pensar: "Por que não também Jesus?"

Para o leitor que assiste o embate num ponto de observação mais alto, a resposta das autoridades no versículo 33a transmite um rico e irônico revestimento de significado: "Não sabemos". E não sabem mesmo! A resposta final de Jesus (v. 33b) também é irônica: "Também eu vos não direi". A princípio parece que este contragolpe final encerra a competição, mas foi apenas uma pausa entre os *rounds*. Na Parábola dos Lavradores Maus que vem a seguir (Mc 12.1-12), Jesus reinicia o embate, desta feita de uma posição de vantagem retórica.

3.2.8. A Parábola dos Lavradores Maus (12.1-12).

Como esta história teria sido ouvida na igreja de Marcos? Certas condições são operativas aqui:

1) A parábola vem imediatamente depois do conflito de Jesus com as autoridades, em Marcos 11.27-33, e a gramática de Marcos 12.1 deixa claro que é dirigido a "os principais dos sacerdotes, e os escribas, e os anciãos", em Marcos 11.27. Em outras palavras, a parábola continua o duelo verbal que começou lá. Como a controvérsia sobre a autoridade, esta seção tem seguimento em dois níveis. O leitor indubitavelmente entenderá esta conversa dentro do contexto da entrada triunfal de Jesus e do julgamento dEle contra a figueira e templo. Este contexto inclui não apenas o *texto* destas grandes histórias, mas também suas implicações teológicas.

A "vinha", claro, é outra metáfora de Israel, estendendo e aprofundando a imagem de Jeremias que acha-se por trás da história da figueira (veja Jr 8.13). Aqui essa imagem é construída sobre a tradição profética de Isaías 5.1-7. Os paralelos são surpreendentes, mesmo na tradução, e são reforçados por linguagem quase literal:

Isaías 5.1,2	Marcos 12.1b
O meu amado tem uma vinha em um outeiro fértil	Um homem plantou uma vinha
E a cercou, e a limpou das pedras e cercou-a de um valado e também construiu nela um lagar e edificou uma torre	e edificou no meio dela uma torre

e fundou nela um lagar |

A passagem de Isaías continua com a mudança para metáfora de desapontamento e julgamento: "E esperava que desse uvas boas, mas deu uvas bravas" (Is 5.2b). Não é diferente da metáfora que o leitor de Marcos já encontrou em Marcos 11. Tanto o contexto literário quanto a alusão a Isaías indica que o "homem", em Marcos 12.1, é Deus que veio procurar frutos sem ter obtido bom êxito na ação (veja Mc 11.13 e comentários sobre Mc 11.20-26). A metáfora que se revela é bastante clara, até para as autoridades dentro da história; Marcos 12.12 deixa-a explícita.

O estratagema nesta história é criado pelas *identificações* que evoca. Por causa do seu poder político, não há que duvidar que os principais sacerdotes, os escribas e os anciãos — que são designados por *Jesus* como ouvintes — teriam, a princípio, se identificado com o proprietário rico cuja propriedade está em questão. Mas à medida que a história se desdobra, essa identificação fica cada vez mais problemática. A alusão a Isaías 5.1-7, em Marcos 12.1, e a referência ao abuso do primeiro servo, no versículo 3, exigem que eles se vejam no papel dos lavradores maus. Isto muda significativamente a reivindicação da história, visto que força o reconhecimento de que o proprietário deve ser Deus. A história desenvolve o retrato do caráter dos inquilinos que abusaram dos profetas.

Ao mesmo tempo, as autoridades não podem abandonar completamente sua identificação inicial com o proprietário — cujos direitos os governantes teriam entendido muito bem, e os quais eles teriam defendido estrenuamente como questão legal. A história os deixa sem opção, a não ser a da autocondenação. Além disso, eles não podem deixar de perceber a afirmação implícita de Jesus ser o "filho amado", nos versículos 6 a 8, um filho cujos lavradores mataram sem piedade. Assim Jesus expõe a trama secreta que eles armavam contra Ele. O quanto é compreensível, mas também irônico, que eles tenham determinado prender Jesus, no versículo 12. Ele os acusa de erro judicial, e eles respondem com uma turba de linchamento!

O leitor de Marcos observa de fora este processo de identificação, ouvindo tudo o que as autoridades ouviram, mas com mais nitidez.

1) Quando a história nomeia o emissário final como "filho amado [pelo proprietário]" (v. 6), a linguagem traz imediatamente à lembrança a voz de Deus da nuvem que identificou Jesus com estas mesmas palavras no batismo (Mc 1.11) e na transfiguração (Mc 9.7). As autoridades não ouviram estes dois episódios anteriores, e eles não sabem que Deus falou da nuvem. Mas o leitor *sabe* destas coisas; o que está *implícito* para as autoridades está *explícito* para o leitor. Esta diferença sutil aguça as respostas do leitor e, desse modo, também aguça a condenação que a narrativa faz das autoridades, em Marcos 12.12.

2) O leitor também tem *insight* na pergunta retórica registrada no versículo 9: "Que fará, pois, o Senhor da vinha?" O que as autoridades fariam em situação semelhante? Numa sociedade sem força policial em operação, a única resposta legítima é entrar em ação pessoal: "Virá, e destruirá os lavradores, e dará a vinha a outros".

Da perspectiva do leitor esta não é ameaça vã. Se o Evangelho de Marcos foi composto depois da queda de Jerusalém, em 70 d.C., isto aconteceu de modo muito literal. Mesmo que o livro tenha sido escrito mais cedo, é verdadeiro profeticamente. É importante que a ameaça no versículo 9 venha *depois* do complexo de histórias que cercam o "fechamento" do templo, em Marcos 11.12-26 (veja comentários sobre Mc 11.15-17). Quem são os "outros", em

Marcos 12.9? O texto não dá pista. Talvez sejam os leigos que mais tarde assumirão a liderança da Igreja. Pode ser que sejam os gentios, que estão tão distantes das autoridades religiosas judaicas quanto se pode estar. Quem sabe não sejam os leitores de Marcos de todas as classes que ouvirão isto como referência a eles?

3) A declaração sobre a pedra rejeitada, nos versículos 10 e 11, vem como afronta final. Num nível, esta é claramente uma citação retirada do Salmo 118.22. Em outro, esta passagem do Antigo Tes-tamento parece ter adquirido o tom de dito popular, que explicava como a pessoa ou coisa desajustada no fim encontraria seu lugar legítimo. A pedra crucial não é a pedra de fundação, mas a "pedra de esquina" — aquela que forma o pedaço final na construção de um arco, mantida no lugar por sua forma estranha; ela segura no lugar o resto da construção. Há ampla evidência de que os cristãos primitivos usavam esta metáfora amplamente para explicar como a obra de Cristo era a obra *final* de fé (cf. Mt 21.42; Lc 20.17; At 4.11; 1 Pe 2.7).

Lane (1974, p. 420) fornece um resumo do significado deste conceito:

"A citação do Salmo 118.22,23 concorda exatamente com a forma do texto da LXX. A passagem se refere a um dos blocos de construção juntado no local do Templo de Salomão, que foi rejeitado na construção do santuário, mas que se mostrou ser a pedra de esquina do pórtico".

Embora não haja referência bíblica explícita a um incidente factual como Lane descreve em seu comentário, há referências não-canônicas. Para nossos propósitos, talvez a referência mais útil seja a encontrada no Testamento de Salomão 22.7.

"Assim Jerusalém estava sendo construída, e a construção do Templo estava chegando ao fim. Havia uma gigantesca 'pedra de esquina', a qual desejei colocar na ponta do ângulo para terminar o Templo de Deus".

O texto prossegue descrevendo a enorme dificuldade que os trabalhadores tiveram em erguer a pedra de esquina para colocá-la no lugar. Por fim, a pedra se levitou ao lugar mediante uma visita angelical (Testamento de Salomão 23.1-3), à qual Salomão exclama: "Verdadeiramente a Escritura que diz: '*A pedra que os edificadores rejeitaram tornou-se cabeça de esquina*', foi cumprida agora" (Testamento de Salomão 23.4). O Testamento de Salomão é um documento judaico recente (talvez tão tardio quanto o século IV d.C.), mas demonstra o uso do termo *pedra de esquina* como a pedra colocada no *cume* do edifício. Intérpretes judeus mais tardios empenham-se em mostrar que esta pedra completou a construção do templo; talvez seja assim que tenha adquirido significado simbólico como obra final de fé.

Mas para as autoridades, o uso de Jesus desta declaração retirada dos Salmos foi claramente audaciosa, uma palavra de repreensão nivelada contra eles em público por ações que eles estão procurando manter em segredo. Eles entendem a acusação perfeitamente (v. 12), mas não entram em ação — pelo menos agora. Primeiro, eles têm de achar um meio de minar a popularidade de Jesus com as multidões. Assim estamos preparados para as histórias de controvérsia que preenchem o restante do capítulo 12.

3.2.9. Sobre Pagar Impostos a César (12.13-17). Esta história usa a forma de história de controvérsia (veja "A Forma de Histórias de Pronunciamento", seção 2.3). É importante lembrar que esta é parte de uma série de tais histórias e que os conflitos se formaram durante algum tempo (veja comentários sobre Mc 11.1—12.44). O comentário de Marcos de que as autoridades estavam tentando "apanha[r] [Jesus] em alguma palavra" (Mc 12.13) é desnecessário, mas sua presença serve para aguçar a ironia do versículo 14. O quanto é irônico que os inimigos de Jesus tenham duplicado sua declaração de que Jesus é "homem de verdade", ou seja, "homem de integridade"! Do ponto de vista do leitor, tal duplicidade *os* ludibria nas *próprias* palavras que dizem.

Estes inimigos apresentam o problema no versículo 14b: "É lícito pagar tributo a César ou não?" A pergunta tem a intenção de colocar Jesus nas garras de um dilema. Se Ele responde "sim", eles podem jogar as multidões contra Ele; se Ele responde "não", eles têm base para denunciá-lo perante um tribunal romano. Talvez a presença dos herodianos (v. 13a) tenha facilitado tal movimento (cf. Mc 3.6).

A tensão aumenta, mas a resposta de Jesus é acertada e excelente. Pedindo um denário e fazendo a pergunta retórica: "De quem é esta imagem e inscrição?" (v. 16), Ele os força a reconhecer que a cunhagem que eles usam é romana. O próprio fato de alguém usar dinheiro de certa origem é afirmação implícita da autoridade que emitiu o dinheiro. O versículo 17 prossegue: Se é usada a cunhagem romana, deve-se dar a César o que é de César. Ao mesmo tempo, não se deve dar a César *mais* do que lhe é devido; o que é devido a Deus deve ser negado a César. Com esta esperta reviravolta de frase, Jesus nega a reivindicação imperial de deidade e exige que não haja confusão sobre lealdades últimas.

Este raciocínio pode ter sido muito sutil para as multidões entenderem. Seria claro o bastante para elas que Jesus levou a melhor perante as autoridades no jogo deles, mas para as multidões as palavras de Jesus podem ter tido uma badalada mais sinistra: "César deve receber o que chega a ele!" Tão claras quanto as implicações, a declaração também é um golpe de mestre em termos de ambigüidade. Os zelotes *poderiam* ter saudado tal resposta com aprovação satisfeita, e qualquer tribunal romano *poderia* ter ouvido o oposto. Assim Jesus coloca as autoridades nas garras do dilema deles. Marcos conclui dizendo que os inimigos de Jesus "maravilharam-se dele" (v. 17).

3.2.10. A Pergunta sobre a Ressurreição (12.18-27).

Esta história continua a usar a forma de controvérsia. Note mais uma vez que esta é parte de uma série e que por algum tempo a tensão foi se formando (veja comentários sobre Mc 11.1—12.44). Marcos 12.18 indica a posição tomada pelos saduceus e, assim, estabelece a estrutura de referência para a pergunta que fizeram (vv. 19-23) e para a resposta dada por Jesus (vv. 24-27).

Apesar de se dirigirem a Jesus por "mestre" (v. 19), a pergunta dos saduceus é claramente hostil. Eles aceitavam como texto autorizado só o Pentateuco (os cinco primeiros livros do Antigo Testamento). Visto que menção explícita à ressurreição não aparece até o tempo do escrito de Isaías 26.19, eles se sentiam justificados em questionar a legitimidade desta doutrina, embora a crença na ressurreição em geral fosse a norma em outros lugares no judaísmo. A pergunta que fazem em Marcos 12.19-23 é colocada como enigma para o qual eles não esperam que Jesus tenha uma resposta adequada.

A prática em questão é o "levirato", no qual esperava-se que um irmão sobrevivente se casasse e tivesse filhos com a viúva do irmão falecido (Dt 25.5-10). O primeiro filho de tal união levava o nome — e assim levava a memória — do marido falecido, desta maneira levando adiante o nome dele para a posteridade. Os saduceus usam esta prática de levirato para emoldurar o desafio que fazem à opinião de Jesus sobre a ressurreição: Se este problema se repetisse, de quem ela seria mulher na ressurreição? A intenção da pergunta é demonstrar a aberração da crença na ressurreição ligando-a a uma imagem absurda de uma mulher na vida futura casada com sete maridos.

A resposta de Jesus se move em duas partes. A primeira (vv. 24,25) descreve as condições no céu e põe de lado a imagem absurda de uma mulher com sete maridos. A pergunta dos saduceus não representa um quadro adequado da vida após a morte, na qual tais preocupações são transcendidas pela alegria da comunhão com Deus. Aqueles que ressurgirem dentre os mortos serão transformados na ressurreição; a vida após a morte é como a dos anjos, e mesmo o mais maravilhoso estado matrimonial torna-se discutível à luz da sobreexcelente glória de Deus.

O segundo movimento da resposta de Jesus diz respeito a uma exposição de Êxodo 3.6: "Eu sou [...] o Deus de Abraão, o Deus de Isaque e o Deus de Jacó". A lógica desta exposição é engenhosa e freqüentemente negligenciada na interpretação. Num nível, a lógica de Jesus envolve uma reivindicação sobre as implícitas estruturas tensas do versículo em questão. Deus — que existe fora do tempo — é ao mesmo tempo o Deus destes três homens, sendo que cada um deles viveu num momento da história. Além disso, a frase: *"Eu sou* esse Deus" continua sendo verdadeira até hoje. Como tal declaração pode ser verdade se Abraão, Isaque e Jacó já não existem?

Em outro nível, o argumento não se apóia na sintaxe, mas no "poder de Deus" (v. 24). Dentro do entendimento do século I, a expressão "o Deus de..." viera a significar, não "o Deus sobre quem a pessoa crê", mas "o Deus que oferece ajuda e proteção". Assim, a afirmação: "Eu sou [...] o Deus de Abraão, o Deus de Isaque e o Deus de Jacó", mal pode ser verdadeira se Deus os abandonara no momento da maior de todas as aflições: a morte. A crença num Deus que não ressuscita os mortos é, para Jesus, tão autocontraditória e aberrante quanto a pergunta hipotética feita pelos saduceus.

Para o leitor de Marcos, claro, há outra nuança irônica aqui. O leitor já sabe que o *próprio* Jesus será ressuscitado. Este é conhecimento trazido de fora, mas foi reforçado pelas repetidas predições de Jesus de que Ele seria morto em Jerusalém e depois ressuscitaria (Mc 8.31-33; 9.30-32; 10.32-34). Visto deste ponto de observação, a pergunta dos saduceus, embora tencionada como desafio sério, é ironicamente absurda. O fato de que eles podem fazer tal pergunta *a Jesus* prova que eles são tolos.

3.2.11. O Grande Mandamento (12.28-34). Esta história, que envolve uma reversão de expectativas, conclui uma série de histórias de controvérsia (veja "A Forma de Histórias de Pronunciamento", seção 2.3), mas falta a habitual crítica mordaz e duplicidade que o leitor veio a esperar de tais histórias. A pergunta inicial apresentada no versículo 28 parece não ter sido motivada pela mesma duplicidade como as levantadas nas outras histórias da seção: "Qual é o primeiro de todos os mandamentos?"

Jesus formula a resposta extraindo-a primeiramente da tradicional confissão judaica de fé: o Shema (Dt 6.4). Fazendo assim, Ele coloca toda a questão da lei em fundamento diferente. O que importa não é a exposição que alguém faça da lei ou o desempenho da lei, mas a relação da pessoa com o Deus vivo. O que importa não é *a obediência à Torá,* mas *o amor a Deus.* Este amor a Deus é tão importante, que seu alcance é estabelecido por repetição: A pessoa deve amar a Deus com *todo* o coração, com *todo* o entendimento, com *toda* a alma e com *todas* as forças (Mc 12.30). Ao fazer esta declaração, Jesus amplia o Shema adicionando a palavra "entendimento", adição que aprofunda o efeito retórico.

A esta passagem de Deuteronômio, Jesus acrescenta um comentário similar de Levítico 19.18: "Amarás o teu próximo como a ti mesmo". Em Levítico, esta passagem coloca a palavra "próximo" em paralelo direto com a expressão "os filhos do teu povo", e é assim que era tipicamente compreendida pelos judeus do século I, a quem o "próximo" não incluía os não-judeus. Jesus redefiniu radicalmente esta palavra na Parábola do Bom Samaritano (Lc 10.25-37). Paulo também usou uma variação desta redefinição (Rm 13.8-10), provavelmente em antecipação de um argumento em favor da paz na questão das "dúvidas" ou "assuntos discutíveis" da lei (Rm 14.1—15.13). O assunto que Paulo tratou aqui tem a ver com a maneira na qual os gentios são aceitos na família da fé. Os leitores de Marcos podem ter ouvido uma reinterpretação de Levítico 19.18.

O escriba que fez a pergunta inicial, no versículo 28, ouve a resposta de Jesus e a repete por extenso, aprobatoriamente (Mc 12.32,33). Na reiteração, Ele faz mudança surpreendente de conteúdo, interpretando as palavras de Jesus em termos de ação concreta dentro do sistema sacrificial. Onde Jesus tinha dito que "não há outro mandamento maior do que" os deveres duplos de amor a Deus e amor ao próximo (vv. 31,32), o escriba diz que estes deveres duplos são "mais do que todos os holocaustos e sacrifícios". Com esta mudança, o escriba dá um passo em direção da interpretação mais profunda que Jesus faz da natureza da lei.

Marcos esmera-se em colocar este escriba sob luz positiva. Ele não fazia parte dos esforços iniciais de "apanh[á-lo] em alguma palavra" (v. 13), mas chegou à cena inesperadamente (v. 28a); ele aprovou as respostas de Jesus às perguntas anteriores (v. 28b) e repetiu a resposta a esta com plena aprovação (v. 32), ampliando suas implicações em termos concretos (v. 33b). Por sua parte, Jesus, sabendo que respondera sabiamente pela atitude do escriba (v. 34a), pronuncia-lhe um julgamento: "Não estás longe do Reino de Deus" (v. 34b). A resposta é ambígua, pois "não estar longe" ainda implica em "estar fora" e, assim, levanta uma questão não resolvida: O que mais este homem tem de fazer para dar o passo decisivo de "não estar longe" para "estar dentro"?

É difícil situar o versículo 34c: "E já ninguém ousava perguntar-lhe mais nada". Isto descreve as respostas das autoridades à conversa sincera, mas firme de Jesus com este escriba, nos versículos 28 a 34b? Ou é uma linha de lastro que amarra todas as histórias de controvérsia iniciadas em Marcos 11.27? Ou serve de preparo para a conversa sobre o Filho de Davi que vem em Marcos 12.35? Daqui por diante, Jesus ensina (Mc 12.35-38), mas não em resposta a desafios diretos; de fato, é Jesus quem faz perguntas difíceis (vv. 35-37a) e faz acusações difíceis (vv. 38-40,43,44), para o delírio do público que o ouve (v. 37b).

Mas o versículo 34c também pode servir de diferente função narrativa. Sua linguagem implica que Jesus se mostrou ser mais que uma antagonista à altura dos inimigos nos debates públicos que eles tinham iniciado. Certamente aqui (como em Mc 2.1—3.35) a espada da boca de Jesus está com a lâmina afiada. Este retrato de Jesus dominando os debates no templo ocorrerá periodicamente mais tarde na narrativa, sobretudo no jardim do Getsêmani, onde Ele levanta em questão a ação dos guardas por tê-lo prendido em segredo (Mc 14.49). A implicação de que Jesus desfruta tremendo apoio popular está por baixo da decisão de as autoridades prenderem Jesus em segredo e "não na festa, para que [...] se não faça alvoroço entre o povo" (Mc 14.1,2). Quando Jesus permanece calado no julgamento (Mc 14.61), o leitor sabe que Ele *poderia* responder muito bem às acusações que lhe são impingidas; Seu silêncio fica em contraste atordoante com sua habilidade com as palavras. Em outras palavras, as histórias de controvérsia do capítulo 12 preparam o leitor para a narrativa da paixão que vem mais tarde.

3.2.12. A Pergunta sobre o Filho de Davi (12.35-37a). Esta história foi preservada sem contexto, com exceção da nota que Jesus disse estas coisas enquanto ensinava no templo (v. 35). A implicação é que as autoridades religiosas, que vinham lhe questionando, estão de alguma maneira incluídas na audiência. A pergunta é feita como enigma, o qual as autoridades nem mesmo tentam responder. Talvez esta hesitação esteja relacionada com a declaração resumida no versículo 34: "E já ninguém ousava perguntar-lhe mais nada".

O enigma justapõe duas palavras no contexto do Salmo 110.1: Ser "filho" de alguém é vir depois; é estar de certo modo subordinado; ser "Senhor" de alguém é exercer maior *status* e poder. Então como é que o Messias ("o Cristo") pode ser ao mesmo tempo "filho" de Davi e seu "Senhor"? Ou, talvez mais corretamente, *em que sentido* Ele é "filho" e "senhor"? O leitor, claro, sabe a resposta deste enigma. Por um lado, Jesus é o "Filho de Davi" (cf. o título usado na história do cego Bartimeu [Mc 10.47,48] e da entrada triunfal de Jesus [Mc 11.10]). Por outro lado, o leitor sabe que Jesus é o "Senhor" em virtude de sua identidade como o Filho de Deus, afirmação freqüente em Marcos (veja esp. Mc 1.1).

Há outra nuança aqui, na qual o senhorio de Jesus está ligado não com o seu estado preexistente ou com o estado expresso nas palavras faladas por Deus na nuvem (Mc 1.11; 9.7), mas com a crucificação e exaltação que se acha à frente na narrativa. A imagem do Salmo 110 é distribuída amplamente no Novo

Testamento (esta passagem do Antigo Testamento é freqüentemente citada no Novo), a qual fornece evidência de que os cristãos primitivos se referiam a este salmo em seus esforços de entender o significado da vida e obra de Jesus. Em Atos 2.29-36, por exemplo, o Salmo 110 é interpretado cristologicamente à luz da Páscoa. O sentido no qual Jesus é o Senhor é o sentido no qual Ele passa pela crucificação para a ressurreição e a exaltação à mão direita de Deus.

O narrador também implica que a pergunta de Jesus, no versículo 37, permanece sem resposta dentro da narrativa, porque as autoridades mudam de direção por não entenderem estas dimensões da identidade de Jesus. Em primeiro lugar, eles nem mesmo reconhecem que Ele é "o Cristo" sobre quem o enigma é feito. Pede-se que o leitor não somente responda ao enigma, mas também note o fracasso das autoridades em entender qual afinal de contas é o enigma.

3.2.13. Ai dos Escribas (12.37b-40).

Embora esta curta advertência venha imediatamente depois de uma série de histórias de controvérsia (Mc 11.27—12.34), não está organizada desta forma. Ela dá prosseguimento à confrontação das autoridades religiosas que têm caracterizado quase a seção inteira (menos Mc 12.28-34). Fazendo assim, oferece um julgamento explícito contra a devoção dos escribas e, por implicação, uma afirmação dos adoradores leigos que foram deslocados pelas autoridades. (Esta distinção é aprofundada pela nota no v. 37b de que "a grande multidão o ouvia de boa vontade", o que reitera um comentário semelhante no v. 18 e prepara para o subterfúgio em Mc 14.1,2.)

Em oposição ao público leigo, Marcos colocou "os principais sacerdotes", "os anciãos" e "os escribas". A frase incomum em Marcos 2.16 "os escribas dos fariseus" (ARA, lit.) e a associação freqüente destes mestres com os fariseus em outros lugares deixa manifesto que no entendimento de Marcos, "os escribas" estão associados com o movimento dos fariseus. Em cada ocorrência, menos duas (Mc 9.9-13; 12.28-34), Marcos coloca os escribas sob luz negativa (e.g., 1.21-28; 2.1-12; 3.22-30; 7.1-23; 8.31-33; 9.14-29; 10.32-34). Eles são parte da conspiração judaica contra Jesus e não reconhecem quem Ele é. Tudo isso prepara para a paixão, na qual os escribas continuam representando um papel central.

Aqui, a condenação de Jesus destes escribas toma a forma de advertência contra a devoção exteriorizada, advertência que tem semelhança notável com uma palavra de julgamento pronunciada anteriormente na Galiléia (Mc 7.1-23). Os costumes mencionados nos versículos 38 e 39 são bem conhecidos. Os escribas gostavam "de andar com vestes compridas", referência às batas de linho brancas que eles usavam como marcas de distinção. Eles gostavam das "saudações nas praças", alusão ao título honorífico "pai", "rabino" e "mestre", com os quais eles preferiam ser tratados. Eles também gostavam das "primeiras cadeiras nas sinagogas [i.e., de frente para a congregação e perto da Torá], e dos primeiros assentos nas ceias".

Mas sua "ostentação" cabal os denuncia, como é sobretudo evidente no tratamento que davam às viúvas. Tradicionalmente, no judaísmo, as viúvas e os órfãos eram alvos do cuidado especial de Deus (Dt 10.18; Sl 68.5; Jr 49.11), e o modo no qual eles eram tratados indicava o caráter moral de um povo inteiro (Dt 24.19-22; Jó 22.9; 24.3; 31.16; Sl 94.6; Is 1.23; 10.2; Ml 3.5). Os escribas são culpados não meramente por confundir reconhecimento humano com aprovação divina, mas por defraudar os que são socialmente vulneráveis. A condenação de Jesus reitera a condenação que Ele fizera em Marcos 7.6,7, quando Ele os chamou de "hipócritas". O papel que eles logo desempenharão na condenação e execução de Jesus também é um *script*, mas um no qual eles representam o que realmente está em seus corações.

3.2.14. A Oferta da Viúva (12.41-44).

Esta breve história retoma e aprofunda o tema do parágrafo precedente, e condena os escribas, comparando-os com a devoção interna e o amor sacrifical a Deus expressos por uma simples judia: "Esta, da sua pobreza, depositou tudo o que tinha, todo o seu sustento" (v.44).

Dentro do sistema legal e social judaicos, as viúvas não tinham sustento nem voz pública. Não se esperava que as mulheres falassem em favor próprio, e as viúvas não tinham quem as defendesse. Esta situação era sobretudo difícil se a viúva tivesse filhos pequenos ou estivesse separada da família do marido dela. Por isto, julgava-se que o cuidado das viúvas e dos órfãos era competência especial de Deus, e o abuso de viúvas era indicador particularmente odioso, mas esclarecedor, da falta de sensibilidade moral de uma nação (Mc 12.37b-40).

Os parcos recursos da mulher são representados por duas *lepta*, a menor moeda de cobre em uso corrente na Palestina do século I. É significante que a mulher deposite duas de tais moedas, porque ela poderia ter ficado com uma. Este fato aumenta a sensação de generosidade da oferta e, desse modo, acentua o contraste com os escribas, cujas expressões de devoção voltada a serviço e engrandecimento próprios foram postas em questão na seção prévia.

3.3. O Discurso do Monte das Oliveiras (13.1-37)

A princípio, o Discurso do Monte das Oliveiras parece uma intrusão na narrativa. O movimento do enredo pára completamente. O discurso tem sua própria estrutura interna, com um começo, meio e fim, e a dicção e o vocabulário são incomuns para Marcos. Por isto, já se sugeriu que esta longa passagem circulou originalmente de forma independente de Marcos. Mesmo que isso tenha ocorrido, a linguagem de sacrifício e perseguição é totalmente de Marcos.

Quando interpretamos o Evangelho de Marcos do ponto de vista do *historiador*, é fácil de entender o significado destes versículos. Quando o interpretamos do ponto de vista do *leitor de Marcos*, a clareza desaparece e ficamos com várias opções. Tudo depende da data deste Evangelho. Sabemos por Josefo que o complexo do templo foi reduzido a ruínas fumegantes em 70 d.C. Neste comentário seguimos a datação tradicional do Evangelho depois do incêndio de Roma em 64 d.C., mas não temos jeito de saber exatamente quanto tempo depois do incêndio Marcos o escreveu. Se ele escreveu depois da destruição do templo, esta predição terrível já teria tido cumprimento. Se não, a destruição do templo estava se avolumando no horizonte.

Em todo caso, a destruição do templo é o tema central e dominador deste Discurso do Monte das Oliveiras. Ela forma a declaração de apresentação (vv. 1,2), a qual instiga a pergunta dos discípulos (v. 4) e a exploração das implicações (vv. 5-13). A contaminação do templo é aludida nos comentários de Jesus sobre a "abominação do assolamento" (v. 14), a qual, por sua vez, conduz a uma recitação dos terríveis sinais apocalípticos que acompanharão o tempo do fim e o aparecimento do Filho do Homem (vv. 15-37; cf. vv. 7,8). O discurso é concluído com as repetidas exortações para vigiar (v. 37), pois "daquele Dia e hora, ninguém sabe" (v. 32), o que conduz o leitor de volta às perguntas iniciais que os discípulos fizeram no versículo 4.

Outros elementos do Discurso do Monte das Oliveiras podem estar mais diretamente ligados com a experiência do leitor. Por exemplo, argumentamos que a congregação de Marcos tinha sofrido muita perseguição, com profundas divisões na vida coletiva da Igreja (veja comentários na Introdução). Nesse caso, os avisos nos versículos 9, 12 e 13 teriam sido especialmente vívidos.

Mas estas palavras foram ouvidas como avisos ou como lembranças? O Discurso do Monte das Oliveiras robustece seus leitores contra o desastre por vir? Oferecia instruções específicas — se é que estão codificadas: "Fujam para os montes" (cf. vv. 14-19)? Ou oferecia uma contabilidade do desastre que já havia ocorrido, e a promessa de que a próxima coisa, a coisa esperançada, seria o aparecimento do Filho do Homem nas nuvens (vv. 26,32-37)? Talvez esteja se pedindo que os leitores de Marcos vejam esta longa série de profecias como *parcialmente* cumpridas e, assim, se encontrem na linha de falha entre esta era e a era por vir. Se eles são uma comunidade *apocalíptica* (veja Introdução), a linha de falha já é um cisma aberto e em movimento, como a própria terra se afasta do seu centro.

Qualquer que seja a ligação que se espera que os leitores tenham com sua própria experiência, é evidente que o Discurso do Monte das Oliveiras é um preparo importante para a narrativa da paixão que vem a seguir. No seu julgamento, Jesus será acusado de ter predito que *Ele mesmo* destruiria o templo (Mc 14.58). A narração mostrará que este é falso testemunho, mas deixa para os leitores descobrirem o porquê. O Discurso do Monte das Oliveiras, terrível, vívido e extenso em sua linguagem, é um primeiro plano vigoroso para a falsa acusação no julgamento de Jesus (veja também comentários sobre Mc 15.22-39).

3.3.1. Predição da Destruição do Templo (13.1,2).

Em seu contexto imediato, o versículo 1 funciona como a ocasião introdutória do Discurso do Monte das Oliveiras. Note a maneira como os versículos 2 e 4 servem de transição neste discurso ao levantar questões que Jesus tratará depois. O tamanho e magnificência do templo de Herodes eram legendários. O complexo cobria mais de 157 mil metros quadrados, com muros que se estendiam a quase 25 metros acima das estradas perimétricas. Ainda que Herodes não tenha feito nenhuma modificação nas dimensões do templo formal, ele fez mudanças volumosas e deslumbrantes para a ornamentação do templo. Josefo comentou que os circunstantes eram cegos pelo reflexo da luz solar dos adornos de ouro.

Se nos fosse permitido um pouco de imaginação histórica, é possível reconstruir experimentalmente o que teria sido este momento de Marcos 13.1,2. O texto de Marcos não indica a hora do dia ou a localização dos discípulos quando eles fizeram o famoso comentário registrado no versículo 1: "Mestre, olha que pedras e que edifícios!" Mas podemos imaginar com facilidade eles olhando de um ponto de observação desde o monte das Oliveiras (cf. v. 3), enquanto iam a Betânia, ao entardecer. Nesse caso, este momento pode ter acontecido ao pôr-do-sol e com a luz solar ondeando pelo complexo do templo, a imagem diante deles teria rivalizado o esplendor de qualquer luz do mundo antigo. Este também pode ser o contexto das palavras condenatórias de Jesus assentadas no versículo 2: "Vês estes grandes edifícios? Não ficará pedra sobre pedra que não seja derribada". Em tal momento, este comentário é absolutamente arrasador.

O leitor, claro, lê numa época mais tardia e encontra o comentário de Jesus dentro de um diferente conjunto de circunstâncias. Pela razão de não podermos ter certeza sobre a data do Evangelho de Marcos, é difícil determinar se o leitor de Marcos ouviu esta declaração como predição do desastre iminente ou como profecia de um assunto liquidado e encerrado. Bas van Iersel (1988, p. 162) oferece uma interpretação moderadora:

> "A diferença no tempo entre, por um lado, os pronunciamentos de Jesus, o escrito do livro e sua leitura, e, por outro, a interpolação dirigida ao leitor em Marcos 13.14, nos dá toda a razão para presumirmos que o narrador deseja, por esta seção, avisar os leitores de uma situação que já existe ou pode surgir a qualquer momento".

Nos termos da narrativa de Marcos, o versículo 2 pode servir de função secundária de preparação para as acusações contra Jesus em seu julgamento (veja comentários na seção prévia).

3.3.2. Sinais Antes do Fim (13.3-8).

No versículo 4, o círculo interno dos discípulos (Pedro, Tiago, João e André) fazem duas perguntas abrangentes que formam a estrutura dentro da qual o leitor lê o Discurso do Monte das Oliveiras. Estas duas perguntas são respondidas no que é uma seqüência toscamente inversa. Jesus responde a pergunta inicial ("Dize-nos quando serão essas coisas?")

nos versículos 14 a 31, seguido por um aviso no versículo 32: "Daquele Dia e hora, ninguém sabe". Ele trata da segunda pergunta ("Dize-nos [...] que sinal haverá quando todas elas estiverem para se cumprir"?) nos versículos 5 a 13.

Os "sinais" entram em quatro categorias aproximadas: falsas doutrinas (v.6), guerras e rumores de guerras (vv. 7,8a), desastres naturais (v. 8b) e intensas perseguições, que incluem o horror de membros familiares entregarem membros familiares para as autoridades (vv. 9-13). Nem todos estes sinais são do fim. Alguns — como os falsos cristos (v. 6; cf. vv. 21-23) — são sinais falsos. Outros são meros precursores do fim: "Ainda não será o fim" (v. 7); os sinais são "o princípio de dores" (v. 8); antes do próprio fim, "importa que o evangelho seja primeiramente pregado entre todas as nações" (v. 10). O que aparece como sinal genuíno e definitivo do verdadeiro fim é a contaminação do templo (v. 14), depois do qual os desastres desencadeados na experiência humana farão que as provações anteriores pareçam moderadas em comparação (vv. 19,20).

Mas no fundo, os falsos sinais e os repetidos avisos servem como lembranças de que, tão reais e horríveis quanto serão os acontecimentos antes do fim e tão profundamente ligados com o fim como o serão, eles não devem ser tomados como indicadores pelos quais se fazem predições sobre o que acontecerá em seguida. Como destaca o aviso no versículo 32: "Daquele Dia e hora, ninguém sabe". O leitor, como os discípulos, é exortado a vigiar (vv. 33-37).

3.3.3. Predição de Perseguições (13.9-13). Não está claro como estes versículos se encaixam na seqüência geral. Eles são parte dos "falsos sinais" descritos nos versículos 3 a 8? Ou estão mais diretamente ligados com os acontecimentos apocalípticos do fim descritos nos versículos 14 a 31? O fato de que o texto não deixa isso claro pode ser parte do extenso programa de aviso que está entretecido ao longo do Discurso do Monte das Oliveiras. Ainda que os sofrimentos dos cristãos sejam de algum modo um precursor do fim, eles não são base fidedigna para predizer o que virá em seguida.

É amplamente reconhecido que os versículos 9 a 13 teriam urgência especial para os membros da Igreja perseguida de Marcos. Mas aqui, mais uma vez, temos de pedir precaução, porque não podemos datar este Evangelho com precisão. Neste comentário, entendemos que sua escrita foi feita após a grande perseguição de cristãos ocorrida em Roma, em 64 d.C., e possivelmente tão tardia quanto a destruição do templo em 70 d.C. Os cristãos assediantes de Marcos se encontravam em circunstâncias estressantes (veja Introdução; veja também Hb 10.32-34, o qual pode ter sido escrito aproximadamente na mesma época e talvez dirigida à mesma igreja). Se estas ligações podem ser sustentadas, elas fornecem *insight* sobre um tempo extraordinariamente doloroso para o leitor de Marcos. Os cristãos em Roma poderiam ter ouvido as terríveis predições do Discurso do Monte das Oliveiras e não ter ouvido ecos da própria experiência? Se ouviram, as palavras de Jesus ofereceram consolo e encorajamento de modo sutil e importante (veja comentários sobre Mc 13.28-37).

Na primeira leitura, o empuxo de Marcos 13.9-13 é alarmista. Coisas terríveis estão no ar. Esteja prevenido. Numa leitura mais detida, é monitória. Limita a tragédia e mostra por uma variedade de dispositivos que estas coisas são terribilíssimas, mas que em última instância serão tragadas na atividade redentora de Deus. Falsos cristos, guerras, desastres naturais, perseguições e traição — tudo isso é real. Contudo, todas essas coisas também são limitadas, constrangidas e transformadas pelo poder abrangente de Deus.

3.3.4. A Abominação do Assolamento (13.14-20). A profecia da "abominação do assolamento", no versículo 14, é um desses lugares nos quais Marcos vira a sua narrativa e oferece um aparte explicativo para o leitor: "Quem lê, entenda" (veja também Mc 7.3,11,19,35; 15.34). Mas até o aparte é secreto, como o comentário em Marcos 6.52: "Pois não tinham compreendido o milagre dos pães". Em ambas as ocorrências, espera-se que o leitor interprete o fraseado do texto à luz da informação trazida de fora. Mas qual? Qual é a "abominação do assolamento", e o que se espera que o leitor entenda sobre a expressão que o texto não diz?

A expressão em si foi retirada literalmente de Daniel 9.27, onde o profeta prediz um acontecimento tão terrível que contamina o templo e o torna lugar impróprio para adoração (veja também Dn 11.31; 12.11). Mas a profecia bíblica pode ser cumprida repetidamente. O escritor de 1 Macabeus viu um cumprimento literal quando, em 168 a.C., Antíoco IV Epifânio profanou o templo, estabelecendo um altar a Zeus e sacrificando um porco no altar do holocausto (1 Macabeus 1.54-59; cf. 1 Macabeus 6.7). A distribuição desta frase na literatura intertestamental indica que no século I, tinha se tornado referência a acontecimentos horrorosos no templo. O uso que Jesus faz da frase em Marcos 13.14 dá a entender que, na sua opinião, a profecia de Daniel não fora cumprida de *uma vez por todas* em 168 a.C.; o trauma voltaria a acontecer de novo. O aparte de Marcos para o leitor no versículo 14b instiga os leitores a interpretar a expressão "abominação do assolamento" à luz das circunstâncias que estavam se desdobrando no próprio contexto.

Mas quais? Se, como argumentei na Introdução, Marcos foi escrito na véspera ou talvez imediatamente em seguida da destruição de Jerusalém, em 70 d.C., o leitor teria ouvido esta profecia com relação àquele acontecimento. Tecnicamente, claro, a expressão "abominação do assolamento" não se refere tanto à destruição do templo quanto à sua contaminação. Na verdade, não há referência ao fogo pelo qual os muros do templo foram subseqüentemente arrasados. Mas os versículos de abertura do capítulo fornecem evidência clara de que esta crise foi, de algum modo, colocada dentro do contexto da destruição dos recintos do templo (veja esp. v. 2), e este contexto maior teria informado os esforços do leitor em "entender" o que significava a linguagem da profecia, no versículo 14.

Tudo na estrutura retórica da passagem concentra-se na necessidade de fugir; o sacrilégio no templo é anotado não apenas pelo fato em si, mas como o sinal decisivo de fugir para os montes. Os repetidos mandados para fugir (vv. 15,16), a preocupação com os mais vulneráveis em tal momento (v. 17), os perigos aumentados durante o inverno (v. 18), a profecia sobre a severidade da crise (v. 19) e a oração para que os dias fossem encurtados (v. 20) acentuam a sensação de urgência.

A instrução para fugir é, em si, surpreendente; em tempos de guerra antiga os lugares mais prováveis de refúgio eram as cidades, sobretudo as com suficiente provisão para resistir um assédio. O versículo 15 instrui os pegos nos telhados para nem mesmo descerem, linguagem que significa para não descer por uma escada interna ou, tendo descido de algum modo, voltar a entrar na casa para apanhar alguma coisa. Um mandado paralelo no versículo 16 oferece um aviso semelhante para os que estiverem no campo.

O que é surpreendente aqui é a imediação da fuga. A abominação do assolamento, quando acontecer, virá tão de repente que exigirá uma fuga *imediata*. Não haverá tempo para providências, condição que aumenta a sensação da severidade do desastre. Essa sensação de desastre é reforçada nos versículos 19 e 20, nos quais o cataclismo é interpretado na linguagem apocalíptica do tempo do fim. A oração para que a catástrofe "não suceda no inverno" (v. 18), não se refere semelhantemente aos perigos do tempo, mas à escassez de provisões.

É importante que esta linguagem se dirija especificamente aos que estão *na Judéia* para que fujam (v. 14); pode ser exatamente isto que aconteceu. O historiador da Igreja, Eusébio, registra uma tradição na qual os membros da igreja em Jerusalém fugiram a Pela e à Transjordânia em resposta a "um oráculo dado por revelação" (*História Eclesiástica*), em cerca do ano 66, logo antes do assédio da cidade. Se o "oráculo" aqui em mira é Marcos 13.14-20, pelo menos temos evidência implícita de que alguns cristãos do século I pensaram que se referia à guerra judaica de 66 e 70

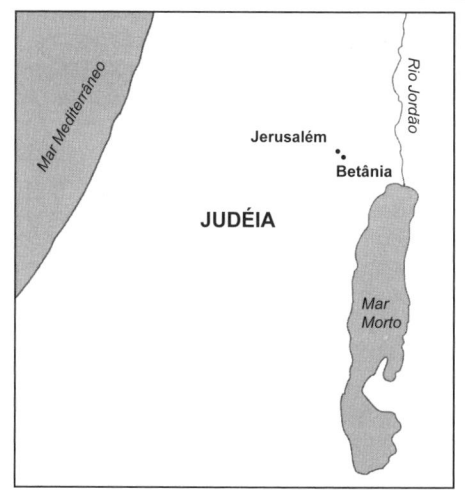

Durante sua visita final a Jerusalém, Jesus e os discípulos retornavam à noite para Betânia. Foi em Betânia que uma mulher ungiu Jesus com um perfume caro, derramando-o sobre a cabeça. Quando alguns reprovaram a atitude da mulher e disseram que o dinheiro da venda do perfume poderia ter ajudado os pobres, Jesus a defendeu, dizendo que o que ela lhe fizera seria contado aonde quer que o evangelho fosse pregado no mundo.

d.C. e à cruzada romana que levou essa guerra a seu fim terrível.

Certos aspectos da passagem sugerem que este é um desastre de proporções cósmicas. O Discurso do Monte das Oliveiras respira o ar inconfundível de apocalipse judaico, com sua acentuada ênfase nos portentos nos céus (veja esp. vv. 24-27), seu uso do título "Filho do Homem" (termo comum em Marcos, mas aqui saturado de significado apocalíptico pela descrição do seu aparecimento nas nuvens do céu, v. 26), suas referências ao ajuntamento dos eleitos (v. 27) e suas predições de tribulação terrível (vv. 19,20). Quando estes fatores aparecem juntos — como aqui —, eles indicam em termos incertos que os acontecimentos descritos estão, de algum modo, ligados com os acontecimentos do tempo do fim.

Outros aspectos da passagem instigam cautela para não interpretar a abominação do assolamento como o último e definitivo sinal da chegada do tempo do fim.

1) Note que só os que estão na Judéia são exortados a fugir (v. 14). Isto indica no mínimo que a catástrofe será local, talvez ao redor das cidades, com certeza ao redor de Jerusalém.

2) O próprio mandato para fugir para os montes implica a possibilidade de se escapar do desastre.

3) Elementos mais importantes são a linguagem apocalíptica e as predições dos portentos cósmicos que estão estritamente ligados com os repetidos avisos contra extrapolar uma linha de tempo da imagem mental fornecida neste capítulo. O discurso é concluído com esta nota precisa: "Daquele Dia e hora, ninguém sabe, nem [...] [*mesmo*] o Filho" (v. 32); os cristãos não são chamados para calcularem a hora, mas para serem vigilantes (vv. 33-37).

3.3.5. Os Falsos Cristos e os Falsos Profetas (13.21-23).

Tempos de angústia tornam as pessoas mais vulneráveis à demagogia, sobretudo se a angústia parece combinar com as tribulações esperadas do tempo do fim. Se o Messias deve aparecer, então Ele seguramente aparecerá quando o seu povo mais precisar dEle, quando seu aparecimento for cumprimento de profecia, quando Ele puder validar suas declarações com sinais e maravilhas (v. 22)! Contudo essa credulidade é justamente o oposto da vigilância clarividente ordenada como um todo no Discurso do Monte das Oliveiras (veja esp. vv. 32-37).

Esta breve passagem avisa a Igreja a não entrar em pânico em tais momentos. E o faz lembrando uma linha de passagem anterior que exorta cautela contra os "muitos" que virão e dirão: "Eu sou Ele", e assim desviarão muitos (v. 6). A base para exigir cautela é que os milagres não são provas infalíveis da atividade de Deus (veja Dt 13.1-3), embora no esquema maior da cristologia de Marcos, a expectativa de sinais e maravilhas seja, em si, um sintoma de cegueira moral que não vê o "sinal" que Deus já colocou (veja Mc 8.11-13). De acordo com Marcos, o verdadeiro "sinal" do céu é o próprio Jesus e a verdadeira "maravilha" é o poder de Deus exibido no sofrimento e morte de Jesus na cruz. Qualquer reivindicação de ser o Cristo divorciada dessa morte é uma reivindicação; qualquer "profeta" que apóia tal reivindicação é "falso" profeta; qualquer crente que segue tal reivindicação está se desviando (v. 22) — e tudo isso justamente no momento de julgamento e decisão.

3.3.6. A Vinda do Filho do Homem (13.24-27).

A linguagem fica agora mais conscientemente apocalíptica. Os sinais que seguem essa "aflição [tribulação]" (v. 24) são retirados da literatura apocalíptica convencional, e a imagem é mais sobrenatural e cósmica do que a que apareceu nos versículos 3 a 13. As próprias "forças que estão nos céus" (v. 25) serão abaladas, e o Filho do Homem aparecerá "nas nuvens, com grande poder e glória" (v. 26).

Paira uma questão sobre como entender nesta seção a expressão "Filho do Homem". É referência ao próprio Jesus ou a outra figura apocalíptica a quem Jesus esperava que viriam depois dEle? Se lermos a expressão dentro da narrativa de Marcos, seu significado é absolutamente claro. "Filho do Homem" aparece quatorze vezes em Marcos, nove destas em pontos anteriores na narrativa. Essas referências são tão obviamente auto-referências a Jesus que o leitor de Marcos foi educado pela narrativa a entendê-la somente desse modo.

O Filho do Homem aparecerá em seguida a essa tribulação ("então", v. 26), referência aparente a todo o complexo de acontecimentos descritos nos versículos 3 a 23. Agora a imagem amplia essa descrição edificando-se sobre os desastres naturais descritos no versículo 8, os quais eram apenas "o princípio de dores". Estas "dores" estendem-se a outros portentos esperados nos céus (vv. 24,25), ao aparecimento do Filho do Homem em glória (v. 26) e ao ajuntamento dos eleitos desde os confins da terra (v. 27).

Duas coisas são surpreendentes aqui.
1) A imagem está fortemente cheia de alusões à literatura apocalíptica judaica, sobretudo o título "Filho do Homem", o qual Jesus usou como autodesignação, mas que neste contexto também lembra Daniel 7.13,14. O Filho do Homem aparecerá "nas nuvens, com grande [...] glória" (cf. Mc 9.1; 14.62). Estas três referências evocam uma vastidão de imagens cósmicas retiradas do Antigo Testamento (Êx 16.10; 19.9; 34.5; Sl 104.3; Is 19.1). Na mesma linha, a imagem dos anjos de Deus ajuntando os eleitos desde os quatro ventos e dos confins da terra, no versículo 27, utiliza uma concatenação de grande amplitude de textos do Antigo Testamento (Dt 30.3; Sl 50.3-5; Is 66.18-21; Jr 32.37; Ez 34.11-16; 36.24; Zc 2.6). Estas alusões lembram o leitor que todo o curso de acontecimentos, ainda que desastrosos, faz parte e é pacote do grande plano de redenção de Deus.
2) A tribulação (vv. 3-23) é seguida pelo aparecimento do Filho do Homem (v. 26); os eleitos de Deus, espalhados até as extremidades da terra, serão trazidos de volta para casa pelos anjos (v. 27). Não admira nenhum pouco que os próprios céus venham a se abalar com tal acontecimento (vv. 24,25)!

3.3.7. "Olhai, vigiai" (13.28-37).

O Discurso do Monte das Oliveiras abriu com a predição de Jesus sobre a destruição final do templo (v. 2) e a pergunta feita pelo círculo interno de discípulos: "Dize-nos quando serão essas coisas e que sinal haverá quando todas elas estiverem para se cumprir" (v. 4). Jesus volta à primeira parte da pergunta, só para lhes dizer que Ele não sabe o dia, nem a hora (v. 32). A admissão de que nem o Filho sabe este aspecto do plano engendrado pelo Pai é, talvez, a característica mais notável do Discurso do Monte das Oliveiras. Considerado em seu valor manifesto, parece corroer a estrutura de predições apocalípticas que Jesus tinha acabado de fazer sobre o tempo do fim.

Mas trata-se de modo errado de ler esta admissão. Ao invés disso, deveria ser lida como reforço ao aviso de tentar calcular os acontecimentos do tempo do fim baseado na imagem que o discurso suscita. Este capítulo está entremeado de notas monitórias. Os versículos 5 a 13 descrevem o aparecimento dos falsos cristos, motins políticos e geográficos, e grande perseguição e tumulto, mas estes não devem ser considerados como "sinais" definitivos do fim (veja comentários sobre Mc 13.3-8).

Com esse pano de fundo, os elementos apocalípticos devem ser entendidos que não enfatizam tanto a *hora* dos acontecimentos quanto a *certeza* deles — sua ligação com o plano último de redenção de Deus e seu reflexo sobre a crença de que no fim, o que mais venha a suceder, Deus triunfa sobre seus inimigos. Quando Jesus assegura aos discípulos no versículo 29 de que "quando virdes sucederem essas coisas, sabei que já está perto [do fim], às portas", Ele não pode estar instruindo que eles calculassem o fim, mas está assegurando-os de que o fim é certo. A promessa de que estes acontecimentos acontecerão no período de existência de "esta geração" (v. 30) também deveria ser lido dentro deste contexto maior de certeza acerca da esperança do cristão, exceto o aviso sobre seu tempo.

Jesus introduz a promessa no versículo 30 com um pronunciamento solene ("na verdade vos digo") e reforça o ponto com a declaração igualmente solene de que ainda que o céu e a terra passem, suas palavras permanecem. E quanto à promessa em si? A expressão que Jesus disse *"esta* geração" refere-se à geração dos seus seguidores ou à geração que estiver viva quando estes acontecimentos começarem a suceder, quaisquer que sejam? Uns tentam tomar o último curso, senão porque parece concordar melhor com nossa própria experiência de quase dois mil anos intervenientes. Mas os leitores de Marcos não sabiam desses anos intervenientes e indubitavelmente teriam ouvido isto como referência à primeira geração de seguidores de Jesus (veja também comentários sobre Mc 8.34—9.1). Para esses leitores, as palavras deste discurso teriam falado alto sobre o curso de acontecimentos que se desdobram diante deles. O que eles teriam ouvido?

1) Eles teriam ouvido a garantia de que estas grandes tragédias são parte do plano global de redenção de Deus. A presença redentora de Deus fornece um contexto maior no qual as tragédias podem ser significativas. Mesmo o sofrimento — o qual o Evangelho de Marcos já lhes falara que é parte do discipulado (Mc 8.34—9.1) — liga os cristãos com seu Senhor. Tais coisas acontecerão, Jesus diz, "por amor de mim" (v. 9); quando todos odiarem os cristãos, será "por amor de mim" (v. 13a).

Tais coisas estão ligadas, de algum modo profundo e misterioso, com o momento de julgamento escatológico no qual todas as coisas são acertadas.

2) Os leitores de Marcos teriam ouvido um lembrete de que eles não estão sós na luta. A profecia sobre perder a família, nos versículos 12 e 13, traz à lembrança a surpreendente descrição, em Marcos 10.29-31, de perder a família, mas sendo reembolsado "cem vezes tanto" (embora *com perseguições*, v. 30; veja comentários). Marcos 13.11 deixa claro que o Espírito Santo acompanhará os cristãos no julgamento (indicação literal do papel do Espírito como *parakletos* ou "conselheiro, consolador", ainda que tal palavra não seja usada). No sentido maior, Jesus está lá com eles porque o que está acontecendo a eles já lhe aconteceu. A descrição das dificuldades nos versículos 9 a 11 pode servir de descrição do julgamento e execução de Jesus. Mas estes acontecimentos estão inseparavelmente unidos com a justiça final de Deus. Da mesma maneira, as perseguições e sofrimentos dos cristãos não são sinal de que eles foram abandonados por Deus, mas que o discipulado chegou à sua prova final.

3) Os leitores de Marcos teriam ouvido que a tragédia virá num fim; tem um limite. O Filho do Homem aparecerá, e o julgamento final ocorrerá. Os dias serão encurtados (v. 20); o fim virá dentro da existência de "esta geração" (v. 30), expressão que os leitores de Marcos teriam tomado como referência à vida que viviam. O texto diz: "Quem perseverar até ao fim, esse será salvo" (v. 13b).

Ainda ao longo do discurso do Monte das Oliveiras os leitores de Marcos também teriam identificado avisos contra calcular uma linha de tempo. Ninguém, senão o Pai, sabe o dia e a hora. *Ninguém* — nem os anjos que estão no céu, nem mesmo o Filho. Se nem o Filho não sabe, então é certo que os discípulos (vv. 33,35) — e com eles os leitores de Marcos — não sabem.

Para aqueles, certos de um julgamento futuro, mas incertos de seu tempo, só pode haver uma resposta: não especulação apocalíptica, mas atenção vigilante. O Discurso do Monte das Oliveiras é concluído com este aviso urgente (vv. 35-37). A exortação

para vigiar é inculcada de três modos.
1) Os discípulos (e os leitores! — v. 37) não sabem quando o acontecimento se dará (vv. 33,35).
2) *Quatro vezes* Jesus avisa: "Olhai" (v. 33a); "vigiai" (v. 33b); "vigiai" (v. 35); "vigiai" (v. 37).
3) Na parábola registrada nos versículos 34 e 35, o servo está vigiando pela chegada de seu senhor, mas aquele não sabe quando este aparecerá. O resultado é um mandado de vigilância que dificilmente pode ser mais dramático em seu poder retórico.

3.4. A Paixão (14.1—15.39)

Com a transição para a história da paixão de Jesus, em Marcos 14.1, a narrativa entra em sua fase final. De certo modo, as narrativas da paixão foram uma preocupação predominante ao longo do Evangelho, e as atividades do leitor postas em jogo aqui envolvem a consolidação e execução de muitos elementos introduzidos anteriormente.

Marcos espera que os leitores tragam ao texto certo repertório de informação de fundo e desempacotem o texto à luz dessa informação.
1) Eles são cristãos, cujas crenças foram moldadas pela vida da Igreja, sua história, seus relatos e sua liturgia. Visto que os leitores já conhecem as estruturas básicas da linha da história, esta não dependerá de surpresas e viradas de enredo para estabelecer e defender seus interesses. Ao invés disso, prenderá a atenção dos leitores com um conjunto ricamente texturizado de alusões ao Antigo Testamento, com referências a outros lugares em Marcos que prepararam para este momento e com o uso estratégico de realces literários para destacar e contrastar as ações dos personagens da história.
2) Marcos também espera que os leitores tenham um conhecimento das tradições literárias do Antigo Testamento e intertestamentais. O número de alusões é surpreendente, sobretudo na Ceia do Senhor e na crucificação. Essas alusões estabelecem que os acontecimentos que cercam a paixão são parte e pacote do plano redentor de Deus.
3) Outra fonte de informação de fundo que traz as respostas do leitor é o que foi colocado antes no próprio Evangelho. Quer dizer, Marcos não espera que seus leitores comecem a leitura por Marcos 14.1, mas por Marcos 1.1. Ele fez freqüentes alusões à futura paixão, e agora ele completa o enredo. Tais alusões incluem a gramática sutil da prisão de João Batista, em Marcos 1.14, a decisão descarada das autoridades de matar Jesus, em Marcos 3.6, a morte de João Batista, em Marcos 6.17-29, e as três predições explícitas da paixão, em Marcos 8.31-33; 9.30-32 e 10.32-34. A própria paixão não é uma reversão das intenções de Jesus, mas sua conclusão.

A narrativa da paixão também dá continuidade ao hábito que Marcos tem de fazer paralelos e colocar histórias contrastantes ao lado uma da outra, de forma que elas aprofundam uma à outra mediante contraste (veja comentários em Mc 5.21-43 sobre a técnica de Marcos fazer intercalações). A história da unção em Betânia (Mc 14.3-9) está intercalada dentro dos acontecimentos que cercam a traição de Jesus por Judas (vv. 1,2,10,11), e a história do "julgamento" de Jesus na casa do sumo sacerdote (vv. 53-65) é lida diferentemente, porque foi colocada dentro da história da negação de Pedro (vv. 54,66-72).

Há outro sentido no qual a narrativa da paixão prende a atenção do leitor. Ao longo desta seção, a identidade de Jesus como *Messias* e *Filho de Deus* é questão de debate; Sua identidade como *profeta* também está em questão. As muitas referências às habilidades proféticas de Jesus estabelecem sua antecipação clarividente dos acontecimentos que subseqüentemente o engolfam. Jesus já predisse estes acontecimentos: dentro da paixão Ele prediz especificamente que a unção será contada para a memória de uma mulher desconhecida de Betânia (Mc 14.9), que Judas o trairá (vv. 18-21), que todos os discípulos o abandonarão (vv. 26-28,31) e que Pedro o negará (v. 30). Sua habilidade profética se torna ponto de questão no julgamento perante o Sinédrio (Mc 14.58,65), onde é vindicada profunda e ironicamente, não apenas pela negação de Pedro no pátio, mas também pelo fato de que o próprio julgamento é cumprimento de profecia que Ele tinha feito três vezes.

Pela preparação da narrativa de Marcos, o significado dos acontecimentos torna-se um tipo de máscara do seu significado teológico mais profundo. Quando, por exemplo, no julgamento de Jesus as autoridades exigem que Ele profetize (Mc 14.65), eles inconsciente e ironicamente cumprem as profecias que Ele mesmo fez em sua viagem para Jerusalém. Quando o acusam falsamente de profetizar a destruição do templo (Mc 14.58), eles não têm meio de saber que estão cumprindo profecias que Ele fez sobre eles, que Ele já terminou as ministrações do templo mediante um grande gesto simbólico (Mc 11.20-26) e que o templo "não feito por mãos" aparecerá na vida e liturgia da Igreja. No julgamento e, de novo, na crucificação, eles o escarnecerão com a acusação de que Ele não pode construir um templo em três dias, embora o leitor saiba que é exatamente isso que vai acontecer. A acusação de querer ser servido eles a levantam contra Ele perante Pilatos — quando Ele disse ser "o Rei dos judeus" (veja Mc 15.2). Esta acusação se mostrará ser falsa, e, não obstante, ironicamente verdadeira: Jesus é realmente o Rei dos judeus! Os soldados o vestirão como rei num ato de brutalidade refinada, mas no próprio ato eles inconscientemente se tornarão a própria vítima irônica.

O resultado desta série de significados duplos é que o leitor aprende que a morte de Jesus é, por excelência, o acontecimento propiciatório, e que além da verdade observável há outra Verdade, oculta e diferente do que os personagens dentro da história podem entender (sobre o uso que Marcos faz da ironia, veja "Ironia", seção 1). Esse significado mais profundo é traído não apenas pelo que o texto diz, mas também pelas reações que evoca no leitor. Com Deus, mais está acontecendo do que os olhos vêem. O relato que Marcos fez da paixão é uma interpretação carregada emocional e teologicamente dos acontecimentos da morte e sepultamento de Jesus, um relato pelo qual o significado destes acontecimentos é esclarecido.

3.4.1. Premeditação da Morte de Jesus (14.1,2).

Este curto parágrafo retorna a narrativa a seu enredo primário reapresentando os oponentes de Jesus, "os principais dos sacerdotes e os escribas". O marcador cronológico (v. 1a) estabelece a cena, e as declarações misturadas com intenções hostis (v.1b) e aviso (v. 2) chamam a atenção para um complexo de impressões, entre elas as predições de Jesus registradas em Marcos 8.27-30 e 10.32-34 sobre sua rejeição e crucificação pelos líderes judeus (cf. Mc 11.18; 12.12; sobre as predições da paixão, veja comentários sobre Mc 8.31-33).

As tensões na passagem enfocam a atenção do leitor no fato de que estas ações acontecem em segredo (o termo grego traduzido por "com dolo" enfatiza engano e deslealdade), e indica que a atmosfera está politicamente carregada. A influência de Jesus com as multidões é enorme, por isso as autoridades têm de se mover com cuidado. O enredo se adensa na sensação de perigo iminente.

É óbvio que as autoridades precisam de ajuda para pôr o plano em execução, indicação implícita de que Jesus mantinha segredo do seu paradeiro. Essa ajuda está próxima na pessoa de Judas Iscariotes, algo que o leitor sabe de informação de fora e anterior na narrativa (Mc 3.19). Por ora, Judas está de espreita (veja Mc 14.10), mas neste momento as autoridades continuam conspirando, mais uma vez sem perceber que eles estão desempenhando um enredo maior, já escrito com antecedência. As predições da paixão demonstram que, por mais que tentem, as autoridades não têm controle sobre as cenas nas quais eles estão a ponto de se achar; esse controle vem de um Diretor invisível, cuja direção de palco é clara para o leitor.

As razões que as autoridades têm para conspirar também revelam que há uma séria fenda entre o judaísmo "oficial" e o apoio popular que Jesus encontrou entre as multidões em Jerusalém (veja também Mc 12.37). Muito em breve, as multidões se tornarão ameaçadoras (Mc 15.11-15), mas neste momento essa lealdade popular protege Jesus das maquinações dos sacerdotes. Este fato só pode acontecer porque as multidões são enormes. A nota cronológica no versículo 1 ("dali a dois adias, era a Páscoa e a Festa dos Pães Asmos") é apresentada como um tipo de hendíadis, juntando estas duas festas numa única ocasião. Tecnicamente, elas eram dois eventos distintos: a Páscoa ocorria no décimo quarto dia do mês de nisã e a Festa dos Pães Asmos nos sete dias imediatamente a seguir (veja Êx 12.1-20; Dt 16.1-8). Na prática comum, os dois eventos estavam tão estreitamente unidos que qualquer nome podia ser aplicado à celebração combinada.

E o mais importante é que a Páscoa era uma das três festas anuais nas quais esperava-se que todos os adultos judeus masculinos comparecessem em Jerusalém. Por causa da Diáspora, isto não acontecia, mas mesmo assim incitava tão grande número de peregrinos que a cidade ficava excessivamente cheia e seus limites tinham de ser ampliados, abrangendo o vale de Cedrom e o monte das Oliveiras a fim de acomodá-los. Naturalmente, em tal ocasião o fervor messiânico estava no ar, as multidões eram excitáveis e os perigos ligados à ação política pública eram intensificados. Por isso, o que as autoridades pretendem fazer deve ser feito em segredo. A aura de subterfúgio e deslealdade também obriga Jesus a fazer arranjos secretos para celebrar a Páscoa com os discípulos (vv. 12-17).

3.4.2. A Unção em Betânia (14.3-9).

Como o parágrafo prévio, esta história comovedora situa a ação por detrás das cenas. Note que esta história está "intercalada" entre o relatório do conluio secreto das autoridades contra Jesus (vv. 1,2) e o ato traiçoeiro de Judas traí-lo por dinheiro (vv. 10,11). A colocação sugere que as duas histórias sejam lidas juntas, cada uma comentando implicitamente a outra (sobre a técnica de Marcos "intercalar" textos, veja comentários sobre Mc 5.21-43). A disposição de Judas vender o paradeiro de Jesus por dinheiro estará em total e doloroso contraste com a generosidade extraordinária desta mulher anônima.

Tudo nos versículos de abertura é calculado para estabelecer e reforçar a extravagância do gesto desta mulher. O frasco era feito de alabastro (v. 3a), um material caro, e foi quebrado para liberar o conteúdo (v. 3b). O nardo contido no frasco é "puro" e "de muito preço" (v. 3b), valendo tanto quanto trezentos dinheiros (v. 5), o salário de um ano para um operário comum. A mulher esbanja o nardo sobre Jesus, derramando-o em cima da cabeça (v. 3c).

O episódio viola toda a expectativa razoável para esta festa de jantar. O aparecimento da mulher na sala já é incomum, visto que as mulheres comumente não se intrometiam em tais festas de jantar. O gesto dela emite nota discordante com alguns dos homens na sala (v. 4). A atenção passa para a objeção que fazem, a qual eles não fundamentam na estranheza do gesto, mas no modo como parece violar o mandado bíblico de cuidar dos pobres, mandado este tratado com seriedade especial na Páscoa (veja também Jo 13.27-29). Essa objeção mais uma vez chama a atenção para a extravagância do presente. Judas trairá Jesus em breve para as autoridades por uma soma não especificada de dinheiro, ato que parecerá motivado por cobiça. Retroativamente, a objeção no versículo 4 também mostra-se ter sido motivada por cobiça. O leitor sabe que também expressa o fracasso de os discípulos entenderem o que está a ponto de suceder. A lealdade deles não está tão dividida quanto mal orientada. A mulher antecipa a paixão conscientemente? O texto não diz. Por que ela está aqui? Por que ela está fazendo isso? O texto não esclarece.

O que o texto diz é que Jesus interpreta o gesto da mulher à luz da paixão que virá a seguir (vv. 6-9). Ele o estampa com significado que vai além do que os outros à mesa estão dispostos ou são capazes de entender. Assim, Ele defende a mulher, e ao mesmo tempo resolve um quebra-cabeça narrativo que aparecerá mais tarde: O corpo de Jesus foi preparado corretamente para o enterro depois da crucificação? Num nível, é claro que não. Se tivesse sido, não haveria necessidade de as mulheres levarem especiarias ao sepulcro, em Marcos 16.1-8. Contudo, em outro nível, é claro que sim, pois este gesto extravagante de uma admiradora desconhecida cumpre esta tarefa necessária de forma simbólica, mas completa.

Não há dúvida de que esta história circulou nas igrejas, como indica o versículo 9. É provável que não seja nova para o leitor do Evangelho de Marcos, mas é parte do complexo de acontecimentos que cercam a paixão. Desde o início o leitor sabe qual será o final desta história. Contudo tem detalhes surpreendentes e perturbadores: "Sempre tendes", disse Jesus, "os pobres convosco e podeis fazer-lhes bem, quando quiserdes" (v. 7). De vez em vez há quem afirme incorretamente que isto significa que os cristãos não precisam entrar em ação imediata perante as necessidades dos pobres, que as preocupações predominantes de santidade tornam a preocupação pelos pobres assunto secundário. Mas as palavras de Jesus contêm uma alusão a Deuteronômio 15.7-11 (veja esp. v. 11), uma passagem que ordena generosidade com o cuidado pelos pobres. Que melhor exemplo de tal generosidade do que esta mulher anônima que, do seu tesouro familiar, fez providências para o enterro de Jesus?

3.4.3. A Traição de Judas (14.10,11). Se fôssemos ler o versículo 10 imediatamente depois do versículo 2, a transição seria suave e fluente: não ficaríamos sabendo que a história da unção de Jesus (vv. 3-9) estava faltando. As autoridades precisam de ajuda (vv. 1,2); Judas oferece seus serviços (vv. 10,11). Mas Marcos quer que o contexto *narrativo* apropriado para o enredo de traição não seja a necessidade do sumo sacerdote, mas o gesto extravagante da mulher com o ungüento. Os motivos de Judas parecem estar ligados de algum modo com a resposta de "alguns" (v. 4) diante do aparente desperdício de recursos na cena prévia; ponto mais importante é que a extravagância do gesto da mulher é estabelecida como destaque importante para a cobiça de Judas.

Como se deu com a história da unção em Betânia (Mc 14.3-9), o breve relato do acordo traidor feito com Judas não é surpresa para o leitor. Quando Judas Iscariotes apareceu pela primeira vez na narrativa, seu nome foi acompanhado por um epíteto: "o que o traiu" (Mc 3.19). Muitos detalhes do enredo já se concentraram no fato de que Jesus será traído para as autoridades (e.g., Mc 9.31: "O Filho do Homem será entregue nas mãos dos homens"; Mc 10.33: "o Filho do Homem será entregue aos príncipes dos sacerdotes e aos escribas"). Cada um destes versículos usa o verbo grego *paradidomi* (lit., "entregar"). O mesmo verbo é usado em Marcos 15.1, onde diz que as autoridades "entregaram [Jesus] a Pilatos". O que torna este um ato de traição é que será executado por alguém de dentro, um dos Doze (vv. 10a,18a,20a); este fato é acentuado nos versículos 18b e 20b com o comentário de que o traidor estava, naquele mesmo momento, partilhando a mesa de comunhão com o Senhor.

Marcos esmera-se em afirmar que Judas é "um dos doze" (v. 10). Por que isto é importante? Num nível, contribui para uma alusão literária ao Salmo 41.9, que mais tarde vai entrar em cena na Última Ceia (vv.18,20). Em outro nível, encara abertamente a verdade de que Jesus foi traído por um dos seus, entregue por dinheiro e traído com um beijo. Deste modo, estabelece um profundo senso de deslealdade. A aura de segredo continua a se acentuar, mas a vontade de alguém de dentro vender por soma não revelada de dinheiro aviva o ar emocional da cena com um sentimento quase impenetrável de tristeza.

Num terceiro nível, o efeito destas repetidas referências é um lembrete ao leitor da predição de Jesus feita no Discurso do Monte das Oliveiras, quando Ele disse que seus seguidores também seriam traídos. Essa passagem contém o mesmo verbo, repetido como uma batida de tambor. Os cristãos serão entregues aos concílios e às sinagogas, e serão açoitados (Mc 13.9); serão conduzidos para serem entregues (*paradidomi*, Mc 13.11); eles até serão traídos pelos próprios irmãos e pais (Mc 13.12). Se os leitores de Marcos ligassem estas palavras com a situação que viviam, eles lembrariam com intensa angústia. A história narrada por Marcos da traição de Judas teria tocado direto numa ferida aberta.

De certo modo Judas não é diferente dos outros discípulos. Nenhum deles entendeu completamente a urgência da situação. Todos fugirão (Mc 14.26-28,50); até Pedro, o amigo mais chegado de Jesus, o abandonará (Mc 14.31,66-72). O leitor sabe disto por informação de fora ou o suspeita pela obtusidade inexorável do grupo dos discípulos como um todo. Eles, como Judas, têm pouco entendimento dos acontecimentos nos quais eles foram apanhados.

3.4.4. A Preparação para a Páscoa (14.12-17).

A nota cronológica no versículo 12 movimenta o enredo para a noite da Páscoa. Tecnicamente, a celebração da Páscoa é completada antes que a Festa dos Pães Asmos comece, embora no uso comum as duas ocasiões sejam tratadas como uma celebração (veja comentários sobre Mc 14.1,2). Marcos deixa claro que os acontecimentos prestes a suceder são em comemoração específica da Páscoa, mas ele também tem o cuidado de ligar este evento com a Festa dos Pães Asmos, talvez porque o leitor sabe que o próprio Jesus é o "pão" que está sendo comido aqui (veja comentários sobre Mc 8.14-21), da mesma maneira que em João Ele é o "Cordeiro de Deus" (Jo 1.36) e o "Pão da Vida" (Jo 6.26-59).

A necessidade de segredo foi explicada pelos acontecimentos descritos nos episódios precedentes: As autoridades estão tramando algo em segredo (Mc 14.1,2), e um de dentro caiu na trama que armaram (vv. 10,11). A lei judaica exigia que a Páscoa fosse comida dentro dos limites da cidade; assim, uma retirada a Betânia está fora de cogitação. Numa cena que traz semelhanças notáveis com a história da entrada triunfal de Jesus (Mc 11.1-10), Ele envia dois dos discípulos para a cidade a fim de finalizar os preparativos. Pode ser significativo que Ele envie *dois* discípulos, visto saber que há um traidor no meio deles (vv. 19-21); um discípulo sozinho poderia escapulir e trair-lhe o paradeiro para as autoridades. Enviando dois discípulos, Ele impede que isso aconteça.

Todas as evidências aqui sugerem subterfúgio. Um homem levando um jarro de água seria um sinal pronto, não só porque era incomum um homem fazer isto, mas também porque o lugar natural para carregar o jarro seria na cabeça e, assim, se tornaria facilmente visível sobre as cabeças das multidões de peregrinos que enchiam a cidade. Não há que duvidar que Jesus fez estes arranjos secretamente para evitar alguma interrupção deste último gesto simbólico com os discípulos. Até as instruções estão em código: "*O Mestre diz...*" (ênfase minha). Este é o único lugar onde Jesus é identificado como *o Mestre*, e não há dúvida de que exprime um termo popular para se referir a Jesus. Aqui, chama a atenção para o simbolismo enorme com que Jesus investiu suas atividades; tudo o que Ele faz é uma forma de ensino — como se mostrará, sobretudo na Ceia. A referência à "tarde", no versículo 17, encerra esta seqüência do enredo e das transições na que vem a seguir. A Páscoa era comida tradicionalmente tarde da noite, e Jesus espera que escureça para entrar na cidade.

3.4.5. Jesus Prediz a Traição (14.18-21).

Tudo na retórica desta breve seção enfoca a atenção sobre Jesus que é traído por um de dentro. É impossível exagerar a seriedade deste fato. Jesus começa com uma expressão solene: "Em verdade vos digo" (v. 18a). O traidor é um do grupo de discípulos — "um de *vós*" (v. 18b, ênfase minha), "um dos doze" (v. 20; veja comentários sobre Mc 14.10,11). O fato de que o traidor é um elemento de dentro é sustentado pelo comentário de que ele está naquele instante tomando parte na mesa de comunhão com Jesus: Ele "mete comigo a mão no prato" (v. 20; cf. v. 18). Esta imagem notável recorda a expressão particularmente pungente da traição dos Salmos: "Até o meu próprio amigo íntimo, em quem eu tanto confiava, que comia do meu pão, levantou contra mim o seu calcanhar" (Sl 41.9).

Como é que os discípulos ouviram estas palavras extraordinariamente dolorosas? Suas respostas no versículo 19 indicam a confusão e a sensação de desastre iminente. Talvez eles estejam sendo chamados para executar algum serviço? A expressão que usam implica uma resposta negativa: "Não sou eu, não é?" O texto deixa à imaginação do leitor entender o que Judas teria ouvido. Mas ele certamente está presente, um participante no diálogo silencioso. O leitor sabe que ele já entrou em ação (vv. 10,11). O que Jesus está dizendo assinala que Ele também sabe. O versículo 21 deixa claro que Judas tem de ter plena responsabilidade pelo passo diabólico que ele está a ponto de dar.

3.4.6. A Última Ceia (14.22-26). A instituição da Última Ceia é um dos acontecimentos mais importantes do cristianismo primitivo. Para Jesus, simboliza a imolação de sua carne na cruz, representada pelo partir do "pão" (v. 22), e o derramamento do seu sangue, representado pelo vinho (v. 24). A expressão "é derramado", ainda que seja referência a derramar o vinho no cálice, também é um idiotismo semítico comum para aludir a morte violenta. Quando Jesus diz que o seu sangue "por muito é derramado", a linguagem se refere de modo subtendido a todo o povo de Deus (veja também Mc 10.45.

Embora a esta altura eles não o percebam inteiramente, para os discípulos esta refeição virá a simbolizar a participação do crente no sofrimento e morte de Jesus (Mc 14.22,23), a unidade do Corpo de Cristo ("e todos beberam dele", v. 23) e a antecipação da esperança escatológica por vir (v. 24). No sentido de que a Ceia é celebrada como sacramento, representa essas realidades e, de modo profundo e insondável, as coloca em efeito.

É claro que Marcos esperava que tais significados fossem imediatamente evidentes para seus leitores, justamente porque eles chegam ao texto como cristãos, com conhecimento de fora destes acontecimentos. Isto, em si, pode responder pelo fato de que esta passagem é contada em prosa sucinta e seca. Não é nenhum pouco improvável que Marcos espere que seus leitores interpretem esta história dentro da estrutura maior da Ceia do Senhor, quando a celebravam como parte da vida litúrgica da Igreja. Se essa estrutura incluía outros elementos da refeição da Páscoa, então certos detalhes das palavras de Jesus ficam mais claros. Tal ocasião teria sido iniciada talvez pelo partir simbólico do pão (representado no v. 22) e concluída pelo pensamento comunal do cálice (v. 23).

Em geral, os detalhes já foram revestidos de rico significado teológico sobre o qual espera-se que os leitores de Marcos percebam. A abertura da Páscoa incluía tradicionalmente uma reflexão teológica sobre o significado da refeição prestes a ser comida, uma função presumida pelas palavras explicativas de Jesus no versículo 22. O cálice visionado no versículo 23 teria sido o terceiro ou o último dos quatro cálices de vinho tradicionalmente bebidos durante a celebração da Páscoa judaica. O cântico de um hino dos Salmos de Hallel (Sl 113—118), em seguida à bebida dos cálices, sugere que este é o terceiro cálice e que Jesus não tomou o quarto cálice. De qualquer modo, o cálice lembra a promessa da libertação da escravidão como parte do evento original da Páscoa (Êx 6.6,7).

A solene declaração de Jesus no versículo 25 ("Não beberei mais do fruto da vide, até àquele Dia em que o beber novo, no Reino de Deus") faz os discípulos (e o leitor!) lembrarem que a obra do Reino ainda não está completa, e antecipa a esperança de que esse dia terá, no tempo apropriado, pleno cumprimento.

Ouvido no contexto maior do Evangelho de Marcos, pode haver duas novas nuanças.
1) A linguagem da Ceia já apareceu duas vezes, na alimentação dos cinco mil (Mc 6.33-44) e na alimentação dos quatro mil (Mc 8.1-10). Nessas duas ocasiões, as nuanças secundárias na história ressaltaram a inclusão dos gentios na economia de salvação (veja comentários sobre essas passagens). À medida que a história traz à mente essas alimentações anteriores, também lembra o retrato extraordinariamente complexo de Jesus como o "pão" que Marcos tinha elaborado naquela seção maior (veja comentários sobre Mc 6.1—8.30).

2) A referência ao "cálice", do qual "todos [eles] beberam" (v. 23), foi dada um significado secundário pela conversa de Jesus com Tiago e João, em Marcos 10.35-45: "Não sabeis o que pedis; podeis vós beber o cálice que eu bebo e ser batizados com o batismo com que eu sou batizado?" (Mc 10.38). Esta passagem antecipou a paixão e concluiu uma seção de treinamento de discipulado ao refletir sobre a paixão como autorização única para a liderança cristã: "O Filho do Homem também não veio para ser servido, mas para servir e dar a sua vida em resgate de muitos" (Mc 10.45).

Assim, os elementos desta Última Ceia lembram o crente que a participação na vida da comunidade é pressuposta na participação da morte de Jesus. Para uns, conseguirá pelos próprios esforços em termos práticos pela disposição de o cristão abandonar todas as aspirações de poder e se entregar ao serviço (veja comentários sobre Mc 10.35-45); para outros, conseguirá pelos próprios esforços na arena, cuja possibilidade os cristãos romanos de Marcos já podem estar dolorosamente cientes (veja comentários sobre Mc 13.9-13).

3.4.7. A Negação de Pedro É Predita (14.27-31).

Este breve episódio a caminho do jardim do Getsêmani resume um tema desenvolvido ao longo da narrativa da paixão: Quando Jesus encontra seu fim na cruz, Ele está virtualmente só (veja comentários sobre Mc 14.32-42). Até isto é antecipado na Escritura (v. 27), pois a fuga dos discípulos cumpre Zacarias 13.7. Para aqueles entre os leitores de Marcos que se lembram da passagem inteira (Zc 13.1-9), a citação evoca um comentário apropriado sobre os acontecimentos que se desdobram como um todo na narrativa da paixão. Descreve um processo necessário, mas violento, por meio do qual as pessoas são purificadas do pecado e levadas de volta em relação certa com Deus. Um momento particularmente hábil nessa imagem mental é encontrado no versículo 6, no qual o profeta lamenta o tratamento violento a que foi entregue às mãos de amigos.

Os elementos mais notáveis deste episódio centram-se em torno da profecia de Jesus de que Pedro o negará três vezes (v. 30), e o importante é que até nisso Pedro representa todo o grupo de discípulos. A declaração no versículo 27 que diz que *todos* os discípulos vão se escandalizar, é repetida no versículo 29, e a veemente afirmação de Pedro, no versículo 31 ("Ainda que me seja necessário morrer contigo, de modo nenhum te negarei") é repetida pelos demais: "E da mesma maneira diziam todos também". Assim, o ato de Pedro negar Jesus (vv. 54,66-72) é uma negação representativa. No versículo 50, Marcos tem o cuidado de mostrar que, "deixando-o, todos fugiram". Num nível a história representa um indiciamento antecipado do fracasso de os discípulos guardarem a fé.

Em outro nível, esta passagem suaviza de dois modos a extremidade contundente desse indiciamento.

1) Lembra o leitor que estas coisas são realizadas em cumprimento da Escritura e são partes integrantes do plano divino de redenção.
2) Promete aos discípulos, inclusive a Pedro — *especialmente* a Pedro (veja Mc 16.7) —, que todas as coisas foram cumpridas, que haverá uma reconciliação na Galiléia (Mc 14.28). Esta profecia também foi subseqüentemente cumprida (veja Mt 28.16; Jo 21.1-23). Ainda que seu cumprimento tenha vindo *de fora* da narrativa de Marcos conforme a temos, é provável que o leitor original do Evangelho de Marcos o soubesse como tradição cristã. Mesmo com o aumento do isolamento de Jesus, Ele se encarrega de oferecer palavras de consolo e incentivo. Portanto, mesmo sendo ferido, o Pastor sustenta o seu rebanho espalhado no meio das provações. Ele sabe muito bem que eles também estão a ponto de enfrentar provações.

3.4.8. O Jardim do Getsêmani (14.32-42).

Com a exceção da crucificação, nenhuma outra imagem causou tanta impressão sobre a arte cristã e a reflexão devocional quanto a cena da agonia de Jesus no jardim do Getsêmani. O que recomenda esta imagem e convida reflexão fervorosa é o perfeito *pathos* (sofrimento) da cena, o modo como descreve Jesus prostrado em oração diante do Pai, cada vez mais cônscio de que Ele tem de enfrentar esta provação sozinho. Os discípulos não o abandonaram ainda, mas também não estão com Ele nesta hora mais dolorosa. Suas profecias tornaram sua crucificação uma conclusão antecedente, e mesmo aqui Ele vacila, quase hesita, sendo movido a horror sobressaltado, mas em última instância, coloca seu futuro aos cuidados do Pai.

Três temas básicos emergem de um estudo do texto de Marcos.

1) Marcos meticulosamente distancia os discípulos cada vez mais de Jesus à medida que sua "hora" se aproxima. Isto faz parte de um programa mais amplo pelo qual ele apresentará Jesus totalmente só, quando Ele balouçar na máquina da morte. As autoridades religiosas se opuseram à obra de Jesus desde o princípio (e.g., Mc 3.6). Ele foi despedido pela família (Mc 3.21) e rejeitado em seu torrão natal (Mc 6.1-6). As multidões endossam sua obra entusiasticamente, mas no fim elas se virarão contra Ele (Mc 15.11-15). Até o próprio Deus se voltará para outra direção (Mc 15.34). A única exceção possível a este padrão são as mulheres que assistem a morte de Jesus (Mc 15.40), mas só "de longe". Quando Jesus morre, Ele morre só.

A ênfase neste relato está no abandono dos discípulos. Não é sem significado que esta história está intercalada entre a predição de Jesus de que os discípulos se escandalizarão nEle (v. 27) e o cumprimento dessa profecia no versículo 50. De modo semelhante, mas mais complexo, também está intercalada entre a profecia da negação de Pedro, nos versículos 27 a 31, e o cumprimento dessa profecia, nos versículos 66 a 72. Como nos outros casos, a colocação da história neste ponto da narrativa chama a atenção para a distância que foi se desenvolvendo entre Jesus e os discípulos.

Essa distância é realçada pelas repetidas referências ao sono dos discípulos (vv. 37,40,41). Trata-se indubitavelmente de sono literal ("os seus olhos estavam carregados" [v.40], talvez tanto pelo vinho pascoal como pelo avanço da hora), não obstante também caracteriza o fracasso de entenderem o que está acontecendo. Eles não têm nenhum senso do perigo.

Com isto temos a resposta a uma pergunta que tem confundido os intérpretes do Evangelho de Marcos: O que Jesus esperava dos discípulos? Ele se voltou para eles em busca de consolo no momento da provação, só para descobrir que, por estarem com os olhos "carregados", eles não podiam

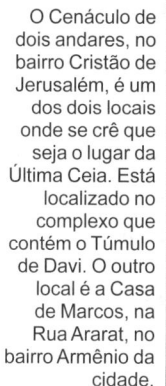

O Cenáculo de dois andares, no bairro Cristão de Jerusalém, é um dos dois locais onde se crê que seja o lugar da Última Ceia. Está localizado no complexo que contém o Túmulo de Davi. O outro local é a Casa de Marcos, na Rua Ararat, no bairro Armênio da cidade.

"vigiar [com Ele] uma hora" (v. 37)? Não parece que seja este o entendimento de Marcos. Antes, Jesus se volta para o Pai em busca de consolo nesse momento de crise e decisão. Ele pede o auxílio de Deus, usando o termo mais íntimo: "Aba" (o qual Marcos traduz para o leitor: "Pai", v. 36). De fato, Jesus oferece consolo e conforto aos discípulos em vez de serem os discípulos a lhe oferecerem. O que Ele espera deles é atenção vigilante (cf. v. 34: "Ficai aqui e vigiai"). Nesta hora mais crucial Jesus não deseja ser interrompido.

2) Outro tema que domina esta passagem é a profunda humanidade de Jesus, que enfrenta a morte da mesma maneira que qualquer outro ser humano a enfrenta. Dessa humanidade vem um terror que estreme (v. 33) e um clamor desde as entranhas do seu ser (v. 34). A linguagem dos versículos 33 e 34 liga este momento com a lamentação do salmista (Sl 40.12,13; 42.5,9-11; 43.5; 55.5,6; 115.2; 116.3,4). Entretanto, as alusões não diminuem o fato de que esta é a resposta de Jesus à realidade horrenda que Ele agora enfrenta. Quando Ele ora para que aquela "hora" passe dEle (vv. 35,36) e novamente para que o "cálice" seja afastado dEle (v. 39), o leitor sabe que estas são orações reais, e não artifícios representados para completar um esquema profético. As palavras "hora" e "cálice" são intercambiáveis e no Evangelho de Marcos dizem respeito ao julgamento iminente a ser imposto na cruz.

3) Assim, somos apresentados ao tema final: Sabendo plenamente dos horrores que jazem à frente e sofrendo esses horrores a partir da sua plena humanidade, Jesus abandona a própria vontade a favor da vontade de Deus (v. 36). Os comentaristas de Marcos tem observado ocasionalmente que o comportamento de Jesus na sua provação e execução serve de modelo de coragem para os cristãos que enfrentam horrores semelhantes. Essa coragem é completamente evidente aqui, no silêncio do jardim do Getsêmani. O aparecimento do traidor nos versículos 42 e 43 virará irremediavelmente na maré dos acontecimentos. É aqui, mais do que em qualquer outro lugar, que Jesus faz sua escolha decisiva.

Visto sob esta luz, é possível ler as palavras de Jesus de modo diferente. As outras referências em Marcos deixam claro que a palavra "cálice", mencionada por Jesus no versículo 36, evoca imagens da morte terrível na cruz (Mc 9.32; 10.38; 14.23), a palavra "hora", no versículo 35, pode não se referir à cruz, mas à tentação de fugir. Quando Jesus ora para que esse momento passe, Ele pode estar orando por força para resistir ao impulso de fugir. Nesse caso, a oração de Jesus é realmente respondida, mesmo que a resposta seja uma lembrança de que a tragédia pode ser compatível com a vontade de Deus. Quando Jesus ordena aos discípulos: "Vigiai e orai, para que não entreis em tentação" (v. 38), Ele está falando por experiência própria. Num só momento suas opções terminarão. Sua escolha em manter-se firme é dolorosa, mas é exemplo corajoso para os cristãos que enfrentam semelhantes momentos de crise e decisão.

Esta passagem e a conseqüência terrível das escolhas que Jesus fez nos fazem lembrar do aviso no Discurso do Monte das Oliveiras: "E sereis aborrecidos por todos por amor do meu nome; mas quem perseverar até ao fim, esse será salvo" (Mc 13.13). O Espírito Santo sustenta a pessoa na hora da crise (Mc 13.11). É possível, embora não certo, que "o espírito" mencionado em Marcos 14.38 também seja o Espírito Santo, em vez de ser um impulso humano e sublime a Deus. Nesta história triste encontramos em todos os lugares a face da fraqueza humana, mas os discípulos logo vão aprender que o Espírito também está com eles. Jesus também é sustentado em Seu momento de crise pela presença permanente do Espírito.

3.4.9. Jesus É Preso (14.43-52). Com o aparecimento de Judas e um contingente armado das autoridades religiosas, chega o momento da decisão de Jesus. A "hora" chegou (v. 42; veja comentários na seção prévia). Marcos enfatiza três elementos.
1) Os detalhes chamam a atenção para a inadequação da prisão. O versículo 43 nota que o contingente veio armado com espadas

e porretes, um ponto que prepara para a observação seca de Jesus registrada no versículo 48: "Saístes com espadas e porretes a prender-me, como a um salteador?" A palavra grega traduzida por "salteador" é *lestes* e significa claramente "revolucionário". A mesma palavra apareceu antes em Marcos 11.15-17, onde uma alusão especialmente poderosa a Jeremias 7.9-11 levantou precisamente esta acusação contra as autoridades religiosas no templo (v. 17; veja comentários).

A estrutura da pergunta de Jesus no versículo 48 implica uma resposta negativa: "Claro que não". A negação da pretensão à revolução inculca-se na mente do leitor em preparação às acusações de sedição que será levantada contra Ele no julgamento diante de Pilatos (Mc 15.1-14). Mais tarde, os soldados de Pilatos farão com que Jesus seja crucificado entre dois *lestai*, dois revolucionários, para completar a paródia irônica de um rei e sua corte.

A inadequação da prisão também é enfatizada pelo detalhe no versículo 49, de que Jesus estava "todos os dias [...] ensinando no templo", contudo, sem causar incidentes. Ele chama a atenção para o fato de que esta prisão aconteceu à noite, em segredo. O leitor conhece a história completamente; o comentário de Jesus lembra Marcos 14.1, onde diz que as autoridades estavam buscando "como o prenderiam com dolo". Esta expressão não implica segredo tanto quanto engano, de forma que a lembrança do versículo cria um julgamento implícito sobre a ação que acontece.

2) Sobre a deslealdade da própria traição, quando Marcos mostra que Judas é "um dos doze" (v. 43), ele está insistindo em algo que seus leitores já sabem. Pelo fato de serem cristãos, os leitores sabiam disto antes do começo da leitura, e Marcos invectivou recentemente este ponto na predição de Jesus sobre sua traição (veja comentários sobre Mc 14.18-21). Essa predição evocou uma alusão ao Salmo 41.9: "Até o meu próprio amigo íntimo, em quem eu tanto confiava, que comia do meu pão, levantou contra mim o seu calcanhar". A predição de que os discípulos vão se escandalizar (vv. 27-31), com sua alusão a Zacarias 13.7, pode ter feito lembrar uma referência semelhante: "E, se alguém lhe disser: Que feridas são essas nas tuas mãos?, dirá ele: São as feridas com que fui ferido em casa dos meus amigos" (Zc 13.6).

O leitor se achega à história da prisão de Jesus com um grande repertório de fora, em termos de conhecimento e alusões literárias disponíveis, o que aprofunda o ato de traição além do ponto de deslealdade. É o beijo que torna a deslealdade excruciante. O fato de que é repetido na história (vv. 44,45) mostra sua importância para Marcos. Junto com o tratamento irônico de Judas para com Jesus ("Rabi, Rabi [ou seja, Mestre, Mestre]", v. 45), sinaliza que a traição é mais que um ato de servir a si mesmo feito por dinheiro. Num momento como este, a escolha de Judas trair Jesus é feita às custas de sua própria alma (veja v. 21). Com efeito, teria sido melhor que ele nunca tivesse nascido.

3) Tudo isso aconteceu dentro do plano e presciência de Deus. Semelhantemente à paixão como um todo, a traição acontece em cumprimento de profecia (Mc 8.31-33; 9.30-32; 10.34; 14.18-21). Jesus fez sua escolha, compendiada por sua observação aos soldados que o prendiam, no versículo 49b: "Para que as Escrituras se cumpram".

A passagem termina com um episódio enigmático sobre um "jovem" desconhecido que, de alguma maneira seguiu Jesus ao jardim e observou o que acontecia (Mc 14.51,52). É impossível dizer de quem se trata ou que papel este jovem está representando no esquema global do Evangelho. Por que está aqui? Alguns intérpretes supõem que seja o próprio Marcos, o que inclui um detalhe pessoal — uma "impressão digital" dele. Outros intérpretes ligam este jovem com a figura angelical no túmulo vazio, em Marcos 16.1-8. Trata-se de especulação. Talvez é melhor deixar a pergunta em aberto, da mesma maneira que Marcos fez, na suposição de que este também pode ser outra escrita cifrada para a audiência cujo significado foi perdido no decorrer do tempo.

3.4.10. Jesus Perante o Sinédrio (14.53-65). O que temos aqui não é um julgamento no sentido formal, mas uma "audiência", mantida numa residência particular, à noite (v. 53), e não em público, como exigia a lei. Os elementos repetidos da narrativa dispõe a atenção do leitor em volta das ilegalidades envolvidas no "julgamento" e na ilegitimidade das acusações; de fato, estas perguntas foram dominantes na discussão erudita sobre esta passagem importante. O enfoque dessas investigações estava no acontecimento histórico, mas aqui focalizaremos a retórica da história e as partes integrantes das respostas do leitor que ligam esta história com a narrativa maior.

Começaremos com uma pergunta de minúcias: Por que Marcos focaliza a atenção numa única acusação, a de que Jesus tinha dito que destruiria o templo e construiria outro em três dias (v. 58)? Afinal de contas, o versículo 56 indica que "muitos testificavam falsamente contra ele". E em Marcos 15.3,4, quando as autoridades judaicas entregaram Jesus a Pilatos para o julgamento formal, eles "o acusavam de muitas coisas". Contudo, aqui Marcos destaca só uma acusação, a que ocorrerá novamente como um epíteto nos lábios dos atormentadores de Jesus na cruz (Mc 15.29). A destruição do templo veio à baila antes e mostrou-se ser um tema principal no Discurso do Monte das Oliveiras (Mc 13.1,2,14). Qual é a acusação que captura a atenção de Marcos?

Essa acusação expõe Jesus à acusação de que Ele é falso profeta e inimigo do templo. Marcos usa este momento do julgamento para desmentir estas duas opções. Duas vezes ele escreve e usa um tempo imperfeito: "Eles *continuamente* davam falso testemunho" (vv. 56,57, tradução minha). O efeito aqui é uma retratação direta e clara: Jesus nunca disse isso.

A retratação é reforçada de três modos.
1) Marcos destaca que os principais sacerdotes e todo o Sinédrio não conseguem achar evidência para condenar Jesus à morte (v. 55); a evidência que acham é identificada duas vezes por *falso* testemunho (vv. 56,57), o qual se mostrava conflitante (v. 59).
2) O silêncio de Jesus nos versículos 60 e 61 implica que não há necessidade de resposta, porque os fatos falam por si. Podemos redeclarar isto do ponto de vista dos leitores: Espera-se que eles saibam melhor e venham a se lembrar de outros elementos da narrativa que Jesus disse em resposta.
3) Marcos nota que o sumo sacerdote busca outras acusações contra Jesus (vv. 62-65). Esta evidência sugere que até no alto concílio as acusações de conspiração contra o templo eram ineficazes e precisavam ser derrubadas.

As autoridades não podiam sustentar o que afirmavam, porque as testemunhas não entravam em acordo (vv. 56,59). Marcos diz patentemente que a acusação é falsa. Mas exatamente em que sentido é falsa? Isto estaria claro se o leitor pudesse fazer uma comparação cuidadosa com João 2.19. Jesus nunca disse que *Ele* destruiria o templo, só que este estava sujeito à destruição. Mas os leitores de Marcos não têm o luxo de uma comparação direta com o Evangelho de João. Ao invés disso, eles têm de confiar nos recursos da narrativa de Marcos — ou nos recursos que eles podem obter da tradição oral — para saber por que a citação é uma citação *errônea*. Estes recursos Marcos já ofereceu no Discurso do Monte das Oliveiras. Em Marcos 13.1,2 (e talvez, por implicação, em Mc 13.14), Jesus predisse a destruição do templo nos mais extraordinários termos. Que leitor terá esquecido a vivacidade e clareza de linguagem que Jesus usou ali? Quando Jesus está calado, em Marcos 14.61, estas são as expressões que prontamente vêm à mente.

As estratégias retóricas mais visíveis da passagem também lidam com este mesmo assunto. Estas estratégias giram em torno da ordem de Jesus profetizar, no versículo 65, o que leva a seção à sua conclusão. Esta é uma reviravolta irônica, criada pela combinação de vários elementos da narrativa.
1) O julgamento de Jesus é intercalado no meio da história da negação de Pedro (v. 54, depois vv. 66-72; quanto à técnica de Marcos intercalar textos, veja comentários sobre Mc 5.21-43). Jesus já tinha profetizado a negação em forma explícita (Mc 14.27-31; veja comentários). É importante que o Evangelho de Marcos tenha sido projetado

para ser lido de uma única vez, assim o leitor chega à história da negação de Pedro recém-vindo de uma leitura daquela profecia. Quando os guardas batem em Jesus e ordenam que Ele profetize, eles não podem ver o que o leitor vê: Lá fora, no pátio, naquele mesmo momento, uma profecia de Jesus está se cumprindo. Os guardas são as próprias vítimas irônicas.

2) Também devemos localizar a mudança de perspectiva que a narrativa de Marcos pede que os leitores façam. Quando as falsas testemunhas acusam Jesus, nos versículos 55 a 59, e quando os guardas o esbofeteiam, no versículo 65, espera-se que o leitor responda com algo assim: "O quanto eles são cegos!" Para responder desse modo, o leitor tem de voltar-se e compartilhar o ponto de vista do qual a narrativa procede (veja comentários sobre Mc 1.1). Só no momento em que "os principais dos sacerdotes e todo o concílio" (Mc 14.55) concordam em condenar Jesus à morte, é que eles ficam sob o julgamento implícito da narrativa. Eles ficam culpados da mesma acusação que apontam contra Jesus: Isto é blasfêmia, e paródia irônica da verdade. Mas, enfim, quem é que está sendo julgado aqui? E quem é, afinal de contas, o juiz?

3) Essa ironia é ressaltada num novo nível se o leitor se lembrar de que Jesus já tinha predito o próprio julgamento, com todas as suas brutalidades auxiliares. A ironia é dramática ao extremo. Os guardas dão bofetadas em Jesus e exigem que Ele profetize, e a mesma cena representou dramaticamente uma profecia que Ele já tinha feito três vezes (Mc 8.31-33; 9.30-32; 10.32-34).

4) Há uma maneira final na qual esta história do julgamento está ligada com a estrutura maior da história de Marcos: A caracterização de Jesus — silencioso, no fim das contas, ironicamente sob controle — forma um realce notável com a caracterização de Pedro no pátio do sumo sacerdote. O granito Pedro (Mc 3.16). O Pedro da grande confissão (Mc 8.26-31). O Pedro que, há momentos, tinha pregado sua confissão na cruz: "Ainda que me seja necessário morrer contigo, de modo nenhum te negarei" (v. 31). À medida que o leitor fica observando, com horror, a confissão de Pedro desmorona-se e vira areia, escorrendo por entre os dedos e caindo ao chão frio do palácio. Este retrato gago de Pedro é ainda mais horrendo quando visto contra a tela de fundo do silêncio sereno de Jesus em seu julgamento.

3.4.11. A Negação de Pedro (14.66-72). O relato da negação de Pedro é um dos mais dramáticos e comoventes de todas as grandes narrativas pessoais de Marcos. Ele se esmerou em preparar esta cena para o leitor, de forma que a história deve ser entendida em conexão com o que ocorreu antes. Talvez mais importante é a conversa a caminho do jardim do Getsêmani (Mc 14.27-31), onde Pedro inexoravelmente insistiu: "Ainda que me seja necessário morrer contigo, de modo nenhum te negarei" (v. 31). Quando ele gagueja repetidamente suas três negações de Jesus (vv. 68,70,71), o leitor ouve as negações contra a tela de fundo da bravata que ele tinha exibido naquela conversa trágica. Essa bravata faz com que suas repetidas negações ocasionem uma reviravolta trágica dos acontecimentos.

Duas coisas salvam as aparências.

1) Mesmo a negação em si é uma validação inconsciente das habilidades proféticas de Jesus (veja comentários sobre Mc 14.53-65).

2) Com conhecimento vindo de fora, o leitor sabe que, com o tempo, a confusão de Pedro se corrigirá uma vez mais em confissão. Na hora da profecia original (Mt 14.27-31) Jesus suavizou a aspereza dos seus comentários com a promessa de que, depois de tudo ter se cumprido, Ele iria adiante deles para a Galiléia (v. 28). Ele até repete a promessa em Marcos 16.7 e distingue Pedro com atenção especial.

Dentro da casa, Jesus está sendo julgado por sua vida perante as mais altas autoridades religiosas da terra. Nessas circunstâncias horrorosas Ele representa a parte do falsamente acusado, deixando o silêncio expressar seu julgamento sobre a ilegitimidade dos procedimentos nos quais Ele se encontra. Jesus nunca perde a cabeça. As profecias que Ele fez deixam claro que é Ele, e não as autoridades, que controlam o movimento do desdobramento do enredo. Lá fora, no pátio, Pedro também está sendo "julgado", só que o acusador é uma menina inocente, uma criada. Ele desempenha o papel de bobo e mentiroso, gaguejando seu famoso: "[Eu juro que] não conheço esse homem de quem falais" (v. 71).

Num nível mais profundo, as duas histórias também estão ligadas retoricamente. Um dos principais assuntos no julgamento é a recusa de Jesus profetizar (v. 65), mas o leitor vê o que as autoridades dentro da casa não podem ver: Lá fora, no pátio, justamente naquele momento, uma profecia de Jesus está se cumprindo. De certo modo, isso é metafórico e irônico. A negação de Pedro é a evidência negligenciada no julgamento. O leitor lê dos jurados e chega à conclusão oposta da dos principais sacerdotes e Sinédrio: Ele é o Filho profético de Deus. O leitor que lê a narrativa deste modo dificilmente pode evitar ser "emaranhado" na conversão.

3.4.12. O Julgamento Perante Pilatos (15.1-14).
O relato de Marcos do julgamento perante Pilatos contém três pontos de tensão primários.

1) Continua o programa de Marcos de profecia cumprida, que tinha sido posto em movimento com as três predições da paixão (Mc 8.31-33; 9.30-32; 10.32-34). A terceira predição tinha declarado o assunto com detalhes minuciosos: "Eis que nós subimos a Jerusalém, e o Filho do Homem será entregue aos príncipes dos sacerdotes e aos escribas, e o condenarão à morte, e o entregarão aos gentios, e o escarnecerão, e açoitarão, e cuspirão nele, e o matarão; mas, ao terceiro dia, ressuscitará" (Mc 10.33,34). Esta predição e seu cumprimento preciso lembra o leitor de que os acontecimentos que se desdobram na paixão são acontecimentos antecipados, e que tudo sobre esta tragédia terrível encontra seu significado no plano de Deus.

2) A acusação e o julgamento giram em torno do título "Rei dos judeus" (Mc 15.2,9,12; veja também Mc 15.18,26). É óbvio que este título é importante para Marcos. Seu significado será sugerido mais tarde na farsa de uma coroação fingida pelos soldados (vv. 16-20), que vestirão Jesus em roupas reais antes de pendurá-lo para morrer na cruz. Nem imaginam que Jesus é de fato o "Rei dos judeus", ou que no plano maior de Deus esta é a maneira que tal rei deveria subir ao trono.

3) Marcos também acentua a libertação de Barrabás, um insurreto condenado. Para reconhecer seu significado nas estratégias retóricas de Marcos, devemos observar que a acusação colocada diante de Pilatos sobre Jesus ser o "Rei dos judeus", implica uma reivindicação a aspirações revolucionárias. De certo modo, esta é a extensão lógica das palavras de Jesus ao sumo sacerdote durante a audiência diante do Sinédrio na noite anterior. Quando o sumo sacerdote perguntou: "És tu o Cristo, Filho do Deus Bendito?" (Mc 14.61), Jesus tinha respondido afirmativamente, declarando sua reivindicação em surpreendente linguagem messiânica: "Eu o sou, e vereis o Filho do Homem assentado à direita do Todo-poderoso e vindo sobre as nuvens do céu" (v. 62). Os títulos "o Cristo" e o "Filho do Deus Bendito" têm implicações messiânicas. Mais tarde, quando o sumo sacerdote e sua companhia escarnecem de Jesus na crucificação, eles colocam só o primeiro destes títulos em paralelo com o título "o Rei de Israel" (Mc 15.32), indicação clara de que no seu entendimento os termos se sobrepõem.

Quando as autoridades fazem acusações contra Jesus diante de Pilatos, eles se concentram na reivindicação de rei. Fazendo assim eles manipulam os procedimentos mudando a ênfase da acusação. O "crime" pelo qual Ele foi condenado no Sinédrio foi blasfêmia (Mc 14.64), ao passo que aqui é sedição política (Mc 15.2). É óbvio que esta transposição tem a intenção de traduzir a reivindicação de Jesus ser o Filho do Deus Bendito em termos que Pilatos não pode ignorar. Assim eles forçam a mão de Pilatos.

Esta mudança é suficiente para expor a acusação de maldoso, mas Marcos não está satisfeito em deixar nisso. Entra

Barrabás (Mc 15.6-15). Barrabás fornece um teste, não do sistema judicial, mas da integridade da acusação. Do ponto de vista de Pilatos, a escolha que ele oferece entre Jesus e Barrabás é um golpe de mestre, que compensará as manobras políticas da delegação do sumo sacerdote, colocando as multidões em oposição às autoridades. Esta escolha lhe impedirá de ser manipulado por subalternos que ele menospreza. Afinal de contas, ele está plenamente cônscio de que a execução de Jesus é um erro judicial (v. 10), e ele espera que a populaça tenha diferentes interesses investidos em relação às autoridades.

Mas, no fim, a escolha entre Barrabás e Jesus mostra-se ser uma asneira tática, porque a multidão — instigada pelos principais sacerdotes, que compartilham a sorte com os rebeldes (v.11; cf. a acusação implícita em Mc 11.17) — exigiu a libertação de Barrabás. Quando apresentado a um reconhecido insurreto, o povo escolhe dar-lhe a liberdade. Pilatos é pego neste contra-movimento, e suas opções acabam. Tendo se entregado a este curso de ação, ele tem de ir até ao fim sem se desviar — ele manda açoitar Jesus e o envia ao executor (v.15).

3.4.13. "Salve, Rei dos Judeus!" (15.15-21).
Há três cenas diferentes nas quais Jesus é sujeito à humilhação: Em Marcos 14.65, Ele é zombado pelas autoridades judaicas; em Marcos 15.16-21, Ele é escarnecido pelos soldados romanos; e em Marcos 15.21-32, Ele é troçado pelos passantes na cena da crucificação. Aqui, tratamos apenas do escárnio dos soldados. Robert Tannehill (1979, p. 79) destacou que todas as três cenas são irônicas nas suas estratégias dominantes (quanto ao uso que Marcos faz de ironia, veja "Ironia", seção 1):

> "A rejeição e o desprezo de Jesus, proeminentes nos anúncios da paixão nos capítulos 8 a 10, são dramatizados na história da paixão por cenas de escarnecimento. Estas cenas são colocadas sistematicamente, uma seguindo cada um dos acontecimentos principais depois da prisão. [...] As últimas duas cenas são vívidas e enfáticas. Todas as três são irônicas e sugerem ao leitor afirmações importantes sobre Jesus".

A ironia é desenvolvida numa forma quase alegórica nos versículos 16 a 21. O escárnio que Jesus sofre às mãos dos soldados representa uma interação complexa de significados superficiais e profundos. Quem pode deixar de perceber o *pathos* sarcástico da capa, da coroa de espinhos ou da cusparada? Este é o humor do patíbulo, puro e simples, uma farsa representada num tipo de brutalidade refinada. Mas, como se dá no julgamento, representa uma máscara perfeita da verdade que parodia.

3.4.14. A Crucificação de Jesus (15.22-39).
Não há episódio da história que tenha ocasionado tamanho comentário extenso como a história da crucificação. Marcos nos conta esta história em 233 palavras gregas, e grandes bibliotecas já foram escritas no esforço de entender seu significado. As abordagens quase foram tão amplas quanto o número de comentaristas. Uns intérpretes enfocam a atenção na reconstrução histórica do que realmente aconteceu e avaliam as semelhanças e diferenças entre os relatos canônicos e não-canônicos, e depois discutem os detalhes em termos de probabilidade histórica.

Outros intérpretes concentram-se na pura brutalidade física da morte por crucificação — o tamanho e o formato da cruz, a colocação dos pregos por entre os ossos do pulso, a maneira na qual o corpo falece, o arquejo agonizante por respiração, o terror e a angústia de uma morte por asfixia, que pode durar dias.

Certos intérpretes focalizam as questões legais que cercam a história — a legalidade do julgamento, os direitos dos prefeitos romanos, a relação da história com os hábitos romanos de jurisprudência ou o uso de crucificação como instrumento de governo.

Alguns intérpretes põe em foco as questões políticas — a mudança da acusação, os motivos ocultos, o subterfúgio, a recusa de Pilatos ser intimidado, as conseqüências horríveis de um estratagema político que ficou enviesado.

Determinados intérpretes salientam os matizes teológicos da história, incluindo suas conexões com a profecia ou o sistema sacrifical do Antigo Testamento, o significado que outros escritores do Novo Testamento encontraram aqui ou o significado da história nas próprias estruturas de referência teológicas de Marcos.

É evidente que o leitor de Marcos não teria podido fazer semelhante análise abrangente ou profundamente penetrante desta breve história. Duzentas e trinta e três palavras gregas levariam, talvez, três minutos para serem lidas em voz alta, três minutos *para ouvir*. E nesses três minutos Marcos empacota o epítome de tudo o que aconteceu. Aqui, todos os fios soltos de Marcos são tecidos no tecido do enredo. Dito de um modo, a crucificação de Jesus é o ponto no qual os significados e antecipações gerados ao longo do Evangelho são percebidos dentro do enredo, tecidos em três minutos de tapeçaria narrativa densamente texturizada. Dito de outro, todos os fios soltos e antecipações, todas as imagens e profecias postas em primeiro plano, prepararam o leitor para ler a crucificação de certo modo particular. À luz dessa preparação, seis ênfases principais salientam-se.

1) A ênfase mais imediatamente evidente é que, quando Jesus morre, Ele morre com o título "Rei dos judeus" anunciado acima de sua cabeça (Mc 15.26). Esta foi a acusação levada a Pilatos (Mc 15.1,2) e repetida vezes nos versículos imediatamente precedentes (vv. 2,9,12). De fato, esta é a intenção do escárnio dos soldados nos versículos 15 a 21. A coroa de espinhos, a capa purpúrea, a cusparada, a "aclamação", a homenagem, tudo acentua a impressão de um tipo de paródia, uma farsa cômica representada por homens brutais com a intenção de uma piada inumana (veja comentários sobre Mc 15.15-21). Os detalhes da crucificação levam a farsa adiante, incluindo a execução de dois *lestai*, "salteadores" ou — mais corretamente — "revolucionários". Talvez tendo sido negado Barrabás, os romanos consignaram dois dos seus colegas para o patíbulo por nenhuma outra razão senão para completar a imagem de um rei e sua corte.

Antecipações geradas anteriormente no Evangelho de Marcos deixam claro o quanto é importante que este "Rei" lidere "os judeus" exatamente deste modo. Ao longo da história, Marcos preparou o leitor para ver a crucificação como a única autorização para a liderança entre os seguidores de Jesus. Este tema foi o empuxo principal da seção central (veja comentários sobre Mc 8.22—10.45). Talvez mais surpreendente é o mandato final dessa seção principal (Mc 10.42-45), o qual compendia a liderança cristã em termos de servidão, abnegação e impotência. Estes versículos sobem à mente para servir de comentário sobre o significado da cruz:

"Sabeis que os que julgam ser príncipes das gentes delas se assenhoreiam, e os seus grandes usam de autoridade sobre elas; mas entre vós não será assim; antes, qualquer que, entre vós, quiser ser grande será vosso serviçal. E qualquer que, dentre vós, quiser ser o primeiro será servo de todos. *Porque o Filho do Homem também não veio para ser servido, mas para servir e dar a sua vida em resgate de muitos*" (ênfase minha).

2) A segunda principal ênfase na história é apanhada nos versículos 29 a 32. Como o escárnio dos soldados no parágrafo anterior, os insultos aqui são irônicos. Os passantes zombam de Jesus de duas maneiras: (a) A primeira — "Ah! Tu que derribas o templo e, em três dias, o edificas!" (v. 29) — foi trazida do julgamento diante do Sinédrio (veja Mc 14.58), detalhe que pelo menos sugere que "os que passavam" estavam informados do que tinha acontecido na residência particular do sumo sacerdote na noite anterior. O que eles não podem saber, claro, é que Jesus construirá outro templo, não feito por mãos humanas, ou que haverá um leitor — um membro desse templo! — que lerá o insulto deles e ouvirá nuanças teológicas que eles não

pretendiam, na verdade, que eles nem imaginavam! Para o leitor, a referência aos "três dias" que finda o insulto lembra as três predições da paixão (Mc 8.31-33; 9.30-32; 10.32-34) e — mais extremamente — a ressurreição que ainda acha-se à frente na narrativa. (b) O outro insulto: "Salva-te a ti mesmo e desce da cruz" (Mc 15.30), também é irônico, mas é um beco teológico sem saída. Para Ele, salvar-se a si mesmo, descendo da cruz é justamente a coisa que não pode ou não vai fazer. A estipulação no versículo 32 — "para que o vejamos e acreditemos" — é tão ironicamente ultrajante quanto o pedido que os fariseus fizeram de um sinal do céu, em Marcos 8.11 (veja comentários). A própria Verdade que traz crença está pendurada diante deles na cruz, mas eles não vêem.

3) Marcos também preparou o leitor para reconhecer uma terceira ênfase da cena da crucificação: Ocorre em cumprimento de profecia. Devemos chegar a este ponto desejado com cuidado especial. Não é que a morte de Jesus faz uma réplica detalhada das profecias, mas que as profecias antecipam a morte de Jesus em detalhes. A realidade acha-se *aqui*. As profecias antecipam em linguagem o que a morte de Jesus realiza de fato. É a realidade brutal da crucificação que estabelece o significado das profecias ditas anteriormente.

4) Quando Jesus morre, Ele morre só. Como vimos em nossa discussão dos acontecimentos no jardim do Getsêmani, a narrativa distanciou Jesus sistematicamente das outras personagens (veja comentários sobre Mc 14.32-42). O grito de desamparo na cruz (Mc 15.34-35) torna esse isolamento completo. É discutível que este seja o detalhe mais imparcial de toda a tradição cristã primitiva, e esforços são feitos para aliviar realidade severa. As palavras de Jesus são as palavras iniciais do Salmo 22. Talvez Ele esteja dirigindo os circunstantes — e o leitor — para esse salmo como um comentário apropriado do Antigo Testamento sobre as agonias que Ele agora enfrenta. Mas isso entesa a evidência, e na medida que diminui a realidade da agonia de Jesus na cruz, soa como um discurso especial de defesa.

O leitor ouve o clamor de desamparo de Jesus como um clamor real, da mesma maneira que eram reais as orações no jardim do Getsêmani. Ao mesmo tempo, a narrativa também preparou o leitor para dar a resposta à pergunta agonizante de Jesus. Deus o abandonou, não por causa de pecados que Ele cometera, mas porque só deste modo Ele pode levar os pecados da humanidade caída. Como o próprio Jesus dissera: "Porque o Filho do Homem também não veio para ser servido, mas para servir e dar a sua vida em resgate de muitos" (Mc 10.45). O grito de abandono de Jesus mantém-se em sinédoque com todas as nuanças de uma oferta sacrifical. Numa explosão final, Jesus despende a última de suas forças. No versículo 37, Ele "expirou".

Até aqui revisamos quatro temas principais tecidos por Marcos na tapeçaria da crucificação:

1) Jesus morre como "Rei dos judeus" e assim, implicitamente, como Messias;
2) o insulto dos circunstantes são comentários irônicos sobre o significado da cena que se desdobra diante deles;
3) a morte de Jesus ocorre em cumprimento de profecia; e
4) quando Jesus morre, Ele morre sozinho. É importante lembrar que estes temas sobrepõem-se e aprofundam-se mutuamente, e que eles se desdobram em *seqüência* para o leitor, à medida que os detalhes do enredo se desdobram durante a leitura. As nuanças que se sobrepõem são *cumulativas*, de forma que a narrativa alcança um tipo de epítome com o rasgamento do véu do templo, no versículo 38 — "de alto a baixo" —, e com a "confissão" do centurião, no versículo 39 — "Verdadeiramente, este homem era o Filho de Deus". Mesmo este momento extremamente chocante, no qual Jesus "expirou" (v. 37), empresta sua importância a estas duas declarações teologicamente carregadas. Tudo converge a este ponto.

5) Assim chegamos ao rasgamento do véu do templo, no versículo 38. O fato de que o véu é rasgado em dois, "de alto a baixo", indica nos mais claros termos que este é um portento sobrenatural, algo efetuado por Deus em resposta à morte sacrifical de Jesus, no

versículo 37. (Outro portento sobrenatural foi a escuridão ominosa *sobre toda a terra*, no v. 33.) A linguagem de Marcos aqui é vívida o bastante para trazer à memória o rasgamento dos céus no batismo de Jesus: "E o véu do templo se rasgou [*eschisthe*] em dois, de alto a baixo" (Mc 15.38), da mesma forma que Jesus "viu os céus abertos [*schizomenos*] e o Espírito, que, como pomba, descia sobre ele" (Mc 1.10).

Neste contexto, a ênfase está no fato de que o véu que se rasgou é o véu *do templo*. O leitor foi preparado para este momento pela profecia de Jesus em Marcos 13.1,2, de que o templo seria destruído, e também pela veemente sobreposição de simbolismo na maldição da figueira e na purificação do templo (Mc 11.1-26; veja comentários). Se, como creio que é possível, o Evangelho de Marcos foi contado na véspera da destruição de Jerusalém em 70 d.C., estas seções teriam forte conteúdo emocional para os leitores de Marcos, conteúdo emocional que teria inculcado o simbolismo envolvido. Quando a narrativa alcança seu ápice com o rasgamento do véu do templo, no versículo 38, evoca todo esse simbolismo e o conteúdo emocional que traz consigo.

6) A confissão de que Jesus era o Filho de Deus, no versículo 39, forma a principal ênfase final na história de Marcos sobre a crucificação. Esta confissão já foi ouvida na narrativa de Marcos, mas sempre nos lábios de um ser sobrenatural. No batismo de Jesus (Mc 1.11) e novamente na transfiguração (Mc 9.7), vieram do próprio Deus, falando ambas as vezes de uma nuvem. Jesus também foi identificado como "o Filho de Deus" (Mc 3.11) e o "Filho do Deus Altíssimo" (Mc 5.7), mas estas "confissões" acham-se nos lábios de demônios. Aqui, pela primeira vez, a confissão entra nos lábios de um ser humano, não coincidentemente, um gentio: "Verdadeiramente, este homem era o Filho de Deus". O centurião leva a narrativa de Marcos para o seu ponto mais alto, devolvendo o enredo ao seu ponto de partida em Marcos 1.1: "Princípio do evangelho de Jesus Cristo, *Filho de Deus*" (ênfase minha).

Mas a história não está inteiramente concluída. O versículo 40 mudará a atenção do leitor para um curto epílogo no qual Marcos explora, em seqüência rápida, os detalhes do enterro e do túmulo vazio.

4. Epílogo (15.40—16.8).

Em seguida à cena da crucificação nos versículos 22 a 39, o enredo de Marcos de súbito diminui de velocidade antes de, finalmente, terminar. Duas ênfases básicas se destacam nos versículos finais.

1) Muitos detalhes parecem ter sido incluídos por propósitos apologéticos.
2) A narrativa é concluída com a sugestão mais forte possível de uma ressurreição. Na verdade, *pressupõe* a ressurreição sem a qual nenhum dos detalhes que estão incluídos faz sentido. O epílogo de Marcos é terrivelmente abreviado (veja seção 4.3 para inteirar-se de um comentário sobre a estratégia retórica de deixar o leitor com uma "obra inacabada").

4.1. As Testemunhas da Crucificação (15.40,41)

Depois que a história da crucificação atinge o seu tremendo ápice com a confissão do centurião, em Marcos 15.39, o curto relatório do testemunho das mulheres (vv. 40,41) mais parece uma reflexão tardia. Não resta dúvida de que uma efetiva reminiscência histórica, neste ponto da narrativa, serve de propósito apologético, da mesma maneira que a presença de Maria Madalena e Maria, mãe de José, na cena do enterro (v. 47) é garantia contra a noção de que as mulheres tenham voltado ao túmulo errado. Sobre esta consideração, devemos lembrar que o testemunho das mulheres não era bem considerado no mundo antigo; assim este detalhe tem o sinal inequívoco de um autêntico depoimento de testemunha ocular. É difícil dizer quem eram "Tiago, o menor", e "José". Talvez eles sejam conhecidos aos leitores da mesma forma que "Alexandre" e "Rufo" teriam sido conhecidos (Mc 15.21).

4.2. O Sepultamento de Jesus (15.42-47)

Como ocorre com as testemunhas da crucificação, nos versículos 40 e 41, estes detalhes foram moldados tendo interesses apologéticos em mente. Ainda que José de Arimatéia tenha visto certa urgência com a aproximação rápida do pôr-do-sol — e, portanto, do sábado —, a preocupação de Pilatos é sobre o fato de Jesus ter morrido em tão pouco tempo. Na verdade, a maneira da morte de Jesus levanta perguntas às quais todo magistrado administrativo exigiria respostas. Normalmente as vítimas de crucificação morriam por asfixia, tormento que poderia durar dias. Pilatos procura se certificar com o centurião, que dá confirmação formal de que Jesus realmente morreu (v. 44). Tão importante é este detalhe que Marcos o repete, enfatizando o caráter oficial desta investigação e a direitura da resposta. O leitor de Marcos teria ouvido aqui uma desculpa útil contra a noção de que Jesus tinha sido retirado prematuramente da cruz. Tanto a presença das mulheres, que serviram de testemunhas, quanto os procedimentos de enterro feitos por José, reforçam a validez do relato.

José é focalizado na melhor luz possível. Ele é "ilustre [ou respeitado] membro do Sinédrio" (v. 43a, ARA). Ele "esperava o Reino de Deus" (v. 43b), uma expressão da profundidade de sua devoção. Em todo o mundo antigo era considerado sério sacrilégio contra os deuses — ou contra Deus — não dar ao corpo morto um enterro formal. Para os romanos, o direito de enterro era obrigação legal e moral, embora fosse suspenso no caso de prisioneiros que tivessem sido executados. O direito de enterro era deixado nas mãos do magistrado administrativo, que poderia escolher deixar o cadáver na cruz como advertência aos outros.

Entre os judeus, o direito de enterro era obrigação universal e sagrada. A preocupação de José era que Jesus fosse enterrado corretamente, o que expressa sua compreensão judaica comum. O fato de o pôr-do-sol estar se aproximando rapidamente dá urgência ao momento. Ele faz as compras necessárias — o pano de linho, mas não as especiarias —, envolve o corpo de Jesus e o põe num túmulo (v. 46).

O interesse apologético de Marcos continua no versículo 47: "Maria Madalena e Maria, mãe de José, observavam" o lugar do enterro. Este comentário é garantia contra as objeções de que, quando elas voltam no domingo pela manhã, elas voltam ao túmulo errado.

4.3. As Mulheres junto ao Túmulo (16.1-8)

O fim do Evangelho de Marcos é ponto de debate entre os estudiosos. Por razões que são apresentadas mais adiante, este comentário conclui sua discussão em Marcos 16.8 (veja mais adiante, seção final).

Leitores perspicazes da cronologia de Marcos às vezes ficam imaginando como uma série de acontecimentos que começaram tarde de uma noite de sexta-feira e terminaram cedo de um domingo poderiam se referir a "três dias" (Mc 10.34). O problema refere-se à tradução. Em grego, a expressão "três dias" inclui os dias parciais como fatores de computação. Uma tradução mais precisa seria "depois três dias ou parte deles". A declaração de que as mulheres chegam ao túmulo "passado o sábado", significa logo depois do amanhecer da manhã de domingo. Elas compraram especiarias, presumivelmente para completar os arranjos de enterro feitos por José de Arimatéia (Mc 15.46), os quais, pela observação direta, elas sabiam que foi só uma mortalha de linho (Mc 15.47).

Detalhes repetidos na linha da história continuam refletindo a atenção de Marcos quanto a preocupações apologéticas. A nota de que as mulheres "observavam onde o punham" (Mc 15.47) garantiu que elas foram ao túmulo correto, como garantem os detalhes de que elas "foram ao sepulcro, de manhã cedo, ao nascer do sol" (Mc 16.2), quando já estava suficientemente claro. Em Marcos 16.3,4, a preocupação repetida é com o tamanho da pedra posta à entrada do túmulo e a dificuldade que as mulheres teriam em removê-la. Este detalhe sugere que José de Arimatéia usou um sepulcro familiar, visto que arranjos de enterro deste tipo eram raros na Palestina. O mais importante é que responde antecipadamente a objeção de que as mulheres poderiam ter retirado a pedra e de alguma maneira roubado o corpo de Jesus (cf. Mt. 28.11-35).

O versículo 5 indica um momento de descoberta. O túmulo não está vazio, mas onde elas esperavam encontram o cadáver de Jesus, acham um "jovem", cuja presença, vestes e linguajar sugerem uma figura angelical. O Evangelho de Marcos não nos dá um relato do Senhor ressurreto, mas deixa este detalhe para os olhos da fé. O jovem lembra às mulheres a profecia que Jesus tinha dado no jardim do Getsêmani: "Mas, depois que eu houver ressuscitado, irei adiante de vós para a Galiléia" (Mc 14.28). Aqui a profecia é repetida quase literalmente pelo misterioso mensageiro, que as orienta a informar tal profecia aos discípulos (Mc 16.7). É importante que ele especifique que a mensagem deve ser entregue "a seus discípulos e a Pedro" (ênfase minha). De todos os discípulos, o fracasso de Pedro foi o mais profundo, e, não obstante, em seu fracasso ele os representava a todos.

O jovem, seu conhecimento extraordinário, seu pronunciamento solene de que Jesus não está ali, mas ressuscitou, e a profecia de que Jesus irá adiante deles para a Galiléia quando ali o verão, tudo enfoca a atenção na realidade da ressurreição. Só os detalhes da própria ressurreição foram omitidos da narrativa, não porque não tenham acontecido, mas porque, não tivessem acontecido, a própria narrativa não faria sentido.

As mulheres falham na comissão, "porque estavam possuídas de temor e assombro" (v. 8) — no contexto cultural outro detalhe apologético. (Que nunca se diga que a ressurreição de Jesus é invencionice de mulheres!) Assim a história termina tão abruptamente quanto começa.

Contra o simbolismo excruciante da cena da crucificação, a conclusão de Marcos deixa o leitor desejando mais. Como ele trouxe o leitor para este momento? Em primeiro lugar, o enredo se moveu num clipe contínuo, em cada fase reafirmando o domínio de Jesus sobre as situações com que Ele é confrontado. Nós seguimos seus movimentos de um lado para o outro pelo mar da Galiléia, dentro e fora da Galiléia, e dentro e fora da lealdade confusa dos discípulos. Acompanhamos sua marcha inexorável e sombria até à morte em Jerusalém, uma marcha que o levou — a seu modo, com triunfo — pelas terminações nervosas que estavam expostas do judaísmo oficial. Em Marcos, Jesus foi a própria essência do poder. Sentimos esse dinamismo em cada mudança de direção.

Marcos teve cuidado em reduzir qualquer noção de que o poder de Jesus é o resultado de carisma pessoal ou conspiração com as forças satânicas. Não é nada mais que e a incorporação do "Reino de Deus" que irrompe no mundo. Mesmo para o leitor que foi educado pela narrativa a esperar que isto aconteceria, o túmulo vazio, o jovem misterioso e o silêncio assustado das mulheres quase não fornecem fechamento adequado para o livro.

E este é precisamente o ponto. Os significados duplos em Marcos deixaram o leitor com um profundo sentimento de que mais está acontecendo do que os olhos vêem, que esta história — inclusive a crucificação — é significativa em uma dimensão não prontamente disponível à primeira vista. O leitor é forçado a voltar ao livro. No fim, o assunto inacabado da linha da história assombra o leitor muito tempo depois de a história chegar a um fim. Entendemos completamente o significado deste Messias crucificado, deste túmulo vazio? Qual é o significado da profecia de uma reunião na Galiléia, dita pelos lábios de um jovem misterioso? O que este Senhor ressurreto exige de mim? De nós? Qual é a resposta apropriada? Mas talvez estas questões sejam melhor entendidas, não como questões não resolvidas, mas como desafios para o leitor: Que tipo de boas novas essa história é concluída: "[Elas] nada diziam a ninguém, porque temiam"?

O "Fim mais Longo" (16.9-20).

É bem sabido que o fim de Marcos é questão de disputa. Neste comentário, terminamos o Evangelho com o versículo 8, com a explicação de que "os manuscritos mais antigos e fidedignos e outras antigas testemunhas não têm Marcos 16.9-20". Os leitores que desejarem revisar a questão mais a fundo acharão introdução proveitosa em Lane (1974, pp. 601-605).

O Problema dos Manuscritos. O fim mais longo de Marcos 16.9-20 não é a única variação de manuscrito que se segue ao versículo 8, mas estes outros fins são até menos evidentes nos manuscritos. É verdade que o fim mais longo está faltando nos manuscritos anotados por sua confiabilidade do texto de Marcos. Ademais, ele é ideologicamente inconsistente com o restante do livro, contém vocabulário e estilo diferente do de Marcos, não é apoiado por Mateus ou Lucas e parece ter sido motivado pelo desejo de dar uma conclusão ao fim abrupto de Marcos.

Um dos princípios básicos para solucionar as variações entre os cinco mil manuscritos existentes do Novo Testamento é que, onde tudo o mais é igual, qualquer leitura que possa explicar o surgimento de outros tem a reivindicação mais forte de ser o original. Claro que este é o caso aqui. Sem o fim mais longo, Marcos termina com uma nota de medo e não tem aparições do Jesus ressurreto. Até a gramática é desajeitada (o v. 8 termina com a palavra grega *gar*, "pois"). É fácil ver o que teria motivado a adição de um fim mais longo, mas é difícil ver por que esse fim teria sido tirado.

Esta conclusão levanta, por si, outras perguntas: Se o "Marcos como o temos" terminou com o versículo 8, isto significa que Marcos quis terminar assim? Talvez tenha havido outro fim que hoje está perdido. De onde vem a substância dos versículos 9 a 20, e o que esses versículos nos dizem da tradição cristã primitiva? Devemos ou podemos fazer pregações com estes versículos, mesmo que eles não façam parte dos manuscritos mais antigos?

Marcos Quis Terminar no Versículo 8? Esta pergunta é mais difícil de responder, porque não temos nenhuma evidência histórica concreta. Por muitos anos os intérpretes posicionaram-se a favor do "fim longo" ou de uma interrupção na obra, pela maneira abrupta que termina. Talvez Marcos tenha escrito numa situação de perigo extremo e foi interrompido antes que pudesse completar o trabalho. Esta idéia parece forçada e levanta outras perguntas: Se Marcos foi interrompido, por que o restante do manuscrito não foi perdido? Talvez tenha existido o fim mais longo, mas foi rasgado e perdido por negligência. Não parece que tal seja provável, porque a porção exposta de um rolo de papel é o começo, e não o fim.

Considerando que a questão não pode ser solucionada pela evidência histórica, os intérpretes recentemente abordaram a questão do fim de Marcos de uma perspectiva literária, que a interrupção abrupta é, em si, um tipo de estilo literário. Thomas Boomershine e Gilbert Bartholomew (1981) argumentaram que o fim menor é consistente com o estilo retórico de Marcos. Às vezes Marcos termina histórias com uma cláusula introduzida por *gar* como explicação do medo (Mc 6.45-52) ou duplicidade (Mc 2.1-12) da personagem. De acordo com estes autores, o fim em Marcos 16.8 combina estes elementos num tipo de grande virada literária, com certeza um fim abrupto, mas não um não-Marcos. Ainda que não possamos ter absoluta certeza se o manuscrito original de Marcos continha elementos adicionais, a evidência literária é, pelo menos, compatível com a conclusão de que terminou com o versículo 8. Devemos ter em mente que qualquer fim diferente, porém satisfatório, nos dá um livro fundamentalmente diferente.

De Onde Vieram os Versículos 9 a 20? Se concedermos que o fim mais longo é um anexo mais recente, essa possibilidade levanta a pergunta de onde veio. Paralelos estreitos na linguagem e conteúdo sugerem que foi extraída do material de Lucas-Atos e, talvez, de Mateus.[10]

Podemos Fazer Pregações do Fim mais Longo? A resposta a esta pergunta dependerá do que o leitor entende que constitui um cânon autorizado da Escritura. Se por *cânon* se quer dizer "uma lista de livros autorizados, no teor dos autógrafos", as opções são limitadas. É possível defender a pregação do fim mais longo em uma de duas maneiras.

1) Pode-se redefinir o significado do termo *cânon* para excluir a referência aos autógrafos e enfatizar o "texto recebido" (*textus receptus*). Às vezes isto é feito de fato por aqueles a quem o padrão de referência é a versão bíblica que inclui os versículos em questão.

2) Ou pode-se argumentar que o fim mais longo fazia parte dos autógrafos e faz parte do cânon da Escritura e é texto apropriado para pregar. É a posição deste comentário que nenhuma dessas opções está correta.

O que Estes Versículos Significam?
Não é impróprio fazer algumas observações acerca do significado deste curto pós-escrito do Evangelho de Marcos. À medida que o fazemos, devemos ter em mente que não tem a autoridade da Escritura, e tomarmos cuidado para não incluir essas observações como fatores na interpretação do próprio Evangelho de Marcos.

Muitos leitores pentecostais e carismáticos prestam atenção especial à profecia sobre os sinais milagrosos que acompanham a missão cristã, nos versículos 17 e 18 (cf. também v. 20). Para esses leitores, a "perda" do fim mais longo parece diminuir a promessa da Escritura de que a vida do crente será acompanhada por sinais milagrosos e carismáticos. Mas esses sinais são atestados em outros lugares da Escritura e, talvez mais concretamente, na vida real da comunidade de fé. Deus não fracassou em se mover de forma redentora ou milagrosa.

Ademais, o próprio fim mais longo sugere que a fé que exige mais que o testemunho das testemunhas oculares seja, de alguma maneira, fé defeituosa (v. 14). A maior realidade aqui — a realidade que inicia e conclui o fim mais longo — é que

O ANTIGO TESTAMENTO NO NOVO TESTAMENTO

NT	AT	ASSUNTO	NT	AT	ASSUNTO
Mc 1.2	Ml 3.1	O mensageiro enviado à frente	Mc 12.10,11	Sl 118.22,23	A pedra de esquina rejeitada
Mc 1.3	Is 40.3	A voz no deserto	Mc 12.19	Dt 25.5	A viúva do irmão
Mc 4.12	Is 6.9,10	Ver, mas não perceber	Mc 12.26	Êx 3.6	O Deus vivo
Mc 7.6,7	Is 29.13	Adoração hipócrita	Mc 12.29	Dt 6.4	O Único Deus
Mc 7.10	Êx 20.12; Dt 5.16	Quinto Mandamento	Mc 12.30,33	Dt 6.5	Amar Deus
Mc 7.10	Êx 21.17; Lv 20.9	Amaldiçoar os pais	Mc 12.31	Lv 19.18	Amar o próximo como a si mesmo
Mc 9.48	Is 66.24	O fogo inextinguível do inferno	Mc 12.32	Dt 4.35	Nenhum outro Deus
Mc 10.6	Gn 1.27	O Criador dos seres humanos	Mc 12.36	Sl 110.1	À mão direita de Deus
Mc 10.7	Gn 2.24	A instituição do casamento	Mc 13.14	Dn 9.17; 11.31	A abominação do assolamento
Mc 11.9	Sl 118.25,26	Bendito aquEle que vem	Mc 12.24,25	Is 13.10; 34.4	O tempo do fim
Mc 11.17	Is 56.7	A casa de oração de Deus	Mc 13.26	Dn 7.13,14	A vinda do Filho do Homem
Mc 11.17	Jr 7.11	Covil de ladrões	Mc 14.27	Zc 13.7	Ferindo o pastor
			Mc 14.62	Dn 7.13,14	A vinda do Filho do Homem
			Mc 15.34	Sl 22.1	O clamor do abandono de Deus

Jesus ressuscitou (vv. 9-14) e está agora assentado à mão direita do Pai (v. 19).

NOTAS

[1]. Para informar-se sobre uma discussão sucinta de paradigmas, veja Jerry Camery-Hoggatt, *Speaking of God: Reading and Preaching the Word of God*, 1995, pp. 32-46.

[2]. A literatura sociológica sobre o cristianismo primevo é enorme. Para inteirar-se de algumas discussões representativas, veja John H. Elliott, *What Is Social-Scientific Criticism?* (1993); Bengt Holmberg, *Sociology and the New Testament: An Appraisal* (1990); Richard A. Horsley e John S. Hanson, *Bandits, Prophets, e Messiahs: Popular Movements at the Time of Jesus* (1985); Howard Clark Kee, *Christian Origins in Sociological Perspective* (1980); Abraham Malherbe, *Social Aspects of Early Christianity* (1983); Bruce Malina e Richard Rohrbaugh, *Social-Science Commentary on the Synoptic Gospels* (1992); Wayne Meeks, *The First Urban Christians: The Social World of the Apostle Paul* (1983); Gerd Theissen, *The Sociology of Early Palestinian Christianity* (1978); idem, *The Gospels in Context: Social and Political History in the Synoptic Tradition* (1991); Derek Tidball, *The Social Context of the New Testament* (1984).

[3]. Frank Macchia, "God Present in a Confused Situation", *Pneuma: The Journal of the Society for Pentecostal Studies*, a ser publicado.

[4]. Quanto a uma discussão sobre este assunto, veja Bruce Melzger, editor, *A Textual Commentary on the Greek New Testament*, 1971, p. 73.

[5]. Numa extensão desta mesma observação em outra área, James Robinson (1982, p. 94) ressaltou paralelos estreitos entre as expulsões de demônios e os debates de controvérsia entre Jesus e as autoridades religiosas.

[6]. Acerca disto, veja S. V. McCasland, *By the Finger of God: Demon Possession and Exorcism in Early Christianity in the Light of Modern Views of Mental Illness* (1951). Mais recentemente, Walter Wink levantou a pergunta se há uma conexão entre o endemoninhado e o processo de marginalização social (*Unmasking the Powers: The Invisible Forces That Determine Human Existence* [1986]).

[7]. Para esta citação estou em débito com Gordon S. Wakefield, "The Unforgivable Sin", *Exp Tim* 104, 1993, p. 143.

[8]. Alimento preparado de acordo com a dietética judaica. N. do T.

[9]. Achamos surpreendente paralelo para esta lógica na famosa passagem *kenosis* de Paulo em Filipenses 2.6-11. Os comentaristas negligenciam o uso de Paulo de um presumido hino para inculcar um ponto sobre o discipulado cristão. Se Jesus, que era Deus, pode se humilhar no serviço, *muito mais* os cristãos, que só são redimidos pela graça de Deus, devem seguir o exemplo dEle e se humilhar em serviço uns aos outros (note Mc 2.3-5,14-17). É justamente isso que Marcos tem em mira em Marcos 10.42-45.

[10]. Marcos 16.9 parece ser uma forma abreviada de Lucas 8.1,2; Marcos 16.12 pode ser referência livre à história dos discípulos na estrada de Emaús, em Lucas 24.13-35; a história da conversa sobre a falta de fé deles (Mc 16.14) pode conter ecos de uma aparição do Jesus ressurreto, em Lucas 24.36-49. Sobre uma referência paralela às línguas (Mc 16.17), veja Atos 2.4, e a pegar em serpentes sem causar dano (Mc 16.18a), veja Atos 28.1-6. Quanto a impor as mãos sobre os doentes para curá-los (Mc 16.18b), veja Atos 2.43; 4.30; 5.12. O relato da ascensão de Jesus, em Marcos 16.19, parece ser paralelo a Lucas 24.50-53 e à pregação de Pedro no Dia de Pentecostes, em Atos 2.33. A comissão: "Ide por todo o mundo, pregai o evangelho a toda criatura" (Mc 16.15) é paralela a Mateus 28.19.

BIBLIOGRAFIA

Richard Batey, "Jesus and the Theater", *New Testament Studies* 30 (1984), pp. 563-574; T. E. Boomershine e G. L. Bartholomew, "The Narrative Technique of Mark 16:8", *Journal of Biblical Literature* 100 (1981), pp. 213-223; Jerry Camery-Hoggatt, *Irony in Mark's Gospel:*

Text and Subtext (1992); idem, *Speaking of God: Reading and Preaching the Word of God* (1995); J. Duncan Derrett, "Salted With Fire: Studies in Texts: Mark 9:42-50", *Theology* 76 (1973), pp. 364-368; Albert Descamps, *Les Justes et la Justice dans Les évangelies et les Christianisme Primitif* (1950); Gordon Fee e Douglas Stuart, *How to Read the Bible for All Its Worth* (1982); Susan Garrett, *The Temptations of Jesus in the Gospel of Mark* (1998); John Paul Heil, "Reader-Response and the Narrative Context of the Parables About Growing Seed in Mark 4:1-34", *Catholic Biblical Quarterly* 54 (1992), pp. 271-286; Joachim Jeremias, *New Testament Theology: The Proclamation of Jesus* (1971); Howard Clark Kee, *Community of the New Age: Studies in Mark's Gospel* (1977); idem, *Medicine, Miracle and Magic in New Testament Times* (1986); Terence Keegan, "The Parable of the Sower and Mark's Jewish Leaders", *Catholic Biblical Quarterly* 56 (1994), pp. 501-508; William Lane, *The Gospel According to Mark*, New International Commentary on the New Testament (1974); George McKnight, *The Bible and the Reader* (1985); Jacob Neusner, editor, *Judaisms and Their Messiahs at the Turn of the Christian Era* (1988); Quentin Quesnell, *The Mind of Mark: Interpretation and Method Through the Exegesis of Mark 6.52*, Analecta Biblica 38 (1969); James Robinson, The Problem of History in Mark (1982); Robert Tannehill, "The Gospel of Mark As Narrative Christotogy", Semeia 16 (1979); Bas van Iersel, Reading Mark (1988); Herman C. Waetjen, A Reordering of Power: A Socio-Political Reading of Mark's Gospel (1989).

LUCAS
French L. Arrington

INTRODUÇÃO A LUCAS-ATOS

O Evangelho de Lucas é o livro mais longo do Novo Testamento. Forma parte com o livro que conhecemos por Atos dos Apóstolos. Estes dois juntos perfazem 27 por cento ou pouco mais de um quarto do Novo Testamento. Para não dizer nada acerca do significado teológico desses livros, só a extensão de Lucas-Atos já lhes dá proeminência no Novo Testamento como a contribuição mais longa feita por um único autor — incluindo Paulo.

1. O Espírito Santo e Lucas-Atos

O Evangelho de Lucas apresenta a vida e ensinamentos de Jesus. Começa observando que seu nascimento ocorre numa atmosfera de atividade carismática[1] do Espírito Santo. Antes do nascimento de Jesus, o anjo anuncia que João Batista "será cheio do Espírito Santo, já desde o ventre de sua mãe" (Lc 1.15). Os pais de João Batista, Isabel e Zacarias, também eram pessoas cheias do Espírito Santo (Lc 1.41,67). E quando Gabriel noticia a Maria sobre o nascimento milagroso do filho que ela terá, ele diz: "Descerá sobre ti o Espírito Santo, e a virtude do Altíssimo te cobrirá com a sua sombra" (Lc 1.35). Logo em seguida ao nascimento de Jesus, o devoto Simeão é capacitado pelo Espírito Santo a reconhecer o menino Jesus como o Messias e a falar profeticamente sobre Ele como o Salvador da humanidade (Lc 2.25-32).

No início do ministério público de Jesus, Lucas o retrata exclusivamente como homem do Espírito. João Batista prepara o caminho para Jesus, que, como diz João Batista, é mais poderoso e batizará com o Espírito Santo e com fogo (Lc 3.16). Aquele que batizará com o Espírito Santo deve ser ungido pelo Espírito. Jesus torna-se o Cristo, o Ungido. Ele possui o Espírito, está sujeito à condução do Espírito e conta com a capacitação do Espírito (Lc 4.1,14). O relato que Lucas faz do ministério público de Cristo, começando com o batismo até o Dia de Pentecostes, retrata-o como o Cristo carismático — o único portador do Espírito (Stronstad, 1984, p. 39).

A presença e poder do Espírito Santo figura com preeminência nos três episódios de Jesus — seu batismo (Lc 3.21,22), tentação (Lc 4.1-13) e sermão em Nazaré (Lc 4.14-30) — que dão início a seu ministério público. No batismo, "o Espírito Santo desceu sobre ele em forma corpórea, como uma pomba" (Lc 3.22). Este objetivo, a manifestação física do Espírito, foi seguida por Jesus ser conduzido pelo Espírito ao deserto. Mateus e Marcos também ligam a tentação no deserto com o fato de Jesus ter recebido o Espírito (Mt 4.1; Mc 1.12), mas só Lucas descreve Jesus como "cheio do Espírito Santo" (Lc 4.1) e indica que Ele, "pela virtude do Espírito, voltou [...] para a Galiléia" (Lc 4.14).

Embora os quatro evangelistas registrem a descida do Espírito Santo sobre Jesus no batismo, só Lucas explica o auto-entendimento que Jesus tinha acerca desta experiência no rio Jordão. Depois de retornar à Galiléia, Ele lê Isaías 61.1,2 como texto para o seu sermão inaugural num culto na sinagoga (Lc 4.18,19). Ele anuncia à congregação que essa profecia foi cumprida nos que a ouviram naquele momento. Em outras palavras, Jesus entende que a descida do Espírito o ungiu como o Messias para um ministério carismático e profético na ordem do ministério dos profetas do Antigo Testamento, como Elias e Eliseu.

Embora os outros Evangelhos associem o Espírito Santo com a vida e ministério de Jesus, o registro de Lucas sobre a atividade do Espírito é distinto. Ele quer que entendamos que a unção, condução e capacitação do Espírito são as marcas do ministério de Cristo. Este ministério ungido pelo Espírito — do batismo à ascensão — deve ser imitado pela Igreja, se esta quer ser fiel à sua missão.

Da mesma maneira que o terceiro Evangelho relaciona a vida e ministério de Jesus, que cumpre sua missão pelo poder do Espírito Santo, a seqüência do Evangelho de Lucas, os Atos dos Apóstolos, registra a vida e ministério da igreja primitiva conforme é capacitada pelo Espírito Santo para testificar das obras salvadoras de Jesus desde Jerusalém a Roma. Quer dizer, Jesus e seu ministério cheio do Espírito são modelo para a Igreja; o ministério carismático de Cristo pressagia e prepara a missão mundial da Igreja (Davies, 1966, p. 244). A mesma unção do Espírito que repousou em Jesus é derramada na comunidade de crentes no Dia de Pentecostes (At 2). O Jesus ungido torna-se o Doador do Espírito (At 2.33). Esse derramamento do Espírito é essencial para a futura missão dos discípulos, porque eles se tornam herdeiros e sucessores do ministério cheio do Espírito que Jesus teve, no ponto em que eles se tornam capacitados para continuar fazendo e ensinando o que "Jesus começou, não só a fazer, mas a ensinar" (At 1.1).

A experiência que capacita os discípulos é descrita de vários modos: um revestimento (Lc 24.49), um batismo (At 1.5), uma vinda (At 1.8), um enchimento (At 2.4), um derramamento (At 2.33), um recebimento (At 2.38) e uma queda (At 11.15). Estes termos indicam que a capacitação do Espírito é uma experiência dinâmica e complexa; um único termo não chega para explicar adequadamente seu significado. No centro da experiência pentecostal acha-se um acontecimento momentoso e uma realidade dinâmica da presença e poder de Deus. Os discípulos experimentaram uma intensidade do Espírito, muito mais do que eles tinham experimentado durante o ministério terreno de Jesus.

Mediante a capacitação do Espírito no Dia do Pentecostes, o povo de Deus foi capacitado a fazer a missão da Igreja. Ao longo de Atos, o Espírito é a fonte da direção e do poder para os crentes testemunharem da graça salvadora de Cristo. As ações, ensinamentos e experiências de Cristo fornecem o padrão para as ações, ensinamentos e experiências da Igreja. Da mesma maneira que pela unção do Espírito Jesus se tornou o Cristo carismático, assim também, no Dia de Pentecostes, pelo batismo com o Espírito, os discípulos se tornam uma comunidade carismática. Nisto está o significado do Dia de Pentecostes.

Esta análise é claramente contrária à interpretação tradicional de que o dom do Espírito no Dia de Pentecostes deu à luz a Igreja. De forma alguma este dia pode ser entendido como o nascimento da Igreja ou como parte do processo da conversão dos 120 discípulos (Stronstad, 1984, p. 62; Arrington, 1988, pp. 5-7). O batismo com o Espírito é prometido a *crentes obedientes* (At 5.32). Lucas apresenta a narrativa pentecostal não como o dom do Espírito para salvação, mas como a unção carismática para testemunho e serviço. A mesma unção do Espírito Santo que veio de Deus sobre Jesus vem hoje sobre os discípulos. Eles são uma comunidade carismática — herdeiros da unção carismática que Jesus recebeu. Em essência, o derramamento do Espírito no Dia de Pentecostes é o padrão fundamental para a continuação da atividade carismática do Espírito entre o povo de Deus.

2. A Unidade de Lucas-Atos

Embora o Evangelho de Lucas e o Livro de Atos lidem com pessoas, geografias, histórias e narrativas diferentes, juntos estes formam dois volumes de um único trabalho, concebido e executado como esforço literário unificado pelo autor. Pensar no terceiro Evangelho e em Atos dos Apóstolos como dois trabalhos literários distintos é distorção; eles devem ser lidos juntos. A ordem dos livros no Novo Testamento obscureceu este intento, na medida em que o Evangelho de João foi inserido entre os dois. Por essa causa, muitos leitores negligenciam a unidade literária e teológica de Lucas-Atos. Entretanto, com o reconhecimento de que Lucas e Atos são duas partes de uma mesma obra, um entendimento mais inclusivo de Jesus fica possível.

As introduções de Lucas (Lc 1.1-4) e Atos (At 1.1,2) mostram que estes dois livros são partes de um trabalho contínuo.

A introdução mais longa no Evangelho de Lucas sugere que o Evangelho e Atos estão em mira. O prefácio de Atos é mais breve e secundário em importância, visto que Lucas 1.1-4 introduz ambos os volumes; Atos continua onde o Evangelho termina. Lucas resume o conteúdo do seu Evangelho como a base histórica da pregação apostólica primitiva: "Fiz o primeiro tratado, ó Teófilo, acerca de tudo que Jesus começou, não só a fazer, mas a ensinar, até ao dia em que foi recebido em cima". Atos registra o processo subseqüente da pregação apostólica — a expansão dessa mensagem do seu começo judaico, em Jerusalém, até aos gentios dos "confins da terra" (At 1.8; cf. van Unnik, 1960, pp. 26-59).

Há outras evidências de que Lucas e Atos formam uma história. Ambos os livros são dedicados a alguém conhecido por Teófilo (no Evangelho, ele é tratado por "ó excelentíssimo Teófilo", mas em Atos simplesmente por "Teófilo"). Lucas também tem um senso do estilo grego; dos quatro evangelistas, ele é o mais polido no uso do idioma grego.

Proeminentes temas teológicos de Lucas, como salvação, perdão, o Espírito Santo, testemunho, missão, mordomia e oração, unem Lucas-Atos em um volume e lhes dá uma perspectiva teológica. A unidade contínua da história de Lucas enfatiza que Jesus Cristo é o Salvador ungido pelo Espírito, que o evangelho é uma mensagem de arrependimento e perdão e que o Espírito é o poder pelo qual a Igreja continua a levar adiante as obras milagrosas de Jesus e a cumprir sua missão.

3. O Autor de Lucas-Atos

Para este ponto, presumimos que Lucas escreveu o terceiro Evangelho e Atos dos Apóstolos, mas o autor não se identifica por nome em nenhum dos livros. Ambos os trabalhos são anônimos, embora os estudiosos da atualidade sejam quase unânimes em afirmar que Lucas-Atos tem um autor em comum, por causa dos prefácios semelhantes e da semelhança no estilo literário e perspectiva teológica.

Da obra, concluímos que o autor era bem instruído, mas não uma testemunha ocular do ministério de Jesus. Ele tinha recebido a tradição do evangelho dos "mesmos que [...] foram ministros da palavra" (Lc 1.2). Contudo, ele deve ter participado em alguns dos acontecimentos narrados no livro de Atos (cf. as passagens "nós"; veja mais adiante). Ele conhece o Antigo Testamento na tradução grega, tem bom conhecimento do mundo social e político de meados do século I e admira o apóstolo Paulo. Como Paulo, ele enfatiza um evangelho para toda a humanidade.

Há uma tradição bem-estabelecida de que estes livros foram escritos pelo médico Lucas, companheiro de viagem de Paulo. O testemunho mais antigo da autoria de Lucas aparece no *Cânon Muratoriano*, uma lista dos livros do Novo Testamento escritos em cerca de 170 d.C. Semelhantemente, o *Prólogo Anti-Marcionista* (c. 160-180 d.C.), que foi anexado ao terceiro Evangelho em muitos manuscritos latinos, atesta a autoria lucana da obra de dois volumes. Este último documento também registra que Lucas era nativo de Antioquia, médico de profissão, um discípulo dos apóstolos e um associado de Paulo até a morte deste em Roma. Irineu de Lião (c. 180 d.C.) também identifica Lucas como companheiro de Paulo, seguidor do apóstolo e o autor do Evangelho e de Atos (*Contra Heresias*). Outros pais da Igreja (como Clemente de Alexandria, Tertuliano e Eusébio) defendem que Lucas é o autor.

Parece não haver boa razão para negar esta tradição antiga. Se houvesse, pareceria improvável que o nome de Lucas pudesse ter sido associado com livros que a tradição lhe atribuiu (Caird, 1963, p. 17), porque esta pessoa mal pode ser descrita como uma figura proeminente no cristianismo do século I.

O nome do autor não aparece em nenhum dos livros; todavia, podemos deduzir do texto de Atos a identidade do autor. As famosas passagens "nós" (At 16.8-18; 20.5—21.18; 27.1—28.16) — passagens onde o autor passa dos habituais pronomes da terceira pessoa ("eles", "deles") para os pronomes da primeira pessoa ("nós", "nos") — apontam Lucas como o autor. A primeira dessas passagens começa com estas palavras:

"E, tendo passado [Paulo, Timóteo e Silas] por Mísia, desceram a Trôade. E Paulo teve, de noite, uma visão em que se apresentava um varão da Macedônia e lhe rogava, dizendo: Passa à Macedônia e ajuda-nos! E, logo depois desta visão, [nós] procuramos partir para a Macedônia, concluindo que o Senhor *nos* chamava para lhes anunciarmos o evangelho" (At 16.8-10; ênfases minhas).

A explicação mais natural para este estilo é que o autor de Atos se juntou com Paulo em Trôade e o acompanhou a Filipos na segunda viagem missionária de Paulo (At 16.8-18). Aparentemente, ele ficou lá. Quando Paulo passou pela cidade perto do fim de sua terceira viagem missionária, o autor se juntou novamente com ele e o acompanhou a Mileto e, mais tarde, a Jerusalém (At 20.5—21.18). Finalmente, ele velejou com Paulo para Roma (At 27.1—28.16).

As passagens "nós" estão estreitamente relacionadas com o estilo e vocabulário do restante do escrito de Lucas. Esta pessoa não poderia ter sido nenhum dos companheiros de viagem de Paulo mencionados por nome nestas passagens. Considerando que esta pessoa acompanhou Paulo a Roma, é muito provável que ele foi um companheiro durante sua prisão domiciliar de dois anos, durante cujo tempo Paulo escreveu aos colossenses, efésios, filipenses e a Filemom. Entre os que são mencionados nestas cartas como seus companheiros acha-se Lucas — afetuosamente chamado "o médico amado" (Cl 4.14), um dos seus cooperadores (Fm 24).

Paulo provavelmente foi liberto da prisão domiciliar, porém, mais tarde, foi encarcerado novamente em Roma. Durante seu segundo confinamento romano, Lucas achava-se de novo entre seus companheiros. Tendo notado que Demas o tinha abandonado, Paulo acrescentou:

"Crescente [foi] para a Galácia, Tito, para a Dalmácia. Só Lucas está comigo" (2 Tm 4.10,11). Lucas era um companheiro fiel de Paulo e um cooperador no evangelho. Não há base legítima para rejeitá-lo como o autor do Evangelho e de Atos. A conclusão de Morton e Macgregor foi feliz quando expressou: "Não parece haver razão suficiente para duvidar da tradição antiga e unânime de que o autor era Lucas, o companheiro de viagem de Paulo, e que as seções 'nós' são extratos do seu diário pessoal" (1964, p. 52).

Sabemos pouco sobre o passado de Lucas. O *Prólogo Anti-Marcionista* (obra do século II) do Evangelho de Lucas registra que ele era grego, de Antioquia da Síria, que tinha sido companheiro de Paulo, nunca havia se casado e morreu em Bitínia com a idade de oitenta e quatro anos. Vários estudiosos são propensos a pensar que esta tradição é autêntica, ao passo que outros presumem que Lucas era de Roma. Parece claro de Colossenses 4.10-14 que ele era gentio. Nos versículos 10 e 11 Paulo envia a saudação de alguns dos seus companheiros, a respeito de quem ele diz: "São estes unicamente os meus cooperadores no Reino de Deus"; isto implica que o restante para quem as saudações são enviadas, inclusive Lucas, eram crentes gentios. As evidências são convincentes de que um gentio, chamado Lucas, companheiro de Paulo, escreveu Lucas-Atos.

4. Lucas Como Historiador e Teólogo

Lucas já não é considerado meramente historiador, mas historiador e teólogo. Ele escreve a história de um ponto de vista teológico específico. W. C. van Unnik diz: "Esta descoberta de Lucas, o teólogo, é [...] o grande ganho da atual fase de estudo de Lucas-Atos" (Keck e Martyn, 1966, p. 24). O relato que Lucas faz da história de Jesus e da igreja primitiva é mais que uma história; é uma interpretação teológica da vida e ministério de Jesus e da igreja primitiva. O intento do autor é apresentar "uma narração em ordem" dos eventos históricos, partilhar com os leitores o que ele acredita e mostrar que o Espírito Santo, manifesto no ministério de Jesus e no ministério dos cristãos primitivos, é o poder para a proclamação das boas-novas e para o ensino, cura e atos de compaixão. Lucas está escrevendo a história pelos olhos da fé.

As narrativas dos dois livros expressam uma mensagem que é pertinente para todos os tempos. Hoje, a maioria dos estudiosos bíblicos concorda que as narrativas bíblicas expressam as visões e interesses teológicos dos autores. Os estudiosos pentecostais clássicos já tinham chegado à conclusão de que as narrativas bíblicas têm valor histórico, mas, junto com as seções doutrinais, também são normativas para a fé e a prática. Os pentecostais ao longo dos anos têm apelado a Lucas-Atos como base para entender a vida de Cristo e o ministério dos cristãos primitivos, bem como base para a visão que lhes era distintiva do batismo com o Espírito como subseqüente à experiência de salvação.

Os autores bíblicos usam a narrativa como veículo legítimo de teologia (1 Co 10.1ss; 2 Tm 3.16). Lucas queria que Teófilo conhecesse "a certeza das coisas" que tinham acontecido e o significado desses acontecimentos para entender a fé pessoal. Mas visto que não lemos nada mais sobre este homem em outro livro, é certo que Lucas deve ter tido em mira uma audiência mais ampla que um único indivíduo. Em outras palavras, o terceiro Evangelho ainda chama homens e mulheres para se tornarem discípulos de Jesus. Receber o batismo com o Espírito não pode ser interpretado adequadamente sem perguntar o que a capacitação pelo Espírito significa para Lucas e seus leitores, e para nós, hoje. Note também que a dedicação de Lucas deste trabalho de dois volumes para Teófilo estava de acordo com as convenções literárias dos seus dias.

É verdade que a forma literária de Atos é diferente do Evangelho, mas o propósito e métodos de Lucas estão expressos em ambos os volumes. Estes dois volumes estavam separados principalmente porque cada um teria ocupado um rolo de papiro de tamanho natural. Por conseguinte, os mesmos princípios de interpretação a Lucas devem ser aplicados a Atos.

5. A Data e o Lugar de Lucas-Atos

Quando Lucas-Atos foi escrito e de onde? Uma coisa de que podemos estar certos é que o Evangelho foi composto antes de Atos, o segundo volume. Na introdução do Evangelho, Lucas escreve que várias narrações sobre Jesus já tinham sido escritas (cf. Lc 1.1-3). Uma dessas narrações anteriores foi o Evangelho de Marcos, que Lucas usou presumivelmente como uma de suas fontes. Marcos foi escrito mais cedo, talvez em fins dos anos cinqüenta. Ao longo dos dois volumes, Lucas incluiu informação recebida dos "mesmos que os presenciaram desde o princípio e foram ministros da palavra" (Lc 1.2), consistindo em fontes orais e escritas. Esta evidência torna o início dos anos sessenta como data possível para a composição de Lucas-Atos.

Alguns estudiosos bíblicos datam Lucas-Atos entre 80 e 90 d.C. Eles insistem que o panorama de Lucas expressa a situação da Igreja nas oitava e nona décadas, e não na sexta. Tem sido freqüente presumir que Lucas 21.20ss, uma profecia da queda de Jerusalém, é "uma profecia depois do acontecido" e que Lucas deve ter escrito depois da queda de Jerusalém em 70 d.C. Tal suposição não precisa ser o caso. Profecia dita antes é comum na mensagem bíblica. Não há razão convincente por que Lucas 21 não deva ser considerado como profecia genuína que Jesus deu antes de Jerusalém ter sido destruída pelos romanos.

Outros estudiosos mais radicais sugerem que a data de Lucas-Atos seja o século II, os quais fazem parte dos estudiosos bíblicos da famosa universidade alemã em Tübingen. Estes proponentes fundamentam seus argumentos na atitude do autor para com os judeus e o cristianismo judaico, e o conteúdo teológico do livro. Com tal fundamento, J. C. O'Neill sugere uma data entre 115 e 130 d.C. (1961, pp. 4ss). Mas a atitude de Lucas para com o cristianismo e sua perspectiva teológica não fornece nenhuma base significativa de que ele tenha escrito depois do século I.

Determinar a data exata dos livros do Novo Testamento é difícil, mas o tom dos

dois livros implica um ambiente anterior à destruição de Jerusalém pelo exército romano e a morte de Paulo. As considerações apresentadas a seguir favorecem a primeira data:
1) Atos não registra nada sobre o resultado do julgamento de Paulo; ele está aprisionado quando o livro termina. Se ele já tivesse sido libertado, Lucas com certeza teria mencionado.
2) Em Atos, não há rastro da rebelião dos judeus e da Guerra Judaica (66-70 d.C.) que levaram à destruição da Cidade Santa.
3) Lucas registra o cumprimento da profecia de Ágabo (At 11.28), mas não diz nada a respeito do cumprimento da profecia de Jesus sobre a queda de Jerusalém (Lc 21.20ss).
4) O relato de Atos não dá indicação da perseguição dos cristãos patrocinada por Nero (64-67 d.C.) e do incêndio que ele pôs em Roma (c. 64 d.C.). Lucas retrata Roma como amiga dos cristãos; o quadro certamente teria sido diferente depois das perseguições deflagradas por Nero.

O início dos anos sessenta do século I é data razoavelmente satisfatória para a escrita de Atos. Como comentado, o Livro de Atos termina com Paulo pregando o evangelho em Roma (At 28.16,30). É este o lugar onde Lucas escreveu seu Evangelho e Atos dos Apóstolos? É bem possível, embora tenhamos pouca — se é que tenhamos — evidência firme para identificar o lugar (ou lugares) da composição. De acordo com o *Prólogo Anti-Marcionita*, Lucas escreveu o Evangelho na Acaia (a Grécia meridional). Outras possibilidades são Antioquia e Cesaréia. Por causa de informação insuficiente, esta pergunta tem de permanecer aberta.

Lucas declara ter feito pesquisa histórica cuidadosa como base para escrever seu Evangelho (Lc 1.1-4). O mesmo tem de ser verdadeiro para Atos. Muitas das testemunhas oculares do ministério de Cristo e do cumprimento da promessa de Deus do batismo com o Espírito para os seguidores de Jesus ainda estavam vivas. Cesaréia, a cidade onde Paulo ficou preso por dois anos sob os governos de Félix e Festo (At 23.23—26.35), poderia ter sido excelente lugar e ocasião para tal pesquisa e a escrita do terceiro Evangelho e a primeira parte de Atos. Os últimos capítulos de Atos, sobretudo as passagens "nós" com seus vívidos detalhes biográficos, foram escritos provavelmente durante os dois anos em que Lucas ficou com Paulo em Roma (Cl 4.14). Parece provável que Lucas terminou a composição de Atos naquela cidade (Arrington, 1988, p. xxxiii). Ainda que esta reconstrução fique aquém de prova absoluta, é uma possibilidade razoável.

6. O Propósito de Lucas-Atos

Os estudiosos têm proposto muitas explicações sobre a razão para Lucas escrever. Na abertura do Evangelho, ele nos apresenta uma declaração de sua intenção, qual seja, "para que [tu, Teófilo] conheças a certeza das coisas de que já estás informado". Lucas deseja escrever um livro que apresente o significado salvador do ministério de Jesus. Ele o faz no formato de um trabalho de dois volumes, que inclui a história da igreja primitiva capacitada pelo Espírito para levar o evangelho até aos confins da terra. Ele escreve para instruir as pessoas que estão geográfica e temporalmente longe do ministério de Jesus, para lhes dar
1) uma narrativa da história de Jesus, de forma que elas sejam edificadas e tenham uma base fidedigna de fé, e
2) uma narrativa de como o plano de Deus em Jesus continua se desdobrando na história da igreja primitiva.

Além do propósito pastoral, Lucas-Atos também expressa uma preocupação evangelística. Os discursos evangelísticos, junto com a ênfase em milagres como confirmações da pregação da Palavra, prestam serviço ao desejo de Lucas despertar a fé (cf. Marshall, 1978, p. 35). Ele escreve com a finalidade de convencer, converter, salvar e edificar espiritualmente seus leitores.

a) A Preocupação Evangelística.

Lucas resume o conteúdo do primeiro volume em Atos 1.1: "Fiz o primeiro tratado, ó Teófilo, acerca de tudo que Jesus começou, não só a fazer, mas a ensinar". A frase "não só a fazer, mas a ensinar" abrange todo o ministério de Jesus. Ao mesmo tempo é um lembrete de que suas obras poderosas e ensinos são mais que o ministério de um mero homem. Sua atividade é salvadora; Seu ensino traz salvação para o mundo. No nascimento de Jesus, o anjo anuncia a mensagem de salvação: "Não temais, porque eis aqui vos trago novas de grande alegria, que será para todo o povo, pois, na cidade de Davi, vos nasceu hoje o Salvador, que é Cristo, o Senhor" (Lc 2.10,11). O Espírito assegurou a Simeão de que ele não morreria antes de ver "a consolação de Israel". Movido pelo Espírito Santo, ele entra no pátio do templo. Ao ver o menino Jesus, ele declara: "Já os meus olhos viram a tua salvação, [...] luz para alumiar as nações e para glória de teu povo Israel" (Lc 2.30-32). A missão de Jesus — sumariada no que Ele fez e disse — é o meio de salvação para todos os povos, judeus e gentios. Como o próprio Salvador diz: "Porque o Filho do Homem veio buscar e salvar o que se havia perdido" (Lc 19.10).

Atos, o segundo volume de Lucas, tem a mesma ênfase evangelística. Sua mensagem principal é as boas–novas de salvação para as pessoas de todo o mundo. Os dois volumes mostram vários aspectos de um grande fato: "O plano de salvação de Deus" (van Unnik, 1960, pp. 26-59), o qual alcançou seu cumprimento em Cristo e fluiu dEle através dos cristãos primitivos conforme foram capacitados pelo Espírito. Atos, em outras palavras, é uma confirmação e continuação através de suas testemunhas cheias do Espírito do que Deus fez em Cristo como foi informado no terceiro Evangelho. Lucas quer proclamar o evangelho em todo o mundo, de forma que os que são de fora da Igreja venham a conhecer a mensagem salvadora de Jesus.

O foco em Atos está na pregação cheia do Espírito, o que revela o alcance evangelístico aos não-salvos. Os discípulos recebem a promessa do poder do Espírito, de modo que se tornam testemunhas "até aos confins da terra" (At 1.8). Quando os discípulos experimentam o batismo com o Espírito, o resultado direto é poder, de forma que eles se tornam testemunhas e cumprem a missão global da Igreja. Revestidos de extraordinário poder (*dynamis*) para fazer milagres (*dynameis*) e pregar o evangelho, eles são totalmente equipados não só para proclamar as obras salvadoras de Cristo, mas também para convencer os incrédulos da verdade do evangelho. Existe um vínculo inseparável entre o poder do Espírito e o equipar dos crentes para proclamarem que Jesus veio salvar a todos, a despeito de raça, sexo ou posição social.

No Dia de Pentecostes, Pedro expressa a preocupação evangelística de Lucas-Atos em seu discurso que começa com a profecia de Joel. O derramamento do Espírito é o sinal claro de que "os últimos dias" — uma nova era — começaram. A era do Messias, predita pelos profetas, despontou; o Espírito Santo que ungiu Jesus e batizou os discípulos, é o agente divino destes últimos tempos. Estes são dias de salvação universal, nos quais "acontecerá que todo aquele que invocar o nome do Senhor será salvo" (At 2.21), e todo o mundo pode ser revestido com o poder do Espírito para dar testemunho de Cristo (At 1.8; 4.8,31). Jesus de Nazaré, rejeitado e crucificado por homens maus, foi ressuscitado por Deus como Senhor (At 2.23-28). Não há participação automática na salvação, mas só os que se arrependem podem ser salvos desta geração corrupta (At 2.38,40). A esperança para o gênero humano está no Salvador crucificado e ressuscitado, porque "todos os que nele crêem receberão o perdão dos pecados pelo seu nome" (At 10.43). Ninguém senão os que confiam nEle como Salvador receberão este perdão e escaparão do julgamento ao qual a incredulidade fica sujeita.

b) A Preocupação Pastoral

O motivo evangelístico de Lucas não é preponderante em todo o escopo de Lucas-

Atos. Ele também tem como objetivo os problemas práticos da igreja dos seus dias. Além de ser teólogo e historiador, ele é pastor que faz uma abordagem pastoral aos problemas dentro da Igreja, buscando fortalecer os cristãos na fé e incentivando-os a confrontar os indivíduos com as demandas do evangelho, de modo que o número dos crentes seja abundante. Para R. P. Martin, o propósito primário de Lucas é:

> "Ajudar a Igreja dos seus dias mediante a proclamação do *kerygma* e o oferecimento de conselhos e encorajamento pastorais aos crentes que, com certeza, estavam precisando de ensinamento corretivo e necessitavam de uma nova narrativa da vida terrena do seu Senhor" (1975, vol. 1, p. 249).

Uma expressão freqüente de Lucas tem a ver com "certeza, segurança, ao certo, certa" (*asphaleia, asphales, asphalos*: Lc 1.4; At 5.23; 16.23,24; 21.34; 22.30; 25.26). Embora a palavra tenha uma variedade de significados, em Lucas 1.4 se refere à precisão efetiva da mensagem cristã ou à certeza interna em relação à fé pessoal. Lucas espera dar a Teófilo e aos outros crentes que lerão os dois volumes um melhor entendimento do ensino cristão, de forma que eles tenham crença confiante como seguidores de Cristo.

É óbvio que a Igreja tinha vasta amplitude de necessidades nos dias de Lucas, e que os crentes individuais eram vulneráveis ao estresse de viver num mundo hostil. Adversidades e perseguições diárias fizeram Teófilo e outros crentes ficarem imaginando se o Senhor estava presente e levantaram dúvidas sobre as declarações do Evangelho. Eles foram tentados a perder a confiança e a fé e, talvez, a duvidar do futuro da Igreja. Pastoralmente motivado, Lucas escreve a história bíblica para garantir-lhes que a fé e a esperança estão bem colocadas nos atos poderosos de Deus em Cristo e que a mensagem que eles crêem é mesmo a Palavra de Deus. Muitos problemas pastorais que Lucas enfrenta são evidentes no terceiro Evangelho e em Atos.

1) O Ministério Capacitador do Espírito Santo. O Espírito ocupa um lugar central na teologia de Lucas. No seu Evangelho, ele se refere ao Espírito dezessete vezes, comparadas com as doze referências a Mateus e as seis em Marcos. Na concepção de Jesus, o Espírito desce sobre Maria (Lc 1.35). Pelo Espírito, João Batista está preparado para o ministério na função de precursor de Cristo (Lc 1.15), e João "crescia, e se robustecia em espírito" (Lc 1.80). Em resultado de estar cheio com o Espírito, Isabel (Lc 1.41), Zacarias (Lc 1.67) e Simeão (Lc 2.25-27) profetizaram. O Espírito veio sobre Jesus no batismo (Lc 3.22), conduziu-o ao deserto para ser tentado por Satanás (Lc 4.1) e o capacitou para os ministérios de pregação e de cura (Lc 4.18,19). Depois da ressurreição, Ele predisse que a Igreja cumpriria sua missão pelo poder carismático do Espírito (Lc 24.49). Atos registra com vivacidade o cumprimento da missão da Igreja.

De todos os livros do Novo Testamento, Atos é o que mais menciona o Espírito Santo — mais de cinqüenta vezes. O poder e obra carismática do Espírito Santo manifestados ao longo do ministério de Jesus vão subseqüentemente trabalhar na Igreja, à medida que ela cumpre sua missão evangelística. Na função de Ungido pelo Espírito, Jesus dota os discípulos com o poder do alto derramando o Espírito de forma que eles possam cumprir a missão da Igreja (At 2.33). O Espírito vincula o ministério de Jesus ao ministério da Igreja. Em resultado disso, os discípulos primitivos, fortalecidos no poder pentecostal, saem como testemunhas "até aos confins da terra". Como pastor, Lucas lembra os leitores do poder extraordinário do Espírito experimentado por Jesus e pelos primeiros crentes. Ele os encoraja a manterem a confiança no poder de Deus e a permanecerem fiéis ao evangelho.

Os primeiros crentes experimentam os efeitos de oposição e hostilidade crescentes, mas o derramamento do Espírito no Dia do Pentecostes mostra o desígnio gracioso de Deus para com eles e também para com a Igreja dos dias de Lucas. Ao longo das páginas de Atos dimana uma consciência diária da presença dinâmica do Espírito Santo, que vem não só da experiência pentecostal[2] inicial e da manifestação milagrosa do seu poder, mas também da direção e comunhão com o Espírito. Muitas e variadas obras do Espírito atestam que Deus está pessoalmente envolvido na vida dos cristãos e dirige o programa da Igreja. Por Ele, os cristãos são fortalecidos e encorajados (At 9.31), separados para o serviço (At 13.2), guiados em suas deliberações (At 15.28) e nomeados como pastores (At 20.28). É sobretudo notável Atos 16.6-10, onde Paulo e seus companheiros são "impedidos pelo Espírito Santo de anunciar a palavra na Ásia", mas numa visão eles ficam sabendo que Deus os chamou para a Macedônia. Para os primeiros crentes, o batismo com o Espírito não se torna mera experiência do passado, mas uma realidade dinâmica em suas vidas diárias, habilitando-os a enfrentar as adversidades exteriores e a lidar com problemas na Igreja. Assim, ao recontar as experiências, Lucas encoraja os leitores a ter confiança no poder e direção do Espírito para os capacitar a manter a unidade na Igreja e a viver como cristãos num mundo contraditório e inamistoso.

2) *Acentuada Compaixão pelos Desterrados e Pecadores.* Lucas enfatiza a compaixão de Jesus pelos que estão em condições desfavoráveis em relação a oportunidades sociais e pelos desterrados da sociedade. Ele apresenta Jesus como amigo de publicanos (coletores de impostos) e pecadores. Entre os pecadores se incluem todos os que eram culpados de más ações e de não observar as leis cerimoniais judaicas. Os publicanos eram odiados porque recolhiam os rendimentos públicos para o governo romano, e muitas vezes enchiam os próprios bolsos com parte dos impostos. Só Lucas registra a Parábola do Fariseu e Publicano (Lc 18.9-14), bem como a história acerca da conversão de Zaqueu, o publicano (Lc 19.1-10). Nenhum outro Evangelho fala sobre a mulher pecadora (Lc 7.36-50), o bom samaritano (Lc 10.25-37), o filho pródigo (Lc 15.11-32) e o perdão que Jesus deu ao ladrão que foi crucificado com Ele (Lc 23.39-43).

Interesse similar nos desterrados é encontrado em Atos: a cura do mendigo coxo na porta chamada Formosa (At 3.1-10) e a libertação de coxos e paralíticos em Samaria (At 8.7). Para os samaritanos (judeus mestiços), Filipe proclama o evangelho e faz milagres. Os judeus não tinham relação alguma com os samaritanos (cf. Jo 4.9). Mas a visita de Pedro e João a Samaria confirma que a conversão dos odiados samaritanos é da vontade de Deus (At 8.14-25). Outro exemplo é o etíope eunuco (At 8.26-39). Como ser humano deficiente, ele não pode entrar na assembléia do Senhor (Dt 23.1). Ele permanece como pária da sociedade judaica, mais torna-se cristão pleno (O'Toole, 1984, pp. 146-147). Com o coração de pastor, Lucas mostra a grande compaixão de Deus pelos que estão em condições desfavoráveis em relação a oportunidades sociais e pelos pecadores. A morte, ressurreição e ensino de Jesus formam uma mensagem de salvação direcionada a todas as pessoas. Os que estão em condições desfavoráveis em relação a oportunidades sociais entre os leitores de Lucas têm razão para se animarem, porque Jesus, em particular, lhes traz salvação.

3) *Denotada Preocupação pelos Pobres.* Lucas tem compaixão inesgotável pelas pessoas em dificuldades. Sua preocupação é dirigida especialmente pela situação difícil dos pobres. No início, lemos o cântico de louvor de Maria, onde diz que os faminto são satisfeitos com as bênçãos de Deus (Lc 1.53). No nascimento de Jesus, José e Maria apresentaram uma oferta prescrita para pobres (Lc 2.24; cf. Lv 12.8), fato que mostra que eles são pobres; em seu sermão em Nazaré, Jesus cita a profecia de Isaías para indicar que Ele foi ungido pelo Espírito para pregar as boas-novas aos pobres (Lc 4.18; cf. Is 61.1). Anunciando as boas-novas de salvação, Ele diz, mais tarde: "Bem-aventurados vós, os pobres, porque vosso é o Reino de Deus" (Lc 6.20). Quando Jesus descreve seu ministério para João Batista, Ele inclui a frase: "Aos pobres anuncia-se o evangelho" (Lc 7.22). Sua própria condição de vida é pior que a das raposas e pássaros, visto que Ele não tem lugar para descansar a cabeça (Lc 9.58). Só Lucas registra a Parábola do Rico e Lázaro (Lc 16.19-31), o conselho de Jesus para as pessoas venderem o que têm e darem aos pobres (Lc 12.33) e a recomendação para

convidar os pobres, os incapacitados, os mancos e os cegos (Lc 14.13). Finalmente, só Lucas conta a história da conversão de Zaqueu, que promete dar a metade de suas possessões para os pobres (Lc 19.1-10).

Interesse semelhante pelos pobres é notado em Atos. Lucas escreve sobre os cristãos primitivos que compartilham todas as coisas em comum, vendem as possessões e distribuem o dinheiro entre os necessitados (At 2.44,45; 4.32-35). No mesmo espírito, Pedro diz ao homem incapacitado na porta chamada Formosa: "Não tenho prata nem ouro, mas o que tenho, isso te dou" (At 3.6). Contra o pano de fundo da generosidade dos crentes primitivos, sobretudo a de Barnabé, Lucas relata a história de Ananias e Safira (At 5.1-11). Eles fingem dar à Igreja o valor total de certa propriedade, mas retêm parte do montante. Eles querem dar a entender que compartilham todos os seus bens e parecer bons aos olhos da igreja, mas não têm a verdadeira preocupação pelos necessitados. O engano fatal que cometeram foi não reconhecer a Igreja como comunidade que é cheia do Espírito. Inspirados por Satanás, eles tentam não só enganar a Igreja, mas o Espírito na Igreja.

Em contraste com a cobiça de Ananias e Safira, Lucas chama a atenção para o uso correto das riquezas. Cornélio, que temia a Deus, "fazia muitas esmolas ao povo" (At 10.2). Quando o profeta Ágabo prediz uma fome no mundo romano, a igreja em Antioquia envia ajuda aos cristãos da Judéia (At 11.28-30). Em sua defesa perante Félix, Paulo fala do fundo de ajuda que as igrejas gentias tinham para oferecer aos cristãos pobres de Jerusalém (At 24.17). Paulo exorta os anciãos efésios a "auxiliar os enfermos" e apóia este conselho com uma declaração de Jesus: "Mais bem-aventurada coisa é dar do que receber" (At 20.35).

Lucas advoga a causa dos pobres e mostra a profunda preocupação de Jesus para com essas pessoas, mas ele nunca torna a pobreza uma virtude em si. Não há condenação categórica das riquezas, embora suas tentações sejam reconhecidas. A preocupação de Jesus pelos pobres é como deveria ser, por causa das grandes necessidades e desamparo geral dessas pessoas, e não porque haja alguma virtude em particular na pobreza. A compaixão de Jesus pelos pobres e a compaixão dos cristãos primitivos devem servir de modelos para ministrar aos pobres e necessitados.

4) *Forte Ênfase na Oração.* Lucas reconhece o significado especial da oração. Das nove orações que o Evangelho atribui a Jesus, sete estão registradas somente neste Evangelho. A oração em tempos decisivos marca o ministério de Jesus. O Espírito desce sobre Jesus depois do batismo enquanto Ele está orando (Lc 3.21). A tentação no deserto está no contexto da oração, visto que a provação ocorre imediatamente depois do batismo (Lc 4.1-13). Antes de escolher os Doze Apóstolos Jesus passa a noite toda em oração (Lc 6.12,13). Ele ora no monte da transfiguração e é transfigurado enquanto ora (Lc 9.29). Sua prática de oração inspira os discípulos a pedir uma oração-modelo, e Ele dá a Oração do Senhor (Lc 11.1-4). Ele ora por Pedro (Lc 22.32) e por aqueles que o crucificaram (Lc 23.34). Em antecipação da cruz, Ele ora três vezes (Lc 22.39-46). Lucas indica a intensidade da oração de Jesus: "[Ele] orava mais intensamente. E o seu suor tornou-se em grandes gotas de sangue, que corriam até ao chão". Suas últimas palavras na cruz são uma oração: "Pai, nas tuas mãos entrego o meu espírito" (Lc 23.46). Três das parábolas encontradas só em Lucas lidam com a oração: a Parábola do Amigo à Meia-Noite (Lc 11.5-10), a Parábola do Juiz Iníquo (Lc 18.1-8) e a Parábola do Fariseu e do Publicano (Lc 18.9-14).

O terceiro Evangelho atinge seu clímax com a volta de Jesus ao céu e a oração e louvor dos discípulos (Lc 24.52,53). Junto com o poder do Espírito, a oração também é vital à vida e crescimento da Igreja em Atos. Como o Senhor fazia, os crentes primitivos sempre oravam e nunca desfaleciam (cf. Lc 18.1). Em preparação ao derramamento do Espírito, eles se dedicam constantemente à oração (At 1.14). Ao buscarem um substituto para Judas, os discípulos oram antes de lançar sortes (At 1.24). Enquanto Estêvão está sendo apedrejado, ele ora (At 7.59,60). Pedro está orando quando recebe direções claras para ir à casa de Cornélio em Cesaréia (At 10.9-20). Cornélio também está orando quando o anjo lhe aparece (At 10.3,30). No começo das viagens missionárias de Paulo, a Igreja ora e jejua, e depois envia Paulo e Barnabé.

Existe um vínculo estreito entre a unção do Espírito e a oração em Lucas-Atos. Só Lucas conta que Jesus está orando quando o Espírito Santo desce sobre Ele no batismo, e Ele é capacitado para o ministério (Lc 3.21). Ao longo desse ministério, a oração é o meio eficaz pelo qual Ele apreende o poder dinâmico do Espírito. Também vemos este estreito vínculo entre a oração e o Espírito Santo no Dia de Pentecostes e os subseqüentes derramamentos do Espírito sobre os cristãos primitivos (At 1.13,14; 2.1,2; 4.31; 8.15). Exatamente como seu Senhor, eles estão orando quando o Espírito desce sobre eles.

Lucas encara a oração como fator vital para o desdobramento do plano divino de salvação. A oração é centralizada em Deus e atinge muito mais além que a vida devota. Está no centro da história de salvação. Em momentos significativos, Deus guia o desdobramento da história redentora pela oração. Quando um anjo aparece a Zacarias para anunciar o nascimento de João Batista, "toda a multidão do povo estava fora, orando" (Lc 1.10). Antes do nascimento de Jesus, Maria ora e adora a Deus (Lc 1.46-55). Como já indicado, muitos acontecimentos importantes no ministério de Jesus estão estreitamente relacionados com a oração.

Semelhantemente, a oração está no centro do progresso da Igreja em Atos. Depois do Dia do Pentecostes, o povo de Deus enfrenta com oração uma crise depois da outra. Assim, qualquer que seja a ocasião — hostilidade violenta, revoltas, encarceramentos, o engano de Ananias e Safira, a cobiça de Simeão, os motejadores entre os atenienses ou os perigos de Paulo — a Igreja segue avançando (Arrington, 1988, p. xlii). Com confiança no poder de Deus, eles oram conforme Jesus os instruiu (Lc 18.1) e suportam grande adversidade enquanto proclamam para o mundo o plano divino de salvação. Para eles, a oração é o meio fundamental para experimentar as bênçãos do Reino.

7. As Fontes de Lucas-Atos

Lucas fala que ele recebeu informação dos "mesmos que [...] presenciaram [os fatos] desde o princípio e foram ministros da palavra", embora ele não nomeie estas testemunhas oculares e ministros (Lc 1.1-4). Lucas indica que houve registros escritos, no mínimo os Evangelhos de Mateus e Marcos. Lucas se informou "minuciosamente de tudo desde o princípio", a fim de escrever uma narrativa "por sua ordem". Isto significa que ele fez pesquisa cuidadosa e utilizou fontes autorizadas para escrever seu Evangelho. É razoável presumir que na composição de Atos ele tenha usado fontes orais e escritas semelhantes às que ele usou para escrever seu Evangelho.

Como historiador, Lucas escolhe as melhores fontes. Concorda-se em geral que ele é seletivo no uso das fontes, de forma que Lucas-Atos só inclui informação que demonstrará a origem do movimento cristão, seu progresso e seu triunfo pela pregação do evangelho e o poder do Espírito. O que não serve para o propósito de Lucas é omitido da narrativa. Em tudo isso, o que é primário é a direção do Espírito Santo.

Não se chegou a um consenso sobre se as fontes de Lucas são principalmente escritas ou orais. Muitos estudiosos estão convencidos de que uma fonte principal é o Evangelho de Marcos, pois mais de um terço de Lucas traz estreita semelhança com Marcos. Lucas poderia ter usado alguma informação de Marcos se o Evangelho tivesse sido escrito antes ou durante os primeiros meses do encarceramento romano de Paulo. Outra fonte escrita para Lucas é o Antigo Testamento grego (LXX). Muitas histórias do seu Evangelho têm o estilo e qualidade da LXX. Por exemplo, o cântico de Maria (Lc 1.46-55) é semelhante ao cântico de Ana (1 Sm 2.1-10); Jesus como menino no templo (Lc 2.41-46) é similar à história do menino Samuel no templo (1 Sm 3); Jesus ressuscita o filho da viúva de Naim (Lc 7.11-17), fato semelhante a Elias ressuscitar o filho da viúva (1 Rs 17.17-24). De certa forma, o estilo literário de Lucas em Atos (esp. At 1—12) tem ecos da linguagem da LXX. A vida de Jesus e da Igreja é, em outras palavras, uma continuação da história do Antigo Testamento; por Jesus Cristo as promessas divinas para Israel são estendidas para o mundo.

Informação oral para Lucas pode ter vindo de vários de seus associados, alguns dos quais eram "os mesmos que [...] presenciaram [os fatos] desde o princípio e foram ministros da palavra". Por exemplo, sabemos que Maria, mãe de Jesus, estava presente no Dia de Pentecostes; ela pode ter fornecido informação valiosa sobre a vida de Jesus e a igreja primitiva. Lucas pode ter entrevistado pessoas proeminentes como Marcos, Tiago, irmão do Senhor, e Pedro. Ele pode ter falado pessoalmente com alguns dos setenta e dois discípulos (Lc 10.1). É indubitável que Paulo contou para Lucas sobre sua conversão na estrada para Damasco. Lucas ficou na casa de Filipe, o evangelista (At 21.8), que provavelmente compartilhou a história sobre a conversão do etíope (At 8.26-40). Ademais, Lucas pode ter reunido informação por entrevistas com pessoas como Timóteo, Silas e Gaio.

Claro que Lucas não identifica as fontes de Atos. Mas é muito provável que sejam registros escritos que foram preservados por várias igrejas e comunidades, como Jerusalém, Damasco, Antioquia, Cesaréia, Filipe, Éfeso, Tessalônica e Corinto. As condições eram conducentes à formação de tradições sobre o período apostólico e tiveram seu lugar na pregação da igreja primitiva. Entre as igrejas paulinas havia as que tinham materiais sobre a organização e triunfos espirituais das igrejas (Jervell, 1972, pp. 19-36). A carta enviada pelo Conselho de Jerusalém pode ter sido preservada em Antioquia (At 15.30; 21.25). Outra carta registrada em Atos era a de Cláudio Lísias, enviada a Cesaréia (At 23.23—26.32). É presumível que Lucas tenha reunido muita informação na sua permanência de dois anos na Palestina, durante o encarceramento de Paulo em Cesaréia. Por trás das "passagens nós", acha-se provavelmente um diário composto por Lucas, enquanto ele estava com Paulo.

Os sermões em Atos não devem ser vistos como relatos palavra por palavra; são muito pequenos para serem sermões completos. Contudo, são resumos fidedignos do que os crentes primitivos pregavam. Com grande cuidado, Lucas selecionou de suas fontes informação relevante para seus propósitos e moldou-a em uma narrativa energética e acurada da vida e ministério de Jesus e do avanço da igreja primitiva desde Jerusalém até Roma num período de cerca de trinta anos. Lucas conhece suas fontes e fundamenta o que escreve não em rumores, mas na verdade.

8. O Plano e a Organização de Lucas-Atos

O que dá estrutura para Lucas-Atos é o tema de viagem e os vários discursos. Da mesma maneira que, por exemplo, os discursos de Jesus ocupam lugar significativo no Evangelho de Lucas, assim também os discursos apostólicos são proeminentes em Atos. Concernente ao tema de viagem, no seu Evangelho, Lucas designa o ministério do Cristo carismático desde a zona rural da Galiléia até à capital judaica de Jerusalém; em Atos, ele traça o progresso da Igreja desde a Cidade Santa até à capital imperial de Roma. O âmbito geográfico nos lembra a amplitude dos planos e interesse de Lucas. O tom prevalecente nos dois volumes é sumariado em Atos 8.4: "Mas os que andavam dispersos iam por toda parte anunciando a palavra".

Lucas organiza seu material de forma que grande ênfase é posta nas narrativas de viagem. Seguindo o prefácio (Lc 1.1-4), temos os relatos do nascimento de João Batista e de Jesus (Lc 1.5—2.52). Na época do nascimento de Jesus, a família santa viaja de Belém a Jerusalém (Lc 2.4,22); eles vão a Jerusalém quando Jesus tem doze anos (Lc 2.42). Jesus começa suas viagens de pregação itinerantes na Galiléia com um sermão em Nazaré (Lc 4.14-30). As viagens continuam lá até que seu ministério galileu atinge o clímax com sua última viagem para Jerusalém (Lc 9.51—19.44), começando com as palavras: "[Jesus] manifestou o firme propósito de ir a Jerusalém". A narrativa desta viagem indica que o Jesus ungido pelo Espírito move-se constantemente em direção a Jerusalém, a fim de cumprir sua missão na terra. Alguns dos mais memoráveis acontecimentos e ensinos de Jesus ocorrem nestes capítulos: lições sobre discipulado e seu custo (Lc 9.51-62; 14.25-35), o bom samaritano (Lc 10.25-37), a Oração do Senhor e o ensino sobre oração (Lc 11.1-13), um lamento sobre Jerusalém (Lc 13.31-35), o filho pródigo (Lc 15.11-32), o rico e Lázaro (Lc 16.19-31) e a entrada triunfal de Jesus em Jerusalém (Lc 19.28-44).

É em Jerusalém que é tomada a decisão final pertinente ao ministério e ensino de Jesus. Assim, o suspense no Evangelho de Lucas vai se formando em direção a esta crise final. A presença de Jesus em Jerusalém (Lc 19.45—21.38) coloca-o em confrontação com os inimigos. Os principais sacerdotes e escribas conspiram matá-lo (Lc 19.47). Tentando apanhar Jesus, eles lhe fazem a pergunta sobre pagar tributo a César (Lc 20.20-26), mas o ensino de Jesus, ungido pelo Espírito, tem um modo de silenciar os inimigos (Lc 13.17; 14.6; 20.26,40). Jesus assegura aos seus seguidores fiéis que em crises semelhantes lhes serão dadas "boca e sabedoria a que não poderão resistir, nem contradizer" (Lc 21.15). O fato de os líderes de Israel rejeitarem Jesus como Profeta-Rei trará julgamento divino sobre Jerusalém.

O palco agora está armado para o clímax do Evangelho de Lucas: o julgamento, a morte e a ressurreição de Jesus (Lc 22.1—24.53). Lucas registra em rápida sucessão os acontecimentos que levaram Jesus à crucificação. A traição de Judas (Lc 22.1-6), a Última Ceia (Lc 22.7-38), a agonia de Jesus na oração (Lc 22.39-46), sua prisão e julgamentos diante do Sinédrio, Pilatos e Herodes (Lc 22.66—23.12) precedem sua condenação e crucificação. Sua morte é cumprimento de profecia (Lc 24.7,26,46) e foi ordenado como prelúdio à sua ressurreição (Lc 24.25,26). Lucas enfatiza a realidade da ressurreição de Jesus e a diferença que faz na vida dos seus seguidores (Lc 24.1-49). Com a ordem final de Jesus de que eles esperassem em Jerusalém "até que do alto [eles fossem] revestidos de poder", Lucas prepara a continuação do seu relato em Atos.

Uma das características importantes de Lucas é a inclusão de duas grandes seções de viagem, uma no meio do Evangelho (Lc 9.51—19.44) e outra no último terço de Atos (At 19.21—28.21). Estas seções são paralelas e mostram que o âmbito do Evangelho está fundamentado no ministério do Jesus ungido pelo Espírito e no ministério da Igreja. De fato, os paralelos são característica estrutural significativa de Lucas-Atos. Os outros paralelos são:
1) Prefácio com a dedicação a Teófilo (Lc 1.1-4; At 1.1-5).
2) Cheio do Espírito Santo (Lc 3.21,22; At 2.1-4).
3) Período de quarenta dias de preparação para o ministério (Lc 4.2; At 1.3).
4) Ministério ungido pelo Espírito, que começa com um sermão (Lc 4.16-30; At 2.14-40).
5) Ensino autorizado e ações extraordinárias que provocam conflito, incredulidade e rejeição (Lc 4.31—8.56; At 3.1—12.17).
6) Evangelização dos gentios (Lc 10.1-12; At 13.1—19.20).
7) Viagem a Jerusalém e prisão (Lc 9.51—22.53; At 19.21—21.36) (cf. Nickle, 1980, pp. 127-128).

Embora esta lista seja somente parcial, os paralelos são surpreendentes. Algumas das correspondências mais notáveis estão entre Jesus e Paulo. Por exemplo, Jesus vai a Jerusalém três vezes: uma vez quando bebê para ser apresentado a Deus no templo; de novo com a idade de doze anos como "filho da lei"; e finalmente a grande narrativa de viagem que toma quase 40 por cento do Evangelho. O Livro de Atos registra as três viagens correspondentes de Paulo, a última das quais o leva a Roma. Tais paralelos sugerem que o Cristo carismático é o modelo da Igreja que quer ser fiel à sua missão. Seus atos e palavras ungidos pelo Espírito

LUCAS

fornecem o padrão para o ministério da Igreja. Como podemos imaginar, muitos dos acontecimentos descritos em Atos são antecipados ou preditos no Evangelho de Lucas.

A estrutura de Atos é inerente ao seu assunto — a história da Igreja. Embora o relato seja essencialmente cronológico, os estudiosos indicam vários esboços para o livro, alguns dos quais são úteis ao intérprete. Uma abordagem vê Atos dividido em duas divisões principais (At 1—12; At 13—28). A ênfase está na obra do Espírito dentro e através da Igreja, descrevendo primeiramente como Ele trabalha nas igrejas na Palestina e, em segundo lugar, descrevendo como Ele trabalha no estabelecimento das primeiras igrejas gentias. A primeira seção centraliza-se em Jerusalém, sendo o âmbito da mensagem do evangelho a Judéia, Galiléia, Samaria e Cesaréia (At 8.1; 9.31; 10.1-48). A última seção centraliza-se em Antioquia como base para o esforço missionário, e a Igreja alcança o mundo gentio com sua mensagem (At 13.1; 14.26,27; 15.30ss; 18.22). Cada seção tem sua figura central: Pedro, na primeira, e Paulo, na segunda. Levando em conta a ênfase de Lucas no amor universal de Deus em Cristo e no tema recorrente que inclui os gentios no plano de salvação, Jesus é "luz [...] aos gentios" (Lc 2.32, ARA), e seus seguidores devem pregar "em todas as nações" (Lc 24.47).

Outra proposta atraente e proveitosa é a organização de Atos nos chamados "seis painéis de progresso" (At 1.1—6.7; 6.8—9.31; 9.32—12.24; 12.25—16.5; 16.6—19.20; 19.21—28.31). Ao término de cada painel acha-se um sumário que indica o progresso da Igreja.

Não sabemos se Lucas tinha um esboço específico diante de si quando ele escreveu Lucas-Atos. Este comentário segue um esboço que procura ser simples e natural e capturar nos dois volumes de Lucas o movimento cronológico e geográfico à medida que Jesus e a igreja primitiva são capacitados, pela presença do Espírito Santo, a proclamar o evangelho para o mundo.

ESBOÇO DE LUCAS

Os Atos de Jesus (Conteúdo)
As Narrativas de Jesus (Gênero)

1. **Prefácio (1.1-4).**

2. **A Origem do Cristo Ungido pelo Espírito (1.5—3.38).**
   2.1. O Anúncio do Nascimento de João Batista (1.5-25).
   2.2. O Anúncio do Nascimento de Jesus (1.26-38).
   2.3. A Visita de Maria a Isabel e o Cântico de Maria (1.39-56).
   2.4. O Nascimento de João Batista e o Cântico de Zacarias (1.57-80).
   2.5. O Nascimento de Jesus (2.1-20).
   2.6. Jesus quando Criança no Templo (2.21-40).
   2.7. Jesus quando Menino no Templo (2.41-52).
   2.8. A Unção de Jesus (3.1-38).
   2.8.1. A Pregação de João Batista (3.1-20).
   2.8.2. O Batismo de Jesus (3.21,22).
   2.8.3. A Genealogia de Jesus (3.23-38).

3. **O Ministério do Profeta Unido pelo Espírito: Cristo na Galiléia (4.1—9.50).**
   3.1. A Provação de Jesus (4.1-13).
   3.2. O Sermão Inaugural de Jesus (4.14-30).
   3.3. A Palavra Autorizada e Curas (4.31-41).
   3.4. Aclamação Popular (4.42—5.16).
   3.4.1. Resumo (4.42-44).
   3.4.2. Simão Pedro (5.1-11).
   3.4.3. A Cura de um Leproso (5.12-16).
   3.5. Oposição (5.17—6.11).
   3.5.1. Os Fariseus: Ele Blasfema (5.17-26).
   3.5.2. Os Fariseus: Ele se Associa com Pecadores (5.27-32).
   3.5.3. Os Fariseus: Os Discípulos de Jesus não Jejuam (5.33-39).
   3.5.4. Os Fariseus: Ele Quebra o Sábado (6.1-11).
   3.5.4.1. Os Discípulos Colhem Grãos (6.1-5).
   3.5.4.2. Jesus Cura um Homem que Tinha uma das Mãos Incapacitadas (6.6-11).
   3.6. Jesus Escolhe os Doze Apóstolos (6.12-16).
   3.7. O Grande Sermão da Planície (6.17-49).
   3.7.1. Introdução ao Sermão (6.17-19).
   3.7.2. Bênçãos e Ais (6.20-26).

3.7.3. Amor pelos Inimigos (6.27-36).
3.7.4. Julgando os Outros (6.37-45).
3.7.5. Um Quadro de Duas Casas (6.46-49).
3.8. O Poder de Jesus sobre as Doenças e a Morte (7.1-17).
3.8.1. A Cura do Servo do Oficial Romano (7.1-10).
3.8.2. A Ressurreição do Filho da Viúva (7.11-17).
3.9. João Batista e Jesus (7.18-35).
3.9.1. Os Mensageiros de João Batista (7.18-23).
3.9.2. A Avaliação de Jesus sobre João Batista (7.24-30).
3.9.3. A Parábola das Crianças Mimadas (7.31-35).
3.10. Jesus É Ungido por uma Mulher Pecadora (7.36-50).
3.11. Ensinos Sábios e Ações Maravilhosas (8.1-56).
3.11.1. As Mulheres Tomam Parte no Ministério de Jesus (8.1-3).
3.11.2. A Parábola do Semeador (8.4-15).
3.11.3. A Luminária sob a Cama (8.16-18).
3.11.4. A Verdadeira Família de Jesus (8.19-21).
3.11.5. Jesus Acalma a Tempestade (8.22-25).
3.11.6. Jesus Liberta um Homem Possesso de Demônios (8.26-39).
3.11.7. A Ressurreição da Filha de Jairo; A Cura de uma Mulher com Fluxo Hemorrágico (8.40-56).
3.12. Jesus e os Discípulos (9.1-50).
3.12.1. Jesus Envia os Doze (9.1-6).
3.12.2. Herodes Ouve Rumores sobre Jesus (9.7-9).
3.12.3. Jesus Alimenta os Cinco Mil (9.10-17).
3.12.4. A Declaração de Pedro e a Primeira Predição de Jesus sobre sua Morte (9.18-27).
3.12.5. A Transfiguração de Jesus (9.28-36).
3.12.6. As Faltas dos Discípulos (9.37-50).

4. Narrativa da Viagem: A Viagem de Jesus a Jerusalém (9.51—19.44).
4.1. Jesus Fixa o Rosto em Direção a Jerusalém (9.51-56).
4.2. O Custo de Seguir Jesus (9.57-62).
4.3. Jesus Envia os Setenta e Dois Discípulos (10.1-24).
4.3.1. Instruções para os Setenta e Dois Discípulos (10.1-12).
4.3.2. O Pronunciamento dos Ais sobre os Incrédulos (10.13-16).
4.3.3. A Volta dos Setenta e Dois Discípulos (10.17-20).
4.3.4. Uma Oração de Agradecimento e Bênção (10.21-24).
4.4. O Perigo da Distração (10.25-42).
4.4.1. Um Doutor da Lei e a Parábola do Bom Samaritano (10.25-37).
4.4.2. Maria e Marta (10.38-42).
4.5. O Ensino de Jesus sobre a Oração (11.1-13).
4.5.1. A Oração do Senhor (11.1-4).
4.5.2. A Parábola do Amigo à Meia-Noite (11.5-8).
4.5.3. A Garantia de que a Oração Será Respondida (11.9-13).
4.6. O Poder de Jesus para Expulsar Demônios (11.14-28).
4.6.1. A Controvérsia sobre Belzebu (11.14-23).
4.6.2. A Volta do Espírito Maligno (11.24-26).
4.6.3. O Impulso de uma Mulher (11.27,28).
4.7. O Pedido de um Sinal Milagroso (11.29-36).
4.8. Jesus Pronuncia Ais aos Fariseus e Escribas (11.37-54).
4.9. Responsabilidades e Privilégios do Discipulado (12.1—13.9).
4.9.1. Aviso contra a Hipocrisia (12.1-12).
4.9.2. Aviso contra a Cobiça (12.13-34).
4.9.3. Alerta e Fiel (12.35-48).
4.9.4. Divisões Familiares acerca de Cristo (12.49-53).
4.9.5. Interpretando este Tempo (12.54-59).
4.9.6. Chamada ao Arrependimento (13.1-9).
4.10. Preparação dos Discípulos para Jerusalém e outros Acontecimentos (13.10-35).
4.10.1. A Cura no Sábado de uma Mulher Encurvada (13.10-17).
4.10.2. As Parábolas do Reino (13.18-21).
4.10.3. Exigências para o Reino (13.22-30).
4.10.4. Aviso acerca de Herodes e Choro sobre Jerusalém (13.31-35).
4.11. Comunhão à Mesa com um Fariseu

(14.1-24).
4.11.1. Jesus Cura um Doente no Sábado (14.1-6).
4.11.2. Lição para os Convidados numa Festa (14.7-11).
4.11.3. Lição para Anfitriões (14.12-14).
4.11.4. A Parábola do Grande Banquete (14.15-24).
4.12. O Custo de ser Discípulo (14.25-35).
4.13. O Amor de Deus pelos Perdidos (15.1-32).
4.13.1. A Parábola da Ovelha Perdida (15.1-7).
4.13.2. A Parábola da Moeda Perdida (15.8-10).
4.13.3. A Parábola do Filho Perdido (15.11-32).
4.14. Ensinos sobre as Riquezas (16.1-31).
4.14.1. O Mordomo Astuto (16.1-11).
4.14.2. A Função da Lei (16.14-18).
4.14.3. O Rico e Lázaro (16.19-11).
4.15. Sobre Fé e Dever (17.1-10).
4.16. Ensinos que levam à Predição Final da Morte de Jesus (17.11—18.30).
4.16.1. O Leproso Agradecido (17.11-19).
4.16.2. O Reino e a Vinda do Filho do Homem (17.20-37).
4.16.3. Duas Parábolas sobre Oração (18.1-14).
4.16.4. Condições para Entrar no Reino (18.15-30).
4.17. Da Predição de Morte até à Entrada em Jerusalém (18.31—19.44).
4.17.1. Predição de Morte Iminente (18.31-34).
4.17.2. Um Mendigo Cego Recebe Visão (18.35-43).
4.17.3. A Salvação chega a Zaqueu (19.1-10).
4.17.4. A Parábola das Minas (19.11-27).
4.17.5. A Entrada Triunfal de Jesus (19.28-44).
5. Jesus: O Profeta-Rei Rejeitado (19.45—21.38).
5.1. A Purificação do Templo (19.45-48).
5.2. A Questão da Autoridade (20.1-8).
5.3. A História dos Lavradores Maus (20.9-19).
5.4. A Questão de Pagar Impostos a César (20.20-26).
5.5. A Questão concernente à Ressurreição e Casamento (20.27-40).
5.6. A Pergunta concernente ao Filho de Davi (20.41-47).
5.7. A Oferta da Viúva à Arca do Tesouro do Templo (21.1-4).
5.8. Profecia concernente ao Fim do Mundo (21.5-38).
5.8.1. A Destruição do Templo (21.5,6).
5.8.2. Sinais da Vinda de Cristo (21.7-19).
5.8.3. A Destruição de Jerusalém (21.20-24).
5.8.4. A Segunda Vinda de Cristo (21.25-28).
5.8.5. A Parábola da Figueira (21.29-31).
5.8.6. Prontidão para a Vinda de Cristo (21.32-36).
5.8.7. Resumo (21.37,38).

6. O Julgamento, Morte e Ressurreição de Jesus (22.1—24.53).
6.1. A Páscoa (22.1-38).
6.1.1. Conspiração contra Jesus (22.1-6).
6.1.2. Preparação para a Páscoa (22.7-13).
6.1.3. A Última Ceia (22.14-20).
6.1.4. O Discurso de Despedida (22.21-38).
6.2. A Prisão (22.39-65).
6.2.1. A Oração de Jesus no Monte das Oliveiras (22.39-46).
6.2.2. A Traição e Prisão de Jesus (22.47-53).
6.2.3. A Negação de Pedro (22.54-62).
6.2.4. Jesus É Escarnecido (22.63-65).
6.3. O Julgamento de Jesus (22.66—23.25).
6.3.1. O Julgamento perante o Sinédrio (22.66-71).
6.3.2. O Julgamento perante Pilatos (23.1-7).
6.3.3. O Julgamento perante Herodes (23.8-12).
6.3.4. O Segundo Julgamento perante Pilatos (23.13-25).
6.4. A Crucificação de Jesus (23.26-

49).
6.5. O Enterro de Jesus (23.50-56).
6.6. A Ressurreição de Jesus (24.1-43).
6.6.1. A Descoberta do Túmulo Vazio (24.1-12).
6.6.2. A Aparição na Estrada de Emaús (24.13-35).
6.6.3. A Aparição aos Discípulos (24.36-43).
6.7. A Mensagem Final de Cristo aos Discípulos (24.44-49).
6.8. A Partida de Cristo para o Céu (24.50-53).

COMENTÁRIO

1. Prefácio (1.1-4).

O prefácio serve de introdução ao Evangelho e Atos; Lucas dividiu seu trabalho em dois volumes. O prefácio de Atos (At 1.1-5) sumaria brevemente o conteúdo do volume precedente: a vida e ministério de Jesus. Esta divisão está de acordo com uma prática comum no mundo antigo de dividir um trabalho mais longo em mais de um volume, com o primeiro volume contendo um prefácio para o trabalho inteiro e prefácios secundários introduzindo outros volumes. Lucas 1.1-4 consiste numa sentença que é cuidadosamente construída e exprime o estilo e equilíbrio de excelente grego.

Desde o início, Lucas revela que ele não é o primeiro a escrever sobre o que Deus fez em Cristo. Ele não identifica seus predecessores ou oferece crítica dos seus escritos. Não temos meio de saber quantos escreveram antes de Lucas, ainda que o Evangelho de Marcos seja provavelmente um deles. Os predecessores de Lucas escreveram sobre "fatos que entre nós se cumpriram", quer dizer, no meio de crentes. O pensamento tem a ver com os acontecimentos que trazem salvação e que capacitam a Igreja para o ministério: o nascimento, ministério, morte e ressurreição de Jesus, e o derramamento do Espírito Santo. Estes acontecimentos haviam sido prometidos por Deus, e agora são realizados na íntegra. Eis um lembrete da operação do propósito de Deus.

Lucas identifica suas fontes como "os mesmos que [...] presenciaram [os fatos] desde o princípio e foram ministros da palavra". Ele não era um entre aqueles que estavam com o Jesus ungido pelo Espírito durante o ministério de ensino, pregação e cura. As testemunhas oculares contaram o que tinham visto Jesus fazer e lhe ouviram dizer. Fazendo assim, esses indivíduos se tornaram "ministros da palavra". Eles "transmitiram" (*paradidomi*) em forma oral e escrita informação sobre as ações e ensinos de Jesus. Como ministros da palavra, essas testemunhas proclamaram a mensagem do evangelho, uma mensagem arraigada na realidade histórica.

Não há que duvidar que entre essas testemunhas oculares achavam-se os apóstolos. Embora Lucas não seja um deles, ele menciona suas qualificações para escrever. Ele estava familiarizado com os acontecimentos, tendo-os investigado cuidadosamente nos mínimos detalhes. As palavras "desde o princípio" significam o relato inteiro, que começa com as narrativas do nascimento de João Batista e de Jesus, passa para as ações poderosas que o Jesus capacitado pelo Espírito fez na Galiléia, Samaria e Jerusalém, e conclui com a divulgação do evangelho de Jerusalém a Roma. Lucas está interessado em todos os fatos que têm a ver com seu assunto.

O alvo de tal pesquisa diligente é "dar-te por escrito, excelentíssimo Teófilo, uma exposição em ordem" (ARA). A palavra "em ordem" (*kathexes*, "por sua ordem", ARA) significa "um depois do outro, sucessivamente". Lucas quer escrever um relato sistemático da história de Jesus e da Igreja. Seus leitores são Teófilo e todo aquele que ler esta história de Jesus e da Igreja. Não temos informação que nos permita identificar Teófilo. Seu nome significa "um que ama a Deus". O título "excelentíssimo" implica que é homem de posição social. Félix, o governador da Judéia (At 23.26; 24.3), e seu sucessor, Festo (At 26.25), são tratados da mesma maneira. Mas pode ser apenas um título de cortesia.

Muito se tem debatido sobre a questão da possibilidade de Teófilo ser cristão quando Lucas escreveu. Lucas não o trata de "irmão". Ele é, talvez, um incrédulo influente de quem Lucas pensa poder ganhar simpatia e apoio? Temos de manter aberta a possibilidade de que ele é mais que um estranho (Morris, 1974a, p. 67). Não há dúvida de que Teófilo sabia algo sobre a fé cristã, e Lucas quer que ele tenha um relato completo e fidedigno dos assuntos sobre os quais ele estava informado. Quando ele escreve, Lucas tem na audiência aqueles que possuem um entendimento insuficiente da fé. Seu propósito é tanto pastoral como evangelístico — fortalecer os crentes e encorajar os incrédulos a aceitar Jesus como Salvador e Senhor.

Lucas fez pesquisa minuciosa como historiador, mas ele deixa claro que escreve da perspectiva da fé. A história que Lucas escreveu também é teologia — história com o maior sentido e significado. É a história do Jesus ungido pelo Espírito que começa em Belém e vai até Jerusalém, e uma Igreja batizada no o Espírito que começa em Jerusalém e vai até Roma. Nunca devemos temer a erudição honesta. É verdade que estudiosos com opiniões, especulações e preconceitos contra o sobrenatural têm se separado da verdade. Não devemos esquecer que Jesus prometeu aos verdadeiros discípulos que o Espírito Santo os "[guiaria] em toda a verdade" (Jo 16.13). Lucas, historiador e investigador, foi inspirado pelo Espírito Santo a persuadir as pessoas a ter fé no Salvador.

2. A Origem do Cristo Ungido pelo Espírito (1.5—3.38).

Cada escritor do Evangelho tem seu próprio modo de apresentar a história de Jesus. Marcos começa com o ministério de pregação de João Batista e com o batismo de Jesus, revelando assim a filiação eterna do Senhor e o poder do Espírito que repousa sobre sua vida. Mateus começa com a genealogia de Jesus e um relato do nascimento virginal do Salvador. João começa com o Cristo preexistente que desfrutava de comunhão com Deus e era o próprio Deus, mas que se encarnou. Em Lucas, a história de Jesus começa em Jerusalém, com Zacarias, sacerdote interiorano, e sua esposa, Isabel.

Lucas nos fornece informações sobre a origem de João Batista e o nascimento de Jesus, não encontradas na narrativa de Mateus. Ele traça paralelos significantes entre o nascimento de João Batista e Jesus. O anjo Gabriel anuncia o nascimento de ambos. Cada nascimento é seguido por circuncisão e por declarações proféticas. Lucas põe em relevo na narrativa que faz de João Batista e Jesus a relação entre a nova e a velha era. No fim do Antigo Testamento, as profecias cessaram; mas agora Deus está cumprindo sua promessa ao enviar o Salvador ungido pelo Espírito. O dom de profecia também está sendo renovado. João Batista tem papel importante como precursor de Jesus nas narrativas de nascimento e depois no Evangelho (Lc 7.28; 16.16). Sua pessoa e ministério resumem as expectativas do Antigo Testamento, e ele está no começo da nova era messiânica. Preocupação principal dos primeiros capítulos é a relação dos papéis de João Batista e Jesus. João é o último e o maior de todos os profetas, mas Jesus é o Redentor prometido, o próprio Filho de Deus.

2.1. Anúncio do Nascimento de João Batista (1.5-25)

Como historiador, Lucas torna comum marcar o tempo no qual grandes acontecimentos ocorreram. Os acontecimentos dos primeiros capítulos de Lucas deram-se no reinado de Herodes, o Grande (37-4 a.C.). Herodes governou a Judéia, a qual Lucas entende que representa toda a Palestina (Lc 4.44; 6.17; 7.17; 23.5). Os acontecimentos descritos em Lucas 1.5 a 2.40 acontecem perto do fim do reinado de Herodes.

O povo de Israel cria que Deus sempre estava em seu meio, contudo eles olhavam para frente, para o tempo em que Ele viria e eles desfrutariam mais completamente de sua presença (Ml 3.1; 4.5,6). Para eles, o templo era símbolo da presença de Deus. O culto no templo fornece cenário apropriado para a

Reino de Herodes, o Grande

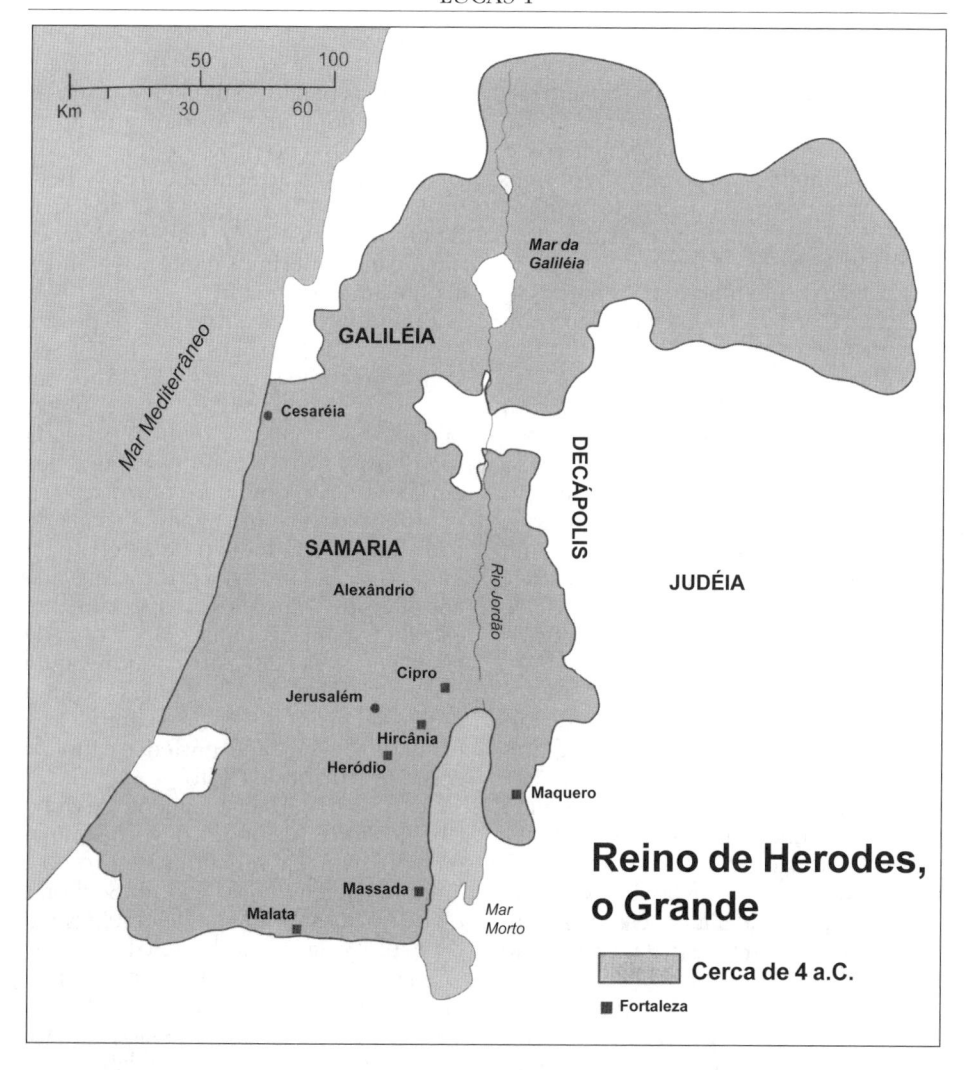

Cerca de 4 a.C.

abertura da história do Evangelho. Lucas apresenta os pais de João Batista. O pai, Zacarias é sacerdote interiorano (Lc 1.5-10), que pertence à divisão de Abias. Os sacerdotes eram divididos em vinte e quatro grupos cada, sendo que cada qual servia durante duas semanas por ano, uma semana de cada vez. O grande número de sacerdotes em cada grupo tornava necessário que os deveres dos sacrifícios matinais e vespertinos fossem designados por sorte, um método de discernir a vontade de Deus. O serviço mais desejado (queimar incenso diante do Senhor) era escolhido desta maneira. Muitos sacerdotes nunca recebiam esta oportunidade. Não se pode duvidar que é ocasião especial Zacarias ser escolhido nesta conjuntura favorável para queimar incenso no altar situado no Lugar Santo. Os adoradores reunidos no templo oram enquanto o sacerdote queima o incenso; a fumaça ascendente simboliza o alçamento das orações a Deus.

Zacarias e Isabel são descendentes de Arão, conhecido casal devoto e altamente respeitado na comunidade do templo por sua santidade. Eles vivem tudo o que Deus exige no Antigo Testamento, e perante seus companheiros eles são inocentes. Eles crêem na oração e a praticam. Buscam a vinda do Messias. Não são ricos ou famosos segundo os padrões mundanos, mas o são segundo os padrões de Deus.

Mas Zacarias e Isabel não têm filhos, e Isabel está muito além do período normal de dar à luz. Entre os judeus, não ter filhos é uma desgraça, sendo até considerado o resultado de castigo divino (Lv 20.20,21; Is 4.1). A falta de um filho é sua repreensão e tristeza, e possivelmente eles deixaram de ter esperança de ter um filho. Visto que eles são "justos perante Deus" (v. 6), suas orações por um filho não foram respondidas por causa de pecado, mas para que a obra poderosa de Deus se manifestasse neles (Jo 9.3). Como Abraão e Sara, velhos e sem filhos, Zacarias e Isabel estão a ponto de experimentar um milagre. O que é humanamente impossível e desesperador é possível com Deus. De modo extraordinário Deus responde as orações do seu povo.

Diariamente no templo os sacerdotes ofereciam sacrifícios de manhã e de tarde. Lucas não nos diz em qual deste dois turnos Zacarias está oficiando o sacrifício. Para fazer este dever sacerdotal, ele entra no Lugar Santo, onde só os sacerdotes podiam entrar, o qual, junto com o Santo dos Santos, compõe o santuário. Quando ele chega perto do altar aceso de incenso, de repente um anjo lhe aparece. Não esperando uma visita angelical, ele fica com muito medo. O mensageiro divino fala ao sacerdote terrificado: "Zacarias, não temas, porque a tua oração foi ouvida, e Isabel, tua mulher, dará à luz um filho, e lhe porás o nome de João" (v. 13).

Qual é a oração de Zacarias? A resposta não sugere que ele aproveitou a oportunidade de estar junto ao altar para pedir um filho. Claro que em muitas ocasiões ele e Isabel fizeram tal oração. Visto que ele está executado os deveres sacerdotais, é muito provável que ele ore pela vinda do Messias — orando pelo cumprimento da esperança de Israel. Agora suas incontáveis orações foram ouvidas; Deus vai enviar o Messias, o Ungido, para redimir a humanidade. Mas a oração pessoal de Zacarias e Isabel por um filho também é respondida — ele vai ser pai de um filho que será profeta para trazer de volta muitas pessoas para o Senhor, chamando-as ao arrependimento. A criança terá um papel decisivo no plano de salvação de Deus: "Preparar ao Senhor um povo bem disposto" (v. 17). Zacarias está no limiar de um novo dia. Ele e Isabel desempenharão um papel importante nos grandes acontecimentos porvir.

O anjo apresenta um resumo da pessoa e ministério de João Batista (vv. 14-17). Seu ministério como precursor de Cristo será motivo de alegria para Zacarias e muitas outras pessoas. Prazer (*chara*) e alegria (*agalliasis*) são fortemente enfatizados em Lucas-Atos, sobretudo com relação ao ministério do Espírito Santo. A vinda de João Batista será motivo de alegria para muitos por causa de sua posição elevada aos olhos de Deus; ele foi especialmente escolhido para fazer uma grande obra de graça. Em Lucas 7.28, Jesus diz que nenhum dos nascidos de mulher antes de João tinha sido maior que ele. Sua grandeza é resultado de seu papel profético e função como precursor de Cristo.

João deve se abster totalmente de vinho e bebida forte. Até onde a devoção humana é possível, ele será um vaso pronto e limpo, totalmente consagrado ao Senhor. E o que é mais importante, "[ele] será cheio do Espírito Santo, já desde o ventre de sua mãe". Este enchimento com o Espírito caracteriza João Batista como profeta. A criança prometida terá a missão profética de converter as pessoas da idolatria e pecado para Deus e a justiça. Pessoalmente dedicado a Deus, o ministério de João será capacitado pelo Espírito Santo. Como precursor que prepara o caminho do Senhor, ele será um profeta que cumpre a promessa de Malaquias 4.5,6, e, assim, ele fará o trabalho com o mesmo poder espiritual do profeta Elias.

A plenitude do Espírito está freqüentemente associada no Antigo Testamento com o trabalho dos profetas. No período entre o Antigo e Novo Testamentos, a profecia, com algumas exceções, tinha cessado em Israel, ainda que Joel tivesse prometido o derramamento do Espírito e um renascimento da profecia na vinda de Cristo. No Antigo Testamento, só algumas pessoas recebiam a plenitude do Espírito — principalmente profetas e outros líderes espirituais —, mas Joel anunciara o derramamento do Espírito sobre todas as pessoas: "E há de ser que, depois, derramarei o meu Espírito sobre toda a carne, e vossos filhos e vossas filhas profetizarão, os vossos velhos terão sonhos, os vossos jovens terão visões. E também sobre os servos e sobre as servas, naqueles dias, derramarei o meu Espírito" (Jl 2.28,29).

Lucas registra o começo do cumprimento da profecia de Joel. João Batista será cheio do Espírito (Lc 1.15). Isabel é cheia com o Espírito e profetiza (Lc 1.41). Zacarias, cheio do Espírito, profetiza (Lc 1.67-79) e tem uma visão (Lc 1.22). Simeão, que tem o Espírito, recebe revelações do Espírito e profetiza (Lc 2.28-32). Tendo o dom de profecia, a idosa Ana tem a honra de uma profetisa; o Espírito a capacita a reconhecer Jesus no templo e a proclamar seu significado (Lc 2.36-38). Esta ênfase em profecia chama a atenção para a presença e poder do Espírito Santo, característica distintiva dos últimos dias que alvorecem com o nascimento de Jesus. Desde o início do derramamento do Espírito, o sinal reconhecível de sua obra é a profecia. João Batista, Isabel, Maria, Zacarias, Simeão e Ana representam uma comunidade de profetas ungidos pelo Espírito.

Zacarias acha que a profecia que o anjo diz é muito boa para ser verdade. Sua incredulidade o incita a pedir prova de que a promessa será cumprida. Afinal de contas, ele e a esposa são muito velhos para ter filhos. O anjo se identifica pelo nome de Gabriel, um arcanjo que está na presença de Deus. Ele foi comissionado por Deus para levar uma mensagem de boas notícias. Como Gabriel dá a entender, toda palavra de Deus carrega sua própria autoridade e credenciais. Por causa da falta de fé de Zacarias, ele é acometido de mudez até o nascimento de João Batista. Seu pedido por um sinal lhe é respondido, mas é um sinal que se ajusta à sua incredulidade. Seu silêncio tem um significado mais profundo, pois quando ele falar de novo, haverá ouvidos para ouvir como Deus lhe respondeu as orações.

Durante o tempo em que Zacarias estava no Lugar Santo, as pessoas ficam esperando lá fora. Elas o esperam de volta para que lhes pronuncie a bênção sacerdotal (Nm 6.24-26). Pelo fato de ele demorar tanto, a paciência dos que lhe aguardam está se acabando. Mas quando ele volta, eles discernem que ele teve uma experiência sobrenatural e recebeu uma revelação de Deus. Ele tenta lhes falar, mas não pode.

Quando o velho sacerdote termina seus deveres sacerdotais, ele vai para casa. Em seguida, a esposa de Zacarias concebe em cumprimento da promessa divina. Ela viu sua falta de filhos como repreensão, mas agora ela começa a experimentar o prazer e a alegria que Deus prometera (Lc 1.14). Sua repreensão lhe foi tirada e ela tem um filho como sinal das bênçãos de Deus. Deus está trabalhando para a salvação do seu povo e abençoa este casal justo. A palavra de Deus nunca falha; ela se cumpre.

2.2. O Anúncio do Nascimento de Jesus (1.26-38)

As semelhanças entre o anúncio do nascimento de João Batista e o de Jesus são surpreendentes. Os indivíduos não são famosos ou ricos. O anjo Gabriel aparece, provoca medo, promete o nascimento de um filho que desempenhará papel crucial no plano de Deus e dá nomes aos filhos. Mas também há diferenças entre os relatos do nascimento de João Batista e Jesus. João Batista é profeta; Jesus é mais que profeta — Ele é o Messias e o Filho de Deus. João Batista nasce de um casal de velhos; Jesus nasce de uma virgem. O anúncio do nascimento de João Batista é dado a Zacarias no cumprimento do seu serviço como sacerdote no centro religioso de Israel; o anúncio que Maria, uma jovem comum, vai ser mãe do Messias, é dado reservadamente no interior do país. O filho de Maria será maior do que João Batista.

Deus toma a iniciativa quando Ele envia Gabriel a uma cidade insignificante da Galiléia (grande província no Norte da Palestina). Quando ele anuncia a Maria que ela dará à luz o Salvador do mundo, ela é uma virgem noiva. No versículo 27, Moffatt e Goodspeed traduzem a palavra "virgem" (*parthenos*) por "moça solteira". Contudo, este substantivo grego significa regularmente "virgem", e este significado é exigido pelo contexto do Evangelho de Lucas. Maria ainda não está casada (Lc 1.34), mas no mundo antigo um noivado, o primeiro passo para o casamento, podia ser feito quando as mulheres eram bastante jovens. O período entre o noivado e o casamento era de aproximadamente um ano. De acordo com a lei judaica, o noivado estabelecia uma relação que era tão comprometedora quanto o casamento; só o divórcio poderia dissolver o relacionamento. José, o homem a quem Maria estava prometida, é descendente de Davi, dando a Jesus uma conexão legal com a casa davídica (Lc 1.32; 2.4). Há muito tempo Deus prometera a Davi um herdeiro cujo reinado seria notável (2 Sm 7.13).

Durante o período de noivado, o anjo vem e saúda Maria dizendo que ela é "agraciada". Então acrescenta: "O Senhor é contigo" (Lc 1.28). Ela é pessoa de grande integridade — obediente (v. 38), crente (v. 45) e dedicada a seguir a lei de Deus (Lc 2.22-51). Não é por causa de suas virtudes nobres que ela foi escolhida para ser a mãe do Salvador, mas por causa do imerecido favor de Deus. Deus grandemente abençoou (*kecharitomene*, Lc 1.28) Maria, não porque ela fosse particularmente merecedora, mas porque ela é objeto da bondade de Deus. Deus entrou na vida de Maria e escolheu usá-la a seu serviço. Lucas deseja observar o quanto ela era aberta para Deus, mas sem exaltá-la indevidamente. Na verdade, ela está totalmente perplexa com o significado da mensagem do visitante divino.

A resposta de Maria instiga Gabriel a lhe exortar que deixe de ter medo. Ele lhe dá uma mensagem quádrupla (vv. 31-33):

1) Ela dará à luz um filho que receberá o nome de Jesus.
2) A grandeza do filho estará além de qualificação; Ele será o Filho de Deus (cf. Sl 2.7).
3) Ele regerá do trono de Davi como Rei de Israel (cf. 2 Sm 7.12ss; Sl 89.29).
4) Ele reinará para sempre. Este Reino não será entendido como reino terreno; é o reinado de Deus, o prometido Reino messiânico que Jesus esclarece nos seus ensinos e através dos seus milagres.

Maria tem dificuldade em entender o que o anjo lhe contou. Sendo virgem, ela não tem idéia de como ela pode ter um filho. Seu casamento não fora consumado fisicamente. Gabriel diz que o nascimento de Jesus será provocado pela vinda do Espírito Santo sobre ela e pela sombra do poder de Deus. Lucas tipicamente vincula o Espírito Santo com o poder de Deus (veja esp. At 1.8). O verbo "descer" (*eperchomai*, em Lc 1.35) também é usado para se referir à promessa do Espírito que vem sobre os discípulos no Dia de Pentecostes (At 1.8). A sombra (*episkiazo*) diz respeito à presença de Deus (cf. Êx 40.35) e nos faz lembrar da nuvem que deu sombra como sinal da presença divina na transfiguração (Lc 9.34). A presença poderosa de Deus repousará sobre Maria, de modo que a criança que ela gerar será o Filho de Deus. Concebido pelo Espírito Santo, Ele será santo como alguém especialmente ungido pelo Espírito (Lc 4.1ss). A linguagem de Lucas é claramente trinitária: o Altíssimo, o Filho de Deus e o Espírito Santo.

Lucas não dá indicação exata de quando Maria concebeu Jesus; esse nascimento milagroso não tem paralelo. Pessoas como Abraão e Sara (Gn 18.10-19) e Zacarias e Isabel (Lc 1.7-25), que estavam em idade muito avançada para gerarem filhos, receberam filhos por Deus. O poder extraordinário de Deus superou a esterilidade e idade avançada desses casais. Mas o nascimento de Jesus não se ajusta a esse padrão. No seu caso, Deus não venceu a incapacidade dos pais terem filhos, mas a engravidou na ausência completa de um pai humano (Brown, 1974, pp. 360-362). O nascimento de Cristo é um acontecimento dos últimos dias e introduz uma nova era que culminará no julgamento final e na salvação dos redimidos. A glória da vinda de Deus em carne exigia um milagre como o nascimento virginal para indicar a coisa poderosa que Deus estava fazendo por nossa salvação. O Filho se abaixa até a nossa fraqueza e entra como bebê em nosso mundo. Embora completamente humano, Ele só tem um pai humano; mas nós cremos que o Único nascido da virgem é Deus e o Senhor de Maria — absolutamente sem igual; Ele é verdadeiramente Deus e verdadeiramente homem.

Quando Deus chama Maria para ser a mãe do seu Filho, Ele põe a fé dela em teste incomum: Ela terá fé para crer que Deus pode criar vida nela? Zacarias não creu no milagre menor de Deus superar a esterilidade e a idade avançada. Agora Deus chama Maria para crer que ela dará à luz ao Salvador, e que Ele entrará no fluxo de nossa vida por concepção virginal. O anjo lhe encoraja, mostrando que Isabel, que se pensava ser estéril, vai ter um filho com idade avançada (v. 36). Durante seis meses uma nova vida está se mexendo no útero desta anciã. Como é possível que Isabel tenha um filho? Como é possível que Maria, uma virgem, conceba? Gabriel assegura a Maria que "para Deus nada é impossível" (v. 37; cf. Gn 18.14). Deus pode fazer milagres!

Como "serva do Senhor", Maria se rende à palavra de Deus e diz ao anjo: "Cumpra-se em mim segundo a tua palavra" (v. 38). Ela está disposta e pronta a servir a Deus e ser usada pelo Espírito Santo para dar à luz o Salvador.

A mensagem que Maria recebe do anjo sobre a concepção maravilhosa de um Filho, levanta a pergunta se Deus pode criar vida. O nascimento de Jesus pelo trabalho milagroso do Espírito Santo responde com um ressoante "Sim!" Deus, que cria a vida, recria a vida daqueles que recebem pela fé este Filho nascido da virgem. O encontro com o anjo leva Maria à obediência da fé. Não é surpresa que ela esteja entre os crentes quando o Espírito Santo desce sobre toda a comunidade no Dia de Pentecostes (At 1.12-14). Ela deu a resposta apropriada à palavra de Deus e à sua graça — em humildade, fé e obediência.

2.3. A Visita de Maria a Isabel e o Cântico de Maria (1.39-56)

O palco foi armado para o nascimento extraordinário de Jesus. Maria se dirige às pressas a uma aldeia, cujo nome não foi mencionado, nas colinas da Judéia, a fim de visitar Isabel. As duas mulheres são parentas, e também compartilham uma experiência comum. Ambas vão ter um filho — uma experiência mais profunda para elas que sabem que Deus está criativamente em ação. Uma é idosa, e seu filho dará um fim a uma era; a outra é jovem e ainda virgem, e seu filho introduzirá um novo tempo.

As duas mães se encontram, mas também seus dois filhos por nascer se encontram. Quando Maria saúda Isabel, a criança João salta de alegria no útero da mãe (v. 41). A reação de João à presença de Jesus é o começo do seu ministério como precursor do Salvador. O fato de ele saltar não é movimento comum para uma criança no útero, pois o versículo 44 declara que a causa é alegria. O significado da alegria da criança por nascer fica claro pelo fato de ele ser cheio com o Espírito desde o ventre (Lc 1.15). Lucas também registra que "se alegrou Jesus no Espírito Santo", quando Ele vê como Deus revelou a verdade aos discípulos (Lc 10.21).

Quando João sente a presença do Espírito, o Espírito também enche Isabel, sua mãe. Sob inspiração do Espírito, ela fala como profetisa e se refere à Maria como "a mãe do meu Senhor" (Lc 1.43) e como bem-aventurada por crer no que Deus disse (v. 45). Os acontecimentos do Evangelho começam no meio de um reavivamento da atividade profética. Como profetisa ungida pelo Espírito, Isabel mostra sua excitação e clama com voz alta. O que ela profere vai muito além do que Zacarias soubesse e lhe tivesse dito. Pelo esclarecimento carismático do Espírito, ela reconhece a bem-aventurança sem igual de Maria e seu filho (v. 42). Maria é bem-aventurada porque Deus a escolheu para ser a mãe do Filho dEle; a bem-aventurança do seu Filho consiste no poder gracioso de Deus e no favor que repousará sobre Ele. Isabel também expressa sua indignidade pelo fato de a mãe do Salvador a visitasse. Sua atitude serve de exemplo que Deus deseja que todos os crentes sigam. Que alegria há em tomar parte nos acontecimentos de Jesus. Quem merece tal honra e bênçãos?

A alegria de Isabel é compartilhada por Maria que, num hino de louvor (vv. 46-55), fala acerca da obra graciosa de Deus em favor dela (vv. 48,49). Ela continua louvando porque Ele agiu em justiça e misericórdia, e continuará agindo, lembrando-se da promessa feita a Abraão e seus descendentes (vv. 50-55).[4] Este cântico de louvor começa com Maria celebrando o que Deus tem feito por ela, e se estende a como Deus tratou os justos ao longo dos tempos e como Ele no futuro vindicará completamente os que lhe pertencem. A linguagem do cântico se assemelha ao cântico de Ana (1 Sm 2.1-10) e dá ampla visão da graça salvadora de Deus.

Maria começa com uma nota de alegria — uma alegria que é causada pelo Espírito Santo e pelo que Deus está fazendo. A profecia de Isabel foi dirigida à Maria, mas o louvor de Maria é dirigido a Deus, e com razão. Deus sempre é merecedor de louvor, e o Espírito Santo instiga o louvor de Deus. Inspirado pelo Espírito, Maria magnifica a Deus. Não devemos fazer distinção nítida entre alma (*psyque*) e espírito (*pneuma*); estes termos são paralelos poéticos e indicam que o louvor dela é pessoal.

Maria sabe qual é sua posição diante de Deus e reconhece seu estado humilde como serva do Senhor (v. 48). Ela está sendo exaltada do seu estado humilde aos olhos do mundo para a grandeza aos olhos de Deus. Deus inverte as posições dos orgulhos e dos humildes na nova ordem introduzida pela vinda de Cristo. Ele não ajuda os orgulhosos. Também a menos que se tornem servos humildes, os ricos e poderosos deste mundo não são ajudados por Ele; é freqüente tais pessoas sentirem que não precisam nada de Deus. Mas pessoas como Maria, que são humildes e abertas à sua graça, Deus exalta desde seu estado humilde e põe um cântico nos seus corações. Seu favor não merecido torna-se a base na qual todas as gerações futuras a honrarão. Também é a razão para ela louvar. As pessoas de uma geração a outra a verão como um ser humano tocado pela graça divina e usado por Deus. O espírito humilde de Maria confirma suas palavras a Gabriel: "Eis aqui a serva do Senhor; cumpra-se em mim segundo a tua palavra" (v. 38).

A contemplação da graça de Deus move Maria a se voltar para o próprio Deus. Ela fala sobre o poder de Deus, Sua santidade e sua misericórdia. Embora ela se sinta insignificante, Ele possui grande poder e fez e ainda faz grandes coisas. Seu nome é santo. No mundo antigo, o nome representava o caráter da pessoa. Deus tem de ser venerado, como Maria declara, pois seu nome é nome santo. Deus é Deus santo e misericordioso. A graça de Deus mostra seu amor por aqueles que não o merecem, e sua misericórdia (*eleos*) mostra seu amor fiel para com os desafortunados e miseráveis. Maria é apenas um exemplo. Em toda geração, as bênçãos da misericórdia de Deus abundam para aqueles que mostram reverência confiante para com Ele. Aqueles que se lhe opõem enfrentarão o poder e a santidade de Deus como advertência contra encarar seus mandamentos e misericórdia levianamente.

Inspirada pelo Espírito, Maria continua falando sobre os trabalhos poderosos de Deus. Ela usa seis tempos passados para falar das ações de Deus (vv. 51-55). Ela olha profeticamente para o futuro, para o que Deus fará. Como era freqüente os profetas do Antigo Testamento fazerem, Maria está tão certa das coisas que Deus fará, que fala sobre elas como se já tivessem ocorrido. O tipo de poder manifestado pela força do seu braço no Êxodo, agora Ele se mostrará através do nascimento de Cristo (Êx 6.1; Sl 89.13). Não há força que se compare à sua.

Pela exibição maravilhosa do seu poder, Ele efetua reversões surpreendentes. Os arrogantes e orgulhos Deus dispersa. Ele subverte os governantes que não obedecem a sua vontade, mas exalta os humildes. Para aqueles que não são ricos nEle, Deus não dá nada, mas os famintos são satisfeitos com as bênçãos que Ele fornece. Deus trabalha em favor dos pobres, dos famintos e dos humildes — pouco importando o momento da vida em que eles estejam —, se eles se voltam para Deus em busca de cuidado. A despeito da situação difícil que estejam, Deus promete aos seus filhos que eles receberão grande recompensa no futuro. Aqueles espiritualmente sensíveis a Deus podem contar com isso.

Deus mantém sua Palavra. Ele ajudou Israel, seu servo, "recordando-se da sua misericórdia" (v. 54). Poderia ter parecido para alguns que Ele tinha se esquecido da promessa que fez a Abraão (Gn 12.1-3). Mas o que Deus está fazendo agora deixa claro que Ele se lembra de ser misericordioso e de cuidar de Israel segundo o seu concerto com Abraão e os pais. Maria tem a plena garantia de que Deus cuidará daqueles que estão abertos à sua graça em Israel. Ela pertence ao remanescente santo na nação (Rm 9.6). Por causa do ato de Deus se lembrar, ela dará à luz ao Salvador dos judeus e dos gentios. À medida que a história de Lucas progride, fica claro que Deus inclui os gentios em seu plano de salvação. Uma pessoa como Teófilo pode ter a garantia de que Deus se lembra de suas promessas aos gentios tanto quanto aos judeus.

2.4. O Nascimento de João Batista e o Cântico de Zacarias (1.57-80)

Com o nascimento de João Batista, Deus começa a cumprir o que o anjo predisse em Lucas 1.13-17. Deus nunca é relapso no cumprimento de sua promessa e, assim, Ele dá um filho a Zacarias e Isabel. Os versículos 57 e 58 registram o estímulo e interesses que se centralizam em torno do nascimento de João Batista. Os amigos e a família de Isabel ouviram que Deus lhe mostrou misericórdia e acabou com sua esterilidade. Muitos deles tomam parte com ela na alegria do acontecimento e lhe dão congratulações. O modo como Deus trata Isabel aumenta sua misericórdia, tema que corre pelos capítulos iniciais do Evangelho de Lucas.

De acordo com Gênesis 17.9-14, o rito da circuncisão ocorria no oitavo dia depois do nascimento. Embora as crianças recebessem o nome ao nascer (Gn 25.25,26; 29.32-35), o nome era oficialmente dado no momento da circuncisão. O ato de dar nome a João revela duas coisas surpreendentes.

1) As multidões presumem que o costume será seguido e que João receberá o nome do pai; tentam chamá-lo de Zacarias.[5] Mas Isabel não dará atenção a isso. O nome que ela escolheu é João, o nome que o anjo tinha dado no versículo 13. Lucas não nos dá indicação de como ela sabe o nome, mas ela provavelmente o soube de Zacarias.

2) Este incidente revela a possibilidade de um desacordo entre o plano divino e o desejo humano (Weisiger, 1966, p. 23). A multidão não está ciente do plano de Deus para a criança. Quando Deus dá um nome a uma pessoa, isso serve de direção especial à vida dela (Gn 17.3-5; 32.28).

A multidão não dá ouvidos a Isabel, mas Zacarias confirma a decisão de sua esposa. Por nove meses ele tem estado mudo, mas quando, para espanto de todos, ele escreve: "O seu nome é João", sua língua é imediatamente solta e ele começa a louvar a Deus. Exatamente como o anjo predisse em Lucas 1.20, o impedimento de Zacarias é removido com o cumprimento da promessa de Deus. Deus nunca deixa de cumprir suas promessas.

Os vizinhos ficam profundamente espantados, num profundo senso de reverência por saberem que Deus está em ação. Os acontecimentos incomuns tornam-se conhecidos e viram tópico de conversação "em todas as montanhas da Judéia" (v. 65). As pessoas profundamente impressionadas fazem a pergunta: "Quem será, pois, este menino?" Lucas conclui com um comentário: "E a mão do Senhor estava com ele" — a mão que dirige e sustenta seus servos escolhidos.

O cântico de Zacarias (vv. 68-79) é ainda outro testemunho da restauração da profecia, e fornece resposta profética à pergunta sobre o destino de João. Quando

Maria visitou Isabel, um cântico de louvor se seguiu ao momento em que se encontraram (vv. 46-55). Semelhantemente, o nascimento de João é seguido por um cântico de louvor. Ambos os cânticos são resultado de inspiração profética. O cântico de Maria inspirado pelo Espírito deu uma visão ampla da misericórdia de Deus em lidar com o seu povo, mas Zacarias focaliza o Messias (vv. 68-70),[6] sua missão (vv. 78,79) e o papel de João Batista (vv. 76,77). Há os que vêem o cântico de Zacarias como principalmente político, com ênfase na libertação de Israel de seus inimigos políticos, sobretudo de Roma (vv. 71-75). Mas Zacarias fala profeticamente, e o conteúdo de sua profecia é altamente espiritual e religioso. É verdade que pode haver um estreito vínculo entre as necessidades políticas e espirituais. Devemos observar que a libertação "das mãos de nossos inimigos", é para que sirvamos a Deus sem temor (v. 74). Em outras palavras, o cântico fala de libertação espiritual, e não de libertação política. Podemos, em resultado da libertação de nossos inimigos espirituais, servir a Deus "em santidade e justiça" (v. 75).

O cântico/profecia de Zacarias ocorre como resultado de ele ser cheio com o Espírito (v. 67). O tema do cântico inspirado pelo Espírito é o grande plano de salvação de Deus, e os acontecimentos que já aconteceram. Na sua declaração profética, Zacarias louva a Deus. O Senhor visitou seu povo e o fez na vinda do Messias (Lc 2.26-32), mas Ele vem para redimir (*lytrosin*), para salvar a alto preço. O chifre de um animal é símbolo de força e poder; assim, Deus levanta um Salvador poderoso, Jesus, descendente de Davi ("uma salvação poderosa", ou "um chifre salvação", Lc 1.69). O plano de Deus está sendo posto em prática, porque há muito tempo pelos profetas Ele havia prometido o Salvador (v. 70). As promessas incluem libertação do povo das mãos dos seus inimigos e uma lembrança do concerto feito com Abraão (vv. 71-73). Deus tinha feito promessas a Davi e a Abraão sobre o Messias; ambos os conjuntos de promessas têm seu cumprimento em Jesus.

Deus não faz nada pelo seu povo a não ser por meio de Jesus Cristo. Por Ele, Deus os liberta dos inimigos, como Satanás e os poderes das trevas. Esta libertação lhes torna possível servir a Deus de maneira santa e justa (vv. 74,75).

O cântico começou com o Messias, mas agora Zacarias profetiza sobre o futuro ministério de seu filho (vv. 76,77). Ele se dirige a ele diretamente e diz que ele será chamado "profeta do Altíssimo". Houve pouca ou nenhuma profecia durante séculos, mas agora isso mudou. Como precursor do Salvador, o profeta João contará ao povo sobre a salvação, a qual exige arrependimento e oferece o perdão de pecados. Palavras sobre salvação vistas como libertação dos inimigos agora dão lugar a palavras sobre salvação que resulta em afastar de nós o nosso pecado — tão longe quanto o leste está distante do oeste (Sl 103.12). O perdão emana da grande fonte das entranhas da misericórdia de Deus. O "oriente do alto" (*anatole*; "o sol nascente das alturas", ARA) é um quadro do Messias que nos visitará do céu (v. 78). O resultado dessa visitação será iluminação espiritual, como a alvorada dispersa a escuridão quando o dia amanhece. A vinda de Cristo dará luz àqueles que vivem na escuridão do pecado e afugentará a sombra irremediável da morte. Essa luz brilhará para sempre e vai "dirigir os nossos pés pelo caminho da paz" — uma paz que nos acalma a alma e fortalece nosso andar com Deus num mundo turbulento.

Lucas encerra esta unidade resumindo a infância de João Batista (v. 80). João tem crescimento normal até à maturidade, mas ele passa a juventude no deserto. Ele fica lá até que a palavra do Senhor lhe seja dirigida (Lc 3.2), e ele seja manifestado como profeta de Deus.

2.5. O Nascimento de Jesus (2.1-20)

Como o nascimento de João Batista, o nascimento de Jesus é cumprimento de profecia. Gabriel predisse que Maria daria à luz um filho, mas também as profecias de

Isaías 7.14 e Miquéias 5.2-5 são cumpridas no nascimento de Jesus. De acordo com estas profecias,
1) uma virgem teria um filho e
2) a cidade de Belém seria anfitriã do nascimento de uma criança que pastorearia o rebanho de Israel, e cuja autoridade alcançaria até aos confins da terra.[7] Deus trabalha de maneira misteriosa.

O tempo do nascimento do Salvador mostra que Deus usa os assuntos das nações, como a questão de um decreto imperial, para cumprir sua profecia. Lucas liga a história sagrada com um decreto de César Augusto (que regeu como imperador exclusivo de 27 a.C. a 14 d.C.) e coloca o nascimento de Jesus no palco do mundo. O decreto exigia que todos os cidadãos do Império Romano se alistassem nas suas casas ancestrais. Este censo aconteceu durante a administração de Cirênio, governador da Síria (Lucas fornece o único registro que temos sobre este censo, o qual provavelmente tinha a intenção de produzir uma lista de pessoas inscritas para taxação de impostos). Mateus 2.1 e Lucas 1.5 indicam que Herodes, o Grande, está vivo nessa época. Por conseguinte, o nascimento de Jesus ocorreu antes da morte de Herodes (primavera setentrional de 4 a.C.) e depois do censo de Cirênio. Embora seja difícil definir, o censo ocorreu provavelmente entre 6 e 4 a.C.

Em resultado do decreto de impostos, Maria e José viajam a Belém, lugar onde a profecia de Miquéias 5.2 disse que o Salvador devia nascer. Deus põe em execução seu propósito através de Zacarias, Isabel, Maria e agora pelo governo romano e por César Augusto. Como cidadão obediente à lei, José vai com Maria a Belém, a cidade de Davi. Pouco se sabe sobre os regulamentos de taxação; mas visto que a presença dele bastaria, presume-se que não era preciso que Maria fosse a Belém. Ela está vivendo com José como esposa, embora o casamento não tenha sido consumado fisicamente. Isto explica por que Lucas ainda fala dela como "esposa" (v. 5). Levando Maria consigo, José a protege das línguas difamadoras em Nazaré. Quando o casal chega a Belém, completa-se o tempo de Maria dar à luz ao seu primogênito.

O nascimento de Cristo é descrito nos termos mais simples: "E deu à luz o seu filho primogênito, e envolveu-o em panos, e deitou-o numa manjedoura, porque não havia lugar para eles na estalagem" (v. 7). Muito provavelmente a manjedoura era um cocho de alimentação para animais que agora serve de berço para a criança recém-nascida. O nascimento deve ter acontecido num estábulo ou caverna onde os animais eram guardados. Maria envolve o filho em longas tiras de pano para o proteger. Deus está pondo em execução Seu propósito eterno e o faz em tais circunstâncias humildes.

Pastores nos campos próximos são os primeiros a serem informados do nascimento de Cristo e a vê-lo. Um anjo aparece de repente diante deles, e a glória do céu brilha ao redor num esplendor radiante. Ele lhes proclama "novas [*euangelizomai*] de grande alegria, que será para todo o povo" (v. 10). O Evangelho é as boas-novas e, portanto, traz alegria, um tema que Lucas constantemente mantém diante de nós. Considerando que o evangelho é "para todo o povo", Deus inclui pastores, que estão no extremo mais baixo da escala social. Em outras palavras, as primeiras pessoas a ouvir o evangelho são pessoas comuns, humildes e necessitadas. A profecia de Isaías 61.1 já está se cumprindo: Aos pobres são pregadas as boas-novas.

A salvação que Deus dá é para todas as pessoas; não há fronteiras raciais, étnicas, sociais ou nacionais. A mensagem do anjo é para toda a humanidade: "Pois [...] vos nasceu hoje o Salvador, que é Cristo, o Senhor" (v. 11).[8] Com estes três títulos — Salvador, Cristo e Senhor —, o mensageiro celestial identifica a criança nascida sob semelhantes condições humildes e entre tais pessoas simples. Como *Salvador*, Ele age como libertador especial do pecado e da morte para todos o que nEle confiam. Como *Cristo*, Ele é o "Ungido", o Messias. A criança é ungida especialmente para reinar como Rei e dar cumprimento da esperança de Israel. *Senhor* é a palavra usada para se

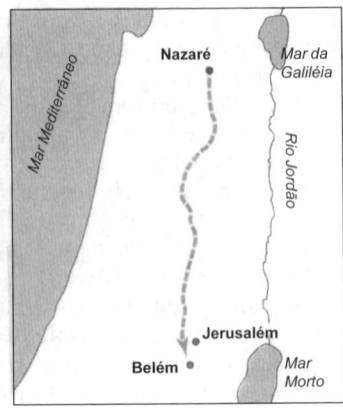

José e Maria viajaram de Nazaré a Belém, a casa de família de José, para se alistarem num censo do Império Romano. A igreja em forma de cruz, à esquerda, na Praça da Manjedoura em Belém, está no local onde Jesus nasceu.

referir ao Deus de Israel (Javé) na tradução grega do Antigo Testamento; fala da natureza divina daquEle que nasceu de uma virgem. Lucas-Atos narra a história de Jesus como Salvador, Cristo e Senhor — como Ele salva do pecado todo aquele que nEle crê.

Antes de o anjo se retirar, ele dá aos pastores um sinal de que os capacitará a identificar a criança: "Achareis o menino envolto em panos e deitado numa manjedoura" (v. 12). Talvez outras crianças tivessem nascido naquela noite em Belém, mas só uma estaria deitada numa manjedoura. Quando os pastores a virem, eles saberão que o anúncio do anjo é verdade. O pequenino bebê tem as mais pobres acomodações, um cocho de alimentação, contudo o bebê é muito grandioso. Paulo o expressa graficamente em 2 Coríntios 8.9: "Porque já sabeis a graça de nosso Senhor Jesus Cristo, que, sendo rico, por amor de vós se fez pobre, para que, pela sua pobreza, enriquecêsseis".

De repente hostes de anjos se juntam com o anjo que fez o anúncio. O louvor deste coro angelical não deixa dúvida sobre a grandeza da criança que veio fazer a obra de Deus. O cântico — "Glória a Deus nas alturas, paz na terra, boa vontade para com os homens!" (Lc 2.14) — expressa o que o nascimento do Salvador significa no céu e na terra.

1) Os anjos declaram a glória de Deus que tanto brilhou na vinda do seu Filho em carne. O bebê que está deitado numa manjedoura torna visível a majestade e a graça de Deus. Nesta criança, Deus se encarnou.

2) Na terra, o significado do menino Jesus é sumariado na palavra "paz" (*eirene*). Esta palavra compreende mais que a ausência de discussão e conflito, porque denota todas as bênçãos de Deus que vêem por Jesus Cristo. Como fruto da vinda de Cristo, a paz provoca uma situação caracterizada por uma relação nova entre Deus e aqueles que confiam nEle. Cristo ganhou a paz para toda a humanidade (v. 10), mas ela só é experimentada por "homens, a quem ele [Deus] quer bem" (ARA). Isto é, o bem (*eudokia*) salvador de Deus só está sobre aqueles que pessoalmente aceitam o menino Jesus como o Salvador do mundo.

Depois de ouvirem o cântico das hostes celestiais, os pastores vão às pressas para a cidade de Davi e vêem, por si mesmos, o bebê deitado numa manjedoura. Eles não apenas são os primeiros a ouvir a proclamação das boas-novas, mas também se tornam os primeiros seres humanos a contar aos outros sobre o acontecido (v. 17). Aqueles que souberam pelos pastores sobre o que aconteceu ficaram muito admirados. Em contraste, Maria pondera o significado de todos estes acontecimentos. São tão miraculosos que ela tenta entender-lhes o significado. Não há dúvida de que Lucas deseja que seus leitores façam o mesmo.

Nesse intervalo os pastores partem. O anúncio que o anjo lhes fizera acerca das "novas de grande alegria" não é uma mensagem comum. O sinal de um bebê deitado numa manjedoura não é um sinal comum. O nascimento de um Salvador que é Cristo, o Senhor, não é um nascimento comum. Os pastores voltam "glorificando e louvando a Deus por tudo o que tinham ouvido e visto, como lhes havia sido dito" (v. 20). A presença de Deus permeia a história da concepção e nascimento de Jesus.

2.6. Jesus quando Criança no Templo (2.21-40)

Maria e José criam Jesus de acordo com a lei de Moisés. Cinco vezes nesta passagem Lucas menciona que os pais de Jesus agem conforme a lei (vv. 22,23,24,27,39). Estas ações mostram a devoção e fé que têm. Como exigido pela lei, Jesus é circuncidado no oitavo dia. Mas a ênfase está no nome dado à criança em vez de estar na circuncisão. Ele é chamado de "Jesus", como o anjo instruiu.

Na qualidade de judeus devotos, Maria e José vão ao templo novamente para oferecer sacrifícios para a purificação de Maria depois de ela dar à luz. Segundo Levítico 12, a mulher que dá à luz é impura por sete dias. Depois de quarenta dias, ela tem de ir ao templo para ser purificada. No ritual da purificação incluía-se o oferecimento de certos sacrifícios. Não está claro por que o pronome "deles" foi usado em "purificação deles" (Lc 2.22, ARA), mas pode ser que José também esteja cerimonialmente impuro. No templo, os pais de Jesus seguem as instruções de Êxodo 13.2,12-15, que trata da redenção de todo primogênito do sexo masculino. Esta criança pertence a Deus, e pode ser redimida pelo oferecimento de um sacrifício. O preço pago por Maria e José é de "um par de rolas ou dois pombinhos" (Lc 2.24), que é a oferta prescrita para pessoas pobres (Lv 12.8).

Maria e José levam Jesus consigo ao templo para apresentá-lo ao Senhor para o serviço. Não há exigência de que a dedicação devesse ocorrer no templo, mas os pais sentem que é apropriado fazê-lo. Esta apresentação lembra a dedicação de Samuel. No templo, ocorre um evento significativo. Simeão, um ancião, conhecido por sua devoção pessoal, porta-se corretamente em todos os assuntos. Ele tem um andar vibrante com Deus, "esperando a consolação de Israel" (um nome para aludir ao Messias). Seus olhos estão fixos na libertação espiritual do povo de Deus. Simeão é mais que um devoto; é profeta. Repousando sobre ele está o Espírito Santo, que lhe garantiu que antes que morresse ele veria o Ungido do Senhor. Por três vezes o texto menciona a influência do Espírito sobre Simeão (vv. 25,26,27).

O Espírito dirige Simeão ao templo na mesma hora em que Maria e José estão lá para dedicar seu filho infante ao Senhor. Quando Simeão vê Jesus, ele sabe imediatamente que a criança é o Messias e a pega em seus braços. Da mesma maneira que Isabel (Lc 1.41) e Zacarias (Lc 1.67) falaram profecias inspiradas pelo Espírito antes do nascimento de Jesus, assim Simeão e Ana (Lc 2.36-38) falam profeticamente quando a criança é levada ao templo.

Com o Messias nos braços de Simeão, o Espírito inspira o ancião a fazer uma oração profética de louvor (vv. 29-32). Sua profecia é uma expressão madura de fé, similar ao cântico de louvor de Maria (Lc 1.46-55) e de Zacarias (Lc 1.67-79). Deus manteve sua promessa a Simeão de que ele, antes de morrer, veria o Messias. Agora uma nova era de salvação despontou, e ele viu o menino Jesus, a fonte de vida, por quem a salvação será oferecida ao mundo. A expectativa à qual ele dedicou a vida se cumpriu. Agora ele pode morrer "em paz" (*en eirene*) — com um profundo senso de tranquilidade e em harmonia com Deus e seus seres humanos companheiros.

Simeão viu a salvação pessoalmente, a qual não é outra senão o bebê que ele mantém nos braços. Esta salvação Deus preparou "perante a face de todos os povos" (v. 31), significando que os gentios e o povo de Israel experimentarão a libertação de pecado. Simeão passa a explicar a natureza da salvação que Deus preparou — é "luz para revelação aos gentios" (v. 32, ARA). Jesus é luz, e vai trazer luz que servirá de revelação que abre o caminho de salvação para os gentios, o qual era desconhecido antes de Ele vir. Porém, a vinda de Jesus também tem como conseqüência glória para Israel (Is 40.5). O Antigo Testamento fala sobre a glória de Deus como suas manifestações de si mesmo para eles, mas o envio do seu Filho ao mundo é manifestação sem igual da sua presença visível para Israel. Os israelitas são o povo a quem Deus honrou para dar à luz ao Messias; nenhum outro povo na terra tem tal glória. A luz dada aos gentios de nenhum modo diminui a glória de Israel. O Messias vem para guiar judeus e gentios para a glória.

José e Maria ficam surpresos com o que Simeão está dizendo sobre Jesus. Pela primeira vez os pais ouvem falar do significado do seu filho não só para Israel, mas também para os gentios — salvação para toda a humanidade. Mas Simeão não terminou. Com unção profética, Ele prediz a Maria que a missão de Jesus importará em julgamento sobre Israel. Ele "é posto para queda e elevação de muitos em Israel" (v. 34). Aqui não devemos pensar sobre um grupo que cairá e depois se levantará. Antes, aqueles que rejeitam Jesus cairão e estarão em perigo de julgamento eterno; outros que o aceitam se levantarão e entrarão na salvação. Jesus dividirá a nação de Israel — alguns a favor dEle e outros contra Ele. Seu ministério extraordinário é designado por Deus como sinal de salvação, mas "sinal que é contraditado". A oposição a Ele culmina na morte na cruz, mas continua para aqueles que pregam o arrependimento e perdão de pecados no seu nome.

Em Atos, vemos a profecia de Simeão cumprida. Pregando o Jesus crucificado no Dia de Pentecostes, Pedro obtém sucesso extraordinário. Contudo, por causa da pregação do evangelho, a Igreja enfrenta oposição. As autoridades tentam silenciar os missionários (At 4.1—5.42), Estêvão é executado (At 7.54-60) e Paulo é preso, quase perdendo a vida nas mãos de judeus que juraram matá-lo (At 23.12-22). O ensino e vida de Jesus atraem muitos para Ele, mas eles também provocam a fealdade da oposição e blasfêmia. Os pensamentos de muitos corações são revelados por sua vinda (Lc 2.35b), quer os pensamentos da incredulidade, quando Ele foi rejeitado, quer os pensamentos da fé, quando Ele é aceito como Salvador e Senhor.

Simeão também prediz que a rejeição do Filho trará tristeza e dor para Maria — "uma espada traspassará também a tua própria alma" (Lc 2.35a). A "espada" é símbolo de sofrimento. Na rejeição do seu Filho, que culminará com a morte dEle na cruz, ela experimentará grande tristeza. No Evangelho de Lucas esta é a primeira sugestão que conecta a missão de Jesus com seu sofrimento. A resposta ao seu sofrimento revela onde cada pessoa está diante de Deus.

Presente na dedicação de Jesus no templo está outra devota — a idosa profetisa Ana, que tinha estado casada por somente sete anos, e depois ficou viúva. Ela continua indo adorar no templo, provavelmente nunca perdendo um culto sequer. Muito do seu tempo é gasto lá em jejum e oração. Indubitavelmente ela olhou para futuro quando o Messias viria e orou muitas vezes para que ela o visse. Agora ela dá sinceros agradecimentos a Deus pela chegada da criança. Não somos informados o que Ana disse na sua profecia inspirada pelo Espírito, mas ela deve ter reforçado a mensagem de Simeão. Por muito depois que José, Maria e Jesus saem, Ana continua falando sobre o Salvador recém-nascido a todos que estão esperando a redenção (*lytrosis*) de Jerusalém. Aqui, Jerusalém não é política mas espiritual, representando a nação de Israel. No Calvário, o Salvador vai pagar o preço pela libertação da escravidão espiritual dos que o esperam.

Tendo feito tudo o que a lei mosaica requer, a família volta a Nazaré. Nessa cidade pouco conhecida cresce o Filho encarnado de Deus, o Salvador do mundo. Nunca poderemos penetrar o mistério do desenvolvimento de Jesus, mas à medida que Ele cresce, Ele aumenta em força e está cheio de sabedoria (*sophia*), obtendo *insight* sobre a vontade e governo de Deus. Deus lhe dá grande graça (*charis*) e continua abençoando-o.

2.7. Jesus quando Menino no Templo (2.41-52)

Os anjos proclamaram o nascimento do Salvador (Lc 2.8-14). Vozes proféticas têm falado mensagens de grande esperança sobre o menino Jesus e avisado sobre sofrimento e julgamento (Lc 2.28-38). A declaração resumida em Lucas 2.40 nos fala sobre o crescimento de Jesus, mas sabemos muito pouco sobre sua infância. Lucas acentua o mistério divino e humano em Jesus Cristo. Porém, ele registra um incidente da infância de Jesus que indica a consciência de Jesus de sua relação única com o Pai celestial e um senso claro de sua chamada.

Com a idade de doze anos, um menino judeu se torna "filho da lei" (*bar mitzvah*). Nesse momento, ele aceita os deveres e obrigações religiosas aos quais os pais o entregaram pelo rito da circuncisão (Caird, 1963, p. 66). Para Jesus, isto acontece quando seus pais sobem a Jerusalém para celebrar a Páscoa. O Antigo Testamento ordenava que toda pessoa do sexo masculino comparecesse em Jerusalém para três festas: a Páscoa, o Pentecostes e os Tabernáculos (Êx 23.14-17; 34.23; Dt 16.16). A dispersão dos judeus pelo mundo tornou impossível que todos fizessem isto nos dias de José e Maria. Apesar da distância, os judeus devotos faziam a jornada pelo menos uma vez por ano para a Páscoa. Não era exigido que as mulheres comparecessem, contudo muitas iam.

A Páscoa é observada no décimo quarto dia do mês de nisã (ao redor de 1 de abril) para comemorar a libertação de Israel da escravidão do Egito (Êx 12.24-27). Quando Jesus tem doze anos, sua família faz a jornada de Nazaré a Jerusalém (cerca de cento e vinte quilômetros) para comparecer na festividade de sete dias (Êx 12.15; Lv 23.8). Depois de terminar, Maria e José voltam para casa, presumindo que Jesus está com amigos ou parentes na caravana de peregrinos da Galiléia. Quando descobriram que Ele ficou para trás, eles voltam a Jerusalém e o procuraram. No terceiro dia, encontram-no no templo, ouvindo e fazendo perguntas aos mestres. Este menino de doze anos os deixa admirados (*existanto*, aspecto imperfectivo; lit., "estavam fora de si") com os *insights* e respostas que dava. Estes mestres nunca encontraram um menino que tivesse um entendimento da verdade como Ele. Sua compreensão envolve mais que ser aluno brilhante, pois sua mente e coração estavam cheios de sabedoria divina (v. 40). Que criança admirável e abençoada!

Quando José e Maria o encontram, o que eles vêem os surpreende de vez. A pergunta de Maria é natural e expressa a preocupação de mãe sobre a dor que Jesus lhes causou por permanecer em Jerusalém. Aqui está o primeiro cumprimento da profecia de Simeão feita a Maria: "Uma espada traspassará também a tua própria alma" (v. 35). A queixa moderada de Maria faz Jesus falar pela primeira vez no Evangelho de Lucas e declarar que o lugar natural para Ele é "na casa de meu Pai" (v. 49, ARA), o templo (cf. Jo 2.16). Maria e José precisam entender a missão dEle. Ele está ausente de sua casa terrestre porque tem um forte senso de dever (*dei*, "é necessário", "convém") estar na casa do seu Pai celeste.

Uma palavra-chave aqui é "Pai", que chama a atenção para uma família caracterizada por relação íntima e pessoal. Jesus tem uma relação mais profunda com o Pai celeste. Aos doze anos, Ele afirma sua filiação única. Deus é seu Pai; Ele é o Filho de Deus. Jesus não é como os outros homens; em certo sentido único Ele é o Filho de Deus. Ele foi identificado como tal pela voz do céu no batismo e subseqüentemente na transfiguração: "Tu és meu Filho amado; em ti me tenho comprazido" (Lc 3.22;

9.35). Jesus é o Filho de Deus pelo milagre e mistério da encarnação. A manifestação do Filho de Deus na carne é um paradoxo profundo. Jesus é completamente Deus; contudo, é completamente humano, que nasceu de uma virgem e experimentou os processos normais do crescimento humano. Quando seus pais o acham no templo, Jesus expressa o conhecimento de quem Ele realmente é. Deste tempo em diante Ele tem o que estudiosos chamam de "consciência messiânica" — uma consciência de sua pessoa e missão.

Jesus não fica orgulhoso ou rebelde, porque Ele tomou conhecimento de sua relação sem igual com o Pai celestial. Como filho obediente aos pais, Ele volta a Nazaré. Mas José e Maria não entendem as observações de Jesus. Eles se maravilharam com a profecia de Simeão (Lc 2.33) e ficam surpresos com as palavras do Seu filho no templo. Maria "guardava no coração todas essas coisas", mas ela não tem entendimento claro de como sua missão se desdobrará. Ela tem mais perguntas que respostas. Enquanto isso, Jesus espera pelo tempo de Deus para começar seu ministério. À medida que Ele envelhece, seu desenvolvimento é aperfeiçoado, crescendo "em estatura, e em graça para com Deus e os homens" (v. 52). Lucas quer que seus leitores façam como Maria fez. É bom ponderarmos quem Jesus é e que missão Ele realizará.

2.8. A Unção de Jesus (3.1-38)

O corpo principal do Evangelho de Lucas começa em Lucas 4.14, com o ministério de Jesus. Lucas 1.5 a 2.52 e Lucas 3.1 a 4.13 são duas seções introdutórias as quais registram os acontecimentos antes que esse ministério comece. A primeira seção inicia com o anúncio do nascimento de João Batista (Lc 1.5-25) e a segunda (Lc 3.1—4.13), com o ministério de João Batista (Lc 3.1-20), que serve de preparação ao ministério de Jesus. Nas duas seções introdutórias os acontecimentos da vida de João e Jesus estão estreitamente relacionados.

2.8.1. A Pregação de João Batista (3.1-20). O Evangelho de Lucas concentra-se na poderosa obra salvadora de Deus através de Jesus Cristo. João Batista tem seu papel a desempenhar como precursor de Jesus. Lucas coloca o ministério profético de João Batista no contexto da história mundial. Começa no décimo quinto ano do reinado do imperador romano Tibério (14-37 d.C.), ou seja, em 28-29 d.C. Embora não mencionado por nome em outro lugar do Novo Testamento, o imperador que os judeus declaram que era seu rei é este mesmo Tibério (Jo 19.15). Lucas passa a observar cuidadosamente os líderes políticos e religiosos das áreas onde Jesus ministrará. Os detalhes aqui lembram a intento de Lucas investigar tudo desde o princípio e escrever uma narrativa por ordem (Lc 1.1-4). A lista que ele fornece aqui dá o cenário religioso e político para o começo do ministério de João Batista e ajuda o leitor a datar os acontecimentos.

João Batista dá início ao começo da era do cumprimento, a era do evangelho. Ele está entre a velha e a nova era, formando uma ponte entre elas e, dessa forma, pertencendo a ambas (Marshall, 1978, p. 132). João Batista será chamado "profeta do Altíssimo" (Lc 1.76), mas Jesus será chamado "Filho do Altíssimo" (Lc 1.32,35). João Batista é cheio com o Espírito já no útero da mãe (Lc 1.15), mas Jesus é concebido pelo Espírito Santo (Lc 1.35). O nascimento de João Batista é proclamado por vizinhos e parentes (Lc 1.58), mas o nascimento de Jesus é proclamado por anjos (Lc 2.9-14). Jesus é o herdeiro do trono de Davi e seu Reino nunca terminará (Lc 1.32,33), e desde o seu nascimento Ele é proclamado como Salvador, Messias e Senhor (Lc 2.11). O próprio João Batista não pode cumprir as esperanças para o tão esperado Messias, mas ele é ungido pelo Espírito para preparar o caminho ao ministério de Cristo.

Enquanto João Batista está no deserto (a região despovoada no lado ocidental do rio Jordão), a palavra (*rhema*) de Deus vem a ele como tinha vindo a outros profetas (Is 38.4; Jr 1.2). Esta palavra é mais que mera mensagem do céu. Tem poder para cumprir o propósito de Deus no mundo e não volta vazia. Deus mantém sua palavra.

Lucas emprega dois termos gregos para aludir a "palavra" (*logos* e *rhema*), mas não devemos fazer distinção rígida entre eles. Ambos têm a ver com a salvação ou a mensagem de salvação (*rhema*: Lc 1.37,38; 2.11,15,17,29,30,48-50; 9.44,45; 18.34; 24.8; At 2.14; 5.20; 10.37; 11.14; 26.25; *logos*: Lc 4.22; 5.1; 9.26; 10.39; 11.28; At 13.26,48; 14.3; 16.30-32; 18.5-11). A mensagem de salvação de Deus tem poder em si e é eficaz para trazer grandes bênçãos àqueles que recebem a mensagem e julgamento para todo aquele que a rejeita.

O ministério de João Batista começa quando ele recebe a palavra poderosa de Deus. Como os profetas do Antigo Testamento, ele é inspirado pelo Espírito Santo e age debaixo da direção de Deus, a fim de proclamar "o batismo de arrependimento, para o perdão dos pecados" (Lc 3.3). O batismo em águas é um rito externo que significa a purificação de pecados. Aqui, é descrito como "batismo de arrependimento" (*metanoias*, genitivo descritivo), que significa literalmente "batismo arrependido" — um batismo que é feito completamente por arrependimento. Só o arrependimento prepara a pessoa para o batismo. Na frase "para o perdão dos pecados" (*eis aphesin hamartion*), "para" (*eis*) indica resultado, não causa (Dana e Mantey, 1955, pp. 105-106). Quer dizer, o arrependimento resulta no perdão de pecados. É óbvio que João Batista não pensa que o batismo em si obtém o perdão. Antes, é um sinal de perdão que é o resultado de arrependimento genuíno e afastamento do pecado.

Com sua pregação messiânica, João Batista cumpre a profecia de Isaías 40.3-5 (cf. Mt 3.3; Mc 1.2,3; Jo 1.23). A mensagem de Isaías tem grande significado espiritual e moral (Lc 3.4-6). Todos os quatro evangelistas identificam João Batista com a voz que clama no deserto, mas só Lucas inclui as palavras: "E toda carne verá a salvação de Deus" (v. 6) — palavras consistentes com a ênfase de Lucas na salvação para todos os povos e sua previsão da missão mundial da Igreja. À medida que a vinda do Senhor se aproxima, o caminho deve estar preparado de forma que Ele possa vir. Todo vale deve ser cheio e toda montanha e monte devem ser nivelados, de maneira que Ele possa transitar numa estrada reta e verdadeira. Quer dizer, todos os impedimentos e obstáculos devem ser removidos para a chegada do Senhor. Quando as pessoas se voltarem de seus pecados, o caminho estará preparado para a vinda do Senhor.

Assim Deus está a ponto de estabelecer o seu Reino, e Ele enviou João Batista para preparar o caminho. Mateus e Marcos deixam claro que João Batista anuncia a proximidade do Reino de Deus (Mt 3.2; Mc 1.14,15). O Reino sobre o qual ele fala não é, no sentido mais amplo, o governo de Deus desde o princípio da criação. Seu anúncio tem a ver com um aspecto do governo de Deus que agora está se aproximando, mas que ainda não se tornou realidade. O reino que João Batista proclama é o governo de Deus realizado pelo Messias prometido e pela presença e poder extraordinários do Espírito Santo.

À medida que João Batista prega, ele declara o padrão da justiça de Deus a fim de preparar o povo para a vinda do Messias. Multidões saem para serem batizadas por ele, mas elas não mostram contrição pelos pecados. A mensagem de João Batista é arrependimento, e o batismo só é significativo quando é sinal de arrependimento sincero. Arrependimento — nunca o batismo — é o que traz perdão. Sem isso, todas as pessoas encontram-se debaixo da ira de Deus como incrédulas. João Batista sabe que as pessoas precisam de arrependimento e perdão e, assim, chama-as de "raça de víboras", expondo-as como hipócritas ardilosas. Elas são tão más como as serpentes e precisam ser transformadas, visto que o fogo da ira de Deus se aproxima.

João Batista exige que as pessoas produzam frutos — atos bons "dignos de arrependimento" (v. 8). Não lhes é suficiente afirmar que se arrependeram; elas têm de provar as afirmações que fazem por conduta consistente com arrependimento. Arrependimento (*metanoia*) genuíno envolve mais que arrepender-se do que fizemos ou desejar fazer melhor no futuro, mas sem ter o verdadeiro desejo de parar de pecar. Nos termos bíblicos, arrepender-se é "mudar nossa mente". Esta mudança produz uma mudança de atitude para com Deus e o pecado, que leva à salvação e resulta em uma nova direção para nossa vida. "A tristeza segundo Deus opera arrependimento para a salvação" (2 Co 7.10; cf. também At 3.19; 26.20). Os crentes de Tessalônica manifestaram arrependimento bíblico quando se voltaram dos ídolos, sendo o pecado primário a idolatria, para servirem ao Deus vivo (1 Ts 1.9,10). Deus nos chama ao arrependimento, de forma que Ele possa transformar nosso coração e mudar a direção de nossa vida.

Como precursor de Jesus, João Batista adverte sua audiência, dizendo-lhes que herança religiosa não os salva do castigo que Deus dá aos pecadores (Lc 3.8). Eles são judeus, descendentes de Abraão, mas isso em si não os torna filhos de Deus. Uma boa herança pode ser vantajosa, mas não garante a ninguém uma relação certa com Deus. Ninguém nasce crente; ninguém pode herdar a salvação. O único caminho para Deus é por arrependimento e fé em Jesus. Ser de boa família e linhagem pode ser benéfico, mas não produz salvação.

A experiência de salvação é questão de poder criativo de Deus. De pedras sem vida "pode Deus suscitar filhos a Abraão" (v. 8). Esta verdade indica o poder criativo da graça de Deus, que transforma drasticamente a vida de todos os que se chegam a Ele em arrependimento. Se Deus pode produzir vida nova a partir de pedras sem vida, com certeza Ele pode fazê-lo com pessoas.

O julgamento está se aproximando rapidamente. Como João Batista declara: "E também já está posto o machado à raiz das árvores" (v. 9). Como um machado que está levantado, o julgamento divino está prestes a cair. Toda árvore infrutífera será cortada e queimada por Deus, enquanto que as árvores que produzirem bom fruto, que derem evidência de arrependimento sincero, permanecerão. É comum a Escritura falar de fogo em referência ao julgamento de Deus sobre os ímpios. As chamas do julgamento divino consumirão os que não atendem a chamada de arrependimento. É melhor escapar da ira vindoura e não ser queimado.

A mensagem urgente de João Batista tem um impacto sobre a audiência. Três grupos perguntam: "Que faremos, pois", para escapar da ira de Deus? A resposta de João Batista é simples. O primeiro grupo, o qual é formado pelos que têm duas túnicas (*chiton*, "roupa de baixo"), deve repartir com quem não tem. O mesmo se aplica à comida. O dever é compartilhar roupa extra do guarda-roupa e comida com os pobres. Eles devem ser generosos e não ficar cegos às necessidades dos outros. O segundo grupo são os publicanos; eles têm de ser honestos e justos, coletando só a quantia certa de impostos. O terceiro grupo, os soldados, deve evitar pecados como roubar pelo uso de violência e acusar pessoas falsamente. Estes pecados têm a ver com obter dinheiro por meios ilícitos. Assim João Batista os exorta a ficarem satisfeitos com os salários que percebem. João Batista explicou em termos práticos o que são "frutos dignos de arrependimento" (v. 8). Infelizmente, há a tentação de os seres humanos pecadores ficarem cegos diante das necessidades dos pobres, extorquirem dinheiro dos outros e levarem vantagem dos menos favorecidos.

Como grande profeta como João Batista é, ele conhece as próprias limitações. Ele mesmo não pode cumprir as esperanças que o povo nutria pelo Messias. A pergunta que fazem concernente à sua identidade (v. 15) permite que João Batista faça distinção entre ele e aquEle que vem. Nos versículos 16 e 17, ele indica três maneiras nas quais ele difere daquEle que ainda vem.

1) AquEle que vem é mais poderoso que João Batista. Nos seus dias, esperava-se que um escravo retirasse os calçados do seu senhor. João Batista indica que ele não é digno de ser o criado de um mais poderoso que ele.
2) João Batista batiza em águas, mas o mais poderoso batizará com (ou "em") o Espírito Santo e com (ou "em") fogo. No desempenho de qualquer batismo deve haver um agente que faz o batismo, o elemento no qual o batismo acontece e o candidato que é batizado. Quando João batiza, ele é o agente, a água do rio Jordão é o elemento e os candidatos são os que

se arrependem e pedem para serem batizados. No batismo do Espírito, Jesus Cristo é o agente, o Espírito Santo é o elemento e o candidato é o crente. Atos 2.33 ensina claramente que Jesus é o agente no batismo no o Espírito. Assim, o Espírito Santo é o elemento e o crente, o candidato. Na *conversão*, o crente é batizado espiritualmente no Corpo de Cristo (a Igreja) pelo Espírito Santo (1 Co 12.13). Depois, *subseqüentemente*, o crente em Cristo pode ser batizado no Espírito Santo por Cristo. Na conversão, o primeiro batismo, o Espírito Santo é o agente; no recebimento da plenitude do Espírito, o segundo batismo, Cristo é o agente.

3) João Batista não somente prega um batismo "com o Espírito Santo", mas também um batismo "com o Espírito Santo e *com fogo*" (ênfase minha). O batismo com fogo pode se referir a um segundo aspecto do ministério de Jesus: purificação e julgamento. Porém, "fogo" no versículo 16 não diz respeito, pelo menos primariamente, ao julgamento final e à destruição por fogo dos ímpios, mas aos acontecimentos momentosos do Livro de Atos. A unção com o Espírito não é identificada explicitamente com o batismo com o Espírito e com fogo, mas Jesus confirma a promessa de João Batista acerca do batismo com o Espírito em Atos 1.5, o qual é cumprido como "línguas de fogo" que pousaram sobre cada um dos discípulos no Dia de Pentecostes: "E todos foram cheios do Espírito Santo e começaram a falar em outras línguas, conforme o Espírito Santo lhes concedia que falassem" (At 2.1-4). Assim "fogo" faz parte da experiência pentecostal, conforme está descrito em Atos 2. Línguas e profecia são os sinais recorrentes do batismo com o Espírito em Atos.

João Batista indica Jesus como aquele a quem devemos prestar contas. Ele é descrito como o último juiz na pregação de Atos (At 4.10-12; 10.42; 17.31). Embora João Batista pregue muitas coisas, inclusive julgamento, sua mensagem é chamada "evangelho" (Lc 3.18, ARA). Podemos não considerar julgamento como parte vital do evangelho, as boas-novas, sobretudo devido às severas advertências de João Batista. Mas as boas-novas de salvação exigem que os pecadores se arrependam e mudem de atitude. Assim como um remédio, a mensagem pode ser amarga de engolir, mas a pregação que expõe as demandas morais e espirituais das boas-novas traz cura para a alma. O evangelho é questão de vida ou morte.

João Batista continua pregando intrepidamente justiça e julgamento. Ele reprova Herodes Antipas, o governador da Galiléia, por haver se casado com Herodias, a esposa do seu irmão, Filipe. Herodes a persuadira a deixar o primeiro marido para se casar com ele, ao mesmo tempo em que despedira a própria esposa. Ciente destas ações más, João Batista põe em palavras o que muitas pessoas sentiam sobre o casal real. Herodes revida lançando o profeta na prisão e, assim, mais acrescenta aos próprios pecados. Pecados que não são corrigidos freqüentemente se multiplicam e aumentam.

O ministério de João Batista se sobrepõe com a parte inicial do ministério de Jesus, mas aqui Lucas o conclui para que ele possa focalizar o ministério de Jesus.

2.8.2. O Batismo de Jesus (3.21,22). João indicou Jesus, aquele que vem, mas agora que Jesus chegou, Lucas se concentra na capacitação de Jesus para o ministério pelo Espírito Santo. A experiência de Jesus do Espírito começou com o anúncio que o anjo Gabriel fez a Maria sobre o nascimento milagroso (Lc 1.26-34). Mas cerca de trinta anos depois, Ele começa uma nova relação com o Espírito Santo, na qual Ele é ungido pelo Espírito para ministério (cf. Lc 4.18; At 10.38). A descida do Espírito sobre Jesus marca o começo do seu ministério público cheio do Espírito (Lc 4.1,14,18,19). Sua experiência no rio Jordão significa que Ele é pentecostal e carismático — por excelência, um homem do Espírito.

O Espírito desce sobre Jesus quando João o inclui entre aqueles a quem ele está batizando. Recebendo o batismo de João Batista, Jesus se identifica com o povo. O batismo de João é batismo de pecador, para significar arrependimento, mas Jesus não tem pecado do qual se arrepender. Mas como Servo Sofredor de Isaías 53, Ele assume sua posição com os pecadores, a quem Ele veio salvar. A unção de Jesus pelo Espírito é distinta do batismo de João Batista, no que tange a torná-la uma capacitação profética para o ministério. Enquanto Jesus está orando, Ele é cheio com o Espírito. Ao longo do Evangelho de Lucas, os acontecimentos críticos da vida terrena de Jesus desdobram-se no contexto da oração (Lc 6.12; 9.18,28; 10.21; 11.1; 22.32; 23.34,46). Ele olha para o Pai divino durante cada passo de sua missão (Bock, 1994, p. 78). A oração é como o contexto no qual o Espírito é dado (Lc 11.13; At 1.14,24; 4.24-31; 8.14-17). A vida de oração de Jesus e os crentes primitivos dão aos cristãos um exemplo a seguir.

A unção de Jesus é marcada pela descida do Espírito "em forma corpórea, como uma pomba", e a voz de Deus que conclama dos céus: "Tu és meu Filho amado; em ti me tenho comprazido" (Lc 3.22). Esta experiência é cumprimento visual e vocal da promessa de Deus a seu Servo em Isaías 42.1. A descida do Espírito como pomba confirma por sinal visual a promessa: "Pus o meu Espírito sobre ele"; a voz do céu confirma as palavras: "Em quem se compraz a minha alma". A abertura dos céus lembra o clamor de Isaías para que Deus fendesse os céus e descesse (Is 64.1). Deus intervém com poder no batismo de Jesus, e o Espírito o equipa para seu ministério de pregação, ensino e cura. A voz celestial proclama Jesus, o Ungido, como Filho de Deus, o verdadeiro Rei de Israel (cf. Sl 2.7). Mas Ele não é filho de Deus como os reis de antigamente eram, pois Ele é o amado, singular e "único" Filho de Deus (cf. Lc 10.21,22).

Os acontecimentos e palavras que se seguiram ao batismo de Jesus reiteram que Ele é o Filho de Deus: a genealogia (Lc 3.38), as tentações (Lc 4.3,9) e o ministério de cura (Lc 4.41). Apenas em mais um lugar no Evangelho de Lucas a voz de Deus irrompe e confirma Jesus como seu Filho (Lc 9.35), imediatamente depois da sua primeira predição de que "o Filho do Homem [padeceria] muitas coisas" (Lc 9.22). Lucas vê Jesus como carismático e também como uma Pessoa do Deus trino.

A unção do Espírito estende-se a todo o ministério de Jesus. Do batismo em diante, Ele é cheio do Espírito (Lc 4.1a), conduzido pelo Espírito (Lc 4.1b) e capacitado pelo Espírito (Lc 4.14). Sua experiência no rio Jordão é programática para seu ministério, do início ao fim. No começo do ministério de Jesus todas as pessoas tentam tocá-lo, "porque saía dele virtude que curava todos" (Lc 6.19). Quando seu ministério chega ao fim, alguns dos discípulos declaram: "[Ele] foi um profeta poderoso em obras e palavras diante de Deus e de todo o povo" (Lc 24.19). Anos mais tarde, Pedro fala sobre "como Deus ungiu a Jesus de Nazaré com o Espírito Santo e com virtude; o qual andou fazendo o bem e curando a todos os oprimidos do diabo" (At 10.38). O futuro ministério de Jesus — tudo o que Ele faz e diz — é dirigido, inspirado e autorizado pelo Espírito.

João Batista prometeu que Jesus batizaria com o Espírito Santo (Lc 3.16). Esta promessa, junto com a experiência de Jesus no rio Jordão, enfatiza a importância de Jesus ser primeiramente ungido pelo Espírito. Antes de Ele dar o Espírito aos crentes para unção e serviço, Ele precisa ser capacitado pelo próprio Espírito. O cumprimento da promessa de João Batista de que Jesus batizaria com o Espírito Santo e com fogo começa no Dia de Pentecostes (At 2). Tendo recebido o Espírito no começo do seu ministério, Ele se torna o doador do Espírito (At 2.33). A descida do Espírito sobre Jesus e o derramamento do Espírito no Dia de Pentecostes são unções para ministério. AquEle que foi ungido pelo Espírito no início do seu ministério subseqüentemente equipa e capacita os discípulos para o ministério de ensino, pregação e cura. Eles se tornam herdeiros e sucessores do seu ministério ungido pelo Espírito depois que Ele ascende ao céu (At 1.9ss).

2.8.3. A Genealogia de Jesus (3.23-38).
Lucas declarou que João Batista começou a

ministrar no décimo quinto ano de Tibério (Lc 3.1-3), que é 29 d.C. Se o ministério de João Batista começou no início daquele ano, o ministério de Jesus vem logo em seguida, provavelmente entre o verão de 29 e a Páscoa de 30. Nessa época Jesus tem possivelmente trinta e dois anos. Isto se encaixa com a observação de Lucas: "Ora, tinha Jesus cerca de trinta anos ao começar o seu ministério" (v. 23, ARA). A duração do ministério de Jesus é baseada principalmente em evidências no Evangelho de João, pois João nos informa que Jesus compareceu a três Páscoas (Jo 2.13; 6.4. 11.55). Por causa de os Evangelhos Sinóticos mencionarem o ato de os discípulos arrancarem grãos maduros na Galiléia (Mt 12.1; Mc 2.23; Lc 6.1), é provável que também tenha ocorrido uma Páscoa entre João 2.13 e João 6.4. Nesse caso, isso significa um total de quatro Páscoas durante o ministério de Jesus. Por conseguinte, seu ministério deve ter tido uma duração de aproximadamente três anos e meio.

Antes de descrever a linhagem genealógica de Jesus, Lucas deixa claro que José não é o pai de Jesus. Lucas acredita no nascimento virginal e sabe que uma linhagem genealógica é traçada normalmente pelo pai. Assim, para evitar engano, Lucas lembra seus leitores que Jesus é filho de Maria, não de José, como se supunha.

Mateus inclui uma genealogia de Jesus no começo do seu Evangelho (Mt 1.1-17). Uma comparação dela com a genealogia de Lucas revela várias diferenças. A genealogia de Mateus tem quarenta e um nomes e a de Lucas, setenta e sete; Mateus começa com Abraão e enfatiza que Jesus cumpriu a promessa de Deus a Abraão; Lucas remonta a linhagem genealógica de Jesus indo até Adão, ligando a missão de Jesus ungida pelo Espírito não só com Israel, mas também com toda a humanidade. Nem todos os nomes correspondem entre si. A discussão sobre isto é infindável; várias soluções foram propostas. Uma explicação plausível é que Mateus traça a linhagem de Jesus por José, que é o pai legal, embora não biológico, e Lucas por Maria, sua verdadeira mãe.

A genealogia de Lucas faz várias declarações importantes:

1) Mostra que Jesus é um homem verdadeiro com uma árvore genealógica. Uma olhada em sua ascendência prova que Ele não é um semideus da mitologia pagã; Ele tem seu lugar como membro do gênero humano.
2) Afirma que Jesus é filho de Davi. De acordo com a Escritura, o Messias seria herdeiro ao trono de Davi (Sl 110; Zc 12.1-14; Mc 10.48; Lc 1.69; At 2.30; Rm 1.3). Como qualificação messiânica essencial, Jesus tem reivindicação ao trono de Davi.
3) Aponta a relação de Jesus com o gênero humano traçando sua linhagem até Adão. Ele é filho de Adão, como também filho de Davi, ressaltando que sua missão é, em última instância, para toda a humanidade.

3. O Ministério do Profeta Ungido pelo Espírito: Cristo na Galiléia (4.1—9.50).

As tentações de Jesus num lugar deserto apresentam a terceira seção principal do Evangelho de Lucas (Lc 4.1—9.50), que trata de ampla variedade de assuntos. O tema principal desta seção é o ministério público de Jesus, ministério este ungido pelo Espírito, antes que Ele manifestasse "o firme propósito de ir a Jerusalém" (Lc 9.51). Durante este tempo, Jesus permanece na Galiléia. Seu ministério na galiléia é um ministério itinerante, no qual Ele prega, faz milagres, suscita fé nos discípulos e desperta oposição crescente (Marshall, 1978, p. 175). Jesus se dedica a andar com Deus aonde quer que Ele o conduza e a servir as pessoas. Este ministério galileu serve de modelo para a vida e ministério da Igreja.

3.1. A Provação de Jesus (4.1-13)

Logo em seguida à unção de Jesus pelo Espírito (Lc 3.21,22), Lucas registra que Jesus é cheio com o Espírito (Lc 4.1). Imediatamente depois, Ele se dispõe a percorrer o caminho que o levará ao Calvário. O Espírito habilitador o conduz ao deserto onde por quarenta dias Ele é tentado pelo Diabo. Durante este tempo, Jesus comunga com Deus por meio de oração e jejum. Quando as dores de fome ficam muito intensas, o Diabo começa impetuoso ataque ao Filho de Deus.

Jesus experimenta três tentações específicas. A primeira envolve suas necessidades físicas (vv. 3,4). O Diabo presume que Jesus é o Filho de Deus — "Se tu és o Filho de Deus" significa "Visto que Tu és o Filho de Deus". Claro que Jesus pode exercer o poder de Deus e transformar uma pedra do chão em pão. O Diabo sugere que o uso deste poder para aliviar a fome era verdadeira prova de que Jesus é o Filho de Deus. Mas se Jesus transformasse uma pedra em pão, tal milagre revelaria sua falta de fé na bondade de Deus. Ele teria obedecido a Satanás em vez de ser obediente a Deus. Ele teria usado seu poder para satisfazer as próprias necessidades pessoais em vez de usá-lo para a glória de Deus.

Jesus resiste à tentação do Diabo citando Deuteronômio 8.3. O ponto de sua resposta é que o bem-estar humano é mais que assunto de ter comida suficiente. O mais importante é obedecer a Palavra de Deus e confiar no Senhor que cuida de nós. Jesus obedece à Palavra de Deus, embora implique em fome física.

A segunda tentação é a oferta que o inimigo fez a Jesus de autoridade sobre os reinos da terra (vv. 5-8). Num momento de tempo, ele traz à presença de Jesus todos os reinos do mundo. Afirma que eles lhes foram dados e que ele tem o direito de dispor deles como quiser. A afirmação do Diabo é meia-verdade. Embora ele tenha grande poder (Jo 12.31; 14.30; 2 Co 4.4; Ef 2.2), ele não tem autoridade para dar a Jesus os reinos do mundo e a glória deles. Ele promete que Jesus pode se tornar o governante da terra se tão-somente Ele o adorar. Satanás tenta ludibriar Jesus para obter poder político e estabelecer um reino no mundo maior que o dos romanos.

O Reino que Jesus veio estabelecer é muito diferente. É um reino no qual Deus reina, e é formado por homens e mulheres livres da escravidão do pecado e de Satanás. Estabelecer esse tipo de reino significa a cruz em vez de uma coroa. Jesus mais uma vez resiste ao tentador citando a Bíblia (Dt 6.13). Satanás não é merecedor de adoração; só Deus merece ser adorado e servido. Jesus reúne a adoração e o serviço (v. 8); ambos são vitais para a honra de Deus. Da mesma maneira que adorar o Diabo significa egoisticamente apossar-se de poder e glória, adorar Deus significa entregar-se à vontade de Deus em serviço sacrificial a outros.

A terceira tentação tem a ver com provar a verdade da promessa de Deus (Lc 4.9-12). Jesus se deixa levar voluntariamente com o maligno até o ponto mais alto do templo. A localização precisa no templo é incerta, mas do ponto mais alto do templo Satanás instiga Jesus a pular: "Se tu és o Filho de Deus, lança-te daqui abaixo" (v. 9). A sugestão dele é esta: "Antes de tu te dispores em tua missão, é melhor que te certifiques da proteção de Deus. Então, por que não pulas e não te asseguras de que Deus tomará conta de Ti?" O maligno foi refutado duas vezes com as Escrituras, então ele cita o Salmo 91.11,12 para garantir a Jesus que Deus o protegerá de qualquer dano. Este é um exemplo de torcer as Escrituras para servir a um propósito, pois o Salmo 91 não garante que Deus fará milagres sob as condições que estipularmos.

Uma vez mais Jesus resiste ao Diabo citando a Bíblia: "Não tentarás ao Senhor, teu Deus" (cf. Dt 6.16). O verbo "tentar" (*ekpeirazo*) é uma forma mais forte que o verbo usado em Lucas 4.2. Significa "pôr em teste, pôr à prova, testar, provar" e, portanto, desafiar Deus para provar que Ele realmente cuida. Jesus recusa testar a bondade de Deus, que insiste num milagre. No deserto, os israelitas pecaram ao testar Deus (Êx 17.1-7). É como se eles dissessem a Deus: "Se não nos deres água agora mesmo, é prova de que não nos amas". Se Jesus tivesse pulado do pináculo do templo, teria sido o mesmo que dizer: "Deus, se tu não enviares teus anjos para me guardar, é prova de que tu não me amas" (Bratcher, 1982, p. 61).

A citação de Jesus de Deuteronômio nos faz lembrar da peregrinação de Israel no deserto. Israel fracassou no teste; mas onde Israel falhou, Cristo teve sucesso. Ele enfrenta a tentação com a Palavra de Deus e obtém vitória decisiva sobre o Diabo. Ele tentou Jesus em todos os sentidos e esforçou-se para fazê-lo pecar; mas Jesus, cheio do Espírito e guiado pelo Espírito, não se rende.

Tendo terminado de tentar Jesus, o Diabo o deixa durante por algum tempo. De nenhuma maneira isto significa que Jesus não estará sujeito à tentação adicional (cf. Lc 8.12; 11.18; 13.16; 22.3,31). Cada um dos ataques de Satanás falhou, mas este foi só o primeiro *round* de muitos *rounds* vitoriosos que Jesus terá com o ele. Seu sucesso revela que o Jesus ungido pelo Espírito está qualificado para a missão. A experiência no deserto estabelece um padrão para o seu ministério, e também um padrão pelo qual os cristãos devem enfrentar a tentação. Pelo poder do Espírito e usando a Escritura, temos de enfrentar Satanás da mesma maneira como Jesus o fez. Andar com Deus nem sempre nos leva pelo caminho mais fácil. Mas Deus permanece fiel, mesmo durante tempos em que nossa espiritualidade e fé são penosamente testadas por Satanás.

3.2. *O Sermão Inaugural de Jesus (4.14-30)*

Nos versículos 14 e 15, Lucas resume os primeiros dias do ministério de Jesus. Cheio do Espírito, Jesus percorre a Galiléia. Para seu ministério ali, Ele faz de Cafarnaum sua sede (Lc 4.31). Notícias sobre seu ensino se espalham por toda a Galiléia e regiões circunvizinhas, despertando curiosidade e excitação. Em resultado do seu ensino nas sinagogas, todas as pessoas têm muitas coisas boas a dizer sobre Ele (v. 15).

Jesus então volta a Nazaré, onde Ele foi criado. Como era de seu costume durante a juventude, Ele vai à sinagoga no sábado para adorar. Ele não só assiste o culto, mas também participa. Os cultos na sinagoga eram bastante informais e consistiam em orações, leitura da Escritura, comentários e doação de ofertas para os pobres.[9]

A pedido, Jesus toma o livro do profeta Isaías. Tendo sido cheio do Espírito no batismo (Lc 3.22), Ele lê Isaías 61.1,2[10] e se identifica como profeta ungido. Ele é o Messias profético, ungido pelo Espírito para proclamar as boas-novas.

O texto de Isaías anuncia o padrão do ministério total de Jesus que consiste em pregar e ensinar, curar e libertar. As promessas de profetas como Isaías estão sendo cumpridas, e os últimos dias começaram. A era de salvação chegou e trouxe o ano do Jubileu de Deus — "o ano aceitável do Senhor" (v. 19). É um evangelho — a proclamação de boas-novas por obras e palavras poderosas. Estas boas-novas oferecem o favor de Deus para os pobres e libertarão da prisão os presos, como o endemoninhado na região de Gadara (Lc 8.26-39). Os cegos, como o mendigo cego de Jericó, receberão visão (Lc 18.35-43). Como profeta ungido, Jesus não apenas ministrará para os pobres, os presos e os cegos, mas a todos que são humilhados e oprimidos, como Lázaro ou Zaqueu, pelo pecado, doença e pobreza (Lc 5.31,32; 16.19-31; 19.1-10). Jesus é mais que profeta dos últimos dias; Ele é o Messias que traz salvação.

Quando Jesus termina a leitura de Isaías, Ele se assenta, tomando a postura normal para pregar. Os olhos da congregação fixam-se nEle, esperando que Ele dê início ao sermão. Ninguém, senão Jesus, pode começar um sermão do modo como Ele o fez: "Hoje, se cumpriu esta Escritura em vossos ouvidos" (Lc 4.21). Ele afirma ser o cumprimento da profecia de Isaías. No momento exato em que a congregação escuta, ocorre o cumprimento da Escritura. O Ungido sobre quem o profeta falou está agora presente para cumprir sua missão. Nos dias de Jesus, muitos judeus não duvidavam de que o reinado messiânico viria no futuro, mas Jesus afirma que o que eles esperavam que ocorresse na era futura tinha acabado de se tornar uma realidade presente. O tempo de salvação é "hoje". Este é um "hoje" que continua; nunca se torna ontem nem se introduz num amanhã vago.

A princípio, os adoradores expressam aprovação, ficando impressionados com as palavras persuasivas (lit., "palavras de graça", v. 22) que saem da sua boca. Mas essa admiração logo dá lugar a ressentimento. Eles ficam indignados com Ele por atrever-se a falar como profeta. A pergunta que fazem: "Não é este o filho de José?", não é busca de informação. Reflete a certeza de que Ele não é senão o filho de José — certamente não um profeta ungido ou o Messias. Ele cresceu entre eles; de nenhuma maneira Ele pode ser o Servo prometido por Isaías. Os olhos terrenos só o vêem como filho do carpinteiro.

Conhecendo o ceticismo da audiência sobre as sublimes afirmações que Ele fez, Jesus responde de três modos.

1) Ele cita o provérbio: "Médico, cura-te a ti mesmo". Este provérbio antecipa que as pessoas insistirão que Ele faça milagres na sua cidade natal para provar as afirmações que faz. Jesus fala sobre o que aconteceu em Cafarnaum; ainda de acordo com o Evangelho de Lucas, obras de poder não são feitas nessa cidade senão mais tarde. Então, Jesus está profetizando o que as pessoas de Nazaré dirão no futuro (Marshall, 1978, p. 187). O problema destas pessoas é incredulidade. A resposta que dão às palavras de Jesus é: "Mostra-nos". Por mais que milagres sejam testemunhas poderosas de Jesus, a pessoa que não quer ir a Deus continua sem estar sob convicção (Jo 16.31). A pessoa deve estar disposta a crer na Palavra de Deus antes de poder aceitar qualquer coisa como obra de Deus.

2) Jesus observa que nenhum profeta é bem recebido em sua cidade natal. Quanto mais próximo um profeta está de sua casa, menos aceitável e menos honrado ele é. A história que conta que Israel rejeitou os próprios profetas não deixa dúvida sobre esta verdade. Jesus sabe que o povo de Deus no Antigo Testamento rejeitou os mensageiros de Deus vezes sem conta (Lc 11.49-52; 13.32-35; 20.10-12; At 7.51-53). Sua observação serve de predição de que Ele e Sua mensagem serão rejeitados.

3) Jesus se refere a dois notáveis profetas ungidos pelo Espírito, Elias e Eliseu, dos tempos do Antigo Testamento (Lc 4.25-27), a quem Ele compara seu ministério. Ele acabara de desafiar o povo de sua cidade natal para o honrar como profeta ungido (v. 22), e agora Ele usa estes profetas para avisá-los contra rejeitar Deus. Elias e Eliseu ministraram a não-judeus (1 Rs 17—18; 2 Rs 5.1-4). Nos dias desses profetas, quando a idolatria e a infidelidade abundavam em todo canto da nação e a rejeição de Deus tornara-se excessiva, as bênçãos de Deus saíam da nação de Israel para áreas gentias. Por exemplo, muitas viúvas moravam em Israel, mas durante o período de fome extrema Deus enviou Elias somente a uma viúva da região de Sidom. Muitos em Israel tinham lepra, mas durante o tempo de Eliseu só o sírio Naamã foi curado. Dessa forma, Jesus adverte os seus conterrâneos que, se eles o rejeitarem, Ele — como fizeram seus predecessores proféticos — se voltará para os gentios. Pode ser arriscado rejeitar o favor de Deus. Deus pode retirar seu favor e oferecer sua graça a outros.

Os adoradores na sinagoga têm uma oportunidade de receber as bênçãos ricas de Deus, mas o aviso de Jesus enche-os de ira durante o culto de adoração. Eles não apreciam suas palavras e as recebem com rejeição, fazendo séria tentativa de matá-lo. Eles recusam o evangelho e sofrem trágicas consequências.

3.3. A Palavra Autorizada e Curas (4.31-41)

Jesus embarca num ministério como o descrito em Lucas 4.18,19. Depois de sua rejeição na sinagoga de Nazaré, Ele vai para Cafarnaum, a cerca de trinta e dois quilômetros de distância. Esta cidade está na orla do mar da Galiléia e serve de base para o ministério de Jesus na Galiléia. Ele "desceu", o que expressa adequadamente a descida de Nazaré a Cafarnaum, localizado ao nível do mar.

A narrativa de Lucas sobre o ministério de Jesus em Cafarnaum concentra-se nos atos poderosos de Jesus acompanhados pelo poder e autoridade do Salvador. A expulsão de um demônio que estava num homem (vv. 33-37), a cura da sogra de Pedro (vv. 38,39) e várias outras curas à tardinha (vv. 40,41) são atos de compaixão para com pessoas em necessidade desesperadora. Os primeiros dois milagres implicam poder na palavra de Jesus, e os outros, seu toque curativo. Seu ensino e milagres exprimem sua autoridade profética e carismática.

Assim que chegou a Cafarnaum, Jesus vai a um culto na sinagoga e ensina com autoridade a Palavra de Deus (vv. 31,32). As pessoas ficam surpresas com o modo como Ele ensina e pelo conteúdo da mensagem. Jesus ensina como alguém que tem autoridade. Os rabis freqüentemente citavam seus predecessores famosos para apoiar o ensino. A autoridade de Jesus não depende de autoridade externa ou posição de poder, mas emana totalmente de si mesmo, a verdade que Ele ensina, e sua capacitação pelo Espírito Santo (v. 14). Sua autoridade é absoluta, e o que Ele diz é completamente verdadeiro. O assombro das pessoas indica a força não diminuída da palavra de Deus sobre eles, mas seu efeito é apenas externo e não resulta em arrependimento e mudança de coração. A resposta do povo aos ensinos de Jesus é a mesma que aos milagres (cf. Lc 9.43).

Enquanto Jesus está entregando sua mensagem autorizada, está presente na sinagoga um homem possuído por espírito maligno (lit., "um espírito de um demônio imundo"). O demônio está em contraste com Jesus, "o Santo de Deus" (v. 34). Como é característico da possessão demoníaca, o espírito maligno está no controle da personalidade do homem. Ele está profundamente transtornado pela presença de Jesus e seu ensino autorizado. Falando através do homem, ele interrompe Jesus clamando de modo selvagem: "Que temos nós contigo, Jesus Nazareno?"

Estas palavras são mais uma repreensão que uma pergunta e significam: "Não te intrometas conosco e cuida da tua vida. Não temos nada em comum contigo". O homem é habitado por um único demônio, mas o pronome "nós" diz respeito a todos os espíritos malignos como grupo. Desde o início do Seu ministério, Jesus se encontra em conflito com o mundo dos espíritos. De fato, sua missão é destruir os trabalhos do Diabo (1 Jo 3.8) e libertar as pessoas do reino dos demônios. Portanto, o demônio tem razão para ficar com medo. Jesus é "o Santo de Deus"; concebido e ungido pelo Espírito Santo para seu trabalho santo, Ele possui poder para destruir espíritos malignos.

Jesus fala diretamente ao demônio que está no homem, ordenando-lhe que pare de clamar (v. 33) e que saia do homem (v. 35). O grego diz que Ele "repreendeu" (*epetimesen*) o espírito maligno. A repreensão indica desaprovação e também subjugação daquele espírito. A palavra poderosa de Jesus prevalece em silenciar o demônio e expulsá-lo. Quando deixa o homem, ele o lança no meio do povo. A despeito da saída violenta, o demônio não faz dano permanente no homem.

O poder de Jesus sobre os espíritos imundos pasma as pessoas. Tendo visto Jesus libertar o homem, eles discutem e deliberam uns com os outros: "Que palavra [*logos*] é esta"? Aqui *logos* diz respeito à ordem que Ele deu: "Cala-te e sai dele" (v. 35). Esta ordem, bem como a declaração das pessoas acerca do poder (*dynanis*) e autoridade (*exousia*) de Jesus, enfoca o poder da palavra do Senhor. Os termos *autoridade* e *poder* têm quase o mesmo significado, embora "autoridade" se refira ao direito divino de Jesus exercer seu "poder". Pela palavra, Ele exerce autoridade e poder sobre os espíritos malignos, os quais não têm escolha senão obedecer.

A libertação do homem possuído por espírito maligno demonstra o que Lucas tem em mente quando diz que Jesus voltou da Galiléia "pela virtude do Espírito" (v. 14). Ademais, implementa pela primeira vez seu sermão em Nazaré (vv. 16-30). Em resultado deste milagre, uma fama se espalha pela região circunvizinha de Cafarnaum. As pessoas das cidades e aldeias vizinhas falam sobre o que Jesus está fazendo.

No mesmo sábado, Jesus faz outro milagre. Logo que sai da sinagoga, Ele vai para a casa de Pedro, onde a sogra deste está padecendo de febre severa (vv. 38,39). Evidentemente a família da mulher pede que Jesus a cure. Considerando que Ele libertara de um espírito maligno o homem na sinagoga, eles têm fé que Ele possa livrar esta mulher da febre alta que ela tem. Inclinando-se sobre ela, Jesus repreende a febre da mesma maneira como o fez com o demônio. Lucas não conecta esta enfermidade com possessão demoníaca, mas exatamente como o endemoninhado foi liberto do espírito maligno; assim a sogra de Pedro é curada. Imediatamente ela se levanta e começa a se ocupar dos afazeres domésticos, oferecendo comida e bebida aos convidados.

Por esta altura, o sol está quase posto, marcando o começo do primeiro dia da semana. Sem violar o sábado, agora as pessoas em Cafarnaum podem levar os doentes a Jesus. Elas ouviram falar do seu ministério espetacular, e trazem numerosas pessoas com doenças diferentes. Nesta ocasião, Jesus impõe as mãos nos doentes e cura cada um deles (v. 40). Do toque pessoal do Jesus ungido pelo Espírito flui poder divino. Muitos desses curados também são expulsos demônios, os quais saem pelas mãos curativas de Jesus. Quando deixam as vítimas, eles identificam Jesus como "o Filho de Deus". Por sua palavra autorizada Ele os reprova e "não os [deixa] falar, pois [sabem] que ele era o Cristo". O povo de Cafarnaum pode pensar que Jesus é somente um homem, mas os demônios sabem mais.

Jesus não quer que os demônios revelem que Ele é o Messias. Afinal de contas, as trevas não podem revelar a luz, mas a luz revela as trevas. Como o Filho sem igual de Deus, Ele não quer que seja considerado como mero realizador de milagres ou como um Messias político. Seus milagres são atos de compaixão e sinais da presença do Reino. O Jesus ungido pelo Espírito tem o direito de ser proclamado publicamente como o Messias, mas Ele nunca pode ser adequadamente conhecido sem a cruz (Lc 9.20-23; 24.25-27).

3.4. Aclamação Popular (4.42—5.16)

Jesus teve um bom dia de ministério. Ele curou a sogra de Pedro e libertou muitos outros de várias doenças e de demônios (Lc 4.38-41). A palavra acerca do poder de Jesus sobre doenças e espíritos malignos começa a se espalhar.

3.4.1. Resumo (4.42-44). No outro dia bem cedo, Jesus deixa Cafarnaum e vai a um lugar onde não haja pessoas, de forma que Ele possa orar sozinho (Mc 1.35). Pelo fato de as pessoas terem ficado impressionadas com as ações de poder de Jesus, elas vão à procura dEle. Quando o encontram, elas tentam impedi-lo de deixar a área. O desejo dessas pessoas está em contraste marcante com as pessoas de Nazaré que tentaram matá-lo. Mas Jesus nunca permite que outros ditem seu ministério. Assim, Ele explica a natureza de sua missão: "Também é necessário que eu anuncie a outras cidades o evangelho do Reino de Deus, porque para isso fui enviado".

Cafarnaum, na orla do mar da Galiléia, tornou-se a base para o ministério de Jesus na região. Estas ruínas são tudo o que restou de uma sinagoga que remonta aos séculos III e IV.

Pela primeira vez em Lucas temos menção da expressão "o Reino de Deus". Trata-se do governo de Deus, que trabalha pelo ministério de Jesus, trazendo salvação para o mundo. É uma realidade presente, mas Deus consumará seu governo na Segunda Vinda de Cristo. A oferta de salvação de Jesus e seu poder sobre doenças e demônios demonstram a presença do governo de Deus. Ele está debaixo de um imperativo divino (*dei*, "é necessário") para pregar o governo de Deus e chamar as pessoas a se entregarem a esse Reino. As boas-novas do governo de Deus devem ser pregadas ao longe e amplamente — não apenas nas cidades de Nazaré e Cafarnaum —, mas por todo o país e, no fim, "até aos confins da terra" (At 1.8). Em Lucas 4.44, "Judéia" alude a todo o país dos judeus, inclusive a Galiléia. Assim Jesus leva sua mensagem do governo de Deus para muitas outras sinagogas judaicas. Aqueles que aceitam o evangelho em arrependimento e fé tornam-se participantes das ricas bênçãos, à medida que o governo de Deus enche seus corações.

3.4.2. Simão Pedro (5.1-11). Até aqui, Lucas fez um relato geral do ministério de Jesus, agora ele destaca um acontecimento que chama a atenção à reunião de Jesus com os discípulos. Ele descreve a chamada de vários pescadores para o discipulado, com o refletor em cima de Simão Pedro. Pedro já tivera contato com Jesus (cf. Lc 4.38,39), mas até este incidente ele se dedicou ao seu negócio da pesca. Ele e seus companheiros, Tiago e João, provavelmente possuíam e operavam alguns barcos. Jesus reúne seus discípulos de todos os campos de esfera de vida: pescadores, publicanos, zelotes e outras pessoas comuns.

Jesus se tornou um pregador popular. Ele está perto do lago de Genesaré, mais conhecido por mar da Galiléia. Uma multidão ansiosa por ouvir a palavra de Deus o aperta enquanto Ele fala. Ali perto há dois barcos, e os pescadores estão lavando as redes. Entre eles encontra-se Pedro, em cujo barco Jesus entra. Quando termina de ensinar, Ele ordena que Pedro afaste o barco da praia e lance as redes para pescar. Esta ordem toma Pedro de surpresa; o filho de carpinteiro está dizendo a um pescador como pescar, sobretudo depois de uma noite inteira de pesca sem ter pegado nada. Não obstante, Pedro atende a ordem de Jesus, e a obediência traz grandes resultados. Tantos peixes são pescados que as redes estão prestes a arrebentar e os barcos em perigo de afundar.

Pedro e seus sócios viram uma manifestação do poder divino. Reagindo à pesca milagrosa de peixes, Pedro cai aos pés de Jesus. A experiência lhe dá *insight* extraordinário sobre o poder sobrenatural de Jesus. Ele o chama de "Senhor" (*kyrie*, v. 8), que pode ser apenas expressão de respeito, embora no Antigo Testamento grego se refira a Deus. Aqui, "Senhor" tem indiscutivelmente significado mais profundo que o título respeitoso no versículo 5: "Mestre". Em outras palavras, Jesus é tratado como Senhor no pleno sentido cristão. Diante do Senhor Jesus, Pedro se dá conta de que é pecador. Sua confissão nos faz lembrar das palavras de Isaías (Is 6.5). Como o profeta na presença de Deus, Pedro está inteiramente cônscio da diferença entre Jesus e ele. O poder de Deus pode produzir um intenso sentimento de nossa pecaminosidade e indignidade.

Quando Pedro obtém sucesso extraordinário na pesca, algo nunca antes conseguido, ele tem de parar e considerar o que Deus está fazendo. Ele e seus sócios reconhecem o significado estupendo da enorme pesca de peixes (v. 9). Em resultado disso, Pedro está profundamente agitado e perturbado em espírito. Jesus fala palavras tranqüilizadoras: "Não temas", embora uma tradução melhor seria: "Deixa de ter medo" (v. 10). Neste momento, Pedro recebe o perdão do Senhor e começa uma nova vida. Jesus não se afasta do pecador (v. 8); antes, Ele o aceita e o chama para ser discípulo. Ele já não pescará peixes, mas "de agora em diante, serás pescador de homens" (v. 10). Jesus profetiza que Pedro lançará a rede num mar diferente, o mar da humanidade perdida, e que a pesca de seres humanos se tornará seu negócio.

A resposta de Pedro e seus sócios é decisiva. Quando os barcos chegam à praia, eles deixam tudo para trás e lançam-se em nova expedição pesqueira (v. 11). A experiência com Jesus levou-os a assumir compromisso total. Eles cortam os laços com o passado e se tornam discípulos e seguidores de Jesus. Pela graça de Deus, os pecadores são transformados em servos.

3.4.3. A Cura de um Leproso (5.12-16).

Jesus agora ministra um maravilhoso ato de cura a um leproso. No mundo antigo, uma variedade de doenças de pele era chamada de lepra. Muitas delas eram consideradas altamente contagiosas e incuráveis. Em resultado de ter tal doença, os leprosos eram isolados da sociedade, incluindo as próprias famílias. Quando uma pessoa se aproximava de um leproso, este devia dizer em alta voz: "Imundo, imundo" (Lv 13.45,46). O homem que Jesus encontra está "cheio de lepra" (v. 12); ele acha-se num estágio avançado da doença e está morrendo aos poucos.

Jesus veio para ministrar aos necessitados e está disposto a mostrar sua misericórdia a uma pessoa da mais baixa posição da sociedade. Caindo sobre o rosto, o leproso declara que ele crê inteiramente que Jesus tem poder para curá-lo: "Senhor, se quiseres, bem podes limpar-me" (v. 12). Ele não está certo da compaixão de Jesus, mas sabe que Jesus tem a capacidade de curá-lo. Tocando o leproso, Jesus fala uma palavra de autoridade que tem poder para fazer com que a lepra o deixe. Jesus entra no mundo de isolamento e vergonha desse homem e se entrega a ele. Entre os sinais que indicam que a era do cumprimento despontou, temos: "Os leprosos são purificados" (Lc 7.22).

Jesus ordena que o homem não conte nada sobre sua cura a ninguém, a não ser ao sacerdote, e que ofereça uma oferta de ação de graças a Deus (Lv 14.1-32). Além disso, o homem deve manter silêncio sobre sua libertação. Anteriormente Jesus proibira os demônios dizerem qualquer coisa (Lc 4.35,41); agora Ele também ordena que o leproso curado fique calado. Por quê?

1) Talvez Jesus queira evitar que as multidões o procurem meramente para serem curadas. Ele não quer que as pessoas definam seu ministério como ministério unidimensional de curas. Ser mal-entendido tem o potencial de diminuir a eficácia do seu trabalho total conforme esboçado em Lucas 4.18,19.

2) Jesus quer que o homem evite divulgar a cura até que Ele seja considerado formalmente limpo pelo sacerdote, certificando a autenticidade da cura.

A cura do leproso presta testemunho ao povo de que o poder de Deus está em ação através do Jesus ungido pelo Espírito. A palavra saiu e as notícias acerca da purificação continuam se espalhando. Como resultado inevitável, multidões de pessoas se reúnem para ouvir Jesus bem como receber cura de doenças. Mas elas não o encontram; Ele já havia escapulido para lugares solitários a fim de orar (v. 16). Os verbos "retirava-se" e "orava" estão no tempo imperfeito; eles não se referem a um incidente isolado, mas a um padrão de comportamento habitual. Jesus tinha o costume de se retirar para que Ele pudesse comungar com Deus. Ele se recusa a ser levado pelo favor e demanda populares. A oração é a chave de um ministério eficaz e poderoso.

Pescadores ainda saem com redes em pequenos barcos para pescar peixes, da mesma maneira que se fazia nos dias de Jesus. Foi no mar da Galiléia onde Jesus mandou Pedro sair para águas profundas e lançar as redes. Pedro e seus sócios pescaram mais peixes do que julgaram ser possível. Quando voltaram, Jesus disse: *"Não temas; de agora em diante, serás pescador de homens"*.

3.5. Oposição (5.17—6.11)

O ministério maravilhoso de Jesus e sua subida de popularidade levanta oposição. Quando seus pais apresentaram Jesus no templo, Simeão profetizara que a criança seria "para sinal que é contraditado" (Lc

2.34). Embora durante seu ministério terreno Jesus esteja sem pecado, seus oponentes o acusam de uma variedade de pecados. Lucas 5.17 a 6.11 registra a confrontação que envolve quatro assuntos: blasfêmia, associação com pecadores, jejum e o sábado.

3.5.1. Os Fariseus: Ele Blasfema (5.17-26).

O primeiro sinal de oposição parte dos líderes religiosos. Os fariseus e escribas vêm da Galiléia e Judéia, inclusive de Jerusalém, para ouvir e observar Jesus. Os fariseus eram um importante partido judaico, conhecido pela observância estrita da lei de Moisés. Eles procuravam aplicar os regulamentos de Moisés a todos os aspectos da vida. Eles definiram cada mandamento no que tange a como aplicá-lo em toda situação possível. Eles se esforçavam em construir uma cerca em volta da lei, mas suas regras tinham o efeito de religião exteriorizada. Eles se empenhavam em se separar de qualquer tipo de corrupção; seu alvo era manter Israel fiel a Deus. Muitos dos escribas, também chamados doutores da lei, eram fariseus e tinham como profissão o estudo da lei. Os fariseus foram os críticos mais severos de Jesus.

O poder de Deus repousa sobre Jesus de forma que Ele possa curar os doentes. "A virtude [poder] do Senhor" (v. 17) é outra maneira que Lucas tem de falar sobre a unção do Espírito. Jesus não precisa de endosso de líderes religiosos para o seu ministério; o Espírito lhe concede autoridade para curar os doentes. Vemos esta autoridade quando quatro homens levam um paralítico para Ele. Jesus está numa casa, e grande multidão barra o acesso. Mas pela persistência dos companheiros do paralítico, ele é descido pelo telhado da casa à presença de Jesus. Não há dúvida de que a multidão espera um milagre; Sua reputação como aqUele que cura já tinha se espalhado (Lc 4.40-44).

Em vez de curá-lo, Jesus pronuncia que os pecados do paralítico estão perdoados. Jesus reconhece a fé dos quatro companheiros, destacando pela primeira vez a importância da fé nos milagres (Lc 7.9; 8.25,48,50; 17.19; 18.42). O foco está na fé destes amigos, mas a fé do paralítico tem uma lição mais profunda. Ele precisa de ajuda física e espiritual de Jesus. Ele não recebe apenas a cura para o corpo, mas também o perdão dos pecados. Salvação plena e completa que abrange as bênçãos espirituais e físicas depende da fé.

Assim Jesus diz: "Homem, os teus pecados te são perdoados" (v. 20). Os fariseus com seus corações críticos ouvem estas palavras e pensam consigo mesmos que só Deus pode nos libertar do pecado. Eles têm de receber altos elogios pela teologia que advogam. Eles entendem corretamente que Jesus afirma que faz algo que só Deus pode fazer. Mas em seus corações, eles o acusam de blasfêmia — de violar a majestade de Deus. Para um ser humano afirmar que faz um ato que só Deus faz é desonrar a Deus. A questão levantada é: Jesus tem autoridade para falar deste modo?

Jesus percebe o que os fariseus estão pensando. Não é tanto que Ele lê a expressão dos rostos, mas sim que Ele sabe por *insight* sobrenatural do Espírito o que está nos corações (cf. Jo 2.24,25). Ele confronta estes líderes religiosos com seus próprios pensamentos: "Qual é mais fácil? Dizer: Os teus pecados te são perdoados, ou dizer: Levanta-te e anda?" Nenhum dos dois é possível para um ser humano. Mas os fariseus não param e ficam se perguntando se a relação de Jesus com Deus é tamanha que Ele possa perdoar pecados.

Considerando que ninguém pode ver pecados desaparecerem, pareceria mais fácil dizer que os pecados são perdoados. No momento da cura de Jesus, todos vêem que o paralítico foi curado. Assim Jesus liga os dois atos. "Ora, para que saibais que o Filho do Homem tem sobre a terra poder de perdoar pecados (disse ao paralítico), eu te digo: Levanta-te, toma a tua cama e vai para tua casa" (v. 24). Imediatamente, o homem anda, demonstrando que Jesus tem autoridade para perdoar pecados. Tanto a cura física quanto a espiritual têm sua fonte em Deus. Cristo lida primeiro com os pecados do homem, porque esta é a necessidade básica. Mas Ele está preocupado com a pessoa total.

Encontramos pela primeira vez no Evangelho de Lucas o título "Filho do Homem" — título que Jesus aplica a si mesmo em todos os quatro Evangelhos. Este título tem sua formação no Antigo Testamento. Nas profecias de Ezequiel, "filho do homem" significa "pessoa", "ser humano", enfatizando que um ser humano é fraco e mortal. Ezequiel está em contraste com o poder e a majestade de Deus. Em Daniel 7.13,14, "filho do homem" é mais do que um ser humano comum. Nas visões do profeta, o Ancião de Dias incumbe o Filho do Homem com "o domínio, e a honra, e o reino, para que todos os povos, nações e línguas o servissem; [...] e o seu reino, o único que não será destruído". Jesus usa o título "Filho do Homem" para negar que Ele esteja usurpando autoridade divina, quando os líderes religiosos o acusam. Deus o enviou numa grande missão como Filho do Homem para perdoar pecados e curar os doentes. No momento em que Ele faz isto ao homem paralisado, Ele declara sua autoridade divina em seu ministério. Sua autoridade é única — autoridade que somente Deus tem. Como Filho do Homem, Ele sofre e parece fraco e impotente; por outro lado, Ele é vindicado e glorificado pelo poder de Deus (Mc 13.26; Lc 9.26).

O perdão e cura do paralítico têm um profundo efeito nesse homem. Ele sai louvando a Deus (v. 25), reconhecendo que Deus trabalhou poderosamente por Jesus Cristo. Sua resposta ao trabalho autorizado de Jesus é como esta declaração: "Eu te agradeço, Deus". Os circunstantes vêem a mão de Deus, pois eles louvam a Deus e "estão cheios de temor", dizendo: "Hoje, vimos prodígios" (v. 26). O milagre de cura, que confirma o perdão do homem, instiga-os a louvar a Deus e a reconhecer Deus em Jesus. Deus vindicou as afirmações e ministério do seu Filho.

3.5.2. Os Fariseus: Ele se Associa com Pecadores (5.27-32).

Depois de curar o paralítico, Jesus sai — ou da casa ou de Cafarnaum. Sua atenção agora se volta para um desterrado social, Levi, publicano ou cobrador de rendimentos públicos (chamado de Mateus no primeiro Evangelho; Mt 9.9). Nem todos os publicanos eram empregados diretamente por Roma. É provável que Levi e seus amigos publicanos trabalhassem para Herodes Antipas, que tinha recebido poderes de taxação. Mas os publicanos ficaram notórios por extorquir, enchendo os próprios bolsos e ficando ricos. Eles foram banidos da sinagoga e tratados como a escória da terra. Nenhum judeu respeitável se tornaria publicano (Caird, 1963, p. 95). Na outra extremidade da escala social achavam-se os fariseus, que consideraram pecadores todos os que não observavam rigidamente as leis rituais de purificação.

A história de Levi mostra o tipo de pessoa a quem Jesus chama. Ele ministra aos necessitados, quer ricos, quer pobres. Ele se associa livremente com todos os tipos de pessoas, mas isso o coloca em curso de colisão com os fariseus.

Jesus inicia o contato com Levi, dizendo-lhe mais que "Segue-me". O poder e autoridade da palavra de Jesus, previamente notados no ensino e expulsão de demônios (Lc 4.31-36), são novamente demonstrados. A resposta de Levi é total e instantânea. Ele faz rompimento decisivo com sua velha vida (aoristo particípio) e segue Jesus desse momento em diante (tempo imperfeito), da mesma maneira que Pedro e seus sócios pesqueiros o fizeram (Lc 5.11). Ele abandona a coletoria, o que envolve não pequeno sacrifício financeiro. Mas Levi fica conhecido pelo mundo, e o Evangelho do qual ele é o autor continua enriquecendo muitos. Para ele, a Jesus deve ser dada prioridade.

Em vez de fazer um espalhafato por ter deixado suas atividades comerciais e ter feito um sacrifício por Jesus, Levi escolhe comemorar sua chamada ao discipulado cristão (v. 29), oferecendo em casa um grande banquete para Jesus e convidando muitos publicanos e outras pessoas. Não há que duvidar que Levi quer que eles se juntem com ele na nova vida que ele achou em Jesus. Visto que o banquete se dá em sua casa, mostra que ele ainda possuía a casa depois de deixar tudo (v. 28). O que Levi deixa para trás é o seu modo de vida, e não todas as suas possessões. Os ricos e famosos precisam ouvir a palavra poderosa de Jesus. Ela também pode lhes mudar a vida.

No banquete esplêndido estão os ex-sócios de Levi — "publicanos e outros" (v. 29). Estes "outros" são identificados pelos fariseus como "pecadores" (v. 30), os quais se referem a pessoas comuns que dão pouca atenção às rígidas regras dos fariseus sobre purificação. Levi não convida os fariseus e seus peritos na lei, mas eles ouvem o que está acontecendo e reclamam com os seguidores de Jesus acerca de estes comerem e beberem com publicanos e pecadores. Nenhum destes grupos pode estar à altura dos padrões deles. Como é que Jesus e os discípulos podem afirmar que são religiosos quando eles têm comunhão à mesa com tais pessoas? Mas Jesus se recusa a fugir e se esconder do mundo e suas necessidades. Sua amizade com pessoas de posição social baixa e os desterrados da sociedade ganha-lhe a crítica de ser "amigo dos publicanos e dos pecadores" (Lc 7.34).

Jesus responde à preocupação dos fariseus retratando-se como médico que trata doentes, não os sãos. Um médico não pode se preocupar com doentes se ele está longe deles. Seu dever é lidar pessoalmente com os pacientes para curá-los. Ao mesmo tempo ele toma precauções para se proteger das infecções dos doentes. Quer dizer, Jesus não se torna pecador, mas Ele se associa intimamente com tais pessoas a fim de levá-las a Deus e a uma nova vida. Sua missão não é "chamar os justos, mas sim os pecadores, ao arrependimento" (Lc 5.32).

Os "justos" aqui são os fariseus que têm alta estimativa de si mesmos. Em outras palavras, Jesus não veio chamar os que afirmam que são justos (embora, com certeza, Jesus não endosse o farisaísmo deles). Antes, Ele veio para os que sabem que são doentes, porque eles responderão a um médico. Os injustos estão cientes de sua necessidade, mas os "justos" injustos não estão (Bock, 1994, p. 108). Os fariseus devem examinar sua doença e perceber que eles também precisam se arrepender. Os pecadores não precisam ser colocados sob quarentena espiritual, como os fariseus sugerem, mas sob o medicamento da graça perdoadora de Deus. Tal medicamento é administrado a todos os que têm corações arrependidos.

A preocupação compassiva de Jesus pelos desterrados da sociedade ofendeu os líderes religiosos daqueles dias. Hoje ainda há os que se incomodam com um ministério aberto e inclusivo, mas é verdadeiro para a forma de evangelismo do Novo Testamento. Também é verdade para o tipo de ministério que Jesus incorpora e prega. Seus seguidores podem fazer de outra forma?

3.5.3. Os Fariseus: Os Discípulos de Jesus não Jejuam (5.33-39). Nesta mesma ocasião, os fariseus e escribas questionam por que os discípulos de Jesus não se conformam com a prática difundida do jejum. Este é outro lembrete de que os discípulos de Jesus andam sob a cadência de um tambor diferente. O Espírito Santo abre novos e diferentes caminhos.

Depois de Jesus e os discípulos saírem da casa de Levi, os discípulos parecem, para os líderes religiosos judeus, estar muito alegres. Eles não jejuam como os discípulos de João Batista e os fariseus (que se abstinham de comida duas vezes por semana, Lc 18.12). Eles perguntam a Jesus por quê. Nada é dito sobre Jesus diretamente, embora a preocupação primária que denotam seja para com Ele. Eles sabem que Ele faz coisas diferentemente quando diz respeito a práticas como jejuar e orar em horários fixos.

Jejuar tinha lugar significativo no mundo antigo. Era considerado ato importante de adoração. O Antigo Testamento requer jejum só no Dia da Expiação (Lv 16.29). Jejuar também poderia ser sinal de remorso (1 Rs 21.27) ou estar associado com uma assembléia solene (Jl 1.14) e com lamentação (Et 4.3). Na época de Jesus, jejuar tinha se tornado um exercício devocional estimado por seu próprio mérito. De nenhuma maneira Jesus se opõe ao jejum, contanto que o verdadeiro significando seja observado (Mt 6.17). O próprio Jesus jejuou (Lc 4.2), como o fez a igreja primitiva (At 13.2,3; 14.23).

Jesus responde aos fariseus, não apenas explicando por que os discípulos não jejuam, mas também o significado de sua presença. Ele se compara a um noivo. Ninguém espera que uma pessoa jejue numa festa de casamento enquanto o noivo ainda esteja presente. Assim, contanto que Cristo permaneça com os discípulos, o tempo não é de jejum, mas de comemoração. Sua presença marca o começo de uma nova era. Mas Jesus prevê o dia em que Ele "lhes será tirado" (v. 35). Isto tem de se referir à cruz; "será tirado" (*aparthe*) sugere retirada à força e é outra maneira de declarar "será morto". Quando esse dia chegar, jejuar será apropriado; ainda assim, jejuar é uma disciplina espiritual voluntária. Jesus nunca faz disso uma exigência, embora seja uma disciplina benéfica na vida cristã.

A questão do jejum é parte de uma preocupação maior; o evangelho expressa fé em Jesus em um novo modo de vida. As boas-novas exigem uma vida que seja radicalmente nova. Para chegar ao ponto desejado, Jesus faz duas ilustrações, as quais Ele chama de "parábolas". A primeira vem da prática de remendar roupas. Ninguém pega um pedaço de pano novo e o costura numa roupa velha. Se alguém fizesse isso, criaria dois problemas: O novo remendo, com força maior, faria um rasgo na roupa velha, e o pano novo não combinaria com a roupa velha. Jesus introduz uma nova era de graça e fé. Uma era que exige novas maneiras, diferentes das maneiras velhas dos fariseus.

A segunda ilustração diz respeito a vinho e odres. Combinar o velho com o novo pode ser desastroso. Odres novos são elásticos; mas à medida que ficam velhos, eles se tornam frágeis e perdem essa qualidade. À medida que o vinho novo fermenta no odre velho, arrebenta o odre e o vinho se perde. Vinho novo deve ser posto em odre novo (v. 38). O evangelho faz uma abordagem radicalmente nova de Deus. Os ensinos de Jesus e a nova visão de Deus não podem ser contidos nas velhas práticas do judaísmo. Jesus sabe que alguns, como os fariseus, preferirão o velho (v. 39) e se recusarão a provar o vinho novo do evangelho. De fato, eles rejeitarão o novo ensino e as novas maneiras de justiça e pureza.

Um dos principais assuntos com que a Igreja em Atos se debateu foi as novas maneiras do evangelho contra as velhas práticas do judaísmo. O que se exigia para a salvação — circuncisão e outros ritos judaicos, ou a fé somente? Sob a direção do Espírito, a Igreja concluiu que a fé é suficiente (At 15.22-29). Jesus trouxe uma nova ordem espiritual que exige uma nova vida. Não é motivado pela lei e tradições rígidas, mas pelo poder e direção do Espírito Santo. Confiar no Espírito traz uma nova dinâmica e novidade para o nosso andar com Cristo.

3.5.4. Os Fariseus: Ele Quebra o Sábado (6.1-11). O relato de Lucas passa para outro conflito entre Jesus e os fariseus, o qual se centraliza no que pode ser feito no sábado, o santo dia de descanso e adoração. Em todas as quatro controvérsias apresentadas em Lucas 5.17 a 6.11, os fariseus vêem Jesus como ameaça, e em cada ocasião eles lhe questionam a autoridade. Eles não reconhecem que nEle o Reino prometido de Deus chegou e que Ele possui uma autoridade sem igual para perdoar pecados e trazer alegria em vez de luto, e um descanso mais profundo que o descanso no sábado.

3.5.4.1. Os Discípulos Colhem Grãos (6.1-5). Os oponentes de Jesus ("alguns dos fariseus", v. 2) acusam os discípulos de quebrar o sábado por colherem e comerem grãos. Nos outros seis dias da semana, teria sido certo eles fazerem isto enquanto caminhavam por um campo de trigo, mas não no sábado. O assunto aqui não é roubo, mas trabalho: Os fariseus insistem que tal atividade não é permitida no sábado.

Jesus responde que os discípulos estão completamente consistentes com o que o Antigo Testamento permite. De acordo com 1 Samuel 21.1-9, quando Davi estava fugindo de Saul, ele e seus homens ficaram com fome. Eles entraram na casa de Deus, em Nobe, e comeram o pão consagrado que só os sacerdotes podiam comer (cf. Lv 24.9). Semelhante a Davi, Jesus tem a responsabilidade de ver que os discípulos tenham o suficiente para comer, e que o que os discípulos estão fazendo foi autorizado por Jesus. A autoridade de Davi é igual à do sacerdote. Semelhantemente, Jesus interpreta a lei do sábado com autoridade igual a dos escribas e fariseus.

Porém, sua autoridade vai muito mais além: "O Filho do Homem é senhor até do sábado" (Lc 6.5). Como "Senhor", Jesus possui autoridade sobre leis e instituições religiosas. Se Davi pôde anular a lei do pão consagrado sem culpa, quanto mais o Senhor do sábado pode fazer o mesmo! Superior ao sábado, Jesus pode fazer o que desejar com o sábado. Ele pode determinar como, quando e onde se aplica a lei do sábado. Ele interpreta a lei aqui para mostrar que Deus se preocupa mais com as necessidades das pessoas do que com regras rígidas durante os dias santos. As necessidades humanas anulam a forma externa da religião.

3.5.4.2. Jesus Cura um Homem que Tinha uma das Mãos Incapacitadas (6.6-11). A oposição dos fariseus a Jesus continua a se formar. Estes líderes estão observando-o, mas agora a hostilidade deles atinge uma maior intensidade. Eles "atentavam [*pareterounto*] nele", o que significa que eles o estavam espiando (v. 7). A ocasião é outro sábado (v. 6), e os fariseus estão esperando para ver se nesse dia Ele curará um homem que tinha uma mão incapacitada. Se Ele o fizer, eles terão base na qual levantar acusações contra Ele.

Novamente, o Jesus ungido pelo Espírito discerne os pensamentos maus dos oponentes. Ele não espera ser atacado por eles primeiro, mas toma a ofensiva levando a luta a campo aberto. Como espiões, eles querem esconder o intento mau que têm contra Ele, mas Jesus opõe-se com uma ordem para que o homem com a mão deformada se adiante e se coloque junto dEle. Então, Ele levanta a questão: "É lícito nos sábados fazer bem ou fazer mal? Salvar a vida ou matar?" Estas perguntas refutam a suposição dos fariseus de que curar no sábado viola a lei. O amor, que é o espírito da lei, nos pede que façamos o bem uns aos outros em todo o tempo.

Para defender a opinião que eles defendem do sábado, os fariseus tramam ferir Jesus. Quem, então, está transgredindo o sábado? Quem está pecando em nome da justiça? O homem diante dEle tem uma deficiência, e Jesus tem a oportunidade de ministrar uma necessidade no sábado e capacitar o homem a viver livre de sua incapacidade. Dando uma olhada ao redor para ver se algum dos oponentes lhe responderá, Ele ordena que o homem estenda a mão. Imediatamente ela fica forte e saudável.

Isto é fé. Isto é manifestação do poder curativo de Deus. Mas agora os fariseus estão mais determinados a deter Jesus. Eles estão violentamente enraivecidos e não sabem o que fazer para deter as ações blasfemas de Jesus. Embora Jesus não tenha feito nada mais que o bem para os outros, seu ministério atrai oposição. A resolução da oposição está formada e está ficando mortalmente séria. Pecados não-arrependidos levam a mais pecados, e cegamente colocam a culpa nos outros.

3.6. Jesus Escolhe os Doze Apóstolos (6.12-16)

Os acontecimentos precedentes demonstraram conflitos com os fariseus e a crescente oposição a Jesus. Visto que a hostilidade dos líderes religiosos aumenta, Jesus se retira para os montes e passa uma noite inteira em oração. Mais uma vez, vemos como a oração é importante para Jesus. Ele orou quando o Espírito Santo desceu sobre Ele e o encheu (Lc 3.21). Quando as multidões começaram a se reunir em torno dEle, Ele achou necessário se retirar e ter comunhão com o Pai (Lc 5.16). Agora Ele enfrenta uma decisão momentosa, a escolha de doze homens que continuarão o trabalho depois dEle.

Até agora, claro que não houve conspiração clara para lhe tirar a vida. Mas Ele sabe que quando Ele for tirado do quadro, deve haver líderes em seu lugar para continuar o ministério. Na preparação para fazer a escolha, Jesus passa uma noite inteira em oração, o que acentua a importância da direção de Deus na seleção dos Doze. Mais tarde, Lucas nos fala sobre o comissionamento de

Barnabé e Paulo, que foram separados para o ministério no contexto de jejum, oração e adoração (At 13.1-3). De fato, o Espírito Santo dirigiu especificamente a Igreja para os consagrar ao ministério que Deus os chamara. Não há dúvida de que o Espírito Santo tem um papel na escolha de Jesus dos Doze.

A presente passagem revela vários fatos significativos.

1) Jesus escolhe os Doze do meio de um grupo maior de discípulos (Lc 6.13). O número é importante, e recorda os doze patriarcas de Israel e as doze tribos. Os Doze representam o novo Israel, o novo povo de Deus a quem Jesus está estabelecendo. Este povo é novo e distinto da nação de Israel, mas ao mesmo tempo eles experimentam o cumprimento das promessas feitas à nação.

2) Jesus designa os Doze de "apóstolos". O termo *apóstolo* (*apostolos*) diz respeito a uma pessoa que é comissionada para tarefa específica e que exerce a autoridade daquEle que a envia. É a tarefa dos Doze pregar o Reino de Deus, expulsar demônios e curar os doentes (Lc 9.1,2). Sob a direção de Jesus, estes doze homens receberão treinamento especial para liderar a Igreja. Eles formarão o cerne especial de testemunhas oculares do ministério de Jesus e sua ressurreição (At 1.21,22).

3) Jesus escolhe trabalhar por meio de pessoas comuns. Pouco ou nada é conhecido sobre muitos apóstolos como indivíduos. Entre eles estão pescadores como Pedro, André, Tiago, João e um desprezado publicano, Mateus. Simão, o Zelote, pertencia a um grupo revolucionário radical dedicado à resistência violenta de Roma. Sabendo que Judas trairá o Cristo, Lucas mantém diante de nós a sombra que a cruz lança sobre o ministério de Cristo (Marshall, 1978, p. 241). A queda de Judas nos lembra que uma pessoa com grandes bênçãos espirituais pode perdê-las pelo pecado.

3.7. O Grande Sermão da Planície (6.17-49)

Nesta seção, o ensino de Jesus fornece um modelo para o discipulado na Igreja. Ele ensina aqui "num lugar plano". Este fato tem influenciado os estudantes da Escritura para chamar esta unidade de Sermão da Planície. Há muitas semelhanças entre esta mensagem e o Sermão da Montanha registrado em Mateus 5 a 7. Cada sermão inclui alguma coisa dos ensinos mais importantes de Jesus sobre como os discípulos devem viver e se relacionar com as pessoas. Para que os Doze e os outros possam construir a vida ao redor de seus ensinos, Jesus quer que eles entendam as implicações do discipulado.

3.7.1. Introdução ao Sermão (6.17-19). Depois de uma noite de oração no monte, Jesus ministra numa planície. Ele e os Doze estão rodeados por "grande número de seus discípulos" e por "grande multidão do povo" (v. 17). Muitos destes indivíduos ainda não eram discípulos de Jesus. Alguns ouviram falar do seu ensino e queriam ouvir mais; outros queriam ser curados de doenças e ser livres de espíritos malignos. Jesus cumpre seu ministério de pregação e de cura ao mesmo tempo. Na verdade, os dois são aspectos duplos do seu ministério de compaixão e amor. Seu ministério de pregação é sinal de compaixão tanto quanto o são seus milagres de cura (Mt 9.36-38).

As pessoas perturbadas por espíritos malignos são libertas e os doentes "procurava[m] tocar-lhe, porque saía dele virtude que curava todos" (v. 19). Deus aceita a fé dessas pessoas, e do Jesus ungido pelo Espírito sai poder espiritual para curar. Contudo, o poder de Jesus se estende além da autoridade para curar, pois Ele também ensina com grande autoridade. Aqui as curas armam o palco para o grande sermão que se segue.

3.7.2. Bênçãos e Ais (6.20-26). Em geral, este sermão descreve a vida do novo povo de Deus. Esta vida é vivenciada no Reino de Deus que no presente já está irrompendo por meio de Jesus. Em contraste com os fariseus, o ensino de Jesus enfatiza atitudes, motivos e pureza de coração em lugar de cerimônia religiosa e aparências exteriores. Tal saúde espiritual desenvolve-se da experiência do Reino que transforma nossa vida mediante o verdadeiro arrependimento e fé.

Jesus começa anunciando quatro bênçãos e quatro ais. "Bem-aventurados" (*makarios*) significa ditosos, felizes ou afortunados. Jesus pronuncia que os pobres, os famintos, os chorões e os perseguidos são bem-aventurados por causa do Filho do Homem (vv. 20-22). Tais indivíduos são felizes, porque recebem o Reino agora e lhes são prometidas bênçãos depois, inclusive contentamento, riso e felicidade eterna. Em vez de lamentar as experiências dolorosas da vida, eles se regozijarão e saltarão de alegria (v. 23). Eles estão na ordem religiosa dos profetas que sofreram grandemente pela justiça. No banco de Deus no céu há uma grande recompensa para todos os que sofrem por causa de Cristo. Lealdade a Jesus pode levar à rejeição e perseguição; as beatitudes servem de conforto a todos os que pertencem a Cristo e que vivem sob o reinado de Deus.

Os quatro ais são os opostos das bem-aventuranças. "Ai" (*ouai*) expressa uma combinação de condenação e arrependimento. Jesus vira os valores do mundo de cabeça para baixo e pronuncia ais sobre os que estão sem o governo de Deus em suas vidas — os ricos, os fartos, os superficialmente felizes e os populares (vv. 24-26).

Quando Jesus diz: "Bem-aventurados vós, os pobres", mas: "Ai de vós, ricos", Ele não está fazendo da pobreza uma virtude e da posse de riquezas um pecado. Mas Ele conhece os perigos espirituais que as riquezas trazem para a alma das pessoas. Muitos que são ricos em bens deste mundo, pensam que não têm necessidade de Deus, e podem se dar bem sem o perdão de seus pecados e a promessa do céu. Eles estão satisfeitos consigo mesmos e não têm tempo para arrependimento, e nem desejo de confiar em Cristo e sua graça de salvação. Presumindo que têm tudo que vale a pena ter, eles não sentem fome pelas coisas de Deus. Levam a vida levianamente e riem das bênçãos do Reino e da vida porvir. Eles estão satisfeitos com as aquisições e o aplauso daqueles que querem seu favor. Porém, só os falsos profetas desfrutam da aclamação do mundo. Assim, Jesus adverte aqueles que tentam agradar o mundo e ganhar seu aplauso: Vocês estão na posição de falsos profetas.

Os valores pelos quais o mundo vive não são os valores de Deus. A nova vida em Cristo inverte os valores do mundo. Bem-aventurados são aqueles cuja pobreza, fome e tristeza os deixa abertos às boas-novas do Reino. Deus reinará nas suas vidas. Sua fome pelas coisas espirituais será satisfeita. Sua causa de tristeza será removida, e eles podem rir de alegria novamente.

Por outro lado, ai daqueles cuja riqueza, abundância de comida e vida livre de preocupações os cega a sua necessidade de paz e salvação de Deus. Suas posses terrenas serão seu único consolo. Embora agora eles sejam bem-alimentados, eles permanecerão espiritualmente pobres e perdidos. Embora tenham uma vida agradável agora, as mesas serão viradas e no futuro eles chorarão e lamentarão. Eles podem desfrutar de grande popularidade aos olhos das massas, mas ai daqueles que, como os falsos profetas, recusam ter um compromisso genuíno com Deus e servi-lo como verdadeiros discípulos. À frente acha-se o terrível dia do julgamento — mas também o dia da recompensa para aqueles que encontram Deus como sua recompensa.

3.7.3. Amor pelos Inimigos (6.27-36).

Jesus agora se dirige aos discípulos em particular, em distinção às pessoas aludidas nos versículos 24 a 26 e àqueles que Ele chama "os pecadores" (vv. 32-34). O Espírito Santo mora em cada um dos discípulos. Em resultado disso, eles experimentaram uma nova vida no Espírito, e o Espírito lhes deu um novo coração de forma que eles podem amar até os inimigos.

O amor pode ser facilmente mal-entendido e ser reduzido a sentimento ou afeto caloroso. O idioma grego tem várias palavras para amor. O termo *eros* se refere ao amor sexual ou romântico, o termo *storge*, a afeto familiar, e o termo *philia*, a afeto de amigos. Mas Jesus não exige nenhum destes aqui. Sua chamada é para o amor cristão (*agape*), que é o modo como Deus nos ama e deseja que nos amemos uns aos outros. *Agape* é um interesse ativo, cortês e persistente no bem-estar dos outros. Esta dimensão de amor é resultado de o Espírito abrir nossos olhos de forma que já não vemos as pessoas de um ponto de vista mundano, quer dizer, se elas servem a nossos interesses ou não (2 Co 5.16). Nós as vemos pela luz que o Espírito nos provê e como pessoas por quem Cristo morreu. Tal amor permanece viável, mesmo em face de ódio, maldição e abuso.

Nosso exemplo supremo de amor é o próprio Deus: "Deus amou o mundo de tal maneira que deu" (Jo 3.16). Não há melhor maneira de os seguidores de Cristo mostrarem o amor de Deus do que fazer o bem aos inimigos pessoais (Lc 6.27). A exigência fundamental de amor se desdobra em quatro ordens: "Amai a vossos inimigos, fazei bem aos que vos aborrecem, bendizei os que vos maldizem e orai pelos que vos caluniam" (vv. 27,28). O amor não exige emoção ou sentimentos, mas ações que devolvem o bem pelo mal. Os inimigos nos ferem, mas o amor absorve a ferida. Implica mais que não tentar ficar quite; responde ao ódio, à maldição e ao abuso com o bem, a bênção e a oração. O amor exige que nos neguemos a nós mesmos e sirvamos os outros. Não devemos deixar que os inimigos pessoais determinem nosso estilo de vida.

Jesus dá três exemplos concretos de amor genuíno.

1) "Ao que te ferir numa face, oferece-lhe também a outra". A reação natural é devolver o golpe, mas os seguidores de Cristo não devem buscar vingança. Eles têm de ministrar aos outros e estar dispostos se expor a mais dano.

2) "Ao que te houver tirado a capa [veste exterior], nem a túnica [veste interior] recuses". O ponto é que os seguidores de Jesus têm de resistir a paixão bravia contra o ladrão. Eles têm a responsabilidade de manifestar generosidade em todas as situações. O amor deve estar pronto a fazer grande sacrifício e sofrer perda, se necessário.

3) O amor não espera nada em troca (v. 30). Jesus quer que seus seguidores evitem paixões e desejos descrentes. Eles podem sofrer a perda de coisas às mãos de pessoas más, mas eles não têm de guardar rancor daqueles que tomam injustamente seus recursos. O exemplo mais sublime é: a cruz, onde Jesus deu àqueles que tinham lhe tirado.

Estas três ilustrações concretas têm de ser levadas a sério, mas elas também devem ser aplicadas com sabedoria. O amor nunca fomenta a irresponsabilidade, o abuso, a desonestidade ou a cobiça. Por exemplo, agir pelo bem dos outros pode, às vezes, não exigir a virada da outra face ou dar-lhes tudo o que exigirem (Dean, 1983, p. 51). O amor cristão requer mesmo ação sacrificial e em muito ultrapassa o padrão de amor do mundo. É dar aos outros sem exigir ou esperar que eles devolverão o favor. Jesus resume o ponto principal na Regra de Ouro: "E como vós quereis que os homens vos façam, da mesma maneira fazei-lhes vós também" (v. 31; cf. Lv 19.18). Como queremos que os outros nos tratem? Então tratemo-los do mesmo modo, indiferentemente de como eles podem responder.

A maioria dos pecadores tem uma ética de amor! Eles amam aos que os amam (v. 32). Eles devolvem o bem por bem e o mal por mal. Mas Jesus nos ensina a devolver o bem pelo bem e pelo mal igualmente. Afinal de contas, o que é tão honrado em amar os que nos amam? Até os pecadores fazem assim. Os filhos de Deus têm de ir mais longe. Eles foram transformados pelo Espírito Santo para viver em contraste com o modo que os pecadores vivem. Amar só os que nos amam é egoísmo; não há nada particularmente louvável nisso. Jesus chama seus seguidores a amar os inimigos e os detestáveis como também os amáveis, e a nada esperar em troca (vv. 34,35). Amar assim é totalmente contrário ao amor dos pecadores.

A nós, que refletimos o amor de Deus ao mundo, nos é prometido: "Será grande o vosso galardão, e sereis filhos do Altíssimo". Deus recompensará nosso amor e nós mostraremos que somos seus filhos. O Altíssimo se delicia em recompensar aqueles que se rendem ao Espírito Santo e têm corações generosos como o Pai celeste. Nossa semelhança com Ele revelará que somos seus filhos.

Esta chamada ao amor radical inclui especialmente a misericórdia (v. 36). Deus mostra generosidade ao ingrato e ao malvado. Seu próprio caráter é misericórdia, pois Ele mostra compaixão por todos. Jesus exorta seus seguidores a serem o mesmo — misericordiosos com todos. Como membros da família divina temos de nos esforçar em passar as bênçãos de Deus, inclusive a misericórdia, aos outros.

3.7.4. Julgando os Outros (6.37-45).

O aviso de Jesus contra ser crítico demais dos outros vem em seguida à sua chamada para sermos misericordiosos como Deus é. Não devemos concluir que Ele quer que fechemos os olhos ao pecado. Ser misericordioso não requer que suspendemos o julgamento moral do mal. O próprio Jesus reprovou os fariseus por sua hipocrisia e pecados (Lc 11.37-54). Temos de distinguir entre o bem e o mal. Resistir o mal em nós mesmos e nos outros exige que exercemos julgamento e discernimento.

Mas Jesus condena o julgamento precipitado e severo dos outros. Seus seguidores têm de se guardar contra uma prontidão em julgar e condenar — literalmente: "Deixa de habitualmente julgar", e: "Deixa de habitualmente condenar" (v. 37). Uma atitude crítica torna o ministério e a reconciliação impossíveis. Se formos graciosos e perdoadores dos outros, eles nos tratarão do mesmo modo; mas se formos críticos constantes dos outros, eles devolverão o mesmo. As palavras "não sereis julgados" e "não sereis condenados" podem se referir a Deus, significando que não seremos condenados no julgamento final. Quer dizer, os que se abstêm de se tornar severamente julgadores serão tratados misericordiosamente no Dia do Julgamento.

Jesus não ensina uma salvação por obras. Porém, Ele indica que seus verdadeiros seguidores devem ser justos, não cruéis, e têm de perdoar, e não guardar rancor. O padrão divino é: "Dai, e ser-vos-á dado" (v. 38). Se perdoarmos livremente os que nos infligem insultos pessoais e danos, nos é prometido uma recompensa divina. Perdoar tais ofensas contra nós está de acordo com a graça e amor de Deus. Deus aprova este tipo de ação e recompensa a generosidade.

Ao doador liberal Deus dará "boa medida, recalcada, sacudida e transbordando". Este tipo de linguagem tem em vista a medição de grãos que graficamente pinta uma superabundância de bênçãos. A palavra "colo" ver NVI (*kolpos*) diz respeito à dobra na roupa exterior, usada como bolso grande. A prática de amor e misericórdia nos assegurará uma grande recompensa nos céus: Deus nos será tão generoso quanto o formos com os outros.

Jesus usa várias ilustrações.

1) Ele levanta duas perguntas (v. 39). Um cego pode mostrar o caminho a outro cego? A partícula *meti* indica a resposta: "Não, os líderes cegos enganarão seus seguidores". A segunda pergunta (introduzida por *ouchi*) sugere a resposta: "Sim, ambos cairão na cova". Se os discípulos colocarem a confiança nos líderes religiosos, como os fariseus, o resultado será desastre espiritual. Tais líderes podem ver os pecados dos outros, mas eles são cegos aos próprios pecados.

2) Os discípulos dependem da direção dada por um mestre (v. 40). Assim, eles têm de cuidar de escolher o mestre certo. Seu progresso está limitado pela influência do caráter do mestre como também pela informação que eles recebem. Um discípulo nunca fica acima do seu mestre. Isto reflete os dias de Jesus, quando um discípulo só tinha seu rabino como fonte de informação. Hoje isso mudou, com bibliotecas e outros recursos de aprendizagem. Mesmo assim, os discípulos permanecem discípulos, e um mestre ainda tem grande influência sobre eles. Por isto, eles têm de escolher o líder e mestre certo. Acima de todos os outros, os discípulos de Jesus têm de seguir a Ele e sua mensagem. Aqueles que seguem os líderes cegos e hipócritas,

como os fariseus, não podem esperar ser diferentes. O modo de construir uma fundação firme para nossa vida é seguir os ensinos e exemplo de Jesus conforme estão exarados na Palavra de Deus. Os que fazem da mesma forma também são dignos de serem ouvidos. Devemos ser lentos para julgar, mas cuidadosos de quem seguimos.

3) Jesus usa a ilustração humorística do argueiro e da trave (vv. 41,42). Aqui novamente Ele está advertindo contra uma atitude de julgamento. Toca as raias do ridículo uma pessoa com uma trave (ou tábua) no olho tentar remover um argueiro (ou cisco) do olho do irmão. Antes de tentar melhorar a condição espiritual dos outros corrigindo-lhes faltas secundárias, devemos considerar nossas próprias faltas e pecados. Jesus não está advertindo aqui contra examinar a vida dos outros, mas devemos fazer com um olhar cuidadoso em nós mesmos e nossas próprias falhas. Nada nos fará mais cientes de nossa necessidade constante da graça de Deus e da ajuda do Espírito. A humildade genuína limpa o coração do falso orgulho e de um espírito julgador.

Aqueles que fingem não ver as próprias falhas e enganos — ou seja, os que têm uma trave no olho —, mas gastam o tempo procurando faltas nos outros são "hipócritas". Eles estão fazendo fita, fingindo ser íntegros e bons quando, na realidade, sua vida contradiz as afirmações que fazem. Eles precisam julgar a si mesmos e lidar com suas faltas sérias antes de tentar corrigir as faltas secundárias dos outros.

4) Jesus prossegue com outra ilustração: a árvore boa e a árvore ruim (vv. 43-45). Árvores são conhecidas pelo tipo de fruto que dão. Árvores ruins produzem frutos ruins, e árvores boas, frutos bons. Espinheiros e abrolhos não podem dar figos ou uvas. O fruto produzido por uma árvore revela sua verdadeira natureza. De certa forma, uma pessoa boa produzirá fruto bom. O fruto que alguém dá vem "do bom tesouro do seu coração". Seu coração foi mudado pela graça de Deus, e ele obedece a Palavra de Deus. Em resultado disso, ele produz o bem em pensamento, palavra e ação.

Estes produtos refletem nosso caráter interior, o qual Jesus chama de coração, onde coisas boas ou ruins se acumulam. Nossas palavras e ações revelam o que acumulamos em nosso coração. Se for bom, produzimos coisas boas; se for ruim, produzimos coisas ruins. O que dizemos revela nosso caráter. "Da abundância do seu coração fala a boca."

3.7.5. Um Quadro de Duas Casas (6.46-49).

O Sermão da Planície termina com forte desafio para pormos em prática os ensinos de Jesus. Mateus dá mais detalhes desta parte do sermão, mas Lucas deixa claro que o assunto principal para os discípulos é um compromisso firme em obedecer a Jesus. Básico à obediência é andar com Ele. Assim, o discipulado não se acha em guardar regras, mas em uma relação viável com Jesus, da qual deve emergir uma vida de fidelidade.

Se afirmamos ser seguidores fiéis, nossas ações não devem deixar de combinar com o que professamos. Cientes de que as ações podem contradizer as palavras, Jesus emite uma repreensão no versículo 46: "E por que me chamais Senhor, Senhor, e não fazeis o que eu digo?" Esta pergunta retórica é advertência contra os falsos discípulos que, por suas ações, negam a autoridade profética de Jesus sobre eles. Sua autoridade vai além da de um mestre; Ele é o seu *Senhor*. "Senhor" aqui tem um significado mais profundo que somente um tratamento de respeito. Como o Senhor divino e ungido pelo Espírito, Ele tem autoridade para exigir obediência. Mas Jesus sabe que alguns que o confessam como Senhor não lhe são fiéis. A confissão de Jesus como Senhor é apropriada (Rm 10.9; Fp 2.9-11), mas a despeito de quão fervorosa seja nossa confissão, não pode haver substituto para cumprir suas palavras. Viver sob seu senhorio importa em obediência.

Jesus conclui o grande sermão com uma parábola sobre duas casas, o que reforça a importância de pôr suas palavras em prática. Um homem constrói sua casa sobre pedra sólida. Ele sabe o que tem de fazer para obter uma construção sólida. Ele cava profundamente no solo até achar uma pedra sólida sobre a qual firmar as fundações. Leva tempo e é trabalho duro, mas o trabalho não é em vão. A rocha dá à casa uma fundação segura. No inverno, quando os maus tempos vierem e as tempestades assolarem, esta casa permanece firme. Nada pode movê-la. Esta casa representa uma vida construída na rocha sólida das palavras de Jesus. Nesta vida, tempestades e provações acontecerão, mas os seguidores fiéis de Jesus terão força divina para resistir as dificuldades. Obedecendo a Jesus, eles constroem a vida na fundação mais segura.

Em contraste, aqueles que ouvem as palavras de Jesus, mas não o aceitam, são como o homem que constrói sua casa em cima do chão, sem uma fundação firme. Embora a casa seja atraente e pareça forte, não pode suportar o tempo ruim. Assim que o rio transborda e as torrentes comecem a bater contra a casa, ela desmorona, pois não há rocha subjacente para sustentá-la. A advertência é clara: Se nós ouvimos mas não obedecemos as palavras de Jesus, estamos convidando o desastre.

3.8. O Poder de Jesus sobre as Doenças e a Morte (7.1-17)

Os milagres de Jesus revelam sua compaixão para com as pessoas. Ele age por compaixão quando cura o servo do centurião (vv. 1-10) e ressuscita o filho da viúva (vv. 11-17). Estes dois milagres também demonstram sua autoridade sobre as doenças e a morte e mostram que Jesus é um profeta como Elias e Eliseu, os quais ressuscitaram mortos.

3.8.1. A Cura do Servo do Oficial Romano (7.1-10). Depois do Sermão da Planície (Lc 6.17-49), Jesus regressa a Cafarnaum, sua base na Galiléia. Um centurião romano estacionado lá tem um servo que ficou mortalmente doente, e ele quer que seja curado. Um centurião tinha a seu cargo cerca de cem soldados, e é equivalente a um capitão de exército dos tempos atuais.

Este oficial romano, altamente respeitado pelos judeus locais, ouviu falar do poder operador de milagres de Jesus. Ele envia alguns anciãos judeus da sinagoga local para pedir a Jesus esta cura. Fazendo assim, ele está refletindo a sensibilidade cultural, pois está ciente da relutância que alguns judeus têm em se associar com os gentios. Sabendo que Jesus é de herança judaica, ele pede que representantes dessa mesma formação pleiteiem sua ajuda. Os anciãos judeus fazem o pedido como um favor pessoal ao centurião. Eles apresentam o caso de modo a não ofender Jesus e, ao mesmo tempo, tornar o prospecto de sua ajuda mais provável. A sensibilidade cultural do centurião enfatiza a importância de respeito pela diversidade étnica e mostra que as pessoas de formações diferentes podem viver e trabalhar juntas.

O centurião romano não é soldado comum. Enquanto fazem o pedido, os anciãos judeus se referem ao mérito do centurião em vez de apelar pela compaixão e caráter de Jesus. Enquanto apresentam o caso a Jesus, eles fazem mais que conscientizá-lo da necessidade específica. Eles insistem veementemente que Ele deve conceder o pedido. Eles especificam duas razões:

1) O centurião tem uma atitude amorosa para com o povo judeu e, assim, uma apreciação profunda pela nação de Israel;
2) ele expressou seu amor construindo a sinagoga em Cafarnaum. Ele deve ter sido homem de bens consideráveis; seu amor e generosidade o incitaram a ir muito além da chamada do dever.

Jesus não faz comentários sobre os méritos do apelo dos judeus. Antes, Ele sai imediatamente com eles. Esta resposta demonstra sua atitude positiva para com os gentios. Embora inicialmente Jesus ministre às ovelhas perdidas da casa de Israel, Ele não faz distinção étnica em seu ministério. Depois da ressurreição, Ele capacita os discípulos com o Espírito

Santo e, através deles, o seu ministério se estende ao mundo todo (Lc 24.48,49; At 1.8; cf. Ef 2.14-17).

Enquanto Jesus se dirige à casa do centurião, o oficial romano envia a Jesus um grupo de amigos para informá-lo de que ele não deseja que Jesus se aborreça em ir a casa dele; ele se sente indigno de ter este grande Mestre vindo de Deus debaixo do seu telhado. Ele também pode ter pensado que, como judeu religioso, Jesus poderia ter reservas sobre entrar na casa de um gentio. O centurião também manifesta uma confiança extraordinária no poder de Jesus para curar seu servo, pois no que lhe diz respeito, a única coisa necessária para Jesus é dizer a palavra e o servo será curado.

Este soldado sabe algo sobre autoridade. Ele é homem que está debaixo de seus superiores, e tem autoridade sobre soldados de posição inferior. Ele sabe em primeira mão o que é dar uma ordem e fazê-la obedecida. Ele só precisa falar para ter suas ordens executadas; ele nem mesmo precisa estar presente. Semelhantemente, o centurião reconhece que Jesus recebe sua autoridade de uma fonte superior, isto é, do próprio Deus. Ele está convencido de que Jesus precisa apenas falar uma palavra e o servo será curado.

Jesus está maravilhado com a fé deste gentio. Só em mais outro lugar no Novo Testamento nos é informado que a reação de Jesus é assombro. Em Nazaré, Ele faz só alguns milagres e fica pasmo com a incredulidade deles (Mc 5.6; cf. Mt 8.10). A evidência da fé manifestada pelo centurião dá a Jesus alegria inesperada e o move a fazer este elogio: "Digo-vos que nem ainda em Israel tenho achado tanta fé". Jesus percebe que este gentio reconhece o poder extraordinário de Jesus, algo que os judeus dali e alhures não reconheceram.

Lucas não indica se Jesus diz algo concernente à cura do servo do centurião. Mas quando os mensageiros voltam a casa, eles encontram o servo bem. Este milagre afirma a fé de um gentio.

3.8.2. A Ressurreição do Filho da Viúva (7.11-17).

Logo depois de curar o servo do centurião, Jesus deixa Cafarnaum e viaja mais ou menos a jornada de um dia para a cidade de Naim. Outrora, na história de Israel, Eliseu tinha ressuscitado o filho de uma mulher (2 Rs 4.18-37). Não há dúvida de que o povo se lembra daquele milagre feito pelo profeta de Deus.

Jesus está desfrutando de popularidade entre o povo, e grande multidão acompanha a Ele e seus discípulos a Naim. Quando se aproximam das portas da cidade, eles encontram uma procissão funerária. A procissão está saindo pelas portas para lamentar e enterrar o filho único de uma viúva, o qual provavelmente morreu naquele mesmo dia. A tradição judaica incentivava um enterro rápido a fim de evitar impureza cerimonial. O corpo já tinha sido ungido e preparado para ser sepultado a fim de prevenir deterioração. Como Jesus sugere no versículo 14, o defunto é um "jovem", provavelmente em torno dos vinte anos de idade. Assim ele sofreu uma morte intempestiva.

A tristeza da mãe é composta pelo fato de que ele é filho único. Sendo viúva, agora ela não tem meios de sustento e ninguém para protegê-la. Como observamos, Jesus mostra profunda preocupação pelos pobres e desterrados da sociedade. Quando Ele vê a viúva lamentando, Ele reconhece sua intensa dor. Movido de grande compaixão (*splanchnizomai*), Ele toma a iniciativa. Primeiro, Ele lhe diz: "Não chores". Estas palavras vêm do seu coração; não são palavras de ordem, mas palavras de conforto. Deus é o Pai dos órfãos e o Defensor das viúvas (Sl 68.5). Como Senhor, Jesus mostra aqui a compaixão do seu Pai celeste por esta mulher.

Depois de falar à viúva chorosa, Jesus aproxima-se e toca a maca de madeira na qual o corpo do jovem está deitado. Imediatamente os que a estão levando param. Não há que duvidar que eles esperam que algo extraordinário aconteça. Sem hesitar, Jesus fala ao cadáver estas palavras: "Jovem, eu te digo: Levanta-te". Sem autoridade divina, a ordem de Jesus seria o cúmulo do absurdo. Mas Ele fala a palavra, e um milagre acontece. Pelo fato de Jesus ter autoridade sobre a morte, o jovem responde sentando-se e falando. A morte tinha levado o filho de sua mãe, mas Jesus o restabelece para ela. Jesus não aproveita a oportunidade para instruir a multidão. Ele permite que o milagre fale por si mesmo.

O povo reconhece que eles viram um milagre de Deus. Sentindo a presença de Deus, eles estão cheios de medo e o louvam. Eles também reconhecem que Deus trabalhou por Jesus e declarou: "Deus veio ajudar seu povo". Possivelmente a multidão se lembra de Eliseu quando eles chamam Jesus de "um grande profeta". Este é um título de honra, e tal reconhecimento é realmente importante. Mas a estimativa que eles fazem de Jesus é inadequada. Ele é mais que profeta; Ele é Senhor e Salvador. Por causa de suas obras maravilhosas, sua fama se espalha ao longo da Judéia e regiões circunvizinhas.

3.9. João Batista e Jesus (7.18-35)

Anteriormente, Lucas nos relatou que Herodes Antipas mandara prender João Batista na prisão (Lc 3.19,20). Esta seção fala pela primeira vez de João Batista desde o começo do ministério do Jesus ungido pelo Espírito. João Batista ainda está na prisão e impossibilitado de ter contato direto com Jesus, mas os discípulos de João Batista o informam acerca de tudo o que Jesus tem feito no seu ministério cheio do Espírito (v. 18). Assim, na prisão, João Batista ouve falar do ministério extraordinário de Jesus, como a cura do servo do oficial romano (Lc 7.1-10), a ressurreição do filho da viúva (Lc 7.11-17) e os ensinos inspirados pelo Espírito (Lc 6.17-49).

3.9.1. Os Mensageiros de João Batista (7.18-23). Ouvindo falar do ministério de Jesus, João envia dois dos seus discípulos com uma pergunta: "És tu aquele que havia de vir ou esperamos outro?" (v. 19). Esta pergunta tem ecos da própria pregação que João Batista fez de Jesus como "aquele que é mais poderoso" (Lc 3.16). O título "aquele" não era usado amplamente para se referir ao Messias; não obstante, para João se refere ao Messias. Como Jesus, ele provavelmente evita o termo "Messias" para prevenir que o povo o tome no sentido político e tente fazer de Jesus um libertador da opressão romana.

O que instiga o precursor a perguntar se Jesus é aquEle que havia de vir? Ele costumava pregar Jesus como o Messias dotado com o Espírito, como a pessoa que batizaria o povo de Deus com o Espírito e como quem traria julgamento, usando a pá de joeirar e queimando "a palha com fogo que nunca se apaga" (Lc 3.17). Contudo, João não ouviu falar nada das surpreendentes obras de julgamento. Embora Jesus tenha feito milagres, seu ministério falhou em estar à altura das expectativas de João Batista. A dúvida começou a insinuar-se no seu coração. Esperando que o Cristo destruísse o poder das trevas e julgasse os ímpios, João Batista fica desapontado e tem dúvidas acerca do Reino de Deus que se aproxima. Apesar de ser grandioso profeta, a Escritura retrata João Batista como homem falível. Prisões, desapontamentos, esperas sem serem realizadas e sonhos partidos lançam dúvidas na mente de grandes líderes espirituais como João Batista. Quando Deus age de modo inesperado, nós também ficamos desconcertados.

Quando os dois discípulos de João Batista se chegam a Jesus, Este não interrompe seu ministério de pregação e cura na presença deles (Lc 7.21). Depois de um tempo considerável, Ele lhes responde a pergunta. Ele lhes diz que informe João Batista o que eles viram Ele fazer e o que ouviram: "Os cegos vêem, os coxos andam, os leprosos são purificados, os surdos ouvem, os mortos ressuscitam e aos pobres anuncia-se o evangelho" (v. 22). No original grego, todos os verbos estão no tempo presente, referindo ao que acontece regularmente. Como os paralelos do Antigo Testamento expressam, as obras milagrosas de Jesus e a sua pregação têm significado messiânico (Is 35.5,6; 61.1,2) e indicam sua autoridade ungida pelo Espírito. Seu ministério continua seguindo o programa que Ele anunciou em Lucas 4.18,19.

É verdade que João Batista profetizou sobre a vinda do julgamento divino. Mas Jesus o lembra que o Antigo Testamento fala sobre o Messias como alguém que ministra aos cegos, aos coxos, aos leprosos, aos surdos, aos mortos e aos pobres. Jesus é dedicado a ações de misericórdia. Seu ministério está cheio do poder de Deus e é evidência do cumprimento de profecias messiânicas.

João Batista quer mais provas. Jesus adiciona um aviso: "E bem-aventurado aquele que em mim se não escandalizar" (Lc 7.23). O verbo "escandalizar" (*skandalizo*) significa "fazer tropeçar" ou "ficar ofendido". Aqui diz respeito a alguém que se escandaliza em resultado de ficar ofendido pelo que Jesus faz ou não faz. Jesus quer que João Batista e outras pessoas saibam que as bênçãos vêm para aqueles que não ficam ofendidos com o seu ministério. Temos de evitar ficar ofendidos com seu ministério extraordinário. Como Lucas indica, todo aquele que não está completamente satisfeito com o que Jesus faz acha-se à beira da incredulidade (Lc 11.14-54). Ficar ofendido com Jesus mostra nada menos que rejeição dEle (Lc 11.38,52). Crença parcial nunca é o bastante; dúvidas acerca das declarações de Jesus como Messias divino pode ter o resultado desastroso de perder a bem-aventurança do Reino de Deus.

3.9.2. A Avaliação de Jesus sobre João Batista (7.24-30). Porque o ministério de Jesus não cumpriu todas as expectativas de João Batista, ele tem dúvidas de Jesus como Messias. Jesus o advertiu severamente, mas Ele não diz que João Batista está fora do Reino. De fato, depois que os mensageiros de João Batista se retiram, Jesus lhe presta grandioso tributo como profeta corajoso.

O Salvador faz várias perguntas retóricas para as multidões que ouviram sua advertência a João Batista. Ele não quer que elas tirem conclusões erradas, e assim aproveita a oportunidade para lhes contar o tipo de profeta que João Batista é e o que Deus fez por ele. Quando João Batista estava pregando no deserto, o que as multidões saíram a ver (v. 24)? Elas não viram um homem como uma cana que balança com o vento. Antes, elas viram um homem com crenças fortes, não influenciadas por opinião pública. João Batista tomou firme posição, o oposto de uma cana que balança com cada lufada de vento.

Por outro lado, elas não procuravam um homem trajado com roupas elegantes e vivendo no luxo (v. 25). Esse tipo de homem poderia ter sido achado no palácio de um rei, mas nunca no deserto. "Mas que saíste a ver?" (v. 26). Jesus responde a própria pergunta: "Um profeta? Sim, vos digo, e muito mais do que profeta". Se ele fosse classificado com os profetas do Antigo Testamento, João ficaria no topo. Porém, ele é mais que profeta; ele cumpre a promessa de Malaquias 3.1 como o mensageiro que preparou o caminho do Senhor. O fato de ser ele o precursor do Messias responde por sua grandeza. Ele chamou as pessoas para uma mudança de coração e de vida, de forma que elas estariam preparadas para a salvação. Ele apontou Jesus como o Salvador. João Batista teve papel importante no anúncio da presença do Salvador e de sua obra de salvação.

Jesus louva um grande homem — maior que todos os profetas. De fato, "entre os nascidos de mulheres, não há maior profeta do que João Batista" (Lc 7.28). Contudo, embora ele seja o maior de todos os mensageiros enviados por Deus, "o menor no Reino de Deus é maior do que ele". O crente mais insignificante em Jesus sobressai-se acima de João Batista. Não que João Batista seja excluído do Reino, mas ele é o precursor único e está entre a velha e a nova era.

Há grande diferença entre a velha era dos profetas e a nova era ligada à obra redentora de Jesus. João Batista pertence ao dia da promessa e não tem o privilégio da plena luz do evangelho. Estando na prisão, ele não testemunhou o ministério extraordinário de Jesus, e ele morrerá antes da morte e ressurreição do Salvador. Aqueles que compartilham das bênçãos do Reino desfrutam grandeza absoluta. A era do cumprimento começou, e confiar em Jesus — ter um lugar no Reino de Deus — é mais importante que ser um grande profeta. De nenhuma maneira Jesus nega a importância de João Batista, mas Ele mostra a importância suprema da membresia no Reino.

Muitos consideram que os versículos 29 e 30 são um comentário de Lucas. Mas estes versículos podem ser considerados parte do que Jesus diz à multidão sobre as várias reações à pregação de João Batista.[11] Quando as pessoas comuns e os publicanos ouviram João Batista, eles reconheceram que Deus tem razão. Quer dizer, eles "justificaram" (*edikaiosan*, "reconheceram como justo") Deus — declarando Deus justo e seus caminhos retos através da aceitação da mensagem de João Batista de arrependimento e batismo. Mas os fariseus e os peritos na lei judaica rejeitaram a pregação de João Batista. Eles recusaram o plano de Deus e fecharam os corações à chamada ao batismo. Indivíduos convencidos e satisfeitos consigo mesmos não sentem necessidade de se arrepender. Eles rejeitam o caminho de Deus. Mas muitas pessoas comuns respondem à chamada do Evangelho para se arrependerem e serem salvas.

3.9.3. A Parábola das Crianças Mimadas (7.31-35).

Os líderes religiosos e outros entre o povo recusaram ouvir João Batista e Jesus. Aqueles que não ouvem nenhum dos dois são referidos aqui como "homens desta geração" (v. 31). Não há meio de agradar estas pessoas com suas noções e ânimos inconstantes.

A rejeição depreciativa desta geração fornece o trampolim para a pergunta de Jesus: "A quem, pois, compararei os homens desta geração, e a quem são semelhantes?" Respondendo novamente a própria pergunta (cf. vv. 24-28), Ele observa que estas pessoas são como crianças que nunca se satisfazem. Seus companheiros nunca conseguem com que estas crianças brinquem com elas quando elas tocam música na praça. Se ouvem música apropriada para um casamento, elas se recusam a dançar; se ouvem um canto fúnebre, elas não choram. Pouco importa quanta pressão seus companheiros façam para persuadi-las, elas se recusam a dançar ou chorar.

Jesus aplica esta ilustração atingindo esta geração incrédula (vv. 33,34). Eles se queixam de João Batista e de Jesus. Aparece João Batista privando-se de pão e vinho, alimentando-se apenas de gafanhotos e mel silvestre (Mc 1.6). Embora ele assuma uma abordagem disciplinada de vida, ele não tem o favor dos seus companheiros. Eles estão incomodados com sua pregação de arrependimento e julgamento próximo. Eles consideram que deve haver algo errado com um homem que vive como ele. Então eles o ligam com o maligno e o estigmatizam como possesso de demônio.

Ao mesmo tempo, estas mesmas pessoas estão insatisfeitas com a associação de Jesus com todos os tipos de pessoas e não terão nada a ver com a música que Ele toca. Surge Jesus, "que come e bebe", e os críticos lhe chamam "homem comilão e bebedor de vinho, amigo dos publicanos e dos pecadores" (Lc 7.34). Para eles, Jesus pertence aos caloteiros e escória da sociedade. Eles o acusam dos pecados daqueles com quem Ele se associa e o classificam não melhor que os indesejáveis. Em outras palavras, não importa que estilo de vida os mensageiros de Deus assumam, esta geração sempre reclama. Se Jesus ministrasse hoje como Ele o fez no século I, alguns diriam que Ele também fica muito perto dos pecadores e se arrisca a se contaminar.

Muitos da geração de Jesus se recusaram a dançar conforme a música de João Batista ou Jesus. Mas, ao mesmo tempo, algumas crianças estão dançando conforme a melodia de Jesus, o Filho do Homem. Estas crianças são a descendência da sabedoria divina, e elas provam com sua vida que a sabedoria de Deus é certa (v. 35). Elas vêem o que Deus está fazendo por Jesus e confiam no Salvador como o caminho da sabedoria. Entre os filhos da sabedoria estão Pedro, Tiago e João (Lc 5.9-11); Levi, o publicano (Lc 5.27,28); o paralítico (Lc 5.17-26); e a mulher pecadora (Lc 7.36-50). Eles são filhos da "sabedoria". A sabedoria de Deus foi lhes revelada pela fé que elas têm em Jesus como o caminho, a verdade e a vida. Ele é a sabedoria de Deus, o verdadeiro guia para a vida deles e a nossa.

3.10. *Jesus É Ungido por uma Mulher Pecadora (7.36-50)*

Lucas nos dá um vislumbre de um fariseu, de nome Simão, e de uma mulher pecadora.[12] Como já é evidente, os fariseus se

AS PARÁBOLAS DE JESUS

NOME DA PARÁBOLA	MATEUS	MARCOS	LUCAS
A Luminária debaixo da Cama	Mt 5.14,15	Mc 4.21,22	Lc 8.16; 11.33
Os Construtores Sábios e Tolos	Mt 7.24-27	—	Lc 6.47-49
O Pano Novo em Roupa Velha	Mt 9.16	Mc 2.21	Lc 5.36
Vinho Novo em Odres Velhos	Mt 9.17	Mc 2.22	Lc 5.37,38
O Semeador e os Tipos de Terra	Mt 13.3-8,18-23	Mc 4.3-8,14,15	Lc 8.5-8,11,12
As Ervas	Mt 13.24-30,36,37	—	—
A Semente de Mostarda	Mt 13.31,32	Mc 4.30-32	Lc 13.18,19
O Fermento	Mt 13.33	—	Lc 13.20,21
O Tesouro Escondido	Mt 13.44	—	—
A Pérola Preciosa	Mt 13.45,46	—	—
A Rede	Mt 13.47-50	—	—
O Dono da Casa	Mt 13.52	—	—
A Ovelha Perdida	Mt 18.12-14	—	Lc 15.4-7
O Servo Inclemente	Mt 18.23-34	—	—
Os Trabalhadores na Vinha	Mt 20.1-16	—	—
Os Dois Filhos	Mt 21.28-32	—	—
Os Arrendatários	Mt 21.33-44	Mc 12.1-11	Lc 20.9-18
A Festa de Casamento	Mt 22.2-14	—	—
A Figueira	Mt 24.32-35	Mc 13.28,29	Lc 21.29-31
O Servo Fiel e Sábio	Mt 24.45-51	—	Lc 12.42-48
As Dez Virgens	Mt 25.1-13	—	—
Os Talentos (Minas)	Mt 25.14-30	—	Lc 19.12-27
Ovelhas e Bodes	Mt 25.31-46	—	—
A Semente que Cresce	—	Mc 4.26-29	—
Servos Vigilantes	—	Mc 13.35-37	Lc 12.35-40
O Prestamista	—	—	Lc 7.41-43
O Bom Samaritano	—	—	Lc 10.30-37
O Amigo em Necessidade	—	—	Lc 11.5-8
O Tolo Rico	—	—	Lc 12.16-21
A Figueira Infrutífera	—	—	Lc 13.6-9
O Último Lugar na Festa	—	—	Lc 14.7-14
O Grande Banquete	—	—	Lc 14.16-24
O Custo do Discipulado	—	—	Lc 14.28-33
A Moeda Perdida	—	—	Lc 15.8-10
O Filho (Pródigo) Perdido	—	—	Lc 15.11-32
O Administrador Arguto	—	—	Lc 16.1-8
O Rico e Lázaro	—	—	Lc 16.19-31
O Senhor e seu Servo	—	—	Lc 17.7-10
A Viúva Persistente	—	—	Lc 18.2-8
O Fariseu e o Publicano	—	—	Lc 18.10-14

opõem a Jesus e planejam entre si dar um fim à sua declaração blasfema de perdoar pecados (Lc 5.21,22). Mas nem todos os fariseus o rejeitam. Entre os que são retratados como amigos ou pelo menos simpatizantes do seu ministério profético está Simão. Jesus aceita o convite de ir a casa dele para participar de uma refeição. Embora Jesus seja amigo dos desterrados e pecadores, seu ministério às pessoas menosprezadas não exclui interesse nos membros respeitáveis da sociedade (Marshall, 1978, p. 308). Eles também precisam do Evangelho. Jesus quer compartilhá-lo com pessoas de todas as convicções.

O relato do jantar de Jesus na casa de Simão, o Fariseu, ilustra seu ensino sobre o pecado e a salvação. Uma mulher entra na casa de Simão sem ser convidada. Lucas a chama de *hamartolos*, melhor entendido aqui por "prostituta". Ela sabe que Jesus está lá; a refeição de que Ele está participando não é particular. Como era comum naqueles dias, outros tinham acesso a uma refeição em honra de um mestre distinto, ainda que esta mulher nunca fosse bem-vinda na casa de um fariseu.

Ninguém parece estar chocado com a presença dela. Ela leva "um vaso de alabastro com ungüento" (v. 37) e pode ter planejado ungir a cabeça de Jesus. De acordo com o costume, Ele está reclinado num divã baixo, com os pés atrás de si. Quando a mulher se coloca atrás dEle, ela é subjugada com intensas emoções de gratidão e chora profusamente, molhando os pés dEle com lágrimas. Então ela lhe enxuga os pés com os cabelos e os beija, expressando sua gratidão e respeito ao Filho de Deus. Finalmente, ela derrama o perfume caro nos pés de Jesus.

Obviamente esta mulher tem pouca ou nenhuma preocupação com a opinião pública. Ela esqueceu que uma mulher decente não solta os cabelos em público. Parece justo dizer que ela já conhece Jesus como seu Salvador. Ela pode ter estado entre as pessoas que ouviram os ensinos de Jesus e foram convencidas dos seus caminhos maus. Ela se arrependeu, e Ele mudou a vida dela e a pôs no caminho do auto-respeito. Como pecadora perdoada, ela conhece o real significado da tristeza pelo pecado (Marshall, 1978, p. 309).

Simão, o Fariseu, viu tudo o que a mulher fez e concluiu que Jesus não pode ser profeta. Um verdadeiro profeta teria *insight* especial sobre exatamente quem era esta mulher e saberia que ela era pecadora (v. 39). Ademais, um verdadeiro profeta nunca teria se permitido ser tocado por esta mulher suja. O fariseu presume que se Jesus tivesse o dom do discernimento, como os verdadeiros profetas têm, teria visto na mulher exatamente o que ele vê. Mas no que diz respeito a Jesus, o fariseu não tem olhos para ver a mulher como ela realmente é. Jesus a vê como filha de Deus, perdoada dos seus pecados e restabelecida na comunhão com o Senhor. Ele não só aceita o toque da mulher, mas Ele também recebe o que ela faz.

O Jesus ungido pelo Espírito tem verdadeiro *insight* profético. Percebendo os pensamentos íntimos de Simão, Ele passa a corrigir-lhe o falso arrazoamento. Ele faz sua avaliação da mulher através de uma parábola sobre dois devedores (vv. 41,42). A ilustração é simples. Há um prestamista que tem dois devedores. Um lhe deve dez vezes mais que o outro (quinhentos denários contra cinqüenta; um denário é o salário de um dia de um trabalhador rural). O prestamista perdoa a dívida de ambos. Cada um deve ser grato, mas um devedor foi perdoado muito mais que o outro. Assim Jesus pergunta a Simão quem destes homens amaria mais o seu benfeitor. O fariseu é inteligente, e replica: "Tenho para mim que é aquele a quem mais perdoou" (v. 43). Sua resposta é cautelosa, mas correta. Quando Deus perdoa um pecador notório como a mulher, mostra-se a oportunidade para o amor. A consciência de que Deus rasgou todas as dívidas contra nós e nos concedeu perdão abundante deveria nos instigar a grande amor e gratidão.

Jesus elogia Simão por seu julgamento. Em seguida, Ele aplica a parábola contrastando o que ele não fez com o que a mulher fez (vv. 44-47). Simão não providenciou água para lavar os pés de Jesus (Gn 18.4; Jz 19.21), mas a mulher lhe lavou os pés com as próprias lágrimas e os secou com os cabelos. Simão não lhe deu um beijo como sinal de boas-vindas (Gn 29.13; 45.15), mas com muita humildade ela lhe cobriu os pés de beijos. Simão nem mesmo ungiu a cabeça de Jesus com óleo de oliva barato (Sl 23.5; 141.5), mas a mulher usou um perfume caro para ungir-lhe os pés. Em contraste com o fariseu, a gratidão e a humildade da mulher produziram tremenda resposta de amor e devoção. A magnitude dos pecados dela está fora de questão, mas "os seus muitos pecados lhe são perdoados, porque muito amou". Ela e outros sentiram a necessidade de perdão, mas Simão e os outros não sentem a necessidade de perdão de pecados como orgulho, farisaísmo, hipocrisia e incredulidade.

O grande amor da mulher é evidência de que ela foi perdoada. A tradução do versículo 47 dá a entender que os muitos pecados da mulher foram perdoados por causa do seu grande amor. A interpretação de que o amor mereceu o perdão, é não só contrária ao Novo Testamento como um todo, mas também ao versículo 50: "A tua fé te salvou; vai-te em paz". O grande amor da mulher é *resultado* do perdão de Jesus dos pecados dela. A parábola em si (vv. 41,42) indica que os devedores são perdoados não porque amam, mas por causa da bondade do prestamista. O perdão produz o amor que eles têm. A exibição de afeto e gratidão da mulher não deixa dúvida sobre a magnitude do perdão que ela recebeu. A resposta que ela deu foi à graça divina. Parte do versículo 47 poderia ser traduzida por: "O grande amor dela prova que seus muitos pecados foram perdoados".

A mulher foi muito perdoada e, em resultado disso, foi muito amada. Em contraste, "aquele a quem pouco é perdoado pouco ama" (v. 47). Parece que isso indica Simão, embora não devamos considerar que signifique que ele já foi perdoado por Jesus. Simão se vê entre os justos e lhe falta uma compreensão dos seus pecados. Quer a pessoa tenha pecado muito ou pouco, quanto mais ela entende o pecado e sua pecaminosidade, mais ela amará Deus e seu perdão. O próprio Paulo é um exemplo. À medida que ele se aproximava do fim da vida, ele se maravilhava do perdão de Deus: "Cristo Jesus veio ao mundo, para salvar os pecadores, dos quais eu sou o principal" (1 Tm 1.15).

No versículo 48, Jesus trata da mulher diretamente. Consistente com a passagem, Ele lhe assegura o perdão. Ela pode sentir o desprezo de Simão, mas Jesus sabe que ela passou do pecado para o arrependimento, e, por conseguinte, para a gratidão e o amor. Não importa o que pessoas como Simão pensem, os pecados dela foram perdoados.

O que Jesus diz à mulher provoca comentários entre os convidados à mesa. Eles entendem o significado da declaração: "Os teus pecados te são perdoados". Assim, começam a perguntar entre si: "Quem é este, que até perdoa pecados?" (v. 49). Simão negou a autoridade profética de Jesus, mas qualquer pessoa que pode perdoar pecados tem de ser mais que profeta. O pronunciamento de perdão dado por Jesus implica que Ele tem autoridade divina, pois só Deus pode perdoar pecados (Lc 5.21).

Jesus não responde o que os convidados dizem. Mas Ele fala novamente à mulher, garantindo-lhe que ela foi salva do poder do pecado pela fé (v. 50). Ela pode agora ir em paz por causa de sua confiança pessoal em Jesus e sua paz com Deus. Deus sempre está pronto a destruir a culpa e o pecado de todo aquele que humildemente se volta para Jesus.

3.11. Ensinos Sábios e Ações Maravilhosas (8.1-56)

Até este ponto, Lucas centrou o ministério galileu de Jesus em torno da questão de sua autoridade. Agora, ele também se concentra na resposta a essa autoridade. Depois de uma referência breve às mulheres envolvidas no ministério de Jesus (Lc 8.1-3), ele se volta à palavra pregada de Jesus: A Parábola do Semeador (vv. 4-15), uma luminária posta debaixo da cama (vv. 16-18) e a verdadeira família de Jesus (vv. 19-21). Por meio de sua pregação ungida pelo Espírito, a autoridade de Jesus fica patente. Uma série de milagres revela que se estende a todos os escopos. Ele controla a natureza acalmando a tempestade (vv. 22-25), expulsa demônios (vv. 26-39), cura os doentes e até ressuscita pessoas (vv. 40-56). Jesus tem autoridade ilimitada.

3.11.1. As Mulheres Tomam Parte no Ministério de Jesus (8.1-3). O ministério de Jesus torna-se itinerante agora. A crescente oposição dos líderes da sinagoga pode ter tornado necessário Ele abandonar um ministério fixo e partir numa excursão missionária. Ele não se limita a algumas cidades da Galiléia, mas Ele vai de cidade em cidade e de aldeia em aldeia, anunciando com autoridade o gracioso reinado de Deus que traz salvação a homens e mulheres. Seu ministério itinerante serve de modelo para o serviço missionário. Na excursão, Ele é acompanhado pelos Doze e algumas mulheres.

A participação das mulheres na excursão missionária revela como era o ministério revolucionário de Jesus. Nos seus dias, os rabinos se recusavam a ensinar mulheres e lhes atribuíam um lugar inferior (Morris, 1974, p. 149). Por exemplo, só os homens tinham permissão de participar plenamente nos cultos da sinagoga. Mas Jesus trata as mulheres como pessoas e lhes dá as boas-vindas na comunhão. Elas têm acesso igual à graça e salvação, e muitas mulheres se tornam suas seguidoras. Entre elas estão as mulheres com recursos financeiros, que auxiliam Jesus dando de suas possessões para sustentar a Ele e seus discípulos.

Lucas menciona por nome três de tais mulheres. A primeira é "Maria, chamada Madalena", que significa "de Magdala", cidade na margem ocidental do mar da Galiléia. Jesus tinha expulsado sete espíritos dela. Quando ela foi liberta de sua existência miserável, ela se tornara discípula de Jesus. A seguinte é Joana, descrita como "mulher de Cuza", o qual servia como um tipo de administrador na corte de Herodes Antipas. A dedicação de Joana indica a vasta influência que Jesus tinha, pois seu ministério já havia alcançado alguns da corte real. Joana e Maria Madalena são testemunhas da ressurreição na manhã da Páscoa (Lc 24.10). A terceira é Suzana; nada mais nos é informado sobre ela.

Estas mulheres dão de seus recursos terrenos para sustentar o ministério de Jesus. Sua ajuda generosa explica, pelo menos em parte, como Jesus e os discípulos se sustentavam. Jesus ministrou a estas mulheres e as libertou da escravidão do pecado; proveniente de profundo afeto e devoção, elas continuam a "servir" (*diekonoun*, tempo imperfeito que significa repetição) Jesus e os discípulos "com suas fazendas" (v. 3). Dinheiro e possessões podem seduzir as pessoas e lhes tornar escravas das coisas do mundo. A generosidade destas mulheres prósperas é recomendável, mas elas mostram mais que generosidade aqui; elas são sensíveis à graça de Deus e à direção do Espírito Santo. Sendo elas mesmas abençoadas, por sua vez abençoam outros colocando o dinheiro em submissão ao evangelho.

3.11.2. A Parábola do Semeador (8.4-15). À medida que Jesus viaja, grande multidão se ajunta de cidades e aldeias diferentes, e Ele lhes conta a Parábola do Semeador, também conhecida por a Parábola dos Tipos de Terras (cf. Mt 13; Mc 4). A ênfase está na diferença das terras, e não no semeador e sua semente. Jesus já tinha ensinado por parábolas (Lc 5.36-39; 6.39-42; 7.41,42). Muitos dos predecessores proféticos de Jesus, como Ezequiel e Isaías, também ensinaram por parábolas. Como Jesus usa este método de ensino, Ele sabe que cumpre o que se diz em Isaías: "Vai e dize a este povo: Ouvis, de fato, e não entendeis, e vedes, em verdade, mas não percebeis" (Is 6.9).

Visto que Jesus coloca a Parábola do Semeador no palco central, temos de revisar brevemente a natureza e função das parábolas. A palavra grega *parabole* ("parábola") significa "colocação de coisas lado a lado", em geral visando comparação. Uma parábola é uma história curta e simples que expressa um ponto de ensino. A. M. Hunter nos oferece esta definição: "Uma comparação tirada da natureza ou da vida diária e designada a elucidar alguma verdade espiritual, na suposição de que o que é válido numa esfera também é válido em outra" (1960, p. 8). Como nos seus milagres, Jesus usa parábolas para confrontar a audiência com as realidades do Reino de Deus — os milagres são para os olhos e as parábolas são para os ouvidos (Dean, 1983, p. 59). A Parábola do Semeador tem um propósito duplo:

1) garantir aos discípulos que, apesar do desapontamento e falta de sucesso às vezes na pregação do evangelho, eles podem ter a confiança de que as boas-novas produzirão uma colheita rica; e
2) advertir os outros contra uma resposta descuidada ou casual à palavra pregada de Deus.

A Parábola do Semeador registra quatro reações/respostas à pregação de Jesus — cada uma descrita em termos de um tipo diferente de terra: Os ouvintes podem relacionar esta história com a experiência ou observação. Os agricultores na Palestina semeavam entre outubro e dezembro e colhiam em junho. A chave para uma colheita bem-sucedida era a terra na qual a semente era plantada. Há quatro lugares onde a semente podia cair:

1) numa trilha estreita que atravessava o campo, onde a semente era pisada pelos viajantes e comida por pássaros selvagens;
2) na parte do campo onde só havia uma fina camada de terra sobre um estrato de pedra — esta terra tinha pouca umidade; e quando o sol brilhava, a umidade evaporava e as plantas murchavam;
3) entre ervas daninhas com espinhos — quando as sementes tentavam crescer, os cardos roubavam os nutrientes da terra e tornava o crescimento impossível; e
4) em terra boa e fértil, na qual a semente germinava e produzia uma colheita abundante — até "cento por um" (v. 8).

Para concluir a parábola, Jesus faz uma chamada: "Quem tem ouvidos para ouvir, que ouça" (cf Lc 14.35). Esta chamada não põe em dúvida se os ouvintes têm ouvidos, mas exorta-os a usar os ouvidos para ouvir as verdades profundas da parábola, o que requer mais que ouvir as palavras exteriormente. É um ouvir interior que traz um entendimento de que a mensagem de Deus se aplica aos ouvintes, salva-os dos seus pecados e produz muitos frutos em sua vida. Nada pode ser mais importante que ouvirmos a Palavra de Deus.

Os discípulos perguntam o que a parábola significa (Lc 8.9). Na resposta, Jesus aproveita a oportunidade para lhes explicar por que Ele ensina por parábolas. Ele não está dando uma lição de agricultura; o significado da parábola deveria ser evidente para os discípulos. Deus lhes capacitou "conhecer os mistérios do Reino de Deus" (v. 10), o que se refere ao plano de salvação e a todas as bênçãos que acompanham seu reinado. A forma passiva "vos é dado" fala da doação divina. O entendimento das verdades secretas sobre o Reino não é devido à descoberta dos discípulos, mas à graça de Deus. Pelo Espírito, Deus os capacitou a entender as verdades profundas reveladas em Jesus Cristo.

Mas as parábolas têm um propósito duplo: Não apenas revelam verdades profundas sobre o Reino para os discípulos, mas também esconde para os "outros" o profundo significado da mensagem, quer dizer, para os incrédulos cuja mente permanece fechada às verdades mais profundas. Neste ponto, Jesus se refere a Isaías 6.9, que ensina que as pessoas vêem com os olhos e ouvem com os ouvidos, mas na verdade não vêem nem ouvem. Elas permanecem cegas e surdas às verdades profundas concernentes ao Reino. Há verdadeiro perigo na exposição da Palavra de Deus se não respondemos com fé. Se a pessoa voluntariamente escolhe ser cega e surda ao evangelho, Deus começa a retirá-lo e a dureza se estabelece; tais pessoas trazem julgamento sobre si mesmas. Por outro lado, investigadores sérios encontram as grandes verdades espirituais e seu significado nas parábolas, porque eles vão abaixo da superfície e descobrem o significado interior. Estas palavras avisam sobre o grande perigo de rejeitar as boas-novas do Reino. Nada é mais importante que ouvir e responder corretamente à mensagem de Jesus.

Agora Jesus explica a parábola aos discípulos (vv. 11-15). A semente representa a palavra de Deus, a pregação do Reino de

Deus e como entrar nele. Obviamente Jesus é o Pregador. Lucas não o identifica como tal, a fim de deixar aberta a inclusão da pregação feita pelos seguidores de Jesus. A interpretação de Jesus da parábola chama a atenção para os diferentes tipos de terra e o que acontece com a palavra de Deus quando ela cai em tipos diferentes de terra.

1) Algumas sementes caem na trilha dura que atravessa o campo (v. 12). Da mesma maneira que os pássaros comem a semente antes que ela germine, assim o Diabo arrebata a palavra e "os que estão junto do caminho" são como se nunca a tivessem ouvido. Essas pessoas ouvem a palavra, mas antes que ela penetre no coração e lhes mude a vida, Satanás as persuade a continuar na incredulidade.

2) Algumas das sementes caem sobre pedras, onde a terra é rasa (v. 13). Em resultado disso, a planta não pode aprofundar as raízes. Isto se refere à mensagem que cai no coração dos ouvintes, mas não penetra profundamente na sua vida. A princípio, eles se mostram promissores — eles, "ouvindo a palavra, a recebem com alegria", e ficam empolgados com ela. Mas essa resposta inicial não dura. Eles "não têm raiz" — sem profundidade de compreensão ou compromisso. São apenas crentes temporários. Provações e tentações vêm a todos os crentes na forma de problemas, dificuldades e perseguições. Quando acontece, eles "se desviam", quer dizer, abandonam a fé (cf. 1 Tm 4.1; Hb 3.12).

3) Outra parte da semente cai em terra com espinhos (v. 14). Estas pessoas realmente ouvem a palavra de Deus e entendem seu significado. Cria raiz no coração e eles experimentam a salvação. Mas não demora muito, os espinhos começam a fazer seu trabalho. Espinhos representam coisas como preocupações, riquezas e prazer. À medida que o tempo passa, estas coisas vão sufocando pouco a pouco qualquer fruto espiritual na vida dos crentes. Estes elementos podem nos afastar dos assuntos espirituais, sufocar nosso andar com Deus e asfixiar a palavra de Deus em nossa vida. Em resultado disso, não alcançamos maturidade em Cristo.

4) A semente que caiu em boa terra é um quadro daqueles que ouvem a palavra e dão frutos abundantes na vida piedosa. Eles têm um "coração honesto e bom" que os prepara para aceitar a pregação da palavra. Ela penetra profundamente na vida, onde floresce. Eles retêm a mensagem do evangelho e a conservam; ainda mais, "com perseverança" eles "dão fruto", uma abundante colheita espiritual. A menção da "perseverança" (*hypomone*, "paciência") indica que os crentes vivem sob pressão e enfrentam adversidade. Ao conservarem a palavra, eles asseguram que produzem frutos.

3.11.3. A Luminária sob a Cama (8.16-18). A próxima parábola de Jesus está intimamente relacionada com a Parábola do Semeador. A Parábola da Candeia se ajusta à ênfase em dar frutos, no versículo 15, e reforça a mensagem da parábola anterior. Porém, a ênfase principal está nos discípulos divulgarem a mensagem do evangelho e serem luz do mundo.

No mundo antigo, uma luminária consistia em um pavio numa tigela de barro pequena, cheia com óleo de oliva. Uma luminária fornecia luz para um quarto ou casa. Ninguém cobria a luminária ou a punha debaixo da cama. Ao invés disso, ela era posta num suporte de forma que aqueles que entrassem na casa vissem a luz (v. 16). A luminária representa a luz que Jesus trouxe ao mundo. Seus seguidores nunca devem esconder a luz do evangelho. Ele iluminou os corações com a palavra e lhes deu *insight* espiritual. Eles devem colocar a luz em suportes e proclamar a palavra para os outros.

A luz do evangelho nos guiará através das trevas deste mundo. A luz faz mais que iluminar o caminho; também revela o que está escondido e torna as coisas conhecidas como elas realmente são (v. 17). É assim que o evangelho trabalha. À medida que é proclamado, ele expõe os segredos dos corações humanos. A luz deve brilhar ao longe e amplamente, pois ela não só ilumina os crentes, mas também mostra aos outros como eles são. A pregação do evangelho começa o que Deus completará no julgamento final (Lenski, 1946, p. 455). Naquele dia tudo será trazido à luz.

Todos devem ter cuidado em ouvir a palavra do jeito certo (v. 18). Aqueles que respondem com fé receberão mais de Deus. Jesus não está encorajando que aqueles que têm dinheiro esperem um aumento de riquezas, mas um aumento de fé (v. 12), frutificação (v. 15), alegria e conhecimento do evangelho. Se usarmos os dons de Deus, Ele os aumentará. Mas aqueles que não recebem a palavra, até o que eles pensam que têm lhes será tirado. Rejeitar a palavra de Deus significa que permanecemos num estado de pobreza espiritual (cf. também Lc 19.26, que nos avisa sobre a importância do uso correto dos dons de Deus).

3.11.4. A Verdadeira Família de Jesus (8.19-21).

Nesta seção, Jesus enfatiza mais uma vez a importância de ouvir a palavra de Deus adequadamente. Marcos nos conta que a mãe e os irmãos de Jesus foram tomar conta dEle, porque eles pensam que Ele se estendeu em excesso no ministério e querem que Ele descanse (Mc 3.21). Lucas não cita o motivo, mas ele mostra que a vinda deles é ocasião para Jesus ensinar que todos os que ouvem e obedecem a palavra de Deus pertencem à sua família.

A mãe e os irmãos de Jesus não podem se aproximar por causa da multidão (v. 19). Ele está se dedicando ao trabalho que o Espírito o ungiu a fazer. Quando fica sabendo da presença deles, Ele não mostra impaciência ou desrespeito, mas comenta: "Minha mãe e meus irmãos são aqueles que ouvem a palavra de Deus e a executam" (v. 21). O verdadeiro parentesco com Jesus é questão de crer na sua palavra e obedecer tudo o que ela diz. Jesus não renega sua família biológica ou a ignora. Na cruz, por exemplo, Ele faz provisão para sua mãe (Jo 19.26,27). Mas os crentes têm uma relação mais íntima com Ele do que sua mãe e irmãos. Sua família tem de entrar na família espiritual da mesma maneira que qualquer um dos seus seguidores. Pela presença habitadora do Espírito Santo estamos unidos com Ele e somos membros da casa de Deus.

3.11.5. Jesus Acalma a Tempestade (8.22-25).

Jesus agora mostra seu poder sobre as forças da natureza. Ele mandou que espíritos malignos saíssem das pessoas (Lc 4.35,41); ordenou que a febre deixasse a sogra de Pedro (Lc 4.39); limpou um leproso (Lc 5.12-15); curou um paralítico e lhe perdoou os pecados (Lc 5.17-26); Ele ressuscitou o filho da viúva (Lc 7.11-17). Nesta seção, Jesus ordena que uma tempestade violenta pare. O controle dEle sobre o vento e as ondas revela não só seu poder divino, mas também sua compaixão para com todos os tipos de necessidade. O apaziguamento da tempestade é a primeira de uma série de quatro milagres no capítulo 8.

Jesus e os discípulos entram num barco para passar para o outro lado do mar da Galiléia. Na travessia, Jesus cai no sono. Sem aviso, bate uma violenta ventania no lago. Ondas altas começam a encher o barco de água. Alguns dos discípulos são pescadores experientes, mas eles não conseguem evitar que o barco se encha de água. Quando vêem que o barco está em perigo de afundar, eles ficam alarmados.

Sem se deixar perturbar pela tempestade, Jesus continua dormindo até

Este tipo de luminária estava em uso durante o século I. No seu ensino, Jesus falou aos discípulos que eles devem divulgar o evangelho, torná-lo conhecido, da mesma maneira que uma pessoa acende uma luminária e a coloca num suporte para que a luz seja vista.

que os discípulos o despertam com as palavras: "Mestre, Mestre, estamos perecendo" (v. 24). Tendo poder sobre os elementos, Jesus repreende os ventos e as ondas furiosas, e faz-se calma. O verbo "repreender" (*epitimao*) também é usado com referência a espíritos malignos (Lc 4.35,41) e a febre (Lc 4.39). Este verbo implica que o maligno tinha parte na tempestade, mas Jesus demonstra sua autoridade sobre a natureza. Seus seguidores podem confiar em seu poder para ajudá-los; Ele responde às necessidades fielmente. Este milagre ensina grandes realidades espirituais sobre o poder e a compaixão de Jesus em nos ajudar em nossas necessidades.

Os discípulos mostram pouca fé durante a tempestade, assim Jesus os repreende perguntando: "Onde está a vossa fé?" (v. 25). Eles não deveriam ter ficado terrificados, mas ter confiado nEle. Seu treinamento sob a orientação de Jesus não os levou a uma fé forte e corajosa, uma fé que os teria assegurado do cuidado de Jesus por eles durante a tempestade. O apaziguamento dos ventos e das ondas lhe dá a oportunidade de lembrar os discípulos do seu cuidado por eles. Como todos os crentes, eles precisam do tipo de fé que os acompanhará em meio a perigos e adversidades. Esse tipo de fé exige conservar no coração a palavra de Deus (v. 15).

Cheios de temor e surpresa, os discípulos tentam entender o que eles viram. Assim, fazem uma pergunta relativa à identidade de Jesus: "Quem é este, que até aos ventos e à água manda, e lhe obedecem?" Que tipo de pessoa é alguém a quem o vento e as ondas obedeçam? Não é dada a resposta, mas quem estuda o Antigo Testamento sabe que ninguém, a não ser Deus, controla o vento e os mares (Sl 18.15; 135.6,7; Na 1.4).

3.11.6. Jesus Liberta um Homem Possesso de Demônios (8.26-39).

Este incidente acontece no lado oriental do mar da Galiléia, em território gentio.[13] Jesus revelou seu poder sobre as forças da natureza acalmando a tempestade, mas Ele também tem autoridade sobre os poderes do Diabo. Ele encontra um caso mais severo de possessão demoníaca do que o incidente registrado em Lucas 4.31-36. Quando Jesus pisa na praia, um homem possesso de demônio vai até Ele. Este homem foi reduzido a um nível subumano: anda desnudo e vive em cavernas funerárias. Os demônios se infiltraram em sua personalidade de tal modo que ele se encontra impotente. Eles o despojaram de sua sanidade. Quando tomado pelo espírito maligno, o homem ficava violento. Para contê-lo, as pessoas punham cadeias nas mãos e pés, mas ele as esmiuçava. Todos os meios humanos fracassaram em ajudá-lo.

Algo atrai o homem a Jesus. Quando ele se aproxima, ele cai de joelhos em frente de Jesus. Então o demônio fala pela vítima: "Que tenho eu contigo Jesus, Filho do Deus Altíssimo? Peço-te que não me atormentes" (v. 28). O espírito imundo reconhece a autoridade de Jesus em exercer julgamento (Lc 4.34,41) e o trata de "Filho do Deus Altíssimo". Em sentido singular, Jesus é o Filho de Deus que tem autoridade absoluta sobre os espíritos malignos. O demônio conhece o caráter divino de Jesus e o propósito da vinda dEle (1 Jo 3.8).

Jesus pergunta qual é o nome do demônio, e obtém a resposta "Legião" (v. 30). Como unidade do exército romano, uma legião consistia em quatro mil a seis mil homens. Então, o homem está possesso por uma multidão de espíritos malignos. A vítima não pode vencer o controle que é exercido sobre ele, mas na presença de Jesus os demônios sabem que eles têm de sair do homem. Eles ficam com medo de serem lançados no "abismo", o lugar dos mortos (Sl 107.26; Rm 10.7) — ou seja, os infernos, onde os espíritos maus são mantidos até o julgamento final. Eles preferem entrar em humanos ou animais, de forma que possam exercer seu controle impiedoso. Um rebanho de porcos está reunido ali perto, e os demônios pedem permissão para entrar neles. Jesus permite. Uma vez mais, vemos o poder do Jesus ungido pelo Espírito. Ele profere uma palavra autorizada, e os demônios não podem fazer nada senão o que Ele permite.

Os porcos reagem aos demônios descendo correndo impetuosamente uma ladeira íngreme e caindo no mar da Galiléia, onde se afogam. A libertação do homem resulta na morte dos porcos. Os donos sofrem a perda dos animais, mas um indivíduo vale muito mais que um rebanho inteiro de suínos. A comunidade onde o homem vivia é liberta dos perigos deste endemoninhado, mas os que apascentavam os porcos informam ao povo da cidade o que aconteceu (Lc 8.34).

Quando as pessoas vêm ver por si mesmas, elas acham o homem completamente livre de demônios e "vestido e em seu juízo, assentado aos pés de Jesus". O homem foi transformado pela graça salvadora e poder de Jesus e se tornou discípulo do Salvador. Mas em vez de se regozijarem pela libertação, as pessoas ficam com medo terrível do poder transformador de Jesus e pedem que Ele se retire. A possibilidade de encontrar o poder de Jesus é vista como ameaça. Jesus lhes atende o pedido. O homem curado implora ir com Ele. Mas Jesus lhe envia para casa a fim de que ele testemunhe o que Deus fez por ele. O homem se torna evangelista e vai por toda a cidade pregando o que Jesus fez por ele.

A libertação do homem nos faz lembrar de algumas verdades extraordinárias.

1) Sua libertação traz à luz o poder e autoridade absolutos do Senhor. A multidão de demônios tem de obedecer a palavra de Jesus. Ele vence a mais forte resistência demoníaca e restaura o homem à plena vida.

2) A resposta do homem mostra que Jesus deve ser o primeiro em nossa vida. Ele deseja ir com Jesus e se juntar ao grupo de discípulos. Sua devoção é louvável, mas Jesus o dirige a ir para casa e se tornar testemunha de sua experiência com o poder salvador de Deus. É o que ele faz, e sua pregação se concentra no que Jesus tem feito por ele.

3) A libertação do homem deve garantir a todos os crentes que eles tomam parte na vitória de Jesus sobre os principados e poderes (cf. Lc 9.1; 10.17). Os crentes são atacados por espíritos malignos e espera-se que eles lutem na guerra espiritual contra tais espíritos (Ef 6.12). Mas ainda que os demônios possam influenciar, oprimir ou vexar os crentes, eles não podem possuí-los. Cada crente é habitado pelo Espírito Santo (Rm 8.9; 1 Ts 4.8). Satanás e o Espírito Santo nunca podem habitar ou possuir o mesmo templo. E quando Jesus voltar em poder e glória, Ele dará um fim às atividades demoníacas.

3.11.7. A Ressurreição da Filha de Jairo; A Cura de uma Mulher com Fluxo Hemorrágico (8.40-56).

Estes dois milagres são os últimos na sucessão de quatro. Eles acontecem no mesmo dia e estão entretecidos. Lucas não identifica o lugar, e provavelmente foi em Galiléia, talvez perto de Cafarnaum. Os dois milagres revelam a autoridade de Jesus sobre uma doença humanamente incurável e até sobre a morte. É significativo que a ressurreição da filha de Jairo seja o último dos quatro milagres. Mesmo a morte, o oponente mais persistente e temível, tem de se submeter ao Senhor da vida. Em última instância, Cristo vencerá todas as doenças e a morte. Estes milagres também ensinam a importância da fé (vv. 48,50).

Jesus libertou o homem de uma legião de demônios (Lc 8.26-39). Quando Ele volta à Galiléia, Ele encontra uma multidão ávida em vê-lo. Durante seu ministério na Galiléia, Jesus permanece popular com o povo comum, embora a maioria dos líderes religiosos desaprove a Ele e seu ministério. Mas nesta ocasião, Jairo, príncipe da sinagoga local, expressa publicamente sua fé no poder curativo de Jesus. Ainda que ele seja homem de posição na comunidade, ele se ajoelha aos pés de Jesus, implorando que Ele o acompanhe à sua casa (v. 41). Sua filha única de doze anos está a ponto de morrer. Convencido da autoridade de Jesus curar os doentes, o príncipe pleiteia com Ele pela vida de sua filha.

Imediatamente Jesus começa sua jornada à casa de Jairo. Enquanto isso, a multidão é tão rude que o aperta. Esta rudeza atrasa a jornada de Jesus, mas também dá à mulher a oportunidade de se aproximar dEle para receber cura. Por doze anos ela tem sofrido de sangramento, e os médicos foram incapazes de ajudar. A condição desta mulher a torna religiosamente impura (cf. Lv 15.19-31). Em resultado disso, ela é tratada como desterrada social, proibida de freqüentar a adoração no templo ou ter contato com outras pessoas. As conseqüências sociais lhe aumentaram o sofrimento e lhe tornaram a vida mais difícil. Sua única esperança de tocar Jesus é fazê-lo secretamente vindo por trás dEle. Se ela tentasse se aproximar de Jesus de outro modo, as pessoas não lhe permitiriam chegar perto dEle. Assim, ela se aproxima por trás de Jesus e lhe toca a bainha da roupa — ou seja, as borlas na bainha da veste exterior, as quais os judeus devotos usavam como sinal de devoção a Deus. No momento em que ela toca a bainha, o sangramento pára (v. 44).

Ciente de que alguém deliberadamente o tocou, Ele pergunta: "Quem é que me tocou?" Sob tais circunstâncias, a pergunta é curiosa. As pessoas estão em volta de Jesus e o apertam. Todos negam ter feito um toque especial em Jesus. Surpreso com o questionamento, Pedro deseja saber como Ele pode fazer semelhante pergunta. A pergunta parece tão insignificante, visto que chegar à casa de Jairo é questão de vida ou morte.

Mas Jesus, ungido pelo Espírito, insiste que alguém o tocou intencionalmente. Ele sabe que ministrou para uma pessoa e percebe que a pessoa foi curada, porque Ele sentiu que poder divino sai dEle (v. 46). Há um mistério aqui. Outros na multidão tocaram Jesus quando o apertavam, mas não saiu poder dEle. Quando a mulher lhe toca a bainha, poder flui dEle para ela. Esta cura não era voluntária da parte de Jesus. Ele determinou a cura dela e ela foi curada. Ao mesmo tempo, sua libertação foi a resposta do Salvador à fé da mulher. Sua fé a distinguiu da multidão, mas agora ela se dá conta de que não pode se manter escondida e escapulir sem ser percebida. Tremendo de medo, ela se adianta e cai aos pés de Jesus. Ela testemunha diante de todos o que ela fez e o que Jesus fez por ela.

Jesus não tem palavra de culpa ou repreensão. Ele a trata afetuosamente de "filha" e lhe diz a mesma coisa que Ele disse à mulher pecadora de Lucas 7.50: "Tem bom ânimo, filha, a tua fé te salvou [*sozo*]; vai em paz". Os milagres de Jesus são realizados pelo poder divino que trabalha por Ele. Mas outro elemento importante nos milagres é a fé. Sua fé em Jesus a instiga a olhar para Ele em busca de libertação e tira dEle poder curativo. O elogio de Jesus, "a tua fé te salvou", sugere algo mais profundo que a cura física. O contato dela com Jesus foi pessoal, e a cura tem de abranger o corpo e a alma. Ela lhe deve saúde nova e vida nova pelo poder salvador de Deus. A mulher deu seu testemunho, e ela se torna uma testemunha eficaz. Assim Jesus lhe assegura que ela foi curada pela fé e a despede para ir na paz de Deus. Tanto sua enfermidade quanto seus pecados acabaram, a salvação é dela, e ela tem a paz com Deus.

Esta mulher causou um atraso em chegar a casa de Jairo. Enquanto Jesus ainda está falando com ela, chega um mensageiro com a notícia de que a filha de Jairo morreu. Aquele que traz as notícias não tem esperança de que agora Jesus possa fazer algo pela criança. Seu conselho a Jairo é: "Não incomodes o Mestre" (v. 49). O mensageiro não entende que o poder de Jesus vai além da morte. Jairo provavelmente também concorda com o mensageiro.

Quando Jesus ouve a mensagem, Ele prontamente tranqüiliza o pai com estas palavras: "Não temas; crê somente, e será salva" (v. 50). Jairo não deve tirar conclusão precipitada. Ele testemunhou o que Jesus fez pela mulher que confiou no seu poder. Saber que ela teve a saúde restabelecida torna mais fácil crer que Jesus pode curar sua filha. Visto que ela morreu, Jesus o exorta a ter mais fé. A ênfase cai na importância da fé. Sem crer, o príncipe da sinagoga não pode ter verdadeira esperança de ver sua filha viva outra vez. Somente a fé no poder de Cristo pode livrá-la das garras da morte.

Jesus chega à casa de Jairo. Ele não permite que ninguém entre, a não ser os pais da criança e os três discípulos mais íntimos. Ele quer evitar muita publicidade. Um pouco antes, Ele insistira que a mulher curada de um fluxo de sangue desse testemunho público do que acontecera. O fato de já não ser vista como imunda pelas pessoas a permitirá voltar a uma vida religiosa e social normais. Semelhantemente, aqui Jesus não quer que a jovem se torne o centro de uma multidão inquisitiva. Em consideração a ela, Ele permite que só algumas pessoas entrem no quarto dela.

Quando Jesus chega à casa, algumas pessoas estão chorando pela criança. Entre elas deve haver familiares e vizinhos. Lucas não menciona carpideiras profissionais, mas é provável que elas também estão lá. Com uma ordem, Jesus interrompe o choro de partir o coração: "Não choreis". Então Ele explica: "[A menina] não está morta, mas dorme" (v. 52). Referir-se à morte como sono é uma maneira mais agradável de falar dela. O intento de Jesus não é contrastar o sono com a morte, mas olhar a morte do ponto de vista de Deus. Para nós, a morte é final, mas para Deus a pessoa pode ser despertada dela (Marshall, 1978, p. 347).

Os que choram e pranteiam sabem que a menina não está em coma, mas morta, de fato. Eles pensam que Jesus está discutindo sua morte e está falando do sono comum, por isso eles riem do que Ele diz. Até agora Jesus é conhecido como profeta ungido e como alguém que tem o dom de cura. Mas os que choram estão tão tomados pela incredulidade que eles se recusam a considerar que Ele pode ter razão. Como Morris diz: "O que é morte para os homens, não é mais que sono para Jesus" (1974, p. 162).

Os que choram sentem que a morte sempre tem a última palavra. Eles estão errados. Jesus tem a última palavra quando toma a criança pela mão e diz: "Levanta-te, menina!" O espírito volta ao corpo inanimado, e ela imediatamente desperta do sono da morte. Como o filho morto da viúva de Naim, ela experimenta um estupendo milagre. Deste momento em diante ela deve viver uma vida normal. Em carinhosa consideração, Jesus lhes ordena que lhe dêem um pouco de comida (v. 55). A morte foi roubada de sua vítima pelo poder de Jesus. Os pais da criança estão pasmos. Jesus os incumbe de não contar a ninguém sobre o milagre. O que Ele fez é óbvio para muitos, mas Ele quer evitar tornar-se conhecido somente como realizador de milagres.

3.12. Jesus e os Discípulos (9.1-50)

Lucas 9.1-50 registra o clímax do ministério galileu de Jesus, com ênfase em seu ministério entre o povo. Ele mostrou seu poder divino através de obras poderosas e sua grande compaixão ao atender as necessidades das pessoas. Ele escolheu os Doze (Lc 6.12-16), que viajaram com Ele e observaram o que Ele fez e disse. Agora Lucas passa adiante para mostrar que Jesus lhes dá poder e autoridade para pregar o Reino de Deus e fazer milagres, da mesma maneira que Ele o fez (Lc 9.1-6).

Enquanto isso, relatórios sobre as atividades de Jesus e os discípulos chegam a Herodes (vv. 7-9). A preocupação de Herodes sobre quem é Jesus, é seguida pela alimentação dos cinco mil (vv. 10-17). A confissão de Pedro identifica Jesus como Cristo, o ungido de Deus; esta confissão representa significativo ponto decisivo no evangelho. Jesus declara pela primeira vez o caminho do sofrimento que Ele e os discípulos têm de trilhar (vv. 18-27). Ele é transfigurado enquanto prepara o caminho para a sua jornada final a Jerusalém (vv. 28-36). A seção é concluída com a falta de fé dos discípulos e enfatiza a preparação deles para a morte de Jesus (vv. 37-50).

3.12.1. Jesus Envia os Doze (9.1-6). Os Doze estiveram com Jesus na maior parte do seu ministério na Galiléia. Depois do grande milagre de ressuscitar a filha de Jairo, Jesus lhes manda sair para fazer o que Ele fez. Sua comissão parece igual à dEle (Lc 4.18,19). Ele "deu-lhes virtude e poder sobre todos os demônios e para curarem enfermidades". Eles devem proclamar a chegada do Reino. O reinado redentor de Deus se tornou uma realidade presente, demonstrada pela pregação do evangelho e pela vitória sobre o maligno através dos milagres e da expulsão de demônios. Como todos os ministros do evangelho, estes discípulos derivam seu poder e autoridade de Jesus. Eles ministram como seus servos e mordomos e, assim, devem prestar contas a Ele. Antes do Pentecostes, o ministério que fazem serve de preparação para a obra que eles serão chamados a fazer no poder do Espírito (Lc 24.49; At 1.8; 2.1ss).

Quando os discípulos viajam, Jesus quer que eles dependam de Deus. Ele os instrui para não levarem provisão consigo (Lc 9.3). Eles devem centrar o foco no seu ministério, e não gastar tempo em preparações elaboradas. Viajando com tão pouco quanto possível, eles devem confiar em Deus e não levar coisas como um cajado usado em longas viagens, um alforje no qual são levados suprimentos, dinheiro ou roupa extra. Jesus não deseja infligir adversidades nos discípulos, mas lhes ensinar a dedicar o tempo para o servir e avisá-los para não se preocuparem com suas necessidades. A tarefa à qual eles foram incumbidos é urgente. Eles devem ir e confiar em Deus para satisfazer a necessidade enquanto eles proclamam o Reino de Deus.

Quando os discípulos entram numa cidade, eles devem ficar com a primeira família que lhes dá as boas-vindas (v. 4) e evitar mudar de casa em casa. Eles devem se satisfazer com a comida e a hospedagem. Se eles procurassem por acomodações melhores, eles estariam insultando o anfitrião. Por outro lado, se eles entram numa cidade onde ninguém lhes dá as boas-vindas, eles têm de passar depressa para outra cidade (v. 5). Eles precisam tomar precauções contra se impor numa cidade que não quer a eles e sua mensagem. Ao deixar tal cidade, eles não devem fazer nada mais que sacudir o pó dos pés. Os judeus observavam esta prática quando deixavam território gentio para se livrar da contaminação gentia antes de voltarem à sua terra. Os discípulos devem adotar este procedimento como ato simbólico "em testemunho contra eles". Significa que visto que uma cidade como um todo rejeitou a mensagem de salvação, seus habitantes não pertencem ao povo de Deus. Em outras palavras, os discípulos não estão se limpando, mas dando um aviso contra a desaprovação e a condenação do povo de Deus mediante a rejeição dos seus mensageiros.

Os discípulos fazem como Jesus lhes diz (v. 6). Lucas não dá detalhes da jornada, mas eles viajam por todas as aldeias, pregando as boas-novas da mensagem do Reino e curando os doentes. O foco é o ministério e não as necessidades pessoais para a viagem. Mais tarde Jesus instrui seus seguidores a levar bolsa, alforje e espada (Lc 22.36). Mesmo assim, os que levam o evangelho devem depender de Deus e ter cuidado para não danificar a credibilidade do Evangelho. O povo de Deus deve atender as necessidades daqueles que o ministram (Lc 10.7; 1 Co 9.3-14).

3.12.2. Herodes Ouve Rumores sobre Jesus (9.7-9). Lucas coloca esta breve passagem entre a partida dos discípulos (v. 6) e o seu retorno (v. 10). Ela fornece informação de pano de fundo para a confissão de Pedro sobre Jesus como Messias (vv. 18-20). Lucas registra os relatos e rumores que circulam à medida que a popularidade de Jesus continua aumentando na Galiléia. Relatos chegam a Herodes Antipas, o governante da Galiléia (Lc 3.1,19), acerca das curas e milagres feitos por Jesus e os discípulos. Junto com a atração de Jesus para com as multidões, aumenta a curiosidade a respeito de quem Ele é. Rumores e conjeturas são comuns. Muitos ficam confusos com os boatos.

O que Herodes ouve o confunde, sobretudo o significado das obras poderosas de Jesus. Ele está extremamente desconcertado pelas três diferentes visões de Jesus discutidas na corte. Uns acreditam que os milagres estão sendo feitos por João Batista, que voltou à vida. Lucas não relata a história da morte de João, mas nessa altura dos acontecimentos Herodes já o tinha mandado decapitar. Alguns dos discípulos de João podem ter achado difícil aceitar a morte do profeta e talvez eles sejam os responsáveis pelos relatos da uma ressurreição. Outros pensam que Jesus é o profeta Elias. De acordo com Malaquias 4.5,6, Elias (que fora levado vivo para o céu; veja 2 Rs 2.11,12) devia voltar e preparar o caminho para o Messias. A terceira visão identifica Jesus como outro profeta de um tempo longínquo. Ainda que este profeta não seja mencionado por nome, há os que pensam que Deus ressuscitou um dos profetas antigos.

Herodes rejeita a opinião de que aquEle que está fazendo milagres seja João Batista. Ele presume que João e os outros mencionados não poderiam ter ressuscitado, apesar do que diga a opinião popular. Ainda incomodado, ele deseja saber quem é aquEle que está fazendo milagres; deseja ver Jesus pessoalmente e conhecê-lo. Seu anseio em ver Jesus é instigado pela curiosidade, e não pela fé (cf. Lc 23.6-12). A fé é vital para atracar-se com quem Jesus realmente é. Sua identidade nunca pode ser descoberta de longe ou por informação de segunda mão.

3.12.3. Jesus Alimenta os Cinco Mil (9.10-17).

A alimentação dos cinco mil aparece em todos os quatro Evangelhos (cf. Mt 14.13-21; Mc 6.32-44; Jo 6.1-15). Este milagre representa um ponto decisivo no ministério de Jesus. Lembra a alimentação dos filhos de Israel no deserto nos dias de Moisés. No Evangelho de Lucas este acontecimento serve para um propósito quádruplo:
1) Revelar mais sobre Jesus;
2) fornecer base para a confissão de Pedro sobre Jesus como Messias (vv. 19,20);
3) preparar os discípulos para ensinar sobre a morte e ressurreição de Jesus (v. 22); e
4) ensinar os discípulos a confiar nEle e em seu poder grandioso. Jesus quer que a alimentação milagrosa sirva de lição aos discípulos. Lucas não nos fala nada sobre a resposta do povo a este milagre.

Os discípulos foram pregar o Reino de Deus. Quando voltam, eles contam a Jesus tudo o que fizeram. Durante um tempo de descanso e recuperação de forças, Jesus se retira em direção a Betsaida, cidade localizada perto da orla nordeste do mar da Galiléia. Eles não entram na cidade, mas permanecem "em lugar deserto" (v. 12). As multidões partem em busca de Jesus. Ele e os discípulos têm pouco tempo de isolamento antes que as multidões cheguem. Contudo, Ele não mostra irritação com a interrupção; pelo contrário, Ele lhes dá as boas-vindas. Ele encurta o tempo de isolamento com os discípulos e se dedica a fazer uma longa mensagem sobre o Reino de Deus. Ao mesmo tempo cura os doentes (v. 11). Como Jesus proclamou na sinagoga de Nazaré, pregar o evangelho e curar os doentes estão no centro do seu ministério (Lc 4.18,19).

Quando a maior parte do dia passou, os discípulos expressam preocupação genuína sobre o bem-estar das pessoas. Eles lembram a Jesus que a multidão deve ser despedida para que as pessoas vão às aldeias e vilas circunvizinhas, de modo que achem algo que comer e um lugar para passar a noite. A resposta de Jesus é surpreendente: "Dai-lhes vós de comer" (v. 13). Da perspectiva deles, é impossível eles alimentarem tamanha multidão. A única comida disponível é cinco pães e alguns peixinhos cozidos — insuficientes para alimentar cinco mil homens (*andres*, em oposição a *anthropoi*, indica que mulheres e crianças não estão incluídas no número). Ademais, mesmo que tivesse comida disponível para ser comprada, os discípulos não têm recursos financeiros para comprar comida o suficiente. Sob tais condições a alimentação da multidão é humanamente impossível.

Os discípulos sabem que seus recursos são inadequados. Eles não pensam no poder de Jesus em prover a subsistência, nem consideram sua grande compaixão. Ele instrui os discípulos a fazer as pessoas se sentarem em grupos, com cerca de cinqüenta em cada grupo. Os discípulos não levantam objeção e obedecem, embora eles não tenham idéia de onde virá comida para alimentar a multidão. O fato de estarem sentados em grupos torna conveniente servi-los.

Jesus passa a fazer o milagre. Começando como faria numa refeição normal, Ele toma os cinco pães e os dois peixes e oferece uma bênção, agradecendo a Deus pelos pães e peixes e pelo que Ele pode fazer por eles. Depois da oração, os pães e os peixes são partidos em pedaços e dados aos discípulos para serem distribuídos às pessoas. A comida aumenta milagrosamente, e há o bastante para satisfazer a fome de todos. Há mais sobra do que farelos e pedacinhos no chão, pois os discípulos juntam doze cestas de pão e peixes de sobras — mais que suficiente para todo o Israel. As pessoas desfrutaram uma refeição completa. O que Jesus fez mostra sua capacidade em prover as necessidades dos seres humanos. O pouco é muito em Suas mãos.

Há os que vêem um vínculo entre a Ceia do Senhor e a alimentação dos cinco mil. A ênfase da ceia está na comida espiritual e na capacidade do Senhor em satisfazer as necessidades espirituais. O aumento dos pães e dos peixes ensina que Jesus pode satisfazer as necessidades físicas. Este milagre pode ser visto como prefiguração da Ceia do Senhor (cf. Jo 6). Realmente, a Escritura deixa claro que Jesus tem a autoridade de ministrar ao pleno âmbito das necessidades humanas, espirituais e físicas.

3.12.4. A Declaração de Pedro e a Primeira Predição de Jesus sobre sua Morte (9.18-27). Mais uma vez Jesus se afasta da multidão para orar. A oração tem um papel central no seu ministério. Ainda que os discípulos estejam perto de Jesus, eles não tomam parte na oração. A oração sinaliza que seu ministério alcançou importante ponto decisivo. De grande importância é a confissão de Pedro, que responde a pergunta de Herodes: "Quem é, pois, este"? Além de identificar Jesus como o Messias, a confissão provoca uma mudança no ensino de Jesus. Ele fala pela primeira vez sobre seu futuro sofrimento e começa a preparar os discípulos para sua morte na cruz e para eles carregarem a cruz diariamente.

Depois de seus momentos de oração, Jesus começa uma conversa com os discípulos, perguntando: "Quem diz a multidão que eu sou?" (v. 18). As pessoas em geral não pensam nEle como o Messias. As respostas são quase que as mesmas dos rumores que chegaram aos ouvidos de Herodes (vv. 7,8). Eles reconhecem a natureza profética do seu ministério e pensam que Ele pode ser João Batista, ou Elias, ou algum outro profeta antigo que ressuscitou.

Então Jesus faz aos discípulos a mesma pergunta: "E vós quem dizeis que eu sou?" A palavra "vós" é enfática em grego e está em contraste com as multidões (v. 18). Um conhecimento genuíno de Jesus vem pela obra do Espírito de Deus (Mt 16.17) e a fé nEle. Jesus cumpriu o papel de um profeta inspirado pelo Espírito, mas a ressurreição da filha de Jairo e a alimentação dos cinco mil revelaram aos discípulos que Ele é mais que profeta. Ciente da singularidade de Jesus, Pedro fala no interesse dos demais discípulos quando responde: "O Cristo de Deus". Pedro confessa Jesus como o Ungido, o Salvador, a quem Deus prometeu enviar; Jesus é aqUele a quem Israel tem buscado a tanto tempo.

Ouvindo as palavras de Pedro, Jesus dá imediatamente aos discípulos veemente ordem para não contarem a ninguém que Ele é o Messias. Entre os estudiosos, isto é conhecido por "o segredo messiânico". Jesus sabe que para os judeus o termo "Messias" está associado com um líder político e militar que se esperava que libertasse Israel da dominação romana. Ele proíbe os discípulos de dizer algo a fim de evitar um engano de sua missão. Antes que sua identidade se torne informação pública, Ele quer que os discípulos entendam que tipo de Messias Ele é. Caso contrário, eles também não entenderão seu Reino e o propósito de ter vindo.

Usando o título "Filho do Homem" (cf. Lc 5.24), Jesus passa a explicar o tipo de Messias que Ele é e diz aos discípulos que Ele não será o tipo de Messias que o povo espera. "É necessário que o Filho do Homem padeça, [...] seja rejeitado [...] e seja morto, e ressuscite" (v. 22). O verbo "é necessário" (*dei*) expressa que seu sofrimento é resultado do plano de Deus. Ninguém entra na vida com o propósito de morrer, mas este é o propósito da vinda de Jesus. De acordo com o propósito divino, o Filho do Homem sofrerá sendo rejeitado pelos anciãos, principais sacerdotes e escribas. Estes grupos formam o que é conhecido por Sinédrio, o conselho supremo dos judeus. Nas suas mentes, os discípulos ainda não associaram a palavra "Messias" com uma morte violenta. Levará muito tempo para eles entenderem este aspecto da missão. De fato, só a dura realidade da morte de Jesus os leva ao ponto onde eles já não podem negar que Ele tinha de sofrer muitas coisas (cf. Lc 24.13-36).

A morte não tem a palavra final. No terceiro dia, o Filho do Homem deve ressuscitar (Lc 9.22). Sua ressurreição faz parte do plano de Deus tanto quanto sua crucificação. Jesus se vê como o cumprimento de duas grandes profecias do Antigo Testamento. Por um lado, Ele é o Servo Sofredor de Isaías 53; por outro, Ele é o triunfante Filho do Homem de Daniel 7. Os discípulos e o povo em geral não entendem que Jesus é *tanto* o Servo Sofredor *quanto* o vitorioso Filho do Homem. Se o tivessem, teria sido mais fácil eles aceitarem-no como o Redentor prometido. Muitos esperavam que o Messias fosse somente o Filho do Homem — para ter grande poder e glória. Assim quando o Jesus humilde sofreu e morreu, eles não estavam preparados para recebê-lo como o Messias.

Seguir Jesus requer andar o caminho que Ele anda e tomar a cruz da abnegação. Depois do anúncio de Jesus aos discípulos de que Ele morrerá na cruz, Ele fala de outra cruz — uma cruz que deve ser levada por todos os seus seguidores (v. 23). Sua cruz e a cruz dos seus seguidores são diferentes. A cruz que eles carregam não é literal, e seu sofrimento não é expiação pelo pecado. Contudo a cruz dos discípulos é real. Como a cruz de Jesus, é voluntária e requer abnegação.

No versículo 23, Jesus fala a todos, não só aos doze discípulos, fazendo-os lembrar do que é exigido dos que se tornam seus seguidores. Primeiro, eles têm de negar a si mesmos. Todos os seguidores de Jesus precisam entender que Ele não lhes oferece uma viagem fácil para céu. Eles têm de abraçar a nova vida que agrada o Salvador e lhe traz glória. Isto requer que eles renunciem o velho eu e a velha vida com todos os planos e desejos que a acompanham.

Segundo, eles têm de tomar cada dia sua cruz. Quando um indivíduo tomava a cruz no século I, ele estava a caminho da execução. Claro que Jesus quer que seus seguidores estejam preparados para serem perseguidos e morrerem como Ele, mas a adição "cada dia" mostra que a chamada não é morte física numa cruz, mas uma atitude de abnegação ininterrupta. Tomar a cruz significa uma resolução diária em negar a si mesmo por causa do evangelho. Os seguidores de Cristo têm de se ver mortos ao antigo modo de vida, mas eles têm de renovar diariamente esta entrega ao discipulado. Como Paulo ensina, carregar a cruz é questão de morrer para o eu e para o pecado (Rm 8.36; 1 Co 15.31). Não é questão momentânea, mas um modo de vida. Os cristãos nunca devem deixar de carregar a cruz.

Terceiro, devemos seguir a Cristo. Os verbos "negar" e "tomar" está no tempo aoristo, requerendo a ação decisiva de negar a si mesmo e tomar cada dia a cruz. Mas o verbo "seguir" está no tempo presente e significa um curso longo e contínuo de ação. Os cristãos estão numa jornada. Enquanto viajamos, devemos seguir constantemente a Jesus e o caminho que Ele abriu.

Jesus continua a dar mais explicações sobre o discipulado de carregar a cruz (Lc 9.24-26). Ele contrasta dois tipos de indivíduos. Aqueles que tentam preservar a vida, a perderão, mas aqueles que a perdem por causa de Cristo, a preservarão. Aqui, "vida" (*psyche*) se refere à pessoa real. Aqueles que tentam se salvar recusando negar o eu e tomar a cruz, perderão a vida. Eles podem ter a impressão de que, evitando a abnegação, estão obtendo o máximo da vida e segurança. Mas eles perdem o que tanto tentam preservar, porque se privam da verdadeira Fonte da Vida.

Por outro lado, aqueles que se negam por causa de Cristo terão a verdadeira vida. Sofrer a perda de posição, coisas materiais e até a vida física para seguir Cristo pode parecer trágico, mas na pior das hipóteses tal perda é secundária. A verdadeira vida não pode ser medida pelas coisas deste mundo. Por causa de Cristo, uma pessoa pode achar necessário perder a saúde, poder e glória que o mundo oferece. Mas essas perdas são pequenas em comparação com o grande lucro — a salvação eterna. Em contraste, as pessoas podem ganhar o mundo inteiro e gananciosamente ter tudo o que querem, mas acabam perdendo tudo o que realmente importa, inclusive a própria vida (v. 25). Grande é a loucura de perder nossa alma por um pedaço deste mundo. É preço alto demais para ser pago (cf. Lc 4.5-8). É muito melhor virar-se com pouco dos bens do mundo que perder nossa alma eternamente.

A escolha que hoje fazemos tem significado eterno (v. 26), pois o julgamento final é vindo. Sob a luz deste acontecimento, Jesus avisa seus seguidores a não se envergonhar do Filho do Homem e de sua mensagem de salvação inspirada pelo Espírito. Envergonhar-se de Jesus significa negar ou rejeitar a Ele e sua mensagem. Mediante suas palavras poderosas Ele fala ao coração das pessoas, mas sua mensagem só muda o coração quando é recebida pela fé. Aqueles que persistem na incredulidade e o negam, Jesus os negará "quando vier na sua glória e na do Pai e dos santos anjos".

"Vir na sua glória" diz respeito à Segunda Vinda, quando o Filho do Homem virá para julgar todas as pessoas (cf. Lc 21.27). Quando Ele voltar para julgar, Ele virá com glória divina. O Pai e os anjos vivem na glória divina. Na sua ascensão Jesus entrará nessa glória, e Ele virá novamente com a mesma glória. Se hoje temos vergonha do Filho do Homem, Ele ficará com vergonha de nós naquele dia glorioso. Rejeitar Jesus Cristo tem conseqüências sérias.

Jesus fecha esta seção com uma promessa: "Dos que aqui estão, alguns há que não provarão a morte até que vejam o Reino de Deus" (Lc 9.27). Ele está falando aos doze discípulos e a outras pessoas (v. 23). Suas palavras garantem que alguns deles verão a chegada do reinado de Deus durante o tempo em que estiverem vivendo. O Reino de Deus já está presente e visível no poderoso ministério de Jesus (Lc 11.20; 17.20,21). Jesus tem em vista a vinda do Reino de Deus como um acontecimento futuro. Contudo, não está claro em qual acontecimento Ele está pensando. Podemos não considerar a Segunda Vinda, visto que então Jesus estaria profetizando falsamente aqui. Presumivelmente Ele está se referindo a um ou mais acontecimentos no futuro próximo, como a transfiguração, a ressurreição, a ascensão, o Pentecostes ou a destruição de Jerusalém.

O Reino de Deus vem de muitas formas; já está presente no ministério de Jesus, se apenas os discípulos tiverem olhos para ver. Mas temos de enfatizar a palavra "alguns" em "alguns [...] dos que aqui estão", que terão o privilégio, antes de morrer, de ver o Reino de Deus. No contexto, isto deve se referir à transfiguração. Naquela ocasião, três discípulos vêem de fato a glória do reinado de Deus quando Jesus é gloriosamente transformado diante dos olhos deles (Lc 9.28-36). Os discípulos presentes na transfiguração, como também os presentes no Dia de Pentecostes, recebem uma pré-estréia da chegada final do Reino em toda a sua glória.

3.12.5. A Transfiguração de Jesus (9.28-36). Lucas data este acontecimento cerca de oito dias depois da confissão de Pedro e da primeira predição de Jesus sobre seu sofrimento. A voz de Deus irrompeu o reino humano, quando no batismo o Espírito ungiu Jesus para o ministério público (Lc 3.21,22). Agora Deus o reconhece mais uma vez como seu Filho (Lc 9.35). A ocasião é a véspera de sua virada em direção a Jerusalém.

A transfiguração ocorre numa época de crise na vida de nosso Senhor. A confissão que Pedro faz de que Jesus é o Messias assinalou o fim do seu ministério para as multidões. Ele foi amplamente recebido como realizador de milagres, mas não como Salvador. Logo Ele começará sua jornada a Jerusalém para morrer pela humanidade. Jesus toma seus discípulos mais chegados — Pedro, Tiago e João — para subir o monte. É provável que seja o monte Hermom, localizado cerca de vinte e dois quilômetros ao norte de Cesaréia de Filipe.

Buscando um lugar de solidão, Jesus e os discípulos sobem ao monte para orar. Não é difícil imaginar o teor da oração. Com certeza tem a ver com seu cometimento ao caminho da cruz (cf. v. 22). O Pai não responde a oração, e a resposta não é a retirada da cruz. Antes, Deus revela a glória do seu Reino na consumação da cruz. A glória divina no monte ensina aos discípulos que a verdadeira glória e a cruz estão juntas. A transfiguração também é designada a encorajar Jesus enquanto Ele se dirige a Jerusalém e à cruz.

A transfiguração ocorre enquanto Jesus está orando. Seu aspecto exterior muda. Seu rosto brilha como o sol e suas roupas cintilam com um brilho branco (Mt 17.2; Mc 9.3); a glória divina resplandece por sua roupa tão brilhante quanto um raio (Lc 9.29). A majestade de Deus brilha por todo o corpo de Jesus (cf. Êx 34.29-35; 2 Co 3.13). Mais tarde, Pedro escreve: "Porque não vos fizemos saber a virtude e a vinda de nosso Senhor Jesus Cristo, seguindo fábulas artificialmente compostas, mas nós mesmos vimos a sua majestade, porquanto ele recebeu de Deus Pai honra e glória, quando da magnífica glória lhe foi dirigida a seguinte voz: Este é o meu Filho amado, em quem me tenho comprazido" (2 Pe 1.16,17). João acrescenta: "Vimos a sua glória, como a glória do Unigênito do Pai, cheio de graça e de verdade" (Jo 1.14; cf. Ap 1.13-15). A transfiguração é uma pré-estréia da majestade de Jesus, quando Ele voltar à terra "com poder e grande glória" (Lc 21.27).

No monte, Moisés e Elias aparecem subitamente (Lc 9.30,31). Estes dois homens brilham com o brilho da glória divina e falam sobre "sua morte", que está prestes a cumprir-se em Jerusalém. O substantivo "morte" (*exodos*, "partida, saída") alude a Moisés e à saída de Israel do Egito; aqui claramente diz respeito à morte sacrifical de Jesus. Provavelmente também se refira à sua ressurreição, visto que ambas são meios pelos quais Jesus saiu da terra. O verbo "havia de cumprir-se" (*pleroo*) fala sobre o cumprimento do plano de salvação de Deus. Jesus vai reencenar o Êxodo, desta feita conduzindo o povo para fora da escravidão *espiritual*.

A presença de Moisés e Elias é significativa. Moisés é o grande legislador; Elias é o grande representante da profecia. Jesus veio cumprir a Lei e os Profetas, os quais ambos dão testemunho dEle. Quer dizer, Moises e Elias indicam o cumprimento de todas as sombras e profecias do Antigo Testamento sobre o Messias. Sua aparência tem a intenção de assegurar aos discípulos que o que acontecerá em Jerusalém está em concordância com a profecia do Antigo Testamento. Os discípulos não entendem o significado da presença destes dois homens. Depois, quando se aproximam de Jerusalém, eles ainda se debatem com a predição de Jesus sobre sua morte (Lc 18.31-34).

Os três discípulos estão "carregados de sono". Talvez seja noite. Mas a luz brilhante ou a conversa dos dois visitantes divinos com Jesus os acorda. Só quando estão bem despertos é que eles vêem a glória de Jesus e os dois visitantes divinos em esplendor glorioso (Lc 9.32). Neste instante, Pedro sente a grandeza do momento e deseja prolongar o acontecimento. Quando ele observa que Moisés e Elias estão indo embora, ele propõe construir três tendas (*skenas*) para Jesus e seus dois visitantes divinos. No apelo a Jesus, ele diz: "Bom é que nós estejamos aqui"; quer dizer: "Esta experiência é maravilhosa. Vamos prolongá-la de modo que possamos desfrutá-la tanto quanto possível".

Mas, como Lucas nos lembra, Pedro não sabe o que está dizendo (v. 33). Sua proposta está fora de lugar e exprime sua falta de compreensão da situação. Esta experiência gloriosa deve durar só por pouco tempo. Jesus ainda tem sua missão a cumprir em Jerusalém. Ele nunca pode expiar o pecado ficando no cume do monte e comemorando essa experiência gloriosa. Ele tem de descer e fixar seu rosto em direção a Jerusalém.

Antes que Jesus possa responder a Pedro, uma nuvem aparece, e o Pai celestial interrompe a conversa insensata de Pedro. A nuvem, sinal de presença de Deus, cobre os discípulos. Quando Jesus e os dois visitantes divinos entram na nuvem, os três discípulos ficam com muito medo. A voz de Deus fala da nuvem com palavras que são semelhantes às que vieram do céu no momento do batismo e unção de Jesus com o Espírito Santo (Lc 3.21,22). Nessa ocasião, a voz foi dirigida principalmente a Jesus, confirmando-o como o Messias. Desta feita a voz divina é dirigida principalmente aos três discípulos visto que eles recebem a ordem de obedecer Jesus (v. 35): "Este é

Uma aldeia drusa no primeiro plano é ananicada pelo tamanho do monte Hermom, que na maior parte do ano tem seu topo coberto de neve. O monte Hermom é considerado um possível local onde Jesus foi com os discípulos para orar e onde ocorreu a transfiguração. O local tradicional é o monte Tabor.

o meu Filho amado; a ele ouvi". Este testemunho autorizado confirma a confissão de Pedro sobre Jesus como "o Cristo de Deus" (Lc 9.20). Ele é o Rei ungido (Sl 2.7), que fará as obras do Servo Sofredor do Senhor (Is 42.1—53.12). O discípulo tem de ouvi-lo, porque Ele é profeta que é muito maior que Moisés (Dt 18.15-18). Os discípulos pensam que sabem quem Ele é, mas Ele é maior que a testemunha mais ilustre do Antigo Testamento. Eles precisam se sentar aos pés dEle e prestar atenção ao que Ele diz.

Quando a voz da nuvem cessa, os dois visitantes celestes tinham ido embora e ficado só Jesus com os discípulos. A experiência foi tão extraordinária que durante meses Pedro, Tiago e João permanecem calados sobre o fato, não contando a ninguém o que eles viram. Somente depois da ressurreição de Jesus é que eles entendem sua majestade e glória. Ele será "declarado Filho de Deus em poder, segundo o Espírito de santificação, pela ressurreição dos mortos" (Rm 1.4). Seu triunfo sobre a morte torna o significado misterioso da transfiguração mais evidente.

A transfiguração tem relevância prática e profunda para os cristãos.

1) Enquanto Jesus ora, Ele é transfigurado. Adoração e comunhão com Deus produzem transformação de vida, que toca a vida inteira do crente — a pessoa interior e exterior, todos os hábitos e atividades.

2) O assunto da conversa de Jesus com Moisés e Elias é "sua morte". Seu próprio êxodo tem muito maiores conseqüências espirituais que a libertação de Israel do Egito. Moisés tirou o povo da escravidão física a faraó, mas através do êxodo de Jesus (sua morte e ressurreição), o profeta, como Moisés, tira seu povo da escravidão espiritual deles. Ele os torna verdadeiramente livres (cf. Jo 8.34-36).

3) A transfiguração fornece exemplo dos tipos de pessoas que habitarão o Reino por vir. Moisés, um santo que morreu, e Elias, um santo que foi arrebatado sem morrer, aparecem com Jesus. Estes dois visitantes divinos representam dois tipos de crentes, aqueles que foram ressuscitados dos mortos e aqueles que serão arrebatados sem experimentar a morte (cf. 1 Ts 4.13-18).

4) A transfiguração aponta para a natureza do corpo ressuscitado. Jesus passou por uma mudança maravilhosa; Seu povo espera passar por mudança semelhante. Como Paulo expressou, quando Cristo voltar, Ele "transformará o nosso corpo abatido, para ser conforme o seu corpo glorioso, segundo o seu eficaz poder de sujeitar também a si todas as coisas" (Fp 3.21).

5) Finalmente, a transfiguração nos lembra a "experiência do cume do monte". Pedro quer ficar no cume do monte tanto quanto possível. Grande inspiração vem na presença de Deus e satisfaz necessidades espirituais profundas. Os adoradores são espiritualmente levantados e edificados quando Deus se move nos cultos de adoração e manifesta sua presença extraordinária pelo poder do Espírito Santo e pela operação dos dons espirituais. Estes tipos de experiências oferecem grande en-

corajamento e força espiritual, mas eles são seguidos por rotina e por trabalho e serviço comuns. Embora a inspiração, a maravilha e a adoração sejam tremendas, ninguém pode viver para sempre no monte da glória. Há picos e vales para todos nós.

3.12.6. As Faltas dos Discípulos (9.37-50). Imediatamente depois da transfiguração, Jesus e os três discípulos descem do monte da glória para o vale da necessidade humana. Os incidentes que se seguem revelam as faltas dos discípulos: sua falta de fé, a ignorância, o orgulho e a intolerância. Esta seção conclui o ministério galileu de Jesus, mas as faltas dos discípulos não levam a um final feliz. Eles não ouviram Jesus; assim, têm muito que aprender.

O primeiro incidente fala sobre a falta de poder dos discípulos em expulsar um demônio (vv. 37-43). Jesus e os três discípulos são encontrados por uma enorme multidão que os aguardava. Do meio da multidão grita um homem, clamando a Jesus por ajuda. Em grande angústia, ele implora que Jesus olhe para o filho dele com compaixão e explica que ele é "o único que eu tenho" (palavras que aumentam a profunda emoção da situação). Às vezes, um espírito maligno ataca seu filho e lhe faz clamar com gritos súbitos. Puxado para lá e para cá e lançado em convulsões, ele espuma pela boca e se machuca com estes ataques. O demônio dificilmente sairá dele. A descrição do pai enfatiza seu grande medo de que este espírito venha a destruir seu filho.

O pai já tinha apelado por ajuda: "E roguei aos teus discípulos que o expulsassem, e não puderam" (v. 40). Os nove discípulos deixados para trás durante a transfiguração foram incapazes de expulsar o demônio. Jesus tinha dado poder aos doze discípulos sobre demônios e doenças (Lc 9.1-6). A resposta de Jesus expressa sua profunda decepção: "Ó geração incrédula e perversa! Até quando estarei ainda convosco e vos sofrerei?" A palavra "geração" (*genea*) é ampla e inclui todas as pessoas ali relacionadas, mas sua repreensão indicia particularmente os nove discípulos como membros de uma geração incrédula e pecadora (cf. Dt 32.5). A incredulidade os deixou impotentes, e Jesus fica frustrado.

Contra a tela de fundo da incredulidade dos discípulos, Jesus age com autoridade e movido por compaixão. Ele manda que o menino lhe seja trazido. Quando o menino chega, o demônio faz uma tentativa de última hora para afligi-lo e deixá-lo nocauteado no chão. Mas Jesus não fica comovido pelo poder do espírito maligno. Onde os discípulos falharam, Jesus terá sucesso. O demônio já não terá permissão para controlar o menino. O Jesus capacitado pelo Espírito repreende o demônio e devolve o menino curado ao pai. Todos ficam pasmos com esta manifestação do grande poder de Deus. Há extraordinário contraste aqui — os discípulos são impotentes em enfrentar o poder demoníaco, mas Jesus triunfa sobre todos os tipos de mal. Eles ficaram arrogantes com o sucesso e fracassaram em sustentar pela oração a fé e o ministério de libertação que Cristo lhes dera (Lc 9.1-6).

O segundo incidente revela a falta de compreensão dos discípulos (vv. 44,45). Jesus já lhes dissera claramente o que se acha reservado para Ele (v. 22), mas o pensamento tradicional deles os impediu de entender e crer na verdade. Enquanto as pessoas ainda estão se maravilhando com a libertação do menino das garras do demônio, Jesus discute novamente seu sofrimento vindouro com os discípulos. Para destacar a importância do que Ele está a ponto de dizer, Ele pede a atenção completa deles e então os informa que o Filho do Homem será entregue a outros, traído e morto.

Jesus quer que os discípulos entendam sua paixão vindoura, mas eles não conseguem. Seu pensamento ainda é tradicional. Para eles, o Messias será um herói popular, um forte libertador militar para o seu povo. Ele será um indivíduo glorioso e vitorioso, mas nunca rejeitado e crucificado. Incapazes de ligar em suas mentes o Messias com o sofrimento, eles não entendem o significado das palavras de Jesus. Em resultado disso, a importância da paixão de Jesus lhes permanece oculta. E, com medo, eles fazem a Jesus perguntas de esclarecimento. Eles não querem ouvir falar mais sobre algo que eles não querem ouvir de jeito nenhum (Marshall, 1978, p. 394). Contudo, o medo é uma declaração de desconfiança e incredulidade. Em vez de entender o verdadeiro plano de salvação, eles se agarram às suas visões tradicionais e idealistas. Podemos só imaginar a ferida do coração de Jesus naquele dia.

O terceiro incidente expõe o orgulho dos discípulos (vv. 46-48). Um argumento irrompe entre eles sobre quem é o mais importante. Jesus tinha acabado de predizer seu sofrimento e morte sacrificais. As aspirações mundanas dos discípulos por posição e prestígio exprimem que eles não compreenderam seu ensino sobre a abnegação e a humildade. Aspirando por elevadas posições, eles caem na armadilha do orgulho e do ciúme.

Quando os discípulos discutem, eles provavelmente não estão dentro do âmbito da audição de Jesus. Mas novamente Jesus mostra *insight* profético e ungido pelo Espírito. Discernindo o que está nos seus corações, Ele passa para a ação. Ele toma uma criança pequena e a coloca ao seu lado — ato que coloca a criança em posição de honra. Mas a criança representa os membros sem importância e fracos da sociedade, aqueles que não têm *status*. Não é que Jesus veja as crianças como insignificantes. Para Ele todas as pessoas são importantes. Uma pessoa com atitude de criança pode aceitar melhor Jesus e confiar nEle.

Jesus quer que os discípulos adotem a atitude de uma criancinha. Em vez de brigar por posições, eles devem se lembrar dos pobres, dos fracos e dos oprimidos. Todo aquele que aceita e cuida destas crianças, por mais insignificantes que sejam aos olhos da sociedade, recebe o próprio Jesus e, por conseguinte, recebe aquEle que o enviou. Como um clímax, Jesus apresenta um princípio que aquele que quer ser o maior tem de se considerar o menos importante. Grandeza não tem nada a ver com posição, talento ou importância, mas tem tudo a ver com humilhar a si mesmo para servir os outros. A pessoa mais propensa a servir os outros a despeito de origem, posição social ou cor é a maior; tais pessoas abandonaram todo o desejo de grandeza (Marshall, 1978, p. 397). Um ar de superioridade na Igreja dificulta ganhar para Jesus aqueles que mais precisam dEle.

O incidente final expõe a intolerância dos discípulos (vv. 49,50). Este assunto está estreitamente relacionado com a ênfase precedente sobre a humildade e a servidão. Os discípulos se mostraram competitivos e arrogantes, mas eles também mostram o desejo de ser um grupo de elite. O caso em questão lida com uma pessoa que expulsa demônios no nome de Jesus, mas não é membro dos Doze. João, filho de Zebedeu, e os outros discípulos tentaram detê-lo, porque ele não pertence ao grupo. Eles presumem que são os únicos aprovados a fazer maravilhas em nome de Jesus.

João chama Jesus de "Mestre" (*epistata*), mostrando respeito por Ele, mas ele não percebe com quem está lidando mesmo depois de testemunhar a transfiguração. Obviamente os discípulos ainda vêem as coisas como os seres humanos as vêem e não como Deus as vê. Eles são restritos, intolerantes e cheios de ciúme ministerial, e condenam o homem que expulsa demônios.

Jesus toma atitude diferente. Os discípulos não têm o direito de tentar limitar o ministério de outra pessoa. Jesus lhes diz: "Não o proibais". Com *insight* profético, Ele acrescenta: "Porque quem não é contra nós é por nós". Esta declaração não encoraja a pessoa a ser neutra para com Jesus. A pessoa que expulsava demônios não tomou uma posição neutra. De fato, ele não fez seu ministério no nome de Jesus — não por seu próprio poder, mas pelo poder de Jesus. Jesus endossa e autoriza o ministério deste homem como Ele o fizera com os Doze. O homem que se opõe aos demônios em nome de Jesus deve ser bem recebido, e não criticado.

O ensino de Jesus aqui tem implicações para hoje. Nenhum grupo ou denominação, pouco importando quão santo ou estreitamente identificado com o Salvador, tem reivindicação exclusiva a poderes e ministério divinos. O elitismo tem um modo de mostrar sua cabeça feia em nossos relacionamentos com os outros crentes. Muitas vezes, irmãos e irmãs repeliram alguém porque essa pessoa não pertencia a uma comunidade ou denominação específica. Temos de nos conscientizar de que todos os que verdadeira e fielmente usam o nome de Jesus são aceitos como filhos de Deus. Ademais, não há terreno mediano. Os discípulos pensam de si mesmos que são seguidores de Cristo, contudo, eles manifestam modos e atitudes mundanos. Ninguém pode ser pego pelo orgulho e ciúme e ao mesmo tempo servir a Deus. O apego ao ensino de Jesus pela ajuda do Espírito Santo nos purga de tais atitudes.

4. Narrativa da Viagem: A Viagem de Jesus a Jerusalém (9.51—19.44).

O ministério de Jesus na Galiléia terminou. Sua rejeição e morte em Jerusalém acham-se diante dEle. Lucas 9.51 a 19.44, a seção mais longa deste Evangelho, registra a viagem de Jesus a Jerusalém. Durante a jornada, Ele ensina e instrui os discípulos e defende o evangelho dos seus oponentes.

Lucas menciona muitas vezes a viagem de Jesus a Jerusalém (Lc 9.51,53; 13.22,33; 17.11; 18.31; 19.11,28), mas o Mestre não percorre um caminho direto à cidade. A princípio, Ele e os discípulos parecem tomar a rota mais curta por Samaria (Lc 9.51ss). Mais tarde, o encontramos atravessando Jericó, que se dispõe numa rota mais longa por Peréia (Lc 19.1). Em Lucas 10.38-42, Ele está na casa de Maria e Marta, em Betânia, aldeia localizada cerca de três quilômetros de Jerusalém (cf. Jo 12.1,2), mas Lucas 17.11 apresenta Jesus viajando "pelo meio de Samaria e da Galiléia". Jesus está empenhado a ir a Jerusalém, mas não pela rota mais curta.

Jesus sabe o que o espera na cidade. Perto do fim do ministério galileu, Ele falou claramente para os Doze sobre sua morte que se aproximava (Lc 9.22). No monte da glória, Moisés e Elias falaram com Ele sobre sua "morte" que devia se cumprir em Jerusalém (Lc 9.31). Ele desceu do monte da glória para subir um monte diferente em Jerusalém: o monte Calvário. À medida que Ele avança em direção à cidade, Ele preparou seus discípulos para pregar o evangelho depois da sua exaltação. Se eles querem tomar parte na sua ressurreição e ascensão vitoriosas, devem estar dispostos a se negar e tomar a cruz diariamente. Mas eles têm procurado se promover. Assim Jesus os ensina sobre o discipulado e exige que eles sejam fiéis, custe o que custar.

4.1. Jesus Fixa o Rosto em Direção a Jerusalém (9.51-56)

Quando Jesus começa sua jornada a Jerusalém, Ele sabe que lá Ele enfrentará traição e morte em cumprimento do plano divino. A palavra "assunção" (v. 51, *analempsis*) se refere à ascensão. Seus dias na terra não terminam meramente com a morte e ressurreição, mas culminam com sua ascensão gloriosa ao céu. A jornada começa com a determinação de Jesus fazer a vontade de Deus a despeito do custo pessoal.

A rota mais direta para Jerusalém é por Samaria. Jesus envia à frente alguns dos discípulos para arranjar um lugar onde eles vão passar a noite. Os habitantes duma aldeia samaritana sabem que Jesus está rumo a Jerusalém. Em conseqüência disso, eles se recusam a recebê-lo. Os samaritanos (considerados judeus mestiços) não se davam com os judeus e em geral eram inamistosos com peregrinos que viajavam para celebrar uma festa no templo em Jerusalém, localidade que eles rejeitavam como verdadeiro lugar de adoração. Para eles, o local santo para adoração era o monte Gerizim. Normalmente os judeus que iam a Jerusalém evitavam passar por Samaria, mas Jesus deliberadamente escolhe esta rota. A rejeição dos samaritanos reflete a rejeição que Ele sofrerá na Cidade Santa, exceto que lá será muito pior.

Quando Tiago e João (os "Filhos do Trovão") ficam sabendo da recusa dos samaritanos em receber Jesus, (Mc 3.17) aprontam-se a fazer justiça com as próprias mãos. Eles perguntam a Jesus se Ele quer que eles "[façam descer] fogo do céu e os consuma". A pergunta presume que eles têm o poder de fazer descer o julgamento sobre os samaritanos, e o desejo em fazer isto nos faz lembrar do ministério de Elias (2 Rs 1.9,10). Talvez eles estão tentando copiar Elias, visto que o próprio Jesus modelou seu ministério segundo o ministério do profeta. O poder que eles receberam não tem a finalidade de destruir as pessoas, mas libertá-las do pecado e de Satanás.

Tiago e João devem ser altamente elogiados pelo zelo e devoção demonstrados a Cristo, mais do que pela compreensão que tinham do ministério de Cristo e do deles. Anteriormente, Jesus lhes falara: "Amai a vossos inimigos, fazei bem aos que vos aborrecem, bendizei os que vos maldizem e orai pelos que vos caluniam" (Lc 6.27,28). Estes discípulos são inadequados para o ministério por causa de espírito vingativo e violento (cf. também Jo 18.10,11). Jesus repreende os dois irmãos pela reação exagerada que tiveram para com a recusa de hospitalidade dos samaritanos (Lc 9.55). Essa exigência de vingança mostra que eles se entregaram a desejos carnais. Elias fez descer fogo do céu, mas não por causa de vingança. É fácil esquecer que a ira humana não trabalha a justiça de Deus.

4.2. O Custo de Seguir Jesus (9.57-62)

Jesus foi rejeitado por uma aldeia samaritana. No meio da rejeição é importante saber o que implica o discipulado. Enquanto percorre o caminho a Jerusalém, Jesus encontra três supostos seguidores. Estes homens querem seguir Jesus, mas não podem agir de acordo com o desejo. Encontrá-los dá a Jesus a oportunidade de mostrar quais são as exigências para um discipulado dedicado. Ele explica em circunstâncias específicas o que significa tomar a cruz a cada dia.

O primeiro homem se oferece a seguir Jesus em qualquer lugar que Ele for, mas ele não refletiu o que sua oferta significa. Ele fica sabendo que Jesus está pouco disposto a negociar termos de discipulado, mas Jesus quer que ele saiba as demandas específicas de segui-lo. Ir onde quer que Jesus vá significa estar preparado a fazer os mesmos sacrifícios que Ele fez. Durante Seu ministério, o Salvador era totalmente dependente da hospitalidade dos outros. Animais selvagens e pássaros têm um lugar que pode se chamar de seu, mas o Filho do Homem não tem casa. Seus verdadeiros seguidores têm de contar o custo do discipulado e estar preparados para andar o caminho da abnegação e da doação de si mesmo.

Jesus chama o segundo discípulo prospectivo para segui-lo. Mas este homem tem algo mais a fazer antes de se tornar seguidor. Ele quer voltar à casa, de modo que possa enterrar o pai. Seu pedido parece bastante razoável, mas tem dois significados possíveis:

1) Seu pai já pode ter morrido, e ele deseja cuidar do enterro do pai; ou
2) Seu pai pode ser muito velho e o homem deseja cuidar dele até a morte. Então ele estará livre para ir com Jesus.

Se o pai já morreu, a chamada para seguir Jesus é de maior urgência. Entre os judeus o enterro de membros da família tinha a maior prioridade, tendo precedência sobre assuntos importantes como o estudo da lei, a adoração do templo, a preparação do sacrifício da Páscoa e a observância da circuncisão (Morris, 1974, p. 180). Para o judeu piedoso um dos deveres mais importantes era providenciar um enterro adequado e mostrar respeito aos pais.

Para Jesus, cuidar do enterro de um membro da família tem seu lugar, mas não deve tomar precedência sobre a chamada ao discipulado. O enterro dos mortos pode ser deixado a outros. Assim Jesus diz: "Deixa aos mortos o enterrar os seus mortos". O homem a quem Jesus chamou não deve protelar o discipulado. Como discípulo, ele tem uma tarefa urgente: proclamar o Reino de Deus. Os espiritualmente mortos podem lidar com a tarefa de enterrar fisicamente os mortos; aqueles tornados espiritualmente vivos têm uma missão — compartilhar as boas-novas do Reino de Deus de modo que outros sejam abençoados e desfrutem da vida eterna. Seguir Jesus merece prioridade absoluta.

O terceiro homem a quem Jesus chama quer ir para casa e dizer adeus à família. Este pedido também soa razoável, mas o pedido esconde alguma hesitação em cortar laços e se tornar seguidor de Jesus. Ele quer evitar ação imediata e decisiva. O discipulado requer compromisso dedicado, e suas demandas são rigorosas. Jesus rejeita enfaticamente o pedido do homem e o adverte que, olhando para trás, ele não está à altura da exigência em ser usado no serviço do Reino de Deus.

Jesus apela aqui para a prática da aradura para atingir o ponto desejado. Um homem segurava as manivelas de um arado enquanto os animais o puxavam. Ele tinha de guiá-lo com cuidado a fim de fazer um sulco reto. Se ele ficasse olhando para trás, não poderia fazer um bom trabalho de aradura. O mesmo é verdade para seguir Jesus. Exige devoção e concentração. Olhar para trás significa distração do serviço sincero. Jesus espera o melhor de nós. Entregar a Ele nossa completa devoção torna-nos adequados para ser usados no serviço do Reino de Deus.

4.3. Jesus Envia os Setenta e Dois Discípulos (10.1-24)

A narrativa da nomeação de Jesus de setenta e dois missionários é semelhante à missão incumbida aos Doze (Lc 9.1-6). Lucas trata este acontecimento muito extensivamente e mostra que a tarefa ministerial não está limitada aos Doze. Todos os crentes são chamados a representar Cristo. Várias cartas do Novo Testamento ensinam que cada crente recebeu um ou mais dons espirituais para a obra do ministério (Rm 12.3-8; 1 Co 12; Ef 4.7-13; 1 Pe 4.10,11).

Um senso de urgência caracteriza esta narrativa. Jesus partiu para Jerusalém e não tem muito tempo de sobra para o ministério; portanto, os setenta e dois têm de fazer o trabalho depressa e sem distrações. Jesus os equipa com poder e envia trinta e seis pares de discípulos a lugares onde Ele planeja ir. Eles devem ir à frente e preparar as cidades e aldeias para seu ministério ainda futuro.

4.3.1. Instruções para os Setenta e Dois Discípulos (10.1-12).

A urgência da missão dos discípulos é vista quando Jesus começa a dar suas instruções (v. 2). "Grande é, em verdade, a seara" significa que muito trabalho deve ser feito para reunir almas para o Reino de Deus. As pessoas estão prontas a aceitar a mensagem de Jesus, mas há poucos trabalhadores. Muitos outros têm de sair e ganhar as pessoas para Jesus. Ademais, os setenta e dois discípulos devem orar a Deus, o Senhor da colheita, para que Ele envie mais de seus servos para compartilhar as boas-novas e reunir almas para o seu Reino.

O campo da colheita, como Jesus o entende, abrange o mundo inteiro. Sua ordem para orar por mais trabalhadores não expira com a missão dos setenta e dois. Aplica-se enquanto a colheita permanece, isto é, até que todas as pessoas do mundo ouçam o evangelho. No derramamento do Espírito Santo no Dia de Pentecostes, Cristo equipou a Igreja para levar o evangelho "até aos confins da terra" (At 1.8). A ordem para os discípulos orarem por mais trabalhadores implica que Deus pode ter de vencer a relutância e a apatia daqueles que Ele deseja enviar. Orar por mais trabalhadores é o dever que repousa sobre os que trabalham na seara. Deus usa nossas orações para realizar seu propósito de evangelizar o mundo.

O ministério não é tarefa fácil (v. 3). Quando os setenta e dois discípulos partem, eles devem ver a si mesmos como "cordeiros ao meio de lobos". Esta frase gráfica tem um significado duplo.

1) A palavra "lobos" se refere a perigo. À medida que pregam o evangelho, eles enfrentarão perigo real. Jesus sabe o quão violentamente as pessoas podem responder, quando seu orgulho religioso e a hipocrisia são expostos. Estes discípulos precisam contar o custo envolvido em seguir Jesus (cf. Lc 9.57-62). O mundo pode ser hostil àqueles que levam o evangelho, mas o perigo não dá ao discípulo a desculpa de retirar-se da missão.

2) O termo "cordeiros" sugere que os discípulos ficarão indefesos diante dos inimigos — como cordeiros diante de lobos vorazes. Como o próprio Jesus, eles não devem se preparar para se defender ou ministrar com força própria. Eles têm de depender somente de Deus, não levando provisão — bolsa, alforje, um par de sandálias extra. Deus lhes suprirá as necessidades. O ministério tem de ter sua prioridade. Eles não devem permitir nada que os atrase, sobretudo as saudações pelo caminho. Na cultura judaica, as saudações eram longas e elaboradas. O desejo de Jesus não é que eles sejam mal-educados, mas Ele não quer que eles gastem muito tempo deste ministério urgente. Se os discípulos forem singulares em determinação, eles serão dignos do apoio daqueles que recebem seu ministério.

Os discípulos devem usar uma estratégia simples (vv. 5-7). Quando chegam a uma cidade ou aldeia, eles têm de escolher uma casa. A primeira casa que oferecer hospitalidade é onde eles devem ficar durante seu ministério naquela área. Eles não devem pensar no próprio conforto, mudando-se de casa em casa e procurando melhores alojamentos. Quando entram na casa, eles devem oferecer uma bênção: "Paz seja nesta casa". Esta bênção envolve muito mais que um costume ou cortesia. É tão real que a presença de Deus pode entrar ou sair de uma casa. Se o anfitrião for indigno, a bênção se retirará da casa. Se o anfitrião for "filho de paz" aberto ao evangelho, então a bênção da presença de Deus repousará sobre ele. A posição daquela casa está de acordo com o Reino de Deus.

A missão dos discípulos requer disposição e dedicação a Jesus e sua causa. A instrução para comer e beber o que lhes é dado significa que eles são devem se ver como fardo para o anfitrião. Eles ganham seus meios de sustento pregando o evangelho e curando os doentes daquele lugar. Os trabalhadores merecem ser pagos por seu ministério (1 Co 9.7-14); a hospitalidade que eles recebem é o pagamento. Ficando numa casa e estando contentes com a hospitalidade que recebem, os discípulos podem se dedicar à sua missão primária.

Jesus dá aos setenta e dois discípulos o procedimento a ser seguido: Primeiro, eles devem receber a hospitalidade, comendo o que é posto diante deles, e então curar os doentes e pregar a mensagem do Reino. A comida pode não satisfazer as exigências das leis alimentares do Antigo Testamento, mas eles devem ser gratos pelo que é posto diante de si. Como o próprio ministério de Jesus, a cura dos doentes é sinal de que eles têm autoridade divina para levar a mensagem de Deus. A pregação e as curas servirão para declarar a presença do Reino.

O teor da pregação é específico: "É chegado a vós o Reino de Deus". O verbo "é chegado" (*engiken*, tempo perfeito) indica que o Reino de Deus está presente. O Rei-

Uma mulher beduína e seu jumento aram um pequeno campo ao sul de Siquém, olhando à frente para onde devem ir. Jesus falou aos discípulos que era tão importante eles não olharem para trás quanto o era para um homem que ara um campo.

no se tornou realidade pelo ministério de Jesus e os discípulos. Aqueles que ouvem a mensagem de Deus podem tomar parte no Reino se desejarem. É verdade que o Reino é uma realidade futura, mas ele irrompeu neste mundo. O poder salvador do evangelho e a cura dos doentes dão testemunho de sua chegada. Dizer que o Reino chegou não significa que o Reino entrou em sua plenitude, porque não virá completamente até que Cristo volte (At 1.6-8; 3.18-22).

Jesus continua com suas instruções. Se os discípulos entram numa cidade ou aldeia onde não são recebidos, eles não devem desperdiçar tempo. Eles têm de ir pelas ruas onde estão os habitantes da cidade e publicamente fazer duas coisas. A primeira é sacudir o pó dos pés contra eles. Este ato mostra para as pessoas que os discípulos não querem nada a ver com essa cidade. Eles rejeitaram a mensagem do Reino e perderam a oportunidade. O julgamento virá sobre tais indivíduos. É coisa temerosa cair nas mãos do Deus vivo. Ao mesmo tempo, eles têm de avisá-los que o Reino de Deus é chegado e que a rejeição da mensagem de salvação não altera a realidade da presença do Reino. Rejeitando esses pregadores ambulantes, eles estão rejeitando mais que alguns homens humildes; eles estão rejeitando o próprio Reino de Deus.

Há uma nota ominosa junto com declaração de partida dos setenta e dois discípulos: "Já o Reino de Deus é chegado a vós". O povo da cidade ouviu a mensagem do Reino e teve oportunidade de aceitá-la. Quando essa mensagem de misericórdia e graça é rejeitada, torna-se mensagem de julgamento. Com a pregação do Reino vem a responsabilidade. O convite é tão generoso e urgente que qualquer cidade que rejeitar o testemunho dos discípulos vai, no vindouro julgamento, dar-se pior que a ímpia cidade de Sodoma nos dias de Ló (v. 12). A incumbência de Jesus deve ter impressionado os setenta e dois discípulos com a seriedade da missão.

4.3.2. O Pronunciamento dos Ais sobre os Incrédulos (10.13-16). A incumbência da missão aos setenta e dois discípulos foi completada. Mas Jesus continua com a idéia de responsabilidade e julgamento. Ele profere uma denúncia profética e inspirada pelo Espírito das cidades onde Ele ministrou e o evangelho foi rejeitado. A declaração: "Ai de ti", expressa sua profunda tristeza sobre o destino das cidades de Corazim, Betsaida e Cafarnaum — cidades localizadas perto do mar da Galiléia onde Jesus fez muitos milagres.

Pouco é sabido sobre o ministério de Jesus em Corazim e Betsaida, mas Ele deve ter tido um ministério extenso ali. As obras poderosas que Ele fez nessas duas cidades deveriam ter produzido arrependimento. Se o ministério de Cristo tivesse alcançado Tiro e Sidom, cidades ao norte da Galiléia, o povo dessas cidades teria publicamente se voltado dos pecados mediante um arrependimento profundo e triste como está indicado por "saco de pano grosseiro e cinza" (v. 13).

Corazim e Betsaida caem sob o desgosto de Jesus, mas não tanto quanto Cafarnaum por seu orgulho e maldade. Durante algum tempo, Jesus fizera desta cidade sua base de ministério, e Ele fez muitos milagres ali (Lc 4.23,31-44; 7.1-10). Os habitantes de Cafarnaum julgavam-se em alta conta, esperando alcançar grandes alturas de glória, mas Jesus declara que eles serão lançados para as profundidades da vergonha (v. 15).

A linguagem usada aqui é tirada de Isaías 14.13-15, onde o profeta condena o rei de Babilônia por tentar se fazer Deus. "Serei semelhante ao Altíssimo" significa "Ficarei muito poderoso", e "Levado serás ao inferno" significa "Serás destruído". Em Lucas, "céu" e "inferno" (*hades*) representam o contraste entre as alturas da glória e a grande profundidade de humilhação e vergonha. Hades é o lugar dos mortos, mas também é o lugar de condenação para os ímpios. Deus lançará Cafarnaum ao inferno porque a cidade não respondeu corretamente à mensagem e aos milagres. Tiro e Sidom serão julgadas; mas Corazim, Betsaida e Cafarnaum, por causa da maior oportunidade que tiveram, serão julgadas mais severamente.

O julgamento final, em outras palavras, será baseado no grau de oportunidade. Será mais difícil suportar os que rejeitaram Jesus Cristo. O versículo 16 acentua a seriedade de aceitar ou rejeitar o testemunho dos discípulos. Em suas palavras de partida aos setenta e dois discípulos, Jesus lhes fala que eles levam sua autoridade e o representam completamente: "Quem vos ouve a vós a mim me ouve; e quem vos rejeita a vós a mim me rejeita; e quem a mim me rejeita rejeita aquele que me enviou". Jesus traça um paralelo entre a autoridade deles para com Ele e a autoridade dEle para com o Pai. Estes discípulos falam com a autoridade daquEle que os envia. Sua missão é séria. E eles podem avançar com confiança pregando o Evangelho e fazendo obras poderosas.

4.3.3. A Volta dos Setenta e Dois Discípulos (10.17-20). Lucas não nos dá sugestão acerca de quanto tempo durou a missão dos setenta e dois. Mas quando eles voltam, eles se regozijam especificamente porque tiveram êxito em expulsar demônios (v. 17). Eles parecem surpresos por poderem fazer isso. Em sua incumbência, Jesus não lhes contou explicitamente que eles teriam autoridade sobre demônios, como anteriormente Ele assegurara aos Doze (Lc 9.1). Mas para espanto deles os setenta e dois exerceram no nome de Jesus grande autoridade contra os poderes demoníacos. O Salvador explica por que eles puderam exercer essa autoridade: O chefe dos demônios, Satanás, caiu e sofreu derrota. Jesus pessoalmente testemunhou esta derrota, embora Ele não dê indicação de quando Ele viu Satanás cair.

Há três opiniões de quando ocorreu a derrota de Satanás:

1) Baseado em Isaías 14.12, o Cristo preexistente testemunhou a queda de Satanás.
2) Jesus testemunhou a queda de Satanás na tentação no deserto (Lc 4.1-12), quando Jesus estabeleceu sua autoridade sobre todas as forças das trevas.
3) Jesus teve uma visão enquanto os setenta e dois estavam ministrando sob sua autoridade. Esta terceira opção é provavelmente a explicação correta. Enquanto eles estavam desempenhando a missão, Jesus viu Satanás cair do céu como a subtaneidade de um raio. Esta visão se relaciona com as vitórias dos discípulos sobre os poderes do mal.

Semelhante aos profetas do Antigo Testamento, Jesus vê uma realidade espiritual: Satanás, embora ainda ativo na terra, é impotente quando confrontado com o nome e autoridade do Filho de Deus. O Diabo ainda dirige seus ataques, sobretudo contra os discípulos de Jesus (Lc 22.31ss). Eles foram enviados como cordeiros entre lobos, mas qualquer preocupação que Jesus tinha sobre seus cordeiros foi diminuída por esta visão.

Jesus quer que os discípulos não tenham pergunta sobre a autoridade deles sobre todo o poder do inimigo, o Diabo. Ele lhes deu essa autoridade quando eles foram enviados, mas Ele quer que eles saibam que eles continuam possuindo-a. Eles têm autoridade para "pisar serpentes, e escorpiões". Jesus não aprova a manipulação de serpentes, mas Suas palavras dão garantia de proteção contra serpentes venenosas e semelhantes (cf. At 28.3-5). Os poderes do mal não podem danificar os discípulos, embora Jesus não negue que eles tenham de suportar perseguição por causa do evangelho.

Os setenta e dois discípulos têm uma causa maior para se regozijarem do que a vitória que obtiveram sobre os espíritos demoníacos. Primeiramente, eles deveriam se regozijar porque seus nomes foram escritos no livro dos céus (Lc 10.20; cf. Êx 32.32; Dn 7.10; Fp 4.3; Ap 3.5; 20.12). Isto não deve ser considerado que significa que seu estado é incapaz de ser invertido, mas eles estão seguros levando-se em conta todas as providências espirituais para as quais eles têm acesso. A salvação pessoal é muito mais importante que a vitória sobre os demônios. Ter acesso ao poder e dons de Deus é excitante, mas a alegria duradoura vem em ter nosso nome registrado no livro da vida. Temos de manter nossas prioridades em ordem e nos guardar contra o orgulho de ter dons espirituais e vitórias. Sucessos espirituais devem ser vistos levando-se em conta o reinado de Deus e, desde o Pentecostes, levando-se em conta a capacitação que o Espírito Santo dá à Igreja (At 5.3; 8.7,18-24; 12.20-24; 13.4-12; 28.3-6).

4.3.4. Uma Oração de Agradecimento e Bênção (10.21-24).

Quando Jesus pensa no plano glorioso do Pai, Ele irrompe em regozijo. Em nenhum outro lugar dos Evangelhos encontramos linguagem tão forte usada para aludir à alegria de Jesus. Pelo poder e influência do Espírito Santo, Ele faz a Deus uma ação de graças inspirada e se volta aos discípulos com bênçãos que os fazem lembrar da graça que Deus tem para eles. A ação de graças e as bênçãos entram juntas na adoração (Craddock, 1990, p. 147). A adoração, como nesta ocasião, envolve o Deus trino. A ação de graças é oferecida ao Pai pelo Filho através do Espírito Santo.

No batismo, Jesus foi cheio com o Espírito (Lc 4.18). Inspirado pela alegria do Espírito, Ele louva a Deus por homens simples e humildes como os setenta e dois estarem tomando parte no trabalho maravilhoso do Reino. Ele louva o Senhor do céu e da terra por revelar "essas coisas [...] às criancinhas", quer dizer, a pessoas simples (v. 21). "Essas coisas" dizem respeito ao Evangelho do Reino. Os "sábios" (pessoas com grande experiência e conhecimento prático) e os "inteligentes" (os de grande educação e intelecto) estão na maioria pouco dispostos a ir a Jesus com fé própria de criança. Eles não entendem o significado da verdade que Deus revelou no Evangelho.

Em outras palavras, o verdadeiro discernimento da verdade redentora não vem por argumento e intelecto bem informado, mas pelo *insight* concedido pelo Espírito Santo (1 Co 2.14-16). Os "sábios e inteligentes" referem-se aos líderes judeus, cuja maioria estava rejeitando o evangelho. Pode incluir qualquer um com espírito orgulhoso. O contraste não é entre os educados e os incultos, mas entre os que têm uma atitude arrogante e auto-suficiente e os que têm uma atitude de confiança própria de criança.

Depois de louvar a Deus Pai, Jesus dirige palavras a seus discípulos e enfatiza a relação íntima entre o Pai e Ele (Lc 11.22): "Tudo por meu Pai me foi entregue". O Pai celeste deu ao Filho o lugar supremo e não lhe reteve nada, inclusive a obra de salvação e o poder sobre todos os espíritos malignos. O Filho tem poder e autoridade absolutos para revelar o Pai na terra. Na sua declaração, "ninguém conhece quem é o Filho, senão o Pai", Jesus indica que nenhum ser humano pode entender completamente a pessoa dEle. O caráter do Deus invisível é revelado em Jesus. A relação entre o Pai e o Filho é sem igual e tem algo de mistério. Só Eles possuem conhecimento pleno e completo um do outro.

Justamente por isso, "ninguém conhece [...] quem é o Pai, senão o Filho". Mas neste ponto, Jesus faz acréscimo significativo: "E aquele a quem o Filho o quiser revelar". Por causa de sua relação com Deus, o Filho pode revelar o Pai a quem quer que Ele deseje. Pessoas podem vir a conhecer a Deus Pai, mas só por meio de Jesus. O Filho não tem relutância em revelá-lo e nunca é arbitrário em fazê-lo conhecido. Mas é às "criancinhas" mencionadas no versículo 21 que Ele deseja revelar o Pai celeste. Conhecê-lo verdadeiramente é assunto de graça e fé.

Os discípulos estão entre aqueles a quem Jesus se deleita em revelar o Pai. Assim Ele se volta para eles e os faz lembrar da posição privilegiada que gozam (vv. 23,24). Eles receberam a verdade de Jesus sobre o Pai e seu Reino que muitos dos "sábios e inteligentes" rejeitaram. Eles são abençoados porque eles estão conhecendo o Pai, mas também porque ele os incluiu na salvação do mundo. O Reino tornou-se real para eles, e eles têm uma parte nele, embora ainda haja um aspecto futuro desse Reino que começará com a morte e ressurreição de Cristo.

Os discípulos na verdade testemunharão estes acontecimentos quando eles ocorrerem. Eles são bem-aventurados por causa do privilégio de verem o que profetas e reis desejaram ver (1 Pe 1.10-12). Os maiores homens espirituais desejaram ver o amanhecer da nova era, mas não tiveram o privilégio. Neste momento da história, por causa da humildade própria de criança e do papel deles com Cristo, os discípulos têm a oportunidade de tomar parte do amanhecer do Reino e serem servos do evangelho.

Jesus ainda pode ser pedra de tropeço nos dias de hoje. É fácil saber muito sobre o cristianismo e não ver seu Senhor. De acordo com o evangelho, a sabedoria humana e a sabedoria divina se chocam. Teremos de escolher tropeçar com os "sábios e inteligentes" ou nos humilharmos como crianças e tornarmo-nos servos do Senhor.

4.4. O Perigo da Distração (10.25-42)

Jesus enfatizou que Deus dá as bênçãos do seu Reino àqueles que têm uma atitude própria de criança em vez de dá-las a "sábios e inteligentes". Os incidentes do doutor da lei (os peritos na lei mosaica) e de Marta e Maria são avisos contra o perigo da distração. O doutor da lei tem conhecimento mental da lei de Moisés, mas falta-lhe compromisso em pô-la em prática. Marta recebe Jesus em casa, mas ela também está distraída. Maria, sua irmã, escolhe ouvir as palavras doadoras de vida proferidas por Jesus.

4.4.1. Um Doutor da Lei e a Parábola do Bom Samaritano (10.25-37).

Jesus conta a Parábola do Bom Samaritano como resposta a uma pergunta feita por certo doutor da lei. Este homem, perito nos primeiros cinco livros do Antigo Testamento, deseja testar a sabedoria de Jesus. Sua pergunta é muito importante: "Que farei para herdar a vida eterna?" Ele não está buscando informação, mas quer ganhar uma vantagem sobre Jesus ou espera envergonhar Jesus. A pergunta presume que ele tem de fazer algo para receber a vida depois da morte. O pensamento do doutor da lei expressa uma salvação pelas obras em vez de ser por graça divina.

Jesus poderia ter enfatizado ao doutor da lei que a vida eterna é um dom de Deus, mas ele não tenta corrigir o pensamento do doutor da lei. Ele sonda a compreensão que este perito tinha da lei, perguntando:

"Que está escrito na lei? Como lês?" Sabendo que o homem era perito na lei de Moisés, Jesus pergunta como ele entende as Escrituras. O doutor da lei responde unindo os mandamentos de amar Deus de todo o nosso ser (Dt 6.5) e amar o próximo como a nós mesmos (Lv 19.18). Jesus concorda com a análise, mas o doutor da lei avança e se concentra na questão do "próximo" (*plesion*). Os judeus limitavam o significado do termo próximo aos integrantes da própria nação, exceto os samaritanos e estrangeiros (Marshall, 1978, p. 444). Jesus redefine a palavra, ampliando seu significado. O amor do próximo cresce por amor a Deus e deve ser igual ao nosso amor por nós mesmos.

Jesus fala então ao doutor da lei: "Respondeste bem; faze isso e viverás" (Lc 10.28). Amar Deus e o próximo é a resposta adequada à graça de Deus. Mas Deus nunca oferece a lei como meio de afiançar a vida eterna. Os mandamentos de amor não são questão de ganhar a salvação pelas obras, mas de confiança e devoção. Se realmente amarmos Deus como Jesus ensina, confiaremos nEle e não em nós mesmos para a salvação. Mas a graça salvadora de Deus exige uma resposta de nós. Nosso amor — nunca a causa do perdão de pecado — desenvolve-se do amor de Deus e da aceitação de nós (cf. Lc 7.40-47). Quando Jesus fala ao doutor da lei: "Faze isso e viverás", Ele não endossa obras como meio de obter a vida eterna. Antes, o amor de Deus em nossos corações nos incita a amar a Ele e o próximo. Vivemos no Espírito que frutifica em amar os outros e em viver retamente (Rm 8.1-11).

A resposta de Jesus mostra que o doutor da lei sabe a resposta da própria pergunta. O Salvador lhe diz, com efeito: "Tu não precisas perguntar pela vida eterna. Tu sabes o que Moisés ensina e sabes a resposta. Só pratica o que tu sabes". Mas o perito na lei não está disposto a deixar o assunto por concluído. Para justificar sua primeira pergunta, ele faz outra: "E quem é o meu próximo?" Ele deseja mostrar que a pergunta anterior não era insensata e que o significado de "próximo" está obscuro.

Para responder a pergunta do doutor da lei sobre a quem ele deveria mostrar amor, Jesus relata a história de um samaritano que tem compaixão de um estranho.

Um homem está viajando na estrada acidentada entre Jerusalém e Jericó. Ladrões o atacam e levam tudo o que ele tem, batendo nele com porretes ou varas e deixando-o quase morto. E acontece que um sacerdote passa por ali e vê o homem deitado no chão. Incerto sobre se o homem está morto, ele teme ficar contaminado. Se o tocar e o homem estiver morto, o sacerdote se contaminará (Lv 21.1ss). É exatamente por isso que ele passa "de largo". Lucas não nos fala. O ponto é que o sacerdote não tem coração; ele não se importa em verificar se o sofredor está vivo e precisa de ajuda. Um membro da tribo sacerdotal de Levi faz a mesma coisa (v. 32). Normalmente se esperaria que o sacerdote e o levita, guardiões da religião de Israel, prestassem ajuda, mas ambos fracassam em serem os próximos do homem.

Um samaritano (veja comentários sobre Lc 9.51-56) também passa. Quando ele vê o homem ferido ao lado da estrada, seu coração se enche de compaixão. Ele não hesita em ajudar o homem. Naquele mesmo lugar, ele aplica óleo e vinho para limpar as feridas e aliviar a dor. Considerando que o homem ferido está impossibilitado de caminhar, ele o coloca no seu jumento e o leva para uma pousada onde ele pode receber cuidados adequados. Sua preocupação pelo homem não pára ali. Ele dá ao estalajadeiro dinheiro suficiente para pagar vários dias de hospedagem do homem e instruções para cuidar dele tanto quanto for necessário. Se estalajadeiro tiver mais despesas, ele o reembolsará quando voltar. Um samaritano desprezado mostra-se o verdadeiro próximo de um homem ferido.

Esta história do bom samaritano ensina ao doutor da lei que o seu próximo é qualquer um que ele encontrar que tenha uma necessidade. Jesus encerra a história com a pergunta: "Qual, pois, destes três te parece que foi o próximo daquele que caiu nas mãos dos salteadores?" O doutor da lei sabe a resposta, mas ele não pode se deixar falar a menosprezada palavra "samaritano" e ainda querer escolher seu próximo. Por isso ele só se refere a ele como "O que usou de misericórdia para com ele" (v. 37).

A resposta do doutor da lei está correta, porque o samaritano é aquele que agiu como o próximo. Mostrando compaixão, ele se alinhou com o amor a Deus e ao próximo. Ao contrário do sacerdote ou do levita, ele se submeteu ao mandamento de amor que resume toda a lei. Semelhantemente, Jesus quer que o doutor da lei responda a Deus e ao próximo de maneira própria de criança. Ele lhe fala: "Vai e faze da mesma maneira". O doutor da lei também pode cumprir a ordem de amar a Deus e ao próximo satisfazendo as necessidades dos outros a despeito de raça, cor ou sexo.

4.4.2. Maria e Marta (10.38-42). A história do Bom Samaritano acentua a importância de cuidar dos outros em necessidade. O incidente de Maria e Marta mostra que precisamos ouvir a palavra de Jesus e não deixar outros assuntos nos distrair. Embora o enfoque da história esteja nas duas mulheres, os princípios aplicam-se tanto a homens como a mulheres.

Marta e Maria, irmãs de Lázaro, moravam em Betânia, aldeia a cerca de três quilômetros de Jerusalém (Jo 11.1; 12.1-3). Quando Jesus e os discípulos entram na aldeia, Marta o recebe em casa como convidado. A irmã dela, Maria, é descrita como estudante sentada aos pés de Jesus e ouvindo suas palavras. Na cultura do século I, os mestres judeus não permitiam que as mulheres se sentassem aos seus pés. O que Jesus faz nesta ocasião é altamente incomum; Ele é o convidado de uma mulher na casa dela, e ensina uma mulher. Sem dúvida, Ele tem interesse em todas as pessoas.

Enquanto Maria ouve Jesus, Marta dá duro no trabalho preparando a melhor comida possível para Ele e os discípulos. Ela está desgostosa com Maria, que poderia ajudá-la na cozinha. Afinal de contas, Marta também gostaria de ouvir Jesus. Ficando cada vez mais frustrada, ela acusa

Jesus de ser insensível com a situação. Ela pergunta: "Senhor, não te importas que minha irmã me deixe servir só?" Em grego esta pergunta é feita de modo que ela espera uma resposta positiva. Entretanto ela sente que Ele poderia ter sido mais sensível. Marta está convencida de que Jesus se preocupa e entende que ela precisa da ajuda de Maria. Ela espera que Jesus intervenha.

Mas Jesus não diz a Maria que ajude Marta com a comida, embora Ele responde com ternura para Marta (v. 41). A repetição: "Marta, Marta", expressa intensa preocupação (cf. 2 Sm 19.4; Lc 22.31). Jesus sabe de sua ansiedade, e Ele se preocupa com a atitude dela: "Estás ansiosa e afadigada com muitas coisas". Jesus a repreende com suavidade por estar distraída e preocupada com as responsabilidades domésticas. Marta precisa estabelecer algumas prioridades. Ele acrescenta que "uma [coisa] só é necessária". Levando-se em conta o contexto, isto tem de se referir ao que Maria está fazendo — ouvindo o ensino de Jesus, ensino este que é ungido pelo Espírito e doador de vida. Por Maria ter escolhido se sentar aos pés de Jesus, ela "escolheu a boa parte". Não que Marta agiu errado e mereceu condenação, mas Maria escolheu o que "não lhe será tirada".

Em outras palavras, a "comida" que Maria recebe enquanto está aos pés de Jesus durará. Nenhuma comida é tão importante e tão satisfatória como essa comida. É a palavra de Jesus Cristo, que é ungida, salvadora e satisfatória da alma. Ninguém pode tirar isso dos filhos de Deus. Pelo Espírito Santo sua palavra salva e aprofunda nossa relação pessoal com Ele. Temos de seguir o exemplo de Maria e nos sentar aos pés de Jesus, evitando as distrações que não deixam tempo para o estudo das Escrituras, para a oração e para louvor e adoração.

4.5. O Ensino de Jesus sobre a Oração (11.1-13)

Lucas se serve de dois modos para trazer à nossa atenção a importância da oração: pelo exemplo de Cristo (veja comentários em Lc 3.20,21; 5.12-16; 6.12-16) e pelo seu ensino. Em uma ocasião depois de orar, Ele recebe de um dos discípulos o pedido: "Senhor, ensina-nos a orar". Em resposta, Jesus dá aos discípulos um padrão de oração (vv. 1-4), conta uma história para ilustrar a necessidade da persistência em oração (vv. 5-8) e os assegura da resposta de Deus à oração (vv. 9-13). Ele os lembra que Deus concede o dom do Espírito em resposta à oração, ligando a oração com o Espírito que capacita Jesus (Lc 3.21) e a Igreja (Lc 24.49; At 1.4,5,8; 2.38).

4.5.1. A Oração do Senhor (11.1-4).

A narrativa de Mateus desta oração é mais longa e faz parte do Sermão do Monte (Mt 6.9-13). É provável que Jesus ensinou a oração mais de uma vez. À medida que consideramos a narrativa que Lucas apresenta da Oração do Senhor, dois pontos importantes emergem.

1) Jesus a dá aos seus seguidores, tornando-a "A Oração dos Discípulos".
2) Todos os pronomes na oração estão no plural. Assim, é realmente uma oração comunitária ou congrega-

A viagem entre Jericó e Jerusalém era feita pelo interior acidentado de Vádi Kelt mostrado aqui. Este jumento está na antiga estrada romana que ligava as duas cidades.

cional. Jesus está formando uma nova comunidade, e a oração que Ele dá será um dos seus distintivos (Morris, 1974, p. 193).

A ênfase congregacional é vista no começo da oração no tratamento simples: "Pai" (*pater*). Jesus se dirige a Deus como Pai em sua oração em Lucas 10.21,22 e fez o mesmo em sua oração posterior na cruz: "Pai, nas tuas mãos entrego o meu espírito" (Lc 23.46). Para Ele e os discípulos Deus é Pai, com tudo o que o termo significa. Como os discípulos tratam Deus de Pai, eles afirmam a unidade e a senso de pertencer à sua família. Quando eles oram, os discípulos têm de estar cientes de que eles formam uma comunidade diante de Deus. Eles compartilham as mesmas metas e amor uns dos outros.

Começando a oração com "Pai" também enfatiza uma atitude íntima e centralizada em Deus. As orações judaicas tendiam a pôr uma distância entre os seres humanos e o grande Deus. Diferente delas, Jesus ensina os discípulos a se aproximar de Deus como uma criancinha se chegaria ao seu pai terrestre. A palavra que Ele usa para Pai corresponde à palavra aramaica *abba* — palavra usada por uma criança a seu pai. Em geral, os judeus usavam outra forma de oração, como *abinu* ("Pai Nosso"). Eles pensavam que era muito ousado falar com o Rei do Universo como uma criança fala com seu pai. Mas Jesus ensina que seus discípulos tratem Deus por seu nome familiar íntimo. Eles têm esse direito e privilégio porque são filhos e filhas em sua grande família (cf. Rm 8.15; Gl 4.6).

Depois do tratamento, a oração consiste em cinco pedidos. Os primeiros dois enfocam Deus e seu grande plano para o mundo; os últimos três lidam com as necessidades pessoais dos discípulos. O conteúdo da oração reflete o básico do discipulado.

O primeiro pedido requer que o nome de Deus seja santificado. O nome de Deus representa o próprio Deus e tudo o que ele revelou sobre si mesmo. O seu nome resume todo o seu caráter e propósito. O verbo "santificado" (*hagiazo*) enfatiza que Deus é santo e separado. A petição não é para Deus santificar a si mesmo, mas para as pessoas reconhecerem e tratarem Deus como santo, separado e singular. Deus não pode ficar mais santo, mas os adoradores podem ficar mais cientes de que não há ninguém como Ele. Quando as pessoas lhe respondem dessa forma, elas reconhecem e o adoram como o verdadeiro Deus, acima de todas as criaturas e coisas. Embora seu povo tenha uma comunhão íntima com Deus como Pai, Ele ainda deve ser venerado como o Altíssimo e o Santo. A intimidade que eles têm com Ele nunca deve dificultar sua reverência para com Ele.

O segundo pedido é para que o Reino de Deus venha, pois esse Reino é tema proeminente no ensino de Jesus; esta petição expressa o desejo pela vinda futura do Reino divino. Esse Reino já chegou na vida e ministério de Jesus, capacitados pelo Espírito, e na vida daqueles que se sujeitam a Deus e andam em seus caminhos. Por outro lado, ainda deve vir na plenitude de seu poder e glória. Quando Cristo voltar, o reino alcançará seu cumprimento. Toda a criação será renovada e libertada da maldição do pecado (Rm 8.18-21). O reino de Satanás acabará (Ap 20.1-3,7-10). A justiça prevalecerá, e os filhos de Deus desfrutarão de salvação eterna. É pela vinda final do Reino que devemos orar.

Podemos confiar em Deus que Ele suprirá as necessidades do seu povo. A segunda parte da oração tem a ver com pedidos pessoais. Jesus começa com a necessidade mais básica: comida. A palavra grega traduzida por "pão" (*artos*) abrange todos os tipos de comida, não apenas pão. O tempo presente do verbo "dar" (*didou*) significa "continuai dando". Visto que está unido com "cotidiano" (*kath' hemeran*, "dia a dia"), deveríamos orar a Deus diariamente por providências. Se Deus nos abastecer com provisões suficientes por longo período, podemos ser tentados a esquecê-lo. O nosso Pai divino deseja que vivamos num estado de dependência contínua dEle à medida que Ele cuida de nossas necessidades físicas.

O segundo pedido é por perdão de pecados. Orando por perdão confessamos que somos pecadores e culpados de agirmos erroneamente. O Novo Testamento ensina que o perdão vem da graça de Deus e é recebido pela fé (Ef 2.8); o mérito humano não tem nada a ver com perdão. Jesus ataca uma condição para pedirmos a nosso Deus que nos perdoe os pecados: Devemos estar prontos a nos perdoar uns aos outros (cf. Ef 4.32; Cl 3.13). O tempo presente expressa uma prontidão constante em perdoar. Perdoar os outros não faz jus ao perdão que Deus dá ao pecador, mas nunca deveríamos pedir a Deus que fizesse algo por que não faremos uns aos outros. A recusa em perdoar fecha nosso coração à misericórdia de Deus.

O último pedido é que Deus não nos venha a conduzir em tentação. De começo, este pedido pode nos parecer estranho. Por que Deus tentaria alguém a pecar? Afinal de contas, Ele não tenta ninguém (Tg 1.13-17). Não obstante, Ele permite que Satanás nos conduza em provações e tentações a fim de provar e fortalecer nosso caráter (cf. Jó). O intento de Deus nunca é que nos entreguemos à tentação e caiamos em pecado. Mas nós, como crentes, sabemos que somos fracos e podemos sucumbir à carne, ao pecado e a Satanás. Também sabemos que Deus pode nos proteger e nos impedir de cair em pecado. Assim oramos para sermos livres de circunstâncias onde a tentação nos ataca. É desnecessário dizer que Deus não nos poupa de todas as tentações, mas Ele dá vitória aos que confiam nEle.

4.5.2. A Parábola do Amigo à Meia-Noite (11.5-8). Jesus continua acentuando a importância da oração com esta Parábola do Amigo à Meia-Noite. Aqui, Ele enfatiza que a oração deve ser persistente e que Deus sempre está pronto a responder. A resposta graciosa de Deus à oração nos encoraja a continuar orando.

A história reflete a cultura daqueles dias. Havia dois amigos. Um veio passar a noite com o outro, mas só chegou à meia-noite. A maior parte da comida era preparada diariamente. Pelo fato de a casa do homem ter comido a provisão diária, ele não tinha nada a oferecer ao convidado inesperado. Mas o homem tinha de alimentar o convidado, visto que a hospitalidade era um dever sagrado. Então, ele foi ao vizinho que talvez pudesse lhe emprestar três pães. Mas o vizinho e sua família estavam dormindo. Tipicamente uma casa palestina humilde tinha só um quarto grande. À noite espalhavam-se tapetes no chão para a família dormir. Se o homem tivesse de se levantar para dar os pães, ele arriscaria acordar a família. Por isso, ele recusou o pedido, dizendo: "Já está a porta fechada, e os meus filhos estão comigo na cama" (v. 7). Note que a base da recusa não era dar ao vizinho os pães para esse tempo de necessidade.

Jesus então chega à surpreendente conclusão: "Digo-vos que, ainda que se não levante a dar-lhos por ser seu amigo, levantar-se-á, todavia, por causa da sua importunação [persistência] e lhe dará tudo o que houver mister" (v. 8). O homem não irá embora, nem deixará o vizinho voltar a dormir. A amizade mútua entre eles não prevalece, mas a recusa em dar, sim. A palavra-chave aqui é *anaideia* (despudor, cinismo, coragem). A persistência e coragem do homem dão resultados. A atitude refletida aqui é igual a Hebreus 10.19-22, onde somos encorajados a nos aproximarmos de Deus em oração e adoração.

Esta parábola incentiva abertamente que sejamos persistentes na oração. Não precisamos nos envergonhar de continuar pedindo. Deus eventualmente responderá nossa persistência e atenderá nossa oração, porque Ele verdadeiramente nos ama e cuida de nossas necessidades. Que melhor motivação podemos ter para sermos persistentes na oração? Nosso alvo não deve ser bajular Deus para que Ele mude de mente quando Ele diz "Não". Deus não nos retém nada do que precisamos. Ele reserva suas bênçãos mais seletas para os que os estimam e continuam orando até que recebam (Caird, 1963, p. 152).

4.5.3. A Garantia de que a Oração Será Respondida (11.9-13). Jesus conclui seu ensino sobre oração ressaltando o modo como Deus responde nossos pedidos. Ele responde de modo generoso e não dá de má vontade. Ele sabe de antemão do que precisamos. Mas como ensinamos nossos filhos, Ele quer que peçamos.

Jesus exorta seus seguidores a pedir, buscar e bater. Os três verbos estão no imperativo presente e enfatizam a necessidade de oração contínua. A oração deve ser mais que uma simples atividade: temos de continuar pedindo, buscando e batendo. Deus responderá à oração profunda, séria e persistente (vv. 9-10). Os três verbos — pedir, buscar e bater — significam quase a mesma coisa, mas há progressão do geral ao específico. Pedir é geral, mas buscar é procurar uma coisa específica, e bater é ir onde a coisa específica será encontrada. Deus não deixará nossas necessidades sem serem atendidas, mas isto não significa que ele suprirá qualquer coisa que pedirmos. Jesus não diz nada aqui sobre oração instigada por motivos errados (veja Tg 4.2,3). Deus pode dizer "Não", como também "Sim". Ele responde de acordo com o que é melhor para nós.

Porque Deus quer o que é melhor para nós, podemos descansar que Ele garantiu que sempre está pronto a dar bons presentes aos seus filhos (Lc 11.11-13). Jesus sublinha esta verdade com um par de ilustrações. Um filho faminto pede algo de comer a seu pai, por exemplo, um peixe. Que pai lhe daria em troca uma serpente venenosa? Ou se o filho pedisse um ovo, seu pai lhe daria um escorpião peçonhento? Nenhum pai atencioso põe o filho em perigo ou lhe dá presentes nocivos. Pelo contrário, os pais terrenos, embora maus, dão bons presentes aos filhos. Jesus presume a pecaminosidade da humanidade, mas com todas suas faltas e imperfeições, os pais provêem as necessidades de suas famílias. Em contraste, nosso Pai celeste é perfeito. Maior é sua generosidade, pois dá o maior presente, o Espírito Santo, aos seus filhos!

Nenhum presente pode satisfazer as necessidades espirituais de seus filhos melhor que o Espírito Santo. Da conversão em diante, o Espírito Santo vive nos crentes (Rm 8.9-11; 1 Co 6.19). Depois da conversão, os filhos de Deus têm o direito de pedir ao Pai que lhes guie a vida pelo Espírito e sejam capacitados para a tarefa de testemunhar. No Dia de Pentecostes os discípulos esperaram em oração para serem cheios do Espírito e capacitados para testemunhar (At 1.8ss; 2.1ss). Quando eles foram perseguidos e precisaram de força para testemunhar, eles oraram para ser fortalecidos pelo Espírito a fim de pregar a palavra (At 4.23-31). Quando Pedro e João oraram, os crentes samaritanos receberam o Espírito Santo (At 8.15-17).

O Espírito guiou e capacitou Jesus; quando o Espírito vem sobre seus seguidores, eles serão capacitados para continuar o que Jesus começou (At 1.1,8). Os crentes são responsáveis por pedir ao Pai celeste a direção do Espírito e seu poder ungido para servir. Por causa do tipo de Deus que Ele é, podemos ter absoluta certeza de que Ele "é poderoso para fazer tudo muito mais abundantemente além daquilo que pedimos ou pensamos, segundo o poder que em nós opera" (Ef 3.20).

4.6. O Poder de Jesus para Expulsar Demônios (11.14-28)

O crente recebe o Espírito Santo do Pai (v. 1.3); Lucas agora se volta para um debate sobre espíritos malignos sob a autoridade de Satanás. Jesus prossegue em sua missão de expulsar demônios e demonstra seu poder sobre o mundo espiritual. Normalmente a ocasião e o lugar das obras extraordinárias de Jesus são indicados, mas aqui Lucas não nos diz nada, exceto que Jesus estava expulsando um demônio que causava mudez. O restante da narrativa apresenta a reação controversa ao milagre. Deste ponto em diante, a oposição dos líderes religiosos a Jesus vai se consolidando até alcançar seu clímax em Jerusalém, onde Ele sofrerá e morrerá.

4.6.1. A Controvérsia sobre Belzebu (11.14-23). Por causa de um demônio, certo homem está incapacitado de falar. Quando Jesus expulsa o demônio, o homem não tem dificuldade de falar. O milagre dá lugar a três reações.

1) Uns ficam muito assombrados e profundamente impressionados.
2) Outros procuram desacreditar Jesus, acusando-o de expulsar demônios pelo poder de Belzebu, um nome dado ao Diabo como príncipe dos demônios. Estas pessoas vêem Jesus

como alguém capacitado pelo Diabo em vez de o ser pelo Espírito Santo.

3) Outros ainda pedem a Jesus que lhes mostre "um sinal do céu", um milagre para provar que Ele realmente tem o poder de Deus. Estas duas últimas reações mostram o perigo de uma mente forjada. Pelo fato de suas mentes estarem fechadas, estas pessoas se recusam a considerar que Jesus expulsa os espíritos malignos pelo poder com que Deus o ungiu.

O Jesus ungido pelo Espírito entende os pensamentos secretos dos oponentes (v. 17). Eles não podem negar seu poder. A questão é a fonte. É de Belzebu ou de Deus? Jesus responde de três maneiras a acusação de que a fonte do poder é do príncipe dos demônios.

1) Jesus faz uma comparação observando o que acontece quando ocorre uma guerra civil num reino ou quando existe controvérsia numa casa. Um reino dividido destrói a si mesmo, e uma casa dividida desmorona. Assim, como o reino de Satanás pode permanecer se está dividido? Nenhum reino dividido sobrevive: chegará inevitavelmente a um fim desastroso. É ridículo acusar Jesus de expulsar demônios pelo poder do Diabo. Seria indicação de uma guerra civil no reino de Satanás, o qual entraria em colapso.

2) Jesus destaca a inconsistência dos oponentes (v. 19), levantando a questão do poder de quem os seguidores desses oponentes expulsam demônios. Eles estão designando o poder de Jesus a Satanás. Se eles querem ser consistentes, eles têm de perceber que os que os seguem estão fazendo o mesmo. Jesus reconhece que há outros exorcistas judeus, mas ninguém os acusou de expulsar demônios pela mão de Satanás. (Nada sabemos sobre o sucesso destes exorcistas judeus e se Jesus lhes endossa a atividade.) Se seus críticos estão questionando o trabalho que Ele faz, eles têm de questionar o trabalho daqueles que os seguem. Caso contrário, eles designam o mesmo tipo de ministério a causas opostas: Satanás e Deus.

3) Jesus oferece uma alternativa à acusação dos seus críticos. Se não é Satanás que o capacita, então, quem é? É pelo "dedo de Deus" (Êx 8.19) que Ele expulsa demônios. Só o poder de Deus pode despedaçar o domínio de Satanás. O poder de Jesus sobre os demônios vem de Deus. Seus críticos devem considerar o resultado assim: "A vós é chegado o Reino de Deus". A expulsão de demônios é evidência da presença do Reino de Deus. Pelo ministério de Jesus, Deus já começou a reinar e o reino de Satanás foi invadido.

Os estudiosos debatem o significado de "é chegado" (*ephthasen*, derivado de *phthano*), que significa "é chegado perto" ou "chegou". Mas junto com a frase "a vós" (*eph' hymas*), indica que o reino já chegou. O reinado e o poder salvador de Deus estão evidentes no poder de Jesus sobre os demônios. Suas obras poderosas anunciam a presença do poder de Deus. Em resultado disso, o poder de Satanás na terra está em processo de ser superado. Mas também temos de nos lembrar de que a consumação do Reino ainda jaz no futuro. Jesus ainda terá de voltar para levar o Reino à sua forma final. Só então a promessa do Reino será levada à conclusão.

Enquanto isso, os crentes têm de continuar lutando contra Satanás e os poderes das trevas (Ef 6.10-18). Durante seu ministério na terra, o Jesus capacitado pelo Espírito venceu o pecado, a carne e o Diabo. Jesus usa a ilustração do valente para mostrar sua autoridade sobre Satanás (Lc 11.21-23). O "valente" se refere a Satanás e o "mais valente", a Jesus. Satanás ter uma casa bem-fortalecida representa o mundo sob seu controle. Ele pensa que seu poder é suficiente para repelir Deus. Mas ele está no controle somente até que o mais valente o vença, tomando-lhe as armas e dividindo-lhe as possessões mal-adquiridas. O mais valente chegou, venceu Satanás e expulsou demônios. Satanás ainda pode fazer grande dano, mas sua destruição está selada (cf. Ef 6.10-18; Cl 2.14,15).

O Reino de Deus e o reino de Satanás ainda se confrontam mutuamente numa guerra sem reservas. Todo aquele que não apóia Jesus apóia o Diabo (v. 23). Não há lugar para neutralidade. Aqueles que não ajudam Jesus a reunir seu rebanho estão espalhando as ovelhas. O trabalho de Jesus é reunir as ovelhas perdidas; Satanás procura espalhá-las.

4.6.2. A Volta do Espírito Maligno (11.21-26).

Uma pessoa, lendo esta curta passagem, poderia concluir que o aspecto mais importante do ministério é expulsar demônios. Embora este tema esteja presente, ser livre do poder de Satanás não é o bastante. Nossa vida também deve ser cheia do poder e presença do Espírito que habita em nós.

A vida não deve permanecer vazia. Para inculcar esta verdade, Jesus fala sobre um homem de quem foi expulso um espírito maligno. O espírito vaga por lugares desertos, onde demônios gostam de estar, mas não acha lugar de descansar. Assim, decide voltar para sua casa, ou seja, para a pessoa de quem foi expulso. Quando chega, o demônio encontra a casa como ele a deixou — limpa e tudo em ordem. Mas a casa ainda está vazia. Então, o espírito maligno "vai e leva consigo outros sete espíritos piores do que ele". Em conseqüência, o homem está em condição pior do que antes.

A lição é simples. Depois que o homem é livre do espírito maligno, ele continua vivendo à parte de Deus. O Espírito Santo não ocupa seu coração. Em outras palavras, a libertação do poder do mal não é o suficiente. O coração deve ser cheio com o poder e a presença do Espírito Santo. Livrar-se de um espírito maligno nunca significa que estamos imunes aos ataques de Satanás. Satanás é persistente, e a menos que nosso coração esteja cheio de Deus, o resultado pode ser trágico.

4.6.3. O Impulso de uma Mulher (11.27,28).

Uma mulher estava ouvindo Jesus falar sobre Satanás e os demônios. Ela ficou impressionada com o poder e a seriedade de suas palavras. Por causa de sua grande admiração por Ele, ela brada do meio da multidão uma bênção sobre a mãe que deu à luz Jesus e que o criou. Ela reconhece que toda mãe gostaria de ter tal filho maravilhoso. Suas palavras de bênção são o começo do cumprimento da profecia de Lucas 1.48. Ela também afirma o messiado de Jesus e expressa boa vontade para com Ele.

Jesus não questiona a verdade do tributo feito por ela, mas Ele sabe que louvor não assegura obediência à palavra de Deus. Ele passa para a verdadeira questão — obedecer o que Deus diz. No versículo 28, o termo "antes" (*menoun*) destaca o maior significado do que vem a seguir (Reiling e Swellengrebel, 1971, p. 444). Não há que duvidar que Jesus está ciente de que sua mãe é especialmente bem-aventurada de Deus. Entretanto, consideravelmente mais significativa é a obediência à palavra de Deus conforme é pregada pelo Salvador. Obedecer a sua mensagem leva as pessoas à fé em Jesus e lhes dá uma verdadeira relação espiritual com Ele. Jesus sempre abençoa os que aceitam sua oferta do Reino e crêem no evangelho. Obedecer a palavra de Deus resulta em ser verdadeiramente bem-aventurado.

4.7. O Pedido de um Sinal Milagroso (11.29-36)

Alguns dos críticos de Jesus o acusam de exercer poder sobre os demônios pela ajuda de Belzebu. Outros o testam insistindo que Ele faça um milagre (v. 16). Jesus responde a esses "outros" que querem mais sinais de que Ele é o Messias.

Os indivíduos que fazem tais demandas são chamados de "geração [...] maligna". Eles são malignos porque estão pedindo um sinal em vez de confiar em Deus. A palavra "sinal" (*semeion*) diz respeito ao trabalho milagroso de Deus. As pessoas insistem que a menos que Deus lhes mostre sinais especiais, elas não crerão. Jesus não lhes promete sinal, "senão o sinal do profeta Jonas" (v. 29) — referência à miraculosa libertação da morte do profeta Jonas.

Alguns estudiosos insistem que "o sinal do profeta Jonas" se refere à pregação profética de arrependimento, em vez de ser alusão à ressurreição. Mas Jonas passou três dias na barriga do peixe antes

de, por assim dizer, ser restabelecido à vida (Jn 1.17), e Mateus 12.40 declara nitidamente que este sinal significa a ressurreição de Jonas. A dificuldade com a visão de que este sinal significa a pregação de Jonas é tripla.
1) As Escrituras nunca apresentam a pregação de qualquer profeta como sinal.
2) Jesus não fala da pregação de Jonas, mas do próprio Jonas como sinal. Sua presença em Nínive era o sinal de que ele tinha sido miraculosamente salvo do enorme peixe.
3) Jesus usa o tempo futuro (v. 30): "Assim como Jonas foi sinal para os ninivitas, assim o Filho do Homem o *será* também para esta geração" (ênfase minha). O tempo futuro indica a ressurreição. O que aconteceu com Jonas serve de sinal do triunfo de Jesus sobre a morte. Jesus não deixa dúvidas de que qualquer sinal que Ele fizer será questão de escolha própria. Ele nunca dá sinais para satisfazer as exigências de uma geração incrédula.

Os corações da geração incrédula, aqueles que procuram sinais milagrosos, estão fechados à mensagem do evangelho. Jesus enfatiza a culpa dessas pessoas referindo-se à rainha do Sul (a rainha de Sabá, 1 Rs 10.1-10). Embora fosse mulher gentia, ela viajou grande distância (desde o atual Iêmen) para ouvir a sabedoria de Salomão, o homem mais sábio daqueles dias. No julgamento final, esta geração incrédula será condenada pelo exemplo de ela vir de tão longe para ouvir a sabedoria de Salomão. Pois, como Jesus os lembra, um maior que Salomão chegou, de forma que eles nem mesmo têm de fazer uma jornada para ouvi-lo anunciar as boas-novas de salvação. Eles estão rejeitando a Ele e sua mensagem. No Dia do Julgamento, a rainha de Sabá se levantará e os condenará pelo fracasso em crer em Cristo para a libertação de pecados.

A rainha não será a única testemunha contra eles no julgamento final. Os homens (*andres*) de Nínive que se arrependeram pela pregação de Jonas também condenarão esta geração por sua incredulidade. Eles creram na mensagem e se voltaram para Deus em pano de saco e cinzas. Por outro lado, os judeus dos dias de Jesus têm o próprio Messias entre eles, mas muitos deles se recusam a aceitá-lo como Salvador. De fato, no meio deles há Um que é maior que Jonas. Os mesmos homens que foram salvos em Nínive lacrarão o destino das pessoas da geração de Jesus por recusarem ouvir o maior dos mensageiros de Deus: o Cristo ungido pelo Espírito (v. 32).

Finalmente, Jesus retoma o tema da luz (vv. 33-36). Alguns daqueles que não crêem exigem um sinal, mas Deus dá Jesus e sua mensagem como luz. Esta luz é suficiente para dar luz a todos. Em consequência, não é preciso sinal algum para confirmar sua mensagem. Jesus compara a pregação do Reino a uma luminária. Quando é acesa, a luminária é colocada onde a luz não pode ser escondida, ou seja, num suporte, de forma que os que entram na casa vejam aonde vão. Jesus quer que o evangelho seja divulgado com toda a glória por suas obras e palavras poderosas.

Uma luminária alumia um quarto escuro, mas o olho humano dá luz ao corpo (isto é, à pessoa inteira). Jesus diz: "A candeia [luminária] do corpo é o olho". O olho humano pode ser fonte de luz ou de escuridão, dependendo se é saudável ou não. Quando o olho é "simples", alumia o corpo inteiro, e o indivíduo — corpo, alma, mente e espírito — será "luminoso", porque a luz dispersa toda a escuridão. Por outro lado, quando o olho é "mau", o indivíduo será "tenebroso", porque o olho debilitado rouba do indivíduo o pleno uso da luz. Tal pessoa não pode ver onde está, nem para onde está indo.

Jesus tem em mente duas condições espirituais. Os indivíduos podem ser cheios de luz ou cheios de escuridão. Sua saúde espiritual encontra-se no que recebem na alma. Se os olhos deles estão debilitados e são maus, eles não recebem a luz do evangelho. Mas se os olhos forem sãos e puros, eles entram em tudo o que Deus torna disponível no evangelho. Como resultado disso, todo o seu ser "é luminoso, não tendo em trevas parte alguma". Quando a luz maravilhosa do evangelho entra em nossa vida, é como uma luminária que brilha em nós a pleno fulgor. Ela dispersa toda a escuridão.

Alguns críticos de Jesus pedem um sinal de forma que eles tenham mais luz. Mas a luz que Ele já lhes deu é mais que suficiente. Luz extra nunca corrige visão deficiente. Visto que eles têm os olhos fechados à luz de suas obras e palavras poderosas, aumentar a luz não resolverá a cegueira espiritual.

4.8. Jesus Pronuncia Ais aos Fariseus e Escribas (11.37-54)

Quando Jesus termina de falar sobre a importância de o corpo estar cheio de luz, um fariseu o convida para jantar em sua casa. Como os outros fariseus, este homem tem ávido interesse na pureza ritual. Ele observa que Jesus não lava as mãos antes de se sentar para comer. Não é que o fariseu se preocupe com higiene, mas com pureza cerimonial. O ato de lavar as mãos era para se livrar da contaminação ritual causada pelo contato com gentios ou objetos ritualmente imundos. O fariseu fica ofendido pelos modos grosseiros de Jesus.

Esta reação exemplifica a hostilidade crescente dos líderes religiosos para com Jesus. Na resposta, Jesus continua na ofensiva contra a religião que enfoca os aspectos externos, como lavar as mãos antes das refeições, mas não lida com as necessidades morais e espirituais do coração. Seu ataque revela a dinâmica de Jesus como profeta e inclui não só condenação geral (vv. 39-41), mas também seis ais — três contra os fariseus (vv. 42-44) e três contra os escribas (vv. 46-52).

Lucas não dá indicação de que o fariseu diga algo a Jesus, mas o Salvador ungido pelo Espírito discerne o pensamento do anfitrião. Para os fariseus, religião significava obediência à lei. Eles enfatizavam assuntos superficiais como lavagem ritual em vez de limpeza de coração em relação ao pecado. Jesus declara que viver tal vida é como limpar o exterior de um copo ou prato, mas deixar o interior sujo. Os fariseus podem ser ritualmente limpos, mas, como Jesus acusa, interiormente estão cheios "de rapina e maldade" (v. 39). Eles abrigam no coração todo tipo de pecado. Eles agem como se a lavagem das mãos limpasse o coração e assegurasse uma relação certa com Deus.

Pessoas sábias não deveriam ser tão cegas e pensar que Deus só quer o exterior. Jesus chama esses líderes religiosos de "loucos". Os loucos pensam que são sábios, mas na realidade estão destituídos de sabedoria. Se os fariseus fossem sábios, eles saberiam que Deus fez o interior como também o exterior. De fato, Deus tem mais interesse na pureza de coração do que em lavagem de mãos e outros assuntos externos de religião. A vida que glorifica Deus emana da pureza interior.

Em seguida, Jesus acrescenta uma palavra sobre dar aos pobres (v. 41). Os fariseus dão mais importância a guardar mandamentos e regulamentos do que se preocupar com os necessitados. O significado preciso de "Dai [...] esmola do que tiverdes" tem sido tema de debate entre os estudiosos. Jesus parece estar enfatizando que dar aos necessitados é questão de amor e misericórdia e requer ação que parte de um coração limpo. Atos de amor estão em contraste com "rapina e maldade" (v. 39). Jesus exige um coração novo, cheio de compaixão pelos outros. Quando damos de corações renovados pelo Espírito Santo, o coração limpo torna tudo o mais limpo (Lenski, 1946, p. 660). A limpeza deve ser interna.

Agora Jesus começa os ais. Ais não são explosões de raiva; são expressões de profunda tristeza. Jesus está triste pelas práticas dos fariseus e escribas. Ele tem liberdade no Espírito, e com a direitura de um profeta do Antigo Testamento, Ele clama contra a hipocrisia e a negligência de coisas que realmente importam.

Jesus dirige os primeiros três ais contra os fariseus. Uma de suas práticas era o dízimo (v. 42). Esta prática tinha suas raízes no Antigo Testamento (veja Lv 27.30-32; Dt 14.22,23, textos que especificam que um décimo do produto e dos rebanhos e manadas deve ser dado a Deus). Mas os fariseus iam além do que a lei requeria. Eles eram tão rígidos em obedecer estes mandamentos que pagavam dízimos das ervas que os jardins produziam. Eles queriam eliminar a possibilidade de transgredir algum mandamento e proporcionar para si mesmos uma margem de segurança. Mas no esforço de dar dízimo de tudo, eles perdiam o senso de equilíbrio. Eles se concentravam no trivial, negligenciando os assuntos mais importantes — corrigindo os outros e obedecendo ao mandamento de amar a Deus (cf. Lc 10.25-28).

Jesus não quer que os fariseus negligenciem o dízimo. No que lhe diz respeito, eles devem dar o dízimo, mas sem negligenciar os outros grandes mandamentos de Deus — notavelmente, a justiça para com as pessoas e amor a Deus. Zelo pelo trivial pode nos cegar para o que é mais importante.

O segundo ai trata do orgulho (Lc 11.43). Além de não fazer as coisas realmente importantes, os fariseus amam "os primeiros assentos nas sinagogas e as saudações nas praças!". A preocupação com o exterior e o desejo de estar à vista de todos estão juntos. Nas sinagogas os assentos mais proeminentes eram os que continham as Escrituras sagradas. Eles eram reservados para pessoas importantes, e os fariseus amavam sentar ali. Eles sabiam que tais assentos e lugares chamavam a atenção por sua importância, e davam a impressão de que eles eram pessoas distintas. As "saudações nas praças", bem como a mesura diante dos fariseus e o tratamento com títulos de honra, também alimentavam seu orgulho. Mostrar respeito tem seu lugar, mas quando é levado ao extremo, alimenta a vaidade. Entre os líderes religiosos a honra pessoal pode ser vista mais que a honra de Deus.

O terceiro ai acusa os fariseus de corrigir os outros (v. 44). De acordo com a lei judaica, todo aquele que tinha contato com um corpo morto ou tocava um sepulcro era considerado ritualmente imundo por sete dias (Nm 19.16). Os judeus pintavam os sepulcros de forma que as pessoas pudessem evitar tocá-los. Sepulcros antigos e esquecidos poderiam estar sem marca; assim, alguém poderia pisar em um e, sem perceber, ficar ritualmente imundo. Embora os fariseus pensassem de si mesmos como exemplos de pureza, Jesus diz que eles são "como as sepulturas que não aparecem, e os homens que sobre elas andam não o sabem!" De fato, o coração destes líderes religiosos está "cheio de rapina e maldade" (v. 39).

Nesta condição má, os líderes são fontes de corrupção espiritual e moral. Exteriormente eles parecem íntegros, mas o exterior não revela nada sobre a condição imunda do coração. Infelizmente poucos judeus se davam conta de quão mortais a influência de tais líderes podia ser. Não tendo idéia do perigo, as pessoas ficam imundas espiritualmente por contato com eles. Como diz o provérbio: "As más conversações corrompem os bons costumes" (1 Co 15.33). O que Jesus descreve aqui é verdadeiro hoje como o era então.

Neste momento, um perito da lei (*nomikos*, "doutor da lei") levanta uma objeção. Muitos desses peritos pertenciam ao partido dos fariseus. A condenação de Jesus sobre os fariseus era uma condenação sobre eles também. Este homem entende que as palavras de Jesus aplicam-se a ele e a seus companheiros doutores, e ele o acusa de insultar todos eles. Lucas não indica por que os fariseus permitiam que Jesus falasse ininterruptamente até agora. Presumivelmente Lucas 4.32 nos dá a resposta: "Porque a sua palavra era com autoridade". Ungido pelo Espírito Santo, Jesus tinha uma presença poderosa e pronunciava os ais com autoridade, de forma a expor o caráter desses líderes religiosos.

Não está exatamente claro o que faz o perito da lei pensar que as palavras de Jesus se aplicam a ele e seus companheiros. Sua objeção instiga Jesus a continuar os ais e a chamar a atenção especificamente aos pecados deste grupo. O primeiro ai diz respeito a eles porem fardos nos outros (Lc 11.46). Pela interpretação que faziam, estes peritos faziam as pessoas levar pesados fardos. Eles impunham deveres que eram difíceis, se não impossíveis, de cumprir. A religião deveria tornar mais leves os fardos da vida, mas as muitas regras e regulamentos desses peritos da lei estavam tornando a vida um fardo pesado.

A segunda parte do versículo 46 diz literalmente: "Vós mesmos nem ainda com um dos vossos dedos tocais essas cargas!" Esta declaração pode ser lida de dois modos.

1) Os peritos da lei eram hipócritas, interpretando as tradições religiosas de forma que eles pudessem fazer tudo o que desejassem. Conhecendo todas as brechas, eles podiam escapar das obrigações da lei. Eles só simulavam observar seus padrões de espiritualidade.

2) Estes peritos não tinham compaixão e não faziam nada que facilitasse as pessoas obedecerem a lei. A religião tinha se tornado um fardo por causa das exigências legalistas. Ao mesmo tempo, eles recusavam interpretar e aplicar a lei no que dizia respeito a ajudar e mostrar misericórdia para com os fracos. A tradução da NVI chega ao ponto desejado: "E vocês mesmos não levantam nem um dedo para ajudá-los". Frios e separados, eles colocavam fardo sobre fardo em outras pessoas e ficavam vendo como a carga as esmagava.

O segundo ai de Jesus aos peritos da lei aludia a rejeitar a Palavra de Deus (vv. 47-51). Jesus mostra que estas pessoas construíam monumentos para os profetas do Antigo Testamento a quem os pais deles tinham assassinado. Os monumentos, argumentavam eles, foram construídos para honrar os profetas. Jesus opõem-se a este argumento. O único modo de os peritos verdadeiramente honrarem os profetas mortos é fazer o que eles disseram. Eles desobedecem a mensagem dos profetas e, portanto, não são melhores de quem os mataram. Suas ações mostram que eles dão aprovação inconsciente aos assassinatos. As vidas corruptas dos construtores de monumentos revelam que eles são um com seus antepassados.

Jesus continua falando sobre o que Deus previu. No passado, os profetas de Deus foram perseguidos e assassinados. Na atualidade, os peritos da lei estão erigindo monumentos bonitos onde eles presumem que os profetas foram enterrados para honrá-los. "A sabedoria de Deus" sabe que no futuro os profetas e apóstolos que Ele envia compartilharão o mesmo destino que os profetas do Antigo Testamento. Os líderes de Israel os perseguirão e os matarão. Os fariseus e os peritos da lei são a verdadeira descendência dos inimigos dos mensageiros de Deus no Antigo Testamento.

Jesus chama a atenção deles para o julgamento divino. Deus requererá "desta geração [...] o sangue de todos os profetas que, desde a fundação do mundo, foi derramado" (v. 50). Eles terão de prestar contas por todos os que morreram pelo bem da justiça, desde Abel a Zacarias. Abel e Zacarias representam o primeiro e o último dos mártires do Antigo Testamento (Gn 4.8; 2 Cr 24.20-22). O povo dos dias de Jesus levará a culpa pelo assassinato de todos os profetas, visto que, como seus pais, eles desobedecem a mensagem dos profetas e não mostram sinal de arrependimento. Só pelo arrependimento eles serão poupados da pena pela culpa das gerações passadas.

O último ai contra os peritos da lei trata de impedir os outros de conhecerem as Escrituras. Estes homens professavam abrir a Escritura. Ao invés disso, suas interpretações torciam e os desviavam. Deus forneceu a chave para abrir o Antigo Testamento e levar as pessoas a um verdadeiro conhecimento do seu plano de salvação. Mas estes mestres de Israel tomaram a "chave da ciência". Em essência, eles jogaram fora a chave para que as pessoas não entrem no Reino de Deus. Seus métodos de interpretação acrescentam exigências rígidas que vão além da Bíblia e tornam o ensino da Escritura tão obscuro que só os peritos podem entender. Eles transformaram a religião em mistérios e enigmas e em regras e regulamentos impossíveis. Eles nem tentam usar a chave para si mesmos. Escolhem manter o coração e a mente fechados ao evangelho.

Estes ais de Jesus são fortes e expõem o orgulho, a hipocrisia e a falta de compaixão por parte dos fariseus e peritos da lei. O modo como reagem a Jesus também é forte. Depois que Ele deixa a casa do fariseu que o convidou, os inimigos de Jesus começam "a apertá-lo fortemente e a fazê-lo falar acerca de muitas coisas, armando-lhe ciladas, a fim de apanharem da sua boca alguma coisa para o acusarem" (vv. 53,54). Essa hostilidade feroz mostra o quanto Jesus foi preciso no que disse. Eles o apertam, fazendo-lhe todos os tipos de perguntas difíceis e esperando que Ele venha a dizer algo que eles possam usar contra Ele.

Mas Jesus, o profeta ungido pelo Espírito, continua a despeito dos ataques. Embora debaixo dos olhos cuidadosos dos inimigos, Ele não lhes permite que o distraiam de cumprir sua missão. Ele fixa os olhos constantemente a fazer a vontade que o Pai celeste esboçou para Ele.

4.9. Responsabilidades e Privilégios do Discipulado (12.1—13.9)

Lucas agora dedica uma longa seção sobre a natureza do discipulado, que consiste nos ensinos que Jesus dirige principalmente a seus seguidores. Abrange vasto alcance de assuntos, que se concentram em seis temas principais:

1) O futuro julgamento sobre aqueles que vivem como hipócritas (Lc 12.1-12);
2) O apego e dependência de coisas materiais (Lc 12.13-34);
3) Ser alertas e fiéis (Lc 12.35-48);
4) Cristo, a causa de divisões familiares (Lc 12.49-53);
5) A interpretação dos sinais do tempo (Lc 12.54-59); e
6) A necessidade de arrependimento (Lc 13. 1-9).

Jesus apresenta estes ensinos enquanto se dirige a Jerusalém. Nesta jornada, extensa multidão de pessoas o segue. Quando fala aos discípulos, Ele quer que estes outros também o ouçam. Seus ensinos não são secretos, e deseja que todos aprendam o que significa ser discípulo.

4.9.1. Aviso contra a Hipocrisia (12.1-12). Entre as pessoas comuns, a popularidade de Jesus está subindo, e a multidão é tão grande que as pessoas pisam numas nas outras. Jesus não fala, como esperaríamos, primeiramente aos milhares de pessoas, mas aos discípulos. Estes não devem se enganar com sua atual popularidade; eles precisam se lembrar da forte oposição que Jesus já enfrentou. Assim, Ele primeiro avisa os discípulos para se precaverem contra "o fermento dos fariseus, que é a hipocrisia".

Como o fermento que faz crescer uma massa de fazer pão, a hipocrisia dos fariseus penetra todas as coisas. A hipocrisia envolve representar uma peça que esconde a verdadeira pessoa. Jesus acusa os fariseus deste pecado, porque eles estão tentando se esconder atrás de máscaras de práticas religiosas externas (Lc 11.39-44). Eles não são sinceros. É melhor ser um pecador sincero diante de Deus do que ser um indivíduo que age como santo, mas na realidade é corrupto.

A verdade pode ser coberta durante algum tempo, mas eventualmente tudo será conhecido (vv. 2,3). No julgamento final, todo segredo será trazido à luz e os hipócritas serão expostos. O sucesso dos hipócritas depende de sua habilidade em manter as coisas escondidas. Mas as coisas que eles esconderam vão inevitavelmente se tornar conhecidas. O versículo 3 explica: "Porquanto tudo o que em trevas dissestes à luz será ouvido; e o que falastes ao ouvido no gabinete sobre os telhados será apregoado". Todas as coisas são conhecidas por Deus. No dia do julgamento toda ação secreta, tudo que é proferido em particular e até os motivos e desejos escondidos serão revelados (Rm 2.15,16; 1 Co 5.6-8). Nada ficará escondido.

Quando Jesus dá esta advertência profética, os fariseus têm coisas escondidas. Por exemplo, alguns deles dão a impressão de serem amigos de Jesus. Eles ouvem os ensinos de Jesus e o convidam para comer em suas casas (Lc 11.37), mas se recusaram a aceitar os ensinos inspirados pelo Espírito e a recebê-lo como Filho de Deus, e agora tentam apanhá-lo em algo que Ele diz (Lc 11.54). No dia final, seu comportamento hipócrita será exposto. Nunca podemos esconder nossos pensamentos e ações dos olhos de Deus.

A hipocrisia pode tomar uma forma inversa da dos fariseus. Em tempos de perseguição, os discípulos podem ser tentados a fingir que não são seguidores de Jesus. Sob pressão ou ameaça, eles podem temer por suas vidas e procurar esconder que são crentes. No julgamento de Jesus, Pedro fingiu que não era discípulo e negou Jesus três vezes (Lc 22.54-62). Ciente de que os discípulos estarão sob perseguição, Ele os chama de "amigos" e lhes diz para não temerem os homens, mas a Deus (Lc 12.4-7). Há limites ao dano que as pessoas podem nos fazer. Somos naturalmente inclinados a temer os que podem tirar nossa vida, mas eles não podem destruir nada mais que o corpo. Uma vez tenham feito isso, seu poder acaba. Há apenas uma pessoa a temer — Deus, que "tem poder para lançar no inferno" (*geena*, que denota o lugar do castigo eterno).

Representar Deus não protege os crentes de perseguição e rejeição. Os crentes precisam estar preparados para o pior de pessoas más, mas seu destino está nas mãos de Deus. Só o medo de Deus tira todo o medo das pessoas. Deus tem o direito e poder de julgar todos, mas os que o temem têm a garantia de que Ele cuida deles, a despeito de quão má a situação esteja. Um pardal, o qual não é de grande valor, não escapa da atenção de Deus. Cinco pardais eram vendidos por alguns centavos no mercado antigo, contudo Deus cuida desses passarinhos — "nenhum deles está esquecido diante de Deus". Aos olhos dEle, seu povo é muito mais precioso que os pardais. Ele conhece os menores detalhes sobre seu povo, até o número de cabelos da cabeça de cada um deles. Assim podemos estar certos de seu cuidado paternal, e não precisamos temer a perseguição.

Nada é mais importante aos crentes do que a lealdade a Jesus Cristo (vv. 8-10). Em situações adversas, devemos estar precavidos contra não o reconhecer publicamente como Salvador e Senhor. Como Ele faz freqüentemente, Jesus se chama o Filho do Homem. Aqueles que reconhecem sua lealdade ao Filho do Homem sobre a terra serão reconhecidos por Jesus no céu. Mas aqueles que o negam aqui, Ele negará no céu. Há vários modos de negar Jesus. Podemos negar sua autoridade singular como Filho de Deus ou explicar seus ensinos de forma que eles tenham pouca autoridade ou relevância. Podemos rejeitar seus milagres e deidade, insistindo que Ele é apenas um grande mestre ou profeta.

A forma com que nos relacionamos com Jesus no presente determina nosso destino diante de Deus. Como está claro nesta passagem, a confissão pública de Jesus é importante em nossa relação com Ele. Jesus une tal confissão ao discipulado. Os crentes que vivem como testemunhas silenciosas não são os melhores exemplos. Eles levam poucas pessoas ao Senhor. O Livro de Atos fornece muitos exemplos do poder da palavra falada à graça salvadora de Cristo. Os crentes têm de testificar de Cristo por palavra e ação. Negá-lo aqui significa que enfrentaremos rejeição no julgamento final.

Reconhecer Jesus diante dos homens conduz ao assunto da blasfêmia contra o Espírito Santo, pecado que não pode ser perdoado (vv. 10,11). Jesus advertiu contra o pecado de rejeitá-lo, mas "todo aquele que disser uma palavra contra o Filho do Homem ser-lhe-á perdoada". Não devemos presumir que o perdão por falar contra Jesus seja automático; é concedido somente com base em arrependimento. Pessoas como Pedro e Paulo negaram Jesus ou recusaram aceitar sua declaração de ser o Redentor deste mundo, mas Deus os perdoou quando eles se arrependeram dos pecados (Lc 22.54-62; At 9.1ss; 1 Tm 1.12-14). O pecado contra Jesus não será tratado levianamente, mas Deus perdoa esse pecado.

Porém, todo aquele que insulta o Espírito Santo não será perdoado. Tal pessoa está em condição muito pior. A declaração de Jesus deu lugar a debate considerável. A blasfêmia contra o Espírito se refere à apostasia (Hb 6.4-6)? É rejeição persistente ao ensino dos apóstolos, visto que o Espírito Santo lhes capacitou a pregação da palavra? É designar as obras do Espírito a Satanás (cf. Mt 12.24-32)?

Lucas coloca a declaração de Jesus sobre blasfemar contra o Espírito no contexto de tempos de dificuldades e perseguições para os crentes. Ele os adverte contra negá-lo diante de outras pessoas (Lc 12.9) e, depois, acrescenta: "Quando vos conduzirem às sinagogas, aos magistrados e potestades, [...] na mesma hora vos ensinará o Espírito Santo o que vos convenha falar" (vv. 11,12). Jesus encoraja os discípulos a serem testemunhas fiéis sob perseguição, quando os avisa sobre blasfemar contra o Espírito. Ele lhes promete poder (*dynamis*) para testemunhar e suportar o sofrimento por causa do evangelho (Lc 24.48,49; At 1.8; cf. At 4.8). Se eles se renderem à perseguição e rejeitarem a ajuda do Espírito, cometeram o pecado imperdoável. Injúria e insulto contra o Espírito, que nos dá vida e nos capacita, têm conseqüências medonhas. A blasfêmia contra o Espírito Santo é uma condição do coração que instiga as pessoas a rejeitar a ajuda do Espírito nos momentos críticos da vida. É rejeitar a Deus.

Estas palavras de Jesus têm implicações claras.

1) A graça de Deus em Jesus pode ser rejeitada. Negar Jesus é rejeitar o testemunho do Espírito. O Espírito traz a verdade do evangelho ao coração das pessoas. Se elas persistem na incredulidade, correm o risco de se colocar além do alcance do Espírito Santo. A graça salvadora deve ser recebida, mas a rejeição persistente do testemunho do Espírito tem conseqüências eternas.

2) O Espírito capacita os crentes para a missão. Embora Ele guie e dirija vidas (At 15.28), Ele está primariamente direcionado à missão. Os crentes podem planejar estratégias missionárias e pensar que sabem para onde vão e o que podem dizer. Mas o Espírito pode ter outros planos, como ilustrado na missão de Pedro, dirigida pelo Espírito, à casa de Cornélio (At 10.1ss). Note também como o Espírito Santo inspirou as brilhantes apologias que Paulo entregou diante de governantes e autoridades (At 21—26). Como Jesus promete: "O Espírito Santo vos ensinará [...] as coisas que deveis dizer" (ARA).

Os crentes devem ser fortalecidos contra a hipocrisia e o medo das pessoas, sabendo que o Espírito Santo virá em socorro. Eles podem estar enfrentando um mundo hostil, mas o seu poder é prometido aos crentes obedientes (At 5.32).

4.9.2. Aviso contra a Cobiça (12.13-34).
A cobiça se mostra por forte desejo de possuir coisas. Jesus sabe que o apego a posses pode dificultar nosso andar com Ele. Esta seção trata do discipulado do ponto de vista de amar as coisas (vv. 13-21) e preocupar-se sobre ter o bastante (vv. 22-34). Estes dois assuntos estão estreitamente relacionados. As riquezas podem representar um perigo para aqueles que as têm como também para aqueles que não as têm.

O aviso de Jesus contra a cobiça é propelido pela disputa de dois irmãos sobre herança deles. Um dos irmãos pede que Jesus interfira e resolva a disputa. Ele não pede que Jesus sirva de árbitro e considere os méritos das duas alegações. Antes, ele quer que Jesus apóie sua alegação e persuada seu irmão a dividir a herança (era comum rabinos serem chamados para resolver tais casos). Discernindo a cobiça por trás da disputa familiar, Jesus não tem nada a ver com isso; mas Ele aproveita a oportunidade para tratar do assunto básico.

Quando Jesus se dirige à multidão, Ele adverte contra o perigo de querer cada vez mais e ressalta a importância de confiar em Deus. Ele enfatiza que a verdadeira vida e felicidade de uma pessoa não podem ser medidas pela quantidade de posses. Esta verdade destaca a futilidade de toda a cobiça. Pela razão de a cobiça tornar as coisas materiais um deus, a cobiça é idolatria (Ef 5.3; Cl 3.5). Idolatria é curvar-se diante de algo que não é digno de honra e incapaz de dar à vida o verdadeiro significado.

Para inculcar esta verdade, Jesus conta uma parábola que diz respeito a um fazendeiro rico e como ele usa as riquezas. Este fazendeiro tem uma exuberante colheita — tão grande que ele não tem onde armazená-la. Ele decide demolir os celeiros e usar os materiais para construir um maior. Ele sente que é homem muito afortunado por ter este tipo de problema, mas ele não agradece a Deus pela colheita abundante, nem pensa nas pessoas necessitadas. Assim que celeiros maiores forem construídos, ele tem confiança de que suas riquezas durarão por muitos anos, e planeja uma aposentadoria segura — "descansa, come, bebe e folga". Ele presume que é senhor de sua vida e tem muitos mais anos na terra.

Mas Deus tem um ponto de vista diferente. "Louco", diz Deus. "Esta noite te pedirão a tua alma, e o que tens preparado para quem será?" (v. 20). Este homem viveu como se ele não tivesse necessidade do verdadeiro e vivo Deus. Ele desconsiderou a possibilidade de ser morto prematura e repentinamente, mas naquela mesma noite Deus lhe toma a vida. Aos olhos de Deus todo aquele que confia em posses materiais, em vez de confiar nEle, é louco.

O rico desta parábola mostra a atitude errada para com as riquezas. Três dos seus erros crassos salientam:

1) Ele nunca viu senão a si mesmo. Note o uso freqüente de "eu" (oculto) e "meu" (e semelhantes): "[Eu] farei isto: [eu] derribarei os *meus* celeiros, e [eu] edificarei outros maiores, e ali [eu] recolherei todas as *minhas* novidades e os *meus* bens; e [eu] direi à *minha* alma..." (acréscimos e ênfases minhas). Profundamente incrustado nele está o egoísmo. Ele ganhou dinheiro e pretendia gastá-lo consigo mesmo. Ele não mostra interesse nos outros e não tem senso de mordomia.

2) Ele acreditou que o futuro estava no seu controle. Como se mostrou, ele não tinha controle nenhum. O que ele armazenou para si, não o beneficiou. Ele não pôde levar consigo suas riquezas. Deus perguntou a este homem: "O que tens preparado para quem será?" Sua atitude para com as posses lhe deu a falsa sensação de segurança. Até que fosse tarde demais, ele nunca percebeu a incerteza do futuro. "Não presumas do dia de amanhã, porque não sabes o que produzirá o dia" (Pv 27.1; cf. Tg 4.13-16).

3) Ele não tinha esperança em Deus. Sua vida estava cheia de coisas terrenas e não havia lugar em seu coração para Deus. Qualquer um que é como este homem, agarrando-se somente às posses para uso pessoal, não está aberto a confiar em Deus. Posses não são más em si, mas podemos transformá-las em nosso deus. Nós determinamos o lugar e o valor que elas têm em nossa vida.

Jesus continua o tema de posses materiais nos versículos 22 a 34. Ele sabe que a cobiça nunca se satisfaz. Leva os indivíduos, quer ricos quer pobres, a se preocuparem com coisas materiais. A fim de ajudar seus seguidores a evitar esta armadilha, Jesus os exorta a não se preocuparem com as necessidades físicas. Mas como lidar com as necessidades de comida e roupa? Afinal de contas, todo o mundo precisa de algo para comer e usar. A resposta de Jesus é simples: Confiar em Deus, que conhece nossas necessidades e as suprirá. A verdadeira vida consiste em mais do que comemos e vestimos (cf. Lc 4.4). É verdade que comida e roupa são importantes, e os crentes podem fazer previsão razoável de tais necessidades. Mas visto que Deus atende as necessidades, deveríamos nos abster de nos preocupar com isso. A vida envolve muito mais do que os aspectos materiais que a sustentam. Nossa preocupação deve ser com a vida como um todo.

De modo convincente, Jesus apresenta três razões por que é fútil preocupar-se com coisas materiais.

1) O Pai celeste cuida dos corvos. Estes pássaros eram imundos (Lv 11.15) e vistos como umas das mais baixas das criaturas de Deus. Eles não plantam semente ou colhem plantações. Eles não tinham lugar para armazenar qualquer coisa para uso posterior. Contudo Deus cuida deles fornecendo-lhes comida dia a dia. Este Deus esquecerá do seu povo? Claro que não! Eles são de maior valor que os pássaros do céu. Deus certamente nos satisfará as necessidades (embora a referência de Jesus aos pássaros que não trabalham não deva ser considerada que podemos evitar trabalhar; Ele não nos incentiva à preguiça).

2) O apego ansioso às coisas é improdutivo. Ninguém por mais preocupado que esteja pode acrescentar uma única hora ao breve espaço de sua vida. De

fato, a preocupação pode ser contraproducente; a ansiedade afeta nossa saúde e encurta a vida. O louco rico, quando Deus o chamou, foi incapaz de acrescentar um momento sequer à duração de sua vida. Jesus fala que acrescentar ao breve espaço de nossa vida é "coisas mínimas". Viver um pouco mais pode nos ser importante, mas do ponto de vista de Deus, é coisa de pequena monta. Se não podemos fazer nada acerca de coisas pequenas, por que estar aborrecidos e inquietos com coisas maiores?

3) Deus adorna os lírios e a erva do campo, fato que nos ensina a depender de Deus para nossa roupa. A beleza dos lírios não é resultado de eles confeccionarem roupas próprias, como fazem as pessoas. Sem qualquer esforço da parte deles, eles apenas crescem e florescem. Deus os veste com uma beleza que excede o esplendor de Salomão vestido com as melhores roupas. Semelhantemente, as flores (*chorton*, "grama, erva") do campo florescem por pouco tempo e depois são usadas como lenha em fornos de barro. Contudo, estas flores são gloriosamente vestidas por Deus. Certamente Ele tomará maior cuidado com seus filhos. Pessoas de pequena fé mostram ansiedade, mas isso é desnecessário.

Inquietar-se é insensato. Jesus ordena aos discípulos a não investir energia em algo que não rende nada: "Não pergunteis, pois, que haveis de comer ou que haveis de beber, e não andeis inquietos" (v. 29). Esta instrução parece difícil em nossa cultura, onde o desemprego é alto e muitos não têm a segurança de um trabalho. Não é que estas preocupações não tenham lugar em nossa vida. Os crentes precisam trabalhar e fazer planos para o futuro, mas eles não devem ficar ansiosos e irritáveis sobre o amanhã. Inquietar-nos acerca de comida e roupa torna-nos semelhantes aos que não confiam no verdadeiro Deus.

Os incrédulos se preocupam com estas coisas. Os crentes, por outro lado, têm um Pai celeste e podem ter certeza que Ele sabe que eles precisam comer, beber e se vestir. Eles não devem buscar tais coisas. Ao invés disso, eles devem buscar o Reino de Deus. Esta busca religiosa coloca todas as coisas na perspectiva adequada. Nossa prioridade torna-se viver em comunhão com Deus e sob as ordens do seu governo, servindo-o e preparando-nos para a vinda do seu Reino em plena glória. Além das bênçãos do Reino, Deus também proverá estas outras coisas. Podemos contar com Ele.

Jesus encerra este discurso com um comentário sobre posses materiais e fé na bondade de Deus (vv. 32-34). Ele ainda está falando aos discípulos e os compara com um pequeno rebanho de ovelhas. Fazendo assim, Ele os lembra que Ele é o Pastor e que eles podem esperar tal cuidado dEle. Ovelhas são fracas e facilmente ficam com medo em face do perigo, mas Jesus ordena que seu pequeno rebanho não tenha medo. Elas podem ser espalhadas por perseguição, mas elas podem estar certas de que Deus cuida delas e se agrada de lhes dar o Reino.

Aqui, a ênfase de Jesus está no Reino como é visto no fim do mundo. Quando esse Reino chegar à sua plenitude, o povo de Deus regerá com Ele. Mas mesmo agora os crentes podem estar confiantes de que Deus se preocupa e proverá as bênçãos do Reino. Estas bênçãos são mais bem compreendidas pelo que Deus faz agora e fará para exaltar seu governo entre eles. Ele não oferece promessa de bênçãos abundantes e materiais, mas Ele deseja providências suficientes para o seu povo.

As palavras de Jesus nos proíbem que entendamos que as bênçãos do Reino sejam um armazenamento de coisas materiais, pois sua próxima declaração é esta: "Vendei o que tendes, e dai esmolas". O foco aqui não é abandonar posses, mas como as usamos. Jesus não nos ordena que vendamos literalmente todas as nossas posses terrenas. Isso nos reduziria à pobreza e nos tornaria dependentes dos outros. Mas seu interesse é que não nos tornemos escravos de nossas posses e que as usemos para ajudar os outros. Confiantes do cuidado de Deus, podemos ser generosos com o que Ele nos dá. Se não estamos presos ao mundo, é fácil nos tornarmos servos do Reino e considerar as necessidades dos outros.

O louco rico na parábola (vv. 16-20) está em nítido contraste com o generoso. Aquele homem se preocupava em acumular riquezas e ganhar segurança, e não tinha intenção de usar suas posses com ninguém, senão consigo mesmo. A fim de precaver-se de tal cobiça, os seguidores de Jesus devem fazer um investimento que nem o tempo, nem as circunstâncias destruam. Fazendo assim, eles terão "bolsas que não se envelheçam, tesouro nos céus que nunca acabe". Este tipo de bolsa não causa ansiedade aos donos. Elas nunca se estragarão e seus conteúdos serão os inextinguíveis tesouros do céu.

Tais tesouros são riquezas reais e absolutamente seguras. Nenhum ladrão pode arrombar e roubá-las. Elas também estão protegidas do estrago de traças que arruínam riquezas terrenas. Os que procuram armazenar tesouros no céu compartilhando seus recursos, mostram que têm coração ligado ao céu. Por outro lado, os que empilham riquezas terrenas e se recusam compartilhá-las, revelam que têm coração ligado à terra. O que fazemos com nossos tesouros nos diz onde está nosso coração.

4.9.3. Alerta e Fiel (12.35-48). Prosseguindo sua discussão sobre discipulado, Jesus agora se volta ao assunto de estar preparado para a vinda do Filho do Homem. A liberdade dos cuidados do mundo e a garantia de que o Pai celeste cuida dos que lhe pertencem podem tentar seus seguidores a ficar preguiçosos e ter uma atitude despreocupada. Mas como Jesus deixa claro, o verdadeiro discipulado inclui ser fiel no serviço e estar preparado para sua vinda. A vida na terra é imprecisa, mas a vinda do Filho do Homem é certa. Jesus apresenta três parábolas para ressaltar a importância da preparação espiritual: a parábola de estar preparado para a vinda do Filho do Homem (vv. 35-38), a parábola de esperar o Filho do Homem (vv. 39,40) e a parábola do mordomo fiel durante a ausência de seu senhor (vv. 41-48).

A primeira parábola começa com ênfase sobre estar pronto para o serviço (vv. 35-38). Jesus usa duas imagens. A primeira é:

"Estejam cingidos os vossos lombos". No Oriente, os homens usavam roupas longas e soltas, mas para trabalhar era necessário amarrar a roupa ao redor da cintura, de modo que a pessoa não se atrapalhasse. Jesus exige que os discípulos se mantenham prontos para o serviço.

A segunda imagem, luminárias acesas, dá ênfase a ficar atento à Segunda Vinda. Os discípulos devem ser como servos cujo senhor foi a uma festa de casamento. Eles não sabem em que momento ele voltará. Mas se eles permanecerem prontos, abrirão a porta assim que ele bater e providenciarão qualquer serviço que ele desejar. Os discípulos de Jesus devem viver de forma a estarem prontos para atender a porta a qualquer momento. A hora de sua volta é impossível de predizer.

Jesus pronuncia uma bênção aos servos que estão alertas e prontos quando seu senhor voltar (vv. 37,38). O senhor ficará tão feliz que inverterá os papéis normais. Em vez de fazer os servos atendê-lo, o senhor os servirá. Ele vestirá um avental, os colocará à mesa e lhes servirá uma refeição.

No versículo 38, Jesus repete a bênção, mas acrescenta: "E, se vier na segunda vigília, e se vier na terceira vigília". Os judeus dividiam a noite em três períodos e os romanos em quatro. Não está claro qual dos horários Jesus tem em mente, mas, de qualquer modo, a segunda vigília é meia-noite ou mais tarde. O ponto é claro: Os discípulos precisam sempre estar prontos, porque não sabem em que momento seu Senhor voltará. Ele pode vir tarde da noite, quando não é esperado. Eles têm de ficar acordados e estar preparados. Aqueles que estão alertas e prontos receberão uma bênção extraordinária: O senhor fará uma grande festa para eles.

Um senhor nunca servia seus escravos, mas a graça de Deus faz o inesperado. Não é a primeira vez que é apresentado na Escritura o conceito de um senhor que serve os escravos. Na primeira vinda, Jesus, "sendo em forma de Deus", tomou "a forma de servo" (Fp 2.6,7). Jesus serviu seu povo, e Ele não fará diferente quando voltar outra vez. Desta feita, Ele servirá seu povo fiel e o abençoará muito mais do que ele imagina.

A segunda parábola ensina a necessidade de esperar a vinda do Filho do Homem (vv. 39,40). Esta parábola oferece tremendo aviso para as pessoas ficarem prontas para o retorno de Cristo. Se o dono de uma casa soubesse quando um ladrão planejasse vir e lhe roubar a casa, ele a protegeria. Ele não a deixaria exposta e estaria preparado para o ladrão. Claro que ele não poderia ficar constantemente em guarda e acordado vinte e quatro horas por dia para flagrar o ladrão. Assim, quando ele dormiu, o ladrão arrombou a casa e roubou tudo o que quis.

A vinda de Cristo será semelhante à chegada súbita e inesperada de um ladrão. Mas diferente do homem cuja casa foi roubada, os seguidores de Jesus podem estar constantemente prontos para a chegada do Senhor. É claro que eles nem sempre estão acordados, mas podem estar preparados para a súbita vinda de Cristo. Não sabemos quando isso ocorrerá, mas não podemos nos dar ao luxo de estar desprevenidos.

A terceira parábola acentua a fidelidade durante a ausência do senhor (vv. 41-48). Como Pedro freqüentemente faz, ele toma a dianteira entre os discípulos. Ele ouve o ensino de Jesus e quer saber se o que o Salvador disse se aplica somente aos discípulos (os que têm responsabilidades de liderança) ou a todos os ouvintes. Jesus não responde a pergunta diretamente. Ele faz outra pergunta para incentivar Pedro a pensar: "Qual é, pois, o mordomo [*oikonomos*] fiel e prudente"? No versículo 43, o mordomo também é chamado de "servo" (*doulos*, "escravo"). A parábola é uma resposta indireta à pergunta de Pedro e provê *insight* sobre o que é ser bom mordomo ou administrador.

No mundo antigo, era dada ao mordomo a responsabilidade de zelar de todas as propriedades, enquanto o senhor estivesse fora. Uma de suas tarefas principais era cuidar que os membros da casa recebessem a partilha de comida. Ele poderia dá-la diária, semanal ou mensalmente. O ponto é que seu trabalho lhe exigia que servisse e não exercesse poder. Seu senhor poderia voltar a qualquer momento. Quando o senhor volta, um "mordomo fiel e prudente" deve estar desempenhando seus deveres.

Jesus louva o servo que serve fielmente na ausência do senhor. Por sua eficiência, o senhor o recompensará (v. 44) com uma promoção, dando-lhe responsabilidade não só sobre sua casa e servos, mas também sobre todas as suas propriedades. Jesus deixa sem explicar como este tema da promoção se aplica aos discípulos. Certos textos bíblicos indicam que Cristo reinará por um período de tempo sobre a terra depois que Ele voltar (Lc 19.17; 1 Co 6.1-3; Ap 20.1-6). Durante esse tempo, Ele precisará de assistentes que servirão com Ele no seu Reino. A recompensa envolve este futuro governo de Cristo, em cujo tempo a fidelidade será recompensada com maiores oportunidades de serviço.

Deus promete recompensar os fiéis, mas o resultado pode ser diferente. O mesmo mordomo pode pensar que levará muito tempo antes de o senhor chegar. Assim, ele se descuida e desenvolve uma falsa sensação de independência. Em vez de cuidar dos servos que estão abaixo dele, ele abusa deles e se entrega a comer, beber e se embebedar. A volta do seu senhor ocorre em completa surpresa. O senhor o apanhará em sua loucura e verá sua maldade, e o servo arrogante e infiel será responsabilizado por seus pecados.

A Nova Versão Internacional, em inglês, expressa a severidade do castigo: "Ele o cortará em pedaços e lhe dará um lugar com os infiéis" (v. 46). O quadro é de desmembramento e indica que o castigo é mais que mero açoite. Envolve execução e morte. Ele compartilhará o mesmo destino com os incrédulos. De acordo com Mateus 24.51, a este servo será designado "a sua parte com os hipócritas; ali haverá pranto e ranger de dentes".

Este resultado deveria servir como aviso, sobretudo aos que têm autoridade e posição de liderança. Mesmo na Igreja, um líder pode ser tentado a abusar dos outros e buscar interesses pessoais. Jesus enfatizou a fidelidade, mas agora Ele enfatiza a responsabilidade que jaz sobre os que conhecem a vontade de Deus. O servo que sabe o que seu senhor quer, mas não o faz, será designado a um lugar com os incrédulos. Este servo não pode alegar que não sabia; ele tem uma compreensão clara da vontade do seu senhor. Pelo fato de ter falhado, ele "será castigado com muitos açoites".

Mas há outro servo. Ao contrário do primeiro, ele não sabe o que seu senhor quer. Na ignorância, ele desobedece a vontade do seu senhor. Seu castigo é menos severo que os dois anteriores, no ponto em que ele receberá "poucos açoites". A lição a aprendermos é que é pior desobedecer a vontade de Deus, quando a sabemos, do que ser ignorantes e desobedecer. Ninguém pode alegar ignorância moral absoluta (Rm 1.20; 2.14,15). Porém, privilégio e bênçãos dão maior responsabilidade. Deus espera muito daqueles a quem Ele deu muito. A pessoa abençoada com oportunidade e privilégio deve agir de acordo. É certo que o julgamento será conforme as bênçãos outorgadas.

4.9.4. Divisões Familiares acerca de Cristo (12.49-53).
Nestes versículos, Jesus fala de sua missão, como será cumprida e qual será seu resultado. Sua missão foi designada a levar salvação e paz; mas, em outro sentido, também traz julgamento e divisão. Ele lançará fogo na terra. O termo "fogo" representa:

1) Julgamento divino (Lc 3.9,17; 9.54; 17.29; At 2.19);
2) Purificação (Ml 3.2,3; 2 Pe 3.10-13); ou
3) O poder do Espírito Santo (At 2.1-4). Neste contexto, "fogo" tem de se referir a julgamento. Contudo, o julgamento está ligado ao Espírito Santo. A experiência de salvação envolve julgamento com o Espírito Santo comunicando convicção e julgando a mensagem do Evangelho no coração humano.

O Espírito Santo condena o pecado e a incredulidade. Jesus olha à frente para o fogo do julgamento de Deus que está aceso. Desde o início do ministério, o fogo começou a arder quando famílias se dividiram porque seus membros responderam diferentemente ao evangelho. Mas não estará completamente aceso até a morte, ressurreição e exaltação de Jesus e o derramamento do Espírito Santo. À medida que Jesus avança para Jerusalém, Ele deseja ardentemente que a obra de salvação e seu resultado se cumpram. A cruz não é um aspecto atraente. Ele sabe que por meio dela Ele suportará julgamento em favor dos outros e que seu sofrimento é necessário para cumprir sua missão.

Ciente do que o espera, Jesus fala da cruz como "um batismo" (v. 50). Este batismo o mergulhará nas águas do sofrimento e morte, como quando uma pessoa é batizada em águas. Sabendo que Ele estará sob julgamento pelos pecados da humanidade, Jesus se enche de angústia. Ele almeja ver o fogo do julgamento completamente aceso, mas saber a severidade de seu futuro "batismo" o faz querer que Ele já tenha cumprido sua missão.

Porque Jesus é chamado o Príncipe da Paz (Is 9.6), pode-se presumir que sua missão exclusiva é trazer paz incondicional. Ele traz a verdadeira paz ao coração daqueles que confiam nEle, mas sua missão também inclui lançar fogo na terra (Lc 12.49). Ele deixa isso muito claro. Sua vinda criará dissensão e dividirá famílias. Jesus chama à fé membros da mesma família, mas cada um responde diferentemente. Uns o aceitam como Salvador, ao passo que outros persistem na incredulidade. Alguns são a favor dEle; outros são contra Ele. Uns o amam; outros o odeiam. Jesus prediz que famílias divididas existirão "daqui em diante" — desde sua primeira vinda até o fim dos tempos (v. 52). Oposição não deve nos causar surpresa. O evangelho é o desafio de tomar a cruz e seguir Jesus. Aceitar este desafio pode resultar em ser rejeitado pelos membros de nossa própria família.

4.9.5. Interpretando este Tempo (12.54-59).
Nesse ponto, "a multidão" recebe a atenção de Jesus. Ele exortou os discípulos a estarem prontos para o vindouro julgamento do Filho do Homem (vv. 35-48). Agora, em palavras severas, Jesus pune a multidão pela cegueira em ver os sinais de Deus. Os indivíduos podem interpretar os sinais do tempo climático, pelo modo

como as nuvens se formam ou quando uma onda de calor está a caminho. Com poucas observações, eles podem prever o tempo com precisão, mas sua estagnação espiritual lhes impede de "discernir este tempo" (v. 56) — o ministério de Jesus no meio deles. Eles estão completamente inconscientes dos sinais.

Em outras palavras, eles não vêem que Deus está em ação no seu Filho ungido pelo Espírito. Eles interpretam os sinais do tempo climático, mas não se importam em tentar entender os sinais dos tempos. Considerando que os sinais eram proeminentes naqueles dias, eles poderiam tê-los interpretado com facilidade. As obras de Deus em Jesus são tão claras quanto "a nuvem que vem do ocidente" ou o vento que sopra do sul. Entre os sinais incluíam-se as pregações de João Batista, que declarou que Jesus batizaria com o Espírito Santo e com fogo (Lc 3.16), e a pregação ungida de Jesus e suas obras extraordinárias.

As multidões ignoram o que é verdadeiramente importante. Pelo fato de se dedicarem ao que é superficial e fingirem saber interpretar o presente tempo, elas são, de fato, "hipócritas" (v. 56). Seu fracasso em discernir os poderosos sinais de salvação de Deus em Jesus não tem nada a ver com capacidade, mas com vontade. Elas se recusam a deliberadamente reconhecer o significado da missão salvadora de Jesus e sua mensagem ungida pelo Espírito (cf. Lc 11.30). A rejeição lhes impede de entender as nuvens e os ventos de Deus. Elas não vêem que nos dias de Isaías Deus usou os assírios para trazer julgamento sobre seu povo, e agora Ele está a ponto de usar Roma como agente de julgamento (66-70 d.C.). Eles não vêem a significância de Jesus e não entendem que Ele é sua única esperança.

A presença e ensino de Jesus exigem que as multidões tomem uma decisão: "E por que não julgais também por vós mesmos o que é justo?" (Lc 12.57). Elas estão a caminho do julgamento, mas não é tarde demais para voltar. Deus lhes deu o evangelho, e sob esta influência e a do Espírito Santo elas podem crer em Jesus e fugir da ira vindoura. O tempo para elas darem atenção à sua relação com Deus é agora. Para ilustrar a urgência desta necessidade, Jesus se refere a uma disputa legal. Um devedor está sendo arrastado ao tribunal. Sua única esperança de evitar cumprir sentença na prisão é resolver o caso fora do tribunal. Caso contrário, Ele enfrentará completa ruína. Uma vez na prisão, ele não terá oportunidade de ganhar dinheiro para pagar o credor e, assim, não terá prospecto de ser posto em liberdade.

Com esta história, Jesus adverte os pecadores a não permitirem ser acalmados por uma falsa sensação de segurança. Pela desobediência, eles retiraram de Deus o que Ele legitimamente espera — obediência. Em conseqüência, eles são devedores e não devem poupar esforços para acertar as contas com Deus, arrependendo-se dos pecados e lançando-se na sua misericórdia. Se as contas não forem acertadas, as conseqüências serão trágicas e eternas: Eles perderão tudo, quando comparecerem perante Deus no julgamento final. Só Jesus pode acertar nossas contas com Deus e pagar nossas dívidas. A fim de evitar o desastre eterno, temos de nos arrepender e confiar nEle. Pessoas sábias farão isso antes que seja tarde demais.

4.9.6. Chamada ao Arrependimento (13.1-9). O evangelho oferece arrependimento e perdão de pecados (Lc 24.47). Depois do aviso contra o perigo do julgamento divino (Lc 12.54-59), Jesus faz uma chamada ao arrependimento a fim de evitar a ira de Deus. Esta mensagem é mensagem de graça. Deus graciosamente oferece a todos a oportunidade de arrependimento.

Jesus enfatiza a urgência de se arrepender e se voltar para Deus enfocando duas tragédias. Na primeira, Ele discute a morte de alguns galileus a quem Pilatos mandara matar, a respeito da qual Ele acabara de ser informado. Um grupo de galileus tinha subido a Jerusalém para adorar. Enquanto estavam no templo oferecendo sacrifícios de animais, os soldados de Pilatos entraram precipitadamente, os abateram e misturaram o sangue deles com os sacrifícios do templo. Não sabemos nada sobre este incidente, exceto o que Lucas nos conta. A morte violenta destes galileus pode ter sido o resultado de um enredo para libertar a Palestina da dominação romana ou do abuso de poder de Pilatos. O modo horrível como eles foram executados indica a própria ira pessoal de Pilatos contra eles.

Mas por que estas terríveis notícias foram levadas a Jesus? Aqueles que o informaram presumiram que os galileus receberam o que mereciam. Muitos naqueles dias acreditavam que tragédias refletiam o julgamento de Deus sobre as pessoas pelos seus pecados. Em resposta, Jesus nega enfaticamente (*ouchi*) esta noção popular (v. 3). Este incidente trágico não prova que esses galileus sejam maiores pecadores aos olhos de Deus que os outros. A hipocrisia dos relatores os fez tirar conclusões erradas.

Nesta vida, o pecado às vezes resulta em castigo conspícuo, alertando-nos sobre a conexão entre o pecado e suas conseqüências. Mas o governo e a providência de Deus são profundamente misteriosos. Não há explicação simples ao apedrejamento de Estêvão ou à morte de Tiago pela espada. Nossas condições financeiras e físicas nem sempre refletem nossa condição espiritual. Jesus não tenta explicar a morte trágica dos galileus, mas Ele usa as mortes para lembrar a cada pessoa do seu próprio pecado e da necessidade de arrependimento: "Não, vos digo; antes, se vos não arrependerdes, todos de igual modo perecereis" (v. 3). Um assunto mais fundamental do que a conexão das mortes dos galileus com seus pecados é que todas as pessoas são pecadoras e têm de se arrepender. Caso contrário, o fim será mais trágico que a morte violenta dos galileus. Aqueles que permanecem indiferentes à chamada de Jesus correm o risco de desastre espiritual.

Jesus prossegue falando de outra tragédia (vv. 4,5). A primeira envolvia a morte como ato da maldade humana, mas esta segunda tragédia era um desastre natural — dezoito pessoas morreram quando a torre de Siloé caiu sobre elas. Siloé era um subúrbio de Jerusalém; nada sabemos sobre a queda da torre senão por esta referência. A torre estava ligada ao muro que cercava Jerusalém. Por alguma razão imprevista, a torre desabou.

Muitos judeus devotos devem ter considerado o acidente como evidência do julgamento de Deus, por causa da teologia popular em vigor naqueles dias, a qual designava acontecimentos trágicos à ira divina contra a vítima. Jesus nega esta conclusão ferrenhamente. A morte destes dezoito não prova que eles eram os piores pecadores que moravam em Jerusalém. Como no caso com os galileus, Jesus se recusa a especular sobre o que causou a queda da torre. Não obstante, o ponto importante é arrependimento. A tragédia da torre adverte a todos sobre a urgência de arrependimento. Afinal de contas, a vida pode chegar a um fim a qualquer momento, mas Jesus Cristo tornou o arrependimento um meio de escapar da conseqüência eterna da morte.

Até agora, Jesus ressaltou a importância de arrependimento a fim de evitar o julgamento divino. A próxima parábola, a figueira infrutífera, também ensina a necessidade de arrependimento e a paciência de Deus em tratar com os pecadores (vv. 6-9). Embora a oportunidade para as pessoas se arrependerem ainda não tenha passado, ela não estará aberta para sempre. Assim, Jesus ilustra o resultado de não se arrepender.

A cena envolve uma figueira num vinhedo. De tempos em tempos, o dono procura frutos na árvore, mas não acha nenhum. Ele faz tudo certo para que a árvore frutifique, até que ela fica plenamente adulta. O dono foi paciente por três anos, mas sua paciência está acabando. Então ele fala ao homem que cuida do vinhedo que derrube a árvore. A terra que ela ocupa pode ser mais bem aproveitada. Mas o guardião do vinhedo pede ao dono que a deixe ficar por mais um ano, durante o qual ele soltará a terra ao redor e porá fertilizante. Talvez o cuidado extra a torne produtiva. Se não frutificar, medidas drásticas podem ser tomadas para tirá-la dali.

A Parábola da Figueira Estéril nos lembra que Deus cuida do seu vinhedo. Ele nos dá a oportunidade de nos voltarmos a Ele e produzirmos frutos dignos de arrependimento. A boa vontade de Deus em nos dar tempo para nos voltarmos para Ele mostra sua paciência e misericórdia. De acordo com 2 Pedro 3.9, "o Senhor [...] é longânimo para convosco, não querendo que alguns se percam, senão que todos venham a arrepender-se". Se não nos arrependermos, permaneceremos infrutíferos, e, no fim, sofremos grande perda. Há limites para a paciência divina.

4.10. Preparação dos Discípulos para Jerusalém e outros Acontecimentos (13.10-35)

Depois de enfocar a urgência de arrependimento, Jesus entra novamente numa disputa sobre o uso formal do sábado (vv. 10-17). Lucas registra duas parábolas pequenas que Jesus contou — sobre a natureza do Reino (vv. 18-21) e sobre como entrar nele (vv. 22-30). Ele termina esta seção com um aviso acerca do intento assassino de Herodes Antipas (cf. Lc 9.7-9) e com o choro de Jesus sobre Jerusalém (vv. 31-35). No meio da seção, Lucas menciona Jesus com seu rosto fixo em direção a Jerusalém, a cidade onde Ele tem de morrer (v. 22; cf. Lc 9.51). À medida que a jornada avança, Ele prepara os discípulos para o que acontecerá ali.

4.10.1. A Cura de uma Mulher Encurvada no Sábado (13.10-17). Este milagre coloca Jesus, mais uma vez, em conflito com os líderes religiosos. Ocorre enquanto Ele está ensinando numa sinagoga no sábado (esta é a última ocasião em Lucas onde Jesus está numa sinagoga). Enquanto está ensinando, "eis que estava ali uma mulher que tinha um espírito de enfermidade havia já dezoito anos; e andava curvada e não podia de modo algum endireitar-se" (v. 11). A menção do espírito é significativa, porque a deformidade da mulher não é devido ao processo de envelhecimento ou a uma doença, mas a um espírito maligno. O controle do demônio tinha ocasionado um efeito que a incapacitava, tornando-a impossível de se endireitar. A duração de tempo em que ela tinha vivido com esta condição mostra sua severidade.

É provável que a mulher tenha vindo à sinagoga para adorar. Ela não se aproxima de Jesus, nem pede que Ele a cure. Nada é dito sobre ela crer nEle. Os olhos de Jesus a encontram e Ele tem compaixão dela. Imediatamente Ele toma a iniciativa de chamá-la, põe-lhe as mãos e a pronuncia curada. O tempo perfeito (*apolelysai*) enfatiza que a cura é permanente. Ela agora está ereta na frente de todos, livre do poder de Satanás que causou sua debilidade. Seu coração está cheio de gratidão, e ela começa a louvar Deus por suas obras poderosas. Ela conecta o poder de Deus com o que Jesus fez por ela.

A cura desta mulher mostra que Deus livra seu povo do poder de Satanás pela graça divina. Demonstra a presença do Reino. Mas o milagre também revela a hipocrisia dos líderes judeus e a crescente oposição contra Jesus. O príncipe da sinagoga fica indignado porque Jesus curou a mulher no sábado. Na sua opinião, Jesus violou o quarto mandamento. Na tradição judaica, tais ações de misericórdia eram permitidas no sábado somente se a vida da pessoa estivesse em sério perigo. Considerando que já fazia dezoito anos que a mulher precisava de ajuda, obviamente sua condição não era uma emergência.

Mas o príncipe da sinagoga evita atacar Jesus face a face. Ao invés disso, ele fala às pessoas e se queixa com elas: "Seis dias há em que é mister trabalhar; nestes, pois, vinde para serdes curados, e não no dia de sábado". Ele aprecia o que acabara de ver. Tudo em que ele pode pensar é a profanação do sábado, ignorando que a mulher foi livre de sua dor. Ele desconsidera o poder curativo de Deus manifestado por Jesus e não mostra compaixão ou alegria com o milagre. Mas não ousando atacar Jesus diretamente, ele repreende o povo por vir no sábado para curar. Eles podem receber cura nos outros seis dias da semana.

Na verdade, o príncipe da sinagoga dirigiu sua repreensão a Jesus. O Salvador ungido pelo Espírito enfrenta este ataque indireto com uma resposta direta, chamando a ele e a todos os seus colegas de "hipócritas". Como repreensão mordaz, Jesus faz duas perguntas. Ele pergunta se é permitida a pessoa cuidar de seus animais no sábado. Nos seus ensinos, os rabinos expressam grande preocupação com o cuidado com os animais. Até no sábado eles podiam ser cuidados. Água podia ser tirada para o gado e derramada num cocho sem transgredir o sábado. A segunda pergunta de Jesus chega ao ponto desejado: Se animais podem ser cuidados no sábado, por que uma mulher deficiente tem de esperar outro dia para ser curada? Ela é "filha de Abraão", membro do povo de Deus. Claro que ela é mais importante aos olhos de Deus que animais e deve ser liberta de Satanás.

A frase "convinha soltar" significa literalmente "era necessário (*edei*) ser solta". Esta expressão indica uma necessidade muito mais importante que dar água a um boi ou jumento. Jesus insiste que há uma obrigação moral de fazer o bem no sábado. Com efeito, esta mulher deve ser liberta; que dia poderia ser mais apropriado que o sábado? Satanás não pára de trabalhar no sábado, e curando-a no sábado, Jesus revelou a impotência de Satanás. Deus dera a Israel o sábado como dispensa da escravidão do trabalho e como sinal de libertação (cf. Dt 5.15; Mc 2.27). Nenhum dia poderia ser mais adequado para homens e mulheres serem libertos do governo de Satanás e ficarem sob o governo gracioso de Deus. Por suas obras de misericórdia, Jesus está consagrando o dia.

O príncipe da sinagoga tentou dificultar a resposta das pessoas à ação poderosa de Jesus. A resposta de Jesus deixa seus oponentes envergonhados. Ele lhes expôs a hipocrisia, e eles foram desacreditados aos olhos das pessoas na sinagoga. Em contraste, as pessoas estão emocionadas com as poderosas obras de Jesus. Elas se regozijam por causa de todas as ações gloriosas feitas por Jesus.

4.10.2. As Parábolas do Reino (13.18-21). Jesus reforça este milagre com duas parábolas pequenas para ilustrar como o Reino de Deus é. Presumivelmente Ele ainda está na sinagoga. A mulher que fora curada é sinal da presença poderosa do Reino de Deus, de seu governo de graça. Em ambas estas parábolas, Jesus explica o Reino como uma realidade presente. Ele quer que os ouvintes pensem no governo de Deus e entendam sua natureza e características.

Em geral, os judeus esperavam que o Reino messiânico viesse de repente e decisivamente. Mas Jesus insiste que o Reino em sua forma inicial parece muito pequeno, e quase não é reconhecido. É como uma minúscula semente de mostarda ou o fermento numa massa, mas que se espalha e produz algo muito maior. Embora o Reino seja a princípio quase invisível, os trabalhos poderosos de Jesus mostram sua presença poderosa, e isso eventualmente ficará dominante.

De acordo com a Parábola da Semente de Mostarda, o Reino está fazendo um impacto decisivo. É igual a uma semente de mostarda plantada num campo, da qual cresce uma árvore. Normalmente uma semente de mostarda dava um arbusto de cerca de um metro e vinte centímetros de altura, mas sob condições favoráveis sabia-se que crescia até aproximadamente dois metros e setenta centímetros de altura (Marshall, 1978, p. 561). Em outras palavras, o que Jesus tem em mente é crescimento sobrenatural. Nessas árvores, pássaros faziam ninhos e se empoleiravam nos ramos, fato que representa as nações do mundo (Sl 104.13; Ez 17.23; 31.6). Um começo pequeno produz um grande resultado, o que descreve o crescimento mundial do Reino de Deus. Este Reino se tornará universal e proverá tranqüilo lugar de descanso para as pessoas de todas as nações.

A Parábola do Fermento tem ênfase semelhante no tremendo crescimento do Reino e no poder transformador da graça de Deus. Uma mulher quer fazer pão. Então ela toma "três medidas de farinha" (cerca de vinte quilos) e acrescenta quantidade minúscula de fermento. O fermento penetra lentamente a grande massa de pão e a faz crescer. Nas Escrituras, o fermento freqüentemente representa influências más, mas aqui se refere à influência penetrante e poderosa do Reino de Deus. Começa com a pregação e curas de Jesus, num pequeno movimento e muitas vezes trabalhando de modo invisível como o fermento. À medida que começa a penetrar e influenciar as pessoas e a sociedade, os resultados futuros excedem em muito seu tamanho atual. Vemos este tipo de influência poderosa no Livro de Atos à medida que o evangelho penetrou o mundo romano.

O povo de Deus pode se encorajar quando parece haver falta de sucesso. Oposição, quer satânica ou humana, não pode deter o impacto do Reino sobre o mundo. Deus está em ação avançando seu plano e propósito. Não fiquemos deprimidos pela oposição ou grandeza da tarefa. Assim como o fermento trabalha misteriosa, invisível e secretamente, assim trabalha o Reino de Deus. O imenso poder de Deus garante que seu Reino alcançará os confins da terra.

4.10.3. Exigências para o Reino (13.22-30).

As duas parábolas precedentes afirmam o poder e a influência do Reino. Lucas nos lembra novamente de que Jesus está a caminho de Jerusalém (v. 22). Enquanto viaja, Ele evangeliza "as cidades e as aldeias". De repente, alguém entre a multidão pergunta: "Senhor, são poucos os que se salvam?"

Esta pergunta dá a Jesus a oportunidade de resumir as demandas para a entrada no Reino de Deus. Seu ensino dá a impressão de que só alguns serão salvos. Como faz com freqüência, Ele não dá uma resposta direta a perguntas especulativas. Ele mostra aos presentes que eles não devem gastar tempo discutindo quantos serão salvos. Muito mais importante é a consideração de questões como estas: Você está entre os salvos? Você foi livre do pecado e do julgamento divino e recebido no Reino de Deus? Usando uma parábola, Jesus trata de modo prático e pessoal a pergunta que lhe fora feita, advertindo as pessoas a não especularem sobre o destino dos outros, mas a terem certeza de que elas mesmas receberam a vida eterna.

A porta para o Reino, para a salvação, permanece aberta, mas é estreita. Embora as pessoas não precisem abrir a porta, elas têm de fazer muito esforço para entrar pela porta estreita. O verbo "porfiar" (*agonizomai*) significa "agonizar", sugerindo que todos devem se esforçar diligentemente para entrar pela porta estreita para o Reino. Deus oferece só uma porta para o céu, e é estreita. Nunca pode ser questão de escolher entre uma variedade de portas, nem a porta larga é como uma estrada federal. O único modo de atravessar essa porta é pelo arrependimento pessoal.

Muitos obstáculos podem estar no caminho de nosso arrependimento e afastamento do pecado. Entre eles estão o orgulho próprio, a hipocrisia, a indiferença a graça de Deus e as obras da carne. Mas entrar pela porta estreita do Reino exige agonia diante de Deus e afastamento de viver negligentemente. Exige abnegação e compromisso com o caminho da cruz (Lc 9.57-62).

A porta não permanecerá aberta para sempre. Muitos que não entram pela porta estreita tentarão um dia, mas não terão sucesso porque a porta estará fechada (Lc 13.25). Eles se fizeram de surdos ao Evangelho e deixaram passar o dia de salvação. O dia virá em que já não haverá uma porta de oportunidade para arrependimento pessoal e fé em Jesus Cristo. As pessoas podem bater e procurar entrar, mas o dono da casa (o Senhor) a fechará e nunca a reabrirá. Sua paciência e misericórdia chegarão a um fim, e os impenitentes se levantarão no julgamento final condenados por sua incredulidade e pecados.

Naquele dia final, o Senhor lhes dirá: "Não sei de onde vós sois". O assunto aqui é questão de relação com o Senhor. Tais indivíduos lhe são estranhos, e Ele nem mesmo sabe de onde eles vieram. Eles afirmarão ter desfrutado comunhão à mesa com Ele e o ouvido pregar pelas ruas, mas suas afirmações serão vazias. Eles podem ter comido na presença de Jesus, mas não tiveram nenhuma comunhão verdadeira com Ele. Eles podem ter ouvido seus ensinos, mas não os aceitaram. Exposição externa e contato com o Salvador pouco significam; aceitação interna dEle significa tudo. A fé nEle nos leva em comunhão pessoal com Ele e nos dá um conhecimento real dEle. Caso contrário, permanecemos estranhos.

O apelo destes indivíduos será fútil. Eles deixaram passar o tempo da graça. O veredicto de Jesus é: "Apartai-vos de mim, vós todos os que praticais a iniqüidade". Suas obras pecadoras fornecem a base para serem rejeitados. Eles persistem na incredulidade, a qual conduz ao "choro e ranger de dentes". Tendo de suportar o tormento das trevas exteriores, eles sofrerão opressiva dor e desespero. Jesus lembra a audiência que todos verão o Reino de Deus no fim do tempo. Os que persistirem na incredulidade verão os patriarcas e profetas hebreus desfrutando as alegrias e glórias daquele Reino divino, mas eles estarão do lado de fora.

As palavras "lançados fora" sugerem uma entrada prévia, mas o contexto indica que estas pessoas nunca entraram de fato no Reino. Visto que a palavra usada aqui (*ekballomenous*) é um particípio presente, enfatiza que a rejeição é contínua. Assim, a tradução "trancados fora" é melhor que "lançados fora". Quando eles tentarem entrar, não terão sucesso. Eles têm de ficar fora e ser numerados com os malfeitores. Claro que por enquanto a porta permanece aberta, e ainda há tempo para aqueles que estão se dirigindo a julgamento, a fim de alterarem o curso em que estão. A única coisa que Deus busca é que eles aceitem o convite do evangelho em confiar em Jesus como Salvador.

Quando o Reino entrar em sua plenitude, os judeus terão uma surpresa. Eles corretamente presumem que os patriarcas e profetas estarão no céu, mas eles também crêem que os gentios estarão trancados do lado de fora. Para se opor a esta crença popular, o Jesus ungido prediz: "E virão do Oriente, e do Ocidente, e do Norte, e do Sul e assentar-se-ão à mesa no Reino de Deus". Em outras palavras, pessoas de todas as nações, raças e idiomas terão seu lugar no banquete divino no tempo do fim (cf. Is 25.6,7; Mt 22.2-10; Mc 14.25; Lc 14.15; Ap 19.7-9). Aqueles que estão diante da porta fechada terão profunda tristeza quando virem muito serem admitidos. Os santos de todas as eras, tendo crido em Cristo, estarão completamente unidos com Ele neste grande banquete. "Bem-aventurados aqueles que são chamados à ceia das bodas do Cordeiro" (Ap 19.9).

Hoje todos têm acesso igual às bênçãos de Deus por Cristo (Ef 2.11-22), mas este acesso não durará para sempre. Atualmente Deus está acrescentando ao seu Reino aqueles que se arrependem e crêem no evangelho. Não há dúvida de que haverá surpresas no Reino divino, pois haverá alguns entre os redimidos que não esperamos. Assim, quando Jesus encerra a parábola, Ele chama a atenção à reversão que acontecerá nos últimos dias: "E eis que derradeiros [os gentios] há que serão os primeiros; e primeiros [os judeus] há que serão os derradeiros".

Alguns estudiosos consideram erroneamente que os termos "primeiros" e "derradeiros" se refiram a tempo, tornando os recém-chegados primeiros no Reino de Deus. Mas a ênfase de Jesus aqui não é no tempo, mas na posição ou espessa. Os judeus supunham que eram os primeiros em posição e os mais favorecidos, ao passo que classificavam os gentios por últimos. Assim, Jesus adverte a audiência de que os primeiros serão os últimos, significando que eles não podem entrar no Reino de jeito nenhum. Contudo, pessoas provenientes do mundo inteiro estarão lá na festa. Alguns têm grande oportunidade de salvação, mas não tiram proveito disso. Outros, de começo, não têm oportunidade de salvação; mas assim que a recebem, tiram todo o proveito disso. Na Igreja, as pessoas são expostas vezes sem conta a Cristo, mas elas podem ser excluídas do Reino porque não aceitaram a oferta de Jesus de vida eterna. Não há substituto para conhecer Jesus pessoalmente.

4.10.4. Aviso acerca de Herodes e Choro sobre Jerusalém (13.31-35). Logo depois que Jesus exorta as pessoas a terem certeza de que estão entre as que estão salvas, Ele recebe um aviso de alguns fariseus de que Ele deveria deixar a Galiléia, o território governado por Herodes Antipas. Herodes mandara decapitar João Batista e estivera perplexo a respeito de Jesus, a ponto de querer vê-lo (Lc 9.7-9). Agora, aparentemente, Herodes deseja que Jesus seja morto. Esta advertência incita Jesus a expressar seu amor por Jerusalém. Ele está a caminho de lá e sabe que ela tem uma história de matar profetas como Ele. Quando Ele pensa sobre sua morte naquela cidade, fica profundamente entristecido pela dureza dos corações das pessoas e o destino final da cidade.

Por que os fariseus avisam Jesus sobre a ameaça de Herodes? Eles tinham tido grandes diferenças com Ele concernentes à interpretação da lei (Lc 11.37-53), mas alguns deles pareceriam amigáveis a Ele (Lc 7.36; 14.1). Mas em geral Lucas descreve que eles são hostis a Jesus. Estes fariseus são sinceros, ou estão tentando apanhar Jesus fazendo com que Ele vá a Judéia, onde eles têm mais autoridade e influência?

Não temos meio de saber quais eram exatamente os motivos. Mas Jesus considera que o que dizem é preciso e lhes dá uma mensagem a Herodes. Sem medo do governador, Ele o chama "aquela raposa". Às vezes a raposa era retratada como animal insignificante em comparação ao leão. Mas também considerava-se que a raposa era criatura astuciosa e destrutiva (Marshall, 1978, p. 571). É provável que ambas as idéias se apliquem a Herodes, mostrando que ele não é homem de verdadeira grandeza, nem de honestidade genuína. Chamando-o de raposa, Jesus mostra desprezo por ele.

Mais tarde, Ele e Herodes se encontram em Jerusalém, mas Jesus não tem respeito por ele e se recusa a responder-lhes as perguntas (Lc 23.8,9). Ele não fugirá de Herodes, mas prosseguirá em seu ministério e não será impedido de cumprir sua missão em Jerusalém. Jesus lembra a Herodes que Ele continua seu ministério de expulsar e curar os doentes. Suas obras poderosas revelam seu poder e majestade divinos. Ele permanece impassível diante das ameaças "daquela raposa".

Jesus também reconhece que seu ministério continuará apenas por período limitado de tempo. A frase "hoje e amanhã, e, no terceiro dia" não deve ser considerada literalmente, mas se refere a curto período de tempo. Sua morte não ocorre três dias depois que Ele falou estas palavras. Antes, Ele está acentuando que não tem muito tempo. Em breve um ponto decisivo será alcançado e Ele completará seu ministério na morte. Até então, seu ministério continuará, e Herodes não pode fazer nada para interferir que Jesus atinja sua meta.

Como Jesus sugeriu em Lucas 4.40-44, importa que Ele caminhe hoje e amanhã pelas cidades e aldeias, pregando o evangelho, expulsando os demônios e curando os doentes. É um "importa" divino (*dei*, "é necessário") para que Ele vá a Jerusalém, "para que não suceda que morra um profeta fora de Jerusalém" (Lc 13.33). Desde o começo, Deus estabeleceu essa cidade como a meta de Jesus, e em pouco tempo Ele cumprirá sua missão na morte. Jerusalém era famosa por assassinar profetas (embora as palavras de Jesus não devam ser forçadas a significar que nenhum profeta jamais morreu fora de Jerusalém; cf. Lc 9.9; Mc 6.14ss). Visto que era a capital da nação e muitos profetas tinha sido mortos lá, era adequado que o maior de todos os mensageiros divinos morresse naquela cidade (Dt 18.15,18). Capacitado pelo Espírito Santo e profundamente comprometido com o propósito salvador do Pai divino, Jesus prossegue sua missão sem medo de Herodes.

A profecia de Jesus acerca do seu destino em Jerusalém deixa-o profundamente entristecido. As pessoas ali estão rejeitando o amor de Deus e recusando-se a se arrepender e se voltar para Ele (v. 34). Esta é a verdadeira tragédia, não a morte dEle. Num lamento profético, Jesus clama a toda a casa de Israel e sua cidade importante: "Jerusalém, Jerusalém". A história que a cidade tem de rejeitar os mensageiros de Deus levará a julgamento. Jesus quis proteger o povo da cidade do julgamento vindouro não apenas uma vez, mas muitas. As palavras "quantas vezes" dizem respeito às várias visitas que Ele fez à Cidade Santa (cf. o Evangelho de João). Ele desejou reunir as pessoas como a galinha junta sob as asas seus pintainhos, mas "[tu] não quiseste". A entrada ao Reino de Deus sempre está na condição de uma resposta pessoal. A graça salvadora pode ser aceita ou rejeitada; Deus não força ninguém a ser salvo.

A rejeição do amor de Deus resulta inevitavelmente em julgamento (v. 35). Assim Jesus prediz que sua casa permanecerá deserta. Muitos consideram que o termo "casa" seja alusão ao templo, mas aqui se refere à cidade inteira. O que Ele diz não descreve Jerusalém naquele momento, mas é uma profecia do que acontecerá. O verbo (*aphietai*) está no futuro: "se vos deixará deserta". Deus abandonará a cidade aos inimigos. Ele não vai mais proteger as pessoas dali. Como sabemos, Jerusalém entrou sob julgamento às mãos dos romanos em 70 d.C. (cf. Lc 19.41-44). Pecado e rejeição da graça de Deus trarão desastre.

Jerusalém será arruinada, mas sua desolação não durará para sempre. Jesus prossegue dizendo que este povo não o verá novamente até que eles o saúdem com as palavras do Salmo 118.26: "Bendito aquele que vem em nome do Senhor!" Sua visita à Cidade Santa será a última vez que eles o verão, até que Ele volte com grande poder e glória. Como um todo, Jerusalém e a nação rejeitarão Jesus como o Messias, mas os judeus, que nos dias de Cristo e ao longo das eras se arrependeram e creram, o receberão como o verdadeiro Messias na sua Segunda Vinda. Há esperança para o povo judeu. Agora é o "tempo dos gentios", mas em Romanos 11, Paulo diz que os ramos originais (os judeus) que foram quebrados da oliveira podem ser enxertados de novo. A porta para o Reino não lhes foi fechada permanentemente. Quando Jesus voltar a esta terra, muitos se voltarão a Ele e o saudarão como Salvador.

4.11. Comunhão à Mesa com um Fariseu (14.1-24)

Para os cristãos primitivos, comer junto tinha profundo significado religioso, social e econômico (Lc 24.28-32; At 1.4-8; 10.9-16; 11.1-18; 1 Co 11.17-34; Gl 2.11-16). Jesus usa uma refeição na casa de um fariseu como oportunidade para fazer um milagre e ensinar. O incidente de abertura lida com a cura de um homem no sábado (vv. 1-6). Também incluso está uma lição para os convidados à mesa (vv. 7-11) e para o anfitrião em sua escolha de convidados (vv. 12-14). A seção conclui com uma parábola sobre uma grande festa (vv. 15-24).

4.11.1. Jesus Cura um Doente no Sábado (14.1-6). Lucas registra outra cura no sábado (cf. Lc 4.31-44; 6.6-11; 13.10-17). Em conseqüência do milagre, Jesus se encontra outra vez em conflito com os líderes religiosos. Esta cura ocorre durante uma refeição na casa de um fariseu proeminente — provavelmente logo em seguida de um culto na sinagoga da qual ele era o líder. Lucas não nos diz nada sobre os motivos de o homem convidar Jesus. Como em Lucas 7.36-50, é evidente que Jesus inclui todos no seu círculo de interesse; Ele também veio salvar os fariseus.

A narrativa não nos dá detalhes sobre o lugar ou a ocasião da refeição, exceto que ocorreu num sábado. Presumivelmente muitos outros fariseus também estão presentes. Todos ficam observando Jesus de perto para ver o que Ele faz. Eles têm grandes suspeitas dEle e esperam que Ele diga ou faça algo que possam usar contra Ele. A conversa à mesa não é uma conversa que comumente se faz.

Está presente um homem que sofre de hidropisia, condição na qual o corpo acumula fluidos e os braços e pernas incham. Lucas não indica se o homem veio a querer ser curado, mas Jesus não pode deixar de notá-lo, visto que ele está bem à sua frente. O Jesus ungido pelo Espírito está ciente de que os olhos de todos estão fixos nEle, então Ele faz aos fariseus e peritos da lei uma pergunta teológica: "É lícito curar no sábado?" Esta pergunta requer reflexão: Está em harmonia com a lei de Deus curar no dia de descanso? De acordo com o ensino rabínico, não era lícito. A cura só podia ser feita no sábado quando a vida estava em perigo. Este homem provavelmente não pioraria se esperasse mais um dia.

Nenhum dos líderes religiosos fala e responde a pergunta. Confrontado pelo silêncio, Jesus dá uma resposta decisiva. Ele cura o homem, declarando assim que é realmente lícito ajudar as pessoas no sábado. Depois que o homem vai embora, Jesus ressalta (cf. também Lc 13.10-16) aos líderes religiosos que eles ofereceriam ajuda a um filho ou boi que caísse num poço em dia de sábado. Opondo-se à cura no sábado, eles revelam o quão inconsistentes eles são. A cura no sábado deixa de ser uma pergunta acadêmica para eles, quando envolve sua própria família ou posses. Deus tem muito mais compaixão que os seres humanos.

Os críticos de Jesus também sabem que a lei permite ações de misericórdia em qualquer dia da semana. Amar o próximo exige que ajudemos as pessoas quando elas estão em necessidade. O trabalho milagroso que Jesus faz no sábado é um trabalho de amor, mas também é um trabalho de Deus. Em face da evidência, os críticos não podem dizer nada. Eles viram o milagre com os próprios olhos, mas eles deliberadamente se recusam a vê-lo como o poder de Deus. O pecado cega os olhos e torna o coração teimoso e resistente à graça de Deus.

Jesus expõe a hipocrisia dos fariseus. Sua oposição à cura no sábado nos adverte contra rígidas visões do dia de descanso. O domingo não deve ser reservado para nossos interesses pessoais. É um dia no qual nos colocamos à disposição de Deus, de forma que possamos ajudar a aliviar o sofrimento espiritual e físico. As necessidades humanas requerem o ministério do povo de Deus sem demora.

4.11.2. Lição para os Convidados numa Festa (14.7-11). Como a refeição na casa do fariseu continua, Jesus observa o comportamento social dos convidados. Em particular, Ele repara "como escolhiam os primeiros assentos". Ele usa uma parábola para ensinar humildade. Seu conselho aos fariseus que se engalfinham pelos primeiros lugares consiste em mais que regras de etiqueta, porque Ele usa a ocasião para ensinar uma lição sobre a vinda do Reino de Deus. A vida no Reino não será marcada por agressividade e orgulho, mas por humildade e desinteresse. A posição de uma pessoa no Reino dos Céus depende de Deus, em vez da exaltação do eu e de honra pessoal.

A parábola é, na verdade, uma repreensão de muitos à mesa de jantar. Na maioria das culturas, há lugares de muita e de pouca honras numa refeição (Bratcher, 1982, p. 244). Pessoas de posição social mais alta têm lugares mais próximos do anfitrião. Para ensiná-los a ordem das coisas de Deus, Jesus começa exortando-os a que, se são convidados a um casamento, tomem os lugares mais baixos. Uma pessoa de mais destaque que eles pode ter sido convidada. Se um convidado chegar antes dessa pessoa e tomar o assento mais próximo do anfitrião, ele corre o risco de ser humilhado. O anfitrião pedirá àquele que está num lugar de honra a sair. O convidado presunçoso talvez descubra que a maioria dos lugares está ocupado, o que o forçará a ocupar um lugar menos desejável. Sua autopromoção o levou à vergonha e humilhação.

Jesus não recomenda a prática da falsa humildade, mas o convidado que, de começo, toma o lugar mais humilde não se arrisca a passar vexame. De fato, quando o anfitrião o vir sentado em lugar humilde, ele o convidará a se sentar mais para cima. Isto lhe dá honra aos olhos de todos os convidados no casamento.

Bem diante dos olhos, Jesus vê os fariseus buscando posições de prestígio e honra. O que Ele disse não significa que eles devam ser sutis ao tentar obter o que desejam. Quer dizer, a fim de obter o lugar de honra, primeiro assuma os lugares menos importantes. Tal compreensão faz Jesus endossar motivos egoístas, o que, é claro, Ele nunca fez. Ele está apenas contando aos fariseus que essa abordagem é errada e só pode resultar em humilhação. O grande princípio é: "Porquanto, qualquer que a si mesmo se exaltar será humilhado, e aquele que a si mesmo se humilhar será exaltado" (v. 11). Eles precisam perceber que a honra não pode ser agarrada; só pode ser dada. Os fariseus esperam receber os melhores lugares no Reino de Deus, mas eles não têm direitos sobre tais assentos. Esses lugares não são reservados por Deus para os orgulhosos e agressivos, mas para aqueles que humildemente confiam em Jesus. Os verdadeiros discípulos de Jesus são marcados por humildade. Os líderes da Igreja farão bem em atender a mensagem de Jesus sobre humildade e sua advertência contra o pecado de auto-adoração.

4.11.3. Lição para os Anfitriões (14.12-14).
Jesus se dirigiu aos convidados. Agora Ele se volta para o anfitrião. O que Ele lhe diz também se aplica aos líderes religiosos. Os fariseus excluíam os pobres, os aleijados, os mancos e os cegos da plena participação da vida religiosa. Para contornar esta prática, Jesus indica que a hospitalidade deve ser estendida a todos e adverte contra incluir somente os amigos, os parentes, os ricos e os famosos.

A tentação é entreter só o nosso grupo. Quando um anfitrião convida outros para jantar em sua casa, ele deve incluir aqueles que não lhe podem devolver o favor. Se ele sente que os convidados vão retribuir-lhe o convite, o que ele deu? Nada! É apenas comércio, sem ter generosidade. Sua hospitalidade é motivada por desejo de recompensa. Mas a verdadeira hospitalidade e generosidade ocorrem quando não há possibilidade de retribuição. Aqueles que querem agradar a Deus devem alcançar os pobres e os que sofrem de incapacidade física ou mental. Jesus não proíbe que convidemos os que podem nos retribuir o convite, mas proíbe que esqueçamos os que não estão em posição de retribuir. A generosidade e a bondade não devem ser usadas para ganhar poder sobre os outros e a colocá-los em dívida para conosco. A verdadeira hospitalidade, instigada por amor genuíno, não tem restrições.

Partir o pão com os necessitados e os inválidos nunca passará sem ser percebido pelo Pai divino. Embora eles não possam nos oferecer recompensa, Deus pode e recompensa. O que os pobres e os que sofrem de incapacidade física ou mental não podem fazer por nós, Ele fará "na ressurreição dos justos". Quer dizer, no dia em que os justos ressuscitarem, Deus dará uma recompensa esplêndida àqueles que foram generosos com os necessitados e os fracos. Tais indivíduos mostram por seu serviço amoroso que aprenderam a viver a vida do Reino na terra, e eles serão recompensados com justiça no tempo do fim.

4.11.4. A Parábola do Grande Banquete (14.15-24).
A conversa à mesa na casa de um fariseu proeminente (v. 1) finda com a Parábola do Grande Banquete, que Jesus conta como resposta à observação feita por um dos convidados: "Bem-aventurado o que comer pão no Reino de Deus!" Este comentário foi provocado pela garantia de Jesus de que a hospitalidade desinteressada será recompensada "na ressurreição dos justos" (v. 14). Não há que duvidar que este homem entende que Jesus falou sobre o banquete no Reino de Deus (vv. 7-14). Sua observação sobre a bem-aventurança futura mostra que Ele está plenamente confiante de estar lá.

Jesus aproveita a oportunidade para fazer outra advertência. Ele desafia a complacência e o orgulho que levam as pessoas a presumir que partirão pão no banquete no céu. Ninguém pode estar naquele banquete mediante esforços próprios, mas só respondendo ao convite. Todos os que aceitam o convite gracioso de Deus serão de fato bem-aventurados; os que não estiverem presentes no grande banquete divino estarão perdidos, mas será por culpa própria.

A parábola começa com certo homem que convida muitos convidados para um grande banquete. Como era costume, ele envia o convite com antecedência. Aparentemente todos aceitam e estão planejando comparecer ao banquete. Quando a hora se aproxima, o anfitrião manda seu servo ir aos convidados e anunciar: "Vinde, que já tudo está preparado" (v. 17). O anfitrião representa Deus, e o servo é Jesus. Pelas promessas do Antigo Testamento Ele enviou um convite com antecedência. O banquete representa o Reino de Deus, e Jesus é aquEle que faz o convite final. O banquete do evangelho foi aprontado por seu perfeito trabalho salvador. Agora é o tempo para os convidados tomarem seu lugar e receberem a salvação com todas as bênçãos presentes e futuras.

Quando os convidados ouvem que é tempo de o banquete começar, uma coisa surpreendente acontece. Todos eles imploram que sejam escusados e enviam desculpas ao anfitrião. Dessas desculpas Jesus menciona três, as quais reforçam suas advertências sobre permitir que interesses terrenos interfiram com a chamada ao discipulado.

A primeira desculpa envolve a inspeção de um campo recentemente comprado. Quem compraria um terreno sem primeiro inspecioná-lo cuidadosamente? Presumindo que ele o fez, nada o compele a vê-lo como é neste momento particular. Mas o novo dono alega que é uma necessidade (*ananke*), mas a desculpa é falsa. O fato é que ele não quer ir ao banquete.

A segunda desculpa diz respeito à compra de cinco pares de bois. O homem afirma que está a caminho de experimentá-los. Mas é um pouco tarde para engatar cada jugo a um arado para ver se os dois bois trabalham bem juntos. Nenhuma pessoa sensata compra bois e depois procura se satisfazer para que façam o trabalho. Mesmo que o fizesse, não há pressa em descobrir neste dia em particular se eles trabalham bem. Ele simplesmente não deseja se unir à celebração.

A terceira desculpa refere-se a um homem que se casou recentemente. Não está claro por que é impossível ele estar presente ao banquete. O casamento tem suas obrigações, mas não cancela outras obrigações (Morris, 1974, p. 234). Sua desculpa só faz sentido se ele não pode levar a noiva consigo. Mas nesse caso, ele pode ir sem ela. Como os outros dois homens, sua desculpa é fraca. Estas desculpas representam desculpas para não se tornar membros do Reino.

Quando o servo informa as recusas, o senhor fica legitimamente indignado com os convidados — um quadro da ira de Deus contra todos os que rejeitam sua oferta de salvação. As respostas ao convite lhe causaram surpresa. Mas o banquete já está preparado, assim ele decide que o banquete tem de prosseguir. Ele manda o servo pelas ruas e ruelas da cidade para trazer os pobres, os aleijados, os cegos e os mancos (cf. v. 13). O servo segue as instruções do seu senhor e informa que muitos vieram, mas ainda há lugar.

Em conseqüência, é feito outro convite — desta vez para as pessoas fora da cidade. O servo deve encontrar convidados nas áreas rurais, em caminhos e trilhas do interior, onde andarilhos e mendigos vêm e vão, e forçá-los (*anankason*) a entrar. O senhor quer que o banquete fique cheio de gente. Esta ordem se refere ao poder atrativo da graça salvadora. O convite é urgente, ainda que essas pessoas fora da cidade também possam rejeitar o convite. A ênfase aqui não fornece base para o ensino de que Deus determinou quem vai e quem não vai entrar no Reino. Deus convida a todos. As pessoas se condenam com a própria escolha em permanecer fora do Reino. Por outro lado, as pessoas não salvam a si mesmas, a pessoa é salva somente pela graça de Deus.

O primeiro convite foi para as pessoas através das promessas e profetas do Antigo Testamento. Agora o próprio Jesus oferece o segundo convite. Muitos do povo religioso dos seus dias estão recusando o convite, mas há lugar na festa para as pessoas fora da cidade. O Salvador ungido pelo Espírito prediz que seu convite será levado aos gentios — para as pessoas, por assim dizer, que moram nos caminhos e trilhas. O que Jesus prediz aqui começa a ser cumprido em Atos, quando o Espírito Santo capacita os crentes a pregar o evangelho até aos confins da terra.

Jesus conclui a parábola reprovando aqueles que foram primeiramente convidados, mas deram desculpas (v. 24). Para eles, o dia da oportunidade passou; eles não terão uma segunda chance para comparecer ao banquete. Experimentar o poder salvador do Reino de Deus depende de respondermos ao convite do banquete do evangelho e confiar em Jesus como Salvador. O banquete prossegue e permanece aberto a todos que virão: "Vinde, que já tudo está preparado" (v. 17).

4.12. O Custo de Ser Discípulo (14.25-35)

Jesus volta à estrada novamente, em direção à Jerusalém (cf. Lc 9.51; 10.38; 13.22). Ele se tornou surpreendentemente popular entre o povo e é seguido por grandes multidões. Muitos entre as multidões não entendem a demanda de ser discípulo. À luz do que Ele enfrentará em Jerusalém, Ele lhes dirá o que significa segui-lo e os exorta a considerar o custo de tomar parte em seu sofrimento. Ninguém pode permanecer verdadeiro discípulo sem atracar-se com o preço que deve ser pago para levar a cruz (cf. Lc 9.57-62).

Tornar-se discípulo envolve grande sacrifício (Lc 14.26,27). Um discípulo deve estar preparado para pôr a devoção a Jesus acima de qualquer ligação terrena. No modo semítico de falar, Ele diz que os discípulos devem odiar suas famílias e a própria vida. Nos lábios de Jesus, "aborrecer" (*miseo*) não se refere a sentimentos de aversão e despeito. Afinal de contas, seus discípulos devem amar até os inimigos. Antes, "aborrecer" aqui expressa preferência (cf. Gn 29.30,31; Dt 21.15-17; Rm 9.13). Quer dizer, se houver conflito entre lealdade familiar e o desejo de seguir Jesus, a pessoa tem de escolher Jesus; a família e própria vida (i.e., desejos pessoais, desígnios e expectativas) só podem ter o segundo lugar em nosso afeto. Nada pode interferir com o compromisso absoluto a Jesus Cristo.

O coração do discipulado é levar a cruz e seguir Jesus em abnegação. O versículo 27 se refere à própria experiência de Jesus. O discípulo deve estar preparado para tomar parte na provação da cruz que o espera em Jerusalém. Para conseguir excelência moral e disciplina exige-se a negação de si mesmo de certas coisas, mas levar a cruz demanda mais que abnegação. Envolve render-se — a entrega do eu a Jesus. Tornar-se discípulo significa que dizemos não à própria vida e sim para uma nova vida com Cristo.

Desde o começo da comunhão com Jesus encontramos a cruz e as demandas do discipulado. É possível ter sido discípulo por algum tempo, e ainda assim não descobrir as dimensões mais profundas do discipulado (cf. Lc 9.18-27; Mt 10.38). O próprio Pedro demonstra que é possível ser discípulo e não entender que levar a cruz é a essência do discipulado (Lc 22.54-62). Cada discípulo deve tomar a própria cruz: "E qualquer que não levar a sua cruz e não vier após mim não pode ser meu discípulo".

A salvação é um presente, mas o discipulado é caro. Aqueles que seguem Jesus devem estar propensos a pagar alto preço. Ele quer que as pessoas se dêem conta de que considerar o custo antes de tomar uma decisão é assunto sério. Requer arrependimento e compromisso total a Jesus. Para inculcar o ponto, Ele usa duas parábolas.

A primeira parábola conta a respeito de um homem que quer construir uma torre. Antes de começar, ele se senta e calcula o custo. Para garantir sucesso, ele faz planejamento cuidadoso calculando "para ver se tem com que a acabar". Caso contrário, ele põe a fundação, mas talvez não consiga arcar com o custo total e nunca terminar o trabalho. Seu fracasso lhe tornaria motivo de chacota para os outros.

A segunda parábola conta a respeito de um rei que descobriu que o exército de um inimigo excedia em número ao seu exército, na proporção de dois para um. Ele debate se deve ou não se engajar numa guerra. É improvável que um exército de dez mil soldados derrote um com vinte mil. Antes de ir à batalha, ele se assenta para considerar as opções. Levando-se em conta o prospecto do derrota, ele envia mensageiros ao rei com o exército maior e pergunta o que ele tem de fazer para obter a paz.

As duas parábolas chegam ao ponto desejado de modo semelhante; elas olham o discipulado de forma diferente, ainda que em ambos os casos o assunto seja sério. O primeiro ensina que ninguém deve se tornar discípulo de Jesus cegamente. Qualquer pessoa sensata deve considerar cuidadosamente se pode ter condições de seguir Jesus. Devemos refletir sobre as demandas de levar a cruz. Esta ênfase não nega que haja risco na fé; compromisso total inclui confiança que

Jesus é suficiente para o que quer que seja que o futuro traga.

Na segunda parábola, a pessoa sensata precisa considerar se não tem condições de seguir Jesus. Temos de chegar a em acordo com o inimigo mais forte antes que a guerra seja deflagrada. Encarando forças opressivas, um rei sábio fará paz e evitará mergulhar seu exército na destruição. O inimigo mais forte que temos de tratar nesta vida é Satanás. É sábio contar o custo de lutar sozinho, pois ele é muito mais forte que nós. O único modo de ter êxito contra ele é aliando-se com Deus pela fé em Jesus (Ef 6.10-17).

Jesus encerra o discurso advertindo uma vez mais contra menosprezar o custo do discipulado e aceitar friamente segui-lo. Os que não manifestam o caráter de um verdadeiro discípulo são como o sal que perde sua salinidade (v. 34). Ninguém pode devolver-lhe a característica salgada. Tendo perdido o sabor, é desprezível e tem de ser jogado fora. Assim como o sal fica insípido, o compromisso inicial da pessoa com Jesus pode esmorecer no devido tempo. Fracasso em manifestar a vida de um verdadeiro discípulo torna a pessoa inútil no Reino de Deus.

Não há lugar no exército dos discípulos de Jesus para alguém que não tenha as qualidades de discipulado, mesmo quando nutrido por oração, adoração, comunhão e estudo da Palavra de Deus, o compromisso de Jesus será testado severamente. Quando a devoção de segui-lo à cruz diminui, a posição, família e trabalho tentam ficar em primeiro lugar mais uma vez. O sal perde o sabor gradualmente. Muitos seguidores não notam o que está acontecendo até que seja tarde demais. O aviso de Jesus contra menosprezar o custo deve ser considerado. Pois como Jesus conclui, "quem tem ouvidos para ouvir, que ouça".

4.13. O Amor de Deus pelos Perdidos (15.1-32)

O capítulo 15 consiste em três parábolas com um tema comum: O amor de Deus pelos perdidos. Jesus conta estas três parábolas em resposta à crítica feita pelos fariseus e escribas concernente a Ele receber publicanos e pecadores e ter comunhão à mesa com eles. Na opinião destes líderes religiosos, tais pessoas são "indesejáveis" e têm pouco valor aos olhos de Deus (cf. Lc 5.29-32; 7.34; 19.1-10). Eles acreditam que a separação entre pessoas boas e ruins deve ser preservada para que haja um senso apropriado de justiça. Nas parábolas, Jesus mostra a atitude do Pai para com aqueles que aceitam o convite do Reino: Ele se regozija com o arrependimento de um pecador. Eles também mostram a missão de Jesus como pastor, mulher e pai para buscar e salvar o perdido.

4.13.1. A Parábola da Ovelha Perdida (15.1-7). Jesus anunciou o julgamento sobre os fariseus e escribas (Lc 14.15-24). Eles devolvem a atenção reclamando que Jesus "recebe pecadores e come com eles". Os líderes religiosos regularmente rejeitavam os pecadores como imorais e os tratavam como "imundos". Agora as posições à mesa estão trocadas. Jesus é o anfitrião e em sua mesa Ele decide quem é adequado e "limpo". Ele recebe como convidados publicanos e outros "pecadores" (veja comentários sobre Lc 5.27-32). Tais são as pessoas que Jesus convida para sua mesa e ao seu Reino. Os fariseus não entendem a missão de Jesus — salvar esse tipo de pessoas.

Jesus começa com um quadro que descreve uma experiência comum de um pastor palestino. O pastor tem cem ovelhas, e uma delas se desgarra do rebanho e se perde. Quando ele conta as ovelhas ao término do dia, descobre que está faltando uma. O pastor ama tanto a ovelha que deixa as noventa e nove e vai à procura da ovelha perdida. Se não for encontrada, a ovelha pode morrer de fome ou ser morta por predadores, mas o pastor não permitirá que isso aconteça. Não poupando esforços, ele procura até encontrá-la. Quando a encontra, ele alegremente a coloca sobre os ombros e a leva para casa. Querendo que outros tomem parte em sua alegria, ele convida os amigos e vizinhos para comemorar com ele.

Jesus conclui a parábola com uma explicação. A alegria do pastor por ter recuperado a ovelha perdida e a comemoração que se segue em sua casa nos dão um quadro da grande "alegria no céu por um pecador que se arrepende". Esta alegria divina está em contraste com os críticos de Jesus, que se queixavam de Ele comer com pecadores. Eles estão cegos pelo orgulho e não se dão conta do que causa comemoração no céu. Um pecador arrependido causa mais alegria que "noventa e nove justos" que pensam que não precisam se arrepender. Os "justos" se referem aos fariseus e escribas. Como qualquer um, tais pessoas precisam se arrepender. Também não deve ser esquecido que Jesus é o Bom Pastor que dá a vida pelas ovelhas (Jo 10.11). Deus provê a salvação pela morte do seu Filho e chama os pecadores para si mesmo através do Espírito.

4.13.2. A Parábola da Moeda Perdida (15.8-10).

Esta segunda parábola é paralela com a precedente. Aqui, é uma moeda de prata (*drachme*, cerca do salário de um dia para um trabalhador comum) que foi perdida, em vez de uma ovelha. Esta parábola focaliza uma mulher que mora numa casa do interior. Normalmente tais casas não têm janela; assim, tão logo perde a moeda, ela começa a procurá-la. Ela acende uma luminária e varre a casa, procurando cuidadosamente até encontrá-la. Ela fica grandemente aliviada, e, como o pastor (v. 6), ela convida as amigas e vizinhas para um jantar de comemoração. A aplicação de Jesus desta parábola é semelhante à prévia, embora desta vez "há alegria diante dos anjos de Deus por um pecador que se arrepende" em vez de "alegria no céu" (v. 7). Ambas as parábolas se referem à alegria de Deus quando um pecador volta a Ele.

Jesus não quer que seus críticos fiquem sem entender. Como o pastor e a mulher, Ele procura os perdidos e recebe os pecadores que se arrependem. Sua missão é trazer tais pessoas em comunhão com Deus. Jantar com Jesus nunca é o bastante. O verdadeiro arrependimento é necessário para a salvação.

4.13.3. A Parábola do Filho Perdido (15.11-32).

A terceira história conta a respeito de um filho que está perdido e, mais tarde, é encontrado. De todas as parábolas, esta história é a favorita de muitas pessoas.

A parábola retrata arrependimento, amor, perdão e alegria. Dá mais atenção ao amor perdoador do pai do que à volta do filho. Vemos o pecado do filho perdido, sua necessidade, sua volta e a reação do irmão mais velho. O propósito da parábola é mostrar a atitude do amor perdoador de Deus para com os pecadores, acentuando a misericórdia divina que excede todas as expectativas. Ainda que não haja referência direta ao poder salvador da cruz, a parábola mostra o grande amor de Deus que o moveu a dar seu Filho pelos pecadores. O propósito salvador de Deus depende da cruz, e esta parábola descreve de maneira grandiosa o amor pelos perdidos.

A parábola abre com um homem que tem dois filhos. Desde o início, a história indica a relação do pai com os filhos. O pai representa Deus; o filho pródigo representa os perdidos, particularmente os publicanos e pecadores; e o filho mais velho representa os hipócritas, como os fariseus, os doutores da lei e as pessoas na Igreja sem fé.

No começo da história, o filho mais jovem quer deixar a casa. Ele provavelmente estava nos últimos anos da adolescência ou era um pouco mais velho. Em vez de esperar até que o pai morresse, ele exige sua parte na herança (que seria a metade que o filho mais velho receberia; veja Dt 21.17). Habitualmente a propriedade não seria dividida até a morte do pai (Marshall, 1978, p. 607), mas o filho mais jovem a quer agora. O pai faz o que o filho lhe pede e divide os bens (*bios*, "meio de vida, sustento, subsistência") entre os dois filhos. Neste ponto, o filho mais jovem decide que não quer mais morar na casa do pai, e o pai lhe permite partir com a herança. Deus permite que os pecadores se afastem se quiserem, embora sua bondade tenta levá-los ao arrependimento (Rm 2.4).

O filho mais jovem não apresenta as razões de seu pedido, mas seu desejo dos prazeres do mundo fica claro tão logo ele obtém controle da herança. Ele reúne tudo o que tem, provavelmente trocando por dinheiro vivo, e parte para um país distante. Ele faz uma quebra total de relações, não deixando nada para trás que o fizesse querer voltar. Sozinho, ele começa a desperdiçar o dinheiro vivendo numa vida desregrada e extravagante. Jesus não dá detalhes, mas o original grego diz que ele espalha (*diaskospizo*) os capitais em muitas direções.

Depois de ter desperdiçado a herança mediante extravagância esbanjadora, ele tem de enfrentar uma catástrofe natural. Uma severa fome se abate sobre o país inteiro e aumenta as dificuldades. A comida fica escassa e, conseqüentemente, cara. Ele está a ponto de passar fome. Quando partiu da casa do pai, nunca lhe veio à mente que ele se acharia em tal necessidade desesperada. Não tendo nada que comer, ele arranja trabalho numa fazenda que cria porcos, os quais os judeus consideravam imundos (Dt 14.8). Nenhum trabalho era mais degradante a um judeu (Lv 11.7; 14.8; Is 65.4; 66.17), mas ele teve de fazer esta escolha para não morrer de fome.

Embora empregado, sua miséria continua mais ou menos a mesma. Ele chega a desejar comer as alfarrobas que os porcos comem. Estas alfarrobas são o fruto da alfarrobeira, usadas para forragem e comidas por pessoas extremamente pobres (Marshall, 1978, p. 609). Ele está propenso a comer comida de porco (embora a passagem não diga claramente se ele comeu ou não). Ninguém lhe dá qualquer coisa que comer (v. 16). Quem quer que fossem seus supostos amigos quando ele tinha riquezas, agora eles não lhe oferecem ajuda. Sua condição é pior que a morte. Ele está perdido, experimentando o inferno na terra.

O jovem reflete em sua condição e cai em si (v. 17), reconhecendo que ele agiu mal. O sofrimento lhe faz enfrentar os fatos. Ele percebe que na casa do seu pai, os trabalhadores têm mais comida que podem comer, mas aqui ele está morrendo de fome. O pródigo se dá conta de que sua condição desesperadora é resultado do seu pecado. Ele não quer mais estar perdido e viver em tal lugar miserável. Ele resolve agir decisivamente e voltar para casa.

O jovem ensaia o que vai dizer ao pai: "Pai, pequei contra o céu e perante ti. Já não sou digno de ser chamado teu filho; faze-me como um dos teus trabalhadores". Em grego, "contra o céu" é um modo de falar sobre Deus. Ele pecou contra Deus e o pai por desobediência ao quinto mandamento (Êx 20.12). Ele reconhece que já não merece ser tratado como filho, mas espera que o pai o receba de volta como um dos seus trabalhadores. Seu argumento expressa humildade profunda. Os pecadores não têm nada em que confiar, senão na misericórdia e graça perdoadora do Pai.

O pródigo se dirige para casa, não como filho exigente, mas como servo. De muito longe seu pai o vê se aproximando, mas

Na Parábola da Ovelha Perdida, Jesus descreve o pastor que deixa as noventa e nove ovelhas para buscar a ovelha perdida ao final do dia. Jesus compara a alegria do pastor por ter encontrado a ovelha perdida com a "alegria no céu por um pecador que se arrepende".

não quer saber de tratar seu filho rebelde como trabalhador. Ao invés disso, o pai sai ao seu encontro. É óbvio que o ancião estava olhando e esperando a volta do filho. Ele fica tão alegre em vê-lo que sai correndo ao encontro do jovem. Com terno afeto, ele o abraça e o beija (*kataphileo*, que significa "beijar ardentemente", sinal de que o pródigo já foi perdoado). Que boas-vindas inesperadas! Não obstante, o filho começa a fazer sua confissão, declarando seu pecado e indignidade de ser considerado filho do pai.

Mas antes que o filho peça para ser tratado como trabalhador, o pai o interrompe. Em vez de tratá-lo como trabalhador, ele quer restaurá-lo à plena filiação e tratá-lo como convidado de honra. O pai lhe dá a roupa mais bonita adequada para sua posição de filho, um anel, que simboliza sua autoridade, e sandálias nos pés, como sinal de homem livre (era apropriado só aos escravos ficarem descalços). Ele até ordena que o bezerro cevado, o qual foi alimentado cuidadosamente e poupado para ocasião especial, seja morto. Que ocasião poderia ser mais especial que esta? Requer uma comemoração completa, não apenas uma festa comum. "Porque este meu filho estava morto e reviveu; tinha-se perdido e foi achado" (v. 24; cf. Ef 2.1). De fato, é maravilhoso como o Pai divino dá as boas-vindas aos pecadores arrependidos. Ele os recebe de volta sem fazer perguntas.

Entretanto, este não é o fim da história. O filho mais velho tinha ficado em casa e permanecido fiel. Mas como seu irmão, ele também está perdido, ainda que more no casa do pai. Ele estava fora trabalhando no campo; e quando volta, ele ouve música e dança. Uma comemoração está em pleno andamento, mas ele não tem idéia do motivo, até que um servo lhe explica: "Veio teu irmão; e teu pai matou o bezerro cevado, porque o recebeu são e salvo" (v. 27). É desnecessário dizer que o irmão mais velho fica ressentido com o pai. Ele se enraivece e se recusa a entrar. Esta reação representa o que os fariseus e escribas fizeram no versículo 2. Como o irmão mais velho, em seu orgulho e hipocrisia eles se recusam a entrar no banquete do Reino de Deus.

O pai também ama seu filho mais velho e não tem falso orgulho. Ele já tinha saído por um filho; agora ele sai e implora repetidamente (*parekalei*, tempo imperfeito) ao outro filho que entre e se junte à comemoração. O filho mais velho desabafa sentimentos que foram se formando ao longo de anos e mostra pouco respeito ao velho. Quase podemos ouvi-lo gritar que seu pai nunca apreciou o que seu filho maravilhoso tem sido. Ele tem sido um modelo de filho, trabalhando como escravo por seu pai durante muitos anos e nunca o desobedecendo. Contudo, o que o pai lhe deu? Nada — nem mesmo um cabrito (barato em comparação com um bezerro cevado) para que ele festejasse com os amigos.

Mostrando desprezo óbvio, o filho mais velho se refere ao pródigo, não como irmão, mas como "este teu filho". Com muito orgulhoso e virtuosismo aos próprios olhos, ele fala que o mais jovem gastou o dinheiro do pai em prostitutas. Então ele acusa o pai de ser injusto: "Mataste-lhe o bezerro cevado" para o irmão que não é bom em nada. De nenhuma maneira o pródigo — pensa o irmão mais velho — merece este tipo de tratamento. Ele tem razão, mas ele não entende o amor de pai. Além disso, ele não compreende o que é perdão e compaixão.

Outra vez o pai toma a iniciativa, e sua resposta mostra grande compaixão. Ele poderia ter ficado indignado e denunciar o filho mais velho por suas palavras e atitude severas. Bem o oposto, ele permanece paciente, assim como foi com o filho mais jovem. Ele oferece ao filho mais velho, que também está perdido, a graça necessária: "Filho, tu sempre estás comigo, e todas as minhas coisas são tuas". O filho mais jovem recebeu sua parte dos bens; o restante irá para o filho mais velho. Mas como os fariseus que criticaram Jesus por receber pessoas imundas (pródigas) e o forçaram a defender sua prática de comer com elas, o filho mais velho não percebe os privilégios que ele tem e força o pai a prestar contas pela festa que está comemorando a volta do irmão.

Mas festejar é a coisa certa a fazer, explica o pai: "Era justo [*edei*] alegrarmo-nos e regozijarmo-nos". Como eles não poderiam comemorar esta ocasião feliz? "Este teu irmão estava morto e reviveu; tinha-se perdido e foi achado." Uma grande transformação ocorreu na vida, não do "meu filho", mas de "este teu irmão". O pai não quer que o irmão mais velho menospreze sua relação com o pródigo. Algo maravilhoso aconteceu, e ele deve se juntar na alegria.

O pai ama ambos os filhos. Aceitar o filho mais jovem não quer dizer que ele rejeita o mais velho. O amor que Deus tem por publicanos e pecadores de nenhuma maneira nega seu amor pelos fariseus e os pecadores hipócritas. Tal amor do Pai celeste nos faz lembrar da natureza radical da graça divina. Estar perdido é perigoso, mas ser encontrado é questão de graça. Como o pródigo, algumas pessoas se perdem fugindo de Deus, mas não há lugar longe demais que impeça que a graça de Deus as encontre. Outros, como o filho mais velho, se perdem quando ficam em casa e não vêem a graça ao redor.

Podemos ver em nós mesmos o pródigo e o irmão mais velho. Como o pródigo, regozijamo-nos na graça acolhedora de Deus. Por outro lado, quando os indivíduos não vivem segundo os nossos padrões, podemos ficar críticos mediante hipocrisia, semelhante ao orgulho hipócrita do irmão mais velho e dos fariseus. Lembremos que todos estamos em desesperada necessidade de graça; não devemos ter dificuldade em dar graça aos que são indignos. O fato é que nenhum de nós merece a honra de morar na casa de Deus, então Deus tem de nos dar graça se queremos abrir caminho para o seu Reino.

4.14. Ensinos sobre as Riquezas (16.1-31)

Esta seção serve em muitos aspectos como estudo contrastante ao capítulo anterior pertinente aos perdidos e privados de bens. Jesus agora dirige Sua mensagem aos que têm posses abundantes ou pelo menos suficientes. Tais pessoas têm a responsabilidade de satisfazer as necessidades materiais dos outros. A referência mais ampla é àqueles que possuem a Palavra de Deus (os discípulos de nosso Senhor e os fariseus) e que, por causa deste artigo muito valioso, têm o meio e a responsabilidade de satisfazer as necessidades espirituais dos outros.

O assunto que Jesus aborda não é simplesmente riquezas, mas a atitude de condescendência espiritual que prevalece quando a acumulação pessoal de riquezas é vista como sancionada por Deus. Jesus desafia os ouvintes a serem generosos e a repensarem sobre o significado das riquezas num mundo necessitado. Neste sentido, a seção não só está em contraste com a seção precedente, que trata dos perdidos, mas também faz acréscimos e lida com a responsabilidade que nós, como crentes, temos para com os perdidos.

4.14.1. O Mordomo Astuto (16.1-13). Poucas passagens do Novo Testamento, e discutivelmente nenhuma parábola de Jesus, geram tantas interpretações variadas como a Parábola do Mordomo Astuto. O ponto crucial do problema é que Jesus parece apoiar um ato criminoso como exemplo para seus seguidores imitar (vv. 8,9). Em conseqüência, os intérpretes discordam com o que o mordomo está fazendo e com o ponto primário Jesus tenciona transmitir com esta história.

Entre as muitas interpretações desta parábola, duas são dignas de serem mencionadas.

1) O mordomo astuto se comporta como um salafrário ao longo da história. Por esta avaliação, o mordomo emprega mal as posses do seu senhor; quando confrontado com sua fraude, ele falsifica as contas dos devedores do seu senhor abaixando os saldos a fim de obter favor deles. O dilema para o leitor cristão é que por esta interpretação da parábola levanta um caráter sem escrúpulos como exemplo a seguir. Embora esta interpretação seja problemática, não é insuperável. Jesus em outros lugares usa pecadores como exemplos (Lc 11.31; 18.2-7).

O mordomo não é louvado pelo seu senhor (ou por Jesus) porque furta, mas porque premedita ao fazer provisão para o futuro.

2) Outros estudiosos sugerem que foi cobrado juro dos devedores, e que a quantia original incluía o juro devido. Embora a lei do Antigo Testamento proíba expressamente cobrar juro (Lv 25.36), pesquisas nas práticas legais e financeiras do século I indicam que a lei judaica tinha achado brechas para contornar esta advertência bíblica. Assim o mordomo, quando confrontado com a perda de sustento, age dentro da lei e reduz os saldos das contas dos devedores perdoando o juro devido e ganhando o favor dos devedores. Ao mesmo tempo, seu senhor fica sob luz generosa e, assim, pode desfrutar de uma imerecida reputação de ser benevolente.

Note que Jesus dirige esta história aos discípulos (v. 1). A audiência que Ele tencionava é de suprema importância para determinarmos qual interpretação da parábola faz mais sentido. Na primeira opção, o tema da parábola só pode ser o uso sábio de dinheiro. Mas da segunda perspectiva, a parábola tem dois temas igualmente importantes: o uso sábio de dinheiro e o arrependimento. É somente quando o mordomo mostra arrependimento mediante atos de caridade que ele pode usar o dinheiro sabiamente. E é apenas no contexto deste tema de arrependimento que o contraste absoluto de servir Deus e servir ao dinheiro, no versículo 13, faz sentido. A segunda interpretação é preferida. A mensagem mais ampla para os discípulos é a que os desafia a repensar sua cosmovisão, usando o âmbito das finanças como ferramenta ilustrativa.

Está claro desde o início que a acusação lançada contra o mordomo não é falsa, porque ele não se defende. O senhor toma tão a sério a acusação que ele já resolve despedir o mordomo (v. 2). A pergunta que o senhor faz no versículo 2: "Que é isso que ouço de ti?", não é uma verdadeira investigação sobre as ações do mordomo. Ele já sabe a resposta. Esta é essencialmente uma pergunta retórica que revela o sentimento de decepção e traição que o senhor deve ter experimentado: "Como tu podes ter feito isso comigo?"

O senhor instrui o mordomo a preparar uma contabilidade final, o que lhe dá tempo para engendrar um curso de ação. O mordomo astuto entra em ação imediatamente. Como o filho perdido de Lucas 15.11-31, ele é confrontado com uma escolha entre a mendicância ou o trabalho físico estrênuo. Tendo muita vergonha de mendigar e se julgando fraco demais para cavar (v. 3), ele descarta essas opções. Ao contrário do filho perdido, ele nunca considera a opção de pedir misericórdia. Ele escolhe um curso que elevará sua estima diante dos devedores do seu senhor (v. 4) e que ele pode implementar sem demora.

Nos versículos 5 a 7, vemos este plano em ação. Os dois encontros descritos aqui devem ser considerados representativos dos seus procedimentos com todos os devedores do seu senhor. Três pontos são dignos de menção.

1) As transações ocorrem "já" (v. 6).
2) As transações ocorrem uma por uma em segredo. Para o mordomo, o tempo é ingrediente fundamental. A atuação furtiva e a pressa com que ele executa o plano são essenciais. Ele quer evitar que o senhor interfira antes que o plano seja bem-sucedido.
3) As quantias discutidas entre o mordomo astuto e os devedores são vastas. A benevolência engendrada por perdoar tais dívidas realmente será grande.

A parábola conclui com a resposta do senhor, a qual é surpreendente e chama a atenção (v. 8). Quando toma conhecimento dos astutos procedimentos do mordomo, o senhor lhe elogia a desenvoltura. Da mesma forma que achamos surpreendente a resposta do senhor, assim achou a audiência dos dias de Jesus. É neste momento, tendo capturado a atenção dos ouvintes com esta conclusão surpreendente, que Jesus começa a fazer a aplicação.

Seu ponto inicial chega ao lugar desejado na conclusão do versículo 8. Contudo, outra surpresa está reservada quando os pecaminosos "filhos deste mundo" são favoravelmente comparados com "os filhos da luz". É sua desenvoltura e dedicação na realização das metas desejadas que são sustentadas como exemplo de imitação. A implicação é que "os filhos da luz", cuja meta é infinitamente mais preciosa, deveriam ser muito mais engenhosos e dedicados quando trabalham em favor da meta de um "tesouro nos céus que nunca acab[a]" (Lc 12.33).

A seguir, uma aplicação mais direta é dada, a qual trata diretamente do uso de dinheiro (v. 9). O dinheiro é chamado "riquezas da injustiça". Mas sendo uma ferramenta inanimada e moralmente neutra, a qual Jesus está instruindo os discípulos a usar, por que o Senhor diz que elas são "da injustiça"? Há talvez três sentidos no qual pode-se pensar que o dinheiro seja injusto:

1) porque nos tenta a adquiri-lo por meios injustos;
2) porque nos tenta a usá-lo para fins injustos;
3) e porque não nos servirá de nada quando estivermos diante de Deus no dia do julgamento. Temos de nos lembrar que não é o dinheiro em si, mas "o amor do dinheiro", sobre o qual Paulo adverte Timóteo, que "é a raiz de toda espécie de males" (1 Tm 6.10).

Mas se o dinheiro deve ser entendido como veículo de tentação e falsa sensação de segurança, então como é que o dinheiro pode ser usado para garantir que sejamos recebidos "nos tabernáculos eternos"? A resposta a esta pergunta é encontrada nas oportunidades para esmolaria dispostas pelo homem rico de Lucas 16.19-31. Nesta história, somos apresentados a uma pessoa com "riquezas da injustiça", que as usa para lhe garantir um estilo de vida suntuoso. Mas ele ignora o apelo de Lázaro, um mendigo miserável que jaz à sua porta. Mais tarde, depois de morrer, o homem rico se acha no Hades e fica sabendo que ele poderia ter garantido entrada nos "tabernáculos eternos", se tivesse usado suas riquezas para sustentar e ajudar Lázaro.

Nos versículos 10 a 12, Jesus oferece uma terceira e mais ampla aplicação desta parábola. O dinheiro, na verdade todas as possessões, é retratado como recursos que Deus nos confia. Não é o nosso dinheiro, a nossa casa, a nossa propriedade, mas é o dinheiro de Deus, a casa de Deus, a propriedade de Deus que Ele confiou aos nossos cuidados. O mordomo astuto que foi elogiado anteriormente é aqui castigado por infidelidade ao seu senhor. Esta aplicação é estendida aos ouvintes de Jesus, aos quais é dito mais adiante que mais importante que o dinheiro é a administração das verdadeiras riquezas (v. 11).

A aplicação desta parábola conclui com um versículo que surpreende pelo modo como o dinheiro é colocado como adversário de Deus. Jesus já tinha chamado o dinheiro de "injusto", mas agora Ele descreve o dinheiro com atributos humanos, chamando-o de senhor em oposição a Deus (v. 13). Esta aplicação é surpreendente, dado os comentários precedentes de que o dinheiro pode ser usado para garantir uma habitação celestial. O ponto que o Senhor deseja chegar aqui é que o dinheiro pode ser um deus. Aquele que serve ao dinheiro é não menos que adorador de ídolo (cf. Ef 5.5), e o Senhor não deixa este assunto em plano médio.

Cada pessoa tem de escolher ser mordomo a serviço do dinheiro ou mordomo a serviço de Deus. Da mesma maneira que o amor que o mordomo astuto tinha pelo dinheiro o impossibilitou de servir ao seu senhor, o amor que o homem rico tinha pelo dinheiro o impossibilitou de servir aos pobres e a Jesus (Lc 16.19-31). O amor que os fariseus tinham pelo dinheiro (v. 14) os impossibilita de servir a Deus, e o nosso amor pelo dinheiro também nos impossibilita de servir ao Senhor.

4.14.2. A Função da Lei (16.14-18). Embora o público-alvo da parábola precedente fosse os discípulos (v. 1), agora ficamos sabendo que alguns dos fariseus estavam ouvindo e ficaram ofendidos com as implicações da mensagem de Jesus (v. 14). Os fariseus, sobre quem Lucas nos diz que eram "avarentos", viam as riquezas como recompensa de Deus pela observância fiel da lei. Sabendo disto, Jesus faz uma pausa sobre seu ensino sobre riquezas para tratar do tópico da lei com aqueles que supostamente a mantinham na mais alta consideração.

Da perspectiva farisaica, a pobreza de Jesus testemunhava sua rejeição por Deus; assim, seu ensino gera derrisão e zombaria. Na visão desses indivíduos, é muito fácil alguém como Jesus, que não tem nada, ridicularizar os ricos. Mas o Jesus ungido pelo Espírito atinge o pecado fundamental dos fariseus — que sua auto-exaltação como observadores da lei é uma hipocrisia que cobre sua cobiça pecadora (v. 15). Eles podem enganar as pessoas — diz Jesus aos fariseus —, mas Deus, que olha o coração, não é enganado pela fingida santidade deles.

Mas o que é que Jesus quer dizer com: "O que entre os homens é elevado", e: "Perante Deus é abominação"? Neste contexto, Jesus tem de estar se referindo ao amor dos fariseus e sua busca inexorável das riquezas ou à autojustificação hipócrita diante das pessoas. De fato, ambas as idéias podem estar em mente. Mas o que é duplamente importante é que os fariseus deveriam saber melhor. Salomão discorreu sobre a vaidade do amor do dinheiro (Ec 5.10-12). Conhecendo a lei como afirmam, os fariseus deveriam reconhecer a auto-ilusão e a hipocrisia ao promoverem as riquezas materiais como evidência da aprovação de Deus. O comentário de Jesus não deve ser considerado como declaração isolada. Em outros lugares, Paulo insiste que o amor do dinheiro é impedimento à fé e um portal ao pecado (1 Tm 6.9,10; 2 Tm 3.2), como o faz o escritor aos Hebreus (Hb 13.5).

Reconhecendo o desafio à sua autoridade, Jesus passa a traçar a origem de sua autoridade e a delinear sua devoção superior à lei. Ele apresenta "a Lei e os Profetas" (i.e., o Antigo Testamento) e a pregação de João Batista como unidade (v. 16). João anunciou a vinda de uma nova era e participou dela. É "desde então" (v. 16), quer dizer, começando com João, que o Reino de Deus é pregado. O ponto que Jesus deseja chegar é que nem João nem os profetas do Antigo Testamento são necessários para confirmar o outro, mas que ambos servem de precursores, levando à pregação de Jesus acerca das boas-novas do Reino de Deus.

Neste momento, ocorre uma declaração interessante, mas difícil: "E todo homem emprega força para entrar nele [no Reino de Deus]" (v. 16). O que significa?

1) Para o público de Jesus, o Reino de Deus já não é uma esperança futura, mas uma realidade presente já disponível. Ainda que às vezes o Reino seja retratado como futuro, a ênfase aqui é colocada claramente em sua presença.

2) A pessoa tem de se esforçar para entrar no Reino de Deus. Entrar neste Reino exige coragem e resolução, e os obstáculos para entrar são muitos. Na verdade, Lucas já aludiu que as autoridades religiosas, inclusive aos fariseus, são obstáculos à entrada do Reino de Deus (Lc 13.10-17, 24-30; 15.11-32).

Se o desafio dos fariseus é que Jesus seja objeto de derrisão e um renegado da lei de Deus, então o versículo 17 serve de resumo da resposta de nosso Senhor. Certamente o Reino de Deus é agora manifesto na terra, mas esta realidade de nenhum modo põe de lado a lei. Para os ouvintes de Jesus, que estão ponderando se aceitam o desafio de forçar a entrada no Reino de Deus, isto de jeito nenhum ab-roga sua devoção e responsabilidade à lei de Deus. Não lhes é exigido que abandonem sua herança religiosa como filhos de Abraão a fim de se tornarem discípulos de Cristo.

O ensino sobre divórcio que vem a seguir (v. 18) é oferecido não inclusivamente como uma declaração fora de contexto da posição de Jesus sobre o assunto (cf. Mt 19.9), mas como uma alegação contra os fariseus. Eles acusam Jesus de desafiar a lei de Deus. Ele mostra que enquanto Ele se mantém fiel a "um til da Lei" (v. 17), os fariseus manipulam a Palavra de Deus com o propósito de conduzir vidas de pecado aberto e impenitente. Com certeza Jesus tem em mente a idéia judaica prevalecente naqueles dias, a qual, como uma liberalização de Deuteronômio 24.1, defendia que um homem poderia despedir sua esposa pela menor provocação. Exemplos estão no ensino de Hillel de que um jantar queimado é justificação adequada para divórcio, ou a noção de Abiú, de que encontrar alguém mais bonito é base satisfatória. Tendo sido reprovado pelos fariseus por ficar em companhia com pecadores (Lc 15.2), Jesus responde que os pecadores são aqueles que desconsideram a lei de Deus casando-se e separando-se tão facilmente.

À primeira vista, pareceria que Lucas 16.14-18, intercalado entre duas parábolas sobre o uso de posses materiais, é inconveniente e fora de lugar. Há a tendência a interpretar esta passagem isoladamente das duas parábolas juntas. Mas então perdemos algo da mensagem que Lucas pode estar tentando comunicar. Se se pressupõe que Lucas 16 forma uma unidade, então como os versículos 14 a 18 se relacionam com a Parábola do Mordomo Astuto e com a Parábola do Rico e Lázaro (vv. 19-31)?

Talvez aprendemos algo da comunidade eclesiástica para a qual Lucas escreve o Evangelho, e, por extensão, algo sobre nossa própria comunidade eclesiástica. Da mesma maneira que os fariseus, "que eram avarentos" (v. 14), se ressentiram com as implicações da parábola de Jesus, pode ser razoável presumir que Lucas sabe que há membros ricos dentro da própria comunidade cristã que não acreditam que a esmolaria é importante (cf. At 5.1-11). De fato, talvez eles acreditem, como os fariseus, que as riquezas são indicação do favor de Deus (Lc 16.15). Nesse caso, o maior problema e, na verdade, o mais perigoso, pode ser que estes membros estejam tentando justificar sua avareza com base teológica. Tais pessoas destroem a comunhão de amor e compaixão que Deus quer na comunidade eclesiástica (cf. At 2.42-47; 4.31-35).

Em consequência, no meio da apresentação feita por Lucas dos ensinos de Jesus sobre as riquezas, ele tem de abordar a função e autoridade da lei. A colocação desta curta passagem serve para sublinhar a advertência aos fariseus, aos membros ricos da comunidade de Lucas e aos membros de nossos dias que insistem que coisas materiais são sinais seguros das bênçãos de Deus. A Palavra de Deus não pode ser usada para justificar a cobiça pecaminosa. Sob este aspecto, os versículos 14 a 18 estão diretamente relacionados com Lucas 16.29-31, que enfatiza novamente que "a Lei e os Profetas" são suficientes para nos levar à conclusão de que Deus requer arrependimento de um estilo de vida centrado em si mesmo.

4.14.3. O Rico e Lázaro (16.19-31).

Os ensinos de Jesus sobre os perigos das riquezas são concluídos com uma parábola exclusiva do Evangelho de Lucas. As consequências de uma vida vivida em dedicação a buscas materiais são expressas aqui com forte senso de finalidade não antes visto no Evangelho de Lucas. O rico amava o dinheiro, não Deus, e assim foi achado "abominável [...] perante Deus" (Lc 16.15).

A implicação mais ampla desta parábola é mais bem entendida reconhecendo que atinge o clímax não só com os ensinos sobre riquezas, mas também com a seção prévia sobre o amor de Deus pelos perdidos (Lc 15). O rico não é condenado por causa de suas riquezas, mas porque ignora a oportunidade que lhe foi fornecida pelo mendigo Lázaro. Abraão, a quem o rico se volta quando se acha em tormento, também era rico, mas não foi condenado por isso. É a falha do rico em notar que Lázaro é a questão em debate — o rico ama o dinheiro em vez de Deus (Lc 16.13), e não toma parte no amor de Deus pelos perdidos.

A parábola abre com uma apresentação do rico (v. 19). Desde o início, as desculpas da vida deste homem rico são bem claras: Ele se veste luxuosamente em púrpura (a cor da realeza e dos deuses) e com linho fino (roupas caras e importadas). Ele se entrega a este estilo de vida exuberante. Mas igualmente importante é o que não é dito acerca do rico. Ele não é retratado como pessoa cruel e vingativa; ele é apenas rico e amante da boa vida.

Na primeira de uma série de contrastes entre as duas personagens principais, Lucas descreve o estado miserável do mendigo que ficava à porta do homem rico (vv. 20,21). Ele é aleijado, sem dinheiro e doente. Até seu inadequado desejo de comer as migalhas da mesa do rico não é satisfeito. A única atenção que ele recebe é dos cachorros, que lhe lambem as chagas. Há certa disputa sobre se esta ação é agravante doloroso ao pobre, que está muito fraco para enxotá-los, ou se as chagas são limpas e têm um efeito calmante pelas línguas úmidas dos cachorros. Em qualquer caso, os únicos companheiros do pobre são cachorros, animais ritualmente imundos que os colocam fora do âmbito da misericórdia de Deus.

Jesus fala sobre a reversão de destino destes dois homens. Lázaro, sem ajuda nesta vida, é tratado generosamente com o cuidado divino quando é transportado pelos anjos para o lado de Abraão (v. 22). Sem nunca ter recebido sequer um lugar para comer os restos da mesa do rico, agora ele se senta em lugar de honra ao lado de Abraão na mesa do banquete celestial. O rico recebe enterro formal; assim, todas as preparações terrenas são feitas para este homem opulento. Mas exatamente como não há menção do cuidado recebido para enterrar o corpo de Lázaro, não há menção do cuidado tomado pela alma do homem rico.

O contraste entre os dois homens continua quando Jesus fala do destino do rico. Ele se acha agora no Hades. Embora o Hades tenha mais que um significado na Bíblia, aqui se refere a um lugar de tormento. O destino dos dois homens é invertido. Tudo o que o rico outrora desfrutava, agora lhe falta; tudo o que a Lázaro outrora faltava, agora ele desfruta.

No seu tormento, o rico olha para cima e vê Abraão com Lázaro (cf. Lc 6.23). Não reconhecendo que os valores terrenos foram subvertidos, o rico apela para sua linhagem como filho de Abraão para que seu tormento seja aliviado. Ele quer que o "Pai Abraão" tenha misericórdia dele e lhe alivie a sede enviando Lázaro para ajudá-lo. O rico, que nunca teve de implorar e nunca atendeu a voz mendicante de Lázaro, agora se acha implorando. Da mesma maneira que Lázaro não tinha pedido para comer da mesa do homem rico, mas só para comer as migalhas que caíam, o rico não pede para ser levado para o lado de Abraão a fim de desfrutar a fonte ele tem de ver lá, mas simplesmente fazer Lázaro levar algumas gotas de água para aliviar sua sede.

Abraão responde ao pedido do rico (vv. 25,26). Seu tratamento, "Filho", é tenro e confirma sua afirmação de ser descendente físico do patriarca. Mas o uso cuidadoso do pronome "teus" (v. 25) mostra ao rico que, pelas escolhas que fez na vida, ele abandonou as bênçãos que poderia ter desfrutado como filho de Abraão. O rico escolheu as bênçãos materiais; assim, Abraão chama suas riquezas de "os teus bens". Ele não tinha rejeitado Deus conscientemente, mas em sua falta de amor ele ignorou Lázaro; e porque ignorou Lázaro, ele também ignorou Deus.

Lázaro, por outro lado, escolheu Deus. As coisas ruins que ele recebera na vida não eram resultado de escolhas próprias. Agora, as injustiças da vida são tratadas. Na vida porvir, não há necessidade de um salmista lamentar o fato de que os malfeitores prosperam, ao passo que os justos ficam a sofrer. Os desequilíbrios da vida são retificados com base em escolhas feitas.

Mas há outro fator, o grande abismo, que dá um senso de finalidade ao destino dos dois homens. Ninguém pode cruzar o abismo que os separa. Em sua insensibilidade ao destino do homem pobre à sua porta, o homem rico é quem criou esta profunda fenda. Ele teve a oportunidade e a capacidade de transpor o abismo entre os dois. Mas com sua morte, esta profunda fenda se tornou permanente. Tão desesperador quanto era o destino de Lázaro na terra, o destino do rico no inferno é muito mais desesperador. Em conseqüência, longe de lhe aliviar a angústia, ver "ao longe" o homem pobre com Abraão lhe multiplica a agonia.

Agora, a dor do rico não é somente dos tormentos do inferno, mas também de saber que ele se privou da abundância do céu. O contentamento que ele sempre buscou e o qual suas riquezas terrenas nunca puderam satisfazer, ele vê Lázaro desfrutando agora, além de ser confrontado com a realidade severa de que ele nunca irá desfrutar o mesmo que Lázaro. O céu é aquele momento em que a coisa que você procura por toda a vida se manifesta, e o inferno, com seu senso de privação, é saber que você nunca a terá. O rico sabe agora que a vida eterna está além do alcance.

Esta parábola nos faz lembrar algumas verdades notáveis sobre o futuro, as quais não devem ser descartadas.

1) O morto não é aniquilado nem fica inconsciente, mas está completamente ciente do ambiente que o cerca e do seu destino.
2) A situação difícil do morto é fixa pelas escolhas feitas nesta vida. Não há segunda chance disposta além do sepulcro. Assim, as oportunidades que recebemos para ministrar aos perdidos e necessitados trazem implicações eternas e não devem ser desperdiçadas.

Neste ponto, o assunto muda abruptamente quando o rico pede que Lázaro seja enviado para avisar os cinco irmãos do rico (vv. 27,28). É interessante notar que, mesmo agora, tendo se inteirado do seu destino eterno, o homem rico ainda pensa em Lázaro como o homem pobre à sua disposição. Pode parecer surpreendente que o rico em sua angústia esteja pensando nos outros, mas isto não significa que ele agora tenha um coração arrependido, cheio de compaixão e graça. Antes, ele não está pensando no pobre, mas em si mesmo, em sua família. No seu pedido, ele sente que está sendo atormentado injustamente. Se lhe tivesse sido dado um aviso (como ele pede para os irmãos), o rico está certo de que não estaria nesta situação difícil.

Na conversa final (vv. 29-31), Abraão rejeita o pedido do homem rico, dizendo que os irmãos têm a Lei e os Profetas, ou seja, as Escrituras (v. 29). Quando o rico diz que tem certeza de que um milagre convencerá os irmãos (v. 30), Abraão também rejeita esta afirmação (v. 31). A fé surge não de um encontro com o dramático, mas de um encontro com a palavra de Deus. Um milagre pode levar alguém a se maravilhar com o poder de Deus, mas não conduzirá à fé e ao arrependimento sem a Palavra de Deus.

Esta parábola enfatiza as conseqüências de longo alcance desta vida presente e o papel central que a fé desempenha em manejar o resultado desta vida. As posses não salvarão nem condenarão a alma. Igualmente, a pobreza não é pecado nem a virtude. É a natureza arrependida ou impenitente do coração no contexto das riquezas e da pobreza que determinam o destino da pessoa. O rico, pelo desdém e negligência pelo pobre, revela a pecaminosidade do seu coração. Entretanto, ricos ou pobres, aqueles que entregam ao Senhor tudo o que têm e tudo o que são, e cuja vida trazem a marca de um coração arrependido, se encontrarão na companhia de Lázaro ao lado de Abraão. A mensagem não é que as injustiças materiais desta vida serão equilibradas na vida após a morte, mas que uma vida de fé com amor e caridade é a chave pela qual o destino eterno é determinado.

Dois pontos devem ser feitos, os quais são pertinentes à comunidade pentecostal e carismática de crentes. Primeiro, o erro de um evangelho de "saúde e riquezas", "confissão positiva" ou "declare e tenha" é exposto aqui. Jesus não prega que as riquezas são sinal da aprovação de Deus. Ainda que o Senhor ensine que as posses possam ser usadas para propósitos nobres (Lc 10.29-37), Ele adverte repetidamente que as posses também são perigo, que pode servir de distração séria ao discipulado (Lc 12.15-21; 18.18-23). No pior dos casos, as posses podem ser uma atitude irresistível e destruidora de vida, como Ananias e Safira aprenderam (At 5.1-11).

Segundo, é importante para pentecostais, que desfrutam diretamente a operação de sinais e maravilhas, reconhecerem que Jesus se recusa a cumprir a exigência que os passantes fazem de um sinal miraculoso (cf. Mt 16.1-4; Mc 8.11; Lc 11.29-32). Igualmente, é impertinente para os crentes de hoje "porem um velo de lã diante do Senhor" e pedirem um sinal relativo a um assunto ao qual as Escrituras já falaram. Quando encontramos uma pessoa em necessidade e temos a bênção do Senhor, de forma que podemos satisfazer essa necessidade, não estamos justificados em pedir ao Senhor um sinal para nos mostrar se devemos ajudar. Da mesma maneira que o homem rico e seus irmãos já deveriam ter sabido, deveríamos saber que é da vontade de Deus auxiliar sempre que surja oportunidade.

4.15. Sobre Fé e Dever (17.1-10).

A atenção de Jesus agora passa para seus seguidores mais chegados. Ele os aconselha em quatro aspectos do discipulado:
1) O perigo de levar outros a pecar (vv. 1-3a);
2) A necessidade de perdoar (vv. 3,4);
3) O poder da fé (vv. 5,6); e
4) O dever de um servo (vv. 7-10). Como discípulos de Cristo, os crentes são livres, mas eles devem ser responsáveis ao Senhor e à comunidade de fé. A liberdade cristã precisa de ser restringida pelo amor aos membros da comunidade. A fé inclui o perdão daqueles que pecam contra nós, e nos conduz ao desempenho de dever, não esperando tratamento especial.

1. Jesus adverte contra levar outros a se desviar no pecado e apostasia. Satanás tem forte influência no mundo. É certo que ocorrerão seduções a adotar falsos ensinos e tentações a pecar. Aqueles que se entregam a tais tentações sofrem desastre espiritual. A palavra *skandalon*, traduzida por "escândalos", significa "pedra de tropeço", "causa de ofensa" ou "armadilha". Jesus pronuncia um ai a qualquer um que seja responsável por levar outros a pecar e a renunciar a fé (v. 1). A pessoa que faz isso estaria em melhor situação se tivesse sofrido uma morte violenta, como se afogar com uma pesada pedra de moinho presa ao pescoço.

O prospecto para julgamento é terrível e as conseqüências são severas para alguém que cause dano espiritual a "um destes pequenos". Jesus caracteriza os discípulos como "pequenos", significando todos aqueles que crêem nEle (cf. Mt 18.6). Esta advertência é igual ao fogo da repreensão de Jesus aos fariseus, registrado em Lucas 16.15. Desviar os filhos de Deus não é meramente algo a se preocupar no futuro. Pelo contrário, o perigo é real agora entre os próprios discípulos. Jesus reforça o aviso: "Olhai por vós mesmos".

2. O próximo aspecto do discipulado envolve perdão (Lc 17.3b,4). Em vez que levar outros a pecar, os crentes têm de se guardar contra o pecado. O pecado sempre ameaça a comunhão dos crentes. Quando um crente peca contra outro, o crente prejudicado deve reprovar o ofensor. Isto não significa que a pessoa deva adotar uma atitude crítica e hipócrita, pois o contexto enfatiza o perdão. Significa que tal pessoa deve ser forte, repreendendo o crente por agir mal ou exortando-o a se arrepender. O amor responsável sempre é compassivo, mas tal amor repreende a fim de corrigir (Craddock, 1990, p. 199).

Se a pessoa ofendida se arrepende, ela deve ser perdoada para que as boas relações sejam prontamente restabelecidas. Se tal pessoa pecar repetidas vezes, o perdão deve ser repetido. "Sete vezes no dia" diz respeito a um número incontável de vezes; Jesus não fixa limites para o perdão. O verdadeiro perdão impede que o crente insultado guarde rancor e ressentimento do ofensor. Não importa quantas ofensas sejam feitas, o perdão deve ser a prática.

3. Jesus se concentra no aumento da fé (vv. 5,6). Os apóstolos estão conscientes do seu papel como líderes entre os discípulos. Eles sentem que precisam de mais fé para poder perdoar o arrependido e combater a discussão e ciúme entre eles. Assim, dizem: "Acrescenta-nos a fé". O significado de "fé" tem sido questão de debate; se é o dom espiritual da fé que faz milagres (1 Co 12.9; 13.2) ou se é apenas uma fé mais forte. Considerando que o pedido presume que os apóstolos têm fé, parece se referir ao dom carismático da fé que faz milagres.

A resposta de Jesus afasta a atenção dos discípulos de mais fé para a sua verdadeira natureza. O que é crucial não é a quantidade de fé, mas a sua realidade. Se os discípulos têm fé como uma semente de mostarda, a menor de todas as sementes da Palestina, que eles podem arrancar do chão uma amoreira enorme que se acha ali perto e lançá-la ao mar. Uma fé pequena pode fazer coisas impossíveis, pois com ela eles podem se ligar com o poder milagroso de Deus. Depois do derramamento do Espírito no Dia de Pentecostes, os discípulos fizeram coisas humanamente impossíveis. Confiando no poder de Deus e capacitados pelo Espírito, eles fizeram muitas ações poderosas. Assim, quer grande ou pequena, a fé pode realizar grandes coisas para Deus.

4. Finalmente, Jesus trata do padrão da servidão (vv. 7-10). Da fé podem emanar obras poderosas. Os crentes que são abençoados com um ministério extraordinário podem sentir que merecem tratamento especial e cair em orgulho espiritual. Jesus apela para a relação escravo-senhor como padrão que os servos de Deus devem seguir. Nos dias de Jesus, um servo tinha deveres no campo e em casa. Depois de um longo dia arando o campo ou cuidando de rebanhos, seu senhor não o convidava para se sentar e jantar. Pelo contrário, ele esperava que o escravo preparasse uma refeição e o servisse enquanto ele comia. O escravo não recebia gratidão ou louvor do mestre pela execução fiel de seus deveres (v. 9).

O mesmo princípio se aplica aos servos do Senhor. Não devemos esperar receber agradecimentos ou favores especiais por fazer nosso dever diante de Deus. Quando fazemos o que devemos, permanecemos "servos inúteis". A palavra "inúteis" (*achreioi*) expressa a humildade do servo e indica que não merecemos elogio, agradecimento ou recompensa. Esta atitude está em nítido contraste com a dos fariseus em Lucas 18.11,12. Jesus adverte seus seguidores contra uma atitude que espera reconhecimento especial. Deus nos chamou e nos equipou para o serviço, e somos-lhe gratos. Nosso melhor serviço não torna Deus nosso devedor; sempre somos servos inúteis. Mesmo depois de obedecer todos os seus mandamentos, temos de dizer: "Fizemos somente o que devíamos fazer".

4.16. Ensinos que levam à Predição Final da Morte de Jesus (17.11—18.30)

Jesus continua seu ministério carismático de curas e ensinos. Enquanto prossegue "indo [...] a Jerusalém", Ele cura dez leprosos (vv. 11-19) e faz um longo discurso no qual prediz a vinda futura do Filho do Homem e a manifestação decisiva do Reino (vv. 20-37). Em seguida ao discurso, Jesus apresenta duas parábolas que tratam da oração (Lc 18.1-14). Esta seção fecha com as qualificações para entrar no Reino de Deus (vv. 15-30). Tudo o que Jesus ensina aqui serve para encorajar crentes como Teófilo (cf. Lc 1.1-4).

4.16.1. O Leproso Agradecido (17.11-19). Jesus está na divisa entre Samaria e Galiléia. À medida que Ele vai em direção de seu destino, em Jerusalém, um grupo de dez leprosos o encontra. Tratados como desterrados, os leprosos não podiam morar numa aldeia (veja comentários sobre Lc 5.12-16). Eles o chamam de "Mestre", mostrando que entendem que Ele tem autoridade para fazer poderosas ações de misericórdia; não significa que eles se consideram discípulos dEle, embora mais tarde um deles se torne seguidor. Eles querem ser curados, e assim apelam para a compaixão de Jesus.

Jesus não impõe as mãos sobre eles nem os declara curados. Ao invés disso, Ele lhes prova a fé e a obediência dizendo-lhes que vão e se mostrem aos sacerdotes. Os sacerdotes serviam como examinadores sanitários e certificavam se eles tinham sido curados (Lv 14.2ss). A obediência destes dez leprosos antes de serem curados mostra a fé que tinham no poder realizador de milagres de Jesus. Quando vão, eles são curados (Lc 17.14). Assim Jesus os cura de longe (cf. Lc 7.1-10). Já não serão desterrados; eles podem retomar o seu lugar na sociedade.

Lucas enfatiza as reações dos leprosos à cura recebida. Um deles se destaca dos outros porque volta a Jesus para agradecer, louvando Deus pela cura milagrosa; este homem é um estrangeiro, um samaritano. Aparentemente os outros nove são judeus, que não se importaram em mostrar gratidão pela cura recebida. Quando o samaritano chega a Jesus, ele se lança aos pés de Jesus e se submete à autoridade do Mestre (vv. 15,16).

O samaritano aprecia as bênçãos de Deus. Dos dez curados, ele certamente seria o último de quem se esperaria que voltasse e agradecesse a um judeu que cura. A ausência dos nove desaponta Jesus, como está indicado pela pergunta: "Não foram dez os limpos? E onde estão os nove?" No original grego, a primeira pergunta (introduzida por *ouchi*) sugere a resposta: "Sim. Todos os dez foram curados!" Nenhum voltou para agradecer, menos o estrangeiro, visto na sociedade judaica como desterrado social e religioso herege. Um homem que não pertence ao povo escolhido de Deus é o único que volta para dar graças a Deus (v. 18).

Jesus aprecia a sensibilidade do samaritano e o louva por sua resposta às bênçãos de Deus. Muito freqüentemente, a graça de Deus é tomada como certa e ignorada. Algumas pessoas podem ser gratas, mas não tomam tempo para louvar Deus por suas bênçãos. Como o samaritano, um número surpreendente de pessoas louva e adora a Deus em apreciação por sua graça maravilhosa.

Os nove leprosos têm fé, mas é incompleta. A gratidão do samaritano revela que sua fé é completa. Não só é um instrumento da cura miraculosa, mas também da salvação pessoal, e Jesus o envia com a garantia de que sua alma vai bem como está seu corpo (Morris, 1974, p. 259). Só o samaritano ouve estas palavras tranqüilizantes: "A tua fé te salvou [*sesoken*, derivado de *sozo*]" (v. 19). A confiança do homem em Jesus o torna mais que limpo; leva-o a uma relação certa com Deus. Somente os que aceitam o que Deus fez em Cristo recebem a plena bênção de salvação. Os nove foram curados, mas a falta de gratidão demonstra, em contraste, como Deus quer que seu povo escolhido responda à sua poderosa obra salvadora em Cristo.

4.16.2. O Reino e a Vinda do Filho do Homem (17.20-37). O Jesus inspirado pelo Espírito fala profeticamente sobre a vinda do Reino de Deus, incluindo sua própria vinda e o julgamento final. Lucas registra dois dos maiores discursos de Jesus sobre os acontecimentos do tempo do fim (Lc 17.20-37; 21.5-36). O Reino, o governo de Deus, é uma realidade presente (veja Lc 10.9,11; 11.20). A vida e ministério de Jesus declaram de modo veemente e novo a presença do reinado régio de Deus. Mas a vinda desse Reino também é um acontecimento futuro. Jesus se refere a ambos os lados do reinado soberano de Deus aqui. Nos versículos 20 e 21, em resposta a uma pergunta feita pelos fariseus, Ele explica a natureza futura do Reino. Depois, nos versículos 22 a 37, Ele explica aos discípulos a futura vinda do Reino.

Alguns fariseus perguntam a Jesus quando Deus vai estabelecer o seu Reino na terra. Não há que duvidar que eles ficaram impressionados com os dons proféticos de Jesus, então agora eles desejam saber o momento quando Deus começará a exercer seu governo sobre a humanidade. Eles querem um horário e presumem que sinais visíveis precederão a vinda do Reino. Jesus explica que o Reino de Deus é distinto dos reinos com os quais os fariseus estão familiarizados. Sua vinda não corresponderá com sinais visíveis para que ninguém possa predizer o tempo exato de sua chegada. As pessoas entendem mal o caráter do Reino de Deus, quando dizem: "Ei-lo aqui! Ou: Ei-lo ali!" Tais predições são arrogantes e mostram-se falsas e decepcionantes a pessoas persuadidas por elas (cf. At 1.6,7).

Jesus afirma que a fase inicial do Reino não vem desse jeito; de fato, já veio (Lc 17.21). Jesus usa a palavra *entos* para descrever sua presença — palavra que significa "dentro" de vocês ou "entre, no meio de" vocês. Jesus está falando a fariseus, que sem dúvida o rejeitaram. Ele não diria que o reinado de Deus está dentro dos corações deles. Contudo, o Reino é um fato histórico. Jesus quer dizer que o Reino está "entre vós" — presente no que Ele faz e diz —, ainda que os fariseus permaneçam cegos diante dessa realidade (cf. Lc 11.20). Eles esperam ver sinais da vinda do Reino algum dia no futuro. Mas não há necessidade de procurar sinais futuros da vinda do governo de Deus. Hoje pode-se entrar nele, embora sua consumação final venha depois.

No Novo Testamento, o Reino de Deus tem uma dimensão "já" e "ainda não". Já está presente, mas ainda não entrou na plenitude do seu poder e glória. Os discípulos se preocupam com a manifestação futura do reinado de Deus. Voltando-se para eles, Jesus começa a falar sobre o Reino em sua glória final com as palavras: "Dias virão". Ele prediz que os discípulos desejarão "ver um dos dias do Filho do Homem", o que se refere ao período no qual o Reino de Deus está estabelecido na terra (a respeito do "Filho do Homem", veja comentários sobre Lc 5.17-26). Os discípulos almejarão o dia em que Deus vindicará seu povo e vencerá seus inimigos.

Aquele dia não virá imediatamente (v. 22), assim os discípulos não devem ser enganados por falsos profetas que insistem que o Messias já voltou. Eles dirão: "Ei-lo aqui! Ou: Ei-lo ali!", apontando para algum homem como o Messias. Os seguidores de Jesus não se devem deixar ser enganados por estas afirmações. Em termos teológicos, a visão de que Cristo já voltou é chamada "escatologia suprapercebida". Este erro ensina que o Reino de Deus já veio completamente, e agora os crentes desfrutam todos os benefícios do céu, inclusive a vida da ressurreição (cf. 1 Co 4.8; 2 Tm 2.17,18).

Os indivíduos concluirão falsamente que o Filho do Homem já voltou, e afirmarão que ninguém tem conhecimento sobre o evento senão eles. Mas a volta do Filho do Homem será tão visível quanto um raio que ilumina o céu (v. 24). Sua segunda aparição será súbita e visível a todos. A glória da sua presença será manifesta em todos lugares naquele dia maravilhoso. Antes de Ele vir com glória, outras coisas têm de acontecer primeiro. Bem à frente acha-se a cruz. Convém (*dei*, "é necessário") que Ele suporte sofrimento e até seja rejeitado "por esta geração", o povo escolhido que deveria tê-lo aceitado (v. 25).

De acordo com o plano divino, sua rejeição tem de preceder a glória (Mt 24.26). O Filho do Homem está trilhando um caminho de glória e honra por meio do sofrimento e rejeição. Não pode haver ressurreição sem a cruz. Não pode haver Segunda Vinda sem a Primeira. Sua vinda final estabelecerá o Reino de Deus, e sua presença gloriosa será testemunhada ao longo do mundo. Mas por ora Ele tem de prosseguir no seu caminho a Jerusalém, o lugar de sofrimento e rejeição.

Jesus compara o dia da sua volta com os dias de Noé e de Ló. Antes do dilúvio, as pessoas viviam a vida normalmente. Elas continuavam comendo, bebendo e casando-se. Não levaram a sério as palavras de julgamento que Noé apregoava. Quando chegou o dilúvio, elas estavam desprevenidas, e todo o mundo pereceu (Gn 7.11-23).

Algo semelhante aconteceu nos dias de Ló. As pessoas eram dedicadas a interesses terrenos. Elas comiam, bebiam, compravam, vendiam, plantavam e construíam. Estes indivíduos estavam preocupados com interesses próprios, não tendo consciência de que estavam a caminho do julgamento. Eles também estavam desprevenidos quando Deus fez chover do céu fogo e enxofre (Gn 19.23-25). A oportunidade de salvação passou por eles e o julgamento divino os colheu. Quando Cristo voltar, essa mesma indiferença e desvanecimento predominarão (Lc 17.30). As pessoas não discernirão os tempos nos quais vivem por estarem sobrecarregadas com os cuidados da vida.

Quando o julgamento vier, será rápido e decisivo. No dia da gloriosa aparição de Cristo, os seres humanos têm de se precaver contra a devoção às próprias preocupações. Um homem que esteja no telhado descansando ou se encontre no campo trabalhando, pode pensar que tem tempo para voltar para casa e recolher suas posses. Isso será impossível.

Todos devem ser livres de ligações com as coisas terrenas e estar comprometidos de coração com o Reino de Deus. A vinda do Filho do Homem requer devoção sincera a Ele. Interesses mundanos e amor às posses materiais têm conseqüências fatais. A esposa de Ló serve de advertência contra apegar-se a buscas e posses materiais. Ela quase escapou da cidade condenada de Sodoma; mas ela olhou para trás, desejando os deleites que ela estava deixando. Em conseqüência, ela foi pega no julgamento de Sodoma e pereceu (Gn 19.26).

Hoje é o tempo de fixar nossos corações em Cristo e nos tesouros eternos. Corremos alto risco se esperamos até a última hora (cf. Lc 12.35-40). Tentar preservar a vida (*psyche*) é perdê-la, mas perder a vida é ganhá-la (v. 33). Em outras palavras, buscar a plenitude da vida em coisas terrenas tem conseqüências fatais. Devoção a Cristo e abnegação trazem a verdadeira felicidade e vida. Seguir a Cristo agora e perseverar na fé garantem-nos a vida no mais glorioso sentido da palavra. Na visão do mundo, estamos desperdiçando a vida, mas Deus vindicará seu povo.

Na sua vinda, diz Jesus, haverá uma divisão entre os salvos e não-salvos. Naquele dia, duas pessoas, o marido e a esposa, estarão na mesma cama. Uma será levada; outra ficará para trás. Novamente, duas mulheres estarão moendo grão juntas; elas também serão separadas. Jesus não explica o que significa "tomado", mas Noé foi salvo sendo levado na arca (v. 27). Evidentemente, as pessoas deixadas para trás são incrédulas, que enfrentarão julgamento. Cristo levará os crentes da terra, a cena de julgamento, para estarem com Ele no céu.

O apóstolo Paulo fala sobre este acontecimento como "o dia do Senhor", que virá de repente e sem ser anunciado. Primeiro, ocorrerá a ressurreição dos "que morreram em Cristo", e depois os crentes, "os que ficarmos vivos, seremos arrebatados juntamente com eles nas nuvens, a encontrar o Senhor nos ares". Esta transformação de crentes, quer mortos ou vivos, é chamada "arrebatamento" da Igreja (1 Ts 4.16,17). Quando Cristo voltar, o julgamento se abaterá de repente sobre os não-salvos, "como as dores de parto àquela que está grávida; e de modo nenhum escaparão". Contudo, sua próxima Vinda não causará terror para os crentes, pois Cristo nos retirará da cena de julgamento e "assim estaremos sempre com o Senhor" (1 Ts 4.17—5.3). Devemos estar alertas e prontos para a volta de Cristo.

Em resposta a Jesus, os discípulos querem saber onde os acontecimentos dos versículos 31 a 35 terão lugar (v. 37). Em vez de dizer-lhes diretamente onde esta separação acontecerá, Ele cita o provérbio: "Onde estiver o corpo, aí se ajuntarão também os abutres" (ARA). Quando abutres voam ao redor no céu, é sinal de que há um corpo morto por perto. Assim, quando as condições morais e espirituais do mundo ficarem maduras, Cristo virá e se seguirá o julgamento. Não haverá marca pela qual possamos saber exatamente o tempo da Segunda Vinda. Naquele dia, o julgamento perpétuo virá de maneira tão rápida sobre os que estão espiritualmente mortos, quanto a rapidez com que os abutres caem sobre a presa. A situação será horrenda para eles, mas para aqueles que entrarem na vida eterna será glorioso.

4.16.3. Duas Parábolas sobre Oração (18.1-14). Em seguida ao seu ensino sobre a vinda final do Reino, Jesus volta ao tema da oração contando duas parábolas. Como comentamos, o próprio Jesus nos fornece um exemplo da prática de oração (Lc 3.21,22; 6.12; 11.5-13). Ele está ciente da tentação dos discípulos a pecar e "desfalecer" (Lc 18.1), antes que o Reino venha com poder triunfante. Levando em conta essa fraqueza, Ele os encoraja a orar e guardar a fé quando em breve Ele estiver enfrentando rejeição em Jerusalém.

Uma leitura cuidadosa das duas parábolas revela que ambas são sobre Deus vindicar, justificar, sustentar e salvar seu povo. A primeira parábola mostra a atitude de Deus para com Seu povo; Ele lhes ouvirá o clamor, os vindicará e os salvará (vv. 1-8). A segunda parábola enfatiza que aquele que se humilha e confessa seus pecados é justificado e aceito por Deus. Deus não vindica aqueles que afirmam que são santos, mas aqueles que confessam que são pecadores. O discipulado exige uma fé humilde e própria de criança.

Jesus já ensinou os discípulos a orar e enfatizou a importância da persistência em oração (Lc 11.1-13). Ciente de que eles enfrentarão perseguição e sofrimento, Ele exorta a "orar sempre e nunca desfalecer" (v. 1). Lucas inclui estas parábolas no seu Evangelho, porque ele quer que os cristãos dos seus dias persistam em oração e não percam a coragem em face de sofrimento e abuso. A Parábola do Juiz e da Viúva enfoca a oração persistente. Claro que Jesus não está ensinando que Deus é como um juiz injusto. A parábola é dita num estilo "quanto mais". Se um homem iníquo finalmente responde os clamores de uma viúva, quanto mais um Deus justo ouvirá as orações dos seus filhos.

A parábola fala sobre uma situação da vida real. O juiz não tem reverência a Deus ou respeito pelos direitos das pessoas. Uma viúva pobre envolvida num processo na mesma cidade pleiteia com o juiz insensível para decidir em favor dela contra um adversário (v. 3). Por um longo tempo ele não faz nada, ignorando os clamores por justiça. Como outras viúvas naquela sociedade, ela é impotente e entre a mais vulnerável das pessoas. Ela é dependente dos outros para cuidar dela.

Porque ela vai vezes sem conta ao juiz, ele fica propenso a fazer-lhe justiça. A persistência dela testa a paciência dele. Ele teme que a contínua argumentação dela o "importune muito" (*hypopiazo*, v. 3) — verbo derivado da luta por prêmio e significa literalmente "golpear debaixo do olho". A fim de impedir que ela o continue aborrecendo, ele decide vindicar esta mulher contra o adversário dela. A intercessão constante lhe traz sucesso.

O Senhor aplica a parábola. Não devemos pensar que temos de cansar Deus com oração persistente antes que Ele preste atenção a nós. Deus é o Juiz *justo*, defensor dos necessitados e fracos. Ele ouve os clamores do seu povo escolhido e faz justiça por eles. Estes indivíduos são preciosos aos seus olhos, e Deus os chamou para servir. Quando buscam a sua face em oração noite e dia e dependem completamente dEle, Ele os vindicará. Por causa de perseguição e aflição, eles reconhecem sua grande necessidade e sabem que Deus é a única esperança. Eles clamam a Ele em oração. Ele tem compaixão deles e imediatamente lhes responde as orações (v. 7).

Deus vindica seu povo e o faz "depressa" (v. 8). Em contraste com o juiz injusto, o Deus justo não demora a responder para seu povo e lhe aliviar o sofrimento. Muitos crentes recebem uma resposta demorada de Deus às suas orações. Os caminhos de Deus são misteriosos, e com Ele "um dia para o Senhor é como mil anos, e mil anos, como um dia" (2 Pe 3.8). O que é certo é que Deus agirá depressa para vindicar seu povo, quando chegar o tempo da vinda de Jesus. Jesus não está prometendo que voltará logo de acordo com o nosso tempo; mas será logo de acordo com o tempo de Deus, porque a Segunda Vinda é o próximo acontecimento principal no calendário de Deus.

Os crentes podem ser tentados a abandonar a fé, porque suas orações não foram respondidas. Mas Deus não os esqueceu, e eles não devem ficar desanimados. Jesus então pergunta: "Quando, porém, vier o Filho do Homem, porventura, achará fé na terra?" Quer dizer, o povo de Deus estará orando e buscando sua volta? Como a viúva pobre, temos de perseverar e continuar pedindo. Ao contrário do juiz injusto, Deus não responde de má vontade nossas orações. Ele se deleita em conceder nossos desejos e nos vindicar.

A segunda parábola conta a respeito das atitudes de dois homens quando oram (Lc 18.9-14). Ela enfatiza que Deus aceita somente aqueles que têm fé e confiança próprias de criança. O orgulho dos fariseus está em contraste com a humildade do publicano. O pecado denunciado é característico dos fariseus, mas de nenhum modo está restrito a eles.

Jesus não dirige a parábola aos discípulos especificamente, mas às pessoas virtuosas aos próprios olhos que têm desprezo pelos outros (v. 9). Ele profere a parábola aos que cumprem seus deveres religiosos proveniente de um senso de orgulho. O orgulho é perigoso, pois nos leva a confiar em nós mesmos e em nossas habilidades, e nos influencia a ser insensíveis às necessidades dos outros.

Dois homens entram no templo para orar. Um é um fariseu muito religioso, membro do partido da elite religiosa conhecida por sua observância cuidadosa da lei judaica; o outro é um publicano pecador (v. 10), alguém da periferia da sociedade judaica e que não seguia a lei. Pessoas religiosas tendiam a evitar associação com tal desterrado.

As orações destes dois homens estão em contraste. O fariseu tem uma aura de autoconfiança arrogante. Como posição normal para orar, ele está em pé e anuncia a Deus o tipo de pessoa que ele é: "Ó Deus, graças te dou, porque não sou como os demais homens, roubadores, injustos e adúlteros; nem ainda como este publicano. Jejuo duas vezes na semana e dou os dízimos de tudo quanto possuo". Ele não oferece graças a Deus por ter recebido bênçãos. Sua oração apenas registra suas atividades de maneira autoglorificadora; ele lembra a Deus dos vícios dos quais ele se priva e das práticas piedosas nas quais se dedica.

A lei de Deus exigia um dia anual de jejum, no Dia da Expiação (Lv 16.29; 23.27), e um dízimo a ser pago de certas colheitas (Lv 27.30-32; Dt 14.22-27). Mas os fariseus iam além dessas exigências, jejuando *duas vezes por semana* e dando dízimos *de tudo*. Porém, suas declarações refletem que ele não confia na graça e amor de Deus. Antes, é orgulhoso e insensível. Ele não pede nada a Deus, nem lhe expressa gratidão. Ele quer que Deus aprecie que homem maravilhoso ele é.

O publicano, a quem os fariseus menosprezam, está em pé no templo. Mas, em contraste com o fariseu, ele está sob convicção dos erros que fez. Embora normal na oração, o publicano "nem ainda queria levantar os olhos ao céu". Como sinal de tristeza e arrependimento, ele se entrega à graça de Deus e ora: "Ó Deus, tem misericórdia de mim, pecador!" (v. 13). O verbo "tem misericórdia" (*hilaskomai*) significa "sê propício". Ele pede a Deus que remova sua ira contra ele por haver pecado. Ele sabe que pecou e, ao pleitear o perdão, ele sabe o que merece.

Jesus conclui a parábola declarando que o publicano volta para casa justificado diante de Deus. Com humildade, ele clamou por misericórdia e recebeu a aprovação de Deus sendo-lhe perdoado os pecados. Por outro lado, o fariseu hipócrita não é justificado. Jesus conclui: "Qualquer que a si mesmo se exalta será humilhado, e qualquer que a si mesmo se humilha será exaltado".

Devemos nos aproximar de Deus como o publicano, reconhecendo nossa pecaminosidade e arrependendo-nos do pecado. Depois do arrependimento, não devemos ir pela vida olhando continuamente no chão, batendo no peito e clamando: "Ó Deus, tem misericórdia de mim, pecador!" Somos pecadores salvos pela graça, mas permanecer nisso pode facilmente se tornar uma maneira de evitar responsabilidade por nossas ações. A celebração da graça tem seu lugar, mas a graça exige um viver responsável.

4.16.4. Condições para Entrar no Reino (18.15-30).

Jesus continua apresentando as exigências para entrar no Reino de Deus (cf. Lc 13.22-30; 18.9-14); acha-se somente na graça divina e na fé em Jesus. Fé e confiança próprias de criança são exigidas de todos (Lc 18.15-17). O príncipe rico se recusa a mostrar tais atitudes (vv. 18-23); ele representa todo aquele que tem confiança na bondade própria, como tinha o fariseu (vv. 11,12). O apego do príncipe às suas riquezas o identifica com os fariseus (cf. Lc 16.13-15). Os discípulos cumpriram a condição que o príncipe rico não cumpriu. Jesus os assegura que, visto que eles fizeram sacrifícios pelo Reino, serão recompensados (Lc 18.26-30).

A narrativa de Jesus abençoando as criancinhas é aviso contra as indiferenças dos adultos. As crianças, até os bebês (*brephe*), são bons exemplos de discipulado e de como o Reino deve ser recebido. Os pais levam os bebês a Jesus para que Ele lhes imponha as mãos. Eles crêem que Jesus tem o poder de abençoar. Os discípulos, como a maioria das pessoas na sua cultura, não vêem a importância das crianças. Eles pensam que as criancinhas não são velhas o bastante para serem úteis e que Jesus não tem tempo para elas. Portanto, eles repreendem os pais.

Não está claro por que os discípulos consideram que esta tentativa é imprópria. Talvez eles pensem que Jesus está muito ocupado para se aborrecer com crianças. Ou as crianças não são importantes e Jesus precisa desse tempo para se dedicar a assuntos mais importantes. Em todo caso, os discípulos estão perigosamente perto de seguir os fariseus, nos versículos 10 a 12, e outros que tratam todos com superioridade (v. 9). Afastando os pais e as crianças, os discípulos mostram uma falsa noção da importância do adulto. Sua ação também revela que eles não entendem a natureza do Reino. As criancinhas possuem as qualidades necessárias para entrar no Reino: sinceridade, confiança, humildade e dependência.

Jesus reprova os discípulos com um mandamento duplo: "Deixai vir a mim os pequeninos e não os impeçais, porque dos tais é o Reino de Deus". Chamando as crianças para Si, Ele diz: "O Reino de Deus pertence a tais como estas" (v. 16). Pessoas que, como crianças, mostram confiança e dependência são aceitas no Reino de Deus. Crianças são modelos para o modo como os adultos devem entrar no Reino de Deus. Ninguém entra nele por obras ou méritos próprios. Antes, entramos no domínio do reinado de Deus pela obra e graça de Deus. Criancinhas não trazem nada; nem nós podemos levar ao recebermos o Reino de Deus. Temos de recebê-lo com a mesma atitude de criança quando lhe é oferecido um presente, ou seja, com deleite e confiança.

Sem a confiança própria de criança, a entrada no Reino de Deus é bloqueada. Um exemplo é o príncipe rico (vv. 18-25), que não está disposto a responder a Jesus com humildade e fé. Mateus diz que ele é jovem (Mt 19.20), e Lucas o identifica como príncipe, talvez de uma sinagoga (cf. Lc 8.41). Como os fariseus, ele confia em suas boas ações. Ele também tem riquezas, às quais ele está apegado.

Este príncipe presume que falta uma obra que ele não está fazendo atualmente para herdar a vida eterna. Ele reconhece Jesus como figura de autoridade e lhe pergunta: "Bom Mestre, que hei de fazer para herdar a vida eterna?" O jovem faz esta pergunta à maior autoridade no assunto, mas ele saúda Jesus com um simples "bom Mestre". Sua compreensão de Jesus é rasa. Ele o considera somente como homem e não tem idéia de que Jesus é o Messias, o Filho de Deus. Sua estima pelo Salvador não é mais alta do que ele teria por um professor distinto. O modo como ele se dirige a Jesus parece ser nada mais que lisonja.

O Salvador repreende este jovem príncipe, perguntando: "Por que me chamas bom?" Sabendo que o príncipe o vê não mais que homem, Jesus o lembra que só Deus pode ser chamado bom em sentido absoluto. Ele quer que o jovem reflita no uso da palavra "bom" e evite usá-la levianamente. Fazendo a pergunta, Jesus não está negando sua própria pureza ou deidade. Se o príncipe o tivesse reconhecido como o Filho de Deus, o Salvador teria aceitado a designação "bom". O jovem barateou a idéia de bondade, visto que ele vê Jesus não mais que homem. Além disso, ele mostra de começo que não levará a sério o conselho do mestre.

Em resposta à pergunta específica do príncipe, Jesus lhe chama a atenção para aquela porção dos Dez Mandamentos que trata do nosso dever para com outros: evitar adultério, assassínio, roubo e falso testemunho, e honrar os pais. Estes mandamentos tinham sido resumidos nas palavras: "Amarás [...] ao teu próximo como a ti mesmo" (Lc 10.27; cf. Mt 19.19). O apelo de Jesus aos mandamentos que expressam como devemos nos relacionar com os outros é significativo neste contexto. A questão é claramente o amor do príncipe por seu dinheiro e posses. Apego às coisas tende a nos fazer tratar os outros como meios para um fim em vez de vê-las como pessoas. Jesus está preocupado com o amor (ou sua falta) do jovem pelos outros. Sua menção em honrar os pais talvez implique que se deve assumir a responsabilidade financeira por eles na velhice (Bock, 1994, p. 300).

O problema do príncipe rico começa a vir à tona. Ele está confiante de que guardou todos os cinco mandamentos que lidam com seu dever aos outros. Desde sua juventude (provavelmente se referindo à idade de doze, cf. Lc 2.42), ele afirma que tem guardado estes mandamentos e pode se colocar diante de Deus por mérito próprio. Tal afirmação é estranha e revela que ele não tem levado muito em conta o que realmente significa guardar os mandamentos. Ele não tem senso da amplitude e espiritualidade interior dos mandamentos.

De acordo com Paulo, a lei condena as pessoas de pecado, com o resultado de que "toda boca esteja fechada" (Rm 3.19). Um entendimento correto da lei nos faz ver nosso pecado. A lei nos prepara para ir a Cristo (Gl 3.24). Quer dizer, aqueles que levam a sério suas exigências perceberão sua verdadeira conotação espiritual e virão a confiar em Jesus para a salvação. Mas este jovem, focalizando o que ele considera boas obras, não vê a necessidade de arrependimento. Em vez de buscar recompensa, ele deveria clamar por misericórdia, pois "todos pecaram e destituídos estão da glória de Deus" (Rm 3.23).

O Jesus ungido pelo Espírito não condena nem louva o homem que afirma ter guardado os mandamentos. Como discernidor perfeito do coração humano, Ele percebe que o príncipe adora seus bens materiais e o lembra que ele tem de fazer mais uma coisa: "Vende tudo quanto tens, reparte-o pelos pobres e terás um tesouro no céu; depois, vem e segue-me". Jesus pôs o dedo no pecado do coração deste homem — seu amor pelos bens materiais. Suas riquezas terrenas estão entre ele e Deus. Visto que ele não pôs Deus em primeiro lugar no coração, Jesus exige que o homem distribua seu dinheiro.

Esta exigência é o aspecto negativo da resposta de Jesus; o lado positivo é que ele "[terá] um tesouro no céu". Seu coração já não estará ligado às coisas terrenas, mas a Deus e às coisas divinas. Assim, o meio de salvação para este homem — bem como para todos — é através de arrependimento. Jesus nem sempre nos pede que demos todas as possessões aos necessitados. Ele não se opõe à propriedade pessoal de riquezas, mas adverte contra confiarmos em riquezas ao invés de confiar em Deus. O caso especial do jovem rico é exemplo do perigo espiritual do amor de bens materiais. Por causa de suas prioridades, ele é desafiado a vender suas posses. Tal ato seria a primeira evidência de verdadeiro arrependimento e de ele tornar-se seguidor fiel de Jesus.

O desafio também é grande demais para o jovem. Ele vai embora profundamente triste quando ouve as palavras de Jesus, pois Ele ama sua abundante riqueza (v. 23). Essa riqueza é o obstáculo que o separa de Deus. Esse apego às riquezas revela o quão superficial é sua afirmação sobre ter guardado os mandamentos. Ele escolhe mamom acima de Deus e viola o primeiro mandamento: "Não terás outros deuses diante de mim" (Êx 20.3). Em suma, o jovem é idólatra, sendo sua grande riqueza o seu deus. Ele desfrutou os prazeres terrenos, o conforto e a segurança que as riquezas oferecem.

Pouco disposto a obedecer a Jesus, o jovem príncipe rico vai embora sem a vida eterna. Enquanto vai, Jesus observa o quanto é difícil os ricos entrarem no Reino de Deus (v. 24). Sua tentação é confiar nas coisas terrenas. Eles acham difícil se entregar à misericórdia de Deus e escolher o Reino. Para ilustrar o quanto é difícil, Jesus insiste que não é mais fácil para o rico entrar no Reino de Deus do que para um camelo passar pelo fundo de uma agulha. Esta ilustração vívida ensina o quanto é impossível os ricos, por méritos próprios, entrarem no Reino de Deus. Falando humanamente, é impossível. Qualquer tentativa de libertar alguém de um amor demoníaco pelas coisas terrestres fracassará.

Os discípulos e as multidões que ouvem a conversação ficam chocados. Se os ricos não podem entrar no Reino de Deus, "logo, quem pode salvar-se?" Se o que Jesus disse é verdade, a conclusão é que ninguém pode ser salvo. Se os que têm riquezas — as quais se julgava ser sinal da bênção de Deus — não podem entrar no Reino, quem pode? Visto que os que estão no topo da escala econômica não têm acesso, há esperança para os outros?

Jesus lembra à sua audiência que, embora seja impossível para uma pessoa salvar a si mesma, Deus pode. Ele pode fazer o que é impossível para os seres humanos. Ele pode redirecionar o coração do amor por bens terrenos para um amor pelo eterno, e pode operar o milagre da conversão no coração do rico e do pobre. As pessoas não podem mudar o coração; mas quando respondemos a Deus pela fé, o Espírito Santo transforma nosso coração e nos proporciona a salvação. Não podemos ser justos o bastante, religiosos o bastante ou ricos o bastante para nos salvar (Dean, 1983, p. 115). Só o evangelho, o poder de Deus para salvação, pode nos salvar (Rm 1.16,17).

A conversação toma outra direção. Pedro reage ao mandamento que Jesus deu ao príncipe rico, para que este vendesse suas posses e o seguisse. Ele e os outros discípulos querem a garantia de que serão recompensados pelos sacrifícios que fizeram para segui-lo. Eles fizeram o que Jesus pediu que o príncipe fizesse; eles investiram muito no Reino de Deus e fizeram sacrifícios pessoais. Eles terão "um tesouro no céu"?

Jesus renova a confiança de Pedro e dos discípulos quanto aos tesouros da vida eterna, "na idade vindoura", bem como os assegura das bênçãos "neste mundo". Os que fazem sacrifícios "pelo Reino de Deus" herdarão a vida eterna, mas em acréscimo receberão ricas bênçãos nesta vida. De fato, eles receberão "muito mais". As riquezas divinas são questão de pura graça, e as pessoas não devem seguir Jesus visando lucro. As bênçãos excederão em muito os sacrifícios.

O cumprimento da promessa de Jesus de abençoar não dá apoio real ao "evangelho da prosperidade". Deus muitas vezes abençoa seu povo espiritualmente, em vez de materialmente. Por outro lado, a pobreza em si não é uma virtude, e nem todos os crentes são chamados a deixar família e posses.

14.17. Da Predição de Morte até à Entrada em Jerusalém (18.31—19.44)

Jesus tem preparado os discípulos para Jerusalém. Lucas relata quatro acontecimentos finais no seu ministério que sucederam antes de Ele entrar na cidade: a última predição de sua morte (Lc 18.31-34), a cura do mendigo cego perto de Jericó (Lc 18.35-48), a conversão de Zaqueu em Jericó (Lc 19.1-10) e a Parábola das Minas (Lc 19.11-27). Depois destes acontecimentos, Jesus viaja os vinte e sete quilômetros de Jericó a Jerusalém. Quando se aproxima de Jerusalém num jumentinho, Ele profetiza a destruição da cidade e lamenta a iminente rejeição à sua pessoa, que correrá ali (Lc 19.28-44).

4.17.1. Predição de Morte Iminente (18.31-34). A jornada de Jesus para Jerusalém está quase completa. Ele agora dá uma profecia final sobre sua morte — acontecimento que Ele já se referiu seis vezes neste Evangelho (veja Lc 5.35; 9.22,44; 12.50; 13.32,33; 17.25). Esta ênfase indica que Jesus estava no processo de preparar os discípulos para continuar seu ministério depois de sua partida física da terra. A predição de sua rejeição iminente ainda é outro exemplo de discipulado. Seguir Jesus deve ser motivado por se doar. Ele próprio é o exemplo supremo de alguém que abandonou tudo para fazer a vontade de Deus e servir para o bem dos outros.

Jesus toma os discípulos à parte e lhes fala reservadamente, Ele prediz que tem de sofrer e morrer, dando-lhes mais detalhes do que em suas predições anteriores (Lc 9.22,44; 13.33). Ele também lhes assegura que tudo o que foi predito pelos profetas concernente a Ele será cumprido (Lc 18.31). Deus tem um plano, que será trabalhado a despeito do que as pessoas façam. No centro desse plano está o sofrimento do Filho do Homem, o Ungido, para a salvação do mundo. Tudo o que os profetas disseram sobre o Salvador Sofredor (e.g., Sl 2; Is 50.6; 52.13—53.12) será cumprido em Jerusalém.

Jesus será entregue aos gentios, as autoridades romanas em Jerusalém. O verbo "há de ser entregue" (*paradothesetai*, um passivo teológico) sugere permissão divina; Deus permite que a nação judaica entregue o Salvador aos romanos. Jesus não fala da cruz diretamente, mas descreve o tratamento que receberá às mãos das autoridades. Eles o ridicularizarão (Lc 22.63; 23.11), o insultarão (Lc 22.65) e até cuspirão nEle. Eles o açoitarão, castigo reservado aos condenados a morrer (Bratcher, 1982, p. 224), e o matarão. Mas a vida de Jesus não terminará na cruz. Três dias depois Ele ressuscitará e triunfará sobre a morte.

Os discípulos não entendem o que Jesus está tentando comunicar (v. 34). O significado da profecia lhes é oculto (cf. Lc 9.45). Ficamos a imaginar por que, visto que as palavras que anunciam sua morte e ressurreição estão bem claras. O que eles primariamente não entendem é como a Escritura será cumprida e por que o Messias tem de sofrer. A lógica humana sucumbe quando chega o propósito e a obra de Deus.

O significado da morte e ressurreição de Jesus não pode ser entendido completamente pelo intelecto humano. Entender estes acontecimentos é assunto de revelação e só vem quando o Espírito Santo nos torna conhecidas as coisas profundas de Deus (1 Co 2.10-15). Depois da ressurreição de Cristo, o Espírito Santo abrirá os olhos e mentes dos discípulos. Nessa ocasião, eles entenderão que a morte e ressurreição de Jesus cumprem a Escritura (Lc 24.13-49).

4.17.2. Um Mendigo Cego Recebe Visão (18.35-43).

Anteriormente Jesus fizera a pergunta: "Quando [...] vier o Filho do Homem, porventura, achará fé na terra?" (Lc 18.8). O mendigo cego demonstra que há fé na terra. Prosseguindo em seu caminho para Jerusalém e aproximando-se de Jericó, cidade no vale do Jordão (cerca de 210 metros abaixo do nível do mar), Jesus encontra um cego. Marcos nos diz que seu nome é Bartimeu (Mc 10.46) e Mateus informa que ele tem um companheiro cego (Mt 20.29-34). A cura de Bartimeu é o milagre final de Jesus na jornada para Jerusalém.

Embora sedo fisicamente cego, Bartimeu tem excelente visão espiritual. Ele chama Jesus de "Filho de Davi", afirmando-o como o Messias. Ele tem o mesmo tipo de visão espiritual que o publicano descrito na parábola de Jesus (Lc 18.9-14). Bartimeu está em nítido contraste com o príncipe rico que tinha tudo, mas era espiritualmente cego (Lc 18.18-25). O mendigo não tem nada, nem mesmo a visão, mas Ele vê bem as coisas espirituais.

No começo do seu ministério, Jesus anunciou que Ele foi ungido pelo Espírito para dar visão aos cegos (Lc 4.18). Bartimeu ouviu falar do ministério de Jesus que cura doentes e expulsa demônios, e creu que Jesus tem poder para curá-lo. Chamando-o "Filho de Davi", o cego indica que ele já começou a crer nEle como Salvador. Ele quer que Jesus o cure, de forma que ele possa ver as flores e as árvores. Pessoas à frente de Jesus tentam acalmar o homem, mas ele persiste chamando Jesus.

Não deveríamos nos surpreender com este esforço em impedir o homem. Um pouco antes, os discípulos, tentaram impedir que crianças pequenas fossem a Jesus (Lc 18.15-17). Para Jesus, a persistência do mendigo é evidência de fé. Ele pára e ordena "que lho trouxessem" (v. 40). Quando Jesus pergunta o que ele quer, o mendigo não pede dinheiro, mas expressa sua fé nEle: "Senhor, que eu veja". O Salvador capacitado pelo Espírito lhe dá o que ele pede: "Vê; a tua fé te salvou". Quando o homem ouve as palavras autorizadas de Jesus, ele recebe visão. A fé sempre chama a atenção do Filho de Davi. A fé é a mão pela qual a pessoa se apodera do poder divino para a cura.

Este milagre ilustra o poder divino em resposta à fé. Jesus tem poder para abrir os olhos daqueles que sofrem de cegueira física como também espiritual. A partir do momento da cura, o homem se torna discípulo de Jesus, e ele honra e louva Deus. Quando os que estão presentes vêem o que aconteceu, eles também louvam Deus. Essa resposta é adequada, pois todas as ações de Jesus são para glorificar o Pai celestial. Esta cura do mendigo cego é senão outro exemplo da boa vontade do Senhor em ouvir nossos clamores.

4.17.3. A Salvação chega a Zaqueu (19.1-10).

Jesus continua ministrando pelo poder do Espírito às necessidades das pessoas. Ele está viajando da Galiléia a Jerusalém. Enquanto viaja, Ele foi amigo de publicanos e pecadores. Jesus agora passa por Jericó. No caminho, Ele encontra um publicano chamado Zaqueu.

A narrativa da conversão deste homem exprime muitos dos temas proeminentes no Evangelho de Lucas.

Zaqueu é empregado pelos romanos a coletar impostos no território (veja comentários sobre Lc 5.27-32). Em geral, Lucas retrata os publicanos sob luz positiva (Lc 3.12-14; 5.27-30; 18.9-14). Diferente dos outros publicanos que encontramos até aqui no Evangelho de Lucas, Zaqueu não é apenas um publicano; ele é "chefe dos publicanos". É provável que uma coletoria esteja localizada em Jericó, e Zaqueu emprega outros para fazer a arrecadação de impostos. Este homem está no zênite de sua profissão menosprezada, superintendendo o trabalho de muitos publicanos. Além disso, é rico, e isso indica que é humanamente impossível ele entrar no Reino de Deus (Lc 18.18-27). Ele está em destacado contraste com o mendigo cego (Lc 18.35-43). Contudo, este publicano rico também é salvo pela graça de Deus (cf. Lc 18.27).

Zaqueu é "de pequena estatura". Sua baixa estatura é significativa, porque ele não pode ver Jesus no meio da multidão. Anteriormente Jesus avisara contra fazer os "pequenos" pecarem (Lc 17.2), e vimos os discípulos impedindo os "pequeninos" irem a Jesus (Lc 18.15-17). Ainda que Zaqueu seja muito baixo para ver Jesus, um desejo enorme o impulsiona a sair da multidão e subir numa figueira brava (ou, sicômoro) para ver o acontecimento.

Quando Jesus passa debaixo da árvore, Ele pára. Mediante conhecimento sobrenatural, Ele sabe que Zaqueu está lá. Ele toma a iniciativa e o convida a descer. "Hoje, me convém", diz Ele. "Pousar em tua casa". A permanência de Jesus com Zaqueu é um divino "convém" (*edei*, "é necessário"). Ele foi enviado pelo Pai celeste e vê Seu alojamento com Zaqueu como parte de Sua missão divina. Zaqueu responde descendo da árvore com pressa e recebendo Jesus em casa. Semelhante aos servos que esperam pela volta do seu senhor (Lc 12.36-38), Zaqueu está pronto a abrir a porta para Jesus, o Senhor, e o faz com grande alegria. Esta resposta sempre é apropriada à iniciativa de Deus.

Todos os que vêem Jesus entrar na casa de Zaqueu começam a murmurar (v. 7). Eles tacham o publicano de "pecador" e criticam Jesus por ser o convidado de um homem que, embora judeu, não guardava a lei de Moisés. Como os fariseus (Lc 15.1,2), estas pessoas são repelidas pelo fato de Jesus comer e beber com um homem pecador. Zaqueu se levanta diante de Jesus, declara sua intenção de viver uma nova vida, sinal claro de arrependimento. Sua ação também expressa gratidão a Jesus por sua generosidade.

Como evidência de mudança, Zaqueu anuncia a doação da metade dos seus recursos aos necessitados. Ademais, ele promete reembolsar o dinheiro quatro vezes mais a quem ele enganou (Êx 22.1; 2 Sm 12.6). Como publicano, Zaqueu provavelmente cobrava bem mais que o requerido. Agora ele se humilha (Lc 14.11; 18.14), e seu arrependimento mostra que ele servirá apenas um senhor (Lc 16.13) — note o contraste com o príncipe rico (Lc 18.18-30). Sua generosidade demonstra o seu amor por Deus e pelo próximo (Lc 10.27). Jesus não exigiu que Zaqueu vendesse tudo. Contudo ele já tem o coração no lugar certo quando se trata de posses terrenas e é exemplo maravilhoso de um discípulo que detém riquezas. Zaqueu produz "frutos dignos de arrependimento" (Lc 3.8).

Jesus então diz a Zaqueu: "Hoje, veio a salvação a esta casa" (v. 9). As ações de Zaqueu revelam que ele se tornou um homem de fé e, então, está salvo. Agora, como crente, ele é um *verdadeiro* "filho de Abraão". Tomando parte na fé e obras de Abraão, ele se tornou filho de Deus (Rm 4.12; Gl 3.9,29). Aqui, vemos o milagre da graça salvadora. Zaqueu recebeu a bênção de Deus simplesmente pela fé. Ele é o tipo de pessoa a quem o Pai celestial enviou Jesus, o Bom Pastor.

Jesus veio buscar e salvar pessoas como Zaqueu (v. 10). Antes que Jesus o encontrasse, ele estava "perdido" e em necessidade de salvação. Com alegria ele recebeu Jesus em sua casa e em seu coração. A vida deste homem foi mudada pelo Senhor, e ele já não está entre os perdidos. O propósito preciso de ir a

Jesus é para que vidas sejam mudadas: "O Filho do Homem veio buscar e salvar o que se havia perdido".

4.17.4. A Parábola das Minas (19.11-27). A jornada para Jerusalém logo alcançará seu clímax. Muitas das pessoas com Jesus ainda não reconhecem o Reino em seu meio. Assim, no versículo 11, Ele lhes conta uma parábola. Seu propósito em contar esta parábola final antes de alcançarem Jerusalém é duplo.

1) Ele quer corrigir o mal-entendido que, quando eles chegarem em Jerusalém, o Reino de Deus aparecerá imediatamente em sua plenitude. Na multidão há os que acreditam que o reinado soberano de Deus terá lugar imediatamente e que eles estão prestes a receber a alegria, a paz e a liberdade associadas com o Reino de Deus (cf. At 1.6). Eles têm de reconhecer que a consumação do Reino ainda está no futuro.

2) Jesus também quer enfatizar a mordomia dos discípulos entre a sua morte e a sua volta a esta terra. Depois de sua partida, eles devem ser servos responsáveis até a vinda final do Reino. O que está a ponto de acontecer em Jerusalém não será o fim da história. Eles devem ficar na cidade até que do alto sejam revestidos de poder (Lc 24.49) e, depois, pregar o arrependimento e perdão de pecados "em todas as nações, começando por Jerusalém" (Lc 24.47).

A Parábola das Minas é simples o bastante e pode refletir as circunstâncias da reivindicação de Arquelau à monarquia logo após a morte do pai, Herodes, o Grande (Josefo, *Guerras Judaicas*, *Antiguidades Judaicas*). Um homem de alta posição vai a uma terra distante para ser nomeado rei, mas ele já tem súditos que o odeiam (v. 14). Antes de partir, ele chama dez dos seus servos e confia a cada um uma moeda de ouro (uma *mna*, avaliada em cerca de o salário de três meses), de forma que eles possam comerciar a favor dele. Os servos o odeiam. Assim, enquanto o homem está fora, eles enviam uma delegação para o impedir de ganhar mais autoridade sobre eles, com esta mensagem: "Não queremos que este reine sobre nós" (v. 14).

Ao voltar, o senhor chama cada servo para prestar contas da mordomia. Dois deles tiveram um lucro estupendo e receberam uma recompensa pela fidelidade. Eles são promovidos e encarregados de cidades em proporção aos lucros que tiveram. O terceiro

Em Jericó, a caminho de Jerusalém pela última vez, Jesus curou um mendigo cego, Bartimeu. Foi o último milagre que Jesus fez nessa viagem. Mostrado em primeiro plano está a área da cidade do Antigo Testamento.

servo foi indolente. Tendo escondido sua parte, ele não ganhou nada. Ele vê o senhor como homem de negócios inumano, que leva o que não é legalmente seu e recolhe o que não semeia. De acordo com ele, o senhor passa por cima de pessoas para obter o que quer. Este servo é condenado.

As lições da parábola são claras.
1) Os líderes judeus rejeitam Jesus como Rei (vv. 14,27). Eles rejeitam tudo o que Ele representa e não querem que Ele reine sobre eles. Enquanto está a caminho de Jerusalém, eles buscam dificultar sua autoridade.
2) A rejeição dos judeus do Salvador não o impedirá de ser instalado como Rei com grande poder e glória. Quando Ele chega a Jerusalém, este profeta rejeitado será crucificado. Mas depois da ressurreição Ele será levado ao céu, à direita mão de Deus (Lc 9.51; At 2.33). Depois, Ele voltará em julgamento, como o relâmpago que cruza o céu (Lc 17.24-35; 21.27). A lembrança da sua vinda é um aviso para aqueles que rejeitam o seu senhorio. Ele partiu, mas voltará com autoridade de rei para julgar a todos os que rejeitaram o governo de Deus em seus corações.
3) Cada um dos servos de Jesus será julgado no que tange a quão bem ele serviu a Ele e a sua causa. O primeiro e segundo servos na parábola foram fiéis enquanto seu senhor estava fora e fizeram bom uso das oportunidades para servi-lo. Eles são ricamente recompensados quando o senhor volta e recebem mais oportunidade para servir — um é colocado sobre dez cidades, o outro sobre cinco cidades. Aqueles que reconhecem Jesus como Rei e fielmente o servem serão recompensados ricamente quando Ele voltar. Eles se acharão com mais oportunidades para servi-lo e tomar parte na autoridade do Rei eterno.

Por outro lado, aqueles que rejeitam Jesus como Rei serão tratados como o terceiro servo da parábola. Levando em conta sua atitude, o fato de não ser bom mordomo não causa surpresa. Ele teve medo do senhor como capataz severo. Tais palavras são base suficiente para condenação. Pelo menos ele poderia ter depositado o dinheiro do senhor de maneira a ganhar juros. Este servo acaba ficando sem nada. Sua moeda de ouro lhe é tirada e dada ao servo com dez moedas de ouro.

Na Segunda Vinda, aqueles que são espiritualmente ricos ficarão mais ricos ainda, mas aqueles que negligenciarem as oportunidades de servir a Cristo se tornarão espiritualmente empobrecidos (Geldenhuys, 1951, p. 475). O infiel dará contas de sua mordomia pobre e sofrerá perda. O que determina o bem-estar dos servos de Jesus é a maneira na qual eles administram suas riquezas antes de Ele voltar. Assim, Jesus ensina que virá o dia em que temos de prestar contas de nossa mordomia. Nosso Senhor nos perguntará o que fizemos com o evangelho e com nossa vida e dons espirituais. Todos os cristãos devem se esforçar para serem úteis ao Senhor.

Jesus conclui com uma nota terrível (v. 27). E quanto aos inimigos do senhor que enviaram uma delegação com as palavras: "Não queremos que este reine sobre nós" (v. 14)? A rejeição do Senhor foi total. Visto que eles se recusaram a se arrepender e aceitar seu governo, o senhor diz: "Trazei-os aqui e matai-os diante de mim". Isto nos faz lembrar da realidade do julgamento de Deus. Aqueles que persistem na incredulidade não terão chance, a não ser aceitar as conseqüências. É perigoso rejeitar o Deus vivo.

4.17.5. A Entrada Triunfal de Jesus (19.28-44). Jesus está se aproximando de Betfagé e Betânia, ambas localizadas cerca de três quilômetros de Jerusalém. O povo da cidade está cego ao verdadeiro significado da visita real. Quando Ele entra em Jerusalém, seus seguidores, não as multidões ou os residentes da cidade, o saúdam como Rei. O povo em geral não o quer como Rei (cf. v. 14). Eles permanecem cegos à autoridade e senhorio sem igual de Jesus. Eles rejeitam seus esforços em reunir os filhos de Jerusalém (Lc 13.33,34).

O Jesus ungido pelo Espírito está quase chegando ao lugar onde Ele será rejeitado e coroado com espinhos. Seu coroamento como nosso Senhor requer mais que somente entrar em triunfo em Jerusalém montado num jumentinho. Ele tem de suportar o pleno fardo de nossos pecados, subir o monte da cruz e se entregar à morte. A narrativa da entrada de Jesus em Jerusalém tem duas partes: a própria entrada (vv. 29-40) e o choro sobre Jerusalém (vv. 41-44).

A poucos quilômetros a leste da cidade, Jesus faz preparações para entrar como o Messias, embora não como o Messias que seus compatriotas esperavam — eles querem um homem militar, alguém que os livre da opressão dos romanos. Jesus instrui dois discípulos a irem a uma aldeia ali perto e arranjarem um jumentinho para Ele (cf. Zc 9.9). Eles encontrarão um animal que nunca foi montado, o qual estará amarrado. Se alguém perguntar por que eles estão levando o jumentinho, eles devem responder: "O Senhor precisa dele". O título "Senhor" aplica-se a Jesus neste Evangelho (Lc 5.8).

O dono do jumentinho já deve ter conhecido Jesus como "Senhor". Quando permite os discípulos levarem o jumentinho, ele o honra como Senhor. Este incidente nos lembra que Jesus é o Senhor divino. Alguns sugerem que Jesus fez arranjos anteriores para conseguir o animal, mas o Jesus ungido pelo Espírito usa seu conhecimento divino para instruir os discípulos a encontrar o jumentinho. Os discípulos obedecem ao Senhor e a experiência se encaixa com o que Ele predisse (vv. 33,34).

Jesus é colocado no jumentinho e a procissão em Jerusalém começa (v. 35). Sua cavalgada real num jumentinho humilde é semelhante ao animal no qual Salomão montou em sua coroação mil anos antes (1 Rs 1.32-40). Os seguidores de Jesus espalharam suas vestes pela estrada, fazendo um tapete para a cavalgada triunfal (cf. 2 Rs 9.13). Quando a procissão se aproxima do monte das Oliveiras, uma multidão de discípulos irrompe em louvores. Eles louvam Deus por todas as suas ações poderosas executadas por Jesus. Muitas das pessoas da Galiléia viram seus milagres. Ele chega a Jerusalém na época da Páscoa, e eles o saúdam como o Rei prometido nas palavras do salmo pascal, o Salmo 118.26: "Bendito aquele que vem em nome do SENHOR" (cf. Sl 9.18-20).

É uma ocasião feliz, e o entusiasmo corre alto. As multidões estão vendo o que muitos dos profetas desejaram ver, mas não viram (1 Pe 1.10-12). Neste dia eles se regozijam apenas com os milagres que eles viram Jesus fazer. Há um repique oco ao louvor deles. Anteriormente os setenta e dois discípulos também se regozijaram com os milagres que eles tinham visto. Mas Jesus os lembrou que eles deveriam estar se regozijando com a salvação (Lc 10.19,20). Além disso, Zaqueu (Lc 19.8) e o pai do filho perdido (Lc 15.15-24) regozijaram-se com as demonstrações de poder. Eles estão em contraste com estes seguidores, porque eles também se regozijaram com o poder salvador de Deus. Seu entusiasmo foi a respeito dos atos de confissão e arrependimento, e não apenas com as curas milagrosas.

Os milagres tiveram lugar significativo no ministério de Jesus. Ele freqüentemente lembrava seus seguidores que eles deviam primeiramente comemorar a salvação (Lc 10.20; 11.28; 13.28,29; 15.3-32; 16.22; 18.9-14). Lucas prossegue indicando que os seguidores de Jesus devem incluir em seus louvores graças por "Paz no céu". Estas palavras nos lembram que Deus está em paz com a humanidade e agora oferece às pessoas paz, ou seja, salvação. Deus salva por Cristo, e para Ele redunda glória nos lugares mais altos como o autor da salvação.

Os fariseus não querem que Jesus seja proclamado como o Messias (v. 39). Eles ouviram as aclamações e ovações das multidões, e eles não concordam com esta avaliação de Jesus. "Alguns dos fariseus" tentam silenciar as pessoas. Eles sabem que a multidão expressou espontaneamente sua esperança de que Jesus seja o Messias de acordo com Zacarias 9.9. Eles reconhecem que Ele foi saudado como aquele que vem com a autoridade do Senhor (Lc 13.35). Mas os fariseus ainda estão buscando deter o entusiasmo crescente de Jesus como o Messias. Eles o vêem apenas como "mestre", e o exortam a que não tolere tal zelo mal orientado.

Usando o imperativo aoristo (*epitimeson*), eles pedem ação decisiva, para que Jesus pare as explosões de louvor.

A resposta de Jesus é que os gritos e louvores são inevitáveis. Se os discípulos silenciarem, "as próprias pedras clamarão". As pedras da estrada têm melhor entendimento dos caminhos de Deus do que os líderes religiosos cegos. Deus sempre terá testemunhas, mesmo que sejam da criação inanimada. Se os seguidores de Jesus pararem de louvar, as pedras inanimadas o aclamarão como o Salvador (cf. Gn 4.10; Hc 2.11).

Depois da tentativa dos fariseus em umedecer a aclamação de Jesus, a procissão real fica dentro do âmbito da visão de Jerusalém. O louvor dos discípulos não desvia os olhos de Jesus da condição espiritual da cidade. Ele profetiza (Lc 19.42-44) e chora sua rejeição iminente pela nação desobediente, que tinha ido a Jerusalém para a Páscoa. A ironia de sua visita à cidade é clara: Jesus chora por sua rejeição, mesmo sendo aclamado por seus seguidores como Rei.

Jesus foi ungido pelo Espírito Santo depois do batismo e enviado a proclamar a salvação e fazer obras poderosas no poder do Espírito. Mas à medida que Ele se aproxima de Jerusalém, a oposição persistente ao seu ministério autorizado fica dominante. Sua frustração e compaixão profundas pelo povo o levam a chorar sobre uma cidade que não tem o verdadeiro entendimento de sua visita, a qual é para a salvação deles. Ele sabe que eles estão irresponsavelmente destinados a julgamento.

O fato permanece que Deus visita seu povo para salvação ou para julgamento. Os que não reconhecem Jesus como Senhor e Salvador enfrentarão o julgamento de Deus. Jesus profetiza as conseqüências irrevogáveis de eles o rejeitarem. Reconhecendo a ignorância do povo, Ele expressa sua tristeza por eles não saberem o que lhes trará a paz (*eirene*, v. 42). Aqui a paz é mais que ausência de conflito. É o dom da salvação de Deus, que põe um fim à discórdia entre Deus e seu povo. Mas a paz está oculta aos olhos do povo de Jerusalém. O fato de rejeitarem Jesus lhes cegou os olhos para a paz.

Jesus passa a predizer o assédio e destruição de Jerusalém pelos romanos (vv. 43,44). Ele prevê em detalhes horrendos sua futura devastação. De acordo com relatos históricos, em 70 d.C. os exércitos romanos de Tito e Vespasiano cercaram a cidade por mais de um ano. As pessoas estavam sitiadas na cidade e a fome e a sede mataram milhares delas. Os exércitos entraram e destruíram a cidade. Como Jesus predisse, nem sequer uma pedra ficou sobre a outra. A cidade e o templo foram destruídos (cf. Lc 13.34,35). A descrição de Josefo da guerra mostra a verdade da profecia de Jesus (*Antigüidades Judaicas*).

> Tudo o que Zaqueu, o publicano-chefe em Jericó, queria quando escalou um sicômoro era ter uma visão melhor de Jesus. Mas isso mudou sua vida. Jesus se tornou seu convidado durante a noite e Zaqueu decidiu dar a metade de tudo o que possuía aos pobres e devolver a todo aquele que ele tinha enganado uma quantia quatro vezes mais que tinha tomado.

A razão para a destruição é simples: "Não conheceste o tempo da tua visitação". Deus visita seu povo para salvação na pessoa do seu Filho. Pelo motivo de as pessoas estarem cegas para ver a visita, o desastre se abaterá sobre elas. Ainda que em breve elas estejam clamando para que Jesus seja crucificado (Lc 23.13-25), Jesus agora se aproxima de Jerusalém com graça e perdão. Mas as pessoas não querem a Ele e o que Ele lhes oferece. Rejeitando-o, elas escolhem o julgamento em vez da salvação.

5. Jesus: O Profeta-Rei Rejeitado (19.45—21.38).

Jesus não tem ilusão sobre o resultado de sua visita final a Jerusalém. Em várias ocasiões Ele predisse especificamente sua rejeição e morte (Lc 9.22,44; 13.33,34; 18.31-34). Uma vez em Jerusalém, Jesus continua com seu ministério de ensino. Ele avisa as pessoas contra seus líderes, comparando-os com lavradores maus (Lc 20.9-19). Em reação ao ato de Jesus purificar o templo, os líderes religiosos tentam apanhá-lo com perguntas sobre sua autoridade (Lc 20.1-8), sobre o ato de pagar impostos a César (Lc 20.20-26), sobre a ressurreição e casamento (Lc 20.27-40) e sobre o Filho de Davi (Lc 20.41-47). Jesus também contrasta a devoção de uma pobre viúva com a falsa devoção dos escribas (Lc 21.1-4) e faz profecias concernentes ao fim do mundo (Lc 21.5-38).

Estes acontecimentos sucedem no templo. O Evangelho de Lucas iniciou com Zacarias indo ao templo para queimar incenso diante do Senhor (Lc 1.5-23); agora Jesus está ensinando no templo, e o Evangelho de Lucas conclui com os discípulos no templo louvando a Deus continuamente pelo dom do seu Filho (Lc 24.50-53; cf. também At 2.46).

5.1. A Purificação do Templo (19.45-48)

Todos os quatro Evangelhos registram a ação de Jesus purificar o templo, o centro da vida religiosa judaica e a adoração e lugar onde a presença de Deus se manifestou entre seu povo. João apresenta a purificação do templo no começo do seu Evangelho. Jesus provavelmente purificou o templo algumas vezes. Este acontecimento demonstra a relação entre Jesus e os líderes judeus.

A primeira coisa Jesus faz quando chegou em Jerusalém foi ir ao templo. Lá, Ele encontra comerciantes fazendo negócios no pátio dos gentios, a seção onde os não-judeus podiam orar. Os comerciantes tornam conveniente a vida dos adoradores que vêm de lugares distantes, porque lhes facilitam a compra de animais, sal, vinho e óleo usados para sacrifícios (Bratcher, 1982, p. 314). Jesus objeta o fluxo do que está acontecendo. Ele exerce sua autoridade profética e expulsa os comerciantes.

Jesus condena estes comerciantes citando Jeremias 7.11 e Isaías 56.7. Ele destaca a diferença entre a desonestidade dos comerciantes e o templo como lugar dedicado à oração. Eles fizeram do templo um lugar onde ladrões se esconden em vez de ser um lugar de adoração. Usando a casa de Deus para fazer negócios desonestos, eles o estão profanando. Jesus liberta o templo desses salafrários e o recupera para Deus; Ele continua ensinando lá (v. 47).

Purificando o templo Jesus já levantou a questão de sua autoridade na mente da liderança. Os principais sacerdotes, escribas e os líderes entre o povo conspiram contra Ele. Eles sabem que os seguidores de Jesus o aclamaram Rei — uma confissão que Ele aceitou (vv. 38,40). O ato de Ele purificar o templo tem caráter profético. Jesus, com efeito, acusou as autoridades judaicas por permitir que o propósito do templo e sua adoração fossem obscurecidos. Ele também advertiu contra o perigo de combinar religião e ganhar dinheiro às custas de levar as pessoas perto de Deus. As autoridades não podem tolerar tal desafio à sua autoridade, pelo que resolvem que Jesus deve ser detido.

Mas a despeito dos constantes esforços em encontrar uma oportunidade para matar Jesus, os líderes judeus fracassam. O povo gosta de Jesus, e Ele está constantemente cercado por muitos daqueles que ouvem seu ensino.

5.2. A Questão da Autoridade (20.1-8)

Representantes do Sinédrio — os principais sacerdotes, escribas e anciãos — chegam para interrogar Jesus. Eles acham Jesus no templo ensinando e pregando o evangelho para o povo. Embora sua morte esteja se aproximando, Ele continua proclamando as boas-novas do Reino.

Estes líderes judeus interrompem Jesus com uma pergunta sobre sua autoridade. O templo é, afinal de contas, o lugar onde eles exercem autoridade. Este lugar de adoração está totalmente nas mãos deles. Jesus está no território deles e atrai grandes audiências com o seu ensino. Sua popularidade é tal que eles não ousam entrar em ação diretamente contra Ele. O plano é apanhá-lo numa declaração que o coloque em dificuldade com as autoridades romanas ou o desacredite aos olhos do povo.

Os oponentes de Jesus perguntam: "Dize-nos: com que autoridade fazes essas coisas?" Eles estão se referindo à purificação do templo e ao ensino e pregação de Jesus. Que autoridade religiosa Ele tem? Como Ele pode justificar o que está fazendo? Jesus não teve treinamento oficial, visto que Ele nunca estudou sob a orientação de um rabino. Ele reivindica autoridade profética?

É freqüente os profetas e pregadores reivindicarem autoridade que vem diretamente de Deus. Este tipo de autoridade não é tão facilmente atestável quanto a autoridade que resulta de posição numa igreja ou corporação. Nem todos os que reivindicam terem sido enviados por Deus foram capacitados pelo Espírito Santo. Então, onde Jesus adquiriu o direito de fazer estas coisas? Qualquer um que leu o Evangelho de Lucas sabe a resposta. Depois do batismo, Ele foi cheio com o Espírito Santo, ungido não só para um ministério profético, mas também como o Messias (Lc 3.21—4.1). Depois, "pela virtude do Espírito, voltou Jesus para a Galiléia" (Lc 4.14). Em seu sermão inaugural, Ele declarou que seu ministério foi capacitado e dirigido pelo Espírito Santo (Lc 4.18,19). Ao longo do seu ministério, Ele agiu com autoridade divina. Ele é o Cristo carismático — o portador sem igual do Espírito.

Jesus responde à pergunta dos oponentes com outra pergunta — não numa tentativa de ser evasivo, mas de dar aos líderes religiosos a oportunidade de responder a própria pergunta que fizeram. A pergunta é simples: "O batismo de João era do céu ou dos homens?" Como Jesus, João veio no nome de Deus. Sua autoridade para pregar o Reino de Deus e batizar veio de Deus? Havia evidência de que Deus estava por trás do seu ministério profético?

Os líderes religiosos judaicos têm somente duas opções: ou Deus deu autoridade a João, ou não. Se eles respondem que o ministério de João era do céu, então eles têm de explicar por que não aceitaram a mensagem dele, pois João testemunhou que Jesus é o Messias. Por outro lado, se os líderes religiosos negam que João foi enviado por Deus, então eles correm o risco de serem apedrejados (Dt 13.1-11). As pessoas sabem que João veio de Deus e que ele era verdadeiro profeta de Deus.

A liderança religiosa reconhece o dilema. Eles estão num beco sem saída. Eles se recusam a assumir uma posição e recorrem a um argumento de ignorância, afirmando que não têm idéia de onde João recebeu autoridade. O diálogo privado entre estes líderes revela sua hipocrisia. Eles estão completamente persuadidos de que João não tinha nada mais que autoridade puramente humana. Faltando a integridade para falar a verdade, eles se recusam a dar uma resposta honesta a Jesus.

Pelo motivo de se recusarem a responder, Jesus também não lhes responde a pergunta. As próprias ações de Jesus revelam a fonte da autoridade, mas o fato de o rejeitarem afirma a cegueira em que se encontram. A tentativa em apanhá-lo fracassa, e a hipocrisia deles foi exposta. Mas nada ficou resolvido.

5.3. A História dos Lavradores Maus (20.9-19)

Os líderes religiosos rejeitaram João Batista e Jesus como mensageiros de Deus. Jesus responde contando uma parábola. Esta parábola tem características mais semelhantes a uma alegoria, visto que a

parábola se refere à história de Israel e à rejeição dos mensageiros de Deus pelos seus líderes (Marshall, 1978, p. 726). Nisto, Jesus reprova os atuais líderes religiosos por haverem-no rejeitado. Ele dirige a parábola para o povo na presença desses líderes, de forma que estes ouçam de passagem o que Ele diz. Dois temas são proeminentes aqui:
1) Um aviso aos líderes religiosos por recusarem reconhecer os mensageiros de Deus; e
2) a reivindicação da autoridade única de Jesus como o Filho de Deus.

Jesus começa a parábola referindo-se a um vinhedo, que representa a nação de Israel (cf. Is 5.1-7; Jr 2.21). O dono (Deus) aluga o vinhedo a alguns agricultores arrendatários. Estes agricultores representam os líderes judeus a quem Deus confiou o cuidado do seu povo. O aluguel que eles devem pagar é parte da colheita. O dono envia servos para recolher o que lhe é devido. Cada vez que um deles vai receber o pagamento do aluguel, os lavradores maus se comportam abusivamente. Em vez de pagar o que devem, eles batem nos representantes e os mandam embora, sangrando e sem nada. Esta parte da parábola representa a perseguição dos profetas a quem Deus enviou ao longo da história de Israel (Jr 7.25; 25.4; Zc 3.6). Mas o dono é paciente, enviando um representante outras três vezes, na esperança de que os lavradores reparem seu comportamento — tudo em vão.

O dono do vinhedo ainda permanece compassivo com os maus lavradores. Ele decide enviar o filho, a quem ele ama, esperando que o respeitem (v. 13) — "amado" (*agapetos*) é a mesma palavra usada para Jesus quando o Espírito desce sobre Ele e o unge para o ministério (Lc 3.22). Os arrendatários raciocinam que, matando o filho lhes será vantajoso, pois sem herdeiro, eles podem tomar posse do vinhedo. É precisamente o que fazem, expulsando-o do vinhedo e matando-o (v. 15).

Aqui, Jesus está predizendo como as autoridades religiosas tratarão o próprio Filho de Deus, a quem Ele enviou ao mundo. Ele sabe que estes líderes o rejeitaram e estão determinados a matá-lo (cf. Lc 19.47). Quando os líderes vêem o herdeiro, o Filho único de Deus, eles raciocinam que, matando-o, lhes será vantajoso. Sua morte fora do vinhedo indica a morte de Jesus fora de Jerusalém (Jo 19.17; Hb 13.12,13).

O dono não pode negligenciar o que foi feito para seu filho. Os malfeitores têm de enfrentar as conseqüências de suas ações. Assim, Jesus pergunta: "Que lhes fará, pois, o senhor da vinha?" Os arrendatários maus não consideraram a determinação do dono. O julgamento virá sobre eles, que serão destruídos por causa de suas ações, e o vinhedo que desejaram será dado a outros.

Em outras palavras, matar Jesus, o amado Filho do Pai, tornará os líderes judeus sujeitos a julgamento divino. O vinhedo não ficará em suas mãos, nem mesmo nas mãos da nação de Israel. Deus continua sendo o dono e Ele colocará o vinhedo sob supervisão de "outros" — os crentes gentios. O Livro de Atos nos fala como a rejeição do evangelho pelo povo de Deus leva a poderosa pregação das boas-novas aos gentios. Muitos aceitaram o evangelho e se tornaram novos arrendatários do vinhedo.

Quando o povo ouve as palavras de Jesus, eles ficam chocados. Para eles, é inconcebível que Deus venha a dar privilégios do seu povo escolhido aos gentios. Alarmado com o que Jesus disse sobre seus líderes e a reação do dono, eles respondem: "Não seja assim!" Estas palavras expressam a afronta e o horror que os líderes agirão deste modo para com Deus. Contudo, em poucos dias, ocorrerá o assassinato do Filho de Deus.

A destruição predita por Jesus tem de acontecer, porque está de acordo com a Escritura. Ele cita o Salmo 118.22: "A pedra que os edificadores rejeitaram tornou-se cabeça de esquina". Os seguidores de Jesus tinham acabado de tirar estas palavras deste salmo messiânico quando Ele fez sua entrada triunfal em Jerusalém (Lc 19.38; cf. Lc 13.35). Eventualmente a pedra que os construtores (os líderes religiosos) estavam rejeitando como desprezível, tornou-se a pedra mais importante no edifício. "Pedra de esquina" é tradução literal de *kephalen gonias*. Esta pedra era colocada no canto da fundação, onde duas fileiras de pedras se encontravam. Era absolutamente indispensável a um edifício. Jesus é a pedra rejeitada, mas Ele é crucial à nova estrutura espiritual que Deus está erigindo. Ele é destinado a se tornar a base do plano de Deus. Ele até pode ser chamado de fundação (1 Co 3.11). Ninguém jamais pode substituir esta pedra preciosa e escolhida.

O quadro muda no versículo 18. A ênfase já não está na grande importância da pedra, mas em seu poder destrutivo contra os que o rejeitam. Jesus fala de duas possibilidades. Quando alguém cai na pedra, essa pessoa é feita em pedaços. Por outro lado, quando a pedra cai em alguém, essa pessoa será esmagada por ela. Em todo caso, o resultado é fatal. Rejeitar o Filho de Deus e persistir na incredulidade têm conseqüências sérias. Jesus é a base do plano de salvação de Deus, mas Ele também é uma pedra de julgamento para os que rejeitam sua autoridade.

Os líderes sabem que Jesus direcionou a parábola para eles. Suas palavras os instigam a querer entrar em ação imediatamente contra Ele. Eles o vêem como uma ameaça real à autoridade deles e querem prendê-lo, mas lhes falta coragem. Ele é muito popular, sua prisão poderia levar a uma revolta, e ninguém sabe aonde isso acabaria.

5.4. A Questão de Pagar Impostos a César (20.20-26)

O modo como Jesus lida com os líderes religiosos fornece valiosas lições no manejo de conflitos. A próxima controvérsia centraliza-se em torno do assunto de pagar impostos a César. Os oponentes de Jesus foram derrotados nos dois encontros anteriores (vv. 1-19). Agora, eles tentam apanhar Jesus em algo que Ele fale que possa ser interpretado como traição política. Se eles tiverem sucesso, eles terão base para levá-lo diante do governador romano, Pilatos.

Desta vez, os oponentes de Jesus enviam "espiões" que se fingem de "justos" (*dikaios*), mas estão cheios de malícia e hipocrisia. Eles procuram uma oportunidade para obter informação que possa ser usada contra Ele, de forma que eles possam entregá-lo a Pilatos para julgamento. Esperando que Jesus fique desprevenido, eles procuram lisonjeá-lo tentando-o convencer de que são sinceros em suas perguntas. Estes homens tratam Jesus por "Mestre", como alguém que fala a verdade e não mostra parcialidade com ninguém, a despeito de classe ou posição social. Eles lhe atribuem autoridade única, comentando que Ele ensina verdadeiramente o caminho de Deus. Os espiões falam a verdade, mas com os motivos errados.

Eles insistem que estão lidando com uma pergunta e querem uma resposta autorizada: Os judeus devem pagar impostos ao governo romano (v. 22)? Na verdade, eles estão lhe armando uma cilada. Se Ele disser que eles não devem pagar impostos a César, então Ele estará em apuros com as autoridades romanas. Se Ele disser que devem pagar impostos aos romanos, Ele estará em apuros com o povo, sobretudo com os que estão convencidos de que pagar impostos a um poder pagão é contra a vontade de Deus. Jesus vê "a sua astúcia" (*panourgia*, "artifício, lábia", v. 23). Guiado pelo Espírito, Ele sabe que a pergunta não é honesta.

Jesus lhes pede que lhe mostrem uma moeda de prata (*denarion*, o pagamento médio de um dia de trabalho). Quando Ele pergunta de quem é a inscrição na moeda, eles respondem: "De César", dando a entender que os judeus aceitam o governo do imperador como uma realidade prática. Naquela época, era ponto comum que o governo de um soberano se estendia tanto quanto iam suas moedas (Geldenhuys, 1951, p. 504). Sem interromper, Jesus lhes responde a pergunta — não com um "Sim" ou um "Não", como esperavam, mas com estas palavras: "Dai, pois, a César o que é de César e a Deus, o que é de Deus". Esta resposta vai além do pagamento de impostos (cf. Rm 13.1-7; 1 Pe 2.13-17). As coisas que pertencem a César devem ser pagas a ele; as coisas que pertencem a Deus devem ser pagas a Deus. Obviamente a moeda pertence a César; os impostos devem ser pagos ao imperador.

Os assuntos que giram em torno dos deveres a Deus e dos deveres a César podem ficar complexos. Quando os assuntos de estado entram em conflito com a vontade de Deus, o povo de Deus tem de obedecer a Deus (cf. At 5.29). Como Jesus ensina, há dois reinos: um terreno e um divino. O povo de Deus deve lealdade a ambos — a lealdade ao reino de César é condicional, mas a lealdade ao Reino de Deus é absoluta. Os inimigos de Jesus lhe fizeram uma pergunta teológica difícil. Sua resposta significa que o povo de Deus tem de permanecer fiel a Deus e obediente à autoridade civil, contanto que suas ações não entrem em conflito com a lei do Senhor.

Mais uma vez, a tentativa de apanhar Jesus fracassou. Tendo grande perspicácia espiritual, Ele lida com a pergunta deles com facilidade. Ele é muito mais sábio do que seus oponentes, e estes são silenciados.

5.5. A Questão concernente à Ressurreição e Casamento (20.27-40)

Agora Jesus confronta um grupo diferente de pessoas, os saduceus (parece que o nome foi derivado de Zadoque; cf. 1 Rs 1.8; 2.35); esta seção registra o único aparecimento deste grupo no Evangelho de Lucas. Os saduceus eram aristocratas sacerdotais e seculares, que controlavam grande parte da vida religiosa de Israel no século I. Naquela época, a maioria dos judeus acreditava na ressurreição, mas os saduceus rejeitavam toda esperança de ressurreição. Eles mantinham em alta reverência os primeiros cinco livros do Antigo Testamento (o Pentateuco), mas não os demais livros (nisto eles diferiam dos fariseus).

Os saduceus levam a Jesus uma pergunta sobre a ressurreição, questão significativa para todas as pessoas que refletem sobre a vida depois da morte. Sua meta é fazer com que a crença na ressurreição parecesse ridícula aos olhos do povo, porque Ele crê e ensina a ressurreição (cf. Lc 14.14). Na pergunta, os saduceus apelam para a prática do levirato, uma provisão legal que evitava que o nome e a família de um homem desaparecesse. De acordo com esta prática, quando um homem morria e não deixava filhos, seu irmão devia tomar a viúva como mulher e criar os filhos para o irmão do falecido (cf. Dt 25.5-10). Não temos registro de esta prática ter sido feita nos dias do Novo Testamento.

Os saduceus contam a Jesus uma história sobre sete irmãos. O primeiro se casa e morre, mas não deixa filhos. Cada irmão restante se casa, por sua vez, com a mesma mulher, mas ela não gera filhos de nenhum deles. Visto que a viúva se casou com os sete irmãos, os saduceus levantam a pergunta de quem ela será esposa quando os mortos ressurgirem à vida.

Uma resposta habitual a esta pergunta seria o primeiro marido. Se Jesus desse esta resposta, Ele não teria tratado devidamente a descrença dos saduceus na ressurreição. Eles pensam que chegaram ao seu ponto teológico, e presumem que o ponto de vista de Jesus sobre a ressurreição é o mesmo que o dos fariseus, que criam nas funções e relacionamentos humanos normais no céu. Eles esperam que fique claro o quão tolo Jesus é por crer na ressurreição.

A resposta de Jesus tem duas partes. A primeira lida com o tipo de vida que o povo de Deus terá depois da ressurreição (vv. 34-36). O Salvador contrasta este mundo com o mundo vindouro. Na era porvir, as relações humanas não vão continuar como são agora. No céu, todos serão revestidos com a imortalidade (1 Co 15.50-54) e não terão necessidade de se casar e ter filhos para continuar a vida humana e a linhagem familiar. Os saduceus deturpam completamente a vida depois da ressurreição. A questão que eles levantavam é irrelevante: As pessoas não se casam no céu.

Jesus está falando aqui apenas sobre os filhos redimidos de Deus, chamados "os que forem havidos por dignos de alcançar o mundo vindouro e a ressurreição dos mortos", o que nos lembra que mérito próprio ou posição na vida não tem nada a ver com nosso lugar no mundo vindouro. Nem todas as pessoas tomarão parte na vida da era porvir. Deus é o único que considera as pessoas dignas. A frase "ressurreição dos mortos" (v. 35) explica "o mundo vindouro". Estas duas frases não se referem a acontecimentos diferentes. Quando os redimidos são ressuscitados dos mortos, eles tomarão parte no "mundo vindouro".

Jesus prossegue descrevendo dois elementos adicionais sobre os justos ressuscitados em relação a não haver casamento.

1) "Já não podem mais morrer". Os redimidos serão livres da morte. A vida no mundo vindouro será de qualidade tal que a morte não pode tocá-la. As pessoas não hão mais de morrer, mas "já não podem mais morrer". Os redimidos viverão para sempre e não terão necessidade de procriar para preservar o gênero humano.

2) "São iguais aos anjos" e "são filhos de Deus". O termo original grego *isangeloi* significa "igual aos anjos". Os saduceus negavam a existência do mundo espiritual. Jesus não apenas acredita que os anjos existem, mas também que no mundo vindouro os filhos de Deus serão como os anjos, sobretudo considerando que morrer lhes será impossível.

Sendo imortais como os anjos, os crentes serão reconhecidos como filhos de Deus. Neste mundo, os crentes já são filhos de Deus. Nós nascemos de novo, e Deus nos adotou em sua família. Mas no mundo vindouro receberemos nossa plena herança como filhos de Deus. Na ressurreição, nossa relação íntima com Deus será revelada, e seremos reconhecidos como "filhos da ressurreição" (v. 36). Na ressurreição, também seremos transformados.

A segunda parte da resposta de Jesus mostra que a ressurreição é consistente com os escritos de Moisés (vv. 37,38) e que os saduceus estão completamente equivocados. Ele apela para a narrativa da sarça ardente registrada em Êxodo 3.1-6, uma passagem que formou a fundação do milagre da libertação de Israel do Egito. Nesta passagem, Moisés alude à doutrina da ressurreição dos mortos. Anos depois da morte dos patriarcas, Ele se chama de "o Senhor Deus de Abraão, e Deus de Isaque, e Deus de Jacó". Deus permanece o Deus dos patriarcas, embora eles já tivessem morrido. A comunhão com o Deus vivo é eterna. "A morte pode pôr um fim à existência física, mas não a uma relação que é por natureza eterna. Os homens perdem os amigos pela morte, mas não Deus" (Caird, 1963, p. 224). Depois da morte, os patriarcas e todos os crentes permanecem vivos e um dia tomarão parte na ressurreição.

A conclusão de Jesus é clara: O Senhor "não é Deus de mortos, mas de vivos". Como os patriarcas, os crentes não morrem para Deus, "porque para ele vivem todos". Ou seja, aos olhos dos outros seres humanos, as pessoas morrem, mas em relação a Deus, elas permanecem vivas em virtude de sua relação com o Deus vivo e o autor da ressurreição. Negar a ressurreição é negar o ensino da Palavra de Deus.

Depois que Jesus refuta os saduceus, alguns dos escribas (fariseus) dizem a Jesus que Ele respondeu "bem". Não é que eles estão com boa disposição para com Ele, mas eles estão olhando com triunfante satisfação o embaraço dos seus rivais, os saduceus. Nesta ocasião, os saduceus desistem de desafiar Jesus com mais perguntas. Eles percebem que Ele pode lhes revelar as faltas e não querem parecer tolos novamente ou serem colocados em situação humilhante.

5.6. A Questão concernente ao Filho de Davi (20.41-47)

Jesus silenciou seus oponentes. Eles decidem que é inútil tentar apanhá-lo com perguntas difíceis. Tais tentativas só lhe dão mais oportunidades para obter vitórias. Agora Jesus toma a iniciativa e faz sua própria pergunta teológica. Seu propósito é desafiar uma visão popular do Messias, especialmente a dos escribas. Muitos dos contemporâneos de Jesus acreditavam que o Messias seria meramente o filho de Davi e semelhante a Davi em perspectiva e realizações. Jesus não nega que o Messias seja descendente de Davi, mas insiste que Ele é muito mais. Ele fala aqui para uma audiência geral (v. 45), ainda que provavelmente os escribas façam parte dela (v. 39).

Para enfatizar que o Messias é superior a Davi, Jesus cita o Salmo 110.1. Neste versículo, "o SENHOR" (Javé) é o Deus de Israel e "meu Senhor" (Adonai) é o Messias. Uma possível tradução é: "O Senhor Deus disse ao Messias". Deus convida o Messias a se sentar à sua mão direita — lugar de honra e autoridade. O Messias deve exercer poder divino até que Ele coloque os inimigos por escabelo dos seus pés.

Embora Ele seja o filho de Davi (Lc 1.27,32,69; 2.4), o Messias é mais que descendente do maior rei de Israel, porque "Davi lhe chama Senhor" (v. 44). Em outras palavras, Davi reconheceu o Messias como o Senhor divino. A natureza do nascimento de Jesus e os acontecimentos que o cercam, conforme está registrado em Lucas, mostraram que Ele é maior que Davi. Os escribas e as pessoas precisam mudar suas expectativas acerca do Messias. Eles acham que Ele triunfará sobre todos os inimigos de Israel e desfrutará sucessos militares, semelhantes ao que Davi teve. Entretanto, a linhagem do Rei de Davi ungido pelo Espírito estabelecerá um reino eterno que em muito excederá as glórias do antigo Israel. O Messias é muito mais que um sucessor terreno de Davi. Ele é o Senhor divino.

Depois de desafiar a teologia dos escribas, Jesus continua advertindo seus seguidores contra tais escribas (vv. 45-47). Ele lhes critica o modo de vida e repete as acusações que Ele fez contra os fariseus e escribas em Lucas 11.37-54 e 14.1-24. Ele lhes expõe novamente o orgulho, a cobiça e a hipocrisia.

Os escribas usam vestes compridas em público como sinal da distinção, e adoram que as pessoas se curvem e os saúdem com títulos de respeito. Eles querem parecer bons aos olhos das pessoas. Em todos os ajuntamentos públicos, estes líderes judeus tomam os assentos mais importantes e os lugares de honra. Sua hipocrisia fica evidente no tratamento que dão aos outros. Eles tiram vantagem de viúvas indefesas, evidentemente roubando-lhes as posses. Eles fazem longas orações para criar a impressão de que amam Deus e os outros. Para encobrir o que fazem e quem eles realmente são, eles procuram parecer muito religiosos. Assim Jesus adverte outra vez seus seguidores contra tais atitudes. A verdadeira devoção emana de um coração marcado por humildade e amor pelos outros. As pessoas que persistem no orgulho e na cobiça não se darão bem no fim.

5.7. A Oferta da Viúva à Arca do Tesouro do Templo (21.1-4)

Este próximo incidente está em contraste com o orgulho e a hipocrisia dos líderes religiosos. Enquanto ainda estão no templo, Jesus vai para o pátio das mulheres, onde Ele ressalta a diferença entre uma viúva pobre e os contribuintes ricos do templo. A mulher nesta história manifesta maior devoção a Deus do que os ricos.

Neste pátio, há treze caixas em forma de trombeta para as pessoas porem suas ofertas diversas (Marshall, 1978, p. 751). Quando Jesus se assenta ali, Ele observa os ricos colocando grandes ofertas na arca do tesouro. Mas sua atenção é atraída para uma viúva pobre, que põe "ali duas pequenas moedas". Ao mesmo tempo, tal moeda era a menor que havia; seu valor era só uma fração de um denário, o salário comum para um dia de trabalho. Para dizer o mínimo, sua oferta é muito pequena. Não obstante, Jesus chama a oferta desta mulher a maior de todas e diz que sua generosidade excede a dos ricos. Ela "lançou mais do que todos, [...] porque todos aqueles deram como ofertas de Deus do que lhes sobeja; mas esta, da sua pobreza, deu todo o sustento que tinha" (vv 3,4). Jesus diz literalmente que a oferta da viúva é mais do que todas as outras ofertas juntas.

Como pode? As palavras de Jesus dão a resposta.

1) Os ricos deram de sua abundância. Jesus não os condena por suas ofertas, mas eles não estavam sacrificando por darem. Suas grandes ofertas representaram só pequena porção de suas grandes riquezas. Mas a viúva deu tudo o que tinha. Em outras palavras, depois que os ricos deram, eles ainda tinham muito mais. Mas a viúva não tinha mais nada depois de depositar as duas moedas.

2) A quantidade de uma oferta não é tudo; o que mais importa é o espírito no qual é dado. A viúva dá dinheiro de que ela precisa, o que demonstra que sua oferta é perspectiva inevitável de um coração amoroso. A generosidade não depende da quantidade, mas de espírito de sacrifício e devoção sincera a Deus.

Esta viúva pobre serve de exemplo da grandeza no Reino de Deus. Os discípulos devem se precaver da hipocrisia e cobiça dos líderes religiosos. Eles devem seguir a viúva, que deu em sacrifício para honrar a Deus.

5.8. Profecia concernente ao Fim do Mundo (21.5-38)

O ministério público de Jesus atinge seu clímax quando Ele dá um discurso sobre os acontecimentos futuros. Ele ainda está no templo, e os discípulos e o povo estão presentes. De acordo com o versículo 5, os discípulos observam a beleza do templo. Em resposta à observação que eles fazem, Jesus dá a entender que há um vínculo entre a destruição do templo e o fim do mundo. Nos dias de Jesus, ambos os acontecimentos estão no futuro. De nossa perspectiva, o templo é uma questão de história passada, pois foi destruído quando os romanos conquistaram Jerusalém em 70 d.C. Que conexão tem a queda de Jerusalém com a volta de Jesus? Ambos os acontecimentos são o cumprimento de profecia e são acontecimentos dos últimos dias.

Mas pelo fato de estes acontecimentos estarem separados por milhares de anos, esta justificativa não explica adequadamente sua relação. A resposta acha-se no modo como os profetas fazem padrões na história divina. Para os profetas, os acontecimentos de salvação e julgamento seguem certos padrões. Um acontecimento reflete outro. Por exemplo, os profetas do Antigo Testamento comparavam a libertação do povo de Deus da Babilônia ou da Assíria com a saída de Israel do Egito. Outrossim, no Novo Testamento o Êxodo fornece o padrão básico para a poderosa obra salvadora de Deus em Cristo. Igual a um profeta como Moisés, Jesus reproduziu muitas das características do grande patriarca. Estêvão também pôs em relevo os paralelos entre Moisés e Jesus (At 7.20ss; cf. Dt 18.15).

A história de salvação revela que muitos acontecimentos estão unidos e que eles refletem um ao outro. Seguindo esta prática, Jesus une a destruição de Jerusalém com sua volta à terra. O julgamento divino da cidade de Jerusalém expressa o julgamento de Deus quando Cristo voltar. Ambos os acontecimentos são parte do plano de Deus; a queda de Jerusalém torna-se um quadro do fim.

Como profeta ungido pelo Espírito, Jesus revela os acontecimentos futuros no plano de Deus. Seu discurso profético lida com vários acontecimentos. Ele prediz a destruição do templo (vv.5,6) e fala das dificuldades mundiais e da perseguição dos seus seguidores como sinais da sua vinda à terra (vv. 7-19). Ele prediz a destruição de Jerusalém (vv. 20-24) e fala novamente sobre sua Segunda Vinda (vv. 25-28). Ele usa a Parábola da Figueira para anunciar a certeza da manifestação visível e plena do plano de Deus (vv. 29-31) e conclui com uma advertência para estarmos prontos para a sua vinda (vv. 32-36). Um pequeno resumo se segue (vv. 37,38).

5.8.1. A Destruição do Templo (21.5,6). Alguns dos discípulos chamam a atenção de Jesus para a grandeza do templo; na Sua resposta, o Senhor se dirige a todos os discípulos (cf. vv. 10-19). Como todos que visitavam o templo, eles ficam impressionados com suas estruturas grandiosas, "ornad[as] de formosas pedras e dádivas" (v. 5). Muitas destas dádivas vieram de outros países, e suas portas e portões eram feitos com os melhores materiais e faculdade inventiva.[14] Ao longo da história de Israel, o templo permaneceu como símbolo da presença de Deus.

Visto que o templo era tão bonito e era o lugar onde o povo adorava Deus, com certeza nunca seria destruído — pensam os discípulos. Jesus responde repetindo a profecia de Lucas 19.41-44, onde Ele predisse a destruição total do templo de Herodes e o julgamento sobre a nação por sua incredulidade, rejeição do evangelho e do Messias, e assassinato do Filho de Deus (cf. Lc 9.22; 13.33,34; 18.31-33; At 13.46-48; 18.5,6). A profecia de Jesus foi cumprida em 70 d.C., quando os exércitos romanos subverteram Jerusalém. Alguns dos defensores se refugiaram no templo e esperaram que Deus viesse a seu salvamento, mas pereceram, e o templo e a cidade foram devastado.

5.8.2. Sinais da Vinda de Cristo (21.7-19). Os discípulos aceitam a profecia de Jesus sobre a destruição do templo como verdade e perguntam sobre quando "essas coisas" acontecerão, entendendo que Jesus falou sobre acontecimentos do tempo do fim. Eles também querem saber que "sinal" ou grande acontecimento os advertirá dos acontecimentos próximos. Jesus nunca dá datas, nem oferece um sinal da destruição do templo junto com a queda de Jerusalém (com exceção de Jerusalém ser cercada por exércitos, Lc 21.20). Qualquer julgamento de Jerusalém que deixasse o templo em ruínas seria uma grande catástrofe e um desastre para o povo escolhido de Deus.

Os sinais dos versículos 8 a 19 têm ocorrido periodicamente ao longo dos tempos, mas eles nos levam especificamente para diante no tempo e espelham condições que existirão antes que Cristo volte à terra. Nos versículos 20 a 24, Jesus volta a descrever a queda de Jerusalém e o período dos gentios. Este discurso é típico de profecia bíblica, no qual um acontecimento pressagia o outro. Quando Jerusalém cai, é parte da elaboração do plano de Deus para com o cumprimento das suas promessas e indica o tempo imediatamente antes da volta do Filho do Homem.

O modo como Jesus começa sua resposta aos discípulos mostra sua preocupação profunda por eles. Ele os adverte contra se permitirem serem desviados por falsos messias, que afirmem que o fim está próximo. Tais pessoas virão professando ser o Cristo e predizendo que o tempo designado por Deus para o fim chegou. Os discípulos devem manter os olhos abertos para não serem levados a crer em tais afirmações. O fato triste é que muitas pessoas são enganadas por falsos profetas.

Jesus prediz motins políticos (vv. 9-11). Os discípulos ouvirão falar de guerras e revoluções entre as nações, mas eles não devem ficar terrificados e pensar que o fim do mundo chegou. "É necessário" (*dei*, uma necessidade divina) que estes acontecimentos ocorram, porque eles fazem parte do plano de Deus. Quando tais acontecimentos se derem, "o fim não será logo". Obviamente Jesus não espera o fim do mundo durante a vida dos discípulos.

Além das dificuldades políticas, haverá grandiosos terremotos, fome e pestilências que trarão morte. Acontecimentos estranhos e temerosos sucederão como "sinais do céu". Em resumo, sinais e caos mundiais precederão o fim.

Estes dias também serão tempos de adversidade para os crentes. Antes de todas estas coisas acontecerem, os discípulos sofrerão perseguição cruel. A Igreja passará por grandes dificuldades, e os inimigos do evangelho oferecerão forte oposição. Os seguidores de Jesus podem esperar que as pessoas em autoridade os encarcerarão e os forçarão a comparecer diante das sinagogas, reis e governadores.

A referência a sinagogas nos lembra que Jesus tem em vista o período da igreja primitiva. Os primeiros seguidores de Jesus podem esperar passar por julgamentos em sinagogas, lugares onde a lei é administrada (cf. Lc 12.11) e julgamentos locais são feitos. Oposição e perseguição virão do Sinédrio (At 4), governadores (At 23.24ss) e reis (At 12.1,2). Eles sofrerão por causa de Cristo, mas a perseguição lhes dará a oportunidade de testemunhar aos inimigos sobre o evangelho. Sofrer pela causa de Jesus é um testemunho, mas testemunhar em face da perseguição ao que Deus fez torna nosso testemunho mais eficaz. Estêvão é um exemplo maravilhoso (At 7).

Quando eles forem julgados na sinagoga, Jesus não quer que seus seguidores se preocupem sobre como se defender (Lc 21.14). Eles não devem dedicar tempo para preparar uma defesa perante as autoridades judaicas e pagãs, pois o próprio

Jesus promete capacitar-lhes o testemunho. Pelo Espírito (Mc 13.11), Ele lhes dará "boca e sabedoria" (Lc 21.15) que nenhum dos seus oponentes pode resistir ou contradizer (cf. At 4.1ss; 6.10; 13.8-12). As palavras de Jesus não têm nada a ver com sermões e preleções que pregadores e professores fiéis têm de preparar. Seus seguidores têm a garantia de que quando enfrentarem perseguições, o Espírito Santo lhes dará o poder e os meios para dar testemunho a Deus.

Além da perseguição pelas autoridades, os discípulos sofrerão às mãos de parentes e amigos que rejeitam a Cristo (v. 16). Relações de sangue são fortes, e a amizade também, mas o ódio de Cristo pode destruir as mais íntimas das relações. Às vezes, o evangelho divide famílias e aliena amigos. Jesus prediz que membros familiares e antigos amigos trairão os crentes para as autoridades hostis, e alguns deles serão mortos por seus adversários. Mas os crentes podem descansar na certeza de que Deus está no controle e trabalhará seu plano para o bem deles (Rm 8.28-39). Embora alguns possam morrer pelo evangelho, eles triunfarão pela vitória final de Deus.

A perseguição também virá do mundo em geral: "E de todos sereis odiados por causa do meu nome" (v. 17). Os verdadeiros discípulos receberão o mesmo tipo de tratamento que o Salvador recebeu (Jo 15.18-21). O mundo rejeitou o Salvador e odeia os que o amam. Uma vez mais, Jesus oferece consolo aos seus seguidores com uma promessa solene: "Mas não perecerá um único cabelo da vossa cabeça" (v. 18). A dupla negação no original grego nesta oração (*ou me*) enfatiza o cuidado de Deus até para com o último fio de cabelo.

Esta promessa não significa que os crentes nunca sofrerão ou sequer morrerão por Cristo (cf. vv. 12-16). Ela indica a provisão de Deus e o fato de Ele estar com eles até na morte. Nenhum verdadeiro dano espiritual pode lhes sobrevir. No Livro de Atos Deus às vezes livra miraculosamente seus fiéis. Mas quer Ele livre, quer não, sempre está com eles. Eles estão espiritualmente seguros, e nenhum dano físico pode lhes sobrevir a menos que Deus o permita.

De nenhum modo o governo soberano de Deus nega a importância de os crentes permanecerem fiéis. Jesus exorta seus seguidores a estarem firmes na fé e na Palavra de Deus (v. 19; cf. Lc 8.15; 14.25-33). Perseverando até ao fim eles obterão a vida eterna.

5.8.3. A Destruição de Jerusalém (21.20-24).

Estes versículos se referem ao vindouro julgamento de Jerusalém, e não à Segunda Vinda de Jesus (cf. Lc 19.43,44). Aqui, Jesus enfatiza o perigo que os crentes experimentarão na calamidade. A narrativa de Lucas não inclui todos os detalhes providos em Mateus e Marcos. Nada é dito, por exemplo, sobre "a abominação da desolação" (Mt 24.15; Mc 13.14) e sobre esses dias de julgamento serem encurtados por causa do povo de Deus (Mt 24.22; Mc 3.20). No versículo 6, Jesus predisse a destruição do templo; esta seção enfoca o fim violento da cidade.

Como o crente saberá que a destruição de Jerusalém está próxima? Quando eles virem a cidade sendo cercada por exércitos hostis, eles perceberão que o tempo da devastação está perto. Os exércitos invasores serão o sinal para os fiéis que estiverem dentro e ao redor da cidade fugirem para as montanhas. Seus muros e torres não servirão de proteção contra as forças inimigas. Esse julgamento vindouro será "dias de vingança" (v. 22) pela incredulidade e pecados da cidade contra o evangelho, também cumprindo as advertências de Jeremias e Miquéias contra a deslealdade da nação (Jr 7.14-26; 16.1-9; Mq 3.12).

A captura de Jerusalém trará sofrimento a todos, sobretudo às mulheres grávidas e novas mães. A destruição será terrível, e a ira (*orge*, "furor, punição, castigo") de Deus virá sobre "este povo", os judeus. Quando Jerusalém cair nas mãos dos gentios, alguns dos defensores da cidade morrerão na batalha, ao passo que outros serão levados como prisioneiros a países estrangeiros. A cidade permanecerá sob controle de estrangeiros "até que os tempos dos gentios se completem".

Deus ordenou quanto tempo os gentios governarão sobre Jerusalém. Quando esse tempo terminar, a cidade será devolvida à custódia dos judeus. Esta profecia de Jesus já foi cumprida parcialmente em nossos dias, pois os judeus repossuíram a cidade. Mas só Deus sabe quando "os tempos dos gentios" terminarão. Quando isto ocorrer, Cristo virá e estabelecerá seu Reino sobre a terra.

Os "tempos dos gentios" são o tempo atual, enquanto o evangelho está sendo levado a todas as partes da terra. Capacitada pelo Espírito, a Igreja avança pelo mundo para fazer discípulos de todas as nações (cf. o Livro de Atos). Deus não esquecerá Israel. Esse povo tem um futuro particular em seu plano. Paulo explica o cumprimento do plano divino no tempo do fim: "O endurecimento veio em parte sobre Israel, até que a plenitude dos gentios haja entrado. E, assim, todo o Israel será salvo" (Rm 11.25,26). A esperança de Israel é Jesus Cristo. O dia está vindo quando eles o aceitarão como Salvador. Assim, "qual será a sua admissão, senão a vida dentre os mortos?" (Rm 11.15).

A profecia de Jesus sobre a subversão de Jerusalém foi cumprida. O exército romano destruiu completamente a cidade em 70 d.C. O historiador Josefo escreveu que mais de um milhão de judeus pereceu no ataque do general romano Tito e seu exército. Quase cem mil pessoas foram deportadas para outros países (*Guerras Judaicas*). O julgamento de Deus sobre os judeus é aviso a todas as nações e indivíduos sobre o perigo da rebelião contra Ele e da recusa em crer no seu Filho.

A destruição terrível de Jerusalém e do templo pressagia os últimos dias e o julgamento final. O cumprimento da profecia de Jesus é profético das piores coisas que sobrevirão sobre o mundo incrédulo. Deus julgou a nação de Israel, mas a destruição da cidade e do templo não está no estágio final do seu plano. Há ainda uma fase mais decisiva.

5.8.4. A Segunda Vinda de Cristo (21.25-28). Depois dos tempos dos gentios se cumprirem, a fase final do plano de Deus começa com a volta de Cristo. Os santos mortos e vivos serão arrebatados ao céu para estar com o Senhor (1 Ts 4.16,17), e aqueles que não crêem no evangelho serão julgados (2 Ts 1.6-8; 2.8; Ap 19.11-16). Jesus nunca dá um calendário para estes acontecimentos do tempo do fim, mas Ele fala de "sinais" que acontecerão quando sua volta estiver iminente. Muitos servos de Deus sentiram que estavam vivendo no fim dos tempos e que Cristo voltaria enquanto estavam vivos. Suas conclusões equivocadas não nos devem impedir de levar a sério os sinais que armarão o palco para a Segunda Vinda.

Jesus descreve as condições do tempo do fim que afetarão o mundo inteiro (vv. 25,26) imediatamente antes da nova ordem do seu Reino eterno. Os corpos celestes serão sacudidos e escurecidos (cf. Mc 13.24,25). A extinção do sol, luz e estrelas indicarão que a atual ordem natural das coisas está se dissolvendo e que o fim está próximo. Tempestades violentas no mar resultarão em destruição na terra. Estes sinais alarmantes criarão pânico na terra. Pessoas de muitos países ficarão ansiosas e se desesperarão por causa do que esperam que ocorrerá na terra. O que acontece terrificará e subjugará as pessoas que não estiverem preparadas para a vinda de Cristo.

Ao contrário, os sinais do retorno de Cristo são razões para a alegria do povo de Deus. Quando eles virem os sinais de julgamento, os fiéis devem erguer as cabeças porque a redenção está perto (v. 28). Hoje Cristo está oculto dos olhos humanos, mas um dia haverá uma revelação visível e plena dEle. Na Segunda Vinda, as pessoas "verão vir o Filho do Homem numa nuvem, com poder e grande glória" (v. 27; acerca do título "Filho do Homem", veja comentários sobre Lc 5.17-26). Jesus virá em julgamento e salvação no fim do tempo e revelará seu poder e glória. Ele introduzirá a plenitude do Reino. Ele regerá sobre a terra e exercerá julgamento no interesse do povo de Deus (Ap 19.8—20.15).

No princípio, Deus criou o mundo, e Ele eventualmente lhe dará um fim. Seu

Reino começou a irromper neste mundo na pessoa do seu Filho (Lc 11.20), e Deus ocasionará sua plenitude quando seu Filho voltar à terra. A atual condição pecaminosa do mundo não vai continuar para sempre. Guerras e violência, preconceitos e ódio, sofrimento e dores, e temores e morte — tudo será abolido quando Jesus introduzir o Reino final de Deus. Nossa "redenção" de todas as trevas, pecado, mal e morte finalmente chegará. É por isso que os sinais da volta de Cristo são motivo de alegria.

5.8.5. A Parábola da Figueira (21.29-31).

Jesus faz uma comparação entre uma figueira que começa a brotar e os sinais da sua vinda à terra. Não se deve relacionar nenhum significado especial à figueira, ainda mais que Lucas acrescenta "todas as árvores". Através desta parábola, Jesus indica que os acontecimentos dos versículos 25 e 26 são sinais seguros da sua Segunda Vinda. Na estação da primavera, uma figueira começa a dar folhas; esse novo crescimento é sinal de que o inverno passou e o verão está próximo.

Igualmente, os sinais dos tempos proclamarão que o fim está próximo. Quando os crentes virem estes sinais, eles podem se encher de alegria. Na verdade, a volta de Jesus será como um ladrão à noite (Lc 12.40). Ninguém poderá estabelecer o tempo preciso de sua chegada. Não obstante, os acontecimentos preditos (Lc 21.25,26) serão sinais para os crentes de que sua vinda está próxima (1 Ts 5.4). Eles podem não saber o dia e a hora, mas pelas coisas que acontecem eles sabem "que o Reino de Deus está perto". Nesta fase inicial, o Reino já está presente, mas aqui Jesus tem em vista uma fase que ainda está para suceder.

Muitos têm se tornado observadores de sinais. Eles tentam ajustar as profecias e a cronologia bíblica para encontrar a chave para os acontecimentos do tempo do fim. O Novo Testamento adverte contra ser muito específico com nossas predições, pois ninguém sabe precisamente quando Ele voltará — nem os anjos do céu, nem o próprio Filho (Mc 13.32). É desnecessário dizer que devemos ter sérias suspeitas de quem faz predições "exatas" sobre a vinda de Cristo.

5.8.6. Prontidão para a Vinda de Cristo (21.32-36).

Um dia o Reino chegará em sua plenitude. Deus completará o que Ele começou em Cristo. Há sinais que anunciam a chegada, da mesma maneira que as folhas tenras de uma árvore assinalam a proximidade do verão. Sabendo que o Reino está vindo, a maioria dos cristãos tem uma preocupação legítima concernente ao tempo.

Os três Evangelhos Sinóticos registram a resposta de Jesus a esta preocupação: "Em verdade vos digo que não passará esta geração até que tudo aconteça" (v. 32; cf Mt 24.34; Mc 13.30). Esta predição é enfática com a negação forte no original grego (*ou me*). O termo "tudo" se refere aos sinais do fim (vv. 25,26).

Poderia parecer que Jesus prediz que sua geração veria todas estas coisas acontecerem. Esta interpretação apóia-se em como a palavra "geração" (*genea*) deve ser entendida. Diz respeito a uma duração específica de tempo, como trinta ou quarenta anos (cf. Dt 2.14; Sl 95.10)? Se definirmos geração desse modo, então Jesus errou em sua predição. Tal entendimento da profecia de Jesus é inaceitável. Mas visto que Jesus faz a predição nos anos trinta e Lucas provavelmente escreveu nos anos sessenta (trinta anos mais tarde), é improvável que Jesus (ou Lucas) tenha em mente sua própria geração.

No Antigo Testamento, "geração" não se refere a um número específico de anos, mas a um tipo de povo, quer mal (Sl 12.7) ou bom (Sl 14.5). Levando em conta este significado, "esta geração" pode incluir vários períodos de vida e se referir a pessoas que fazem parte de toda geração. Usando o termo com este significado ético, Jesus prediz que ao longo dos tempos as pessoas más e incrédulas não permanecerão. De nenhuma maneira tais pessoas deixarão de existir. Esse tipo de pessoa estará presente quando Cristo voltar, e elas não escaparão do julgamento. A Vinda de Jesus significará redenção para os crentes e julgamento para os incrédulos.

Os seguidores de Jesus podem ficar seguros de que tudo o que Jesus disse se tornará realidade. Suas profecias — todos os seus ensinos — terão cumprimento. Sua palavra é mais permanente que a própria criação, pois "passará o céu e a terra" no fim do mundo (cf. Rm 8.19-23; 1 Co 7.31; Ap 21.1-5), mas as "palavras [de Jesus] não hão de passar" (Lc 21.33). Suas palavras são idênticas à Palavra de Deus, que não volta vazia para Deus. A palavra de Deus realiza os propósitos e missão do Senhor do céu e da terra (Is 55.11; cf. Is 40.8). Os crentes sabem que toda palavra de Jesus terá pleno cumprimento. Ele prometeu a plenitude do Reino, e um dia se dará. No momento, vivemos entre seu nascimento em Belém e seu retorno em glória. Nossa segurança acha-se na verdade absoluta das palavras de Jesus.

Convencido de que o Reino está vindo, que tipo de pessoas devemos ser (cf. 2 Pe 3.11-13)? Os seguidores de Jesus têm de viver uma vida santa, levando em conta estes acontecimentos excitantes que se darão, e não se entregar às tentações do mundo. Ninguém tem tanto a aguardar atenciosamente do que nós. Nós sabemos qual será o resultado da história — o estabelecimento do Reino eterno de Deus. Nós sabemos quem nos saudará e nos abençoará quando Cristo voltar com grande poder e glória. Nós até sabemos como Ele será, porque lemos sobre seu caráter ao longo dos Evangelhos. Nós sabemos que seus caminhos têm de moldar nosso comportamento e relações e influenciar nossa vida.

A volta do Senhor torna urgente que nos guardemos contra os cuidados terrenos e interesses mundanos. Jesus exige que tenhamos um viver fiel até que o vejamos face a face. "E olhai por vós, para que não aconteça que o vosso coração se carregue de glutonaria, de embriaguez, e dos cuidados da vida, e venha sobre vós de improviso aquele dia" (v. 34). Esta advertência é contra os pecados da orgia, da bebedeira e da preocupação constante com os negócios da vida. Tal estilo de vida destrói nossa fidelidade e faz com que o coração fique carregado de preocupações mundanas.

Muitos são tentados a lançar mão de orgias e bebedeiras para lidar com as dificuldades. Junto com os cuidados ansiosos da vida, a carga emocional pode se tornar demasiada para eles. Tais indivíduos não podem estar buscando a volta do Senhor e estão despreparados para sua vinda. O dia da sua vinda virá sobre eles quando menos esperarem, assim como uma armadilha apanha um pássaro. Uma coisa é certa: A volta de Cristo causará impacto sobre todos os que habitam a terra (v. 35). Ninguém pode escapar do julgamento de Deus.

A palavra final de Jesus aqui admoesta os crentes a esperá-lo a qualquer momento. "Vigiai, pois, em todo o tempo, orando, para que sejais havidos por dignos de evitar todas essas coisas que hão de acontecer e de estar em pé diante do Filho do Homem" (v. 36). "Vigiar" e "orar" acentuam a responsabilidade dos seus seguidores. Devemos estar permanentemente alertas contra o pecado e orar a fim de que Deus nos dê forças para resistirmos as tentações e infortúnios que precederão a Segunda Vinda. Cada pessoa que suportar até ao fim estará em pé diante do Filho do Homem como um dos remidos.

Podemos estar em pé diante do Senhor Jesus a qualquer hora — talvez amanhã de manhã. Quando o fizermos, não nos esqueçamos de que de nenhuma maneira nossa justiça nos habilitará a herdar o Reino. Nossa única esperança é a do publicano, que orou: "Ó Deus, tem misericórdia de mim, pecador!" (Lc 18.13). Da mesma forma que Deus perdoou o publicano de seus pecados, assim Ele aceita todo pecador que se arrepende e confia em sua misericórdia revelada em seu Filho, Jesus Cristo. Embora coisas temerosas venham a preceder o fim da história, para os cristãos fiéis a vinda de Cristo será um tempo de grande alegria e comemoração.

5.8.7. Resumo (21.37,38). Lucas conclui sua narrativa sobre o ministério público de Jesus em Jerusalém. Durante o dia, o Salvador ensina o povo no templo, mas à noite Ele se retira e pousa numa colina chamada monte das Oliveiras. Ele ainda é popular com o povo, e muitos vão cedo de manhã para ouvi-lo. As autoridades judaicas prosseguem em sua oposição a Ele, mas eles não têm coragem de proibi-lo de comparecer no Templo ou ousadia para prendê-lo. Mas até sua popularidade com o povo não vai durar muito. Sua rejeição e morte estão se aproximando.

6. O Julgamento, Morte e Ressurreição de Jesus (22.1—24.53).

A última grande seção do Evangelho de Lucas trata da Última Ceia, a prisão, o julgamento e a crucificação de Jesus (Lc 22—23); no capítulo final (Lc 24), o enfoque está na ressurreição de Jesus, seu sepulcro vazio, sua aparição aos discípulos e sua ascensão. A seção abre com a concordância de Judas trair Jesus e a observância de Jesus da Páscoa com os discípulos. Ao longo da narrativa, Lucas enfatiza a inocência do Salvador e o cumprimento das profecias do Antigo Testamento. Na qualidade de Sofredor Justo, Jesus segue o caminho demarcado para Ele por Deus, um caminho que o conduz pelo sofrimento à glória.

Lucas continua a história no segundo volume, o *Atos dos Apóstolos*, com a capacitação dos discípulos com o poder pelo Espírito Santo para levar o evangelho até aos confins da terra (At 2.1ss).

6.1. A Páscoa (22.1-38)

A cena agora passa dos ensinos de Jesus no templo para os acontecimentos anteriores à sua prisão e julgamento. Muitos judeus iam a Jerusalém para a Páscoa. Todos os quatro Evangelhos indicam que Jesus morreu durante este período. À medida que a festividade da Páscoa se aproxima, os líderes religiosos estão determinados a achar um modo de matar o Senhor (cf. Lc 19.47).

6.1.1. Conspiração contra Jesus (22.1-6). Jesus foi preso e crucificado durante "a Festa dos Pães Asmos, chamada de Páscoa". A Páscoa era uma festa que durava um dia, observada em 14 de nisã. "A Festa dos Pães Asmos" durava sete dias (de 15 a 22 de nisã); seu nome derivava da prática de fazer pão sem levedura (fermento) durante aquela semana. Juntas, as duas festas comemoravam a libertação dos hebreus da escravidão no Egito. Visto que eram observadas ao mesmo tempo, eram consideradas como uma só festa.

O significado último da Páscoa encontra-se na morte de Cristo. O vínculo entre a Páscoa e a morte de Jesus não é por acaso, pois acontece de acordo com o plano divino. O cordeiro morto na noite em que Israel partiu do Egito prefigurava a obra redentora do Cordeiro de Deus e o poder da cruz para livrar as pessoas da escravidão do pecado. Jesus cumpre tudo o que o êxodo do Egito representava. Refletindo sobre a crucificação, Paulo escreve: "Porque Cristo, nossa páscoa, foi sacrificado por nós" (1 Co 5.7).

Os líderes religiosos conspiram contra Jesus, o pioneiro de um novo êxodo. Eles arregimentam Judas, um dos Doze, no seu esquema. Agora ele dá o coração e a mente a Satanás (v. 3). Esta menção deixa claro que mais que homens ímpios estão envolvidos na traição e morte de Jesus. Satanás está interessado no resultado e inspira Judas a vender seu Senhor por algumas moedas de prata (Mt 26.14ss). Sob o controle de Satanás, ele conferencia com a liderança religiosa judaica ("os principais dos sacerdotes e com os capitães [do templo]"). Eles estão satisfeitos em saber que alguém entre os amigos de mais confiança de Jesus está disposto a entregá-lo a eles. Judas se juntou ao campo do inimigo.

A liderança judaica e Judas chegam a um acordo imediatamente. Uma soma de dinheiro é trocada, ainda que Lucas não diga nada sobre a quantia. Os principais sacerdotes estão felizes em lhe pagar pela ajuda, pois esta transação simplifica grandemente a execução do trama para matar Jesus.

Os líderes religiosos estão preocupados em prender Jesus em particular. Se conseguirem prendê-lo sem as pessoas o saberem, eles não arriscarão uma insurreição. Estes líderes revelam que o pecado é uma realidade poderosa no coração humano. Eles planejam assassinato à guisa de justiça. De fato, o pecado torce nossa percepção da realidade.

6.1.2. Preparação para a Páscoa (22.7-13).

A refeição da Páscoa era parte importante da festividade. Exigia o sacrifício e a assadura de um cordeiro, pão sem fermento, ervas amargas e vinho. A pessoa devia comer a refeição da Páscoa na posição reclinada e depois do pôr-do-sol (no início do décimo quinto dia de nisã). Assim, antes que a refeição da Páscoa fosse celebrada, preparações cuidadosas tinham de ser feitas.

Lucas reconta como Jesus se prepara para comer a última refeição da Páscoa com os discípulos antes de sua morte. A expressão "o dia da Festa dos Pães Asmos" se refere provavelmente ao dia antes da refeição, o décimo quarto dia de nisã, quando os judeus retiravam todo o fermento de suas casas em preparação à festa. Jesus instrui Pedro e João a fazerem os arranjos necessários, mas eles não têm idéia de onde Ele quer fazer a comemoração. Pelo fato de Jesus saber que Judas concordou em entregá-lo aos líderes religiosos (vv. 21,22), Ele manteve o lugar da refeição em segredo. Durante a refeição da Páscoa, todos os judeus estariam a portas fechadas, e tal oportunidade ofereceria ocasião conveniente para Judas entregar Jesus às autoridades. Mas Jesus será preso na hora em que Ele escolher, e não quando os inimigos o escolherem (Morris, 1974, p. 304).

Aparentemente Jesus e os Doze estão fora de Jerusalém, talvez no monte das Oliveiras ou em Betânia. Jesus diz a Pedro e João que, ao entrarem na cidade, procurem "um homem levando um cântaro de água". Este sinal é incomum, porque carregar jarros de água era trabalho habitual de mulheres. O homem irá à sua casa, e os dois discípulos devem segui-lo. O dono da casa lhes mostrará uma sala de visitas onde será comemorada a festa. Esta sala estará mobiliada e repleta das necessárias mesas e almofadas nas quais os discípulos podem se reclinar.

Pedro e João obedecem a Jesus e encontram tudo o que Ele disse. Pela narrativa, temos a impressão de que Jesus fez arranjos prévios para o lugar, mas Lucas nunca diz que a sala foi reservada por Jesus. Este incidente demonstra mais uma vez a autoridade divina de Jesus e seu conhecimento dirigido pelo Espírito (cf. Lc 19.29). Desde o início, seu ministério foi carismático (Lc 3.21,22; 4.13-19). Ele manifestou autoridade profética e conhecimento sobrenatural repetidamente.

6.1.3. A Última Ceia (22.14-20).

Tudo está preparado para a celebração. Jesus e os Doze reúnem-se na sala e se assentam para a refeição da Páscoa. Ao tomar lugar à mesa, Jesus expressa o quão intensamente Ele desejou comer esta refeição com os discípulos antes de Ele sofrer. Ele sabe que a Páscoa reflete a redenção maior que sua morte garantirá. Tendo apenas pouco tempo, Ele não vai celebrar outra Páscoa com os discípulos — não até a consumação do Reino. Nessa época, o pleno significado da Páscoa terá total cumprimento, e o povo de Deus terá liberdade e bem-aventurança completas.

As celebrações da Páscoa pressagiam o banquete messiânico, a ceia de casamento do Cordeiro (Ap 19.9), quando Cristo celebrará com todos os remidos a vitória final sobre todo o pecado e mal. Como crentes, vivemos entre a Primeira e a Segunda Vinda de Cristo. A celebração desta ceia entre Jesus e os discípulos reflete a alegria inexprimível que experimentaremos na festa de casamento celestial, e intensifica nossa expectativa do retorno glorioso de Cristo.

A Última Ceia começa. Jesus toma o pão e faz uma oração de ação de graças a Deus. Como característica regular da Páscoa, Ele parte o pão em pedaços, mas os distribui com estas palavras: "Isto é o meu corpo, que por vós é dado; fazei isso em memória de mim". O ponto não é que o pão se torna seu corpo de fato (transubstanciação), ou que Ele entra no pão e está presente nele (consubstanciação). Jesus não segura o próprio corpo nas mãos. Antes, o pão partido é símbolo da morte de Cristo. Na cruz, seu corpo será partido pela morte pelos pecados do mundo (cf. Is 53.12; 1 Jo 2.2). Na celebração da ceia, Cristo está presente como anfitrião. Os elementos proclamam sua morte expiatória, mas eles permanecem inalterados (1 Co 10.15-18; 11.17ss).

Os discípulos não devem esquecer a morte sacrifical do Salvador. Indicando claramente o caráter simbólico da comida, Jesus exige celebrações futuras da ceia, de forma que Ele seja lembrado. A ceia serve de lembrança de nossa libertação da escravidão do pecado através de Sua morte. A palavra "memória" (*anamnesis*) se refere a um acontecimento passado. Quando a Igreja celebra a ceia, ela olha para trás, à morte de Cristo; contudo, mais está envolvido que somente lembrar da cruz. "Lembrar" também significa que a morte de Cristo traz renovação espiritual e bênçãos no presente. A ceia é um ato profundo de adoração.

Pouco depois da comida da Páscoa, Jesus toma o cálice e o passa aos discípulos, dizendo: "Este cálice é o Novo Testamento no meu sangue, que é derramado por vós". Dando o pão e o cálice, Jesus indica que seus seguidores tomam parte nas bênçãos do novo concerto. Este concerto está em contraste com o antigo concerto feito no monte Sinai (Êx 24.7,8).

O novo concerto é tema proeminente no Novo Testamento (Mt 25.28; Mc 14.24; 2 Co 3—4; Hb 8—10). O antigo concerto foi ratificado pela aspersão do sangue de animais sacrificados sobre o povo (Êx 24.7,8). O novo concerto será ratificado pelo sangue que o Salvador derramar na cruz. Por sua morte, Ele põe em execução um concerto superior, que estabelece um novo caminho para nos aproximarmos de Deus e introduz uma nova era de realização. Seu sacrifício fornece perdão de pecados para todos os que confiam nEle e abre o caminho para o derramamento do Espírito (Lc 24.44-49; At 2.1ss).

Paulo fala da Ceia do Senhor em termos de comunhão (*koinonia*, "participação, compartilhamento"). Uma dimensão desta comunhão é "a comunhão do sangue de Cristo" (quer dizer, seus benefícios de salvação) de modo espiritual (1 Co 10.16). Só pela fé em Cristo e pelo Espírito Santo temos comunhão com Ele e compartilhamos os benefícios salvadores da sua morte. Outra dimensão da comunhão na ceia é a comunhão dos crentes uns com os outros. Para usar as palavras de Paulo: "O pão que partimos não é, porventura,

O monte das Oliveiras pode ter sido o lugar onde Jesus passava a noite durante sua última semana em Jerusalém. A Igreja de Todas as Nações, na base do monte, está próxima do jardim do Getsêmani, onde Jesus foi orar depois da Última Ceia e onde Ele foi preso quando traído por Judas.

a comunhão do corpo de Cristo?" (1 Co 10.16). O "corpo de Cristo" diz respeito à Igreja, a comunhão dos crentes. Tomar parte nos benefícios salvadores da morte de Cristo é expresso em nossa comunhão uns com os outros. A Ceia é sinal visível de que somos espiritualmente nutridos por Cristo e que temos comunhão com os outros crentes.

6.1.4. O Discurso de Despedida (22.21-38). Antes de Jesus deixar a mesa onde a Última Ceia foi celebrada, Ele menciona a presença do traidor (Judas). Ele declara enfaticamente que o traidor recebeu o pão e o cálice. A participação de Judas na Última Ceia torna sua traição mais horrível. A morte iminente de Jesus e o papel de Judas não lhe causam surpresa.

O caminho para a cruz foi determinado por Deus, mas isso não significa que os responsáveis por sua morte serão inocentes. Deus domina o mal dos seres humanos e às vezes tira o bem de ações más, mas não torna as pessoas menos más, nem menos responsáveis. Pela influência de Satanás, Judas tramou com as autoridades religiosas para trair o Senhor. Um dos próprios discípulos de Jesus escolheu de moto próprio deixar Satanás reger seu coração e entregar o Salvador aos inimigos. Ele é responsável, e desgraça sobrevirá sobre o traidor. Os discípulos ficam estarrecidos pelo que ouvem. Evidentemente Judas pôde esconder sua ação terrível dos outros discípulos.

Antes de os discípulos deixarem o cenáculo (v. 12), desencadeia-se uma disputa entre eles sobre quem terá a posição mais alta no Reino de Deus. É claro que eles esperam que o Reino logo entre em sua plenitude, e eles discutem sobre quem entre eles terá as mais importantes posições. O argumento mostra o quanto eles estão em descompasso com o Salvador. Em poucas horas Ele morrerá na cruz, mas eles estão longe do espírito da cruz, o espírito de renúncia e amor por Deus e pelos outros. Eles ainda estão cheios de ambição pessoal (cf. Jo 13).

Em resposta, Jesus contrasta a liderança no mundo com a liderança no Reino de Deus. Era normal os reis pagãos serem autoritários, exercendo senhorio sobre seus súditos. Eles encontravam sua grandeza agindo como senhores supremos com todos as pessoas sob o seu poder. Como prova de grandeza, vários reis do mundo antigo assumiam um título, como "Benfeitor". Eles faziam todos chamá-los pelo título porque queriam ser considerados grandes e generosos.

A grandeza cristã está em nítido contraste. Os maiores entre os seguidores de Cristo são os mais humildes. Os líderes-discípulos devem ser diferentes dos líderes que exploram os outros. Embora possam ser mais velhos, eles têm de se considerar mais jovens com relação à posição e honra. Com essa atitude, eles sempre têm de tomar o lugar mais humilde. Embora sejam líderes, eles têm de se considerar servos, sempre a fazer as tarefas como pessoas que servem.

A pessoa que se senta para comer é considerada maior do que a que serve. Quer dizer, a pessoa superior é a que desfruta privilégios. Jesus, porém, é um contraste. Os discípulos o reconhecem como líder, mas, entre eles, Ele faz o trabalho de servo (v. 27). Jesus usa o verbo "servir" (*diakoneo*) três vezes nos versículos 26 e 27. Este verbo pode se referir a servir mesas (Lc 12.37), mas aqui Jesus tem em mente o significado geral de serviço humilde. Ele é servo humilde, fornecendo modelo para todos os líderes da Igreja. Ungido pelo Espírito, Ele é a pessoa de autoridade e poder, mas exerce seu ministério autorizado servindo humildemente a Deus e aos outros.

Jesus reprovou os discípulos por arrazoarem sobre o melhor lugar no Reino e os exortou a estarem contentes como servos humildes. Mas diferente de Judas, eles lhe foram fiéis nos tempos difíceis e de provação do seu ministério. Jesus aprecia o fato de eles estarem com Ele e promete que eles compartilharão a autoridade e alegrias do Reino próximo. O Pai deu a Jesus autoridade para reger sobre seu povo. O Salvador partilha sua autoridade com estes discípulos. Quando o Reino finalmente chegar, eles se assentarão em doze tronos e julgarão as tribos de Israel no sentido de reger sobre elas. Eles também celebrarão o grande banquete messiânico com Jesus (Ap 19.6-9) e têm a mais íntima comunhão com Ele, comendo e bebendo à sua mesa.

Em outras palavras, os discípulos não devem esperar prazeres mundanos e poder como recompensa, mas autoridade divina e a alegria de jantar com o Rei no Reino eterno. Eles serão grandemente recompensados, mas Jesus não promete colocar um acima do outro, nem dar mais honra a qualquer um deles. A autoridade dada a eles será única, mas todos os seus seguidores recebem a promessa de recompensa e um lugar no banquete messiânico.

Jesus prossegue mencionando que Satanás continua seu trabalho sinistro contra Ele. Entretanto, ele é um oponente poderoso não só de Jesus, mas também dos seus seguidores; ele está tentando derrotar a Ele e aos discípulos. Para impressionar Pedro com a seriedade do assunto, Jesus se dirige a ele por "Simão, Simão", e o adverte que Satanás quer peneirar todos os discípulos como trigo (cf. o uso do plural "vos" [*hymas*] no v.31). Como ele fez com Jó, Satanás pediu a Deus que o deixasse testar todos os seguidores de Jesus por meio de tribulações e adversidades. Eles o serão no conflito iminente, e Satanás não poupará esforços para tentar quebrar o círculo. O Salvador está plenamente cônscio de que a fidelidade de Pedro em breve será severamente testada, e que Pedro negará Jesus. Assim, no versículo 32, Jesus enfoca sua preocupação em Pedro.

Satanás não tem autoridade ilimitada para fazer o que quer com o povo de Deus. É permitido a Satanás testar Pedro, mas Jesus ora para que a fé de Pedro não desfaleça. Pedro, em outras palavras, tem um defensor que, pela oração, vem à sua defesa. Mas note que Jesus não pediu que Pedro fosse livre da dificuldade. Carregar a cruz é o caminho cristão. Logo, Pedro perderá a coragem, mas ele não fará uma renúncia total do Salvador. Satanás não poderá destruir a fé de Pedro. A prova não alcançará o fim que ele deseja. Pedro se voltará de sua negação e será restabelecido pelo seu Senhor.

Em outras palavras, o Pai responderá a oração de Jesus por Pedro. Seu fracasso não só será temporário, mas quando Pedro se voltar a Jesus, ele poderá fortalecer seus companheiros discípulos. O ministério de Pedro aos outros é o enfoque último da oração de Jesus: Tendo aprendido por experiência própria que a carne é fraca, Pedro poderá ajudar os outros crentes. Cheio com o Espírito no Dia de Pentecostes, ele se tornará uma voz especialmente encorajadora (At 2).

Pedro não percebe a seriedade do que ele ouviu, nem se dá conta da própria fraqueza. Sem hesitar, ele afirma que está pronto para ir à prisão com o Senhor ou até morrer com Ele. A autoconfiança de Pedro parece recomendável, mas a força humana em si nunca é suficiente para resistir tentação severa (1 Co 10.12,13). Não há que duvidar que ele quer ser fiel a Jesus. De fato, quando os soldados vêm prendê-lo, Pedro saca a espada para defender Jesus (v. 50; cf. Jo 18.10). Mas o que é que Pedro faz quando aqueles que são hostis a Jesus perguntam se ele é discípulo do galileu (Lc 22.56-62)? O Salvador ungido pelo Espírito sabe muito sobre a fraqueza humana e conhece Pedro melhor que o próprio Pedro. Ele profetiza sobre a negação tripla de Pedro.

Devemos nos lembrar que é noite, depois da Última Ceia. Jesus diz: "Digo-te, Pedro, que não cantará hoje o galo antes que três vezes negues que me conheces". Ele predisse o número de vezes que Pedro o negará e que cada vez será marcada pelo cantar do galo. Esta profecia, com seu conhecimento sobrenatural, está de acordo com a profecia de Isaías: "E repousará sobre ele o Espírito do SENHOR, e o Espírito de sabedoria e de inteligência" (Is 11.2).

As palavras finais de Jesus aos discípulos no cenáculo os fazem lembrar de dificuldades à frente (Lc 22.35-38). Anteriormente, Ele os tinha enviado de mãos vazias para pregar o evangelho (Lc 9.1-6; 10.3,4). Eles fizeram uma viagem curta e levaram consigo providências limitadas, mas suas necessidades tinham sido providas. Nos dias tranquilos da missão galiléia, eles tinham confiado na hospitalidade das pessoas. Agora os tempos mudaram, e eles enfrentarão dificuldades como nunca antes. Logo, Jesus será executado como criminoso, e os discípulos serão vistos como comparsas no crime. Deus ainda estará com os discípulos, mas daqui em diante eles têm de tomar providências e buscar proteção para a viagem. Eles terão de se defender contra os inimigos do evangelho, contra Satanás e contra as forças das trevas. Eles devem obter uma espada.

Alguns tomam a palavra "espada" literalmente, significando que os discípulos devem comprar espadas para usar em conflito físico. Mais tarde, alguns estarão preparados para defender Jesus com espadas, mas Ele detém essa tentativa antes de qualquer coisa (vv. 49-51). O que Jesus realmente quer é que os discípulos provejam as próprias necessidades e se protejam sem derramar sangue. Eles se encontrarão cada vez mais lançados numa luta espiritual e cósmica. A compra de espadas serve para lembrá-los daquela batalha iminente. Empreender esse tipo de guerra requer armas especiais, inclusive "a espada do Espírito, que é a palavra de Deus" (Ef 6.11-18).

Os discípulos parecem não entender (Lc 22.38). Eles informam que têm duas espadas. Jesus diz: "Basta", provavelmente com a intenção de repreensão irônica por pensarem assim. Eles encetarão uma guerra cósmica; os recursos humanos nunca são suficientes para esse tipo de luta.

6.2. A Prisão (22.39-65)

A Última Ceia era celebrada na noite de quinta-feira. Tendo concluído o discurso de despedida, Jesus parte do cenáculo com os discípulos. Na manhã seguinte Ele será formalmente julgado pelo Sinédrio (vv. 66-71). Antes desse julgamento, Jesus se prepara para o que jaz à frente (vv. 39-46); Ele é preso (vv. 47-53), negado por Pedro (vv. 54-62) e escarnecido (vv. 63-65).

6.2.1. A Oração de Jesus no Monte das Oliveiras (22.39-46). Ainda é noite. Jesus sabe que os inimigos logo virão prendê-lo. Ele deixa a cidade de Jerusalém com os onze discípulos fiéis e vai para o monte das Oliveiras.

Eles vão a um lugar onde Ele e os discípulos regularmente se reúnem para oração. Lá Ele os exorta a orar para que Deus os impeça de cair em duras provas e tentações que estão próximas. Então, Ele se afasta uma pequena distância ("cerca de um tiro de pedra" — mais ou menos 30 metros). Ajoelhando-se em oração, Ele abre o coração a Deus: "Pai, se queres, passa de mim este cálice". Ele sabe que à frente acham-se tempos de sofrimento, o cálice da ira (cf. Sl 11.6; 75.7,8; Is 51.17) para a salvação dos outros. Ele recua ao pensar em beber esse cálice e ora que, se possível for, o Pai o retire. Totalmente angustiado, Ele enche a noite com clamor e oração, e seu suor cai no chão como grandes gotas de sangue (v. 44). É como se Ele já estivesse começando a derramar o sangue.

O Cristo no Getsêmani nos confronta com um mistério profundo. Por que Ele sentiu tamanha angústia? Uns sugerem que Ele está experimentando mais que um ataque comum de Satanás, mas os relatos bíblicos (Mt 26.36-46; Mc 14.32-42) não dão indicação disso. Nem é porque Ele antecipa o grande sofrimento e as dores físicas da crucificação. A Escritura não provê base para a visão de que Jesus está com medo da dor física e morte. Ao longo de seu ministério, sua coragem não diminuiu, mesmo quando em grande perigo físico. A morte de muitos cristãos mártires envolvia mais dor física intensa que a crucificação de Cristo, contudo eles pareceram mais tranquilos que o Cristo no jardim do Getsêmani. Com certeza, os mártires não eram maiores que o Senhor.

Não há que duvidar que a agonia profunda de Jesus no Getsêmani encontra-se no fato de suportar a pena divina pelos pecados do mundo (cf. Is 53.10). No Getsêmani, Ele começa a provar a morte espiritual por toda pessoa. Sua agonia provém de pagar a dívida por nossos pecados, e mesmo agora no jardim Ele sente a dor excruciante de ser feito pecado por nós (2 Co 5.21).

Mas Jesus nunca vacila em sua obediência ao Pai. Ele se submete à vontade de Deus: "Todavia, não se faça a minha vontade, mas a tua". Seu compromisso é executar o plano divino pela salvação do mundo. Se significa morte, que assim seja. E Jesus não tem de enfrentar esta hora de trevas sozinho. Um anjo vem do céu, fortalecendo-o e capacitando-o a pedir "mais intensamente". A angústia em seu coração é vencida pela ajuda do céu e por sua perseverança na oração. Ele afirma seu desejo de que a vontade do Pai prevaleça e aceita o que lhe está à frente.

Enquanto isso, os discípulos dormiam. Eles estão consumidos pela tristeza. Não devemos nos esquecer de que é meia-noite ou até mais. Eles não têm entendimento da luta pela qual Jesus acabou de passar. Em vez de orar com Ele e por Ele, eles dormem. Mas sabendo as circunstâncias que eles logo terão de enfrentar, Jesus os desperta. Ele expressa surpresa, ao perguntar: "Por que estais dormindo?", e então os exorta a se levantarem e orarem a Deus para os impedir de entrar em tentação (cf. v. 40). Só pela comunhão contínua com o Deus vivo, eles poderão resistir a angústia e perseguição dos próximos dias.

6.2.2. A Traição e Prisão de Jesus (22.47-53). A prisão ocorre no monte das Oliveiras, na mesma noite da celebração da Última Ceia. Jesus está falando aos discípulos, quando Judas e outros chegam. Lucas não fornece tantos detalhes quanto Mateus e Marcos, mas concentra-se nos aspectos essenciais da traição do Salvador. Judas assume o papel principal e beija Jesus na face, sinal de amizade. O traidor conhece o lugar da pousada de Jesus e dos onze discípulos, e é para ali que ele leva os representantes do Sinédrio. A saudação habitual com um beijo alerta Jesus sobre a enormidade da hipocrisia de Judas. Ele percebe que o beijo é o sinal aos inimigos de que Ele é quem deve ser preso, pelo que Ele repreende Judas: "Judas, com um beijo trais o Filho do homem?"

Os discípulos estão prontos a defender o Senhor pelo poder da espada. Anteriormente, Ele lhes havia falado sobre espadas (v. 36); agora eles perguntam se devem usá-las para evitar a prisão. Antes que Jesus possa proibir o uso de violência, Pedro toma a iniciativa e corta a orelha direita do "servo do sumo sacerdote". O servo deve ter visto o golpe vindo em sua direção e abaixado a cabeça para evitar ser morto. Jesus exorta que os discípulos permitam que os acontecimentos tenham seu livre curso, inclusive sua prisão. Ele não quer mais violência (cf. Jo 18.36). Ele toca a orelha do inimigo declarado e o cura. Jesus não viverá pela espada. Este milagre notável é uma lembrança de que o Salvador ungido pelo Espírito tira proveito de todas as oportunidades para ministrar. Jesus é homem de paz.

Até este ponto, Jesus não falou com os que vieram prendê-lo. Agora, Ele reprova os líderes judeus por terem vindo tão pesadamente armados — com espadas e porretes, armas condizentes para prender um bandido. Eles o estão tratando, homem de graça e gentileza, como se Ele fosse um criminoso perigoso. Assim, Jesus faz uma pergunta: Estou liderando uma rebelião? Ele lê a ação que fazem e os confronta com a verdade.

Algumas das autoridades do templo tinham estado em segundo plano enquanto Jesus ensinava no templo. Estes oficiais não lançaram mão sobre Ele naquele momento. "As forças da lei e da ordem fazem o trabalho publicamente e à luz do dia" (Caird, 1963, p. 243). Mas algo sinistro e demoníaco está agora em andamento. Os líderes judeus vieram sob a cobertura da noite para o prender e estão determinados a tratá-lo como criminoso, independente de quão injusto seja.

Jesus sabe que mais que atores humanos estão atuando neste drama. Ele sabe por que Judas e as autoridades religiosas estão agindo desta maneira: "Esta é a vossa hora e o poder das trevas". É a hora designada para os inimigos de Cristo agirem. No Quarto Evangelho, a "hora" é um tempo ordenado por Deus (cf. Jo 17.1) e tem significado semelhante aqui. O tempo escolhido por Deus para Jesus ser preso chegou. As forças das trevas estão por trás desta atividade humana e estão atacando Deus. Satanás é o príncipe do reino das trevas. Os líderes religiosos pertencem ao seu reino e estão fazendo seu trabalho. As forças do mal têm a sua vez ou "reinado" por algum tempo.

6.2.3. A Negação de Pedro (22.54-62).

É tarde da noite. Os oficiais da guarda do templo levam Jesus cativo e o conduzem à casa do sumo sacerdote, onde eles o mantêm sob custódia até a alvorada (v. 66). O sumo sacerdote não é nomeado aqui, mas Lucas se refere a Anás e Caifás como sumos sacerdotes no começo do ministério de João Batista (Lc 3.2; cf. Mt 26.57). Jesus é mantido sob guarda na casa do sumo sacerdote até o julgamento perante o Sinédrio. Durante este tempo, Pedro nega o Senhor e os guardas se entretêm escarnecendo do prisioneiro.

Evidentemente depois da prisão nenhum dos discípulos segue Jesus, exceto Pedro. Este discípulo, que foi excessivamente confiante, seguia-o "de longe", ficando distante o suficiente para não correr perigo de também ser preso, mas perto o bastante para ver onde eles levam Jesus. Pedro dirige-se ao pátio da casa do sumo sacerdote e se junta aos que estão assentados ao redor de uma fogueira.

À luz da fogueira, uma mulher identifica Pedro como um dos discípulos de Jesus (v. 56). À primeira vista, ela não está certa, mas ao dar uma olhada mais detida ela não tem dúvidas de que ele é um dos discípulos. Ela anuncia: "Este também estava com ele". Pedro se vê em risco, e sua reação é de negação — não só de que ele seja seguidor de Cristo, mas também de que ele tenha qualquer relação com Ele.

Pouco depois, outra pessoa também identifica Pedro como seguidor de Jesus (v. 58). Ele é enfático: "Tu és também deles". Pedro o nega categoricamente: "Homem, não sou".

Então, uma terceira pessoa identifica Pedro. Sua acusação é mais séria, porque ele a apóia com evidência: "Pois [ele] também é galileu". Por seu sotaque distintivo, o homem sabe que Pedro é da Galiléia (cf. Mt 26.73). João identifica este homem como parente do escravo cuja orelha fora cortada no jardim do Getsêmani. Tendo visto Pedro no jardim, o testemunho do homem tem peso. Mas Pedro nega que ele entenda o que o homem diz: "Homem, não sei o que dizes".

Mateus e Marcos nos dizem que esta negação atinge seu clímax com maldição e juramento de Pedro.

Quando Pedro está negando o Senhor, o galo canta. Ele se lembra do que Jesus tinha predito (v. 34). Lucas não indica onde Jesus está neste momento, mas Ele pode ver Pedro. Profeticamente ciente do que está acontecendo, Jesus volta a cabeça e olha Pedro diretamente. Esses olhos e o cantar do galo lembram Pedro do que o Salvador dissera. Ele é subjugado pela tristeza e sai chorando lágrimas amargas; o Pedro excessivamente confiante em sua capacidade falhou com seu Senhor. Ele aprendeu a lição de que a fidelidade depende de nossa confiança no poder do Espírito Santo. Mais tarde Pedro é restaurado, e depois do derramamento do Espírito no Dia de Pentecostes, se torna testemunha corajosa do seu Senhor (At 2). Com sua experiência, ele sabe o quanto é fácil cair. Tendo aprendido que a carne é fraca, ele se capacita para fortalece os demais crentes.

6.2.4. Jesus É Escarnecido (22.63-65).

Ainda é noite, e Jesus é mantido sob guarda por um grupo de soldados. Estes guardas tiram vantagem do prisioneiro, escarnecendo dEle, insultando-o e batendo nEle. Depois de ser abandonado pelos discípulos, Ele é escarnecido pelos inimigos. Estes homens brutais sabem que muitos o consideram profeta, e assim fazem um jogo para fazer com que Ele mostre Seus dons proféticos. Tendo-o vendado, um deles o golpeia, e depois exigem que Ele lhes profetize quem o golpeou. No que lhes diz respeito, Jesus não sabe o que está acontecendo ao redor. Mas Jesus tem um conhecimento que nenhum deles tem — que Ele está trilhando o caminho da vontade de Deus. Sem dizer uma única palavra, Ele suporta esses insultos e violência ultrajantes.

6.3. O Julgamento de Jesus (22.66—23.25)

A liderança judaica não poupa esforços em executar Jesus. Por causa de sua obediência à vontade de Deus, eles o julgam. Ele é julgado perante os líderes religiosos que afirmam serem justos, mas na verdade são exemplos de injustiça e mal. O verdadeiro caráter desses indivíduos foi mostrado ao longo do Evangelho de Lucas. Eles são condenados pela justiça de Jesus, uma justiça que envolve comunhão com pecadores e desterrados. Sua inocência está refletida ao longo do seu ministério público. Este sofrimento perpetrado sem justa causa pelo abuso dos líderes, lembra-nos de que Ele é o Servo Justo de Isaías 53. Repare como Pilatos e Herodes Antipas, governantes seculares, o pronunciam inocente, apesar de os líderes religiosos o condenarem à morte.

Lucas oferece narrativa mais longa do julgamento de Jesus do que da crucificação. O julgamento elucida o significado da morte de Jesus. Este Evangelho concentra-se no interrogatório perante o Sinédrio (Lc 22.66-71), Pilatos (Lc 23.1-7,13-25) e Herodes (Lc 23.8-12). A despeito da falta de provas dos acusadores, o julgamento procede implacavelmente em direção à condenação.

6.3.1. O Julgamento perante o Sinédrio (22.66-71). Jesus foi escarnecido no pátio da casa do sumo sacerdote, Caifás. Logo após amanhecer, Ele é levado à presença dos anciãos do povo, dos principais sacerdotes e dos escribas. Juntos eles formam o Sinédrio, o supremo concílio dos judeus que exerce autoridade sobre todos os aspectos da vida diária, inclusive das questões legais. De acordo com as leis rabínicas, o Sinédrio não podia julgar um caso capital à noite. Por isso, fazem uma reunião matutina bem cedo para tornar legal o que já haviam decidido (Mt 26.57-68; Mc 14.53-65).

Depois que o Sinédrio se reúne, começa o julgamento. Eles exigem que Jesus lhes diga se Ele é o Cristo. Eles focalizam um dos temas primários do Evangelho de Lucas: a identidade de Jesus (veja Lc 1.32,35; 3.22; 4.3,9,41; 8.28; 9.35). Este Evangelho descreve Jesus como o Rei-Messias. Quando Ele se aproximou do monte das Oliveiras, Ele se recusou silenciar os discípulos quando eles o aclamaram Messias (Lc 19.37-40). Como Messias, Ele entrou no templo para ensinar e purificá-lo (Lc 19.45-48). Assim, a pergunta que os líderes religiosos fazem é significativa. Mas eles já assentaram em seus pensamentos que Ele não é o Cristo. Eles querem que Jesus se incrimine dizendo-lhes que Ele é o Messias. Nada os agradaria mais do que ouvi-lo dizer: "Sim, Eu sou".

Por Jesus não fazer o jogo deles, eles podem explorar as implicações de Ele ser um messias político. Sua resposta é dupla.

1) Se Ele lhes disser que é o Messias, eles não o acreditarão. Embora devessem ser juízes imparciais, eles já determinaram não acreditar nEle. Então, Ele acrescenta: "Se vos perguntar, não me respondereis". Quer dizer, se Ele lhes fizesse perguntas incisivas concernentes a si mesmo, eles se recusariam a responder (Lc 20.1-8,41-44).

2) Ele afirma: "Desde agora, o Filho do Homem se assentará à direita do poder de Deus". O que Ele diz aqui é a chave para suas afirmações. Eles não estão dispostos a acreditar que Ele é o Messias, mas Ele os assegura de que, como o divino Filho do Homem (Dn 7.13), Ele reinará com Deus em poder e glória.

Como Messias, Jesus não é o libertador político que Israel está esperando, mas indica o tempo quando Ele estará assentado à mão direita de Deus e regerá do céu. As palavras "desde agora" significam "no futuro próximo", indicando que uma mudança está perto. Na verdade está, pois a morte, ressurreição e ascensão de Jesus mudarão todas as coisas (Morris, 1974, p. 318). Assim, o que em breve acontecerá tornará o julgamento de Jesus perante o Sinédrio irrelevante. Eles reputam que o destino de Jesus está nas mãos deles, mas o ressurreto Filho do Homem regerá do lado de Deus, e o que conta é o seu julgamento.

Os líderes religiosos têm discernimento teológico o bastante para saber que Jesus afirma que toma parte no governo e poder de Deus. A posição "à direita do poder de Deus" é muito mais sublime do que o que eles esperam que o Messias ocupe. Eles concluem que Ele afirma ser o Filho divino de Deus. Se Ele o disser, então eles o acusarão de blasfêmia. Por isso, eles lhe perguntam: "Logo, és tu o Filho de Deus?" (v. 70). Às vezes, os homens eram chamados "filhos de Deus", mas o artigo "o" (*ho*) quer dizer que os líderes religiosos estão lhe perguntando se Ele afirma ter uma relação única com Deus.

Evitando a resposta direta "Sim", Jesus dá uma resposta indireta: "Vós dizeis que eu sou". No que concerne ao Sinédrio, esta declaração é blasfêmia e veio da boca de Jesus. Sua admissão de ser o Filho de Deus lhe torna culpado de blasfêmia. Estes homens só querem sua morte e estão dispostos a usar a mais fraca evidência para justificar a condenação dEle.

6.3.2. O Julgamento perante Pilatos (23.1-7).

O Sinédrio leva Jesus a Pilatos, o governador romano. De acordo com a lei romana, um povo subjugado não pode dar a sentença de morte, executando pessoas que podem ser partidárias leais de Roma. Só o governador tem o poder de instituir a pena de morte. Assim, os líderes religiosos precisam do apoio de Pilatos. Mas eles também sabem que as acusações devem ser formuladas de forma que Pilatos veja Jesus como ameaça a Roma e ao seu próprio futuro como governador. A afirmação de Jesus ser o Filho de Deus não seria base para execução.

Lucas registra três acusações no versículo 2.

1) Jesus está "pervertendo a nossa nação". Mas Jesus não tentou incitar uma revolução armada. Os assuntos aqui são as tradições e leis judaicas. Jesus tem exigido mudanças sociais radicais e criticado as práticas tradicionais observadas pela liderança religiosa. Da perspectiva deles, ao obter o apoio do povo Ele provocou um motim. A afirmação pública de Jesus tem o potencial de levar à rebelião. Assim, eles acham alguma justificação para esta acusação.
2) Jesus tem se oposto a "dar o tributo a César". Os romanos aplicavam taxas e outros impostos em suas províncias. A acusação é inteligente, visto que era uma das principais responsabilidades de Pilatos coletar impostos. Os líderes religiosos já tinham tentado enredar Jesus nessa questão, mas sem sucesso (Lc 20.20-26). Esta segunda acusação é completamente falsa.
3) Jesus afirma ser "Cristo, o rei". Esta acusação pode ser entendida como tentativa de Jesus subir a uma posição de autoridade política, o que seria, então, uma preocupação para Roma. Com base em sua afirmação de ser rei, Jesus poderia ser acusado de traição ou rebelião. A questão é delicada, pois a administração de Pilatos seria colocada em risco se ele não tratasse de um homem descrito como revolucionário perigoso. Ele tem a obrigação perante o imperador de deter Jesus.

A segunda e terceira acusações são sérias. Pilatos se detém na acusação que tem maior significado para Roma e pergunta a Jesus se Ele é "o Rei dos judeus". Mais uma vez, Jesus se recusa a dar a resposta absoluta "Sim" (cf. Lc 22.70). Ele é Rei, mas não no sentido como Pilatos entende o título (cf. Jo 18.33-38). Há verdade na acusação, mas a monarquia de Jesus não é do tipo que seus acusadores querem que Pilatos acredite que seja.

A resposta de Jesus satisfaz Pilatos. O governador faz uma declaração pública de que ele não acha nenhuma razão para condenar este homem. É provável que ele tenha conhecimento da intenção criminosa dos principais sacerdotes para com Jesus e dos motivos para desejarem que Ele morra. Pela primeira vez neste julgamento, é mencionada a presença da multidão. Ainda que não concorde com as acusações, a multidão não estará livre de uma parcela da responsabilidade na morte de Jesus, ainda que a maior parte pertença à liderança judaica.

Descontentes com o julgamento de Pilatos, os principais sacerdotes insistem que Jesus tem incitado motins que começaram na Galiléia e que agora chegaram na própria Jerusalém. Quando Pilatos ouve mencionar "Galiléia", ele percebe que Jesus está sob a jurisdição de Herodes Antipas e procura passar a responsabilidade para este tetrarca da Galiléia. Pela razão de ele estar presente em Jerusalém para observar a Páscoa, é conveniente que Pilatos lhe remeta o caso. Mas enviar Jesus a Herodes é um erro, pois deste ponto em diante Pilatos perde o controle do caso.

6.3.3. O Julgamento perante Herodes (23.8-12).

Pilatos espera alcançar duas coisas ao enviar Jesus para Herodes. Livrar-se de um caso difícil e dar um passo em direção à reconciliação com o tetrarca. Embora nascido em Belém, Jesus é considerado galileu por causa de seus pais. Outrossim, a Galiléia é a região onde Jesus passou a maior parte de Sua vida.

Herodes ouviu falar do ministério carismático de milagres e ensino de Jesus (cf. Lc 9.7; 13.31). Ele está deliciado em ver Jesus, visto que há muito almejara esta oportunidade. Ele também espera ver Jesus fazer um milagre. Agora Jesus está de fato perante ele, mas Ele consistentemente se recusa a fazer milagres apenas para ser espetacular (Lc 4.9-12; 11.16,29). Ele não só se recusa a fornecer entretenimento, mas também decide permanecer calado. As muitas perguntas que Herodes dirige a Jesus ficam sem resposta. Sua resposta recorda Isaías 53.7, que Lucas cita em Atos 8.32. Os principais sacerdotes e escribas não querem arriscar que Herodes o liberte. Eles fazem muitas acusações fortes contra Ele, mas não são bem-sucedidos em fazer com que Herodes o condene.

Irritado pelo silêncio de Jesus, Herodes aproveita a oportunidade para mostrar seu desprezo por Jesus. Juntamente com os soldados, ele passa a debochar do prisioneiro. Eles o vestem com uma roupa real resplandecente, que serve para escarnecer a reivindicação de Jesus à monarquia. O comportamento de Herodes mostra que ele não leva a sério a acusação dos judeus de que Jesus afirma ser rei. Herodes devolve Jesus a Pilatos, mas sem qualquer acusação comprovada. Pela razão de Pilatos ter mostrado respeito pela posição de Herodes, estes dois inimigos se reconciliam. Jesus foi usado como peão político.

6.3.4. O Segundo Julgamento perante Pilatos (23.13-25).

Este incidente é o verdadeiro ponto decisivo na narrativa da paixão. Pilatos conclama os principais sacerdotes, os magistrados e o povo, o qual a uma voz gritam pela morte de Jesus (v. 18). Até agora, o povo tinha ficado em nítido contraste com os líderes na defesa de Jesus. Eles já não oferecem resistência aos esforços dos líderes religiosos em armar uma cilada para o Salvador. A dinâmica mudou, e o povo se une com os líderes para fazer com que Pilatos não solte Jesus.

Pilatos não achou nada em Jesus digno de morte, e ele anuncia a inocência de Jesus na presença do povo. Este veredicto não é apenas sua decisão, mas a de Herodes também. Pilatos espera que Herodes saiba mais acerca dos assuntos judaicos do que um governador romano e encara o fato de Herodes mandar Jesus de volta como equivalente à absolvição.

Contudo, Pilatos ainda não solta Jesus. Ele sugere que os soldados chicoteiem Jesus para depois o soltar (ele sempre soltava um prisioneiro na Páscoa para ganhar o favor do povo). Esta oferta é provavelmente a tentativa de Pilatos satisfazer os judeus. Pilatos cometeu a grave injustiça de enviá-lo a Herodes para julgamento, quando ele já tinha declarado que Jesus era inocente. Mas a solução conciliatória que ele agora propõe brutaliza um homem inocente e lhe faz sofrer maior injustiça.

A sede do Sinédrio é mostrada nesta maquete de Jerusalém em exibição num hotel da cidade. Na manhã depois da Última Ceia, Jesus foi levado perante os membros do Sinédrio para ser julgado formalmente.

Mas nenhuma solução conciliatória pode ser obtida. A uma voz, o povo e os líderes clamam pela libertação de Barrabás. Eles preferem um insurreto e assassino em vez de Jesus. Mas Pilatos não se rende facilmente, e de novo ele apela a eles para que lhe permitam açoitar Jesus e depois o soltar. Em desespero, ele declara a inocência de Jesus pela terceira vez (vv. 4,14,22). Agora a psicologia de turba tomou conta. Os gritos da multidão abafam todo o argumento. Em vez de ouvirem Pilatos, eles persistem em bradar ao governador: "Crucifica-o! Crucifica-o!" O verbo "clamar" (*epephonoun*) está no imperfeito e acentua que eles estão clamando repetidamente por Sua morte.

A situação está ficando cada vez mais ameaçadora. Pilatos decide não oferecer mais resistência à turba e lhes permite fazer com Jesus o que eles quiserem. Ele solta o homem que pediram (Barrabás) e entrega "Jesus à vontade deles" (v. 25), ressaltando a escolha pervertida deste povo. Eles exigem a liberdade de um rebelde e assassino, de forma que possam crucificar o Messias. A soltura de um homem culpado da prisão e a morte de um homem inocente em seu lugar indica fortemente a expiação substitutiva (cf. Morris, 1974, p. 324).

Ao longo do Evangelho de Lucas, os principais oponentes de Jesus foram os fariseus e os escribas. Visto que um governador romano, os líderes religiosos, o povo e até um discípulo têm participação na condenação de Jesus à morte, torna-se claro que o fermento dos fariseus levou a melhor (Moessner, 1989, pp. 196-197). O povo que tinha dependido de cada palavra de Jesus tornou-se uma turba inumana, determinada a pregar o Messias numa cruz romana.

6.4. *A Crucificação de Jesus (23.26-49)*

Por aproximadamente três anos Jesus ministrou a muitas pessoas, curando-lhes as doenças e oferecendo a verdadeira vida a todos que crêem nEle. Agora, seu ministério público alcançou o fim, e Ele é conduzido para ser crucificado. Sua crucificação está no centro do Evangelho como ato de amor divino a favor dos pecadores. A narrativa de Lucas sobre a morte de Jesus enfoca a jornada ao lugar chamado "Caveira" (vv. 26-32), a crucificação (vv. 33-38), a conversa com os dois ladrões (vv. 39-43) e os sinais extraordinários na criação junto com as reações das pessoas à morte de Jesus (vv. 44-49).

Os soldados romanos conduzem Jesus da audiência de Pilatos. Como era habitual para um condenado, Ele é forçado a levar a cruz nas costas até ao lugar de execução. Jesus começou a jornada, mas ficou debilitado pelos açoites, e a cruz é muito pesada. Alguém é tomado da multidão — Simão, de Cirene, Norte da África, — para levar a cruz por Ele ao Gólgota.

Grande multidão de pessoas segue Jesus. Incluído em seu número deve haver curiosos e aqueles que pediram a morte de Jesus. Mas ainda há os que admiram Jesus. Entre eles estão mulheres que choram profusamente por Ele (não são as mulheres que o seguiram desde a Galiléia; cf. v. 49). Em palavras de teor profético, Jesus as chama de "Filhas de Jerusalém", querendo dizer que são mulheres que moravam naquela cidade (cf. Is 37.22; Zc 9.9). O texto implica que o choro é sincero e admirável. Estas mulheres locais estão se comportando assim por causa da tortura e morte iminente de alguém que fez tantas ações boas.

Enquanto Jesus caminha para o Gólgota, Ele não está pensando em si, mas nelas. Ele insiste que elas devem chorar por si mesmas e por seus filhos, e não por Ele. Jesus sabe que amargos dias de julgamento estão vindo (vv. 29,30) — o destino de Jerusalém já foi predito (Lc 13.34; 19.41-44; 21.20,21). Os judeus viam os filhos como bênçãos de Deus, mas durante os dias terríveis de julgamento seria melhor não ter filhos do que vê-los sofrer. Para fugir deste tempo terrível, estas mulheres clamarão para que as montanhas e montes caiam sobre elas e as matem.

A fim de apoiar o que Ele disse, Jesus apela para um provérbio: "Porque, se ao madeiro verde fazem isso, que se fará ao seco?" Jesus é o madeiro verde; o madeiro seco é Jerusalém em julgamento. Se Deus não poupa o inocente Jesus, qual será o destino daqueles que rejeitam o Filho de Deus? Jesus suporta o julgamento de Deus sobre o pecado de forma que o perdão possa ser oferecido, mas o fogo do julgamento divino será pior para tais pessoas. Madeira verde nunca é consumida pelo fogo tão facilmente quanto a madeira seca. A tragédia não é a morte de Jesus, mas a recusa do povo em aceitar o perdão.

Os soldados também conduzem dois outros para serem crucificados com Jesus. Lucas os descreve como "malfeitores", mas Mateus e Marcos os chamam de "salteadores" (Mt 27.38; Mc 15.27). Eles crucificam os três homens no "lugar chamado a Caveira". Não estamos certos sobre a razão desse nome; pode ter sido um monte cuja forma se assemelhava à caveira. Aqui, Jesus é pregado a uma viga que é colocada cruzada sobre outro pedaço de madeira. A cruz é levantada e fixada no chão. A crucificação era o tipo mais cruel de punição conhecido pelos romanos. Também era um acontecimento público.

Jesus "veio buscar e salvar o que se havia perdido" (Lc 19.10). Assim, apesar de sua situação desesperadora, Ele prossegue em sua missão de oferecer perdão de pecado. Ele ora por aqueles que o executaram e pleiteia a Deus que os perdoe, porque eles agiram por ignorância ao crucificar o Filho de Deus; mas a ignorância nunca retira a culpa. Seguindo o exemplo do Senhor, mais tarde Estêvão também ora por aqueles que pecam (At 7.60). Os soldados lançam sortes sobre as roupas de Jesus, deixando-o morrer sem nada a cobri-lo.

A multidão oferece várias reações a Jesus enquanto Ele sofre na cruz. Muitos olham por curiosidade; outros lamentam. A primeira repreensão vem dos líderes religiosos. Eles falam uns aos outros enquanto desafiam Jesus a descer da cruz: "Aos outros salvou; salve-se a si mesmo". Eles estão escarnecendo de seus milagres, presumindo que as curas e ressurreições não devem ter sido reais. Caso contrário, Jesus usaria seu poder para ajudar a si mesmo. Os líderes religiosos são persistentes ao extremo e o tratam desprezivelmente como "o Cristo, o escolhido de Deus". Eles estão convencidos de que o Cristo, o escolhido de Deus, nunca sofreria e morreria numa cruz (mas cf. Is 52.13—53.12). O sofrimento não tem lugar na sua teologia do Messias. Ao invés disso, estes líderes vêem o Messias como alguém que agiria com poder para destruir os inimigos.

A segunda repreensão vem dos soldados: "Se tu és o Rei dos judeus, salva-te a ti mesmo". Antes da morte, eles lhe oferecem "vinagre" (*oxos*), um vinho barato bebido pelos soldados romanos. Eles não estão mostrando compaixão ao oferecer algo de beber para Jesus. Oferecer a um rei esse tipo de vinho é insultá-lo. Retomando a idéia de Pilatos, eles o ridicularizam como o Rei dos judeus e gritam para que Ele se salve. Na viga vertical, acima da cabeça de Jesus, eles colocam estas palavras: "ESTE É O REI DOS JUDEUS". Tendo colocado a inscrição na cruz (Jo 19.20), Pilatos pode ter buscado vingança contra os líderes judeus por pressioná-lo a condenar um inocente. Não obstante, a inscrição é testemunho da realeza de Jesus. Ele é o único e exclusivo Rei dos judeus — o Rei de um Reino eterno.

A repreensão final vem dos criminosos: "Se tu és o Cristo, salva-te a ti mesmo e a nós". Este homem espera que a resposta à pergunta seja "Sim", ele a faz como modo de escarnecer e insultar este homem inocente. Porém, o outro transgressor da lei o censura por zangar-se contra Jesus. Ele o acusa de não honrar Deus e o lembra que todos os três estão sob a mesma sentença. Os dois criminosos merecem punição e estão pagando pelos seus pecados contra a sociedade, mas ele viu e ouviu falar o bastante sobre Jesus para saber que o Salvador "nenhum mal fez". Muitos devem ter reconhecido a inocência de Jesus.

Este ladrão se volta para Jesus e diz: "Senhor, lembra-te de mim, quando entrares no teu Reino". Aqui, "lembrar-se" significa mais que pensar nele. Ele quer que Jesus seja gracioso para com ele quando começar a reinar. Este homem confessou sua fé e se lançou na misericórdia e poder salvador de Jesus. Ele chega de mãos vazias ao Salvador e não tem nada a lhe oferecer — nenhuma vida moral, nem mesmo serviço depois da conversão. Mas à medida que a morte se aproxima, ele descobre que a graça livre de Cristo é suficiente para salvação. Este ladrão espera um dia tomar parte no Reino de Jesus, quando o Reino entrar em sua plenitude. O Salvador vai começar a reinar como Rei, quando Ele ascender ao céu, mas o ladrão penitente olha além do tempo da Segunda Vinda e da ressurreição. Ele sabe que sua morte não é o fim e expressa o desejo de ter um lugar naquele Reino.

Jesus promete ao ladrão arrependido mais do qual ele pede: "Em verdade te digo que hoje estarás comigo no Paraíso". Ele lhe garante que "hoje" ele se encontrará no paraíso, o lugar dos redimidos no céu. O sofrimento deste ladrão crucificado logo terminará. Imediatamente depois de morrer, ele desfrutará de comunhão com o Salvador. Na morte, os crentes partem para estar com Cristo (Fp 1.23; 2 Co 5.6-8) e gozam de comunhão íntima com Ele. Entre a morte e a ressurreição as almas permanecem num estado de felicidade divina. Enquanto o Messias Jesus abre as portas do paraíso para todos os que confiam nEle e os envolve em seus braços de misericórdia. Como o ladrão penitente, todos os crentes compartilharão a glória e poder do Reino na Segunda Vinda de Cristo.

Enquanto Jesus está pendurado na cruz, sinais na criação e reações dos circunstantes marcam a significância da sua morte (vv. 44-49).

1) O primeiro sinal é que o sol deixa de brilhar e a escuridão se abate sobre todo o país — começando ao meio-dia, quando o sol brilha mais intensamente, e continuando por três horas. O fato de o sol deixar de brilhar mostra o desgosto de Deus por Jesus ter sido rejeitado pelos judeus. Provavelmente mais está envolvido nesse fato, porque escuridão e julgamento estão juntos (Jl 2.31; 3.14,15; Am 8.9). Jesus está sob julgamento de Deus pelos pecados do mundo.

2) O segundo sinal é o rasgamento do véu do templo em dois. Este véu é a cortina pesada que separa o Lugar Santo do Santíssimo Lugar. Este milagre pode ser uma advertência da destruição do templo sobre o qual Jesus profetizou (Lc 21.5,6). Indica a morte expiatória de Jesus como abertura de um novo caminho à presença de Deus (cf. Hb 9.3,8; 10.19-25). Para o ladrão penitente, Jesus abriu o caminho do paraíso e deu a todos os crentes acesso igual a Deus.

Logo antes de morrer, Jesus expressa sua confiança em Deus Pai. Nas palavras do Salmo 31.5, Ele clama: "Pai, nas tuas mãos entrego o meu espírito". Ele tinha começado seu ministério com confiança no Pai. Sua confiança tinha permanecido constante, e agora na morte Ele se entrega ao Pai. Tanto na vida quanto na morte Jesus mostra que está de acordo com a vontade de um Pai digno de confiança. Ele passou todo seu ministério fazendo o bem, confiando em Deus a cada passo do caminho. Finalmente, com serenidade e confiança, Ele se entrega à morte.

Sua morte tem um efeito sobre aqueles que o observam — sobretudo no centurião romano que tinha a responsabilidade de executar Jesus. Depois de observar o que aconteceu, ele é movido a glorificar a Deus. Pilatos e o ladrão penitente declararam a inocência de Jesus. Este soldado acrescenta seu testemunho: "Na verdade, este homem era justo". Ele viu a brutalidade que Jesus sofreu e os acontecimentos extraordinários do dia. Em conseqüência, ele confessa que Jesus é homem justo, não culpado de crime merecedor de morte.

Muitas pessoas de Jerusalém foram testemunhar a execução. Elas não têm interesse especial ou relação com Jesus. Deixando aquele lugar para voltar às suas casas, esses indivíduos voltavam "batendo nos peitos". Eles foram ver um espetáculo e se divertir, mas partem entristecidos e angustiados. Eles devem ter percebido que homens ímpios crucificaram uma pessoa inocente (cf. At 2.22-24).

Também presentes estão os amigos de Jesus. Entre eles estão os discípulos e as mulheres que vieram da Galiléia (Lc 8.2,3). Diferente do povo de Jerusalém, eles co-

O Arco, à direita, está na Via Dolorosa, o caminho que Jesus percorreu até ao Gólgota. Embaixo temos um jogo arranhado em pedra, o qual era jogado pelos soldados romanos. As linhas eram pintadas de vermelho para torná-las mais visíveis.

nhecem bem Jesus. Eles viram o escárnio e os soldados lançando sortes sobre Suas roupas. Eles o viram dependurado entre dois criminosos e as trevas que cobriram o país. Eles ouviram seus altos clamores na cruz e o viram morrer. Estas pessoas permanecem depois de Jesus morrer, mas ficam "de longe" (cf. Sl 37.12, LXX). Lucas não dá indicação se a distância que mantêm de Jesus é porque os soldados não as deixavam se aproximar, mas o fato de estarem lá realça a solidão do Salvador. Na hora de seu maior sofrimento, até seus amigos se mantêm à distância, assustados e mesmo envergonhados pelo que está acontecendo (cf. Is 53.2-4). Jesus só tem Deus a quem confiar.

6.5. O Sepultamento de Jesus (23.50-56)

Jesus fora rejeitado e crucificado, mas lhe é dado um enterro honrado. Entre os circunstantes acha-se um membro do Sinédrio, José de Arimatéia (cidade da Judéia). Ele era discípulo de Jesus (Mt 27.57; Jo 19.38) e não concordou com a condenação dos líderes a respeito do Salvador. Considerando que o voto deste grupo para executar Jesus foi unânime, ele deve ter estado ausente naquela ocasião. Conhecido como pessoa devota, ele aguardava ansiosamente o estabelecimento de Deus do Reino na terra. Seu interesse no enterro de Jesus revela a presença de uns poucos fiéis entre os líderes judeus.

José vai a Pilatos e obtém permissão para dar a Jesus um enterro decente. Sem perda de tempo, ele desce o corpo da cruz, envolve-o num pano de linho e o coloca num sepulcro cortado em pedra sólida, visto que o sábado está se aproximando. Naquela época, os túmulos tinham espaço para diversos corpos (Marshall, 1978, p. 880), mas ninguém havia sido enterrado neste túmulo (Dt 21.22,23). O enterro ocorre entre as três da tarde e o pôr-do-sol.

Lucas explica que é "o Dia da Preparação", no qual os judeus preparavam as coisas para o sábado. As mulheres da Galiléia, que tinha dado sustento financeiro a Jesus (Lc 8.2,3), observavam o enterro do Salvador. À medida que o sábado se aproximava, elas decidem voltar às suas casas em Jerusalém e preparar especiarias para ungir o corpo de Jesus. Os judeus não embalsamavam os corpos, mas aplicavam especiarias aromáticas para disfarçar o mau cheiro. Visto que estas mulheres são judias devotas, as especiarias têm de ser preparadas antes do pôr-do-sol, quando o sábado começa. As mulheres descansam no sábado e planejam voltar ao túmulo.

6.6. A Ressurreição de Jesus (24.1-43)

A morte e enterro de Jesus não são o fim da história. Jesus confiou em Deus, o Pai. Em sua hora mais tenebrosa, Deus não o abandona. Como resposta à completa confiança de Jesus nEle, o Pai o levanta dos mortos e, no Dia do Pentecostes, derrama o Espírito na Igreja. A profundidade da humilhação de Jesus é igualada pela altura de sua exaltação.

A narrativa de Lucas sobre a ressurreição chama atenção ao túmulo vazio (vv. 1-12), à conversa de Jesus com os dois discípulos na estrada de Emaús (vv. 13-35) e à aparição de Jesus aos discípulos (vv. 36-43). Neste Evangelho, as aparições acontecem ao redor de Jerusalém, mas não lemos nada sobre aparições do Senhor ressurreto na Galiléia. Jesus morreu em Jerusalém, e Lucas mostra que esta cidade é o lugar da vitória do Senhor e onde a Igreja recebe o poder do Espírito para evangelizar o mundo. Os discípulos de Jesus ficam surpresos com seu triunfo sobre a morte. Até eles têm de ser convencidos de que Jesus ressuscitou.

6.6.1. A Descoberta do Túmulo Vazio (24.1-12). No alvorecer do primeiro dia da semana (nosso domingo), as mulheres se dirigem ao túmulo de Jesus. Elas esperam encontrar o cadáver de Jesus para ungi-lo com especiarias. A primeira indicação de que algo incomum aconteceu é que a pedra à entrada do sepulcro fora rolada. Elas entram no sepulcro aberto, e, para sua surpresa, elas "não acharam o corpo do Senhor Jesus".

As mulheres estão perplexas e desejam saber o que aconteceu. Enquanto estão no túmulo, dois homens em roupas resplandecentes postam-se ao lado delas. A descrição deixa claro que estes visitantes são anjos (cf. v. 23; At 1.10). Sua presença surpreende as mulheres. Por respeito a eles, as mulheres abaixam o rosto ao chão. Repreendendo-as suavemente, os anjos perguntam por que elas estão procurando num túmulo pelo Vivente entre os mortos. Elas deveriam saber mais. Jesus ressuscitou e já não está lá. Ele mesmo lhes falara na Galiléia o que ia acontecer: "Convém que o Filho do Homem seja entregue nas mãos de homens pecadores, e seja crucificado, e, ao terceiro dia, ressuscite" (cf. Lc 9.22; 18.32,33). Este túmulo vazio está vazio de acordo com a profecia de Jesus. A palavra chave é "convém", o que indica a vontade divina em ação na vida e experiências de Jesus. Não há necessidade de as mulheres ungirem seu corpo com especiarias. Deus tomou conta disso uma vez por todas.

As mulheres então se lembram das palavras de Jesus ditas na Galiléia. Elas o tinham visto morrer na cruz, e agora estão vendo o cumprimento literal da profecia de que, no terceiro dia, Ele ressuscitaria dos mortos. Estas mulheres partilham com os discípulos que elas o viram e o ouviram.

Um grupo grande de mulheres viu o túmulo vazio, mas Lucas identifica apenas três pelo nome: Maria Madalena (Lc 8.2), Joana (Lc 8.3) e Maria, mãe de Tiago (Mc 16.1). Tentando convencer os onze apóstolos da história que contavam, elas diziam (tempo imperfeito) repetidamente a experiência vivida. Mas de acordo com o preconceito judaico contra mulheres que agem como testemunhas, sua mensagem é descartada como "desvario" (*leros*, "conto fútil, conversa fiada"). Como as mulheres, os apóstolos tinham ouvido as profecias dos lábios de Jesus, mas eles estão completamente céticos. Eles se recusam a acreditar. Nada senão evidência inegável os convencerá da realidade da ressurreição.

Entre os céticos está Pedro. Ao ouvir o que elas relatavam, ele imediatamente sai correndo ao túmulo e se inclina para olhar onde o corpo tinha sido colocado. Ele vê apenas as mortalhas "ali post[as]", o que confirma o fato do túmulo vazio. Mas a ausência do corpo do Senhor não o convence da ressurreição. Ele sai "admirando consigo aquele caso". Ele sabe que algo maravilhoso pode ter ocorrido, mas não o entende.

6.6.2. A Aparição na Estrada de Emaús (24.13-35). Este incidente na estrada de

Emaús dá mais provas da dificuldade dos discípulos em crer na ressurreição. No domingo, o dia em que foi descoberto que o túmulo estava vazio, dois discípulos estão viajando de Jerusalém a Emaús. Enquanto caminham, os recentes acontecimentos lhe dão bastante assunto para conversar. Eles discutem e debatem o significado dos acontecimentos relacionados com o julgamento e crucificação de Jesus e o relatório das mulheres sobre o túmulo vazio. Eles fazem perguntas um ao outro intensamente (como sugere o verbo *syzeteo*, v. 15). O debate revela o que está acontecendo no coração de todos os discípulos. Eles estão completamente aturdidos pelo que aconteceu e se sentem grandemente desesperados com a morte de Cristo.

Enquanto os dois discípulos estão conversando, Jesus se aproxima deles. A conversa intensa lhes reduzira o passo e permite que o Jesus ressurreto os alcance. Quando Jesus se une a eles, eles não estão cientes de quem Ele é. Deus está no controle e lhes impede os olhos de o reconhecerem (vv. 16,31). Jesus pergunta aos dois homens sobre o animado debate que faziam. Ele quer que eles compartilhem com Ele seus pensamentos e sentimentos. Esta pergunta os faz parar entristecidos (v. 16, ARA). Como os outros discípulos, estes dois não esperavam uma ressurreição. Eles se sentem desanimados e sem esperança depois da crucificação. Um dos viajantes (identificado por Cleopas) expressa surpresa que alguém em Jerusalém necessite ser informado sobre o que aconteceu. Jesus de Nazaré está na boca de todo mundo na Cidade Santa.

Para fazê-los falar, Jesus pergunta: "Quais?" Esta pergunta os leva a abrir o coração e a resumir a história de Jesus em quatro pontos (vv. 19-24).

1) Eles se referem a Ele por profeta, um entendimento comum que o povo tinha acerca de Jesus (Lc 4.16-30; 7.16; 13.31-35). De fato, relativamente ao seu ministério, Jesus pode ser comparado a um profeta como Moisés (At 3.14-26; 10.38,39). Ungido pelo Espírito, durante todo seu ministério Jesus era "poderoso em obras e palavras" e aprovado por Deus e pelo povo. O fato de o reconhecerem como profeta é correto, mas o entendimento de sua pessoa é limitado (Morris, 1974, p. 337). Ele é muito mais que profeta.

2) Os líderes religiosos, os principais sacerdotes e os príncipes entregaram Jesus à morte. Este bom homem sofreu a mais vergonhosa e cruel forma de execução. Estes discípulos colocam grande parte da culpa da morte de Jesus na liderança judaica.

3) Eles expressam desapontamento. Antes que Jesus morresse, eles tinham esperado que Ele redimisse Israel. Mas a morte pôs um fim às suas esperanças. Eles destacam que é o terceiro dia desde o julgamento e crucificação de Jesus. O entendimento que tinham da redenção é político — libertação dos inimigos, os romanos. Na verdade, Jesus proveu a redenção de Israel ao morrer.

4) Eles confirmam que naquela mesma manhã o túmulo foi achado vazio

O túmulo da família de Herodes em Jerusalém, perto do Hotel King David, mostra claramente como os túmulos eram selados com uma pedra rolada na entrada. O sulco para a pedra rolar era inclinado em direção à entrada para facilitar o fechamento e dificultar a abertura.

e que anjos disseram que Ele está vivo. Ao relatarem o que os anjos disseram, eles externam que querem acreditar nos mensageiros divinos, mas têm reservas sobre crer porque ninguém na verdade o viu (v. 24). O pronome "o" é enfático. Se os discípulos o tivessem visto de fato, as coisas seriam diferentes.

Os dois discípulos ainda não reconhecem Jesus. Essa falta de reconhecimento permite que este estranho lhes ensine a necessidade da sua morte e ressurreição e mostre que estes acontecimentos cumprem a Escritura (vv. 25-28). Ele os ouvira e agora era sua vez de falar. Primeiramente Ele os repreende pela falta de percepção espiritual e por serem vagarosos em se convencerem da verdade. Eles não creram em "tudo o que os profetas disseram!" A raiz do problema é não crer no ensino das Escrituras — em passagens como Deuteronômio 18.15; Salmos 2.7; 110.1; Isaías 52 e 53; Daniel 7.13,14. Caso contrário, eles saberiam que o sofrimento de Jesus e sua entrada na glória estão de acordo com o plano e a promessa de Deus. Os discípulos abraçaram a idéia de Jesus estabelecer um Reino terreno, mas eles se esqueceram de todas as profecias concernentes ao seu sofrimento.

Jesus começa com Moisés e vai discorrendo por todos os profetas, explicando o que as Escrituras dizem sobre Ele. A abordagem que Ele faz para interpretar a Escritura é importante. Sem reservas, Jesus aceita a autoridade da Escritura. Não crer nos seus ensinos é loucura. Além disso, a interpretação de Jesus está baseada na totalidade da Escritura. No versículo 27, a repetição de "todos, todas" não é acidental. Em conclusão, Jesus entende que a Escritura é primariamente centralizada em Cristo. Do começo ao fim, o Antigo Testamento é uma testemunha profética da vida do Messias (Soderlund, 1987, pp. 2-3).

À medida que os dois discípulos se aproximam da aldeia, o Estranho manifesta a intenção de prosseguir viagem. Mas eles instam para que Ele fique com eles. O pôr-do-sol está próximo, e eles lhe fazem um convite irrecusável para passar a noite.

Quando Ele se assenta à mesa para a refeição da noite, Este convidado se comporta de maneira incomum. Ele assume a posição de anfitrião. Tomando o pão, Ele o agradece a Deus e dá um pedaço para cada um deles. Imediatamente eles reconhecem o Cristo ressurreto, e a condição do versículo 16 é invertida. Depois que os olhos lhe são abertos, Ele desaparece da visão deles. Eles podem ter observado a maneira na qual Ele partiu o pão ou visto as feridas dos cravos nas mãos, mas a abertura dos olhos é um ato divino. Só o Cristo ressurreto se faz conhecido a nós.

De repente, o debate que Jesus teve com eles na estrada sobre as Escrituras faz sentido. Eles se perguntam: "Não ardia em nós o nosso coração"? A expressão indica o efeito poderoso do amanhecer da nova verdade no coração destas duas pessoas. Quando o Salvador lhes aparece pela primeira vez, eles não entendem ou crêem na sua morte e ressurreição salvadoras. Quando Ele lhes explica as Escrituras, o Santo acende uma chama nos corações e lhes abre os olhos, de forma que eles entendam que tudo o que aconteceu a Jesus está de acordo com a palavra profética e que Jesus é o Redentor prometido (Arrington, 1994, p. 76).

Com uma chama ardendo nos corações pelo Espírito Santo, eles querem partilhar com os outros as boas-novas de que Jesus está vivo. Sem perder tempo, eles viajam de noite de volta a Jerusalém para contar aos onze e aos outros sobre a experiência que tinham vivido. O avanço da hora não os desestimula (Morris, 1974, p. 371). As notícias que eles têm são muito boas para serem guardadas para si. Mas, quando chegam, eles descobrem que a verdade já é conhecida: "Ressuscitou, verdadeiramente, o Senhor e já apareceu a Simão". O relatório que estes dois discípulos de Emaús dão desdobra-se em duas partes:

1) Os acontecimentos na estrada de Emaús, e
2) O reconhecimento do Salvador ressurreto ao partir o pão.

Esta experiência na estrada de Emaús nos afirma que Jesus está vivo e nos assegura de que Ele aproxima aqueles que perderam a esperança. As pessoas

O ANTIGO TESTAMENTO NO NOVO TESTAMENTO

NT	AT	ASSUNTO
Lc 2.23	Êx 13.2,12	A dedicação do primogênito
Lc 2.24	Lv 5.11; 12.8	A oferta dos pobres
Lc 3.4-6	Is 40.3-5	A voz no deserto
Lc 4.4	Dt 8.3	Não só de pão
Lc 4.8	Dt 6.13	Servir só a Deus
Lc 4.10,11	Sl 91.11,12	A proteção dos anjos
Lc 4.12	Dt 6.16	Não provar a Deus
Lc 4.18,19	Is 61.1,2	O Espírito de Deus sobre Mim
Lc 7.27	Ml 3.1	O mensageiro enviado adiante
Lc 8.10	Is 6.9,10	Vendo, mas não percebendo
Lc 10.27	Dt 6.5	Amar Deus
Lc 10.27	Lv 19.18	Amar o próximo como a si mesmo
Lc 12.53	Mq 7.6	A casa dividida
Lc 13.35	Sl 118.26	Bendito aquele que vem
Lc 19.38	Sl 118.26	Bendito aquele que vem
Lc 19.46	Is 56.7	Casa de Deus, Casa de Oração
Lc 19.46	Jr 7.11	O covil de ladrões
Lc 20.17	Sl 118.22,23	A pedra de esquina rejeitada
Lc 20.28	Dt 25.5	A viúva do irmão
Lc 20.37	Êx 3.6	O Deus vivo
Lc 20.42,43	Sl 110.1	À mão direita de Deus
Lc 21.27	Dn 7.13,14	A vinda do Filho do Homem
Lc 22.37	Is 53.12	Contado com os transgressores
Lc 23.30	Os 10.8	Montes que caem sobre nós
Lc 23.46	Sl 31.5	Eu entrego Meu espírito

ficam desanimadas quando não colocam a confiança na sua Palavra. Jesus convida as pessoas a lhe contar as dificuldades. Ele ouve cuidadosamente e ministra às necessidades através das Escrituras. O Espírito Santo faz nosso coração reconhecer e abraçar a verdade e nos abre os olhos, de forma que possamos ver o Cristo ressurreto. Quando o vemos, nossa primeira reação deve ser contar aos outros sobre Ele.

6.6.3. A Aparição aos Discípulos (24.36-43). Os dois discípulos tinham chegado a Emaús antes do pôr-do-sol. Depois da refeição da noite, eles voltaram a Jerusalém, pouco mais de onze quilômetros de distância, e se reuniram com os discípulos. Enquanto estão contando sobre o encontro que tiveram com o Cristo vivo, o mesmo Jesus aparece e pronuncia "paz" sobre eles. Mas os discípulos não se atracam com a realidade física da ressurreição de Jesus. Por isso, a saudação não traz paz aos corações. Eles são terrificados, pensando que estão vendo um "espírito" (*pneuma*). O túmulo vazio e os numerosos relatórios de sua aparição não os convencem.

Jesus reconhece que eles estão profundamente perturbados e ainda têm dúvidas sérias sobre a ressurreição do seu corpo que havia sido colocado no túmulo. Ele lhes mostra as mãos e os pés e os convida a tocar nEle. Ninguém pode pegar numa aparição ou num fantasma. Aquele que está no meio deles tem "carne e ossos". Trazendo as marcas dos cravos nas mãos e pés, o Jesus crucificado está realmente vivo. Ele está na presença deles com seu corpo, tendo vencido o pecado e a morte.

Tudo o que os discípulos viram e ouviram é muito para eles. Depois que Jesus lhes mostra as mãos e os pés, eles ainda não crêem. A reação parece uma mistura de incredulidade, alegria e assombro, embora a alegria e o assombro do que vêem sugiram que eles estão crendo lentamente no Salvador ressurreto. Sabendo que eles ainda têm dúvidas, Jesus lhes oferece uma prova final. Ele pede comida, e eles lhe dão um pedaço de peixe assado. À vista deles, Ele come. O ato de comer destrói a opinião dos discípulos de que o que eles estão vendo é um fantasma ou espírito.

O Jesus ressurreto tem um corpo visível e real, o qual pode ser tocado. Não obstante, seu corpo ressuscitado é maravilhoso e extraordinário, pois pode aparecer e desaparecer à vontade (v. 31). O corpo colocado no túmulo foi ressuscitado milagrosamente, mudado e dotado de qualidades sobrenaturais. Embora seja substancial e possa ser tocado, é indubitavelmente um "corpo espiritual" (1 Co 15.44).

6.7. A Mensagem Final de Cristo aos Discípulos (24.44-49)

Lucas agora registra as instruções finais de Jesus aos discípulos. O Salvador ressurreto resume o que Ele ensinou durante o tempo em que Ele permaneceu com eles na terra. Ele deve ter enfatizado estas verdades ao longo do período de suas aparições pós-ressurreição, visto que Ele em breve partirá da terra.

Uma das principais mensagens de Jesus é que tudo na Escritura concernente a Ele deve ser cumprido de acordo com o plano divino. O Antigo Testamento tem uma divisão tripla: a Lei de Moisés, os Profetas e os Salmos (os Escritos). Todas as partes das Escrituras dão testemunho de Jesus. O cumprimento do que Deus prometeu centraliza-se completamente em Jesus. Como Ele fez na estrada de Emaús (v. 32), Ele abre a mente dos discípulos para uma compreensão genuína das Escrituras proféticas. Ele lhes dá *insight* espiritual para que entendam como a profecia é cumprida nEle.

O que Deus promete, Ele realiza. O Senhor ressurreto chama a atenção dos discípulos ao que a Escritura predisse.

1) O Cristo (Messias) tinha de sofrer. Sua morte havia sido antecipada na Escritura (Sl 22; 31.5; 69; 118; Is 53).

2) O Cristo tinha de ser ressuscitado no terceiro dia (Sl 16.10; 110.1; 118.22-26). O Antigo Testamento prediz Sua morte e ressurreição — acontecimentos que já aconteceram. Enquanto Jesus fala aos discípulos, eles estão experimentando a realidade da ressurreição.

3) A missão aos gentios tinha de ser empreendida (Is 42.6; 49.6). Como a morte e ressurreição de Cristo, o ministério aos gentios cumprirá a Escritura. Os discípulos têm de levar a mensagem a todas as nações, começando por Jerusalém. Eles deviam ir "em seu nome" — em nome de Jesus —, ou seja, com sua autoridade e portando esta mensagem: "Arrependei-vos dos vossos pecados e Deus vos perdoará". Eles devem proclamá-la primeiramente em Jerusalém e depois às pessoas de todos os lugares. Jesus é o Salvador de todos, assim a mensagem tem de chegar a todos.

Mas antes que a missão de pregar arrependimento e perdão de pecados comece, os crentes têm de ser capacitados pelo Espírito. Jesus lhes garante que Ele lhes enviará o poder que o Pai prometeu. Em conseqüência disso, eles serão "revestidos de poder". Eles não devem começar a tarefa evangelística com as próprias forças, mas só depois de receberem a promessa do Pai, a plenitude do Espírito.

Muitas promessas são dadas na Bíblia, mas "a promessa de meu Pai" (v. 49) lida diretamente com o derramamento do Espírito Santo. O profeta Ezequiel falou sobre Deus derramar o Espírito sobre a casa de Israel (Ez 39.29). Joel prometeu que o derramamento se dará sobre toda a carne (Jl 2.28). Em outras palavras, o derramamento carismático do Espírito faz parte do plano divino tanto quanto o Calvário e o túmulo vazio. Pelos profetas, Deus tinha prometido encher todos os crentes com o seu Espírito, de forma que eles fossem capacitados para o serviço divino. Deus cumpre esta promessa primeiramente no Dia de Pentecostes (At 2.1ss), mas ali o derramamento do Espírito é apenas o começo do cumprimento (At 2.39). O dom pentecostal do Espírito vai além do primeiro Pentecostes. É "sobre toda a carne" (At 2.17), significando que o derramamento do Espírito é universal.

É uma promessa de "poder [*dynamis*] [...] do alto". O poder é um poder celestial — poder que só vem de Deus. É um poder para servir — um poder concedido pelo Espírito Santo para os crentes darem testemunho de Jesus Cristo e influenciarem outros a aceitar o Cristo. Jesus descreve que a experiência é como ser "revestidos [*enduo*] de poder". Assim como as pessoas são revestidas com roupas, assim os crentes serão revestidos com poder sobrenatural. Esta experiência não é um aumento geral de poder sobrenatural, mas é poder carismático que equipa os crentes para o serviço divino e os capacita a serem mais eficazes no seu serviço contínuo ao Cristo ressurreto.

Esta promessa do poder do alto tem um vínculo direto com a história do Dia de Pentecostes (At 2.1ss). Como portador único do Espírito, Cristo assegura aos discípulos que Ele enviará "a promessa de meu Pai". Os crentes precisam do poder especial do Espírito Santo para cumprir sua missão difícil. É o Cristo exaltado que envia esta bênção (At 2.33), de forma que possamos pregar o Reino de Deus, exercer poder sobre os demônios e curar os doentes (cf. Lc 9.1-6).

6.8. A Partida de Cristo para o Céu (24.50-53)

Como clímax para o seu Evangelho, Lucas descreve brevemente a ascensão de Jesus ao céu (cf. também At 1.1-11). Lucas registrou neste Evangelho só a metade da história, começando com o nascimento de Jesus e concluindo com sua ressurreição-ascensão; a continuação está em Atos. O vínculo entre os dois volumes é a ressurreição-ascensão de Jesus e o derramamento do Espírito Santo. Antes de partir para o céu, Ele confirma a promessa do versículo 49: "Vós sereis batizados com o Espírito Santo, não muito depois destes dias" (At 1.5). E depois de sua exaltação à mão direita de Deus, o Salvador derrama o Espírito Santo prometido, o qual os que estão presentes no Dia de Pentecostes vêem e ouvem (At 2.33). Assim, o caminho está pavimentado para o ministério da Igreja.

Antes de Jesus sair da terra, Ele leva os discípulos fora, a Betânia. Erguendo as mãos, Ele ora para que Deus os abençoe. Enquanto está orando, parte e é levado ao céu pelo Pai celestial. Sua ascensão significa que Ele entrou na sua glória (Lc 24.26), foi exaltado e entronizado à mão direita do Pai.

A partida de Cristo completa sua obra na terra. Seus seguidores não o verão na terra como o viram no passado. Ele levou para o céu a humanidade que assumiu quando entrou na terra. Apesar de sua partida, os discípulos estão cheios "com grande júbilo" e o adoram. Eles vieram a entender muito mais que antes. Em vez de esta separação final ser um tempo de tristeza, é ocasião de alegria, gratidão e louvor. Agora eles reconhecem que Ele é o Messias, o Filho divino de Deus, e o adoram como Senhor e Rei.

Os discípulos esperam ser cheios com o Espírito. Eles obedecem à ordem do Senhor e voltam a Jerusalém para esperar "até que do alto [eles sejam] revestidos de poder" (v. 49). Enquanto estão lá, eles passam grande parte do tempo no templo adorando e louvando Deus. Lucas começa seu Evangelho numa atmosfera de adoração: As pessoas estão no templo em Jerusalém à hora da oração. Assim ele convenientemente conclui com os discípulos no templo, adorando Deus com grande alegria e fervor. Qual resposta poderia ser mais apropriada à graça de Deus?

NOTAS

[1] O termo *carismático* é usado em sentido lato para se referir a um movimento transdenominacional que abrange todo o espectro do cristianismo e que enfatiza os dons espirituais na vida da Igreja. Entretanto, eu uso o termo com o sentido de uma pessoa ser capacitada para

o ministério através do Espírito Santo. A teologia de Lucas é carismática com ênfase no Espírito Santo capacitar a Igreja para o cumprimento de sua missão.

² Os pentecostais não se distinguem dos protestantes com respeito aos fundamentos da fé cristã, exceto num aspecto da doutrina do Espírito Santo. Eles enfatizam a "experiência pentecostal", a qual eles entendem que é uma experiência no Espírito subseqüente à conversão e uma dotação de poder para servir. A evidência desta experiência é falar em línguas conforme o Espírito Santo dá. Ser pentecostal é identificar-se com a experiência que ocorreu aos seguidores de Cristo no Dia de Pentecostes.

³ Estou em débito com Roger Stronstad por sua ajuda na preparação deste esboço paralelo.

⁴ Os aoristos de Lucas 1.51-55 são melhores entendidos como aoristos proféticos, declarando o que ainda está para acontecer como se já tivesse acontecido, ou como aoristos gnômicos (infinitos), declarando o que Deus faz em todos os tempos. Também é possível que Maria esteja olhando para trás, a ocasiões específicas quando Deus fez coisas, de modo que os verbos podem ser considerados como aoristos históricos comuns; mas é provável que Maria esteja profetizando a ajuda que virá por meio do Messias. Entender os verbos como aoristos proféticos nos lembra de que o que Deus fez no passado não será essencialmente diferente de Suas ações por intermédio de Jesus Cristo no futuro.

⁵ O verbo usado em Lucas 1.59 (*ekaloun*) é mais bem entendido como imperfeito conativo, enfatizando falta de consecução.

⁶ Os verbos de Lucas 1.68,69 deveriam ser entendidos como aoristos proféticos.

⁷ Mateus também registra o nascimento virginal de Jesus (Mt 1.18—2.31). Mateus e Lucas excluem qualquer possibilidade de má interpretação sobre a natureza do nascimento de nosso Senhor, registrando-o no início dos Evangelhos. As narrativas não foram escritas em colaboração mútua, mas o fato de que elas concordam, indica a precisão dos relatos. Elas concordam que Cristo nasceu em Belém, que Ele era filho de Maria, que estava noiva de José, e que Ele era descendente de Davi. Mais importante é o fato de que as duas narrativas afirmam que Maria o concebeu pelo Espírito Santo enquanto ela ainda era virgem. Lucas fala sobre o modo da concepção dizendo simplesmente que o Espírito Santo desceu sobre Maria (Lc 1.34-38). É verdade que depois ele se refere ao pai e mãe de Jesus como "seus pais" (Lc 2.33,41), e ele registra o que Maria disse a Jesus: "Eis que teu pai e eu, ansiosos, te procurávamos" (Lc 2.48). Mas o registro de Lucas acerca do nascimento de Cristo indica como estas declarações devem ser entendidas. Mateus também atesta o nascimento virginal dizendo que Maria, que estava "desposada com José, antes de se ajuntarem, achou-se ter concebido *do Espírito Santo*" (Mt 1.18, ênfase minha). A preposição grega traduzida por "de" (*ek*) indica origem. O Espírito Santo foi a fonte originária, atestando o fato de que Maria era a única participação humana na conceição de Jesus.

⁸ No original grego lemos literalmente "Cristo Senhor", mas a frase é mais bem entendida com o sentido de "Cristo, o Senhor".

⁹ Este relato é o registro mais antigo de um culto na sinagoga. Em épocas mais recentes, as lições eram lidas da Lei e dos Profetas, mas é discutível afirmar que esta prática existia no século I (Morris, 1974, pp. 11-37).

¹⁰ Uma linha da citação vem de Isaías 58.6: "livres os quebrantados [oprimidos]".

¹¹ O particípio (*akousas*) não tem objeto no original grego. Mas é plausível entender que o objeto do particípio é João Batista.

¹² O relato de Lucas sobre a unção feita por uma mulher pecadora não é paralelo com as histórias de unção registradas nos outros Evangelhos. Esta mulher, cujo nome não é mencionado, não deve ser identificada com Maria Madalena ou Maria de Betânia (Mt 26.6-13; Mc 14.3-9; Jo 12.1-8). Estas três narrativas indicam acontecimentos que ocorreram no final do ministério de Jesus, e uma comparação entre elas revela outras diferenças.

¹³ Os manuscritos gregos diferem quanto ao nome do lugar. Alguns têm a região dos gadarenos ou dos gerasenos (ARA).

¹⁴ Na história judaica houve três templos. O primeiro foi o templo de Salomão, acerca do qual Jeremias predisse que seria destruído (Jr 7.1ss). Os babilônios o destruíram em 587 a.C. O segundo templo, conhecido por o Templo da Volta, foi construído por Zorobabel em cerca de 515 a.C. Herodes, o Grande, começou a construir seu templo em 20 a.C. Portanto, é o templo de Herodes que os discípulos de Jesus admiraram. Josefo oferece descrições de sua beleza (*Antiguidades Judaicas*; *Guerras Judaicas*).

BIBLIOGRAFIA

F. L. Arrington, "The Indwelling, Baptism, and Infilling With the Holy Spirit: A Differentiation of Terms", *Pneuma* 3/2 (1981), pp. 1-10; idem, *Christian Doctrine*, vol. 3 (1994); idem, *The Acts of the Apostles* (1988); D. E. Aune, *The New Testament in Its Literary Environment* (1987); C. K. Barrett, *Luke the Historian in Recent Study* (1961); E. M. Blaiklock, *The Acts of the Apostles* (1959); D. L. Bock, *Luke* (2 vols.; 1994 e 1996); R. G. Bratcher, *A Translation Guide to the Gospel of Luke* (1982); R. E. Brown, "Luke's Description of the Virginal Conception" (1974), pp. 360-362; F. F. Bruce, *The Acts of the Apostles: The Greek Text With Introduction and Commentary* (1952); idem, *Commentary on the Book of Acts* (1956); G. B. Caird, *The Gospel of St. Luke* (1963); F. B. Craddock, *Luke* (1990); H. E. Dana e J. R. Mantey, *A Manual Grammar of the Greek New Testament* (1955); W. D. Davies, *Invitation to the New Testament* (1966); R. J. Dean, *Layman's Bible Book Commentary* (1983); D. S. Dockery, K. A. Matthews e R .B. Sloan, editores, *Foundations for Biblical Interpretations* (1994); H. M. Ervin, *Spirit Baptism* (1987); J. A. Fitzmyer, *The Gospel According to Luke I-IX* (1981); H. Flender, *St. Luke: Theologian of Redemptive History* (1967); R. Franklin, *Christ the Lord: A Study of the Purpose and Theology of Luke-Acts* (1975); W. W. Gasque e R. P. Martin, editores, *Apostolic History and the Gospel* (1970); W. W. Gasque, *A History of the Criticism of the Acts of the Apostles* (1975); N. Geldenhuys, *Commentary on the Gospel of Luke* (1951); T. George, *Galatians* (1994); E. Haenchen, *The Acts of the Apostles* (1971); C. J. Hemer, *The Book of Acts in the Setting of Hellenistic History* (1990); M. Hengel, *Acts and the History of Earliest Christianity* (1979); idem, *The Acts of the Apostles* (1951); idem, *Between Jesus and Paul* (1983); S. Horton, *What the Bible Says About the Holy Spirit* (1976); A. M. Hunter, *Interpreting the Parables* (1960); J. Jervell, *Luke and the People of God* (1972); D. Juel, *Luke-Acts* (1983); R. J. Karris, *What Are They Saying About Luke and Acts?* (1979); L. E. Keck e J. L. Martyn, editores, *Studies in Luke-Acts* (1966); G. M. Lee, "Walk to Emmaus", *ExpTim* 77 (Setembro de 1966), pp. 380-381; R. C. H. Lenski, *The Interpretation of St. Luke's Gospel* (1946); I. H. Marshall, *The Acts of the Apostles* (1980); idem, *Commentary on Luke* (1978); R. P. Martin, *New Testament Foundations*, vol. 1 (1975) e vol. 2 (1978); G. B. McGee, editor, *Initial Evidence* (1991); D. P. Moessner, *Lord of the Banquet* (1989); D. Moody, *Spirit of the Living God* (1968); L. Morris, *Luke* (1974); idem, "Luke and Early Catholicism", in: *Studying the New Testament Today*, editor, J. H. Skilton (1974); A. Q. Morton e G. G. H. Macgregor, *The Structure of Luke-Acts* (1964); W. Neil, *The Acts of the Apostles* (1973); B. M. Newman e E. A. Nida, *A Translator's Handbook on the Acts of the Apostles* (1972); K. F. Nickle, *The Synoptic Gospels* (1980); J. C. O'Neil, *Theology of Acts in Its Historical Setting* (1961); R. F. O'Toole, *The Unity of Luke's Theology: An Analysis of Luke-Acts* (1984); A. Plummer, *A Critical and Exegetical Commentary on the Gospel According to St. Luke* (1896); R. B. Rackham, *The Acts of the Apostles* (1953); J. Reiling e J. L. Swellengrebel, *A Translator's Handbook on the Gospel of Luke* (1971); A. T. Robertson, *A Grammar of the Greek New Testament in the Light of Historical Research* (1934); E. Schweizer, *The Good News According to Luke* (1984); W. G. Scroggie, *The Acts of the Apostles* (1976); W. H. Shepherd, *The Narrative Function of the Holy Spirit As a Character in Luke-Acts* (1994); A. N. Sherwin-White, *Roman Society and Roman Law in the New Testament* (1963); S. Soderlund, "Burning Hearts and Open Minds: Exposition on the Emmaus Road", *Crux* 31 (Março de 1987), pp. 2-4; R. Stronstad, The Charismatic Theology of St. Luke (1984); idem, "The Influence of the Old Testament on the Charismatic Theology of Luke", Pneuma 2 (1980), pp. 32-50; C. H. Talbert, Literary Patterns, Theological Themes, and the Genre of Luke-Acts (1974); W. C. van Unnik, "'The 'Book of Acts': The Confirmation of the Gospel", NovT 4 (1960), pp. 26-59; C. N. Weisiger III, The Gospel of Luke (1966).

JOÃO
Benny C. Aker

INTRODUÇÃO

"Mas [...] João, último de todos, [...] divinamente movido pelo Espírito, compôs um Evangelho espiritual."

— Clemente de Alexandria

O Evangelho segundo João há muito tempo alcançou a marca autêntica de ser um Evangelho espiritual. É freqüente evangelistas ganharem novos-convertidos através de sua leitura, pois foi escrito numa linguagem simples que fala ao coração do leitor. Sob escrutínio cuidadoso, o Evangelho se levanta com lógica, argumentação e conteúdo que antagoniza uns e confunde outros. Suas palavras simples, carregadas de significado, não se movem com facilidade. Como há muito notou Eusébio na sua obra *História Eclesiástica*, este Evangelho espiritual encaixa-se bem entre os outros na quarta posição depois de Mateus, Marcos e Lucas.

1. Tipo de Escrita

Deus inspirou o autor do Evangelho de João a escrever para um grupo particular de pessoas. Embora escrevesse para uma audiência reservada, ele também escreveu para todos os cristãos. Este livro antigo fala autorizadamente às pessoas hoje quando o intérprete entra naquele mundo e considera o contexto do escritor humano, ao mesmo tempo que faz considerações justas à sua origem divina.

Um modo de fazer isto é entender que tipo de escrita é este Evangelho. A tradição da Igreja o rotulou de "Evangelho Segundo João". Alguns estudiosos modernos também o chamam o Quarto Evangelho, para indicar que difere em alguns aspectos dos outros três livros canônicos — chamados Evangelhos Sinóticos, porque em geral apresentam visões comuns da vida e ensino de Jesus. O termo *evangelho*, usado por todos os quatro Evangelhos, pertence a Jesus, que é o "evangelho" (*euangelion*, lit., boas-novas) para todas as pessoas. Embora todos os Evangelhos declarem Jesus como as Boas-Novas, cada um tem características especiais, que abrangem diferentes autores humanos, épocas de escrita, destinatários congregacionais e geográficos e problemas eclesiásticos. Além disso, cada Evangelho contém tipos menores de material, que se ajustam para ajudar o escritor a contar a grandiosa história de Jesus. Estas unidades menores incluem formas como parábolas, orações, sermões e declarações.

Cada escritor dos Evangelhos coloca seu relato da vida e ensino de Jesus na forma de narração. Assim, precisamos saber algo sobre narrativa. Na narrativa, a assinatura do autor aparece de modos indiretos e sutis. Por exemplo, como era costume na antigüidade, Mateus e Marcos não colocam seus nomes, nem declaram abertamente o propósito que têm ao escrever. Os autores de Lucas e João também não colocam seus nomes, embora demonstrem toques pessoais mais prontamente observáveis que Mateus e Marcos. Por exemplo, em Lucas 1.3 e Atos 1.1, o autor usa o pronome da primeira pessoa do singular para se referir a si mesmo, fornecendo sua razão para escrever (veja Lc 1.1-4).

O autor de João não usa o mesmo vocabulário ou estilo de escrita que os Evangelhos Sinóticos. É difícil saber no material pedagógico mais extenso de João onde Jesus deixa de falar e João começa. A assinatura do autor está em todos os lugares — assim Jesus é alcançado na sua mente e experiência. Ele também oferece numerosos lugares de explicação para leitores que não estão familiarizados com as localizações palestinas, o idioma hebraico ou aramaico ou os costumes. Eis algumas ilustrações. Em João 1.19: "E este é o testemunho de João", é o modo de o autor introduzir o primeiro episódio de João Batista. Em João 1.28, o autor explica onde o ministério de João Batista aconteceu. Em João 1.42, o termo aramaico "Cefas" torna-se "Pedro" para os leitores gregos (ambas as palavras significam "pedra"; veja também Jo 1.38, onde "Rabi" é traduzido por "Mestre"). Em João 20.30,31, o autor alude a si mesmo de modo indireto e por um verbo passivo: "Estes, porém, foram escritos para que creiais que Jesus é o Cristo, o Filho de Deus, e para que, crendo, tenhais vida em seu nome". Em João 21.24, o autor se refere a si mesmo na terceira pessoa do singular como "o discípulo que testifica dessas coisas e as escreveu".

Discrição na narrativa também passa pelo que o autor escolheu incluir e interpretar. Por exemplo, Mateus inclui uma genealogia e Escrituras-chave do Antigo Testamento na infância de Jesus (Mt 1—2). Do mesmo modo, em João 1.1-18, o autor fornece uma perspectiva eterna de Jesus como a Palavra. Ele não insere nada do material da infância de Jesus. O que um autor não inclui é tão importante quanto o modo como ele narra a vida de Jesus. É importante para a nossa compreensão permitir que cada Evangelho narre, em estilo próprio, a vida de Jesus.

Também ajuda considerar os Evangelhos como sermões narrativos. Assim como os sermões falam às necessidades das congregações, assim fazem os Evangelhos. Esta perspectiva nos ajuda a remover alguns dos problemas que os leitores modernos encontram nos Evangelhos, como a ordem dos eventos (isto é especialmente verdadeiro para com o Evangelho de João). Os Evangelhos foram escritos como respostas inspiradas a problemas eclesiásticos, tendo Jesus como o texto sagrado em base igual ao do Antigo Testamento. Que Jesus já tinha alcançado este nível durante o período de escrita é indicado em João 2.22: "E creram na Escritura e na palavra que Jesus tinha dito"; os termos "Escritura" e "palavra que Jesus tinha dito" são paralelos.

Neste sermão narrativo, o intérprete deve estar alerta aos dois níveis de compreensão. O primeiro nível é o material, que apresenta o que Jesus fez e disse, postando-se como texto sagrado. Tal material não é apresentado apenas por razões históricas ou biográficas, embora seja por ambas. Estas histórias respondem a necessidades específicas do escritor e leitor — este é o segundo nível de compreensão. Estes dois mundos se misturam, assim como uma bonita peça musical mistura muitos tons, falando de direção e encorajamento. No nível um, Jesus entra em debate com os líderes do judaísmo; no outro, suas palavras pelo autor falam ao cenário da audiência do autor.

2. Propósito

Saber por que o autor escreveu seu Evangelho é importante para o entendimento. João 20.30,31 nos dá o propósito, ainda que estes dois versículos não estejam sem debate. O versículo 31 contém diferentes leituras de manuscrito que expressam dois propósitos.

Eis a questão: O livro na qualidade de Evangelho busca novos-convertidos ou oferece uma apologia para os cristãos, a quem os não-cristãos atacam a fé e que necessitam de persuasão ou incentivo para manter a fé em Jesus? O ponto da contenção está sobre o verbo "crer" na expressão "para que creiais". O verbo deveria estar no passado e ser traduzido por "para que começais a crer", indicando crença inicial? Ou o verbo deveria estar no presente, enfatizando a crença permanente como cristão?

Se olharmos apenas a evidência do manuscrito, é difícil determinarmos qual leitura é a mais provável. Em termos de apoio numérico e alcance mais amplo de evidência, o tempo passado reúne leve vantagem. Contudo, manuscritos mais antigos apóiam o tempo presente. O argumento e o propósito do próprio Evangelho dão peso ao tempo presente. A natureza deste Evangelho sugere que os crentes endereçados por João precisavam ser incentivados a permanecer crendo em Jesus como o Filho divino de Deus. O escritor encontrou sua congregação desafiada por outros no que tange à natureza e obra de Jesus. Isto por sua vez levou-os a questionar a comunidade religiosa a que pertenciam, e até a natureza da Igreja.

A Família Herodiana

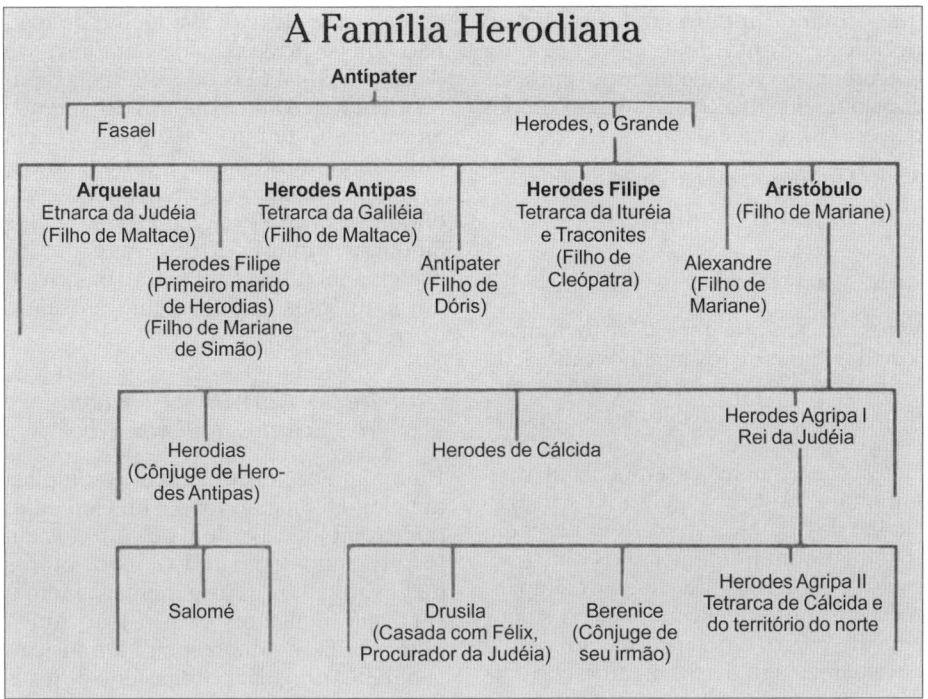

Antípater
- Fasael
- Herodes, o Grande
  - **Arquelau** — Etnarca da Judéia (Filho de Maltace)
  - **Herodes Antipas** — Tetrarca da Galiléia (Filho de Maltace)
    - Herodes Filipe (Primeiro marido de Herodias) (Filho de Mariane de Simão)
    - Antípater (Filho de Dóris)
  - **Herodes Filipe** — Tetrarca da Ituréia e Traconites (Filho de Cleópatra)
  - **Aristóbulo** (Filho de Mariane)
    - Alexandre (Filho de Mariane)
    - Herodias (Cônjuge de Herodes Antipas)
      - Salomé
    - Herodes de Cálcida
      - Drusila (Casada com Félix, Procurador da Judéia)
      - Berenice (Cônjuge de seu irmão)
    - Herodes Agripa I — Rei da Judéia
      - Herodes Agripa II — Tetrarca de Cálcida e do território do norte

Herodes, o Grande, era o rei da Judéia quando Jesus nasceu. Quando logo em seguida Herodes morreu, seu reino foi dividido entre os filhos que lhe restaram Antipas, Arquelau e Filipe.

Para incentivar seus leitores, o autor escolheu seletivamente certos sinais milagrosos que formam a base da sua obra e estabelecem uma crença fundamental em Jesus como o Messias divino. Este Messias não era o mesmo tipo de messias que o judaísmo esperava, pois Jesus excedeu essa expectativa. O judaísmo tinha dificuldade em crer que Jesus era divino. João apresenta Jesus como o Libertador messiânico do pecado e seu poder e o Doador da vida eterna, conforme foi anunciado pelo Antigo Testamento, suas festas e outras instituições. Ao permanecer crendo neste Messias, as pessoas terão vida eterna.

Qual é a natureza precisa do problema que João enfrentou na congregação ou congregações a quem escreveu? Era uma forma de gnosticismo, uma heresia primitiva, que a invadiu? Este gnosticismo não cria na humanidade de Jesus e assim colocava em perigo a crença cristã na encarnação. A verdadeira fé era caracterizada pela confiança no Jesus humano e divino. Deixar de crer em Jesus com essas características os retiraria da Igreja; eles já não teriam a vida eterna. Não está claro que o gnosticismo fosse o problema no Evangelho. O autor enfatiza a divindade de Jesus; ao mesmo tempo que torna presente a natureza humana de Jesus, ele não a enfoca.

O problema enfrentado por João era uma divisão pendente com o judaísmo, em resultado de um debate relativo à pessoa e natureza de Jesus e sua salvação resultante. Este cenário surge particularmente no fim de João 12, quando o conflito entre os líderes do judaísmo e Jesus alcança um clímax. O judaísmo tinha dificuldade em crer num Messias divino conforme foi descrito por João, porque fazê-lo alteraria significativamente a vida de adoração e concerto há tanto tempo sancionada. Esta é a questão de João: Jesus era divino e humano, e sua morte ocasionou um novo modo de salvação. Distintivos étnicos e religiosos já não constituíam argumento especial, visto que o mundo inteiro jaz no poder do pecado. Portanto, João escreveu para fundamentar a verdadeira crença em Jesus e sua obra de salvação nas mentes e vidas dos cristãos e incentivar-lhes a fé.

3. Relação entre João e os Evangelhos Sinóticos

a) Vocabulário e Estilo

Várias características importantes demarcam João dos outros três Evangelhos canônicos. João não tem vocabulário ou estilo semelhante aos Evangelhos Sinóticos. Palavras como "permanecer", "luz", "trevas", "verdade" e "testemunha" desempenham papel importante neste Evangelho. A expressão "Reino de Deus" só ocorre duas vezes em João mas com freqüência nos outros. O estilo de escrita de João é fluente e simples. Às vezes um estilo semítico acha-se por atrás do grego, o que propõe um pouco de aspereza. Em outros lugares, costuras literárias provêem transições ásperas de uma seção para outra.

b) Conteúdo

O Evangelho de João não contém parábolas semelhantes às dos Evangelhos Sinóticos. Com efeito, o termo "parábola" nem aparece. Ao invés disso, o autor usou a palavra *paroimia* que tem uma variedade de significados (inclusive "parábola"). João substituiu as parábolas por alegorias sobre o bom pastor e a videira verdadeira. Sua essência é semelhante à das parábolas; somente a forma e o nome variam. João também tem blocos de ensino mais longos em contraste com os blocos episódicos menores nos Evangelhos Sinóticos. Em João, o ministério de Jesus abrange até três anos, ao passo que os outros implicam que só durou aproximadamente um ano.

Vários aspectos dos ensinos acerca de Jesus também são únicos em João — as declarações "Eu Sou" e Jesus como o Cordeiro de Deus. Só alguns dos milagres dos Sinóticos e outros blocos de ensinos sucedem em João (ainda que ocorram temas sobre eles). O Evangelho de João não fala de possessão de demônios ou de libertação. A Ceia do Senhor não aparece em João do mesmo modo que nos Sinóticos. O tempo de sua ocorrência é diferente e seu nome foi mudado (os Evangelhos Sinóticos o chamam "Páscoa", enquanto que João o chama "ceia"). Nos Sinóticos, o ministério de Jesus acontece principalmente na Galiléia, ao passo que em João Jesus está mais em Jerusalém e arredores.

c) Texto, Narrativa e Ordem dos Eventos do Evangelho

Uma combinação de elementos complica uma leitura fácil de João. Um elemento, por exemplo, é a ordem dos eventos em João quando comparado com os outros três Evangelhos. Outro elemento tem a ver com variantes textuais em João. Ainda outro elemento diz respeito à transição geográfica irregular no ministério de Jesus no Evangelho de João.

Um evento, a purificação do templo, é digno de ser mencionando. É colocado no fim dos Evangelhos Sinóticos, mas em João, no começo (Jo 2). Um modo de solucionar a questão é advogar que houve duas purificações. No entanto, isto é menos que satisfatório. Uma explicação melhor é que o escritor colocou a purificação no início do ministério de Jesus para dar ao leitor uma predisposição ao que Jesus estava prestes a fazer e a quem Ele era (veja comentários sobre Jo 2). Este episódio moldou certas impressões no leitor, da mesma maneira que o Sermão da Montanha de Mateus e o Sermão da Planície de Lucas o fizeram. Este processo em João pressagia e antecipa o resultado da obra de Jesus.

A mais famosa das porções disputadas é a mulher pega em adultério, episódio narrado em João 7.53 a 8.11. Faz tanto tempo que as Bíblias incluíram esta história que problemas surgem se tradutores e comentaristas a omitem. É mais que provável que a história provenha do século I, mas foi alojada mais tarde em João. Outro problema textual envolve as águas agitadas pelo anjo, caso registrado em João 5.3b,4, o qual muitas traduções omitem (cf. NVI).

O movimento de Jesus em João parece incluir grandes saltos ou conter buracos de informação em certos lugares. Por exemplo, em João 6.1 Jesus atravessou o mar da Galiléia em direção a Tiberíades, enquanto que seu ministério em João 5 ocorreu em Jerusalém. Alguns estudiosos acreditam que João 21 não fazia parte do Evangelho original. Estudiosos críticos de João procuram explicar estas questões com várias teorias de deslocamentos ou novos arranjos do texto do Evangelho.

Hoje é comum focalizar outros métodos interpretativos que não ignorem estas dificuldades, mas que considerem João como uma narrativa completa. Os intérpretes têm passado de tentar reconstruir ou recuperar o mundo provável por trás da narrativa e do texto de João para o mundo localizado na narrativa do Evangelho e à pessoa que o lê. Eles fazem distinção entre o mundo concreto do qual João veio, incluindo o de Jesus, e o mundo que o escritor "cria" em sua narrativa. O autor criou um mundo omitindo eventos e incluindo outros; neste caso, os eventos de João são únicos, visto que poucos são encontrados nos outros Evangelhos. Ele também reorganizou a seqüência dos eventos. Esta atividade é muito parecida com a do pregador que constrói um sermão hoje em dia. O escritor, tendo em mente a audiência e suas necessidades, concentrou-se em material que falasse às necessidades e problemas dos ouvintes.

O mundo de João é o mundo da confrontação e debate. No seu Evangelho, ele oferece soluções que produzam uma nova maneira de viver. Ele encoraja os leitores a adotar um novo estilo de vida, digno do Evangelho de Jesus. O método de interpretação que se concentra no próprio texto e no leitor gera menos problemas que outros métodos de interpretação.

É importante ler o Evangelho de João como hoje o temos, a despeito dos problemas. Os problemas que encontramos no texto ajudarão a solucionar os problemas do mundo de hoje.

d) Relação Literária

Qual é a relação literária de João com os outros três Evangelhos? Há poucas ligações entre eles. Não há que duvidar que João tinha conhecimento dos outros Evangelhos. Certamente, como testemunha ocular de Jesus e como confidente íntimo, ele estava familiarizado com seus ensinos e declarações. Uma solução verossímil sugere que o material de João veio de um antigo banco comum de tradições orais, do qual ele também fazia parte — ou seja, os ensinos de Jesus, agora filtrados pela vida e experiência de João no Espírito e direcionados às necessidades do ministério.

4. Autoria

Até aqui temos usado o nome de João quando nos referimos ao autor. Agora passaremos a discutir a questão da autoria. Dois tipos de fontes fornecem evidências concernentes à autoria: A fonte interna compreende informações da história da Igreja; a fonte externa, o próprio Evangelho.

1) Em relação à evidência externa, antigos estudantes do Evangelho de João associaram o apóstolo João, filho de Zebedeu, com este Evangelho. Policarpo, que aos 86 anos de idade morreu por volta de 156 d.C., provavelmente associou-se com o apóstolo na Ásia e transmitiu a informação de que João era o autor do Quarto Evangelho (veja Eusébio, *História Eclesiástica*). Entre seus associados achavam-se Papias, bispo de Hierápolis, Ásia Menor, e discípulo de João (Irineu, *Contra Heresias*; Papias, *Fragmentos*; Eusébio, *História Eclesiástica*). Fontes comentam que Papias era "ouvinte" de João, que dava testemunho dos ensinos de João acerca de Jesus.

Em certo lugar Papias escreveu de dois "joões": João, filho de Zebedeu, e João, o ancião. Embora ambos sejam mencionados como discípulos de Jesus, o primeiro parece ter desaparecido de cena, ao passo que o outro estava vivo durante o tempo dos escritos de Papias. De qualquer forma, esta referência dual é um problema para os estudiosos modernos concernente à autoria de João do Evangelho que leva seu nome.

Para Eusébio, este também era um problema. Ele duvidava que Papias tivesse algum dia visto ou ouvido João, o Evangelista (*História Eclesiástica*). Contudo Eusébio, recorrendo a Clemente, não duvidava que João fosse o autor. Em sua obra, *História Eclesiástica*, ele incluiu os nomes dos autores de todos os quatro Evangelhos canônicos e as razões para eles escreverem. Em relação a João, comenta que ele escreveu por último. Depois de pregar o Evangelho durante muitos anos, finalmente ele escreveu seu relato acerca de Jesus. João escreveu o Evangelho porque alguns, que estavam inteirados dos outros três Evangelhos, diziam que não havia informações acerca do ministério inicial de Jesus. João preencheu essa lacuna.

Irineu também acreditava que o autor era João (veja *Contra Heresias*; Eusébio, *História Eclesiástica*). Outra fonte também escreveu sobre este assunto. Por volta do meado do século II d.C., Marcião truncou o cânon do Novo Testamento e assim instigou respostas. Uma destas, um prólogo anti-marcionista de João, asseverava que o Evangelho de João foi escrito pela mão de Papias, enquanto João o ditava. Algum tempo entre o escrito joanino e sua aceitação pelos pais apostólicos no século II, as pessoas não receberam bem o Evangelho de João, talvez por causa do gnosticismo. Esta hesitação não durou por muito tempo, pois o Evangelho de João é citado em várias fontes antigas (cf. o texto acima; veja também *Primeira Apologia de Justino*). A declaração de Clemente constante na *História Eclesiástica*, de Eusébio, de que o Evangelho de João era conhecido por todas as igrejas debaixo do céu e que era genuíno, apóia isto. O fato de João, o apóstolo, ter escrito este Evangelho, é atestado fortemente na igreja primitiva.

2) Mais problemas surgiram na mente dos modernos estudiosos acerca da evidência interna. Durante grande parte do século XX, os estudiosos negaram que João tivesse algo a ver com este Evangelho ou disseram que este passava por diversas fases (de três a cinco, dependendo do estudioso) sob a liderança de uma escola joanina. Esta escola em essência produziu o Evangelho de João.

Estudiosos mais conservadores defendem a teoria de que o Evangelho foi escrito pelo "discípulo a quem Jesus amava". Argumentos ligam esta pessoa com o apóstolo João ou com outra pessoa, como Lázaro (proveniente de Jo 11.3,36). Eusébio na *História Eclesiástica* trata o apóstolo e evangelista João como aquele a quem Jesus amava.

Em nenhum lugar o autor se identifica explicitamente. Só em João 21.24 lemos algo diretamente sobre ele: "Este é o discípulo que testifica dessas coisas e as escreveu; e sabemos que o seu testemunho é verdadeiro". Podemos dizer certas coisas sobre o autor proveniente do próprio Evangelho. Ele era judeu da Palestina, que conhecia bem sua geografia e preservou algumas das mais antigas tradições de Jesus. Ele conhecia as tradições judaicas sobre festas, costumes e outras tradições, e usava efetivamente vários dos métodos interpretativos de Hillel para articular sua cristologia, soteriologia e eclesiologia (veja Temas Teológicos, mais adiante). Outrossim, o Evangelho tem muitos laivos semíticos.

Na minha opinião "o discípulo a quem Jesus amava" era o apóstolo e evangelista João. É fato muito importante que "João", o nome ligado ao Evangelho e tradicionalmente identificado como o apóstolo, nunca seja mencionado no Evangelho. Os únicos "joões" citados no livro são João Batista e o sobrenome de Simão ("Filho de João", NIV). Se o apóstolo João é o autor, ele quis se mostrar de outra maneira. Esta maneira pode ser pela expressão "o discípulo a quem Jesus amava".

As diversas palavras traduzidas pelo verbo "amar" no Evangelho expressam sentimentos e atitudes entre os membros da deidade e entre Deus e o povo. Deus amou o mundo. Jesus amou todos os discípulos, inclusive Lázaro (que tem referência semelhante ao discípulo amado). Mas de acordo com a evidência do Evangelho, existia uma relação especial entre Jesus e este discípulo não identificado. A frase "o discípulo a quem Jesus amava" ocorre cinco vezes no Evangelho (Jo 13.23; 19.26; 20.2; 21.7,20). Esta informação é significativa. Dois discípulos inominados de João Batista, que depois se tornam seguidores de Jesus, aparecem em João 1.37-42. Eles vão com Jesus para onde Ele está morando. No versículo 40, um deles é identificado — é André, irmão de Simão Pedro; mais o outro discípulo permanece sem identificação. Nos relatos dos Evangelhos Sinóticos, João está entre os primeiros quatro chamados; no Evangelho de João, se esta pessoa é João, ele é um dos dois primeiros. Minha sugestão é que este discípulo anônimo é João.

Nas seções de chamada dos Evangelhos Sinóticos, dois grupos de irmãos destacam-se como os primeiros discípulos chamados por Jesus: Pedro e André, e Tiago e João. Eles sempre são encontrados pescando juntos (Mt 4.18-22; Mc 1.16-20). De acordo com Lucas 5.10, estes quatro são sócios empresariais. João segue esta tradição famosa, mas deixa fora o próprio nome (como também o do irmão). Isto indica um princípio a ser aplicado à questão da autoria: Ele omitiu propositadamente seu nome proveniente de uma tradição famosa. Todos saberiam quem era o autor.

É fato igualmente significativo que, ao término do Evangelho de João (Jo 21.24), esteja a referência ao discípulo que testificou destas coisas — ele também é a pessoa que escreveu o livro. Seguindo este aspecto do "testemunho", encontramos evidência corroborante. Em João 15.27: "E vós também testificareis, pois estivestes comigo desde o princípio". Aqui está uma declaração clara acerca da extensão do testemunho: "desde o princípio", ou seja, desde João 1.37-42, quando vários indivíduos tornam-se discípulos de Jesus. Isto demarca distintamente o primeiro parâmetro do testemunho. O parâmetro final está em João 21.24. Note também que no capítulo 21, Simão Pedro e o discípulo amado estão juntos, e servem como ponto de discussão. Eles estão juntos desde o princípio como sócios.

Referência adicional ao "testemunho" ocorre em João 19.35. Aqui, embora não identificado, o discípulo a quem Jesus amava (Jo 19.26) vê e testifica da morte de Jesus. Alguns versículos antes, este mesmo discípulo é mencionado entre as mulheres que estão na cena da cruz. É função específica do discípulo amado testemunhar de Jesus do princípio ao fim, sobretudo testemunhar da sua morte. Em João 19.35, o testemunho serve para autenticar a fé. Isto se encaixa com o propósito, apresentado em João 20.30,31, de escrever o livro e com a seleção dos "sinais" a serem incluídos.

Com a sentença "a quem Jesus amava" (lit., "a quem Jesus estava amando"), João intencionalmente se faz conhecido por meio de algum outro atributo que não o próprio nome. Isto indica humildade de sua parte. Os líderes apostólicos na igreja primitiva não se exaltavam, ainda que não se esquivassem de seus papéis de liderança. A frase implica uma relação contínua e pessoal com Jesus e sugere que o autor tinha informações únicas e confidenciais. Estes elementos humildes e pessoais aumentam a aura de credibilidade e autenticidade do Evangelho.

Finalmente, tradições bem atestadas dizem que João sobreviveu até o reinado de Trajano (98-117 d.C.). João 21.21-23 parece dar apoio a essa tradição, que de fato o autor não morreu antes do fim do século I. Esta estrutura permite tempo suficiente para João ter escrito seu Evangelho.

5. Data do Evangelho

Os estudiosos ainda não resolveram a questão da época da escrita. Uma teoria acredita que João escreveu antes da sétima década, ao passo que outra reputa que ele escreveu ao redor da virada do século I. Uma teoria de meio-alcance o coloca em algum lugar entre esses extremos, em geral ao redor da composição e uso do *birkath ha-minim* na sinagoga (veja mais adiante). Aqueles que defendem uma série de edições deste Evangelho sugerem que a edição final ocorreu no fim do século I.

A data não pode ser estabelecida com certeza; contudo, isso não significa que uma avaliação do material não seja importante. Dois fatores relativos à data emergem para ajudar o leitor.

1) Um fator diz respeito ao *birkath ha-minim*. Este é o nome da décima segunda bênção das *Shemoneh Esreh* ("As Dezoito Bênçãos"). Estas bênçãos serviam como oração central no culto da sinagoga no século I. A décima segunda bênção foi criada para separar os hereges de outros adoradores servindo como base para excomunhão. Os estudiosos ainda discutem o tempo da composição desta bênção.

    Esta situação proporciona um plano de fundo proveitoso para entender a linguagem apologética no Evangelho de João e reconstruir seu ambiente. Depois da guerra de 70 d.C., na qual os romanos destruíram Jerusalém e o templo, houve um tempo de tumulto e confrontação entre a Igreja e a sinagoga. Das correntes do judaísmo que sobreviveram, os fariseus predominaram. Eles tentaram fortalecer a fé judaica na terra de Israel e na Diáspora. Neste contexto, o cristianismo e o judaísmo finalmente saíram de forma. É mais do que certo que o judaísmo que confrontava a igreja de João não era igual ao judaísmo rabínico mais tardio, nem igual ao judaísmo dos dias de Jesus. Trata-se de um judaísmo que levava à sério sua herança e tradições religiosas. Sua expressão no plano de fundo do Evangelho de João uniu as tradições judaicas do passado e as ulteriores. Isto torna possível interpretar este Evangelho com dados mais específicos.

2) O segundo fator envolve a descoberta de vários manuscritos importantes que contêm partes do Evangelho. Ainda que o Evangelho não tenha sido citado antes da segunda metade do século II, existem insinuações anteriores em *Primeira Clemente*, na *Epístola de Barnabé* e em Inácio, todos em fins do século I e início do século II. Claro que é impossível saber se estes refletem contato real com um evangelho escrito ou com tradições orais. Mas dois manuscritos importantes vieram à luz — chamados p^{52} e p^{66}.

    O primeiro teve sua origem no Egito e foi descoberto em 1934, entre as propriedades de papiros inéditos pertencentes à Biblioteca John Rylands, em Manchester. Este fragmento de papiro contém somente pequena porção do Evangelho (Jo 18.31-33,37,38), mas muito contribui para os estudos joaninos. Os estudiosos o datam da primeira metade do século II, por volta de 125 d.C. Assim, o Evangelho estava em circulação no Egito em data anterior, muito longe do seu lugar de escrita. O Evangelho deve ter sido escrito algum tempo antes. Este fragmento é a cópia mais antiga de qualquer manuscrito do Novo Testamento.

    O segundo manuscrito em papiro, igualmente um dos mais antigos do Novo Testamento, conhecido como Papiro Bodmer II, foi publicado em 1956. Este manuscrito é datado por volta de 200 d.C. e contém João 1.1—6.11; 6.35b—14.26,29,30; 15.2-26; 16.2-4,6,7; 16.10—20.23; 20.25—21.9.

6. Lugar da Escrita e Destinatário

As teorias relativas à ocasião e lugar da escrita deste Evangelho são abundantes: Egito, regiões na terra de Israel, Éfeso (para nomear apenas os mais importantes). Além disso, onde estava o autor quando ele escreveu? Éfeso é o nome comumente mencionado na tradição da igreja primitiva, e um bom ponto de partida. O evangelista e apóstolo João, testemunha ocular de Jesus, engajou-se no ministério por todo o Israel e Ásia Menor. De acordo com a tradição da Igreja, aonde quer que ia, ele estabelecia igrejas e nomeava líderes.

Em todo esse tempo João pregava e ensinava sobre Jesus. Seus sermões e lições foram dados em diversas situações ao longo dos anos. Ele pode ter mantido em forma escrita grande parte do material. Por fim, quando servia numa função semelhante a de bispo, onde ele tinha a superintendência de várias igrejas, ele reuniu seu Evangelho. Ele o escreveu de Éfeso para outras igrejas que se reuniam em casas em Éfeso e arredores. Seu Evangelho era uma defesa do cristianismo e um guia para as confrontações entre suas igrejas e a oposição que recebiam das sinagogas.

Que tais confrontações aconteceram na Ásia Menor pode ser documentado pelas cartas joaninas, Apocalipse e os escritos de Inácio. Talvez isto explique o aparecimento de fases literárias, costuras, sermões e as outras características referidas acima, ao mesmo tempo que permite que surjam aspectos das primeiras testemunhas oculares. Também explica o material cuidadosamente planejado e condensado sobre Jesus, que hoje faz grande parte do seu próprio mundo. A cosmovisão e ensinamentos de Jesus absorveram João completamente.

7. Temas Teológicos

Uma consciência dos principais temas teológicos de João nos alerta para alguns dos problemas que João enfrenta e trata. Três temas principais emergem: cristologia (discussão da pessoa e natureza de Jesus), soteriologia (apresentação da obra de salvação de Jesus) e eclesiologia (demonstração da natureza da Igreja). A teologia de então, como a de hoje, formava um fundamento de fé e prática, um padrão pelo qual mensurar a vida religiosa. A Igreja de hoje não seria tão rica teologicamente falando sem o Evangelho de João. Sua perspectiva oferece uma diversidade dentro da unidade da teologia do Novo Testamento — diversidade por causa dos problemas dos crentes do Novo Testamento, língua, formas de pensamento e a personalidade inigualável de João.

Quanto à metodologia, João narra sua história de Jesus permitindo que a teologia saia-se bem na forma de narrativa. Talvez só no prefácio e nas declarações iniciadas por "*amen, amen*" é que ele se engaja num método proposicional de apresentar a verdade.

a) Cristologia

João forneceu uma visão singular da pessoa e obra de Jesus. Alguns estudiosos insistem que o Novo Testamento enfatizava a obra de Jesus e que pouco ou nada é dito acerca da pessoa de Jesus (e.g., suas duas naturezas). É verdade que a maioria do Novo Testamento dá destaque à obra de Jesus. Mas em João, a pessoa e natureza de Jesus, por causa das ameaças à sua Igreja, chamam significativa atenção. O judaísmo simplesmente não conseguia crer num Messias divino. Para João, esta questão era importante. Sem um Rei Messias divino, a salvação era impossível.

Usando uma das regras de Hillel, João esboçou a natureza fundamental de Jesus. Com efeito, a Regra 6 dizia: Tudo o que é dito de algo ou alguém (Ponto A), a mesma coisa pode ser dita de algo ou outra pessoa (Ponto B). Aplicado deste jeito, o que Javé (Deus; Ponto A) fez no Antigo Testamento, Jesus fez no Novo (Ponto B). Assim como Deus deu vida, assim Jesus deu vida. Assim como Deus criou, assim Jesus criou. Jesus tinha a autoridade e poder para fazer o que Deus no Antigo Testamento fez. Jesus era divino e igual, não obstante subordinado a Deus Pai. Um dos propósitos que Jesus serviu foi revelar o Pai na terra. Ele revelou a imagem de Deus (veja Cl 1.15). Ao mesmo tempo, João não ignorava a humanidade de Jesus.

Estreitamente associado com a cristologia está a teologia de João acerca do Espírito. Como no restante do Novo Testamento, o Espírito é sujeito ao Pai e ao Filho. A doutrina do Espírito está inteiramente centralizada em Cristo. Jesus é tanto o sujeito quanto a meta da teologia do Espírito, sobretudo em João. O Espírito, que testifica e fala do Pai e do Filho, revela às pessoas sua condição pecadora e as atrai para o sacrifício expiatório que Deus, através de Jesus, providenciou. O Filho e o Pai enviam o Espírito para dar vida.

João focaliza o Espírito na regeneração. O batismo com o Espírito, proeminente em Lucas e Atos, só ocorre de modo sutil em João. Por exemplo, o batismo de Jesus feito por João Batista, que o Evangelho de Lucas registra como uma unção do Espírito, não é mencionado no Evangelho de João, embora o Espírito dê testemunho divino de Jesus ao descer sobre Ele.

A escatologia é outro tema ligado à cristologia. João não enfatiza a escatologia futurista. Antes, ele se concentra no presente (a escatologia realizada). A ressurreição é a chave de sua escatologia. No tempo de hoje, quando as pessoas nascem de novo pelo Espírito, elas têm em si a vida divina. Elas experimentam a vida de Deus que dura para sempre. João fez isto por causa da ameaça do judaísmo. O Espírito na regeneração, a nova criação, era a maneira de as pessoas saberem se eram verdadeiramente membros do povo de Deus.

b) Soteriologia

No Novo Testamento, temos de falar simultaneamente de cristologia e soteriologia (a doutrina da salvação). Sem Jesus ser divino e humano, a salvação não seria possível. Sua morte sacrifical tinha de ser de imenso valor, assim, sua deidade providenciou isto. Mas sua humanidade tornou-lhe possível morrer. Se esta doutrina de fé cair, cai também a experiência e provisão de salvação.

A chave para entender este tema em João surge de um contexto de confrontação entre a congregação ou congregações de João e o judaísmo. Esta confrontação começou com Jesus, mas com o tempo se estendeu, tanto em profundidade quanto em amplitude, de forma que pelos dias de João a tensão era alta. As questões tinham se tornado muito mais claras.

Hoje em dia os estudiosos encaram esta confrontação com o judaísmo em termos sectários. Judeus e cristãos reivindicavam as mesmas Escrituras, as mesmas tradições do Antigo Testamento. O judaísmo reivindicava o Êxodo, a Páscoa, o concerto e os patriarcas (sobretudo Abraão e seus méritos). Tinha um sistema completo de tradição, escrita e oral, que sobrevivia na comunidade. Os judeus não precisavam de salvação pessoal, pois Deus há muito havia-lhes provido tal coisa. Em épocas especiais do ano, com celebrações rituais agrupadas em volta do templo e da lei, Deus apenas estendia Sua obra de promessa e perdão entre o povo.

Claro que os judeus não aceitaram Jesus como o Filho do Deus das Escrituras hebraicas e como meio de perdão. É aqui que entra a mudança. Jesus, por quem Deus inicialmente criou o mundo, foi aquele por quem Deus criou a segunda vez. Ele criou uma nova ordem chamada Igreja. João tomou festas importantes, dias santos e rituais do Antigo Testamento, manteve algumas idéias fundamentais inerente neles, mas acrescentou conceitos significativos, mudando-os. Por exemplo, ele mudou a Festa da Páscoa na Ceia do Senhor, o sábado no domingo (lit., "no primeiro dos sábados", Jo 20.1), o dia da ressurreição; a Festa dos Tabernáculos em Jesus e a vinda do Espírito. Ele mudou a submissão dos patriarcas Jacó (Jo 4) e Abraão (Jo 8) para Jesus e os apóstolos.

Por meio deste contexto de confrontos e mediante o poder transformador de Deus, João mostrou descontinuidade entre o Antigo e Novo Testamentos, ao mesmo tempo que mantinha continuidade.
1) Ele cria que Jesus cumpriu as promessas nas Escrituras.
2) Ele chegou às suas conclusões interpretando as Escrituras para mostrar sua ligação com Jesus e a salvação.
3) Sua experiência com Jesus moldou suas pressuposições e influenciou seu modo de abordar a Escritura. O judaísmo usava muitas das mesmas passagens da Escritura, mas João as via à luz de Jesus e do Espírito. Deus tinha feito uma coisa nova em Jesus. Exigia nova adoração, uma adoração de vida e Espírito, o que também trazia liturgia e ritual novos.

O sistema de salvação ocasionado por Jesus mudou o antigo. Jesus era o Cordeiro da Páscoa dos fins dos tempos, que tirou o pecado do mundo. Oferecendo-o como o Cordeiro de Deus na cruz no tempo da Páscoa, Deus tirou todas as ofensas entre Ele e seu povo. Colocando a fé em Jesus e tornando-se seus discípulos, os indivíduos recebem uma nova natureza pelo Espírito do Pai e do Filho. Através desta experiência, o novo crente entra no Reino de Deus — a nova, verdadeira e divina realidade. Sua morte e ressurreição são centrais à criação da Igreja.

Com a chegada desta nova era, a antiga perdeu significado. A Páscoa já não tem valor para a expiação. Considerando que o mundo está sob a influência do pecado e do Diabo, as pessoas não podem apelar para as realidades étnicas, preconceitos ou ligações patriarcais para dar fim ao poder do pecado. O pecado é inerente na natureza humana e nas várias estruturas sociais, políticas e religiosas do mundo. Jesus, em sua encarnação invadiu o mundo, fez expiação pelo pecado e enviou o Espírito para nos livrar do poder mundano. Jesus é o Messias divino que liberta o povo e predomina sobre tudo.

c) Eclesiologia

Embutido profundamente na estrutura do Evangelho de João acha-se um quadro da Igreja. No contexto dos confrontos deste Evangelho decorreu uma discussão relativa à identidade do povo de Deus. Os integrantes desse povo eram judeus ou cristãos (ou seja, crentes em Jesus)? Como saber? Por um lado, o judaísmo apela para suas tradições, festas, lugares santos, interpretações da Escritura, o templo e seus fundadores, os patriarcas. Referia-se sobretudo à sua etnicidade como a cola que mantinha unida as várias tradições. Mas na visão de João, o mundo inteiro jaz debaixo do domínio do pecado, inclusive o povo judeu. A Igreja (ou o povo de Deus) é o templo, o Corpo de Cristo (Jo 2). O corpo de Jesus, e o crente por meio dele, foi pendurado na cruz. Os crentes têm de comer desse corpo para serem um com ele. Ter fé nEle libera o Espírito para trazer nova vida e capacita a pessoa a participar desse corpo.

Os crentes têm o Espírito de Deus habitando dentro de si e entre eles. Agora eles se tornaram o novo templo de Deus. Aonde quer que estejam no mundo, há o templo de Deus. Os lugares do antigo templo já não são mais importantes. Esta é a única maneira de a pessoa adorar a Deus — verdadeiramente de modo espiritual. A presença do Espírito caracteriza o novo e verdadeiro povo de Deus como templo, o qual se levanta em descontinuidade com o antigo, visto que seu fundamento é Jesus.

ESBOÇO

1. **Prefácio** (1.1-18).
   1.1. A Palavra na Eternidade (1.1-5).
   1.2. A Luz: A Palavra no Mundo (1.6-13).
   1.3. A Encarnação: A Palavra na Igreja (1.14-18).

2. **A Manifestação da Luz no Mundo** (1.19—12.50).
   2.1. O Testemunho de João Batista (1.19-42).
   2.2. O Testemunho de Filipe e Natanael (1.43-51).
   2.3. O Primeiro e o Segundo Sinais: A Mudança do Templo (2.1—4.54).
   2.3.1. O Primeiro Sinal e o Casamento em Caná da Galiléia (2.1-11).
   2.3.2. A Purificação do Templo (2.12-25).
   2.3.3. Jesus e Nicodemos (3.1-21).
   2.3.4. Jesus e João Batista (3.22-35).
   2.3.5. A Mulher Samaritana (4.1-26).
   2.3.6. Jesus, seus Discípulos e a Mulher Samaritana (4.27-38).
   2.3.7. O Salvador do Mundo (4.39-42).
   2.3.8. A Pátria de um Profeta (4.43-45).
   2.3.9. O Segundo Sinal (4.46-54).
   2.4. Os Outros Sinais: A Mudança dos Dias Santos (5.1—12.50).
   2.4.1. A Cura no Tanque de Betesda (5.1-47).
   2.4.1.1. O Paralítico no Tanque de Betesda (5.1-5).
   2.4.1.2. A Cura do Paralítico (5.6-9b).
   2.4.1.3. O Desafio à Obra de Jesus (5.9c-18).
   2.4.1.4. O Dom da Vida: A Obra de Jesus e do Pai (5.19-30).
   2.4.1.5. As Testemunhas de Jesus (5.31-47).
   2.4.2. A Multiplicação dos Pães e Peixes para os Cinco Mil e suas Conseqüências (6.1-71).
   2.4.2.1. A Multiplicação dos Pães e Peixes para os Cinco Mil (6.1-15).
   2.4.2.2. Jesus Anda sobre o Mar (6.16-24).
   2.4.2.3. Elaborações sobre Jesus, o Pão da Vida (6.25-59).
   2.4.2.4. Muitos Discípulos Partem (6.60-71).
   2.4.3. Jesus e a Festa dos Tabernáculos (7.1—12.50).
   2.4.3.1. Jesus na Festa dos Tabernáculos (7.1-13).
   2.4.3.2. O Ensino de Jesus na Festa dos Tabernáculos (7.14-24).
   2.4.3.3. Jesus como Messias? (7.25-36).
   2.4.3.4. O Dom do Espírito que Dá Vida (7.37-44).
   2.4.3.5. A Incredulidade dos Líderes Judeus (7.45-52).

2.4.3.6. A Mulher Apanhada em Adultério (7.53—8.11).
2.4.3.7. A Luz do Mundo (8.12-30).
2.4.3.8. Jesus e Abraão (8.31-59).
2.4.3.9. A Cura do Cego de Nascença e suas Conseqüências (9.1-41).
2.4.3.9.1. A Cura do Homem Nascido Cego (9.1-7).
2.4.3.9.2. A Reação Inicial (9.8-12).
2.4.3.9.3. A Investigação da Cura (9.13-34).
2.4.3.9.4. A Confirmação dos Fariseus Cegos (9.35-41).
2.4.3.10. O Bom Pastor (10.1-42).
2.4.3.10.1. O Bom Pastor e seu Rebanho (10.1-21).
2.4.3.10.2. A Festa da Dedicação (10.22-42).
2.4.3.11. Jesus Ressuscita Lázaro (11.1-57).
2.4.3.11.1. A Morte de Lázaro (11.1-16).
2.4.3.11.2. Jesus e as Irmãs de Lázaro (11.17-37).
2.4.3.11.3. A Ressurreição de Lázaro (11.38-44).
2.4.3.11.4. A Trama para Matar Jesus (11.45-54).
2.4.3.11.5. Ordens para Prender Jesus (11.55-57).
2.4.3.12. O Aparecimento do Rei (12.1-50).
2.4.3.12.1. A Unção de Jesus (12.1-8).
2.4.3.12.2. A Trama para Matar Lázaro (12.9-11).
2.4.3.12.3. A Entrada Triunfal (12.12-19).
2.4.3.12.4. A Chegada da Hora de Jesus (12.20-26).
2.4.3.12.5. A Voz Celestial (12.27-36).
2.4.3.12.6. A Explicação de Isaías acerca da Cegueira do Povo (12.37-43).
2.4.3.12.7. O Clamor de Jesus (12.44-50).

3. A Manifestação da Luz entre os seus (13.1—20.31).
3.1. O Jantar com os Discípulos e o Lava-pés (13.1-38).
3.1.1. Um Padrão para Seguir (13.1-17).
3.1.2. O Traidor (13.18-30).
3.1.3. A Auto-Revelação Íntima da Glória de Deus (13.31-38).
3.2. A Partida Iminente de Jesus (14.1-31).
3.2.1. A Promessa de Consolo (14.1-14).
3.2.2. O Espírito e o Mundo (14.15-31).
3.3. A Videira Verdadeira (15.1-27).
3.3.1. A Poda dos Ramos (15.1-10).
3.3.2. Amor e Alegria — Vida na Videira (15.11-17).
3.3.3. O Ódio do Mundo (15.18-25).
3.3.4. O Testemunho do Espírito (15.26,27).
3.4. A Obra do Espírito Santo (16.1-33).
3.4.1. A Obra e Natureza do Espírito (16.1-16).
3.4.2. Exortação para Pedir por Alegria/o Espírito (16.17-24).
3.4.3. Finalmente, os Discípulos Entendem (16.25-33).
3.5. A Oração de Jesus pelos Crentes (17.1-26).
3.5.1. Jesus Ora pela Glorificação Mútua (17.1-5).
3.5.2. Oração pelos Discípulos (17.6-19).
3.5.3. Jesus Ora por Todos os que Vão Crer (17.20-26).
3.6. A Traição, Prisão, Crucificação, Morte e Sepultamento de Jesus (18.1—19.42).
3.6.1. A Prisão de Jesus (18.1-11).
3.6.2. Jesus diante dos Líderes Religiosos (18.12-27).
3.6.3. Jesus diante de Pilatos e dos Líderes Judeus (18.28—19.16a).
3.6.3.1. A Primeira Cena: Fora (18.28-32).
3.6.3.2. A Segunda Cena: Dentro (18.33-38a).
3.6.3.3. A Terceira Cena: Fora (18.38b-40).
3.6.3.4. A Quarta Cena: Dentro (19.1-3).
3.6.3.5. A Quinta Cena: Fora (19.4-7).
3.6.3.6. A Sexta Cena: Dentro (19.8-11).
3.6.3.7. A Sétima Cena: Fora (19.12-16a).
3.6.4. A Crucificação, Morte e Sepultamento de Jesus (19.16b-42).
3.6.4.1. A Crucificação de Jesus (19.16b-27).
3.6.4.2. "Está Consumado" (19.28-30).
3.6.4.3. A Morte de Jesus (19.31-37).
3.6.4.4. O Sepultamento de Jesus (19.38-42).
3.7. A Ressurreição de Jesus (20.1-31).
3.7.1. Pedro e o Discípulo Amado (20.1-10).
3.7.2. Maria Madalena e Jesus (20.11-18).
3.7.3. Todos os Discípulos: A Criação da Igreja (20.19-23).
3.7.4. Tomé e Jesus (20.24-29).
3.7.5. O Propósito deste Evangelho (20.30,31).

4. O Epílogo (21.1-25).

4.1. A Terceira Aparição de Jesus: Junto ao Mar de Tiberíades (21.1-14).
4.2. Jesus e Pedro: A Chamada para Compromisso Radical (21.15-19).
4.3. Pedro e o Discípulo Amado (21.20-23).
4.4. A Autenticação do Autor (21.24,25).

COMENTÁRIO

1. Prefácio (1.1-18)

Embora esta parte do Evangelho funcione como prefácio, é mais que isso. Escrito em forma poética, sobretudo os primeiros treze versículos, prepara o leitor para o que vem a seguir e, de fato, resume todo o Evangelho. Nesta parte encontramos por um lado rejeição e conflito, e por outro revelação, salvação e vida. Outrossim, o autor apresenta a pessoa e obra de Jesus e como Ele se encaixa no plano eterno de Deus. Os versículos 6 a 13 fornecem o resumo de João 1.19 a 12.50 e os versículos 14 a 18, dos capítulos 13 a 21. Estes temas originaram-se do Antigo Testamento, do pensamento corrente dentro do judaísmo e da literatura sapiencial não-canônica (veja comentários mais adiante).

1.1. A Palavra na Eternidade (1.1-5)

João 1.1 começa de modo muito semelhante a Gênesis 1.1: "No princípio". É intencional e em harmonia com o plano do Evangelho. João pretende provar que, com Jesus, Deus criou algo novo — a Igreja. O conflito entre o cristianismo e o judaísmo aparente neste Evangelho dizia respeito a qual era o verdadeiro herdeiro do Antigo Testamento. Visto que o judaísmo apelava para lugares santos, personalidades e outras tradições do Antigo Testamento, João teria sido menos eficaz em suas argumentações caso ele tivesse apelado para os mesmos materiais. João na verdade apelou para as tradições e textos do Antigo Testamento, até de modo semelhante ao judaísmo, mas sua crença e experiência com Jesus como Senhor fez a diferença. Textos do Antigo Testamento não ocorrem com freqüência em João de maneira notória. Todavia o Antigo Testamento aquiesce o Evangelho a cada ponto.

Esta seção focaliza a Palavra (o Verbo), o Logos. Muitas são as tentativas em traçar a fonte do termo *Logos*. É mais que provável que o termo e seu conceito provenham da literatura e pensamento judaicos, embora estivesse ambientado dentro do mais extenso mundo greco-romano. Os dois temas de sabedoria e agência estão juntos no "Logos". Começando no Antigo Testamento, a sabedoria e a lei (Torá, palavra hebraica para designar lei e associada com os cinco livros de Moisés) estão associados e tornam-se um. Especialmente Provérbios 8 não só personalizou a sabedoria, mas a colocou ao lado de Deus antes da criação e a envolveu nela. A lei, o epítome da sabedoria, sofreu maiores desenvolvimentos na literatura judaica mais tardia (Siraque, Sabedoria de Salomão, as traduções aramaicas das Escrituras hebraicas, os comentários rabínicos e Filo, escritor judeu).

Também implícita nesta combinação de lei/sabedoria está a idéia de agência. A sabedoria era o meio pelo qual Deus criou o mundo (Pv 8.30). Particularmente nas traduções aramaicas chamada *targuns*, a palavra aramaica *memra*, traduzida por "palavra", funcionava como a agência pela qual Deus criou o mundo. Enquanto que Memra neste caso ajudou alguns no judaísmo a se guardarem de profanar o nome de Deus (era um modo indireto de se referir a Deus), também serviu ao autor do Evangelho de João como modo de expressar a agência criativa da Palavra (cf. Sl 33.6, onde diz que Deus criou por meio de "a palavra"). João tomou um tema comum nos contextos litúrgicos judaicos, ampliou seu significado e o usou para expressar a doutrina do Filho de Deus, o Logos.

O autor também usa a revelação do tema inerente na sabedoria/lei. No Evangelho de João, o Logos é a plena revelação de Deus, da mesma maneira que a lei, proveniente da escrita das Escrituras hebraicas até a sua época, era uma revelação de Deus. O tema de que a Palavra (o Verbo), o Filho de Deus, revelou Deus *completamente* conclui esta seção no versículo 18.

Estas idéias de sabedoria, agência e revelação apresentam para o crente uma visão da criação e redenção centradas em Cristo. Não se pode saber o propósito último da criação ou redenção, nem entender a existência diária de Deus ou qualquer revelação espiritual, sem passar pelo Logos, o Filho de Deus.

Os versículos 1 a 4 narram o estado preexistente de Jesus e como Ele agia no plano eterno de Deus. "No princípio" (v. 1a) fala da existência eterna da Palavra (o Verbo). As duas frases seguintes expressam a divindade de Jesus e sua relação com Deus Pai. Esta relação é uma dinâmica na qual constantemente são trocadas comunicação e comunhão dentro da deidade. O versículo 2 resume o versículo 1 e prepara para a atividade divina fora da relação da deidade no versículo 3. No versículo 4 Ele é o Criador mediado. O uso da preposição "por" informa o leitor com precisão que o Criador original era Deus Pai que criou todas as coisas pela Palavra.

Os verbos que João usa nestes versículos fazem distinção entre o Criador não-criado, a Palavra (o Verbo) e a ordem criada. Numa boa tradução, a RC observa esta distinção: a Palavra (o Verbo) "era" mas "todas as coisas foram feitas".

O versículo 4 conta várias coisas para o leitor.
1) A Palavra divina, como Deus Pai, tem vida em si mesma, vida incriada (ou seja, é a fonte da vida eterna).
2) Esta vida revelou a pessoa e natureza de Deus para todas as pessoas.
3) "Luz" neste ponto pertence à revelação autorizada e autêntica de Deus; é melhor explicada em termos do Antigo Testamento, talvez conectando-se com "no princípio" de Gênesis 1. "Luz" ocorre pela primeira vez aqui numa série de conceitos que se opõem um ao outro. O oposto da luz são as trevas (mais tarde neste Evangelho, outros termos surgirão como opostos). "Luz" também se refere ao caráter justo de Deus, em oposição ao mundo injusto de trevas. Esta palavra também assumirá o significado de "glória" na seção seguinte ao Prefácio. Este conjunto de termos opostos era comum no mundo antigo.

O versículo 5 expressa a resposta que este povo injusto deu à luz: "A luz resplandece nas trevas, e as trevas não a compreenderam". A tradução "compreenderam" transmite a incapacidade de os pecadores entenderem Deus. Ainda que esta tradução (RC) seja aceitável, a tradução da NVI deve ser preferida: "A luz brilha nas trevas, e as trevas não a derrotaram". Ou seja, devido ao tema do conflito com o judaísmo encontrado no Evangelho, João está afirmando que a trevas não venceram a luz.

1.2. A Luz: A Palavra no Mundo (1.6-13)

Esta seção amplia os temas do último parágrafo e acrescenta dois elementos-chave: João (este Evangelho não o chama "Batista") e a "testemunha". João Batista, embora enviado por Deus, é inferior à Palavra. Um foi criado, o outro é incriado. Um é a testemunha da Luz, o outro é a verdadeira Luz. Esta declaração sugere que João Batista desempenhou papel significativo na mente dos leitores originais e que seus seguidores podem ter sido parte do problema na congregação de João. Esta situação é verificada pelas informações sobre João Batista no Evangelho de Lucas e no Livro de Atos (esp. At 19.1-7).

A palavra "testemunha" cumpre função importante no Evangelho de João. A palavra, usada com relação a idéias e pessoas como "sinal", Abraão, o Espírito e o Pai, verifica e testemunha que Jesus é verdadeiramente o Filho de Deus. O testemunho de João também ajuda outros a crerem na Luz.

O "mundo" é introduzido aqui pela primeira vez (v. 9) no Evangelho. Esta palavra se refere às pessoas entre as quais Jesus veio. Elas o rejeitaram como a verdadeira Luz, porque eram pecadoras. João aqui presume a queda de todas as pessoas. A queda significa que as pessoas nesta condição não podem conhecer Deus. Sua busca religiosa se perdeu, e elas não podem encontrá-lo sem a Luz. Mas suas tradições são sua segurança e elas tropeçam cegamente. Assim, os pecadores rejeitam a Luz quando Ele vem ao mundo.

Ainda que o mundo rejeite o Criador, Ele lhe dá uma medida de luz. Esta medida é expressa em nossos dias por graça comum — a graça de Deus que atrai e vai para cada pessoa. Esta é uma das possíveis interpretações do versículo 9. A interpretação depende de qual substantivo a expressão "que vem ao mundo" modifica. Modifica "a luz verdadeira" ou "todo homem"? No texto grego, esta frase vem depois de "todo homem" e assim provavelmente o modifica.

Depois de dizer que o mundo rejeitou a Luz, João estreita especificamente sua janela para comentar a exceção. Nos versículos 12 e 13, ele faz um contraste bem definido entre eles e comenta o que fez a diferença. "Receber" significa "crer". "Crer" enfatiza não o evento de um tempo, como ocorre na chamada ao altar, mas é um ato contínuo, um estilo de vida ou um estado. Com a crença habitual vem o "poder" de ser filhos de Deus. Em resposta à crença, Deus faz com que as pessoas nasçam como filhos dEle. O verbo "nascer" usado com Deus contém um elemento causativo. A imagem é esta: Deus é o pai, não a mãe.

A estrutura do versículo 13 mostra nítido contraste entre o esforço humano e a atividade divina. Três elementos paralelos e negativos: "Os quais não nasceram do sangue, nem da vontade da carne, nem da vontade do varão", contrastam com o único elemento positivo: "mas de Deus". Usando estes três elementos, João enfatiza que nenhum esforço humano pode fazer um filho de Deus — é necessária a atividade divina. Este contraste desafia coisas como distintivos étnicos e religiosos, e teria tornado difícil ao judaísmo receber e crer nisso.

O Evangelho de João reserva a palavra "filhos" como nome para os crentes em Jesus (cf. Paulo, que usa o termo "filhos de Deus"). João, por um lado, faz distinção entre a natureza do cristão e de Jesus, e, por outro, ainda fala de semelhança de relação. João usa a palavra "filho" para aludir a Jesus, mas "filhos" para aludir a todos os crentes que chamam Deus de Pai, a fonte do novo nascimento.

1.3. A Encarnação: A Palavra na Igreja (1.14-18)

João conta aos leitores que "o Verbo [a Palavra] se fez carne". A palavra "se fez" é a palavra usada anteriormente com a criação. AquEle que é Deus agora se faz ser humano. Este é o significando da encarnação: O Verbo divino (a Palavra divina), o Filho de Deus, agora é divino e humano. Deus está presente em todos os lugares, mas a encarnação acrescentou uma nova dimensão. Agora Deus está presente na mesma esfera da humanidade (grande fundamento para a verdadeira empatia!). Na encarnação, Deus se aproxima de uma nova maneira.

A informação neste versículo pode estar dando uma resposta ao gnosticismo e ao judaísmo, pois o gnosticismo não cria que uma pessoa divina também pudesse ser humana, e o judaísmo não cria que um ser humano pudesse ser ao mesmo tempo divino. O conhecimento da encarnação, no sentido pretendido por João, só vem por revelação, e a revelação passa pela atividade divina da regeneração. A revelação só é revelação quando é compreendida e somente quando Deus provê este tipo de capacidade para compreender este tipo de assunto.

João fala da encarnação em termos de templo. A palavra "habitou" no versículo 14 está associada com a habitação de Deus nas Escrituras hebraicas e aqui declara que a encarnação é o templo de Deus entre seu povo nos últimos dias. Como o templo de antigamente, este tem "glória", porém até mais — o templo é o próprio Deus, cheio de graça e de verdade. "Graça e verdade" tomam dois atributos-chave de Deus e depois identificam a Palavra com o Deus do Antigo Testamento.

O autor também alude à declaração do Antigo Testamento, de que ninguém jamais viu a Deus. No tempo do fim, Deus veio em carne e foi visto somente como Deus pelo povo da fé. Assim este templo novo e último é imensamente superior ao antigo. Tem glória que não diminui, como Paulo comentou acerca da glória em 2 Coríntios 3.7-11. A referência a Moisés no versículo 17 elabora indiretamente sobre esta idéia do Antigo Testamento. Enquanto Moisés deu uma medida de graça na lei, a graça superior veio por Jesus Cristo.

A palavra grega *monogenous*, no versículo 14, é comumente traduzida por "Unigênito". O intérprete tem de evitar a falácia da raiz quando busca o significado de determinada palavra, ou seja, tomar o que a raiz significa e aplicá-lo em todos os lugares em que a palavra é usada. O significado de uma palavra deve ser determinado por seu contexto. Neste caso, *monogenous* provém de duas raízes: "um/único" e "gerado". O modo como esta palavra é usada nos contextos bíblicos sugere que esta palavra deva ser entendida por "único". O processo criativo (ou seja, "gerado") não faz parte do significado desta palavra. O Logos é o único Filho de Deus.

O versículo 15 parece estar fora de ordem ou então é parentético. Porém, este testemunho encaixa-se com o que esta seção ensina. O Logos é a revelação única que Deus faz de si mesmo. O único modo pelo qual o ser humano pode ver Deus é pelo Filho, o Logos revelador. O Logos é divino e maior que João Batista. O Logos divino existia na eternidade antes de Deus enviar João Batista. O testemunho de João Batista exalta este fato.

A partir da evidência do manuscrito existem duas leituras possíveis no versículo 18 com a repetição da palavra *monogenous*: "Filho" ou "Deus". A RC escolheu "Filho" como a leitura mais provável. Embora a evidência do manuscrito esteja dividida, o testemunho do próprio Evangelho apóia a leitura "Deus" (cf. NVI). Esta é a declaração mais direta da deidade de Jesus no Novo Testamento.

2. A Manifestação da Luz no Mundo (1.19—12.50).

Esta divisão maior mostra que o mundo não tem a resposta certa e rejeita Jesus. João 1.19-51 coloca diante do leitor investigativo que lê este Evangelho uma pergunta importante sobre a identidade de Jesus. No parágrafo inicial (Jo 1.19-28) os líderes de Jerusalém enviam mensageiros para perguntar a João Batista se ele é o Messias, Elias ou o Profeta; ele nega ser qualquer um destes. Pouco depois (Jo 1.29-34) João Batista testemunha que ele próprio não teria sabido quem era Jesus, se Deus não lhe tivesse dado estas orientações: "Aquele que vires descer o Espírito e sobre ele repousar". Os discípulos de João também inquirem sobre Jesus (Jo 1.35-42).

O capítulo 1 orienta o leitor a antecipar a identidade de Jesus na narrativa seguinte, fornecendo a resposta nos lábios de duas pessoas: João Batista declara que Jesus é o Cordeiro de Deus, e Natanael afirma a respeito de Jesus: "Rabi, tu és o Filho de Deus, tu és o Rei de Israel". O restante do livro expande o significado destes títulos-chave. Jesus faz expiação pelos pecados do mundo e está reinando como Filho de Deus e Rei messiânico.

2.1. O Testemunho de João Batista (1.19-42)

O começo da história de Jesus em João 1.19-51, diferente de Mateus e Lucas, não contém nada sobre a infância do Senhor. Antes, João passa diretamente do seu resumo do Logos (Jo 1.1-18) para o testemunho de João Batista e a chamada dos primeiros discípulos. Os versículos 19 a 28 contêm o diálogo entre o enviado dos líderes de Jerusalém e João Batista. O testemunho de João no versículo 19 e a nota geográfica no versículo 28 põem este diálogo entre parênteses. O assunto aqui centraliza-se na identidade e testemunho de João Batista, de que ele não é o Cristo (ou seja, o Messias), Elias ou o Profeta. Nas várias tradições do judaísmo, estas figuras desempenhavam uma função na vindoura era do Messias. A resposta de João é sutil — em nenhum lugar ele diz quem é o Messias. Estes líderes não o conhecem, embora Ele esteja entre eles (v. 26). Isto sugere que eles não têm a natureza ou a capacidade para saber (cf. os comentários sobre Jo 1.10,11).

A resposta de João sobre o verdadeiro Messias (v. 23) não envolve um método superior de batismo (ou seja, com o Espírito Santo) como nos outros Evangelhos. O uso que ele faz de Isaías 40.3 afirma sutilmente que Jesus é "o Senhor" e que João Batista é apenas seu precursor. Para os leitores de João, a resposta aparece nos versículos 29 a 34. É suficiente para o momento saber que João Batista é somente uma testemunha, inferior a Jesus, e que a ignorância predomina sobre os líderes de Jerusalém.

A conclusão do parágrafo (v. 28) talvez indique o lugar mais antigo em que João Batista batizava e esteja ligado com Betsaida. O autor diferencia entre os líderes de Jerusalém, que não são amigáveis, e os discípulos de João Batista provenientes de Betsaida que se tornam discípulos de Jesus. Embora Jesus tenha feito de Cafarnaum sua sede, significativo número dos discípulos era originário da área de Betsaida. Esta cidade, em região governada por Herodes Filipe, era um tanto quanto tolerante, aberta aos gentios e até aos judeus piedosos de diferentes seitas.

Os estudiosos disputam a identidade e localização de Betânia (v. 28). Esta referência geográfica é ambígua no texto grego: a palavra "Betânia" está desacompanhada de artigo definido e a frase que a segue: "Do outro lado do Jordão", é vaga. Pode ser que aqui Betânia não seja o nome de uma cidade. Talvez denote o nome da região norte de Batanéia (e assim está associada com Betsaida). Presumivelmente João Batista batizou Jesus num local diferente (vv. 29-34).

O versículo 30 liga este parágrafo com o prévio e as palavras de João: "Este é aquele do qual eu disse". O autor tenciona responder quem é este maior e como a pessoa pode conhecê-lo. O testemunho de João Batista culmina neste parágrafo onde não temos diálogo — só as palavras de João Batista em modo de testemunho que reflete um cenário legal. João Batista observa que ele também não o conhece: "E eu não o conhecia, mas o que me mandou a batizar com água, esse me disse" (v. 33).

A declaração de que ele não o conhece ocorre duas vezes (vv. 31,33) para ressaltar seu desconhecimento. A voz daquEle que o enviou disse que o modo pelo qual João Batista iria saber era que o Espírito desceria e permaneceria sobre Jesus. O Espírito habitante torna-se a característica identificadora de Jesus.

A afirmação que o Espírito faz acerca de Jesus ser maior é importante para o escritor deste Evangelho em seu debate com o judaísmo. Os cristãos e os judaizantes recorriam às Escrituras hebraicas, sendo que os judaizantes também se valiam das tradições. Mas é a vinda do Espírito que denota quem são os reais herdeiros do antigo concerto. Ademais, isto faz de Jesus o Dispensador legítimo do Espírito (v. 33); também estabelece o fato de que é Ele quem pelo Espírito regenera os que crêem e os enche do Espírito. João Batista quer "batizar" para se referir abrangentemente a todas as atividades do Espírito na Igreja e para ela, embora neste Evangelho, por causa da natureza do problema que ele enfrenta, João destaque a regeneração. Jesus se põe como o foco de toda a doutrina do Espírito.

Neste parágrafo o Espírito conota regeneração, pois Ele está ligado com as palavras de abertura do versículo 29 que identificam Jesus: "Eis o Cordeiro de Deus, que tira o pecado do mundo". Jesus como o Cordeiro de Deus só ocorre no Evangelho de João e em Apocalipse. Ainda que existam várias teorias sobre a que tipo de cordeiro João está se referindo, o próprio Evangelho sugere que Jesus seja o Cordeiro pascal do fim do tempo. Ele substitui o cordeiro oferecido em cada Páscoa (veja o comentário sobre Jo 13 e 20). Este Cordeiro "tira o pecado do mundo". "Pecado" está no singular e tem um artigo acompanhante, o que sugere que um pecado em particular está em vista, um no qual todos participam, qual seja, o "pecado original". Esta era a condição do mundo quando a Palavra veio. De fato, esta é a razão de Jesus vir (cf. Jo 1.10; 3.16-21; 8.34-47; 1 Jo 3.1-10).

Por causa deste pecado, os líderes em Jerusalém não conheciam a Palavra, embora Ele estivesse entre eles. Por outro lado, o batismo em águas de João revela a Palavra ao povo de Israel, que antecipa o Messias. Quando eles o vêem assim manifestado, eles o reconhecem e o seguem. Este parágrafo serve como ponte entre os que se opõem a Jesus (o enviado de Jerusalém, vv. 19-27) e os que o seguem (os discípulos de João, vv. 35-42). Observe também Natanael, que é chamado "um verdadeiro israelita" (v. 47) e que confessa e desse modo identifica Jesus corretamente como "o Filho de Deus, [...] o Rei de Israel" (v. 49; cf. v. 34). Os líderes em Jerusalém estavam no mundo; Israel em seu representante, Natanael, com verdadeira antecipação messiânica, coloca-se à parte e contra o mundo.

A expressão "no dia seguinte" (v. 35) separa o testemunho de João Batista relativo à identidade de Jesus e seu testemunho a dois dos seus discípulos. Esta frase também liga este testemunho ao do parágrafo precedente, como faz "Eis o Cordeiro de Deus". Só em João lemos que os primeiros discípulos seguiam inicialmente João Batista. Aqui encontramos a maior parte das informações sobre André. Ele é irmão de Simão Pedro, o primeiro a seguir Jesus, e aquele que fala para seu irmão que encontrou o Messias. Também aprendemos que a chamada e a resposta dos discípulos não são espontâneas e instantâneas. Antes são pensativas, demoradas e judiciosas.

A linguagem discipular preenche os versículos 35 a 42. A ação e palavras de João Batista assinalam para seus seguidores que eles devem se tornar discípulos de Jesus. Os leitores deste Evangelho saberão quem eles devem seguir e por quê. Só Jesus como o Cordeiro pode tirar o pecado do mundo. Os dois discípulos de João Batista, até agora sem identificação no texto, ouvem ele dizer isto acerca de Jesus e começam a segui-lo. "Ouvir" e "seguir" (v. 37) são ambas palavras discipulares. O diálogo passa para Jesus, que se volta e pergunta: "Que buscais?" Esta importante pergunta ainda hoje é apropriada. A resposta que deram e a ação de irem com Jesus ao lugar onde Ele morava indica investigação preliminar, mas sincera, daqueles que desejam se tornar discípulos.

O parágrafo é concluído com Jesus mudando o nome de Simão para "Cefas", a palavra aramaica equivalente à palavra grega *petros*. Este ato informa ao leitor que Pedro é uma pessoa importante. "Rocha", o significado de Cefas/Pedro, provavelmente se refere a ele como o principal apóstolo, um dos Doze originais, uma pedra fundamental que autentica Jesus como o verdadeiro Messias. Assim Pedro desempenha papel importante no começo do Evangelho como também no fim (Jo 21). Em sentido real, Pedro serve como parênteses para a totalidade deste Evangelho. No capítulo 1, Pedro está calado; a tônica cai no olhar que Jesus dá em Pedro, e é Jesus que chama os discípulos e que traz à existência e estabelece a Igreja.

2.2. O Testemunho de Filipe e Natanael (1.43-51)

"No dia seguinte" (vv. 29,35,43) começa pela terceira vez um parágrafo e unifica o trecho de João 1.29-51. O diálogo — primeiro entre Filipe e Natanael e depois entre Jesus e Natanael — caracteriza esta seção; conclui com uma declaração importante que identifica Jesus. O discipulado ainda é o tema. O círculo de seguidores de Jesus está se expandindo, o qual em si modela o que os discípulos têm de fazer — contar aos outros sobre o Messias. O cenário também muda, embora o autor observa que Filipe também vem de Betsaida, o mesmo lugar de André e Pedro. Aparentemente Filipe conhece Natanael e sabe que ele também está buscando o Messias. Natanael é uma pessoa piedosa que estuda a Escritura debaixo de uma figueira (cf. *Mequilta*, Pisca 12), procurando o Messias. Filipe lhe testemunha que ele achou o Messias; Natanael está cético porque Jesus vem de Nazaré, lugar de má reputação. O convite ao discipulado é feito: "Vem e vê" (veja os vv. 39,46), e Natanael responde.

Não falando a ninguém em particular, Jesus fala a todo o mundo sobre a devoção de Natanael, modelo de um "verdadeiro israelita" (v. 47). Isto leva à confissão de

Natanael: "Tu és o Filho de Deus, [...] o Rei de Israel", repetindo a confissão de João no versículo 34, mas acrescentando um título importante — "o Rei de Israel". Natanael crê que Jesus é o Messias. Com isto, Jesus indica como a fé dele avançará, não somente porque Jesus o viu debaixo da figueira, mas por causa das "coisas maiores" — a morte e ressurreição de Jesus que acontecerão. A fé não é baseada no estudo da lei, mas na morte, ressurreição e ascensão de Jesus. As pessoas que são verdadeiramente piedosas, que antecipam o Messias, têm de crer que Jesus é o Messias.

O capítulo conclui com uma declaração iniciada por *"amen, amen"* (v. 51). Neste Evangelho, a expressão *"amen, amen"* introduz declarações doutrinais importantes dos lábios de Jesus. Esta primeira declaração aponta para um novo modo de acesso ao céu e substitui uma tradição judaica, baseada na visão de Jacó em Gênesis 28.12 e ligada à pedra sagrada no Santíssimo Lugar do templo em Jerusalém. Agora Jesus, o Filho encarnado de Deus, é o lugar de reunião do céu e da terra. O título "Filho do Homem", não usado com tanta freqüência quanto nos outros Evangelhos, é todavia expressivo e significa o mesmo que "Filho de Deus" (veja os vv. 49,50). Ambos se referem a Jesus como o Messias.

2.3. *O Primeiro e o Segundo Sinais: A Mudança do Templo (2.1—4.54)*

Visto que os dois sinais (e a palavra "sinal") atuam como parênteses (ou seja, suportes de livros literários) distinguindo esta seção e dando-lhe enfoque, temos de gastar algum tempo discutindo este conceito e idéias relacionadas. Há muito que os estudiosos discutem o significado do termo *sinal* (*semeion*) no Evangelho de João. Uma consideração sobre esta palavra nos ajuda a descobrir como o Evangelho deve ser dividido e interpretado.

Para começar, João tenciona que os "sinais" beneficiem os leitores — significam algo mais que meros milagres. Um sinal diz respeito a um acontecimento extraordinário e especial, chamando a atenção para a atividade salvadora de Jesus e aludindo à sua morte e ressurreição. A palavra em João 20.30,31 reflete uso geral e especial, e aumenta a dificuldade de resolver a discussão sobre o significado de *semeion*: "Jesus, pois, operou também, em presença de seus discípulos, muitos outros sinais, que não estão escritos neste livro. Estes, porém, foram escritos para que creiais que Jesus é o Cristo, o Filho de Deus, e para que, crendo, tenhais vida em seu nome".

Quanto a estes dois usos no próprio Evangelho, em João 2.18,23; 3.2; 4.48; 6.2,26,30; 7.31; 9.16; 10.41; 11.47 e 12.18,37, *semeion* se refere a "milagre" em sentido geral e a uma marca de autoridade (em Jo 2.18). Em João 2.11 e 4.54, os dois outros únicos lugares onde a palavra *semeion* é usada, tem um sentido especial (veja o próximo parágrafo). Estas várias acepções da palavra tornam discutível o número dos sinais.

Em João 2.11 e 4.54, *semeion* tem significado especial.
1) Estes dois versículos são ligados pelo autor a dois "sinais" específicos: a mudança da água em vinho e a cura do filho de um oficial do rei em Caná da Galiléia.
2) Entre todos os "sinais", apenas estes dois têm um significado numérico atribuído a eles: "primeiro" e "segundo". Ambos os sinais são feitos em Caná da Galiléia. Deste modo, estas palavras chamam atenção especial a esta seção. Depois do capítulo 4, a narrativa passa para um novo evento no capítulo 5 — contém o próximo "milagre" (não especificado por *semeion*, mas chamado cura ou "coisas" [Jo 5.16] ou aludido pelo verbo "trabalhar" [Jo 5.17]).

A palavra grega *arche* em João 2.11 tem vários significados possíveis. A NVI traduz esta palavra grega numericamente "primeiro"; a RC traduz por "principiou", ou seja, é a iniciação de algo. Mas nenhuma tradução chama atenção especial para o significado do conteúdo posto entre parênteses por esses sinais. O significado "principiou" sugere que "outros" vão se seguir — da mesma natureza ou então que este primeiro tem *"status"* primário". Em qualquer caso, há uma inter-relação entre o "princípio" e os que o seguem.

João usou a palavra grega *deuteron* ("segundo") com *semeion* em João 4.54. Se podemos observar um significado especial para o modo como João reúne estas duas palavras é determinado em parte pelo modo como entendemos "segundo" — ou enfatiza Caná da Galiléia (quer dizer, este é o segundo milagre em Caná da Galiléia), ou realça o "sinal". Note que a expressão Caná da Galiléia ocorre em João 4.46, mas não em João 4.54 junto com o "segundo milagre [sinal]", onde apenas Galiléia é mencionada. Isto fortalece a conclusão de que "segundo" deve enfatizar o "sinal" na Galiléia, e não a localização geográfica exata de Caná da Galiléia. Este fato chama a atenção do leitor para o material entre estes dois sinais.

Outros fatores precisam ser considerados para apoiar isto.

1) Um destes envolve o uso de outras sentenças ou palavras significativas joaninas com "sinal" — por exemplo, a sentença: "E manifestou a sua glória" (Jo 2.11). "Manifestou" e "glória" não aparecem juntos em outro lugar de seu Evangelho. Este sinal inicial é especial quando comparado com os outros em que manifestam de algum modo a glória de Jesus. João liga "glória" à ressurreição de Lázaro em João 11.4 e 40, mas sem o verbo "manifestar". A transformação da água em vinho como o princípio dos sinais direciona e antecipa o leitor para a conclusão do Evangelho.

2) Outro fator diz respeito à sentença seguinte em João 2.11: "E os seus discípulos creram nele". Os elementos "discípulos" e "creram" não ocorrem novamente desta maneira clara até o capítulo 20, quando várias pessoas crêem por causa do túmulo vazio e do Cristo ressurreto. No meio, especialmente em João 9.38; 11.27 e 12.11,42, muitos crêem em Jesus, mas de modo que também direciona para o clímax de fé no capítulo 20. O primeiro sinal antecipa o ponto climático da ressurreição.

Outra palavra precisa ser discutida acerca deste agrupamento de palavras e sentenças — a palavra "hora" em João 2.4. A palavra grega traduzida por "hora" é *hora* (lit., "hora", ainda que não com o mesmo significado que a moderna palavra ocidental). Esta palavra distingue e conecta este primeiro sinal ("Ainda não é chegada a minha hora", Jo 2.4) com sua realização, a morte de Jesus ("Pai, é chegada a hora", Jo 17.1). A "hora" enfatiza este princípio dos sinais e está ligada com a hora da morte e ressurreição de Jesus. A hora de Jesus chegou em sua última semana de vida e teve cumprimento especialmente na sua morte (Jo 12.23,27; 13.1; 17.1 [onde "glória" ocorre na forma verbal]).

Esta conclusão de que o "primeiro" e "segundo" sinais põem entre parênteses material significativo, exime qualquer possibilidade de que os eventos entre eles sejam sinais. Por exemplo, exclui a purificação do templo no capítulo 2 como sinal. Outra implicação diz respeito a como os capítulos 2 a 12 devem ser estruturados. Minha proposta é que os primeiros dois sinais (Jo 2.1—4.54) constituem a Parte I do Livro de Sinais e os Outros Sinais (Jo 5.1—12.50) formam a Parte 2 deste Livro de Sinais.

O fator mais significativo aqui pertence ao templo. Visto que o templo era um dos fatores mais importantes no judaísmo anterior à guerra de Bar Cochba, em fins de 135 d.C. (mesmo após sua destruição pelos romanos em 70 d.C.), é mais que natural que o templo sirva como principal ponto de contenção entre estas duas religiões. O templo era o centro da fé do Antigo Testamento e do judaísmo ulterior. Durante séculos tinha unido todas as tribos de Israel e simbolizava o lugar da habitação de Deus na terra entre seu povo. Tudo acerca da vida religiosa e social de Israel girava em torno do templo. João aborda esta situação para os cristãos observando que Jesus mudou a idéia do templo físico com a constituição de um novo templo do seu corpo.

Duas referências em João 2.1 a 4.54 discutem templos: João 2.13-22 e 4.19-24. Na primeira, Jesus muda o templo de Jerusalém substituindo-o por seu próprio corpo (os "três dias" em Jo 2.20 notam que a ressurreição será o evento transformador). No capítulo 4, o templo de

Jerusalém é legitimado em comparação ao samaritano, mas ambos são substituídos, visto que eles põem limites sobre onde as pessoas podem encontrar Deus. O novo templo de Deus será os crentes em Jesus, que podem estar em qualquer lugar na terra. A alusão a Zacarias 14.21 em João 2.16 sugere que Jesus está fazendo o novo templo num lugar onde todas as nações podem ir. Isto lança luz sobre a razão de João usar material samaritano em seu Evangelho, sobretudo nesta proximidade do fim do capítulo 2 e nesta seção: Não só os gentios serão incluídos mas também os menosprezados samaritanos.

Considerando que o corpo de Jesus torna-se o novo templo, então como os crentes se tornam seu corpo? A resposta é dada no capítulo 3 — pelo nascimento de cima. Quando as pessoas crêem em Jesus e nascem pelo Espírito, elas têm uma nova natureza religiosa e tornam-se a morada do Espírito, o novo templo. Esta é a experiência transformadora da água em vinho, ilustrada na cura do doente, na doação de visão ao cego, na ressurreição do morto e culminando na morte e ressurreição de Jesus. A relação entre Jesus e seus seguidores como "corpo" é explicada na imagem da videira no capítulo 15 — Ele é o tronco, eles são os ramos.

Os dois sinais em João 2.1 a 4.54 revelam de modo dramático o que Jesus veio fazer. Os blocos de material de diálogo e ensinamento mais longos contidos nesta seção desenvolvem-se sobre sinais. João fornece ao leitor um evento de Deus, o qual ele chama "sinais", e uma explicação doutrinária sobre eles (sinal e narrativa do sinal).

Todos os sinais no Evangelho de João partilham do mesmo caráter. Cada um está ligado à obra de salvação de Jesus para um mundo cego e pecador. Cada um aponta para além de si mesmo, em direção à natureza e obra auto-reveladora de Deus em Jesus. Cada um é exclusivamente uma revelação da obra de salvação de Jesus na cruz, impossível de ser duplicada pelo ser humano. Esta obra pode ser feita pelos discípulos oferecendo-a pelo evangelismo. Por um lado, sem fé, as pessoas encaram estes sinais apenas como fenômenos, fatos para chamar a atenção. Por outro, com fé, eles revelam a obra de salvação de Deus.

2.3.1. O Primeiro Sinal e o Casamento em Caná da Galiléia (2.1-11). A expressão "ao terceiro dia" (Jo 2.1) continua de modo homogêneo o tema do capítulo 1, tomando de lá as três referências a "no dia seguinte". O primeiro sinal que Jesus fez (Jo 2.11), a água transformada em vinho, antecipa os demais, resume-os e elabora a chamada ao discipulado e o significado da obra e títulos de Jesus no capítulo 1. Este sinal também antecipa a conclusão do Evangelho.

O capítulo 2 tem três partes:
1) o sinal (vv. 1-11);
2) um versículo de transição (v. 12); e
3) o relato da purificação do templo (vv. 13-25).
O sinal termina numa declaração recapitulativa (v. 11), ao passo que a última parte conclui com uma nota sobre os sinais milagrosos que Jesus fez, a reação das pessoas e a resposta que Jesus lhes deu. Por que a purificação do templo é colocada aqui no capítulo 2 em vez de estar no fim da vida de Jesus (como nos Evangelhos Sinóticos)? Quanto a uma possível solução precisamos olhar de perto o começo do ministério de Jesus, quando Ele chama os discípulos para a verdadeira fé. Jesus estabelece a natureza radical de sua obra e retrata graficamente a natureza de

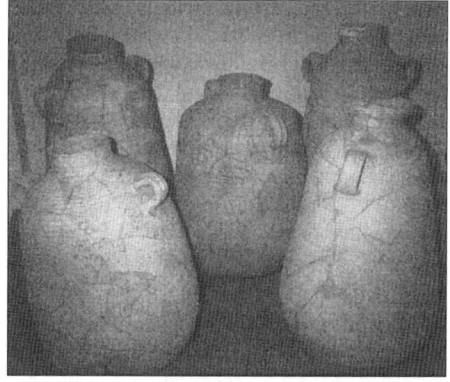

Jesus transformou a água em vinho na festa de um casamento em Caná da Galiléia. João escreve que os discípulos, que testemunharam este primeiro milagre, creram em Jesus. As talhas de Caná da Galiléia podem ser semelhantes a estas, que datam da era romana e foram descobertas em Golã.

seu povo. A meta de sua obra é antecipada e exposta aqui.

Jesus faz o sinal da transformação da água em vinho na presença dos discípulos. O vinho que acabou não havia sido associado com as seis talhas (jarros) de pedra. Antes, eram usados "para as purificações dos judeus". Mencionando estas coisas, a atenção passa de um cenário social para um religioso. Com isto, Jesus faz uma declaração implícita sobre o judaísmo como religião: Seus recipientes não contêm substância pelo qual efetivar a purificação que Deus espera e exige dos adeptos. Esta insinuação reflete provavelmente um debate vigente nos dias de João entre os cristãos e os oponentes acerca da natureza da verdadeira religião.

Além disso, o escritor tem o cuidado de mencionar a capacidade das talhas. A quantidade que continham aproxima-se da quantidade de água que conteria um mikvé judaico. Um mikvé era um lugar cerimonial para conter água, construído no chão das casas (e colocado ao redor do templo em Jerusalém), algo como uma banheira de uma casa moderna, e era usado para purificação religiosa. Diretrizes para lidar com esta água eram rígidas. O fato de que estão vazias é significativo.

Em outro lugar, Jesus usou o vinho como metáfora para indicar coisas novas. Por exemplo, em Mateus 9.17 Jesus usou o vinho novo e os odres novos para falar de uma coisa nova que Ele estava fazendo. Semelhantemente, em João 2, Jesus transforma a água no melhor vinho nas talhas de pedra que os empregados encheram. (Ao guardar o melhor para o final, Ele muda o costume social.) A salvação e a comunidade que Jesus cria é claramente superior às do judaísmo.

O diálogo entre Maria e Jesus nos versículos 2 a 5 também aponta nessa direção. Ela diz: "Não têm vinho" (v. 3). Jesus responde de maneira direta: "Ainda não é chegada a minha hora". Esta declaração ocorre em lugares significativos no movimento e desenvolvimento do Evangelho (veja esp. Jo 5.25; 7.30; 8.20; 12.23,27; 13.1; 17.1). A "hora" de Jesus finalmente chega com sua morte e ressurreição. Neste primeiro sinal, a direção para a verdadeira compreensão é dada: aquilo que Ele proverá por sua morte e ressurreição é indicada pelo novo vinho milagroso de João 2.1-11.

2.3.2. A Purificação do Templo (2.12-25). Depois de um versículo de transição (v. 12), a purificação do templo em João 2.13-25 faz sentido para o leitor quando entendido à luz da coisa nova que Jesus planeja fazer, como está indicado no primeiro sinal. Tanto o trecho de João 2.1-11 quanto o de João 2.13-25 usa o número três: "terceiro dia" (v. 1) e "três dias" (v. 19); estas duas referências apontam a ressurreição — o dia da nova criação. Note também que a purificação do templo ocorre na Páscoa, o mesmo cenário da morte de Jesus, a oferta do novo Cordeiro. Como o parágrafo anterior mostrou que as talhas de água do judaísmo têm de estar vazias e, portanto, não têm nenhum efeito, de modo similar este parágrafo esclarece que o judaísmo corrompeu o templo; já não serve para o propósito de Deus, de forma que um novo templo está em ordem.

Os "judeus" (não tomados em sentido étnico) pensam que Jesus está se referindo ao templo literal quando perguntam por sua autoridade para acabar com a prática de eles cambiarem dinheiro. Indo muito além da intenção e compreensão deles, a resposta de Jesus no versículo 19 introduz ao diálogo sua ressurreição física e a vincula ao novo templo. A resposta que eles dão no versículo 20 manifesta sua constante falta de compreensão espiritual, algo que também acontece no capítulo 3 com Nicodemos. Em contraste, depois da ressurreição os discípulos entendem as palavras de Jesus ditas aqui (v. 22). Seu "corpo" torna-se uma metáfora para a Igreja. O versículo 21 explica aos leitores de João o significado das palavras de Jesus relacionando o "templo" com o "corpo" (cf. o uso desta metáfora em Ef 2.11-22; 4.1-13). João aborda este novo templo espiritual no capítulo 4.

Vendo o primeiro sinal como indicação de uma nova coisa que Jesus vai fazer — uma nova criação que surge de sua morte e ressurreição, a criação de um novo templo, seu corpo —, João 2.1-11 e 2.13-25 encaixam-se bem. Este sinal manifesta sua glória (v. 11), a mesma glória que pertence a Deus e glorifica o Filho pela ressurreição de Lázaro (Jo 11.4). Este sinal glorioso e sua realização é a base para a fé dos discípulos. Esta crença difere da crença dos outros em João 2.23, que só crêem em Jesus porque vêem os muitos sinais que Ele faz. Pelo menos duas coisas tornam esta crença diferente.

1) As pessoas só ficam impressionadas pela capacidade de Jesus fazer milagres quando não há exigência de mudança no estilo de vida ou no compromisso que têm.
2) As pessoas não entendem o significado deste sinal. Jesus fará uma nova obra morrendo e ressuscitando, exigindo nova fé e resultando em salvação e num novo povo de Deus, o Seu templo.

Comentemos brevemente dois outros itens no capítulo 2.

1) A primeira confrontação no Evangelho entre Jesus e seus oponentes ocorre em João 2.13-23.
2) A onisciência e soberania de Jesus tem fronteiras comuns com seu ministério. Nos versículos 23 a 25, Ele conhece os corações de todas as pessoas e recusa ser governado pelas expectativas delas.

2.3.3. Jesus e Nicodemos (3.1-21).
Tendo terminado o diálogo com os judeus e feito as observações sobre a purificação do templo, João agora se lança a um novo diálogo de Jesus com uma pessoa sozinha. João dedica alguma atenção a indivíduos ao longo do seu Evangelho. Estes indivíduos (neste caso Nicodemos) são maiores que a vida — eles servem como modelos e representam outros. Nicodemos, que vem secretamente à noite, relaciona-se bem com os crentes secretos nas sinagogas dos dias de João. Como Nicodemos, eles deviam buscar uma fé pública em Jesus.

Pelo método de pergunta e resposta, Jesus alarga seu ensino. O parágrafo de Nicodemos conclui no versículo 21, ainda que a última pergunta de Nicodemos ocorra no versículo 9. No versículo 11b, Jesus passa do singular "tu" para o plural "vós", de forma que os participantes implícitos no diálogo se ampliem. É também o lugar onde se dá uma terceira declaração iniciada por *"amen, amen"* no parágrafo de Nicodemos. Esta terceira declaração autentica as primeiras duas.

João usa de ironia no diálogo entre Jesus e Nicodemos. Mas a ironia se torna bastante mordaz à medida que o diálogo progride. Esta progressão revela o quanto a pessoa é ignorante das coisas espirituais se não renascer espiritualmente. A situação de Nicodemos segue com naturalidade a situação descrita em João 2.23-25 sobre "todos" os homens. Jesus dá a Nicodemos a revelação sobre o Reino de Deus, e ele, mestre em Israel, não entende, ainda que Jesus use as ilustrações "naturais" do processo de nascimento e do sopro do vento. O renascimento de cima é uma experiência reveladora. O renascimento é a base de uma natureza espiritual comum na qual ocorre revelação entre Deus e seu povo. Obviamente Nicodemos ainda não é nascido de cima.

A hora da ida de Nicodemos a Jesus é expressiva. "De noite" no versículo 2 pode indicar um contexto sinistro, visto que a frase indica o tipo da hora: São as horas da noite em oposição às horas do dia. Por outro lado, pode representar simplesmente uma hora normal para os rabinos se ocuparem de discussão ou estudo religioso da lei, visto que eles trabalhavam durante o dia (Nicodemos era um príncipe dos fariseus). Suas palavras de abertura para Jesus estão na forma de declaração ambígua, à qual Jesus responde com uma declaração iniciada por *"amen, amen"* (v. 3).

Em João 3.1-21, existem três de tais declarações (vv. 3,5,11). Estas declarações vêm normalmente em grupos. As duas declarações nos versículos 3 e 5 são conceptualmente sinônimas e fornecem o bojo doutrinário do primeiro sinal; é importante analisar estas duas juntas, como seguramente era a intenção de João. Vamos dispor em ordem sua estrutura de modo que possamos alisá-las cuidadosamente.

Versículo 3	Versículo 5
A: Na verdade, na verdade te digo	A: Na verdade, na verdade te digo
B: não pode ver o Reino de Deus	B: aquele que não nascer da água e do Espírito
C: aquele que não nascer de novo	C: não pode entrar no Reino de Deus

A Parte A é a mesma em ambas as declarações. As Partes B e C mostram algumas diferenças: "Entrar" na Parte C do versículo 5 substitui "ver" na Parte C do versículo 3, ainda que se tenha de fazer grande esforço para perceber algo diferente nestas duas palavras. Ambas se referem à experiência de nascer de novo pelo Espírito. Ademais, o Reino de Deus diz respeito à nova vida do Espírito, na qual o crente entra no momento do renascimento. É possuir a vida eterna (cf. Mt 18.3; 19.17,23,24). Este fato é enfatizado neste Evangelho.

A Parte B do versículo 3 tem o advérbio grego *anothen*, o qual é traduzido por "de novo". O contexto do Evangelho de João valoriza a tradução de *anothen* por "de cima" (note o contraste entre terra/céu, carne/espírito, baixo/cima). No contexto imediato, *anothen* tem dois significados: Para o Nicodemos espiritualmente inepto significa "de novo", mas Jesus quer que o sentido seja "nascer de cima", ou seja, pelo Espírito. Este advérbio denota a origem do novo nascimento.

A Parte B do versículo 5 substitui "da água e do Espírito" por *anothen* do versículo 3. Os estudiosos debatem o que estas palavras significam. Elas se referem a dois aspectos diferentes, como nascimento natural e nascimento espiritual? Ou ao batismo em águas e a regeneração? Ou à natureza sacramental da água na regeneração? É natural aludir estas palavras à origem do renascimento. "Água" é melhor vista com o significado de "água espiritual", referindo-se assim ao Espírito. A discussão a seguir fornece as razões para esta conclusão.

1) Esta frase forma uma figura de linguagem chamada hendíadis — um expediente que o autor usa quando quer enfatizar uma idéia ligando o que de outra forma seriam dois substantivos independentes. Um substantivo se torna o adjetivo que modifica o outro. Aqui João enfatiza o meio do renascimento que, ao longo do seu Evangelho, é pelo Espírito.

2) Então por que ele acrescenta "água"? O contexto dos sinais fornece a resposta e dá apoio à interpretação dada acima. O problema do autor é o judaísmo, e ele já observou que Deus em Jesus está fazendo algo novo. No primeiro sinal, o método de purificação do judaísmo (as talhas vazias) não é mais válido. Jesus substitui o conteúdo das talhas por algo novo. Em contraste, os seguidores de Jesus foram purificados pela fé e renascimento do Espírito, ou seja, pela "água espiritual". "Espírito" torna-se o adjetivo que modifica "água". Juntos, eles servem de metáfora para o "Espírito regenerador", ao invés do sacramentalismo do judaísmo.

3) Água, sobretudo no Evangelho de João, é símbolo do Espírito (cf. Jo 7.37-39). O judaísmo tinha dois tipos de eventos semelhantes a batismo, ambos envolvendo água, pelos quais a contaminação era removida: um para os prosélitos e outro para a ablução dos adeptos. No batismo dos prosélitos, o convertido experimentava uma troca de identidade e tornava-se uma nova pessoa; este é o significado do sacramentalismo. Na ablução, água especial era o agente purificador para remover a contaminação do pecado.

4) O contexto dos versículos 6 a 8 e os versículos 12 a 18 apóiam a interpretação de "água espiritual". Os versículos 6 a 8 referem-se diretamente ao Espírito como meio. O versículo 6 milita contra a "água" do versículo 5, que diz respeito ao nascimento natural e enfatiza a regeneração pelo Espírito. No versículo 7, as declarações dos versículos 3 e 5 são recapituladas positivamente com "Necessário vos é nascer de novo". O "vento" e o "Espírito" do versículo 8 são provenientes da mesma palavra grega *pneuma*. João usa esta palavra de maneira sutil. É possível ver uma referência ao Espírito em ambas as instâncias. Isto reflete o estilo de João usar certas palavras com significado duplo. João 1.12,13 também apóia esta opinião da "água espiritual".

5) João 3.12-18 fala sobre a maneira de purificar o mundo dos seus pecados — pelo

levantamento do Filho de Deus. Este levantamento é uma expiação por seus pecados e resulta em perdão pela fé. O perdão resulta em vida eterna (vv. 13-16). O versículo 14 traça uma comparação entre o que Moisés e Deus fizeram. O versículo 16 recapitula e estende a Parte C da comparação. O "dar" do versículo 16 é paralelo ao levantamento da serpente por Moisés no versículo 14a e ao levantamento do Filho do Homem no versículo 14b. Assim como Moisés levantou a serpente e os que a olhavam recebiam vida, assim Deus levanta seu Filho. Deste modo, João destaca a morte de Jesus na cruz (cf. Jo 12.32). A expressão "de tal maneira" na cláusula de João 3.16 ("Porque Deus amou o mundo de tal maneira"), mostra a maneira do amor de Deus mais do que sua extensão.

6) Finalmente, em João 3.34, a referência "pois não lhe dá Deus o Espírito por medida" apóia a interpretação acima. A expressão grega traduzida por "não [...] por medida" (ou seja, "sem limites") só ocorre aqui no Novo Testamento. O contexto do primeiro sinal e a elaboração de João do seu significado ajudam-nos a entender esta frase. Implicitamente "não por medida" reflete outra deficiência do judaísmo conforme observada nas talhas vazias de João 2.1-11. As talhas tinham medidas definidas e limites. Por contraste, a nova coisa que Deus fará com o Espírito não tem limite. Ademais, "sem limites" sugere que o novo nascimento é a base para a plenitude do Espírito.

Os versículos 1 a 16 focalizam o novo nascimento da pessoa pelo Espírito e como este novo nascimento se liga com a morte e ressurreição de Jesus. Com o advento do versículo 17, surge um novo tema. No outro lado estão os que não crêem e que estão sob condenação. Quando Deus enviou seu Filho e o levantou, Ele tirou esta condenação de todos os que crêem. Todas as pessoas estão debaixo desta condenação anterior à vinda da Luz. O escritor presume a queda da humanidade e suas conseqüências para todos. Aqueles que se recusam a sair das trevas fazem-no porque as amam. Se saírem delas, eles sabem que a Luz exporá suas más ações. O mal e a justiça são concretos e práticos — ambos são algo que as pessoas praticam habitualmente. A crença no Filho de Deus traz purificação (liberdade da condenação) e um novo estilo de vida. Por outro lado, a incredulidade confirma a pessoa no estado de condenação.

2.3.4. Jesus e João Batista (3.22-35).
De forma abrupta, o versículo 22 dá outro dos testemunhos de João Batista sobre Jesus. João Batista apareceu em João 1.6-8,15,19-27,29-34,35. Outros se referirão a ele mais tarde (cf. Jo 5.33,36; 10.40,41), mas em João 3.22-30, João Batista volta à cena pela sexta vez. O propósito dominante a que ele serve neste Evangelho é testificar de Jesus como aquele que é maior. O material sobre João Batista no capítulo 1 e aqui contêm temas semelhantes a esse respeito. No capítulo 1, os discípulos de João começam a se voltar para Jesus, ao passo que aqui Jesus tem seguidores (embora permaneçam anônimos). João Batista claramente sai de cena neste parágrafo, ainda que o autor comente que este incidente aconteceu antes do seu encarceramento. Jesus passa agora para a vanguarda.

Neste ponto tomamos conhecimento de informação sobre Jesus e os discípulos que não consta nos outros Evangelhos: Eles batizavam antes da morte de Jesus. João 4.2 esclarece João 3.22 no fato de que o próprio Jesus não batizava; antes, são Seus discípulos que batizam. Os tempos verbais no versículo 22 sugerem que eles passaram certo tempo batizando na Judéia. É difícil dizer que tipo de batismo é este. Muito provavelmente é semelhante, embora não igual, ao de João Batista. À luz do batismo de Jesus no capítulo 1, pode haver indicação de identificação e marca de solidariedade com o povo de Israel no evento salvador de Deus.

Este incidente de João Batista (v. 23) precipita um argumento com "um judeu" (v. 25). No versículo seguinte o sujeito está no plural ("eles", oculto). Presumivelmente a referência no versículo 26 seja a um grupo a quem o judeu do versículo 25 representa; este grupo pode ser os fariseus (cf. Jo 4.1).

JOÃO 3

O ponto do argumento não é dado, senão com os dizeres "acerca da purificação". Certamente o batismo de João era diferente do judaísmo, embora eles o chamem "rabi" (v. 26), título familiar para mestres e clérigos judeus. O uso deste título sugere que eles o percebiam ser de algum modo semelhante a eles ou que eles lhe atribuem honra. O elemento importante a observar é a razão para este diálogo: Eles estão preocupados com o fato de Jesus estar atraindo mais seguidores que eles e João Batista (cf. Jo 4.1, embora João Batista seja bem-sucedido [cf. v. 23b], Jesus está fazendo mais discípulos que ele). Em outras palavras, este grupo judeu vem se unir com João Batista de modo que ambos os grupos possam ir juntos contra Jesus.

Este incidente serve perfeitamente para o propósito do autor deste Evangelho. A resposta de João Batista concentra-se na vontade soberana de Deus: "O homem não pode receber coisa alguma, se lhe não for dada do céu" (v. 27). O que ele prossegue dizendo completa o que é a vontade de Deus: Jesus é o Cristo (o Messias). João Batista se relaciona com Jesus apenas como um "amigo" se relaciona com o noivo. Um "amigo" é equivalente tosco do padrinho na moderna tradição ocidental. Como "amigo", João Batista assiste o noivo e enche-se de alegria quando ouve a voz do noivo. Por implicação, a voz diz: "O casamento acabou". Ou seja, Jesus veio, o precursor já não é necessário.

O ponto que o diálogo faz, sobretudo na elaboração de João Batista sobre a declaração judaica, é que ele e o judaísmo *têm de* passar. Há uma necessidade divina nesta declaração (v. 30). Este é o ponto do versículo 28, onde João Batista diz: "Vós mesmos me sois testemunhas de que [eu] disse". Este ponto serve adequadamente para o significado do primeiro sinal de João 2.1-11 acerca da nova coisa que Deus está fazendo em Jesus: Toda purificação cerimonial foi invalidada; é a "água espiritual" que traz vida eterna (Jo 3.3,5).

Esta seção (vv. 22-35) implica que nos dias do autor, João Batista ainda tinha seguidores que estavam em conflito com os cristãos. Como sugerimos, também fornece indicações de que a igreja de João estava tendo problemas com o judaísmo. Este material, apresentado deste modo, encoraja indiretamente os seguidores de João Batista, alguns dos quais podem ter sido quase seguidores de Jesus, a dedicarem sua obediência a Jesus. Outros judeus crentes em Jesus que quiçá estivessem pensando em voltar ao judaísmo também são incentivados a permanecer crentes em Jesus.

O lugar onde Jesus e seus discípulos estão neste momento é simplesmente "a terra da Judéia" (v. 22) — provavelmente um lugar no vale do Jordão. Por outro lado, João Batista está batizando em Enom (palavra aramaica que significa "Lugar de Fontes"), perto de Salim. A localização de Salim não pode ser identificada com certeza, mas fica ao norte de onde Jesus batizava. Talvez isto indique que João Batista já esteja se submetendo à vinda de Jesus.

A seção compreendendo os versículos 31 a 36 é continuação dos comentários de João Batista ou é parênteses de um bloco maior de material, e serve de conclusão ao capítulo 3 e de transição para a próxima seção? Com certeza o versículo 31 continua o tema do versículo 30 — aquele que é maior. Aquele sobre quem João Batista fala é maior porque é do céu. Mas este comentário pode facilmente ser visto como reflexões do autor acerca da diferença entre João Batista e Jesus. As palavras dos versículos 31 a 33 fazem eco a João 1.1-15 concernente à natureza e existência do Logos, ao testemunho de João, à rejeição da Palavra pelos seus e à aceitação dEle por outros.

Os versículos 34 a 36 dizem respeito ao Pai e Jesus; Deus enviou a Palavra reveladora (cf. Jo 1.14-18; 3.16,17), e a Palavra "fala as palavras de Deus" (v. 34). O Pai colocou sob a autoridade do Filho todas as coisas, sobretudo o dom da vida eterna a todos os que crêem (vv. 35,36).

O verbo na segunda metade do versículo 34 contém em grego um sujeito ambíguo. A RC fornece o sujeito "Deus" na sentença seguinte: "Pois não lhe dá Deus o Espírito por medida". A pergunta é: Se "Deus" deve ser fornecido do sujeito da primeira oração no versículo 34 ou se o sujeito é Jesus. Parece melhor tomar a segunda parte do versículo 34 como explicativa da primeira parte: "Porque aquele que Deus enviou fala as palavras de Deus" é explicado por: "Pois não lhe dá Deus o Espírito por medida". Quer dizer, Jesus, em contraste com aquele que "fala da terra" (v. 31b), fala as palavras de Deus porque Deus lhe dá o Espírito. A expressão "não [...] por medida" sugere que somente uma pessoa superior tem esse privilégio. Jesus é claramente o Revelador superior, enviado do céu para explicar o Pai. Com este *status*, o Filho tem a autoridade de dar vida eterna e fazer julgamento, os dois temas desta seção.

2.3.5. A Mulher Samaritana (4.1-26).

Os versículos 1 e 2 remontam a João 3 referindo-se aos discípulos de João Batista e de Jesus e fornecem uma transição para uma nova seção. O versículo 3 põe Jesus em movimento da Judéia para a Galiléia. Em João 4.4-42, a narrativa concentra-se em Samaria: "E era-lhe necessário passar por Samaria" (v. 4). Talvez Ele tivesse de sair da Galiléia por causa da pressão dos fariseus, já que Ele estava fazendo mais discípulos que eles e João Batista. Ele não é compelido a passar por Samaria por causa do sistema de estradas. Ele escolhe ir por Samaria por causa da compulsão divina.

Esta cena enfoca uma época de evangelismo e instrução em Samaria, destacando um diálogo entre Jesus e uma mulher. Os discípulos aparecem num papel secundário; eles desempenham o papel de realce no fato de que demonstram uma falta de consciência da missão de Deus feita por Jesus entre os samaritanos. No fim, Jesus os direciona a Samaria como um campo pronto para a colheita. Este evangelismo liga dois temas desta seção: a vida eterna, relacionada com a água viva, e um novo templo. Estes temas entrelaçados faziam parte do primeiro sinal em Caná da Galiléia (cf. comentários sobre Jo 2). Este segundo tema explica em parte por que o autor inclui este relato samaritano: O relato permite que ele faça ampliações sobre o tema da implicação de um novo templo, que consiste no Cristo ressurreto e seu corpo de crentes. Visto que todos possuem vida eterna pelo Espírito, Ele habita neles como seu templo.

A província de Samaria achava-se entre a Judéia, ao sul, e a Galiléia, ao norte. O povo de Samaria tinha uma história de oitocentos anos de tensão racial e religiosa com os judeus. Embora os samaritanos tivessem formação geográfica e étnica mista, eles se consideravam, como os judeus, o verdadeiro Israel, o povo de Deus. As distinções samaritanas emergiram no tempo dos assírios quando, em 722 a.C., no assentamento de Israel em outras terras, povos de outras origens étnicas foram levados à terra de Israel. Destes colonos, desenvolveram-se as diferenças religiosas entre judeus e samaritanos. As tensões aliviaram no último quartel do século I d.C. Isto explica por que João acrescenta a nota parentética no versículo 9.

A principal cidade em Samaria também se chamava Samaria, que se situava na colina a noroeste dos montes gêmeos de Gerizim e Ebal. Para chegar a esta cidade vindo do sul, viajava-se a oeste por uma passagem entre estes dois montes. Herodes, o Grande, tinha reconstruído a cidade e rebatizado-a de Sebaste. A tradição da igreja primitiva relaciona João Batista com esta cidade.

Ao sul, no topo do monte Gerizim, jaziam as ruínas do templo samaritano, destruído uns 150 anos antes (cf. a referência ao templo em Jo 4.19-21). Sicar (v. 5), o lugar do poço de Jacó, situava-se a leste da passagem no fundo do vale. Não se pode saber se o autor associou Sicar com a antiga cidade de Siquém. Ninguém localizou com certeza a antiga Sicar, e Siquém ficava aproximadamente 180 a 270 metros do poço de Jacó. Túmulos escavados na área testemunham a presença cristã ali no século I.

Jesus e seus discípulos chegam ao poço de Jacó à hora sexta, isto é, cerca do meio-dia. Considerando que as mulheres buscavam água nas primeiras ou nas últimas horas do dia, a hora era significativa. Ou

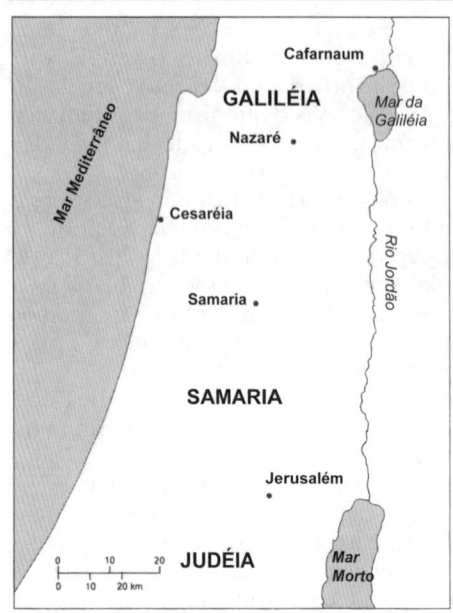

Jesus tinha de passar por Samaria em sua viagem de volta da Galiléia para a Judéia.

João engenhosamente conecta esta hora com a hora da crucificação em João 19.14 e, assim, com a salvação/vida eterna, ou com o fato de a samaritana, como prostituta, ser um pária social. Ambas as idéias ajustam-se ao contexto.

Pertinente à ultima possibilidade (veja Jo 4.16-18), a samaritana diz que ela não tem "marido" (*aner*). Jesus prontamente admite que isto é verdade, porque ela tivera cinco *aner* (ou seja, homens) e está atualmente vivendo com outro *aner* ("marido", v. 18). Há um óbvio trocadilho no sentido da palavra grega *aner*. Tanto Jesus quanto os samaritanos são fiéis à autoridade do Pentateuco. Sem dúvida esta mulher está ciente do que o Pentateuco ensina sobre a situação em que ela vive. Jesus a conscientiza de que esta é uma situação adúltera (ou seja, promíscua). Estes versículos não apóiam o fato que estes homens podem ter morrido, cada um por sua vez, e que ela casou com outro depois de cada um morrer. Caso contrário, ela poderia ter legitimamente respondido que o homem com quem ela vivia era seu marido; ela o nega ("Não tenho marido", v. 17). Assim estes versículos indicam a rota que Jesus tomou para convencer a mulher de seus pecados. Também lhe concede a oportunidade de revelar que Ele é realmente o Messias dos samaritanos.

João oferece uma breve nota sobre a humanidade de Jesus, comentando que a viagem cansou Jesus e fez com que Ele sentisse sede (vv. 6,7). Esta nota também dá a razão de Jesus não ter entrado na cidade com os discípulos. Ele se senta ao lado do poço de Jacó (hoje em dia um muro de pedra cerca e tapa o poço).

O poço de Jacó é particularmente destacado nesta passagem, fato que é importante para o tema deste Evangelho. Jacó era figura importante para a religião judaica e samaritana. Ele era um antepassado, um patriarca, um pai fundamental, que servia como fiador das promessas de Deus aos patriarcas. Por causa de sua posição proeminente em ambas as religiões, Jacó era um dos mediadores entre Deus e seu povo na oração, perdão e extensão das promessas do concerto. Os lugares ligados a tais pessoas proeminentes também ancoravam propriedade de porções de terra e as tornavam lugares santos.

O pedido de água que Jesus fez, uma quebra dos costumes sociais da época, dá início ao diálogo com a samaritana. O versículo 9 estabelece o conflito entre judeus e samaritanos (o "gênero" não é a questão tanto quanto é mais tarde no v. 27). O verbo "comunicar-se" nos parênteses do versículo 9 só ocorre aqui no Novo Testamento, e é difícil saber sua exata acepção. Temos de derivar seu significado do contexto. Visto que os discípulos tinham ido comprar comida — e não parece ser este o problema — este verbo toma implicações sociais especiais à parte de procedimentos comerciais. Refere-se a um diálogo social particular, como neste ato hospitaleiro de dar substância sustentadora de vida como a água. Ampliar tal ato de generosidade significa aceitar e dar as boas-vindas à pessoa. Com efeito, tal hospitalidade é ampliada e aprofundada na última parte deste capítulo: Jesus, Seus discípulos e os samaritanos se envolvem em tal ato.

Por que o autor chega a mencionar este conflito no versículo 9? Uma explicação é que os leitores de João não conhecem esta animosidade, de forma que a declaração ajuda a fazer com que a pergunta da mulher faça mais sentido. Outrossim, o significado muda entre os versículos 9 e 10: da água literal da mulher para a água espiritual de Jesus; este parêntese contribui para uma transição mais suave. Mas serve para um propósito adicional: ressaltar a divergência étnica, notando as diferenças entre a liderança religiosa judaica e os desprezados samaritanos. Estes líderes rejeitam Jesus, mas os samaritanos o recebem prontamente. João 1.10-13 é ilustrado aqui claramente: Sua própria gente não o recebeu; mas aos que o recebem Ele deu o direito de serem feitos filhos de Deus, não por processo físico, mas espiritual.

A água do poço ficava a uns vinte e sete a trinta metros abaixo da superfície e exigia equipamento adequado para tirá-la. Este fator é uma lembrança sutil das talhas de água vazias dos judeus em João 2.6-10. Jesus não tem corda nem balde com que tirar a água. Seu pedido para beber suscita a resposta da mulher, a partir da qual Ele chega ao ponto desejado. Quando Jesus diz que Deus tem para ela "água viva", imediatamente ela percebe a implicação correta: "És tu maior do que Jacó, o nosso pai"? Isto permite Jesus alargar seu ponto ressaltando a diferença entre a religião samaritana e o que foi ocasionado através do novo dom da vida pelo Espírito. "Água viva" aqui — como em João, no Antigo Testamento e na literatura judaica — simboliza o Espírito. Em contraste com a água do poço ou a água de uma cisterna, ela dá vida a um país freqüentemente seco (sem vida); de modo semelhante, o Espírito dá vida eterna às pessoas (sem vida) que crêem em Jesus.

Significativo é o fato de o próprio Jesus dar esta água (ou seja, o Espírito), que produzirá vida eterna. Jesus, que tem vida em si mesmo (cf. Jo 1.4; 5.21) e é a fonte de vida; Dá o Espírito, que por sua vez dá a vida eterna. O Pai e o Filho Jesus dão o Espírito e a vida eterna, função ensinada claramente nos capítulos 14 a 16. Em João 4.14, a doação de vida do Espírito para o crente ocorre em termos figurativos como "uma fonte de água a jorrar para a vida eterna". Em João 7.37-39, onde é destacado Jesus como a fonte desta água, ocorre a expressão figurativa "rios de água viva".[1]

Esta mulher tem a mesma condição que Nicodemos tinha no último capítulo. Sem a revelação que a vida eterna traz, ela entende mal o convite de Jesus. Ela presume um significado para "água", e Jesus tem outro. Se ela tivesse nascido de cima, teria tido o tipo certo de natureza para entender o que Jesus como Deus está lhe dizendo (v. 10). Este ponto é ampliado mais adiante (veja comentários sobre os vv. 21-26).

Não é senão no momento em que Jesus revela à mulher o passado e presente particular dela, acerca dos muitos homens que ela conheceu, que ela começa a perceber que alguém diferente está diante dela. Ela o trata três vezes (vv. 11,15,19) com o cortês e respeitoso "senhor". O último "senhor" no versículo 19 é importante, porque agora ela o reconhece como profeta. Mas nos versículos 24 e 25, ela amplia sua percepção incluindo "Messias (que se chama o Cristo)". Em resposta, Jesus vai mais longe dizendo:

Ainda hoje o poço de Jacó pode ser visto nesta igreja inacabada em Siquém, em Samaria. A abertura para o poço original, visível nestes dois abrigos, está hoje a seis metros abaixo do nível do solo. A água do poço está a mais de vinte e oito metros abaixo do nível do solo.

"Eu o sou, eu que falo contigo" (v. 26). Esta é a primeira ocorrência da expressão "Eu Sou" (*ego eimi*) em João — aqui com o predicado *ho lalon* ("que fala"). *Ego eimi* é um dos nomes de Javé no Antigo Testamento (cf. Êx 3.14) e sem dúvida contém esta conotação aqui. Também é um dos nomes do Messias em João; a conexão é clara no versículo 26. Note como Jesus é hesitante em se referir a si como o Messias em contextos judaicos, mas não aqui.

A mudança de direção da conversação é naturalmente entendida quando emerge a formação samaritana. A mulher não desvia Jesus com suas observações. Antes, ela começa a entender, a partir de suas tradições passadas, que alguém que era esperado chegou — e isso é surpresa. As tradições samaritanas esperavam uma figura como Messias. Essa pessoa semelhante a profeta, semelhante a Moisés, podia revelar segredos. Quando ele aparecesse em cena, ele restabeleceria a verdadeira adoração. Essa pessoa era chamada Taebe (semelhante mas não igual ao Messias judaico). Mesmo assim, Jesus também cumpre as expectativas samaritanas. O local do templo samaritano destruído, que aparece em segundo plano no monte Gerizim, serve como fundo de cena apropriado para a discussão reveladora de adoração. À beira da virada do tempo, a adoração deles está a ponto de voltar à vida, mas de um modo novo e inesperado. O lugar e a maneira de adoração estão prestes a mudar.

A hora da vinda de Jesus no versículo 21 é o ponto no qual toda adoração — samaritana e judaica, ainda que a judaica seja a apropriada para agora (cf. v. 22) — é mudada. Se bem que em termos de lugar venha a ser estabelecida na cruz e ressurreição, em Jesus a mudança do fim do tempo já está presente (v. 23: "Mas a hora vem, e agora é"). Esta é uma das muitas ocasiões em que este Evangelho enfatiza o que é chamado escatologia realizada. Quer dizer, junto com o ensinamento sobre a vida que vem com a ressurreição futura (chamada escatologia consistente), a vida eterna chega agora nesta vida na regeneração e presença do Espírito.

O autor deste Evangelho, mais que qualquer outro escritor do Novo Testamento, focaliza o novo nascimento. É sobre esta perspectiva que Jesus fala aqui. A presença de Deus já não estará centralizada num edifício de templo. Antes, Ele morará nos crentes, o novo templo que tem o Espírito. Este ensino é parte do significado do primeiro sinal; estes versículos remontam a João 2.14-22 e são cumpridos em João 20.19-23, quando Jesus assopra sobre os discípulos e cria a Igreja.

Várias interpretações são oferecidas para os versículos 23 e 24. Alguns intérpretes os vêem como base para uma adoração mais espiritual, diferente de um tipo conquistado e ritualista (ou seja, adoração formalística). Esta opinião diz que há uma determinada maneira de adorar, a qual quando não é feita assim, não é a "verdadeira" adoração. A letra "e" minúscula em "espírito" no versículo 23 sugere esta interpretação. Outra interpretação refere-se ao Espírito que tornará a adoração possível depois da crucificação e ressurreição. (Similar diferença de interpretação sobre a palavra "espírito" ocorre no v. 24.)

Minha opinião é que com "em espírito e em verdade" temos uma figura de linguagem chamada hendíadis (veja comentários sobre Jo 3.3,5). Os dois substantivos devem ser considerados juntos e formam um conceito. Eles agem como advérbio, que modifica o verbo "adorarão". Em outras palavras, a tradução deveria ser: "Adorarão o Pai de maneira verdadeiramente espiritual". O significado de "maneira verdadeiramente espiritual" diz respeito à natureza do crente que Jesus criou pelo Espírito. O nascido de novo assume a natureza espiritual de Deus, e assim tem a capacidade de comunicar-se e comungar com Deus. Num estado não-regenerado, ninguém entende o ensino de Jesus, que é de cima. Além do mais, a afirmação "Deus é espírito" do versículo 24 alude à essência de Deus, mas indica que Deus é de natureza espiritual. Para que as pessoas se comuniquem com Ele, elas também têm de ter uma natureza semelhante. (Eu uso a palavra "semelhante" porque João deixa claro que os cristãos não são da mesma natureza que Jesus.)

As implicações desta interpretação são grandes. João toma como base para a adoração cristã o novo nascimento. Trata-se de equilíbrio muito necessário na atual teoria, teologia e prática de adoração. A adoração pentecostal e carismática é dinâmica, seguramente uma característica valiosa, mas o "dinamismo" não é a base de adoração. A menos que alguém seja regenerado, não importa que forma ou estilo empregue, adorar a Deus é impossível: "E *importa* [ênfase minha] que os que o adoram o adorem em espírito e em verdade" (v. 24). Ademais, a verdadeira adoração é centralizada em Cristo. Sem Jesus e a nova natureza que Ele dá, é impossível adorar o Pai, o objeto de adoração. Este tipo de adoração é um estilo de vida de comunicação e comunhão constantes (vv. 23,24).

Quando João usa a palavra "adorar", ele o faz deliberadamente. Ele relaciona mais fortemente o material ao capítulo 2 e à idéia do novo templo. Isto também ajuda a explicar por que João colocou a purificação do templo no começo do seu Evangelho. Ele está dizendo que Jesus, através de sua pessoa e obra, deu um fim ao conceito mais antigo de templo. O novo templo não será impessoal, orientado para alguma preferência étnica ou religiosa ou situado num local geográfico. Antes, seu corpo de pessoas redimidas será o templo. Além do pensamento dissonante (para um judeu piedoso) de que os samaritanos possam ser membros iguais no templo, o que dizer de uma prostituta samaritana? É exatamente isto que João quer dizer: Tal pessoa pode participar do perdão de Deus e se tornar membro do seu corpo, o novo templo.

"O Pai procura" (v. 23) transmite consigo um empuxo missionário e um amplo significado de adoração. Mediante a obra de Jesus, os crentes têm a oportunidade de ser alcançados na plena comunhão que se dá entre os membros da Trindade.

Um pouco antes, Jesus fora contra o costume vigente ao pedir água para uma mulher samaritana (v. 9). No versículo 27, quando os discípulos voltam, eles encontram Jesus conversando com esta mulher. Isto os pega de surpresa. Aqui João não menciona que ela é samaritana; antes, Jesus está falando com uma mulher (os leitores já sabem que ela é samaritana). Isto permite ao autor tirar algo acerca dos discípulos. Na literatura judaica era costume proibido um homem conversar com uma mulher. Os discípulos não são necessariamente contra os samaritanos (eles haviam acabado de entrar em Samaria para comprar comida), são apenas contra as mulheres. Esta atitude contribui para a predominância da passagem inteira. Jesus vê a surpresa deles e lhes antecipa a preocupação, visto que eles não lhe dizem nada. Eles apenas insistem que Ele coma o que tinham comprado. Este é o cenário para suas observações fortemente formuladas aos discípulos.

2.3.6. Jesus, seus Discípulos e a Mulher Samaritana (4.27-38). Antes de João registrar os discípulos incentivando Jesus a comer, ele nos fala sobre a ação da mulher sair correndo para contar às pessoas da cidade que ela achou o Messias, ainda que sua fé pareça estar menos que completa (vv. 28-30). Ela deixa o cântaro junto ao poço. Esta ação permite ao leitor antecipar a volta dela e ligar com as talhas (jarros) no capítulo 2. O interesse dela e das pessoas em Jesus contrasta nitidamente com a liderança judaica e confirma o princípio articulado em João 3.19-21: As pessoas más não vêm à luz, porque não querem que suas ações más sejam expostas; aqueles que amam a Luz vêm para a Luz.

Assim como a mulher não tinha anteriormente entendido sobre a água viva, assim os discípulos no diálogo nos versículos 31 a 38 não entendem a declaração de Jesus sobre a comida. O uso de "comida" aqui se assemelha à citação de Jesus de Deuteronômio 8.3 em Mateus 4.4. A natureza da resposta de Jesus aos discípulos mistura significados literais e figurados. O versículo 36, por exemplo, declara: "E [o ceifeiro] ajunta fruto para a vida eterna". O "ceifeiro", literal num nível de significado, sutil em outro, sugere Jesus. Assim temos uma ilustração similar à alegoria proveniente da situação numa fazenda. Esta ilustração relaciona-se com o que está acontecendo aqui em Samaria. Este diálogo revelou a estreiteza de visão dos discípulos e, em contraste, a visão clara e impulsionada pelo amor que Deus tem do mundo.

Num sentido real, esta seção contém uma comissão para o evangelismo mundial. Pelo menos dois princípios estão claros aqui.

1) As pessoas sempre estão prontas para o Evangelho, mas costumes e expectativas sociais podem dificultar a visão e a tarefa (a colheita samaritana está a alguns meses de distância). A referência à colheita pode ser um provérbio (quatro meses eram o tempo aceito entre plantar e colher) ou ser literal. De qualquer modo, mostra a falta de visão missionária por parte dos discípulos. A provocação de uma visão pode ser necessária ocasionalmente.

2) A evangelização se dá em diferentes níveis e requer diferentes tarefas, o envolvimento de toda uma equipe de trabalho em todo tempo. Um planta, outro colhe.

2.3.7. O Salvador do Mundo (4.39-42). Os versículos 39 a 42 conferem os resultados da passagem de Jesus por Samaria e confirmam a compulsão divina de parar ali. Com breves palavras o autor pincela uma conclusão adequada para este episódio. Tanta atenção dedicada aos párias da sociedade como os samaritanos é significativa no Novo Testamento. Este capítulo posta-se como testemunha da abertura de João a todos. As pessoas daquela aldeia aceitam Jesus como o Messias e finalmente como "o Salvador do mundo". Este título é particularmente expressivo de acordo com as expectativas samaritanas. Quando eles lhe oferecem hospitalidade, Ele aceita. A fé deles é colocada nas palavras de Jesus, e não no testemunho da mulher.

Não devemos ver aqui um contraste entre a crença em sinais como algo negativo (cf. Jo 2.23,24) e a crença nas palavras de Jesus (Jo 4.4-42) como sendo a forma adequada. Os sinais de Jesus são atos divinos de salvação, e não devem ser denegridos. As próprias pessoas tornam os sinais negativos ou positivos. Esta história samaritana esclarece e exemplifica o significado do primeiro sinal em Caná da Galiléia. Este sinal aponta para a obra de Jesus na cruz e sua ressurreição, pelas quais Ele cria um novo templo, formado de pessoas que crêem nEle e que receberam a vida eterna pelo Espírito. O que este sinal visa é a verdadeira base de fé. De certo modo, suas palavras são como o sinal também. Elas apontam para a obra na cruz, a base para Deus perdoar os pecadores. Pela fé em Jesus Deus perdoa os pecados e cria um novo povo com nova natureza.

2.3.8. A Pátria de um Profeta (4.43-45). Os versículos 43 a 45 são problemáticos. Este pequeno parágrafo, contendo uma declaração de Jesus sobre a falta de honra de um profeta em sua pátria (cf. Mt 13.54-58; Mc 6.4,5; Lc 4.16-30), não se ajusta com a cronologia de viagens de Jesus no Evangelho de João. Ele foi de Samaria para a Galiléia no versículo 43, mas o versículo 44 parece explicar por que Ele foi para lá: Ele não tinha honra no próprio país. No versículo 45, os galileus lhe dão calorosa recepção quando Ele chega, depois de terem visto os sinais feitos em Jerusalém "na festa" (lit.).

Para entender esta seção, temos de notar os acréscimos que João faz ao relato dos outros Evangelhos. Por exemplo, notem o versículo 45: "Os galileus [...] viram todas as coisas que [Ele] fizera em Jerusalém no dia da festa; porque também eles tinham ido à festa". Este versículo relaciona-se com João 2.23, onde as pessoas que viram os sinais de Jesus e creram nEle são provavelmente da Galiléia. Em João 2.23, Jesus não confiava nessas pessoas. Se essas devem ser identificadas com os galileus em João 4.45, então o autor João não faz comentário adicional sobre a fé negativa deles. João 4.43-45 recapitula esta seção de ensino sobre o primeiro sinal referindo-se à mesma festa e pessoas mencionadas anteriormente.

Em outras palavras, Jesus vai de Samaria para a Galiléia, sua casa. Mas lá Ele tem

JOÃO 4

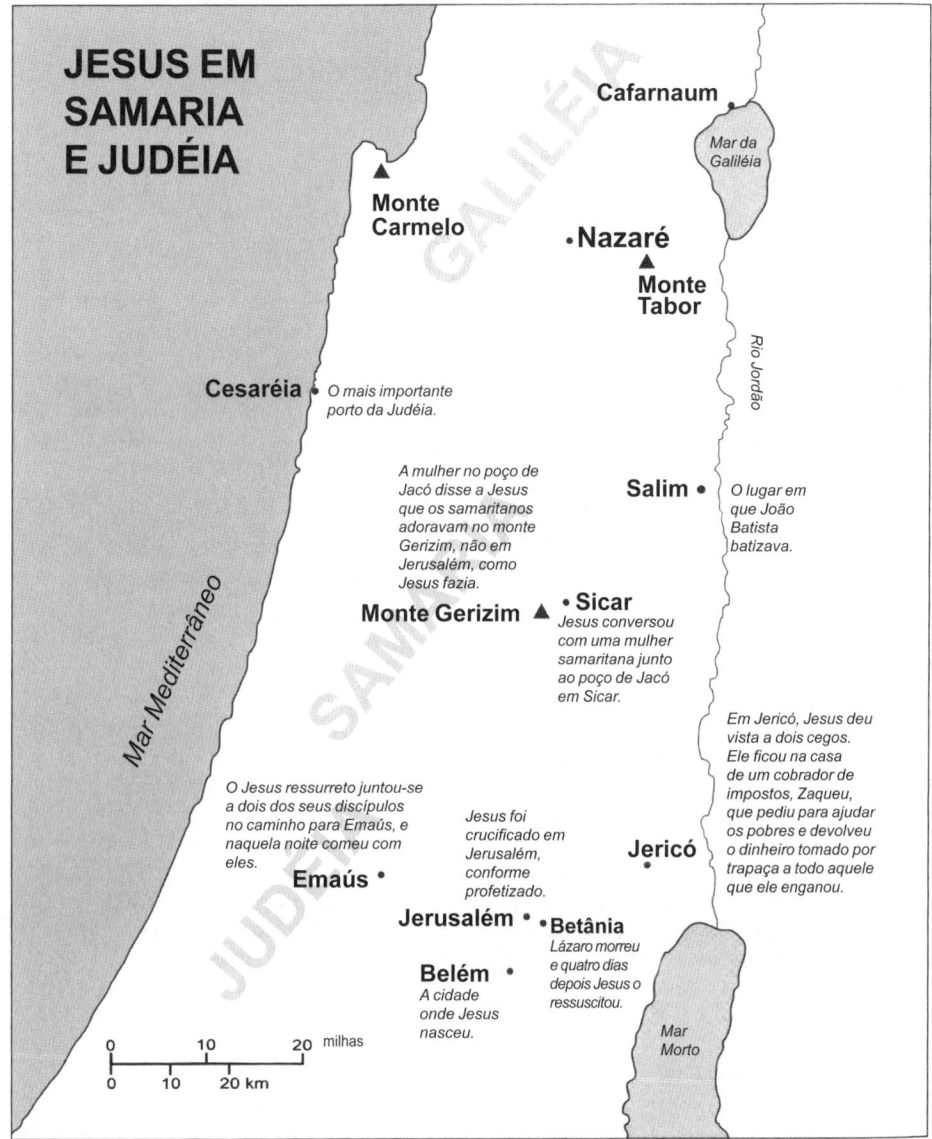

JESUS EM SAMARIA E JUDÉIA

- **Cafarnaum**
- Mar da Galiléia
- **Monte Carmelo**
- **Nazaré**
- **Monte Tabor**
- Rio Jordão
- **Cesaréia** — O mais importante porto da Judéia.
- A mulher no poço de Jacó disse a Jesus que os samaritanos adoravam no monte Gerizim, não em Jerusalém, como Jesus fazia.
- **Salim** — O lugar em que João Batista batizava.
- **Monte Gerizim**
- **Sicar** — Jesus conversou com uma mulher samaritana junto ao poço de Jacó em Sicar.
- Mar Mediterrâneo
- O Jesus ressurreto juntou-se a dois dos seus discípulos no caminho para Emaús, e naquela noite comeu com eles.
- Jesus foi crucificado em Jerusalém, conforme profetizado.
- **Jericó** — Em Jericó, Jesus deu vista a dois cegos. Ele ficou na casa de um cobrador de impostos, Zaqueu, que pediu para ajudar os pobres e devolveu o dinheiro tomado por trapaça a todo aquele que ele enganou.
- **Emaús**
- **Jerusalém**
- **Betânia** — Lázaro morreu e quatro dias depois Jesus o ressuscitou.
- **Belém** — A cidade onde Jesus nasceu.
- Mar Morto

0 10 20 milhas
0 10 20 km

O lugar de adoração dos samaritanos ficava no monte Gerizim, à curta distância do poço de Jacó onde Jesus conversou com a mulher samaritana sobre a "água viva".

um conjunto de pessoas que não têm o tipo adequado de fé. Elas o recebem cordialmente, mas não honram a Ele ou sua missão. Isto explica o versículo 46. Jesus volta ao local do primeiro sinal para fugir de pessoas amigáveis com o tipo errado de fé. Devemos observar que este versículo 46 começa com a palavra grega *oun*, que é comumente traduzida por "então" (omitida na RC).

2.3.9. O Segundo Sinal (4.46-54).
A RC coloca os versículos 46 a 54 como limites do parágrafo que comentaremos. Os intérpretes são tentados a ver aqui o início de uma nova seção, ligando-o ao capítulo 5. Porém, o versículo 54 parece dar um encerramento a esta seção mais do que os versículos 43 a 45. Além disso, os versículos 46 a 54 estão conectados com o primeiro sinal em Caná da Galiléia (note

a expressão "segunda vez" no começo do versículo 46, como também a referência a Caná da Galiléia — local que só ocorre em Jo 2.1,11; 4.46; 21.2). João também menciona novamente a transformação da água em vinho. Note também que a expressão "depois disso", em João 5.1, indica acentuada descontinuidade no tema do capítulo 4.

O versículo 48 tem o único uso da frase "sinais e milagres" em seu Evangelho. "Milagres" no Novo Testamento sempre ocorrem com "sinais". Das dezesseis ocorrências da expressão no Novo Testamento, só quatro são negativas; esta é uma delas (as outras três estão relacionadas com os falsos profetas e com os sinais e milagres que eles farão no tempo do fim). Em João, "sinais e milagres" estão ligados com a falsa crença e discipulado e contrastam com o "sinais miraculosos", os quais servem como poderosos indicadores da morte e ressurreição de Jesus e os quais produzem fé (cf. Jo 20.30,31).

Esta seção contém um diálogo que assume peculiaridade curiosa. O "oficial do rei" pede que Jesus lhe cure o filho, mas Jesus surpreendentemente responde com uma declaração negativa sobre sinais e milagres. Mas parece que o homem ignora o comentário de Jesus. Isto permite Jesus prosseguir criticando a falsa natureza da fé daqueles que estão seguindo-o apenas com base em sinais. Esta cura torna-se um comentário sobre as pessoas da Galiléia em João 2.23-25 e 4.43-45, que não têm a verdadeira fé.

Outro indicador da ligação com o material prévio é o uso do número ordinal "segundo" e da palavra "milagre [sinal]" no versículo 54 (cf. Jo 2.11). A referência acerca "da Judéia para a Galiléia" no versículo 54 liga com "da Galiléia para a Judéia" no versículo 47, que é o itinerário de Jesus nos capítulos 2 a 4.

O filho de um oficial do rei está a ponto de morrer (vv. 46,47). Seu pedido refere-se à cura, ou mais exatamente ao restabelecimento do filho à vida. Aparentemente, sua fé é correta e Jesus sabe disso, pois o versículo 53 diz: "E creu ele, e toda a sua casa". Esta expressão une o oficial com os discípulos em João 2.11, que viram a glória (sinal) de Jesus e creram. Este sinal também liga a fé à vida, e esta vida significa vida eterna proporcionada pela morte e ressurreição de Jesus. Este milagre também oferece o comentário sobre o primeiro sinal (veja comentários sobre Jo 2). A verdadeira fé em Jesus traz vida eterna. Com base nesta interpretação, podemos notar que os sinais em João contêm um significado coerente — eles apontam para a morte e ressurreição de Jesus.

Mas a fé deste homem difere em um modo: Ele simplesmente crê na palavra de Jesus. Ele não viu o milagre — ele está a alguma distância de Cafarnaum quando Jesus lhe cura o filho. Nas palavras do versículo 50b: "E o homem [obedeceu e] creu na palavra que Jesus lhe disse e foi-se".

Isto não quer dizer que a fé numa simples palavra de Jesus é superior à fé que está ligada a milagres. A diferença acha-se entre o que a pessoa pensa que são milagres e como os milagres funcionam. Por exemplo, uma coisa é o cristão receber cura, outra totalmente diferente é o pecador, como este oficial do rei, recebê-la. Também trata-se de outra questão buscar sinais para engrandecimento pessoal ou outro ganho. No Novo Testamento, sinais e milagres são o evangelho, junto com a proclamação do Reino. Eles são eventos salvadores da mesma maneira que os "sinais" em João estão ligados à morte e ressurreição de Jesus. Em João, a vida traz libertação e salvação do pecado, culpa e morte. Nos Evangelhos Sinóticos, como também em Paulo, sinais e milagres trazem libertação de vários tipos de opressão, doença, demônios e outros efeitos debilitantes. Esta é parte do que está implícito acima na conexão destes sinais com a morte e ressurreição de Jesus.

O comentário de João sobre o resultado deste milagre informa o leitor acerca da estrutura social da família deste homem, como também a formação gentia de cada componente: "E creu ele, e toda a sua casa" (v. 53). De todas as estruturas sociais mediterrâneas, esta descrição ajusta-se melhor ao modelo de casa/família romana. Nas famílias romanas, cada pessoa tinha relações e papéis familiares especiais e derivava a identidade de alguém da família. O pai servia como cabeça e impunha poder sobre todos os outros membros. Até escravos domésticos e membros familiares distantes estavam sob sua autoridade. Decisões de crer em Jesus, do modo como este homem e sua casa creram, são encontradas ao longo do Livro de Atos dos Apóstolos (At 10.2; 11.14; 16.15,31,34; 18.8), indicando a conversão de casas semelhantes. Se este pai é gentio, ele fala aqui por todos de sua casa, que agora crêem em Jesus. A cura do filho deste homem espelha a inclusão dos gentios na Igreja.[2]

2.4. Os Outros Sinais: A Mudança dos Dias Santos (5.1—12.50)

Agrupamos esta seção por causa do seu enfoque e propósito. O conteúdo desta seção, focalizando os dias santos do judaísmo, segue logicamente os capítulos 2 a 4. Assim como o templo era uma contenção principal entre o cristianismo e o judaísmo, assim eram os dias santos (o sábado e as Festas da Páscoa, dos Tabernáculos e da Dedicação).[3] Os temas importantes destas festas centralizavam-se ao redor da vida eterna e da luz. Estas ocasiões santas reuniam o tempo, o espaço e o ritual no templo para restabelecer a ordem e harmonia na vida dos seguidores.

Esta seção apresenta a atividade salvadora de Jesus como outros sinais especiais, que significam a transformação destes dias santos. Em Jesus, o sábado se tornará no primeiro dia da semana. A Páscoa será substituída pela Ceia do Senhor (a Eucaristia) e a Festa dos Tabernáculos e da Dedicação (festivais de outono e de inverno) se condensarão numa celebração da Festa dos Tabernáculos tendo Jesus como seu cumprimento. Estas ocasiões eram a principal fonte de conflito para os cristãos judeus na última parte do século I. Neste Evangelho, o conflito começa no capítulo 5 e atinge o clímax no 12.

2.4.1. A Cura no Tanque de Betesda (5.1-47).
O segundo sinal em Caná da Galiléia já apresentou o terceiro sinal com "o teu filho vive". Fazendo um trocadilho com a palavra de duplo sentido "vive", que tem o significado de restauração de saúde e restauração de vida, João visa o ponto principal da vida eterna neste capítulo. Ele condiciona o entendimento que o leitor tem deste sinal.

Mas com o terceiro sinal vem mais animosidade e confrontação com os líderes em Jerusalém. O ponto de contenção neste sinal enfoca a blasfêmia e quebra do sábado, ambas infrações sérias da lei judaica. Esta cura do paralítico proporciona o contexto para Jesus tratar o seu direito de mudar a observância que a oposição fazia do sábado.

Os versículos 1 a 5 oferecem o cenário do sinal, os versículos 6 a 9b comentam o sinal, os versículos 9c a 18 manifestam o diálogo entre a pessoa curada, os líderes judeus e Jesus, os versículos 19 a 30 apresentam o primeiro discurso interpretativo e os versículos 31 a 47, o segundo.

2.4.1.1. O Paralítico no Tanque de Betesda (5.1-5).
Primeiramente, devemos observar que os versículos 1 a 5 contêm algumas dificuldades textuais.

1) Pertinente ao nome do tanque, várias possibilidades são dadas nos manuscritos: Betesda, Betsaida e Betzata. Destes, Betesda é preferido porque translitera uma palavra hebraica que significa "casa da correnteza" (este nome aparece no Rolo do Templo encontrado em Qumran).

2) Os versículos 3b e 4 não são encontrados em muitos dos mais antigos e fiéis manuscritos do Novo Testamento.

O versículo 1 fornece o cenário — há "uma festa entre os judeus". Duas observações são dignas de serem feitas concernentes a esta declaração.

1) A palavra "festa" não tem artigo: não temos indicação segura sobre que festa é esta. É presumível que João queira ser vago para chamar a atenção para o sábado, o assunto do capítulo.

2) A única atribuição é religiosa — é uma festa do judaísmo (a palavra "judeus" aqui não tem

preconceito étnico, e a expressão deveria ser traduzida por "festa do judaísmo"). Esta identificação dos dias santos do judaísmo é típica no Evangelho de João. Mas quando Jesus faz seus sinais, eles significam muito mais que as típicas expectativas religiosas que os judeus tinham dos dias santos; tornam-se algo novo. Colocando esta festa ambígua como pano de fundo do sábado, João inaugura esta atividade transformadora de Jesus para todos os outros dias santos nesta seção.

O tanque de Betesda estava perto da esquina nordeste do templo, onde as ovelhas eram trazidas para sacrifício ("a Porta das Ovelhas"). Este tanque (hoje escavado) era cercado por colunas nos quatro lados, com uma partição no meio — portanto, eram cinco colunatas cobertas. Entre estas sentavam-se e deitavam-se os doentes, esperando pela agitação da água. A adição mais recente (vv. 3b,4) tenta explicar a narrativa simples: Um anjo desce para agitar as águas, e o primeiro a entrar nelas é curado. Uma explicação científica diz que este era um tanque formado pela umidade do tempo e que, quando a água do solo subia suficientemente, recebia água de um canal subterrâneo. Com o tempo, as pessoas presumivelmente relacionaram propriedades curativas às suas águas sazonais.

Jesus dirige nossa atenção a um homem em particular, o qual "havia trinta e oito anos se achava enfermo". Ele tem conhecimento divino das condições daquele homem, tema encontrado em outros lugares neste Evangelho.

2.4.1.2. A Cura do Paralítico (5.6-9b). Este homem está impossibilitado de andar, e Jesus pergunta se ele quer ficar são (*hygies*, adjetivo, "inteiro, íntegro, justo"). O paralítico não responde com um simples sim ou não. Antes, ele focaliza sua situação difícil e o processo curativo tradicional. Jesus parece ignorar sua resposta bastante pessimista — a gente imagina o quão abatida a pessoa se sentiria depois de trinta e oito anos de paralisia. Ele o ordena que se levante, tome a cama e ande. Imediatamente "aquele homem ficou são, e tomou a sua cama, e partiu".

A palavra "são" (*hygies*, adjetivo, "inteiro, íntegro, justo") ocorre quatorze vezes no Novo Testamento, sendo a metade no Evangelho de João (seis delas em Jo 5.4-15). O léxico padrão do Novo Testamento diz que esta palavra em João (e em outros lugares) refere-se à restauração física e contrasta com a doença. Porém, sob exame mais acurado, a palavra assume um significado mais inclusivo. "Saúde" no século I referia-se ao bem-estar total da pessoa, certamente ao estado da pessoa diante de Deus (cf. seu uso em Lc 5.31, uma unidade histórica que em Mt 9.14-17 e Mc 2.18-22 tornam sustentável a conexão entre saúde e justiça [ou inteireza, integridade]). E o oposto também era verdade — estar doente era não ter saúde (ou inteireza, integridade, justiça), e sim estar sem Deus.

Em João, este sinal com os demais indicam a morte e ressurreição de Jesus, que provêem a subsistência da inteireza (ou justiça) de uma pessoa. Com certeza isto põe em relevo João 5.14, onde Jesus ordena que o homem não viva mais uma vida de pecado ("Não peques mais, para que te não suceda alguma coisa pior"). No nível do homem curado, a palavra provavelmente quer dizer apenas saúde/cura (cf. o v. 15). A inteireza que este homem experimentou manifesta o verdadeiro propósito do sábado conforme é cumprido em Jesus — o descanso de Deus. Este milagre é mesmo um trabalho no sábado — dar inteireza de vida.

2.4.1.3. O Desafio à Obra de Jesus (5.9c-18). O leitor pela primeira vez é informado que este sinal ocorreu no sábado. Isto nos prepara para o diálogo vindouro, no qual estão as acusações de quebra do sábado. Jesus sai depressa (v. 13), e os líderes do judaísmo vêem o homem carregando a cama, atividade proibida para o sábado. Quando questionado, o homem passa a responsabilidade para aquele que o curou. A ignorância deste homem contrasta com o conhecimento de Jesus no versículo 6.

O contato de Jesus com o homem e a exortação de Jesus para ele não pecar (v. 14) equipam o homem curado com a informação que os líderes judeus buscam

JOÃO 5

O tanque de Betesda situava-se ao norte do templo. Foi o lugar onde Jesus curou o homem, que por trinta e oito anos tinha sido paralítico. Mostrado aqui (à esquerda) estão as ruínas do tanque e, abaixo, o aspecto provável do tanque conforme representação na maquete de Jerusalém no Hotel Holyland. Em sua descrição, João disse que o tanque tinha "cinco alpendres [ou colunatas cobertas]".

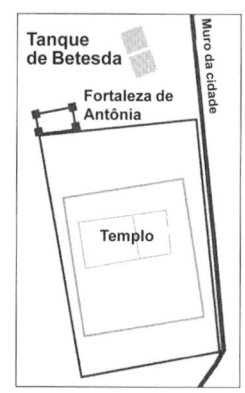

(v. 14). Isto mais do que tudo os instiga a perseguir Jesus. Por conseguinte, temos a primeira grande confrontação no Evangelho. Bem depressa uma acusação de quebra do sábado se torna em duas, com a acusação de blasfêmia exarada no versículo 18, onde Jesus apresenta a natureza do milagre que Ele fez no sábado.

O sábado era uma das características mais identificadoras do povo do Antigo Testamento e do judaísmo. Ordenava e estruturava a vida do povo do concerto sob o domínio de Deus. O judaísmo acrescentou vários regulamentos às diretrizes do Antigo Testamento. Carregar a cama, como o homem curado estava fazendo, era uma delas, pois implicava trabalhar no sábado. Quebrar o sábado desta maneira era punível por expulsão da sinagoga e até a morte. Tal expulsão significava que a pessoa não tinha vida no mundo por vir (cf. *Queriotote* 1).

Nos tempos de Jesus, as leis sabáticas tinham ficado rigorosas, talvez diminuído um pouco quando João escreveu. Todavia o sábado muito identificava o judaísmo; só a circuncisão era mais importante. Era verdade que diversas exigências anulavam a observância do sábado, como os rituais do templo, a ação militar, a salvação de uma vida e a circuncisão (cf. *Mequilta* Sábado 1). Jesus apela para isso usando o método rabínico de argumentação. Se a circuncisão pode ser feita no sábado, e isso faz um grande bem, quanto mais a cura de um homem (Jesus faz alegação semelhante em Jo 7.23). Contudo os judeus sustentam que carregar a cama é trabalho e, portanto, quebra o sábado.

O judaísmo geralmente cria que Deus continuou trabalhando depois de ter terminado a obra da criação. Afinal de contas, Ele prosseguiu como Senhor sobre o mundo; de outra forma, como Ele o manteria em existência no sábado? Além disso, as pessoas nasciam no sábado, e só Deus dá a vida. Estes pensamentos subjazem no versículo 17 — os judeus não negam que Deus trabalha no sábado, mas eles insistem que Cristo o quebrou e blasfemou. Jesus afirma com todas as letras que é divino como o Pai, o que levanta a acusação: "[Ele se faz] igual a Deus" (v. 18).

2.4.1.4. O Dom da Vida: A Obra de Jesus e do Pai (5.19-30).

João estruturou estes versículos de maneira firmemente entretecida, elaborando sobre a declaração do Senhor no versículo 17, acerca de Ele fazer a obra do Pai e acerca da natureza dessa obra. Tornando aquele homem são (inteiro), Jesus está dando vida eterna, a obra do Pai. O sábado já não é um dia especial de vinte e quatro horas; é o tempo da salvação de Deus por Jesus. Deus nos chama a todos para esse descanso através da obra de Jesus na cruz. Esta estrutura está na forma de declarações repetidas — cada uma construindo um ponto e, voltando para o ponto central, andando para trás em forma de quiasma ao ponto de partida:

A vv. 19-20
  B vv. 21-23
    C v. 24
    C' v. 25
  B' vv. 26-29
A' v. 30.

Algumas observações estão em ordem.

1) Duas orações comparativas ("assim como... assim") em B (v. 21) e ("como... assim") em B' (v. 26) atribuem divindade a Jesus no fato de que Ele, como o Pai, tem em si mesmo vida incriada.

2) As unidades centrais (C e C') estão cada uma na forma de declaração iniciada por "*amen, amen*", focalizando a capacidade de Jesus dar esta vida àqueles que nEle crêem. Esta vida nova também é a vida da ressurreição.

3) A primeira metade (vv. 19-24) contém verbos que estão no presente, a segunda metade (vv. 25-30), verbos no futuro; isto levou os estudiosos a diferentes conclusões sobre a natureza escatológica deste Evangelho. (*Escatologia* quer dizer estudo ou teoria sobre a consumação do tempo.) Certo estudioso reputa que João coloca toda a ênfase no tempo presente, como se dá com o tempo presente nos versículos 19 a 24. De acordo com ele, o fim chega completamente quando as pessoas nascem de novo. Além disso, João não diz nada sobre o vindouro tempo do fim. Os versículos 19 a 30 apóiam a conclusão de que João ensina ambos os aspectos do tempo do fim. Esta informação nos ajuda a ver que, no recebimento da vida eterna, o futuro surge com ímpeto e que o novo nascimento é da mesma natureza que a ressurreição ("passou da morte para a vida", v. 24) — fato que Paulo também afirma. O conteúdo do capítulo 5, sobretudo esta ênfase na vida e ressurreição, é paralelo à ressurreição de Lázaro (Jo 11) e aos temas do capítulo 9.

O novo nascimento é motivo de celebração. É uma experiência poderosa, libertando os crentes do pecado e da morte, exatamente como a condição do paralítico — o pecado há muito o mantinha em exausta escravidão. A vida eterna, o novo nascimento, necessita de ênfase visto que é a fonte do poder do cristão sobre o pecado e o modo de assumir uma nova natureza e o caráter de Deus, o fruto do Espírito; muitos dos dons do Espírito vêm por via do batismo com o Espírito, sobretudo o poder para testemunhar. Um flui do outro de forma complementar.

4) A autoridade divina de Jesus não é somente indicada por sua capacidade de dar vida, mas também por seu papel de Juiz (vv. 26-30). O julgamento domina esta parte e outros lugares no Evangelho. É prerrogativa divina de Jesus. O título "Filho do Homem" está conectado com esta capacidade de julgar.

2.4.1.5. As Testemunhas de Jesus (5.31-47).

Esta seção continua o monólogo de Jesus iniciado no versículo 16, e volta a fundamentar a afirmação que Jesus fez de Ele ser divino e seu direito de mostrar o verdadeiro propósito do sábado. A palavra chave aqui é "testificar" (*martyreo*, onze vezes nesta seção). "Testificar" assume conotações legais e é tema encontrado em outros lugares no Evangelho (por causa do seu propósito). João escreve, em parte, para demonstrar que Jesus é divino e que Ele tem o direito de transformar dias santos e instituições e dar salvação a todos os que crêem. Aqui, numerosas testemunhas vêm afirmar este direito: João Batista (vv. 31-36), as Escrituras (v. 46), as obras do Pai (v. 36) e o próprio Pai (v. 37). As obras do Pai ligam especificamente o tema do testemunho com a cura do paralítico.

O capítulo conclui mostrando a incredulidade dos líderes judeus (v. 38). Outra vez eles não recebem Deus, porque não recebem Jesus, que veio em nome do Pai. Mas são as mesmas Escrituras nas quais eles afirmam achar vida que os acusam (v. 39). Se eles cressem nelas, creriam em Jesus porque elas testificam dEle. Moisés, o escritor da Torá (Pentateuco), levanta-se como o acusador deles, visto que ele escreveu de Jesus (vv. 45-47). Deuteronômio 31.26,27 pode estar em mente aqui: Moisés é ordenado a colocar o Livro da Lei ao lado da arca do concerto como testemunha contra a rebelião de Israel, implicando que estes líderes agora participam nessa rebelião (cf. Jo 7.19). Se estes líderes não crêem nas palavras de Moisés, como eles podem crer nas palavras de Jesus? Como em João 8.31ss, eles não têm a Palavra (*logos*) habitando neles (Jo 5.38). A fé só é fé quando seu objeto é Jesus, e amor a Deus por Jesus é fé na obra (v. 42).

2.4.2. A Multiplicação dos Pães e Peixes para os Cinco Mil e suas Conseqüências (6.1-71).

Os intérpretes observam que a geografia não flui uniformemente do capítulo 5 para o 6, pois a cena salta de Jerusalém para o mar da Galiléia. O capítulo 6 parece fluir com mais homogeneidade vindo do capítulo 4, onde Jesus já está na Galiléia. Teorias de deslocamento de material são abundantes. Mas, uma vez que consideremos que João não escreve tanto em forma de cronologia quanto escreve em ordem de sermão, a dificuldade fica menos problemática.

João 6 pode conter dois sinais, a multiplicação dos pães e peixes para os cinco mil e o andamento de Jesus sobre o mar. O tema do capítulo concentra-se na multiplicação dos pães e peixes para a multidão e no comer do corpo de Jesus. Este capítulo tem muito em comum com os outros Evangelhos canônicos (Mt 14.13-21; Mc 6.32-44; Lc 9.10-17). A multiplicação dos pães e peixes é o único milagre público registrado em todos os quatro Evangelhos.

Discussões surgem sobre se João é sacramental. Quer dizer, será que João sugere que ele crê que a Ceia do Senhor/Eucaristia ou o batismo nas águas é o meio de transmitir em si a graça de Deus? Ou ele enfatiza a fé e o Espírito à parte de tais meios físicos?

Também é comum ver por trás deste capítulo a influência (conteúdo e forma) de um midrash ampliado (ou seja, método judaico de interpretar a Escritura) ou um sermão em forma de narrativa (chamado hagadá) sobre o conceito do maná. Em qualquer caso, João relaciona alguns elementos da Ceia do Senhor com a multiplicação dos pães e peixes e o conceito do Antigo Testamento do maná.

2.4.2.1. A Multiplicação dos Pães e Peixes para os Cinco Mil (6.1-15).

"Depois disto" (v. 1) move o leitor do tema do sábado para a Páscoa (v. 4) e o próximo milagre; esta expressão é comum em João para indicar tal mudança. Esta observação ajuda a solucionar a dificuldade geográfica dos capítulos 5 ao 6.

A Páscoa, festividade do judaísmo, ainda não chegou, embora esteja perto. Visto que é uma das três festas da peregrinação, as pessoas estão a caminho de Jerusalém. A primavera chegou, a grama está espessa (v. 10) e verde (cf. Mc 6.39) ao redor do mar da Galiléia, provavelmente no lado oriental perto de Betsaida (Jo 6.1). A RC traduz esta localização geográfica bastante difícil por "o mar da Galiléia, que é o de Tiberíades" (v. 1). Tiberíades (nome romano) é o nome mais conhecido para este lago nos dias de João.

Certas expectativas messiânicas mantêm-se no ar (veja o v. 15). Depois de fazer o milagre da multiplicação dos pães e peixes (cf. Jo 6.2), sinal que se esperava do Messias (v. 14), as multidões desejam proclamá-lo rei. Mas Jesus rejeita suas tentativas porque Ele não é o Messias da expectativa tradicional que eles tinham — Ele é radicalmente diferente, e o rei do reino que Ele traz exige um novo modo de salvação. Portanto, o que Ele faz muda a Páscoa porque é inadequada.

Algumas interpretações modernas sustentam que o povo judeu rejeitou Jesus e o seu Reino, e que assim Ele inaugura a era da Igreja. Porém, este texto nos diz totalmente o oposto — Jesus rejeita os judeus porque a idéia que eles têm do reino é diferente (ou seja, reino étnico e político) da dEle (ou seja, reino espiritual).

João conecta este milagre da multiplicação dos pães e peixes com a Páscoa, o andamento de Jesus sobre o mar e a história do maná. A figura de Moisés e suas atividades ocorrem de vários modos neste capítulo — como, por exemplo, o fato de Jesus sentar-se no monte (v. 3), as pessoas que o seguiam (v. 2) e a expectativa do Profeta do tempo do fim (v. 14). Nas atividades da Páscoa, as Escrituras que contêm relatos do maná eram comumente lidas. O ato de Jesus sentar-se no monte descreve situação semelhante a Moisés — o grande legislador que ensina o povo. As pessoas seguem Jesus como Israel seguia Moisés (v. 2). A menção de "o Profeta" (v. 14) traz ecos de Deuteronômio 18.15, que pede um profeta maior que Moisés (passagem claramente messiânica).

Na Páscoa também era lido 1 Reis 4.42-44, onde diz que Eliseu multiplicou milagrosamente pão de cevada para cem homens. Todos estes textos do Antigo Testamento eram reunidos, como fios de costura num pano, ao longo das atividades da Páscoa e entendidos com implicações messiânicas. João os arruma e os aplica a Jesus, que cumpre e transcende estas expectativas. Na multiplicação dos pães e peixes, Jesus é este maior que Moisés, acerca de quem a Escritura fala. De fato, Ele é Deus, que dá uma maior comida que Moisés — uma provisão abundante, suficiente para alimentar todas as pessoas e com doze cestas de sobra! O maná que Ele oferece excede em muito a comida tradicional da Páscoa. Este é "o pão da vida" que veio de cima.

Além disso, Jesus como o grande Pastor divino do Salmo 23 conduz suas ovelhas a verdes pastos (cf. Mc 6.39), alimentando e cuidando delas. O milagre acontece quando Jesus distribui a comida para as pessoas (note que no Evangelho de João os discípulos não tocam na comida até que eles apanhem o que sobrou), ao passo que nos outros três Evangelhos Jesus dá o pão aos discípulos. João registra este relato assim para caracterizar a divindade e autoridade de Jesus na multiplicação da comida. O papel que as pessoas servem aqui deve ser considerado de modo tipológico, porque na verdade estas pessoas não crêem em Jesus. João deseja mostrar que Jesus, o pão do céu, veio trazer vida eterna a todos os que o receberem pela fé. Provavelmente isto é feito por causa dos discípulos que estão a caminho de receber vida eterna (veja Jo 20). A multiplicação dos pães e peixes para os cinco mil enfoca esta verdade de Jesus.

João destaca dois discípulos por nome, Filipe e André. Os versículos 5 a 7 são dedicados ao diálogo entre Jesus e Filipe. Em sua pergunta inicial, Jesus quer testá-lo ao perguntar onde eles poderiam conseguir comida para toda essa gente. João acrescenta uma nota sobre a determinação prévia de Jesus fazer o que Ele está a ponto de fazer para ajudar a esclarecer a razão de Jesus falar com Filipe. A resposta de Filipe mostra que ele está olhando para uma solução natural e, portanto, impossível: "Duzentos dinheiros de pão não lhes bastarão, para que cada um deles tome um pouco" (v. 7). Talvez Filipe tenha em mente a ocasião de João 4.7, quando eles entraram numa cidade samaritana e compravam comida para Jesus e para si mesmos; mas esta multidão é muitíssima numerosa para ser cuidada de maneira semelhante. Em João 1.43-45, Jesus chamou Filipe para ser seguidor; Filipe, por sua vez, contou a Natanael que achara um sobre quem Moisés escrevera. Reunamos esta informação e veremos que Filipe ainda não tinha se dado conta da verdadeira natureza de Jesus.

Sem ser abordado, André, ouvindo a conversa, manifesta o mesmo nível de compreensão de Filipe. A diferença é que ele chama a atenção para um menino com cinco pães de cevada e dois peixinhos, permitindo que Jesus use coisas — falando naturalmente — muito pequenas para fazer o sinal e bem na frente da própria admissão de impossibilidade dos discípulos! Pães de cevada eram menos apetecíveis que pães de trigo, e os peixes eram "peixinhos". Tais detalhes exaltam o milagre.

Mas o que há da Ceia do Senhor nisso? Acharemos indícios? Sim, e esta conclusão é apoiada pelo fato de que no lugar normal onde a ceia ocorre (a cena do cenáculo chamada pelos Evangelhos Sinóticos de "a Páscoa"), João não chama essa comida de Páscoa (cf. comentários sobre Jo 13). João, em outras palavras, liga a Ceia do Senhor com situações diferentes da vida de Jesus — o milagre da multiplicação dos pães e peixes para os cinco mil (veja também comentários sobre Jo 20).

Este parágrafo conclui (v. 15) observando que Jesus sabe que as pessoas estão vindo para torná-lo rei à força. Mas Ele rejeita suas intenções e parte para um monte. Eles encaram os sinais que Ele faz como portentos do Messias que eles esperam, que vem para libertá-los da tirania estrangeira e restabelecer-lhes o reino na terra. Seu Reino não é assim. Eles não entendem a natureza dos sinais. João 6.15 vai contra o ensinamento dispensacional de que a rejeição de Jesus pelo povo judeu faz Deus estabelecer uma era parentética e temporária chamada era da Igreja.

2.4.2.2. Jesus Anda sobre o Mar (6.16-24). Esta seção detalha o fato de Jesus andar sobre o mar. Devemos considerá-lo como outro sinal? Seguramente é um milagre, mas João não o chama de "sinal" como ele o faz com a multiplicação dos pães e peixes (v. 14). Antes, este andamento sobre o mar oferece explicações adicionais sobre o milagre prévio. "Quando veio a tarde" (v. 16) quer que entendamos este milagre junto com o anterior. Outro elemento também os liga. Nos versículos 22 a 24, as multidões procuram Jesus no dia seguinte, voltando ao lugar onde Ele multiplicara os pães e peixes. Qual é a relação entre estes dois milagres, sendo o primeiro o principal?

O fato de Jesus andar sobre o mar consolida mais que Ele realmente é o Filho Deus, que veio do céu com vida eterna. Já foi dito em João que Jesus, como o Pai, tem a capacidade de dar vida incriada, o que só Deus pode fazer (Jo 5.21). O capítulo 1 perguntou e respondeu quem é Jesus. Com cada milagre e bloco de ensino, João elabora a identidade de Jesus.

Duas coisas nesta seção evidenciam a divindade de Jesus.

1) A interpretação e registro de Jesus andar sobre o mar (Jo 6.17-22) é feito de modo judaico, derivado de uma das sete regras interpretativas de Hillel. Dito de modo simples, este princípio diz que tudo o que pode ser dito de A pode ser dito igualmente de B. No Antigo Testamento, Javé (Deus) andava sobre o mar (veja Jó 9.8; Sl 77.19). Em *Êxodo Rabá*, um comentário sobre o Livro de Êxodo, a mesma crença é divulgada. Assim, visto que Jesus anda sobre o mar, Ele também é divino. No ambiente do judaísmo dos dias de João, o fato de Jesus andar sobre o mar seria imediatamente relacionado com o Javé das Escrituras. Além disso, o motivo de andar sobre o mar ajusta-se com a época da Páscoa, já que o judaísmo fazia tais associações em sua liturgia.

2) Nos versículos 19 e 20, quando os discípulos vêem Jesus andando sobre o mar e clamam medrosamente, Ele responde: "Sou eu" (*ego eimi*; lit., "eu sou"; veja comentários sobre Jo 4.26). No nível superficial, *ego eimi* estava apenas respondendo a pergunta tácita de identificação feita pelos discípulos proveniente do medo que sentiam. Em outro nível, apresenta seu nome divino, assegurando-lhes que Ele tem controle sobre a tempestade e o mar. A origem mais provável

desta compreensão pode ser encontrada em lugares como Isaías 43.10,25. Embora o "EU SOU O QUE SOU" de Êxodo 3.14 possa ter uma parte por trás deste nome, é o "eu sou" de Isaías que é precisamente paralelo à forma do nome. Este é um dos nomes de Deus que dá segurança, promessa e revelação para o seu povo oprimido (o plano de fundo em Isaías diz respeito ao disperso povo de Deus que precisa de salvação). A proclamação deste nome em João 6.20 é o ponto alto da seção.

Os discípulos deixam a orla oriental ao cair da noite a fim de atravessarem para o lado noroeste da Galiléia (v. 17). Como é freqüente, o vento repentinamente fustiga e transforma o lago numa situação perigosa. A superfície deste lago está a cerca de 210 metros abaixo do nível do mar. Advindos do mar Mediterrâneo, ventos soprando impetuosamente pela passagem Arbel agitam vigorosamente as águas, quase como se estivessem soprando verticalmente para baixo sobre o mar através de um tubo — fazendo com que a calma se transforme de um momento para o outro em águas revoltosas. Os discípulos se acham no mar quando este fica encapelado, o que sugere que Jesus está trabalhando a fé deles, manifestando a mesma necessidade mostrada anteriormente por Filipe e André na multiplicação dos pães e peixes. É comum a fé ser provada depois de Deus fazer um milagre excelente. Os discípulos de todas as épocas podem ser fortalecidos em meio a provações ao lerem esta história e deixarem o Espírito lhes falar por ela.

Os versículos 22 a 24 reapresentam a multiplicação dos pães e peixes e servem de transição para a seção seguinte, na qual Jesus explica o milagre.

2.4.2.3. Elaborações sobre Jesus, o Pão da Vida (6.25-59).

O leitor deixa o material familiar semelhante aos Evangelhos Sinóticos e volta à singularidade de João. Esta seção, nos versículos 1 a 15, explica a multiplicação dos pães e dos peixes. A pergunta do povo sobre quando Jesus chegou (v. 25), abre caminho para Ele responder com uma de suas declarações iniciadas por *"amen, amen"* (v. 26). João apresenta Jesus como o último maná, o pão do céu, mas a maneira da apresentação deixa aberta a possibilidade de enganos. Usando linguagem literal e figurativa, João explica o que é este novo maná, de onde ele vem e como aplicá-lo. A menos que Deus dê revelação e capacidade para entender, surge a ignorância e o novo maná torna-se uma pedra de tropeço para a fé.

No versículo 26, Cristo se introduz na verdadeira intenção do povo segui-lo: Eles o buscam por razões que perecem, ao invés de buscarem-no por razões que duram para sempre e que vêm do Filho do Homem. Estas razões são lançadas na forma de comida. A comida que dura para sempre é Jesus, o maná que traz vida eterna. Ele é a comida superlativa, o maná do tempo da consumação. Trabalhem por essa comida, diz Ele.

Em resposta, o povo pergunta: "Que faremos para executarmos as obras de Deus?" (v. 28). Esta pergunta permite Jesus definir o que significa "obras" (trabalho). Sua resposta aborda o conceito de obras no judaísmo. Lá, a fé é uma virtude merecedora de recompensa (isto não quer dizer que o judaísmo seja uma religião exclusivamente de obras — não é o caso). "Obras" para Jesus se refere à crença em Jesus, aqüEle que Deus enviou. Mas o povo ainda não entende a verdadeira natureza da fé. Eles pedem um sinal para fundamentar a fé. A intenção de Jesus é que a fé não seja colocada em sinal algum, o qual autentica a autoridade do indivíduo, mas numa pessoa — Ele, o Filho de Deus. A série de perguntas que o povo faz (v. 30) diz respeito ao maná dado por Moisés, chamado pelo povo de "o pão do céu" (v. 31).

Logo após, Jesus diz claramente que Ele é o pão do céu. Não foi Moisés que lhes dera o pão do céu, mas foi Deus. O verdadeiro pão é Jesus, que desceu do céu. É Ele que dá a vida eterna.

Jesus se move livremente de um lado para outro, de um nível de significado para outro, misturando ambos sem definição precisa, deixando a espiritualidade (ou sua falta) fazer o trabalho. Em última instância, o pão diz respeito à obra de Jesus na cruz, e o comer e o beber são crer, enquanto que a ausência de fome e sede é a satisfação que a vida eterna traz. Isto implica que Deus criou um desejo inato nas pessoas pela vida eterna, e que existe no interior dos não-regenerados uma falta de inteireza, de completude, um desejo pela perfeição, uma busca por encher um vazio no coração.

Originalmente o maná no Êxodo foi o modo sobrenatural de Deus cuidar do seu povo no deserto. Com o tempo, o maná foi espiritualizado. Por exemplo, o Salmo 78.24 diz que Deus deu ao povo o "trigo do céu"; o Salmo 105.40 o chama "pão do céu". Mais tarde, Josefo comentou que em seus dias o maná ainda caia (*Antiguidades Judaicas*). Em tendência ligeiramente diferente, o rabino R. Eleazar afirmou que o maná viria outra vez na era vindoura, e outros ensinavam que Elias traria o maná. Era uma de três coisas que o estudo da Torá restabeleceria. O Novo Testamento manifesta entendimento semelhante da tradição do maná. Paulo em 1 Coríntios 10.3 escreve que "todos [os nossos antepassados] comeram de um mesmo manjar espiritual". Apocalipse 2.17 menciona igualmente que Jesus dará o maná escondido ao que vencer.

No versículo 36, a disposição de espírito muda — Jesus anuncia-lhes o *status* em que estão: "Vós me vistes e, contudo, não credes". "Vistes" significa um evento passado seguido por seu resultado; "não credes" denota uma condição contínua.

João apresenta novamente ao leitor a soberania de Deus, tema consistente neste Evangelho — a obra de Deus atrair as pessoas a Jesus (v. 37). Jesus fez a vontade e a obra do Pai vindo à terra. Esta obra dará os resultados da vida eterna até o último dia, o dia da ressurreição. Até então, Jesus guardará todos os que crêem. A referência ao último Dia, o dia da ressurreição, repete o tema do capítulo 5 e manifesta um elemento da futura escatologia no Evangelho. É Jesus que ressuscita os crentes (vv. 39,40).

A soberania de Deus continua no versículo 40. O murmúrio dos líderes judeus nos versículos 41 a 43 espelha os israelitas no Êxodo quando estes se queixaram da provisão cotidiana e monótona de codornizes e maná. Este era sinal de incredulidade, aparecendo agora nos contemporâneos de Jesus. Mas Jesus explica que ninguém pode ir a Ele, "se o Pai [...] o não trouxer" (v. 44). Não é tanto que Deus predestina independente de uma decisão consciente, mas o que importa é a nova criação, a qual é uma experiência reveladora. Entender a vontade de Deus requer esta revelação do céu, que vem de Deus pelo novo nascimento.

Nos versículos 47 a 59, a linguagem e a falta de discernimento espiritual começam a fazer distinção entre os presentes. Jesus fala de dois níveis. Num nível, a falta de discernimento espiritual é mostrada no fato de as pessoas tomarem literalmente (e portanto, de forma severa) o significado de carne, sangue e comer. No outro nível, Jesus enfatiza a necessidade e exclusividade de crer nEle. Aqui, o significado literal escapole pelas névoas da misteriosa linguagem divina da fé, entendida só pelos que nascem de cima pela fé no Filho de Deus.

2.4.2.4. Muitos Discípulos Partem (6.60-71). Até agora muitos das grandes multidões tinham se tornado discípulos de um tipo ou outro. Ainda são as mesmas multidões, porque estão murmurando sobre a dureza do ensino de Jesus. Mas muitos deixam de seguir Jesus. Então, Jesus lhes chama a atenção a um evento ainda mais duro — sua ascensão. Isto categoriza as pessoas em dois estados, carne e espírito. "Carne" refere-se aos que não nasceram do Espírito e são deixados em sua condição terrena, no pecado, não capazes de conhecer Deus; "espírito" consiste nos que têm vida eterna, havendo nascido do Espírito de cima. No fim, só os Doze ficam, pois somente eles sabem que Jesus tem as palavras da vida eterna, e confessam que Ele é o Cristo, o Filho de Deus (v. 69; "o Santo de Deus", NVI).

A soberania e presciência de Deus surgem outra vez de modo veemente (v. 64). Dentre o grupo maior, Jesus escolheu os que o seguirão. Mas mesmo entre os Doze, os escolhidos, há um que tem Diabo (vv. 70,71). Tudo isso Jesus sabe. Ele está no controle até sobre aqueles que, como Judas, escolhem não seguir a eleição de

Jesus para a vida eterna. E os posteriores eventos da paixão de Jesus não significam nada diferente. Jesus está no controle; o mal está em retirada; Ele regerá triunfalmente até sobre a morte — pois Ele tem a vida eterna.

O que podemos dizer sobre a Ceia do Senhor? Está aqui? É sacramental? Para responder esta última pergunta, o modo como Jesus passou para o nível superior de significado nas palavras "carne", "sangue", "corpo", etc., com o significado de fé, sugere que Ele tomou uma visão "espiritual", não uma visão sacramental, dos elementos da Ceia do Senhor. Olhando para a maioria das palavras usadas na Ceia do Senhor nos vários lugares das Escrituras, podemos ver como João as relaciona. O quadro "Semelhança das Palavras da Ceia do Senhor" mostra extraordinária exibição de similaridade.

As palavras da bênção do pão em João 6.11,23 são similares às palavras de bênção em outros lugares: "E Jesus tomou os pães e, havendo dado graças, repartiu-os pelos discípulos, e os discípulos, pelos que estavam assentados; e igualmente também os peixes, quanto eles queriam", e "onde comeram o pão, havendo o Senhor dado graças".

Em todo caso, as palavras de modo literal e figurativo agrupam-se em volta de um conceito. Como vimos, é típico João trabalhar em dois níveis de significado. Por exemplo, "corpo ("carne" em João)", "pão" e "comer" dizem respeito à mesma coisa. É a morte de Jesus, ou seja, seu corpo, que é dado. Comer seu corpo significa crer em sua morte/expiação substitutiva. Comer o pão é a comemoração que o crente faz do recebimento do perdão de pecados e da presença do Espírito. Da mesma maneira, "beber", "sangue" e "cálice" estão unidos. Mas com estas palavras cercando o sangue, emerge a linguagem do concerto, embora a palavra "concerto" ("Testamento") só ocorra em Lucas. A Ceia do Senhor celebra o novo concerto, baseado no pão do céu, Jesus; a base do novo concerto substitui a base do antigo. Em Jesus, a Páscoa foi mudada e invalidada; todo aquele que come este novo maná (o pão) nunca morrerá!

Pelo menos uma palavra difere em João dos outros relatos. É "carne" (em lugar de "corpo"). Este sinônimo não deprecia a identificação da Ceia do Senhor em João 6; só mostra alguma variedade nas expressões.

Em conclusão, a Ceia do Senhor suplanta a Páscoa e assim mostra descontinuidade, ainda que a última tenha fornecido idéias e linguajar para a primeira. O cristianismo difere do judaísmo. É o herdeiro do antigo, como visto em sua mudança e continuidade com a restauração do verdadeiro e melhor maná divino. Mas a Ceia do Senhor não é sacramental. Não é o meio da graça que salva. A comida comemora o que salva — a morte reconciliadora de Jesus. A vida eterna, emanando da obra reconciliadora de Jesus, vem do Espírito, o poder criativo de Deus. Jesus trabalha em dois níveis. Num, Ele é o Doador do maná divino — Ele, na qualidade de Deus, multiplica e dá o pão. Noutro, Ele é o dom, o próprio maná divino que dá vida. Como diz o Livro de Hebreus, Ele é o Sacerdote e o sacrifício.

2.4.3. Jesus e a Festa dos Tabernáculos (7.1—12.50). Chegamos a uma das mais longas seções desta parte do Evangelho, que enfoca a Festa dos Tabernáculos. A palavra grega traduzida por "tabernáculos" só ocorre em João 7.2. A palavra hebraica correspondente significa "barraca, tenda" e se refere a algo como o antigo matagal dos dias de reunião em acampamento. Nesta festa, os judeus construíam temporariamente (sete dias) tendas de ramos e folhagens de palma e moravam ali enquanto comemoraram o tempo de suas peregrinações no deserto depois do Êxodo (Lv 23.42,43).

Sacrifícios eram oferecidos em cada dia da Festa dos Tabernáculos (Nm 29.12-39; Ez 45.25 enfatiza uma oferta pelo pecado). Era uma época de grande comemoração (Dt 16.13-17). Acrescentava-se um oitavo dia, durante o qual eles faziam assembléia especial (Nm 29.35). O conteúdo e temas de Zacarias 14 surgem da Festa dos Tabernáculos. Lá, Deus salvará seu povo dos que lhe são inimigos, depois disso, os sobreviventes das nações irão a Jerusalém para adorar o Senhor e celebrar a Festa dos Tabernáculos. Até em Zacarias esta é a festa mais importante do fim do tempo.

Nos dias de Jesus e de João, a Festa dos Tabernáculos era uma das festividades de outono (observadas no sétimo mês, setembro/outubro). No século I, era a festa mais importante — mais importante que o *Rosh Hashshanah* (o ano novo), *Yom Kippur* (o Dia da Expiação) e até a Páscoa. Durante esta época, o povo acreditava que Satanás os acusaria dos seus pecados, e esperava que seus inimigos, como os romanos no século I, os atacasse. Mas Deus viria em sua defesa. O patriarca Abraão, que era considerado cheio de boas obras, também intercedia poderosamente por seus filhos e estendia os méritos de sua abundante provisão de obras para eles a fim de beneficiá-los.

No ambiente religioso de cuidado e misericórdia do Deus do concerto, os méritos podiam ser transferidos de uma pessoa para outra, por causa de certa visão social/cultural. As pessoas dentro do grupo do concerto poderiam se beneficiar ou sofrer pelas ações dos outros. Os benefícios se movimentavam de um lado para o outro — em geral de Abraão para seus descendentes —, mediante um sistema religioso baseado num processo de contabilidade (cf. Rm 4, onde Paulo usa a palavra "imputado" para expressar o fato de que a morte de Cristo em nosso lugar permitiu que seus benefícios [ou seja, a justiça] nos fossem transferidos). Este princípio de transferência de méritos no judaísmo estava ativo durante a Festa dos Tabernáculos. Esta é precisamente a função da atividade de Jesus durante esta Festa dos Tabernáculos. Ele veio para substituir esse aspecto da Festa dos Tabernáculos no sistema religioso do judaísmo e cumprir todas as suas expectativas de libertação e salvação do fim do tempo.

Grandes expectativas e esperanças messiânicas emergiam da liturgia, ritual, leituras das Escrituras e sermões das celebrações da Festa dos Tabernáculos. Eram especialmente importantes os temas da luz e água. A roupa íntima descartada dos sacerdotes era empapada em óleo, colocada em volta de postes altos no pátio do templo e queimadas a fogo; iluminavam toda a Jerusalém. Diariamente, os sacerdotes conduziam uma procissão do tanque de Siloé, trazendo água para despejar no altar junto com o vinho. A água escoava em funis ao solo, em direção leste ao vale de Cedrom. Isto simbolizava a vinda do Espírito e a chegada do Messias, quando Deus derrotaria os inimigos e restabeleceria a sorte de Israel. Ezequiel 47.1-12 fornecia o plano de fundo bíblico para esta compreensão visual. Rios fluiriam em direção ao deserto do Arabá e ao mar Morto, levando vida por onde passassem. As árvores brotariam de chofre e os peixes se multiplicariam de forma abundante.

Durante algum tempo, a Festa dos Tabernáculos permaneceu uma festa importante para os seguidores judeus de Jesus na Igreja. O Livro de Apocalipse, por exemplo,

SEMELHANÇA DAS PALAVRAS DA CEIA DO SENHOR

Palavras em	MATEUS	MARCOS	LUCAS	1 CORÍNTIOS	JOÃO
tomar	26.26,27	14.22	22.17,19	11.23,25	6.11
pão	26.26	14.22	22.19	10.16,17; 11.23	6.51ss
dar graças	26.27	14.22,23	22.17	11.24	6.11
abençoar	26.26	14.22	—	10.16	—
comer	26.26	14.22	22.15	11.25	6.23,51ss
beber	26.27,29	14.23,25	22.18	11.25,26	6.53ss
sangue	26.28	14.24	22.20	11.25; 10.16	6.53ss
corpo	26.26	14.22	22.19	11.24; 10.16,17	—
carne	—	—	—	—	6.53-56

fundamenta grande parte de sua imagem e temas nesta festa. Os crentes comemoravam a vitória sobre o pecado que Jesus obteve e antecipavam os tabernáculos eternos. Os cristãos celebraram a morte e ressurreição de Jesus pela Ceia do Senhor e a Festa dos Tabernáculos.

João 7.1 a 10.21 pertence à Festa dos Tabernáculos, embora só os capítulos 7 e 8 lidem especificamente com a festa. Contudo, nenhum sinal milagroso acontece nestes dois capítulos; o sinal para a Festa dos Tabernáculos é a cura do cego no capítulo 9 — sua visão restaurada é a chegada da luz (tema na Festa dos Tabernáculos). Também a alegoria do bom pastor em João 10.1-20 dimana da discussão sobre a cura do cego no capítulo 9. Em outras palavras, esta seção em João contém um sinal dentro de uma narrativa extensa que explica o significado de Jesus e a Festa dos Tabernáculos. Jesus cumpre e muda as expectativas do fim do tempo da festa, trazendo a salvação de Deus para o mundo. Ele dá a água da vida (ou seja, o Espírito) e a revelação de Deus (a luz).

Apesar de uma aparente falta de unidade dos capítulos 7 e 8, um exame detido revela vários detalhes literários que os unem, o que demonstra uma unidade cuidadosamente engendrada. Por exemplo, o conteúdo concentra-se na Festa dos Tabernáculos; a expressão "em oculto" em João 7.4,10, e o verbo "ocultou-se" em João 8.59 (a mesma palavra grega, *krupto*, ocorre em todos os três versículos) atuam como parênteses para unificar a seção. Fatores literários internos também fazem conexão à medida que a narrativa prossegue. Este é o único lugar neste Evangelho onde a figura de Abraão se destaca abertamente, e ele o faz em harmonia com sua mensagem e temas.

2.4.3.1. Jesus na Festa dos Tabernáculos (7.1-13).

Os versículos 1 a 13 introduzem esta seção, estabelecendo o contexto com o qual entender a relação entre a obra de Jesus e a Festa dos Tabernáculos. Há uma ruptura menor entre os versículos 9 e 10. Os versículos 1 a 9 oferecem o cenário da Galiléia para a narrativa da Festa dos Tabernáculos; os versículos 10 a 13 contêm o cenário da Judéia. Ademais, o termo "em oculto" nos versículos 4 e 10 e o desejo da liderança judaica matar Jesus nos versículos 1 e 11 ligam os dois parágrafos secundários.

A expressão "depois disso" no versículo 1 é a maneira típica de João apresentar novo material — neste caso, a nova festa e o debate acirrado entre Jesus e seus oponentes. Jesus propositadamente fica para trás na Galiléia (que tinha um clima mais amigável para Ele do que na Judéia), em vez de ir para a festa em Jerusalém (v. 1), pois Ele sabe que os líderes judeus estão secretamente procurando matá-lo; da parte deles, oponentes judeus continuam observando Jesus para ver até onde Ele é capaz de ir em suas palavras e ações. Eles o buscam ainda com a acusação de blasfêmia e quebra do sábado.

Jesus é ponderado em relação ao momento em que Ele se dirigirá para eles, e esta não é a ocasião certa (vv. 6-8). Seu messiado é bastante diferente do que os judeus esperavam; este é ponto importante para entender o parágrafo. A insinuação neste parágrafo de que os líderes o estão esperando para aparecerem, sugere que estão em vista mais que as acusações de blasfêmia e quebra do sábado — provavelmente implicações do "Messias" são intencionais aqui.

Os versículos 3 a 8 contêm o diálogo entre Jesus e seus irmãos. Eles falam pela primeira vez nos versículos 3 e 4, onde exortam Jesus a ir a Jerusalém para a Festa dos Tabernáculos — ocasião apropriada para Ele ir publicamente com suas declarações messiânicas, as quais, julgam, devem ser divulgadas de maneira ousada: "Para que também os teus discípulos vejam as obras que fazes". Implícito está a noção de que esta é a maneira de angariar seguidores — fazer sinais. Eles concluem no versículo 4 com a exortação de Ele se manifestar ao *mundo*.

O modo como os irmãos de Jesus falam claramente os coloca na categoria dos incrédulos. Jesus se distingue ainda mais dos seus irmãos. Seus irmãos foram vistos pela última vez em João 2.12. Agora descobrimos que no capítulo 2 eles fazem parte dos que crêem em Jesus por causa dos sinais que Ele fizera em Jerusalém. Jesus não confiava neles, e também não confia agora. Nestes pequenos parágrafos, estes irmãos desempenham papel importante e tornam-se antagonistas de Jesus, aparecendo duas vezes (vv. 3ss,10). Embora se relacionem de perto com Ele biologicamente como irmãos, eles estão com o mundo (que o odeia) em seu pecado e incapacidade de conhecer as coisas espirituais.

Mais tarde, em João 20.17, Jesus envia uma mensagem a seus irmãos acerca de ir para o Pai, muito provavelmente a fim de encorajá-los a crer. Eles, como parte do "mundo" (Jo 7.4), não podem conhecê-lo à parte do que Ele fará por eles quando sua hora chegar e à parte da fé nEle como o Filho de Deus que traz a vida eterna. Isto ilustra o fato de que as pessoas sem fé e a natureza regenerada não têm compreensão espiritual. A regeneração é uma experiência reveladora. O versículo 5, um tanto quanto parentético, explica este fato e serve de transição para a resposta de Jesus nos versículos 6 a 8.

Jesus alude novamente ao seu "tempo" (v. 6) e diferencia-se entre seus irmãos. Eles vão se juntar ao mundo, mas Ele é diferente e não se unirá a eles nesta aventura. Esta informação acerca da sua hora é importante para compreendermos o versículo 10. Ainda não é a hora (*kairos*) de Jesus — *kairos* claramente se refere à sua morte e ressurreição, as quais não devem ser ligadas a esta festa. Esta palavra enfatiza a qualidade do evento ao qual indica, em vez do aspecto da quantidade da hora. O versículo 6 implica que o tempo para inaugurar seu Reino messiânico não é na Festa dos Tabernáculos, mas na Páscoa. Este fator ajuda a solucionar a questão do parágrafo seguinte.

Surge um problema entre os versículos 1 a 9, onde Jesus diz que Ele não irá à Jerusalém, e os versículos 10 a 13, onde Ele acaba indo. A NVI soluciona este problema seguindo uma leitura em alguns manuscritos (menos fidedignos), traduzindo o versículo 6 assim: "Para mim ainda não chegou o tempo certo". A RC traduz o versículo 6 desta forma: "Ainda não é chegado o meu tempo". O que Jesus está querendo dizer é que a hora da expiação dos pecados pela sua morte e ressurreição será na época da Páscoa. Claro que sua morte é significativa à luz da Páscoa, porque Jesus é o Cordeiro de Deus que tira o pecado do mundo.

Os verbos que João usa em toda esta seção aumenta a diferença entre Jesus e seus irmãos. No versículo 3, seus irmãos lhe dizem: "Sai [*metabaino*] daqui e vai para a Judéia". Mas Jesus se recusa — Ele não subirá (*anabaino*, v. 8). No versículo 10, os irmãos sobem (*anabaino*), então Jesus sobe (*anabaino*) "em oculto", quer dizer, sozinho sem ninguém a observar. Estes verbos com a mesma raiz (*baino*), mas com prefixos diferentes, ajudam a ressaltar os distintos planos de viagem de Jesus.

No versículo 10, a cena passa para a Judéia. Depois de João notar que Jesus e seus irmãos viajam separadamente para Jerusalém, ele imediatamente descreve os diferentes tipos de pessoas e suas respostas a Jesus. Os líderes judeus desejam saber onde Ele está. Por outro lado, várias multidões vieram à festa e estão debatendo sobre Jesus. Um grupo diz que Ele é bom (ou seja, que Ele é o Messias); o outro, que Ele está enganando as pessoas. Mas nenhum dos grupos ousa falar publicamente por medo dos líderes judeus. Assim, grande conflito surge entre estes vários grupos, e entre estes grupos e Jesus.

2.4.3.2. O Ensino de Jesus na Festa dos Tabernáculos (7.14-24). A atividade pedagógica de Jesus nestes versículos é colocada por João nos pátios do templo durante o meio da festa, quando Jesus finalmente chegou a Jerusalém. A seção não enfoca o conteúdo do ensino, mas o direito de Jesus ensinar (vv. 14-24) e a sua procedência (vv. 25-36). Os temas são mais estreitamente paralelos aos do capítulo 5 do que qualquer outra porção: a cura no sábado, o seu direito de ensinar tais coisas e a confrontação com os líderes judeus. Vários grupos dialogam com Jesus ao longo desta seção.

No primeiro parágrafo (Jo 7.14-24), Jesus defende seu direito de ensinar. Começando no versículo 15, seu ensino causa o espanto dos líderes, que perguntam: "Como sabe este letras, não as tendo aprendido?" Isto não significa que Jesus fosse ignorante ou que não soubesse ler. Todos os meninos judeus aprendiam a ler estudando a Escritura. Antes, Jesus não tinha passado pelas escolas rabínicas, o meio pelo qual as tradições eram passadas e onde mestres instruídos, que conheciam todas as possíveis interpretações e posições de todos os rabinos antigos, sabiam dar certas respostas.

A resposta de Jesus está nos versículos 16 a 19 e focaliza a incapacidade de os judeus compreenderem. Certos princípios emergem aqui.
1) Jesus não fala/trabalha para honra própria — Ele é um Enviado fiel, que veio honrar Deus, seu Pai, não a si mesmo. Esta pessoa é confiável. Estando isso estabelecido, a responsabilidade passa para àquEle que o enviou. Eles estão acusando Deus de ser enganador. Portanto, se alguém quer verdadeiramente conhecÊ-lo, o próximo princípio entra em cena.
2) A pessoa que realmente escolhe fazer a vontade de Deus verdadeiramente conhecerá se Jesus fala de si mesmo ou não, visto que Deus o enviou.
3) Os líderes judeus não guardam a revelação de Deus que Moisés lhes dera (ou seja, a lei). Este fato os condena e explica a fonte do espanto deles (cf. o v. 15): Faltam-lhes a capacidade de conhecer Deus. A palavra grega para "maravilhavam-se", *thaumazo*, implica, para João, uma falta da verdadeira fé. (A última vez que este verbo ocorreu foi em Jo 5.20,28, quando este mesmo grupo de líderes confrontou Jesus.) Jesus se refere ao desejo de eles o matarem (Jo 7.19), retomando o mesmo tema de João 5.18.

O versículo 20 traz a resposta que dão: "Tens demônio". É o mesmo que declarar: "Você está louco", pois naquela cultura ser demente era estar possesso de demônio. Eles negam que procuram matá-lo. Esta acusação aparece repetidas vezes nos capítulos 7 e 8.

A resposta de Jesus nos versículos 21 a 24 evita a negação deles na forma de pergunta. Ele retorna ao sinal que fizera no capítulo 5 e responde numa forma judaica de lógica e interpretação que usa uma das regras de comparação de Hillel (já vimos isto antes em João). O argumento funciona assim: A circuncisão ocorria oito dias depois do nascimento. Às vezes um menino nascia no sábado, em cujo caso ele deveria ser circuncidado no sábado seguinte. A circuncisão tomava a precedência sobre a rígida guarda do sábado, visto que era importante. Jesus destaca que esta operação ritualista envolvia só parte do corpo. Se os rabinos permitiam isso, quanto mais Ele tinha o direito de restabelecer o corpo inteiro no sábado?

Os rabinos poderiam ter respondido que eles permitiam tratamento no sábado só para situações de emergência. Em contraste, o homem curado em João 5 não estava em tal situação; fazia muito tempo que ele era paralítico. Contudo, deve ser lembrado que uma pessoa maior que Moisés está aqui. Jesus os repreende por avaliarem as coisas tão superficialmente, ou seja, "segundo a aparência". Em contraste, eles deveriam julgar com justiça. A implicação do verdadeiro discernimento vem de João 3.17ss, levando em conta o significado de "juiz" (*krino*, em grego) que aparece ali. Quando as pessoas vão para a luz, elas passam do julgamento para a vida e podem "ver" claramente (ou seja, "julga[r] segundo a reta justiça", Jo 7.24).

2.4.3.3. Jesus como Messias? (7.25-36). Este parágrafo contém o diálogo entre Jesus e uma variedade de pessoas, com uma variedade de respostas, enfocando a procedência de Jesus e a pergunta sobre o seu messiado. A Festa dos Tabernáculos era uma das festas de peregrinação anuais, e muitos visitantes e convidados iam a Jerusalém para a celebração.

Primeiro chegam os hierosolimitas (naturais ou habitantes de Jerusalém). A observação que fazem entra na forma de pergunta aos leitores de João. Os hierosolimitas concentram-se na identidade de Jesus, seu ensinamento contínuo e a aprovação tácita dos líderes de Jesus (ou seja, o silêncio deles e a falta de ação funcionam como aprovação). Afinal de contas, aqui está alguém que eles procuram matar e, não obstante, Ele está ensinando (vv. 25,26). Eles devem ter concluído que Ele é o Messias. Porém, esta suposição não encontrou a aprovação deles. Estes citadinos apelam para sua tradição, diferente das demais, a qual diz que ninguém sabe de onde o Messias vem. Mas eles sabem de onde Jesus vem; então como Ele pode ser o Messias?

Fazemos uma pausa agora para observar que o capítulo 1 contém dois grupos diferentes que buscam a identidade do Messias. Os fariseus enviaram representantes para perguntar a João Batista sobre seu ministério, pensando que ele pudesse ser o Messias. João lhes respondeu negativamente, e lhes mostra Jesus; alguns dos seus discípulos tornaram-se seguidores dEle. O capítulo concluiu respondendo quem é Jesus. Em cada um dos sinais e discursos subseqüentes, Jesus, o Filho de Deus, se manifestou. Ele é o Enviado divino de Deus, que veio julgar o mundo e dar a vida eterna. Nesta função, Ele muda costumes e expectativas tradicionais. Agora, no capítulo 7, ainda temos aqueles que não sabem quem é Jesus. E eles o rejeitam, porque conhecem a sua procedência — são bastante terrenos. Procuram alguém mais "divino", alguém secreto, mais digno para ser o Messias deles. Algumas tradições judaicas antecipavam um Messias secreto, talvez semelhante ao conceito de Filho do Homem refletido no Livro de Enoque (o Messias apocalíptico); essa idéia emerge em João 7.27.

Nos versículos 28 a 39, Jesus responde com ironia — dispositivo literário no qual um significado oposto aparece ao lado do literal, geralmente com um pouco de sarcasmo. A falta de entendimento e condição espiritual dos judeus é similar à de Nicodemos no capítulo 3. Num nível, estas pessoas sabem de onde Ele é; mas em outro, *não sabem* que Ele é de cima. Como é típico dos incrédulos, eles vêem Jesus só como homem; não podem ver que Ele também é divino. Mas isto também lança luz sobre a difícil situação espiritual em que estão — eles também não conhecem o Pai. O único modo de conhecer o Pai é conhecer quem Jesus realmente é. João 1.18 está nitidamente em vista: "Deus nunca foi visto por alguém. O Filho unigênito, que está no seio do Pai, este o fez conhecer". Este papel de Jesus e a ignorância dos oponentes é um tema significativo nos capítulos 7 e 8.

De modo conciso, o autor descreve a resposta fútil dos judeus e a atividade soberana de Deus. "Procuravam, pois, [presumivelmente, os hierosolimitas] prendê-lo, mas ninguém lançou mão dele". Não nos é dito como, só que Jesus se esquiva da armadilha. O versículo 30b contém uma cláusula comentando a razão de eles não poderem prendÊ-lo — ainda não é o tempo de Ele ser preso ou morto. Embora as circunstâncias mundanas pareçam poderosas e determinadas, elas não prevalecerão; Deus fará as coisas a seu modo. Que risco pôr tanto à mostra em meio à oposição social e religiosa, livre-arbítrio e natureza pecadora! O poder e sabedoria de Deus continuam, e sua vontade não é frustrada. Isto também explica por que em João 7.1-13 Jesus disse que Ele não ia subir à Festa dos Tabernáculos, mas acabou indo. Ele não ia lá terminar sua obra de salvação; sua "hora" é a Páscoa, quando Ele morrerá na cruz como o Cordeiro de Deus.

Considerando que os hierosolimitas não crêem nEle, porque eles sabem de onde Ele vinha, a multidão no versículo 31 crê nEle por causa dos sinais que Ele faz. É mais que provável que esta "multidão" contenha vários grupos diferentes; "muitos" (embora não todos) da multidão creram. Em contraste com a tradição do Messias secreto dos hierosolimitas, os "sinais" da tradição do Messias eram populares fora de Jerusalém, destacando-se nas multidões que aparecem na cidade para a Festa dos Tabernáculos.

Neste momento, é útil analisar a fé desses indivíduos. Já vimos que alguns creram nos seus sinais e que Jesus rejeitou a fé deles (Jo 2.23). Mais tarde, este tipo de "fé" também será um fator em João 8.30,31. Este tipo de fé também é inadequado aqui. Note o versículo 31, onde o povo crê simplesmente por causa da capacidade de Ele fazer sinais. Esta expectativa messiânica estava arraigada na idéia de um ser humano talentoso, talvez até um homem santo ou profeta. Ninguém sabia quem poderia ser o Messias. Durante este período a expectativa messiânica era extremamente alta, e muitos auto-proclamados salvadores surgiam para angariar seguidores para sua causa. Mas Jesus hesitou em se referir a si como o Messias, porque Ele sabia que seria mal-entendido, como mais um desses outros. Ele veio como um Messias especial — um Messias inteiramente divino e humano, sofrendo e ressuscitando pelos pecados do mundo. Do seu Reino não haverá fim. E seu Reino é espiritual, não político ou terreno. Para entrar nele, esforços humanos não desempenham parte alguma; a única maneira de entrar é nascer de cima, pelo Espírito.

O verbo "crer" (*pisteuo*), importante vocábulo em João, deve ser analisado. O substantivo "crença" não ocorre em João, mas o verbo "crer" ocorre perto de cem vezes. O verbo *pisteuo* aparece numa variedade de modos com uma variedade de palavras para expressar seu significado. Às vezes não tem objeto (e.g., Jo 6.36). Em outras, acompanha a preposição "em" (*in*, em grego; e.g., Jo 3.15). Algumas vezes, é seguido pela preposição "por" (como em Jo 1.7). Na grande maioria das ocorrências, "crer" não tem preposição em grego, mas um objeto no caso dativo (esta era a construção típica no grego clássico); nossa tradução apresenta: "E creram na Escritura e na palavra que Jesus tinha dito" (Jo 2.22). Sem dúvida a palavra acompanhante mais freqüente é a preposição *eis* ("em"; e.g., Jo 2.11; 7.31).

Uma análise não mostra diferença expressiva no significado destes vários usos. Estas construções ocorrem com crentes, falsos crentes e incrédulos. Por exemplo, em João 2.22, os discípulos "creram" (não há preposição em grego), mas em João 2.23, as pessoas com o tipo errado de fé "creram no ["em", *eis*] seu nome". O que a evidência sugere é que, com a preposição *eis*, está presente uma relação pessoal, conhecedora e submissa com a potencialidade, realidade e perseverança. É potencial, porque pessoas sinceras creram em Jesus; mas a perseverança também é crítica, visto que alguns não perseveraram, ao passo que outros (como os discípulos) perseveraram, ainda que não entendessem tudo.

A verdadeira fé torna os crentes um com Deus, assim como o Pai e o Filho são um. E a pessoa tem de crer do mesmo modo no Filho como no Pai (cf. Jo 5.24,53; 12.44; 14.1,10,11; 16.27). Sem crer em Jesus a pessoa não pode crer no Pai ou sequer vê-lo. Freqüentemente, a fé vem depois. O primeiro sinal precedeu a fé; a fé também vem depois da Escritura e das palavras de Jesus (cf. Jo 2.22). Para os discípulos, a fé está baseada na ressurreição de Jesus e no fato de eles o terem "visto" (Jo 20). Mas para as gerações que não "viram" tais eventos, a fé vem pela pregação do evangelho, pelo testemunho deles. O testemunho apostólico e a palavra tornam-se muito importantes (e.g., veja o episódio de Tomé em Jo 20.24-29).

Mas o que mais podemos dizer sobre a fé da multidão em João 7.31? Parece estar fundamentada genuinamente, embora exclusivamente, nos sinais milagrosos. E a conclusão a que chegam perturba os fariseus (v. 32), pois pelo modo como é feita a pergunta da multidão (v. 31c), eles afirmam que Jesus é o Messias: "Quando o Cristo vier, fará ainda mais sinais do que os que este tem feito?" Esta pergunta antecipa uma resposta negativa: "Não, este homem fez os sinais mais miraculosos; portanto, ele deve ser o Messias". É o número dos sinais que afeta a decisão da multidão crer em Jesus como o Messias.

Era típico no século I aceitar uma pessoa como Messias Rei, tendo como base meramente o que a pessoa fazia. Isto ajuda a explicar como os primeiros convertidos judeus, sob diferentes circunstâncias, mais tarde tiveram dúvidas ou ficaram confusos acerca de importantes doutrinas como a divindade de Jesus e a Igreja. A fé inicial é legítima, mas quando o tempo e a circunstância evoluem, a fé é pressionada. À medida que a Igreja crescia e enfrentava cada vez mais confrontações com o judaísmo, temas principais como a divindade de Jesus, a salvação e a natureza da Igreja ficaram mais críticos.

Uma coisa é aceitar e crer numa pessoa e acomodá-la numa cosmovisão vigente. Outra bastante diferente é crer e submeter-se a essa pessoa, a ponto de alterar radicalmente a cosmovisão que se tem para tornar-se servo e seguidor. O assunto principal é seguir Jesus incondicionalmente; Ele é o Senhor que exige total submissão. Essas multidões ainda não estão dispostas a se entregarem publicamente a Ele, pois no versículo 32 elas estão apenas "murmurando" estas coisas acerca de Jesus; esta atitude diz algo sobre a fé que tinham.

Os versículos 25 a 36 nos ajudam a entender um pouco mais sobre a situação dos vários grupos na Festa dos Tabernáculos. Evidentemente a "multidão" abrange a maioria dos indivíduos mencionados aqui. Alguns crêem; outros (os hierosolimitas e os fariseus), que ouvem as multidões murmurando, também fazem parte das multidões. São os principais sacerdotes ou os fariseus, que entram na narrativa no versículo 32, que enviam uma palavra aos líderes judeus acerca do que a multidão está fazendo. Ambos os grupos, os intermediários do poder de Jerusalém, sentem-se ameaçados; eles enviam oficiais para prender Jesus antes que outro dano seja feito.

A palavra "judeus" aparece no versículo 35. Esta palavra pode ter um significado diferente do que as anteriores ocorrências neste Evangelho. Parece ser aplicada aos inimigos de Jesus. Talvez os fariseus do versículo 32 façam parte desses judeus, incluindo os líderes que desde o princípio se opuseram a Jesus.

Quando os guardas do templo chegam, Jesus lhes responde, continuando o diálogo com as várias partes durante a Festa dos Tabernáculos. Na resposta, Jesus, de maneira sutil (pelo menos para os incrédulos), chama a atenção para a sua hora, embora não mencionada neste contexto específico (vv. 33, 34). O que Ele quer dizer é que o seu tempo remanescente na terra é curto, a sua hora está inevitavelmente chegando, quando então Ele subirá outra vez ao Pai de quem Ele veio. Estes judeus não podem ir lá.

O que significa a frase: "Vou para aquele que me enviou", e por que Jesus a expressa dessa forma? Estas perguntas podem receber uma resposta de uma só vez. É óbvio que esta declaração se refere à sua ascensão, mas também inclui mais. Como uma frase taquigráfica, diz respeito à semana da paixão, sofrimento, morte, ressurreição, tudo que prepara o caminho e conclui no seu retorno para o céu — esta inteira série de eventos que constitui sua entronização no tempo do fim como Rei messiânico, pela qual Ele envia o Espírito e cria e comissiona a Igreja para trazer perdão de pecados ao mundo.

Os versículos 35 e 36 encerram o primeiro ciclo na Festa dos Tabernáculos, durante o qual a autoridade e procedência de Jesus sofreram debate e escrutínio. "Os judeus" retomam o que Ele acabou de dizer, e perguntam entre si para onde Ele vai que eles não o podem achar. Será que Ele vai para os gregos na Diáspora ("os dispersos entre os gregos", v. 35), palavra que alude à dispersão do povo judeu durante a captura do Israel do Norte, em 722/721 a.C., e mais tarde de Judá, em 587? Muitos judeus ainda viviam fora da terra de Israel, sobretudo nas cidades gregas. "Gregos" também podem se referir à língua comum falada no século I, ou a um modo de vida caracterizado pela expansão do helenismo por Alexandre, o Grande, depois de 332 a.C.

2.4.3.4. O Dom do Espírito que Dá a Vida (7.37-44). Os acontecimentos dos versículos 14 a 36 têm lugar no meio da Festa dos Tabernáculos. Quando chegamos ao versículo 37, vários dias haviam passado. A cena se abre no último e mais importante dia da festa (provavelmente o sétimo). Neste dia, o ciclo de leitura da Torá se fechava e começava outra vez. A Festa dos Tabernáculos significava, em parte, que Deus recolheu as coisas antigas e recomeçou com todas as coisas novas — Ele tinha perdoado os pecados do povo. O derramamento de água olhava à frente para um abundante ano de colheitas provocado por chuvas abundantes induzidas pela água que do altar caía ao solo.

Neste parágrafo, o leitor é apresentado a um dos grandes temas da Festa dos Tabernáculos — a água. Neste sétimo dia, os sacerdotes, conduzindo uma procissão que levava água tirada do tanque de Siloé, andavam em volta do altar sete vezes antes de derramá-la pelos funis do altar, por onde escoava para baixo e rumo leste em direção ao vale que corria para o mar Morto. A imagem que este cenário litúrgico evoca se põe por trás da descrição em Apocalipse 22.1-5, onde a água procede do trono do Cordeiro e de Deus, levando cura. Apocalipse 21 e 22 dizem respeito à Festa dos Tabernáculos escatológica ou eterna.

Teologicamente esta cena descreve o que o próprio rito significava. (Para este contexto em particular, uso o termo "escatológico" ao invés da expressão "tempo do fim" [ou "fim do tempo"]. Esta expressão põe ênfase no último de vários eventos numa seqüência, como, por exemplo, considerar o número 10 o último número da lista de 1 a 10, ou 1900 introduz os últimos dias do segundo milênio depois de Cristo. Minha intenção com o emprego do termo "escatológico" é que se refira a uma mudança significativa no tempo, e não a uma numeração dos eventos, o último dos quais é o "tempo do fim". Neste caso, a ilustração seria: os anos de 1900 introduziram mudança significativa no estilo de vida das pessoas. Em todos os outros lugares uso os termos "tempo do fim" [ou "fim do tempo"] e "escatológico" como sinônimos.)

Neste momento, "Jesus pôs-se em pé e clamou, dizendo: Se alguém tem sede, que venha a mim e beba" (Jo 7.37). Jesus não só fala em voz alta para todos ouvirem, mas também quer chamar a atenção para a mudança desta festa. Jesus mudará a expectativa da Festa dos Tabernáculos numa realização do fim do tempo, ocasionando a salvação de Deus e dando o Espírito que, por sua vez, dará a vida eterna. O rio de água falado nos textos do Antigo Testamento e na liturgia do judaísmo simbolizava a vinda do Espírito nos dias da salvação de Deus.

A vinda do Espírito aqui relaciona-se com a Festa dos Tabernáculos, e não com o Dia de Pentecostes (veja At 2). Quando olhamos para a vinda do Espírito em João e em Atos, podemos ficar confusos ou entender mal os dois eventos. Em particular, os pentecostais e carismáticos, acreditando nas duas obras do Espírito, têm dificuldade em reconciliá-los. Os pentecostais não dão destaque à vinda do Espírito na regeneração (salientado em João), ao mesmo tempo que a enfatizam (teologicamente) na experiência do batismo com o Espírito Santo (salientado em Atos). Por exemplo, alguns destacam que a santidade/santificação e o fruto do Espírito vêm do batismo no Espírito Santo. Antes, a santidade e o fruto são o resultado da nova natureza, ao passo que o batismo no Espírito Santo fornece autoridade para testemunhar acerca do Jesus exaltado. Outros tendem a fundi-los numa experiência. A experiência sobre a qual João fala diz respeito ao evento de salvação abrangente, que na economia de Deus inclui a vinda do Espírito em Atos 2. Os dois eventos estão ligados, mas são distinguíveis (veja Jo 20, para comentários adicionais sobre o assunto).

Parece que a comunidade de João passou por uma crise de identidade e salvação e não uma falta de capacitação como Lucas, o escritor de Atos, sofreu em sua comunidade. Quando os judeus crentes em Jesus celebraram esta Festa dos Tabernáculos em fins do século I e início do século II, celebraram a vitória de Jesus sobre o pecado e a vinda do Espírito, e olharam à frente para o dia eterno, quando viveriam para sempre com Deus e Jesus, e celebrariam a nova e transformada Festa dos Tabernáculos.

Nitidamente a água simbolizava o Espírito no judaísmo e neste Evangelho. Por exemplo, em João 3.5 os dois termos ocorrem juntos, mais que provavelmente reunindo e fundindo o significado da metáfora pretendida (água) e o referente literal (Espírito). A água está associada com o primeiro sinal, e é explicada com mais detalhes em João 3.5 e nas referências ao templo no capítulo 4 (ambos elaborando o primeiro sinal). A cura do paralítico no capítulo 5 também tem água no plano de fundo. Estes usos sugerem que João quer que o leitor, de algum modo, identifique água com o Espírito, ou sua pessoa ou obra, quer ele diga isso claramente, quer não. Note que o "Espírito" desempenha papel principal neste Evangelho, com relação ao número de vezes que os títulos/nomes ocorrem e ao papel significativo que Ele desempenha no conteúdo do Evangelho.

Examinemos o fluxo lógico deste breve parágrafo.

1) O versículo 37 contém o estabelecimento da hora — o último e grande dia da festa — e a declaração de Jesus. Esta é de fato a interpretação da cerimônia do derramamento da água e sua aplicação.
2) O versículo 38 conecta a interpretação à Escritura e a cita.
3) O versículo 39 é a explicação de João do evento inteiro, e se refere a uma época mais distante, quando Jesus daria o Espírito — que ainda não havia sido dado — aos que cressem. Esta doação vem pela glorificação de Jesus, significando a culminação da sua obra na cruz.
4) Os versículos 40 a 44 enfocam as várias reações à declaração de Jesus no versículo 37.

Estes versículos contêm vários problemas interpretativos importantes. A questão mais crucial é: Quem é a pessoa de quem a água flui (v. 38) — o crente ou Jesus? Contribuindo para o problema, temos a frase "quem crê em mim", que vai junto com "se alguém tem sede, que venha a mim e beba"; Essa seria a referência à Escritura (como temos na RC)? Além do mais, quem é "ele" no versículo 39? E a que o "isso" se refere? Parece deixar algo fora; pelo menos um pensamento incompleto persiste se a frase "quem crê em mim" não ficar junto com o versículo 38. O que significa literalmente o verbo "beber" no versículo 37? E qual é o significado de "água viva" no versículo 38?

Os manuscritos gregos originais não tinham pontuação. A ordem (ou seja, a sintaxe) dos elementos destes versículos contribuem para alguma coisa? A frase "quem crê em mim" ocorre entre o verbo "beba" do versículo 37 e a expressão "como diz a Escritura" do versículo 38, entrando no meio de dois conceitos lógicos. Em geral, neste Evangelho, João usa a frase "como está escrito" *como conclusão* para apoiar uma interpretação (veja Jo 6.30; 12.14). É provável que este seja o estilo que devemos ver em João 7.37,38.

Analisemos os versículos 37 a 39. O versículo 37 começa com uma oração condicional ("se alguém tem sede"), o que focaliza a necessidade do coração humano. João usa a palavra "sede" de maneira significativa em seu Evangelho, em geral figurativamente, referindo-se à necessidade percebida pela pessoa, para obter vida eterna e perdão dos pecados (Jo 4.1-15; 6.35). A mulher samaritana e seu povo "tinham sede" da salvação do Messias. A vida eterna é a única coisa que satisfaz esta sede no coração de todo ser humano. Alguns enterram a sede — como os líderes judeus. Outros a ignoram em sua busca de poder e riquezas. Mas todos têm sede. Só Jesus pode satisfazê-la pela redenção e regeneração pelo Espírito.

A "conseqüência" segue: "Que venha a mim e beba". Esta sentença contém ações paralelas, e ainda deve ser verificado se são ou não sinônimas. "Vir" e "beber" são metáforas que aludem à resposta humana ao convite e transmitem a ação para a qual a "sede" motiva. "Vir" reflete a ação dos discípulos de João no capítulo 1, quando eles procuraram Jesus e foram para a casa dEle. Também é usado acerca dos samaritanos, que saíram para ver o Salvador do mundo, e do oficial do rei em João 4.46-53, cujo filho estava a ponto de morrer. "Vir" implica que a fé já está em ação, dirigindo-se para o Único que salva. Não é o ato de salvação; antes, permite o Salvador fazer sua obra. "Beber" completa o ato de vir — ambos os verbos são expressões metáforas para "crer".

O termo "quem crê", no versículo 38, é particípio grego. Sem entrar em todos os detalhes técnicos, parece melhor ver esta frase como resumo das metáforas anteriores. Em essência, Jesus está dizendo: "Que o sedento, que crê em mim, venha a mim e beba". Ou seja, "quem crê em mim" declara literalmente o que os três verbos anteriores — "ter sede", "vir", "beber" — implicam (cf. o texto acima, onde destacamos o quanto é importante a crença em Jesus neste Evangelho). Este processo é confirmado, de forma tipicamente joanina, pela referência à Escritura que se segue. É este o quadro mental que temos nos versículos 37 e 38a: Águas abundantes fluem de Jesus. Todo aquele que tem sede pode ir a Ele e beber. Tal pessoa tem de crer apenas; as águas fluem de Jesus.

Esta interpretação causa impacto sobre como considerar o elemento seguinte no versículo 38b: *A água não está fluindo do crente, mas de Jesus.* Nosso Senhor Jesus muda o significado da cerimônia do derramamento da água nesta Festa dos Tabernáculos, à medida que cumpre a festa. Nos versículos 37 e 38a, Jesus se refere a Si na primeira pessoa ("mim", duas vezes). Quando Ele chega à base bíblica (v. 38b), se refere a si na terceira pessoa ("rios de água viva correrão do seu ventre", lit., "do seu estômago"). Esta citação resume o significado teológico implícito em várias Escrituras.

Quais? Onde se originam a imagem de rios de água correntes? Vários textos do Antigo Testamento apontam nessa direção, muitos dos quais eram usados como leituras das Escrituras durante a Festa dos Tabernáculos. Aqui estão alguns textos importantes. Isaías 12.3: "E vós, com alegria, tirareis águas das fontes da salvação". Este versículo expressa figurativamente a promessa literal de Deus restaurar e salvar Seu povo. Os rabinos identificavam esta água com o Espírito Santo.

Para expressar novamente a libertação que Deus dará ao seu povo, Isaías escreve: "Eis que farei uma coisa nova, e, agora, sairá à luz [como uma fonte jorrante]; porventura, não a sabereis? Eis que porei um caminho no deserto e rios [*potamoi*, na tradução grega; cf. Jo 7.38], no ermo. Os animais do campo me servirão, os dragões e os filhos do avestruz; porque porei águas no deserto e rios [*potamoi*], no ermo, para dar de beber ao meu povo, ao meu eleito" (Is 43.19,20).

Observe também Isaías 44.3. Elementos figurativos estão lado a lado com os literais, ligando "água" com "Espírito": "Porque derramarei água sobre o sedento e rios, sobre a terra seca; derramarei o meu Espírito sobre a tua posteridade e a minha bênção, sobre os teus descendentes". (Veja também Is 55.1a: "Ó vós todos os que tendes sede, vinde às águas"; cf. também Is 58.11.)

Ezequiel 47.1 é muito expressivo para a Festa dos Tabernáculos: "Depois disso, me fez voltar à entrada da casa, e eis que saíam umas águas de debaixo do umbral da casa, para o oriente; porque a face da casa olhava para o oriente, e as águas vinham de baixo, desde a banda direita da casa, da banda do sul do altar". Este texto, junto com as referências de Zacarias mencionadas mais adiante, faziam parte das leituras dos Profetas. Na concepção da nova Jerusalém nas interpretações rabínicas, haverá uma fonte no templo da qual jorra água (cf. *Megilá*, 31a; Toseftá *Suca*, 3.3,18). A torrente de água que emana do templo fica maior, mais profunda e mais larga, correndo para o deserto do Arabá (no sul). A água, funda o bastante para nadar, traz vida ao mar Morto.

O que é de importância adicional aqui é que a água sai do novo templo, o qual é situado durante a Festa dos Tabernáculos escatológica. De forma semelhante, Joel 3.18b fala desta salvação em termos figurativos: "Sairá uma fonte da Casa do SENHOR e regará o vale de Sitim" (note também Jl 2.28: "Derramarei o meu Espírito sobre toda a carne"). Semelhantemente, o dia da salvação (ou seja, em termos de libertação e julgamento) no contexto da Festa dos Tabernáculos é retratado em Zacarias 13.1: "Naquele dia, haverá uma fonte aberta para a casa de Davi e para os habitantes de Jerusalém, contra o pecado e contra a impureza". E Zacarias 14.8 diz: "Naquele dia, também acontecerá que correrão de Jerusalém águas vivas, metade delas para o mar oriental, e metade delas até ao mar ocidental; no estio e no inverno, sucederá isso".

Concluímos que o Antigo Testamento descreve Deus como a fonte de água nestes contextos de salvação promissória, apoiando a interpretação que João está focalizando aqui em Jesus — a fonte da vida eterna. Esta interpretação lança luz a um tema comum neste Evangelho, que Jesus como deidade cumpre a mesma função que Javé (Deus) no Antigo Testamento — Ele dá vida.

Estas palavras e imagem não são somente colhidas no Evangelho de João, elas também aparecem em Apocalipse 21 e 22, a conclusão de todas as coisas no contexto da grande Festa dos Tabernáculos. Observe, por exemplo, Apocalipse 21.6: "A quem quer que tiver sede, de graça [cf. Is 55.1] lhe darei da fonte da água da vida". Apocalipse 22.17: "E quem tem sede venha; e quem quiser tome de graça [cf. Is 55.1] da água da vida". Ademais, o rio que corre entre as árvores frutíferas (Ap 22.1-3) é figurativamente o rio de água viva que fala João 7.37-39.

O termo "água *viva*" no versículo 38, admite algum comentário. Aqui "água" é claramente uma metáfora do "Espírito"; "viva/da vida" é o que o Espírito traz para os pecadores que vão a Jesus com fé. A palavra "rios" se refere à vida abundante que o Espírito traz. As Escrituras observadas acima falam da obra do Espírito na salvação, freqüentemente em termos de água. Nos climas secos (como na Palestina), as fontes refrescantes e as chuvas periódicas são aptas figuras de linguagem para a obra de Deus produzir natureza e ações santas na vida das pessoas espiritualmente áridas.

O versículo 39 explica as palavras de Jesus nos versículos 37 e 38. Os rios de água viva dizem respeito nitidamente ao Espírito, embora Ele ainda não tivesse sido dado. Sua vinda está ligada à glorificação de Jesus, a hora que chegou especificamente durante a paixão (veja Jo 17.1). Este versículo fundamenta a interpretação dada acima, que os "crentes" recebem — não dão — o Espírito. É o Pai e Jesus que dão o Espírito (cf. Jo 14—16). Note também João 3.34, que declara que "não [...] dá Deus o Espírito por medida" (comentário paralelo a "rios de água viva").

Também podemos observar uma comparação com o poço de Jacó (Jo 4.6,11). A água daquele poço é ultrapassada pela água viva que Jesus dá, pois esta água satisfaz os crentes eternamente (Jo 4.13,14). Seguindo a analogia, os crentes tornam-se a "fonte" na qual Jesus põe água. Porém aqui, no capítulo 7, Jesus sendo o altar derrama água no chão. A água jorra para o mar Morto, levando vida por onde passa. João 7.37 antecipa João 19.34, ambos em referência à hora da sua glória e ao derramamento do sangue *e água* do lado de Jesus. Procedendo assim da cruz, a morte expiatória de Cristo provê a base para a doação do Espírito em João 20.22, onde Jesus assopra sobre os discípulos.

Finalmente, quando João diz que "o Espírito Santo ainda não fora dado", ele quer dizer que Jesus ainda não sofreu sua morte expiatória e não subiu, pois é Ele quem dá o Espírito. João nos fala claramente que Jesus tem de ir para o Pai antes que o Espírito venha (Jo 16.7). Quando Ele ascender, Ele enviará o Espírito.

Os pentecostais têm a tendência de interpretar mal esta tônica de João. Sua linguagem soa parecida com as referências lucanas ao batismo com o Espírito Santo. As expressões lucanas "cheio do Espírito" e "batismo com o Espírito Santo" são interpretadas como o dom adicional do Espírito que "finaliza" a salvação, fornecendo de algum modo mais do Espírito. A analogia usada pelos pentecostais é a do copo d'água. Na salvação, "um pouco" do Espírito é dado (ou seja, um pouco de água está no copo), mas quando o Espírito batiza alguém, a água transborda no copo. Nesse momento, o crente tem a plenitude de Deus.

Esta analogia não resiste a exame quando todos os textos bíblicos são apropriada e contextualmente considerados. O Evangelho de João é lido pelos pentecostais aos olhos de Lucas-Atos. Conceitos como "vida abundante" e "rios de água viva", significativos em João, são interpretados com o significado do batismo dado pelo Espírito Santo. Minha sugestão é que a analogia seja modificada. "Vida abundante" e "rios de água viva", expressões que indicam "plenitude", captam a vinda de Jesus e toda a sua obra de redenção/salvação, e fornecem a estrutura para a obra de Deus no mundo. Fora disso (ou seja, o perdão e a regeneração como fundamentos) flui o batismo com o Espírito Santo. O batismo com o Espírito é parte essencial do plano de salvação. Isto torna o batismo com o Espírito uma capacitação para o evangelismo no mundo e o ministério na Igreja, ambos partes vitais da obra de Deus de salvação, à medida que Ele move seu povo em direção à meta — o céu.

Esta proposta une a obra do Espírito (regeneração, batismo com o Espírito Santo e santificação) de um modo que o modelo anterior não une. Esta sugestão permite a unidade na obra do Espírito e até as distinções bíblicas. Também permite que a salvação, sobretudo a teologia do Espírito, esteja centralizada em Cristo. João, de comum acordo com todos os outros escritores do Novo Testamento, está especialmente centrado em Cristo.

Jesus falou em voz alta (v. 37) para que muitas pessoas o ouvissem. Os versículos 40 a 44 contêm várias reações às suas palavras concernentes ao cumprimento da Festa dos Tabernáculos. Há quatro reações gerais às suas palavras que nos falam sobre a esperança do tempo do fim dos vários grupos de ensino religioso judeu nessa época. Um grupo faz distinção entre *o Profeta* (cf. Jo 1.21) e *o Messias*; o termo "verdadeiramente" no versículo 40 informa-nos que eles estão convencidos de que Jesus é o Profeta. Aparentemente eles não estão prestes a deixar que Ele seja ferido. Um segundo grupo o aceita como *o Messias* (v. 41a) — ainda que não o aceite como o Messias que Ele realmente é. O terceiro grupo quer prendê-lo (v. 44).

O quarto grupo agarra-se firmemente à convicção de que o Messias virá do território de Davi, Belém, e de sua família (vv. 41b,42). Tradições bíblicas ligam Davi e seu prometido último Filho com a Judéia meridional e Belém (de acordo com 2 Sm 7.12 e contexto; Sl 89.3,4; Mq 5.2). Mateus 1 e 2 não medem esforços em colocar Jesus em Belém e vê-lo como descendente de Abraão e Davi. A ênfase em Mateus teve enorme peso nos esforços missionários ao povo judeu que esperava tal Messias. Mateus serve grandemente como documento missionário com uma cosmovisão judaica/palestina. O Evangelho de João, ao contrário, era mais apologético, observando as diversas reações a Jesus.

As ligações davídicas também agiram fortemente no Evangelho de Lucas, sobretudo nos primeiros capítulos, ainda que Lucas difira de Mateus ao ressaltar que Jesus é de formação humilde (em Mateus, Ele é o Messias real). Jesus, como Filho de Davi, também alcançou Roma via Paulo em Romanos 1.3, onde o apóstolo usa esta tradição para falar do estado terreno e humano de Jesus. No contexto maior do mundo greco-romano, a ligação davídica ficou menos importante, exceto para aqueles relacionados com formações religiosas judaicas. Por exemplo, o ambiente do Livro de Apocalipse acaba com o conflito entre César e Jesus. Apocalipse destaca que não há controvérsia — Jesus é o Senhor de todos, inclusive de César.

A reação mista nos versículos 40 a 44 e a mesma reação no versículo 25 põem entre parênteses as declarações de Jesus concernentes à sua origem e o cumprimento que Ele faz da Festa dos Tabernáculos, e caracterizam as respostas judaicas a Jesus como Messias, desdobrando-se da observação do sábado à Festa dos Tabernáculos e mais além.

2.4.3.5. A Incredulidade dos Líderes Judeus (7.45-52). A cena agora se volta para a resposta dos líderes religiosos, na qual aparecem vários tópicos orais. O primeiro diz respeito a uma questão étnica. Vimos que João usa freqüentemente a palavra "judeu(s)" (*ioudaioi*) em seu Evangelho. Neste parágrafo, vemos claramente o que ele pretende com esta palavra. Os fariseus são judeus, mas tomam atitude extremamente preconceituosa e hostil contra os outros judeus, inclusive contra Jesus. Em outras palavras, a referência de João aos *ioudaioi* como inimigos é limitada aos fariseus e outros líderes que se opõem a Jesus *e aos outros judeus*. Note que os fariseus eram o único grupo de líderes judeus que sobreviveram à destruição do templo quando este Evangelho foi escrito.[4]

A água corre impetuosamente para o mar Morto, fazendo surgir uma estreita faixa verde de vida numa terra árida.

Os fariseus desempenham papel principal na rejeição de Jesus em João. Eles se colocam à parte dos judeus comuns, chamando-os de "multidão", dizendo que eles têm uma maldição e retorquindo que são ignorantes da lei (v. 49). Estas três características pertencem uma à outra. A palavra "maldito" (*eparatos*) no Novo Testamento ocorre somente aqui. O conceito se originou nos dias de Esdras e Neemias, quando o povo se tornou uma mistura de pagãos e judeus. Um pouco antes dos dias de Jesus, em cerca de 20 a.C., existem evidências acerca desta hostilidade entre um grupo de pessoas chamado "o povo da terra" (*'am ha-aretz*), que não observava os rígidos costumes da lei, e os fariseus. Nessa época, o rabino Hillel observou que os incultos eram propensos a pecar e que esse povo comum não era piedoso (*Misná Abote* 2.5). No tempo de Jesus, esta divisão era ainda mais pronunciada. Os fariseus chegavam a dizer que a razão de Deus julgar o mundo era por causa da maldição dessa gente (veja Dt 27.14-26; note também Jo 9.3).

Os fariseus pertenciam ao grupo que negava a origem galiléia do Messias, mostrando uma postura hostil contra os galileus. A erudição recente comenta que possíveis fatores revolucionários eram mais propensos de estar na Judéia, sobretudo em Jerusalém, do que na Galiléia. Uma razão para isto é que esta cidade controlava a base de poder do judaísmo.

Nicodemos aparece aqui novamente (cf. Jo 3). Agora ficamos sabendo que ele é fariseu, embora de espírito diferente. João dá a entender que quando ele veio a Jesus, ele o fez como inquiridor sério. Os fariseus haviam acabado de bater nos próprios guardas por estes não terem trazido Jesus, e acusaram-nos de serem malditos e ignorantes, como as multidões. Eles apontam para a condição social deles: "Creu nele, porventura, algum dos principais ou dos fariseus?" (v. 48). A resposta implícita é "não!" Mas com ironia Nicodemos mostra que eles estão errados. Ele fala em favor de Jesus e esboça uma réplica.

Finalmente, um comentário sobre o tópico do discurso de Jesus está à mão. Os fariseus acusam os guardas de terem sido enganados (cf. Jo 7.12). Quando perguntados por que não trouxeram Jesus, eles respondem que Jesus falava de maneira incomum. Em Mateus 7.28, as multidões se maravilham com os ensinos de Jesus e observam que Ele tinha autoridade e era diferente dos escribas. Em João 18.6, sua autoridade emerge novamente, quando, ao ser perguntado sobre sua identidade por aqueles que procuram prendê-lo, Ele responde: "Sou eu". Logo após, caem por terra, reconhecendo que Ele é divino. Em outras palavras, para aqueles que buscam a verdade mesmo que superficialmente, Jesus tem tal presença que ninguém mais tem. Talvez até pela oposição que provoca eles também percebem algo. Será que é por isso que eles se lhe opõem com tanta veemência?

Este parágrafo acerca da incredulidade dos líderes judeus encerra o segundo ciclo da Festa dos Tabernáculos, um ciclo que contém a proclamação que Jesus é o Doador da água viva, o Espírito. O Filho de Deus cumpriu as expectativas da Festa dos Tabernáculos — o dia da salvação chegou, o fim veio.

2.4.3.6. A Mulher apanhada em Adultério (7.53—8.11).

Quer esta ação pertença ao Evangelho de João, quer não, é questão de debate erudito.[5] O versículo 53 fornece adequada transição para a narrativa da mulher pega em adultério. Dizendo que "e cada um foi para sua casa", seguido por "porém Jesus foi para o monte da Oliveiras" (Jo 8.1), o texto dá a entender que Jesus não tem casa ou lugar para ir. Estas frases sucintas ajustam-se a esta seção, omitindo detalhes e indo direito ao cerne do assunto: a misericórdia de Jesus.

Ao amanhecer, Jesus aparece no pátio do templo e ensina o povo. "Pela manhã cedo" (*orthrou*) só ocorre aqui no Evangelho de João, e este é o único lugar onde ocorre o termo "monte das Oliveiras". Em outro lugar, João se refere às primeiras horas da manhã, mas de modo diferente (veja Jo 20.1). Estas duas expressões soam mais como o Evangelho de Lucas, que as tem na narrativa da paixão. Talvez na realidade esta história tenha acontecido durante esta semana.

Jesus está no "templo" (Jo 8.2), em local incerto no grande recinto do templo, mas fora do Lugar Santo. A mesma expressão compôs o cenário para o primeiro ensino de Jesus sobre a Festa dos Tabernáculos (Jo 7.14). Em João 8.20, o seu debate sobre Ele ser "a luz do mundo" acontece "no lugar do tesouro", na área do templo perto do lugar onde eram postas as ofertas.

A questão colocada diante de Jesus em João 8.1-11 refere-se a adultério, questão legal encontrada no ensino do Antigo Testamento e na lei judaica. As pessoas se reúnem ao redor de Jesus enquanto Ele ensina, mas logo os fariseus e os mestres da lei aparecem com uma mulher adúltera. Como adeptos fundamentalistas da lei e sua interpretação, aplicação e preservação, eles sentem-se ameaçados por uma nova escola de pensamento. Assim, tentam anular Jesus com esta situação.

Várias observações nos ajudarão a entender esta questão. Não está claro se nessa época as autoridades judaicas podiam decidir casos importantes. Os estudiosos também não estão seguros se esta mulher já tinha sido julgada por essas autoridades; o contexto sugere que não. Parece que, de alguma maneira, esses mestres da lei e os fariseus armaram uma cilada para a mulher como um caso-teste[6] para Jesus. Eles a apanharam no próprio ato do intercurso sexual ilícito. Nada é dito sobre o marido dela ("adultério" refere-se a pessoas casadas).

O ensinamento do Antigo Testamento acerca de adultério ocorre em vários lugares no Pentateuco. Números 5.11-31 lida com casos relacionados a ciúmes e acusação de adultério sem testemunhas por parte de qualquer um dos cônjuges. Neste caso, quando existe suspeita, é tomado cuidado para preservar a parte inocente. A esposa é levada ao sacerdote que prepara um líquido para que ela beba e assim descubra se ela é culpada. Se ela sobrevive, é inocente; se não, é merecedora de morte. Esta é a única instância no Pentateuco onde ambos os cúmplices não são mortos. Neste caso, não há meio de determinar a culpa ou inocência do homem.

Levítico 20.10 contém uma declaração simples sobre o adultério. Este versículo dirige a sentença para o marido pecador. Se ele cometer adultério com a esposa de outro homem, ambos serão mortos.

Deuteronômio 17.1-7 fornece diretrizes para a pena de morte, sobretudo com relação à idolatria. Pelo menos duas pessoas terão de ter testemunhado o ato. As testemunhas devem levar a pessoa acusada à porta da cidade (onde ocorriam eventos legais nas cidades do oriente) e atirar as primeiras pedras (veja At 7.57,58). Deuteronômio 22.13-26 se refere a como lidar com uma variedade de situações matrimoniais que circundam o adultério. A coisa importante aqui é que, em face de testemunho esmagador, os dois envolvidos devem ser levados à porta e apedrejados (cf. Ez 16.38-40). É óbvio que esta ordem não está sendo seguida em João 8.1-11. No século I, a lei judaica veio em favor do homem; a mulher suportava o impacto do caso.

Também devemos falar brevemente sobre o tipo de sistema legal que o Antigo Testamento e o judaísmo adotavam. Em certo sentido é semelhante ao tipo adotado no mundo ocidental — seguir precedente legal. Em outras palavras, se uma decisão legal em particular segue um curso de ação diferente do que foi previamente escrito, essa decisão estabelece um precedente para casos futuros. A lei pode ser um impedimento ou mostrar misericórdia.

Em João 8.1-11, temos um caso-teste[6] no qual os inimigos de Jesus tentam pegá-lo numa armadilha (cf. sobretudo o v. 6). Logicamente eles estão procurando colocar Jesus nas garras de um dilema. Só o Sinédrio tinha o direito de julgar ofensas capitais. Seus membros eram contados em número ímpar a fim de evitar um júri dividido. Se nessa época os romanos concediam ao tribunal judaico tal tipo de autoridade, então Jesus estaria violando o padrão. Se o tribunal não tinha tal jurisdição, então Jesus estaria violando a lei mosaica eximindo-a, e estaria em dificuldades com os romanos se votasse pela execução. Jesus se esquiva do dilema virando as acusações dos inimigos contra eles. Eles foram testemunhas do ato dela e teriam de atirar as primeiras pedras. Mas eles são igualmente culpados de pecados próprios, e de modo algum aptos para julgar. Neste ponto (cf. Jo 8.31ss) João presume que todas as pessoas são culpadas de pecado e estão debaixo da sentença de morte (condenação).

Jesus não responde imediatamente a pergunta do versículo 5. Antes, Ele se agacha para escrever no chão, mas seus inimigos intencionalmente o importunam. Por fim, Ele se endireita e responde de modo retórico. O comentário de Jesus no versículo 7, quando surge o debate sobre a culpa diante de Deus, é a questão que toda pessoa tem de enfrentar e traz todo o mundo ao mesmo nível. Todos são pecadores e no final das contas indignos de julgar os outros. Só Deus pode julgar, o que Ele não faz — Ele perdoa e retira a condenação pelo Filho. É exatamente isto o que Jesus faz à mulher, quando os acusadores saem: "Nem eu também te condeno". Todo aquele que não crê permanece debaixo de julgamento. Embora os líderes judeus tivessem vindo em grande número e juntos, eles partem combalidamente e um por um, cada um recebendo no coração a seta da condenação. Começando pelos mais velhos, eles saem um de cada vez.

As palavras finais de Jesus à mulher são extraordinárias: "Vai-te e não peques mais". Liberando-a da culpa e vergonha, ele a lança numa nova vida. O perdão traz o que nada mais traz — um novo *status* para o pecador, a despeito de sua gravidade. Seu adultério passado já não a envergonhará. Sua culpa se foi. O verbo no tempo presente extrai o significado apropriado do verbo "pecar" nesta sentença. Este tempo denota uma ação habitual, à qual a pessoa nunca volta. Neste caso, indica uma de duas possibilidades: Ou a mulher era prostituta (um estilo de vida que ela agora deixará), ou João está se referindo a um estilo de vida que o regenerado tem em comparação ao do incrédulo. Este é o mandamento de João acerca do discipulado (veja Jo 15).

2.4.3.7. A Luz do Mundo (8.12-30). O terceiro ciclo na Festa dos Tabernáculos concentra-se em Jesus como a luz do mundo, o segundo dos dois temas principais nos capítulos 7 a 10 (o primeiro é a água). O debate sobre a procedência de Jesus aparece novamente.

A frase: "Falou-lhes, pois, Jesus outra vez" (Jo 8.12) introduz uma nova seção (e tema) e retoma uma conversação (Jo 7.16) e tema (Jo 1.5,9) anteriores. "Luz" nesta seção antecipa o capítulo 9, onde ocorre o sinal para esta seção. Jesus está perto dos receptáculos das ofertas quando Ele anuncia este tópico: "Eu sou a luz do mundo". Jesus, como Deus, da maneira como Ele prescreve, existe e age da maneira como pretende com a palavra "luz".

Este anúncio é muito apropriado para a Festa dos Tabernáculos. Na festa, tochas em postes altos no pátio do templo iluminavam radiantemente toda a Jerusalém. Há muito que a "luz" era tema importante na Festa dos Tabernáculos (cf. Zc 14.6).

Em Isaías 9.2, trevas dizem respeito à opressão e morte, e luz à salvação. Em Isaías 49.6, a luz está associada com o Servo de Javé, que traz salvação aos gentios. Semelhantemente, em Isaías 60.1,3, "luz" e "glória" ("resplendor", v. 3) são sinônimos e aludem à vinda de Deus a Sião, que está no meio das trevas de todos os povos.

O tema da luz está relacionado com o dia da salvação de Deus, e particularmente em João, está vinculado com a sabedoria e revelação. Ambas, por sua vez emanam e são parte do que acontece quando o Espírito, que é de cima, dá luz a cegos pecadores que agora crêem em Jesus. Assim, entendemos a relação entre a cerimônia do derramamento de água e os candelabros acesos nestas seções da Festa dos Tabernáculos. A luz também está relacionada com a verdade, como em: "Ali estava a luz verdadeira, que alumia a todo homem que vem ao mundo" (Jo 1.9). "Verdadeira" quer dizer o certo e Único de Deus, que dá salvação singular em oposição aos outros que as muitas tradições esperavam. "Luz" também está relacionada com o pão da vida (Jo 6.48), outra declaração "Eu Sou". O "pão" destaca o meio e fonte de vida, considerando que a luz ressalta o resultado (a capacidade de conhecer Deus e relacionar-se com Ele, o que Jesus e o Espírito realizam na salvação).

"Do mundo" (v. 12) também ajuda o leitor a entender a luz: Veio para o mundo. João é particularmente afeiçoado à palavra "mundo" (*kosmos*), a qual alude em geral ao mundo de pessoas pecadoras. Só quando Ele menciona que a Palavra criou o mundo é que dá a entender que o *kosmos* é algo diferente da ordem dos seres humanos caídos. Mas ainda que Deus tenha criado o mundo, este rejeitou o Filho, porque todas as pessoas (judias e gentias igualmente) estão agora em pecado. O mundo tem um líder chamado "príncipe" (Jo 12.31; 16.11). Seus membros, que são da terra, matam, mentem e odeiam Jesus e seus seguidores, que são de cima, do céu. O mundo jaz sob condenação em resultado dos seus pecados. Mas porque Ele amou o mundo, Deus enviou o seu Filho ao mundo para redimi-lo. Faz-se necessário revelação sobre o *status* do mundo; por isso Jesus é a luz do mundo (ou seja, o revelador e padrão). Mas o mundo rejeita a luz, anda que o Espírito o convença do pecado, da justiça e do julgamento.

Na segunda metade do versículo 12, Jesus emite uma chamada ao discipulado, que emana de sua declaração sobre a "luz". "Seguir-me" é jargão de discipulado firme, observando que Jesus é o Senhor e que o crente tem de se submeter e obedecer a Jesus em todos os assuntos, especialmente a retidão. Quem segue Jesus nunca "andará em trevas" (ou seja, nunca viverá em pecado). O consistente andar na fé afirma a identidade e segurança do crente.

Um breve desafio dos fariseus aparece no versículo 13, agora sobre o tema recorrente de buscar a validez da testemunha. A explicação deste comentário acha-se no final do versículo 12. Os fariseus entendem que a declaração de Jesus no versículo 12b é uma proposta para novos discípulos. Eles temem a ameaça que Jesus representa ao poder e ao controle que eles têm. O versículo sugere algo assim: "Em autoridade de quem você pede que alguém o siga? Você não pode fazer isso por conta própria". Os rabinos tinham o próprio padrão de discipulado, no qual os novos rabinos passavam adiante o que tinham aprendido de rabinos proeminentes, de quem foram discípulos. Era um grande privilégio aprender sob a orientação de um rabino famoso. Aqui os fariseus tentam desacreditar Jesus por causa de um detalhe técnico da lei, relativo ao credenciamento de uma "testemunha". A lei dizia que um testemunho não era válido se fosse dado pela própria pessoa.

Este tema do testemunho ocorreu em João 5.31-47, onde Jesus disse que tinha numerosas testemunhas para testificar dEle: por exemplo, João Batista, o Pai e as Escrituras. Lá, Ele também admitiu que o testemunho da própria pessoa não era válido. Mas João 8.14 parece contradizer isso. Podemos responder desta forma.

JOÃO 8

1) No capítulo 5, Jesus estava chamando a atenção para as outras testemunhas, apropriado para o argumento ali. Em João 8.14-18, Ele se move mais perto da "linha básica" (vv. 23,24): Ele, como o Filho divino, não precisa de outra testemunha. O "Eu Sou" no versículo 18, semelhante ao do versículo 12, indica sutilmente sua divindade, de forma que não há tribunal mais alto.

2) Os fariseus julgam de acordo com os padrões humanos porque, de fato, eles são humanos.

3) Sem a ajuda de Jesus e do Espírito, nenhum ser humano pode conhecer as coisas espirituais. Mas Ele é divino, e assim Jesus julga como Deus. Não obstante, Ele tem o testemunho do Pai.

4) Ele e o Pai, de acordo com a lei, são testemunho válido. Jesus diz no versículo 17 que eles se referem à *própria lei*. Ele conhece e apela para uma lei diferente, uma que não viola a Escritura.

Quando Jesus diz aos fariseus que o Pai o enviou (v. 18), eles querem saber imediatamente onde o pai está (v. 19). Isto mostra o estado espiritual em que se encontram — querem verificar o pai (fazer perguntas terrenas), o que indica que eles realmente estão em pecado. A diferença entre eles mostra-se nitidamente no versículo 21, onde Jesus menciona mais uma vez sua paixão e ascensão com: "Eu retiro-me", e a condição em que eles estão: "Não podeis vós ir". A palavra "judeus" que aparece no versículo 22 inclui os "fariseus" do versículo 13. Eles apanham a última declaração de Jesus e mais uma vez mostram a condição espiritual deles, chegando à conclusão errada por duas esquisitas perguntas retóricas.

O escritor João faz no versículo 20 dois comentários editoriais.

1) Pode ser importante a observação de João sobre onde Jesus está ensinando — próximo do receptáculo das ofertas ("no lugar do tesouro"). Durante a Festa dos Tabernáculos, os guardas do templo reuniam e distribuíam as ofertas para ajudar o povo. Aqui Jesus pode alcançar uma variedade de pessoas para engenhosamente querer dizer que, em última instância, Ele é o Único que satisfaz as necessidades do povo.

2) Jesus está no controle — ninguém o prende neste momento, porque o Pai reservou tal ato para a última Páscoa.

Os versículos 23 e 24 declaram três coisas.

1) "Baixo" é igual a "este mundo", e "cima", "não deste mundo".

2) Relacionado a isto está a natureza essencial das pessoas. A categoria de "baixo" é formada de incrédulos, que são pecadores e cegos e jazem debaixo de condenação. A categoria de "cima", referindo-se a Jesus, significa divino, a natureza reta. As expressões "de baixo" e "de cima" indicam essas naturezas essenciais. Estas são mutuamente exclusivas, o que explica a razão de não haver comunicação entre elas.

3) Ocorre o uso absoluto de "Eu Sou" (ou seja, não há predicado). Esta expressão indica o nome divino.

A afirmação de Jesus permanece consistente: O que Ele ouviu do Pai, Ele diz ao mundo (vv. 25,26). Novamente os judeus em sua ignorância não entendem.

Os versículos 28 e 29 levam esta seção a uma conclusão. Em linguajar um tanto quanto obscuro, Jesus assinala sua futura paixão e ascensão, e a participação deles na morte dEle. "Quando levantardes o Filho do Homem, então, conhecereis quem eu sou e que nada faço por mim mesmo". "Levantar" em João evoca sentimentos positivos, pois com isso Ele traz para o mundo o mais santificado benefício: Todos podem receber vida eterna por este evento glorioso. Uma vez mais ocorre o nome divino "Eu Sou" (cf. o v. 24). Naquela ocasião os inimigos de Jesus saberão que Ele é divino, e que Ele fala pelo Pai que o enviou. Quer dizer, quando Ele morrer e ascender, os julgará pela incredulidade que têm. Isto se relaciona com o versículo 26 e o tema do julgamento (cf. também Jo 14—16, sobre a vinda do Espírito e sua função julgadora). O levantamento de Jesus (a cruz pela ascensão) relaciona-se diretamente com a vinda do Espírito e a continuação do ministério de Jesus.

A atitude submissa e humilde de Jesus aparece claramente nas palavras finais desta seção. Ele só fala e faz o que o Pai lhe ensinou. Jesus sempre agrada o Pai, e por isso Ele não abandona Jesus.

Revisemos os grupos de pessoas que participaram neste debate sobre a autoridade de Jesus e sua declaração relativa à luz do mundo. A princípio, "o povo" está presente na declaração de Jesus mostrada no versículo 12. "Os fariseus" surgem no versículo 13, e no versículo 22, aparecem "os judeus". Finalmente, no versículo 30, "muitos [não identificados] creram neles". Este pode ser o mesmo grupo dos que crêem nEle em João 7.31. Em todo caso, este grupo se torna o foco do ciclo final na Festa dos Tabernáculos (Jo 8.31-59), e lá eles mudam radicalmente.

2.4.3.8. Jesus e Abraão (8.31-59).

Os tradutores e outros estudiosos dividem esta seção diferentemente. Uns a colocam entre os versículos 30 e 31; outros posicionam-na entre os versículos 29 e 30, mantendo os versículos 30 e 31 como uma unidade. O fato de ocorrer duas vezes consecutivamente o verbo "crer" nos versículos 30 e 31 gera um problema. Este é um dos lugares onde as costuras literárias neste Evangelho parecem ser um tanto quanto ásperas.

A construção dos versículos 30 e 31 sugere que eles devem ser mantidos juntos. O versículo 30 lembra a opinião de um grupo específico, que esporadicamente aparece em cena, antes e depois deste tempo (não os discípulos). Rastreemos este grupo ao longo do Evangelho para determinar se podemos aprender algo sobre ele. A primeira vez que alguns creram em Jesus deste modo ocorre em João 2.23. A referência a este grupo é tão ambígua lá quanto em João 8.30 ("muitos"). É possível que eles sejam os judeus de Jerusalém, e que estejam numa festa judaica. Eles crêem em Jesus por causa dos sinais que Ele fez, mas Ele não confia neles. Desde o início havia algo fundamentalmente errado com a fé deles.

A próxima vez que este grupo aparece é em João 7.31, onde o mesmo tipo de elementos se mostram outra vez. Eles são chamados de "muitos [da multidão]", estão em Jerusalém numa festa judaica e crêem por causa dos sinais. Em João 8.30, "muitos" crêem por causa das palavras de Jesus. O que temos até aqui é um grupo crescente de crentes judeus que confiam em Jesus por causa das razões tradicionais. Jesus faz milagres que lhes incitam a fé. Mas os milagres não são do mesmo caráter que "os sinais" em João. Eles chamam a atenção dessas pessoas enquanto ouvem Jesus, mas sem o nível de entendimento que um verdadeiro crente tem. O compromisso deles tem base inadequada para a chamada ao discipulado.

Este grupo aparece mais duas vezes depois do capítulo 8. Em João 10.42 existe um cenário semelhante: Eles são chamados "muitos" e, por insinuação, sinais milagrosos também afetam a crença que eles têm em Jesus. Mas o que é novo aqui é a inclusão do nome de João Batista. Este grupo aumenta e abrange os que foram influenciados por João Batista. A última ocasião está em João 11.45. Aqui João observa que os "muitos" são parte dos judeus. A razão para crerem é a ressurreição de Lázaro. Mas eles voltam para contar aos fariseus e principais sacerdotes o que estava acontecendo. Diante deste relatório, os líderes exclamam: "Este homem faz muitos sinais. Se o deixamos assim, todos crerão nele, e virão os romanos e tirar-nos-ão o nosso lugar e a nação" (Jo 11.47,48). Em outras palavras: "Jesus está ameaçando o nosso poder — temos de detê-lo!"

Vamos resumir.
1) Os "muitos" que crêem são judeus, e crêem por causa dos milagres de Jesus, alguns dos quais são sinais especiais de João. Eles são hierosolimitas e têm lealdade com as estruturas de poder da cidade.
2) A fé que possuem não tem a base que deveria; é fundamentalmente inadequada.
3) Como os fariseus, eles crêem que Jesus é apenas homem. Note o que os fariseus dizem sobre Jesus em João 11.47: "Este homem".
4) A construção grega exata para "creram nEle" é a mesma em todos os quatro lugares. João quer que os leitores entendam que a fé que este grupo têm em comum é totalmente

inadequada. Esta conclusão é importante para entender João 8.31-59.

As implicações teológicas para o livro inteiro de João são grandes. Esta informação sugere que muitos dos crentes judeus na igreja de João, que estavam indecisos, creram em Jesus como os "muitos" creram. A menos que eles mudem a base de crença, serão encontrados em falta diante de Deus, exatamente como aqueles primeiros, e se afastarão da Igreja, o verdadeiro povo de Deus. Para estar em harmonia com Deus e seu povo, todos têm de ter uma fé comum, arraigada em Jesus, o Filho de Deus, o Salvador do mundo. Também é digno de nota que todos os indecisos na congregação de João sejam os influenciados por João Batista.

Os verdadeiros e ferrenhos inimigos de Jesus (e da congregação ou congregações de João), como é evidente aqui, são os fariseus e os principais sacerdotes. Esta informação indica que os líderes do judaísmo dos dias de João tinham causado o problema. Além disso, uma questão importante concentrava-se na pessoa de Jesus. Estes líderes e estes crentes superficiais olhavam em Jesus somente como homem, quando, de fato, Ele era (e é) completamente Deus. A ênfase de João na divindade de Jesus origina-se da influência negativa do judaísmo, e não do gnosticismo. Voltemos a João 8.31.

O propósito de João 8.31-59 é distinguir estes crentes superficiais e focalizar a razão de a fé deles ser deficiente. Jesus, aqui mais que em qualquer outra parte de João, fala muito claramente sobre a essência e base da fé. É interessante observar que de todos os vários grupos que aparecem nesta seção da Festa dos Tabernáculos, inclusive os que procuram prendê-lo e matá-lo, Ele se volta e se dedica aos que creram nEle. E, devemos nos apressar em acrescentar que nesta situação eles se voltam veementemente contra Jesus, procurando matá-lo. Visto que este grupo havia alcançado significativo tamanho, é tempo de lhes falar sobre a fé que têm; com certeza isto se relaciona com as congregações de João e as de nossos dias.

As palavras de Jesus estão na forma de oração condicional, iniciando o diálogo. A parte condicional diz, literalmente: "Se vós permanecerdes na minha palavra". "Permanecer" (*meno*) é verbo que aparece muitas vezes neste Evangelho, enfatizando "manter-se fiel a", "manter-se firme em", "persistir em" ou "viver em". "Minha" ressalta nitidamente de quem é a palavra — o ensinamento de Jesus, que traz o selo de aprovação do Pai, do Espírito, dos seus sinais e dos outros. Apresenta-o como o Único a respeito de quem Deus fala desta maneira. "Permanecer" significa abraçar completamente quem Ele é e o que Ele fará para salvar o mundo, submeter-se totalmente a Ele como discípulos dEle. Um crente em Jesus deve ter um estilo de vida que mostre seu Senhorio em todos os sentidos. Isto é o que significa a parte conseqüente dessa sentença: "Verdadeiramente, sereis meus discípulos".

O versículo 32 introduz mais conseqüências e liga sua condição atual com o futuro. "E conhecereis a verdade" aponta para o momento no qual o Espírito regenera estes discípulos, trazendo revelação e a capacidade para tanto. O novo nascimento é uma experiência reveladora. "Conhecereis" aqui é uma experiência espiritual, que causa impacto no modo como a pessoa entende toda a realidade. Através da regeneração, a pessoa se torna nova e tem uma nova cosmovisão. A experiência espiritual de "conhecer" (não cognitiva ou intelectual), produzida pelo Espírito, resulta em liberdade. Mas liberdade de quê? Da natureza pecadora, a qual não mais domina sobre o pecador escravizado. A posição teológica da teoria das duas naturezas, onde o crente luta como pecador e santo, não acha lugar em João (cf. esp. 1 Jo 2.27—3.10, onde o crente crê, mas o pecado não domina sua vida).

A verdade libertou o crente. Em João, a liberdade do pecado, seu poder e sua influência é conseqüência do novo nascimento. Liberdade também significa que o crente passou da condenação para a vida. Jesus fez expiação pelo pecado do mundo, trazendo uma vitória especial e comprada com o sangue. A morte já não tem poder — a vida eterna agora domina.

Para receber esta conseqüência, a pessoa tem de permanecer na palavra de Jesus. Não é uma experiência única.

Note mais uma coisa: Aqueles que crêem são pela primeira vez chamados "judeus" (*ioudaioi*, v. 31). João dirige estas palavras de Jesus aos judeus, quem quer que eles sejam. Não nos é dito sobre o estado deles; descobriremos pelo a seguir que tais pessoas tomam parte das tradições do judaísmo, e não têm a intenção de descartá-las. Esta informação pode ajudar o leitor dos dias de João e de nossos tempos a saber algo sobre como os judeus podem crer inicialmente em Jesus, até freqüentar sinagogas de "Jesus", mas nunca ser verdadeiros seguidores de Jesus. Suas expectativas permanecem basicamente judaicas.

A resposta desses crentes (v. 33) parece, a princípio, curiosa — eles apelam para sua herança cultural e religiosa: "Somos descendência de Abraão". Em todo o Evangelho de João, só nesta seção é que Abraão aparece abertamente.

1) Isto aumenta o significado da seção e a importância da abordagem de Jesus relativa à natureza da fé.
2) Abraão era a figura mais significativa na história do judaísmo, até mais do que Moisés. Ele era o começo do judaísmo, *o patriarca* (cf. Is 51.1,2, que o chama "a rocha de onde fostes cortados [...], vosso pai"). Na literatura judaica, todos os seus descendentes, por causa das promessas de Deus feitas a ele e seus descendentes físicos, tinham virtualmente um lugar garantido no Paraíso. Este fator emerge na Festa dos Tabernáculos; pois durante a festa, as pessoas oravam ao patriarca de modo muito semelhante ao que os cristãos fazem a Jesus, e esperavam beneficiar-se dele. Os méritos do patriarca poderiam ser transferidos a todos os seus filhos. Ele era literalmente o mediador do judaísmo.
3) A idéia do concerto esconde-se no plano de fundo com a menção do patriarca. Com Jesus que substitui Abraão, temos a introdução do novo concerto. A atitude para com Abraão em João difere quando comparada com o Evangelho de Mateus e Paulo, em Romanos. Em ambas as instâncias, Abraão é ligado com a Igreja de modo positivo. Tanto Mateus quanto Paulo apelam para adeptos judeus comuns e potenciais. Em resumo, eles são documentos missionários. Porém, o Evangelho de João é de natureza polêmica e corretiva, mudando o *status* teológico de Abraão para abaixo do de Jesus.

Além disso, o judaísmo não tinha uma doutrina de salvação como o cristianismo. Isto vem do versículo 33, onde este grupo clama: "Nunca servimos a ninguém [ou seja, nunca fomos escravos de ninguém]". Em sentido político, esta declaração não é verdadeira, pois em várias épocas ao longo da história do Antigo Testamento os israelitas tinham sido escravos. Uns, como os zelotes, até se consideravam escravos de Roma. Mas não há que duvidar que o significado aqui é a escravidão religiosa. Na sua particular doutrina de salvação, eles não precisavam se converter a outro sistema. Em Abraão, eles nunca estavam sem salvação. A promessa de Deus para eles não havia sido anulada. Eles sempre estavam sob o concerto. Os sacrifícios, o arrependimento e todas as outras atividades mantinham sua relação com Ele. Terem eles necessidade de conversão era-lhes desconhecido, apesar do ministério de João Batista.

Esses judeus que se arrependeram estavam se preparando para a vinda do rei prometido. O Messias deles viria como libertador político e religioso, muito diferente do que era o messiado de Jesus. Agora emerge a verdadeira diferença. Essas pessoas começam a perceber que Jesus não é Messias comum, e que Ele não ensina uma opinião comum de salvação. Ele exige algo radicalmente novo, não obstante algo ligado com o passado. O novo muda o antigo, tornando-o obsoleto. Sua tenacidade ao herdeiro contraditório do antigo, o judaísmo, surge com: "Como dizes tu: Sereis livres?" (v. 33).

Jesus responde com a primeira de três declarações iniciadas por *"amen, amen"* nesta seção. Focaliza algo mais, sobre o qual Ele e o judaísmo discordam — a doutrina do pecado. A literatura do judaísmo mostra, em sua grande parte, visão diferente do pecado do que Jesus esposa. Com exceção de alguns escritos judaicos sectários e da comunidade de Qumran, o

O TESTEMUNHO DE JOÃO ACERCA DE JESUS

A. Os Sete Milagres de Jesus

"Jesus, pois, operou também, em presença de seus discípulos, muitos outros sinais, que não estão escritos neste livro. Estes, porém, foram escritos para que creiais que Jesus é o Cristo, o Filho de Deus, e para que, crendo, tenhais vida em seu nome." — Jo 20.30,31

A transformação da água em vinho em Cafarnaum	Jo 2.1-11
A cura do filho de um oficial em Cafarnaum	Jo 4.46-51
A cura do paralítico no tanque de Betesda	Jo 5.1-9
A multiplicação dos pães e dos peixes para os cinco mil na Galiléia	Jo 6.5-13
O andamento sobre o revoltoso mar da Galiléia	Jo 6.19-21
A cura do cego em Jerusalém	Jo 9.1-7
A ressurreição de Lázaro em Betânia	Jo 11.1-44

B. Os Sete Grandes "Eu Sou" de Jesus

"Disseram-lhe, pois, os judeus: Ainda não tens cinqüenta anos e viste Abraão? Disse-lhes Jesus: Em verdade, em verdade vos digo que, antes que Abraão existisse, eu sou." — Jo 8.57,58

"Eu sou o pão da vida."	Jo 6.35,48 (cf. o v. 51)
"Eu sou a luz do mundo."	Jo 8.12; 9.5
"Eu sou a porta das ovelhas."	Jo 10.7,9
"Eu sou o bom pastor."	Jo 10.11,14
"Eu sou a ressurreição e a vida."	Jo 11.25
"Eu sou o caminho, a verdade e a vida."	Jo 14.6
"Eu sou a videira verdadeira."	Jo 15.1,5

C. Os Sete "Maior Do Que" de Jesus

"João [Batista] respondeu e disse: O homem não pode receber coisa alguma, se lhe não for dada do céu. É necessário que ele [Jesus] cresça e que eu diminua." — Jo 3.27,30

Jesus é maior do que os anjos	Jo 1.51
Jesus é maior do que Abraão	Jo 8.56-58
Jesus é maior do que Jacó	Jo 4.11-14
Jesus é maior do que Moisés	Jo 6.49-51
Jesus é maior do que a lei	Jo 1.17 (cf. Jo 8.1-11)
Jesus é maior do que o Sábado	Jo 7.21-23 (cf. Jo 5.8-15; 9.14-33)
Jesus é maior do que o templo	Jo 2.18-21

pecado era considerado superficialmente. Isto é, o pecado não era inerente num filho de Abraão (veja comentários sobre Jo 1.29). Se o fosse, poderia ser cuidado pelo esforço humano na obediência à lei, mediante arrependimento, ou por outra obra que equilibrasse a balança; e poderia ser reconciliado pelo sacrifício de animais (no qual, é claro, a misericórdia de Deus tomava parte).

No pensamento judaico, uma das maneiras em que o pecado está presente na natureza humana é na doutrina dos dois desejos ou impulsos — o *yetzer* mau e o *yetzer* bom. Estes dois impulsos lutam um contra o outro. De forma simplificada, o modo de conquistar o impulso mau é treinar o impulso bom fazendo bons hábitos e seguindo a Torá (lei), por meio da qual a pessoa vence o impulso ruim. Apesar disso, nenhum judeu está sem salvação. Provavelmente isto forma o pano de fundo para o diálogo em João 8.31ss. Paulo enfrentou esta mesma questão judaica em Romanos (sobretudo em Rm 6—8), onde o testa-de-ferro que ele aborda (Rm 7) tenta lidar com a velha natureza guardando a lei. Paulo diz que o pecado tem tamanha posição segura na natureza humana que não pode ser anulado com esforço humano. É necessário o novo nascimento e o poder da expiação de Jesus. O povo judeu em João 8.31 está começando a rejeitar esta nova maneira esboçada por Jesus.

A declaração iniciada por *"amen, amen"* no versículo 34 proclama a doutrina do pecado de uma maneira nova: "Todo aquele que comete pecado é servo do pecado". Uma forma melhor de traduzir o grego da primeira parte é: "Todo aquele que pratica o pecado". Esta construção denota a essência da natureza humana pecadora: É inclusiva ("todo aquele"), e faz parte da natureza humana. A palavra "pecado" no original grego é um substantivo acompanhado pelo artigo definido "o", que funciona como o objeto de "pratica". Este substantivo singular com o artigo definido especifica um certo pecado (veja também Jo 1.29) — o pecado que o primeiro homem e mulher cometeram, que separou todos os seus descendentes de Deus. Sua natureza pecadora passa para todas as pessoas. Jesus veio para acabar com este rompimento de relações, restaurando-as com sua obra de graça. É por isso que sua expiação é tão distinta, até dos sistemas do Antigo Testamento. Ele veio para pôr fim ao pecado que rompeu a relação entre Deus e os seres humanos. Todas as abordagens anteriores (ou seja, no Antigo Testamento) só apontavam Jesus. Ele as cumpriu e, assim, mudou-as, tornando-as obsoletas (cf. o Livro de Hebreus).

Os versículos 34 e 35 desenvolvem mais o conceito de "escravo". Temos possivelmente uma curta parábola nesta analogia de um escravo e um filho (cf. Hb 3.2-6; veja também a parábola em Mc 12.1-10, que faz distinção entre escravo e herdeiro/filho). As palavras gregas *oikia* ("casa", em Jo) e *oikos* ("casa", em Hb 3) significam literalmente "casa". Estas palavras são virtualmente sinônimas, e têm uma variedade de significados em contextos diferentes. Em João, tem implicações do Reino de Deus; em outras palavras, este versículo também menciona a doutrina da Igreja.

Os versículos 35 e 36 diferenciam a duração da participação na casa. O escravo não tem o mesmo *status* que o filho. Ele pode fazer parte da casa por um tempo, mas em algum ponto ocorre a separação. O ponto é: estes judeus "que criam" serão expulsos, a menos que permaneçam nas palavras de Jesus (cf. o v. 31). Além disso: "Se, pois, o Filho vos libertar, verdadeiramente, sereis livres" (v. 36). Isso é preciso para ser membro do Reino. Formações étnicas e religiosas não negociam acordo com Jesus para entrar no Reino. O oposto de escravidão é "liberdade/livre", e ocorre em João quatro vezes (todas aqui). O "Filho" se refere a Jesus; é Ele quem livra todos do pecado.

No versículo 37 Jesus reconhece a formação étnica desses judeus "que criam", mas também mostra a condição espiritual deles. A frase "descendência de Abraão" requer comentário. Nos versículos 31 a 38, João usa duas palavras para transmitir a idéia de "descendentes", as quais querem dizer coisas opostas na cosmovisão de João. Os versículos 33 e 37 usam a palavra *sperma*, que se refere à descendência física do patriarca (eles são chamados "judeus" quatro vezes nos vv. 31-59). A outra palavra é *tekna* que só aparece no versículo 39. Lá, Jesus dá a esta palavra um significado especial e diz respeito à descendência espiritual de Abraão; seus descendentes são os que agem como ele, a despeito da conexão física e genética ao patriarca.

O termo *teknon* ("criança") é linguagem de conversão no Novo Testamento, e só é usado para os que têm uma natureza nova e semelhante a Cristo. Em João, esta palavra se aplica aos cristãos. A palavra grega *huios* ("filho") nunca é usada acerca de cristãos em João (esta palavra é reservada para Jesus, o "Filho" de Deus). Assim, o crente é *teknon* de Deus, e não *huios* de Deus. Desta forma, João diferencia Jesus dos crentes. Só Jesus é divino. João faz esta distinção por causa do contexto de debate de cristãos e judeus durante a época em que ele escreveu seu Evangelho.[7]

A idéia de paternidade, tecida ao longo dos versículos 31 a 59, é tema importante nesta seção. Quando estes "judeus que criam" apelam para Abraão como pai deles, estão informando o leitor sobre sua formação religiosa. Eles são membros rígidos e conservadores do judaísmo, apelando para seu *status* de filhos de Israel, estando até mesmo um grau acima das outras pessoas. Com suas reações, eles distinguem nitidamente os limites judaicos dos outros, sendo intolerantes para com estes. Eles desprezam os samaritanos e usam esse termo para denotar demência e possessão demoníaca (veja o v. 48).

Mas Jesus julga diferentemente (veja Jo 8.15). Ele decide não com base na descendência física, mas com base no que pessoa a faz. No versículo 37 mais uma vez Ele expõe, de modo evidentemente surpreendente, a intenção deles o matarem. "A minha palavra não entra em vós" (veja o v. 31). A palavra de Jesus lhes mudará a vida e removerá deles o ódio e o assassínio. O que Jesus diz é: "Eu sei que vós sois judeus, mas vós procurais me matar. Portanto, a minha palavra não está em vós".

Este pensamento continua no versículo 38. A paternidade é determinada pelo que os descendentes fazem, e "fazer", naquela cultura, está ligado a transmitir valores. A transmissão vem pela modelagem dos pais, pelo ensino e pelas relações vitais com os membros familiares. Por conseguinte, Jesus age da maneira como Ele "vi[u] junto de [S]eu Pai"; os judeus agem de acordo com o que "[eles] ouviram do pai [deles]" (NVI). *Ver* e *ouvir* são comparações importantes. *Ver* sugere que Jesus e o Pai estão vivos e atualmente em comunhão. Isto dá a entender uma relação dinâmica e ativa. Em contraste, *ouvir* notifica que os judeus só tinham ouvido falar de Abraão pela palavra da boca, quer dizer, pela tradição oral que fora passada ao longo dos séculos. Eles não têm a verdadeira paternidade do patriarca, ainda que tragam a semelhança étnica. Fazia tempo que ele estava morto.

Esta alusão torna-se pública e é invertida mais tarde nos versículos 52 a 54, onde os judeus admitem que fazia algum tempo que Abraão estava morto. E Jesus afirma que o patriarca viu Jesus? Eles nem percebem o que aconteceu. Que ironia! Ademais, o que Jesus *viu* (o tempo perfeito no v. 38) sugere sua preexistência, divindade e o caráter inalterável de Deus em contraste com a mutabilidade dos seres humanos. Jesus "fala" habitualmente de acordo com esta natureza divina — o verbo sugere isto com o tempo presente, indicando esta prática habitual. Os judeus, por outro lado, somente *ouviram* (tempo passado simples). Mas eles o "fazem" habitualmente, referindo-se à vida que flui da natureza deles.

Os judeus entram direto no versículo 39, insistindo que Abraão é o pai deles. O fraseado da resposta sugere que eles estão se referindo a todos os benefícios e promessas que pertencem à descendência de Abraão, especialmente disponíveis durante a Festa dos Tabernáculos. Mas Jesus depressa aponta para as ações/obras e caráter da pessoa na forma de outra oração condicional — desta feita, uma condição contrária ao fato. No que lhe diz respeito, a atual condição desses judeus mostra que eles não são verdadeiros filhos de Abraão. Deus ordenou aos descendentes dos patriarcas que fizessem ações fiéis; Ele ameaça estes filhos caso se tornem infiéis.

No versículo 40, Jesus destaca a diferença entre estes "judeus que criam" e Abraão. As "obras" que Abraão fez e que seus descendentes têm de fazer são obras de amor. O tema "amor" (proeminente em Deuteronômio) aparece no versículo 42. É a natureza de Deus amar, e também do patriarca, pois ele amava Deus e as pessoas. Então, a paternidade proclama que estes indivíduos não são verdadeiros filhos de Abraão. Eles seguem o pai deles (v. 41), a quem Jesus identificará a qualquer momento. No versículo 40, Jesus também diz que Ele ouvira as coisas de Deus Pai, por cuja atividade eles estão determinados a matá-lo.

Contra a acusação de Jesus (v. 41b), estes judeus continuam se defendendo, dizendo: "Nós não somos nascidos de prostituição". Aqui pode haver um eco sutil de uma afirmação judaica contra o nascimento virginal de Jesus. Ou talvez eles vejam na acusação de Jesus referência à idolatria. A alegação que fazem a uma crença monoteísta sugere isso: "Temos um Pai, que é Deus".

Os versículos 42 a 47 contêm a longa resposta de Jesus, na qual Ele mostra que as ações que eles fazem refletem quem é o pai deles e, portanto, qual é a natureza deles. Isto, por sua vez, explica por que eles não entendem Jesus. Ele começa com outra condição contrária ao fato (v. 42). Esta sentença reúne o ser (a natureza) e o amor da pessoa (ou seja, o ser e a ética): "Se Deus fosse o vosso Pai [mas Ele não é], certamente, me amaríeis [mas vós não me amais]". O restante do versículo mostra a conexão entre paternidade, origem e ética e volta ao tema do versículo 38. Jesus veio de Deus e coloca-se diante deles assim, não como alguém que veio de moto próprio, mas como aquEle que foi enviado por Deus. No versículo 43, Jesus prossegue com o tema da natureza pecadora e ignorância espiritual dessas pessoas. Contém uma pergunta e uma resposta. A pergunta: "Por que não entendeis a minha linguagem?" reflete a insinuação do grego. "Linguagem" (*lalia*) sugere a origem divina do discurso de Jesus. Agora é boa ocasião para desenvolvermos um pouco sobre os verbos "conhecer" e "entender".

No centro do assunto deste Evangelho está a questão: Como a pessoa conhece a verdade? O termo técnico para esta questão é "epistemologia". Em grande parte, a resposta depende de coisas como a experiência, perspectiva, cosmovisão e filosofia prévias da pessoa. A natureza da pessoa também impacta no modo como ela conhece ou entende. No pleno sentido da palavra, nada é objetivo. Por exemplo, um gato "vê" as coisas diferentemente de um cachorro. Até os cachorros "vêem" as coisas diferentemente, ainda que "vejam" como cachorros. Quer a pessoa seja regenerada, quer não, tem muito a ver com o modo como ela conhece e entende. Assim, o versículo 43b expressa a causa da incapacidade desses judeus em "ouvir" a linguagem de Jesus ("ouvir" implica compreensão e colocação em ação). A pessoa não pode verdadeiramente ouvir, se os ouvidos são surdos.

O versículo 44a contém a conclusão do argumento de Jesus até este ponto: "Vós tendes por pai ao diabo e quereis satisfazer os desejos de vosso pai". O versículo 44b desenvolve a expressão ética da sua natureza (e deles também), conectando-a com assassinato e mentira. Jesus aqui alude à mentira da serpente registrada em Gênesis 3.4, e ao assassinato de Abel por Caim, em Gênesis 4.8 (cf. também Sabedoria 2.4; 1 Jo 3.8,11-15; Ap 12). João, no Evangelho e em 1 João 3.15, compara o ódio, uma atitude ética, com a ação ética do assassinato. O ódio motiva o indivíduo a assassinar. João também traça uma conexão entre mentir e assassinar. Se é nativo alguém mentir, então ele não pode conhecer a verdade última (veja o v. 45). Tal pecador está pronto a se defender mediante mentiras e engano, e, se necessário, por erradicação da oposição (ou seja, assassinato).

O versículo 46 contém uma declaração (na verdade uma questão retórica iterando o fato) acerca da impecabilidade de Jesus. De acordo com os "judeus", começando no capítulo 5, Jesus quebrou o sábado e blasfemou. Mas na opinião de Jesus, Ele não cometeu pecado, e quem eram eles para dizer que estavam sem pecado? A palavra "pecado" não tem artigo definido e está no singular, ressaltando a qualidade da natureza sem pecado de Jesus. O verbo "convencer" fala de uma arena na qual esses líderes judeus hesitam entrar, porque temem ter o próprio pecado revelado (cf. Jo 3.20). Os acusadores em João 8.9 tinham saído porque o pecado deles fora revelado. Em João 16.8, esta revelação é obra do Espírito.

Considerando que este é o caso, "se vos digo a verdade" (v. 46b), "por que não credes?", pergunta Jesus. O tipo de condição que Jesus usa aqui é a afirmação de uma verdade; pode ser traduzido por: "Visto que vos digo a verdade". Aqui, o verbo "crer" surge pela primeira vez depois do versículo 31 e indica a verdade do assunto lá e da necessidade deste debate focalizado nestes versículos. Portanto, "crença", aqui relacionada com a verdade, deve ser tomada no sentido profundo de ser livre do pecado, e não no sentido de meramente acreditar num assunto falado. O versículo 47 resume o argumento de Jesus: AquEle cuja origem é de Deus conhece e entende as palavras de Deus, e porque estes judeus não conhecem nem entendem, é evidente que eles não são de Deus.

No versículo 48 temos uma mudança no debate. Os "judeus" respondem acusando Jesus de ser samaritano (ou seja, demente). Isto indica o grau de preconceito étnico e fanatismo religioso desses judeus para com os samaritanos; ser samaritano era sinônimo de estar louco e possesso de demônio. Esta acusação dá a chance de Jesus negar a acusação deles (v. 49a) e avançar no argumento (v. 49b). Ele reapresenta o tema do "julgamento" com honra e com desonra.

Embutido na resposta de Jesus está a segunda das três declarações iniciadas por "*amen, amen*" nos versículos 31 a 59, focalizando o que a pessoa tem de fazer para experienciar a liberdade da morte (v. 51). Esta declaração, outra oração condicional, retoma o tema de abertura dos versículos 31ss acerca de guardar as palavras de Jesus. Duas observações agregam-se ao significado desta declaração.
1) O pronome possessivo "minha" está na forma enfática em grego e significa a singularidade, autoridade e poder do ensino de Jesus derivado do Pai.
2) "Nunca verá" é negação enfática: "nunca mesmo". O termo "palavra" representa os resultados da pessoa e obra de Jesus, estimulados pela obra do Espírito que é enviado pelo Pai e pelo Filho, e aplicada pela verdadeira fé nEle. O verbo "ver" aqui remete o leitor a João 3.3, onde o nascimento pelo Espírito capacita o crente a "ver" o Reino. A vida eterna assevera sua autoridade plena nesta era presente, e faz com que a morte física perca seu poder e medo (cf. 1 Co 15).

Mas estes judeus mostram sua condição pecaminosa e ignorância acompanhante do que Jesus quer dizer. No versículo 52, eles apelam para a acusação feita anteriormente (v. 48) — "agora, conhecemos que tens demônio" — e para a morte de Abraão, seu pai biológico, e dos profetas. Eles pensam que Jesus está reivindicando algo muito longe do que Ele é capaz quando se referiu a Abraão e os profetas. Eles repetem a declaração condicional de Jesus dita acima, mas desta vez mudam algumas palavras. O pronome possessivo "minha" já não é enfático, significando que eles compreenderam mal o poder e autoridade de Jesus. Ademais, eles substituem o verbo "ver" por "provar", mostrando sua condição espiritual e falta de fé. Isto é corroborado por comentários adicionais no versículo 53: "És tu maior do que Abraão, o nosso pai, que morreu? E também os profetas morreram; quem te fazes tu ser?" Eles pensam que Jesus é charlatão, afirmando ter autoridade como outro falso messias.

Jesus responde no versículo 54, voltando a uma anterior reivindicação "judaica" de que Deus era o Pai deles (v. 41). Em outra oração condicional, Jesus ressalta que não glorifica a si mesmo. No espírito de verdadeiro apóstolo ("enviado") que era, Ele representa o Pai perfeitamente. É Deus Pai que glorifica Jesus. Eles reivindicam este mesmo Pai.

O versículo 55 contrasta as posições de Jesus e deles; Ele nega enfaticamente a reivindicação que eles fazem em sentenças variadas e repetitivas. Eles não conhecem Deus — Jesus conhece. O primeiro "eu" neste versículo está na forma e posição enfáticas, observando o importante lugar de Jesus na estratégia de Deus neste Evangelho como Mediador e Revelador. Em outra condição contrária ao fato, Jesus desenvolve seu argumento reiterando uma declaração dita anteriormente — que eles são mentirosos, e Ele não é. Jesus enfatiza novamente que Ele conhece o Pai. Este "conhecimento" também ocorre na ação de "guardar" sua palavra. A atenção do leitor é levada de volta ao versículo 31, onde aquele que verdadeiramente crê permanece na palavra de Jesus. Se alguém verdadeiramente conhece como Jesus conhece o Pai, então o estilo de vida dessa pessoa mostrará esse estado coerentemente em amor e obras fiéis, da mesma maneira que o estilo de vida de Jesus mostrou. O discipulado, em última instância e simultaneamente, resulta em seguir Jesus e o Pai.

De maneira abrupta, Jesus volta a Abraão, cujo nome une esta seção (v. 56). Jesus atinge um ponto alto quando reposiciona — na verdade corrige — Abraão neste sistema judaico de crença. Em oposição a ser o fiador da salvação e o mediador entre Israel e Deus, o patriarca funciona meramente como testemunha da pessoa e missão messiânica de Jesus no tempo ("dia") de salvação de Deus. (Note a ênfase "vosso pai" que Abraão recebe; ele não é o pai dos cristãos em João como é para Paulo [cf. Rm 4.11].) No versículo 39, Jesus apelou para Abraão como aquEle que tem o caráter de Deus, algo que os judeus pecadores não têm. Em João 1.18, Jesus claramente substituiu o papel de Abraão para o cristão, qual seja, Abraão não é mais quem está no seio do Pai como intercessor; é Jesus quem está. Para a audiência de João e o conflito deles com o judaísmo, um papel intercessor para Abraão é inteiramente inapropriado.

Qual é o significado de "Abraão, vosso pai, exultou por ver o meu dia, e viu-o, e alegrou-se" (v. 56)? Nas tradições literárias judaicas, Abraão era mostrado em muitas visões acerca do futuro. Em algumas histórias, ele toma parte ativa em favor de seus filhos na vida após a morte (cf. Lc 16.19-31, onde o patriarca recebe oração de pessoas no Hades e na terra e é mediador entre o povo e Deus). É mais que óbvio que Jesus se refere a uma dessas tradições e observa que o patriarca viu o dia do Messias. Não está claro se foi em sua vida terrena ou mais tarde no Paraíso que Abraão "viu" o dia de Jesus. A Bíblia também indica que Abraão era profeta, a quem Deus falava e dava revelações (cf. Gn 15).

As palavras "exultou" e "alegrou-se" significam que Abraão tinha em mente a era messiânica. Esta era vai atualizar o tempo escatológico de salvação, o tempo conhecido como *shalom*, tempo em que a alegria divina caracterizará todo o beneficiário da salvação de Deus. Abraão recebeu um antegozo do futuro.

Os versículos 57 a 59 contêm um intercâmbio final entre Jesus e seus oponentes na Festa dos Tabernáculos. A réplica dos "judeus" mostra seu contínuo estado depravado, a ignorância de todas as coisas espirituais. O comentário absurdo no versículo 57 é uma pergunta retórica e gira em torno da declaração de Jesus no versículo 56. Em vez de "Abraão viu meu dia", eles dizem: "Tu viste Abraão?" O número "cinquenta" neste versículo intensifica a conclusão disparatada a que essas pessoas chegaram como pecadoras.

Jesus dá a resposta decisiva numa declaração iniciada por "*amen, amen*" (v. 58). Desta vez se concentra na cristologia, afirmando sua preexistência: "Antes que Abraão existisse, eu sou". A palavra grega aqui enfatiza que Abraão era um ser criado, voltando a João 1.3 pelo uso do mesmo verbo (traduzido lá pelo verbo "fazer"). Em contraste, Jesus se refere a si como "Eu Sou", ocorrência absoluta deste título, denotando sua deidade. Esta expressão se liga com João 8.12-59, visto que "Eu sou" aparece em ambos os lugares (embora no v. 12, "eu sou" não ocorra no sentido absoluto).

João conclui esta seção (v. 59) acrescentando a nota que esses "judeus" pegam pedras para atirar em Jesus. Eles pretendem apedrejá-lo por blasfêmia, pois consideram "eu sou" referente à deidade. Pessoas acusadas deste crime capital eram apedrejadas como castigo. Considerando que eles se sentem livres para apedrejar Jesus sem qualquer ação legal, infere-se que eles têm grande poder, o que dá a entender que eles são líderes de alguma espécie.

Mas Jesus foge da intenção deles. João simplesmente diz que Ele os evita, não fornecendo detalhes e assim enfatizando a soberania de Jesus sobre eles. Isto também provê informação para esclarecer as declarações um tanto quanto ambíguas, se não notoriamente contraditórias, de João

7.4,10, nas quais Jesus disse que Ele não subiria à festa, embora tivesse ido. A palavra grega traduzida por "em oculto", ou seja, "escondido", ocorre nesses versículos e em João 8.59. A "hora" de Jesus ainda não chegou — será na Páscoa, quando os cordeiros são sacrificados para expiar os pecados do povo, não na Festa dos Tabernáculos.

Pode haver uma insinuação sutil no versículo 59 de que Ele (e talvez Deus) esteja abandonando o templo (cf. Jo 2.13-21). Em todo caso, Jesus logo mudará todo o empreendimento do templo, criando um novo lugar de habitação de Deus.

2.4.3.9. A Cura do Cego de Nascença e suas Conseqüências (9.1-41). Este capítulo contém temas que se estendem do capítulo 5 ao 10, com um número particular de conexões com o capítulo 8. João 9.1 começa com a partícula grega *kai* ("e"), que a vincula a João 8.59. O termo "passando" de João 9.1 promove uniformemente a idéia de ligação e transição. Nos capítulos 7 e 8, uma série bastante longa de debates aconteceu durante a Festa dos Tabernáculos. Nesses debates, Jesus apresentou idéias transformadoras, particularmente relativas ao Messias e às cerimônias da festa ligadas à água e luz.

Mas os capítulos 7 e 8 não contêm um sinal. A cura do cego no capítulo 9 apresenta o sinal que ilustra o significado de Jesus mudar a Festa dos Tabernáculos e, ao mesmo tempo, introduz material novo. Jesus cura o cego. Ele é a luz do mundo. O cego vivia nas trevas, que representam a condição de alienação do pecador para com Deus. O pecador não pode conhecer Deus. Jesus é quem vence estas trevas trazendo vida eterna. Esta experiência é reveladora e expressa o evento da salvação.

Embora esta cura tenha sucedido no sábado (v. 16), ainda deve ser conectada com a Festa dos Tabernáculos através do tema da luz. Outra característica que a conecta com esta festa é o tanque de Siloé, para onde Jesus envia o cego para se lavar. Uma procissão diária trazia água de lá para o altar durante a Festa dos Tabernáculos. Assim, o leitor deve entender a Festa dos Tabernáculos como pano de fundo.

2.4.3.9.1. A Cura do Homem Nascido Cego (9.1-7). Estes versículos apresentam a contato inicial e a cura do cego. Ele era congenitamente cego — provavelmente um gene defeituoso, como hoje o descreveríamos de modo científico. Esta é questão dura para qualquer um resolver — todos nós nos debatemos com isso. Por que certas coisas acontecem muito além do nosso controle? Um modo popular de lidar com este tópico é com a resposta simples: "Deve ser pecado". Seus discípulos dão essa resposta (v. 2). Note que os discípulos só apareceram na seção da Festa dos Tabernáculos em João 7.3.

Muitos judeus associavam sofrimento com pecado e criam que estes efeitos poderiam passar de geração em geração. Até o feto numa mulher grávida que adorava num templo pagão era culpado. Desde os dias do Israel primitivo (Êx 20.5), pecado e sua culpa eram transmitidas pelas gerações. Deus falou pela pregação do profeta Ezequiel contra o abuso deste ensino, dizendo que o indivíduo só é culpado por seu próprio pecado.

De qualquer maneira, Jesus dá uma resposta diferente. Embora a origem e causa da condição possa estar oculta à humanidade, não está a Deus, que oferece outra resposta — esta é uma oportunidade de Ele revelar sua graça e glória. Tais situações complicadas devem ser deixadas nas mãos de um Deus santo e amoroso, que faz todas as coisas bem, ainda que não necessariamente sem dor. O benefício da visão e saúde, se bem que de graça, não é sem grande custo para o Filho de Deus. Em João, seu sofrimento era glória.

Os seres humanos se identificam com o homem cego. Vimos com pecado, Jesus vem com luz e justiça. Os discípulos enfocam a causa (ou começo) de tal condição; Jesus enfoca o propósito e a soberania de Deus (como Ele o faz em outros lugares deste Evangelho). A resposta de Jesus contrasta nitidamente com alguns modernos sistemas teológicos. Muita discussão surge sobre a origem e causa do pecado. Nesta discussão, os decretos de Deus começam com a queda, vindo mais tarde a redenção. Contudo, no plano de

Deus apresentado na Bíblia, a redenção sempre tem sido o ponto de início, e o ponto de partida é, ao mesmo tempo, o propósito de Deus.

A declaração de Jesus em João 9.3 se aproxima do comentário que Paulo fez sobre o sofrimento em Romanos 8.20-23:

> "Porque a criação ficou sujeita à vaidade, não por sua vontade, mas por causa do que a sujeitou, na esperança de que também a mesma criatura será libertada da servidão da corrupção, para a liberdade da glória dos filhos de Deus.
> Porque sabemos que toda a criação geme e está juntamente com dores de parto até agora. E não só ela, mas nós mesmos, que temos as primícias do Espírito, também gememos em nós mesmos, esperando a adoção, a saber, a redenção do nosso corpo."

Assim somos encorajados — não é simplesmente que a pessoa nasceu em pecado (veja Jo 5.14), nem é que os seres humanos são pegos em algum processo misterioso e desafiador. Não! Deus sempre esteve em ação. Jesus como o Filho de Deus sempre existiu e sempre esteve demarcado como o Redentor da humanidade caída. Deus anseia nos tomar em seu seio como seus filhos, e o único modo de realizar isso é através do sofrimento do seu Filho, a graça divina oferecida através do seu amor incondicional por uma raça caída. Esta é a resposta às grandes perguntas da vida: "Porque Deus encerrou a todos debaixo da desobediência, para com todos usar de misericórdia" (Rm 11.32; veja também Ef 3.8-10).

Sem interrupção, Jesus continua num modo difícil de entender, provavelmente exortando os discípulos a se unir com Ele neste grande plano de salvação (v. 4). O uso de dois pronomes diferentes neste versículo aponta o leitor nessa direção: "[Nós] precisamos realizar a obra daquele que me enviou" (NVI). O pronome pessoal "nós" (oculto) une Jesus e seus seguidores na missão mundial, ao passo que "me" (forma átona do pronome *eu*) indica a provisão fundamental da singular obra de salvação de Jesus comissionada pelo Pai, que inclui sua morte e ressurreição. Nos versículos 4 e 5 um prazo é prescrito. Enquanto o contexto imediato sugere que a curta estada de Jesus na terra demarca esta obra, é provável que assume maior significado do que um ditado: Toda pessoa tem um tempo determinado para nele trabalhar; então, tire proveito desse tempo (veja Ef 5.16).

No versículo 5, Jesus afirma novamente que Ele é "a luz do mundo". Este tema conecta o capítulo 9 com a Festa dos Tabernáculos em João 8.12 e agora comporta comentário adicional. A luz é uma das metáforas mais fundamentais na Escritura. Desde João 1.4, esta imagem desempenhou grande parte no significado da pessoa e obra de Jesus. No dualismo freqüente deste Evangelho, luz e trevas ilustram forças contrastantes. O cego está em "trevas", a associação literal com o significado simbólico por sua ligação com o pecado. Os discípulos certamente faziam esta associação, e Jesus não nega a presença do pecado. Pelo contrário, Ele fala sobre o propósito de Deus tratar da questão. Mais tarde, nos versículos 40 e 41, "cegueira" se refere a "pecado" com sua falta de visão/discernimento espiritual. Assim as trevas do mundo são invadidas pela luz do céu.

No Salmo 44.3, a luz é associada com o amor e a salvação de Deus (cf. também o Sl 43.3, onde a luz é comparada com a verdade e direção). "Luz" na literatura rabínica também assume um significado figurativo, referindo-se à Torá (lei), ao templo, às almas dos seres humanos e à justiça. Esta literatura também liga o Messias com a luz e seu tempo de salvação. Do mesmo modo, as "trevas" estão ligadas com as trevas das nações da terra. É o Messias Rei que fornece luz para elas. Além disso, a "luz do mundo" é uma expressão usada para aludir a Deus (veja *Números Rabá* 15.5 acerca de Êx 8.2). "Luz" em João também inclui revelação e julgamento. Jesus, na Festa dos Tabernáculos, muda, cumpre e substitui todas estas expectativas e significados da luz.

"Obras" (v. 4) é paralelo em alguns casos a "sinais" neste Evangelho. Refere-se à atividade salvadora de Deus em Jesus e são de natureza milagrosa. Nesta instância elas são semelhantes a alguns milagres nos outros Evangelhos que também são eventos salvadores.

A última parte do versículo 4 ("A noite vem, quando ninguém pode trabalhar") também desafia o intérprete (cf. também Jo 5.17,20; 11.9). Mas esta declaração dá prosseguimento ao fluxo de pensamento da sentença prévia, particularmente a observação acerca do tempo de trabalho: "Enquanto é dia". O tempo da missão de Jesus tem limites; virá o dia em que a oportunidade já não existirá. O contexto maior sugere que o julgamento está à vista. O dia de salvação de Jesus, a obra do Pai, estará terminado. Será julgamento para todos os que vivem nas trevas. Esta interpretação é confirmada no versículo 5: "Enquanto estou no mundo, sou a luz do mundo".

Estes cinco versículos fornecem base para a cura que agora será descrita. Jesus mistura saliva e barro como uma substância semelhante a pomada para colocar nos olhos do cego. Misturar estes elementos e pôr a lama nos olhos do cego pode parecer magia. Mas Jesus não está fazendo magia. A magia envolve controlar forças ocultas, e inevitavelmente há engano. Com Jesus, a mistura de saliva e barro reflete sutilmente a criação em Gênesis 1.1-3, na qual no primeiro dia Ele fez os céus e a terra, ou seja, a terra e a água, e a luz. Jesus é o que traz nova vida e visão, temas deste Evangelho.

Além disso, Jesus manda o homem se lavar no tanque de Siloé. Este tanque conecta esta história de cura com a celebração da Festa dos Tabernáculos, importante nos capítulos 7 e 8. Seu nome também se conecta com Jesus. Siloé é a tradução grega da palavra hebraica *shiloach*, que significa "o enviado". A palavra hebraica pode ou não estar ligada com o termo "Siloé" (cf. Is 8.6), que por sua vez pode ser Siló de Gênesis 49.10. Interpretações judaicas e cristãs ligam Siló com o Messias. Em João, Jesus é o "Enviado" (cf. Jo 5.36-38; 8.16). Ele é a pedra da qual vem a água (ou seja, Espírito), que traz vida, visão espiritual e cura física em troca.

2.4.3.9.2. A Reação Inicial (9.8-12). Estes versículos descrevem a primeira e menos importante reação à cura, mas reforça seu propósito. Os vizinhos do cego e outras pessoas que o conheciam não conseguem entrar em acordo a respeito da identidade do curado. As várias respostas são semelhantes às reações anteriores a Jesus, refletindo ignorância fundamental concernente a Ele. O parágrafo conclui com um testemunho e uma declaração sobre a própria ignorância do homem curado em relação ao paradeiro de Jesus.

2.4.3.9.3. A Investigação da Cura (9.13-34). As pessoas levam este homem aos fariseus para interrogatório. Ficamos sabendo agora que a cura aconteceu no sábado (v. 14), o que despertou o interesse deste grupo, pois eles estão preocupados se Jesus quebrou o sábado ou não (v. 15). Dois grupos vêem o evento de perspectivas diferentes. Os fariseus concluem que Jesus não é de Deus, visto que Ele quebrou o sábado. Outros olham para o milagre em si e deduzem que nenhum pecador pode fazer tais obras. As pessoas apelam para o homem curado, que dá uma resposta diferente: Jesus é profeta. É claro que este homem não sabe bem quem é Jesus.

Outro grupo chamado "os judeus", parte do grupo mais anterior, ainda não está convencido de que ele é o mesmo homem que era cego, assim eles chamam os pais dele. Mas os pais têm medo dos judeus e jogam a responsabilidade para o filho (v. 22). Neste versículo muitos intérpretes encontram evidência para o contexto do escrito de João, tanto concernente à data quanto às circunstâncias. Ser expulso da sinagoga, afirmam, reflete o tempo quando a décima segunda bênção nas Dezoito Bênçãos era alongada para incluir uma maldição aos hereges, incluindo os crentes em Jesus. De qualquer modo, os "judeus" estão tentando suprimir a influência de Jesus antes que junte mais seguidores.

Os versículos 24 a 34 voltam para o homem curado. Este grupo intensifica seu interrogatório e tenta forçar o homem a renegar qualquer inclinação que tivesse a Jesus. Mas isso não funciona. Pelo contrário, as veementes declarações que fazem o impelem cada vez mais para Jesus. Ele conclui que Jesus veio de Deus, visto que Ele fez tamanho milagre nele e que Deus não ouve pecadores: "Nunca se ouviu que alguém abrisse os olhos a um cego de nascença" (v. 32). Nem o Antigo Testamento nem a literatura intertestamentária menciona uma pessoa cega de nascença ser curada. Na verdade, este milagre extraordinário demonstra adequadamente a obra salvadora de Jesus.

Mas os líderes judeus replicam: "Tu és nascido todo em pecados e nos ensinas a nós?" (v. 34). A conclusão deles concorda com a pergunta de João 9.1. Para eles, a cegueira anterior do homem confirmava seu pecado, o que também está evidente na principiante afirmação que o ex-cego fez de Jesus. "E expulsaram-no", indica que esses "judeus" eram líderes religiosos e que eles o excomungaram da sinagoga (cf. o v. 22).

2.4.3.9.4. A Confirmação dos Fariseus Cegos (9.35-41). A cena seguinte leva a cura a uma conclusão focalizando Jesus e o homem curado e outra confrontação entre Jesus e os fariseus. Jesus traz a fé do homem curado à consecução, fazendo-o identificar quem era aquEle que o curou e ensinando que Ele veio julgar. Esse julgamento dividirá como espada de dois gumes. Por um lado, os que são pecadores (ou seja, os cegos, mas respondendo em fé) serão salvos (ou seja, verão), ao passo que os que vêem (ou seja, os descrentes religiosos) ficarão cegos (ou seja, serão julgados).

Superficialmente esta última atividade parece contradizer João 3.17. Mas não contradiz. A vinda de Jesus leva as pessoas a um ponto de crise, além do qual a decisão que tomam deixa claro onde estão. Se recusam firmemente Jesus, continuam debaixo de julgamento. A resposta de Jesus aos fariseus em João 9.41 deixa esse ponto claro: "Se fôsseis cegos, não teríeis pecado; mas como agora dizeis: Vemos, por isso, o vosso pecado permanece". Eles afirmam que "vêem" quando rejeitam Jesus e manifestam cegueira em outro nível. Todo aquele que se volta em fé como o cego fez, será salvo do caminho do julgamento. O Evangelho de João presume que todos estão debaixo de julgamento em resultado do pecado original.

Este sinal trabalha em dois níveis (como fazem os outros sinais em João). Num nível, há o defeito físico da cegueira e sua cura. Em outro — e para o qual aponta — está a realidade espiritual da revelação do que a fé e a regeneração pelo Espírito realizam. A diferença entre julgamento/cegueira e salvação/visão é a fé.

Jesus usou o título de "o Filho do Homem" (v. 35, NVI), ocorrência um pouco rara em João (onze vezes) quando comparada com os outros Evangelhos. Todavia, é significativa.
1) Descreve que Jesus é o objeto digno da fé do homem.
2) Em resultado de ir com fé ao Filho do Homem, a pessoa curada adora Jesus. Neste Evangelho, a palavra "adoração" (*proskuneo*) sempre se refere à adoração de uma deidade (cf. Jo 4.20-24; 12.20). É evidente que Jesus, como Deus, aceita adoração.
3) É o título pelo qual Jesus revela sua autoridade julgadora e salvadora.

2.4.3.10. O Bom Pastor (10.1-42). Esta seção contém duas partes: versículos 1 a 21 e versículos 22 a 42. Ainda que existam opiniões divergentes sobre a quais seções do Evangelho estas partes estejam ligadas, é justificável ligá-las com o material da Festa dos Tabernáculos. Por exemplo, o versículo 21 menciona a abertura dos olhos aos cegos, o sinal no capítulo 9. A referência à Festa da Dedicação no versículo 22 sugere, a princípio, material novo, mas esta festa era considerada parte da Festa dos Tabernáculos, embora ocorresse mais tarde (no mês de dezembro). Ao mesmo tempo, este material dá prosseguimento de modo unificado ao argumento do escritor.

Há alguns anos era comum distanciar João dos outros Evangelhos canônicos, em parte por causa da ocorrência de parábolas. Na realidade, João não tem parábolas semelhantes aos Evangelhos Sinóticos.

Hoje em dia os intérpretes falam sobre a forma de parábolas diferentemente. Eles reconhecem que pessoas, inclusive Jesus, usavam linguagem figurada de modo menos precisa do que os modernos especialistas técnicos usam. Não é justo pensar que outros, sobretudo na antiguidade e numa cultura diferente das modernas culturas ocidentais, a usem do mesmo modo. Na verdade, a palavra grega *parabole* ("parábola") não ocorre neste Evangelho. Porém, a palavra hebraica no Antigo Testamento é *mashal*, e a versão grega do Antigo Testamento usou o vocábulo *paroimia* para traduzir esta palavra. O vocábulo *paroimia* é usado no Evangelho de João.

No capítulo 10, deparamos o primeiro material semelhante a parábola neste Evangelho. Não importa se essas figuras de linguagem são ou não alegoria ou parábola. Elas transmitem verdades de maneira figurada. Ainda é motivo de debate o número de parábolas nestes primeiros versículos.

2.4.3.10.1. O Bom Pastor e seu Rebanho (10.1-21). O tema desta parte é o bom pastor que arrebanha as ovelhas extraviadas de Deus. Havia muito tempo que a imagem pastoral era usada para mensagens espirituais, ainda que a agricultura também tivesse se tornado importante modo de vida. Plantar e pastorear estão estreitamente entrelaçados. No Antigo Testamento, Deus era o Bom Pastor (veja Sl 23). As ovelhas de Deus estavam extraviadas por causa do fracasso dos líderes de Israel, que eram retratados como salteadores, ladrões e estranhos (e.g., Ez 34).

Esta seção é o começo da culminação da confrontação entre Jesus e os líderes judeus. Note como o capítulo 10 segue de perto a resposta que Jesus deu aos fariseus em João 9.40,41. Note também que não há nada entre estes dois capítulos que os distinga nitidamente. Estes líderes judeus são os falsos líderes do povo de Deus. Jesus é o verdadeiro Pastor. O Messias de Deus que liberta e restaura o seu povo espalhado ao longo do panorama do pecado.

Ezequiel 34 fornece o pano de fundo da Escritura para estas parábolas. A metade deste capítulo era lido durante a Festa dos Tabernáculos no último e grande dia da festa (Jo 7.36,37; outra indicação para considerarmos este material como um todo); a outra metade era lida durante a Festa da Dedicação. Em Ezequiel, Deus pediu que o profeta falasse contra os pastores de Israel (ou seja, os líderes). Eles tinham maltratado o povo, tirado vantagem dele e espalhado-o por toda parte sem pastor. Deus diz que Ele mesmo buscará suas ovelhas, as restaurará e cuidará delas, amarrando as feridas e conduzindo-as em pastos abundantes e lugares de água.

Jesus, em João 10, aplica esta situação aos líderes judeus e a si mesmo. Ele usa a Regra 6 de Hillel: Como Deus no Antigo Testamento era o Pastor de Israel, de igual modo Jesus, como o Pastor divino de Deus, buscará as ovelhas perdidas e entregará sua vida por elas — o sinal de um verdadeiro pastor. Ezequiel 34 era compreendido como passagem messiânica; tais expectativas corriam alto durante a Festa dos Tabernáculos.

Até hoje pastorear no Oriente Próximo é mais semelhante ao que acontecia nos tempos antigos do que é para as modernas culturas ocidentais. Assim, o leitor ocidental tem de separar idéias atuais das da narrativa do Evangelho de João. Por exemplo, no Oriente Próximo, os pastores andam na frente das ovelhas; no Ocidente, eles as tangem. Conduzir (ser exemplo) é um modelo de discipulado melhor que tanger (modelo autoritário). As ovelhas naquela cultura são mais como uma família, sendo até estabuladas perto ou dentro de casa. As ovelhas também conhecem a voz do pastor, e não seguem outra pessoa. (Observe que o cego curado em Jo 9 só conhecia a voz do seu pastor, o verdadeiro, e não dos fariseus.) As ovelhas são postas em estábulos durante a noite para proteção e retiradas pelo pastor de manhã cedo para os cuidados do dia. É comum rebanhos de famílias diferentes unirem-se para a forragem do dia, mas serem separados novamente à noite.

Uma história verdadeira ilustra esta atividade. No monte das Oliveiras, logo a leste de Jerusalém, um visitante de Israel desfrutava o frescor da manhã sentado na sacada de um hotel. Ele ficou surpreso quando viu meninos pastores com seus rebanhos vindo de várias partes da cidade só para se reunirem num campo aberto bem ao lado do hotel. Juntos eles partiram para os montes a leste, em busca de pasto para o dia. À noitinha, esse mesmo grupo de ovelhas voltou para o mesmo campo. Sob as vistas do visitante observador, os pastores se afastaram dos rebanhos reunidos e assumiram posições ao redor, mas longe, dos rebanhos. De repente, os pastores, um por um, começaram a chamar seus respectivos rebanhos. A ovelha respondia correndo para o seu pastor. Cada rebanho foi para casa para passar a noite.

Talvez isto ajude a explicar uma dificuldade nesta seção. Jesus é chamado a porta e o pastor. No versículo 1, Ele é distinguido da porta e seu porteiro (v. 3). Mas no versículo 9, Ele é a porta. "Porta" aqui se refere ao pastor que é o acesso das ovelhas aos pastos verdes. Da mesma maneira que na experiência acima, Jesus, como bom Pastor, conduz as ovelhas a pastos abundantes e água. Isto é destacado com clareza no versículo 9: "E [a ovelha] entrará, e sairá, e achará pastagens". Mas Ele não é a porta do curral (vv. 1-3).

Os versículos 1 a 18 podem ser divididos em duas partes: versículos 1 a 6 e versículos 7 a 18. Os versículos 1 a 5 contêm a primeira parábola, enquanto que o versículo 6 faz um comentário sobre a resposta dos ouvintes; os versículos 7 a 18 contêm uma mistura de elementos literais e figurados. A última seção ocorre na primeira pessoa, a primeira, na terceira pessoa.

Quando Jesus conclui a primeira parábola (vv. 1-5), seus ouvintes — comenta João — não o entendem. Várias observações estão em ordem.

1) Embora a palavra *paroimia* (v. 6), usada para descrever linguagem parabólica, seja diferente da dos outros Evangelhos canônicos (*parabole*), em essência diz respeito à mesma coisa. É uma parábola.
2) A resposta dos ouvintes também é igual a que encontramos em outros Evangelhos; os incrédulos simplesmente não entendem esta maneira de falar de Jesus.
3) Parte do que contribui para essa falta de entendimento pode ser que Jesus esteja falando de uma maneira mais sutil e use a terceira pessoa. Ele conta uma história simples que todos da zona rural conhecem. Sem fé, a resposta típica dos incrédulos é: "E daí?" Eles não compreenderão que, em outro nível, Jesus está na realidade julgando-os e condenando-os profundamente. Nesta condição espiritual eles são como ladrões e salteadores. Eles são os falsos pastores. Por outro lado, Jesus é o verdadeiro pastor porque Ele faz as coisas que Deus quer. Ele cuida de suas ovelhas. Elas o conhecem e

O bom pastor que pastoreia o rebanho era um tema importante no ensino de Jesus. Até hoje as ovelhas são pastoreadas de modo muito semelhante ao dos tempos de Jesus.

Ele as conhece, e elas não seguirão a voz de estranhos.

É proveitoso tentarmos descobrir o plano de fundo das palavras "ladrão" e "salteador". Evidência pode ser encontrada na Palestina do século I para trás. Bandidos e revolucionários vagavam em todos os lugares e atacavam as pessoas. A questão é que esses líderes, que seguiam o rastro de Jesus pelo caminho, são falsos e não fazem nada senão desviar as pessoas. Falando em linguagem figurada, Jesus veio do Pai como seu bom Pastor para levar seu povo a pastos verdes e abundantes e água.

Os versículos 7 a 18 contêm uma elaboração e esclarecimento da parábola anterior. Aqui Jesus fala na primeira pessoa e se identifica em linguagem clara. Ele elabora em várias áreas.

1) Ele amplia sua identidade. Ele é a porta. Esta figura ressalta a singularidade de Jesus como Salvador e nosso acesso a Deus. Todas as religiões ficam aquém deste ponto. Só Jesus pode levar as pessoas a Deus. Jesus também se chama "o bom Pastor" (três vezes). O adjetivo "bom" neste contexto se refere a Jesus como a provedor de salvação e cuidado. Contém um significado profundo, pois Ele e suas ovelhas são íntimos, e ambos possuem o mesmo caráter e interesse. Eles se comunicam só uns com os outros. Seus seguidores não ouvirão a voz de outrem. Este é o verdadeiro significado do discipulado, extremamente destacado aqui.

2) Jesus traz vida abundante, em oposição à "vida" marginal que os falsos pastores trazem.

3) Jesus dará a vida pelas ovelhas. Neste ponto, temos pelo menos duas novas declarações teológicas significativas: a) Jesus dá a vida por sua própria conta. Ninguém a tira dEle. Deus está no absoluto controle deste caso pelo qual Ele expia os pecados do mundo. O Diabo não tem parte. A provisão da salvação de Deus sempre foi uma conclusão passada em sua mente. (b) Pertinente à ressurreição, o Novo Testamento afirma que Deus Pai ou o Espírito ressuscitou Jesus. Mas aqui Jesus diz que Ele se ressuscitará, porque tem autoridade tanto para dar a vida quanto para tomá-la de novo.

4) Jesus nota que há "outras ovelhas que não são deste aprisco; também me convém agregar estas, e elas ouvirão a minha voz, e haverá um rebanho e um Pastor" (v. 16; cf. Ef 2.11-22). Interpretação provável é que Jesus está transcendendo os limites étnicos e incluindo os gentios entre o seu povo. Este Evangelho apóia esta idéia em outros lugares (e.g., Jo 11.52; 12.20-32). A morte e ressurreição expiatórias de Jesus destruíram todas as barreiras entre judeus e gentios. O pecado nivelou o campo de atuação para todos os seres humanos, a despeito de formações étnicas. Por outro lado, a fé em Jesus, pela qual recebemos a misericórdia de Deus, eleva todos para o mesmo nível.

No fim das explanações de Jesus acerca da parábola (vv. 19-21), reações conhecidas emergem. Os "judeus" se dividem ao ouvirem o que Ele acabou de dizer. Estas respostas manifestam a atitude incrédula para com Jesus dentre as diversas multidões na Festa dos Tabernáculos. Alguns mais uma vez acusam Jesus de estar possuído pelo demônio (cf. Jo 8.48). Outros referem-se à cura descrita no capítulo 9, desta forma conectando João 10.1-21 com os capítulos 7 a 9.

2.4.3.10.2. A Festa da Dedicação (10.22-42). A segunda parte do capítulo 10 enfoca o que acontece durante outra festividade do judaísmo, a Festa da Dedicação (hoje chamada Hanuká). Esta seção do Evangelho é nova e está relacionada com o que aconteceu antes, preparando para o sinal culminante da ressurreição de Lázaro (Jo 11). De algum modo, esta festa estava ligada com a anterior Festa dos Tabernáculos (cf. 2 Macabeus 1.9). Os judeus observavam alguns dos mesmos rituais, e a luz era importante em ambas as festas. A festividade significava renovação ou restauração. Em 168/167 a.C., o rei Antíoco IV, da Síria, tinha profanado a prática e adoração judaicas. Isto provocou a revolta dos macabeus. Os macabeus recapturaram o templo em Jerusalém, purificaram-no e o dedicaram de novo. Esse era o evento comemorado na Festa da Dedicação.

Jesus continua falando sobre suas ovelhas nos versículos 25 a 30, unindo deste modo esta seção com a precedente. Comentamos em outro lugar que temas semelhantes aparecem no capítulos 5 em diante e assim, de algum modo, ligam todos eles. Em João 10.31-33, vemos outra tentativa de apedrejar Jesus por blasfêmia (cf. Jo 5.16-18; 7.44; 8.59).

A dedicação sucedeu durante o "inverno" (v. 22). Ainda que vários meses tenham se passado, João coloca as atividades e diálogos da Festa dos Tabernáculos e da Dedicação bem juntos para impressionar favoravelmente seu ponto principal: Jesus transcende as festividades do judaísmo. O leitor sabe que o que acontece nos capítulos 7 a 10 tem um significado comum. A partícula "e" (v. 22) também conecta estes versículos com João 10.1-21. Contudo, desde João 8.59 o templo não é citado, quando Jesus saiu para escapar dos inimigos. Agora Ele caminha na Colunata de Salomão, na ala leste do templo (Jo 10.23).

Os "judeus" o cercam para pressionar suas afirmações (v. 24). A pergunta que fazem reflete uma indagação muito antiga (Jo 1.19-24). Lá, os "judeus" foram identificados como os líderes religiosos em Jerusalém; inclusos entre eles estavam os levitas, sacerdotes e fariseus. Devemos entender que os "judeus" ao longo do Evangelho são os líderes judeus compostos desses vários grupos. Em João 10.24, estas pessoas ainda estão na expectativa sobre a identidade de Jesus. Eles pedem que lhes fale claramente, e Jesus lhes diz com todas as letras que eles não estão entre suas ovelhas (cf. os vv. 1-18). Estes líderes são os pastores incrédulos e falsos.

A resposta de Jesus (vv. 25-30) os enfurece grandemente, fazendo subir coisas à cabeça. Mas Jesus também dá uma consolação aos seus seguidores (vv. 27-29). Ele fala da segurança do crente. Esta segurança está baseada na personalidade do Pai e do Filho e em sua unidade. Jesus lhes dá a vida eterna, um atributo da deidade. O oposto da vida eterna é "perecer". A vida é o modo de ser que assume o caráter daqueEle que a deu. Nela há uma relação dinâmica e maravilhosa, que é caracterizada pela alegria e paz.

Talvez seja proveitoso explorar a relação entre a fé humana e o ato divino. João enfatiza que a salvação é um ato de Deus através de Jesus. A salvação é estritamente de Deus, sendo resultado da morte e ressurreição de Jesus; as pessoas não fazem nada nesta provisão. Deus oferece esta salvação a todos. Por outro lado, para recebê-la a pessoa tem de crer em Jesus, nascer de novo pelo Espírito e seguir Jesus. "Nascer de novo" é um evento que resulta num processo, chamado idiotismo semítico: "andar em novidade de vida". Quando a pessoa crê em Jesus, ainda que a fé não participe no ato salvador de Deus (ou seja, na morte e ressurreição de Jesus), a fé permite Deus fazer a obra.

Como já mencionamos, João enfatiza o ato divino. Deus é mais que apto para salvar e guardar aqueles que Ele salva. Quando as pessoas "perdem" a salvação, elas a perdem por causa de sua fé, e não devido ao ato de Deus. A "crença", se bem que iniciada e cultivada pelo Espírito, ainda pertence ao crente. Não é a fé de Deus. Note Romanos 3.21-31 (esp. o v. 22: "fé em Jesus Cristo", e o v. 25: "fé no seu sangue"); a tradução desses versículos é correta, porque mostra que o objeto da fé é Jesus, e não que a fé pertença a Jesus (i.e., "fé de Jesus"). O mesmo vale para Gálatas 2.20 (Veja a NVI). Romanos 12.3 é freqüentemente citado para defender a opinião de cooperação: "Conforme a medida da fé que Deus repartiu a cada um". Mas o contexto em Romanos não está falando sobre a fé salvadora; antes, Paulo está discutindo sobre a fé "carismática".

Por conseguinte, Jesus guarda os crentes em suas mãos (v. 28), uma metáfora para a segurança divina. O crente nunca precisa duvidar de sua salvação — ela está assegurada pelo próprio Deus. Há alguém maior (v. 29)? E Jesus e o Pai são um (v. 30)! "Um" no versículo 30 é importante. A língua grega usa três gêneros para os substantivos e adjetivos: o masculino, o feminino e o neutro. O adjetivo deve concordar com o substantivo que o modifica. Nada senão substantivos masculinos aparecem neste versículo, mas o numeral "um" é neutro e enfatiza a "unidade" ou "unicidade" de propósito, poder e autoridade de Jesus e o Pai. "Um" não enodoa a pessoa do Pai e a do Filho em "uma", mas atribui "unidade" à sua relação e papéis como articulados acima.

Enfurecidos por estes comentários, os judeus pegaram pedras para matar Jesus (v. 31), tema que ocorreu anteriormente (cf. Jo 5.16-18). Jesus apela para seus sinais miraculosos como testemunha de sua autoridade, mas eles voltam a acusá-lo de blasfêmia. Jesus lhes responde na forma rabínica, usando uma das regras de Hillel (vv. 34-36) e referindo-se ao Salmos 82.6 (Ele o chama "vossa lei"). Eles e Jesus aceitam a infalibilidade da Escritura. A palavra-chave no Salmo 82 (Jo 10.34) é "deuses". A palavra hebraica *elohim* (*theos*) está no plural, mas quando usada acerca do único e verdadeiro Deus de Israel no Antigo Testamento, é o plural da majestade, traduzida no singular por "Deus".

Esta palavra também pode ter vários outros significados, como ocorre neste salmo. A palavra "deuses" no Salmo 82.6 contêm uma referência dupla. A palavra refere-se especificamente a reis ou príncipes; note o versículo 7: "E caireis como qualquer dos *príncipes* [ênfase minha]". Este pode ser o significado da palavra no versículo 1, onde Deus preside e julga entre os "deuses". (Significado alternativo pode ser "anjos".) Mas o outro lado do significado no versículo 6 pode conter o que estes príncipes pensam de si próprios; talvez eles se considerem mesmo divinos. Deus, por um lado, afirma que eles realmente são príncipes (ou seja, "deuses", v. 6). Mas a correção vem no que o salmista comenta sobre eles. Como "deuses", eles são "filhos do Altíssimo". E o versículo seguinte proclama: "morrereis e caireis". Se este escritor inspirado pode chamar pessoas de "deuses", porque Jesus não pode usar a palavra para se referir a si mesmo, visto que Ele é quem Deus "santificou" (i.e., separou) para sua missão salvadora e "enviou ao mundo"?

Jesus continua apelando para seu direito de ser chamado Deus aludindo novamente às suas obras miraculosas (v. 38), como no capítulo 5. Sua execução das obras do Pai — portanto, eles são "um" —, serve como base do apelo e argumento. No versículo 39, os judeus repetem os esforços humanos fúteis — tentam prendê-lo, "mas ele escapou das suas mãos". O leitor perspicaz se lembra de que Deus ainda está no controle e que a hora de Jesus ainda não chegou.

O capítulo e a seção (e o Evangelho) atingem um clímax em João 10.40,42. Depois que Jesus se esquiva de seus inimigos, Ele volta a regiões mais amigáveis — Jerusalém ainda lhe é muito hostil. Ele a evitava antes, e o faz agora de novo. Este tema emoldura a grande seção narrativa, concentrando-se em Jesus na Festa dos Tabernáculos (cf. Jo 7.1 com Jo 10.40-42). A referência ao lugar amigável onde João batizou também recorda João 1.28,29. Lá, Jesus encontra uma multidão mais receptiva entre os seguidores de João Batista. Eles reconhecem que João Batista não tinha feito nenhum sinal, mas que ele falou a verdade sobre Jesus. Por isso crêem em Jesus. Estes três versículos também informam o leitor acerca da função e *status* de João Batista, e nos estimula igualmente a seguir Jesus. João simplesmente apontou Jesus; agora todos devem segui-lo como o verdadeiro Messias.

2.4.3.11. Jesus Ressuscita Lázaro (11.1-57).

Com a morte e ressurreição de Lázaro, o leitor chega ao principal sinal que prepara para o clímax do Evangelho: a paixão e ressurreição de Jesus. Neste sinal, a distância entre o sinal e suas referências diminuem. Morte e vida, e morte eterna e vida eterna entram em atrito.

Este episódio é único no Evangelho de João e tem características distintas. Por exemplo, os nomes de Maria, Marta e Lázaro — todos irmãos — aparecem juntos só aqui. Lázaro, como irmão destas irmãs, é encontrado somente nos capítulos 11 e 12. (Em Lc 16.19-31 este nome pertence a certo mendigo.) Em Lucas 10.38-42, ocorre uma história diferente a respeito das duas irmãs.

Estes três moravam numa casa comum, sem pais, em Betânia, pequeno vilarejo a alguns quilômetros a leste de Jerusalém, no lado oriental do monte das Oliveiras. Esta Betânia deve ser distinguida da citada em

João 1.28. João as diferencia acrescentando depois delas uma nota geográfica (Jo 1.28: "Do outro lado do Jordão") ou relacionando a nomes próprios (Jo 11.1: "Aldeia de Maria e de sua irmã Marta"). A ordem dos nomes das irmãs é diferente entre Lucas e João. "Maria", primeiro em João, toma a iniciativa em diversas ocasiões, talvez a mais importante, considerando que ela unge os pés de Jesus (fato mencionado em Jo 11.2, logo depois dos nomes e um capítulo antes do acontecido).

2.4.3.11.1. A Morte de Lázaro (11.1-16).
Nestes versículos, a morte de Lázaro confronta o leitor. Os versículos 1 a 3 armam a cena, apresentando as personagens, o cenário e a situação — Lázaro está doente. Sua enfermidade é séria o bastante para fazer com que suas irmãs enviem um mensageiro a Jesus pedindo-lhe ajuda, lembrando-o de seu amor especial pelo irmão delas. Elas contam como certo que se ele não receber ajuda logo, ele morrerá. Esta conscientização aparece na mensagem a Jesus (cf. v. 4).

O versículo 4 resume a avaliação que Jesus faz da situação e passa para o significado de sua obra, a ser consumada em breve na paixão e ressurreição. Esta enfermidade é para a glória de Deus através do Filho de Deus, e "não é para morte". "Morte" traz consigo outro significado além da morte física normal. Para o verdadeiro crente inteligente e informado, "morte" alude a julgamento, a separação eterna dos pecadores de Deus, condição que eles já experimentam. De fato, este relato aproxima-se estreitamente das condições dos pecadores: Eles estão "doentes", e sua "enfermidade" resultará nesta morte. Por outro lado, todos os que crêem terão sua enfermidade curada (i.e., o pecado removido), e "não é para morte". A resposta de Jesus é igual a de João 9.3 e, assim, liga este sinal com a cura do homem cego de nascença.

O autor acrescenta o versículo 5 em antecipação à dureza que virá no versículo 6, suavizando-o para o leitor com uma nota terna e apaixonada do amor de Jesus por esta pequena família à beira de uma tragédia pessoal, e levando em conta a futura ação aparentemente descuidada de Jesus: Ele "ficou ainda dois dias no lugar onde estava". Nenhuma informação nos é dada sobre o que Jesus fez durante esses dias, mas o fato de Ele ficar é importante para a situação.

Dos versículos 7 a 16, Jesus se concentra nos discípulos. Depois dos dois dias, Ele lhes comunica que eles vão voltar à Judéia. Eles protestam, citando sentimentos negativos que os aguardam lá. Mas Jesus enfatiza uma "janela dourada" de oportunidade. É isso o que significa sua declaração difícil nos versículos 9 e 10: "Não há doze horas no dia? Se alguém andar de dia, não tropeça, porque vê a luz deste mundo. Mas, se andar de noite, tropeça, porque nele não há luz". A última vez que o leitor encontrou declaração semelhante foi em João 9.4 (outra ligação com aquele sinal). A pessoa deve tirar vantagem da luz do dia para viajar, pois a noite causará tropeços pelo caminho.

Esta janela de oportunidade abre-se na direção da ressurreição de Lázaro. O comentário de Jesus de que o amigo deles tinha "dormido" e que Ele vai despertá-lo, fala-nos sobre esta janela. Para Deus ser glorificado através da obra do Filho de Deus, Lázaro tem de morrer (fisicamente) — daí a espera dos dois dias. E a duração do tempo entre a morte e a cura é significativa. Jesus sabe o que Ele está fazendo — isto não transtorna o plano de Deus; antes, é o plano. Ele está no controle.

Em referência à morte, Jesus usa uma figura de linguagem para suavizar a realidade severa. A afirmação: "Lázaro, o nosso amigo, dorme", significa: "Ele está morto"; "despertá-lo" refere-se à cura. A Escritura fala muitas vezes deste modo acerca da morte. Mas os discípulos compreendem equivocadamente. Eles tomam Jesus no significado literal de que Lázaro está dormindo (v. 13). Essa ignorância testemunha sua condição espiritual, mas também fala sobre a natureza da fé. Embora eles sigam Jesus e tenham uma medida de fé, fé plena não virá até que seu objetivo seja atingido — a morte e ressurreição de Jesus, o Filho de Deus. Este sinal aponta nessa direção.

Jesus então declara com todas as letras que Lázaro havia morrido (vv. 14,15), mas Ele também fala a razão de eles terem de ir lá — para que eles cressem. Um discípulo não entende (v. 16). O problema de Tomé aparecerá novamente mais tarde (veja Jo 20.24). Ele tem grandes dificuldades com a fé, que causa impacto sua perspicácia espiritual (ou sua falta). Esta é lição para todos aprendermos.

2.4.3.11.2. Jesus e as Irmãs de Lázaro (11.17-37). Neste momento, a narrativa se concentra nas irmãs de Lázaro e nos pranteadores judeus, e abre com uma nota temporal: Quando Jesus chega, já fazia quatro dias que Lázaro estava sepultado (vv. 17,18). Na forma tipicamente judaica, a comunidade se reuniu para apoiar a família e ajudá-la a prantear. Quatro dias não deixam dúvida sobre a condição de Lázaro. Os rabinos acreditavam que a alma pairava perto do corpo por três dias. Depois, não havia esperança de voltar à vida existente. Lázaro está além de ajuda, e o corpo já começou a se decompor. No enterro judaico, não se fazia embalsamento. O enterro acontecia depressa, e usavam-se especiarias para disfarçar o odor de um corpo em decomposição.

Quando Maria e Marta ouvem que Jesus está se aproximando, Marta vai ao encontro dEle no caminho para lhe falar. Isto parece semelhante ao que ela fez em Lucas 10.38-42; em ambos os lugares ela é pronta para falar com Jesus, ao passo que Maria é mais reservada. A observação de Marta afirma que se Jesus tivesse estado lá, o irmão dela não teria morrido (v. 21). Também contém alguma ambigüidade, pois ela se submeterá ao que quer que Ele venha a fazer. Isto permite Jesus responder com a palavra apropriada para a glória de Deus.

A resposta de Jesus (vv. 23,25) contém dois aspectos escatológicos: atual (ou realizado) e futuro. O aspecto futuro aponta para o último Dia, o dia em que ocorrerá a ressurreição (cf. o v. 24). Mas Jesus também assinala uma escatologia "realizada" — para si mesmo como a fonte da vida eterna. O significado de "vida" no versículo 25 transcende a percepção humana de ressurreição e distingue a vida "natural" da "eterna". Quando Jesus diz: "Ainda que esteja morto, [...] todo aquele que vive e crê em mim nunca morrerá", Ele está se referindo a um tipo diferente de vida, uma vida qualitativa que caracteriza a vida que Deus tem em si mesmo. Esta vida transcende a vida e morte naturais; nenhuma destas destrói a vida eterna.

A declaração pessoal de Jesus sobre si mesmo no versículo 25: "Eu sou a ressurreição e a vida", é outra de suas declarações "Eu Sou". Aqui significa que Jesus em si mesmo tem o poder e a autoridade para ressuscitar e, nessa função, Ele é a fonte desta vida. Temos visto periodicamente este ensino ao longo deste Evangelho. Este atributo pertence exclusivamente a Deus.

Jesus também menciona o verbo "crer", que qualifica a recepção da vida eterna (veja comentário sobre Jo 7.31). Esta palavra ocorre três vezes nos versículos 25 e 26, denotando sua importância. Em todas as três ocorrências, o verbo está no presente, chamando a atenção para o fato de a fé ser um estilo de vida que vai além da morte física. Note também que no versículo 26 (que resume o v. 25), o verbo "viver" também está no presente. Crendo constantemente, a pessoa tem vida eterna; tendo vida eterna, a pessoa constantemente crê. No versículo 25, o verbo "viver" está no futuro, indicando a vida eterna depois da morte.

Esta é a lição que Jesus quer ensinar a respeito da morte de Lázaro e sua demora em ir ressuscitá-lo: A morte física não faz diferença se a pessoa tem a vida eterna. Jesus ressuscitará tal pessoa, ou seja, dará a vida eterna.

A confissão de Marta no versículo 27 identifica Jesus de maneira semelhante ao que fez Natanael (Jo 1.49), com o acréscimo de uma sentença final (que provém de Jo 1.9). Agora ela confessa ("creio"): "Tu és o Cristo [i.e., o Messias], o Filho de Deus, que havia de vir ao mundo". Se considerarmos a expressão "aquele que vem ao mundo" como idiotismo judaico para a "espécie humana", então esta sentença conecta Jesus com a humanidade e indica Ele como o único Redentor e Revelador de Deus para o gênero humano. Reunindo João 1.9 e João 11.27, podemos parafrasear o assunto deste modo: "Para todos os seres humanos do mundo, há a verdadeira luz, Jesus, o Messias, o Filho de Deus, que também está no mundo". A confissão de Marta identifica Jesus para todos os leitores que desejam seguir nos passos dela.

O parágrafo seguinte enfoca o pesar de Maria, mas no mesmo lugar onde Marta encontrou Jesus. Quando Maria alcança Jesus, juntamente com outros pranteadores que a seguem, ela cai aos pés de Jesus e chora. Eles, é claro, também estão chorando. Esta visão perturba profundamente Jesus (vv. 33,38). A palavra (*embrimaomai*) ocorre somente cinco vezes no Novo Testamento, duas delas neste relato de Lázaro. Expressa um sentimento intenso que brota com várias emoções e ações, como murmurar (Mc 14.5, "bramavam"), ser ríspido (Mt 9.30, "ameaçou-os") ou prantear (chorar por uma pessoa especial, Jo 11.33,38). João emprega outro verbo no versículo 33 para transmitir esta emoção profunda, "perturbou-se" (*tarasso*). Seu espírito perturbado imediatamente moveu Jesus a perguntar onde eles tinham enterrado Lázaro. Ele já não delongará Sua atividade. Eles respondem: "Senhor, vem e vê" (v. 34).

Diversos comentários estão em ordem aqui. Jesus pergunta a "eles" onde "eles" enterraram Lázaro; "eles" respondem. Isto causa impacto no significado de "Senhor" no versículo 34, que provavelmente significa algo como o tratamento cortês "senhor", por causa dos pranteadores que a acompanhavam. Eles não têm a mesma fé ou compromisso que Maria. Além disso, estes são um grupo misto, conforme percebemos nas respostas que dão nos versículos 36 e 37 ao choro de Jesus.

"Vem e vê" (v. 34b) indica convite positivo e empático. Jesus fez convite similar aos discípulos de João Batista em João 1.39. Jesus chora agora. Ocasionalmente deparamos a emoção de Jesus relatada como temos aqui (e.g., Lc 19.41, onde Ele chora sobre a condição de Jerusalém). Nesta emoção, temos a reunião em Jesus da emoção humana e divina. Deus comove-se com a situação difícil da humanidade perdida e deseja salvá-la da morte. Jesus chora em antecipação ao confronto da cena que Ele tem diante de si e pelo que Ele está prestes a fazer.

2.4.3.11.3. A Ressurreição de Lázaro (11.38-44).

Este parágrafo focaliza a ressurreição de Lázaro. No versículo 38 Jesus chora outra vez quando chega ao túmulo, uma caverna com uma pedra em frente da entrada para impedir o acesso de animais. Marta está presente com eles no túmulo e protesta quando Jesus ordena que a pedra seja removida da entrada, enfatizando o fato de que seu irmão está mesmo morto. Agora a condição de sua fé (vv. 17-27) é bem-sucedida, e Jesus a lembra o que Ele disse um pouco antes (v. 40). A oração condicional do versículo 40 sugere que a ressurreição de Lázaro depende da fé dela. Mas tal não é o caso. Jesus o fará para mostrar a glória do Pai, e não firmado na fé dela. A fé de Marta não ocasionará a cura de Lázaro, mas permitirá que ela veja a glória de Deus. Essa glória se refere ao seu poder de ressurreição desencadeado contra o inimigo do gênero humano — a morte, o último inimigo a ser destruído.

Depois de terem tirado a pedra, Jesus olha para cima e ora (os olhos estão abertos e a cabeça erguida enquanto ora), para benefício da fé das pessoas que estão perto (vv. 41,42). A fé dessas pessoas será ajudada ao saberem que Jesus tem uma relação dinâmica com Deus, o Pai. Este milagre fundamentará seu ensino de que Ele vem do Pai. Ademais, a oração de Jesus sugere que Ele sempre obedece ao Pai e faz sua vontade. Por conseguinte, Jesus sabe que Deus lhe responderá a oração. Também é expressivo que Jesus comece a oração com uma ação de graças ao Pai, em antecedência da resposta.

Jesus gritou em alta voz para Lázaro sair. A voz alta é o comando autorizado de Deus para o morto ressuscitar (cf. 1 Ts 4.16, concernente ao grande dia da ressurreição). Sobre João 11, devemos notar que não temos uma ressurreição como tal, mas, antes, uma ressuscitação (ainda que a mesma palavra grega seja usada para ambos os conceitos). Um crente ressuscitado adquire um corpo novo, para nunca mais morrer. Jesus é o primeiro a ter sido ressuscitado — Ele é "as primícias" (os primeiros frutos, 1 Co 15.20), mas Lázaro foi simplesmente trazido de volta à vida — de fato, um grande milagre, mas não uma ressurreição, pois ele morrerá de novo. Note que Lázaro ainda tem as mortalhas, inclusive o envoltório na cabeça, quando sai da caverna. Quando Jesus saiu do sepulcro, suas mortalhas estavam intactas (Jo 20.5-7).

Note também que Lázaro sai porque ele tem vida, não para receber vida. Lázaro estava morto — ele não podia fazer nada. Esta seqüência é importante para entendermos na salvação a relação que há entre a fé e a atividade de Deus. Obedecemos a Deus não para receber vida, mas porque temos vida. A obediência flui da vida que Jesus traz. As pessoas tiveram de tirar as mortalhas de Lázaro para libertá-lo (v. 44b).

2.4.3.11.4. A Trama para Matar Jesus (11.45-54). Os líderes judeus concentram-se num conluio para tirar Jesus. De forma típica, a multidão se divide: Um grupo crê em Jesus, outro leva notícias aos líderes, seus oponentes. Quando ficam sabendo deste último incidente, eles convocam uma reunião do Sinédrio — o grande conselho em Jerusalém que decidia assuntos pertinentes à pena de morte.

Entre os líderes do Sinédrio estão os fariseus. Jesus era como os fariseus em alguns aspectos. Ele não só cria, mas praticava o que eles criam — a ressurreição. Ele apoiou a Escritura e ensinos que advêm desse tema. Tanto Ele quanto eles eram líderes de esforços de renovação, embora os métodos de renovação fossem diferentes. Jesus veio salvar os pecadores, isto é, todo o mundo, pelo novo nascimento espiritual. Os fariseus buscavam uma renovação dos judeus pela Torá, incluindo oração, jejum, misericórdia e fidelidade a Deus.

Nesta reunião do Sinédrio, as autoridades observam como Jesus está ameaçando suas tradições e autoridade. Eles dizem entre si: "Este homem faz muitos sinais. Se o deixamos assim, todos crerão nele, e virão os romanos e tirar-nos-ão o nosso lugar e a nação" (vv. 47b,48). Caifás, o sumo sacerdote, profetiza que Jesus terá de morrer pela nação. João nota que a morte de Jesus realmente restaurará a nação e o povo espalhado entre as nações — Jesus cumprirá as profecias do Antigo Testamento, que dizem que Deus trará os dispersos de Israel, seu método de salvação (cf. Ez 34; veja comentários sobre Jo 10).

A profecia de Caifás não é o modo profético normal. Antes, João vê nisso um pouco de ironia, que Deus na verdade tomará o que o povo pretende que cause dano e o virará para a sua glória, uma ênfase em sua soberania e providência (vv. 51,52). Será a realização de Deus.

Considerando que o Sinédrio está planejando matar Jesus, Ele já não anda publicamente entre esses "judeus". Ele fica com os discípulos na aldeia de Efraim, no deserto. Os estudiosos não estão certos onde está localizada esta Efraim. Com certeza está em algum lugar ao norte, talvez a leste, de Jerusalém, mas não muito longe. Logo Jesus voltará à cidade para a sua hora.

2.4.3.11.5. Ordens para Prender Jesus (11.55-57). Este curto parágrafo move o leitor para o momento culminante, quando Jesus se afasta do mundo para se concentrar nos discípulos e consumar sua obra. Por uma última vez, Ele se aproxima da Festa judaica da Páscoa, pois está perto. Durante esta época, muitos peregrinos (v. 55) de áreas circunvizinhas viajavam a Jerusalém para guardar a festa. Este parágrafo concentra-se na expectativa desse povo e no desejo crescente e no plano dos líderes prenderem Jesus. Os tempos verbais no versículo 56 enfatizam o fato de as pessoas continuarem buscando Jesus e discutindo entre si, enquanto estão na área do templo, sobre a questão de seu comparecimento à festa ou não. Por outro lado (v. 57), os líderes judeus espalham "ordens" urgentes para informá-los do paradeiro de Jesus para que eles o prendam.

2.4.3.12. O Aparecimento do Rei (12.1-50). Este é o último capítulo so-

João descreve que o túmulo de Lázaro, em Betânia, "era uma caverna e tinha uma pedra posta sobre ela". A história da ressurreição de Lázaro, fato consumado por Jesus, só ocorre no Evangelho de João.

bre a manifestação da luz. A Páscoa está próxima, e Jesus permanece perto de Jerusalém, pois a sua hora está a ponto de chegar. O capítulo 12 enfoca a preparação de Jesus para sua morte futura, que em João também é uma unção para sua entronização. Este capítulo também acrescenta informação progressiva sobre sua identidade, uma indagação desde o começo do Evangelho.

Para demonstrar que Ele é o Messias Rei, antecipado desde os tempos antigos mas diferente, Jesus trilha o caminho de uma cerimônia de entronização quando entra em Jerusalém. A cerimônia de entronização comemorava a assunção inaugural do rei ao seu direito e poder de reinar. Dois elementos se destacam: a unção e o assentamento no trono. Esta entronização tem raízes no Antigo Testamento (veja, e.g., 1 Rs 1.33-49; 2 Rs 11.1-20). Jesus em breve reinará do seu trono de poder — a cruz. Logo Ele se tornará o Messias Rei. O leitor também entende nesta seção a razão de algumas pessoas no judaísmo, sobretudo os líderes judeus, rejeitarem o Filho de Deus.

2.4.3.12.1. A Unção de Jesus (12.1-8). Os versículos 1 a 8 fornecem alguns dos detalhes implícitos da unção de Jesus para sua monarquia. O cenário é a casa de Lázaro, em Betânia. Como em João 1.28 e João 11.1, João acrescenta informação para especificar de qual Betânia se tratava. Marta, Maria e Lázaro fazem um jantar, provavelmente em honra do que Jesus há pouco lhes fizera. Lázaro obsequia como anfitrião, quer dizer, ele come com os outros (v. 2b), enquanto que suas irmãs desempenham o papel das mulheres (que normalmente não comiam com os homens). Marta serve (v. 2a) e Maria unge Jesus (v. 3).

O fato de Jesus ser ungido é significativo. Os textos do Antigo Testamento aludem à unção de reis como também à unção do Messias. (Nas tradições judaicas ulteriores, provavelmente em resposta ao cristianismo, os rabinos deixavam de lado a discussão sobre a unção quando falavam sobre o Messias.) O óleo era usado para unção em certos casos, geralmente quando a identidade do rei era duvidosa e seu direito ao trono precisava de confirmação. Também no Antigo Testamento, o óleo era usado quando a monarquia mudava em algum aspecto.

Esta unção em João 12 não é apenas para a morte de Jesus, ainda que a morte esteja no centro de sua obra. Em João, os pés de Jesus são ungidos em vez da cabeça. Era incomum ungir os pés, sobretudo durante uma refeição, e certamente era impróprio uma mulher ungir os pés. Nos tempos do Antigo Testamento, a cabeça era ungida para um ofício, seja reinado ou sacerdócio. Os pés eram ungidos na morte. Mas nisto está o reinado único de Jesus. Ele vencerá o pecado e a morte, e reinará sobre o seu povo por sua ressurreição. Sua cruz será o seu trono.

João ressalta este fato observando que Jesus revelará sua glória (veja Jo 11.40; cf. Jo 12.27-36,41). "Glória" (*doxa*) descreve a aura que envolve um trono real, indicando seu valor, poder, autoridade e honra. Seu trono é mais que um assento no qual Ele descansa. Envolve sua corte, a mobília, os assistentes e todos os símbolos relacionados que denotam sua glória. No Antigo Testamento, a glória está associada com a presença de Deus. A glória e reinado de Jesus contrastam nitidamente com a do mundo. Através de sua morte e ressurreição Ele conquista o poder do pecado e da morte. Isso é tudo o que significa João 12.27-36. Ele julgará o mundo e sobretudo seu príncipe (Jo 12.31), quer dizer, Ele expulsará Satanás do céu. Ele regerá sobre tudo como o Messias Rei. Note João 12.13, onde João cita Jesus como "o Rei de Israel" (cf. Jo 1.49).

Muitos estudiosos acreditam que o capítulo 12 indica a inauguração da entronização de Jesus. De acordo com o padrão para uma cerimônia de entronização, um jantar tinha de ser dado a certa distância de Jerusalém. A localização de Betânia serve bem para este propósito. O rei era ungido, como Jesus o é aqui. Então, entrava em Jerusalém como rei (cf. Jesus nos vv. 12-19, esp. os vv. 13-15). Finalmente, o dia da unção tinha de ser um dia comum. João observa que este dia está a "seis dias antes da Páscoa" (Jo 12.1) — ou seja, não é um dia especial.

A substância da unção usada aqui é certamente para a unção de um rei — é "nardo puro" (v. 3), muito caro e extraordinário, e seu aroma enche a casa inteira. Esta cena revela grande respeito por Jesus. Maria unge os pés de Jesus, em preparação ao enterro de um futuro cadáver. Este ato significa o que deve ser a entronização de Jesus: Ele será levantado na cruz. O fato de Maria derramar óleo sobre os pés de Jesus, soltar os cabelos e enxugar-lhe os pés com eles também é incomum. Esta característica parece ser uma parte da tradição do Evangelho e reflete a gratidão extrema de uma prostituta perdoada, que veio sem ser convidada para um jantar onde Jesus comia como convidado de certo fariseu (Lc 7.36-38). Também é incomum que uma mulher faça a unção de Jesus como rei. Isto tem paralelos com a mulher samaritana em João 4. Por causa de Jesus, ela, mulher samaritana e prostituta (veja comentários sobre Jo 4), pôde fazer parte do novo templo.

Os elementos da história são paralelos toscos de Mateus 26.6-13 e Marcos 14.3-9 (se bem que há diferenças importantes). Jesus começa a divulgar informação sobre sua morte vindoura, o que gera uma agitação na atividade de unção relacionada com sua crucificação. Mateus e Marcos registram que Jesus ensinou sobre sua morte. Mas João é exclusivo em chamar a atenção a Jesus como o Rei escatológico e especial, cuja cruz torna-se seu trono. Sua unção para rei vem antes de sua entrada na cidade e seu levantamento na cruz. Já na unção, sua morte é estabelecida.

Judas desempenha papel importante no relato de João. Só aqui ficamos sabendo que ele é o tesoureiro (v. 6) e que tira dinheiro da tesouraria. As pessoas de mais confiança de um grupo são as incumbidas de lidar com dinheiro. Assim Judas age de modo particularmente escandaloso. João explica que este é o motivo de ele reagir negativamente à unção de Jesus. Por não vender o nardo caro e "ficar" com parte do dinheiro, seu "salário" foi grandemente diminuído. Jesus, por outro lado, diz claramente que Maria fez isto para o sepultamento do Senhor (v. 7).

Jesus continua: "Porque os pobres, sempre os tendes convosco, mas a mim nem sempre me tendes" (v. 8). Jesus não está depreciando os pobres. Seguindo sua cultura, Ele nota que cuidar dos mortos tem precedência sobre certas responsabilidades sociais. Ao mesmo tempo, pode ser que Ele tenha em mente o texto de Deuteronômio 15.11: "Pois nunca cessará o pobre do meio da terra". Ele também chama a atenção à importância de segui-lo e honrá-lo, bem adequado para o Messias Rei deles, algo que Judas não está disposto a fazer.

2.4.3.12.2. A Trama para Matar Lázaro (12.9-11). Os líderes judeus que planejam executar Jesus, agora também buscam a morte de Lázaro. A razão para isto é que muitos judeus estão seguindo Jesus por causa da ressurreição de Lázaro. Com efeito, é como se Israel tivesse um novo líder. Os líderes judeus achavam melhor destruir toda a oposição antes que eles assumissem o comando.

2.4.3.12.3. A Entrada Triunfal (12.12-19). Jesus tornou-se figura popular denotadamente messiânica. Logo, o povo saberá que Ele não se ajusta ao que tradicional e popularmente se espera do Messias. Nos versículos 23 a 26, Ele anunciará a chegada de sua hora — *o Messias* terá de morrer pelos pecados de Israel.

É uma "grande multidão" (v. 12) que no dia seguinte fica sabendo que Jesus está vindo, então ela sai para encontrar-se com Ele enquanto Ele está entrando em Jerusalém. Não está claro se essas pessoas o encontram antes ou depois de Ele conseguir o jumentinho. A narrativa (esp. no v. 14) sugere que Jesus arranja o jumentinho depois de ver o povo. De qualquer modo, essa gente lhe corresponde levando ramos de palmeiras e gritando partes do Salmo 118.25,26: "Hosana! [que significa, lit.: "Salva-nos!"] Bendito o Rei de Israel que vem em nome do Senhor!"

A sentença a seguir não é encontrada no Antigo Testamento: "Bendito o Rei de Israel!" Quando Jesus estava na cruz (Mt 27.4; Mc 15.32), seus inimigos zombam dEle chamando-o "o Rei de Israel". Em João 1.49, Natanael confessa que Ele é "o Filho de Deus, [....] o Rei de Israel". Esta sentença é importante, pois dá uma interpretação clara e aplicação segura do Salmo 118, tanto em termos do que o povo pensa sobre Jesus quanto do que realmente é afirmado em João 12.15: "Eis que o teu Rei vem". Esta declaração é uma recitação condensada de Zacarias 9.9, que focaliza a chegada do Rei, sua segurança e sua natureza. Em vez de estar montado num cavalo de guerra como o vencedor de uma guerra, Jesus entra montado num jumentinho — animal que significa paz. O Rei Jesus traz a paz (*shalom*) para Israel. Não é preciso ter medo, "ó filha de Sião" (Jo 12.15). Esta parábola segue e apóia a interpretação dada à unção nos versículos 1 a 8.

A Festa dos Tabernáculos e a da Páscoa continham em sua liturgia características sobre o Messias. Por exemplo, usavam-se ramos de palmeiras (que estavam relacionados com o grito de "hosana") e durante a Páscoa o coro do templo cantava os Salmos 113 a 118. O Novo Testamento nunca cita o Salmo 118.25,26 durante a Páscoa ou imediatamente depois. Sempre está num contexto da entrada de Jesus em Jerusalém, referindo-se à sua monarquia pretendida (e.g., Mt 21.9; 23.39; Mc 11.9,10; Lc 13.35; 19.38; Jo 12.13). Quando o coro chegava no Salmos 118.25, cada pessoa sacudia um ramo de palmeira e gritava "hosana" três vezes. Um midrash do Salmo 118 aplicava a expressão "Bendito aquele que..." ao Messias. Aqui estes ramos são espalhados na frente de Jesus para anunciar sua chegada, enquanto cantam sua saudação.

Nos versículos 16 a 19, João acrescenta *insight* pessoal como também resume o conteúdo dos versículos 12 a 15. Ele comenta (v. 16) que os discípulos de Jesus não entendem o significado do que foi feito, porém mais tarde, depois da ressurreição e ascensão de Jesus, eles entendem (veja também Jo 2.22). O entendimento das Escrituras vem depois da ressurreição de Jesus, quer dizer, a revelação só vem depois que a pessoa nasce de novo. É melhor pensar que este entendimento é um ato de revelação do que supor que é um ato de iluminação. No novo nascimento, Deus provê um espírito que pode se comunicar com Ele, o que inclui o entendimento das Escrituras.

Nos versículos 17 e 18, João explica as ações do povo. Aqueles que estavam com Jesus quando Ele ressuscitou Lázaro espalharam as notícias sobre o acontecido. Como resultado disso, muitos saem para ver Jesus. Isto inquieta os fariseus ainda mais (v. 19).

2.4.3.12.4. A Chegada da Hora de Jesus (12.20-26). O tema dos versículos 20 a 26 é o reconhecimento de Jesus de que sua hora chegara (v. 23). Esta chegada relaciona-se com a vinda de "alguns gregos" (v. 20), isto é, gentios. Uma referência aos "gregos" ocorreu anteriormente nos lábios dos líderes judeus, quando eles imaginaram que Jesus estivesse prestes a ir entre os gregos na Dispersão (Jo 7.35). Os gregos mencionados aqui têm uma ligação com o judaísmo, quer como prosélitos ou simplesmente como indivíduos tementes a Deus (pessoas simpáticas aos ensinos judaicos, mas pouco dispostas a se circuncidarem). Eles vão a Jerusalém como peregrinos para a Festa da Páscoa. Pode ser que esses gentios tenham vindo de Betsaida, na Galiléia, a mesma cidade de Filipe, Pedro e André (veja Jo 1.43-46), pois parece que eles conhecem Filipe e o procuram em Jerusalém (Jo 12.21). Em Betsaida, talvez Filipe e André tivessem se ocupado em testemunhar de Jesus como o Messias.

O capítulo 2 liga-se a este parágrafo pelos temas do novo templo (também conhecido como Sião e Jerusalém), o clímax da era antiga e o ajuntamento do povo de Deus, sobretudo a chegada dos gentios a Jerusalém. Vários textos das Escrituras iniciam estas idéias. Exemplifiquemos alguns dos textos do Antigo Testamento. Isaías 45.20,22 e 55.5 contam acerca da chamada de Deus às nações. As nações esperam sua oferta de salvação em esperança (Is 55.5). Zacarias 2.10-13 diz:

> "Exulta e alegra-te, ó filha de Sião, porque eis que venho e habitarei no meio de ti, diz o SENHOR. E, naquele dia, muitas nações se ajuntarão ao SENHOR e serão o meu povo; e habitarei no meio de ti, e saberás que o SENHOR dos Exércitos me enviou a ti. Então, o SENHOR possuirá a Judá como sua porção na terra santa e ainda escolherá a Jerusalém. Cale-se, toda a carne, diante do SENHOR, porque ele despertou na sua santa morada".

Isaías 2.2 observa que o monte do templo do Senhor será elevado acima de todos os outros montes, e que todas as nações afluirão a ele. Isaías 40.5, falando de temas semelhantes, acrescenta: "E a glória do SENHOR se manifestará, e toda carne juntamente verá que foi a boca do SENHOR que disse isso". Esta última Escritura é importante porque conecta o parágrafo seguinte com sua referência à glória do Senhor (João 12.28).

Não é coincidência encontramos uma conexão aqui com o capítulo 2. O capítulo 12 conclui a primeira parte principal do Evangelho. Assim este capítulo culminante retorna ao tema da substituição do templo e emoldura nitidamente o assunto como tema importante em João.

Esta informação nos ajuda a entender a resposta de Jesus aparentemente abrupta no versículo 23. Como em João 1.43-46, Filipe acha outra pessoa para perguntar sobre Jesus (aqui é André); ambos vão a Jesus e lhe falam sobre os gregos. Em sua resposta aos discípulos, Jesus os informa que o tempo de salvação chegou para todos (cf. o v. 32). Repercutindo o significado de João 2.16-22, o zelo pela casa do Pai o consumiu — agora Ele a transforma numa casa por todas as nações. Usando uma declaração iniciada por "*amen, amen*", desta feita na forma de parábola, Jesus ilustra a obra de sua vida com a simples semente que é plantada e morre no solo. Desta morte simples surge vida nova, e muitos mais grãos. Assim é com a morte de Jesus.

Os versículos 25 e 26 revelam o significado último de tudo isso — discipulado. Palavras de discipulado abundam aqui: os verbos "servir", "seguir", a palavra "servo". Todo aquele que for seguir Jesus tem de crer nEle, em sua morte expiatória e na ressurreição, e imitá-lo para receber a vida eterna. Os gregos chegam, querendo *ver* Jesus. Mas eles têm de crer e segui-lo para serem parte do novo templo. Quando eles dizem que querem "ver" Jesus, há sugestão de "*ver* o Reino" em João 3.3. Portanto, não se trata de apenas adotar um estilo de vida e seguir alguém por aí. Antes, nascer de novo é sugerido de João 3.3-5 e transportado para João 12.25.

Elementos presentes e futuros falam de uma vida de fidelidade neste mundo e suas recompensas no vindouro. Por exemplo, o tempo presente dos verbos "amar", "aborrecer", "servir" (duas vezes no v. 26) e

Para a entrada triunfal em Jerusalém, Jesus montou um jumentinho para cumprir a profecia de Zacarias 9.9: "Eis que o teu rei virá [...] montado [...] sobre um asninho, filho de jumenta".

"seguir" junto com o termo "neste mundo" no versículo 25, estabelece a necessidade de discipulado e sua relação com a constância da fé. O tempo futuro dos verbos "estar" e "honrar", no versículo 26, visa a ressurreição e a obra adicional do Pai, a recompensa da honra pela pessoa ter renunciado a vida e servido Jesus.

2.4.3.12.5. A Voz Celestial (12.27-36). Os movimentos narrativos passam a concentrar-se na "glorificação" do Filho do Homem, o tema deste parágrafo. Servindo como ponte aos versículos 37 a 43, traz à tona a incredulidade no coração de uns e o potencial de crença para todos.

O versículo 27 expressa o estado de ser de Jesus. Aqui sua humanidade brota — sua alma (*psyche* ["coração", NVI]) "está perturbada". É tempo extremamente problemático e amedrontador, e Ele reage com emoção profunda. Sua luta, embora emoldurada por uma pergunta retórica, cuja resposta Ele não pode evitar, confirma sua missão. Ele veio precisamente para este momento — há muito em jogo agora — para salvar o mundo e, o que é mais importante, glorificar o nome do Pai (v. 28a). Com isso, o Pai fala do céu: "Já o tenho glorificado e outra vez o glorificarei".

O versículo 29 apresenta algumas das reações dos espectadores a esta voz. Alguns dizem que trovejou; outros, que um anjo falou. Logo ficaremos sabendo que a voz não era por causa de Jesus; antes, era para essas pessoas (v. 30). A implicação disto ficará evidente depois. A platéia diferente e indistinta a identifica como incrédula. Sua incapacidade de conhecer a voz do Pai manifesta sua condição empedernida e impenitente. O Pai afirmou há pouco a chegada da hora do Filho, e essas pessoas não lhe reconhecem a voz; elas não nasceram de novo e não podem entender sua revelação.

Os versículos 31 e 32 concluem a resposta de Jesus à incapacidade dos incrédulos entenderem. O versículo 31 comenta o *status* deles: A resposta que dão confirma que eles estão no estado de julgamento como integrantes deste mundo. Ao mesmo tempo, seu príncipe, o Diabo (i.e., "o príncipe deste mundo"), também foi julgado e expulso do céu (veja Ap 12.9). "Agora" refere-se à hora do levantamento de Jesus na cruz, e indica que a hora chegou. O versículo 32 fala sobre a glorificação do versículo 28 e seus resultados: Jesus será levanteudo e, conseqüentemente, atrairá todos a si mesmo.

A expressão "for levantado" sugere várias coisas. Implica que esse será o momento em que Jesus assumirá seu reinado, ou seja, quando Ele for entronizado (o tema de Jo 12). A expressão também se refere, de maneira sutil, ao processo inteiro — desde seu sofrimento, morte na cruz, ressurreição até sua ascensão. "Da terra" indica particularmente este tema. "Todos atrairei a mim" diz respeito à sua obra de salvação aplicada a todas as pessoas do mundo. Esta sentença relaciona-se particularmente com a inferência da busca dos gregos por Jesus nos versículos 20 a 26.

O versículo 32 contém linguagem que é de natureza abstrata e indica vários significados. Pode ser mal-entendida se não for explicada, por isso o autor adiciona o versículo 33. Esta explicação concentra-se no expediente da morte, não em sua realidade: Ele será crucificado numa cruz. Este versículo também serve para outro propósito importante — prepara a resposta da multidão no versículo seguinte. Eles considerarão a referência que Jesus fez de "ser levantado" com o sentido de "ser morto".

A multidão responde os comentários de Jesus no versículo 34 e manifesta outra vez seu *status* de incredulidade. Eles dizem: "Nós temos ouvido da lei que o Cristo permanece para sempre", dando a entender que o conhecimento que têm da lei veio pela leitura oral da Escritura. Normalmente "lei" alude aos cinco livros da Bíblia chamados Pentateuco. Mas aqui refere-se a todas as Escrituras, pois referências messiânicas claras ocorrem nos Salmos e nos Profetas, como também no Pentateuco (Lc 24.44). A idéia de que o Messias permanecerá para sempre ocorre em textos como Salmos 89.4,36; 110.4; Isaías 9.7; Daniel 7.14. Não está claro se esta multidão judia cria no Messias eterno desta maneira ou se ela tinha ouvido sobre Jesus anteriormente.

O Salmo 110 era particularmente entendido como messiânico pelos cristãos. Por exemplo, o escritor do Livro de Hebreus o usou como texto principal para ensinar que Jesus é eterno. Outros textos referem-se à linha messiânica, a linhagem de Davi, em vez de uma pessoa. O Novo Testamento usa-o de ambos os modos, que Jesus é da linhagem de Davi e que a promessa de um rei termina em Jesus. Não haverá necessidade de sucessor de Jesus. Esta multidão entende que este "levantamento" terminará com a "carreira" de Jesus. Eles vêem uma contradição entre o Messias eterno e a morte de Jesus. Com certeza isto era uma grande pedra de tropeço à mensagem cristã entre os judeus.

A multidão não vê duas coisas: O fato de que a expiação é necessária e que Deus ressuscitará Jesus. A resposta que dão (v. 34b) termina numa pergunta que enfoca a identidade de Jesus: "Quem é esse Filho do Homem?" Esta pergunta serve como parêntese com João 1.19-28, onde os líderes de Jerusalém buscam a identidade do Messias. Lá, João Batista e os primeiros discípulos identificam que Jesus é o Messias. Jesus identifica-se especificamente no final do capítulo 1 na resposta que dá a Natanael: "o Filho do Homem" (Jo 1.51).

Esta pergunta (v. 34) expõe a resposta de Jesus nos versículos 35 e 36, onde Ele encoraja as pessoas a crerem nEle como a luz, visto que Ele ainda estará com elas por um pouco de tempo. Os versículos fazem eco de João 1.5 e 8.12. A "luz" é identificada com a "vida", as "trevas", com a "morte". O verbo "andar" é semítico, alude a "viver" e está cercado com o significado discipular de "seguir". Outra expressão semítica ocorre no v. 36a: "filhos da luz". No contexto adquire o significado variado de "ser feito filhos de Deus" (i.e., "ser como Deus"), "ter vida" ou "ser santo ou justo".

O versículo 36b conclui esta parte da discussão e marca uma transição para o próximo parágrafo. "Essas coisas disse Jesus; e, retirando-se, escondeu-se deles". Isto é similar ao tema "ocultou-se" de João 7.4,10 e 8.59, onde Ele se esconde de certas pessoas.

2.4.3.12.6. A Explicação de Isaías acerca da Cegueira do Povo (12.37-43). Estes versículos formam uma pausa, onde João faz um comentário sobre o ponto em que o povo e Jesus chegaram. Apesar do fato de Jesus ter estado com eles por algum tempo e dado oportunidade para crerem nEle, eles recusam consistentemente. O versículo 37 conclui: "E, ainda que tivesse feito tantos sinais diante deles, não criam nele". "Sinais diante deles" refere-se a todo o ministério de Jesus até este ponto e incluem os milagres e o ensino. O Evangelho está organizado ao redor de sinais e a explicação que Jesus dá sobre eles. Estas duas coisas não podem ser separadas. A frase: "Não criam nele" indica a dureza dos corações.

João elucida e sublinha o tema da dureza de coração, citando um texto do Antigo Testamento. A condição desses sujeitos cumprem a profecia de Isaías 53.1 (v. 38). O versículo 39 e a referência subseqüente nos versículos 40 e 41 a Isaías 6.10 soam como se Deus os tivesse cegado para não os curar. Tal não é o caso. Considere o contexto do tema. João fez referência coerente à incredulidade dos corações desses indivíduos (e.g., os vv. 27-36). Sua condição é refletida no fato de eles não entenderem a revelação de Deus quando ela se dá, embora fosse para eles (v. 30). Outrossim, os versículos 35 e 36 mostram que eles tiveram e ainda tinham a oportunidade de crer. Estes versículos causam impacto particularmente nos leitores à medida que avançam no tema do endurecimento do coração. As profecias de Isaías fornecem a orientação para o leitor entender o fato de eles rejeitarem Jesus: Eles têm olhos cegos, corações duros e estão doentes.

Em contraste com a recusa de esses sujeitos verem a revelação de Deus (chamada sua "glória", no v. 41), Isaías não a viu e, não obstante, falou dela. Note o versículo 42, que declara que muitos dos principais creram em Jesus, mas não confessam esta crença publicamente porque não querem que os fariseus os expulsem da sinagoga. Este versículo pode esclarecer quem são os crentes secretos no Evangelho de João.

Também pode refletir o tempo de escrita quando os líderes expulsavam da sinagoga os adoradores que criam em Jesus. Este versículo falaria especialmente a tais crentes e os encorajaria nesses tempos difíceis.

A razão de os fariseus rejeitarem Jesus e expulsarem seus seguidores judeus é expressa no último versículo deste parágrafo (v. 43): "Porque amavam mais a glória dos homens do que a glória de Deus". A palavra "glória" é a palavra grega *doxa* (às vezes traduzida por "honra"). O autor faz um trocadilho com esta palavra no versículo 43. A primeira *doxa* refere-se ao orgulho do pecado egocêntrico, a exaltação de si mesmo acima de Deus. A segunda *doxa* reflete o significado do versículo 41, onde alude à revelação de Deus em Jesus. Que preferência trágica!

2.4.3.12.7. O Clamor de Jesus (12.44-50). Este parágrafo finaliza esta divisão do Evangelho de João. Temas que apareceram anteriormente ocorrem de novo para resumir a narrativa. A solenidade da ocasião é denotada pelo fato de, no versículo 44, Jesus clamar. Em João 7.28,38, durante a Festa dos Tabernáculos, Ele "clamou" de modo semelhante, expressando temas semelhantes. Em João 7.28, Ele identificou-se a si mesmo com o Pai e o seu ensino com o do Pai. Em João 7.38, Jesus clamou a respeito da vinda do Espírito e do dom da vida eterna, tema também presente neste parágrafo, agora ligado com "mandamento". A "crença" ocorre igualmente no contexto de João 7.38 e 12.44. Mas estes temas também eram parte dos versículos anteriores do Evangelho.

Outros temas significativos aparecem aqui. Vamos alistá-los.
1) Crer em Jesus também é crer no Pai.
2) Ver Jesus é ver o Pai.
3) Jesus, como a luz do mundo, veio para tirar das trevas os condenados.
4) Se as pessoas não crêem em Jesus, elas permanecem debaixo de condenação.
5) Jesus veio para salvar o mundo, não para condená-lo.
6) A palavra de Jesus julgará os incrédulos no último Dia.
7) Jesus fala as palavras do Pai.
8) O mandamento do Pai é a vida eterna.

3. A Manifestação da Luz entre os seus (13.1—20.31).

Esta seção contém o relato da Última Ceia e grandes blocos de ensino circundantes (Jo 13—16): A oração sumo sacerdotal de Jesus (Jo 17), sua traição e prisão (18.1-11), julgamento (18.12—19.16), crucificação (19.17-37), sepultamento (19.38-42) e ressurreição (Jo 20). Com o capítulo 13, Jesus deixa de se manifestar ao mundo para dedicar atenção exclusiva aos discípulos.

3.1. O Jantar com os Discípulos e o Lava-pés (13.1-38)

O capítulo 13 contém a cenário para lidar com dois discípulos específicos e com os extensos discursos que se seguem (Jo 14—17). Esta parte da narrativa concentra-se nos últimos dias de vida de Jesus na terra. Ele morrerá durante a época da oferta dos cordeiros pascais no templo, de tarde, antes da refeição da noite, que é a Páscoa. Ele será o Cordeiro pascal que João anunciou no capítulo 1.

3.1.1. Um Padrão para Seguir (13.1-17). A seção começa com uma expressão enfática sobre o cenário do tempo: "Antes da festa da Páscoa" (cf. Jo 12.1). A expressão grega usada aqui distancia esta festa do tempo durante o qual Jesus e os discípulos comem juntos e têm momentos de companheirismo. Jesus sabe que "já era chegada a sua hora de passar deste mundo para o Pai". Como mencionado antes, a expressão inclui sua morte, ressurreição e ascensão. Antes de partir, Ele quer expressar aos discípulos "a plena extensão do seu amor". Nesta cena do lava-pés, vemos o ato de amor em antecipação ao seu sofrimento na cruz por eles. Trata-se de um ato extremamente humilde de amor que se dá. A expressão deste amor também requer humildade mediante a modelagem e a manipulação da traição.

Lidar com a traição surge cedo no texto. No grego, os versículos 2 a 4 formam uma oração gramatical. A idéia principal, que Jesus se levanta do jantar para lavar os pés dos discípulos, é estabelecida no contexto da traição. Comer com alguém era coisa significativa naquela cultura; ser anfitrião denotava proteger todos os que vinham, e os convidados corresponderiam de acordo. Era extremamente vergonhoso tratar um anfitrião da maneira que Judas fará. Contudo, Jesus manifesta grande amor por todos eles, mesmo sabendo o que acontecerá.

Anteriormente, em João 6.70, Jesus sabia que os discípulos tinham um Diabo entre eles (lit., "um de vós é um diabo"). Mas Ele está no controle aqui, pois o Pai lhe deu autoridade sobre tudo, até sobre sua entrada e saída do mundo, e o que acontece entre esses marcos. Este capítulo inteiro deve ser lido levando-se em conta este grande amor de Jesus pelos seus e o fato de que vários de seus associados íntimos vão traí-lo.

Tal ação horrível, como a traição, não é feita por um ser humano sozinho. Foi o Diabo que colocou a idéia no coração de Judas, e que o uniu com os líderes religiosos (Jo 8.44), os quais desde o princípio eram assassinos. Agora, no capítulo 13, o Diabo os reúne para realizar a ação horrível. O pecado não é apenas individual e pessoal; pode ser religioso, e certamente é social. Mas juntar essa gente para matar Jesus é a própria ruína do Diabo. Até ele trabalha o plano de Deus. O quanto Deus é sábio ao tomar algo mal e torná-lo em grande bem! Deste modo, o princípio na história de José do Egito aparece novamente, para mostrar a glória e controle de Deus na história da redenção. Note que em 1 João 3.8, João escreve que Jesus veio para desfazer as obras do Diabo.

Os versículos 2 e 4 contêm uma referência um tanto quanto geral a comida: "ceia" (*deipnon*). Esta referência causa alguns problemas entre os intérpretes. Um *deipnon* refere-se a um banquete ou refeição regular, especialmente o jantar. Assim João evita a palavra para a refeição da Páscoa, a qual os Evangelhos Sinóticos têm (cf. Mt 26.2,14-29; Mc 14.1,12-25; Lc 22.1-15). Os estudiosos dão várias explicações. João usava um calendário diferente, como o usado na comunidade de Qumran. Ou talvez um sistema foi inventado para estender em um dia o Dia da Preparação da Páscoa, tornando-o dois em vez de um; isto permitiria que os que morassem longe da terra de Israel tivessem tempo para observar a Páscoa adequadamente, visto que as comunicações não eram tão precisas quanto o são hoje em dia.

Qualquer que seja a explicação, uma coisa deve observada: Jesus é o Cordeiro Pascal de Deus, e Ele foi morto na cruz, no mesmo período em que os cordeiros eram sacrificados. Considerando que os cordeiros eram comidos depois à noite, Jesus não poderia ter comido a Páscoa com os discípulos — Ele já estaria no túmulo. Ele cumpriu o que João Batista dissera anteriormente em João 1.29: "Eis o Cordeiro de Deus, que tira o pecado do mundo". João substitui a "refeição da noite" pela "refeição pascal".

É a ênfase no lava-pés que também está no cenário da Páscoa que faz alguns sugerirem que o lava-pés assume o mesmo caráter da Ceia do Senhor. Neste caso, o lava-pés é mais que uma demonstração de humildade em servir — é sacramental. Jesus fornece orientações para isto nos versículos 12 a 20.

Os versículos 1 a 3 armam a cena para a dramática ação restante. No versículo 4, Jesus se levanta da mesa da refeição. Ele estava reclinado na cabeceira da mesa, visto que é desta forma que as pessoas se posicionavam para comer. Cada pessoa se reclinava num cotovelo estendendo os pés ao longo da mesa, enquanto comia com a outra mão.

Não está claro a ordem dos eventos durante a refeição. Era comum haver a lavagem imediatamente antes da refeição. Um discípulo, e não um escravo, teria feito o trabalho, visto que Jesus está só com seus seguidores. Mas parece que eles já tinham se sentado para a refeição. De qualquer modo, temos de considerar o lava-pés como parte importante da refeição inteira. Jesus toma a iniciativa. Ele se levanta, tira a roupa exterior e envolve uma toalha de linho na cintura. A palavra "tirou" é tradução da mesma palavra grega que aparece em João 10.11, onde Jesus "dá" sua vida pelas ovelhas. O leitor não deve perder o significado da conexão entre estes atos. No versículo 5, Jesus põe água numa bacia e começa a lavar os pés dos discípulos. Este ato mostra a atitude de servo de Jesus e antecipa a entrega de sua vida.

Os versículos 6 a 17 enfocam o lava-pés dos discípulos e seu propósito. João não informa a ordem do assento ou a ordem na qual cada par de pés é lavado, exceto no versículo 22. Lá, Pedro não está perto o bastante para ouvir o que Jesus diz. De qualquer modo, devemos entender o que João quis dizer ao apresentar isto como lição, concentrando-se em Pedro.

Os versículos 6 a 10 abrem o diálogo entre Jesus e Pedro. Pedro é quem retratou a ignorância e mal-entendimento da atividade de Jesus. Com sua suposta humildade, ele recusa deixar Jesus lavar-lhe os pés. A resposta de Jesus reconhece a ignorância do apóstolo e chama a atenção para o ensinamento que Ele dará quando terminar de lavar-lhes os pés (vv. 12-17). A recusa insistente de Pedro (v. 8) desperta a atenção para a condição e seriedade do ato. A declaração de Jesus no versículo 10, que diz que a maioria dos discípulos banhou o corpo inteiro, mas precisava que os pés fossem lavados, refere-se ao compromisso de eles serem seus discípulos e à necessidade adicional desta lição sobre o servir. O significado visa a união de atitude entre Jesus e os que querem segui-lo no servir, como está baseado na morte iminente e submissa de Jesus na cruz. Jesus responde no versículo 8b: "Se eu te não lavar, não tens parte comigo".

Devemos mencionar que água usada na lavagem sugere sutilmente a obra do Espírito na santificação. Na interconexão de textos e idéias deste mundo, esta associação ocorreria. É feita no Antigo Testamento e na literatura do judaísmo (veja Craig S. Keener, *The Spirit in the Gospels and Acts: Divine Purity and Power* [O Espírito nos Evangelhos e em Atos: Pureza e Poder Divinos], 1997). No versículo 11, João acrescenta o próprio comentário e explica a cena.

Os versículos 12 a 17 fornecem a razão para o lava-pés. Tendo lavado os pés dos discípulos, vestido a roupa e retomado o lugar à mesa, Jesus pode falar então com nova autoridade. Isto é revelado sobretudo pelo modo como Ele se refere a si mesmo. Ele é corretamente o "Mestre", o "Senhor" deles (vv. 13,14,16). Ele começa fazendo uma pergunta: "Entendeis o que vos tenho feito?" Da parte deles, a resposta é antecipada: "Não, não entendemos". Isto é evidente pela resposta de Jesus.

O versículo 14 explica a motivação de Jesus para o lava-pés: "Ora, se eu [...] vos lavei os pés, vós deveis também lavar os pés uns aos outros". O versículo 15 enfatiza nitidamente o fator "exemplo" envolvido na ação — a atitude servil do discipulado modelado segundo a atitude e comportamento de Jesus. A palavra grega traduzida por "exemplo" é *hypodeigma*; refere-se a mais que mero "exemplo", pois tem um aspecto ético e compulsório. Contudo o indivíduo não é servo de Jesus meramente por dever ou compulsão; antes, a atitude servil emana do amor. O amor motivou Jesus a dar a vida pelo mundo e lavar os pés dos discípulos. Todo serviço deve ser humilde, a despeito de *status*.

Neste aspecto, servo e senhor estão no mesmo nível (v. 16). Jesus põe em ação o padrão do verdadeiro serviço para todos os seus discípulos de todos os tempos. O lava-pés neste contexto aproxima-se em importância de outras ordenanças da Igreja, mas sua expressão específica surge de um contexto cultural de modo diferente das ordenanças. Em outras palavras, na nossa sociedade moderna o lava-pés precisa ser recontextualizado, ou seja, outro serviço precisar ser feito com a mesma atitude. Lavar os pés uns dos outros, ou dar a vida, pode assumir muitas formas.

O significado desta instrução vem à tona de duas maneiras nos versículos 16 e 17.
1) A importância aparece na introdução da declaração iniciada por "*amen, amen*" no versículo 16. Esta frase introdutória chama atenção especial e dá ênfase à declaração.
2) Uma das bem-aventuranças de Jesus ocorre no final desta seção. Isto coloca o serviço

humilde e amoroso debaixo do pálio das instruções de Jesus no Sermão da Montanha (cf. Mt 7.24-27 com esta beatitude final em Jo 13.17). Sábio é quem obedece as instruções de Jesus. A pessoa que "lava os pés dos outros" participará das bênçãos e privilégios do Reino.

3.1.2. O Traidor (13.18-30). Jesus agora concentra-se em Judas, que completará o ato da traição. Esta ação horrível contrasta nitidamente com o que há pouco sucedeu. O Senhor de todos tinha mostrado qual é o verdadeiro caráter lavando os pés dos discípulos. Em breve Judas, recipiente da ação graciosa de Jesus, trairá seu Senhor.

Jesus prossegue em Suas instruções no versículo 18. Quando Ele diz que não está se referindo a todos, Ele ou recapitula o que dissera no versículo 10 ou então deseja especificar aqueles que serão abençoados ao seguirem suas exortações expostas no versículo 17. De qualquer modo, isto proporciona uma transição para o tópico da traição de Judas. Jesus não usa conector nestas primeiras duas sentenças do versículo 18, para enfatizar o que Ele disse neste parágrafo sobre a traição de Judas.

Estas duas orações gramaticais combinam-se. Elas acentuam o fato de Jesus saber de antemão exatamente quem o trairá — o pronome pessoal "eu" na expressão "eu bem sei" é enfático em grego. A "presciência" liga-se com a divindade de Jesus (v. 19) e não meramente ao fato de Ele ser profeta. O mesmo agrupamento de idéias ocorreu anteriormente em João 6.70,71: Presciência, eleição e escolha. Uns consideram que "escolha" e "eleição" são termos sinônimos. Mas, sob exame mais minucioso, eles são distintos. "Escolha" aqui não se refere à salvação ou ao julgamento; antes, concerne à escolha de Jesus dos Doze como apóstolos. Entre os Doze, Jesus sempre sabia que Judas o trairia e que ele tinha um diabo. Esta é a ironia do capítulo 13, que Jesus escolheu um como associado íntimo, até lhe lavou os pés, e depois foi traído por ele enquanto juntos comiam esta refeição especial. Jesus tem conhecimento prévio e está no controle do destino e da história da salvação.

Jesus partilha esta informação com todos os discípulos (esp. o v. 19), de modo que eles continuem crendo nEle quando o momento da traição chegar. Esse tempo será muito vexatório (veja Jo 18). Isto tem o propósito de unificar Ele e os discípulos em vez de separá-los e, assim, fazer com que o plano de Deus seja frustrado. Ademais, este versículo se relaciona com as últimas perseguições dos crentes, quando eles serão chamados para dar a própria vida.

O versículo 20 é difícil de entender, visto que parece tão vagamente relacionado com os versículos adjacentes. "Na verdade, na verdade vos digo [*amen, amen*"] que se alguém receber o que eu enviar, me recebe a mim, e quem me recebe a mim recebe aquele que me enviou". Esta declaração pode estar afirmando de modo positivo o fato que, na traição de Jesus, Judas também está rejeitando Deus. Não há esperança para este homem.

No versículo 18, Jesus usa o Salmos 41.9 para direcionar o significado de suas observações. Esta citação tira a atenção do agrupamento de idéias para o foco do cumprimento da Escritura. Deus é visto tanto como o Senhor da história como o Revelador dos seus planos para as pessoas ao longo das Escrituras. A referência de Jesus a este salmo não está na forma de citação exata. O salmista Davi escreve sobre sua traição pessoal; este salmo recebe explicação cristológica. Jesus destaca a traição do divino Filho de Deus por um amigo íntimo. É o próprio Deus quem está sendo traído. Isto é tornado claro pelo título que Jesus usa sobre si mesmo ao final do versículo 19: "Eu sou". Esta é umas das várias ocorrências deste título no Evangelho e é um título de Deus, baseado em Isaías 40 e alhures, como comentado anteriormente (veja comentários sobre Jo 4.26; 6.19,20).

A nova cena avança em vista do versículo 21. Jesus está perturbado em espírito quando afirma testificando que um dos seus associados o trairá. Mais uma vez, esta afirmação ocorre no final de uma declaração iniciada por *"amen, amen"*. O espírito preocupado de Jesus entra em contraste com o dos versículos 15 a 19. Ficamos sabendo que Ele está, de fato, profundamente comovido em sua humanidade sobre tais situações humanas adversas (cf. também Jo 11.33-35, onde ocorre a mesma palavra).

O anúncio de Jesus de maneira tão direta causa agitação entre os discípulos. Eles ficam olhando uns para os outros, incrédulos que um deles cometa tal ato. Esta cena não é para revelar na frente de todos quem é o culpado, pois isso não é partilhado (veja o v. 28). Foi por causa daqueles que mais tarde precisariam saber a identidade do traidor na cena do jardim do Getsêmani (veja Jo 18). Esta informação vem do discípulo amado, muito provavelmente, João. Pedro se senta do lado oposto a João, longe de Jesus, pois Pedro lhe pede para perguntar a Jesus. Mas Jesus não diz o nome; Ele só remete João ao ato de mergulhar o pão no prato e dá-lo a alguém. Mas o fim do versículo 26 fornece identidade clara, então desconhecida ou pelo menos não partilhada por João.

O contexto da traição — comer juntos com tais associados íntimos — inculca a terribilidade e audácia da traição. Judas estaria sentado em lugar de honra, próximo a Jesus. Além disso, mergulhar o pão e dá-lo a alguém era ato de honra. Que gracioso e irônico! Jesus sabe que Judas o trairá, mas o trata com grande respeito. Talvez tudo isso seja enfatizado pelo fato de que, no momento em que Jesus dá o pão a Judas, Satanás entra nele (v. 27). Isto mostra progressão desde João 13.2, onde Satanás colocou no coração de Judas trair Jesus. Agora Satanás entra em Judas.

O que deve ser notado sobre este episódio é que Satanás tem acesso ao coração de Judas, provavelmente para o tentar. Mas é indubitável que se trata de um tipo especial de tentação — uma que se coloca na posição crítica entre a tomada de decisão humana e pecadora e a vontade divina (morrer pelo povo). Por que esta refeição é o momento no qual Satanás entra no coração de Jesus? Jesus sabe que Judas, com uma fraqueza em sua avidez por dinheiro, está considerando esta ação seriamente. Ele também sabe que se este pecado não for tratado, resultará em ato. Ele tem recursos para observar que Judas não está lidando com isso da forma correta. Agora percebemos a razão de Jesus abordar esse assunto neste cenário. Suas próprias palavras como que "empurram" Judas para ir em frente com o ato, Judas provavelmente pensa: "Visto que Ele sabe, agora posso ir em frente".

Depois que Satanás entra em Judas, Jesus o instrui a fazer a ação depressa. A hora de Jesus chegou — a cruz o espera (veja os vv. 31-38). Mas ninguém entende; eles simplesmente pensam que Judas, como tesoureiro, vai comprar algo para a festa ou dar alguma coisa aos pobres. O versículo 30 conclui com Judas saindo para a noite. "Era já noite" sugere o espírito da hora, sobretudo da traição e da pecaminosidade do gênero humano.

3.1.3. A Auto-Revelação Íntima da Glória de Jesus (13.31-38). O versículo 31 move a narrativa para frente — da hora escura da traição de Judas para a da glória do Filho e do Pai —, avançando para os discursos dos capítulos 14 a 17. O versículo 32, que combina com o versículo 31, concentra várias declarações sobre a glorificação que são difíceis de interpretar. Contribuindo para a dificuldade está o fato de que a primeira sentença no versículo 32 está ausente em alguns manuscritos. Façamos diversas observações.

O título "o Filho do Homem" no versículo 31 só ocorre aqui nos capítulos 13 a 21. Seu uso é semelhante aos outros Evangelhos de duas maneiras.

1) O contexto denota um tempo de sofrimento. Esta refeição é colocada dentro da hora da paixão e sofrimento de Jesus; Ele estava indo em direção à morte.
2) Jesus a usa quando se refere à sua glorificação. Esta hora também inclui glorificação (este é o tema dos vv. 31,32). Note também que o título "o Filho do Homem" é achado em João 12.23 (veja o contexto similar).

Além disso, em João 13.31, "o Filho do Homem" é provavelmente equivalente a "o Filho de Deus".

"Agora" dá início ao discurso de Jesus quando Ele se volta aos discípulos em instrução pessoal, os quais neste momento estão sem o traidor. Este advérbio é enfático em grego, chamando a atenção para outro passo no progresso da hora de Jesus (veja Jo 13.1). "Agora" e "hora" ligam-se com João 12.27 (veja também Jo 12.23 e contexto), a primeira vez que vemos estes termos. Lá, os gregos buscam Jesus e o fazem exclamar que a sua hora tinha finalmente chegado.

Glorificação, o tópico dos versículos 31 e 32, requer discussão adicional. Os contextos onde este termo ocorre (cf. também Jo 7.39; 14.13; 17.1,4) indicam que inclui vários eventos que circundam os últimos dias de Jesus antes da crucificação (i.e., sua entrada em Jerusalém antes da festa, cf. Jo 12.23-33) até a ascensão. Todos esses eventos visam a obra expiatória de Jesus e resulta na possessão do crente da vida eterna e de uma nova relação com o Pai. Isto inclui especialmente a traição de Judas. É irônico que ao entrar em Judas para trair e matar Jesus, Satanás sele a própria destruição. Ele vai cair com Judas, pois com este plano horrível (no natural), Jesus glorificará o Pai que, por sua vez, glorificará Jesus.

Este é o significado provável destas cinco declarações nos versículos 31 e 32, todas contendo a glorificação recíproca do Pai e do Filho. O Pai enviou o Filho para revelar a si mesmo e expiar os pecados do mundo; o Filho veio revelar o Pai e ser o dom de salvação do Pai para o mundo. Na obediência completa do Filho, o Pai é glorificado; o Pai glorifica o Filho em sua obediência completa.[8] A última oração gramatical: "E logo o há de glorificar", indica a crucificação iminente de Jesus, o próximo passo da hora da glorificação.

O versículo 33 continua a instrução de Jesus sobre sua morte iminente. (Este versículo apóia a interpretação da última oração gramatical do v. 32.) Jesus fala novamente sobre sua partida, desta feita assunto direcionado exclusivamente aos discípulos. Esta partida se refere a tudo o que Ele tem de experimentar entre este instante e a ressurreição. Também há referência sutil à ascensão, se bem que não há trecho claro na narrativa de João que a discute. Jesus chama os discípulos de "filhinhos" (*teknia*) — a única vez que a palavra é usada neste Evangelho (cf. a palavra relacionada *teknon*; veja comentários sobre Jo 8.32-59). Esta metáfora para os discípulos de Jesus expressa a experiência de conversão.

O versículo 33 antecipa o versículo 34, onde Jesus dá aos discípulos um novo mandamento, orientando-lhes a vida depois de Ele partir e até os que depois vão segui-lo (veja o v. 36). O amor tem de ser o ingrediente principal que os une. Jesus menciona a missão deles no mundo no versículo 35: "Nisto [i.e., no amor] todos conhecerão que sois meus discípulos". Este é o tema do discípulo amado — neste Evangelho e em 1, 2 e 3 João. O amor emana do novo nascimento, a criação da vida que é igual a de Deus e que assume seu caráter — Deus é amor. O amor é o princípio que guia todo o comportamento ético-cristão. É o tecido do Reino de Deus. É o que cumpre todos os mandamentos de Deus (cf. Mt 22.37-40). Jesus o trouxe à existência com sua vinda. Ele amou os discípulos completamente (veja Jo 13.1). O amor era a lição da refeição que eles há pouco consumiram.

Os versículos 36 a 38 focalizam Pedro novamente, pondo em relevo o amor de Jesus por um discípulo confiado que mais tarde o negará. Pedro é mais íntimo que Judas do que ele imagina. O amor de Jesus é realmente de grande projeção — por alguém que vai traí-lo e por alguém que o negará.

Em conclusão, os versículos 31 a 38 relacionam-se com a "hora" de Jesus, percorrendo do capítulo 12 ao final do Evangelho. Eles também antecipam os capítulos 14 a 17 no uso de certos termos. Finalmente, eles ajudam na transição do capítulo 13 ao discurso do capítulo 14.

3.2. A Partida Iminente de Jesus (14.1-31)

Os capítulos 13 a 17 contêm longos discursos de Jesus, os quais estão ausentes nos outros Evangelhos. O capítulo 13, como comentamos, trata da traição de Judas e da negação concludente de Pedro. O final desse capítulo apresentou outra vez a hora da glorificação de Jesus. Os capítulos 14 a 17 fundamentam-se nas implicações desta glorificação.

De forma resumida, eis a cena apresentada nestes capítulos. Jesus veio para fazer a obra do Pai — realizar a redenção de um mundo perdido. Para levar esta mensagem a todas as pessoas, Ele selecionou um grupo de seguidores. Ao término de sua obra na terra, Jesus tem de voltar para o Pai. Os eventos desta obra — especialmente a cruz — serão difíceis para os discípulos. Entretanto, Jesus tem de morrer nela, ser levantado e ascender; e Ele quer que os discípulos saibam que isto é necessário. Depois de Jesus ascender ao Pai, Ele não os deixará só. De fato, se Ele não voltar ao Pai e enviar o Espírito, a obra do Pai não estará terminada. Mas Jesus e o Pai lhes enviarão o Espírito, e nEle, Jesus voltará. Isto tornará o Pai, Jesus e os crentes um, ainda que Ele e o Pai estejam no céu, e eles, na terra.

Os discípulos devem orar ao Pai que enviará o Espírito, o qual lhes falará a vontade dEle. Jesus parte a fim de construir um lugar para eles, onde, depois que Ele voltar à terra e buscá-los, eles estarão juntos eternamente. O acesso ao céu é exclusivamente por Jesus, o Caminho. Entrementes, os crentes permanecerão na terra para executar a obra de Jesus e do Pai. Esta obra existe em duas dimensões relacionadas.

1) Os crentes ampliarão a obra da redenção, quer dizer, a obra da cruz mediante proclamação e sinais.
2) Eles manifestarão certo estilo de vida ético na terra, caracterizado especialmente pelo amor — o mesmo tipo de amor que existe entre o Pai e o Filho. Com estes comentários em mente, agora podemos nos introduzir pouco a pouco no texto.

3.2.1 A Promessa de Consolo (14.1-14).

Estes versículos contêm o encorajamento de Jesus aos discípulos, e a resposta que Ele dá a duas perguntas. Nos versículos 1 a 4, Jesus fala pela primeira vez a respeito de como será o futuro dos discípulos no céu. Até aqui João tem focalizado mais a vida presente, sobre o novo nascimento. Agora, à medida que o tempo de sua partida se aproxima, Jesus partilha com eles o que Ele fará quando Ele voltar para o céu.

O parágrafo começa com uma exortação de Jesus sobre a consternação que eles logo experimentarão. A exortação (v. 1): "Não se turbe o vosso coração", vem dos lábios do Consolador (também conhecido como o primeiro Paracleto, o Conselheiro [cf. comentários sobre Jo 14.16 e NVI]). Assim como Jesus estava perturbado em João 13.21, assim seus discípulos estarão; o verbo grego (*tarasso*) é o mesmo em ambos os lugares. Jesus os incentiva em sua grande hora de glória e provação, com as palavras de exortação no versículo 1: "Credes em Deus, crede também em mim". Aqui Jesus ressalta a unidade do Pai e a dEle. Agora Ele amplia o novo pensamento que será o resultado de sua Vinda. Eles serão introduzidos a uma nova faceta da Trindade, a qual é subordinada, não obstante, igual. Os próximos capítulos despenderão alguns esforços para enfatizar a unidade do Pai, Filho e os crentes.

Nos versículos 2 a 4, Jesus fala sobre o lugar para onde Ele vai. "Na casa de meu Pai há muitas moradas" tem várias implicações. "A casa do Pai" refere-se ao Reino de Deus ou ao templo. A palavra "Reino" ocorre em João 3.3,5, mas a referência ali é ao vigente estado de nascer de novo. Aqui "casa [*oikia*] do Pai" alude mais centralmente ao lugar da habitação celestial de Deus. (Note que em Jo 8.35, o termo *oikia* diz respeito ao povo de Deus no estado presente e eterno.)

"Moradas" é tradução da palavra *monai*. Esta palavra está relacionada com a palavra que João usa com alguma freqüência, na forma verbal e substantival, para falar de "permanecer", "habitar" e "viver". Significa literalmente "salas de estar", "lugares de habitação" ou "habitações". Em 1 Enoque 41.1, o "reino" é igual a "habitações". No Testamento de Abraão 20, os patriarcas moram em *monai* (cf. Jo 1.18 e o seio de Abraão). Em João, estas "moradas" estão na "casa" do Pai, e Jesus vai para o céu a fim de construí-las. O que isso significa? Eis uma sugestão: Há muito os estudiosos notaram que os capítulos 14 a 16 retomam os temas da Festa dos Tabernáculos. "Moradas" provavelmente reportam-se a tendas eternas (tendas significa "tabernáculos"). Ligada à comemoração da Festa dos Tabernáculos estava a expectativa de que no futuro (i.e., na nova era), o Messias viria e construiria tendas para uma comemoração eterna. Jesus então parte para o céu a fim de construir estas tendas eternas, comemorando o triunfo de Deus sobre o mal; Ele morará eternamente com o seu povo.

Os versículos 2 e 3 contêm a palavra "lugar" (*topos*). O termo *topos* alude à idéia de "templo". Note que várias das referências de João a *topos* trazem este significado (e.g., Jo 4.20; 11.48; cf. também Mt 24.15; At 6.13,14; 7.7; 21.28). Tudo isto é importante nos temas de João. Através de sua obra salvadora, Jesus mudará o templo e suas festas e os moverá para o reino espiritual. João 2, com o primeiro sinal e a purificação do templo, visava esta realidade. Jesus construirá estas habitações enviando o Espírito para convencer os pecadores dos seus pecados e regenerá-los. Estas pessoas, nascidas de cima, compõem o novo templo, o lugar da habitação de Deus. Este fato explica como a unidade entre o Pai, o Filho e seu povo é alcançada. O versículo 4 conclui esta introdução com a declaração de Jesus: "Mesmo vós sabeis para onde vou e conheceis o caminho". Implicitamente, Jesus está se referindo a si mesmo.

Esta declaração levanta perguntas de dois discípulos, Tomé e Filipe. Jesus lhes responde dando mais ênfase em suas palavras (vv. 5-11). Desde João 13.1, temos nos inteirado de manifestações de quatro discípulos: Judas, Pedro, Tomé e Filipe. Eles não se saíram muito bem. O que sucede é que os discípulos de Jesus ainda não sabem muito a respeito de coisas espirituais ou divinas. João nos diz por que — eles ainda não tinham nascido do Espírito.

O versículo 7 contém uma oração condicional contrária ao fato que o confirma: "Se vós me conhecêsseis a mim [mas vós não me conheceis], também conheceríeis a meu Pai [mas vós não o conheceis]". "Conhecer" em João está relacionado com a capacidade de entender a revelação de Deus, a qual só vem pela obra do Espírito no novo nascimento. Neste Evangelho, o novo nascimento é uma experiência reveladora. "Conhecer" encaixa-se entre o vocabulário de João sobre o novo nascimento com palavras como "entrar" e "ver" em João 3.3,5 ("ver" ocorre na forma paralela com "conhecer" em Jo 14.7).

No capítulo 3, João, usando de ironia, mostra que Nicodemos está cego porque não nasceu de novo. Lá, com essa experiência, João já apontava para a ressurreição de Jesus. Essa seção (Jo 2.1—4.54) focalizou o primeiro sinal no casamento em Caná da Galiléia, com sua implicação auxiliar da purificação do templo. A discussão de Jesus com Nicodemos é parte da narrativa do sinal, explicando o novo templo. O novo templo está relacionado com o novo nascimento, que só pode ocorrer depois da ressurreição de Jesus e depois de o Espírito ser dado. Em João 7.39, João diz claramente que o Espírito ainda não havia sido dado. Mais adiante, conforme vimos no comentário sobre João 7, a expiação de Jesus tem de ser ligada com a Páscoa e não com a Festa dos Tabernáculos. A pessoa e obra de Jesus atingem o clímax com sua ressurreição e formam a base para o novo templo. Ele é a fundação. A vida e obra de Jesus anteriores à paixão estão estreitamente ligadas com a obra na cruz, mas antecipam sua consumação na cruz e ressurreição. Em outras palavras, os Doze eram seus discípulos de algum modo antes da ressurreição, mas eles não nasceram de novo senão depois que Ele ressuscitou e assoprou sobre eles. É isto que distingue o cristianismo de todas as outras religiões.

A narrativa do Evangelho trabalha simultaneamente em (pelo menos) dois níveis. Por exemplo, quando lêem/ouvem o capítulo 3, os leitores/ouvintes têm em mente o tempo da crucificação e da pós-ressurreição. Quando chegamos ao capítulo 14, trazemos conosco tudo o que lemos/ouvimos anteriormente. Portanto, o tempo de "conhecer" chegou. Assim o versículo 7 se liga com: "E já desde agora o conheceis e o tendes visto".

A primeira pergunta no versículo 5 (na forma de declaração) lida com o "caminho" (veja o v. 6). Jesus o usa para enfatizar a singularidade da sua obra de redenção. Só por meio dEle a pessoa pode chegar a Deus. A expressão "o caminho, e a verdade, e a vida" do versículo 6a corre junto num significado.

A segunda pergunta (v. 5) concentra-se em conhecer o Pai, o fim do caminho. Isto oferece a Jesus a oportunidade de fazer ampliações sobre a unidade dEle e o Pai. Considerando que a primeira pergunta usou os verbos "conhecer/saber" e "ver" (uma vez, v. 7), a resposta de Jesus volta-se a "crer" ("conhecer/saber" e "ver" uma vez cada no v. 9). Tanto conhecer/saber quanto ver denotam a mesma atividade. É habitual João usar termos como estes intercambiavelmente. Mas a unidade do Pai, o Filho e os crentes segundo a perspectiva humana depende da fé. Filipe não tem fé, assim ele não pode ver que Jesus tem revelado o Pai o tempo todo. Jesus implora que Filipe creia nos sinais, mesmo que ele não creia nas suas obras.

Depois da ressurreição, quando a fé está presente, até o crente pode fazer as obras de Jesus e do Pai — de fato, obras maiores. Os versículos 11 e 12 concentram-se nas "obras". A fé depende de crer nos "sinais" que Jesus esteve fazendo. Quais são estas "obras"? A palavra "obras" é tradução da palavra grega *ergon* (vv. 10-12). No versículo 12, temos uma sentença em particular que é difícil de entender, mas que vai em direção ao significado do que são "obras": "Aquele que crê nem mim também fará as obras que eu faço e as fará maiores do que estas, porque eu vou para meu Pai".

Em vários lugares neste Evangelho, o singular *ergon* se refere à obra inteira de Jesus quando Ele obedece o Pai. Em João 4.34: "A minha comida", disse Jesus, "é fazer a vontade daquele que me enviou e realizar a sua obra". A obra neste contexto surge do primeiro sinal e recebe explanação explícita quando traz salvação aos samaritanos. A linguagem do novo templo e do novo nascimento é abundante aqui. "Obra" abrange todo o plano de redenção em João. Temos outra ocorrência em João 17.4: "Eu glorifiquei-te na terra, tendo consumado a obra que me deste a fazer".

João 6.26-29 apresenta outro lugar onde "obras" é a palavra-chave. Jesus diz aos discípulos para trabalhar pela comida "que permanece para a vida eterna", comida que "o Filho do Homem vos dará" (v. 27). Os líderes judeus perguntam: "Que faremos para executarmos as obras de Deus?" (v. 28). Jesus explica o que Ele quer dizer com "obra": "A obra de Deus é esta: que creiais naquele que ele enviou" (v. 29). "Obra" então está relacionada com a vida eterna e a verdadeira crença.

Um agrupamento de textos nos ajuda a entender mais este conceito. Em João 7.21, Jesus diz aos líderes judeus: "Fiz uma obra [*ergon*], e todos vos maravilhais". A obra de Jesus aqui se refere à cura do paralítico em João 5.1-28. Os judeus acusaram Jesus de quebrar o sábado e de blasfemar. O contexto desta cura ajuda a compreendermos mais: "Obras" dizem respeito à inteireza, vida eterna e ressurreição. É útil notar que a palavra "maiores" ocorre com "obras" em João 5.20. A referência explícita é a ressurreição, não só de Jesus, mas de todos os que crêem nEle; estes receberão a vida. João 9.4 e contexto põem em relevo a mesma coisa.

Agora podemos resumir nossa análise. "Obras" e "sinais" são termos intercambiáveis. Reportam-se aos milagres que Jesus fez em João. São reais, mas transmitem algo além de si mesmos. Apontam para a obra regeneradora de Jesus que é o resultado da obra que Ele realizou em sua última semana de vida na terra através da ressurreição. Os sinais são escolhidos para transmitir adequadamente o que a atividade salvadora de Jesus faz física e espiritualmente. Por exemplo, o cego (e.g., os pecadores não podem conhecer as coisas espirituais) recebe visão. Lázaro é ressuscitado (i.e., os pecadores recebem vida eterna). Estes dois sinais vêm logo antes da morte e ressurreição de Jesus e falam nitidamente da sua obra. As "obras" que os crentes farão concernem à proclamação do evangelho, no qual todo aquele que crê recebe vida eterna.

E os milagres? Eles são parte do Evangelho à medida que este faz seu trabalho de vencer o mal. Mas também existe um lado ético. Visto que as obras emanam da unidade do Pai, Filho e crentes e considerando que os crentes têm a vida eterna de Deus, eles também agem como Deus. Sobretudo o amor é enfatizado — é o princípio motivador para disseminar o Evangelho por palavra e milagre e por amor uns aos outros. E as "obras maiores" em João 14.12? Dizem respeito à quantidade em lugar da qualidade. Jesus fez estas "obras", mas seus seguidores ao longo dos séculos trarão milhões de mais obras para o Pai. É o que eles fazem enquanto aguardam a vinda de Jesus (cf. acima).

Os versículos 13 e 14 contêm o lugar mais claro no Novo Testamento para orar em nome de Jesus. Orar em seu nome é pedir a bem da glória do Pai e do Filho. Somos explicitamente incentivados a orar a Jesus. Ele diz que fará "tudo" e "alguma coisa" que pedirmos. Mas estas palavras não são um cheque em branco, porque nossos pedidos devem ser qualificados com referência à "glória" de Deus. Este tipo de oração sempre é respondida.

3.2.2. O Espírito e o Mundo (14.15-31). Esta seção tem três partes, todas enfocando a distinção entre o mundo e o crente: versículos 15 a 21, 22 a 24 e 25 a 31. O crente se sentirá alienado porque ele, como Jesus, não tem nada a ver com o mundo. Cada um tem uma vida ou existência diferente. A primeira parte desta seção é equilibrada pela segunda, e a parte final sumaria e amplia o pensamento das duas primeiras.

O tema dos versículos 15 a 20 concentra-se na vinda do Espírito ao lado do crente, que habita num mundo hostil. Os versículos 15 e 16 mostram como o crente deve receber o Consolador, o Espírito. O Espírito substituirá Jesus como outro Consolador igual a Jesus. Ele sempre estará com o crente. Como o crente recebe o Espírito? Ele tem de guardar os mandamentos. Quando o crente o faz, Jesus orará ao Pai, e Ele responderá a oração e enviará o Espírito. Isto pode parecer estranho por várias razões.

1) Se o crente tem o Espírito na regeneração, faz sentido nestes versículos pedir mais do Espírito?
2) É a vinda do Espírito condicionada a guardar os mandamentos em vez da fé?
3) A que este parágrafo tem referência — a um futuro não especificado ou a João 20 (as aparições pós-ressurreição)?

Pertinente à última pergunta, uma possível solução é que esta seção pertence às aparições pós-ressurreição, mas com referência ao tempo além desse período. Como é típico neste Evangelho, Jesus é o texto de João para ajudar e dar soluções à sua própria audiência.

A conexão entre a obediência aos mandamentos de Jesus e o recebimento do Espírito (vv. 15,16) pode ser explicada deste modo. O judaísmo ensinava que Deus dá seu Espírito a quem guarda seus mandamentos (cf. At 5.32). Entretanto, estes versículos podem estar estreitamente conectados com os versículos 13 e 14 e especificar os termos bastante ambíguos "tudo" e "alguma coisa". Talvez haja a oração pela vinda do Espírito. A condição de guardar os mandamentos pode evidenciar se alguém é ou não seguidor de Jesus. "Guardareis os meus mandamentos" (note o plural) é tradução correta do grego. "Mandamentos" referem-se ao princípio que os governa — o amor. O amor serve de papel proeminente nestes capítulos. Outro elemento a ser mencionado é a questão de "guardareis". Este verbo é uma afirmação (modo indicativo), não uma ordem (i.e., embora, confessadamente, o futuro às vezes funcione como uma ordem). O significado é que uma vez o amor por Jesus esteja presente, os mandamentos fluem naturalmente. É evidente que isto agrada a Deus e faz do crente uma habitação aceitável para Ele.

O papel do Consolador recebe um pouco de atenção. É Ele quem falará a verdade sobre Jesus (v. 16). Ele não será reconhecido pelo mundo, porque é uma habitação inaceitável para Ele. Aquele que não nasceu de novo não pode entender o Espírito. Conversão e regeneração, como ensina João, são ao mesmo tempo revelacional e transformacional. Em contraste, o Consolador habitará no crente (v. 17). Ele, na função de Espírito, dará vida, semelhante à que Jesus dá (v. 19). O Espírito também unificará o Pai, Jesus e os crentes (v. 20). Ao mesmo tempo, o Consolador servirá como Pai, visto que sua vinda não permitirá que os crentes fiquem órfãos (v. 18), embora não no mesmo sentido que Jesus é. Pode ser também que "órfão" ressalte a necessidade de um mestre e guia, a obra do Espírito.

A palavra "outro" no versículo 16 significa que o Espírito continuará a obra de Jesus da mesma maneira como Ele a fazia, isto é, Ele será como Jesus era nos crentes e entre eles. "Naquele dia" (v. 20) alude provavelmente à aparição pós-ressurreição aos discípulos (Jo 20.19-23).

Duas observações devem ser feitas sobre o termo "Consolador".

1) Eu uso o pronome masculino ("ele", "o", etc.) para me referir ao Espírito. O grego tem, na maior parte, o pronome neutro, porque o substantivo que o substitui ("Espírito") é neutro. Há exceções (e.g., Jo 14.26). Algumas destas podem ser devido ao fato de que o "Espírito" seja substantivo neutro grego, ao passo que "Consolador" é masculino.

2) Há opiniões diferentes entre os estudantes das Escrituras acerca do significado e origem da palavra "Consolador" (*parakletos*). Pode significar "consolador", "confortador", "amparador", "protetor", "mentor", "conselheiro", "advogado", "defensor". Acordes de cada um destes termos aparecem ao longo dos capítulos 14 a 16, onde é usada a palavra *parakletos*. Ao mesmo tempo deve ser observado que, através da ação de levar Jesus aos crentes e consolá-los, o Consolador exercerá função messiânica, quer dizer, Ele trabalhará como o Messias trabalha, quando Ele aparece e dá paz e consolação ao povo de Deus depois de todos os séculos em que o povo ficou alienado da terra e do templo.[9] O termo *parakletos* aparece subitamente e sem explicação pela primeira vez em João 14.16, o que sugere que este termo tinha significado entre os leitores originais deste Evangelho.

O versículo 19 contrasta o mundo com o crente. "Ainda um pouco" visa a morte de Jesus e o evento além do qual o mundo não "verá" Jesus. Porém, os crentes vão "vê-lo". "Ver", no último caso, expressa a capacidade de comunicar-se com Deus por meio do novo nascimento e da presença do Espírito. A base desta capacidade está na vida da ressurreição de Jesus que agora também está no crente.

O versículo 21 recapitula o versículo 15 e estende a conversa, introduzindo desta forma o parágrafo seguinte. Esta nova extensão está na palavra "manifestarei". "Manifestar" significa um encontro pessoal entre Jesus e a pessoa que ama Deus, e deixa a obediência dimanar desse amor. Jesus responde e se revela nessa situação.

No versículo 22, outro discípulo, chamado Judas (não o que traiu Jesus, João deixa claro), evidencia sua má compreensão. Ele não sabe por que Jesus vai se manifestar a eles, mas não ao mundo. Isto mostra uma concepção incorreta do Reino de Deus, opinião defendida pelos irmãos de Jesus em João 7.4 (veja também At 1.1-7).

No versículo 23, Jesus responde à primeira parte da pergunta e o faz de modo pelo qual Ele já falou. Quem o ama e guarda seus mandamentos (i.e., os crentes), Ele e o Pai o amarão; estes irão para ele e nele habitarão. "Morada" é tradução da mesma palavra grega traduzida por "moradas" no versículo 2 (*mone*) e tem ligação importante. Como sugerimos, "moradas" se referem à evangelização do mundo. Quando alguém crê, Deus vem para fazer "morada" nele. Assim, haverá muitas "moradas". A "casa" de Deus sempre está em obras, com novas "habitações" sendo agregadas diariamente. Jesus responde a última parte da pergunta no versículo 24. O mundo não o ama ou guarda seus mandamentos. Não dará ouvidos à sua palavra, a qual também é a palavra do Pai.

O versículo 25 age como resumo dos versículos precedentes: "Tenho-vos dito isso, estando convosco". A seguir Ele passa a falar novamente sobre o Consolador (v. 26), que agora é chamado o Espírito Santo. O Pai o enviará em nome de Jesus. É por causa da sua obra redentora que o Espírito pode vir agora e trabalhar no mundo. Isto destaca o fato de que Jesus e sua obra de salvação formam o centro de toda a doutrina a respeito do Espírito.

A obra do Espírito também é esboçada no versículo 26. Ele ensinará os crentes todas as coisas (i.e., acerca das palavras e ações de Jesus) e capacitará a memória em relação às coisas de Jesus. Ninguém realmente pode conhecer Jesus sem o Espírito. Não é conhecimento apenas cognitivo, mas experimental, pessoal e afetivo (i.e., conhecimento que vem pelas relações pessoais e companheirismo). As palavras de Jesus darão aos discípulos a certeza de que eles são realmente dEle. Hoje, uns afirmam que esta experiência é a iluminação que envolve a manifestação direta e sobrenatural de Deus. Contudo, é melhor chamar esta aquisição de conhecimento, revelação. De maneira poderosa, o Espírito torna a Bíblia (i.e., as palavras de Jesus) viva.

No versículo 27, Jesus deixa a paz aos discípulos. Como isto se encaixa com o que vem antes, e qual é o significado de "paz"? O Espírito vem pelo nome de Jesus (v. 26), ou seja, através da obra redentora de Jesus. "Paz", neste contexto, refere-se ao que Paulo chama "justificação" e "reconciliação". Quer dizer, por causa da obra de Jesus, as pessoas estão numa nova relação com Deus. Tal relação é tornada real quando a pessoa crê em Jesus.

Esta nova relação é expressa simultaneamente de duas maneiras. Por um lado, a pessoa tem uma nova posição diante de Deus por causa da obra de Jesus. Jesus está no céu com o Pai, declarando que Ele fez a paz com Deus para as pessoas pecadoras. (Note que esta é a parte advocatícia do Consolador, mas no céu.) Por outro lado, o Espírito traz esta paz ao crente. É quando a reconciliação e a justificação tornam-se pessoais. (Note que esta é a outra parte advocatícia do Consolador, que afirma e assegura ao crente que este tem uma posição boa com o Pai no céu. Isto também se relaciona com a unidade do tema.) O novo templo, tema pertinente, emerge mais uma vez neste contexto. Os crentes têm a presença do céu dentro de si mesmos e com eles. Deus já não está separado do gênero humano, por causa de pecado não expiado, relegado a se manifestar atrás de cortinas fechadas num lugar chamado o Lugar Santíssimo. Os crentes têm a presença de Deus com eles e neles.

Esta idéia de paz está embutida na idéia de *shalom* (a palavra hebraica que significa "paz"), que tem longa história e está carregada de rico significado. Esta idéia havia juntado o significado do tempo do fim associado com o Messias. O termo *shalom* significava a presença da salvação de Deus, da inteireza de mente, corpo e alma, com pessoas que estão em relações certas umas com as outras. Na aparição da ressurreição em João 20.19-23, Jesus fala a paz para os discípulos covardes. Lá, como aqui, Ele os consola no meio de um tempo muito aterrorizante. Assim, pela segunda vez (cf. Jo 14.1) Ele diz: "Não se turbe o vosso coração, nem se atemorize" (v. 27b).

Nos versículos restantes (vv. 28-31), Jesus fala novamente aos discípulos sobre sua ida e implicações decorrentes. Ele tem de ir para o Pai no céu, porque Ele lhe é sujeito. Lá, Ele tem de concluir sua obra. Esta obra continuará até que Ele volte à terra. O que Jesus quer dizer aqui é que Ele tem de ascender ao céu para apresentar ao Pai a obra que Ele completou na terra. O mesmo tema é ensinado no Livro de Hebreus, cujas idéias podem ter sido derivadas do ensino de Jesus aqui. Lá, Jesus como o sumo sacerdote, volta ao templo divino para purificá-lo e oferecer-se como sacrifício, ou seja, oferecer sua obra a Deus. Isto também sugere a mediação e intercessão de Jesus, que são constantes.

A OBRA DO ESPÍRITO SANTO

TAREFA	REFERÊNCIAS
A. O Espírito Santo em relação à Criação e Revelação	
1. É ativo na Criação	Gn 1.2; Jó 33.4
2. Dá vida às criaturas de Deus	Gn 2.7; Jó 33.4; Sl 104.30
3. Inspirou os profetas e apóstolos	Nm 11.29; Is 59.21; Mq 3.8; Zc 7.12; 2 Tm 3.16; 2 Pe 1.21
4. Fala pela Palavra	2 Sm 23.1,2; At 1.16-20; Ef 6.17; Hb 3.7-11; 9.8; 10.15
B. O Espírito Santo em relação a Jesus Cristo	
1. Foi concebido em Maria pelo Espírito	Mt 1.18,20-23; Lc 1.34,35
2. Era cheio com o Espírito	Mt 3.16,17; Mc 1.12,13; Lc 3.21,22; 4.1
3. Pregou no Espírito	Is 11.2-4; 61.1,2; Lc 4.16-27
4. Fez milagres pelo poder do Espírito	Is 61.1; Mt 12.28; Lc 11.20; At 10.38
5. Batizará os crentes no Espírito Santo	Mt 3.11; Mc 1.8; Lc 3.16; Jo 1.33; At 1.4,5; 11.16
6. Promete o Espírito Santo	Jo 7.37-39; 14.16-18,25,26; 15.26,27; 16.7-15
7. É revelado aos crentes pelo Espírito	Jo 16.13-15
8. Ofereceu-se na cruz pelo Espírito	Hb 9.14
9. Foi ressuscitado pelo Espírito	Rm 1.3,4; 8.11
10. Recebeu o Espírito proveniente do Pai	Jo 16.5-14; At 2.33
11. Derramou o Espírito nos crentes	At 2.33,38,39
12. É glorificado pelo Espírito	Jo 16.13,14
13. O Espírito ora por sua vinda	Ap 22.17
C. O Espírito Santo em relação à Igreja	
1. Habita na Igreja como o seu templo	1 Co 3.16; Ef 2.22 (cf. Ag 2.5)
2. É derramado na Igreja	At 1.5; 2.1-4,16-21 (cf. Is 32.15; 44.3; Os 6.3; Jl 2.23-32)
3. Fala com a Igreja	Ap 2.7,11,17,27; 3.6,13,22
4. Cria comunhão na Igreja	2 Co 13.13; Fp 2.1
5. Une a Igreja	1 Co 12.13; Ef 4.4
6. Dá dons à Igreja	Rm 12.6-8; Ef 4.11
7. Fortalece a Igreja	At 4.30-33; 1 Co 12.7-13; 14.1-33
8. Nomeia os líderes para a Igreja	At 20.28; Ef 4.11
9. Trabalha por meio de pessoas cheias do Espírito	At 6.3,5,8; 8.6-12; 15.28,32 (cf. Nm 27.18; Jz 6.34; 1 Sm 16.13; Zc 4.6)
10. Capacita os pregadores	1 Co 2.4
11. Dirige o empreendimento missionário	At 8.29,39; 13.2-4; 16.6,7; 20.23
12. Guarda a Igreja contra erros	2 Tm 1.14
13. Previne a Igreja contra a apostasia	1 Tm 4.1 (cf. Ne 9.30)
14. Equipa a Igreja para a guerra espiritual	Ef 6.10-18
15. Glorifica Jesus	Jo 16.13-15
16. Promove a retidão	Rm 14.17; Ef 2.21,22; 3.16-21; 1 Ts 4.7,8
D. O Espírito Santo em relação ao Crente	
1. Habita em todo crente	Rm 8.11; 1 Co 6.15-20; 2 Co 3.3; Ef 1.13; Hb 6.4; 1 Jo 3.24; 4.13
2. Convence o crente de pecado	Jo 16.7-11; At 2.37
3. Regenera o crente	Jo 3.5,6; 14.17; 20.22; Rm 8.9; 2 Co 3.6; Tt 3.5
4. Dá o amor de Deus ao crente	Rm 5.5

5. Faz o crente perceber que Deus é o Pai dele	Rm 8.14-16; Gl 4.6
6. Capacita o crente dizer: "Jesus é o Senhor"	1 Co 12.3
7. Revela Jesus ao crente	Jo 15.26; 16.14,15; 1 Co 2.10,11
8. Revela a verdade de Deus ao crente	Ne 9.20; Jo 14.16,17,26; 16.13,14; 1 Co 2.9-16
9. Permite o crente distinguir a verdade do erro	1 Jo 4.1-3
10. Incorpora o crente na Igreja	1 Co 12.13
11. É dado a todo crente que pedir	Lc 11.13
12. Batiza o crente em Cristo	Mt 3.11; Mc 1.8; Lc 3.16; Jo 1.33; At 1.4,5; 11.16; 1 Co 12.13
13. Enche o crente	Lc 1.15,41,67; At 2.4; 4.8,31; 6.3-5; 7.55; 11.24; 13.9,52; Ef 5.18
14. Dá ao crente poder e coragem para testemunhar	Lc 1.15-17; 24.47-49; At 1.8; 4.31; 6.9,10; 19.6; Rm 9.1-3
15. Dá dons especiais ao crente	Mc 16.17,18; 1 Co 1.7; 12.7-11; 1 Pe 4.10,11
16. Dá visões e profecia ao crente	Jl 2.23-29; At 2.17,18; 10.9-22; 1 Co 14.1-5,21-25
17. Desenvolve seu fruto no crente	Rm 14.17; 1 Co 13.1-13; Gl 5.22,23; 1 Ts 1.6
18. Capacita o crente a viver uma vida santa	Sl 51.10,12; 143.10; Ez 11.19,20; 37.26; Rm 8.4-10; 15.16; Gl 5.16,18,25; Fp 2.12,13; 2 Ts 2.13; 1 Pe 1.2
19. Livra o crente do poder do pecado	Rm 8.2; Ef 3.16
20. Capacita o crente a lutar contra Satanás com a Palavra	Ef 6.17
21. Capacita o crente a falar em momentos difíceis	Mt 10.17-20; Mc 13.11; Lc 12.11,12
22. Dá consolo e encorajamento ao crente	Jo 14.17,18,26,27; At 9.31
23. Ajuda o crente a orar	At 4.23,24; Rm 8.26; Ef 6.18; Jd 20
24. Capacita o crente a adorar	Jo 4.23,24; At 10.46; Ef 5.18,19; Fp 3.3
25. É o penhor da redenção final do crente	2 Co 1.22; 5.5; Ef 1.13,14
26. Faz o crente ansiar pela Vinda de Jesus	Rm 8.23; Ap 22.20
27. Dá vida ao corpo mortal do crente	Rm 8.11

Jesus trabalha no mundo e na Igreja desde o céu através do Espírito (veja Sua posição em pé em At 7.55).

Por fim, Jesus divulga algo sobre o Diabo: "Aproxima[-se] o príncipe deste mundo" (v. 30), mas ele "nada tem em mim". Sua vinda refere-se à ressurreição de Jesus acoplada com Sua ascensão, quando, voltando para o Pai com Seu poder reconciliador, Satanás (o príncipe deste mundo) será expulso do céu e virá à terra (veja Jo 12.31; cf. Ap 12). Ele "nada tem em mim" significa que Jesus o tem sob controle. O poder que Satanás tem sobre as pessoas vem pelo pecado e desobediência a Deus. Deus cuidou disso pela expiação de Jesus e pelo dom do Espírito. Agora as pessoas têm de crer em Jesus.

O capítulo 14 e este discurso são concluídos com o pedido de Jesus para mudarem de lugar: "Levantai-vos, vamo-nos daqui".

3.3. A Videira Verdadeira (15.1-27)

O estilo de João move-se de maneira circular, repetindo mas avançando. É o que acontece sobretudo nos capítulos 13 a 16, tornando-os difíceis de esboçar. Quando chegamos ao capítulo 15, uma alegoria extensa quebra a narrativa. Mas esta alegoria continua caracterizando os temas destes capítulos. Ela enfoca particularmente a doutrina da Igreja, incluindo a ética e o discipulado.

Devemos examinar a apresentação da Igreja feita por João. Na alegoria da videira acham-se informações bastante surpreendentes, exatas ao ensino deste Evangelho e seu contexto. O Antigo Testamento usa a imagem do vinhedo como símbolo de Israel. Em outras palavras, esta metáfora em muitos contextos representa o povo de Deus. Contudo, em geral esta imagem está relacionada com contextos de julgamento. É surpreendente ver o que acontece com esta imagem no Novo Testamento. Paulo, em Romanos 9 a 11, usa uma figueira como símbolo do povo de Deus. Mas ele coloca os patriarcas como raiz, e Israel estendendo-se para cima até que os ramos incrédulos sejam cortados e os gentios enxertados. As genealogias em Mateus e Lucas mostram um interesse semelhante em Israel.

Em João, nada é dito acerca de alguém antes de Jesus. Jesus é o tronco, o Pai é o Jardineiro e os crentes em Jesus são os ramos. Obviamente que João deseja mostrar a posição inigualável de Jesus no plano de salvação. Os patriarcas (veja Jo 1.18; 8.31-59 concernente a Abraão; Jo 4 relativo a Jacó e seu poço) e mais tarde os israelitas foram removidos. João argumentará que o judaísmo não se compõe do povo de Deus, mas sim de quem segue Jesus e é da nova criação de Deus. João tem isto claramente em mente, pois em João 15.25, Jesus fala sobre aqueles que o odeiam e o rejeitam, e reporta-se aos líderes religiosos da seguinte maneira: "Mas é para que se cumpra a palavra que está escrita na sua lei [do judaísmo]".

3.3.1. A Poda dos Ramos (15.1-10). Conflito vem à tona em João 15.1 com: "Eu sou a videira verdadeira, e meu Pai é o lavrador". Neste versículo, "eu" e "verdadeira" em grego são enfáticos. Assim, em contraste com os outros (i.e., os líderes religiosos) que reivindicam ser parte do verdadeiro povo de Deus, Jesus e Seus seguidores emergem como o verdadeiro povo. Isto enfatiza sua singularidade como o caminho para Deus.

No versículo 2, surge o assunto desta seção: a santificação. A palavra que a expressa é o verbo "limpar" (i.e., "cortar", "desbastar", "podar"). Esta palavra pertence ao aspecto religioso de "tornar santo" ou "santificar". O que se presume, então, é uma visão da Igreja discutida acima, mas o que fica óbvio é que Deus limpa o crente; e esta alegoria da vinha apropriadamente expressa isso. Também deve ser observado que a santificação é um processo normal do discipulado. O propósito da poda é aumentar a frutificação.

Os versículos 3 a 5 falam da união de Jesus e os crentes em termos figurativos dos ramos e do tronco. Jesus expressa o fato desta união com as palavras: "Vós já estais limpos pela palavra que vos tenho falado" (v. 3). Mas o resultado dessa união é o processo de crescimento — em termos figurativos: dar frutos. Considerando que um ramo não pode dar fruto a menos que esteja ligado ao tronco (i.e., a pessoa tem de estar [permanecer] em Cristo), o fruto tem um significado certo. No contexto dos capítulos 13 a 17, o fruto é o amor, característica fundamental de Deus. Para poder viver como Deus, a pessoa tem de nascer de novo (i.e., ter vida eterna) e segui-lo. Este amor tem de ser desenvolvido pelo "processo da poda".

Todo este processo tem de "permanecer" nEle. "Permanecer" fala de uma vida vivida em Jesus, algo que é constante e habitual. Pode-se ver prontamente que esta narrativa diz respeito primeiramente aos discípulos que manifestam ignorância, e depois a qualquer discípulo. Contanto que as pessoas amem Jesus, Ele será terno em lhes ajudar a crescer e não cortar fora. Judas também é aludido nos versículos que se seguem.

Nos versículos 5b e 6, o tipo de Judas é implicitamente tratado. Se alguém se separa de Jesus (o tronco), é cortado da fonte da vida e torna-se como ramo cortado, bom só para o fogo. Este é o destino de todos os que seguem nos passos do traidor. O versículo 6 ensina que os crentes podem cair. O capítulo 15 é importante para as pessoas dos dias de João, que estavam sopesando em deixar a Igreja para voltar para a sinagoga. O mesmo perigo aparece em Hebreus.

Esta seção é concluída com a observação de que a permanência e o processo de poda resultam em oração respondida (v. 7). O pedido ambíguo no versículo 7 é especificado no versículo 8. "Tudo o que quiserdes" é direcionado a pedir a Deus que ajude a pessoa a amar como Ele ama, de forma que Deus, em resultado disso, receba a glória. Ser discípulo é amar como Deus ama. Os versículos 9 e 10 recapitulam o que Jesus disse até este ponto.

3.3.2. Amor e Alegria — Vida na Videira (15.11-17).

Este parágrafo repete o tema de amar e guardar os mandamentos, mas acrescenta outra dimensão. "Tenho-vos dito isso", no versículo 11, remonta a João 14.25, onde ocorrem as mesmas palavras. Em João 15.11, é introduzida a alegria. A "alegria" combina-se com a "paz" mencionada em João 14.27. É a "alegria" que o Messias trará consigo para esta era. Paz e alegria são realidades do Reino que Jesus traz (cf. Rm 14.17). Entretanto, a alegria assume uma característica diferente, assim como assume a paz: A alegria só vem de permanecer em Jesus. Em seu contexto, a alegria vem de expressar o amor que vem de Deus. Poderíamos acrescentar que ela não depende de circunstâncias. Antes, vem quando o amor é mostrado, mesmo diante das circunstâncias mais difíceis, à medida que os crentes seguem o padrão de Jesus (v. 13). Assim como Ele deu a vida por seus amigos, assim os crentes dão a sua.

Nos versículos 13 a 17, Jesus introduz a palavra "amigos" e suas implicações, contrastando-a com "servos [escravos]". É verdade que escravo é uma idéia importante no Novo Testamento, sobretudo nos contextos paulinos. Expressa a submissão do crente ao Senhor, seu domínio sobre os discípulos. Aqui, Jesus adiciona outra dimensão importante para sua relação com seus seguidores. Este novo termo é social e está ligado com o grande tema neste Evangelho: a experiência do novo nascimento faz parte da revelação. Jesus não esconde nada acerca dos requisitos de ser um seguidor seu — o Pai não lhe escondeu nada (v. 15).

Esta maneira direta de dar este tipo de informação dificulta a decisão de seguir Jesus, porque oferece e exige um caminho de sacrifício voluntário em vez do método de ser servido. É por isso que Jesus disse: "Não me escolhestes vós a mim, mas eu vos escolhi a vós, e vos nomeei, para que vades e deis fruto, e o vosso fruto permaneça" (v. 16). Aqui "nomeei" é acrescentado a "escolhi" para descrever os onze discípulos que permanecem e que farão sua obra no mundo. A obra e a Igreja de Deus não se encontram em vontade ou esforço humanos. O que levou a salvar o gênero humano do seu dilema estava muito além de sua capacidade. Mas a escolha e nomeação de Jesus provêem a base de alegria e segurança para o espírito atormentado.

Um comentário sobre "amizade" é útil aqui. A amizade era importante no Antigo Testamento, em certas seitas do judaísmo dos dias de Jesus e no mundo greco-romano. Ser amigo significava ser leal e digno de confiança —, indo até a ponto de morrer —, e compartilhar assuntos sem reservas.

3.3.3. O Ódio do Mundo (15.18-25).

Este parágrafo volta a elaborar a relação dos discípulos com o mundo e explica por que eles e o mundo estão divididos. Aqui os líderes religiosos são identificados com o "mundo" (veja o v. 25 e a afirmação que contêm "na sua lei").

O mundo (i.e., os pecadores) odeia Jesus, porque Ele veio falar sobre o pecado do mundo (v. 22) e lhe mostrar milagres (i.e., o caminho de escape dos pecados, v. 24; veja também Jo 3.17ss). Seus discípulos não pertencem ao mundo, porque Jesus os escolheu do mundo (v. 19). "Eu vos escolhi" significa "Eu vos salvei". Visto que neste processo eles se identificam com Jesus, o mundo os odeia (vv. 18,21,25). Jesus já tinha dito isso antes (v. 20) na analogia do senhor e escravo. O mundo perseguirá os seguidores de Jesus. Este também é o contexto para o encorajamento que Jesus apresenta nos capítulos 13 a 16.

3.3.4. O Testemunho do Espírito (15.26,27).

Mais uma vez o encorajamento vem à tona nestes versículos finais, quando Jesus retorna ao tema do Consolador. Desta feita, Jesus diz que é *Ele* quem enviará o Espírito, que sairá do Pai. O Espírito, por sua vez, testificará de Jesus. Os discípulos também testificarão de Jesus, "pois estivestes comigo desde o princípio". No versículo 27, a verificação apostólica combina-se com o testemunho do Espírito concernente à vida e ensino de Jesus. Também dá a entender que eles têm de testemunhar de Jesus para o mundo que os persegue. Este elemento indica a missão da Igreja com a presença do Espírito. Outrossim sugere que o Espírito estará particularmente com eles nos tempos de perseguição. Isto se refere ao Espírito de profecia que virá neles, os fortalecerá e os inspirará a testemunhar de Jesus.

Podemos fazer uma observação final sobre o capítulo 15. Este capítulo gira em torno da alegoria da videira e fala sobre a união do Filho e os crentes e sobre o processo de santificação do Pai. O processo de "poda" faz sentido à luz do que Judas Iscariotes, Pedro, Tomé, Filipe e o outro Judas fizeram nos capítulos precedentes. O jantar no qual Jesus lhes mostrou inteiramente o seu amor, conectado com sua morte, deu-lhes um exemplo que eles têm de seguir. Judas Iscariotes é o ramo que se separou do tronco. Ele não pode dar fruto (i.e., amor). Os outros permanecem ligados, mas precisam de poda considerável. No entanto, permanecendo nEle, eles darão fruto.

3.4. A Obra do Espírito Santo (16.1-33)

3.4.1. A Obra e a Natureza do Espírito (16.1-16). Os versículos 1 a 4 são um parágrafo pequeno que começa com a mesma palavra grega que em João 14.25 e 15.11: "Tenho vos *dito* essas coisas". O parágrafo também termina com a mesma frase. Com efeito, isto coloca a unidade entre parênteses. O tópico do parágrafo contém séria advertência relativa à perseguição que virá da sinagoga. Até à semana da paixão, não era necessário Jesus advertir os discípulos sobre isso; mas agora Sua morte está se aproximando e o tempo de fazê-lo chegou. Na qualidade de seus seguidores, eles também sofrerão o mesmo perigo (v. 4 — este elemento é uma adição ao último parêntese).

A palavra usada somente em João (três vezes) para denotar esta ameaça (*aposynagogos*) ocorre pela última vez (veja comentários sobre Jo 9.22; 12.42). Significa literalmente "expulsar da sinagoga". Esta referência reflete não só os dias de Jesus, mas também as exaltadas tensões que surgiram da divisão oficial da Igreja e da sinagoga em torno de 85 d.C. É este ingrediente que dá a este Evangelho a aparência de ser sectário. Ou seja, um grupo pequeno acredita que contém a natureza verdadeira e religiosa que o corpo maior abandonou, desenvolvendo a própria identidade e exemplificando esta verdadeira natureza. Por conseguinte, atrai o ódio desse corpo. Mas o corpo maior acredita que está protegendo a verdade ao remover a ameaça. Jesus fala adequadamente de tais situações: "Vem mesmo a hora em que qualquer que vos matar cuidará fazer um serviço a Deus" (Jo 16.2). A razão desse procedimento é que eles não conhecem o Pai ou o Filho.

A última sentença no versículo 4 serve de transição para o parágrafo seguinte (vv. 5-16). O versículo 5 em grego começa com um conector contrastante. A afirmação da volta de Jesus para o céu fornece a razão para seu informe sobre a perseguição. "Vou" está no presente e sugere que nos eventos de sua hora, Jesus já está no processo de voltar para o céu. Este fato sutil permeia o relato da paixão e indica sua onipresença.

Estas notícias entristecem grandemente os discípulos (v. 6). Isto deixa mais claro o motivo de Jesus os encorajar várias vezes. Em João 14.1, quando Ele diz: "Não se turbe o vosso coração", Ele está antecipando o impacto destas notícias. Mas Ele também tem grandes novas. No versículo 7, Ele observa que tem de voltar para o céu, senão o Consolador não virá. Isto apóia o que dissera antes, que tinha de voltar ao Pai para completar a obra de redenção. A vinda do Espírito (i.e., o Consolador) está baseada na obra expiatória de Jesus. Tudo acerca da obra do Espírito está relacionado com Jesus. Além disso, os discípulos não podem receber consolo sem o Espírito, que fará seu trabalho no interior deles e entre eles. Este fato sugere que a palavra *parakletos*, neste contexto, foi traduzida adequadamente por "Consolador".

Um substantivo de mesmo radical que "Consolador" aparece em Lucas 2.25. Lá, Simeão espera a "consolação" de Israel. Quer dizer, Israel espera a libertação que o Messias dará da condição dolorosa. Israel será consolado. Contudo, o Espírito Santo já está sobre Simeão, que ainda espera a consolação do Messias. Não obstante, isto se encaixa com João, pois esta consolação só vem pela redenção que Jesus, o Messias, proverá. Note que o próprio Jesus envia o Espírito (v. 7).

Os versículos 8 a 11 descrevem a função do Consolador. Escrito da perspectiva da terra, quando Ele chegar Ele convencerá o mundo de três coisas: do pecado, da justiça e do juízo. Até agora, a vinda do Consolador foi para o bem dos crentes. Por exemplo, Ele estará com eles, ser-lhes-á como pai (i.e., não os deixará como órfãos), lhes testemunhará, os instruirá e os fará lembrar as coisas sobre Jesus. "Consolador" é tradução apropriada para *parakletos* até aqui. Agora o *parakletos* assume um papel semelhante ao promotor público dos dias de hoje. Talvez nenhum nome seja adequado para o Espírito em João 14 a 16.

O leitor não é deixado sozinho, imaginando o que são estas três coisas que o Espírito fará como promotor público.

1) Ele convencerá o mundo do pecado. Embora João presuma que todos são culpados do "pecado original", esta não é sua ênfase. Recorde João 3.16-21 (e outros lugares), onde Jesus diz que Ele veio não para julgar os pecadores, mas para salvá-los. Contudo os incrédulos já foram julgados porque não crêem (Jo 3.18). A vinda de Jesus confirma os pecadores em seu estado. Em João 3.20, aqueles que habitualmente cometem o mal, recusam-se a ir para a luz, para que eles não sejam reprovados, ou seja, convencidos (note em Jo 3.20 e 16.8,9 a ocorrência de verbos de significado semelhante: "reprovar", "convencer"; veja esp. Jo 15.22). Mas com a vinda do Consolador, Ele os convencerá.

A função de Jesus era tratar do pecado de modo judicial. A função do Espírito será ir a cada pecador pessoalmente e falar-lhe ao coração e vontade. Agora que o aspecto judiciário foi tratado, o Espírito finalmente pode fazer seu trabalho. Ele virá e convencerá o mundo do pecado, tanto em termos do pecado original e separação de Deus (i.e., a forma singular de "pecado", em Jo 16.8; cf. Jo 1.29; 8.21, etc.), quanto dos pecados pessoais de cada um (i.e., a forma plural em Jo 8.24; etc.). A ocorrência de palavras e até de sentenças semelhantes nos capítulos 3 e 16 diz ao leitor que ambos os contextos falam de tópicos semelhantes (e.g., cf. os verbos "convencer" e "condenar" em Jo 16.8 e Jo 3.18, respectivamente).

2) O Espírito convencerá o mundo da justiça. O Consolador convencerá da justiça, porque Jesus voltou para o Pai e o mundo já não o vê. Este também é um refrão recorrente neste Evangelho. Agora que o mundo estará convencido do pecado, ele será atraído para sua solução. Jesus terá feito sua obra, que começou com a vinda dos gregos (cf. a discussão sobre a "hora" no Jo 12), até que Ele volte ao Pai e apresente sua obra de expiação concluída. Este é o único modo de se acertar com Deus — aceitar Jesus como a justiça de Deus.

3) O Espírito convencerá o mundo do juízo (ou julgamento), porque o príncipe do mundo foi condenado. "O príncipe deste mundo" ocorre em João 12.31; 14.30; 16.11. Este príncipe domina sobre o mundo, que em João consiste de todos os pecadores. O lugar onde este príncipe esteve operando foi o céu. Mas nestas três referências, descobrimos que com a inauguração da *hora* de Jesus, o príncipe do mundo foi julgado e expulso do céu para a terra (cf. Ap 12.13-17). Isto significa que o príncipe já não tem acesso à presença de Deus para acusar seu povo.

Outro nome deste príncipe, "Satanás", só aparece uma vez em João (Jo 13.27). Se Satanás é este príncipe, então ele também tenta as pessoas no mundo para que possa acusá-las na esfera limitada em que ele agora habita. Pelo fato de estar de muitas maneiras limitado, ele usa demônios ou espíritos para ajudá-lo, mas quer cuidar pessoalmente desta situação (embora no Evangelho de João não ocorram demônios nem espíritos malignos). Trata-se de guerra especial (cf. Ap 12). Satanás quer destruir Jesus e pensa que a morte o fará. Esta informação nos deixa cônscios de que Satanás não é sabedor de tudo, e que ele não sabe ou entende a ressurreição. Afinal de contas, ninguém nunca antes havia sido ressuscitado. Isto significa que Satanás também não entendeu a criação. Deus não criou tudo do nada? A única maneira que Satanás poderia saber era se tal fato tivesse acontecido para que ele pudesse tê-lo experimentado e "estudado".

Este tipo de atividade acusatória e tentadora de Satanás é notada na Festa dos Tabernáculos (este é tema que aparece em sua liturgia e na reflexão das pessoas). Por que João usou "Satanás" em João 13.27 em vez de príncipe? Talvez seja esta a resposta. "Satanás" quer dizer adversário e acusador (cf. Ap 12.10). É irônico, então, que o adversário de Judas receba o melhor de si pela tentação e engano. Mas Satanás recebe mais do que barganhou — ele e Judas dão de cara com a destruição, e estão juntos para sempre.

Estes três objetos de convicção são colocados em certa seqüência: o problema humano, o pecado; sua solução, a justiça; e a fonte da entrada do pecado no mundo e provocação contínua no ato de Satanás acusar as pessoas diante de Deus, o julgamento do príncipe. Deus agora falou em Jesus, fornecendo a resposta final à pergunta da razão de existir o mal. Mais algumas observações são necessárias. O que quer dizer "convencer"? Visto que Jesus não veio condenar o mundo (Jo 3.16,17), mas salvá-lo, a convicção tem de envolver o ato de informar o pecador do fato, natureza e conseqüência do pecado (i.e., o aspecto cognitivo). Também implica atrair ou cortejar o pecador para a luz (i.e., o aspecto emocional). Por fim, inclui convencer o pecador a ir na direção de Deus (i.e., o aspecto volitivo). Nestes três objetos de convicção acham-se uma teologia de missões mundiais como também uma explicação da presença do mal moral.

No versículo 12, Jesus volta-se novamente aos discípulos para indicar que eles precisam do Espírito para instruções adicionais — eles não podem suportar mais instruções agora. Neste parágrafo (vv. 12-16), "Espírito" substitui o nome "Consolador", provavelmente porque Jesus quer enfatizar o aspecto verdadeiro da instrução do Espírito — que é o seu nome completo no versículo 13. A obra do Espírito é mais uma vez guiar a toda a verdade. No contexto (vv. 13-15), "toda a verdade" é a comunicação a respeito de Jesus e a que Ele faz. O Espírito é o agente entre o Filho (e o Pai) no céu e os crentes na terra. Quando Jesus diz que o Espírito "vo-lo há de anunciar" (v. 15), Ele não está falando sobre revelação mas iluminação. O Espírito "vos anunciará o que há de vir" (v. 13).

O papel, função e natureza do Espírito são mais elaborados aqui. O Espírito não falará de si mesmo, mas glorificará Jesus fazendo conhecido o que lhe pertence. A natureza e humildade recatada do Espírito vem à tona, até a sua atitude submissa e semelhante a servo, da mesma maneira que Jesus demonstrou no lava-pés no jantar.

O versículo 16 completa este parágrafo voltando a um tema que ocorre periodicamente. Como observamos, a ascensão não é mencionada claramente, mas é aludida na declaração: "Um pouco, e não me vereis". A volta de Jesus pelo Espírito surge pela frase: "E outra vez um pouco, e ver-me-eis".

3.4.2. Exortação para Pedir Alegria/o Espírito (16.17-24). Desde João 14.22, é só Jesus quem fala. Agora os discípulos entram no diálogo perguntando entre si o significado do versículo 16. Os versículos 17 e 18 indicam que o que Jesus lhes disse os confunde. Eles ficaram se perguntando o que esta declaração e parte dela significavam. O ponto em particular que os faz perguntar é: "um pouco" (v. 18). É isto que Jesus atormenta no restante deste parágrafo. E este ponto se relaciona com os capítulos 14 a 17 e um dos significados de "Consolador".

"Um pouco" quer dizer que os discípulos chorarão e lamentarão, enquanto o mundo se alegra. O "mundo" se refere aos pecadores (todos os grupos étnicos e nacionais, inclusive os judeus). Este tempo de tristeza abrange a semana da paixão até a ressurreição de Jesus. Os discípulos ficarão tristes durante este tempo, enquanto que o povo (o mundo) que mata Jesus pensará estar lhe dando um fim e se alegrará. Essas pessoas estão sob a influência e engano de Satanás, com quem juntaram forças. Como Satanás e Judas, e até como os discípulos, essa gente não tem percepção da ressurreição. Jesus está avisando-os e consolando-os com antecedência.

Mas a tristeza dos discípulos se transformará em alegria. O versículo 21 contém uma ilustração de dor que se transforma em alegria. A alegria estará com eles (vv. 20b,22) como está com a mulher que dá à luz um filho. Depois que o bebê nasce, a agonia de dar à luz é esquecida.

Nos versículos 23 e 24, Jesus exorta os discípulos a orar em seu nome ao Pai. Eles ainda não tinham feito isso. Tudo o que eles pedirem em nome de Jesus, o Pai o dará. Contudo, o contexto é claro. "Tudo" não é um cheque em branco. Jesus está exortando-os a pedir o Espírito; é Ele quem trará alegria. Jesus dará o Espírito, e eles o receberão. Ele dará a certeza de que Jesus está vivo, além de outras revelações, e a alegria deles estará completa. O Espírito lhes trará a presença do Pai e de Jesus. Isto visa João 20.19-23, quando Jesus aparece aos discípulos às portas fechadas. Ele assopra sobre eles (i.e., dá-lhes o Espírito), eles nascem de novo e a alegria brota de seus corações.

O versículo 22 alude claramente a isto de modo interessante. Em grego se lê que Jesus disse que os "verá", e o coração deles "se alegrará". As implicações são estas:
1) Esta presença de Jesus vai além de sua aparição pós-ressurreição.
2) Jesus os "vê" por ser Ele divino, mas o faz mais através do Espírito. Eles o experimentarão pelo Espírito no coração, o lugar onde Deus está e reina.

3.4.3. Finalmente, os Discípulos Entendem (16.25-33). Dos versículos 25 a 28, Jesus diz aos discípulos que Ele não está mais lhes falando em linguagem figurativa. Chegou o momento a partir do qual eles podem entender o que Ele vem dizendo o tempo todo — que eles podem se relacionar diretamente com o Pai, como também com Ele. É importante observar que a hora de Jesus chegou quando sua obra terminou. Esta obra inclui a obra do Espírito no coração do crente, resultando em entendimento. Agora os discípulos entendem que Jesus veio do Pai. O Pai ama os seguidores do Filho porque eles amam e crêem em Jesus, que voltará para o Pai.

Diante disso, os discípulos declaram que Jesus está falando claramente sem figura de linguagem, e que eles o entendem (vv. 29,30). Eles não precisam lhe fazer mais perguntas (veja os vv. 17,18). A referência a "parábolas" nos versículos 25 e 29 ("figuras de linguagem") é a palavra grega *paroimia* (veja comentários sobre Jo 10.6). Em João, esta palavra diz respeito à linguagem semelhante à parábola, que é difícil de entender. Neste sentido, é similar ao uso de parábolas nos outros Evangelhos. Lá os ouvintes, inclusive os discípulos de Jesus, muitas vezes não o entendem. O termo *paroimia* em João refere-se ao conteúdo e linguagem que vêm dos lábios de Jesus, e que as pessoas estão espiritualmente despreparadas para receber. Neste caso, os discípulos recebem *insight* que vem da obra de Jesus durante a semana da paixão. A capacidade deles lhes permitirá entender completamente quando o Espírito for dado em João 20.19-23. A dificuldade que eles têm em entender surge não do tipo de linguagem ou de seu conteúdo; antes, indica falta de capacidade espiritual.

A resposta de Jesus nos versículos 31 a 33 encerra o diálogo. "Credes, agora?" Alguns tradutores colocam um ponto de interrogação aqui; outros, um ponto final ou um ponto de exclamação (o qual se encaixa melhor). Mas Jesus prossegue insistindo sobre um assunto, o qual esteve presente desde o capítulo 14. Judas não vai ser o último a abandonar Jesus; quando a hora chegar os outros discípulos também fugirão como ovelhas. Mas o Pai não os abandonará. O leitor pode auferir grande segurança do caráter do Pai. Todos podem abandonar, mas Deus nunca abandona seus filhos — "Não vos deixarei órfãos; voltarei para vós" (Jo 14.18).

O versículo 33 conclui estes três capítulos de prolongada instrução de Jesus e de diálogo entre Ele e os discípulos. Este versículo também apresenta outro significado do título "Consolador": "Advogado". Jesus está falando aos discípulos com antecedência, para que eles tenham a certeza de sua posição com Deus — eles terão paz. O que é esta paz? Comentamos sua presença e significado anteriormente (veja comentários sobre Jo 14.27). Fundamentalmente, alude a uma relação nova e profunda entre o crente e Deus. Esta relação efetuou-se pela obra de Jesus ao expiar os pecados do mundo e prover justiça e reconciliação a um mundo que deu as costas a seu Criador.

Até este ponto, o mundo está debaixo de julgamento. Mas agora a paz é possível a todos os que crêem. Onde ela é encontrada também é salientado aqui: É "em mim" (v. 33). "Paz" e "em mim" destacam-se nas cartas paulinas, expressando estas verdades poderosas (veja esp. Rm 5). "Tende bom ânimo" também fortalece este significado de "Consolador". No meio do fracasso e pecado, o crente tem bom ânimo ao saber que tem um Defensor para com o Pai, Jesus Cristo, o Justo e Fiel (cf. 1 Jo 2.1,2). Com este lembrete e encorajamento, Jesus se volta para sua oração sumo sacerdotal (Jo 17).

Agora podemos sumariar o significado e função da palavra *parakletos*. Em João 14 a 16, o *parakletos*, também chamado o Espírito, vem do Pai e do Filho, mas através do Filho. Ele representa o Pai e o Filho para o mundo, especialmente para o crente. O mundo não pode e não o conhece, e, por conseguinte, não conhece o Pai e o Filho. Os crentes o conhecem, porque eles aceitam pela fé a obra expiatória de Jesus. O Espírito assumiu residência neles, que agora são chamados templo do Espírito.

O Espírito não só vive nos crentes, mas os consola, ensina, informa, assegura e dirige. Por outro lado, o Espírito trabalha pelos crentes no mundo para trazê-lo a Jesus. Existem duas funções principais do *parakletos* em João 14 a 16: *nos* crentes para regenerá-los e firmá-los, e *pelos* crentes, para testificar ao mundo que Deus providenciou uma solução para o pecado através do Filho. Embora não de maneira explícita, estas duas funções basilares são paralelas à obra do Espírito em Paulo e Lucas. Lucas-Atos enfatiza mais explicitamente a segunda função — a capacitação para proclamar o evangelho ao mundo.

3.5. A Oração de Jesus pelos Crentes (17.1-26)

O capítulo 17 contém a oração de Jesus por si mesmo e seus seguidores. Esta oração conclui os extensos blocos de ensino e diálogo que surgiram do jantar em João 13.1 e prepara sua traição no capítulo seguinte. As referências à traição (Jo 13.1ss; 18.2ss) põem estes blocos entre parênteses. Alguns intérpretes deste Evangelho notaram que esta oração tem muitos paralelos com a Oração do Senhor em Mateus e Lucas, tanto em grandeza quanto em conteúdo.

3.5.1. Jesus Ora pela Glorificação Mútua (17.1-5). "Jesus falou estas coisas" (v. 1) chama a atenção para sua oração prestes a ser feita. A última de tal quebra ocorreu em João 14.31, onde Jesus disse: "Levantai-vos, vamo-nos daqui". Ainda no mesmo lugar onde Ele havia acabado de falar, Jesus olha para o céu e ora. É a apresentação da postura de Jesus para esta oração — Ele está de pé e olha para cima enquanto ora (cf. At 7.55,56).

Os versículos 1b a 5 contêm a primeira parte da oração, na qual Jesus pede que Ele e o Pai sejam glorificados. A estrutura paralela deste parágrafo pode ser vista assim:

A A glorificação mútua (v. 1b).
 B A concessão da vida eterna (vv. 2¦3).
A A glorificação mútua (vv. 4-5).

O Ponto A desenvolve o pedido que Jesus fez por glorificação no Ponto A. Ele declara em A que Ele veio para a terra e completou a obra do Pai. O Ponto B apresenta o que foi a obra de Jesus. O Pai lhe concedeu autoridade sobre todas as pessoas, para que Ele dê vida eterna sobretudo para os que o Pai lhe deu. Esta vida eterna permite os crentes conhecerem o Pai e Jesus Cristo (v. 3).

O parágrafo conclui com o pedido de Jesus ter a glória que Ele tinha antes do começo do mundo. Este pedido alude à preexistência de Jesus, tema que João apresentou em João 1.1ss. Este é um tema comum em João. Em João 17.5, é apresentado de modo bastante interessante. Este fraseado sugere que ocorreu uma mudança no estado de Jesus antes que Ele nascesse e que começou com a criação. Sob exame mais detido, João 1.1ss liga a criação com o "Logos". Isto significa que com a obra de Jesus na criação, sua glória já havia sido posta de lado; Sua mediação já havia começado. Além disso, também implica que a pessoa de Jesus (as naturezas divina e humana) e a obra expiatória eram uma conclusão passada na mente de Deus antes da criação. Agora Jesus está se preparando para voltar para casa. Esta seção fala de sua entronização e a glória que Ele irá receber, já em progresso nesta sua hora que chegara (v. 1).

Os versículos 1 a 5 são paralelos à primeira seção da Oração do Senhor (Mt 6.9,10). Estes versos em Mateus oram pela vinda do Reino de Deus (Mt 6.10a; igual à vontade de Deus em Mt 6.10b) para a terra, de forma que o Pai seja santificado. É o que Jesus fez na sua obra; Ele glorificou o Pai (o verbo "glorificar" em João é igual ao verbo "santificar" em Mt 6.9). Glorificar o Pai significa que a pessoa o obedece completamente em sua vida. Santificar quer dizer que a pessoa dedica a vida completamente a Deus. Tal atividade traz grande glória a Deus.

3.5.2. Oração pelos Discípulos (17.6-19). Jesus continua nestes versículos a pedir pelos discípulos. Como Ele o fez nos versículos 1 a 5, Ele ora na primeira e segunda pessoas, denotando oração entre Ele e o Pai. Mas os discípulos são a razão para esta parte da oração. Por conseguinte, Jesus se refere a eles na terceira pessoa. Temos aqui um privilégio em olhar na vida de oração privada de Jesus, enquanto Ele comunga com o Pai acerca dos discípulos.

As palavras-chave neste parágrafo são "guardar" e "dar". Estas palavras significam o tema do parágrafo e o propósito da oração. Jesus pede que o Pai guarde os discípulos no mundo enquanto vivem como povo de Deus e testemunham de Deus e sua obra.

A perseverança é a preocupação de Jesus. O fato de Ele orar por perseverança sugere que não é algo automático para os crentes; depende de eles continuarem crendo em Jesus e guardando sua palavra, e, sobretudo e em última instância, do poder de Deus (veja o v. 11). O uso freqüente de linguagem recíproca em todos os lugares — ou seja, o tema da unidade de Jesus e o Pai (o Pai enviou Jesus, Jesus revelou o Pai, etc.) —, denota o quão importante é a unidade de Deus. O Antigo Testamento fundamentou o judaísmo e o cristianismo nesta crença. Para a audiência de João, esta verdade era importante visto que teria sustado a acusação de blasfêmia — ter dois deuses em Jesus e no Pai. Esta unidade é estendida aos crentes nesta oração — que o Pai, Jesus e eles "sejam um" (v. 11). No versículo 11, a palavra traduzida por "um" é do gênero neutro, descrevendo em grego o que pode ser denominado de unidade dinâmica.

Esta seção pode ser dividida em duas partes, ainda que seja discutível o ponto onde se divide. Pode-se demarcar ao término do versículo 8 ou depois do versículo 11b. A razão de se querer dividir no versículo 11b é porque Jesus diz "Pai Santo", como se Ele tivesse começando uma parte especial da oração. No versículo 9, Jesus diz: "Eu rogo [a Ti, Pai,] por eles".

Os versículos 6 a 8 agem como introdução à oração específica que começa no versículo 9 e reconhece que os discípulos passaram a conhecer e crer que Jesus e o Pai são um. "Guardaram" (*tereo*) no versículo 6 conecta-se com "tem conhecido" no versículo 7. "Conhecer" significa mais que "ter conhecimento". Refere-se a "crer" (veja o v. 8, onde ocorre o verbo "crer").

O versículo 6 começa com: "Manifestei o teu nome". O verbo "manifestar" também ocorre em João 2.11 e 9.3. Na primeira ocorrência, Jesus tinha acabado de realizar o primeiro sinal. Lá, Ele fez conhecido o coração do Pai conforme estava esboçado em seu plano de mudar o lugar de sua habitação — passando de um lugar físico para um grupo de pessoas que crêem na obra do seu Filho na cruz. No último texto, Jesus tinha acabado de curar o cego, fazendo outro sinal. Desta vez, Ele retratou o que acontece quando a pessoa nasce de cima — das trevas do pecado para a luz revelacional de cima. Assim, do início ao fim, Jesus fez conhecido aos discípulos que Ele tem feito a obra do Pai provendo a salvação para eles e o mundo. O "teu nome" representa o caráter, plano e obra de revelação do Pai. Também significa que o Pai se tornou pessoal no Filho, Jesus.

"Enviaste" ocorre no término do versículo 8. A consciência dos discípulos de que o Pai enviou o Filho serve como base para a afirmação no versículo 18, de que Jesus os enviará: Como o Pai enviou Jesus, assim Jesus envia os discípulos. Esta comissão — isto é, a invasão deles no mundo —, liga-se com o tema da perseverança. Quando os discípulos saem para evangelizar, eles têm de evitar tornar-se como o mundo. Eles têm de perseverar.

A petição específica de Jesus começa no versículo 9, orando pelos discípulos mas não pelo mundo. "Mundo" em João se refere a todas as pessoas que estão em pecado e separadas de Deus. Quando Jesus diz que Ele não ora pelo mundo, não quer dizer que Ele não se importa. João 3.16-21 já apresentou a atitude de Deus para com o mundo. O que Jesus quer dizer é que Ele está particularmente interessado em seus seguidores. Eles são as pessoas através de quem Ele chegará ao mundo. De fato, Ele não ora para que eles sejam retirados do mundo (v. 15).

O sucesso dos discípulos depende do quanto eles estão santificados na palavra de Deus (vv. 17-19). Esta santificação implica alienação entre os discípulos e o mundo, e informa e orienta seus seguidores na situação difícil do mundo. Quanto mais próximos seus seguidores estão do mundo, menos verão e mais cegos serão à situação do mundo. Jesus ora fervorosamente por seus seguidores para que permaneçam santificados, distanciados do mundo enquanto Ele os envia. Jesus fala desta alienação do mundo no versículo 14 (veja também o v. 16): "Não são do mundo, como eu do mundo não sou". "Do mundo" denota uma natureza semelhante, uma identidade comum e uma cosmovisão prosaica que se opõem a Jesus. No versículo 13, Jesus nos dá a razão de Ele ter falado tais palavras: "Para que tenham a minha alegria completa em si mesmos". Esta informação chama a atenção do leitor para o tema dos capítulos 13 a 16.

Em vários lugares neste parágrafo Jesus dá a entender que Ele já deixou este mundo (este fato é mais claro no original grego).

1) O versículo 11: "Eu já não estou mais no mundo", é tradução literal do original grego.
2) No versículo 12: "Estando eu com eles no mundo", o original grego tem: "Quando eu estava com eles no mundo".
3) No versículo 13, a frase: "Agora, vou para ti", é tradução precisa segundo o original grego, pois a sentença seguinte ajuda a entender o que Jesus está dizendo. Estas declarações aqui e na narrativa da paixão sugerem que, com a chegada da hora de Jesus, Ele já tinha começado sua ascensão.

Os versículos 17 a 19 recapitulam os versículos 6 a 16. Todos os temas são encontrados aqui (e.g., o verbo "santificar" ocorre três vezes). Esta palavra resume o que Ele quis dizer com a palavra-chave "guardar".

Outro paralelo com a Oração do Senhor (Mt 6.13) neste parágrafo é João 17.15: "Que os livres do mal". Na economia de João, o mal estará particularmente ativo no mundo visto que Jesus o está expulsando do céu. Esta ação preocupa Jesus com relação aos seus seguidores — mas o Pai é capaz de guardá-los.

3.5.3. Jesus Ora por Todos os que Vão Crer (17.20-26).
Jesus agora concentra sua oração nos que vão crer na mensagem dos discípulos. Isto reporta-se particularmente à comissão que Jesus deu aos discípulos no versículo 18: "Eu os enviei ao mundo". Os temas da última parte da oração são repetidos, mas Jesus dá atenção especial à preservação da Igreja até que Ele volte. Ele ora para que os novos crentes que saem do mundo sejam unidos com aqueles que já seguem Jesus (vv. 21-23). Além disso, Ele ora para que todos os crentes sejam unidos com Ele e o Pai, da mesma forma que Ele e o Pai são unidos (vv. 21-23,25,26).

Jesus ora para que isto aconteça, porque Ele quer que seus seguidores estejam com Ele e experimentem a glória que Ele tinha antes da criação do mundo (v. 24). Ainda que "glória" contenha outras implicações, neste parágrafo focaliza seu significado no "amor". O tema do "amor" aparece proeminentemente aqui e no contexto da unidade e comunhão uns com os outros e com o Pai e Jesus. Com efeito, a expressão deste amor entre o povo de Deus é "gloriosa".

Façamos um resumo. Jesus ora pela era da Igreja até que Ele volte. Ele almeja que o fim chegue, porque quer ter seus seguidores com Ele no céu para experimentarem o amor glorioso e pleno que o Pai partilha com Ele. Jesus veio compartilhar esta mensagem e demonstrar este amor para um mundo pecador através do seu povo — se ao menos eles crerem e o seguirem. Ele veio trazer de volta o céu àqueles a quem o Pai enviou. Por sua vez, os seguidores de Jesus executarão a missão de Jesus e do Pai.

3.6. A Traição, Prisão, Crucificação, Morte e Sepultamento de Jesus (18.1—19.42)

Os capítulos 13 a 17 contêm um grande bloco de ensino. Não decorreu muito tempo, proporcionalmente, desde os longos discursos que Jesus acabou de fazer. João reduziu a velocidade em que o tempo passa, a fim de pôr diante do leitor o que ele considera informação importante. Com a conclusão de sua oração no capítulo 17, Jesus move-se em direção à culminação da sua hora. Aqui, nos capítulos 18 e 19, a marcha do tempo também é reduzida e os eventos avultam-se no fluxo da história da redenção.

3.6.1. A Prisão de Jesus (18.1-11).
O cenário da prisão de Jesus é dado nos versículos 1 a 3. Depois de Jesus ter concluído seu extenso discurso nos capítulos 13 a 17, Ele e os discípulos atravessam o vale de Cedrom, indo em direção leste, e fazem uma viagem curta a um "horto de oliveiras". Ainda é noite; mas eles conhecem o caminho na escuridão da noite, pois Jesus tinha o costume de ir lá com freqüência (v. 2). Judas também conhece bem o lugar, e ele conduz "a coorte [um destacamento de soldados] e oficiais [guardas] dos principais sacerdotes e fariseus". Eles levam tochas, lanternas e armas — tudo o que era necessário para capturar e levar uma pessoa procurada pela justiça.

A narrativa então salta em vitalidade com o diálogo entre Jesus e os que foram buscá-lo. Neste momento, quando parece que as coisas estão fora de controle, João arma o palco observando que Jesus sabe de tudo o que vai acontecer (v. 4). Nesta confrontação, Jesus está firmemente no domínio da situação. Ele não quer que eles avancem, mas vai até eles e pergunta (v. 4): "A quem buscais?" Eles respondem: "A Jesus, o Nazareno". João acrescenta uma informação, ligando Judas, o traidor, com esta atividade (v. 5b). Deste modo, a narrativa põe em movimento o conflito do capítulo 13 envolvendo Judas. Jesus então diz: "Sou eu".

"Quando [Jesus] lhes disse: Sou eu, recuaram e caíram por terra" (v. 6). Há várias opiniões relativas ao que está acontecendo aqui e por quê. Não está claro se eles forem pegos de surpresa, ou se foi apreendido como resposta a um encontro com a deidade. "Sou eu" em grego é *ego eimi* e pode ser um nome que expressa divindade. Esta expressão encaixa-se com a forma absoluta do nome que em grego ocorre em outros lugares neste Evangelho (cf. Jo 6.20; 8.24). Em ocasião anterior, estes mesmos guardas tinham ido em busca de Jesus, mas não o prenderam, porque "nunca homem algum falou assim como este homem" (Jo 7.46). Lá, eles chamam Jesus de "homem". O que pode tê-los surpreendido é que Jesus os aborda como alguém cuja hora chegou — e que, portanto, está no controle. Ele não foge da sua designação divina.

Aqueles que planejam prender Jesus ainda não tinham se recuperado, quando Ele lhes pergunta novamente a quem buscavam. Mais uma vez eles repetem o nome (v. 7). Jesus, sem fraquejar no cumprimento de sua missão, ainda está preocupado com seus seguidores e pede permissão para que eles se vão. O versículo 9 é o comentário do autor sobre a resposta de Jesus. Ele considera este pedido e sua subseqüente permissão como cumprimento profético das palavras ditas anteriormente por Jesus em João 6.39 e 17.12.

A declaração sobre Jesus guardar todos a quem Deus lhe dera (menos Judas, que assim fora anteriormente determinado), arma um quadro para entendermos o que acontece em seguida. Os versículos 10 e 11 concentram-se sobre o desajeitado Pedro. Este procedimento liga-se com o assunto dos discípulos problemáticos nos capítulos 13 em diante, sobretudo Judas e Pedro. Revela que Deus está guardando aqueles que realmente querem servi-lo, mas têm grandes falhas. Pedro, pensando que pode lutar contra todos os soldados e assim ajudar temporariamente Deus, acha-se indo contra a vontade de Deus (cf. também Mt 16.21-28, onde Pedro quis afastar Jesus da cruz; porém, recebeu lancinante repreenda de Jesus — a pessoa tem de estar disposta a dar a vida para servir a Deus). Jesus então responde a Pedro, que tinha sacado da espada e cortado a orelha do servo: "Não beberei eu o cálice que o Pai me deu?"

3.6.2. Jesus diante dos Líderes Religiosos (18.12-27). Os versículos 12 a 14 dão o registro da prisão de Jesus e o comparecimento perante Anás. Caifás, e não Anás, é o sumo sacerdote. O sumo sacerdote é quem tinha autoridade. Então por que eles o levam primeiro a Anás? Eis a resposta plausível. Anás tornou-se sumo sacerdote por volta de 6 a.C. e serviu nesse ofício até 15 d.C. Depois de ter sido deposto, cinco dos seus filhos, um neto, mais um genro (Caifás) tornaram-se sumos sacerdotes. Até 41 d.C., a família de Anás exercia influência significativa sobre todos os casos apresentados no Sinédrio. Portanto, era característico levarem Jesus primeiro a Anás, sogro de Caifás (veja *Dictionary of Jesus and the Gospels*, eds. J. B. Green e S. McKnight, Downers Grove, 1992, pp. 845-846).

O versículo 14 parece parentético. Contudo Caifás, seu assunto, não recebe atenção no relato da paixão em João. Ele aparece secundariamente nos versículos 24 e 28, mas não faz determinação pública sobre Jesus. O versículo 14 liga Caifás com o trama que por muito tempo esteve em processo. Em João 11.49-53 Caifás recomendou que o plano de prisão deveria incluir matar Jesus pelo povo. João já tinha observado ali que o sumo sacerdote profetizara sobre a morte substitutiva de Jesus por toda a nação judaica. Tal morte encaixa-se com as profecias do Antigo Testamento sobre a salvação, sendo descritas como a reunião das pessoas da Dispersão (Ez 34).

Pedro mais uma vez chama a atenção (vv. 15-18). Nestes versículos, ficamos sabendo que dois dos discípulos de Jesus o seguiram até a casa de Anás: Simão Pedro e "o outro discípulo". Este discípulo não identificado é provavelmente o autor do Quarto Evangelho, o discípulo amado. Duas vezes é dito que ele "era conhecido" por Anás (aqui chamado "sumo sacerdote", vv. 15,16). O apóstolo, então pescador e homem de negócios, teria tido contatos com pessoas como Anás. Por causa disto, foi lhe permitido ir até a "sala" onde Jesus foi levado, enquanto Pedro ficou do lado de fora. Jesus estava na sala, enquanto Pedro permanecia fora no pátio.

O outro discípulo sai para fazer Pedro entrar (i.e., no pátio), onde uma fogueira aquece os servos e guardas no ar frio da manhã (v. 18). Eles não estão na sala onde Jesus está sendo interrogado. No processo de fazer com que Pedro entre, uma criada, a porteira, pensa ter reconhecido Pedro e lhe pergunta se ele é um dos discípulos de Jesus. Ela faz a pergunta de certo modo a esperar uma resposta negativa. Pedro responde de acordo.

A cena passa agora para o interrogatório de Jesus (vv. 19-24). O sumo sacerdote lhe questiona sobre:
1) seus discípulos; e
2) o que Ele ensina?

Jesus não responde a primeira pergunta, mas vai direto à segunda. Ele responde apropriadamente segundo o procedimento relativo a tribunal, dizendo com efeito: "Se vossa excelência tem de me perguntar o que estou ensinando, então vossa excelência não tem acusação contra mim e deveria interpelar as testemunhas". O modo como Jesus responde a Anás ressalta a natureza falsa das acusações e o procedimento jurídico impróprio — a justiça não pode prevalecer. Jesus protesta contra o procedimento inadequado de perguntar ao acusado as acusações contra si em vez de perguntar às testemunhas. Um dos oficiais esbofeteia Jesus quando Ele termina de falar. Esta bofetada não machuca tanto quanto o desonra. A segunda réplica de Jesus destaca ainda mais a injustiça do caso. Logo após, Anás o envia, ainda amarrado, a Caifás (v. 24).

Agora a cena volta a Pedro (vv. 25-27), para sua segunda e terceira negações. Pela segunda vez, as pessoas lhe fazem uma pergunta, a qual novamente antecipa uma resposta negativa. O autor do Evangelho, observando que a ansiedade de Pedro está aumentando, acrescenta desta vez: "Ele negou e disse: Não sou". A terceira vez, um parente de Malco, cuja orelha Pedro cortara, desafia-o com uma pergunta que antecipa uma resposta positiva: "Não te vi eu no horto com ele?" Desta feita, o escritor João evita citar o que Pedro responde e escreve apenas que Pedro o nega, dando a mesma resposta que a anterior. "E logo [i.e., nesse momento] o galo cantou", assinalando o fim do interrogatório de Jesus perante as autoridades judias. João não menciona que Jesus foi levado diante do Sinédrio. Eles o entregam a Pilatos e aos romanos.

3.6.3. Jesus diante de Pilatos e dos Líderes Judeus (18.28—19.16a).

Esta seção contém sete cenas, alternando-se entre *dentro* e *fora* da "audiência" (*praitorion*). Depois que Pilatos leva Jesus para dentro (v. 28), as palavras dentro/fora revezam-se. Pilatos:
1) "Saiu" (Jo 18.29).
2) "Tornou, pois, a entrar" (Jo 18.33).
3) "Voltou" (Jo 18.38).
4) "Açoitou [Jesus]" ([dentro, implícito], Jo 19.1).
5) "Saiu outra vez fora" (Jo 19.4).
6) "Entrou outra vez" (Jo 19.9).
7) "Levou Jesus para fora" (Jo 19.13).

O ponto central e decisivo das sete cenas é o açoite de Jesus (cena 4), enfatizando os maus tratos às mãos de Pilatos na instigação dos líderes judeus. As outras cenas mostram paralelos temáticos: a cena 1 com a cena 7 (o pedido da morte de Jesus e a concessão de sua morte); a cena 2 com a cena 6 (a monarquia e a autoridade); e a cena 3 com a cena 5 (a inocência de Jesus). Pilatos também manifesta altitudes e ações persistentes — medo e a inocência de Jesus. Ele cede diante da pressão dos líderes judeus.

3.6.3.1. A Primeira Cena: Fora (18.28-32).

Nesta primeira cena, emerge a inocência de Jesus. Os líderes judeus, sem entrarem no palácio, levam Jesus a Pilatos, porque não querem se contaminar antes da Páscoa adentrando num edifício gentio. Pilatos sai e lhes pergunta quais são as acusações. O diálogo entre ele e os líderes judeus mostra só ambiguidades concernentes às acusações. Pilatos diz a eles que o julguem de acordo com a própria lei deles. Eles têm certa autoridade sob a lei romana, e a lei rabínica regulava a pena de morte.

Pouco tempo depois, este mesmo grupo de judeus apedreja Estêvão (At 7). Podemos tecer vários comentários. João sugere que o julgamento de Jesus é ilegal. Casos capitais têm de ir perante o Sinédrio, em Jerusalém. Em João, eles não se reúnem. Em Atos 7, o Sinédrio se reuniu e liquidou Estêvão. O caso é que os líderes judeus querem que Jesus seja crucificado e desejam que os romanos o façam, passando-lhes a responsabilidade, pois sabiam que os romanos exerciam a pena de morte por crucificação. Tanto eles quanto Pilatos passam Jesus de um lado para o outro, e não assumem a responsabilidade por sua morte.

Pilatos não pode suportar mais nenhuma desordem dos judeus. Os líderes judeus colocam-no numa situação difícil. João oferece "a verdadeira" explicação no versículo 32. Os fatos estão acontecendo de acordo com o plano de Deus; este tipo de morte cumpre as próprias palavras de Jesus. Note os vários lugares onde Jesus falou a esse respeito:

1) João 3.14: "Assim importa que o Filho do Homem seja levantado";
2) João 8.28: "Quando levantardes o Filho do Homem";
3) João 12.32,33: "E eu, quando for levantado da terra, todos atrairei a mim. E dizia isso significando de que morte havia de morrer".

3.6.3.2. A Segunda Cena: Dentro (18.33-38a). Pilatos volta para dentro e convoca Jesus para interrogá-lo. Mas Jesus não rende sua autoridade a Pilatos neste momento da investigação. Em vez de responder à pergunta de Pilatos, Jesus o informa simultaneamente que ele não tem nada que temer dEle, visto que o seu Reino não é deste mundo, e que Ele é Rei. Pilatos detém-se na palavra "rei". Jesus responde indicando a natureza de sua vinda e do seu Reino.

No versículo 37, Jesus fala sobre sua humanidade: "Eu para isso nasci e para isso vim ao mundo". Sua monarquia evidencia a natureza santa de Deus, o pecado do mundo e a necessidade de expiação—tudo conectado com sua morte sacrifical na cruz. Para morrer, Ele tem de ser humano. Ele nasceu para morrer. Pilatos responde com a pergunta retórica: "Que é a verdade?", no versículo 38a. Não há necessidade de resposta — que acossa a humanidade pecadora ao longo da história humana e deixa zunindo nos ouvidos a pressuposição remanescente que, sem Deus em Cristo, ninguém sabe a resposta certa.

3.6.3.3. A Terceira Cena: Fora (18.38b-40). Pilatos volta aos líderes judeus, que o aguardavam, dizendo-lhes estas palavras: "Não acho nele crime algum", indicando sua conclusão depois de falar com Jesus. Pensando que tem um meio de soltar este homem inocente, Pilatos apela para a sugestão (i.e., "costume") anterior feita por Caifás, de eles soltarem um prisioneiro na época da Páscoa. Entretanto, Pilatos ainda é culpado de duplicidade. A despeito de quem ele indique, os líderes insistirão na libertação de alguém que não seja Jesus. A ironia enche o versículo 40. Em aramaico, Barrabás quer dizer, literalmente, "filho do pai". Como revolucionário, ele é culpado de sério crime contra Roma. Se não fosse por esta ironia, teria sido incrível Pilatos soltar uma ameaça comprovada contra Roma, um insurrecionista.

3.6.3.4. A Quarta Cena: Dentro (19.1-3). A descrição desta cena não contém nenhuma menção de "fora" ou "dentro". Contudo, Jesus é o sujeito, indicando que Pilatos está "dentro". Como apontado acima, esta cena é o ponto focal do julgamento. Significa que o que aparece aqui é importante. Talvez para agitar a multidão lá fora, Pilatos zombeteiramente faz Jesus parecer como rei judeu. Na realidade, é a verdade — Jesus é Rei. Pilatos manda os soldados açoitarem Jesus (cf. Is 50.6). Dos três açoitamentos que os romanos podiam dar, este era o segundo. Talvez João tenha escrito desta maneira para dar a entender que este é um ato de punição em si mesmo, em vez de ser mera parte da pena de morte. Considerando que Pilatos antes e depois deste episódio acredita que Jesus é inocente, pode ser que ele esteja trabalhando até o ponto em que tentará soltar Jesus pelo expediente de aplicar este açoite como punição e contar com a compaixão dessas pessoas.

Depois de administrar este açoite, os soldados tecem uma coroa de espinhos (João não diz de que planta ou árvore é) e a colocam na cabeça de Jesus. Os soldados vestem Jesus de uma veste real (purpúrea). Púrpura era a cor da realeza. Isto destaca o aspecto real de Jesus. Feito isso, eles "diziam: Salve, rei dos judeus!", sendo acompanhado com tapas no rosto. Escárnios semelhantes eram feitos em todo o mundo greco-romano em palcos e em circos.

3.6.3.5. A Quinta Cena: Fora (19.4-7). Esta cena é paralela com a terceira. Pilatos sai e traz consigo Jesus, vestido chistosamente como rei com uma coroa de espinhos e um manto purpúreo. Ele anuncia que não achou nenhuma culpa em Jesus. Com esta manobra, Pilatos muito provavelmente tenta soltar Jesus. Não obstante, os sacerdotes e oficiais recusam-se a aceitar tal ação e exigem a pena da morte: "Crucifica-o! Crucifica-o!" (v. 6). Eles apelam para esta sentença com base na lei deles — Ele blasfemou ("[Ele] se fez Filho de Deus", v. 7; cf. Jo 5.18; 10.33).

Agora Pilatos ficou com mais medo ainda. O medo se mostra implicitamente no dilema em que se encontra — entalado entre certo tipo de regente romano sobre a nação judaica e seu próprio fracasso e fim como governador. Debaixo disso, de maneira irônica, Jesus, que realmente está no controle, frustra o plano que Pilatos tem de soltá-lo. Ele tem de morrer pelos pecados do mundo. Ironicamente, Jesus é realmente o Rei.

3.6.3.6. A Sexta Cena: Dentro (19.8-11). Esta cena é paralela com a segunda e enfoca poder e autoridade. Repelido, Pilatos com medo se retira para o palácio e pressiona Jesus acerca de suas origens. Mas Jesus permanece calado. Pilatos, lambendo as próprias feridas, replica preocupado com sua autoridade, tentando fazer Jesus ver que, no fim das contas, ele tem controle sobre Jesus. Agora Jesus responde (v. 11), colocando as coisas na perspectiva correta para Pilatos. O poder de Pilatos vem de acima, falando do Pai; e os líderes são culpados de um pecado maior que Pilatos.

3.6.3.7. A Sétima Cena: Fora (19.12-16a). Esta cena final é paralela com a primeira. João resume o que Pilatos faz quando este sai para falar com os líderes. Ele está convencido de que Jesus é inocente, mas os líderes continuam gritando e pressionando sua estratégia. Eles querem Jesus morto. Para persuadir Pilatos a tomar a decisão, eles apelam para a situação histórica e política na qual Pilatos se encontra nesse momento. Se ele se recusar a tratar de uma situação na qual alguém afirma que é rei, então ele não é amigo do imperador de Roma. Pilatos não suporta tal ameaça e cede. Perder o *status* da amizade de César era cortejar a morte. Se os judeus levarem este assunto a Roma, com certeza as negligências de Pilatos vão aparecer.

Pilatos vai ao lugar onde os julgamentos são proferidos (chamado *bema* em grego) e manda que Jesus seja trazido. Este lugar chamava-se em aramaico Gabatá ("o Pavimento de Pedra", v. 13). Pilatos ainda procura libertar Jesus, mas os líderes o pressionam implacavelmente. Esta cena atinge o clímax do julgamento de forma dramática. Os líderes judeus entregam o rei davídico aceitando César (v. 15: "Responderam os principais dos sacerdotes: Não temos rei, senão o César"). Pilatos não têm poder para soltar Jesus! Ele entrega Jesus para a crucificação.

João nota no versículo 14 que, quando o fato aconteceu, era por volta da hora sexta do Dia da Preparação da semana pascal. Quando ele inclui informação como esta, ele quer dizer algo. Esta é a hora em que os cordeiros pascais eram mortos e preparados para o sacrifício e comidos de maneira apropriada. No período em que Ele está pendurado na cruz, estes cordeiros estão pendurados dentro do monte do templo. Jesus culmina e cumpre o que foi declarado anteriormente neste Evangelho: "Eis o Cordeiro de Deus, que tira o pecado do mundo" (Jo 1.29).

3.6.4. A Crucificação, Morte e Sepultamento de Jesus (19.16b-42). Alguns estudiosos vêem nestes versículos arranjo semelhante ao da seção de julgamento, com sete cenas ou atos. Contudo, a evidência não é tão clara quanto nas cenas do julgamento. Estes versículos contêm quatro seções e focalizam a decisão tomada acerca de Jesus pelos líderes judeus e Pilatos nos versículos precedentes. O autor dá a interpretação divina para sua audiência. Em três destas seções, ele comenta que a Escritura há muito tempo falou sobre tais eventos.

3.6.4.1. A Crucificação de Jesus (19.16b-27).

Os versículos 16b e 17 informam o que é feito com Jesus depois de Pilatos o entregar aos principais sacerdotes: Os soldados (não os líderes judeus — este é o show de Pilatos) assumem. Eles o conduzem para fora da cidade ao lugar da crucificação. A pena de morte pelos judeus acontecia fora da cidade (cf. At 7.58); também para os romanos. Em grego, este lugar é chamado (literalmente) "o Lugar da Caveira"; em aramaico, "Gólgota". Uns dizem que esta era uma colina em forma de crânio. O local bem pode ter sido um típico lugar de crucificação pelos romanos — ou seja, um lugar onde a morte enchia pesadamente a atmosfera. O versículo 20 acrescenta que este lugar fica perto da entrada da cidade, onde todos que chegam e saem podem ver.

Jesus leva a própria cruz (v. 17). João não menciona que alguém tenha ajudado Jesus a carregá-la (cf., e.g., Mc 15.21). João chama a atenção para a queda de Jesus. "Cruz" refere-se ao travessão que era fixado na parte superior da viga vertical quando o condenado chegava ao local da execução. Esta viga vertical ficava permanentemente fincada no lugar de execução. Os soldados pregavam ou amarravam ao travessão as mãos do homem a ser executado estendendo-lhe os braços, e erguiam o travessão à viga vertical com a vítima presa, fixando-o no lugar. Os pés eram pregados ou amarrados com corda na viga vertical. O corpo apoiava-se num pedaço de madeira que se projetava da viga vertical. Mas João (e os escritores dos Evangelhos) dizem simplesmente: "[Eles] o crucificaram" (v. 18). João observa que Jesus foi crucificado entre dois outros condenados, mas evita dizer algo mais sobre eles, ou sobre os crimes ou escárnio que fizeram de Jesus. Ao agir assim, ele mantém a atenção sobre Jesus.

Por vários versículos, a monarquia de Jesus é enfatizada. Só em João lemos que o título posto acima de Jesus está em três idiomas: aramaico, latim e grego. Só em João ficamos sabendo do protesto dos líderes judeus contra os dizeres do título e da resposta subseqüente de Pilatos (vv. 19-23). Só João menciona "Jesus Nazareno", talvez ressaltando o escárnio pretendido por Pilatos e a importância para a ênfase de João. "Rei dos judeus" alude à acusação contra Jesus.

Toda esta situação está ensopada de ironia. Em gozação, Jesus é o rei deles. De fato, Ele é o Rei messiânico, que, com este evento, dá a salvação a todos os que o recebem. Na verdade, eles o rejeitam (cf. Jo 1.11,12). Esta cena completa o que foi começado anteriormente, quando Natanael disse: "Tu és o Rei de Israel" (Jo 1.49), e Jesus foi ungido Rei por Maria (veja comentários sobre Jo 12.1-8). A cruz torna-se o trono de Jesus — o lugar do qual Ele desencadeia seu poder como Rei para libertar a natureza humana das garras do pecado e livrar da condenação do pecado perante Deus. O título na cruz indica de maneira óbvia a idéia de trono. E o título em três línguas sugere que Jesus é o rei do mundo (cf. Jo 3.16: "Porque Deus amou o mundo").

Nenhum dos outros escritores dos Evangelhos menciona a túnica sem costura (vv. 23,24). O grupo dos quatro soldados (é por isso que houve quatro sortes) decide não dividir entre si este artigo de vestuário como o fizeram com as outras roupas de Jesus. Ainda que esta peça de roupa, usada em contato direto com a pele, não fosse cara, contribui para a impressão global da narrativa (talvez seja é uma peça do vestuário sacerdotal). Em todo caso, aqui ocorre a primeira referência ao cumprimento da Escritura, que comprova o controle de Deus sobre a história, divulgada ao seu povo pelos profetas. A vida e morte, e o ministério de Jesus não devem ser percebidos como algo acidental ou fatal. É o ato divino da história de salvação que agora se cumpre.

A divisão das roupas e o lançamento de sortes para a túnica acontecem de forma que a Escritura (Sl 22.18) seja cumprida.

João tem o plural para "vestes" no versículo 23 (*himatia*), o qual se combina com a primeira linha do Salmo 22.18. Para "túnica", no versículo 23, ele usa a palavra grega *chiton*, combinando-a com o que o Salmo 22.18 tem na segunda linha (embora a palavra seja diferente: *himatismos*). João difere da redação do Salmos 22.18, quando informa: "Lancemos sortes sobre ela, para ver de quem será" (v. 24). Todavia o significado é o mesmo.

Na paixão de Jesus, governadores, multidões rebeldes e líderes religiosos executam a ordem de Deus. Nem mesmo a morte pode deter a marcha triunfante de Deus no seu plano gracioso para um mundo condenado e rebelde.

Este parágrafo conclui com uma referência pessoal (vv. 25-27). Todos os Evangelhos mencionam as mulheres e nomeiam pelo menos algumas delas. É difícil identificar algumas destas mulheres e suas relações de forma segura. João nos ajuda a entender um pouco mais sobre estas relações, especialmente quando comparamos a informação com todos os Evangelhos. João menciona que a mãe de Jesus e a irmã dela estão presentes, junto com o discípulo amado. Por que não há outro homem? Eles fugiram. João, o discípulo amado, não teve de fugir — o sumo sacerdote o conhecia (cf. Jo 18.15-18). As mulheres e este discípulo seguem Jesus.

A irmã da mãe de Jesus é provavelmente a mãe de João, o discípulo amado. Em outras palavras, este discípulo e Jesus são primos. Os irmãos de Jesus também não estão, o que explica a razão de Ele entregar a mãe aos cuidados do discípulo amado. Nesta altura, podemos presumir que José já tenha falecido e que Jesus, até então, foi responsável por Maria, sua mãe. Agora Jesus deixa-a aos cuidados do sobrinho dela. Visto que João é reticente em usar o próprio nome e mencionar o da mãe neste Evangelho, a evidência da autoria joanina aumenta.

3.6.4.2. "Está Consumado" (19.28-30). É proveitoso distinguirmos estes dois versículos dos outros, por causa do seu conteúdo. Eles focalizam a conclusão da obra de Jesus. "Depois" (v. 28) é um pouco vago. O grego sugere um momento mais específico depois da cena em que Ele passa o cuidado da mãe para o discípulo amado. É nesse momento que Ele sabe que *tudo* foi completado.

"Completado" diz respeito à obra feita por Jesus, à sua hora que começou em João 12.23. É a plena doação de amor para os seus conforme mencionado em João 13.1. Na realidade, visa tudo o que Jesus veio fazer. "Completado" significa mais que meramente "terminado". Significa que sua obra foi consumada. A morte de Jesus não é o fim de uma longa lista de coisas. É a meta e ponto crucial de tudo o que Deus planejou. As palavras para esta idéia são "estavam terminadas" (v. 28) e "está consumado" (v. 30). No original grego, é usada a mesma forma verbal: *tetelestai*. Esta palavra coloca o trecho entre parênteses e orienta o significado do parágrafo inteiro. Este verbo denota que a obra de Jesus está feita, mas que os resultados são contínuos. Nada mais precisa ser feito em relação ao plano de salvação. "Está consumado" são as últimas palavras ditas por Jesus no Evangelho de João antes da sua morte.

Jesus fica com sede quando sabe que sua obra está consumada. Ele também sabe que a conclusão da obra é o cumprimento da Escritura. Qual é a relação entre a sede e a obra? Com certeza tudo o que Ele vinha passando era extremamente extenuante; lhe é natural, em sua humanidade, ter sede. Sua obra, qual seja, sofrer a expiação, levou-o a um momento de dor extrema. Só em sua humanidade Ele poderia experimentar isso. Esta declaração pode ser paralela ao seu clamor nos outros Evangelhos: "Deus meu, Deus meu, por que me desamparaste?" (cf. Mt 27.46).

Mais tarde, em João 19.34, sangue e água saem do lado de Jesus. Neste momento sacrifical, o paradoxo é extraordinário — Ele tem muita sede, mas dá a água que dá vida. Aquele que é a fonte da água da vida agora precisa dela. Por outro lado, Ele está com sede por vontade própria — Ele sabe que é devido ao cumprimento da Escritura. É o que significa o versículo 28. O conhecimento de Jesus da sua obra consumada vem da Escritura e a cumpre.

Qual Escritura João tem em mente quando faz o comentário sobre "Tenho sede" (v. 28)? Provavelmente várias passagens juntas, a soma total dos seus ensinos, como encontramos no Salmos 22.15; 69.19-21. O Salmos 22.15 é bastante específico para fundamentar esta declaração. Esta é a segunda referência ao cumprimento da Escritura no registro que João faz da crucificação. No versículo 24, o verbo traduzido por "cumprisse" é *plerothe*, ao passo que no versículo 28 é *tetelestai*. Pode ser questão de João estar usando os verbos como sinônimos, ou talvez seja porque a idéia de "cumprimento" na obra de Jesus esteja ligada com seu conhecimento da Escritura. De modo mais sugestivo, *esta* Escritura liga-se com este evento.

De fato, a obra de Jesus não está consumada até que Ele beba a bebida amarga que eles lhe dão. Esta bebida indica o terrível cálice do pecado que Ele ingere pelos pecados do mundo inteiro. Isto já está preconizado em João 18.11: "Não beberei eu o cálice que o Pai me deu?"

Jesus inclina a cabeça e entrega o espírito (v. 30). Uns vêem aqui não só uma referência à morte de Jesus, mas também uma declaração simbólica. Jesus com sua morte libera o Espírito para dar vida aos outros. Ainda que nos outros Evangelhos este possa ser o caso, tal não é sugerido em João, sobretudo levando-se em conta a vida que Jesus soprou nos discípulos em João 20.22. É possível haver outra interpretação na qual se considera que estes dois eventos ligam sua morte e ressurreição.

Mais uma coisa deve ser mencionada. O fato de Jesus ter uma morte bastante rápida é significativa. A razão encontra-se na declaração da sua morte. O próprio Jesus entrega a vida; ela não lhe é tirada (cf. Jo 10.17,18). Ele oferece a vida como sacrifício.

3.6.4.3. A Morte de Jesus (19.31-37).

Três elementos se destacam neste parágrafo: a perfuração do lado de Jesus, o fato de os soldados não quebrarem as pernas de Jesus e o testemunho do escritor deste Evangelho. Os líderes judeus — provavelmente os mesmos do versículo 21 — pedem a Pilatos que mande tirar da cruz os corpos dos executados. Era costume romano deixar as pessoas na cruz durante vários dias, mesmo depois da morte, principalmente para agir como meio de intimidação. A morte por crucificação era em geral lenta e extremamente dolorosa. Mas os líderes judeus não querem que esses corpos lhes contaminem os dias santos. O versículo 31 observa que este dia é o da "preparação" (i.e., da noite de quinta-feira à noite de sexta-feira). O dia seguinte, a Páscoa, se estenderá da noite de sexta-feira à noite de sábado. Quando a Páscoa caía no sábado, era um sábado especial. O pedido que fazem está baseado neste fato (v. 31), embora seja provável que remonte a Deuteronômio 21.22. Lá, o corpo só era pendurado durante um dia; não era permitido ficar pendurado

Na Parábola da Ovelha Perdida, Jesus descreve o pastor que deixa as noventa e nove ovelhas para buscar a ovelha perdida ao final do dia. Jesus compara a alegria do pastor por ter encontrado a ovelha perdida com a "alegria no céu por um pecador que se arrepende".

durante a noite, para que não profanasse a terra.

Conceder este pedido significa que os soldados têm de quebrar as pernas (ato muito doloroso mas, de certo modo, misericordioso) das vítimas para apressar a morte. Eles quebram as pernas dos homens que estão ao lado de Jesus. Mas quando chegam em Jesus, eles já o encontram morto (vv. 32,33). Não lhe quebram as pernas, mas um dos soldados atira uma lança no lado de Jesus, provavelmente em direção ao lado esquerdo próximo do coração (v. 34a). Imediatamente, sangue e água saem.

Só João fornece esta informação, mas para ele é importante. Ainda que exista o fato literal, outro nível de significado surge do próprio Evangelho. Sangue se refere ao ato de dar vida para sacrifício. Água se refere ao Espírito, que vem depois do sangue (expiação) e traz vida. Neste Evangelho, Jesus dá a vida e então libera o Espírito. Vários temas agrupam-se nesta declaração, como a relação entre a Festa dos Tabernáculos e a Páscoa. A morte de Jesus, como vimos em João 7.1-9, não era para ser associada com a Festa dos Tabernáculos, mas com a Páscoa. A Festa dos Tabernáculos estava associada com a doação do Espírito. O Espírito, simbolizado pela água, fluía do altar. O altar é o lado de Jesus — Jesus é o novo templo. Em outras palavras, o fluxo de água que emanou do lado de Jesus cumpre João 7.38,39.

O versículo 35 contém o testemunho escrito do autor e fornece autenticação da morte de Jesus, e do fato de que suas pernas não foram quebradas. Embora este versículo específico não diga, o contexto sugere fortemente que este testemunho é do discípulo amado, o autor deste Evangelho (cf. Jo 19.25-27). Este testemunho autêntico dá a fundação para a crença de todos os cristãos. Este é o mesmo tipo de testemunho que Paulo dá em 1 Coríntios 15.1-15. Este versículo de testemunho apresenta João 20, onde a fé aparece como tema principal.

Os versículos finais deste parágrafo (vv. 36,37) usam a terceira referência bíblica para falar dos ossos das pernas que não foram quebrados e do lado perfurado do Messias. Na forma tipicamente rabínica, João conecta dois grupos diferentes de textos. O primeiro grupo (Êx 12.46; Nm 9.12) dá a diretriz para não quebrar as pernas do cordeiro pascal. O Salmos 34.20 fala de Deus protegendo o justo nas dificuldades, não lhe permitindo que nenhum dos seus ossos seja quebrado. O segundo grupo (Zc 12.10) fundamenta a perfuração. A citação de João, ainda que não siga precisamente as Escrituras gregas ou as hebraicas, dá o sentido. Zacarias 12 sugere um tempo em que Deus libertará os habitantes de Jerusalém dos seus inimigos quando for traspassado. Todo clã de Israel pranteia o que foi traspassado. O capítulo 13 começa dizendo que Deus purificará do pecado os habitantes de Jerusalém (cf. redação semelhante em Ap 1.7).

3.6.4.4. O Sepultamento de Jesus (19.38-42). Mais tarde (v. 38), certo José pede a Pilatos o corpo de Jesus, e Pilatos lhe concede o pedido. João conta duas coisas sobre este homem: Ele é de Arimatéia e é crente secreto em Jesus. Este José só aparece no relato do sepultamento de Jesus nos Evangelhos. Lucas 23.50,51 diz que Arimatéia era uma cidade dos judeus. José também tinha envolvimento com o Sinédrio e tinha um sepulcro perto de Jerusalém, o que significa que ele morava em Jerusalém. Lucas também nos fala que ele era homem piedoso. João enfatiza que ele era um crente secreto em Jesus por medo dos líderes judeus. Este tipo de crente, que freqüentava a sinagoga, tornou-se numeroso mais tarde, quando os líderes do judaísmo o perseguiram.

Nicodemos (v. 39; cf. Jo 3) acompanhou José, levando grande provisão de especiarias próprias para sepultamento (cerca de 34 quilos). Especiarias como estas eram colocadas na tumba para disfarçar o odor de um corpo em putrefação. O número considerável sugere quantidade extraordinária, a qual é adequada para um rei. Nicodemos aparece raramente neste Evangelho e indica que ele também era um crente secreto em Jesus. Ele também é líder entre os líderes judeus (cf. Jo 7.45-52).

Os dois homens tomam o corpo de Jesus e o preparam para o sepultamento de acordo com o costume judaico. A preparação dizia respeito a tomar um tecido próprio e envolver o corpo e depois a cabeça. Feito isso, eles colocam o corpo num sepulcro novo — mais uma vez, algo adequado para um rei. Tendo em vista que a Páscoa está próxima (v. 42), eles põem Jesus neste sepulcro num jardim, próximo do local da crucificação.

3.7. A Ressurreição de Jesus (20.1-31)

O capítulo 20 é o clímax do Evangelho. Quatro das cinco seções neste capítulo contêm estados semelhantes para os discípulos. Cada seção começa com um estado de medo e/ou dúvida (i.e., fé fraca) e termina com alegria e fé fortalecida. As aparições pós-ressurreição fazem com que a fé vivifique. No capítulo 20, todas estas aparições acontecem em Jerusalém.

3.7.1. Pedro e o Discípulo Amado (20.1-10). Esta seção começa com uma nota sobre o dia da semana e a hora do dia: "No primeiro dia da semana, [...] de madrugada", isto é, domingo de manhã. Ao longo da narrativa, João observa que as festas religiosas e o lugar onde ocorrem (i.e., o templo) foram mudados. Elas pertencem ao judaísmo; a morte e ressurreição de Jesus os mudam, aquele por quem todas as coisas foram criadas (Jo 1.1-4).

Esta referência à hora dá o tom a tudo o que agora será considerado. Domingo é o dia da nova criação e serve para estabelecer a razão para uma nova ordem de adoração e sistema de calendário. Por exemplo, a Páscoa já não é apropriada. Na sua narrativa João manejou referências a fim de observar que a Páscoa pertence à antiga ordem e não à nova. Um novo serviço, a Ceia do Senhor, agora emerge da ressurreição e não da antiquada festa judaica. Esta designação da hora encaixa-se bem com o propósito e tom do livro. A postura do Evangelho de João é defensiva, não evangelista, embora encerre com a incumbência de pastorear a Igreja como o rebanho de Deus e evangelizar os estranhos.

No acalorado debate com a sinagoga sobre quem é o verdadeiro povo de Deus, a resposta correta agrupa-se na pessoa e obra de Jesus. É o nascimento da Igreja por meio de um Messias sofredor, mas triunfante, que envia o Espírito para purificar e criar. Este Rei Messias é o agente da nova criação da mesma forma que Ele foi em Gênesis 1 (cf. Jo 1.1-5). Nesta nova criação, Ele esteve mais conscientemente envolvido. Da mesma maneira que Deus criou originalmente (Gn 1), assim Jesus cria a Igreja.

Neste dia, Maria Madalena chega de madrugada, quando ainda é muito escuro, ou seja, muito cedo. Naquela cultura, este dia seria o equivalente da segunda-feira do mundo ocidental. Não é dia santo; é um dia de trabalho. O sábado passou. Maria vai prestar homenagens. Em todas as narrativas da ressurreição, as mulheres desempenham papel vital. Maria visita o sepulcro e descobre que a pedra da entrada do sepulcro foi retirada. Com esta descoberta, ela volta correndo para Pedro e o discípulo amado para dar as notícias alarmantes, evidenciando que ela não tem idéia da possibilidade da ressurreição. Ela pensa que alguém levou o corpo de Jesus.

Reconstruamos a cena. O movimento dos versículos 3 a 9 é importante. Com as notícias que ela dá, dois discípulos (Pedro e o discípulo amado) saem correndo para o sepulcro; o discípulo amado ultrapassa Pedro e chega em primeiro lugar. Ele fica do lado de fora do sepulcro, inclina-se e olha para dentro. Ele vê "no chão os lençóis; todavia, não entr[a]". Pedro chega em seguida, entra no sepulcro e vê "os lençóis e que o lenço que tinha estado sobre a sua cabeça [de Jesus] não estava com os lençóis, mas enrolado, num lugar à parte" (vv. 5-7). É depois que Pedro entra no sepulcro que se vê o lenço de cabeça. Esta descrição detalhada do interior do sepulcro comporta elaboração. João, o discípulo amado, não é apenas quem testemunhou a morte de Jesus na cruz, mas também é o primeiro a ver o

O Calvário de Gordon é o lugar onde uns acreditam que é o verdadeiro Gólgota, o local da crucificação de Jesus, por causa de duas reentrâncias na face rochosa que se assemelham à órbita focal de uma caveira. O termo "gólgota", em hebraico, significa "caveira". O lugar foi identificado em 1883 pelo general britânico Charles Gordon.

Perto do Calvário está o Túmulo do Jardim, local onde uns julgam que Jesus foi enterrado. Os lugares tradicionais do sepulcro e do Gólgota estão debaixo da Igreja do Santo Sepulcro.

sepulcro vazio. Mas o significado da cena em que se encontra não é conhecido por ele (ou por Pedro).

Uma descrição do sepulcro e da mortalha é benéfica. Os sepulcros em geral eram talhados num monte rochoso. O primeiro ato seria escavar uma câmara. Covas ou lugares para pôr corpos eram esculpidos nos lados destas câmaras. Outras câmaras a partir desta câmara original poderiam ser escavadas para ampliar os locais de sepultamento, à medida que membros da família morriam e precisassem deles. Visto que este sepulcro era novo, era simples, provavelmente só com um túmulo escavado no lado da câmara, visível da abertura. O acesso ao sepulcro era controlado pela escavação de uma grande abertura na pedra em frente da porta na entrada da câmara. Nesta abertura era colocada um grande disco de pedra que rodava de um lado para o outro quando necessário. Esta trincheira ou abertura poderia estar cheia de lama para dificultar mais o acesso de pessoas, como ladrões.

Usavam-se dois tipos comuns de sepulcros: o *arcosolium* e o *kokim*. O primeiro era talhado em ângulos retos na pedra da câmara. Seria uma saliência, larga o bastante para colocar um corpo. Acima da saliência, estendendo-se dos pés à cabeça, o corte arquearia e encontraria o topo, um ou dois metros acima da saliência — daí o nome *arcosolium*. O outro tipo de sepulcro era talhado longitudinalmente na pedra. A altura não era tão grande, visto que o corte se estenderia bem para dentro da pedra. O corpo seria posto longitudinalmente, estendendo-se longe do espectador. O que

João descreve é um *arcosolium* simples, cortado no lado de uma câmara simples, visto do exterior, simplesmente porque na escuridão do sepulcro, todas as mortalhas puderam ser vistas.

A descrição das mortalhas — o pano de linho que envolvia o corpo e o pano de cabeça — é importante. As mortalhas acham-se no lugar, sem desordem, como se o corpo tivesse subitamente desaparecido de dentro. Na verdade, foi assim que aconteceu. Este é o significado da ressurreição. O corpo ressuscitado passou suavemente através do material físico sem perturbá-lo. Com nada dentro para sustentar o pano, ele se desmoronou sobre si mesmo. Esta é a natureza do corpo da ressurreição. A pedra não foi rolada para que Jesus pudesse sair; foi rolada para que os discípulos pudessem entrar. Note João 20.19, que demonstra que o Jesus ressuscitado não tem necessidade de entradas. Mas não se trata da aparição de um fantasma ou espírito. João já prestou testemunho da morte real de Jesus no capítulo 19. O corpo foi transformado; as mortalhas testificam do fato.

Observe o movimento do medo para a fé. Alguns estudiosos notaram com precisão a progressão dos verbos gregos para descrever a mudança. O primeiro verbo ocorre no versículo 5 e narra o estado do discípulo amado. O verbo grego é *blepo* — "viu". Ele viu, mas não entendeu nada neste momento particularmente significativo. O próximo verbo (v. 6) é *theoreo* e expõe o ponto de referência de Pedro quando ele entra no sepulcro. Este verbo marca um movimento no processo de compreensão espiritual. Mas então o discípulo amado entrou, "viu [*eidon*], e creu". Este verbo de "visão" denota maior *insight* espiritual.

A crença vem com esta compreensão da ressurreição. A ressurreição é a base da fé cristã. Paulo em 1 Coríntios 15 também confirma este fato concernente à fundação do cristianismo. Agora a fé pode vir a existência. Sua meta está no lugar certo. Esta é a razão das pessoas não serem salvas à parte de Jesus e sua ressurreição.

É essencial que os dois apóstolos mais importantes vejam o sepulcro vazio, e que sua fé se complete, depois de ter começado em João 2.11. Este é o testemunho apostólico. Contudo João comenta que eles ainda não entendem a Escritura; em outras palavras, algo está faltando, se bem que eles passaram do medo para a fé. No Novo Testamento, o fator mais importante que o sepulcro vazio é as aparições pós-ressurreição. Não são argumentos frios, apologéticos e racionais que convencem as pessoas da ressurreição. As aparições pós-ressurreição de Jesus solidificam a fé. É o Jesus pessoal (i.e., sua presença) que convence as pessoas que Ele está vivo. Pedro e João voltam para casa (v. 10).

3.7.2. Maria Madalena e Jesus (20.11-18).
Pedro e João estão atordoados quando partem, e nada dizem para Maria. Entretanto, ela permanece fora do sepulcro, chorando, mostrando suas emoções de medo. Ela se agacha, olha o sepulcro e vê dois anjos — um sentado à cabeceira, onde Jesus tinha estado, o outro aos pés. Eles lhe perguntam: "Mulher, por que choras?" Mas ela não os reconhece quando responde.

Maria então se volta e vê Jesus de pé, mas não o reconhece e pensa que é o jardineiro. (Lembre que Jesus foi enterrado num sepulcro de jardim.) Jesus lhe faz a mesma pergunta que os anjos. Mas é só quando Jesus a chama pelo nome que ela o reconhece. Isto lembra João 10.3,4: "[O bom Pastor] chama pelo nome às suas ovelhas e as traz para fora. E, [...] as ovelhas o seguem, porque conhecem a sua voz". Ela responde em aramaico "Raboni", traduzido para os leitores gregos por "Mestre". Agora seu medo se transforma em fé na presença do Senhor ressuscitado.

Então ocorre uma situação interessante. Maria se agarrou firmemente em Jesus, embora João não nos dê esta informação. Jesus, de modo surpreendente, diz: "Não me detenhas, porque ainda não subi para meu Pai, mas vai para meus irmãos e dize-lhes que eu subo para meu Pai e vosso Pai, meu Deus e vosso Deus". A personalidade de Maria aparece aqui. Ela está muito grata pelo que Jesus lhe fizera e profundamente comovida por sua partida iminente. "Não me detenhas" pode ser traduzido por "Páre de me segurar". A ênfase cai na interrupção de uma ação constante e persistente.

A sentença seguinte oferece mais explicações: "Porque ainda não subi [...]; vai para meus irmãos e dize-lhes". O ato de ela querer se agarrar em Jesus é para impedir que Jesus termine sua tarefa. Ao longo dos capítulos 14 a 16 Ele disse que tinha de voltar ao Pai para que o Espírito pudesse vir. Jesus a redireciona a uma tarefa, e assim ela, uma mulher, torna-se a primeira pessoa a evangelizar (e evangelizar os discípulos, entre os quais incluem-se Pedro e João).

A natureza do estado ressurreto de Jesus também é determinada aqui: Maria pôde se agarrar. O verbo "eu subo", no versículo 17, está no presente (em processo naquele momento) — Jesus já está quase ascendido. Maria mudou de discípula temerosa e desesperada para discípula fiel e testemunhadora. A diferença é a presença de Jesus. É o que distingue o parágrafo precedente, no qual Pedro e João desempenham um papel, do presente parágrafo. Ela viu o Senhor, ao passo que eles não. A intimidade entre Jesus e os discípulos surge — Jesus os chama "meus irmãos" (v. 17). Ele continua a identificar-se com eles, algo que começou no capítulo 13, quando Ele lhes lavou os pés e em João 15.14,15, quando Ele os chamou "amigos".

3.7.3. Todos os Discípulos: A Criação da Igreja (20.19-23).

Se o capítulo 20 é o clímax deste Evangelho, então esta seção é o epítome deste clímax. Mais uma vez mostra movimento da incredulidade ou fé defeituosa para a fé nova ou fortalecida. A primeira coisa neste curto parágrafo centraliza-se na chegada da era do *shalom* (paz) e da criação da Igreja.

A seção começa remontando-se ao primeiro dia da semana mencionado no versículo 1 (neste momento era a tarde). Esta nota ajuda a estabelecer o horário para o parágrafo. Esta conexão com o domingo é muito importante ao que acontece aqui — dá ênfase especial a este dia, tornando-o a chave para o capítulo.

A disposição de espírito dos discípulos também arma o cenário para a aparição de Jesus. Atrás de portas bem fechadas, eles encolhem-se de medo dos líderes judeus. A referência simples da palavra no plural "portas" nos diz algo sobre o tipo de construção da casa. A palavra "cerradas" é um particípio perfeito, usado como adjetivo enfático. Esta circunstância aborda a situação por que passa a igreja de João. Pressionado pelos líderes farisaicos, a fé foi ameaçada pelos ensinos destes líderes, levando-os a se manifestar.

O horário e a disposição de espírito estabelecem uma estrutura de referência para dentro dela entendermos a sentença principal, que vem por último no versículo 19: "Chegou Jesus, e pôs-se no meio, e disse-lhes: Paz seja convosco!" Este versículo enfoca a aparição de Jesus e o que Ele diz. Em outras palavras, Jesus traz paz aos discípulos no domingo quando eles estão se escondendo de medo.

Qual é a natureza desta paz que Ele anuncia e traz? "Paz" ocorre cinco vezes neste Evangelho — três delas neste capítulo (vv. 19, 21, 26) e todas com a mesma sentença: "Paz seja convosco!" As outras duas estão em João 14.27 e 16.33. Estas cinco ocorrências estão estreitamente relacionadas. Em João 14.27, o contexto é semelhante: Jesus prometeu o presente da sua paz no meio de uma situação preocupante e atemorizadora; em João 20.19,21, Ele cumpre a promessa. Esta paz difere da paz do mundo. Mais tarde, em João 16.33, Ele assegurou aos discípulos que nEle teriam esta paz. Eles não a teriam no mundo, pois o mundo só traz dificuldades.

É importante que esta doação da paz coincida com a morte e ressurreição de Jesus, e com sua aparição a eles. A paz está relacionada com a obra expiatória de Cristo. Paulo interpreta a "paz" de maneira igual (Rm 5.1,11; de fato, a paz serve como parênteses em torno dos vv. 1-11 como termo sinônimo de reconciliação). Na expectativa do Antigo Testamento e na formação judaica posterior, este grupo de palavras continha implicações significativas concernentes à doutrina da salvação. Com efeito, pode ser entendido como sinônimo do termo *salvação*. Como recipientes desta paz, os discípulos são unidos uns com os outros e com o Filho e o Pai. Nesse estado, eles permanecem unidos contra a oposição do mundo (veja esp. *Exegetical Dictionary of the New Testament*, eds. H. Balz e G. Schneider, Grand Rapids, 1990-1993, vol. 4, pp. 395-396).

As palavras de Jesus estão profundamente arraigadas na esperança messiânica do povo de Israel. Quando o Messias viesse traria paz consigo — ou seja, traria salvação e cura, resultando em alegria. Atos 2.46, provável contexto eucarístico, reúne alegria, comunhão e outra atividade messiânica. Estas pessoas testemunham da presença do Cristo ascendido. João 14.27,28 reúne a alegria e a paz como dons de Jesus. João 16.16-24 e a declaração no final: "Para que a vossa alegria se cumpra", sugerem a celebração da paz na era vindoura. De fato, em alguns lugares na literatura judaica, é só Deus que traz a paz. O nome de Deus é Paz.

João com esta linguagem usa uma das regras de Hillel para comparar a atividade de Deus no Antigo Testamento com a de Jesus no Novo Testamento. Assim como Deus deu paz, assim Jesus (como deidade) dá paz. No meio da perseguição dos inimigos, Jesus na qualidade de Deus dá paz e alegria a seu povo.

O versículo 20 começa com: "E, dizendo isso", conectando a doação da paz com o que se segue. Jesus mostra aos discípulos as mãos e o lado. Ao fazê-lo, mostra que a paz vem em resultado do que lhe aconteceu estando refletido nas mãos e no lado. A fim de entender esta ação, temos de discutir mais extensamente as palavras que a descrevem. Este é o único lugar no Novo Testamento onde esta ação ocorre deste exato modo. Descrição semelhante acontece em Lucas 24.36-43, um dos poucos lugares onde João é paralelo aos outros Evangelhos. (Os estudiosos também notaram que os dois relatos contêm partes que se assemelham à Ceia do Senhor.) Mas Lucas difere de João de modo significativo: Ele tem "mãos" e "pés" ao passo que João tem "mãos" e "lado".[10]

"Mãos" e "lado" ocorrem juntos no Novo Testamento somente aqui em João 20.20,25,27. O termo "mãos" é encontrado em todos os relatos dos livros evangélicos das aparições pós-ressurreição. Mas por que João difere de Lucas (que tem "pés") e acrescenta, em contraste com todos os outros relatos, "lado"? Várias razões podem ser dadas. "Lado" (*pleura*) ocorre cinco vezes no Novo Testamento, quatro delas neste Evangelho (três vezes aqui e uma em Jo 19.34). Em João, estas ocorrências estão todas conectadas, referindo-se ao mesmo lugar físico e tendo o mesmo significado teológico. Em João 19.34, o soldado perfurou o lado de Jesus com uma lança e água e sangue jorraram. "Lado" associa a morte de Jesus com suas aparições pós-ressurreição. Entrelaça sua morte e corpo partido com o sangue e a água.

"Lado" e "mãos" demonstram o fato da expiação e sua ligação com o corpo de Jesus. "Lado" também associa seu corpo e sangue com sua vida nesta expiação. "Lado" e "mãos" tornam-se as características identificadoras do seu corpo partido na Ceia do Senhor. Assim, em João 20.20: "[Ele] mostrou-lhes as mãos e o lado" (veja também os vv. 25,27). O pão simbólico da comunhão não só indica sua real morte física (i.e., mãos e lado) e os instrumentos (cruz e cravos) usados para causá-la; também indica Cristo fisicamente ressuscitado com todas as cicatrizes, preservadas para mostrar o fato da redenção. A bebida da comunhão representa o sangue de Jesus, aqui unido com o corpo partido na expiação.

Já comentamos que João 19.34 cumpre João 7.39 (veja comentários sobre Jo 19.34). A água jorrando do lado de Jesus representa o Espírito que Jesus dá àqueles que nEle crêem. Quando Jesus soprou o Espírito nos discípulos, ocorreu o evento inaugural da era da salvação. A doação do Espírito só vem em resultado da obra expiatória de Jesus na cruz. Esta é a ordem bíblica dos eventos da salvação: a morte de Jesus, sua ressurreição e a doação do

JOÃO 20

APARIÇÕES PÓS-RESSURREIÇÃO DE JESUS

EVENTO	DATA	MATEUS	MARCOS	LUCAS	JOÃO	ATOS	1 CORÍNTIOS
Junto ao sepulcro vazio, fora de Jerusalém Domingo	28.1-10 de manhã, bem cedo	16.1-8	24.1-12	20.1-9	—	—	—
A Maria Madalena, junto ao sepulcro	Domingo de manhã, bem cedo	—	16.9-11	—	20.11-18	—	—
A dois viajantes na estrada de Emaús	Domingo, ao meio-dia	—	—	24.13-32	—	—	—
A Pedro, em Jerusalém	Durante o dia de domingo	—	—	24.34	—	—	15.5
A dez discípulos, no cenáculo	Domingo, à noite	—	16.14	24.36-43	20.19-25	—	—
A onze discípulos, no cenáculo	Uma semana mais tarde	—	—	—	20.26-31	—	15.5
A sete discípulos que pescavam no mar da Galiléia	Um dia, ao amanhecer	—	—	—	21.1-3	—	—
A onze discípulos num monte na Galiléia	Algum tempo mais tarde	28.16-20	16.15-18	—	—	—	—
A mais de 500 discípulos	Algum tempo mais tarde	—	—	—	—	—	15.6
A Tiago	Algum tempo mais tarde	—	—	—	—	—	15.7
Na ascensão, no monte das Oliveiras	Quarenta dias depois da ressurreição	—	—	24.44-49	—	1.3-8	—

Espírito. Quando João chama a atenção a este sopro, ele mostra que a doação do Espírito vem em resultado de Jesus e sua obra. Isto é importante. Assegura ao leitor que Jesus é o Doador sem igual (divino como o Pai, o Originador divino da vida) e o meio (como o Agente submisso do Pai, aquele que morreu) de salvação. Esta ligação torna o cristianismo uma religião exclusiva.

O versículo 20 conclui com o impacto que esta revelação das mãos e lado de Jesus causa nos discípulos: "De sorte que os discípulos se alegraram, vendo o Senhor". O conector grego *oun* ("de sorte que") mostra uma relação de causa e efeito entre ver as mãos e o lado de Jesus e alegrar-se. Sua obra, como mostrado por suas mãos e lado, produz o efeito da alegria. João também observa que os discípulos vêem o Senhor, não as mãos e o lado. Ele abreviou o evento, ressaltando como a presença de Jesus manifesta sua obra expiatória e produz a alegria que só Deus dá.

O versículo 21 marca outro avanço no que Jesus está fazendo aqui nesta aparição. Uma vez mais, o texto grego tem o conector *oun* ("pois"). Como resultado de reconhecerem o Senhor e receberem expiação, Jesus anuncia de novo aos discípulos: "Paz seja convosco!" Então Jesus prossegue fazendo uma ligação diferente da que Ele fez no versículo 19. Ele os comissiona com as palavras: "Assim como o Pai me enviou, também eu vos envio a vós". Esta é a comissão de Jesus para evangelizar o mundo apresentada pelo Evangelho de João (cf. Mt 28.18-20; Mc 16.15-18; Lc 24.46-49; At 1.8). É importante observar que esta comissão ocorre logo depois que os discípulos receberam a expiação, uma relação nova que se origina da morte e ressurreição de Jesus.

Esta comissão é caracterizada pelo aspecto de "enviar". João usa outra das regras de Hillel, o princípio da semelhança: Como o Pai me enviou, de modo semelhante Eu envio vocês. "Enviar", palavra usada freqüentemente em João (na verdade, ele usa duas palavras gregas, *apostello* e *pempo*), assume caráter especial neste Evangelho. A autoridade e responsabilidade da missão que o Pai deu ao Filho passa para os crentes. O Pai e o Filho enviam o Espírito que trabalha no mundo dando vida e santificação aos crentes, assim capacitando-os; o Espírito por sua vez convence os pecadores a quem eles pregam (cf. Jo 16.8,9).

Quando os crentes na conversão são levados à união com o Pai e o Filho, eles possuem a mesma autoridade que o Pai e o Filho. Os crentes se submetem ao Pai e ao Filho do mesmo modo que Jesus se submeteu ao Pai, e eles têm o mesmo Espírito que testemunha e opera de forma dinâmica esta autoridade. Que esta comissão é igual a de Jesus é notado pelo modo que Ele a dá: "Assim como o Pai me enviou, também eu vos envio a vós" (v. 21). O "enviou" significa que Jesus ainda está sob sua comissão, que inclui a obra e autoridade para enviar os crentes.

A obra e responsabilidade de evangelização dimanam da obra e pessoa de Jesus, não da obra e pessoa do Espírito. Logo veremos que o Espírito está interessado pela obra de evangelização de modo profundo e veemente (v. 22), mas com certeza Ele não é a fundação. Como ensinado em todo o Novo Testamento, especialmente como notamos em João, Jesus é o centro de toda atividade divina (i.e., do Espírito) no mundo. Por exemplo, Ele traz salvação e envia o Espírito. Jesus já declarou em João que Ele tem de partir para enviar o Espírito.

O versículo 22 relaciona-se com o precedente de maneira diferente. O termo *oun* não ocorre na narrativa aqui (cf. comentários acima). João declara que "havendo dito isso", Jesus sopra sobre eles e diz: "Recebei o Espírito Santo". Tentemos explicar o que isto significa para os leitores/ouvintes de João quando ele escreveu.

O verbo "receber" está no aspecto aoristo e é um imperativo. Nas antigas liturgias gregas, incluindo as orações do Novo Testamento (e.g., a Oração do Senhor), esta forma verbal ocorre com freqüência. "Recebei" ocorre nos Evangelhos Sinóticos (e.g., Lc 22.17, "tomai") na eucaristia, se bem que não em Paulo (cf. 1 Co 11.23-26). Este imperativo não é um mandamento regular. Quando Jesus fala estas palavras, Ele está dando uma resposta, e não exigindo.

Soprar sobre os discípulos precede a declaração de Jesus relativa ao dom do Espírito. Contudo, deveria ser observado que este ato está relacionado com o recebimento do Espírito. Os estudiosos discutem sobre o que significa teologicamente este sopro. Uma interpretação afirma que é meramente simbólico. Outra, advoga que João está registrando o evento do Pentecostes de Atos 2, tornando-o o Pentecostes joanino. Outros pensam que o escritor deste Evangelho reúne aqui os dois eventos (o sopro de Jesus e a doação do Espírito em At 2), moldando-os num relato.

Embrenhemo-nos pouco a pouco pela evidência para alcançarmos uma interpretação mais provável. Os temas de sopro/respiração, doação de vida, criação e o Espírito estão associados em muitos textos, tanto bíblicos quanto extra-bíblicos. Note, por exemplo o agrupamento destes temas nos seguintes textos do Antigo Testamento: Gênesis 2.7; 1 Reis 17.21 (só na tradução grega); Salmos 104.29,30 e Ezequiel 37.4-10 (cf. Ez 36.24-27). Fora do cânon do Antigo Testamento, esta crença bíblica tornou-se importante conceito teológico: Sabedoria 15.11; 2 Baruque 23.5. Em Gênesis Midrash Rabá 14.8, dois destes textos são comentados: Gênesis 2.7 e Ezequiel 37.14. O sopro como ritual simbólico, a doação acompanhante do Espírito e a resultante vida e/ou criação estavam profundamente enraizados nas tradições bíblicas. As palavras e ações de Jesus teriam sido bem entendidas. Ademais, com isto, uma das técnicas de Hillel aparece novamente: O que é verdade acerca de Deus no Antigo Testamento, também é verdade acerca de Jesus. Como Deus criou Adão e, depois, Israel, dando o Espírito, assim Jesus na qualidade de Deus, criou a Igreja dando o Espírito.

Todos os textos referidos acima demonstram a mesma coisa: que Deus envia o Espírito que cria e traz vida. Estes textos nunca são meramente simbólicos. João e Jesus viveram nesta tradição bíblica. Não há que duvidar que o ambiente judaico também estava junto destes textos e sua intenção em aludir a esta atividade divina. É muito natural considerar que João 20.22 diga respeito à criação da Igreja, ou seja, à doação da vida eterna.

João 20.22 contém estas palavras: "[Jesus] assoprou sobre eles". O original grego de João tem o verbo *enephysesen*. A tradução grega de Gênesis 2.7 contém a mesma palavra, onde Deus soprou no primeiro ser humano o fôlego de vida. Lá, não é mero uso simbólico, mas um acontecimento real. Já comentamos que João apela para Gênesis, sobretudo para a atividade divina de criar (e.g., Jo 1.1ss). Este também é o caso aqui. João quer que acreditemos que este é um acontecimento real. O leitor/ouvinte, com os capítulos 14 a 16 em mente, sabe que a promessa que Jesus fez nesses capítulos de dar o Espírito está acontecendo aqui. Os leitores judeus com este método de atribuir atividade e atributos divinos a Jesus teriam entendido claramente.

Ezequiel 37.4-10 contém os mesmos conceitos que João 20.19-23. A linha de pensamento começa em Ezequiel 36 (começando esp. com o v. 24). Deus julgou Israel por seus pecados. Os israelitas foram espalhados por países estrangeiros. Mas Deus os ajuntará (i.e., salvará) e os purificará aspergindo água limpa sobre eles. Ele lhes dará um coração novo e um espírito novo. Ele porá seu Espírito neles, e eles seguirão seus mandamentos (vv. 26,27). Em Ezequiel 37.4-10, Deus dirige-se ao profeta acerca do Israel morto (i.e., os ossos mortos), dizendo-lhe que profetizasse aos ossos mortos e ao espírito. A palavra "espírito" refere-se claramente a esta nova vida e ao Espírito que é o Sopro da vida. Diz respeito à promessa de salvação do povo de Deus no futuro, a qual está sendo realizada em João. Este também é um acontecimento real que é prometido e realizado.

No hebraico de Ezequiel várias palavras transmitem esta idéia do Espírito trazer vida. Note o modo como o hebraico passa suavemente de um lado para o outro entre as palavras "Espírito" e "vida", transmitindo uma ligação íntima. Ezequiel 37.5b diz: "Eis que [Eu, Deus] farei entrar em vós o espírito [*ruach*, palavra hebraica que significa "sopro, respiração, vento, espírito, Espírito"], e vivereis". O hebraico é sutil: *ruach* significa o Espírito de Deus e a respiração que denota vida (veja *New International Dictionary of Old Testament Theology and Exegesis*, ed. W. A. VanGemeren, 5 vols., Grand Rapids, 1997, vol. 3, pp. 1073-1077). Temos aqui algo típico nas línguas e culturas semíticas — a mesma palavra usada com várias intenções. Verificamos tal fato na tradução grega: "Eu [Deus] trarei sobre vós o Espírito que dá vida" (tradução minha). No versículo 6, ocorre a mesma coisa. Compare: "[Eu, i.e., Deus] porei em vós o espírito [*ruach*]" (RC) com: "Eu porei meu Espírito em vós" (tradução minha do texto grego). No versículo 8, o mesmo se dá: a palavra hebraica *ruach* é equivalente da palavra grega *pneuma*, a mesma que aparece nas outras referências que acabamos de examinar. Em todas as instâncias, a palavra claramente significa "vida".

A descrição deste evento de salvação futuro em Ezequiel é similar ao relato da primeira criação em Gênesis. Há tendões, depois carne e pele, mas ainda não há vida. Ela só vem quando Deus a sopra neles.

Em Ezequiel 37.9, lemos: "Profetiza ao espírito [*ruach*], profetiza, ó filho do homem, e dize ao espírito [*ruach*]: Assim diz o Senhor JEOVÁ: Vem dos quatro ventos [plural, *ruchoth*], ó espírito [*ruach*], e assopra [*napach*] sobre estes mortos, para que vivam" (RC). O texto grego tem: "Profetiza, ó filho do homem, profetiza ao Espírito [*pneuma*] e dize ao espírito: Assim diz o Senhor, dos quatro ventos [plural, *pneumata*] vem e assopra [*emphuseson*] nestes mortos e eles viverão" (tradução minha). O versículo 10 diz: "E profetizei como ele me deu ordem; então, o espírito [*ruach*] entrou neles, e viveram" (RC). O texto grego tem: "E eu profetizei como ele deu ordem; e o Espírito [*pneuma*] veio neles e eles viveram" (tradução minha).

O verbo grego usado em João 20.22 (*enephysesen*) ocorre na tradução grega de Ezequiel 37.8,9. Também está em Gênesis 2.7, como já comentado. Para ligar estes versículos, fazemos mais algumas observações sobre esta palavra. O hebraico tem duas palavras para denotar "sopro": *napach* e *nasham*. Gênesis 2.7 tem as duas palavras em posição paralela ("soprou", "fôlego [ou sopro]"); Ezequiel 37.4-10 tem somente *napach*. Entretanto, estão relacionadas de modo significativo.

Algumas conclusões e comentários sumários estão em ordem. Ezequiel e Gênesis estão conceptualmente unidos pelo uso das mesmas idéias e palavras. Deus dá vida pelo Espírito, e este evento doador de vida é descrito em termos de "soprar". "Vida", "sopro/soprar", "fôlego", "respiração" e "Espírito" estão inseparavelmente ligados, em grande parte porque a vida vem só de Deus; é o seu Espírito que a traz; e o ato de sua doação está no "sopro". Uma coisa distingue Gênesis de Ezequiel: Gênesis refere-se à criação e doação da vida "natural", ao passo que Ezequiel, com a mesma linguagem, diz respeito à criação da nova ordem, o dia da salvação, a doação da vida espiritual.

Devemos mencionar outra coisa que corrobora nossa observação. O Salmo 104.29,30 fala especificamente sobre o Espírito de Deus, que sustenta e dá vida. Ele também usa a palavra hebraica *bara'* para denotar criação, a mesma palavra usada em Gênesis para aludir à singular atividade criadora de Deus. Também devemos chamar a atenção a Ezequiel 36, o contexto maior do capítulo 37. Lá, na promessa de salvação futura, a água é usada para purificar os pecados de Israel. Água e Espírito aparecem juntos como agentes santificadores e criadores. Isto é importante para o Evangelho de João. Quando o Espírito em João faz a pessoa nascer de novo, os pecados lhe são perdoados, ou seja, o Espírito os limpa. A obra do Espírito e a de Jesus correm de mãos dadas. Jesus expia o pecado, e o Espírito na regeneração limpa de modo dinâmico (veja Craig S. Keener, *The Spirit in the Gospels and Acts: Divine Purity and Power* [O Espírito nos Evangelhos e em Atos: Pureza e Poder Divinos], 1997).

Este sopro do Espírito que Jesus dá é o sinal último e final, para o qual estão voltados todos os anteriores. Este sinal culmina todos os eventos da semana da paixão, sobretudo a morte e ressurreição de Jesus.

Por exemplo, a ressurreição de Lázaro, o último dos sinais, encontra seu significado aqui. Neste sinal último, o uso de uma das regras de Hillel especifica claramente que Jesus é Deus, porque Ele concede o Espírito e dá vida, tema constante deste Evangelho; Ele também dá *shalom*.

O versículo 23 contém uma incumbência bastante difícil concernente ao trabalho dos novos crentes. Esta é a incumbência que Jesus dá à Igreja: perdoar ou não os pecados. Esta é a única vez que este mandamento ocorre em João, e sugere que somente depois da ressurreição de Jesus os discípulos podiam desempenhá-lo. Em contraste com a palavra "pecado" que ocorre no singular em alguns lugares (e.g., Jo 1.29), esta palavra aqui está no plural. Qual é a diferença? O termo "pecado" (no singular) se refere ao pecado original; só Jesus pode cuidar dele. O Espírito dá uma nova natureza, que provê o poder para andar em novidade de vida. O termo "pecados" (no plural) diz respeito às ações pecaminosas que provêem da velha natureza. De qualquer modo, a forma plural deve ser entendida sob esta luz. O perdão de "pecados" só é possível por causa da obra de Jesus.

Na aparência, os termos "perdoar" e "não perdoar" de João 20.23 parecem semelhantes aos termos "ligar" e "desligar" de Mateus 16.19; 18.18. Sob análise mais minuciosa, não são a mesma coisa. Ligar e desligar aludem à autoridade de a Igreja exercer suas obrigações em diferentes situações. Este procedimento tem seu paralelo nos círculos rabínicos. Em Mateus, ocorre num contexto discipular. Em contraste, João inclui seu comentário na comissão para a evangelização mundial. Aqui, o crente tem esta autoridade em virtude de ter sido enviado. "Enviar" no contexto bíblico e não-canônico traz consigo este significado. Através do comissionamento e autoridade de Jesus, os discípulos podem perdoar pecados por causa da mensagem que pregam. Se as pessoas não recebem a mensagem, elas permanecem em seus pecados. Por exemplo, em João 6.28, os líderes judeus perguntaram a Jesus o que tinham de fazer para realizar as obras de Deus. "Jesus respondeu e disse-lhes: A obra de Deus é esta: que creiais naquele que ele enviou" (Jo 6.29). Mas eles se recusaram a crer. Portanto, o "pecado [deles] permanece" (Jo 9.41b).

Esta terceira seção deu progressão à experiência inteira de fé sobre a qual todos os parágrafos anteriores trataram. Em vez de fé individual, ampliou-se agora para a expressão incorporada. O dom do Espírito tornou real esta fé salvadora.

Derivando de nossa análise deste parágrafo rico, podemos fazer alguns comentários sobre as origens de algumas práticas cristãs.

1) Neste ponto é apropriado explicar, por exemplo, como a Igreja mudou o dia de adoração. Este ato de Jesus era a nova criação que foi falada no Antigo Testamento. Note, por exemplo, Isaías 42.5: "Assim diz Deus, o SENHOR, que criou os céus, e os estendeu, e formou a terra e a tudo quanto produz, que dá a respiração ao povo que nela está e o espírito, aos que andam nela". A redenção/salvação é falada numa linguagem da primeira criação; torna-se a "segunda" criação.

Relativa à primeira criação, o sábado veio depois e celebra o completamento da obra criativa de Deus. Mas o sábado foi mudado na segunda criação, embora ainda esteja ligado à criação. Torna-se o primeiro dia; como diz Hebreus, é a obra da liberação, a entrada do verdadeiro descanso, o dia da salvação. Assim, é o primeiro dia da semana, o dia da ressurreição de Jesus, a fundação da nova criação que estabelece uma nova ordem de adoração. Esta nova criação também muda o lugar de adoração (cf. Jo 4). A verdadeira adoração entra em cena somente nesta nova ordem criada.

2) Outro comentário diz respeito ao significado da Ceia do Senhor. Cena semelhante a esta aparição em João 20 é mostrada em Apocalipse 4 a 6. O capítulo 4 liga especialmente a criação com a eucaristia. Estes capítulos estão cheios de hinos a Deus, glorificando-o por seus maravilhosos atos de criação e redenção. No Evangelho, João, por causa do conflito em que ele se acha, serve de apóstolo para fazer a distinção teológica e experiencial de uma "religião irmã" — o judaísmo — para o bem de seus adeptos.

Ele é o intérprete, o líder para evitar que sua congregação aborte Jesus.

A Igreja e a sinagoga estiveram associadas entre si em graus variados, dependendo da geografia e da época. Agora, a tensão progrediu e chegou a ameaçar os crentes judeus em Jesus. As observâncias cristãs não são as do judaísmo. João precisa mostrar este fato e a mudança que Jesus fez nessas observâncias. A Páscoa não é base de salvação. A morte e ressurreição de Jesus são. A Ceia do Senhor não deve ser relacionada com a Páscoa. João faz sutil sugestão acerca de onde devem estar ligadas. Usando o evento histórico da aparição exaltada de Jesus, ele liga a Ceia a este evento. Apocalipse 4 e 5 sugerem que esta associação e observância já aconteceu.

3) João 20.19-23 fala sobre a fundação da Igreja e a origem de sua *autoridade* na evangelização; Atos 2 fala sobre sua *capacitação* para a evangelização. No Evangelho de João, a Igreja começa com Jesus em João 20.19-23, admitindo que Jesus seja sua fundação. João conecta fortemente Jesus com a Igreja e, assim, claramente subordina o Espírito a Jesus e ao Pai. Sob exame mais detido, a obra Lucas-Atos faz a mesma coisa, sobretudo quando Atos 2 é visto como capacitação. A Igreja começa com Jesus, não com o Espírito.

Atos e João mostram aspectos diferentes da atividade de Jesus, quais sejam, capacitação e criação. Em Atos 2, Jesus está à mão direita do Pai, tendo recebido dEle a autoridade para enviar o Espírito, a fim de capacitar os apóstolos no testemunho dEle. Em João 20 Jesus está na terra, embora já quase ascendido, criando a Igreja. Isto não quer dizer que, de modo mais específico, João não inclua capacitação em seu pano de fundo. Como participante no Pentecostes, ele está bem ciente disso. Mas não é seu propósito ressaltá-la. Nos textos do Antigo Testamento ocorre essa "falta de clareza" da linha entre a capacitação e a doação de vida. A maior parte do tempo, é este último item que recebe atenção exclusiva.

Em João e Lucas, as missões mundiais fluem de Jesus e concentram-se nEle. Em João, a continuidade com os elementos do Antigo Testamento — como o povo de Deus e o templo — não é forte. Assim, ter um *novo* povo não é tão estranho. Isto se encaixa com o contexto de João. Neste debate sobre quem é o verdadeiro povo de Deus, João (em contraste com o judaísmo) diz que a Igreja é o verdadeiro povo de Deus — por causa de Jesus. Este cenário indica um ambiente fortemente sectário, no qual os cristãos (judeus e gentios) tipificam o que o grupo maior (o judaísmo e seus líderes) deveria ser e fazer mas falha. Ambos os grupos discutem sobre a questão de quem adota a realidade. O judaísmo rejeita Jesus. Por esta razão, o judaísmo não é parte da realidade, apesar de sua adesão às expectativas e crenças bíblicas. Os "judeus" em João são como todo o mundo. Eles são parte do mundo e estão em pecado. Aderir a tradições passadas não contam, visto que todos estão em pecado. Nesta nova ordem em Jesus, todos têm a oportunidade de participar pela fé nEle e receber o Espírito. Através desta nova criação e do novo nascimento, as pessoas entram nesta nova ordem e tornam-se filhos de Deus.

3.7.4. Tomé e Jesus (20.24-29). Este parágrafo contém o mesmo movimento como o anterior, mas com novas dimensões. O parágrafo prévio envolvia fé e testemunho. Agora, quando chegamos a Tomé, somos informados que ele não estava na semana anterior (vv. 24,28). Os outros lhe contaram: "Vimos o Senhor" (v. 25). Tomé é quem duvida. A base de sua dúvida acha-se no fato de que ele não viu o Senhor ressurreto. Em outras palavras, sua fé baseia-se na percepção imediata. Novamente, todos os discípulos estão a portas fechadas quando Jesus aparece (v. 26). Jesus diz as mesmas palavras a todos como da vez anterior nos versículos 19 e 21: "Paz seja convosco!" (v. 26). Então Ele se volta e recorre a Tomé, mostrando as mãos e o lado feridos e ordenando-o a tocar (cf. 1 Jo 1.1-3).

Com as mesmas palavras relativas à paz, as mãos e o lado, mais o fato de que seus discípulos estão todos reunidos no mesmo lugar uma semana mais tarde, devemos considerar que significa que é outro ponto, no qual João religa sutilmente a Ceia do Senhor.

Tomé passou da dúvida à fé quando exclamou: "Senhor meu, e Deus meu!" (v. 28). No versículo 29, temos o propósito para o parágrafo. Para as gerações sucessivas que não vêem e nem viram, elas ainda podem entrar na mesma relação e demonstrar e experimentar a mesma fé. Tomé representa todos estes outros seguidores pós-ressurreição de Jesus. Isto arma os dois versículos finais deste capítulo.

3.7.5. O Propósito deste Evangelho (20.30,31).

Estes dois versículos enfatizam a morte e ressurreição de Jesus, movendo-se para as aparições de Jesus e a resultante subida da fé dos discípulos. A morte e ressurreição são o sinal. Todos os sinais ulteriores no Evangelho estão voltados para estes eventos, ligando-os de maneira intensa. Estes também nos dizem que a seleção que João fez dos sinais dependia da capacidade de eles transmitirem o conteúdo e intento do sinal.

O propósito de todos estes sinais é produzir fé, cuja conseqüência é vida. Mas a vida só vem em nome de Jesus. "Nome" no versículo 31 representa tudo o que significa "Jesus é o Cristo, o Filho de Deus" (v. 30). Este nome (representando seus vários títulos) e o que veio a significar agora neste Evangelho responde a pergunta do capítulo 1, feita pelos inimigos de Jesus e por seus primeiros seguidores, e inicia-se do que Natanael declarou em João 1.49: "Rabi, tu és o Filho de Deus, tu és o Rei de Israel". Este Evangelho foi escrito para os crentes que permanecem fiéis, apesar dos vários tipos de ameaças do judaísmo.

4. O Epílogo (21.1-25)

O capítulo 21 apresenta um problema para alguns estudiosos. Por exemplo, João 20.30,31 assemelha-se a uma típica conclusão de livro. Outrossim os discípulos, como Pedro, aparecem um tanto quanto céticos, ou pelo menos não compromissados no capítulo 21, apesar das grandiosas aparições de Jesus no capítulo 20. Todavia o capítulo 21 contém várias linhas comuns com o Evangelho bem como dá continuidade de pensamento. A função do capítulo é fornecer uma comissão à evangelização mais desenvolvida, o papel de Pedro na expansão da Igreja e a autenticação do testemunho do autor. Com este capítulo, João dá informação sobre a localização da aparição de Jesus. Ele aparece no sul (Jerusalém) e no norte (o mar de Tiberíades). Este capítulo pode ser dividido em quatro seções.

4.1. A Terceira Aparição de Jesus: Junto ao Mar de Tiberíades (21.1-14)

O versículo 1 resume o capítulo 21. "Depois disso" tipifica o estilo de João, conectando este capítulo com o prévio. Jesus se manifestará aos discípulos junto ao mar de Tiberíades. O nome "Tiberíades" entrou em uso popular na parte final do século I d.C.

Os versículos 2 a 14 descrevem a aparição de Jesus no norte. O versículo 2 dá os nomes de cinco discípulos e menciona dois outros com referência ao pai deles. A maioria destes discípulos apareceu no primeiro capítulo de João. Voltando a eles no último capítulo, o autor põe entre parênteses seu Evangelho e ressalta o discipulado. A presença de Natanael é bastante surpreendente — ele não é pescador como Pedro; aqui é acrescentado que ele é de Caná da Galiléia. Ele aparece em João só no primeiro capítulo, e embora faça uma confissão formal, nada é dito sobre ele ser seguidor de Jesus. Este elemento fornece evidência de modo específico sobre os discípulos que vêm o Senhor, além dos Onze.

O diálogo enche o capítulo como ocorre nos outros capítulos da narrativa de João. Depois da primeira conversa no versículo 3 entre Pedro e os outros discípulos, só Jesus e Pedro falam (com exceção do discípulo amado, que fala uma vez com Pedro, v. 7).

No versículo 3, Pedro anuncia subitamente que vai pescar e pergunta aos outros se eles querem acompanhá-lo. A breve declaração que se segue fornece o cenário para o diálogo e a aparição. Eles ficam no barco por toda a noite e não pegam nada. Esta informação é enigmática no mínimo por duas razões.

1) Pedro já tivera uns encontros dramáticos com Jesus. Por que ele voltaria a pescar, a

menos que não tivesse entendido a razão para as aparições e a comissão? O tempo dos verbos "ir" e "pescar" sugere que eles estão retornando a uma ocupação anterior.
2) Em Lucas 5.1-11, Pedro teve um encontro significativo com Jesus semelhante a este; pertencia à chamada para evangelizar. Mais que provável, os fúteis esforços pesqueiros entram em contraste com a fertilidade da nova vocação. Era comum pescar à noite, e a manhã oferecia ocasião oportuna para vender os peixes recentemente pescados. Mas desta vez, os discípulos pescam em vão. Eles precisam de tempo para Jesus lhes ensinar o que aconteceu. Por exemplo, Atos 1 nos conta que Jesus passou mais um tempo com eles antes de Ele ascender.

A cena focaliza os primeiros momentos da manhã depois de eles terem futilmente metido a mão em seu antigo estilo de vida. Jesus lhes aparece da praia, mas eles não o reconhecem. Jesus os chama e os trata como "filhos" (*paidia*, lit., "filhinhos"; em João, esta é a única vez em que esta palavra é usada para aludir aos discípulos). Pelo modo como Jesus fraseia a pergunta, Ele sabe que eles não pegaram nada. Quando respondem negativamente, Jesus os orienta a lançar a rede à direita do barco. Eles apanham tantos peixes que não conseguem arrastam a rede à praia.

Neste momento, o discípulo amado reconhece Jesus (v. 7). Pedro, como sempre, age. Ele está despido, trabalhando com a roupa aos lombos, e veste o que provavelmente é um jaleco de pesca (uma roupa que ia por cima da roupa de baixo), prende-o e amarra-o para entrar em ação, salta na água e nada até a praia. Os outros discípulos chegam à praia no barco, puxando a rede atrás de si. Eles não estão longe, visto que encontram-se há cerca de noventa metros da praia. Quando chegam, Jesus tem um fogo acesso pronto para preparar comida. Não nos é dito onde Jesus conseguiu os materiais para o fogo ou o peixe e o pão que Ele preparou.

O que acontece em seguida é motivo de debate. Jesus lhes pede que tragam alguns dos peixes que haviam acabado de pescar. Pedro entra no barco e arrasta a rede à praia, sem que ela se rompa. A rede, contam-nos, tinha 153 grandes peixes. Um número específico é dado. Por que 153? Possíveis respostas a esta pergunta variam desde os que acreditam que João emprega alegoria, simbolismo de números, gematria, geometria ou uma combinação disso. Gematria era de fundo judaico. Era um sistema que atribuía valor numérico a cada letra usada na palavra. Nos casos em que se começa com número, tem-se dificuldade em achar a palavra que o escritor tinha em mente com o número. Os estudiosos sugerem várias possibilidades:

1) "A igreja do amor" (*qhl h'hbh*);
2) Simão (76) mais *ichthys* ("peixe") (77);
3) En-Gedi mais En-Eglaim (nomes mencionados em Ez 47.10, o plano de fundo da Festa dos Tabernáculos em João e Apocalipse).

O significado mais provável para este número literal de 153 peixes é que sugere o simbolismo judaico da noção de universalismo. Esta tradição advogava que existiam 153 espécies de peixe no mundo. Este número representaria a missão mundial da Igreja. Se estiver correto, então temos em João uma comissão semelhante à dada em Mateus 28. O contexto enfatiza a chamada para Pedro supervisionar todo o rebanho de Deus. Indica seguramente uma observação de cuidadosa testemunha ocular.

Jesus convida os discípulos a tomar o desjejum. Nenhum dos discípulos ousa perguntar a Jesus quem Ele é — eles sabem (v. 12). As ações e palavras de Jesus no versículo 13 refletem a Ceia do Senhor: "Chegou, pois, Jesus, e tomou o pão, e deu-lho, e, semelhantemente, o peixe". O versículo 14 apóia esta idéia quando diz que esta é a terceira vez que Jesus aparece, o que também liga este capítulo ao capítulo 20.

4.2. Jesus e Pedro: A Chamada para Compromisso Radical (21.15-19).

Jesus se concentra em Pedro, instigando-o a um compromisso completo e final.

Quando eles terminam o desjejum, Jesus dialoga com Pedro sobre o tema do amor e compromisso. O ego e disposição de espírito de Pedro ficam ofendidos neste intercâmbio, à medida que Jesus escarafuncha e exige um compromisso que expulse sua indecisão de seguir Jesus. Três vezes Ele pergunta a Pedro se ele o ama. Três vezes Jesus o chama de "Simão, filho de Jonas [João, NVI]". (É o único lugar onde este nome é dado a Pedro e a única oportunidade de sabermos o nome do pai dele.) Três vezes Jesus responde a afirmação de Pedro: "Apascenta os meus cordeiros" (v. 15); "Apascenta as minhas ovelhas" (v. 16); e "Apascenta as minhas ovelhas" (v. 17). "Apascenta" ocorre nas três respostas. A palavra "cordeiros" aparece na primeira vez e a palavra "ovelhas", nas duas últimas.

O verbo "amar" também difere. A RC tem o seguinte neste diálogo:

1) v. 15. — Jesus: "Ama-me?" (*agapao*), Pedro: "[Eu] te amo" (*phileo*).
2) v. 16. — Jesus: "Amas-me?" (*agapao*), Pedro: "[Eu] te amo" (*phileo*).
3) v. 17. — Jesus: "Amas-me?" (*phileo*), Pedro: "Eu te amo" (*phileo*).

Algumas interpretações e traduções do verbo "amar" violam um princípio interpretativo e caem na falácia da raiz. Ou seja, eles vêem diferentes significados nestas duas palavras com base em suas raízes. O significado nunca é determinado desta maneira; o contexto sempre contribui para o significado da palavra. É duvidoso supor que Jesus pretenda algo diferente na sua última declaração ao instigar Pedro a um compromisso pleno, ainda que use o verbo *phileo*. Examinando o modo como estas duas palavras são usadas em João e em outros lugares (cf. Mt 5.43-48; Lc 6.27-36), pode-se determinar que João usa estas palavras intercambiavelmente, como qualquer bom escritor escolhe sinônimos, em vez de usar a mesma palavra todas as vezes. Um ótimo exemplo de tal variação ocorre neste mesmo parágrafo com as palavras "cordeiros" e "ovelhas".

O ponto deste diálogo entre Jesus e Pedro é que Ele exige do discípulo um compromisso integral. Dada a história de Pedro nos capítulos 13 a 19, esta reunião tem de acontecer. Naqueles capítulos, este discípulo parece vacilar e está fraco na fé. Jesus faz pressão sobre sua vocação. "Apascentar" refere-se à liderança e alimentação da Igreja. Este diálogo, junto com outros textos, coloca Pedro em papel proeminente na igreja primitiva.

O versículo 18, introduzido pela típica declaração afirmativa de Jesus em João ("*amen, amen*"), demarca uma profecia sobre a conseqüente morte de Pedro, sugerindo que virá o tempo em que ele já não será livre, mas encarcerado, e será conduzido à morte.

O autor fornece uma interpretação desta profecia no versículo 19. Ele também conecta o discipulado ("Segue-me") com o compromisso que leva à morte. Este tipo de martírio glorifica a Deus. O uso de linguagem pastoril neste diálogo traz à memória o capítulo 10 e o material so-

O ANTIGO TESTAMENTO NO NOVO TESTAMENTO		
NT	AT	ASSUNTO
Jo 1.23	Is 40.3	A Voz que clama no deserto
Jo 2.17	Sl 69.9	O zelo pela Casa de Deus
Jo 6.31	Êx 16.4; Ne 9.15; Sl 78.24,25	O pão do céu
Jo 6.45	Is 54.13	Todos são ensinados por Deus
Jo 10.34	Sl 82.6	Vós sois deuses
Jo 12.13	Sl 118.26	Bendito aquEle que vem
Jo 12.15	Zc 9.9	O Domingo de Ramos
Jo 12.38	Is 53.1	A incredulidade de Israel
Jo 12.40	Is 6.10	Deus cega os olhos
Jo 13.18	Sl 41.9	Um amigo traiçoeiro
Jo 15.25	Sl 35.19; 69.4	Odiado sem causa
Jo 19.24	Sl 22.18	A divisão das roupas por sorte
Jo 19.36	Êx 12.46; Sl 22.18	Nenhum osso quebrado
Jo 19.37	Zc 12.10	Olhando ao que foi traspassado

bre o bom pastor. É o bom Pastor que dá a vida pelas ovelhas. Pedro seguirá nos passos do seu Senhor.

4.3. Pedro e o Discípulo Amado (21.20-23)

Nestes quatro versículos, Pedro e o discípulo amado estão relacionados. Pedro se volta para perguntar sobre o companheiro dele. (Em Jo 13 vemos posição similar entre João e Pedro, quando este faz uma pergunta.) Jesus informa a Pedro que ele deve dar atenção à sua própria chamada (v. 22). A linguagem discipular também aparece aqui: "Segue-me tu". A declaração que Jesus fez a Pedro causou confusão entre alguns na igreja primitiva. João toma tempo no versículo 23 para explicar o rumor que surgiu. Jesus não disse que o discípulo amado não morreria, mas enfatizou que Pedro tem de fazer a vontade de Deus por si mesmo. Cada um tem uma chamada diferente. Jesus é o Senhor de todos e de cada um.

4.4. A Autenticação do Autor (21.24,25)

Estes dois versículos encerram o Evangelho. O versículo 24 confere a autenticidade do autor: Ele esteve com Jesus desde o começo. Ele teve um lugar privilegiado no jantar, estava presente durante a crucificação, foi o primeiro a ver o sepulcro vazio e o primeiro a reconhecer Jesus no mar de Tiberíades. Outrossim ele escreve que tem informação sobre Jesus que poderia encher muitos livros (v. 25).

O apóstolo João nunca revela seu nome neste Evangelho. Ele sempre se refere a si de outras maneiras, principalmente por "o discípulo a quem Jesus amava". Este privilégio pertence a todos nós.

NOTAS

[1] João usa a palavra "fonte" (i.e., o poço de Jacó) aqui e "rios" (a cerimônia de derramamento de água da Festa dos Tabernáculos) em João 7.37-39; esta diferença é significativa. "Fonte" diz respeito à obra do Espírito e seu resultado no crente, ao passo que "rios" aponta para Jesus como a fonte do Espírito.

[2] É possível que este homem pertença à administração de Herodes. Neste caso, talvez ele seja romano ou judeu. Se for romano, então ele é mais aberto a Jesus e menos preso à cultura judaica e sua expressão religiosa, conforme é indicado pelo templo e sinagoga.

[3] Observe a ocorrência destes vários dias santos: João 5.1 ("uma festa"); 5.9ss ("sábado"); 6.4 ("a Páscoa, a festa"); 7.1—10.21 ("a Festa dos Tabernáculos"); 10.22 ("a Festa da Dedicação"); 11.55; 12.1ss ("a Páscoa").

[4] Note que os saduceus não são mencionados neste Evangelho. Eles estavam ligados ao templo e, com sua destruição em 70 d.C., deixaram de existir. Visto que não fazem parte da cena judaica que ameaçava a comunidade de João, este não teve necessidade de mencioná-los em seu Evangelho.

[5] Esta seção é uma das maiores omissões no Novo Testamento. Toda erudição reconhece que este trecho não faz parte do texto original de João. Mas faz tanto tempo que é parte da Bíblia e é usado como Escritura em cenários litúrgicos, que os leigos estão acostumados a vê-lo. A RC presta um serviço aos cristãos ao incluí-lo, mas também é verdade à evidência mencionar que os manuscritos mais antigos e mais fidedignos não o incluem.

Nas bibliotecas universitárias e museus ao redor do mundo, o Novo Testamento está preservado em mais de cinco mil fragmentos ou muitos manuscritos completos — os quais mostram variações pouco importantes entre si. Pelo processo científico conhecido por crítica textual, é reunido um texto do Novo Testamento de leituras prováveis. O trecho de João 7.53 a 8.12 está completamente omitido em alguns destes manuscritos; em outros aparece depois de João 7.36, depois de João 21.24 ou até depois de Lucas 21.38. Muitos estudiosos reconhecem que é uma história autêntica que foi escrita no século I, mas há pouco consenso sobre a razão de ter sido inserida aqui. Observe como o texto flui diretamente de João 7.52 a 8.12 sem perder o encadeamento do pensamento.

⁶ Caso-teste: Caso cuja decisão ajuda a resolver outros casos pendentes que envolvem problema jurídico semelhante. (N. do T.)

⁷ Num novo contexto (1 Jo 3.9), a palavra *sperma* transmite similitude essencial entre o crente e Jesus: "Qualquer que é nascido de Deus não comete pecado; porque a sua semente [*sperma*] permanece nele".

⁸ Em João 13.31,32, das cinco vezes que o verbo "glorificar" é usado, as primeiras três (tempo presente) não devem ser distinguidas das duas seguintes, que expressam o futuro ("glorificará").

⁹ O termo *parakletos* também ocorre em 1 João 2.1. Lá, difere consideravelmente de significado concernente ao uso no Evangelho — está relacionado explicitamente com a pessoa que defende a causa de um pecador.

¹⁰ Lucas também tem outras diferenças. Os discípulos passam por tempos difíceis ao crerem, embora ao mesmo tempo tenham alegrias (eles também ficam "maravilhados", Lc 24.41). Outrossim Lucas usa a mesma palavra grega traduzida por "mostrou" que João usou (deiknymi, em Lc 24.40; cf. Jo 20.20). Mas este verbo não tem o mesmo significado em Lucas que em João. Schneider observa com correção o significado especial em João: "No Quarto Evangelho e em Apocalipse, o verbo deiknumi tem o significado de revelar, desvelar" (Exegetical Dictionary of the New Testament, eds. H. Balz e G. Schneider, Grand Rapids, 1990-1993, vol. 1, p. 281). Assim Jesus revela aos discípulos a conexão entre a expiação (i.e., a paz) e a sua obra na cruz (i.e., as mãos e o lado).

ATOS DOS APÓSTOLOS
French L. Arrington

Os Atos dos Apóstolos (Conteúdo)
As Narrativas dos Apóstolos (Gênero)
1. **Prefácio** (1.1-11)
   1.1. Recapitulação e Resumo (1.1-3).
   1.2. A Promessa do Espírito Santo (1.4,5).
   1.3. Jesus Anuncia a Capacitação pelo Espírito (1.6-8).
   1.4. Jesus Ascende aos Céus (1.9-11).
2. **A Origem da Comunidade Batizada e Cheia pelo Espírito** (1.12—2.41)
   2.1. A Comunidade Aguarda o Espírito Prometido (1.12-26).
   2.1.1. A Comunidade se Dedica à Oração (1.12-14).
   2.1.2. A Comunidade Escolhe Matias (1.15-26).
   2.2. O Dia de Pentecostes (2.1-41).
   2.2.1. Sinal: Os Discípulos São Cheios com o Espírito Santo (2.1-4).
   2.2.2. Maravilha: A Multidão Fica Pasma (2.5-13).
   2.2.3. Discurso Pneuma (2.14-36).
   2.2.3.1. Explicação: Os Três Sinais Cumprem a Profecia de Joel (2.14-21).
   2.2.3.2. Testemunho: Pedro Proclama Jesus como Senhor e Cristo (2.22-36).
   2.2.4. Resposta: Cerca de Três Mil Pessoas São Salvas (2.37-41).
3. **Os Atos da Comunidade Batizada e Cheia do Espírito** (2.42—6.7)
   3.1. Comunhão Inaugurada: A Vida Interna e Externa da Comunidade (2.42-47).
   3.2. Exemplo: Cura Confirmatória (3.1-26).
   3.2.1. Sinal: Pedro Levanta um Coxo (3.1-8).
   3.2.2. Prodígio: A Multidão Fica Pasma (3.9,10).
   3.2.3. Testemunho: Pedro Proclama Jesus como Servo (3.11-26).
   3.3. Oposição (4.1—5.42).
   3.3.1. Os Sacerdotes-Saduceus Prendem Pedro e João (4.1-22).
   3.3.1.1. Pedro e João São Presos (4.1-4).
   3.3.1.2. Discurso de Pneuma: Pedro Discursa Perante o Sinédrio (4.5-12).
   3.3.1.3. Resposta: O Sinédrio Proíbe Pedro e João de Pregarem (4.13-22).
   3.3.2. Teofania: A Comunidade É Cheia com o Espírito (4.23-31).
   3.3.3. A comunidade Batizada com o Espírito Pratica a Comunhão (4.32—5.16).
   3.3.3.1. Propriedades São Vendidas e Distribuídas (4.32-35).
   3.3.3.2. Exemplo Positivo: Barnabé (4.36,37).
   3.3.3.3. Exemplo Negativo: Ananias e Safira (5.1-11).
   3.3.3.4. Resumo: Os Apóstolos Fazem Sinais e Prodígios (5.12-16).
   3.3.4. Os Sacerdotes-Saduceus Prendem todos os Apóstolos (5.17-42).
   3.3.4.1. Os Apóstolos São Presos e depois Libertos por um Anjo (5.17-25).
   3.3.4.2. Os Apóstolos São Presos de novo e Pedro Discursa perante o Sinédrio (5.26-32).
   3.3.4.3. Gamaliel Adverte o Sinédrio contra Opor-se aos Apóstolos (5.33-42).
   3.4. Comunhão Quebrada: A Comunidade Escolhe Sete Diáconos (6.1-7).
4. **Os Atos dos Seis Líderes Cheios do Espírito** (6.8—12.24)
   4.1. Os Atos de Estêvão: Um Diácono Cheio do Espírito (6.8—7.60).
   4.1.1. Estêvão Faz Sinais e Prodígios (6.8-10).
   4.1.2. Estêvão se Defende perante o Sinédrio (6.11—7.53).
   4.1.3. O Martírio de Estêvão (7.54-60).
   4.2. Os Atos de Filipe: Um Diácono Cheio do Espírito (8.1-40).
   4.2.1. Perseguição da Igreja de Jerusalém (8.1-3).
   4.2.2. Filipe Prega em Samaria (8.4-13).
   4.2.3. Pedro e João Visitam Samaria (8.14-25).
   4.2.4. Filipe Testemunha para um Etíope (8.26-40).
   4.3. A Conversão de Saulo (9.1-31).
   4.3.1. A Visão que Saulo Tem de Jesus (9.1-9).

ATOS DOS APÓSTOLOS

4.3.2. Ananias Visita Saulo (9.10-19a).
4.3.3. Saulo Prega que Jesus É o Cristo (9.19b-22).
4.3.4. Os Judeus Conspiram para Matar Saulo (9.23-25).
4.3.5. Barnabé Apóia Saulo (9.26-30).
4.3.6. Resumo (9.31).
4.4. Os Atos de Pedro: Um Apóstolo Cheio do Espírito (9.32—11.18).
4.4.1. Pedro Cura um Paralítico (9.32-35).
4.1.2. Pedro Ressuscita Tabita (9.36-43).
4.1.3. Pedro Prega aos Gentios (10.1-48).
4.4.4. Pedro Defende seu Ministério (11.1-18).
4.5. Os Atos de Barnabé: Um Profeta Cheio do Espírito (11.19-26).
4.6. Os Atos de Ágabo: Um Profeta Cheio do Espírito (11.27-30).
4.7. O Encarceramento de Pedro (12.1-24).

5. **Narrativas de Viagem: Os Atos de Paulo, um Profeta Itinerante e Cheio do Espírito** (12.25—22.21)

5.1. A Primeira Viagem Missionária (12.25—15.35).
5.1.1. Antioquia: Barnabé e Saulo se Separam (12.25—13.3).
5.1.2. Chipre (13.4-12).
5.1.3. Antioquia da Pisídia (13.13-52).
5.1.4. Icônio (14.1-7).
5.1.5. Listra (14.8-18).
5.1.6. De Derbe para Antioquia (14.19-28).
5.1.7. Resultado: O Concílio de Jerusalém (15.1-35).
5.2. A Segunda Viagem Missionária (15.36—18.23).
5.2.1. Acentuada Discordância entre Paulo e Barnabé (15.36-41).
5.2.2. Listra: Timóteo se une a Paulo (16.1-5).
5.2.3. Chamada à Macedônia (16.6-10).
5.2.4. Paulo Visita Filipos (16.11-40).
5.2.4.1. O Senhor Converte Lídia (16.11-15).
5.2.4.2. Paulo Expulsa um Demônio (16.16-18).
5.2.4.3. Paulo e Silas São Presos e Soltos (16.19-40).
5.2.5. Paulo Visita Tessalônica (17.1-9).
5.2.6. Paulo Visita Beréia (17.10-15).
5.2.7. Paulo Visita Atenas (17.16-34).
5.2.8. Paulo Visita Corinto (18.1-17).
5.2.8.1. Paulo se Une a Áqüila como Fabricante de Tendas (18.1-4).
5.2.8.2. Paulo Ensina por Um Ano e Meio (18.5-11).
5.2.8.3. Paulo É Levado a Julgamento Perante Gálio (18.12-17).
5.2.9. Paulo Volta a Antioquia (18.18-23).
5.3. Apolo Ensina em Éfeso e Acaia (18.24-28).
5.4. A Terceira Viagem Missionária (19.1—22.21).
5.4.1. Paulo Visita Éfeso (19.1-41).
5.4.1.1. Paulo Encontra Doze Discípulos (19.1-7).
5.4.1.2. Paulo Prega por Dois Anos (19.8-20).
5.4.1.3. Paulo Propõe Visitar Jerusalém e Roma (19.21-22).
5.4.1.4. Demétrio Instiga Oposição (19.23-41).
5.4.2. Paulo Visita a Macedônia e a Grécia (20.1-6).
5.4.3. Paulo Visita Trôade (20.7-12).
5.4.4. Paulo Navega de Assôs a Mileto (20.13-16).
5.4.5. Paulo Discursa aos Anciãos da Igreja em Éfeso (20.17-38).
5.4.6. Paulo Navega de Mileto a Tiro (21.1-6).
5.4.7. Paulo Viaja de Tiro a Cesaréia (21.7-14).
5.4.7.1. Paulo Visita Filipe, o Evangelista (21.7-9).
5.4.7.2. Ágabo Profetiza a Prisão de Paulo (21.10-14).
5.4.8. Paulo Visita Jerusalém (21.15—22.21).
5.4.8.1. Paulo Viaja de Cesaréia a Jerusalém (21.15,16).
5.4.8.2. A "Entrada Triunfal" de Paulo em Jerusalém (21.17-26).
5.4.8.3. Paulo Entra no Templo (21.27-36).
5.4.8.4. Paulo Pede para Discursar à Turba Enraivecida (21.37-40).
5.4.8.5. Paulo se Defende Perante a Turba (22.1-21).

6. **A Prisão e Julgamentos de Paulo** (22.22—26.32)

6.1. Paulo É Preso (22.22-29).

6.2. O Paulo se Defende Perante o Sinédrio (22.30—23.10).
6.3. O Senhor Anima Paulo (23.11).
6.4. Conspiração para Assassinar Paulo (23.12-22).
6.5. Paulo É Transferido de Jerusalém a Cesaréia (23.23—26.32).
6.5.1. Paulo e Félix (23.23—24.27).
6.5.1.1. A Carta Anexa Endereçada a Félix (23.23-30).
6.5.1.2. Paulo É Transferido para a Custódia de Félix (23.31-35).
6.5.1.3. Paulo É Acusado Perante Félix (24.1-9).
6.5.1.4. Paulo se Defende Perante Félix (24.10-22).
6.5.1.5. Paulo É Detido sob Custódia (24.23-27).
6.5.2. Paulo e Festo (25.1—26.32).
6.5.2.1. Os Judeus Renovam as Acusações Levantadas contra Paulo (25.1-5).
6.5.2.2. Paulo se Defende Perante Festo (25.6-12).
6.5.2.3. Festo Revê o Caso de Paulo com Agripa (25.13-22).
6.5.2.4. Paulo se Defende perante Agripa (25.23—26.32).

7. Paulo É Enviado a Roma (27.1—28.31)
7.1. A Viagem e Naufrágio de Paulo (27.1-44).
7.1.1. Paulo Navega de Cesaréia a Bons Portos (27.1-8).
7.1.2. O Aviso de Paulo e o Temporal (27.9-26).
7.1.3. O Naufrágio (27.27-44).
7.2. Paulo Passa o Inverno em Malta (28.1-10).
7.2.1. Paulo Sobrevive à Picada de uma Víbora (28.1-6).
7.2.2. Paulo Cura muitos Malteses (28.7-10).
7.3. A Chegada de Paulo a Roma (28.11-15).
7.4. Paulo sob Prisão Domiciliar (28.16-31).
7.4.1. Paulo É Colocado sob a Custódia de um Soldado (28.16).
7.4.2. O Primeiro Encontro de Paulo com os Principais dos Judeus (28.17-22).
7.4.3. O Segundo Encontro de Paulo com os Principais dos Judeus (28.23-29).
7.4.4. Paulo Prega o Evangelho por Dois Anos (28.30-31).

COMENTÁRIO

No Livro de Atos, Lucas continua a história que começou no seu Evangelho. O Evangelho foi concluído com Jesus dizendo aos discípulos que esperassem em Jerusalém pela promessa de poder, de forma que eles pregassem o Evangelho a todas as nações. Jesus conduziu os discípulos a um lugar próximo de Betânia, cidade no monte das Oliveiras (cf. Lc 24.50; At 1.12), que olha do alto Jerusalém a leste. Enquanto os abençoava com as mãos erguidas, Ele ascendeu ao céu. Os discípulos responderam adorando seu Senhor exaltado e voltando a Jerusalém cheios de alegria (Lc 24.50-52). Jesus levara os discípulos a um ponto de expectativa, confiança e adoração constantes. As palavras finais de Lucas indicavam que os discípulos deviam ficar em Jerusalém, louvando a Deus no templo e esperando que o poder prometido de Deus viesse sobre eles.

A promessa de poder e a comissão de um vasto empreendimento evangelístico armaram o palco para o Livro de Atos, o segundo volume de Lucas, que nos conta sobre a maravilhosa difusão do evangelho desde Jerusalém ao que os profetas chamam "os confins da terra" (i.e., todo o mundo gentio). Neste livro, Lucas também interpreta o significado teológico da poderosa difusão da mensagem do evangelho.

1. Prefácio (1.1-11).

1.1. Recapitulação e Resumo (1.1-3)

Lucas escreve Atos como continuação do seu primeiro livro, o Evangelho de Lucas. O Terceiro Evangelho registra o que Deus realizou através das ações e ensinos do Jesus ungido pelo Espírito, ao passo que Atos enfatiza a continuação da obra de Jesus feita por suas testemunhas capacitadas pelo Espírito. O prefácio de Atos liga este livro ao Evangelho de Lucas e fornece um resumo.

Em Atos 1.1, Lucas se refere ao seu Evangelho como um registro "de tudo que Jesus começou, não só a fazer, mas

a ensinar"; ele rememora os eventos principais de Lucas 24:
1) As aparições do Cristo ressurreto aos discípulos,
2) A promessa do batismo com o Espírito Santo, e
3) A ascensão do Cristo ressurreto ao céu (At 1.2-11). É significativo que o Espírito Santo seja falado duas vezes no prefácio — em termos de "instruções" dadas aos apóstolos e do batismo com o Espírito que eles receberão (At 2.2,5). A exaltação de Cristo ao céu não significa que Ele esteja ausente; o Senhor ressurreto continua a estar presente na Igreja e em sua Palavra (At 2.38,39; 3.22,23; 4.29,30; 10.43; 16.6,7,18; 22.17-21), e Ele prossegue seu trabalho de muitas formas. Uma das formas mais proeminentes na qual Ele o faz é através dos crentes capacitados pelo Espírito.

Atos registra a continuação do ministério de Jesus. Desde o início até à conclusão do seu ministério terreno, tudo o que Jesus fez e disse foi dirigido e capacitado pelo Espírito. O segundo volume de Lucas narra uma história semelhante, que focaliza uma comunidade de discípulos ungidos pelo Espírito que continuam a fazer e ensinar as coisas que Jesus tinha começado a fazer e a ensinar durante seu tempo na terra (Stronstad, 1984, p. 9).

Lucas começa lembrando Teófilo do ministério de Jesus até sua ascensão (At 1.1,2). Teófilo (que significa "Amante de Deus") deve ter sido distinto gentio, quer um funcionário governamental de alta posição, quer um respeitado cidadão romano de classe média (veja comentários sobre Lc 1.1-4). Com a palavra "começou", Lucas lembra Teófilo e outros da continuação do ministério de Jesus através da Igreja. Esse ministério contínuo é realizado através do Espírito Santo pelos discípulos à medida que o evangelho se espalha de Jerusalém a Roma, e Lucas destaca especificamente como o Senhor está ativamente presente em tais eventos como a conversão e cativeiro de Paulo (At 9.3-6; 23.11).

Antes da partida de Jesus para o céu, é nos dito que "pelo Espírito Santo" Ele deu instruções aos apóstolos. Estes homens tinham sido escolhidos por Ele, e Ele os instruiu a continuar sua obra mediante o poder do Espírito. Entre suas instruções, deve estar incluído o que chamamos a Grande Comissão (Mt 28.16-20; Mc 16.15-18; Jo 20.21-23). Como parte de suas instruções, Ele falou sobre o Reino de Deus, o soberano governo de Deus, e lhes disse que ficassem em Jerusalém até que eles recebessem "a promessa do Pai" (At 1.4), que é o mesmo que ser "batizado com o Espírito Santo" (v. 5), ou ser "revestidos de poder [...] do alto" (Lc 24.49). Depois de sua exaltação à mão direita de Deus, os apóstolos, capacitados pelo Espírito Santo, devem pregar o perdão de pecados a todas as nações.

Durante o intervalo de quarenta dias entre a ressurreição e a ascensão de Cristo, Ele apareceu muitas vezes aos apóstolos (At 1.3). Depois de experimentar tremendo sofrimento público, incluindo hostilidade dos judeus, um julgamento injusto e a crucificação, Jesus demonstrou a realidade de sua ressurreição "com muitas e infalíveis provas". O Salvador ressurreto fez várias aparições pessoais aos apóstolos, que se tornaram credencial essencial para o ministério que cumpriam (Lc 1.2). Ele apareceu a indivíduos e grupos, a homens e mulheres. À medida que os discípulos cumprem hoje a comissão de ir a todo o mundo, uma parte vital da mensagem é o triunfo de Jesus sobre a morte (At 2.22-36; 4.8-11,33; 10.37-43). Eles tocaram fisicamente o Cristo ressurreto e o ouviram ensinar sobre o Reino de Deus.

Diferente dos reinos terrenos, o Reino de Deus não se refere ao controle de um território e do povo que nele habita, mas ao governo gracioso de Deus sobre seu povo, que começou na vida histórica e ministério de Jesus (cf. Mc 1.15; 3.20-30; Lc 10.23,24; 11.17-23). Cristo deu ao seu povo novo *insight* sobre o governo de Deus, demonstrado nos eventos salvadores de sua vida, morte e ressurreição. Ele iluminou as Escrituras sobre o seu sofrimento, morte e ressurreição para os discípulos e os incumbiu a pregar arrependimento e perdão de pecados a todas as nações (Lc 24.45-47).

Por meio de Cristo, uma nova era despontou, e o reinado de Deus se tornou uma realidade poderosa e salvadora entre os homens. O que virá em sua plenitude na Segunda Vinda começou em suas ações poderosas. A Igreja, seguindo a pregação de Jesus, enfatiza o governo de Deus com "nova ênfase, visto que o próprio Jesus torna-se parte da mensagem" (Marshall, 1980, p. 57; cf. At 28.31). Proclamar os fatos do ministério, morte e ressurreição de Cristo é proclamar a mensagem do Reino.

1.2. A Promessa do Espírito Santo (1.4,5)

Uma das "muitas e infalíveis provas" de Jesus estar vivo depois da crucificação foi sua presença no jantar com os discípulos (v. 4). A palavra traduzida por "comendo com" (*synalizomenos*, ARA; "estando com", RC) significa literalmente "comer sal com", provavelmente aludindo a Cristo comer com os discípulos em Lucas 24.42. Nessa ocasião, Ele os exortou a ficar em Jerusalém, a cidade onde Ele morreu, até que recebessem o Espírito Santo prometido (Lc 24.47).

A plenitude do Espírito é chamada literalmente de "a promessa do Pai". Muitas promessas são dadas na Bíblia, mas esta promessa específica tem a ver diretamente com o derramamento do Espírito. Profetas como Ezequiel e Joel tinham indicado um futuro derramamento do Espírito sobre a casa de Israel (Ez 39.29) e até sobre toda a carne (Jl 2.28; cf. Is 32.15; 44.3). Deus, pelos profetas (inclusive João Batista), tinha prometido o derramamento do Espírito.

João Batista tinha administrado o batismo nas águas do rio Jordão como sinal externo do poder de Deus que purifica do pecado aqueles que se arrependeram. Durante seu ministério, João falou de um batismo com o Espírito que seria administrado por Cristo e pelo qual os crentes seriam capacitados (Mt 3.11; Mc 1.8; Lc 3.16; Jo 1.33). Mais tarde Jesus prometeu aos discípulos que eles seriam batizados com o Espírito em pouco tempo (At 1.5).

Na execução de um batismo, deve haver um agente que faz o batismo, um elemento no qual o batismo ocorre e um candidato que é batizado. Quando João Batista batizou, ele foi o agente, as águas do rio Jordão, o elemento, e os candidatos, os que se arrependeram e desejaram o batismo. No batismo com o Espírito, Cristo é o agente, o Espírito é o elemento e o candidato é o crente. A maioria das versões bíblicas modernas usa a expressão "com o Espírito Santo", mas a preposição "com" (*en*) pode ser traduzida por "em". "Batizado no Espírito" identifica claramente o Espírito Santo como o elemento deste batismo; ao passo que a expressão "batismo com o Espírito Santo" pode sugerir estar na companhia do Espírito Santo.

O que é o batismo no Espírito Santo? O verbo "batizar" (*baptizo*) significa literalmente "mergulhar" ou "submergir". É uma experiência espiritual intensa pela qual a vida do crente é submersa no Espírito de Deus. É cercada, coberta e cheia do poder e presença de Deus. Como uma roupa que é imersa na água, assim os crentes se acham cercados, cobertos e cheios do poder e presença do Espírito.

A experiência de batismo no Espírito é distinta da experiência de regeneração, a qual os crentes têm no momento da conversão. Repare que os discípulos a quem Jesus está falando já tiveram seus corações renovados pelo trabalho regenerador do Espírito (cf. Tt 3.5). O batismo no Espírito não é o mesmo que a nova vida que acompanha o arrependimento e a fé. Nascemos de novo pelo Espírito e somos habitados pelo Espírito desde o tempo da conversão (Rm 8.9; 1 Co 6.19). Por outro lado, o batismo no Espírito é uma capacitação sobrenatural e carismática que equipa a Igreja para cumprir sua missão no mundo (At 2.4,17; 8.17-19; 9.31; 10.38,44,45; 11.15,16; 13.2,4).

No sermão no Dia de Pentecostes, Pedro não cita profetas do Antigo Testamento como Isaías (Is 61.7-9) e Ezequiel (Ez 37.1-14), que anunciam a renovação interior do coração. Antes, cita Joel, que promete as manifestações carismáticas e proféticas do Espírito durante os últimos dias. Lucas vê o derramamento do Espírito como introdução dos últimos dias e como a unção sobrenatural dos crentes para servir. Esta experiência que capacita é semelhante, ainda que mais intensa, à unção que os discípulos desfrutaram durante o ministério terreno de Jesus. O Espírito Santo veio para habitar nos discípulos no momento de sua conversão, mas só no Dia de Pentecostes eles são capacitados a proclamar o evangelho e a fazer as obras de Deus.

1.3. Jesus Anuncia a Capacitação pelo Espírito (1.6-8)

Durante os quarenta dias entre sua ressurreição e ascensão, Jesus falou aos discípulos concernente ao Reino (v. 3). Os discípulos pensam erroneamente que Israel, no Reino, está destinado a dominar o mundo. Eles antecipam o cumprimento da promessa de Jesus de que eles mesmos exercerão autoridade sobre as tribos de Israel (Lc 22.30). Numa refeição de comunhão, eles perguntam a Jesus se Ele vai restabelecer o Reino a Israel neste momento. Eles esperam uma ordem terrena na qual Israel regerá outras nações, como no período de Davi e Salomão. Eles também, de acordo com a expectativa apocalíptica, vêem o derramamento do Espírito como sinal da nova ordem mundial.

Obviamente o Reino de Deus não pode ser definido em termos de meramente uma ordem terrena, na qual Israel tem supremacia política. Os discípulos não entendem sua natureza, pois o governo de Deus já foi iniciado pelo ministério, morte e ressurreição de Jesus. Mas eles têm razão em uma coisa: Existe um vínculo forte entre o Espírito Santo e o Reino de Deus. O governo de Deus foi iniciado e exercido pelo Espírito Santo nos últimos dias pelo ministério de Cristo. Jesus não nega a restauração do reino a Israel, mas rejeita o esforço dos discípulos em determinar quando ocorrerá.

A pergunta dos discípulos sobre quando o fim virá é imprópria. O tempo no qual Israel é restabelecido à condição de estado e o tempo em que o Reino entra em sua plenitude têm de ser deixados para Deus.

Ninguém precisa saber as épocas ou datas que o Pai fixou por sua própria autoridade (v. 7). Note as palavras de Jesus: "Daquele Dia e hora ninguém sabe, nem os anjos dos céus, nem o Filho, mas unicamente meu Pai" (Mt 24.36). Quer dizer, não é importante poder marcar no calendário a data em que o Reino será finalmente estabelecido, nem o povo de Deus deveria especular sobre a proximidade do fim do mundo. O que eles têm de fazer é esperar e receber o poder do Espírito Santo, de forma que testemunhem a morte e ressurreição de Cristo até que Ele volte.

Uma vez mais o Jesus ungido pelo Espírito promete aos discípulos que eles serão capacitados pelo Espírito Santo (v. 8). Em vez de mudar de assunto quando os discípulos perguntam pelo Reino, Ele lhes dá uma resposta. A resposta não indica o tempo da consumação do Reino, mas, sim, que o evangelho deve ser pregado a todas as nações antes que venha a verdadeira bem-aventurança para Israel e para o mundo (cf. Mt 24.14).

Aos discípulos é prometido "virtude" ou "poder" (ARA) — não poder político, mas poder para servir. A palavra traduzida por "virtude" ou "poder" (*dynumis*) provém de um verbo que significa "ser capaz" ou "ter força". Em Atos, pode se referir à operação de milagres (At 3.12; 4.7; 6.8), poder para dar testemunho de Cristo (At 1.8; 4.33) e poder sobre o Diabo (At 10.38). Jesus promete equipar os discípulos para serem suas "testemunhas". O significado básico da palavra "testemunha" (*martys*) é "alguém que testemunha"; o poder para tal procede de Deus, um "poder [...] do alto" (Lc 24.49), um poder concedido pelo Espírito Santo para dar testemunho de Jesus Cristo, um poder para influenciar os outros a aceitar Cristo.

As palavras de Jesus "ser-me-eis testemunhas" são geralmente consideradas uma ordem, mas não é tanto uma ordem quanto uma promessa. Esta promessa está unida ao recebimento do batismo no Espírito. Quando eles recebem a plenitude do Espírito, o poder que eles recebem inevitavelmente os transformará em testemunhas. E dando testemunho de Jesus os identificará como povo de Deus. A capacitação para testemunhar é descrita como a vinda do Espírito Santo sobre eles (v. 8; cf. At 19.6) — expressão estreitamente ligada à idéia de "revestidos de poder" (Lc 24.49). O Espírito Santo entrará neles de uma nova maneira, sugerindo a contínua presença poderosa do Espírito Santo.

O testemunho dos apóstolos deve começar na mesma cidade na qual Jesus foi condenado e não será concluída até que eles alcancem "os confins da terra". Sua missão pode ser resumida em três fases, que formam a estrutura geográfica do Livro de Atos: primeiramente, Jerusalém, onde Jesus foi crucificado (At 1—7); em seguida, Judéia e Samaria, onde o povo tinha ouvido a pregação de Jesus e visto seus milagres (At 8—12); e, finalmente, os confins da terra (At 13—28). O livro fala das jornadas do povo de Deus enquanto cumprem sua missão (At 1.15—5.42; 6.1—9.31; 9.32—12.25; 13.1—15.35; 15.36—19.20; 19.21—28.31). Cada uma destas seções indica o movimento da Igreja ao longo do caminho anunciado no versículo 8.

Enquanto fazem suas jornadas, o povo de Deus é capacitado pelo Espírito e segue o exemplo do Salvador ungido pelo Espírito (Lc 4.18,19), proclamando o Reino de Deus (At 1.3; 8.12; 14.21,22; 19.8; 20.25; 28.23,31). A regra é pregar o Evangelho "primeiro [para o] judeu e também [para o] gentio" (Rm 1.16). A Igreja faz avanço significativo em sua missão, quando os samaritanos ouvem o evangelho. Seu modelo de missão é o Servo do Senhor, que dá luz às nações e salvação "até às extremidades da terra" (Is 49.6) — frase que significa terras distantes em Atos 13.47. Ainda que esta frase possa significar "Roma" para os discípulos de Jesus, é profética do crescimento da Igreja e focaliza a expansão do evangelho nos últimos dias, até que Jesus volte.

1.4. Jesus Ascende aos Céus (1.9-11)

O terceiro Evangelho é concluído com a ascensão de Jesus, e o Livro de Atos inicia com a ascensão. Tudo no Evangelho de Lucas move-se em direção à ascensão, e tudo em Atos move-se a partir da ascensão.

Depois que Jesus prometeu aos discípulos o poder do Espírito para eles cumprirem a missão, Deus Pai o tomou para o céu diante dos olhos deles (vv. 9-11). Em Lucas 9.51, Jesus começou sua grande jornada a Jerusalém, de onde Ele partiria da terra. Sua jornada só se completou quando Ele alcançou o céu. Podemos definir esta jornada como o caminho para a ascensão. No monte da transfiguração, Moisés e Elias falaram sobre a partida (*exodos*, "êxodo", Lc 9.31) de Jesus. Seu "êxodo" abrange o trânsito da terra para o céu, incluindo sua morte, ressurreição e ascensão (cf. Lc 24). Sua partida ao céu marca o fim de uma era e o começo de outra, na qual os crentes são capacitados pelo mesmo Espírito que ungiu a vida e missão de Jesus.

À medida que Jesus entrava na glória, uma nuvem o encobriu da visão dos discípulos. Eles já não o vêem, mas o significado real da nuvem tem o propósito de dizer que Jesus foi recebido na glória de Deus. A shekiná, a presença de Deus, tinha pousado sobre a tenda da reunião nos dias de Moisés (Êx 40.34). Quando Moisés e Elias deixaram o monte da transfiguração, eles foram envolvidos com a nuvem da presença de Deus (Lc 9.34). A nuvem naquela ocasião e a nuvem na ascensão de Jesus indicam que os últimos dias despontaram na vida e ministério de Jesus. Ele agora parte da terra para a presença glorificante de Deus.

A nuvem também pressagia a maneira na qual Jesus voltará — numa nuvem de glória. De fato, os dois anjos que aparecem na ascensão declaram que Jesus voltará como os discípulos o viram ir para o céu — visível, corporal e pessoalmente (At 1.11). O enfoque está na maneira da volta e não no tempo.

Hoje Cristo está entronizado no céu como Rei, sentado à mão direita de Deus. Elevado à presença de Deus, Ele completou sua jornada e deu o passo final para sua exaltação na glória. O Cristo, nascido de mulher, que vivia uma vida humana e morreu na cruz, agora está sentado à mão direita de Deus. No rio Jordão, o Espírito Santo tinha descido sobre Cristo e tornado-o Profeta, Sacerdote e Rei ungido (Lc 3.21,22). Jesus cumpre seu ofício real na ascensão. Como Rei, Ele derramará o Espírito Santo prometido e no fim voltará outra vez.

2. A Origem da Comunidade Batizada e Cheia pelo Espírito (1.12—.41).

No Dia de Pentecostes, a comunidade de crentes experimentou uma dimensão totalmente nova do Espírito Santo. Os discípulos já desfrutam a renovação espiritual pela habitação do Espírito Santo no coração. O "pequeno rebanho" formado por Cristo durante seu ministério terreno está entre a economia do Antigo Testamento e o Dia de Pentecostes.

De acordo com os Evangelhos, o processo de formação da comunidade de crentes envolvia duas fases: A primeira fase consiste nos discípulos de João Batista tornando-se seguidores de Cristo (Jo 1.35-37; cf. Jo 3.30); a segunda fase incorpora um grupo adicional de discípulos devotados que se reuniram ao redor de Jesus (veja comentários sobre At 1.15). Entre estes discípulos, estava a maioria dos doze apóstolos, dos setenta e cerca de quinhentos judeus (1 Co 15.6). Em outras palavras, a Igreja cristã já existia antes do Dia de Pentecostes. O derramamento do Espírito no Dia de Pentecostes não significa uma nova Igreja, mas uma Igreja capacitada, uma comunidade ungida de crentes, que estão estreitamente ligados com o povo de Deus do Antigo Testamento (At 7.38). Como previamente prometido, logo eles serão batizados no Espírito e feitos uma comunidade ungida de crentes.

Esta seção registra os discípulos no cenáculo (1.12-14), a substituição de Judas (1.15-26), o derramamento do Espírito Santo (2.1-13) e o discurso de Pedro à multidão (2.14-41).

2.1. A Comunidade Aguarda o Espírito Prometido (1.12-26)

2.1.1. A Comunidade se Dedica à Oração (1.12-14). A ascensão ocorre nas redondezas do monte das Oliveiras, a leste de Jerusalém atravessando o vale de Cedrom. Aquele lugar dista de Jerusalém aproximadamente mil e duzentos metros, a distância que um judeu piedoso podia caminhar em dia de sábado (Êx 16.29; Nm 35.5). Os discípulos voltam a Jerusalém "com grande júbilo" (Lc 24.52). Qualquer tristeza que eles têm pela partida de Jesus é transformada em alegria ao pensar em ver Jesus novamente. Eles vão ao cenáculo. A localização do lugar é incerta. Deve ser o lugar da Última Ceia (Mc 14.15; Lc 22.8,12), ou a casa de Maria, a mãe de João Marcos (At 12.12). Lá eles esperam pela promessa de poder do alto.

Entre os crentes há quatro grupos:
1) Os onze apóstolos, que confirmam a exclusão de Judas do número dos apóstolos e preparam sua substituição;
2) Certas mulheres devotas, inclusive Maria, mãe de Jesus, e provavelmente as mulheres da Galiléia que tinham sido curadas por Ele — mulheres que lhe sustentavam o ministério com seus recursos (Lc 8.2,3) e viram a crucificação (Lc 23.49);
3) Os irmãos de Jesus, que antes eram céticos (Mc 3.21; Jo 7.5), mas agora estão convencidos de que Jesus é o Messias; e
4) Outros seguidores de Jesus. Judas está conspicuamente ausente dos grupos.

Como esperaríamos, os dez dias que os discípulos gastam esperando pelo poder de Deus são marcados por oração constante. O lugar de oração não é apenas o cenáculo, onde eles estão, mas também o templo (cf. Lc 24.53: "E estavam sempre no templo, louvando e bendizendo a Deus"). Todos os presentes estão "unanimemente", palavra que significa que eles estão com uma mente e propósito (cf. Rm 15.6). Os cristãos primitivos passam por tensões na comunhão, mas eles as superam mediante a resposta ao Senhor crucificado e ressurreto.

Os discípulos se unem em oração com grande freqüência e singeleza de propósito. Eles oram, esperando o batismo com o Espírito. Jesus já os tinha assegurado de que a autorização do Espírito seria uma resposta à oração: "Quanto mais dará o Pai celestial o Espírito Santo àqueles que lho pedirem?" (Lc 11.13). Sua constância em oração e louvor os prepara para receberem o batismo com o Espírito Santo (cf. At 4.29-31; 8.14-17). A oração que crê e espera fornece o ambiente espiritual para receber a plenitude do Espírito.

2.1.2. A Comunidade Escolhe Matias (1.15-26). Como líder, Pedro assume o papel de porta-voz dos apóstolos. Ele fala para aproximadamente cento e vinte crentes e relaciona os fatos da traição e fim terrível de Judas. Este número não significa que estes são os únicos discípulos que Jesus tem neste momento. Paulo diz que mais de quinhentos irmãos viram o Jesus ressurreto de uma só vez (1 Co 15.6). Estes cento e vinte são provavelmente todos os que estão presentes em Jerusalém nesta ocasião.

Judas tinha sido um dos doze apóstolos e tomado parte no ministério, mas perdera seu ministério e sofrera morte trágica. A Escritura profética torna necessário que os discípulos escolham um sucessor para ele.

A descrição de Pedro sobre a morte de Judas difere de duas maneiras do relato apresentado em Mateus 27.3-10.

1) Mateus registra que Judas se enforcou, mas Pedro diz que Judas, precipitando-se, rebentou pelo meio. É possível que ambas as narrativas sejam verdadeiras, pois quando Judas se enforcou, a corda presumivelmente arrebentou e ele atingiu o solo com tamanho impacto que o abdômen arrebentou.

2) Pedro diz que Judas comprou um campo, ao passo que Mateus registra que os principais sacerdotes compraram um terreno com as trinta peças de prata que Judas lhes devolvera. É provável que os sacerdotes compraram o campo do oleiro com o dinheiro. Mas a terra realmente pertencia a Judas, visto que foi comprada com o dinheiro dele e seus herdeiros teriam reivindicação legal sobre o bem (Bruce, 1956, p. 49). O campo deriva seu nome, Aceldama (em aramaico, "Campo de Sangue"), das trinta peças de prata dadas a Judas para trair o Salvador. Este campo, comprado com dinheiro de sangue e localizado em algum lugar perto de Jerusalém, é o local onde Judas foi enterrado.

O fim trágico de Judas é predito nos Salmos 69.25 e 109.8 (LXX). Ambas as passagens tratam dos inimigos de Israel na época de Davi, mas Pedro as aplica a Judas. Pela boca de Davi, o Espírito Santo predisse o destino de pessoas ímpias que perseguem os servos de Deus. Esta profecia se aplica ao caso de Judas de dois modos particulares:

1) Seu lugar de habitação, ou seja, a casa ou o campo que ele comprou, ficará deserta; estará sob maldição e ninguém viverá nela (Sl 69.25).

2) Seu lugar de liderança será ocupado por outro (Sl 109.8). O lugar que ele teve como apóstolo está desocupado. O papel administrativo que os apóstolos terão no futuro Reino (Lc 22.28-30) torna imperativo nomear uma substituição.

Um homem precisa ser escolhido para ser o sucessor de Judas como apóstolo (cf. At 1.26). A palavra "apóstolo" tem um significado rico e variado. O verbo do qual é derivado (*apostello*) significa "enviar" ou "despachar"; literalmente, um apóstolo é um enviado ou embaixador. O ofício cristão de apóstolo é derivado possivelmente do conceito judaico do *shaliach*. Este termo ocorre em fontes rabínicas e diz respeito a uma pessoa que age em benefício de outrem. Um *shaliach* delega autoridade, semelhante ao que chamamos procuração.

No Novo Testamento, o termo *apóstolo* é usado em sentido geral e restritivo. Exemplos do significado geral são encontrados em Hebreus 3.1, onde Jesus é chamado "apóstolo e sumo sacerdote da nossa confissão", e em Atos 14.14, onde Paulo e Barnabé, missionários enviados pela congregação de Antioquia, são chamados "apóstolos" (cf. Rm 16.7; Fp 2.25). Lucas usa em seu sentido restritivo para designar os doze indivíduos que Cristo escolheu de um grupo maior de discípulos (Lc 6.12-16) como seus representantes especiais. No fim do seu ministério terreno, os Doze formam esse grupo especial, ainda que Judas já não seja um deles (cf. 1 Co 15.5).

Os apóstolos devem ser testemunhas da vida e ministério de Jesus, sobretudo sua ressurreição. Como Atos deixa claro, a substituição de Judas tem de satisfazer duas qualificações.

1) Ele tem de estar associado com Jesus ao longo do seu ministério. O batismo de Jesus feito por João Batista, e sua unção com o Espírito marcam o começo do ministério de Jesus; a ascensão é a conclusão do seu ministério terreno. Tendo estado com o Senhor desde o começo do seu ministério até à sua exaltação, o sucessor de Judas pode testemunhar com grande autoridade das poderosas obras e palavras de Cristo. Como testemunha ocular, ele pode falar sobre Jesus curar os doentes, libertar os possessos de demônios e livrar os pecadores da escravidão do pecado (Lc 1.2).

2) A qualificação essencial é ter visto Jesus depois da ressurreição (cf. 1 Co 9.1). Os apóstolos só testemunham do que viram e ouviram (At 4.20). Entre a ressurreição e ascensão de Jesus, Ele deu muitas provas convincentes de que Ele estava vivo (At 1.3). Tendo visto o Senhor neste período, a substituição de Judas pode declarar que Jesus ressuscitou e vive para sempre. Os eventos do Evangelho devem ser centrais ao testemunho da Igreja.

Depois da fala de Pedro, os crentes escolhem dois homens: José, chamado Barsabás, e Matias. Ambos estavam entre os primeiros discípulos de Jesus e são bem-qualificados para suceder Judas. A Bíblia não nos conta nada mais sobre estes dois homens. Depois de propor os nomes, os discípulos oram pela direção do Senhor, a fim de que Ele lhes mostre qual dos dois Ele escolheu: "Tu, Senhor, conhecedor do coração de todos, mostra qual destes dois tens escolhido, para que tome parte neste ministério e apostolado, de que Judas se desviou, para ir para o seu próprio lugar" (vv. 24,25). Eles se dirigem a Deus por "Senhor" como alguém que sabe todas as coisas, inclusive os desejos íntimos do coração humano.

Depois da oração, os discípulos lançam sortes, entendendo que aquele em quem a sorte cair é a escolha do Senhor. No mundo antigo, o lançamento de sortes era usado extensamente para determinar a vontade de Deus (Lv 16.8-10; Js 18.6,8). Não temos meio de saber o método preciso que foi usado. Provavelmente pedras com nomes inscritos eram postas numa vasilha e sacudidos até que uma caísse.

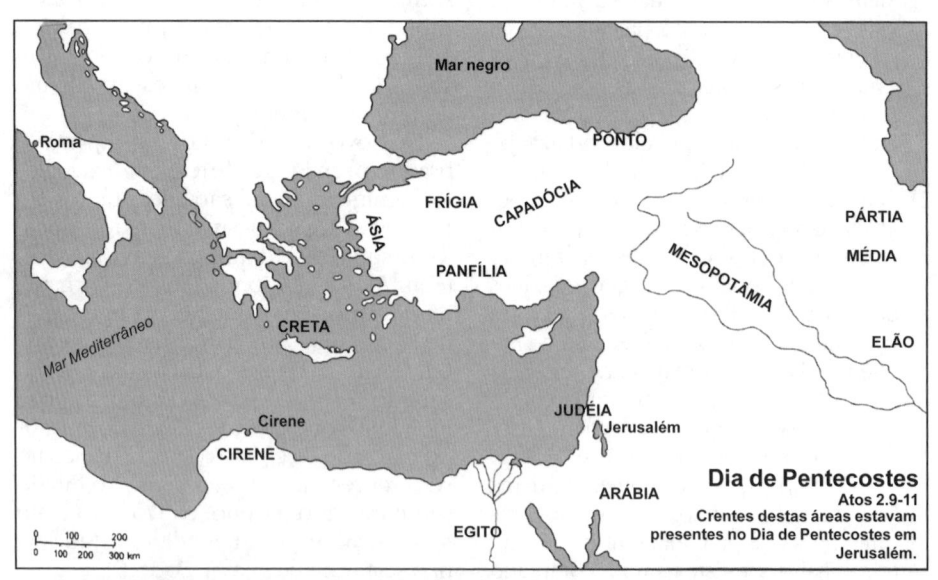

Dia de Pentecostes
Atos 2.9-11
Crentes destas áreas estavam presentes no Dia de Pentecostes em Jerusalém.

Na Festa do Dia de Pentecostes em Jerusalém, o Espírito Santo desceu sobre os discípulos como um vento violento e o que pareceu serem línguas de fogo que tocaram cada um deles. Os discípulos começaram a falar em línguas diferentes — línguas que nunca tinham aprendido — ao povo que tinha vindo de diferentes países estrangeiros.

Lançando sortes, os discípulos mostram a forte convicção na providência divina. Deus era quem guiava o resultado de algo que parecia tão acidental quanto o lançamento de sortes. Quando a sorte é lançada, esta cai em Matias. Deus já escolheu este homem como sucessor de Judas; a sorte simplesmente confirma a decisão. O fator humano é excluído no preenchimento do lugar vazio entre os doze apóstolos (Haenchen, 1971, p. 162).

A exaltação de Jesus e o preenchimento do lugar desocupado do traidor armaram o palco para o derramamento do Espírito.

2.2. O Dia de Pentecostes (2.1-41)

Atos 2 faz uma narrativa do primeiro Dia de Pentecostes depois da ressurreição de Cristo. O Dia de Pentecostes (*he pentecoste*, "o qüinquagésimo [dia]") se dava cinqüenta dias depois de 16 de nisã, o dia seguinte à Páscoa. Também era chamado "Festa das Semanas", porque ocorria sete semanas depois da Páscoa. Por causa da colheita de trigo que acontecia naquele período, era uma celebração da colheita de grãos (Êx 23.16; 34.22; Lv 23.15-21). Nos dias de Lucas, também pode ter se tornado ocasião para os judeus celebrarem a doação da lei no monte Sinai. Porém, não há autoridade para esta tradição do Antigo Testamento, nem há qualquer tradição judaica conhecida já no século I que relacione a doação da lei com a Festa do Pentecostes. Muitos judeus devotos de vários países iam a Jerusalém para observar a Festa da Páscoa e ficavam até a Festa do Pentecostes.

A festividade judaica do Dia de Pentecostes assume novo significado em Atos 2, pois é o dia no qual o Espírito prometido desce em poder e torna possível o avanço do evangelho até aos confins da terra. O batismo dos apóstolos com o Espírito Santo no Dia de Pentecostes serve de fundação da missão da Igreja aos gentios. Essa experiência corresponde à unção de Jesus com o Espírito no rio Jordão (Lc 3.21,22).

Existem semelhanças entre estes dois eventos. O Espírito desceu sobre Jesus depois que Ele orou (Lc 3.22); no Dia de Pentecostes, os discípulos também são cheios com o Espírito depois que oram (At 1.14). Manifestações físicas acompanham ambos os eventos. No rio Jordão, o Espírito Santo desceu em forma corpórea de pomba, e no Dia de Pentecostes a presença do Espírito está evidente na divisão de línguas de fogo e no fato de os discípulos falarem em outras línguas. A experiência de Jesus enfatizava uma unção messiânica para seu ministério público pelo qual Ele pregou o Evangelho, curou os doentes e expulsou demônios; os apóstolos agora recebem o mesmo poder do Espírito. Derramamentos subseqüentes do Espírito em Atos são semelhantes à experiência dos discípulos em Jerusalém. Como Stronstad (1984, pp. 8,9) afirma com propriedade:

> "Da mesma maneira que a unção de Jesus (Lc 3.22; 4.18) é um paradigma para o subseqüente batismo dos discípulos com o Espírito (At 1.5; 2.4), assim o dom do Espírito aos discípulos é um paradigma para o povo de Deus em todos os 'últimos dias' de uma comunidade carismática do Espírito e da condição de profeta de todos os crentes (At 2.16-21)".

Os paralelos entre a experiência de Jesus e os crentes primitivos é crucial à interpretação de Atos e provê a base teológica para a experiência pentecostal dos dias de hoje e para o serviço cristão no poder do Espírito até que Jesus volte.

2.2.1. Sinal: Os Discípulos São Cheios com o Espírito Santo (2.1-4).

No Dia de Pentecostes, os discípulos estão orando e esperando, prontos para serem batizados com o Espírito. Uma de suas características surpreendentes é a unidade. Lucas já descreveu que eles estão unidos em oração, sugerindo que eles têm uma mente e propósito (At 1.14). O Dia de Pentecostes começa com eles "todos reunidos no mesmo lugar" (At 2.1) — muito provavelmente no templo onde eles se reuniam diariamente (Lc 24.53; At 2.46;

5.42; cf. At 6.13,14). Devido ao contexto, eles não estão meramente no mesmo lugar, mas estão em comunhão uns com os outros. Seu verdadeiro senso de comunidade centraliza-se no conhecimento pessoal que eles têm do Cristo ressurreto e da devoção para com Ele.

Quando o Dia de Pentecostes desponta, o tempo de orar e esperar terminou para estes cento e vinte discípulos. A princípio, há um som sobrenatural vindo do céu, como um vento violento. À medida que o som enche a casa (o templo) onde eles estão sentados, línguas como fogo pousam sobre os presentes. Sinais milagrosos introduzem o Dia de Pentecostes como no monte Sinai (Êx 19.18,19), em Belém (Mt 1.18—2.12; Lc 2.8-20) e no Calvário (Mt 27.51-53; Lc 23.44). O vento e o fogo enfatizam a grandeza da ocasião e são evidências audíveis e visíveis da presença do Espírito — o som do vento poderoso significa que o Espírito Santo está com os discípulos, e as chamas de fogo em forma de língua que posam em cada um deles são manifestação da glória de Deus, acrescentando esplendor à ocasião.

Os relatos posteriores de enchimento com o Espírito em Atos não sugerem que o som do vento e as línguas de fogo ocorrem de novo. Estes sinais são introdutórios, somente para aquela ocasião. O sinal constante e recorrente da plenitude do Espírito em Atos é falar em outras línguas (At 10.46; 19.6). No Dia de Pentecostes, Pedro declara que Cristo derramou o que as pessoas vêem e ouvem (At 2.33). Falar em línguas (ou glossolalia) — um sinal externo, visível e audível — marca a dotação dos discípulos com poder sobrenatural, isto é, o fato de eles serem cheios com o Espírito.

O verbo traduzido por encher (*pimplemi*), usado em Atos 2.4, está estreitamente ligado com o Espírito (Lc 1.41,67; At 4.8,31; 9.17; 13.9). Este verbo é usado por Lucas para indicar o processo de ser ungido com o poder do Espírito para o serviço divino. Ser cheio com o Espírito significa o mesmo que ser batizado com o Espírito ou receber o dom do Espírito (cf. At 1.5; 2.4,38).

O Espírito Santo habilita os discípulos a "falar em outras línguas". Falar em línguas não é meramente questão de vontade humana, pois é o Espírito que inicia a manifestação. Em plena submissão ao Espírito ("o Espírito Santo lhes concedia"), eles falam e agem conforme o Espírito os conduz. Tais expressões vocais não são fala estática ou mera algaravia; mas, como o termo "falar" (*apophthengomai*) sugere, elas são poderosas e capacitadoras (cf. At 2.14; 26.25). Este verbo se refere no Antigo Testamento grego à atividade de videntes e profetas que reivindicam inspiração divina (Ez 13.9,19; Mq 5.11; Zc 10.2) e indica uma proclamação divinamente inspirada.

As línguas no Dia de Pentecostes podem ser corretamente descritas como proféticas e confirmam o padrão de Atos 2.17,18: "Os vossos filhos e as vossas filhas profetizarão". No batismo com o Espírito, declarações inspiradas originam-se com o Espírito Santo. Os crentes são porta-vozes do Espírito, embora permaneçam em pleno controle de suas faculdades. O Espírito respeita a liberdade e busca a cooperação deles. Ele fala por meio deles, mas eles estão falando ativamente em línguas e podem parar à vontade. Por exemplo, Pedro fala em línguas, mas pára quando se dirige à multidão. Assim a manifestação de línguas pode ser entendida como resposta e obediência ativas ao Espírito Santo.

A experiência dos discípulos no Dia de Pentecostes tem um significado quádruplo.

1) A principal característica do batismo com o Espírito é primariamente vocacional em termos de propósito e resultado. Como nos tempos do Antigo Testamento, a unção com o Espírito é primariamente vocacional, em vez de ser salvadora (i.e., que leva à vida eterna). O batismo com o Espírito não salva ou faz da pessoa um membro da família de Deus; antes, é uma unção subseqüente, um enchimento que equipa com poder para servir. No Dia de Pentecostes, os discípulos se tornam membros de uma comunidade carismática, herdeiros de um ministério anterior de Jesus. Eles são iniciados num serviço

capacitado pelo Espírito e dirigido pelo Espírito para o Senhor.
2) Falar em línguas é o sinal inicial do batismo com o Espírito. Serve como manifestação externa do Espírito e acompanha o batismo ou imersão no Espírito. Para Pedro, o sinal milagroso demonstra a plenitude do Espírito. Ele aceita línguas como a evidência de que os cento e vinte foram cheios com o Espírito. Como sinal inicial, as línguas transformam uma profunda experiência espiritual num acontecimento reconhecível, audível e visível. Os crentes recebem a certeza de que eles foram batizados com o Espírito. O próprio Jesus não falou em línguas, nem mesmo no rio Jordão. Sua unção especial foi normativa para seu ministério, mas o derramamento do Espírito em Atos 2 é normativo para os crentes. A distinção entre Jesus e os crentes é que Ele inicia a nova era como Senhor.
3) As línguas proporcionam aos discípulos os meios pelos quais eles louvam e adoram a Deus. Estes discípulos falam em línguas que nunca aprenderam, mas ao celebrarem os trabalhos poderosos de Deus elas são completamente inteligíveis aos circunstantes (v. 11). Todos os que testemunham o que está acontecendo reconhecem que os discípulos estão louvando a Deus. Em vários idiomas, eles magnificam e agradecem a Deus pelas grandiosas coisas que Ele fez.
4) Falar em línguas é sinal para os ouvintes descrentes (cf. 1 Co 14.22). As palavras de louvor nos lábios dos discípulos servem como sinal de julgamento para os incrédulos. Com base na manifestação milagrosa, Pedro declara: "Saiba, pois, com certeza, toda a casa de Israel que a esse Jesus, a quem vós crucificastes, Deus o fez Senhor e Cristo" (At 2.36). Falar em línguas é o meio pelo qual o Espírito Santo condena os judeus por terem crucificado Jesus e por serem incrédulos. Tanto quanto a evidência inicial do batismo com o Espírito, as línguas podem ser sinal do desgosto de Deus.

2.2.2. Maravilha: A Multidão fica Pasma (2.5-13). No Dia de Pentecostes, os discípulos têm uma audiência internacional, pois judeus devotos de Jerusalém e fora da Palestina se reuniam para esta festa judaica. Muitos ouvem, numa variedade de idiomas, os discípulos falando sobre os trabalhos maravilhosos de Deus. Por estas horas, os discípulos já devem ter deixado o templo e ido para as ruas. Os judeus tementes a Deus vêem o trabalho do Espírito e ouvem os discípulos galileus falando em línguas dos grupos nacionais presentes — um grande milagre! Sabendo que os discípulos não sabem estas línguas, eles não têm explicação razoável para o fenômeno. Lucas descreve que a resposta destes grupos a este milagre é confusão, assombro e perplexidade (vv. 6,12).

Em nenhum outro lugar o Novo Testamento (e.g., At 10.46; 19.6; 1 Co 12.14) descreve a "glossolalia" como falar em idiomas estrangeiros. A autenticidade da manifestação não depende da presença ou ausência de falar em idiomas estrangeiros. Paulo enfatiza que o dom de interpretação tem de acompanhar as línguas para que a Igreja local seja edificada (1 Co 12.7-10; 14.1-5). De acordo com Paulo, as línguas são um idioma, mas sem a companhia do dom de interpretação uma mensagem em línguas permanece ininteligível ao locutor e ao ouvinte. O dom de línguas deve ser interpretado na igreja local.

Neste dia ocorre um milagre que nunca antes foi testemunhado. A seguinte pergunta foi feita: Estas inspiradas expressões vocais são um milagre de fala ou um milagre de audição? O milagre está na fala, visto que é mais lógico pensar num milagre em crentes do que em incrédulos. Uma defesa do milagre só como questão da audição da multidão é difícil de ser feita, sobretudo considerando que Atos 2 enfatiza as expressões vocais inspiradas pelo Espírito ("todos [...] começaram a falar", v. 4). Além disso, a narrativa das línguas em Atos 10.45,46 não enfatiza o ouvir, mas o falar em línguas (veja também At 19.6).

O povo reconhece a natureza miraculosa do que está acontecendo. Uns estão maravilhados e incomodados pelo que significa a manifestação do Espírito. Eles não têm idéia para que serve o milagre. Outros se divertem com o acontecimento acusando os discípulos de estarem bêbados. Não reconhecendo alguns dos idiomas que os discípulos estão falando, eles os confundem com tolice.

Mas o que alguns afirmam que é resultado de bebedeira é, na verdade, uma manifestação do derramamento do Espírito Santo. Os discípulos tiveram uma profunda experiência espiritual, e com alegria e vigor expressam ação de graças e louvor a Deus por suas obras salvadoras em Cristo e por serem batizados com o Espírito. O mesmo Espírito que guiou os patriarcas e capacitou os profetas veio para guiar e capacitar a Igreja a levar o evangelho a todas as nações.

A presença de "judeus, varões religiosos, de todas as nações" no Dia de Pentecostes, começando com Pártia, a leste, e chegando tão longe quanto Roma, a oeste (vv. 9-11), indica que o evangelho é de âmbito universal. A missão cristã já começou a alcançar "os confins da terra" (Haenchen, 1971, p. 170). O evangelho deve ser pregado em muitos idiomas e dialetos. A audiência universal antecipa a promessa de Pedro de que Deus derramará seu Espírito sobre "toda a carne" (v. 17).

2.2.3. Discurso Pneuma (2.14-36).

2.2.3.1. Explicação: Os Três Sinais Cumprem a Profecia de Joel (2.14-21).

O apóstolo Pedro é agora cheio com o Espírito e se dirige à multidão numa declaração inspirada pelo Espírito. Tendo ouvido os escárnios que as pessoas faziam dos discípulos, ele responde à pergunta: "Que quer isto dizer?" (v. 12), com grande autoridade profética. Ele nega primeiramente que os discípulos estejam bêbados: "São só nove horas da manhã!" Os homens se intoxicam a qualquer hora, mas nas primeiras horas da manhã é altamente inverossímil. Nove horas era a hora da oração, e os judeus regularmente não faziam o desjejum até as dez. Estes discípulos foram cheios com o Espírito.

Para mostrar a falsidade da acusação de embriaguez e explicar o significado da manifestação do Espírito, Pedro vincula os acontecimentos do Dia de Pentecostes com Joel 2.28-32. A multidão está vendo o cumprimento da profecia de Joel diante dos olhos. O que se esperava que ocorresse "nos últimos dias" aconteceu: o derramamento do Espírito de Deus. Falar em línguas é um sinal escatológico de que os últimos dias despontaram.

No Antigo Testamento, a expressão "últimos dias" se refere à vinda do Messias (Is 2.2; Mq 4.1). No Novo Testamento, estes "últimos dias" são iniciados pela vinda de Cristo, e o derramamento poderoso dos sinais do Espírito assinala que a era messiânica chegou. Os últimos dias cercam o período entre a Primeira e Segunda Vinda de Cristo. A era do cumprimento começou, ainda que a consumação final esteja no futuro. Os ouvintes no Dia de Pentecostes estão vivendo nestes últimos dias. O uso do plural em "últimos dias" indica que o derramamento do Espírito abrange mais do que apenas um dia.

A era do Espírito foi predita há muito tempo pelos profetas: "Isto é o que foi dito pelo profeta Joel" (v. 16). No Antigo Testamento, só algumas pessoas experimentaram o Espírito. Do Dia de Pentecostes em diante, Deus torna disponível a *todos* os seus filhos a plenitude do Espírito. O poder carismático do Espírito já não está limitado aos líderes do povo de Deus. Fundamentando sua mensagem na profecia de Joel, Pedro promete que o derramamento do Espírito é para "toda a carne". É de escopo universal — sobre jovens e velhos, sobre filhas e filhos, até sobre os de posição social baixa, tanto homens quanto mulheres. Em vez de ser derramado apenas sobre reis, sacerdotes e profetas, o Espírito será derramado sobre os crentes de toda raça, nacionalidade e gênero.

Ao receberem o batismo com o Espírito as pessoas devem profetizar. Línguas que acompanham a experiência de imersão no Espírito têm o caráter de fala profética, e Pedro liga o poder do Espírito com a explosão universal de profecia. A mesma ligação é feita entre o poder carismático do Espírito e a profecia em Números 11.24-29, onde os anciãos profetizam depois que o Espírito foi transferido de Moisés para eles. Moisés expressa o desejo de que todo o povo de Deus profetize. Joel 2 promete o cumprimento do desejo de Moisés, e os acontecimentos do Dia de Pentecostes cumprem esse desejo potencialmente. A era da condição de profetas de todos os crentes desponta com o derramamento do Espírito em poder profético, criando uma comunidade de profetas nos últimos dias.

O cumprimento inicial da promessa de Joel no Dia de Pentecostes batiza os discípulos para um ministério profético de dar testemunho da obra salvadora de Cristo. Mas este batismo do Espírito para profecia não é limitado aos crentes no Dia de Pentecostes. As palavras de Pedro: "Os vossos filhos e as vossas filhas profetizarão", indicam a atividade profética contínua da igreja. Evidências adicionais das obras do Espírito serão vistas em "sonhos" e "visões". Estes tipos de experiência eram meios de receber revelação profética (Nm 12.6). Através de "sonhos" e "visões" o Espírito Santo revelou a verdade divina ao povo de Deus (Lc 1.22; 9.28-36; At 7.55,56; 8.29; 9.10; 10.10; 11.5,28; 16.9; 22.17-21; 27.23).

O propósito deste derramamento do Espírito é preparar o povo de Deus para a chegada do "grande e glorioso Dia do Senhor" (v. 20). Como prelúdio ao dia do Senhor, "prodígios em cima no céu" e "sinais em baixo na terra" ocorrerão. Sinais cósmicos, como guerra, incêndio, granizo e a coloração do sol precederão o Dia do Senhor, o dia em que história como a conhecemos terminará. Primeiro vêm "os últimos dias", introduzidos pelo primeiro advento de Cristo e o derramamento do Espírito. Depois, vêm os grandes terrores apocalípticos no céu e na terra (Ap 8.5,7; 20.9). Por fim, vem "o grande e glorioso Dia do Senhor", a Segunda Vinda de Cristo.

A Igreja existe nos "últimos dias", entre dois acontecimentos: o derramamento do Espírito e o retorno de Cristo. A era vindoura se tornou realidade na vida do povo de Deus. A nova era despontou com a morte e ressurreição de Cristo e os acontecimentos do Dia de Pentecostes, mas a velha era de pecado e morte permanecerá até que Cristo chegue outra vez. Como resultado do batismo com o Espírito, o povo de Deus recebe poder para cumprir sua missão profética de testemunhar do evangelho. Nossa mensagem deve ser: "Todo aquele que invocar o nome do Senhor será salvo" (v. 21). Somente os que invocam o Senhor em oração clamando por salvação escaparão dos terrores do julgamento final. Até ao Dia do Senhor, as pessoas podem ir ao Senhor Jesus em busca de salvação (Rm 10.13-15).

2.2.3.2. Testemunho: Pedro Proclama Jesus como Senhor e Cristo (2.22-36). Inspirado pelo Espírito, o sermão e caráter de Pedro ficam em contraste com suas negações do Senhor (Lc 22.54-62). Depois do derramamento do Espírito, ele se torna corajoso e ousado. Seu primeiro sermão reflete suas convicções claras. Ele já não tem dúvida sobre o Salvador e a missão do Salvador e interpreta o significado da vida e ministério de Jesus.

1) Pedro chama a atenção a Jesus "Nazareno" (v. 22). Seu ministério foi claramente capacitado e aprovado por Deus, e seus milagres eram evidência de que o Espírito o tinha ungido (cf. At 10.38). Por meio dEle, Deus fez poderosas maravilhas (*dynameis*), prodígios (*terata*) e sinais (*semeia*). Estes termos não significam três tipos diferentes de ação, mas descrevem o mesmo trabalho divino. As maravilhas de Jesus são trabalhos poderosos, porque foram feitos pelo poder de Deus. Como prodígios, eles despertaram assombro naqueles que os testemunharam. Como sinais, significaram a aprovação de Deus do que Jesus tinha ensinado com relação a eles.

O ministério de Jesus era público. Muitos dos ouvintes do sermão de Pedro tinham sido testemunhas oculares do que Deus realizara por Jesus: "Como vós mesmos bem sabeis" (v. 22). Os milagres tinham acontecido entre eles, deixando-os bem cientes de que tais feitos destacaram Jesus como pessoa incomum. Durante seu ministério terreno, os oponentes de Jesus designaram seu poder de expulsar demônios a Belzebu (Lc 11.15). Eles não ficam convencidos de que seu ministério era a obra de Deus, mas os discípulos sabem diferentemente (note, e.g., Lc 24.19).

2) A morte de Jesus na cruz ocorreu de acordo com o plano de Deus. Em vez de o reconhecerem como homem de Deus, os líderes judeus o crucificaram. Contudo, o que aconteceu não foi acidental; foi de acordo com o propósito de Deus que Jesus fosse entregue a eles. Incluso em seu plano de salvar o mundo estava a traição de Judas, o trama dos judeus e a decisão de Pilatos.

Os líderes judeus instigaram a morte de Jesus, mas "pelas mãos de injustos [*anomoi*, sem lei]" eles o fizeram ser crucificado. Os homens "sem lei" eram os romanos, que não tinham recebido a lei dada no monte Sinai; foram eles que pregaram Jesus na cruz. Sem saber, eles estavam fazendo a vontade de Deus (At 13.27). Aqui, de modo profundo, o propósito eterno de Deus e a vontade humana foram unidos. Tendo crucificado Jesus, os judeus cumpriram a vontade do Deus soberano. Mesmo assim, isso não minora o crime e a culpa dos responsáveis.

3) Deus ressuscitou Jesus. Homens ímpios mataram Jesus; em contraste, Deus tomou ação decisiva e o fez voltar à vida novamente. O plano divino levou Jesus pela morte para a exaltação como Senhor e Salvador. Ressuscitando-o, Deus o livrou de "as ânsias da morte" — *tas odinas tou thanatou*, o que literalmente significa "as dores cruciantes da morte". O propósito não é mostrar que Jesus sofreu dores depois da morte, mas indicar de modo descritivo como Ele foi livre das garras da morte. As palavras "não era possível" (v. 24) significam que a morte já não poderia prendê-lo em correntes como prisioneiro.

Como prova da ressurreição de Jesus, Pedro cita a profecia de Davi no Salmo 16.8-11, uma passagem que predisse a ressurreição de uma pessoa. Davi falou na primeira pessoa, como se estivesse referindo-se a si mesmo. Em vez disso, estava se referindo ao Santo de Deus, o Messias. Davi morreu e foi enterrado; seu sepulcro ficava em Jerusalém (v. 29). Ninguém presumia que Deus o tivesse livrado do mundo dos mortos e que seu corpo já não estava mais no sepulcro. O Salmo 16 não se aplica a Davi, mas ao Messias.

O Salmo 16 é a oração de um homem piedoso que tem confiança de que o Senhor está à mão direita e não o abandonará no mundo dos mortos ou permitirá que seu corpo se decomponha, mas que ele se regozijará na presença de Deus um dia. Como Pedro explica, seu significado último acha-se em Jesus Cristo, a quem Deus não abandonou no sepulcro ou permitiu que seu corpo se deteriorasse (At 2.31). Antes da crucificação, Jesus teve grande confiança no Pai (v. 26), e depois da ressurreição Ele foi cheio de alegria na presença de Deus (v. 28). Apelando para estas palavras de Davi, Pedro dá uma interpretação inspirada pelo Espírito da Escritura e prova que a ressurreição e a morte de Cristo ocorreram de acordo com o plano de Deus.

Como profeta talentoso de Deus, Davi previu não só a ressurreição de Cristo, mas também que o Salvador, como um que é "do fruto de seus lombos", se sentaria no seu trono (v. 30; cf. Lc 1.69). Por juramento divino, o patriarca recebeu a garantia de que sua linhagem familiar continuaria ocupando o trono. O Messias prometido seria um descendente de Davi e regeria do seu trono. A promessa de Deus se referia a um tipo particular de descendente: um verdadeiro filho de Davi, cuja ressurreição demonstra que Ele é o Messias ungido pelo Espírito.

Ao longo do seu ministério terreno Jesus foi o Messias. Assim, o argumento de Pedro não significa que a ressurreição de Cristo o fez Messias. Porém, Pedro revela que Deus ressuscitou Jesus como o Messias para se sentar em seu trono. Cheio do Espírito, Pedro declara: "Deus ressuscitou a este Jesus, do que todos nós somos testemunhas" (v. 32).

4) Deus derramou o Espírito. Depois de estabelecer Jesus como o Messias, que tinha de ser ressuscitado dos mortos, Pedro mostra que o Salvador foi, de fato, exaltado ao trono de Deus (v. 33). Embora ele e seus

companheiros tenham visto Jesus ascender ao céu, dizer que viram Jesus desaparecer na nuvem (At 1.9) não os convenceria. Então, seu apelo é para o que a audiência viu e ouviu — Pedro e seus colegas falando em línguas, as línguas de fogo vistas sobre suas cabeças e um som como um grande vento do céu. Para Pedro, este derramamento do Espírito é a prova de que Jesus foi "exaltado [...] à destra de Deus" (ARA), significando que Ele está num lugar de honra ao lado de Deus. Outra possível tradução é "exaltado pela destra de Deus" (RC), enfatizando o poder de Deus na exaltação de Jesus.

Tendo ascendido ao céu, "[Jesus recebeu] do Pai a promessa do Espírito Santo". Imediatamente depois do batismo nas águas, Jesus foi cheio com o Espírito (Lc 3.21,22) e durante todo o seu ministério público foi o portador do Espírito por excelência (At 10.38). Ele não precisava do Espírito como dotação para si mesmo; mas quando Ele ascendeu ao céu, o Pai lhe deu o Espírito Santo para ser distribuído à Igreja (Haenchen, 1971, p. 183). Em conseqüência, Jesus, o Senhor da Igreja, derrama o Espírito Santo. Tudo o que é visto e ouvido no Dia de Pentecostes emana do Cristo ascendido. De corpo, Ele está ausente da terra, mas presente com o Pai no céu. Como o Cristo exaltado, Ele continua distribuindo aos crentes o poder do Espírito Santo e os dons que Ele recebeu do Pai.

Em Efésios 4.8-11, Paulo liga o ministério da Igreja com a ascensão de Cristo: "Subindo [Jesus] ao alto, [...] [Ele] deu dons aos homens". Paulo tinha o Dia de Pentecostes em mente, quando o Cristo exaltado derramou o Espírito na Igreja para testemunho e deu dons espirituais às pessoas, tais como apóstolos, profetas, evangelistas, pastores e doutores. Do Dia de Pentecostes em diante, os ministérios da Igreja foram de caráter carismático. Não há sugestão na Escritura de que o caráter do ministério conduzido pelo Espírito deva mudar. Através do poder do Espírito Santo, Cristo continua a equipar a Igreja com uma variedade de ministérios e ofícios (cf. At 13.1,2; 14.14; 21.8).

5) Jesus é o Messias, mas também é o Senhor. Ele ascendeu ao céu e está assentado no trono divino. Considerando que o próprio Davi não tinha entrado no céu, ele não poderia estar falando de si mesmo quando escreveu no Salmo 110.1: "Disse o SENHOR ao meu Senhor: Assenta-te à minha mão direita, até que ponha os teus inimigos por escabelo dos teus pés". Os próprios fariseus admitiram que esta passagem se refere ao Messias (Lc 20.41-44). No presente contexto, "o SENHOR" se refere a Deus Pai e "meu Senhor", ao Jesus exaltado. O fato de Davi chamar o Messias de Senhor indica que Jesus é mais que um filho seu.

Não dando nada por certo, Pedro declara que Deus exaltou Jesus como Senhor e Cristo (v. 36). Desde o nascimento, Jesus era Senhor e Messias (Lc 2.11). Durante seu ministério público Ele exerceu funções como Senhor (cf. 1 Co 7.10,12,25; 9.5,14; Hb 2.3) e morreu como Messias (At 3.18; 10.38). Ele foi "declarado Filho de Deus em poder, segundo do Espírito de santificação, pela ressurreição dos mortos" (Rm 1.4). O derramamento do Espírito no Dia de Pentecostes confirma aos discípulos de Jesus o seu poder e autoridade. Àquele a quem as pessoas pregaram na cruz, Deus exaltou. O atual reinado de Jesus no céu prova quem Ele realmente é.

O povo cometeu um crime terrível e essas pessoas deveriam tremer diante do pensamento de que estão entre o número dos inimigos do Senhor Jesus. Ele tomou posse do seu trono à mão direita de Deus e continuará reinando até que Ele vença e derrote todos os seus inimigos. A campanha poderosa para subjugá-los já começou (Cl 2.15).

2.2.4. Resposta: Cerca de Três Mil Pessoas São Salvas (2.37-41).

A mensagem inspirada de Pedro alcança o coração do povo. Esses indivíduos entendem que suas palavras se aplicam a eles pessoalmente, pois muitos tinham concordado com as ações dos líderes contra Jesus. Depois que ouvem Pedro, eles "compungiram-se em seu coração". Estando profundamente preocupados e convictos de seus pecados, ou seja, de que mataram o Messias, eles inquirem: "Que faremos, varões irmãos?" Uma mudança ocorreu em suas convicções, e eles sentem uma aguda sensação de remorso. Eles acreditam que Jesus é o Cristo, e seus corações ficam partidos diante do pensamento de que o assassinaram. Convencidos de seus pecados pelo Espírito Santo, eles estão prontos a receber a salvação.

Pedro lhes diz que façam duas coisas: que se arrependam e sejam batizados no nome de Jesus Cristo. Aqui, o significado básico de "arrepender-se" envolve tanto uma mudança de mente quanto o remorso por erros e pecados (Bauer, W. F. Arndt e F. W. Gingrich, *A Greek-English Lexicon of the New Testament and Other Early Christian Literature*, Chicago, 1979, p. 512). Arrependimento exige abandonar a velha vida de pecado e viver uma vida de obediência a Deus.

As pessoas que se arrependem devem se batizar nas águas. A fé é o meio pelo qual Deus concede perdão. A ordenança do batismo em si é ineficaz para nos lavar do pecado. A frase que segue a ordem dupla de Pedro para o povo se arrepender e ser batizado, pode ser traduzido literalmente: "Para [*eis*] perdão dos pecados". O grego pode expressar resultado ou causa. Aqui, "para" indica resultado, não causa (Dana e Mantey, 1955, pp. 103-105). Arrependimento resulta no perdão de pecados; o batismo ocorre, porque os pecados foram perdoados.

O Novo Testamento não ensina que um ato físico como o batismo produz uma mudança espiritual. João Batista recusou batizar as pessoas até que elas mostrassem que tinham se arrependido (Mt 3.8; Lc 3.8). Jesus ensinou que o arrependimento precede o perdão de pecados (Lc 24.47). A Grande Comissão diz para fazer discípulos das pessoas antes de batizá-las (Mt 28.18,19). E agora, no seu sermão, Pedro põe o arrependimento antes do batismo (At 2.38). O batismo em águas deve ser precedido por arrependimento e fé.

A teologia sacramental insiste na ordenança do batismo como causa instrumental da salvação. Um rito externo como o batismo não é base objetiva para destruir o pecado; somente a morte expiatória de Cristo na cruz pode fazer isso. Nem o batismo pode mediar a salvação, pois o Espírito Santo é o único portador e agente de salvação. A água nunca pode nos lavar de nosso pecado; por outro lado, as pessoas que se arrependem sinceramente de seus pecados não devem considerar o batismo em águas como um rito desnecessário e sem valor. Pedro não só exige o arrependimento, mas também o batismo. Desde o princípio da missão da Igreja em Atos, o batismo tem seu lugar na pregação do evangelho e cumpre a Grande Comissão.

A ordenança do batismo deve ser feita "em nome de Jesus Cristo". Esta expressão pode ser usada como fórmula batismal, mas tem maior significado. O batismo administrado em nome de Jesus reconhece sua autoridade e senhorio. Pelo ato do batismo em águas, os crentes expressam fé e devoção a Jesus Cristo. Serve como sinal de que os pecados foram perdoados e como sinal de compromisso para Jesus Cristo como Senhor. Como resultado da fé em Cristo, o Espírito Santo renova e habita em todo crente (cf. Rm 8.9; 1 Co 6.19).

A seguir, Pedro promete que os que se arrependerem e forem batizados, "receber[ão] o dom do Espírito Santo". Esta promessa deve ser entendida no contexto do derramamento do Espírito no Dia de Pentecostes, o qual Pedro e seus colegas há pouco experimentaram. O trabalho inicial do Espírito segue o arrependimento e lança numa nova vida em Cristo. A promessa de Pedro se refere a um subseqüente dom gratuito do Espírito e cumpre a promessa de Joel de poder carismático e pentecostal. Tal poder equipa os crentes para serem testemunhas de Cristo e os capacita a fazer milagres (cf. At 2.43). Este batismo é uma roupa com poder; é um dom que Jesus encoraja os discípulos a buscar (Lc 11.13).

O poder pentecostal é prometido a todos os crentes: "A vós, a vossos filhos e a todos os que estão longe" (i.e., aos gentios). O batismo com o Espírito é uma experiência potencialmente universal, como demonstram Cornélio e sua casa (At 10) e os discípulos em Éfeso (19.1-7). A promessa de uma dotação especial do

Espírito não é somente para a audiência imediata de Pedro, mas para todos os que crêem em Jesus Cristo e o seguem em obediência (cf. At 5.32). Não há restrição de tempo — de geração em geração (At 2.39); não há restrição social — de jovem a velho, de mulher a homem e de escravos a pessoas livres (vv. 17,18); não há restrição geográfica — de Jerusalém até aos confins da terra (At 1.8).

Deus deseja que todo o seu povo tenha a mesma experiência momentosa que os discípulos receberam no Dia de Pentecostes. O cumprimento de sua promessa do Espírito, dada no Antigo Testamento, não se exaure no Livro de Atos quando a Igreja alcança os gentios. Permanece uma bênção presente e universal, "a tantos quantos Deus, nosso Senhor, chamar", incluindo "a todos os que estão longe".

No sermão, Pedro responde a pergunta: "Que faremos, varões irmãos?" Os dizeres "com muitas outras palavras" (v. 40) indicam que Lucas deu apenas um resumo do sermão. Pedro continua advertindo, exortando e pleiteando com a audiência para que se salvem da geração má à qual eles pertencem (cf. Lc 9.41). O significado literal é "sede salvos" (*sothete*, voz passiva). Há um modo de ser livre do julgamento que os incrédulos inevitavelmente enfrentarão, mas as pessoas não podem fazer nada para merecer a própria salvação. Fé e arrependimento são o único meio prescrito para receber o perdão de pecado.

A resposta à mensagem de Pedro é opressiva. Cerca de três mil pessoas recebem a pregação por considerá-la verdadeira. Adotando-a como regra de ação, elas se submetem ao batismo e, assim, dão expressão pública da fé em Jesus como o Salvador ungido. Agora, elas estão unidas aos outros crentes e reconhecidas como membros da Igreja. O derramamento do Espírito no Dia de Pentecostes estabeleceu os discípulos como comunidade pentecostal e carismática. A Igreja desfruta de impressionante crescimento depois que Jesus transferiu seu Espírito aos discípulos e Pedro pregou uma mensagem inspirada. Mediante a pregação inspirada, o Espírito Santo aumenta o número de crentes.

3. Os Atos da Comunidade Batizada e Cheia do Espírito (2.42—6.7).

3.1. Comunhão Inaugurada: A Vida Interna e Externa da Comunidade (2.42-47)

Além do crescimento numérico, o derramamento do Espírito provoca outras mudanças. Começa a emergir entre os crentes o que pode ser descrito por um "estilo de vida pentecostal". Lucas pinta a vida desta comunidade de quatro modos.

1) Os novos-convertidos são crentes comprometidos, que se dedicam firmemente a tudo que é ensinado pelos apóstolos. Os apóstolos foram testemunhas oculares do ministério de Jesus, e os ensinos provêem a fundação para a Igreja. Jesus tinha ordenado que os apóstolos ensinassem os que se tornassem discípulos (Mt 28.19-20; cf. Lc 24.45-48). Eles cumprem a comissão de ensinar, e estes novos crentes se entregam às verdades essenciais que são vitais para uma fé forte e mantêm-se fiéis ao seu ensino. Doutrina sólida fornece base sã para o viver cristão. "Se vós permanecerdes na minha palavra", disse Jesus: "Verdadeiramente sereis meus discípulos" (Jo 8.31). Isto é justamente o que estes crentes fazem. Conhecer e confiar em Jesus não são atitudes abstratas para eles. Eles perseveram no ensino dos apóstolos dia-riamente.

2) Os crentes se dedicam à "comunhão". A palavra "comunhão" (*koinonia*) expressa a unidade da igreja primitiva. Nenhuma palavra em nosso idioma traduz seu significado completamente. Comunhão envolve mais que um espírito comunal que os crentes compartilham uns com os outros. É uma participação comum em nível mais profundo na comunhão espiritual que está "em Cristo". No lado humano, os crentes partilham uns com os outros, mas a qualidade da comunhão é determinada pela união com Cristo. Eles foram chamados à comunhão com Ele e participam

juntamente na sua obra salvadora. Sua participação mútua nEle é efetuada pelo Espírito Santo (2 Co 13.13), e, "assim, se torna uma comunhão do Espírito Santo. E onde estão o Filho e o Espírito, está também o Pai, portanto, é uma comunhão com o Pai" (Rackham, 1953, p. 35). Estes primeiros discípulos são um pela fé em Jesus Cristo e pela comunhão uns com outros. Eles expressam amor e harmonia. Eles estão unidos de mente e coração.

3) Os novos crentes permanecem "no partir do pão" — expressão usada somente por Lucas. Diz respeito às refeições comuns ou à Ceia do Senhor? Um costume judeu antigo envolvia partir um pão com as mãos em vez de cortá-lo com a faca, mas o partir do pão também tem uma característica essencial da celebração da Ceia do Senhor. Obviamente mais está envolvido que fazer as refeições juntos. Tal significado está fora de lugar com assuntos de importância como "ensino", "comunhão" e "oração" (cf. At 20.11). Lucas está relacionando aqui somente ações significativas de três mil crentes; assim, é altamente provável que o partir do pão se refira à observância da Ceia do Senhor.

O próprio Cristo partiu o pão no cenáculo e ordenou os discípulos a fazerem o mesmo. Depois de dar graças, partiu o pão e disse: "Isto é o meu corpo que é partido por vós" (1 Co 11.24). Estas palavras fornecem a base para chamar a Ceia do Senhor de "o partir do pão". O partir do pão representa Cristo se doando para sofrer e morrer. Quando o pão e o fruto da vinha são recebidos, os crentes os vêem como sinais de que o Cordeiro imaculado de Deus foi morto. A observância desta ceia indica a morte de Cristo, mas também nos lembra que as bênçãos de Cristo são constantemente apropriadas, que sua força é a fonte de nossa força. A Santa Ceia também nos convoca a esperar o retorno de Cristo à terra. Ela antecipa as bênçãos e alegria de todos que participarão na ceia de casamento do Cordeiro (Ap 19.9).

4) Entre as devoções diárias destes novos crentes inclui-se a oração. Além de momentos especiais de oração e louvor, eles também oram no templo (At 3.1). Depois de Jesus ter ascendido ao céu, os discípulos voltaram a Jerusalém e fizeram do templo lugar de adoração (Lc 24.51-53). Eles observavam as horas de oração judaicas, e, antes do Dia de Pentecostes, reuniam-se em oração pelo batismo com o Espírito (At 1.14). Depois do derramamento do Espírito, eles continuam firmemente em oração. Assim, a oração e louvor marcam a vida da Igreja além dos outros três elementos. Todos os quatro elementos confirmam o poder e a presença do Espírito na Igreja.

A devoção sincera dos discípulos não fica sem ser notada. Os milagres feitos por Deus através dos apóstolos e a dedicação dos discípulos ao viver santo inspiram uma reverência profunda entre o povo judeu por eles (v. 43). Estes crentes manifestam uma comunhão notável, e por amor espontâneo a Deus e aos companheiros partilham suas possessões. Em lugar de negligenciar os pobres, eles vendem voluntariamente as "propriedades e fazendas" para aliviar a angústia dos que estão em necessidade. Não há sugestão de que eles entregam tudo o que possuem para um fundo comunitário comum, mas dão bens para um armazém comum a fim de satisfazer necessidades específicas na comunidade cristã.

O fato de mais tarde Barnabé ser destacado por vender uma propriedade indica que esta prática não é algo que todos os crentes fazem (At 4.36,37). Os novos crentes estão dispostos a compartilhar suas possessões quando surgem necessidades (v. 45). O termo comunismo não descreve esta prática. Antes, eles estão expressando amor espontâneo, e é completamente voluntário.

Estes crentes humildes se encontram diariamente no templo. Sua devoção sincera os traz para a casa de Deus, um lugar sagrado. Provavelmente o templo é mais que um lugar de reunião para eles. Sua presença implica que participam na adoração diária (Marshall, 1980, p. 85). Sua comunhão uns com os outros é forte porque se reúnem em casas diferentes para comerem. Estas refeições são ocasiões joviais. A vida admirável que eles estão levando e os milagres que são feitos são lembretes visíveis do poder do Espírito no meio deles.

Os verbos gregos nos versículos 43 a 47 têm a força de ação repetida ou contínua. Quer dizer, todas as pessoas continuam sendo cheias de temor, os discípulos continuam vendendo seus bens à medida que necessidades individuais surgem e continuam compartilhando coisas em comum, e Deus continua acrescentando à comunidade os que estão sendo salvos. Completamente dedicados a Cristo, eles continuam louvando a Deus e adorando-o no templo. Eles experimentaram as bênçãos dos últimos dias: a alegria, a liberdade e o poder do Espírito Santo, e um profundo senso de ser o povo de Deus.

A influência e respeito nos quais os discípulos são vistos lhes dão a oportunidade de testemunhar. Os esforços evangelísticos continuam, e há acréscimos diários à Igreja. À medida que as pessoas são perdoadas dos seus pecados, também são unidas à Igreja. Só o perdão dos pecados dá direito à pessoa de tornar-se um membro. Sua comunhão continua também crescendo. Dia após dia Deus continua acrescentando à comunhão cristã os que se tornam crentes.

3.2. Exemplo: Cura Confirmatória (3.1-26)

Este milagre de cura física ilustra o poder sobrenatural que os discípulos receberam no Dia de Pentecostes. É um dos sinais dos muitos sinais e prodígios mencionados em Atos 2.43 e resulta em conflito sério com as autoridades judaicas.

3.2.1. Sinal: Pedro Levanta um Coxo (3.1-8). Por causa das circunstâncias nas quais ocorre, o milagre chama a atenção. Às três da tarde, Pedro e João, filho de Zebedeu, vão ao templo. Este é um dos horários regulares de oração no templo — a hora do sacrifício diário da tarde (Êx 29.38-41; Nm 28.2-8). O templo tem várias portas: a porta chamada Formosa deve ter sido a Porta Nicanor (nomeada em honra de seu doador, Nicanor de Alexandria) ou a Porta Coríntia (por causa de suas portas de bronze coríntio; veja Hengel, 1983, pp. 102-104; *Theological Dictionary of the New Testament*, eds. G. Kittel e G. Friedrich, Grand Rapids, 1964-1976, vol. 3, p. 236). A porta era passagem favorita para o pátio do templo.

Muitos dos cristãos judeus dão prosseguimento às práticas religiosas que eram observadas por eles antes da conversão (vv. 1-3). Embora o templo já não seja lugar de sacrifício, visto que Jesus fez expiação de "uma vez por todas" pelo pecado, continua sendo lugar de oração. O recebedor desta cura miraculosa foi um indivíduo que fora aleijado por toda a vida. Não era permitido que aleijados entrassem no recinto do templo além do pátio dos gentios. Assim, este deficiente era colocado diariamente à Porta Formosa, onde mendigava às pessoas que entravam para adorar. Assim que Pedro e João estão a ponto de entrar no santuário, eles dão com ele fazendo apelos veementes por dinheiro.

Pedro e João fixam os olhos no deficiente. Olhando intensamente no mendigo, Pedro diz: "Olha para nós". As palavras de Pedro encorajam o incapacitado, e ele se sente confiante de que estes dois homens vão lhe dar uma oferta monetária. As palavras: "Não tenho prata", são enfáticas e devem ter desapontado o mendigo.

Mas esta decepção é imediatamente dispersada, porque Pedro oferece ao homem algo que somente Deus pode dar — algo muito melhor, isto é, a cura do corpo. Pedro ordena "em nome de Jesus Cristo" que o homem ande. Como em Atos 2.38, o "nome" significa a autoridade e poder de Jesus exercidos por seus seguidores para curar os doentes e mancos (At 3.16; 4.10). Quando Pedro fala estas palavras, ele toma o mendigo pela mão direita e o levanta nos pés. Imediatamente o milagre ocorre, e as pernas são curadas.

O poder milagroso de cura capacita o coxo não só a se levantar, mas também a andar. Ele salta de alegria, louvando a Deus (isto é, declarando quão grande e maravilhoso Deus é). Este milagre é uma manifestação do poder do Espírito Santo concedido aos discípulos por Jesus no Dia de Pentecostes (At 2.33). Embora Pedro não tivesse "prata nem ouro" para dar ao mendigo, ele pôde chegar ao âmago da necessidade física deste homem. A cura é feita em nome de "Jesus Cristo, o Nazareno", que identifica a fonte do poder e autoridade de Pedro.

3.2.2. Prodígio: A Multidão Fica Pasma (3.9,10).

O homem curado acompanha Pedro e João ao interior do templo. Quando as pessoas o vêem saltando e gritando, ninguém precisa perguntar o significado de sua conduta (vv. 9,10). Eles o viram muitas vezes sentado à porta do templo e mendigando, mas agora todos vêem o homem pulando de alegria pueril, usando seu corpo são para expressar sua felicidade. É comentado duas vezes que ele está "louvando a Deus" quando entra no pátio do templo.

A reação do povo a este milagre é de "pasmo e assombro" (cf. Lc 4.36; 5.9; 7.16). O homem fora coxo desde o dia em que nasceu, mas agora encontrou o poder de Deus. As pessoas ficam maravilhadas com o que Deus fez por este mendigo cujo nome não é referido. Este grande sinal confirma a verdade da mensagem de Jesus e o poder de Deus para curar. Triunfos espirituais dependem da manifestação da presença e poder de Deus. Eles são designados a satisfazer as necessidades humanas. Lucas não dá indicação de que a reação das pessoas as instiga a ter fé na graça e poder de Jesus.

3.2.3. Testemunho: Pedro Proclama Jesus como Servo (3.11-26).

A grande atenção gerada pelo milagre dá a Pedro a oportunidade de explicar que é o poder de Jesus que curou o homem. O que se segue é um sumário de sua explicação do acontecimento maravilhoso e sua proclamação do Evangelho, o qual focaliza a centralidade da cruz. Como o sermão no Dia de Pentecostes, este segundo sermão (vv. 12-26) tem sua base no kerigma cristão. Neste sermão, Pedro também fala sobre a Segunda Vinda de Cristo e as bênçãos associadas com o acontecimento.

A cura foi feita simplesmente "em nome de Jesus Cristo" (v. 6). O enfermo imediatamente fica forte sobre seus pés e tornozelos, e cada passo que ele dá é um pulo de alegria pueril. O homem se agarra a Pedro e João. Seu comportamento atrai uma multidão de pessoas, e ele lhes diz que Pedro e João são responsáveis pela cura. As pessoas se juntam no alpendre de Salomão, uma varanda situada ao longo do lado oriental do templo (cf. At 5.42; Jo 10.23).

A admiração das pessoas é direcionada aos dois apóstolos, como se eles tivessem poder próprio para curar o homem. Pedro vira os pensamentos das pessoas na direção certa. Ele nega que a santidade e poder dele e de João fortaleceram o homem incapacitado. Antes, Pedro é somente um canal do poder extraordinário do Espírito Santo, e indica para as pessoas a verdadeira fonte da cura extraordinária — o Deus dos seus antepassados, o Deus dos grandes patriarcas (Abraão, Isaque e Jacó); Pedro fez o milagre pelo "seu servo Jesus" (ARA; "seu Filho Jesus", RC).

A palavra "servo" (*pais*) traz à mente as profecias de Isaías sobre o Servo do Senhor, o qual redimiria Israel por Seu sofrimento (Is 52.13—53.12). Jesus é esse Servo Sofredor. Ele obedeceu a Deus, e Deus mostrou a grandeza e glória de Jesus curando o coxo. Pela "fé" no nome do Salvador crucificado e ressurreto o homem foi curado (At 3.16). Sem a resposta humana da fé no poder e autoridade de Jesus, o homem teria permanecido aleijado. É difícil afirmar com certeza se foi a fé de Pedro e João ou a do homem curado. De qualquer modo, o homem é fortalecido por causa do nome de Jesus Cristo.

Pedro passa a descrever de três modos a enormidade do crime cometido contra Jesus (vv. 13b-18).

1) O povo o entregou a Pilatos para ser morto. O governador desejou soltá-lo, mas o povo e os líderes se recusaram a libertá-lo.

2) O povo exigiu que Barrabás, um assassino, fosse solto em vez de "o Santo e o Justo" (v. 14; cf. Lc 23.18-25). Pedro dá prosseguimento ao tema do Servo Sofredor inocente. Isaías tinha descrito o Servo Sofredor como "Justo": "Com o seu conhecimento, o meu servo, o justo, justificará a muitos, porque as iniqüidades deles levará sobre

si" (Is 53.11). Como Isaías, Pedro combina os temas de sofrimento e inocência, e identifica Jesus como esse Justo, que de nenhuma maneira merecia ser tratado como criminoso (cf. Lc 23.47). Diante de Pilatos, o povo negara a probidade moral de Jesus.

3) As demandas do povo levaram os romanos a crucificar "o Autor da vida" (v. 15, ARA: "o Príncipe da vida", RC). A palavra "autor" (*archegos*) pode ter o significado de "líder", como num sermão posterior de Pedro (At 5.31). Aqui, "autor" no sentido de "originador" ou "fonte" se ajusta ao contexto (cf. Hb 2.10; 5.9; 12.2). Eles mataram o próprio autor da vida.

O clímax do mal que fizeram não é o que eles esperavam — "Deus ressuscitou dos mortos". O triunfo de Jesus sobre a morte era uma ação de Deus, e Pedro declara que ele e João são testemunhas desta realidade inegável. A fim de evitar qualquer engano, Pedro enfatiza que o milagre foi feito pelo poder do Jesus ressurreto. Quer dizer, pela fé no nome do Salvador, o coxo na porta do templo foi fortalecido. Com os próprios olhos a multidão pode ver que ele foi curado. Esta proclamação do poder de Jesus deveria causar anelo nas pessoas para crerem.

Neste momento, Pedro se dirige ao povo por "irmãos", não no sentido cristão, mas como compatriotas e como mudança de tom. Ele já falara sobre a culpa do povo em trair e rejeitar Jesus. Agora, Pedro coloca lado a lado a soberania de Deus e a livre agência humana (cf. At 2.23). Ele reconhece que o povo e os líderes reagiram por ignorância (v. 17) e que eles não entenderam o significado do que fizeram. O pecado teve um efeito ofuscante e os privou do poder de discernir corretamente sua condição e atos. O apóstolo ressalta que o fracasso de eles perceberem o significado do crime que cometeram não os torna inocentes, porque eles agiram voluntariamente. Os maus tratos que impingiram em Jesus cumpriram o que Deus predissera pelos profetas acerca do sofrimento e morte de Cristo. A crucificação não foi por acidente. Mas nem a ignorância deles, nem a vontade eterna de Deus, os livram da culpa por crucificarem Jesus.

Contudo, não é muito tarde para eles se arrependerem e acertarem as coisas com Deus. Pedro os exorta a se voltarem para Deus (v. 19). Arrependimento envolve uma virada da velha vida de pecado e rebelião contra Deus para a nova vida de fé e obediência a Deus. O resultado imediato do arrependimento é que os pecados são destruídos ou apagados. O apóstolo não faz menção da fé, mas sua ordem traz a suposição de que eles crêem, caso se arrependam.

Para exortá-los a se voltarem do pecado para a fé em Cristo, Pedro menciona dois benefícios adicionais.

1) "Os tempos do refrigério pela presença do Senhor." Durante anos os judeus têm esperado a era messiânica, a era dourada de bênçãos. Os próprios profetas falaram sobre a vinda de força e bênçãos espirituais. Esta nova época despontou com a Vinda de Cristo. "Os tempos do refrigério" referidos por Pedro é um modo de falar sobre o batismo com o Espírito. O povo pode experimentar a renovação ou "refrigério" da alma pela alegria e poder do Espírito Santo. Como resultado de se arrependerem, não só o pecado lhes será perdoado e eles receberão alívio da culpa, mas eles também experimentarão a renovação espiritual pelo Espírito Santo.

2) O segundo benefício de se voltarem do pecado para Cristo é a volta de Jesus do céu (vv. 20,21). Deus designou Jesus anteriormente para ser o Messias dos judeus. Pedro lembra os ouvintes que, como Jesus ensinou, sua Segunda Vinda não se dará imediatamente. Um período de tempo tem que decorrer antes do seu retorno à terra. Até esse dia, Jesus habitará no céu. Mas quando Ele voltar novamente, Deus dará "restauração de tudo, dos quais Deus falou pela boca de todos os seus santos profetas". Então ocorrerá a plenitude da renovação — a restauração de todas as coisas.

Pelos profetas, Deus anunciou a promessa de restabelecer a ordem original da criação (Is 11.6-8; 35.1-10; 65.17-25). Como conseqüência do pecado de Adão no jardim do Éden, a criação ficou sujeita à desordem, corrupção e morte. Mas na volta de Cristo, todas as coisas serão postas sob seu senhorio, e o mundo físico será devolvido à sua ordem original e perfeita. Cristo redimirá a ordem mundial e a livrará da maldição de Adão. A criação será restabelecida à beleza, fertilidade, ordem e unidade que existiam antes da queda (Mt 19.28; Rm 8.19-23; 2 Pe 3.13; Ap 21.5).

Pedro adverte o povo contra rejeitar os assuntos que ele está falando (vv. 13-18) e os exorta que se arrependam e creiam em Jesus. Ele cita a famosa profecia de Moisés, na qual o Senhor prometeu que o futuro Messias seria profeta como Moisés (Dt 18.15-19; cf. Nm 11.29). Moisés é diferenciado de todos os outros profetas no ponto em que ele era libertador e regente sobre o povo de Deus. Como ele, Jesus é Libertador e Regente, mas a libertação que Ele dá é mais gloriosa, e seu senhorio será absoluto na sua Vinda: "E acontecerá que toda alma que não escutar esse profeta será exterminada dentre o povo" (v. 23). Ele é mais que profeta ungido pelo Espírito; Ele é o Messias prometido, o Salvador ressurreto e glorificado.

Outros profetas do Antigo Testamento também falaram sobre o Salvador (v. 24). Muitos deles predisseram "estes dias" discutidos em Atos e os acontecimentos importantes no ministério de Jesus. Começando com Samuel, muitos dos profetas incluíram em sua mensagem um elemento de esperança futura. Pedro já citou muitas de suas predições, todas as quais acham seu cumprimento último e final em Jesus Cristo.

Pedro faz um apelo final aos ouvintes como "filhos dos profetas". Eles devem esperar que as promessas proféticas sejam cumpridas, e que serão pessoalmente abençoados quando elas forem cumpridas. Eles também são filhos "do concerto que Deus fez com nossos pais". Deus fez este concerto primeiro com Abraão, e pelo concerto prometeu bênçãos aos descendentes de Abraão e a "todas as famílias da terra" (v. 25; cf. Gn 12.3; 22.18). Lembrando o povo das bênçãos prometidas a Abraão, Pedro sugere que bênçãos são oferecidas em Cristo, o verdadeiro descendente de Abraão. As bênçãos são tão grandes que abarcam todas as nações e povos. Deus enviou o Salvador ressurreto primeiro para abençoar Israel por causa de sua relação com os profetas e Abraão. Por isto, o evangelho foi pregado primeiramente aos judeus. Como povo de Deus, eles têm a oportunidade de serem abençoados antes do restante da humanidade.

Os que ouviam Pedro viram as promessas dos profetas cumpridas no ministério e vida de Jesus. As mesmas bênçãos prometidas a Abraão agora podem ser recebidas por todo aquele que se desvia de seus caminhos maus (v. 26). O propósito exclusivo da primeira vinda de Jesus é que as pessoas se arrependam dos pecados e recebam a prometida bênção de salvação. Tal bênção as habilita a se afastarem dos caminhos do pecado, serem renovadas pelo Espírito Santo e capacitadas para servir.

3.3. Oposição (4.1—5.42)

O capítulo 4 fala sobre a primeira perseguição da Igreja. A cura do homem incapacitado e o segundo sermão de Pedro deixam uma impressão favorável nas pessoas. As notícias sobre a cura espalham-se por toda a cidade de Jerusalém. O milagre junto com o apelo de Pedro (At 3.12-16) desperta a oposição dos líderes judeus, sobretudo dos saduceus. Eles prendem Pedro e João e os levam ao Sinédrio.

Seguindo imediatamente a discussão deste problema externo, o capítulo 5 registra um problema interno dentro da comunidade cristã: o egoísmo de Ananias e Safira (vv. 1-11). Depois da exposição e castigo deste casal, os apóstolos fazem muitos milagres. Esses milagres e o aumento no número dos crentes instigam os saduceus a prender todos os apóstolos e a pô-los em julgamento diante do Sinédrio (vv. 12-42). Contudo, apesar da oposição, a Igreja continua pregando o evangelho e crescendo.

3.3.1. Os Sacerdotes e Saduceus Prendem Pedro e João (4.1-22). Anteriormente, os saduceus tinham se oposto a Jesus (Lc 20.27-40). Tomando a liderança contra os apóstolos, estes líderes judeus agora são responsáveis dela prisão de Pedro e João (veja também At 5.17; 23.6-10).

As diferenças teológicas e políticas entre os saduceus e fariseus são bem conhecidas. Ao contrário dos fariseus, os saduceus não criam na ressurreição, anjos e espíritos (Lc 20.27; At 23.8). Eles não eram um corpo oficial como os sacerdotes, mas eram um partido sacerdotal e aristocrático, ao qual as famílias dos sumos sacerdotes pertenciam. Como representantes da teologia oficial do templo, eles rejeitavam a tradição oral e só aderiam à lei escrita. Politicamente simpatizavam com Roma, apoiando o *status quo*, visto que os assegurava na permanência de poder. Sua hostilidade aos cristãos mostra que são os oponentes ferrenhos da Igreja (cf. *Theological Dictionary of the New Testament*, eds. G. Kittel e G. Friedrich, Grand Rapids, 1964-1976, vol. 7, pp. 35-54).

3.3.1.1. Pedro e João São Presos (4.1-4). A primeira deflagração de perseguição contra a Igreja vem das autoridades do templo, que estavam a cargo do templo onde o coxo fora curado e o povo se reunira. Enquanto Pedro e João estão falando, "o capitão [da guarda] do templo", acompanhado pelos sacerdotes do templo e pelos saduceus, aproximam-se deles. Sendo o imediato em autoridade ao sumo sacerdote, o capitão da guarda do templo era responsável pela boa ordem no santuário (At 5.24,26).

O milagre de cura chamou muita atenção. As autoridades são particularmente contra os apóstolos "anuncia[rem] em Jesus a ressurreição dos mortos" (i.e., o triunfo de Jesus sobre a morte). O assunto em questão é a ressurreição de Jesus, não a ressurreição geral. Sua vitória sobre a morte é a base da ressurreição de todos os crentes. A pregação dos apóstolos sobre a ressurreição de Jesus implica fortemente que o povo em geral ressuscitará. Visto que a ressurreição é diretamente oposta à doutrina dos saduceus, eles não tolerarão as afirmações de Pedro e João. Essa resposta implica que, nessa época, toda a política e teologia do templo eram controladas por eles.

Até este incidente, o ministério destes apóstolos fora sem interrupções, mas agora eles são abruptamente presos pelas autoridades do templo. Por ser muito tarde, as autoridades os colocam em prisão até o dia seguinte (v. 3). A prisão dos discípulos deve ter gerado grande excitação entre dos crentes, que possivelmente lembram de cenas semelhantes que levaram à morte de Jesus.

Não obstante, capacitados pelo Espírito, a pregação de Pedro e João sobre as boas-novas de salvação teve um efeito decisivo. Por causa da cura do coxo e da pregação de Pedro sobre o batismo com o Espírito, muitos crêem na mensagem de salvação. Assim, apesar da oposição, a Igreja continua crescendo. No Dia de Pentecostes, três mil pessoas aceitaram o evangelho, mas agora a Igreja aumentou para cerca de cinco mil indivíduos. Este ataque aos apóstolos não impede a igreja de crescer. O aumento de crentes desde o derramamento do Espírito mostra que a igreja tem crescido diariamente (At 2.47) e que a oposição não obstrui o evangelismo.

3.3.1.2. Discurso Pneuma: Pedro Discursa Perante o Sinédrio (4.5-12). O Sinédrio se reúne na manhã seguinte a fim de determinar o que deve ser feito com Pedro e João. Este corpo formado por setenta e um homens era o supremo tribunal político e religioso dos judeus. Era composto de "principais" (às vezes chamados principais sacerdotes), "anciãos" (leigos que representavam experiência e que eram cabeças de famílias aristocráticas) e "escribas" (os intérpretes oficiais da lei, muitos dos quais pertenciam ao partido dos fariseus).

Entre os integrantes do Sinédrio está Anás, que serviu como sumo sacerdote de 6 d.C. a 15 d.C. Uma vez tendo recebido a função de sumo sacerdote, o homem retinha o título pelo resto da vida. Apesar do fato de Anás ter sido deposto pelos romanos, ele ainda era reconhecido como sumo sacerdote (Lc 3.2) e tinha grande influência. O sumo sacerdote oficial é Caifás (18-36 d.C.), o genro de Anás. Nada é sabido sobre

João e Alexandre, também membros do Sinédrio, exceto que são homens de grande autoridade. Outros presentes na reunião são "todos quantos havia da linhagem do sumo sacerdote", que mantêm posições várias na administração do templo.

O sumo sacerdote oficial, Caifás preside a reunião. Quando o Sinédrio se reúne, Pedro e João são trazidos. O homem curado também está presente. O Sinédrio pergunta aos dois discípulos por qual autoridade ou em nome de quem eles curaram o aleijado.

A pergunta proporciona a Pedro oportunidade para apresentar o evangelho. Os apóstolos tinham testemunhado sobre o evangelho antes do Dia de Pentecostes, quando Jesus os enviou a uma excursão de pregação (Lc 9.1-9), mas depois do Dia de Pentecostes há um novo poder e qualidade na pregação. O que Jesus lhes prometera é cumprido na experiência do Dia de Pentecostes (Lc 12.11,12; 21.12-19; 24.49). Estando cheio com o Espírito, Pedro, que anteriormente negara o Senhor três vezes (Lc 22.54-62), se levanta com ousadia diante das autoridades. Sua mensagem poderosa reflete suas fortes convicções e é paralelo ao sermão no Dia de Pentecostes.

Pedro declara que o homem fora curado pelo poder no nome do crucificado e ressurreto Jesus de Nazaré. Dando-se conta de que os líderes judeus não podem negar o milagre com o homem diante deles, Pedro passa a falar sobre a morte e ressurreição de Jesus, servindo-se do Salmo 118.22 como prova. O crucificado é aquEle a quem os construtores (i.e., os líderes dos judeus) rejeitaram, mas na ressurreição dos mortos, Deus o fez cabeça de esquina. A pedra que os construtores pensaram que não era boa tornou-se a pedra mais importante. Exaltado no céu, Jesus é indispensável para a fundação do edifício de Deus. "E em nenhum outro há salvação, porque também debaixo do céu nenhum outro nome há, dado entre os homens, pelo qual devamos ser salvos" (v. 12).

Tanto o substantivo "salvação", quanto o verbo "salvos" (cf. v. 9) podem ter um significado dual. Podem se referir à cura física, mas também à libertação do pecado e do julgamento final. Na declaração, Pedro afirma que ninguém, senão Jesus, oferece ao povo a salvação no mais pleno sentido. Somente no Jesus rejeitado, mas agora exaltado, a salvação pode ser encontrada — não meramente libertação de males físicos, como experimentou o homem na Porta Formosa, mas libertação da escravidão do pecado e da condenação. Não há salvação para ninguém, exceto no nome de Jesus, a quem eles crucificaram. O evangelho exige fé nEle e obediência a Ele.

3.3.1.3. Resposta: O Sinédrio Proíbe Pedro e João de Pregarem (4.13-22).

Capacitados pelo Espírito Santo, Pedro pregou Jesus. Os membros do Sinédrio estão pasmos com estes dois simples pescadores galileus (vv. 13,14). Eles reconhecem que Pedro e João não tiveram educação especial em teologia e retórica, nem tiveram treinamento formal na lei judaica. Não obstante, estes dois homens inspirados pelo Espírito Santo, têm ousadia e coragem diante dos juízes. O Espírito Santo os habilitou a falar livremente e com confiança. O conselho lembra com justeza que eles "haviam estado com Jesus". Eles eram seguidores de Jesus, e seu caráter deixou marcas neles. A graça renovadora de Deus e a unção do Espírito tornaram Jesus visível na vida desses apóstolos.

No fim do sermão de Pedro há silêncio total — "Nada tinham que dizer em contrário" (v. 14). Nenhum deles pôde contradizer o que fora dito. O que eles podem fazer? O homem que fora curado está com Pedro e João. O conselho está num dilema.

O silêncio é quebrado pela proposta de que os prisioneiros sejam retirados da sala do conselho. O milagre extraordinário é conhecido por toda Jerusalém (v. 16). Em suas deliberações, o Sinédrio determina colocar um basta nas pregações sobre Jesus. Não nos é dito como Lucas fica sabendo sobre os pormenores da discussão do conselho, mas depois "grande parte dos sacerdotes obedecia à fé" (At 6.7). É possível que alguns deste grupo tenham compartilhado os detalhes dos procedimentos.

Assim que a solução é adotada, o Sinédrio chama os apóstolos e emite dura advertência contra a pregação sobre Jesus sob qualquer circunstância, quer pública, quer privada. Isto é o melhor que o tribunal judaico pode fazer, porque os apóstolos não quebraram a lei.

Como servos do evangelho, Pedro e João sabem que não obedecerão esta ordem de ficar em silêncio, e dizem ao tribunal que não podem obedecê-la. A questão importante é: a quem eles devem obediência? Eles têm de obedecer a Deus ou à ordem de uma instituição humana? Para os apóstolos, quando há conflito entre estes dois, Deus sempre deve ser obedecido em vez de obedecer aos seres humanos. Eles foram chamados por Deus e capacitados pelo Espírito Santo para pregar o Evangelho; nem por um momento deixarão de falar do que têm "visto e ouvido" (v. 20). Eles foram testemunhas oculares do ministério de Jesus e compelidos pelo dever de continuar dando testemunho de suas ações e ensinos, sobretudo da ressurreição. A libertação do coxo testifica que Jesus ainda está vivo e cura as pessoas. Ninguém pode impedir os apóstolos de pregar o que eles sabem ser a verdade. Eles estão dispostos a morrer pelo evangelho.

O Sinédrio pouco pode fazer sobre tal desafio. O povo entusiasticamente aceitou a cura milagrosa de um homem que fora coxo há mais de quarenta anos, e louva a Deus por este grande sinal. Com o desejo de conciliar as pessoas e talvez com medo desses apóstolos por quem Deus fez o milagre, o tribunal judaico contém sua raiva. Porque as autoridades não têm base legal para prender Pedro e João, o único recurso que lhes resta é deixá-los ir. Mas não sem antes repetirem as ameaças do que acontecerá se eles aparecem novamente diante do tribunal.

3.3.2. Teofania: A Comunidade É Cheia com o Espírito (4.23-31). Depois da libertação dos apóstolos, o enfoque cai sobre a oração dos crentes e a resposta a essa oração, para que eles sejam cheios com o Espírito. Pedro e João vão a um grupo grande de cristãos, provavelmente no templo, e os informam sobre as ameaças das autoridades judaicas. A reação imediata é que eles "unânimes" se levantam (v. 24) em oração. Estes cristãos estão unidos no Espírito enquanto adoram a Deus (cf. At 1.14; 2.44). Suas mentes e corações são um enquanto oram ao Criador. Eles se movem como um corpo, unidos em Cristo.

De todas as orações registradas em Lucas-Atos, esta é a mais longa. Ela nos faz lembrar das orações do Antigo Testamento como 2 Reis 19.15-19 e Isaías 37.15-20. A oração é merecedora de estudo e imitação.

1) Estes crentes começam reconhecendo Deus como "Soberano Senhor" (ARA). Eles recordam seu poder grandioso na criação e confiam que Ele controla tudo na terra e no céu.
2) Eles se referem a uma profecia que o Soberano Senhor deu por meio de Davi sob a inspiração do Espírito Santo (Sl 2.1,2), e eles a aplicam ao sofrimento de Jesus (cf. também At 13.33; Hb 1.5; 5.5). Há muito tempo Davi predissera a perseguição de Cristo pelos inimigos. Jesus sofreu às mãos das "gentes" ("nações", os romanos), do povo de Israel e dos príncipes (incluindo Herodes e Pilatos). Os judeus tramaram contra o Ungido de Deus. Embora Pilatos por três vezes o achasse inocente (Lc 23.4,14,22), eles ainda o entregam para ser crucificado.

Quando o Sinédrio pergunta a Pedro e João que poder eles usam para curar o mendigo coxo, Pedro responde que é pelo nome de Jesus, "a pedra que foi rejeitada por vós, os edificadores, a qual foi posta por cabeça de esquina". Esta enorme pedra dintel apóia uma parede de Ninrode, uma fortaleza síria do século XIII em Golã, construída no tempo das cruzadas.

Como Davi, Jesus é descrito como o "servo" de Deus (At 4.27, ARA; "Filho", RC), mas sua descrição como "santo servo" enfatiza o sofrimento inocente como o Servo Sofredor de Isaías 53 (cf. At 3.14).

No batismo, Jesus foi ungido pelo Espírito como Messias (Lc 3.22; cf. Lc 4.1). A conspiração dos adversários contra o Salvador ungido pelo Espírito estava sob a soberania de Deus (At 4.28). O que as autoridades lhe fizeram ao condená-lo estava em pleno acordo com o propósito de Deus. O Senhor soberano permaneceu no controle e usou as ações livres, ainda que más, dos seres humanos para realizar a salvação. Sua mão predominante deve tranqüilizar o seu povo em face da perseguição; como Jesus, eles esperam ser vindicados pelo Senhor.

3) Os crentes chamam a atenção para as atuais circunstâncias (At 4.29,30), com as ameaças feitas contra eles (*Theological Dictionary of the New Testament*, eds. G. Kittel e G. Friedrich, Grand Rapids, 1964-1976, vol. 4, p. 1.122). A Igreja se acha numa situação difícil. Os crentes não estão em perigo de perder poder político ou privilégios, mas algo muito mais precioso — a liberdade, até a vida. Mas em vez de orar por libertação do perigo, eles pedem coragem para pregar a "Palavra". A Palavra de Deus é a mensagem de Jesus Cristo e a obra salvadora de Deus nEle. A palavra "ousadia" (*parresia*) se refere à coragem e liberdade de expressão, que é o resultado de ser capacitado pelo Espírito (cf. Lc 21.15). Os crentes querem ser inspirados pelo Espírito Santo, de forma que eles venham a ter a coragem para atrevidamente apresentar a mensagem de salvação sem qualquer consideração pelas ameaças dos inimigos.

Ao mesmo tempo, estes crentes estão cientes de que sinais e prodígios ajudam a palavra pregada. Assim, eles também pedem que Deus aja diretamente e por sua mão cure os doentes e faça milagres pelo poder de Jesus. Fica claro por que as ordens do Sinédrio contra as ações poderosas são ineficazes: Eles estão tentando parar o próprio trabalho de Deus. O testemunho que os discípulos dão do evangelho não pode ser suprimido, nem os sinais e prodígios que atestam a aprovação divina do ministério.

4) Deus responde a oração (v. 31). Ele lhes dá um sinal visível de sua presença: o lugar (*topos*) onde eles estão reunidos é sacudido. Lucas não identifica o lugar onde eles se reuniram, mas a evidência indica que é o monte do templo, o qual teria acomodado um ajuntamento de milhares de pessoas. Há outros exemplos na Escritura de acontecimentos essenciais que provavelmente aconteceram no monte do templo. Depois da ascensão de Cristo ao céu, os discípulos "estavam sempre no templo, louvando e bendizendo a Deus" (Lc 24.53). Depois do Dia de Pentecostes, Pedro e João foram ao templo para orar (At 3.1). Um pouco depois, os discípulos "estavam todos unanimemente no alpendre de Salomão" (At 5.12), e eles continuam se reunindo todos os dias nos pátios do templo (At 5.42). Tanto em Atos 4.31 quanto em Atos 6.13,14, a palavra "lugar" (*topos*) diz respeito ao monte do templo.

Em outras palavras, o modo como Lucas usa o termo "lugar" confirma que o grupo grande de discípulos está reunido no templo quando eles experimentam uma grande teofania — o tremor do monte do templo (cf. Êx 19.18; 1 Rs 19.11). Esta manifestação externa do poder de Deus tranqüiliza os crentes de que o soberano Senhor ainda está com eles. Deus lhes ouviu orar pedindo a coragem necessária para testificar do evangelho como também a manifestação de sinais e prodígios.

Os crentes também experimentam um enchimento interno com o Espírito. Estes crentes, incluindo Pedro e João, já tinham recebido o enchimento inicial com o Espírito no Dia de Pentecostes (At 2.4). Mas a Escritura ensina que ser cheio do Espírito não é uma experiência única, de uma vez por todas. Uma pessoa já cheia com o Espírito pode ser cheia mais de uma vez, sobretudo quando surgem necessidades e desafios particulares. O caráter repetitivo desta experiência é demonstrado pelo novo enchimento de Pedro, João e outros cristãos enquanto oram.

De acordo com nosso entendimento ocidental, algo cheio não pode ser mais cheio, mas do ponto de vista da Bíblia, um crente cheio com o Espírito pode receber enchimentos adicionais com o Espírito. Estes novos enchimentos dão aos discípulos poder espiritual extraordinário necessário para enfrentar as ameaças das autoridades. Com ousadia e grande poder, eles continuam falando a palavra de Deus e testificando sobre a ressurreição de Jesus (At 4.33).

Jesus prometeu que o Pai divino encheria os filhos que lhe pedissem pelo Espírito (Lc 11.13). Deus não deixou de responder a oração dos crentes em Atos 4. Esta oração é um modelo para os leitores de Lucas e para nós. A Igreja deve proclamar fielmente a mensagem de salvação; pela oração, Deus guia o curso dos acontecimentos na história.

3.3.3. A Comunidade Batizada com o Espírito Pratica a Comunhão (4.32—5.16).

Depois da narrativa da primeira prisão dos apóstolos, Lucas volta a atenção uma vez mais para a confrontação interna da igreja (cf. At 2.42-47). A unidade dos crentes e o ato de compartilharem os bens com os necessitados mostram a presença contínua do Espírito Santo. Esta passagem também apresenta Barnabé. O espírito de generosidade deste homem coloca-o em contraste com a conduta de Ananias e Safira. A exposição da intenção enganosa do casal, a comunhão que os discípulos têm e a proclamação poderosa da ressurreição de Cristo são os resultados da presença do Espírito. A generosidade de Barnabé e o incidente de Ananias e Safira também mostram o uso adequado e inadequado das possessões.

3.3.3.1. Propriedades São Vendidas e Distribuídas (4.32-35).

Unidade e generosidade prevalecem entre os crentes (cf. a expressão "um o coração e a alma"). No pensamento judaico, o "coração" (*kardia*) não é apenas o centro dos afetos, mas também do pensamento intelectual, e a "alma" (*psyche*) é o lugar da vida e da vontade. Uma distinção rigorosa e pronta entre as duas palavras é impossível. Assim, "o coração e a alma" se referem ao centro da personalidade, que determina a conduta da pessoa. Apesar de serem numerosos, os crentes permanecem unidos em propósito e devoção ao Senhor. Não há divisão, cisma e dissensão entre eles. Estes crentes também estão dispostos a usar algumas de suas possessões para aliviar as necessidades dos outros. O amor fraterno criado pelo Espírito Santo os incita a considerar o bem-estar dos necessitados entre eles.

É significativo que a palavra "poder" seja descrita como "grande" (v. 33), indicando a manifestação do poder de Deus em sinais e prodígios. Milagres acompanham e confirmam a pregação dos apóstolos sobre a ressurreição de Cristo, da mesma maneira que milagres acompanharam o ministério de Jesus. Ao mesmo tempo, Deus derrama "abundante graça" na comunidade de crentes (v. 33), significando que são regados com ricas bênçãos. A evidência da graça divina é vista na pregação e no alívio das necessidades materiais dos pobres.

O ideal do Antigo Testamento de que não devesse haver pobres entre os israelitas (Dt 15.4) é percebido na Igreja pela generosidade dos membros com suas riquezas. À medida que as necessidades surgem de tempo em tempo, aqueles que estão em melhor situação vendem a propriedade e trazem a renda aos apóstolos. A expressão "depositavam aos pés dos apóstolos" (v. 35; At 5.2) indica que os apóstolos estão sentados e, talvez, ensinando. A frase também revela autoridade, pois à medida que o dinheiro lhes é entregue, eles servem de autoridades administrativas para sua distribuição a cada pessoa de acordo com a necessidade.

3.3.3.2. Exemplo Positivo: Barnabé (4.36,37).

Lucas apresenta José, que é chamado pelos apóstolos de Barnabé, e o escolhem como exemplo de primeira qualidade da comunhão que existe pelo compartilhamento generoso de propriedades e posses. "Barnabé" significa concebivelmente "filho de um profeta" ou "filho de Nebo" (um deus). Por que Lucas interpreta "Barnabé" com o significado de "Filho da Consolação" não está claro. Pode ser um segundo nome e reflete a noção de que ele tem o dom espiritual de consolar os cristãos. Este homem certamente consola (At 9.27; 11.23; 15.37).

Nativo de Chipre, Barnabé se mudou para Jerusalém quando jovem. Ele pertencia à tribo de Levi. Nos dias do Novo Testamento, os levitas eram uma ordem de funcionários do templo, mas Lucas não dá indicação se Barnabé tinha alguma função no templo de Jerusalém (cf. *Theological Dictionary of the New Testament*, eds. G. Kittel e G. Friedrich, Grand Rapids, 1964-1976, vol. 4, pp. 239-241). A lei de Moisés não prevê que os levitas sejam proprietários de terras (Nm 18.20; Dt 10.9), mas nenhuma lei específica os impedia de adquirir terras. Não sabemos se as terras possuídas por Barnabé estavam na Palestina ou em Chipre, mas este homem excelente dá de forma voluntária para a comunidade cristã o valor recebido pela venda das terras. Deste fundo, os apóstolos distribuem ajuda para os necessitados. Até onde sabemos, tal distribuição perdurou no século I como prática da Igreja em Jerusalém.

A "comunidade de capital de bens" não dá apoio ao argumento contra a propriedade privada. Nenhuma prática semelhante tornou-se universal ou compulsória na Igreja do século I. É difícil dizer o que instigava a generosidade dos crentes primitivos. Pode ter sido uma nova cosmovisão, na qual eles têm profundo senso de responsabilidade a Deus pelo modo com que usam suas possessões.

3.3.3.3. Exemplo Negativo: Ananias e Safira (5.1-11).

Toda virtude nobre no caráter humano tem sua falsificação. Ananias e Safira são exemplos negativos de comunhão e estão em nítido contraste com a generosidade de Barnabé. Eles também vendem uma propriedade, mas diferente de Barnabé, este casal retém para si mesmo parte do valor recebido, ao mesmo tempo em que finge dar todo o dinheiro à Igreja. Este relato de cobiça e hipocrisia é semelhante à história de Acã, no Antigo Testamento (Js 7.16-26).

Ananias e sua mulher sentem-se confiantes de poder enganar os apóstolos e a Igreja inteira. Eles têm a liberdade de fazer tudo o que querem com o dinheiro da venda. Eles afirmam dar todo o valor recebido e o depositam aos pés dos apóstolos, mas Ananias retém "parte do preço" (v. 2). Sua fraude é descoberta imediatamente. Sob inspiração profética do Espírito, Pedro expõe a falsidade de Ananias. Este não está mentindo apenas à Igreja e seus líderes, mas também ao Espírito Santo presente na comunidade de crentes.

Em contraste com Jesus e os discípulos, que estão cheios do Espírito (Lc 4.1; At 2.4), Ananias está cheio de Satanás. Entregando-se a Satanás, ele mente ao Espírito Santo, o que é idêntico a mentir a Deus (vv. 3,4). Esta história indica a relação do Deus trino com a Igreja. Este casal mentiu ao Espírito Santo e Deus, e colocou em teste o Espírito do Senhor Jesus. A Trindade Santa — Pai, Filho e Espírito Santo — está ativa na vida da comunidade cristã.

A presença do Espírito Santo na Igreja não é coisa temporária. Ele trouxe a Igreja à existência pelo seu poder doador de vida, e Ele exerce supervisão constante sobre a comunidade de crentes. Pela autoridade do Espírito, Pedro repreende Ananias: "Por que formaste este desígnio em teu coração?" (v. 4). A passagem retrata Pedro como alguém que sabe. Seu conhecimento da tentativa de Ananias enganar não é o resultado de perspicácia humana, mas da perspicácia concedida pelo Espírito Santo.

O reconhecimento de Pedro da hipocrisia de Ananias e Safira é exemplo de "palavra [*logos*] da ciência [conhecimento]" (1 Co 12.8). O Jesus ungido pelo Espírito exerceu este dom espiritual enquanto estava na terra. Sem ninguém lhe dizer, Ele sabia o nome, caráter e localização anterior de Natanael (Jo 1.44-49; cf. Jo 4.39). Semelhantemente, Pedro desmascarou Ananias como mentiroso. Ao questioná-lo, Pedro não espera respostas, pois suas perguntas são afirmações realmente declarativas. Assim que ele pára de falar, a hediondez do pecado de Ananias fica evidente. Pelo poder divino ele é atingido duramente, com morte imediata. Os pecados da desonestidade e hipocrisia sempre são sérios. Não é questão de pequena monta pecar contra o Espírito Santo.

Três horas depois da morte súbita e do

enterro do seu marido, Safira chega. Nada lhe é dito sobre o destino de seu marido. Ela colaborou completamente com Ananias e está pronta a desempenhar a parte acordada entre eles (v. 2). Pedro começa com um imperativo e uma pergunta: "Dize-me, vendestes por tanto aquela herdade?" (v. 8). Sua resposta reflete seu total acordo com Ananias, condenando-a.

Na segunda pergunta, Pedro pergunta a Safira: "Por que é que entre vós vos concertastes para tentar o Espírito do Senhor?" (v. 9). Por acordo mútuo, Ananias e Safira tomaram parte total na decisão e na culpa do pecado. Eles são culpados de testar "o Espírito do Senhor", pensando que poderiam escapar da fraude. No versículo 4, Ananias mentiu a Deus, mas aqui Pedro acusa o casal de tentar o Espírito do Senhor.

A expressão "Espírito do Senhor" não ocorre com freqüência em Lucas-Atos. Jesus fala do Espírito do Senhor que está sobre Ele (Lc 4.18). Nesta passagem, o termo "Senhor" se refere a Deus, visto que Jesus é o recebedor da unção do Espírito (cf. At 8.39). Há boas razões para entender que o termo "Senhor" em Atos 5.9 alude a Jesus.
1) Os versículos 1 a 11 mostram o Deus trino em ação na Igreja.
2) No Dia de Pentecostes, Pedro declara que Deus fez o Jesus crucificado "Senhor e Cristo" (At 2.36).
3) Os apóstolos "davam, com grande poder, testemunho da ressurreição do Senhor Jesus" (At 4.33).
4) Mais tarde, o Espírito Santo é chamado "o Espírito de Jesus" (At 16.6,7). O Espírito Santo era proeminente no ministério terreno de Jesus, e pelo Senhor exaltado o Espírito Santo é derramado com o propósito de equipar a Igreja para o ministério (At 2.33).

O mesmo verbo (*peirazo*) que expressou a tentação de Jesus no deserto é usado por Pedro para aludir ao fato de Ananias e Safira tentarem o Espírito do Senhor. Ambos os relatos lidam com ter integridade diante de Deus e envolve um encontro com Satanás.

Quando Safira confirma a mentira de seu marido, Pedro sabe o que está a ponto de acontecer. Imediatamente ele emite solene exclamação profética: "Eis aí à porta os pés dos que sepultaram o teu marido, e também te levarão a ti" (v. 9). Esta profecia é dada diretamente para ela e tem sua morte escrita nessas palavras. Imediatamente ela cai aos pés de Pedro. Os mesmos jovens que enterraram seu marido morto a encontram morta, e eles a enterram ao lado de Ananias.

Pedro não tem culpa pelas mortes de Ananias ou Safira. Essas mortes são o resultado da intervenção direta de Deus. Nem um apóstolo nem a comunidade cristã inteira recebeu poder para matar alguém. O fim de Ananias e Safira é trágico. Como estavam unidos na fraude, assim estão unidos na morte e no sepulcro.

O que incitou Ananias e Safira a permitir que Satanás entrasse nos seus corações e eles caíssem no uso enganoso das possessões? Pelo menos dois desejos profanos parecem ter motivado a hipocrisia.
1) O primeiro foi o amor do dinheiro. Eles são governados pela paixão por dinheiro. Como Acã, Ananias reteve "parte do preço", com pleno conhecimento de sua esposa. Ao mesmo tempo, eles pretendiam dar tudo a Deus. Tal conduta nos faz lembrar daqueles que ouvem a palavra de Deus, "e, indo por diante, são sufocados com os cuidados, e riquezas e deleites da vida" (Lc 8.14). Vários pecados e faltas registrados em Atos ilustram o amor do dinheiro ou a confiança no seu poder (At 1.18; 8.18; 16.16-19; 19.23-41).
2) O segundo desejo profano que motivou Ananias e Safira a enganar foi o amor do elogio. Eles provavelmente desejaram ser elogiados, como o foi Barnabé. O verbo grego traduzido por "vendestes" (*apedosthe*, v. 8) significa "vós vendestes por interesses próprios" (Robertson, 1934, p. 810). A ação de Barnabé estava baseada na sinceridade, mas a deles na hipocrisia, porque eles agiram por egoísmo. Eles queriam ser admirados e ouvir palavras de elogio dos seguidores de Cristo. Vender a terra foi motivado pelo desejo de ganhar a reputação de serem generosos, e não por uma preocupação genuína pelos necessitados entre eles.

No versículo 11, o termo "igreja" (*ekklesia*) aparece pela primeira vez em Lucas-Atos. Aqui, esta palavra é um termo técnico que descrevia a comunidade cristã em Jerusalém — a comunidade dos redimidos. Ao longo da história, a Igreja pode ser identificada como o povo de Deus (Êx 19.5,6; Sl 22.22). Os discípulos que se reuniram ao redor de Jesus durante seu ministério terreno eram a Igreja, de forma que não se deve presumir que a Igreja veio à existência em Atos 5.11. Aqueles que ouviram Jesus durante seu ministério público e responderam eram o "pequeno rebanho" a quem o Pai se agradou dar o Reino (Lc 2.32). Este rebanho era sua Igreja, cujos membros deviam ser os arautos do Reino (At 9.60; 10.9). Mesmo antes do Dia de Pentecostes, Jesus enviou os discípulos a empreender a obra missionária (9.1-6; 10.1-16), afirmando que eles eram, de fato, a Igreja. Como povo redimido, eles aceitaram a missão para o mundo antes da morte e ressurreição de Jesus.

No Dia de Pentecostes, os cento e vinte crentes tornam-se uma comunidade de profetas ungidos pelo Espírito. Antes que aquele dia terminasse, o número subiu para cerca de três mil pessoas (At 2.41). À medida que os apóstolos continuavam testemunhando em Jerusalém, o número de crentes cresceu para cinco mil pessoas (At 4.4). Depois de tal crescimento, Lucas deixa de contar e fala dos crentes como "a multidão" (*to plethos*). Finalmente, ele os identifica como "a igreja" (At 5.11).

A palavra *ekklesia* aparece pela primeira vez na Bíblia em referência à nação de Israel (Dt 4.10; 9.10; 18.16, LXX). Neste momento, o número crescente de profetas cheios do Espírito tinha alcançado o estado teológico de uma nação, embora eles não tivessem alcançado tal estado geograficamente ou pelos seus números. O profeta Joel tinha prometido um derramamento geral do Espírito profético sobre a nação de Israel (Stronstad, material não publicado). Agora, em Atos, este derramamento do Espírito sobre "toda a carne" está sendo elaborado na experiência da comunidade de crentes ungidos pelo Espírito. O logro fatal de Ananias e Safira é que não reconheceram que a Igreja é uma comunidade cheia com o Espírito e que, portanto, enganá-la eqüivale a enganar o Espírito Santo.

Como resultado do castigo de Deus sobre o casal, "grande temor" vem sobre a Igreja e sobre todo aquele que ouve falar do acontecimento (vv. 5,11). Estas duas mortes são uma advertência contra o amor ao dinheiro e desejos profanos por reconhecimento. Até os incrédulos que ouvem falar sobre o incidente tremem ao pensar na remoção dos dois impostores da Igreja.

O interesse primário de Lucas ao recontar esta história não é instigar medo no coração humano, mas ensinar que o Espírito Santo está ativo na Igreja. A vitória sobre estes dois indivíduos é mais uma vitória sobre Satanás do que sobre um casal de impostores. Deus garante à Igreja que eles desfrutarão e se beneficiarão da presença e poder do Espírito. O Espírito Santo protege a integridade da Igreja e a guarda contra tal pecado que causa divisão como o de Ananias e Safira. Esta narrativa oferece incentivo aos leitores de Lucas e aos cristãos de hoje.

3.3.3.3.4. Resumo: Os Apóstolos Fazem Sinais e Prodígios (5.12-16).

Este resumo da situação da Igreja é similar a Atos 2.43-47, onde Lucas enfatiza o ministério magnificente de sinais e pródigos feitos pelos apóstolos, o respeito impressionante das pessoas pela presença de Deus e a harmonia e unidade dos cristãos. Aqui, no capítulo 5, ele cobre mais amplamente os efeitos da exposição e castigo de Ananias e Safira; um grande número de sinais e pródigos, uma maior reverência sentida pelo povo e a conversão de mais pessoas.

Deus continua respondendo a oração de Atos 4.29,30, a qual buscava poder para pregar o evangelho com ousadia e para que a Palavra pregada fosse acompanhada por sinais e pródigos. Os apóstolos continuam seu ministério poderoso no alpendre de Salomão, um pórtico grande do templo (cf. At 3.11), e deixam profunda impressão nas pessoas.

Não obstante, uma situação paradoxal se desenvolve: "Quanto aos outros, ninguém ousava ajuntar-se com eles; mas o povo tinha-os em grande estima" (v. 13). Os incrédulos se mantinham à distância dos cristãos, por causa do medo resultante das mortes de Ananias e Safira. Eles podem ter ficado assustados pela possibilidade de que compromisso indiferente também os leve a julgamento. Ao mesmo tempo, estas pessoas têm alto respeito por esta nova comunidade e sabem que a conduta de Ananias e Safira não foi tolerada pela Igreja. Só lhes resta louvá-los pelo compromisso de viver de modo santo.

Apesar desta hesitação, esses homens e mulheres que desejam a salvação ardentemente são salvos e tornam-se membros da Igreja (v. 14). Aqui o original grego pode ter o sentido de que estes novos-convertidos crêem no Senhor ou que eles são acrescentados ao Senhor. Em todo caso, um número crescente de convertidos faz da Igreja sua casa espiritual. Notícias do que está acontecendo se espalham por toda a Jerusalém e até às "cidades circunvizinhas". Em conseqüência, a reputação dos cristãos cresce e mais pessoas trazem os doentes e os atormentados por demônios para serem libertos. Eles colocam os doentes nas ruas, crendo que o poder de cura opera pelos apóstolos.

Mais uma vez o enfoque da atenção está no líder dos apóstolos, Pedro, cuja sombra serve de meio do poder de cura. A colocação dos doentes de modo que a sombra de Pedro caísse sobre eles não deve ser impingido como superstição popular, sobretudo levando em conta o fato de que "todos eram curados" (v. 16). Em Lucas 1.35 e 9.34, a "sombra" se refere à presença e poder de Deus. As curas feitas pela sombra de Pedro são semelhantes ao poder de cura das roupas de Jesus (Mc 6.56) e dos panos tocados por Paulo (At 19.12). Novamente o poder de Deus salva aqueles que crêem no evangelho, cura os doentes e liberta os endemoninhados.

3.3.4. Os Sacerdotes-Saduceus Prendem todos os Apóstolos (5.17-42).

Anteriormente as autoridades religiosas mandaram que Pedro e João parassem de pregar as boas-novas sobre Jesus (At 4.18). Mas Pedro e João e os outros apóstolos nunca deixaram de pregar o evangelho e curar os doentes no nome do Salvador. Mais uma vez seus muitos sucessos suscitaram a hostilidade dos líderes religiosos.

3.3.4.1. Os Apóstolos São Presos e depois Libertos por um Anjo (5.17-25).

A maioria da oposição vem "da seita dos saduceus" e é propelida pela inveja dos principais sacerdotes, de quem Caifás é o líder (At 4.6). Os discípulos estão cheios do Espírito, mas os saduceus estão cheios de inveja e se tornaram os verdadeiros inimigos da Igreja. Eles estão agora mais determinados que nunca a deter o avanço deste novo movimento em Jerusalém. Em conseqüência disto, eles prendem todos os líderes da Igreja e os mantêm na prisão durante a noite. Caifás planeja levá-los perante o Sinédrio no dia seguinte.

Esta detenção e encarceramento não causam surpresa nos apóstolos. Eles sabem que o Sinédrio é controlado por homens que executam suas ameaças. O que acontece durante a noite causa grande admiração nos apóstolos e em toda a Jerusalém. Antes da alvorada, o anjo do Senhor os livra da prisão. No Antigo Testamento, este anjo agiu como agente de Deus (At 7.30,38). No Novo Testamento, ele traz mensagens importantes (Lc 1.11; 2.9; At 8.26) e faz milagres (At 12.8-11,23). Nesta ocasião, o anjo milagrosamente liberta os apóstolos da prisão para que eles continuem o ministério inspirado pelo Espírito.

Contrário à ordem do Sinédrio (At 4.18), o anjo instrui os apóstolos a voltar ao templo e a ensinar "ao povo todas as palavras desta vida" (v. 20). A expressão "desta vida" se refere à vida iniciada pela morte e ressurreição de Jesus. Os apóstolos obedecem à ordem do anjo e uma vez mais pregam a mensagem de salvação que conduz à vida cristã. Ironicamente, os apóstolos são milagrosamente libertos por um anjo cuja existência é negada por estes adversários (veja comentários sobre At 4.1).

Cedo de manhã, Caifás e seus companheiros convocam uma reunião geral do Sinédrio. Os guardas de templo são enviados para trazer os prisioneiros, mas eles encontram a prisão vazia (v. 22); todos os doze desapareceram. Quando as autoridades ficam sabendo do desaparecimento dos apóstolos se afligem e se sentem indefesas, não sabendo "do que viria a ser aquilo" (v. 24); eles não sabem o que fazer ou dizer. Alguns, como Gamaliel (cf. At 5.34-40), pode ter considerado que o sobrenatural estava em ação, sobretudo visto que milagres tinham sido feitos pelas mãos dos apóstolos. Mais tarde, um mensageiro os informa que os apóstolos estão no templo. Como o anjo tinha instruído, eles estão falando ao povo "as palavras desta vida" de salvação provida em Jesus Cristo. Este milagre de libertação demonstra que o evangelho não pode ser detido por cadeias ou prisões (cf. At 12.6-11; 16.26,27). Deus pode abrir as portas da prisão e libertar as pessoas.

3.3.4.2. Os Apóstolos São Presos de novo e Pedro Discursa perante o Sinédrio (5.26-32).
Quando chegam as notícias de que os apóstolos estão no templo, os guardas de templo vão imediatamente aos prisioneiros fujões e os prendem. Este novo encarceramento é feito de modo pacífico e indica que as autoridades reconhecem que os apóstolos são populares e que o uso de força pode resultar numa reação violenta das pessoas. Os apóstolos são levados perante o Sinédrio. Caifás repete o mandato anterior de "que absolutamente não falassem, nem ensinassem, no nome de Jesus" (At 4.18), mas ele também introduz um novo tema: a tentativa dos apóstolos de tornar o conselho culpado do "sangue desse homem" (v. 28).

O sumo sacerdote evita mencionar o nome de Jesus. Os líderes judeus estão cientes de que são acusados diretamente de assassinar o Messias (At 2.23; 3.14,15). Esta acusação é um ponto sensível. Deus vindicou as afirmações de Jesus ressuscitando-o dos mortos e entrelaçou as autoridades judaicas no crime de derramamento de sangue inocente. Agora, os líderes judaicos se encontram estigmatizados como assassinos e, com efeito, os cristãos estão publicamente pedindo a Deus que os julgue pelo crime cometido. Caifás teme que os cristãos busquem vingança pela morte de Jesus.

Os discípulos oraram em busca de ousadia inspirada pelo Espírito para falarem a Palavra (At 4.29); Deus continua respondendo a oração. Como o porta-voz dos apóstolos, Pedro fala corajosamente diante da acusação de desobediência interposta pelo Sinédrio: "Mais importa obedecer a Deus do que aos homens" (At 5.29). Esta obrigação moral presume o comando divino do anjo que os libertou, como também a comissão de Cristo para pregar o evangelho até aos confins da terra (Lc 24.45-49; At 1.8). Pedro reconhece que os apóstolos são culpados de desobedecer ao Sinédrio, mas a autoridade de Deus está acima dos seres humanos. Com grande sinceridade, Pedro passa a ressaltar que os líderes judeus são pessoalmente responsáveis pela morte de Jesus — eles derramaram sangue inocente.

No discurso, Pedro usa três dos elementos principais normalmente enfatizados na pregação (i.e., o kerigma) dos cristãos primitivos.

1) A morte de Cristo — "Ao qual vós matastes, suspendendo-o no madeiro". Pedro lembra novamente os líderes religiosos de que eles são responsáveis por matar Jesus por crucificação. Eles não poderiam oferecer a Jesus maior insulto que crucificá-lo. Aqui, a morte de Cristo é descrita nos termos de Deuteronômio 21.23 (cf. At 10.39; 13.27,29; Gl 3.13), que se refere à prática judaica de enforcar numa viga o cadáver de um criminoso depois da execução, declarando-o desta maneira amaldiçoado. A expressão "suspendendo-o no madeiro" aplica-se à crucificação de Cristo e enfatiza a vergonha de sua morte. Qualquer pessoa pendurada numa cruz era tida como amaldiçoada por Deus. As autoridades religiosas infligiram em Jesus a morte de um criminoso, mas Ele não morreu sob a maldição de Deus, como alguns, sem dúvida, pensaram. Sua morte foi uma expiação vicária pelo pecado. Cristo com o seu próprio sangue comprou a Igreja (veja At 20.28; 1 Pe 1.18,19).

2) A ressurreição de Cristo — "O Deus de nossos pais ressuscitou a Jesus". A pessoa a quem as autoridades crucificaram é quem o Deus dos seus antepassados restabeleceu a vida. O que os líderes judeus fizeram a Jesus foi um ato contra Deus; mas apesar de violentamente rejeitarem Jesus, Deus

o ressuscitou por sua mão poderosa. Nenhuma cunha é colocada entre a morte e a ressurreição de Cristo na pregação cristã primitiva. Os escritores bíblicos consideram a cruz e o triunfo sobre a morte como componentes vitais da redenção (cf. Rm 4.24; 1 Co 15.3-5). A vida eterna está arraigada e fundamentada na sua humilhação e exaltação. Anteriormente em Atos, Jesus foi identificado como o "Autor da vida" (At 3.15, ARA; "o Príncipe da vida", RC), a quem Deus ressuscitou. Ele foi divinamente nomeado e capacitado pelo Espírito para ser o Salvador do mundo. Visto que Jesus é o Autor da vida, sua ressurreição é um penhor de todos os crentes de que eles tomarão parte no triunfo que Ele obteve sobre a morte.

3) A ascensão de Cristo — "Deus, com a sua destra, o elevou a Príncipe e Salvador". Deus exaltou o Jesus crucificado ressuscitando-o e também entronizando-o ao céu. Ser exaltado para se sentar à mão direita de Deus significa um lugar de honra (At 2.34; cf. Sl 110.1). Mediante Jesus, o Príncipe (*archegos*, "líder") e Salvador, Deus oferece a Israel a oportunidade de se arrepender e receber perdão. Deus preparou o modo de salvação da humanidade. Como o crucificado e ressurreto Senhor, Cristo é o Autor da salvação, oferecendo a vida eterna a todos os que se arrependem dos pecados.

Pedro e os apóstolos são testemunhas oculares da morte, ressurreição e ascensão de Jesus, mas o Espírito Santo também é testemunha destes acontecimentos do evangelho. O derramamento do Espírito no Dia de Pentecostes atesta a realidade da exaltação de Jesus (At 2.33), e, de acordo com Pedro, Deus dá o Espírito Santo aos que o obedecem (At 5.32). Andar na obediência da fé prepara os crentes para serem batizados ou submersos no Espírito. Deus dá o dom carismático do Espírito sobre os que são o povo da fé, pessoas que se dão em obediência a Cristo.

3.3.4.3. Gamaliel Adverte o Sinédrio contra Opor-se aos Apóstolos (5.33-42).

Como porta-voz dos apóstolos, Pedro provoca a raiva do Sinédrio. Eles "se enfureceram" é tradução de uma palavra grega que significa literalmente "serrado em pedaços" ou "cortado profundamente". Poderia ser traduzido por: "Isto os tocou na carne viva". Mais adiante, Lucas usa a mesma palavra para descrever a reação deles com Estêvão (At 7.54). Estes homens, que crucificaram Jesus, estão prontos a cometer assassinato novamente. Sua ira violenta para matar os apóstolos prenuncia o que farão com Estêvão.

Pelo menos Gamaliel, membro do Sinédrio, ousa oferecer conselho sábio a este grupo de elite ao qual ele pertence. Gamaliel era neto do famoso rabino Hillel e era distinto rabino farisaico (v. 34), a cujos pés Paulo estudou (At 22.3). Embora os fariseus eram um partido maior e tivessem apoio mais forte entre o povo, os saduceus eram a maioria no Sinédrio. A apresentação de Lucas de Gamaliel reflete a atitude mais positiva dos fariseus para com o movimento cristão, em contraste com a hostilidade dos saduceus (Lc 7.36; 11.37; 14.1; At 15.5; 23.6). Assim, não é estranho que Gamaliel advertisse o Sinédrio contra tomar ação precipitada para lidar com os cristãos.

Os motivos de Gamaliel falar perante o Sinédrio são obscuros. Seu maior interesse pode ser marcar pontos contra seus oponentes, os saduceus, do que defender os apóstolos. Este fariseu altamente respeitado expressa atitude favorável para com os crentes. Antes de falar, ele ordena que a guarda retire os prisioneiros. Ele aconselha seus colegas a conter a ira e considerar a possibilidade de que o movimento é "de Deus" (v. 39). Ele sugere que não seja tomada nenhuma ação direta contra os líderes deste movimento. Se eles o fizerem, eles correm o risco de estar "combatendo contra Deus" (v. 39).

O argumento de Gamaliel funciona assim: Se este movimento, como o Sinédrio pensa, não é abençoado por Deus, ele se tornará em nada. Por outro lado, se for comprovado, como os cristãos acreditam, que é obra de Deus, então nada será bem-sucedido em detê-lo. Quaisquer esforços seriam fúteis. Ainda pior, o Sinédrio não estaria se opondo apenas a seres humanos, mas também a Deus e pondo-se sob seu julgamento.

Não tomando nenhuma ação contra os cristãos, o Sinédrio evitaria o risco de estarem combatendo contra Deus.

Gamaliel cita dois exemplos de movimentos messiânicos sem a bênção de Deus, os quais fracassaram. O primeiro é o falso movimento messiânico liderado por Teudas. A menção deste homem levantou a questão sobre a precisão da Escritura. Josefo fala sobre um rebelde de nome Teudas (*Antiguidades Judaicas*), mas de acordo com ele, este Teudas fez a rebelião muito tempo depois que Gamaliel pronunciou seu discurso no Sinédrio (c. 45 ou 46 d.C.). Uma explicação é que Teudas era nome comum e que pode ter havido outro líder religioso chamado Teudas. Os detalhes são insuficientes para apoiar a identidade do Teudas de Lucas e do Teudas de Josefo. Por outro lado, talvez a datação de Josefo da revolução de Teudas esteja errada. Quando Herodes, o Grande, morreu em 4 a.C., vários líderes insurgentes apareceram na Palestina. Alguns estudiosos concluem que o Teudas de Atos 5.36 estava entre eles (Bruce, 1952, p. 125).

O segundo movimento fracassado citado por Gamaliel foi o liderado por Judas, o Galileu. Este movimento também foi infrutífero por causa de sua origem estritamente humana. Este Judas conduziu uma revolta contra os romanos em 6 d.C. Nessa época, Roma levantou um censo para avaliar a quantia de impostos a ser paga pela província da Judéia. Convencido de que Deus era o verdadeiro rei de Israel, Judas insistiu que não havia razão para o seu povo pagar impostos aos romanos pagãos (*Antiguidades Judaicas*; *Guerras Judaicas*). Este movimento foi esmagado pelos romanos e Judas pereceu. Mesmo com o desaparecimento do movimento e a morte de seu líder, a causa pode ter ficado viva no partido dos zelotes (Bruce, 1952, p. 43).

O destino de Teudas e Judas fornece a base para a proposta de Gamaliel de uma política de não-intervenção. Ele insiste que o movimento cristão terá o mesmo fim, como teve os movimentos destes homens, se não for inspirado por Deus. Sem as bênçãos de Deus, um movimento messiânico carece de estabilidade duradoura.

Hoje em dia erraremos se tomamos o conselho de Gamaliel como regra geral para permitir que tudo tenha seu curso sem oposição. Esperar para ver se um movimento religioso tem êxito pode ter conseqüências devastadoras. Todo amante da verdade deve investigar as afirmações de um movimento sem consideração pelo seu sucesso provável. Observe especialmente que a preocupação principal de Gamaliel é se o movimento cristão deve ser suprimido *pela violência*. Gamaliel não era profeta ou apóstolo, mas seu ponto de vista (embora sirva ao propósito no plano de Deus) é realmente uma declaração da verdade. Movimentos maus podem prosperar por muito tempo na terra, mas não para sempre.

O conselho de Gamaliel contém o Sinédrio de tirar a vida dos apóstolos (vv. 40-42). Mas antes de soltá-los, as autoridades os açoitam, cada um recebendo quarenta chibatadas menos uma (Dt 25.1-3; 2 Co 11.24). Este castigo é mais severo que o encarceramento e ameaças anteriores (At 4.21). Novamente, o conselho os proíbe de pregar sobre Jesus.

O açoite se conforma com o que Jesus dissera que os discípulos esperassem (Lc 21.12), mas o Sinédrio não tem sucesso em desencorajá-los. Os apóstolos retiram-se, "regozijando-se de terem sido julgados dignos de padecer afronta pelo nome de Jesus". Em meio a perseguição, os apóstolos estão cheios de alegria porque consideram grande honra sofrer por causa de Jesus Cristo. Eles estão contentes pela oportunidade de mostrar que a confiança de Cristo neles não é em vão. Recusando atender a ameaça do Sinédrio, os apóstolos continuam ensinando e pregando diariamente que Jesus é o verdadeiro Messias. Como antes, eles pregam publicamente no templo, mas agora eles também ensinam em casas particulares. A perseguição não diminui o testemunho ungido pelo Espírito que eles dão. Sua devoção e métodos fornecem exemplo maravilhoso para evangelizar uma comunidade.

3.4. Comunhão Quebrada: A Comunidade Escolhe Sete Diáconos (6.1-7)

Os crentes se dedicam a formar uma comunidade de comunhão (At 2.42), que acha expressão em compartilhar as possessões com os necessitados. Como exemplo positivo de comunhão, Lucas chamou atenção a Barnabé (At 4.36,37); em contraste, Ananias e sua esposa são exemplos negativos (At 5.1-11). No capítulo 6, Lucas informa um desarranjo na comunhão causado pela negligência da comunidade para com suas viúvas gregas. No meio de tremendo progresso da Igreja, este problema coloca a unidade eclesiástica em sério perigo.

Nesta época, a comunidade cristã consiste em dois grupos: os judeus gregos (*hellenistai*, "crentes de fala grega") e os judeus hebreus (*hebraioi*, "crentes de fala aramaica"). Os judeus gregos de Atos 6 são crentes que foram fortemente influenciados pela cultura grega, provavelmente enquanto viviam fora da Palestina, ao passo que os judeus hebreus são cristãos que sempre viveram na terra nativa da Palestina.

Muitos judeus devotos que na maior parte da vida viviam fora da Palestina, na velhice mudavam-se para Jerusalém para que fossem enterrados perto da cidade. Quando os homens morriam, poucas viúvas era capazes de se sustentar. Elas dependiam da benevolência de grupos religiosos para sobreviver. Pela razão de estas viúvas não serem bem conhecidas, era fácil os líderes da comunidade negligenciá-las (v. 1; *Theological Dictionary of the New Testament*, eds. G. Kittel e G. Friedrich, Grand Rapids, 1964-1976, vol. 3, pp. 389-390). As viúvas cristãs de fala aramaica tinham melhor possibilidade de serem mais bem conhecidas e, assim, menos prováveis de serem negligenciadas na distribuição diária da ajuda.

Mais parece estar envolvido que a diferença de idioma entre os dois grupos. Circunstâncias sociais e diferenças teológicas também podem ter desempenhado uma parte na fricção entre os dois grupos. Os cristãos de fala aramaica são mais fortes nas tradições religiosas palestinas e mostram mais restrição em atitude para com a lei judaica e o templo. Sendo mais agressivos na abordagem, os judeus helenísticos provocaram raiva. Em pelo menos uma ocasião a pregação agressiva de um crente de fala grega na sinagoga helenista em Jerusalém termina em apedrejamento. Os judeus helenistas apresentam o evangelho com tal zelo que eventualmente os oponentes os compelem a fugir de Jerusalém para salvar a própria vida (At 8.1-3).

Os cristãos separam recursos para os necessitados (At 2.45; 4.34,35,37), mas eles não os administram adequadamente a fim de atender as viúvas crentes de fala grega. A resposta imediata dos apóstolos indica que esta negligência é uma omissão, e não uma discriminação intencional. A responsabilidade por pregar o evangelho, dedicar-se à oração e governar a Igreja torna impraticável eles administrarem o alívio para os pobres. Não é que cuidar de viúvas esteja "abaixo" deles, ou que eles consideram que isso esteja num nível mais baixo de ministério. Antes, seu encargo primário é oferecer o pão da vida, que traz salvação, e gerir os assuntos da Igreja.

Como líderes guiados pelo Espírito, os apóstolos convocam uma reunião geral da "multidão dos discípulos" e propõem uma solução para o problema — que a Igreja selecione sete homens, aos quais seja dada a responsabilidade de cuidar das viúvas (vv. 2,3). Sua função será servir mesas (*diakonein trapezais*). Lucas não usa a palavra "diácono" (*diakonos*) para descrever os sete homens, mas as palavras para "servir" e "diácono" derivam da mesma raiz grega. "Diáconos" são mencionados em Filipenses 1.1 e 1 Timóteo 3.8-13. Assim, é apropriado usar este título para os sete homens, sobretudo à luz do trabalho feito pelos diáconos em tempos mais recentes (que incluía a manipulação de finanças, o cuidado pelos necessitados e outros assuntos ministeriais práticos).

Se este plano for seguido, os apóstolos poderão se dedicar à "oração e [ao] ministério da palavra" (v. 4). Lucas não declara como é feita a escolha dos sete homens, mas a congregação como um todo vê a sensatez da proposta dos apóstolos (v. 5) e participa na escolha destes diáconos. A qualificação básica é espiritualidade, mas eles devem ser distintos de duas maneiras.

1) Eles têm de ser "cheios do Espírito Santo". Em vez de ser meros bons administradores ou gerentes de recursos, esta qualificação lhes exige que sejam capacitados pelo Espírito na ordem dos discípulos no Dia de Pentecostes. Quer dizer, eles devem ter o poder de uma fé que faz milagres.

2) Eles também têm de ser "cheios [...] de sabedoria". Complementar aos atos de poder está o discurso inspirado pelo Espírito. Os diáconos têm de ser poderosos em obras e palavras. Como pessoas competentes e maduras que são inspiradas pelo Espírito, elas têm de ter bom senso prático e serem capazes de lidar com delicados problemas de propriedade. Seu ministério inclui negócios empresariais e a distribuição de ajuda para os necessitados, mas também deve ser espiritual e carismático. Eles devem exercer quaisquer dons espirituais que Deus lhes concedeu.

Entre os sete homens escolhidos para servir como diáconos estão Estêvão e Filipe (os únicos dois sobre quem Lucas apresenta detalhes). Filipe se destaca como pregador carismático (At 8.4-8, 26-40; 21.8); ele é o primeiro a fundar uma igreja entre os samaritanos. Estêvão é descrito como "homem cheio de fé" (v. 5), sem dúvida significando a fé que faz milagres. Ele faz "prodígios e grandes sinais entre o povo" (v. 8), e seus oponentes não sabem como lidar com a pregação que ele faz (v. 10). O ministério destes dois homens ilustra os ministérios dos diáconos carismáticos, os quais se estendem muito além das preocupações práticas do dia-a-dia da Igreja.

Todos os sete homens escolhidos têm nomes gregos, mas isto não prova que eles sejam gregos nativos. Nessa época, muitos judeus tinham nomes gregos. Indubitavelmente estes homens falam grego e estão habilitados espiritual e lingüisticamente para lidar com o problema para o qual foram nomeados. O nome de Estêvão aparece em primeiro lugar na lista e é acompanhado pelas palavras: "Homem cheio de fé e do Espírito Santo". Estas palavras não são repetidas depois dos outros nomes, mas devemos entender que elas descrevem todos os sete diáconos.

A nomeação dos sete homens como diáconos deixa os apóstolos livres para pregar, ensinar e orar. Na sua posse, os novos diáconos são apresentados pela congregação aos apóstolos. A RC indica que só os apóstolos oram e impõem as mãos sobre eles, mas o texto grego não deixa isso explícito. Aparentemente a comunidade inteira participa. A imposição de mãos ratifica a escolha da comunidade e significa a concessão de responsabilidade e a doação de forças e bênçãos para a tarefa.

A ordenação dos sete diáconos fornece bom modelo para ministrar as minorias da Igreja. Como na igreja primitiva, devemos nos preocupar com o modo como as minorias — os pobres, as viúvas, os órfãos e as pessoas de diferentes origens raciais — são tratadas. Semelhante às viúvas crentes de fala grega, tais pessoas são indefesas, e suas necessidades podem ser negligenciadas. Cada congregação deve ter um programa próprio para ministrar ao que estão em desvantagem e às minorias, e entregar este ministério àqueles que são espiritualmente dotados e compromissados a cuidar deles.

Na resolução de uma brecha potencialmente perigosa, a Igreja desfruta novamente de espírito de unidade e crescimento fluente (v. 7). Um número impressionante de novos-convertidos se junta ao grupo, incluindo pela primeira vez "grande parte dos sacerdotes". Pelo poder do Espírito, a palavra de Deus se espalha e aumenta em seus efeitos, de forma que até o sacerdócio está sendo transformado pelo evangelho. Lucas sublinha o efeito extraordinário do evangelho nestes sacerdotes. Eles "obedecia[m] à fé", indicando que a fé em Jesus Cristo exige um curso de vida de acordo com o que a pessoa crê. Seguir este curso é obedecer à fé (cf. Rm 1.5).

4. Os Atos de Seis Líderes Cheios do Espírito (6.8—12.24).

Lucas enfatizou os discípulos como comunidade de profetas batizados com o Espírito e relatou os atos desta comunidade cheia do Espírito. Assim que a negligência das viúvas dos crentes de fala grega foi resolvida, a atenção passa para os seis líderes carismáticos, começando por Estêvão e terminando por Paulo (At 6.8—28.31). Deste ponto em diante, Lucas devota sua narrativa a estes seis líderes: Estêvão, Filipe, Barnabé, Ágabo, Pedro e Paulo. Estes homens são os profetas ungidos pelo Espírito. Suas ações e palavras são inspiradas pelo Espírito Santo, e seu ministério simboliza o ministério de condição de profeta de todos os crentes.

4.1. Os Atos de Estêvão: Um Diácono Cheio do Espírito (6.8—7.60)

Todos os sete diáconos estão cheios do Espírito e sabedoria (At 6.3). A palavra "cheio" (*pleres*) implica duração e se refere a uma qualidade de plenitude espiritual que os habilita a falar sob grande inspiração e fazer sinais e prodígios (vv. 5,8). O sucesso destes testemunhos cristãos em Jerusalém desperta oposição, como ocorreu em duas ocasiões prévias (At 4.1-22; 5.17-41). Mas nesta ocasião em particular, a oposição se estende além do Sinédrio e das autoridades do templo, e inclui os membros de uma sinagoga de fala grega (v. 9; cf. At 24.12) e o povo em geral (v. 12). Estêvão se torna vítima da resistência dessas pessoas ao evangelho.

4.1.1. Estêvão Faz Sinais e Prodígios (6.8-10). Lucas descreveu que a vida e ministério carismáticos de Estêvão são "cheios do Espírito Santo e de sabedoria" (v. 3) e ele é "homem cheio de fé e do Espírito Santo" (v. 5). Agora ele descreve os dons carismáticos de Estêvão em termos de ele ser "cheio de fé e de poder", habilitando-o a fazer "prodígios e grandes sinais entre o povo". A junção de graça (*charis*) e poder (*dynamis*) indica que a graça divina outorga sobre ele dons espirituais para fazer milagres.

Obras miraculosas capacitadas pelo Espírito são típicas do ministério de Estêvão. Estas manifestações maravilhosas junto com sua pregação incitaram oposição. Os judeus de fala grega da Sinagoga dos Libertos (provavelmente prisioneiros de guerra libertados pelos romanos) discutem com Estêvão. Alguns destes judeus vieram de Cirene e Alexandria, outros das províncias da Cilícia e Ásia. Deve ter havido uma inclinação para os judeus de fala grega se reunirem em sinagogas particulares em Jerusalém. Mas nenhum dos adversários de Estêvão pode "resistir à sabedoria e ao Espírito com que falava" (v. 10). Enquanto ele fala, Estêvão é capacitado pelo Espírito Santo, e sua mensagem manifesta o dom espiritual da sabedoria. É teologicamente informado, e seus oponentes não podem responder aos seus argumentos ou repudiar-lhe a lógica (cf. Êx 4.14; Lc 21.15).

Esta ocasião é a primeira vez que os crentes confrontam seus oponentes em discussão aberta. O conflito se tornou uma luta intelectual — argumentos que se centralizam na questão da validade da lei e do tempo. Estêvão mede forças com seus inimigos em debate aberto, e eles não podem com as ações e palavras proféticas deste diácono cheio do Espírito.

4.1.2. Estêvão se Defende Perante o Sinédrio (6.11—7.53). Os adversários de Estêvão o acusam de blasfêmia. Estando mais interessados em vindicar a si mesmos que a verdade, eles lançam mão em obter falso testemunho das testemunhas, que o acusam de ataques blasfemos "contra Moisés e contra Deus" (v. 11). Pela primeira vez o povo é instigado contra os cristãos. Até aqui, as autoridades têm restringido suas ações contra os discípulos, por temerem o povo (cf. At 2.47). Mas as falsas testemunhas envenenam a mente do povo contra os discípulos, torcendo certas declarações de Estêvão.

A disputa entre Estêvão e os judeus de fala grega concentra-se na sua interpretação da lei de Moisés e do propósito de Deus para a adoração no templo.
1) Como portador da lei, Moisés representou a revelação de Deus dada aos judeus

no monte Sinai. Ele simbolizava tudo que era santo e estimado na religião rabínica; negar Moisés era atacar a autoridade divina e a validez da adoração e práticas do templo. Estêvão é acusado de mudar os costumes passados por Moisés (v. 14), os quais provavelmente não incluem apenas a lei escrita, mas também a tradição oral que dá a interpretação dos escribas acerca da lei (Marshall, 1980, p. 130).

2) A adoração do templo prescrevia para o povo de Israel a ordem divina da adoração. Questionar a ordem do templo era visto como violação do poder e majestade de Deus.

Acusação semelhante fora feita contra Jesus. Ele tinha predito a destruição do templo. O Quarto Evangelho registra a profecia e seu significado: "Derribai este templo, e em três dias o levantarei". Mas, como João explicou, "ele falava do templo do seu corpo" (Jo 2.19,21; cf. Mt 26.61; Mc 14.58). É possível que Estêvão durante seu debate na sinagoga tenha citado esta profecia. Torcendo as palavras de Estêvão como blasfemas, seus inimigos o acusam de ensinar que Jesus destruiria o templo e aboliria seu serviço (At 6.14).

O que Estêvão ensinou realmente estava de acordo com a profecia do Antigo Testamento de que Deus não habita em templos feitos por mãos de homens (At 7.48,49). A substância eterna e espiritual do Antigo Testamento é preservada no Evangelho, mas Estêvão percebe que a obra salvadora de Cristo dá um fim à ordem do templo com seu cerimonial e adoração sacrifical. Uma nova dimensão de comunhão com Deus foi introduzida por Jesus. Tal comunhão com Deus em muito excede o templo e sua adoração.

Em outras palavras, o velho templo está sendo substituído por um novo templo, a igreja cristã (cf. At 15.16-18). O exclusivismo do judaísmo está acabando, e Deus o está substituindo com o universalismo do movimento cristão. AquEle que é maior que o templo veio (Mt 12.6), e o mundo inteiro será atraído na suprema vida do Espírito. A substituição do templo "feitos por mãos de homens" significa que o povo de Deus pode ter uma comunhão dinâmica e criativa com Deus. Esta transição deixa claro que os últimos dias despontaram. Pelo poder do Espírito, Estêvão proclama a salvação de âmbito universal. Mas os judeus de fala grega, defensores zelosos da tradição, vêem esta pregação profética como uma ameaça à adoração sacrifical e à lei cerimonial.

Ao deturpar o que ele disse como blasfêmia (At 6.12,14), seus inimigos incitam o povo, os anciãos e escribas contra ele. Eles o prendem e o levam perante o Sinédrio para ser julgado. Enquanto acusações são feitas contra ele, seu rosto aparece ao tribunal "como o rosto de um anjo" (v. 15). Quer dizer, seu semblante está radiante com a glória de Deus, como aconteceu com o rosto de Moisés (Êx 34.29,30) e de Jesus (Lc 9.29). O esplendor glorioso da face de Estêvão indica que da mesma maneira que Jesus tinha prometido aos discípulos, o Espírito Santo continua inspirando-o a proclamar o evangelho (Lc 12.11,12; 21.14,15). Depois da pergunta do sumo sacerdote: "Porventura, é isto assim?", um silêncio cai sobre o Sinédrio até que Estêvão completa sua defesa (At 7.2-53).

Estêvão está onde seu Mestre estava quando Ele foi condenado à morte. O Sinédrio se reuniu para o condenar sob a semelhante acusação de blasfêmia. O Estêvão cheio do Espírito deve ter sabido que ele sofrerá o mesmo destino que seu Salvador. Com suas palavras diante do conselho, ele faz extraordinário discurso. Ele cita a história de Israel desde Abraão até Salomão, narrando os procedimentos de Deus para com seu povo. Ele escolhe do Antigo Testamento acontecimentos que confrontam seus ouvintes com dois temas:

1) Por muitas vezes Deus enviou pessoas para servir como libertadoras do seu povo, mas os mensageiros de Deus foram rejeitados (vv. 2-43).

2) Os judeus erroneamente acreditam que Deus habita de fato no templo (vv. 44-50).

Ambos os temas ocorrem repetidas vezes ao longo do discurso. Embora Estêvão esteja respondendo às acusações feitas contra ele, seu discurso pode ser descrito com mais precisão como ataque frontal em sua audiência por rejeitar, como fizeram seus pais, os mensageiros enviados a eles por Deus (vv. 51-53). O discurso tem seis divisões principais, concentrando-se principalmente na história do povo de Deus encontrada no Pentateuco (a única parte das Escrituras que os saduceus aceitavam a autoridade).

1) Depois de uma saudação cortês aos presentes como "irmãos e pais" (cf. At 22.1), Estêvão passa para este primeiro tópico, a criação de Deus de uma nação pela chamada de Abraão (vv. 2-8). Ele começa descrevendo Deus como "o Deus da glória" (Sl 29.3). Esta descrição enfatiza a majestade de Deus que não pode ser confinada a um templo feito por mãos humanas. À medida que o Estêvão cheio do Espírito fala, sua face brilha com a glória divina.

Deus apareceu a "Abraão, nosso pai", enquanto ele vivia na Mesopotâmia. Em outras palavras, quando Deus chamou Abraão, o pai da sua nação, o patriarca vivia fora da Terra Santa, na Mesopotâmia. Sua chamada o encetou na direção de Canaã, a terra que Deus lhe mostraria. Note que Abraão recebeu a revelação divina num país pagão, demonstrando que Deus não está limitado à terra da Palestina.

Obedecendo a Deus, Abraão, com seu pai, Tera, deixou a terra dos caldeus (quer dizer, a Mesopotâmia) e passou a residir em Harã. Estêvão entende que o patriarca permaneceu lá até a morte de Tera (cf. Gn 11.27—12.4). Depois Abraão migrou para Canaã, a terra que Deus lhe prometera e a mesma terra na qual a audiência de Estêvão agora vivia. Mas o cumprimento completo da promessa de Deus não veio de imediato com o assentamento de Abraão em Canaã, porque ele não chegou a possuir nada da terra, "nem ainda o espaço de um pé" (v. 5). A promessa de Deus deve ter lhe parecido impossível, sobretudo considerando que Deus o assegurara de que ele e seus descendentes possuiriam a terra, mas neste momento ele não tinha herdeiro. Abraão teve um filho antes de Isaque, mas ele não era o herdeiro prometido.

A terra permaneceu só uma promessa para Abraão, mas torna-se uma possessão para seus descendentes depois que eles passam quatrocentos anos na escravidão egípcia. Deus libertou esses descendentes da opressão. Só então eles viajam para Canaã e se tornam os herdeiros da Terra Prometida. Como no versículo 7, a terra era mais que mero lugar para morar; foi "neste lugar" (Palestina) que eles deviam orar e adorar a Deus.

A promessa de Deus pôs em movimento a fé de Abraão. Abraão creu que seus descendentes herdariam a Terra Prometida, mas Deus lhe disse que só depois de um período de escravidão sua posteridade seria abençoada. Uma indicação adicional da fé de Abraão era sua aceitação do concerto, pelo qual as promessas de Deus fizeram Abraão e seus descendentes objetos especiais do amor e cuidado divinos. Deus deu a circuncisão como sinal externo deste concerto, que era para mostrar seu compromisso com

O antigo templo em Jerusalém foi substituído por um novo templo, a Igreja Cristã — os crentes. Esta Igreja Cristã primitiva em Golã foi destruída por um terremoto em cerca de 747 d.C. Note a direção singular dos pilares tombados.

Deus. Sendo forte na fé, Abraão transmitiu o concerto para a geração seguinte através da circuncisão de Isaque (Gn 21.4). A linha de concerto continuou por Jacó e por seus doze filhos. Em contraste com a audiência de Estêvão, Abraão, o fundador da nação judaica, é um exemplo de fé e obediência.

2) Depois de sua discussão sobre Abraão, Estêvão sumaria a história de José, contando sobre a jornada de Jacó ao Egito com seus filhos e a morte deles naquela terra estrangeira (vv. 9-16). Ao longo do discurso de Estêvão flui o tema de conflito na família (vv. 23-29,35,39,51-53). Ele introduz este tema referindo-se à inveja que os patriarcas tinham de José, a qual os incitou a rejeitá-lo e vendê-lo como escravo aos gentios. Pelo que aconteceu com José, Deus cumpriu as promessas de escravização e maus tratos (v. 6). A implicação de Estêvão é que da mesma maneira que o sumo sacerdote e seus colegas tiveram inveja dos discípulos (At 5.17), assim os irmãos de José tinham inveja dele. Mas Deus era com José na sua escravidão no Egito e livrou-o das aflições dando-lhe sabedoria (cf. At 6.3). Este dom espiritual o capacitou a interpretar sonhos, conduziu-o à elevação como governador do Egito e habilitou-o a se preparar para uma fome.

Quando a fome se abateu sobre o Egito, teve um efeito devastador no mundo (Gn 41.57), particularmente em Canaã (Gn 42.1-5). Então Jacó enviou seus filhos restantes ao Egito, à procura de comida. Na primeira visita, eles não reconheceram José. Quando voltam da próxima vez, ele se revela a eles e se torna seu libertador. Quando Faraó toma ciência da família de José, ele os convidou a morar no Egito. A família de Jacó de setenta e cinco pessoas viajou para lá, e fica estrangeira num país gentio (cf. Gn 46.27, LXX). Embora Jacó e os patriarcas depois morressem no Egito, eles não foram enterrados lá, mas na terra que Deus prometera como herança aos seus descendentes, a terra de Canaã. Eles não tiveram herança em Canaã, exceto um pedaço de terra comprado por Abraão de Siquém para servir de cemitério, de maneira que seus corpos foram levados e enterrados naquele lugar. As tumbas em Siquém prestam testemunho de que estes homens morreram com fé na promessa.

Pelo fato de Deus estar com José no Egito, os esforços maldosos dos seus irmãos serviram para avançar o plano de Deus. Uma vez mais Estêvão insiste que Deus não está limitado ao templo. No Egito Ele usou José para salvar seu povo da fome. Apesar de tratarem-no mal, seus irmãos o reconheceram como o libertador divinamente ungido da sua família e povo.

3) Agora Estêvão se volta para a história de Moisés, o homem a quem Deus levantou para tirar os filhos de Abraão da escravidão do Egito (vv. 17-38). Depois da morte de Jacó e seus filhos, os israelitas permaneceram no Egito e continuaram se multiplicando até que o tempo do cumprimento da promessa a Abraão estivesse perto. Nesta época, um novo rei que não conhecia José subiu ao trono do Egito. Até agora, a memória de José e do que ele fez favorecia o povo de Deus. Sob a administração do novo rei esse favor mudou, e eles foram oprimidos por sua política cruel.

Estêvão menciona só a parte pior do tratamento cruel dos hebreus, a destruição dos meninos. A fim de evitar que os israelitas crescessem em número e fossem uma ameaça para o seu reino, Faraó ordenou que todos os bebês masculinos fossem postos fora de suas casas, de modo a serem expostos e mortos (Êx 1.15-22). Nesse tempo, Moisés entrou em cena. Moisés "era mui formoso". Contrário ao édito de rei, seus pais o esconderam em casa por três meses. Finalmente eles o expuseram à morte, mas de modo maravilhoso ele foi salvo e adotado pela filha de Faraó como filho dela. Como membro da família do rei, Moises foi criado num palácio gentio e recebeu o melhor da educação egípcia. Tal treinamento magnífico não foi em vão; produziu um homem que "era poderoso em suas palavras e obras" (At 7.22).

Deus tinha designado Moisés como líder e libertador. Estêvão conta a respeito da primeira vez que o povo rejeita Moisés (vv. 23-29). Com a idade de quarenta anos, Moisés visitou os israelitas. Embora criado numa corte gentia, ele não tinha se tornado egípcio de coração. Na visita, ele viu como o seu povo era oprimido e testemunhou um israelita sendo maltratado por um egípcio. Moisés não apenas defendeu o escravo, mas também fez vingança matando o egípcio. De acordo com Êxodo 2.12, ele escondeu o corpo na areia de modo que ninguém soubesse o que ele tinha feito. Ele não queria que os egípcios tivessem conhecimento sobre o incidente; mas, como Estêvão indica, Moisés também esperava que os israelitas o reconhecessem como amigo e aquele que foi divinamente nomeado para trazer-lhes libertação (*soteria*, "salvação") da escravidão.

No dia seguinte em que ele matou o egípcio, Moisés viu dois hebreus lutando. Moisés tentou resolver a rixa, mas fracassou. Ele foi repelido e veementemente reprovado pelo malfeitor: "Quem te constituiu príncipe e juiz sobre nós? Queres tu matar-me, como ontem mataste o egípcio?" A resposta para a primeira pergunta é dada: "A este enviou Deus como príncipe e libertador" (v. 35). Moisés já sentia que ele era um instrumento de Deus para libertar os israelitas da opressão brutal dos egípcios, mas ele foi rejeitado por seu próprio povo, como José antes e Jesus depois.

Moisés teve de fugir para a terra de Midiã, localizada no noroeste da Arábia. Era um desterrado do seu povo, e também um exilado em terra estrangeira, onde se estabeleceu e criou uma família. Depois de quarenta anos em Midiã, ele teve uma experiência decisiva na área despovoada do monte Sinai. Lá, ele foi confrontado por um anjo "numa chama de fogo de um sarçal" (v. 30). A sarça ardente serviu de símbolo da presença de Deus, pela qual Deus chamou a atenção de Moisés. Quando Moisés olhou a sarça ardente mais de perto, ele ouviu a voz do Senhor que vinha dela, chamando-o para libertar o seu povo do Egito. A voz correspondia à voz divina que Jesus ouviu depois do batismo (Lc 3.22).

Da sarça ardente, o Senhor se identificou como o Deus dos antepassados de Moisés, que tinha feito um concerto com Abraão, Isaque e Jacó. Este encontro espantoso fez Moisés tremer de medo, que não ousou erguer os olhos para ver a sarça sendo consumida pelas chamas. Deus o assegurou de que ele estava em "terra santa". A presença de Deus tornou aquele lugar sagrado; uma vez mais Estêvão está lembrando sua audiência de que a revelação de Deus não está limitada à terra judaica. De fato, no Antigo Testamento, o lugar mais importante de revelação não está na Terra Prometida, mas no monte Sinai.

Deus tinha visto o sofrimento cruel do seu povo no Egito e enviara Moisés para ser seu príncipe e libertador, mas eles já o tinham rejeitado (v. 35). A tarefa de Moisés começou a sério quando ele voltou ao Egito. Vemos não só um paralelo entre a rejeição de Moisés e de Jesus, mas também como Jesus, Moisés fez obras poderosas como o redentor de Israel nomeado por Deus, que prefigurava o poderoso ato de Deus que, por Cristo, nos salva de nossa escravidão do pecado. A jornada de Israel à Terra Prometida foi acompanhada por sinais milagrosos de Deus. Além disso, Moisés também falou palavras poderosas, que predisseram a vinda do Messias — um profeta e libertador como ele, mas alguém que seria muito maior que ele (v. 37; cf. Dt 18.15). Sua profecia foi cumprida na vinda de Jesus Cristo.

Uma característica final do ministério de Moisés que Estêvão destaca é sua obra como mediador (v. 38). Moisés mediou o velho concerto, da mesma maneira que Jesus serviu de mediador do novo concerto. Estêvão destaca o papel de Moisés em dar a lei. No monte Sinai, Moisés "esteve entre a congregação no deserto" (v. 38). A palavra grega traduzida por "congregação" é *ekklesia* ("igreja"). No monte, Moisés recebeu as "palavras de vida", frase que se refere à revelação divina da lei. É "da vida" porque a mensagem divina dada no monte Sinai tem poder para consumar a vida (cf. Hb 4.12) e é uma mensagem duradoura que abarca a graça de Deus e sua promessa de salvação. Êxodo 19.19-25 indica que Deus falou diretamente a Moisés, mas Estêvão entende que Deus revelou sua mensagem por um anjo (cf. Gl 3.19; Hb 2.2).

4) Neste momento, Estêvão torna-se mais específico em sua descrição da rebelião

de Israel (vv. 39-43). A primeira vez que os israelitas rejeitam Moisés (cf. vv. 27,28) pressagiava o que depois aconteceu no deserto. O povo tinha testemunhado as manifestações milagrosas da presença de Deus no Egito, no mar Vermelho e na jornada ao monte Sinai. Contudo, apesar de tudo o que eles viram Deus fazer por eles sob a liderança de Moisés, o povo se recusou a obedecer. Enquanto ele estava no monte Sinai recebendo a lei, eles, "em seu coração, se tornaram ao Egito", e exigiram que Arão fizesse ídolos para eles adorarem.

Sua rebelião está bem resumida na narrativa da fabricação do bezerro de ouro (v. 41; cf. Êx 32), a quem eles ofereceram sacrifícios e se alegraram nas obras de suas mãos. Foi bastante ruim eles rejeitarem Moisés — o homem ungido por Deus como líder e libertador —, mas para tornar as coisas piores, o povo caiu em idolatria pagã. Eles não quiseram andar por fé. Descontentes com a presença invisível de Deus, construíram para si um bezerro de ouro, para que pudesse ter um deus perante si.

Estêvão cita Amós 5.25-27 (LXX), que começa com a pergunta: "Porventura, me oferecestes vítimas e sacrifícios no deserto por quarenta anos, ó casa de Israel?" O fato é que o povo não tinha oferecido sacrifícios a Deus durante as peregrinações no deserto. Essa geração abandonou a adoração de Deus. Em conseqüência, Deus os entregou à adoração dos corpos celestes (At 7.42; Rm 1.24-28). Durante a jornada no deserto, eles não ofereceram sacrifícios a Deus, mas a vários ídolos. Sua adoração de ídolos começou ao pé do monte Sinai e continuou durante os quarenta anos seguintes. Eles ofereceram sacrifícios a Moloque, a deidade cananéia do sol e do céu, e a Refã, um deus egípcio associado com o planeta Saturno. Além disso, os israelitas também fizeram imagens destes deuses e os adoravam.

Nos dias de Amós (século VIII a.C.), o coração do povo adorava Moloque e Refã, integrantes dos exércitos do céu. Por causa da história dos israelitas, lidar com o problema de idolatria não é um problema novo. Estêvão discerne que a má religião que Amós condenou remontava ao tempo da peregrinação do deserto. Assim, da mesma maneira que foi escrito no livro dos profetas, Deus entregou um povo rebelde não apenas à adoração idólatra, mas também ao cativeiro babilônico (v. 43). Em outras palavras, o julgamento divino fora um fato do passado de Israel, mesmo tão distante quanto a jornada do Êxodo à Terra Prometida.

5) O ponto seguinte de Estêvão finda sua pesquisa histórica e introduz um tópico novo: o tabernáculo e seu sucessor, o templo (vv. 44-50). Os judeus de fala grega o acusaram de blasfêmia contra o templo. Ao invés de negar a acusação diretamente, o Estêvão cheio do Espírito passa a explicar o verdadeiro valor do templo. Ele começa discutindo o tabernáculo, que foi subseqüentemente substituído pelo templo. Ele se refere ao tabernáculo como "tabernáculo do Testemunho", porque a lei era guardada na arca sagrada (Nm 17.7). Também era o lugar onde Deus se revelava ao seu povo. Deus deu a Moisés as plantas para a construção (Êx 25.9), e tornou-se parte da vida de Israel.

Sob a liderança de Josué, o tabernáculo entrou na Terra Prometida. Lá permaneceu o ponto focal da adoração de Israel até o tempo de Davi. Visto que era só uma tenda móvel, Davi desejou estabelecer um lugar da habitação mais permanente para o Deus de Jacó (v. 46). Mas foi Salomão que substituiu a tenda pelo templo como casa de Deus.

O povo pensa erroneamente que a presença de Deus pode ser contida num edifício feito por mãos humanas. Por mais que a estrutura do templo de Salomão fosse grandiosa, era muito pequena para conter o Deus vivo. Estêvão mostra, citando Isaías 66.1, 2, o erro do pensamento israelita: Nenhum edifício pode conter o Governante da terra e do céu. Portanto, não é blasfêmia dizer que o templo deve ser posto de lado e destruído. O ataque de Estêvão não é contra a grandiosidade do templo em si, mas contra a teologia que limita a presença de Deus ao templo. Como Salomão (1 Rs 8.27), Estêvão sabe que visto que o mais alto céu não pode conter Deus, nada feito por mãos humanas pode.

O nome divino "Altíssimo" (v. 48) enfatiza a transcendência de Deus. Israel deveria saber que semelhante Deus não pode estar limitado a um templo. Isaías profetizou claramente que o Criador não habita em estruturas feitas por mãos: "O céu é o meu trono. [...] E que lugar seria o do meu descanso. Porque a minha mão fez todas estas coisas, e todas estas coisas foram feitas" (Is 66.1,2). Conseqüentemente, Deus não deve ser tratado como ídolo e considerado que está alojado num templo. Ele nunca pode ser limitado a qualquer templo, quer em Jerusalém ou na Palestina. Tais limites são falsos, pois Deus pode ser adorado em qualquer lugar onde as pessoas se voltam para Ele com fé em Jesus Cristo. Deus não tem um lugar de habitação; é a comunidade de crentes, a Igreja, onde o seu Espírito reside e sua presença está em ação.

6) Estêvão conclui o discurso com palavras contundentes dirigidas aos seus acusadores e aos membros do Sinédrio (vv. 51-53). Profundamente comovido por suas convicções e inspirado pelo Espírito Santo, Estêvão usa linguagem vívida para os denunciar pela dureza de coração. Eles são "de dura cerviz" (Êx 33.35) e "incircuncisos de coração e ouvido" (Lv 26.41; Dt 10.16). Entre os judeus, "incircunciso" era um termo de repreensão e desprezo. Davi denunciou Golias como "este incircunciso filisteu" (1 Sm 17.26), e Ezequiel chamou os estrangeiros de "incircuncisos de coração" (Ez 44.7,9). Moisés e os profetas tinham lançado estas mesmas duas expressões às nações pagãs e ao Israel apóstata. Não há palavras mais precisas para os oponentes de Estêvão, que estão seguindo os passos dos seus pais fechando a mente à mensagem de Deus e resistindo ao Espírito Santo (cf. Is 63.10), sob cuja inspiração Estêvão está falando.

Não há nada novo sobre o fato de os líderes judeus rejeitarem os líderes inspirados pelo Espírito. Seus predecessores tinham perseguido os profetas e matado aqueles que profetizaram a Primeira Vinda de Cristo (v. 52). Mas agora os líderes de Israel são culpados de terem traído e assassinado o "Justo", o Messias. Um padrão definido de desobediência flui ao longo da história de Israel. Israel era abençoado, recebendo a lei pelas mãos de anjos, mas eles transgrediam a lei. Assim, Estêvão é justificado ao aplicar as palavras de Moisés ao povo que o ouve; porque os líderes se opõem ao Espírito Santo, eles mostram que não são o verdadeiro povo de Deus. Eles, não Estêvão, estão negando sua herança espiritual.

Muitos na Igreja Cristã cometem o mesmo erro de rejeitar o Espírito Santo mediante as ações que tomam. Como os fariseus rejeitaram o ministério do Jesus ungido pelo Espírito, assim os líderes da Igreja, em nome da sã doutrina, são tentados a rejeitar a demonstração do poder do Espírito e as manifestações dos seus dons.

4.1.3. O Martírio de Estêvão (7.54-60). Estêvão apresentou ampla evidência para ressaltar sua denúncia profética dos líderes da nação. No clímax do discurso, ele tocou os ouvintes numa ferida aberta. Em conseqüência, suas palavras proféticas provocam grande raiva no Sinédrio. Eles foram retratados como pertencentes a uma nação de idólatras e são acusados de serem culpados de crucificar o Messias. As acusações contra eles foram apoiadas por várias Escrituras. Uma explosão de ira irrompe contra Estêvão, e eles rangem os dentes contra ele. Ele apresentou uma grande defesa; mas ainda que o Sinédrio o condene, eles não podem resistir à sabedoria e ao Espírito nos quais Estêvão fala.

O Estêvão cheio do Espírito se comporta como profeta. Pelo Espírito Santo, ele vê a glória radiante de Deus e o Jesus exaltado à mão direita de Deus (vv. 55,56; cf. Lc 22.69). Durante a visão, aparece o padrão trinitário. Estêvão, cheio do *Espírito Santo*, olha para o céu e vê o *Senhor Jesus* em pé, à mão direita de *Deus Pai*. Essa visão não deixa dúvida sobre o lugar de Jesus na deidade.

Só aqui no Novo Testamento Jesus é retratado a estar em pé em vez de estar sentado à mão direita de Deus. A explicação mais satisfatória é que Ele está agindo no papel de intercessor, advogado e testemunha. Sua posição sugere que Ele está confessando

Estêvão diante do Pai divino, como Ele prometera: "Qualquer que me confessar diante dos homens, eu o confessarei diante de meu Pai, que está nos céus" (Mt 10.32). Jesus é o Senhor exaltado, e seu povo tem acesso a Deus por Ele (cf. Rm 8.34). Como o Justo (v. 52), o Filho do Homem está qualificado para representar o povo de Deus e testemunhar a seu favor.

Agora Estêvão confessa pela primeira vez o Senhor ressurreto diante do Sinédrio, declarando que Ele vê Jesus Cristo compartilhando a glória de Deus como o exaltado Filho do Homem. Estas palavras são blasfemas aos líderes religiosos. Eles cobrem os ouvidos, indicando que já não ouvirão o blasfemador. A recusa em ouvir reflete um problema muito mais profundo: empenho para que os ouvidos não sejam abertos pelo Espírito Santo (v. 52; *Theological Dictionary of the New Testament*, eds. G. Kittel e G. Friedrich, Grand Rapids, 1964-1976, vol. 5, p. 556). Eles abafam a voz de Estêvão "grita[ndo] com grande voz" (v. 57) e avançando ameaçadoramente para o agarrar.

Estas reações violentas sugerem linchamento, em vez de ser um ato oficial. O Sinédrio não tinha o direito de impor a pena de morte sem o consentimento do governador romano. A referência às testemunhas (v. 58), as quais julgava-se que fossem as primeiras pessoas a lançar pedras a uma pessoa condenada (Dt 17.7), pode denotar um procedimento de julgamento; mas a explosão de ira no versículo 57 indica que Estêvão caiu vítima da ação de uma turba fanática. Eles o arrastam impetuosamente para fora da cidade e começam a apedrejá-lo — o castigo prescrito a um blasfemador (Lv 24.14-16; Nm 15.32-36). Sua morte é provocada por injustiça e pela violência da turba.

Entre as testemunhas da morte de Estêvão está "um jovem chamado Saulo" (v. 58). Quando aqueles que arremetem as pedras tiram as roupas exteriores a fim de terem mais liberdade para atirar as pedras, eles colocam as roupas aos pés de Saulo. Aqui em Atos, Saulo é identificado pela primeira vez por nome, embora ele possa ter estado entre os judeus em Jerusalém referidos pela província da Cilícia (At 6.9). Saulo está entre os oponentes de Estêvão, e o discurso de Estêvão pode tê-lo incitado a tomar parte no assassinato. A morte de Estêvão deixou profunda e duradoura impressão no jovem Saulo. Anos mais tarde, ele lembra disso com tristeza (At 22.20). Depois, Saulo fica amigo dos cristãos quando é milagrosamente transformado pela graça de Deus, tornando-se na principal personagem missionária da igreja.

A narrativa da morte de Estêvão nos lembra da paixão do Senhor. Como Jesus, ele foi rejeitado pelo seu próprio povo. A oração de Estêvão ao morrer tem semelhança notável com a oração de Jesus quando enfrentou a própria morte: "Senhor Jesus, recebe o meu espírito" (v. 59). Há uma diferença. Jesus entregou o espírito nas mãos do Pai (Lc 23.46), mas Estêvão olha para o Senhor Jesus e entrega o espírito ao maior vindicador do povo de Deus.

Em seguida, Estêvão se ajoelha em oração e ainda ecoa outra declaração de Jesus na cruz: "Senhor, não lhes imputes este pecado" (v. 60). Com a confiança tranqüila de um profeta, ele segue o exemplo de Jesus e permanece fiel ao seu ensino: "Bendizei os que vos maldizem e orai pelos que vos caluniam" (Lc 6.28). Antes de Estêvão morrer, todos ouvem esta testemunha inspirada oferecer uma oração de perdão aos seus executores. Somente o poder do Espírito Santo pode capacitar Estêvão a fazer a oração que ele fez. Como Jesus, ele foi rejeitado por sua própria gente — um profeta rejeitado.

Descrevendo o que é característico da morte de um crente, Lucas diz simplesmente: "adormeceu". A morte deste diácono carismático está em contraste com o frenesi fanático da turba. Sua morte se torna a principal transição. Agora a perseguição da Igreja se expande e é difundida por toda a Judéia e Samaria (At 1.8).

4.2. Os Atos de Filipe: Um Diácono Cheio do Espírito (8.1-40)

A morte de Estêvão levanta questões teológicas sobre a continuidade da autoridade da lei e da adoração do templo entre o povo de Deus (At 6.10-14; 7.46-50). Estêvão e outros cristãos ligaram seu desafio com a traição e morte de Jesus às mãos dos líderes religiosos (cf. At 2.23,24; 7.51-53). Agora, muitos em Jerusalém estão enfurecidos contra os cristãos e rejeitam violentamente o evangelho.

4.2.1. Perseguição da Igreja em Jerusalém (8.1-3).

A execução de Estêvão assinala uma nova onda de perseguição. A violência da turba contra os crentes força a Igreja a se tornar Igreja missionária. A grande comunidade de crentes se espalha "pelas terras da Judéia e da Samaria", ainda que os apóstolos permaneçam em Jerusalém. Eles não são forçados a fugir, provavelmente porque a intensa perseguição é dirigida contra os cristãos de fala grega (os helenistas) em vez de se concentrar nos cristãos de fala aramaica (cf. At 6.1-4). O sofrimento destes cristãos leva ao crescimento da Igreja. Muitos dos leitores de Lucas também estavam sofrendo. O sofrimento destes primeiros cristãos os conscientiza de que o sofrimento por causa do Evangelho tem um propósito, o qual lhes dá encorajamento e esperança.

A morte de Estêvão foi uma grande perda para a comunidade de crentes, e eles choraram muito por ele. "Varões piedosos" enterram Estêvão. Neste caso, talvez estes "varões piedosos" sejam cristãos, embora a palavra "piedoso" (*eulabes*) se refira em outros lugares do Novo Testamento aos judeus devotos (At 2.5; cf. Lc 2.25). Mais tarde é usada para descrever Ananias como "varão piedoso conforme a lei". Como muitos cristãos judeus primitivos, porque Ananias continua obedecendo a lei (At 22.12), é chamado *eulabes*. Embora o coração dos cristãos esteja agoniado, a execução de Estêvão fornece-lhes exemplo de como a fé em Cristo pode sustentá-los em face da morte.

Dentro da Porta do Leão em Jerusalém, também chamada Porta de Estêvão. Quando levado perante o Sinédrio, Estêvão recontou a história de Israel, dizendo que o povo tinha perseguido e matado os profetas e desobedecido a Deus. Quando ele acusou a multidão de matar Cristo e desobedecer a Deus, foi arrastado para fora da cidade e apedrejado, dando início à perseguição dos cristãos.

Depois do enterro de Estêvão, Saulo assume parte principal na perseguição dos crentes de fala grega. Lucas não nos diz se ele age como agente do Sinédrio ou como representante de uma ou mais das sinagogas. Ele dá a entender que antes de Saulo viajar para Damasco se serviu de cartas de autoridade do sumo sacerdote (At 9.2). Sua perseguição dos cristãos em Jerusalém é feroz e violenta. Ele entra na casa deles e os arrasta para a prisão. Ele nem mesmo poupa as mulheres. Mais tarde, quando Saulo se torna cristão, a memória do que ele fez subsiste com ele. Ele lembra quão extremamente zeloso ele era das tradições dos seus ancestrais, quão violentamente perseguia os cristãos e quão implacavelmente tinha buscado destruir o movimento cristão (Gl 1.13,14; cf. 1 Co 15.9; Fp 3.6; 1 Tm 1.13).

Quando os cristãos fogem de Jerusalém, a Igreja começa a cumprir o mandato de Jesus, de os crentes serem testemunhas até aos confins da terra (At 1.8). Os inimigos de Cristo procuram destruir a Igreja, mas à medida que os cristãos se espalham, eles vão pregando o evangelho em todos os lugares (At 8.4). Os primeiros crentes podem ter sido inclinados a se fixar em

Jerusalém, mas a rejeição do evangelho naquela cidade força uma proclamação mais ampla de Jesus Cristo. Os cristãos agora capturam a visão mundial do evangelho e começam o trabalho de evangelismo.

4.2.2. Filipe Prega em Samaria (8.4-13). O real significado de pregar o evangelho em Samaria não pode ser explicado em termos de sucesso numérico, mas no fato de que ali o trabalho é um passo no compromisso da Igreja em evangelizar os gentios. Os samaritanos eram um povo racialmente misto e considerado semipagãos (veja comentários sobre Lc 9.51-56). O mandato missionário de Atos 1.8 incluía Samaria como lugar onde as boas-novas seriam pregadas. A pregação do evangelho naquela localidade dá início à missão cristã em comunidades não-judaicas.

Entre os cristãos que fogem de Jerusalém está Filipe, um dos sete diáconos carismáticos (At 6.5) e um evangelista espiritualmente talentoso (At 21.8). Ele vai à capital da Samaria, também chamada Samaria. Como cristão de fala grega, ele é provavelmente mais aberto aos samaritanos do que a uma pessoa com rígida formação judaica. Quando entra na cidade, descobre que as pessoas estão prontas para o evangelho. As multidões mostram verdadeiro interesse na pregação de Filipe sobre o Messias. A vinda do Messias era parte vital da esperança samaritana (veja Jo 4.25). A expectativa estava baseada em Deuteronômio 18.15-18, e eles procuravam que o Messias fosse mais semelhante a um mestre que a um regente.

Os samaritanos ouvem atentamente a pregação de Filipe, mas o interesse é despertado sobretudo pelo que eles vêem. Como Jesus, os apóstolos e Estêvão, Filipe é poderoso em obras como também em palavras. Sua pregação ungida pelo Espírito é acompanhada por milagres poderosos, que confirmam a palavra profética. O Espírito Santo trabalhando por Filipe torna impotentes os espíritos malignos e os força a sair das vítimas. Muitos que são coxos e paralíticos recebem cura. Em conseqüência, os samaritanos acreditam na mensagem de Filipe e são salvos (v. 12), e eles experimentam "grande alegria".

Esta alegria é conseqüência direta do poder do Espírito Santo e da experiência de salvação.

Lucas chama a atenção para algo que aconteceu em Samaria antes da chegada de Filipe e a conversão dos samaritanos. Por algum tempo, eles tinham estado sob a influência de um mágico por nome Simão (vv. 9-11). Simão combinou astrologia com magia para se promover como pessoa com grande autoridade e poder. Muitos tinham sido enganados por seus truques e, assim, estavam convencidos de que ele tinha poder sobrenatural. Seus seguidores o aclamaram por: "Este é a grande virtude de Deus". Entre eles, ele teve imenso prestígio, porque o viam como uma deidade na terra, ou a encarnação de grande poder piedoso.

Mas os truques de Simão e suas reivindicações de poder sobrenatural são ultrapassados pelo ministério de pregação e cura de doentes do Filipe cheio do Espírito. Filipe anuncia as boas-novas sobre Jesus e fala às pessoas que o Reino de Deus despontou através de Cristo. Os atos de cura confirmam a mensagem e a presença do governo de Deus. Filipe explica que o tempo do cumprimento chegou. Os milagres que as pessoas estão testemunhando são os sinais preditos por Isaías (Is 35.5,6), e eles atestam a presença poderosa do Espírito Santo.

As palavras e ações proféticas de Filipe triunfam sobre a magia e os truques de feitiçaria. Até Simão fica pasmo com as obras poderosas de Filipe, e, junto com outros, ele crê na mensagem de Filipe e é batizado. O verbo "crer" (*pisteuo*) é usado para se referir à fé de Simão e dos samaritanos. Mas o comportamento subseqüente de Simão revela que ele permanece escravo de seus pecados, sem ter sido regenerado. Ele é ainda está "em fel de amargura e em laço de iniqüidade" (v. 23) e tenta comprar o poder do Espírito Santo (v. 18). Sua fé é superficial e apóia-se somente nos milagres (Bruce, 1952, p. 179). Ele não experimentou o genuíno arrependimento e carece de uma verdadeira compreensão espiritual do evangelho. Ele não se tornou um verdadeiro filho de Deus; sua fé está centrada nos seres humanos, e não em Jesus Cristo.

A princípio, Simão se liga de perto a Filipe, sendo cativado pelos grandes milagres e prodígios. Embora não se arrependa, ele conta escapar das ameaças de julgamento pronunciadas por Pedro e pede que o apóstolo ore por ele (v. 24). Em outras palavras, mesmo depois de ouvir o evangelho ele não tem entendimento do arrependimento para com Deus e da fé em Jesus Cristo.

Em contraste com a fé indiferente de Simão, o texto bíblico inspirado deixa claro a sinceridade da fé dos samaritanos em Jesus Cristo.

1) Visto que eles recebem o batismo cristão, a fé é reconhecida como válida por Filipe (v. 12) e depois pela Igreja em Jerusalém (v. 14).
2) Embora Simão tenha sido batizado, ao contrário dos samaritanos, ele não produz frutos de genuíno arrependimento e fé.
3) Eles experimentam a alegria (*chara*) da salvação (cf. 8; cf. At 8.39; 13.52; Rm 14.17; 15.13).
4) Eles recebem a plenitude do Espírito quando Pedro e João impõem as mãos sobre eles (At 8.15-17). O batismo com o Espírito é para os que já estão "em Jesus Cristo" e é uma obra distinta do Espírito Santo.

4.2.3. Pedro e João Visitam Samaria (8.14-25). O povo de Samaria recebe a salvação pelo ministério de Filipe. Notícias chegam a Jerusalém de que os samaritanos receberam "a palavra de Deus". A expansão do evangelho em uma área nova é um acontecimento notável, e os apóstolos enviam dois dos seus, Pedro, o porta-voz, e João, seu companheiro, para verem o que está acontecendo. Por meio do ministério de Pedro e João, os crentes samaritanos recebem plena imersão do poder do Espírito Santo. O batismo destes crentes com o Espírito começa o cumprimento das palavras proféticas de Pedro: "A promessa [...] diz respeito [...] a todos os que estão longe" (At 2.39).

Quando Pedro e João chegam a Samaria, eles confirmam a aprovação do ministério de Filipe pregando para os crentes samaritanos serem batizados com o Espírito (cf. Lc 11.13). Estas pessoas foram salvas e batizadas nas águas em nome do Senhor Jesus, mas só receberam a plenitude pentecostal do Espírito depois que Pedro e João impõem as mãos sobre elas e oram. Note que os dois apóstolos não pedem que os samaritanos sejam salvos, mas para que sejam cheios do Espírito. Como crentes, eles já têm fé em Cristo e são habitados pelo Espírito Santo como fonte de salvação, amor e alegria. Pedro e João não questionam a qualidade da fé, mas o recebimento da plenitude do Espírito como experiência distinta e subseqüente ao recebimento da salvação.

Esta experiência dos samaritanos mostra que as pessoas podem crer em Cristo, ser batizadas nas águas e não ser dotadas com o poder do Espírito. A narrativa samaritana nos confronta com uma clara separação cronológica entre a crença dos samaritanos e a submersão deles no Espírito. A fé inicial não efetua o recebimento da plenitude do Espírito, assim como o batismo nas águas não é o meio de recebê-lo (Stronstad, 1984, p. 64).

O propósito primário de Pedro e da visita de João é pregar para que os samaritanos cristãos sejam cheios do Espírito. A imposição de mãos não parece ter sido decisiva no recebimento da plenitude do Espírito. Lucas não sugere que o batismo com o Espírito seja dependente dos apóstolos. Não há imposição de mãos nos discípulos no Dia de Pentecostes (At 2.1-4) ou nos crentes em Cesaréia (At 10.44-46). Um crente não numerado entre os apóstolos impôs as mãos em Paulo (At 9.12-17). O que é decisivo para a direção da Igreja é a inspiração profética do Espírito Santo (At 11.28-30). O Espírito guia e inspira a missão da Igreja e é a dimensão essencial da experiência pentecostal em todos lugares em que o evangelho é proclamado.

Simão vê que os novos-convertidos são cheios com o Espírito quando Pedro e João impõem as mãos sobre eles (v. 18). É óbvio que este mágico deve ter visto um sinal exterior sobrenatural para o convencer de que estes discípulos samaritanos receberam o poder do Espírito. Ele fica tão impressionado que quer comprar a habilidade de conceder o Espírito Santo sobre outros. Claro que Simão tinha visto sinais milagrosos feitos por Filipe (v. 6), mas esta manifestação espiritual deve ter sido diferente desses milagres. Visto que falar em línguas não tinha acontecido sob o ministério de Filipe, isso qualificaria como sinal audível e visível que o mágico percebe, embora Lucas não o afirme ou negue especificamente. Aceitar que os crentes samaritanos falam em línguas conforme o Espírito concede, ajusta-se aos detalhes das histórias de batismo com o Espírito registradas em outros lugares em Atos (cf. At 2.1-4; 10.44,45; 19.1-7).

A resposta de Simão ao ver os crentes samaritanos receberem o Espírito de profecia e línguas revela que ele não é um verdadeiro crente. Quando ele oferece dinheiro para poder conferir o Espírito, Pedro o reprova por pensar que "o dom de Deus" possa ser comprado (v. 20). Como Ananias e Safira (At 5.1-11), Simão não entende a verdadeira natureza do Espírito. Ele pensa erroneamente que o Espírito e sua plenitude são transmitidos por um indivíduo e que o poder para fazê-lo pode ser comprado e vendido. O batismo com o Espírito é o tipo de dom que só Deus pode dar, e Ele o dá sob condições puramente espirituais.

Simão afirma ser crente, mas Pedro descreve que sua condição espiritual é outra: "[Tu] estás em fel de amargura e em laço de iniqüidade" (v. 23). Por causa de sua condição miserável, seu "coração não é reto diante de Deus", e ele precisa se arrepender da maldade e orar a Deus. Ele não tem "parte nem sorte nesta palavra", significando, claro, as bênçãos do evangelho (v. 21). As palavras de Pedro deixam claro a condição pobre e miserável de Simão. Ele não tem idéia do que seja a graça salvadora de Cristo (*New International Dictionary of New Testament Theology*, ed. C. Brown, 4 vols., Grand Rapids, 1975-1985, vol. 2, p. 28).

O curso que Simão está procurando o conduz à perdição eterna (*eis apoleian*, v. 20). Estas fortes palavras de Pedro são expressas com precisão pela versão de J. B. Phillips, que traduz assim a frase inicial do versículo 20: "Para o inferno com você e seu dinheiro". Pedro está advertindo Simão sobre o perigo de perecer na vida após a morte. Esta interpretação também é consistente com a exortação de Pedro para que ele se arrependa da maldade e receba o perdão de Deus (v. 22). A condição espiritual do mágico é séria, mas não exclui a possibilidade de arrependimento e perdão.

A advertência solene do desastre futuro não é sem efeito. As palavras contundentes de Pedro aterrorizam Simão. Em vez de orar sozinho, ele pede que os dois apóstolos orem por ele. Entretanto, ele limita o pedido ao escape das conseqüências de seus maus caminhos. Não parece que o verdadeiro arrependimento tenha provocado o apelo. Ainda que as palavras de Pedro o tenham verdadeiramente influenciado, não temos garantia do arrependimento e salvação de Simão.

Depois do ministério próspero de Pedro e João em Samaria, eles voltam a Jerusalém. No caminho, eles evangelizam muitas aldeias samaritanas, e o evangelho continua tendo progresso.

4.2.4. Filipe Testemunha para um Etíope (8.26-40). Filipe provavelmente volta com Pedro e João a Jerusalém enquanto pregam o evangelho em várias cidades samaritanas. De lá, ele é chamado para outro campo de trabalho. Um mensageiro celestial o dirige para o sul, na estrada de Jerusalém a Gaza, que atravessa uma área deserta do país. Ele foi uma testemunha inspirada pelo Espírito na cidade de Samaria e fez sinais proféticos de poder; agora o Senhor o dirige a testemunhar para um único indivíduo. Imediatamente o evangelista obedece e parte para esta rota solitária.

Na estrada deserta que conduz a Gaza, Filipe vê uma carruagem, um veículo de duas rodas puxado por cavalos, em direção ao sul. Na carruagem está o etíope, provavelmente um gentio temente a Deus. Filipe nada sabe sobre este homem: ele é distinto funcionário da corte, visto que serve de tesoureiro de Candace, uma dinastia de rainhas da Etiópia e norte do Sudão. Sendo eunuco, ele era considerado homem defeituoso, não lhe sendo permitido entrar na congregação de Israel (Dt 23.1) ou no pátio judaico do templo. Sua condição não o excluía do pátio dos gentios, onde todas as pessoas, puras ou impuras, tinham a liberdade de adorar. Este etíope devia estar indo a caminho de casa, e ele se ocupa em ler em voz alta, prática comum de antigamente (At 8.30).

O homem foi a Jerusalém adorar e agora está estudando o Livro de Isaías. Quando Filipe o vê, o Espírito Santo o impulsiona a aproximar da carruagem. Agora ele entende por que o anjo o instruiu a ir em direção a Gaza. De novo Filipe obedece prontamente e descobre que o etíope está lendo Isaías 53. Ele pergunta: "Entendes tu o que lês?" (At 8.30). O homem confessa que precisa de ajuda. Como o Senhor ressurreto (Lc 24.25-27), Pedro (At 2.14-36) e Estêvão (At 7.2-53), a tarefa de Filipe é interpretar corretamente a Escritura no que se relaciona com Cristo. O Espírito reuniu os dois homens, preparando o coração do eunuco para receber o Evangelho e capacitar Filipe para fazer "a obra de um evangelista".

O etíope está confuso se Isaías está falando sobre si mesmo como o Servo Sofredor do Senhor ou sobre outra pessoa (v. 34). Nessa época, Isaías 53 era um texto muito disputado em Jerusalém. O eunuco tinha estado na cidade onde, sem dúvida, havia debate furioso entre os cristãos e os judeus relativo à identidade do Servo. Muitos dos judeus argumentavam que o profeta estava descrevendo sua própria experiência, mas os cristãos insistiam que a referência era a outra pessoa, isto é, a Cristo.

A falta de compreensão do etíope dá a Filipe uma abertura. Ele começa com Isaías 53.7,8, onde o eunuco está lendo, e lhe oferece uma interpretação centrada em Cristo (At 8.35). A primeira coisa que Filipe faz é mostrar que Jesus, com sua vida e morte, cumpriu a profecia de Isaías.

Esta palavra de Isaías proporciona a Filipe base bíblica para explicar a traição, julgamento, morte e ressurreição de Jesus. Como a ovelha permanece calada quando está a ponto de ser sacrificada ou tosquiada, Jesus não expressou protesto em sua humilhação e morte (v. 32). Sua vida lhe foi tirada pela violência. Ele teve um julgamento injusto e foi condenado. Além disso, ninguém pode falar sobre seus descendentes, porque ele não teve descendência física quando sua vida foi tirada (v. 33). Mas Deus o vindicou ressuscitando-o dos mortos.

O cerne da mensagem de Filipe é que a morte de Jesus como Servo Sofredor tira o pecado do mundo e traz redenção à humanidade. As palavras específicas citadas de Isaías 53 não mencionam que Jesus leva os pecados dos outros, mas esta verdade é expressa em outros lugares, tanto no Evangelho de Lucas (Lc 22.19,20) quanto no Livro de Atos (At 20.28). Ademais, ela está implícita nos versículos de Isaías imediatamente antes dos versículos citados no texto (Is 53.4-6). E Jesus, o Servo Sofredor, tinha falado do seu ministério nos termos da profecia de Isaías 53, quando Ele disse que o Filho do Homem veio "dar a sua vida em resgate de muitos" (Mc 10.45; cf. Is 53.12).

A instrução de Filipe ao eunuco deve ter incluído algum ensino relativo ao batismo. Ele provavelmente fala sobre a ordenança conforme Pedro fez no sermão do Dia de Pentecostes — isto é, que o batismo é a resposta adequada ao evangelho (At 2.38). O etíope crê no Evangelho; e quando eles se aproximam de um curso de água, ele expressa o desejo de ser batizado. Parando a carruagem, eles entram nas águas onde Filipe o batiza. Como resultado desta experiência, o eunuco é cheio de alegria. Ele recebeu a compreensão correta da Escritura, aceitou Cristo como Salvador e tornou-se cristão, embora ele seja visto pelos judeus como homem defeituoso e estrangeiro. Com Jesus como seu Salvador recentemente encontrado, ele volta à sua terra nativa e se regozija no perdão dos pecados e na esperança da vida eterna. Sua alegria pode implicar que ele continua o caminho já batizado com o Espírito (cf. At 13.52; 16.34).

Tendo cumprido a missão, Filipe, como seus predecessores proféticos Elias e Ezequiel, é súbita e milagrosamente levado pelo Espírito Santo (At 8.39,40). O Espírito capacitou o ministério de Filipe desde o começo (At 6.3). O Espírito do Senhor tinha presumivelmente dirigido Filipe a Samaria, onde pelo Espírito ele fora poderoso em palavras e ações (At 8.6,7,13). Mais tarde, o Espírito dirigiu Filipe para se aproximar da carruagem na qual o eunuco etíope estava (v. 29). Depois de Filipe ter batizado o homem, o Espírito do Senhor o transportou fisicamente para fazer outra obra evangelística. Ele colocou Filipe em Azoto, cerca de trinta e dois quilômetros ao norte de Gaza.

Estes tipos de experiências milagrosas indicam que Filipe é mais que um diácono carismático. Suas experiências do Espírito demonstram que ele também é profeta. Este profeta de Deus continua seu ministério, evangelizando as cidades da costa de Azoto a Cesaréia, onde fixou residência (At 21.8).

O evangelho se espalhou atravessando a Judéia e Samaria até à região litorânea, incluindo Gaza, Azoto, Cesaréia e a distante Etiópia. Os inimigos de Cristo tentam destruir a Igreja, mas o fato de perseguirem os crentes leva a uma proclamação mais vasta do evangelho, e o ministério da Igreja é ampliado. Assim, o progresso é feito de forma que estrangeiros são incluídos nela. O evangelho cruza as fronteiras raciais, geográficas e religiosas à medida que a Igreja continua crescendo.

4.3. A Conversão de Saulo (9.1-31)

Anteriormente, Lucas apresentou Saulo como o jovem que cuidava das roupas exteriores dos que apedrejavam Estêvão

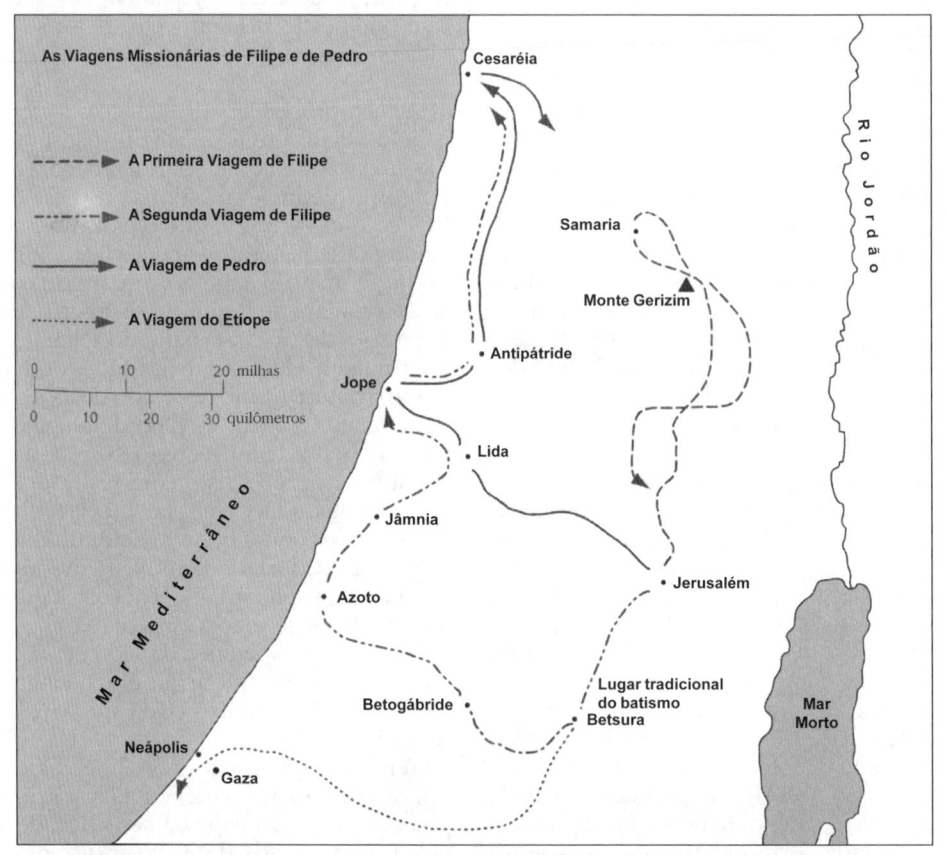

Depois de ouvir que os samaritanos tinham recebido "a palavra de Deus" pelo ministério de Filipe, os apóstolos enviam Pedro e João a Samaria. Por seu ministério, as pessoas recebem o Espírito Santo, dando início ao cumprimento da profecia: "A promessa [...] diz respeito [...] a todos os que estão longe".

Um teatro romano em Samaria. A cidade foi reconstruída por Herodes, o Grande. O nome da cidade foi mudado para Sebaste.

(At 7.58). As roupas estavam aos seus pés quando Estêvão morreu. Em seguida ao martírio, Saulo tentou veementemente destruir a Igreja. Ele lançava homens e mulheres na prisão (At 8.3) e ia de sinagoga em sinagoga em Jerusalém, tentando fazer os cristãos blasfemarem contra o nome de Jesus (At 26.11). Como Pedro fizera, Saulo se torna o apóstolo Paulo, carismático e cheio do Espírito. Enquanto que Pedro é a figura central nos primeiros doze capítulos de Atos, Paulo domina os capítulos 13 a 28. Sua conversão marca importante ponto decisivo na narrativa de Atos, e é um dos acontecimentos mais notáveis da história da Igreja.

4.3.1. A Visão que Saulo Tem de Jesus (9.1-9). Esta passagem é a primeira das três narrativas da conversão de Paulo em Atos (cf. At 22.3-16; 26.9-18). Mais versículos em Atos são dedicados a este acontecimento do que a qualquer outro assunto, não deixando dúvida de sua importância. A aparição de Cristo a Saulo na estrada de Damasco envolve sua conversão ao cristianismo e sua comissão de ser o apóstolo dos gentios. Embora estas sejam realidades que se entrosam, a ênfase em Atos cai mais na chamada do que na conversão de Paulo (At 9.6; 22.10; 26.16-18).

Por essa época, a raiva que Saulo sentia dos cristãos não conhecia limites. Como touro furioso, ele respira violentas ameaças de morte contra eles, mas não está satisfeito em limitar a perseguição a Jerusalém. Pelo fato de muitos cristãos terem fugido da cidade, ele está determinado a persegui-los e a trazê-los de volta a Jerusalém como prisioneiros. Saulo se dirige ao sumo sacerdote Caifás e obtém cartas que o autorizam a prender e extraditar os seguidores de "o Caminho" que fugiram de Jerusalém depois da morte de Estêvão (v. 2; At 26.11).

Somente em Atos aparece o termo "o Caminho" usado como designação aos cristãos (At 19.9,23; 24.14). Não sabemos o que incitou os seguidores de Cristo a serem chamados de "o Caminho". Talvez tenha origem de expressões do Antigo Testamento como "o caminho de Deus" ou "o caminho da justiça", ou pode ter derivado de Jesus chamar a si mesmo de "o caminho" (Jo 14.6). Quando depois Paulo confessa que persegue o "Caminho" (At 22.4), ele quer dizer a comunidade cristã e sua mensagem da morte e ressurreição de Jesus. Em Atos, "o Caminho" se refere à comunidade cristã e sua proclamação de Jesus, e a um particular modo de vida resumido como discipulado cristão (cf. *New International Dictionary of New Testament Theology*, ed. C. Brown, 4 vols., Grand Rapids, 1975-1985, vol. 3, pp. 941-942).

Tendo obtido cartas do Sinédrio, Saulo vai a Damasco, cidade cerca de duzentos e vinte e cinco quilômetros ao norte de Jerusalém, e sede de grande comunidade judaica. Ele sabe que achará muitos cristãos adorando nas sinagogas judaicas. A implicação aqui é que o Sinédrio tinha poder sobre os membros das sinagogas fora da Palestina, mas os estudiosos disputam se o sumo sacerdote tinha autoridade para intervir nos assuntos dessas sinagogas. Lucas não nos diz, mas talvez os companheiros de viagem de Saulo sejam oficiais do Sinédrio.

Quando Saulo e seus companheiros se aproximam de Damasco, ele é parado dramaticamente no caminho. Sem aviso, ele tem um encontro com o Senhor ressurreto. Subitamente ele é cercado por uma luz ofuscante proveniente dos céus e ouve uma voz que lhe fala em aramaico (At 26.14). Estas duas manifestações são características da revelação divina. A luz manifesta a glória do Senhor exaltado. Não é surpresa que ela cegue Saulo, visto que ninguém pode ver Deus fisicamente. A voz dos céus também é característica de revelação (Lc 3.22; 9.35).

O Jesus ressurreto é quem aparece a Saulo (cf. 1 Co 9.1; 15.8) e lhe diz: "Saulo, Saulo, por que me persegues?" (At 9.4). Essa pergunta é dirigida ao propósito imediato de Saulo destruir a Igreja. Atacar os discípulos de Jesus não é, como Saulo pensa, mera perseguição de pessoas que adoram de maneira herética. É um ataque contra o próprio representante divino, na pessoa do seu povo. Perseguir os cristãos é perseguir Cristo (Lc 10.16), que foi rejeitado, mas agora ressuscitou e continua ativo na história.

De começo, Jesus não se identifica. Então o perseguidor pergunta: "Quem és, Senhor?" (v. 5). O termo de tratamento "Senhor" usado aqui pode ser simplesmente um título de respeito. Mas há forte apoio para o entendermos no sentido cristão de "Senhor" (cf. At 1.6,24; 4.29; 7.59,60; 9.10,13; 10.14; 11.8; 22.19). Saulo confessa que está falando com Ele como Senhor, reconhecendo que se dirige à pessoa divina.

O Senhor exaltado se identifica como Jesus, a quem Saulo está perseguindo. Lá, na estrada de Damasco, o crucificado, revelado a Saulo na sua glória divina, o transforma. O inimigo mortal da Igreja morre espiritualmente para a velha vida e é feito um novo homem (cf. Gl 2.20). No momento da mudança milagrosa, ele recebe uma chamada profética, com uma tarefa a fazer: Ele tem de se levantar e entrar em Damasco, onde lhe serão dadas instruções sobre seu ministério futuro. Saulo não oferece resistência, embora há bem pouco tempo estivesse "respirando [...] ameaças e mortes contra os discípulos do Senhor" (At 9.1).

Os companheiros de Saulo ficam mudos; eles ouvem o som da voz do Senhor, evidentemente não entendendo o que Ele diz (cf. Arrington, 1988, pp. 95-96), mas não o vêem e ficam confusos. O Senhor ressurreto apareceu só a Saulo e lhe deu uma ordem. Obedecendo-a, ele se levanta para ir a Damasco e descobre que está cego. Em conseqüência disso, ele tem de ser conduzido à cidade pelos companheiros, e lá jejua por três dias. Lucas não nos diz por quê, mas sua abstinência de comida e bebida pode ser devido ao estado de choque ou à espera de lhe ser dito o que fazer. Este zeloso oponente da Igreja perdeu as forças diante do Senhor.

4.3.2. Ananias Visita Saulo (9.10-19a).

Enquanto Saulo está jejuando e orando, o Senhor ressurreto prepara para lhe dizer que sua chamada é pregar o evangelho. O Senhor fala a um judeu cristão em Damasco, por nome Ananias, que é "varão piedoso conforme a lei, que tinha bom testemunho de todos os judeus que ali moravam" (At 22.12). Nada mais é sabido sobre ele, mas ele pode ter estado entre os que fugiram de Jerusalém depois da morte de Estêvão. Numa visão, o Senhor dirige Ananias a uma casa na Rua Direita, uma rua que corre de leste a oeste de Damasco. Nessa casa ele encontrará Saulo de Tarso, ocupado em fervorosa oração. Saulo está esperando a visita porque lhe foi concedido uma visão de um homem chamado Ananias que "punha sobre ele a mão, para que tornasse a ver" (At 9.12). O Senhor está trabalhando em ambos os lados, falando a Saulo e a Ananias (cf. At 10.1-23).

Deus preparou Ananias para ministrar a Saulo, mas, a princípio, ele reluta porque ouviu falar da perseguição movida por Saulo contra o povo de Deus. De acordo com relatos, Saulo estava lançando os crentes na prisão em Jerusalém (At 8.2,3), e agora tinha cartas que o autorizam a prender os cristãos em Damasco e os extraditar para Jerusalém. Ananias fala dos crentes em duas expressões significativas: como "santos" e a "todos os que invocam o teu nome".

1) "Santos" é um termo freqüentemente usado no Novo Testamento para aludir a cristãos; descreve-os como sendo consagrados a viver vidas santas a serviço do Senhor.
2) "Todos os que invocam o teu nome" significa que eles são o povo que ora e adora no nome de Jesus Cristo (cf. At 2.21; 22.16).

Levando em conta o sofrimento terrível que Saulo causou nos cristãos, a reação inicial de Ananias é completamente natural. Mas essa reação apresenta uma declaração adicional do Senhor a respeito da chamada de Saulo. "Este é para mim um vaso escolhido" (v. 15; cf. Gl 1.15,16), declaração que enfatiza a iniciativa divina da chamada. A despeito do que Saulo fez no passado, Deus tem planos futuros para ele. Sua tarefa é proclamar o nome de Jesus aos gentios, aos reis e ao povo de Israel. Como os outros discípulos, ele deve testificar até aos confins da terra (At 1.8).

O cumprimento da missão de Saulo envolverá sofrimento por causa de Jesus (v. 16). A lista dos sofrimentos registrada em 2 Coríntios 11.23-29 nos dá um bom comentário sobre esta faceta da mensagem de Jesus. A conversão e chamada de Saulo ocasionam mudança radical em sua vida — o perseguidor se torna o perseguido. Aqui, vemos em nítido contraste o que Saulo pretendia ser e o que ele se torna como servo escolhido do Senhor. Não é questão de pouca monta testemunhar do Salvador. No mínimo, é caro.

A palavra que Ananias recebe do Senhor retira o medo que ele sentia do ex-perseguidor. Ele vai onde Saulo está. Quando chega ao lugar onde Saulo está, Ananias o cumprimenta por "irmão" — não com o significado de israelita ou crente. Como cristão, Saulo aceitou Jesus como Salvador e Senhor, e foi renovado e habitado pelo Espírito Santo. Agora ele é irmão em Cristo. O Senhor enviou Ananias para que a visão de Saulo fosse restaurada e ele fosse "cheio do Espírito Santo" (v. 17). Enquanto Ananias ora por ele, uma substância escamosa cai dos olhos de Saulo e ele recupera a visão.

Saulo fora motivado por zelo ao perseguir os crentes, mas agora ele precisa de mais que zelo para cumprir sua tarefa profética de pregar o evangelho aos gentios. Ele tem de ser "cheio do Espírito Santo", da mesma maneira que os discípulos foram no Dia de Pentecostes. O relato em Atos não declara precisamente quando ele recebeu o enchimento do Espírito. Muito provavelmente ele teve a experiência pentecostal quando Ananias lhe impôs as mãos.

O ministério subseqüente de Saulo em Damasco indica claramente que ele está cheio do Espírito. Depois da cura, ele é batizado por Ananias, o que pode implicar que ele já estava cheio com o Espírito. Então ele termina o jejum, mas não sai de Damasco. "Logo" Saulo começa a proclamar o evangelho nas sinagogas daquela cidade afirmando que Jesus é o Filho de Deus (v. 20). Sua pregação inspirada é sinal claro de que está cheio do Espírito. Ele "se esforçava muito mais", confundindo "os judeus que habitavam em Damasco, provando que aquele era o Cristo" (v. 22).

Curando Saulo de sua cegueira, o Senhor lhe dá um sinal poderoso de que o chama, e pelo batismo com o Espírito, o capacita a proclamar o evangelho a todo o mundo (v. 15). Esta experiência demonstra que Deus dá a plenitude do Espírito àqueles que o obedecem (At 5.32) e aos que fervorosamente o buscam (Lc 11.13). Note como depois do encontro com o Senhor na estrada, Saulo obedeceu à voz divina entrando em Damasco, onde passou três dias em intensa oração e jejum.

Lucas é silencioso sobre o momento quando Saulo é cheio com o Espírito, bem como sobre qualquer manifestação que possa ter acompanhado a experiência. Ele não menciona, por exemplo, que ele tenha falado em línguas, mas na primeira carta de Paulo aos coríntios, ele afirma que fala em línguas, experiência que designa ao Espírito (1 Co 12.10,11; 14.18). Certamente sua experiência com o Espírito Santo em Damasco incluiu falar em línguas. A preocupação primária de Lucas é descrever a chamada de Saulo e a capacitação que ele recebeu para pregar as boas-novas. Sua experiência é consistente com o derramamento do Espírito sobre os crentes em Jerusalém e Samaria.

A experiência carismática de Paulo, de acordo com Atos, é paralela à de Pedro. Paulo e Pedro são capacitados pelo Espírito a levar o nome de Jesus (At 2.4; 4.8,31; 9.17; 13.9,52). O fator mais importante no sucesso é que eles são guiados e capacitados pelo Espírito Santo. Como Lucas observou, o Espírito já trabalhou por Pedro de forma poderosa (At 2.14-41; 3.11-26; 4.8-12; 5.1-11), e essa forma é igual ao padrão para acontecimentos posteriores no ministério de Pedro (At 10.1—11.18; 12.1-17). Consistente com a unção carismática de Paulo, o Espírito Santo está presente de maneira poderosa para torná-lo bem-sucedido como missionário apostólico. Porque foi cheio com o Espírito, ele testemunha de Jesus por obras de poder, como curar os doentes (At 14.8-20), expulsar os demônios (At 16.16-18) e ressuscitar os mortos (At 20.7-12). Ele também testemunha por palavras de poder, como o pronunciamento de uma maldição em Elimas, o Mágico (At 13.6-12) e seu testemunho poderoso diante do Sinédrio (At 23.1-11). Como Pedro, a unção especial de Paulo tem grande significado para o ministério que jaz à frente.

4.3.3. Saulo Prega que Jesus É o Cristo (9.19b-22).

Saulo fica vários dias com os cristãos de Damasco, que o recebem imediatamente na comunhão. Em seguida ao batismo em águas e no Espírito, ele começa a cumprir a missão que Deus lhe deu de pregar que Jesus é o Filho de Deus. O título "Filho de Deus" refere-se à filiação messiânica de Jesus de acordo com o Salmo 2.7 e é uma chave da teologia de Paulo (cf. Rm 1.4). Como Pedro no Dia de Pentecostes, ele é capacitado pelo Espírito a proclamar aos judeus incrédulos que Jesus é o iniciador da salvação e que sua morte é o único meio de reconciliar as pessoas a Deus (cf. Rm 5.10; Gl 2.20; Cl 1.13,14). Evidentemente, nesta ocasião Saulo tem apenas um ministério pequeno na cidade.

A pregação de Saulo tem forte efeito nos ouvintes. Todos que o ouvem ficam pasmos com este homem, que tinha buscado destruir a Igreja em Jerusalém e ido a Damasco com propósito semelhante. A palavra traduzida por "perseguia" (*portheo*) significa pilhar ou saquear uma cidade (cf. Gl 1.13,23, onde Paulo usa esta palavra para descrever seus esforços em destruir a Igreja). Agora, nas sinagogas em Damasco, ele testemunha da mesma fé que tinha tentado destruir. Saulo tinha visto o Cristo ressurreto na sua glória e, assim, pregava como testemunha ocular (cf. 1 Co 9.1).

Os judeus em Damasco estavam confusos com os argumentos de Saulo de que o Jesus crucificado é o Messias prometido pelos profetas do Antigo Testamento. Inspirado pelo Espírito Santo, ele se torna cada vez mais poderoso em sua pregação, e seus oponentes ficam perplexos e não podem refutá-lo. Este aumento em poder fala da obra dinâmica do Espírito. Tal poder espiritual é básico à experiência pentecostal e ao ministério de Paulo, que começa aqui em Damasco e continua durante os próximos vinte e cinco anos ou mais.

4.3.4. Os Judeus Conspiram para Matar Saulo (9.23-25).

Lucas não faz menção da visita de Saulo à Arábia logo após a conversão e retorno subseqüente de Paulo a Damasco (veja Gl 1.17). Aonde ele foi na Arábia e quanto tempo ficou, não nos é dito. Naquela época, a área designada por "Arábia" aplicava-se a todo o território da moderna Arábia, o Sinai e o interior até Damasco. Saulo passou a maior parte dos três anos em Damasco e em seus arredores, pregando em várias cidades e aldeias.

"E, tendo passado muitos dias", os judeus conspiram assassinar Saulo (At 9.23). Estes "muitos dias" provavelmente compõem os três anos mencionados em Gálatas 1.18 como intervalo antes de Saulo subir a Jerusalém. Esta trama pode ter sido o resultado de sua poderosa atividade missionária na Arábia. Lucas não nos diz como Saulo fica sabendo sobre a trama contra sua vida. De acordo com 2 Coríntios 11.32, o governador de Damasco sob o domínio de Aretas, rei de Arábia, coopera no atentado para prender o apóstolo. Os supostos assassinos mantêm constante vigilância das portas da cidade, esperando que ele tente deixar a cidade. Esta ativi-

Damasco Romana

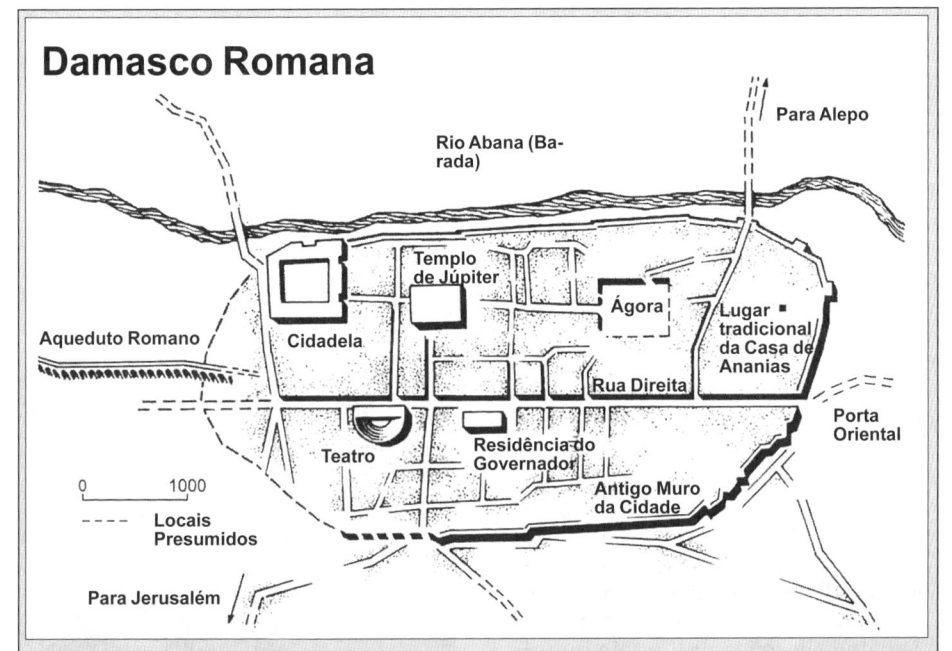

Damasco representava muito mais para Saulo, o rígido fariseu, que outra parada em sua campanha de repressão. Era o ponto central de vasta cadeia comercial com extenso comércio de linhas de caravana alcançando o norte da Síria, Mesopotâmia, Anatólia, Pérsia e Arábia. Se o novo "Caminho" do cristianismo florescesse em Damasco, logo chegaria a todos esses lugares. Do ponto de vista do Sinédrio e de Saulo, o grande perseguidor, o cristianismo tinha de ser detido em Damasco.
A cidade era um verdadeiro oásis, situada numa planície irrigada pelos rios bíblicos Abana e Farpar. A arquitetura romana revestia o plano central helenista com um grande templo dedicado a Júpiter e uma rua em colunata de 800 metros de extensão, a "Rua Direta" de Atos 9.11. Ainda hoje podem ser vistas as portas da cidade e uma seção do muro da cidade, como também um extenso bazar que acompanha a linha da antiga rua.
A figura política dominante na época da fuga de Paulo de Damasco (2 Co 11 32,33) era Aretas IV, rei dos nabateus (9 a.C.-40 d.C.), ainda que as cidades de Decápolis fossem normalmente ligadas à província da Síria e estivessem sob a influência de Roma.

dade chega ao conhecimento dos amigos cristãos de Saulo, e eles o habilitam a escapar da situação difícil formada pelos inimigos descendo-o num cesto pelos muros da cidade.

Saulo já começa a sofrer pelo nome do Salvador (cf. v. 16). Sua proclamação profética de Jesus como Filho de Deus encontrou forte resistência, mas o fato de Deus libertá-lo de Damasco sugere que este apóstolo cheio do Espírito é destinado a pregar o evangelho até aos confins da terra. Nenhum dos esforços em obstruir-lhe o caminho terá sucesso, e, finalmente, por causa da graça e poder de Deus este "vaso escolhido" (v. 15) emergirá como alguém por meio de quem o propósito de Deus é cumprido (At 28.31).

4.3.5. Barnabé Apóia Saulo (9.26-30). Compelido a fugir da cena de seus primeiros trabalhos no evangelho, Saulo volta a Jerusalém. Os doze apóstolos tinham ficado na Cidade Santa quando Saulo partiu em sua missão assassina. Eles e outros discípulos não esqueceram a perseguição que ele fazia, e quando chega, encontra dúvida e suspeita. Os crentes ouviram falar de sua conversão (Gl 1.23), mas conhecendo sua história, estão com medo e duvidam que ele seja discípulo genuíno. Eles não descartam a possibilidade de um grande trama para tirar vantagem deles. Parece-lhes incrível que tal perseguidor violento tenha se tornado cristão. Assim, os cristãos rejeitam Saulo quando ele tenta se unir a eles.

Barnabé é o primeiro a se convencer da sinceridade de Saulo. Ele o apresenta a dois apóstolos, Pedro e Tiago (Gl 1.18-24). Este "Filho da Consolação" (At 4.36) está familiarizado com os detalhes da conversão de Saulo e sua obra evangelística em Damasco. Ele convence a comunidade cristã da autenticidade da conversão deste fariseu e também que o Senhor o chamou e o equipou para o ministério. Por causa da recomendação de Barnabé, Saulo é aceito como discípulo genuíno e pregador do evangelho.

Tendo agora estreita associação com os apóstolos e o poder do seu ministério reconhecido por eles, Saulo prega com a mesma ousadia que teve em Damasco (v. 28). Seguindo os passos de Estêvão, ele prega para os judeus de fala grega (*hellenistai*) e entra em debate com eles. Eles descobrem que seu novo oponente é tão invencível quanto Estêvão tinha sido. Visto que eles não conseguem repudiar os argumentos de Saulo das Escrituras, eles resolvem que seu destino é igual ao de Estêvão. Quando os cristãos ficam sabendo que a vida de Saulo está em perigo, eles o enviam a Cesaréia. Ele faz uma curta viagem ao norte do mediterrâneo na região de Tarso, o lugar do seu nascimento (At 21.39; 22.3).

Neste ponto, Saulo desaparece de cena no relato de Lucas e reaparece aproximadamente dez anos depois (At 11.25-30). Este lapso de tempo é conhecido por "período silencioso", mas obviamente só é silencioso para nós. Durante este período, de acordo com relato do próprio Paulo, ele foi às regiões da Síria e Cilícia, pregando ao povo sobre a fé que uma vez ele tinha tentado destruir (Gl 1.21-24).

4.3.6. Resumo (9.31). Lucas passa dos trabalhos de Saulo para a missão de Pedro aos gentios resumindo o estado da expansão da Igreja. A "igreja" (palavra no singular, ARA) se refere às igrejas na Judéia, Samaria e Galiléia como um corpo espiritual. Todos os crentes pertencem a uma irmandade. A Igreja já avançou na terra dos judeus, e Lucas logo se concentrará na nova fase da missão da Igreja sob a direção constante do Espírito Santo — as

A Porta Oriental de Damasco ainda dá para a Rua Direita. Foi em Damasco, na casa de Ananias, que Saulo jejuou por três dias depois de ter ficado cego em seu encontro com Jesus na estrada para essa cidade. Saulo, que se tornou Paulo, estava a caminho de Damasco para prender os cristãos que encontrasse, mas lá ele se tornou cristão.

regiões litorâneas de Lida e Jope (At 9.32-43) e, depois, Cesaréia (At 10.1—11.18).

A Igreja desfruta de paz visto que a perseguição cessou. A ausência de sofrimentos permite os crentes pela ajuda do Espírito a construir a Igreja espiritual e numericamente. A fé é fortalecida e o modo de vida dos crentes é determinado pelo temor reverente ao Senhor. Eles são ajudados pela consolação (*paraklesis*) do Espírito Santo. Isto é, o Espírito inspira a pregação e ensino ungidos, de forma que a Igreja é enriquecida e seu número cresce.

4.4. Os Atos de Pedro: Um Apóstolo Cheio do Espírito (9.32—11.18)

Nesta seção, o enfoque volta a Pedro, o apóstolo carismático. As fraquezas distintas que ele manifestou no período do evangelho já não são evidentes. O batismo com o Espírito responde pela mudança entre o Pedro dos Evangelhos e o Pedro de Atos. O derramamento do Espírito de profecia (At 2.14-17) capacitou a ele e a outros discípulos a testificarem de Jesus Cristo por obras e palavras.

Depois do Dia de Pentecostes, tudo o que Lucas nos conta sobre Pedro o identifica como profeta poderoso em palavras (At 2.14-39; 4.8-12; 5.29-32) e obras (At 2.43; 3.1-10; 4.29-33; 5.12-16). Com o seu Senhor, Pedro tem um ministério itinerante, cura pessoas que são incapacitadas e ressuscita os mortos. Como fizera anteriormente em Jerusalém, agora Pedro faz milagres em Lida (At 9.32-35) e Jope (At 9.40). Ele alcança pessoas de várias raças — judeus, samaritanos e eventualmente gentios.

Embora o etíope eunuco, um gentio, tivesse sido convertido antes da viagem de Pedro, sua conversão não afetou permanentemente a política da Igreja com respeito à admissão dos gentios. Durante a porção palestina da excursão de Pedro, pela orientação e inspiração do Espírito Santo, o apóstolo testemunha de Cristo ao gentio Cornélio e sua casa (At 10.9—11.18), dessa forma dando prosseguimento à expansão do evangelho "até aos confins da terra" (At 1.8). O derramamento do Espírito sobre esta família levanta a difícil questão de evangelizar os gentios.

4.4.1. Pedro Cura um Paralítico (9.32-35).

Lucas descreve a viagem de Pedro pela Judéia, a lugares fora de Jerusalém onde há comunidades cristãs. Ele chega a Lida, localizada a oeste de Jerusalém na estrada que conduz à cidade litorânea de Jope. Lá, ele visita os cristãos que fugiram de Jerusalém quando Saulo perseguia a Igreja ou se converteram pelo ministério de Filipe quando evangelizava de Azoto a Cesaréia (At 8.4).

Em Lida, Pedro encontra um homem por nome Enéias, que estava acamado por oito anos com paralisia. As palavras de Pedro ao homem deixam claro que Jesus faz milagres por ele: "Jesus Cristo te dá saúde" (v. 34). Esta cura nos lembra do milagre feito por Jesus num paralítico levado à presença dEle por quatro amigos (Lc 5.17-26), e da cura do coxo na Porta Formosa em Jerusalém (At 3.1-10; 4.22). A cura de Enéias mostra que o ministério de cura de Jesus não cessou com sua morte na cruz.

Os efeitos do poder de Jesus são visíveis. Sob a ordem de Pedro, Enéias se levanta, não deixando dúvida sobre a realidade da cura. Os judeus em Lida e na planície circunjacente de Sarona vêem que o homem foi completamente curado. O homem é muito conhecido, e esta ação profética faz com que muitos deles se tornam crentes no Senhor Jesus.

4.4.2. Pedro Ressuscita Tabita (9.36-43).

De Lida, onde o evangelho triunfou, Pedro vai a Jope, um porto marítimo que serve Jerusalém situado há cerca de cinqüenta e sete quilômetros da Cidade Santa. Lá, dois homens abordam Pedro e falam sobre Tabita, mulher cristã, que estava doente e morreu recentemente. Tabita é conhecida em Jope pelo ministério que fazia pelos pobres e viúvas. Durante sua vida, ela dava para as viúvas roupas feitas com as próprias mãos. A expressão "todas as viúvas", no versículo 39, pode sugerir que, embora as viúvas não fossem reconhecidas oficialmente como uma ordem na Igreja, eram tratadas assim por aqueles que ministravam a elas. De qualquer maneira, o ministério de Tabita com as viúvas é visto como parte vital do ministério eclesiástico.

Na ocasião da morte de Tabita, de acordo com o costume judaico de purificação dos mortos, seu corpo é lavado (m. *Sábado*, 23.50) e colocado num quarto alto (cf. 2 Rs 4.32-37). A prática normal era um enterro rápido, de forma que o cadáver não passasse a noite. Seus amigos atrasam o enterro na esperança de que Tabita seja ressuscitada. Eles enviam dois homens a Pedro, em Lida, com o pedido urgente: "Por favor, venha imediatamente!" Os amigos de Tabita têm fé suficiente para crer que Pedro pode ressuscitar esta santa.

Quando Pedro chega a Jope, ele encontra uma situação comovedora. Pessoas estão chorando na casa onde está o corpo de Tabita, no quarto do andar superior. Um grupo de viúvas pobres mostra a Pedro as roupas que Tabita tinha feito para elas e seus filhos. Pedro manda que todas as pessoas saiam do quarto (cf. Mc 5.40). Ele se ajoelha e faz a oração da fé pelo milagre. Então, com voz de autoridade, o apóstolo ordena que a mulher morta se levante. Ela responde ao chamado de Pedro abrindo os olhos e sentando-se. Ele lhe dá a mão e a ajuda a se levantar.

Uma vez mais os efeitos do poder de Jesus ficam visíveis e demonstram o poder carismático atuando por Pedro. Este poderoso ato de cura está estreitamente associado com os profetas capacitados pelo Espírito, como Elias que ressuscitou o filho da viúva morto (1 Rs 17.17-24), e Eliseu, que ressuscitou o filho da sunamita (2 Rs 4.8-37), como também com Jesus, que ressuscitou várias pessoas. Este milagre confirma fortemente que o ministério de Pedro é profético e carismático.

Como muitos acontecimentos em Lucas-Atos, o milagre de ressuscitar Tabita é uma resposta à oração. Sua ressurreição mostra que Jesus é o Senhor da vida e que Ele pode vencer o poder da morte. Este acontecimento deve ter trazido grande alegria para os cristãos em Jope. Também nos dá um antegosto da alegria que experimentaremos quando os mortos em Cristo ressuscitarem. Não admira que este grande milagre de ressurreição e cura fique conhecido por toda Jope e leve muitos judeus a crer no Senhor como Salvador.

4.4.3. Pedro Prega aos Gentios (10.1-48). A cena passa de Jope para Cesaréia, importante porto marítimo na costa da Palestina. Naquela época, Cesaréia, primariamente cidade gentia, era a capital romana da Judéia e Síria. Lucas focaliza a atenção em Cornélio, inegavelmente um gentio e rústico soldado romano, mas ao mesmo tempo um homem devoto, que se dedicava à oração constante e à generosidade com o próximo. Ele é "temente a Deus" — alguém que é dedicado ao judaísmo, mas aos olhos dos judeus ainda é pagão e impuro, porque ele não aceita o batismo e a circuncisão.

A importância desta história é evidente pelo espaço que Lucas destina ao assunto (At 10.1—11.18). A narrativa do derramamento do Espírito sobre Cornélio está de acordo com o plano e propósito de Lucas-Atos. Lucas enfatiza três verdades principais neste episódio em particular.

1) Deus aprova o âmbito evangelístico cada vez mais amplo, incluindo agora o âmbito dos gentios (cf. At 1.8). Este alcance ministerial abrange orações, visões, anjos, conversões e o ministério do Espírito, os quais são o resultado direto da direção e capacitação divinas.

2) Ênfase na iniciativa de Deus no ministério não nega decisões pessoais ou torna Pedro e Cornélio robôs. Como acontece em todo o Livro de Atos, a iniciativa divina exige a resposta humana. É questão de direção divina e obediência humana, como ilustra a resposta de Pedro às palavras do Espírito Santo em Atos 10.19,20.

3) Quando Pedro informa o que aconteceu enquanto ele estava orando em Jope e, mais tarde, na casa de Cornélio, Lucas escreve que os crentes em Jerusalém aprovam o recebimento dos gentios na Igreja (At 11.17). Esta aprovação é significativa para a extensão da missão aos gentios, mas não resolve o assunto de receber incircuncisos na Igreja (cf. At 15.1-29).

Como centurião romano, Cornélio tem a seu cargo cem soldados, cerca de um sexto de regimento. Seu regimento é designado "coorte italiana", um corpo especial de tropas romanas. Ele é homem piedoso e, embora gentio, observa a tradicional hora judaica de oração (v. 3). Suas orações não caem em ouvidos surdos, pois, em certa tarde, enquanto está orando, um anjo de Deus lhe aparece em visão.

A presença do anjo assusta Cornélio, reação natural ao sermos confrontados com o sobrenatural. Ele trata o visitante celestial de "Senhor" e pergunta o que ele deseja. Não há verdadeira razão para que este homem devoto tenha medo. O anjo chama Cornélio pelo nome e o assegura de que suas orações têm sido ouvidas, e que Deus tem observado seus atos de generosidade para com os pobres. A expressão "têm subido para memória" (v. 4) é linguagem sacrifical (cf. Lv 2.2,9,16). Deus aceitou as orações e doações de Cornélio aos pobres como sacrifícios adequados. São como holocausto e sobem como incenso. Deus está prestes a lhe responder as orações.

O anjo requer que Cornélio represente sua fé pela obediência. Ele deve mandar chamar um homem em Jope por nome "Simão, que tem por sobrenome Pedro". Neste momento, Simão Pedro está em casa de um curtidor, cujo nome também é Simão. Prontamente Cornélio obedece à palavra do anjo e envia a Jope dois criados seus e um soldado devoto. Os judeus consideravam o trabalho de curtidor, que envolvia preservar couros curtidos de porco, uma ocupação menosprezada e impura (Nm 19.11-13).

A cena muda de Cesaréia a Jope, para a casa onde Pedro está hospedado e onde o Senhor o preparará para pregar o evangelho aos gentios. Pedro tem um trabalho indispensável a fazer, de forma que Cornélio possa ser levado em comunhão mais profunda com Deus e ele seja batizado com o Espírito. Enquanto os mensageiros de Cornélio estão a caminho de Jope, Pedro sobe ao telhado da casa para orar. Os telhados planos palestinos são lugares favoritos para solitude e oração. Como em tantos acontecimentos registrados em Lucas-Atos, a oração provê a cena para uma revelação especial do Senhor (Lc 1.13; At 9.4).

É meio-dia e Pedro está com fome, o que, na verdade, o prepara para a visão. Enquanto a comida está estando preparada, ele ora, é arrebatado de sentidos e tem uma visão. A oração de Pedro indica que ele está em condição de receber uma mensagem de Deus. Na visão, o céu se abre e Pedro vê um grande lençol que é abaixado gradualmente do céu por quatro cordas. O lençol contém todos os tipos de animais, répteis e aves imundos (v. 12; At 11.6), e ele ouve uma voz divina que o exorta a matar os animais imundos e preparar uma refeição (At 10.13,15). Consistente com a importância deste acontecimento, o lençol aparece a Pedro por três vezes.

Embora Pedro esteja "em transe", ele está completamente em contato com seus pensamentos e sentimentos. Comer alimento considerado imunda lhe é fortemente censurável. Ele recua diante do pensamento de violar as leis dietéticas do Antigo Testamento (Lv 11; Dt 14.1-21) e protesta contra a ordem divina. Nunca na vida ele comeu qualquer alimento imundo, e, abstendo-se, ele está obedecendo às leis dadas aos antepassados. Pedro não considera que agora Deus está abolindo tais leis.

Três vezes Pedro é reprovado com as palavras: "Não faças tu comum ao que Deus purificou". Esta correção divina enfatiza o poder purificador da graça salvadora de Deus. A visão envolve mais que pôr de lado as leis sobre comida e atitudes relacionadas à pureza ritual. Mostra especialmente que a distinção judaica entre o puro e o impuro não tem lugar na Igreja. Os gentios, purificados pela graça renovadora de Deus, têm de ser incluídos na comunhão do povo de Deus. A Igreja não tem o direito de declarar que certos animais ou pessoas são imundos e evitá-los por serem impuros (*Theological Dictionary of the New Testament*, eds. G. Kittel e G. Friedrich, Grand Rapids, 1964-1976, vol. 9, p. 298). Abolir as leis dietéticas é o lembrete de Deus da remoção de uma grande barreira que mantinha judeus e gentios separados, e indica que Deus introduziu uma nova ordem na Igreja (cf. Ef 2.11-18).

Pedro entende que a visão desafia suas convicções tradicionais sobre a distinção entre animais limpos e imundos. Mas ele está desconcertado e pondera a possibilidade de um significado secundário da visão (vv. 17,19). Sua mente vai de um lado para o outro (que é o significado literal de *dienthymeomai*, "pensando em", no v. 19), mas ele não consegue chegar a uma compreensão ou conclusão. Ele não permanece em dúvida por muito tempo, pois a delegação de Cornélio chega. O Espírito Santo revela a Pedro que há três visitantes e ordena que vá com eles.

Em outras palavras, todo este episódio foi dirigido por Deus, e agora o Espírito Santo mostra a Pedro o significado da visão. A vinda dos três homens não é acidental. Convencido, o apóstolo desce para receber os convidados. Os mensageiros se apresentam e contam a Pedro qual é a missão deles. Para deixar uma impressão favorável no apóstolo, eles descrevem que o senhor que os enviou é "varão justo e temente a Deus e que tem bom testemunho de toda a nação dos judeus". Eles vieram porque um anjo instruiu Cornélio que convidasse Pedro a pregar em Cesaréia. A menção do desejo de Cornélio ouvir o que Pedro tem a dizer introduz pela primeira vez a idéia de que Pedro pregará ao centurião (veja vv. 34-43).

Visto que é o dia está muito avançado para retornar a Cesaréia, Pedro trata os visitantes como convidados. Convidando-os a passar a noite, fica claro que ele reconhece a verdade da visão. Ele já não recua diante da comunhão com os gentios. Pedro percebe que foi divinamente chamado para entrar na casa de um gentio a fim de pregar a palavra do Senhor. Nada mais que uma inegável chamada divina poderia ter induzido Pedro a fazer isso. Pelo Espírito Santo, que trabalha por servos obedientes, o caminho está sendo aberto para receber os gentios na comunhão da Igreja.

Persuadido de que ele está sendo conduzido pelo Espírito Santo, no dia seguinte Pedro e a delegação começam a jornada a Cesaréia. Seis cristãos judeus de Jope os acompanham. Estes cristãos vão junto por interessarem-se pelo que está acontecendo. Depois, eles se tornam testemunhas cruciais da aceitação de Deus dos gentios na Igreja e do derramamento do Espírito Santo sobre os gentios (At 11.12). Visto que vão a Cesaréia com Pedro, podem confirmar o relato de Pedro em Jerusalém sobre o que aconteceu na casa de Cornélio.

Leva um dia inteiro e parte do seguinte para que Pedro e os outros cheguem a Cesaréia. Cornélio está esperando-os; ele já reuniu uma audiência composta de parentes e amigos íntimos (vv. 24,27). Estas pessoas foram informadas do que o centurião fez e da avidez de ouvir a mensagem de Pedro. Elas devem ter sabido quanto tempo a viagem levaria e, assim, estão prontas e esperando pela chegada dos visitantes.

Quando Pedro entra na casa de Cornélio, o centurião o recebe e ajoelha-se aos seus pés como que a adorá-lo. Este ato mostra humildade pessoal e grande respeito pelo apóstolo como mensageiro de Deus. Pedro recusa aceitar a reverência de Cornélio, o que demonstra seu caráter nobre. Ao longo do Novo Testamento ninguém, senão Deus, deve receber tal honra (At 14.14-18; Ap 19.10; 22.9). Pedro sente que a homenagem do centurião é excessiva, e ele prontamente o ajuda a se erguer dizendo: "Levanta-te, que eu também sou homem", deixando claro que ele não é um anjo. Assim, os dois homens entram na casa e conversam como iguais.

Uma vez dentro, Pedro encontra um grupo de gentios reunidos para o ouvir. A visão que ele recebeu trata de certas comidas consideradas impuras ou imundas, mas com ela Pedro discerniu o significado mais profundo de que ele não deve considerar qualquer pessoa impura ou imunda. A religião judaica tinha-o ensinado que os judeus não deviam visitar os gentios ou participar de refeições com eles, mas isto não é mais válido. A presença de Pedro na casa do gentio Cornélio reflete um afastamento radical em sua atitude para com os gentios. O Espírito Santo preparou Pedro para pregar o evangelho e Cornélio para recebê-lo. Ambos os homens responderam à direção divina de seus respectivos modos. Em conseqüência, as velhas barreiras entre judeus e gentios estão se desmoronando.

Os mensageiros contaram a Pedro o propósito pelo qual Cornélio o convida (v. 22), mas o apóstolo julga apropriado pedir uma declaração sobre a razão de ele ter sido chamado. Cornélio responde a pergunta de Pedro de maneira direta, resumindo e enfatizando alguns fatos da visão. Ele estava orando quando de repente um homem pôs-se diante dele "com vestes resplandecentes" — modo comum de descrever os mensageiros divinos (Mt 28.3; Lc 24.4; Ap 15.6). Ele conta outra vez o que o anjo lhe disse sobre a oração e doações, e que o anjo o instruiu a chamar Pedro em Jope. Tendo obedecido imediatamente as ordens do anjo, ele agradece que o apóstolo tenha vindo tão prontamente.

Todos os reunidos na casa de Cornélio estão "presentes diante de Deus", dan-

Casas de telhado plano, vistas aqui na maquete de Jerusalém, eram típicas na Cidade Santa. Foi no telhado de uma casa em Jope que Pedro, que sempre fora cuidadoso em obedecer às leis dietéticas do Antigo Testamento e que não comeria alimento considerado impuro, espanta-se quando Deus lhe diz: "Não faças tu comum ao que Deus purificou". Logo, Pedro entende que a mensagem de Deus significa a aceitação dos gentios na Igreja.

do a entender que quando as pessoas se reúnem, elas o fazem na presença de Deus. Esta não é mera reunião; é para o propósito de ouvir tudo o que o Senhor quer que Pedro lhes diga. O apóstolo tem uma congregação ideal, a qual possui atitude maravilhosa para com Deus, sua palavra e seu mensageiro. Eles não sabem o que Pedro lhes dirá, mas estão propensos a receber a palavra de Deus e obedecê-la.

Pedro imediatamente começa o sermão. Como várias vezes temos observado, ele foi capacitado pelo Espírito a testemunhar de Jesus por palavras (At 2.14-39; 4.8-12.) e obras (At 4.29-33; 5.12-16). Embora Lucas não mencione novamente que Pedro testifica a Cornélio e sua casa na qualidade de apóstolo cheio do Espírito, obviamente o que ele diz àquela casa gentia é uma mensagem profética inspirada pelo Espírito (vv. 19,20; At 11.15-17). Esta mensagem tem três partes principais.

1) Pedro começa abordando a situação específica (vv. 34,35). Ele declara que Deus trata todas as pessoas na mesma base. Deus não julga a pessoa com base em fatores como nacionalidade ou raça, mas em caráter—"É agradável [a Deus] aquele que, em qualquer nação, o teme e faz o que é justo". Pedro ensina que a salvação só é possível pela fé no evangelho da morte e ressurreição de Jesus Cristo. Seguir regras morais não torna a pessoa aceitável a Deus. Este evangelho é oferecido a todos sem restrição, contanto que eles estejam dispostos a se arrepender dos pecados e a confiar em Jesus para serem perdoados. Aos olhos de Deus aqueles que o temem e fazem o que justo são aqueles que estão marcados pela fé no Salvador.

2) Pedro descreve a carreira pessoal de Jesus, fornecendo um sumário recomendável do Evangelho de Lucas (vv. 36-41). Deus não discrimina, pois Ele não enviou a mensagem por meio de Jesus Cristo, que é o Senhor de todos os povos, não apenas de Israel (v. 36). O conteúdo da mensagem de Deus é as "boas-novas da paz", que Jesus pregou ao povo de Israel. "Paz" se refere à paz com Deus ou à reconciliação oferecida a todos os povos e é disponibilizada pela morte expiatória de Jesus Cristo. Paz é mais que ausência de discussão e inimizade para com Deus; inclui experimentar as bênçãos positivas da salvação. Embora Jesus tenha pregado as boas-novas primeiramente para os judeus, a mensagem não era tencionada apenas para Israel.

Pessoas devotas como Cornélio e seus amigos têm conhecimento do ministério de Jesus que começou na Galiléia depois que João Batista pregou o batismo, e as boas-novas de paz encheram a terra da Judéia (v. 37). O uso de Pedro das palavras "vós bem sabeis" indica que as pessoas presentes já ouviram o evangelho antes da pregação de Pedro. À luz da narrativa de Atos poderíamos presumir que estas pessoas estão ouvindo a primeira mensagem cristã de Pedro, mas Filipe, o evangelista que morava em Cesaréia (At 8.40; 21.8), ou algum outro crente pode ter-lhes apresentado o evangelho em ocasião anterior. À conclusão do sermão, Pedro declara simplesmente que todo o mundo que crê em Cristo recebe o perdão de pecados (v. 43).

A referência em Atos 11.18, de que "até aos gentios deu Deus o arrependimento para a vida", não indica se este arrependimento aconteceu antes ou depois que Pedro chegasse. Somos informados em Atos 11.14 que Pedro devia ser chamado para que Cornélio e sua gente fossem salvos. Contudo, nada é mencionado aqui claramente em relação ao arrependimento e conversão de Cornélio e seus amigos. A pregação de Pedro pode ter confirmado só a fé anterior que Cornélio e sua gente tinham em Jesus. Mas Lucas não declara nada explicitamente sobre este efeito. Antes, ele descreve Cornélio em termos judaicos como "temente a Deus" e seguidor da prática judaica da esmolaria e oração (At 10.2).

Outra possível interpretação é que como Pedro prega ao pessoal de Cornélio, eles crêem no evangelho e são subseqüentemente batizados com o Espírito. Esta interpretação, como a prévia, mantém distinção entre a habitação do Espírito Santo e o batismo com o Espírito. De acordo com esta visão, a imersão deles no Espírito ocorre imediatamente depois da conversão. A dupla experiência acontece concomitantemente. Uma questão é clara: Quando Pedro prega o evangelho, o Espírito Santo vem sobre os gentios tementes a Deus (v. 44; At 11.15).

Continuando a segunda parte do sermão, Pedro faz breve esboço do que aconteceu a Jesus: (a) "Deus ungiu a Jesus de Nazaré com o Espírito Santo e com virtude." Depois do batismo de Jesus no rio Jordão, o Espírito Santo ungiu Jesus para o seu ministério (Lc 3.21,22; 4.1,14-21). O poder do Espírito o habilitou a fazer ações verdadeiramente boas para as pessoas. Pelos milagres que fez, Ele demonstrou o domínio de Deus sobre o Diabo e as forças do mal. Suas obras poderosas mostram que Deus estava com Ele e trabalhando por meio dEle (At 10.38). Os apóstolos tinham estado com Jesus desde o começo do seu ministério (At 1.21,22), assim eles eram testemunhas oculares do que Ele fez na cidade de Jerusalém e nas demais regiões do país dos judeus (Lc 4.31-44). Como testemunhas do ministério de Jesus, Pedro e seus companheiros confirmam a plena verdade do evangelho; (b) Jesus foi morto pelos judeus, "pendurando-o num madeiro" (veja comentários sobre At 5.17-32). Mas Deus o trouxe à vida no terceiro dia e permitiu que um grupo seleto de testemunhas o visse vivo na terra por um período de quarenta dias (Lc 24.13-53; At 1.3-11). Estas testemunham foram "ordenadas" ("escolhidas", ARA) por Deus de antemão. Então, Jesus não apareceu a todos os judeus, mas só aos que estavam preparados para serem testemunhas por associação longa e íntima com o Salvador. O testemunho dessas pessoas repousava sobretudo no fato de que eles comeram e beberam com Cristo depois da ressurreição (At 10.41; cf. Lc 24.13-43). Agora Pedro testemunha para estes gentios sobre a verdade central do evangelho — a ressurreição de Cristo.

3) Pedro fala sobre o mandato de Cristo para os apóstolos pregarem às pessoas. Como parte da mensagem, eles devem declarar que Deus nomeou Jesus "juiz dos vivos e dos mortos" (v. 42; 2 Tm 4.1; 1 Pe 4.5). Ele é destinado a julgar todas as pessoas, do passado e do presente. No fim do mundo, alguns ainda estarão vivos na terra; eles como também os mortos enfrentarão o Cristo ungido pelo Espírito como o último juiz (cf. Jo 5.21,22). Deste, os profetas do Antigo Testamento testemunham, e seu testemunho concorda com a pregação apostólica "de que todos os que nele crêem receberão o perdão dos pecados pelo seu nome" (At 10.43; cf. Is 33.24; 53.4-6; Jr 31.34). Todos os que crêem em Jesus, quer judeus, quer gentios, terão os pecados perdoados.

O sermão de Pedro é interrompido de repente pelo fato de que os crentes gentios recebem o dom carismático do Espírito Santo (vv. 44-48). Temos uma indicação de resposta favorável de Cornélio e seus amigos ao sermão: "Todos os que ouviam a palavra" (v. 44) e "magnificar a Deus" (v. 46). Deus toma a iniciativa deixando que Espírito Santo caia sobre (cf. *epepesen*, v. 44) estes crentes incircuncisos quando Pedro lhes prega. Eles recebem o mesmo batismo com o Espírito que os crentes no Dia de Pentecostes. Como evidência audível, visível e inicial de ser cheio com o Espírito, Cornélio e seus amigos falam em línguas — manifestação que mais tarde faz os líderes judaicos glorificarem a Deus e reconhecerem que "até aos gentios deu Deus o arrependimento para a vida" (At 11.18).

Os seis cristãos judeus que acompanham Pedro a Cesaréia ficam surpresos com a queda do dom carismático do Espírito sobre estes gentios. É claro que Deus aqui derrama seu Espírito sobre a casa de Cornélio ao modo pentecostal. As semelhanças entre o derramamento do Espírito nesta ocasião em Cesaréia e no Dia de Pentecostes em Jerusalém são surpreendentes.

- Em ambas as ocasiões o Espírito enche os indivíduos que já são salvos. Antes que eles recebam a plenitude do Espírito, eles já são filhos de Deus e habitados pelo Espírito. O recebimento do poder do Espírito para ministrar e servir é distinto do recebimento do Espírito pela fé para a salvação.
- Os discípulos no Dia de Pentecostes e os crentes em Cesaréia respondem de modo semelhante: falando em línguas (At 2.4; 10.46) e louvando a Deus (At 2.11; 10.46).
- Quando a Igreja em Jerusalém questiona Pedro sobre a visita a Cornélio, ele declara que "caiu sobre eles o Espírito Santo, como também sobre nós ao princípio" (At 11.15). Mais tarde, ele conta ao Conselho de Jerusalém que Deus deu o Espírito Santo à casa de Cornélio "assim como também a nós" (At 15.8). Sem a evidência de falar em línguas, Pedro, os seis cristãos judeus e os líderes da Igreja em Jerusalém nunca teriam reconhecido que os gentios incircuncisos foram batizados com o Espírito e aceitos na família de Deus.

Depois da interrupção, Pedro continua o discurso. O batismo com o Espírito indica que estes gentios são tão aceitáveis a Deus como os crentes judeus. Cornélio e sua casa "receberam [...] o Espírito Santo" como os crentes no Dia de Pentecostes (v. 47). Claro que Deus tomou a iniciativa de conceder o dom pentecostal do Espírito, mas o verbo "receberam" (voz ativa) indica a necessidade de uma resposta humana a esta iniciativa divina. Antes da ascensão ao céu, Jesus prometeu aos discípulos que eles receberiam poder depois que o Espírito Santo viesse sobre eles (At 1.8; cf. At 2.38; 8.15; 19.2). A casa de Cornélio recebeu o poder do Espírito, indicando claramente a concomitante resposta humana à iniciativa de Deus.

Com base no batismo com o Espírito, o apóstolo desafia qualquer um a negar o batismo em águas aos crentes gentios, a ordenança que serve como sinal externo de conversão e, assim, de purificação de pecado. Visto que ninguém levanta objeção, Pedro ordena que os gentios sejam "batizados em nome do Senhor" (v. 48). Eles pertencem a Jesus e com razão podem ser batizados no seu nome, porque eles lhe devem submissão como Senhor.

O batismo com o Espírito segue regularmente o batismo em águas (veja At 2.38; 8.14-17), mas aqui a capacitação pelo Espírito o precede. A obra do Espírito não está ligada ao batismo em águas. Só depois de a casa de Cornélio ter sido salva e capacitada pelo Espírito para serem testemunhas proféticas é que Pedro lhes administra o rito do batismo em águas. A visão em Jope convenceu Pedro de que "Deus não faz acepção de pessoas" (v. 34) — que mesmo pessoas como Cornélio são aceitas por Deus. Mas o fato de os gentios receberem o batismo com o Espírito ensina a Pedro uma segunda lição: A imparcialidade de Deus não se aplica somente à salvação; aplica-se a todos os seus dons (Stronstad, 1984, p. 67).

Deus não faz diferença entre crentes gentios e judeus. Sem se converterem ao judaísmo, Cornélio e sua família entram na Igreja em situação igual a dos cristãos judeus, e recebem o mesmo dom profético do Espírito dado aos crentes no Dia de Pentecostes, aos samaritanos (At 8.14-17) e ao apóstolo Paulo (At 9.17). O derramamento do Espírito sobre a casa gentia de Cornélio torna-se ponto decisivo na missão da Igreja. A Igreja Cristã começa a alcançar gentios e judeus.

Ao término da reunião de Pedro com Cornélio, em vez de sair imediatamente, Pedro fica com os crentes gentios "por alguns dias". Sua curta permanência mostra a plena sociedade dos gentios na comunidade cristã. O evangelho torna possível que pessoas de diferentes formações e origens raciais tenham comunhão uns com os outros.

4.4.4. Pedro Defende seu Ministério (11.1-18). O evangelho entrou para os gentios, e a casa de Cornélio foi cheia com o Espírito. Pedro teve papel significativo neste desenvolvimento (At 10). As notícias voam, de forma que os crentes judeus e os apóstolos em Jerusalém ouvem que os gentios em Cesaréia recebem o evangelho.

Quando Pedro chega a Jerusalém enfrenta a crítica dos crentes "que eram da circuncisão" (v. 2). Entre os cristãos judeus estes críticos constituem um subgrupo que é a favor da circuncisão dos gentios, exigindo que eles se tornem judeus antes de se tornarem cristãos. Embora eles tenham reservas sobre Pedro ter lançado uma missão aos gentios, eles não o atacam diretamente por pregar a eles, mas, antes, por ter comunhão às refeições com eles, isto é, por entrar em casa de gentios incircuncisos e comer com eles. Ele desconsiderou a lei da circuncisão e as leis dietéticas judaicas.

Na defesa, Pedro descreve os acontecimentos que ocorreram em Cesaréia (vv. 4-15; cf. At 10.24-48). Provavelmente esses cristãos judeus tinham recebido um relatório inexato, mas relatando os acontecimentos como eles na verdade ocorreram, Pedro mostra que Deus o tinha levado a fazer o que fez. Ele lhes conta sobre a visão, a audição da voz e a ordem do Espírito Santo para ir com os homens a Cesaréia. A mensagem que acompanhou essa visão era que ninguém pode considerar impuro o que Deus fez puro. Em outras palavras, Deus não apenas aprova, mas Ele na verdade iniciou a pregação de Pedro aos gentios e a associação com eles. A visão invalidou as antigas leis de separação e justificou a boa vontade de Pedro ter contato social com os gentios.

O relato desta história sublinha a grande importância do derramamento do Espírito Santo sobre Cornélio e sua casa. Ao recontá-la, Pedro menciona os "seis irmãos" pela primeira vez (v. 12) — anteriormente chamados "alguns irmãos de Jope" (At 10.23). Eles tinham acompanhado Pedro a Cesaréia, eram testemunhas oculares do derramamento do Espírito Santo sobre os gentios e podem presumivelmente confirmar tudo. Pedro não menciona o fato de ele batizar os gentios nas águas, mas ele mostra que a mensagem do anjo a Cornélio incluía a garantia de salvação para sua casa (At 11.14). Em outras palavras, as ações de Pedro serviram ao grande propósito salvador de Deus. Nada é mencionado se Cornélio achou a salvação antes ou quando Pedro pregou.

Pedro fala aos judeus cristãos que antes de ele terminar o sermão aos gentios, eles experimentam precisamente o que os seguidores de Jesus experimentaram "ao princípio", no cenáculo, no Dia de Pentecostes (vv. 15,17). Cornélio e sua casa receberam o batismo com o Espírito e foram capacitados para o ministério subseqüente à salvação. Tendo experimentado a graça transformadora do Espírito, eles foram habilitados como testemunhas proféticas do evangelho. O sinal externo de línguas confirmou que Deus os tinha aceitado e ungido para serem seus servos.

De acordo com o capítulo 11, Pedro menciona explicitamente as línguas como parte do que aconteceu em Cesaréia, mas este sinal do Espírito é fortemente sugerido aos crentes de Jerusalém mediante sua insinuação aos acontecimentos do Dia do Pentecostes: "Caiu sobre eles o Espírito Santo, como também sobre nós ao princípio" (v. 15); Deus deu aos gentios "o mesmo dom que a nós" (v. 17). A menção de línguas em Atos 10.46 torna desnecessária a referência a elas no capítulo 11. Os cristãos judeus teriam reconhecido tal fala inspirada como o sinal inevitável do batismo com o Espírito. Os gentios na casa de Cornélio entraram na Igreja no mesmo nível que os crentes judeus e foram ungidos com poder para o ministério.

O derramamento do Espírito em Cesaréia lembra Pedro das palavras de Jesus registradas em Atos 1.5: "João certamente batizou com água, mas vós sereis batizados com o Espírito Santo" (v. 16). Esta promessa fora cumprida no Dia de Pentecostes e agora também em Cesaréia para os gentios. O evangelho tinha forçado a entrada para os gentios, e Pedro viu que Deus tinha lhes dado "o mesmo dom" com o sinal de línguas como no Dia de Pentecostes.

Para Pedro, a manifestação da glossolalia tem importante valor apologético, porque o Espírito tinha se manifestado desta maneira no Dia de Pentecostes, as línguas forneceram significativa prova de que Cornélio e seus amigos tinham sido submergidos no Espírito. O derramamento do Espírito em Cesaréia foi tão decisivo quanto no Dia de Pentecostes. Ninguém poderia negar que estes gentios tinham sido cheios com o Espírito, e que Deus tinha aberto as portas da Igreja para eles. Reconhecer que Deus os tinha enchido com o Espírito — mas recusar agir de acordo — eqüivale a opor-se a Deus.

Assim, Pedro pergunta aos críticos se eles acham que ele deveria ter impedido Deus de fazer o que Ele quis fazer (v. 17). A resposta óbvia é não. Pedro foi justificado ao entrar em casa de gentios, comer com eles e batizá-los, pois a intenção de Deus era não fazer distinção entre estes crentes gentios e os crentes judeus.

Ao ouvirem estes fatos narrados por Pedro, seus oponentes, os cristãos judeus na Judéia, deixam de criticar (v. 18). A manifestação pentecostal de línguas foi prova inegável da imersão dos gentios no Espírito. Eles aceitam a verdade e, sem reclamar, imediatamente louvam a Deus e reconhecem que "até aos gentios deu Deus o arrependimento para a vida". A porta da Igreja fora aberta aos gentios no momento em que Deus lhes deu a oportunidade de se arrependerem e receberem a vida eterna. Desta maneira, os cristãos gentios devem ser recebidos, e os crentes têm de louvar a Deus por salvá-los e dar-lhes a plenitude do Espírito. Este relato fornece exemplo surpreendente da promessa de Jesus de que o Espírito Santo guiará os crentes a toda a verdade (Jo 16.13). Pedro não saiba do plano de Deus de que incircuncisos en-

trassem na Igreja. Entretanto, obedecendo a ordem do Espírito Santo (At 11.12), ele foi guiado a esta nova verdade. O segundo relato subseqüente destes acontecimentos também levou os críticos em Jerusalém a chegarem ao mesmo entendimento. O Espírito iluminou o coração e a mente de todos eles; todos viram nitidamente a evidência que tinha convencido Pedro. O Espírito ainda trabalha desta maneira; Ele alcança corações e mentes pelas Escrituras e dons espirituais (cf. 1 Co 12.8-11).

Não nos é dito até que ponto foram, em Jerusalém, as implicações das ações de Pedro. Sua explanação silencia os críticos, mas não está claro se Jerusalém está disposta a seguir a direção de Pedro. A questão se os gentios podem tornar-se cristãos sem que primeiro se tornem judeus parece ter sido completamente resolvida aqui, mas a mesma questão entra em pauta uma vez mais em Atos 15.

4.5. Os Atos de Barnabé: Um Profeta Cheio do Espírito (11.19-26)

A missão gentia agora passa para Antioquia da Síria. Anteriormente Lucas tinha mencionado como o fogo da perseguição contra os primeiros crentes se acendeu em Jerusalém depois do apedrejamento de Estêvão. Essa perseguição teve o efeito de multiplicar-se em vez de silenciar o testemunho dos crentes: "Mas os que andavam dispersos iam por toda parte anunciando a palavra" (At 8.4).

Alguns destes primeiros missionários cristãos foram a Antioquia, cidade cerca de quatrocentos e oitenta quilômetros ao norte de Jerusalém. Sua importância política era devido ao fato de que servia como capital da província romana da Síria. Antioquia da Síria, a terceira maior cidade do Império Romano (depois de Roma e Alexandria), tornou-se a sede da expansão do cristianismo fora da Palestina e figurava significativamente nas missões cristãs aos gentios (At 13.1-3; 14.26-28; 15.22-35; 18.22).

A marcha do evangelho não pára em Samaria e Cesaréia. Alguns dos missionários evangelizam tão ao norte quanto a Fenícia (o atual Líbano); outros vão à ilha de Chipre, a pátria de Barnabé (At 11.19,20; cf. At 4.36). Isto significa que havia cristãos na ilha antes de que Paulo e Barnabé pregassem o evangelho lá (At 13.4-12). Outros missionários se aventuram indo muito mais ao norte, à cidade famosa de Antioquia, com uma população calculada em aproximadamente quinhentos mil habitantes (Marshall, 1980, p. 201) e a comunidade judaica girando em torno de sessenta e cinco mil durante a era do Novo Testamento (George, 1994, p. 170).

A maioria destes crentes dispersos pregava somente "aos judeus" (v. 19), mas alguns crentes de Chipre e Cirene dão um passo ousado e também pregam as boas-novas de Jesus "aos gregos", isto é, aos gentios pagãos em Antioquia (v. 20). Parece que eles alcançaram Antioquia numa época posterior do que aqueles que pregavam somente aos judeus. Algo pode ter acontecido durante o intervalo para torná-los tão corajosos e revolucionários, como o derramamento do Espírito Santo em Cesaréia. Eles puseram em prática o que o Espírito levou Pedro a fazer com Cornélio e seus amigos.

A pregação do evangelho em Antioquia tem sucesso numérico, o qual é atribuído à "mão do Senhor" (v. 21). Quer dizer, Deus abençoa esse ministério e seu poder capacita os discípulos a trazerem muitos judeus e gentios daquela cidade à fé em Jesus Cristo. O ministério de Pedro tinha aberto as portas da Igreja aos gentios em Cesaréia, mas a pregação do evangelho em Antioquia é o começo de um vigoroso esforço para evangelizar o mundo gentio.

Quando a Igreja em Jerusalém fica sabendo do despertamento espiritual em Antioquia, eles enviam Barnabé como representante para ajudar esses novos crentes. Ele é escolhido por causa de suas qualificações: "[Ele] era homem de bem e cheio do Espírito Santo e de fé" (v. 24). Anteriormente Lucas o apresentou como levita de Chipre e explicou o significado de seu nome — "Filho da Consolação" (At 4.36). Movido por impulso generoso, Barnabé age como defensor do ex-perseguidor e recentemente convertido Saulo (At 9.26.30). Barnabé também é identificado como um dos profetas carismáticos em Antioquia (At 13.1). Juntamente com alguns outros discípulos, ele está "sendo cheio continuamente de alegria e do Espírito Santo" (At 13.52, tradução minha).

Quando este líder ungido pelo Espírito chega a Antioquia, ele já vê manifestada na Igreja "a graça de Deus". Ele não pode deixar de ver os efeitos da graça divina evidenciados no crescimento da Igreja e nas manifestações do Espírito (cf. At 10.45). A evidência da graça em Antioquia o alegra, e, condizente com seu nome, ele consola os novos crentes a proporem com todo o coração permanecerem fiéis ao Senhor. Neste contexto, a plenitude da unção do Espírito é o catalisador por trás da exortação inspirada de Barnabé. A qualidade de seu caráter e a unção do Espírito em seu ministério o equipam perfeitamente a assumir o papel principal na Igreja judaico-gentia em Antioquia.

Barnabé é a única pessoa em Atos que Lucas diz que era "homem bom" (ARA, "homem de bem", RC; Marshall, 1980, p. 202). Como homem cheio do Espírito, ele fortalece os novos-convertidos, reconhecendo que o plano de Deus para a Igreja está sendo cumprido em Antioquia. Como resultado de seu ministério e presença, ocorre uma segunda onda de conversões. "Muita gente" crê em Jesus Cristo sem que qualquer demanda legalista seja imposta sobre eles. Os servos de Deus que são fortes na fé e cheios do Espírito estão bem-equipados para a missão.

Logo depois de chegar a Antioquia, Barnabé reconhece o grande potencial da situação para o crescimento da igreja, e sente a necessidade de mais ajuda no evangelismo e ensino. Seus pensamentos se voltam a Saulo, o homem a quem ele tinha ajudado em Jerusalém e que fora cheio com o Espírito para testemunhar de Jesus aos gentios (At 9.15-17). Por causa de perseguição, Saulo tinha fugido de Jerusalém e voltado à sua cidade natal, Tarso (At 9.28-30), onde permaneceu por cerca de dez anos (cf. Gl 1.21-24; 2.1).

Talvez Barnabé tenha ouvido falar sobre ele desde que chegou a Antioquia.

Barnabé está convencido de que este apóstolo cheio do Espírito é a pessoa adequada para servir como líder da congregação mista em Antioquia. Saulo pode lidar com judeus e gentios em termos iguais. Ele fora criado nas tradições judaicas (Gl 1.14; Fp 3.4-6), e seu lugar de nascimento era Tarso, cidade universitária influenciada pelo pensamento grego. Quando Barnabé viaja a Tarso a fim de recrutá-lo, Saulo já é missionário experimentado. Durante um ano inteiro estes dois homens trabalham juntos em Antioquia.

Parece que Antioquia requeria uma resposta contextual diferente ao cristianismo do que a Judéia. O cristianismo no ambiente judaico era influenciado pela presença do templo em Jerusalém, pelos fariseus e zelotes, e por uma interpretação da fé cristã orientada à lei. Por outro lado, Antioquia se situava numa encruzilhada geográfica, política e cultural entre o oriente e o ocidente. Nesta cidade de grande diversidade cultural, Barnabé e Saulo serviram como pastores durante um ano. Entre o trabalho que faziam incluía-se evangelizar e formar os convertidos já existentes. Eles se reúnem na Igreja (provavelmente para culto) e ensinam muitas pessoas (v. 26). Muitos recebem Cristo, e Barnabé e Saul lhes ensinam o Evangelho.

Outro resultado significativo deste ministério de um ano em Antioquia é que os seguidores de Jesus ficam conhecidos pelo novo nome de "cristãos" (v. 26; At 26.28; 1 Pe 4.16). A palavra "cristão" se refere a um seguidor de Cristo. Os de fora identificam os crentes assim, porque eles confessam Cristo como Senhor. Eles são o povo do Messias. Referindo-se a eles como "cristãos", os incrédulos distinguem a Igreja da comunidade judaica. É natural e adequado chamar os crentes por cristãos, mas vindo de incrédulos o termo pode conter um elemento de ridículo e desprezo.

4.6. Os Atos de Ágabo: Um Profeta Cheio do Espírito (11.27-30)

Na narrativa sobre o ministério de Barnabé em Antioquia, Lucas apresenta Ágabo. Ele relata que depois da chegada de Saulo à cidade, "desceram profetas de Jerusalém para Antioquia" (v. 27). Entre eles encontra-se Ágabo. Na igreja primitiva, os profetas eram indivíduos com o dom carismático de revelar a vontade de Deus. Eles agiam no interesse do bem-estar da comunidade cristã. Eram inspirados como porta-vozes do Espírito para promover e guiar a Igreja em sua missão de divulgar o evangelho.

Em Atos, Lucas descreve a profecia como o poder do Espírito Santo nos últimos dias (At 1.8; 2.17,33). No Dia de Pentecostes, a manifestação de línguas era identificada como profecia (At 2.4,11,17). Na igreja primitiva, qualquer membro da comunidade cristã poderia profetizar, mas a profecia estava principalmente associada com os que tinham um ministério profético que incluía a predição de acontecimentos futuros (At 11.28; 20.23-31), o pronunciamento de julgamento divino (At 13.11; 28.25-28), o uso de ações simbólicas (At 21.11), a proclamação da Palavra de Deus (At 13.1-5; 15.12-18) e o fortalecimento dos crentes (At 15.32).

A primeira menção em Atos do ministério profético de Ágabo (cf. também At 21.10,11) tem a ver com sua predição inspirada de uma fome que se abateria sobre todo o Império Romano (At 11.28). A referência de Lucas a Cláudio, imperador de Roma de 41 d.C. a 54 d.C., fornece um ponto na história para datar os acontecimentos em Atos. Temos de outras fontes informação de que durante o reinado de Cláudio ocorreu uma fome em várias partes do mundo romano (cf. Suetônio, *Vida de Cláudio*; Tácito, *Anais*). Houve severa fome na Judéia em cerca de 46 d.C., o ano que Josefo relata que uma fome alcançou seu clímax. Esse poderia ser o ano no qual Paulo e Barnabé levam dinheiro para aliviar a fome de Jerusalém.

As palavras proféticas de Ágabo inspiram os cristãos em Antioquia a enviar uma oferta (coleta de dinheiro) para a igreja-mãe em Jerusalém, a fim de ajudar na crise iminente. Os cristãos de Antioquia crêem implicitamente na profecia e fazem provisão imediata para juntar fundos para a Igreja em Jerusalém. Esta fome mostrou-

Igreja numa caverna, à direita, datada do século I, em Antioquia, onde foi fundada a primeira igreja cristã fora de Jerusalém. Foi fundada por Paulo, Pedro e Barnabé. Os seguidores de Jesus tornaram-se conhecidos por cristãos. A estela do período romano, abaixo, ainda está de pé à esquerda da entrada.

se mais aflitiva naquela região, por causa da população aglomerada na Judéia e da prevalência da pobreza. Enviar uma doação também serviu para aprofundar a comunhão dos crentes com aqueles em Jerusalém.

Os membros da congregação em Antioquia voluntariamente tomam parte neste empreendimento conjunto a fim de evitar o dano que ameaça os cristãos na Judéia. Deve ter havido pelo menos três razões para semelhante ação.
1) Expressar gratidão pela igreja de Jerusalém, da qual partira a mensagem do Evangelho.
2) Mostrar unidade com a comunidade-mãe. E
3) Demonstrar amor cristão. Pelo fato de Deus ter abençoado a Igreja em Antioquia numérica e materialmente, eles puderam enviar uma doação de amor significativa aos judeus cristãos. Todos os membros da jovem congregação contribuem com o que podem (v. 29).

Fazia cerca de um ano que Paulo estava em Antioquia quando a igreja o envia juntamente com Barnabé a Jerusalém, com a doação de amor. A primeira visita de Paulo a Jerusalém aconteceu três anos depois de sua conversão (Gl 1.18). A visita seguinte registrada em suas cartas (Gl 2.1-10) foi identificada com a visita de Atos 11 ou com a de Atos 15. Os acontecimentos da visita da fome de Atos 11.27-30 fazem melhor paralelo com a visita de Gálatas 2. Lucas enfoca seu relato na doação de amor feita pelos crentes de Antioquia, sem qualquer sugestão do assunto da admissão de gentios na Igreja (cf. os comentários de Paulo em Gl 2.1-10).

Barnabé e Paulo entregam a doação pessoalmente "aos anciãos" da Igreja em Jerusalém. Esta é a primeira menção de anciãos cristãos em Atos. Eles provavelmente agiam à semelhança dos anciãos de uma sinagoga judaica, no ponto em que eles presidiam sobre a congregação (cf. At 15.13). A palavra "anciãos" não significa necessariamente que eles eram "homens velhos", embora pareça provável que a liderança de uma congregação estivesse nas mãos de pessoas mais velhas. Não há dúvida de que a organização da Igreja ainda estava se desenvolvendo, mas com os anciãos tendo a cargo a administração dos assuntos locais, os apóstolos estavam livres para se dedicar à pregação do evangelho. Quando os anciãos da Igreja em Jerusalém recebem a doação de amor, eles fazem com que seja apropriadamente distribuída entre os necessitados.

A Igreja em Antioquia manifesta verdadeira generosidade cristã. A doação de amor mostra aos cristãos em Jerusalém que a graça de Deus está em ação naquela cidade. A doação não apenas alivia a angústia das vítimas de fome, mas também serve para fortalecer a comunhão dos crentes judeus e gentios em Cristo. Além disso, a disposição desta nova congregação para com as possessões reflete a autenticidade da fé.

4.7. O Encarceramento de Pedro (12.1-24)

Lucas apresenta uma nova história. Ele não indica o tempo preciso, mas sugere que foi "por aquele mesmo tempo" da visita de Saulo e Barnabé a Jerusalém (v. 1). Os acontecimentos registrados aqui ocorrem em Jerusalém. A perseguição e oposição anteriores ao Evangelho vieram das autoridades religiosas judaicas (At 4.1-6; 5.17,18,21-28; 6.12-15; 7.54—8.3; 9.1). Até agora, os líderes religiosos, sobretudo os saduceus, perseguem os crentes sem a ajuda das autoridades civis. Mas agora a perseguição se intensifica, e o rei da Palestina, Herodes Agripa I, assume o comando.

Herodes Agripa era filho de Aristóbulo e neto de Herodes, o Grande, que reinava sobre a Galiléia na época do nascimento de Jesus (Mt 2.1). Como muitos dos membros da família de Herodes, Agripa serviu como governante fantoche dos judeus durante a ocupação romana da Palestina. Ele cresceu em Roma, onde viveu em extravagância e desperdiçou o que tinha herdado. Em 41 d.C., o imperador Cláudio o fez rei de todo o território governado por Herodes, o Grande, embora seu reinado tenha durado somente três anos. Quando ele voltou à Palestina se tornou popular e viveu no luxo. Ele buscava constantemente o favor dos judeus e se apresentava como devoto da religião judaica, ainda que a família de Herodes fosse não-judia proveniente da Iduméia. Ciente de que a opinião judaica era contra a igreja, Agripa toma medidas para perseguir os crentes e aumentar sua popularidade.

Agripa começa a perseguir (*kakoo*, "ferir, maltratar") "alguns da igreja" (v. 1). Aqueles que executavam suas ordens perseguiam os crentes tão intensamente que estes sofrem mais do tinham sofrido anteriormente pelas mãos do Sinédrio. O principal alvo de Agripa era a liderança da igreja. Ele quebrou o círculo interno dos discípulos de Jesus, mandando executar o apóstolo Tiago, filho de Zebedeu. Não nos é dada a razão para a escolha de Tiago. Ele é o primeiro apóstolo a sofrer martírio. Ele morre pela espada, sendo, talvez, sua cabeça posta num bloco e cortada por um executor.

Os judeus em geral ficam satisfeitos com a perseguição de Agripa aos apóstolos. A situação na Judéia mudou desde os primeiros dias, quando a perseguição envolvia somente os líderes judeus. A hostilidade para com o evangelho se disseminou. O apoio que Agripa recebe da populaça o encoraja a intensificar as ações contra os outros apóstolos. Por isso, ele aprisiona Pedro claramente com a intenção de fazer com ele o que fez com Tiago. Evidentemente Agripa está procurando destruir a igreja de Jerusalém decapitando seus líderes.

Pedro é preso durante a Festa dos Pães Asmos, uma festividade que durava sete dias depois da Páscoa (Êx 12.14ss). Nos dias do Novo Testamento, estas festas tinham se tornado uma celebração única, de forma que os dois termos eram sinônimos (cf. Lc 22.1). Durante esta época, Jerusalém ficava apinhada de judeus que eram entusiásticos da lei. A fim de evitar a formação de perturbação ou a alienação dos judeus, Agripa mantém Pedro na prisão até depois da semana da Páscoa. Se ele fizesse um julgamento ou execução pública durante a semana da festa, os judeus teriam sentido que a festa fora profanada.

Determinado a assegurar que Pedro não fugisse, Agripa coloca uma guarda de dezesseis soldados (v. 4). Ele deve ter ouvido sobre o encarceramento anterior dos apóstolos e sua fuga da prisão sem o conhecimento dos guardas (At 5.17-23). Dividido em quatro esquadras, cada esquadra de quatro guardas fica em serviço por três horas para vigilância vinte e quatro horas por dia. Dois destes guardas são algemados com Pedro, enquanto que os outros dois ficam de guarda à entrada da cela (v. 6).

Enquanto Pedro está na prisão, a Igreja ora em seu favor. A intensidade das orações é indicada de dois modos no versículo 5.

1) O verbo "fazia [...] oração" (tempo imperfeito) reflete persistência em oração; eles mantêm-se em oração, sabendo que as impossibilidades humanas são possíveis com Deus.
2) O termo "contínua" (*ektenos*, "fervorosa") significa que eles reconhecem a urgência da situação; eles oram com palavras que são sentidas intensamente nos corações. Não sabemos se esta oração da Igreja é pela libertação de Pedro ou para que sua fé não falhe. Eles podem ter se lembrado que anteriormente Pedro tinha hesitado em face do perigo (Lc 22.54-62). Além disso, eles não esperam que Pedro seja livre, visto que Estêvão e Tiago tinham se tornado mártires. Em todo caso, o ato poderoso de Deus de livrar Pedro ocorre no contexto da oração.

A descrição detalhada de libertação enfatiza que é inteiramente um milagre (vv. 6-11). Era a última noite da semana da Páscoa, e Pedro esperava morrer na manhã seguinte. Ele se deita e dorme entre dois guardas, algemado a ambos. Deus subitamente intervém na situação enviando um anjo, que enche a cela da luz da glória divina. Precisamente o que Herodes queria evitar está a ponto de acontecer. O anjo desperta Pedro tocando-lhe o lado, e as algemas caem. Pedro obedece ao anjo amarrando o cinto e calçando as sandálias, e depois acompanha o visitante divino.

Enquanto ele está sendo libertado, Pedro tem a impressão de que está sonhando e não percebe que está de fato saindo da prisão. Ele pensa que o que está acontecendo é apenas uma visão, e não compreendendo a realidade da situação. Pedro e o anjo passam os dois guardas estacionados à porta da cela, evidentemente sem que eles reconheçam Pedro (v. 18). Quando chegam ao pesado portão de ferro da prisão, ele se abre milagrosamente sem causa visível. O anjo acompanha Pedro à rua até que este esteja fora do alcance de perseguição dos guardas, e desaparece então.

O rei Agripa tomou grande precaução para evitar a fuga de Pedro. Esses esforços para conter o mensageiro cheio do Espírito de Deus tornam o milagre mais dramático. Quando Pedro percebe o que aconteceu, suas próprias palavras interpretam o significado da libertação (v. 11). O que ele vira não era visão. Deus enviou um anjo e milagrosamente o salvou da mão de Agripa (cf. Dn 3.19-27). A intervenção divina frustrou os oponentes da Igreja. É verdade que nenhum anjo livrou Tiago da espada do executor. Sua morte deve ser colocada na perspectiva maior da vontade inescrutável de Deus, e vista como o lançamento da sombra da cruz na decapitação cruel do apóstolo. Lucas não oferece explicação teológica para isto, mas o grande milagre da libertação de Pedro demonstra o poder e ajuda salvadores de Deus.

Os cristãos oram por Pedro, mas a libertação milagrosa os surpreende (vv. 12-17). Depois de ser solto, Pedro decide informar imediatamente os amigos cristãos sobre o que aconteceu. Assim, ele vai à casa de Maria, mãe de João Marcos (mencionado aqui pela primeira vez; cf. também At 12.25; 13.5,13; 15.37-39). Muitos crentes se reúnem na casa de Maria para orar sobre o que talvez fosse a última noite da vida de Pedro. Pedro entra no portal que liga a rua ao pátio e começa a bater na porta do lado de fora, interrompendo a oração dos que estão no lado de dentro.

Uma criada chamada Rode atende a porta e fica empolgada quando reconhece a voz de Pedro. Esquecendo de destrancar a porta, ela volta correndo maravilhada para contar aos outros. Os cristãos na casa de Maria não acreditam nas palavras de Rode que afirmava que Pedro está à porta. Eles insistem que Rode estava fora de si, mas ela persiste firmemente que Pedro está lá fora. Os cristãos sugerem que ela viu a aparição do anjo de Pedro, que assumiu sua voz e aparência. Era crença comum entre os judeus que cada pessoa tinha um anjo da guarda (veja Strack e Billerbeck, vol. 1, pp. 781-782; cf. Mt 18.10; Hb 1.14). Mas eles estão enganados; Pedro está realmente à porta e continua batendo. Quando os cristãos abrem a porta, ficam boquiabertos.

Depois que Pedro finalmente entra, com um movimento de mão as pessoas ficam quietas. Ele satisfaz a curiosidade explicando que Deus o libertou. Considerando que os outros líderes da Igreja não estão presentes, Pedro exige que o milagre seja contado "a Tiago e aos irmãos". Este Tiago é o irmão de Jesus (Mc 6.3). A maneira na qual ele é mencionado dá a entender proeminência na Igreja. Lucas e Paulo indicam que Tiago serviu como chefe da Igreja em Jerusalém (At 15.13; 21.18; Gl 1.19; 2.9,12).

Depois de Pedro ter pedido que os crentes passassem a notícia adiante para outros líderes da igreja, ele parte "para outro lugar", o qual pode ter sido outra casa em Jerusalém ou, mais provavelmente, outro lugar fora da cidade por razões de segurança. Ele esperava que houvesse um esforço vigoroso para recapturá-lo, dificultando a ele se esconder com segurança em Jerusalém. Depois de alguns anos Pedro volta a Jerusalém (At 15.4,7), embora possa ter voltado anteriormente, visto que Agripa viveu por curto espaço de tempo depois da partida de Pedro (At 12.20-23).

Na manhã seguinte, a fuga de Pedro é conhecida publicamente (vv. 18,19). A essa altura, ele está seguro num esconderijo. Quando os guardas a quem ele estava algemado por cadeias acordam com a luz do dia, eles vêem que o prisioneiro fugiu. Há grande confusão entre os guardas, não sabendo o que aconteceu a Pedro. Eles não têm idéia de como ele conseguiu se soltar das cadeias e como os guardas postados à porta da cela não o viram passar. Tudo o que sabem é que Pedro fugiu.

Quando Agripa fica sabendo do ocorrido, ele exige que seus oficiais façam uma procura minuciosa, mas eles não conseguem descobrir uma pista sequer do prisioneiro. Embora a incapacidade de encontrar Pedro confirme que um milagre estupendo aconteceu, Agripa se recusa a reconhecer o milagre. Ele interroga os quatro guardas em serviço na hora da fuga de Pedro. Depois de questioná-los, o rei os acusa de negligência e, como o texto literalmente diz, "mandou-os justiçar" (*apachthenai*), provavelmente não para a prisão, mas para a execução (v. 19). Quando soldados romanos deixavam que um prisioneiro escapasse, era costume eles receberem o mesmo castigo devido ao prisioneiro. Desse modo, os guardas inocentes tornam-se vítimas da violência de Agripa.

Deus vindicou Pedro. Lucas prossegue a história apresentando prova adicional na morte de Agripa sobre a vindicação divina (vv. 20-23). O rei vai a Cesaréia para se encontrar com uma delegação de Tiro e Sidom. Naquela época, havia antagonismo entre Agripa e os povos dessas duas cidades. Lucas não dá explanações sobre a disputa, mas parece ter sido uma disputa econômica. As cidades de Tiro e Sidom dependiam dos campos de grãos da Judéia para abastecerem grande parte dos alimentos que precisavam. Agripa desviou para Cesaréia as exportações de grãos destinadas a Tiro e Sidom, dessa forma diminuindo-lhes a provisão de alimentos.

Como questão de política pública, boas relações são desejáveis. Os povos dessas grandes cidades pensam que é melhor ficar em paz com o rei, por isso enviam uma delegação a Cesaréia para fazer paz. Eles obtêm a amizade de Blasto, o criado encarregado dos quartos particulares do rei. Através deste criado de confiança, eles conseguem uma audiência pública com Agripa. Josefo apresenta um relato mais detalhado do se segue. Na época do encontro, Agripa está numa festividade celebrada em honra do imperador Cláudio. Ele está trajado com suas vestes reais; suas roupas esplendidas brilham à luz do sol. No segundo dia da festa, o povo presente está contente, porque o ressentimento dos de Tiro e Sidom foi resolvido. Eles lisonjeiam o rei e o tratam como deus. Conforme Josefo, pelo fato de o rei aceitar a aclamação como deus, ele é subjugado com dor violenta e poucos dias depois morre em agonia (*Antiguidades Judaicas*).

Lucas declara explicitamente que "feriu-o o anjo do Senhor", e explica abruptamente que, "comido de bichos, expirou" (v. 23). Ser comido de bichos é modo característico dos escritores antigos descreverem uma morte dolorosa resultante de julgamento divino (cf. 2 Macabeus 9.5-9; Josefo, *Antiguidades Judaicas*). A morte de Agripa I nos lembra das mortes de Ananias e Safira. Como aquele casal, Agripa mostra desrespeito a Deus e é ferido de morte. Ele não está satisfeito em se opor a Deus, mas compete com Ele reivindicando honras divinas. O erro fatal deste tirano arrogante é que ele "não deu glória a Deus" (v. 23). Como rei, ele está sujeito ao Rei Supremo do universo. Seu abuso de poder e arrogância trazem a ira divina sobre ele. Consistente com o que havia sido predito (Lc 1.52), o imediato julgamento de Deus o abate.

Agripa I ousadamente perseguiu a Igreja, mas isso não deteve o avanço do Evangelho. Este oponente desafiante do povo de Deus morreu, mas "a palavra de Deus crescia e se multiplicava" (v. 24). Outra grande inversão aconteceu. O evangelho prospera sob perseguição, porque cada vez mais o povo ouve a verdade e crê.

5. Narrativas de Viagens: Os Atos de Paulo, um Profeta Itinerante e Cheio do Espírito (12.25—22.21).

O palco agora está armado para a pregação do evangelho por todo o mundo gentio. Deste ponto em diante, Lucas confina a narrativa aos acontecimentos proeminentes na vida de Paulo. Pedro foi o porta-voz dominante em Atos capítulos 1 a 12, mas daqui em diante o foco se centraliza no ministério de Paulo. Por meio dele e seus cooperadores, que são capacitados pelo Espírito Santo, o evangelho é pregado e as fronteiras da Igreja continuam se estendendo muito além da Palestina. Como observamos, até agora o Espírito Santo tem dirigido os assuntos da Igreja, e o relato de Lucas sobre as viagens de Paulo deixam claro que o Espírito continua dirigindo e capacitando o povo de Deus.

5.1. A Primeira Viagem Missionária (12.25—15.35)

Tendo cumprido a missão em Jerusalém (cf. At 11.27-30), Barnabé e Saulo, levando consigo João Marcos, voltam a Antioquia. Aqui, Lucas apresenta Marcos (At 12.25). Foi para a casa de sua mãe, Maria, que Pedro se dirigiu quando foi solto da prisão. Logo depois da chegada a Antioquia, a Igreja naquela cidade começa nova fase de atividade missionária. Por esforços próprios, Antioquia se torna centro vital para as missões cristãs. A narrativa de Lucas do que se chama a primeira viagem missionária de Paulo começa com a escolha do Espírito Santo de Barnabé e Saulo para uma obra especial.

5.1.1. Antioquia: Barnabé e Saulo se Separam (12.25—13.3). A igreja em Antioquia é servida por profetas e mestres. Na igreja primitiva, profetas e mestres eram indivíduos cheios do Espírito, freqüentemente mencionados como proeminentes pregadores da palavra (Rm 12.6-8; 1 Co 12.28,29; Ef 4.11). O Novo Testamento não faz distinção clara entre estes dois ofícios, e a mesma pessoa pode ser ambos. Em geral, um profeta era mais espontâneo em seus pronunciamentos, falando ao povo por inspiração com base em revelação, tendo a atenção dirigida aos propósitos de Deus em relação ao futuro; um mestre inspirado era mais didático e expunha as Escrituras e os fundamentos da fé. Ele buscava dar direção à Igreja com base no que tinha acontecido no passado (*Theological Dictionary of the New Testament*, eds. G. Kittel e G. Friedrich, Grand Rapids, 1964-1976, vol. 6, p. 854).

Lucas alista cinco homens como profetas e mestres. Ele não dá indicação de quem era o quê; provavelmente não havia como traçar clara linha divisória entre o ministério de qualquer um deles. Todos os cinco estavam envolvidos na exposição das Escrituras e tinham dons carismáticos para pronunciamentos inspirados. Numerado entre estes líderes espirituais estão Barnabé e Paulo (Saulo). Barnabé está em primeiro lugar na lista, sugerindo que ele era considerado o mais proeminente.

Lucas faz importante referência à adoração no versículo 2. Ele não indica que a congregação está presente, mas isso pode ser presumido. Em outras palavras, a nova iniciativa para expansão do evangelho ocorre no cenário de adoração ao Senhor Jesus, jejum e oração. Os profetas e mestres eram sensíveis às necessidades espirituais e passavam tempos juntos em adoração e jejum. A palavra traduzida por "servindo" (*leitourgeo*) tem a ver com culto religioso, como ocorria no templo. A idéia comunicada por esta palavra é a de prestar culto e adoração ao Senhor, mas na Septuaginta a palavra é usada para fazer culto, sobretudo pela oração (Bauer, W. F. Arndt e F. W. Gingrich, *A Greek-English Lexicon of the New Testament and Other Early Christian Literature*, Chicago, 1979, pp. 470-471). Elemento importante da adoração que prestam deve ter sido a oração.

Os profetas e mestres demonstram a seriedade das orações jejuando (cf. At 14.23). Durante um destes períodos o Espírito Santo reafirma a verdade revelada a Pedro (At 10.9-20) e dirige a Igreja a ampliar seu testemunho. Ele ordena que Barnabé e Saulo sejam "apartados" (*aphorizo*, "consagrar"). Este verbo era usado no sentido da consagração dos levitas para a obra à qual Deus já os tinha chamado (Nm 16.9). Também se refere à separação de Paulo para se tornar apóstolo (Rm 1.1; Gl 1.15). Presumivelmente esta mensagem do Espírito Santo é comunicada por um ou mais dos profetas.

A sentença: "Para a obra a que os tenho chamado" (v. 2) indica que estes homens já tinham sido chamados antes. Quer dizer, Deus já tinha tomado uma decisão sobre a obra de Barnabé e Saulo. Saulo, sabemos, fora comissionado pelo Senhor no momento de sua conversão para evangelizar aos gentios (At 26.16-18). Sua experiência na estrada de Damasco incluía grande transformação de sua vida ao conhecer Jesus Cristo como Salvador, e profunda revelação de que ele foi chamado para ser apóstolo aos gentios. Não temos meio de saber quando exatamente Barnabé recebeu sua chamada,.

A obra de Barnabé e Saulo se origina com Deus — não com planos inventados pelos homens — e é empreendida em obediência à voz do Espírito. Por conseguinte, a Igreja em Antioquia comissiona formalmente Barnabé e Saulo como missionários. Antes de fazê-lo, ela jejua e ora, e depois impõe as mãos nos dois homens. A imposição de mãos aqui não é a ordenação ao ministério, mas a consagração a um trabalho especial. Dá-lhes uma responsabilidade solene, concedendo-lhes força e recomendando-os à graça de Deus. Barnabé e Saulo são enviados como representantes da Igreja em Antioquia.

5.1.2. Chipre (13.4-12). A primeira viagem missionária começa em Antioquia com o Espírito Santo falando pelos profetas. Lucas enfatiza que o Espírito Santo está dirigindo esta missão e enviando os missionários (v. 4), procedimento que se mostra programático para as três viagens de Paulo. No começo de cada uma, Lucas observa a obra do Espírito e mostra como Paulo faz a obra de um apóstolo e profeta cheio do Espírito (cf. At 13.4; 16.6-8; 19.1-7).

Barnabé e Saulo iniciam a viagem, indo a Selêucia, o porto marítimo de Antioquia. De lá, eles navegam ao porto de Salamina, localizado na extremidade oriental da ilha de Chipre. Esta ilha era o local de nascimento de Barnabé e era campo adequado para a obra missionária, visto que tinha grande população judaica. O evangelho já havia sido pregado em Chipre com algum sucesso (At 13.19,20). A estratégia dos missionários é começar a pregar o evangelho nas sinagogas judaicas.

Pregar nas sinagogas torna-se característica do trabalho missionário de Paulo (At 13.14,46; 14.1; 17.1,10; 18.4,19; 19.8). Começando lá, Barnabé e Saulo seguem o princípio de oferecer o evangelho primeiramente para os judeus, e depois para os gregos (Rm 1.16; cf. os comentários de Jesus em Jo 4.22). Virtualmente falando, a sinagoga também forneceu oportunidade para estabelecer um ponto de contato para o evangelho. Ali, ordinariamente, judeus, prosélitos e gentios tementes a Deus poderiam ser alcançados. João Marcos acompanha os dois missionários como "cooperador" (*hyperetes*, "assistente"), ajudando em todos os sentidos, inclusive ensinando aos convertidos os elementos da fé. Pouco é sabido sobre o sucesso da pregação dos missionários em Salamina.

Depois de curta permanência em Salamina, os missionários viajam a Pafos, capital de Chipre, cerca de cento e quarenta e cinco quilômetros de Salamina na extremidade ocidental da ilha. Lucas faz uma pausa na narrativa para relatar o encontro dos missionários com dois homens em particular: Sérgio Paulo, o procônsul (*anthypatos*, chefe de uma província senatorial) romano de Chipre; Elimas, o Mágico, também conhecido pelo nome judaico de Barjesus. Lucas caracteriza Sérgio Paulo como "homem inteligente" (ARA; "varão prudente", RC), significando que ele tem capacidade mental e não é engabelado pelo mágico (v. 7). Como era comum no mundo antigo, o procôncul tinha atração pela magia e consultava feitiçaria e quiromancia a respeito de questões importantes.

Entre os assistentes de Sérgio Paulo está o judeu mágico Barjesus. Barjesus dedica-se amadoramente à magia e se considera profeta, afirmando ter inspirações. Mesmo que Sérgio Paulo tenha atração por magia, ele mostra surpreendente abertura ao evangelho pedindo para falar com Paulo e Barnabé. Quando ele fica sabendo que estes dois homens trazem as boas-novas de Cristo, o procônsul os chama para ouvir o que eles têm a dizer. Podemos presumir que Sérgio Paulo fica impressionado com a mensagem dos apóstolos.

O sucesso de Paulo e Barnabé convence Barjesus de que sua influência sobre o procônsul chegou ao fim; assim, ele teme que venha a perder sua posição. Barjesus faz os maiores esforços para afastar o procônsul do evangelho cristão. A oposição aberta do mágico resulta numa confrontação entre Paulo, o verdadeiro profeta (At 13.1), e o falso profeta. Esta conversa é a segunda confrontação do cristianismo com a magia (cf. At 8.9-24).

Sabendo que Barjesus está tentando obstruir a verdadeira palavra de Deus, Paulo assume forte ação profética contra ele (At 13.9-11). Ele está "cheio do Espírito Santo" (v. 9; cf. v. 4) e pelo poder do Espírito pronuncia julgamento sobre este inimigo do evangelho. Ele descreve o caráter de Barjesus como "filho do diabo". Quer dizer, o mágico está cheio de poder e engano satânico, e sua magia é inspirada por demônios. Ele é "inimigo de toda a justiça" e está a "perturbar os retos caminhos do Senhor" (v. 10). "Os retos caminhos" se referem aos planos de Deus e seus ensinos que conduzem à fé, especialmente ao avanço da missão da Igreja (cf. Pv 10.9; Os 14.9). O falso profeta está tentando torcer e perverter a verdade de Deus em mentira.

Como profeta de Deus e cheio do Espírito, Paulo pronuncia uma maldição sobre este agente do Diabo. A expressão "mão do Senhor" (v. 11) alude ao poder do Senhor para julgar e castigar. O castigo que se abateu sobre Barjesus é cegueira, de forma que "a escuridão e as trevas" (v. 11b) caem sobre ele, e ele fica procurando alguém para o conduzir pela mão. Por causa da misericórdia do Senhor, esta cegueira é temporária (cf. "por algum tempo", v. 11a). O castigo de Barjesus lembra a conversão de Paulo, na qual ele viu o Cristo ressurreto e ficou cego. A cegueira de Paulo foi o resultado de seu encontro transformador com o Salvador, mas a cegueira do mágico é um aviso, com o propósito de levá-lo ao arrependimento. Não somos informados sobre o tempo que Barjesus ficou cego e se ele se converteu,.

A missão divina dos missionários é confirmada por este milagre de julgamento. Quando o governador vê o que aconteceu, ele se torna cristão. Ele associa o poder profético de Paulo e Barnabé com o que ele aprendeu do Senhor sobre seus ensinos. O milagre confirma a mensagem do evangelho. Atônito pela "doutrina do Senhor" (v. 12), o procônsul crê em Jesus. Muito provavelmente "Senhor" se refere a Jesus (cf. vv. 10,11). Em Atos, Lucas nunca fala dos ensinos do Pai, mas somente dos ensinos do Filho, Jesus Cristo.

Deste relato, dois fatos particulares são evidentes.

1) A viagem missionária começa com a confrontação de um prático em magia, um falso profeta. A vitória sobre o mágico é paralela ao encontro de Pedro com Simão, o feiticeiro (At 8.9-25). Barjesus, agente do Diabo, não pode deter a marcha do Evangelho. A primeira fase da viagem de Paulo e Barnabé é bem-sucedida, porque eles foram dotados com a plenitude do Espírito Santo e porque o poder do evangelho é superior ao poder demoníaco do mundo.

2) A sentença: "Saulo, que também se chama Paulo" (v. 9) expressa que Lucas a partir de agora se referirá a Paulo pelo nome romano em vez do nome hebraico, Saulo. Muitos judeus, que viviam fora de Palestina, tinham um nome hebraico e um nome romano. Como cidadão romano, provavelmente adquiriu seu nome romano anteriormente. Lucas menciona o outro nome aqui, porque deste ponto em diante, Paulo se torna o líder mais proeminente na Igreja. É mais adequado identificar Paulo pelo nome romano, visto que ele começou seu ministério ao mundo gentio, e é o nome que Paulo usa em suas cartas. Note também que até este acontecimento, Lucas registrou a ordem dos nomes como "Barnabé e Saulo", mas de agora em diante é "Paulo e os que estavam com ele" (cf. v. 13).

5.1.3. Antioquia da Pisídia (13.13-52).

Deste ponto em diante, Paulo torna-se a figura central na narrativa de Lucas e o líder do empreendimento missionário. Barnabé e João Marcos são simplesmente "os que estavam com ele". Os três homens escolhem como próximo campo de trabalho o sul da Ásia Menor. Paulo já evangelizou a Cilícia (cf. At 9.30; 11.25,26), mas agora os missionários desejam apresentar o evangelho na área oeste da Cilícia.

Deixando Chipre, os três navegam para Perge, capital da região chamada Panfília, cerca de doze quilômetros para o interior. Muito provavelmente eles desembarcam em Atália, o porto marítimo de Perge. Lá, João Marcos decide não prosseguir viagem, mas voltar a casa em Jerusalém. Lucas não dá razão para esta decisão. O que quer que seja, sua desistência mostra-se extremamente insatisfatória para Paulo. Mais tarde, no começo da segunda viagem missionária, Paulo recusa permitir que Marcos se junte ao partido missionário, e Paulo e Barnabé têm amarga separação (At 15.37-39). Porém, anos depois, Paulo escreveu aos crentes em Colossos estas palavras de aprovação: "Se ele [João Marcos] for ter convosco, recebei-o" (Cl 4.10; cf. 2 Tm 4.11).

Após curta permanência em Perge, Paulo e Barnabé vão a Antioquia da Pisídia, importante centro militar do sul da Ásia Menor. Esta cidade, cerca de cento e sessenta quilômetros de Perge, ficava justamente fora da província da Pisídia, e atraía número considerável de pessoas judias. De acordo com a prática normal dos missionários, eles começam o trabalho na cidade pregando o evangelho na sinagoga judaica. No sábado, Paulo e Barnabé tomam modestos assentos na congregação entre o povo.

Lucas não nos dá completa descrição do culto na sinagoga, mas normalmente tais reuniões começam com a leitura da Lei de Moisés e do Livro dos Profetas e

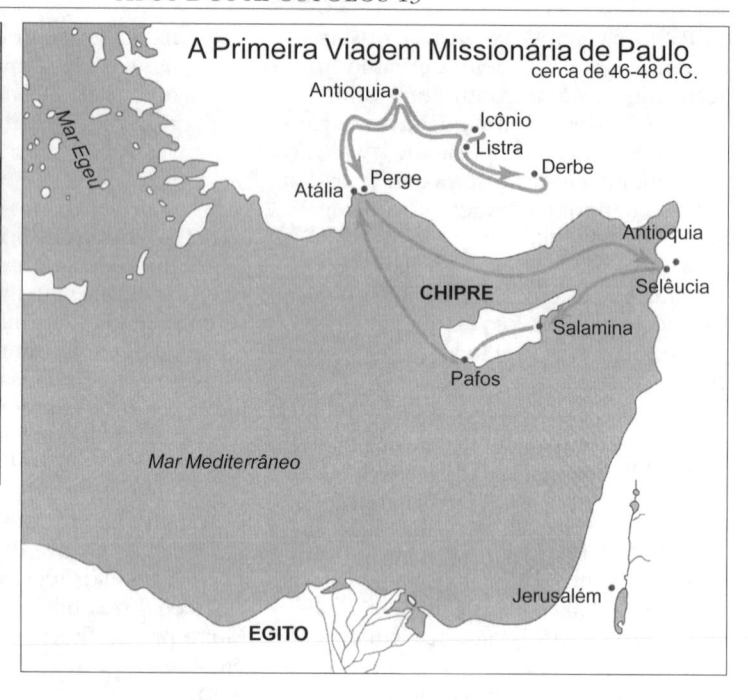

A Primeira Viagem Missionária de Paulo
cerca de 46-48 d.C.

Esta igreja em Pafos do século IV, embaixo, é a mais antiga igreja na ilha de Chipre, e está associada com a primeira viagem missionária de Paulo. A legenda no local declara que Paulo foi amarrado a esta coluna, acima, e açoitado.

passam para a oração; a seguir, é feito um sermão, geralmente de caráter oratório, por alguém presente que seja habilitado. Talvez tenha se sabido que Paulo e Barnabé são mestres visitantes. Pode ser que os líderes das sinagogas tivessem algum contato com eles antes do início do culto da sinagoga. Eles convidam estes dois missionários para oferecer "alguma palavra de consolação" (*paraklesis*, "exortação"). Eles são tratados como "irmãos", ou sejam, judeus, e não como crentes. Paulo aceita o convite amigável e se levanta para discursar à congregação.

Entre os gentios era habitual o indivíduo ficar em pé para discursar a um grupo. De pé, Paulo gesticula com a mão para chamar a atenção da congregação. Ele reconhece a presença de judeus e gentios, pessoas tementes a Deus (cf. At 10.2), que desejam adorar o Deus de Israel.

A mensagem de Paulo em Antioquia é o primeiro e maior exemplo de pregação missionária de Paulo. O fato de Lucas registrá-lo não deve ser considerado como cópia total do sermão que Paulo entregou naquele dia. Sua mensagem inspirada pelo Espírito segue um padrão simples da pregação de Pedro (At 2.14-36; 3.12-26; 10.34-43) e da pregação de Estêvão (At 7.2-53). Paulo esboça as principais características da história de salvação, mostrando como Deus elaborou seu plano para Israel. (1) Ele começa com um breve relato da história da bondade de Deus para com Israel (vv. 16b-22); (2) Ele argumenta que, de acordo com profecias do Antigo Testamento, Jesus provou ser o Salvador mediante sua morte e ressurreição (vv.

23-37); (3) Ele apresenta que o perdão de pecados está disponível somente por Jesus Cristo (vv. 38-41).
1) Depois de dirigir-se à multidão por: "Varões israelitas e os que temeis a Deus" (v. 16b), Paulo resume a história gloriosa de Israel, falando da bondade de Deus para com Israel do Êxodo aos dias de Davi (vv. 17-22). Voltando aos patriarcas, o primeiro dos quais foi Abraão, ele diz: "O Deus deste povo de Israel escolheu a nossos pais". Enquanto os israelitas viviam como estrangeiros e escravos no Egito, Deus os fez prosperar, aumentando-lhes a população e a força, de forma que eles se tornassem uma nação poderosa. Milagrosamente Deus estendeu seu braço poderoso e libertou seu povo da escravidão do Egito. Apesar das falhas dos israelitas e do modo como eles trataram Deus durante os quarenta anos de viagem a Canaã, Deus tolerou o povo (v. 18). Ele defendeu sete nações em Canaã e deu esta terra a seu povo.

Deus fez tudo o que está recitado aqui em quatrocentos e cinquenta anos. Este período é difícil de calcular. Presumivelmente cobre os quatrocentos anos passados no Egito, os quarenta anos peregrinando no deserto e os outros dez anos durante o tempo da entrada em Canaã até à época em que a terra foi dividida entre as tribos.

Paulo prossegue narrando a história, discutindo o tempo da entrada em Canaã ao longo da era dos juízes até o fim do reinado de Saul, como rei. A expressão "depois disto [deste tempo]" (lit., "depois destas coisas", v. 20) se refere à série de acontecimentos que Paulo falou nos versículos 17 a 20, que foram concluídos com a derrota das sete nações por Josué. Logo em seguida à entrada de Israel na Terra Prometida, Deus lhes deu juízes que eram líderes carismáticos — indivíduos espiritualmente dotados que capacitaram os israelitas a vencer os inimigos.

Embora os juízes tenham fornecido liderança inspirada, os israelitas eventualmente pediram um rei. Em resposta ao pedido, Deus lhes deu Saul como rei. De acordo com registros históricos, este homem da tribo de Benjamim reinou sobre eles durante quarenta anos, embora a duração do reinado não seja dada no Antigo Testamento (cf. Josefo, *Antiguidades Judaicas*). Deus retirou Saul porque ele foi considerado inadequado para a tarefa, e ungiu Davi rei em seu lugar.

Paulo cita o testemunho divino relativo a Davi: "Achei a Davi, filho de Jessé, varão conforme o meu coração, que executará toda a minha vontade" (v. 22; cf. 1 Sm 13.14; Sl 89.20). Estas palavras se referem ao caráter de Davi como um todo. Na verdade, Davi cometeu grandes pecados, mas seus pecados não mudaram a estimativa que Deus tinha a respeito dele, porque Davi se arrependeu. Saul fracassou na obediência e adoração de Deus. Davi, fazendo a vontade divina e arrependendo-se, provou ser o tipo de homem que Deus queria que ele fosse. Paulo conclui a primeira parte do sermão, mostrando que Davi se estabeleceu como o rei ideal de Israel.
2) Nesta seção do sermão, Paulo imediatamente passa para seu tema principal: Jesus, o prometido Filho de Davi. Jesus é muito maior que Davi porque Ele é o Salvador ungido (vv. 23-37). Antes do ministério público de Jesus, João Batista pregou um batismo de arrependimento, conclamando o povo de Israel a se arrepender e ser batizado. Seu ministério foi o começo de uma nova era e apresentou Jesus como o Messias. Como precursor de Jesus Cristo, João foi o vínculo crucial entre Davi e o Senhor. Antes de completar seu ministério, ele negou que fosse o Messias prometido. Alguém que vinha depois dele seria maior que ele. Jesus era tão grande que João não se sentia digno de fazer o trabalho de escravo de lavar os pés de Jesus.

Depois de se dirigir à audiência novamente (v. 26; cf. v. 16), Paulo passa diretamente para os sofrimentos e morte de Jesus na cruz (vv. 27-29). Ele explica que os judeus de Jerusalém e seus líderes não reconheceram Jesus como Messias, nem eles entenderam o testemunho profético no Antigo Testamento, o qual eles ouviam nas sinagogas a cada sábado. Sem saberem, os judeus cumpriram o plano de Deus que tinha sido proclamado pelos profetas relativo ao Messias. Nem os judeus nem Pilatos puderam achar base legal na qual condenar Jesus. Embora o Sinédrio o acusasse de blasfêmia, eles não conseguiram provar. Mesmo assim, o povo judeu e seus líderes condenaram Jesus e o crucificaram.

Paulo se refere à cruz por "madeiro", da mesma maneira que Pedro (At 5.30; 10.39; 1 Pe 2.24). Ele não faz distinção entre os inimigos de Cristo que o crucificaram e seus amigos. No verbo "puseram", no versículo 29, estão os amigos como José de Arimatéia e Nicodemos que o desceram da cruz e o enterraram numa tumba. Mas Jesus não permaneceu no sepulcro, pois Deus o ressuscitou dos mortos. Quer dizer, Deus fixou seu selo em Jesus como Salvador ressuscitando-o depois da crucificação. Esta ressurreição vindicou sua afirmação de ser o Cristo. A cruz e a ressurreição não devem ser separadas; elas permanecem unidas como o poderoso ato redentor de Deus.

O Salvador ressurreto apareceu aos discípulos, que tinham estado com Jesus ao longo do seu ministério público, durante um período de "muitos dias" (v. 31; cf. Lc 24.13-53; At 1.3-9). Eles o conheciam bem e não podiam estar enganados. Tendo visto o Jesus ressurreto vezes sem conta, eles estavam perfeitamente qualificados para testemunhar "para com o povo" (i.e., os judeus) acerca da realidade do triunfo sobre a morte. Paulo tem em mente, de forma primária, a pregação do evangelho feita pelos apóstolos para os judeus na Palestina e, talvez, também sua posição como testemunha escolhida de Deus para os gentios. O ponto principal é que a proclamação da ressurreição de Jesus não se apoiava em rumores ou tradições humanas, mas no testemunho de homens e mulheres que tinham visto com os próprios olhos o Salvador ressurreto.

À medida que Paulo proclama as boas-novas, ele quer que os ouvintes judeus fiquem propensos a aceitar a promessa dada aos antepassados (v. 32). As "boas-novas" já não são questão de promessa, mas de cumprimento, porque Deus cumpriu a promessa dada aos patriarcas. O pronome "nós", na frase "a nós" (v. 32), inclui os judeus que estão presentes e Paulo, mas a presença de pessoas tementes a Deus na audiência (vv. 16,26) pode sugerir que estas pessoas são vistas como descendentes espirituais dos antepassados judeus (cf. Rm 4.11-25). A antiga promessa do Messias fora cumprida na vida e ministério de Jesus, inclusive na sua ressurreição gloriosa.

A verdade de Deus ressuscitar Jesus dos mortos é nova para a audiência de Paulo. Pelo fato de lhes faltar conhecimento, ele apela não só para as testemunhas oculares, mas também para o testemunho da Escritura como prova da ressurreição de Jesus. Primeiro ele cita o Salmo 2.7: "Meu filho és tu; hoje te gerei". Quando um homem era ungido rei em Israel, entendia-se que ele devia ser representante da nação e, como tal, estava numa relação nova com Javé, o Senhor. Depois do batismo de Jesus no rio Jordão, Ele foi ungido pelo Espírito Santo para o ministério, experiência semelhante à unção de um rei, que é representar a nação diante de Deus. Quando o Espírito capacitou Jesus para a obra carismática, uma voz lhe falou do céu nas palavras do Salmo 2.7: "Tu és meu Filho amado" (Lc 3.22). Esta Escritura afirmou a filiação divina de Cristo.

A vitória de Jesus sobre a morte provou que Ele era o Filho de Deus. Embora a filiação de Jesus já fosse uma realidade e não tenha começado na ressurreição, a primeira Páscoa o confirmou como o Filho divino de Deus (cf. Rm 1.4; Hb 1.5). Há os que insistem que na ressurreição de Jesus Deus o adotou como Filho, apelando para o Salmo 2 como base de interpretação. Mas durante seu ministério terreno Jesus já era o Filho de Deus (Lc 3.22; 9.35; Jo 1.14). Os seguidores de Jesus o declararam ser o que sempre Ele foi — o Filho de Deus. A realidade de sua ressurreição lhe deu prova final de que ele era Salvador e Rei para sempre.

Paulo cita duas outras passagens estreitamente ligadas como profecias da ressurreição de Cristo: Isaías 55.3 e Salmo 16.10. Isaías sugere que na ressurreição de Jesus Ele entrou numa nova existência para "nunca mais tornar à corrupção" (At

13.34). Sua ressurreição envolvia mais que ser restabelecido à vida. Séculos antes de Cristo morrer na cruz, Deus prometera a Davi um descendente para reinar no trono *para sempre* (2 Sm 7.8-16). Esta promessa foi renovada em Isaías 55.3; Paulo destaca que Deus cumpriu essa promessa agora ressuscitando Jesus dos mortos para se sentar no trono de Davi (cf. Lc 1.32). Deus concedeu sobre Jesus "as santas e fiéis bênçãos de Davi"; a palavra "vos" (At 13.34) diz respeito não apenas a Jesus, mas a todos os que põem a confiança nEle. Os crentes recebem as seguras manifestações da graça de Deus prometidas a Davi, como o perdão de pecados e a vida eterna por Cristo.

O Cristo ressurreto e exaltado reinará para sempre, porque Deus não deixará que seu Santo "veja corrupção" (Sl 16.10). O "Santo" se refere a Jesus, o Messias, não a Davi que morreu e cujo corpo viu corrupção permanecendo no sepulcro (cf. At 2.25-32). Em contraste com Davi, o corpo de Jesus não ficou no sepulcro. A profecia do Salmo 16.10 não se refere a Davi, mas a Jesus, que triunfou sobre a morte e nunca morrerá novamente. De novo, mais que a ressurreição de Jesus está envolvida aqui. A bênção prometida no Salmo 16.10 aplica-se a "vos", os crentes (Is 55.3). O cumprimento das bênçãos de Deus a Davi por Jesus Cristo também garante aos crentes que eles serão ressuscitados. A ressurreição de Jesus torna possível e conduz a nossa.

3) Na conclusão do sermão de Paulo, ele enfatiza que o perdão de pecado é possibilitado pela fé no Cristo ressurreto (vv. 38-41; cf. At 2.38; 3.19; 5.31; Lc 24.47). Ele se dirige novamente à sua audiência por "varões irmãos", incluindo os israelitas e os gentios tementes a Deus. Ele lhes explica o significado que a ressurreição de Jesus tem para aqueles que confiam nEle. A salvação vem "por este" — Jesus —, significando que somente pela morte e ressurreição de Jesus o perdão de pecado pode ser proclamado e oferecido às pessoas.

O uso que Paulo faz da palavra "justificados" (*dikaioo*) dá ao sermão ênfase distintivamente paulina e significa basicamente "declarado não culpado". A palavra é um termo legal usado nos tribunais para expressar o veredicto de absolvição. Aqui, Paulo o usa para descrever a condição daqueles que crêem em Cristo. O veredicto divino é culpado (Rm 3.23), mas os crentes são absolvidos, porque a penalidade pelo pecado foi paga por outro: Cristo. Ele remete os pecados e trata os crentes como se nunca tivessem pecado, colocando-os em relação certa com Ele mesmo.

O versículo 39 resume esta doutrina da justificação. No lado negativo, ninguém pode afiançar perdão de pecado ou justificação observando as regras e regulamentos da lei mosaica. O modo como este versículo foi traduzido pode significar erroneamente que a lei de Moisés pode nos livrar de alguns pecados, embora não de outros. Este versículo não deve ser diminuído de sua eficácia com o sentido de que Cristo fornece remédio para os pecados que a lei não fornece. O ponto de Paulo é que a lei não oferece remédio algum. A lei de Moisés não pode, de forma alguma, nos justificar ou nos livrar do pecado.

No lado positivo, o versículo 39 enfatiza que a justificação e o perdão de pecado são oferecidos pela fé em Cristo. Embora a lei mosaica não nos possa justificar, a fé em Cristo nos livra de todos os pecados. Deus tem um meio universal de salvação: "Todo aquele que crê". Gentios e judeus são "justificados". Deus declara como justo aos seus olhos todos os que põem a fé em Cristo. Qualquer esforço humano para garantir o perdão de pecados pelas obras da lei é fútil.

Paulo conclui o sermão com uma advertência profética de Habacuque 1.5. O teor das palavras do profeta, citadas por ele, mostra que o profeta está se referindo à iminente invasão e destruição de Judá pelos babilônios (c. 605 a.C.). Ele apela para esta profecia como advertência contra rejeitar o evangelho que ele está pregando. Indubitavelmente, as observações de Paulo sobre a lei de Moisés devem ter despertado preocupação de alguns dos ouvintes judeus. Se rejeitam a graça justificadora de Deus oferecida em Cristo, eles se identificam com aqueles a quem Habacuque falou palavras temerosas, quando Deus estava fazendo ações tão poderosas que ninguém acreditaria. A rejeição que os incrédulos dão ao evangelho nos dias de Paulo é tão indesculpável quanto a incredulidade do que desprezaram o tempo da invasão babilônica nos dias do profeta (Hb 1.5-11).

A narrativa de Lucas da experiência na sinagoga continua com a resposta do povo ao sermão (vv. 42-49) e a perseguição e partida dos missionários (vv. 50-52). O sermão do Paulo inspirado pelo Espírito causa profunda impressão na maioria da audiência. Quando Paulo e Barnabé começam a sair da sinagoga, muitos expressam interesse em ouvi-los no sábado seguinte.

Depois da despedida da congregação, Lucas registra que "muitos dos judeus e dos prosélitos religiosos" seguem os missionários. Como já indicado, alguns dos presentes na sinagoga eram gentios que "temem a Deus" (vv. 16,26). Estes tementes a Deus eram gentios que adoravam o Senhor, mas que não tinham se convertido inteiramente ao judaísmo. A frase "prosélitos religiosos" (lit., "prosélitos que adoram") se refere aos gentios que eram totalmente convertidos ao judaísmo; eles tinham aceitado a circuncisão e sentiam forte ligação com a forma judaica de adoração. Quando saem, muitos destes devotos gentios e judeus ficam falando com Paulo e Barnabé e expressam profundo interesse na mensagem.

Enquanto falam com as pessoas, Paulo e Barnabé as encorajam a permanecerem fiéis "na graça de Deus". Aqui, graça não deve ser considerada no sentido técnico de receber a salvação oferecida por Jesus Cristo. Estas pessoas ainda não crêem no evangelho; portanto, elas ainda não são salvas. Mas Paulo as exorta a continuar confiando na bondade e favor de Deus e a permanecer investigadores sérios da verdade, crendo que Jesus é o cumprimento das promessas de Deus no Antigo Testamento.

Durante a semana seguinte, a notícia sobre o sermão missionário na sinagoga se espalha pela cidade de Antioquia. Como resultado, "quase toda a cidade" vai à sinagoga no sábado seguinte para ouvir a mensagem cristã, "a palavra de Deus", pregada por Paulo. O apóstolo entrega um sermão, não registrado por Lucas, no qual apresenta com mais detalhes a verdade proclamada no sábado anterior. Certamente ele declara a insuficiência da lei em justificar qualquer pessoa aos olhos de Deus e a suficiência de Cristo em nos livrar do pecado e nos levar a uma relação certa com Deus (v. 39).

Quando os judeus (provavelmente os líderes da sinagoga) vêem as grandes multidões ávidas para ouvir Paulo, eles "encheram-se [*pimplemi*] de inveja [*zelos*, "ciúmes"]" (v. 45). O mesmo verbo que aparece aqui *pimplemi*, é usado para falar dos discípulos que são cheios com o Espírito no Dia de Pentecostes (At 2.4) e dos discípulos em Antioquia que ficaram cheios de alegria e do Espírito Santo (At 13.52). As autoridades judaicas não são movidas pelo Espírito Santo, mas por um espírito invejoso. Eles desejam preservar a santidade da lei e temem que o evangelho afaste da sinagoga os tementes a Deus. Eles têm dúvidas sobre o que Paulo está pregando e não podem ver Deus em ação no seu meio, justamente como a profecia de Habacuque antecipou (v. 41). A fim de deter o movimento religioso, eles discordam do que Paulo diz e declaram que seus ensinos são mentirosos.

Neste momento, parece inútil argumentar com estes líderes. Eles estão ficando abusivos ao contradizerem a mensagem cristã e dão pouca importância ao que os apóstolos estão dizendo. Os missionários falaram aberta e corajosamente, e com certeza inspirados pelo Espírito Santo. Mas o pronunciamento ousado aumentou a oposição das autoridades judaicas. Essa rejeição do evangelho dá a Paulo e Barnabé a oportunidade de declarar sua missão: "Era mister que a vós se vos pregasse primeiro a palavra de Deus" (v. 46). De acordo com o plano divino, o evangelho deve ser apresentado primeiramente aos judeus, e depois aos gentios (Rm 1.16; 2.10). De lugar em lugar, mesmo em terras gentias, sua prática era ir primeiro aos judeus. Agora que estes judeus rejeitaram o evangelho, os missionários estão livres da obrigação e se voltam para os gentios.

Pelo fato de os judeus terem recusado crer no evangelho, eles pronunciam sobre si mesmos o julgamento de que eles não são "dignos da vida eterna". A palavra "dignos" (*axios*) não se refere a mérito pessoal, mas à sua desqualificação por incredulidade de receber a vida eterna. Essa vida é a vida na era vindoura, oferecida somente por meio de Cristo, e é assunto exclusivamente da graça de Deus. Ninguém dentro de si mesmo é digno dela.

Visto que os judeus rejeitaram o evangelho, Paulo e Barnabé anunciam abertamente a missão gentia (vv. 46,47), e os gentios presentes ficam deliciados em ouvir que o evangelho é direcionado a eles (v. 48). Eles respondem alegrando-se e glorificando "a palavra do Senhor". A missão gentia é o cumprimento direto da profecia de Isaías 49.6 (citada em At 13.47). Capacitado pelo Espírito, Jesus, o Servo do Senhor, traz a luz da salvação para os gentios (Lc 2.32). De modo semelhante, os missionários capacitados pelo Espírito levam a luz do evangelho "até aos confins da terra" (At 1.8).

Lucas acrescenta: "E creram todos quantos estavam ordenados para a vida eterna" (v. 48). Os verbos "estavam ordenados" têm sido entendidos no sentido de endossar a predestinação e ensinar que a salvação pessoal de indivíduos é resultado do eterno decreto de Deus. O contexto nos ajuda a compreender o significado de Lucas. Os judeus foram indiferentes à vida eterna e se recusaram a crer no evangelho, ao passo que os gentios creram nas boas-novas e receberam o dom da vida de eterna. É claro que a escolha humana tem uma parte na fé salvadora. A resposta de crer ou recusar crer não é dada por decreto eterno. As Escrituras colocam a responsabilidade da resposta ao evangelho na pessoa que o ouve e nunca em Deus. Ninguém recebe a vida da ressurreição à parte do ato consciencioso da fé em Cristo. O que Lucas está ensinando é que o grande plano de salvação de Deus inclui gentios, e que está sendo irrevogavelmente revelado na pregação do evangelho aos gentios. Ao crerem no evangelho eles foram ordenados à vida eterna — quer dizer, a vida do mundo vindouro despontou em Cristo. É a vida da ressurreição que Deus ordenou que todos os que crerem em Jesus Cristo receberão (Arrington, 1988, p. 137).

Os judeus em Antioquia rejeitaram o evangelho, mas não podem deixar de divulgá-lo por toda a região (vv. 49-52). Cada vez mais pessoas no território circunvizinho ouvem falar da palavra do Senhor. Por causa do triunfo do evangelho, os judeus intensificam a oposição a Paulo e Barnabé (cf. v. 45). Várias mulheres gentias locais haviam se tornado adeptas do judaísmo. Entre estas mulheres tementes a Deus estavam aquelas que provavelmente eram esposas de proeminentes cidadãos gentios. Os judeus instigam estas mulheres socialmente importantes contra os missionários.

As mulheres sempre estavam entre a maioria dos adeptos fiéis do evangelho, mas estas mulheres com seus maridos são induzidos a tomar atitude hostil contra os missionários. Paulo e seus cooperadores são forçados a deixar a cidade. Eles estão indignados e mostram que sabem que os judeus são responsáveis pela expulsão dos apóstolos. Assim, antes de saírem, eles sacodem o pó dos pés como símbolo de que eles estão livres de qualquer responsabilidade pelos que rejeitaram o evangelho (cf. Mc 6.11; Lc 10.16).

Depois que os missionários deixam Antioquia, os novos crentes enfrentam perseguição. Não obstante, o coração destes novos-convertidos não está cheio de pesar e medo. Antes, o Espírito Santo ministra às suas necessidades espirituais. Por conseqüência, eles estão cheios de alegria e do Espírito Santo. Os verbos "estavam cheios" (*eplerounto*, tempo imperfeito) se refere à ação linear no tempo passado ("estava estando cheios"), descrevendo a capacitação e inspiração carismáticas do Espírito Santo que estes discípulos experimentariam diariamente. O Espírito enche continuamente e capacita os crentes durante este período de compulsão espiritual.

Anteriormente estes novos crentes tinham com certeza recebido o batismo inicial com o Espírito, mas como os discípulos no Dia de Pentecostes eles são novamente cheids com o Espírito (cf. At 4.31). A experiência inicial pode ser descrita como batismo (imersão) no Espírito ou enchimento do Espírito, mas há outros enchimentos para necessidades ou tarefas específicas. O enchimento com o Espírito não é somente uma experiência inicial; deve ser uma realidade contínua e a condição normal dos crentes pentecostais.

5.1.4. Icônio (14.1-7). Depois de saírem de Antioquia, Paulo e Barnabé tomam a estrada que leva ao sudeste, até que eles chegam a Icônio, cerca de cento e quarenta e cinco quilômetros. Lucas faz apenas breve resumo do ministério dos missionários naquela cidade (v. 3), mas o que Eles experimentam torna-se a resposta típica ao evangelho em futuros empenhos missionários. Quando eles chegam a Icônio, eles vão à sinagoga local, onde, como era costume, começam o trabalho. Na sinagoga, os missionários acham pessoas preparadas para ouvir as boas-novas.

De acordo com o padrão estabelecido na primeira viagem missionária (At 13.46; 14.1), a pregação é dirigida primeiramente aos judeus. Inspirados pelo Espírito, Paulo e Barnabé falam com grande persuasão. A pregação produz convicção e leva à conversão grande número de judeus e gentios tementes a Deus (v. 1). A mensagem missionária não cai em ouvidos surdos, contanto que seja julgado por méritos próprios e sem interferência. Mas dificuldades não demoram a aparecer. Judeus incrédulos incitam os sentimentos de gentios (não ligados à sinagoga) contra "os irmãos" (os crentes). Eles envenenam a mente desses gentios, provavelmente usando calúnia falsa e maliciosa. Em conseqüência, surge dentro da cidade a oposição ao evangelho, tanto de judeus quanto de gentios.

Paulo e Barnabé passam "muito tempo" pregando em Icônio. Apesar da resistência, eles pregam "ousadamente", modo característico de descrever pregadores inspirados pelo Espírito (cf. At 9.27; 18.26; 19.8; 26.26). O testemunho inspirado e profético pelo Espírito sobre a graça salvadora de Deus revelada em Cristo tem a aprovação de Deus, que confirma a mensagem inspirada "permitindo que por suas mãos [de Paulo e Barnabé] se fizessem sinais e prodígios". O próprio Deus dá testemunho da palavra em forma de milagres, justamente como fizera em Jerusalém (At 5.12).

Lucas não dá detalhes sobre estes milagres, mas a pregação e os milagres têm um efeito decisivo nos habitantes da cidade. Eles ficam divididos em sua lealdade. Alguns são leais aos judeus e outros, a Paulo e Barnabé, que são identificados como "apóstolos". Pela primeira vez em Atos Lucas fala sobre eles como apóstolos. Aqui, esta designação é usada em sentido mais geral, para indicar que estes homens foram enviados como missionários pela Igreja em Antioquia (At 13.3).

O evangelho sempre causa divisão; às vezes, acirrada e dolorosa (Mt 10.34). A resistência ao evangelho em Icônio atinge um clímax. Os judeus incrédulos e os gentios unem-se para ferir os missionários fisicamente. Eles ganham a cooperação das autoridades municipais (ou líderes da sinagoga) para insultá-los e apedrejá-los (v. 5). Paulo e Barnabé ficam sabendo a tempo de uma conspiração contra eles e fogem, indo para Listra e Derbe. Listra era posto romano de destacamento avançado que se situava a apenas trinta e dois quilômetros

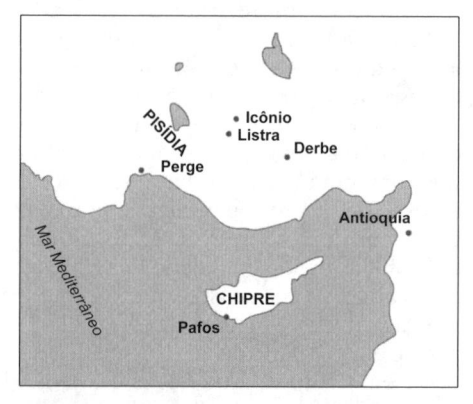

Tomando conhecimento de uma conspiração para os matar em Icônio, Paulo e Barnabé viajam para Listra e Derbe.

de Icônio; Derbe ficava um pouco mais de oitenta quilômetros de Listra. Nestas cidades e na "província circunvizinha" os missionários pregam as boas-novas de Cristo. A oposição que encontram não diminui o compromisso em declarar a palavra que traz vida e salvação.

5.1.5. Listra (14.8-18). Listra era uma cidade bastante insignificante. Quando Paulo e Barnabé ali chegam, eles não encontram sinagoga judaica. É possível que a população de Listra fosse totalmente gentia. Aqui, Paulo prega o evangelho ao ar livre, nas ruas ou num espaço perto da porta da cidade. Novamente vemos o duplo testemunho das palavras proféticas (sermão) e das obras (sinais e prodígios).

O relato de Lucas nos mostra a resposta dos pagãos ao evangelho. Evidentemente a pregação de Paulo tem alguma referência ao ministério de curas de Jesus e ao poder do Espírito Santo, e o Espírito capacita o apóstolo a fazer curas semelhantes como prova da missão divina. Ele observa um homem que o ouve e que desde o nascimento era coxo (v. 8). Pelo Espírito Santo, Paulo discerne que este homem incapacitado tem fé para ser curado. Capacitado pelo Espírito, Paulo ordena que ele se levante. Imediatamente o homem é curado, salta e começa a caminhar. Cura semelhante de um coxo feito por Pedro (cf. At 3.1-10) suscitou a hostilidade dos judeus, e a cura em Listra instiga uma confrontação com a religião e superstição pagãs.

As pessoas ficam pasmas com o que aconteceu diante de si. A excitação leva as pessoas a gritar na língua local, o idioma licaônico (do qual pouco se conhece). Nem Paulo ou Barnabé entendem o que eles estão dizendo, mas as pessoas são rápidas em concluir que dois deuses semelhantes a homens desceram do céu. Elas chegam a essa conclusão em resultado de lendas gregas sobre deuses que vêm à terra na forma de homens.

Em certa lenda local, Zeus e Hermes visitaram a área de Listra disfarçados de mendigos. A princípio, ninguém ofereceu hospitalidade a estas deidades, mas finalmente dois velhos camponeses, Filemom e sua esposa Baucis, foram amáveis com eles sem saberem que eram deuses. Toda a população foi destruída, com exceção deste casal ancião (Ovídio, *Metamorfose*). Quando os missionários curam o homem incapacitado, estas pessoas concluem que eles são deuses. Elas vêem em Paulo e Barnabé características que lembram suas deidades supremas. Barnabé devia ter uma aparência nobre e é tomado como Zeus, o principal deus dos gregos. Considerando que Paulo fez o discurso, eles o identificam como Hermes, o deus da eloqüência e do discurso.

Por conseguinte, o povo local quer prestar honras adequadas a estes dois deuses, a quem eles presumem que estão disfarçados de homens (vv. 13,14). Por causa da barreira idiomática, Paulo e Barnabé não sabem o que está acontecendo, mas o sacerdote local de Zeus faz preparativos para oferecer sacrifícios a eles como deuses. O templo de Zeus estava localizado imediatamente fora da cidade ou perto da porta da cidade. A fim de que as pessoas prestem honra apropriada aos visitantes, o sacerdote traz bois e grinalda de flores perto de onde Paulo e Barnabé estão.

À medida que o sacerdote se dirige ao altar do templo, os dois missionários percebem que a intenção é lhes dar honras divinas oferecendo sacrifícios de animais. Em outras palavras, Paulo e Barnabé acham-se como objetos de adoração idólatra. Eles ficam extremamente chocados. Como protesto contra o que as pessoas estão a ponto de fazer, eles rasgam as vestes. O rasgamento de roupas na tradição judaica é uma reação formal diante de blasfêmia (Mc 14.63), mas aqui é sinal de angústia e agitação. Os dois apóstolos explicam que eles são meros homens e não deuses. Pela razão de ter sido foi o Senhor Deus que fez milagres pelas mãos deles, eles negam enfaticamente a honra divina e insistem que têm a mesma natureza, limitações e debilidades como qualquer ser humano. Só o Deus vivo e verdadeiro merece ser adorado.

Sem hesitar, Paulo aproveita a oportunidade para explicar às pessoas a natureza do verdadeiro Deus. Nesta ocasião, o sermão reflete traços característicos da pregação cristã primitiva aos gentios. As pessoas em Listra não têm formação judaica à qual Paulo possa apelar, assim ele não faz referência ao Antigo Testamento. Ele começa condenando a idolatria, exortando-as a se converterem "dessas vaidades" (v. 15), que significam a adoração de ídolos. Já não há desculpa para adorar tais objetos, porque Deus se revelou no evangelho. As boas-novas que ele proclama instrui o povo a se voltar ao Deus vivo, que se revelou na criação.

O povo de Listra devia fazer o que Paulo mais tarde mencionou acerca dos tessalonicenses: "Dos ídolos vos convertestes a Deus, para servir ao Deus vivo e verdadeiro" (1 Ts 1.9). A ênfase principal de Paulo está em Deus como Criador, notando a bondade e o poder de Deus revelados nas obras de criação e providência. Na criação, o Deus vivo se revela visivelmente a todas as pessoas de todas as épocas e lugares (cf. At 17.24-31; Rm 1.20). Os gentios podem ver com os olhos a prova da existência de Deus. Deus deu prova de si mesmo fazendo coisas boas e mostra que tipo de Deus Ele é, dando colheitas no tempo certo, provendo comida e enchendo o coração das pessoas de alegria. Este Deus é o verdadeiro objeto de adoração, mas os idólatras adoram a criação e toldam a distinção entre o Criador e a criatura.

Nas gerações passadas, o Deus vivo permitiu "andar todos os povos em seus próprios caminhos" (v. 16). Vivendo como lhes agradavam, eles trilharam o caminho da idolatria, adorando a criatura em vez do Criador. Naquela época, eles não tinham revelação específica da vontade divina em Jesus Cristo. Por causa dessa ignorância, Deus não fez conta da idolatria. Agora Ele se revelou em Cristo, tornando-lhes indesculpável a ignorância e obrigando-os a se converterem dos ídolos ao Deus vivo.

Deus deixou uma testemunha de si mesmo no universo criado, embora o pecado tenha arruinado a criação (Gn 3.17-19; Rm 8.18-25), e, em conseqüência, reflete imperfeitamente a glória de Deus. A revelação geral oferecida pela criação nunca pode trazer ninguém numa relação salvadora com Deus. Só por meio de Jesus Cristo, o Filho de Deus, há revelação que salva. Embora a morte e ressurreição de Jesus sejam o que é requerido para salvação pessoal, estes elementos distintivos estão faltando no sermão de Paulo conforme registrado aqui; Paulo presumivelmente explicou o evangelho ao povo de Listra antes de ele concluir o sermão.

O propósito de Lucas é mostrar que a pregação missionária de Paulo aos gentios pagãos incluía não só uma ênfase na obra salvadora de Cristo, mas também em sua revelação através do universo criado. A ênfase em Deus como Criador e Sustentador serve para introduzir a proclamação do evangelho. Paulo menciona "o evangelho" (ARA) no versículo 15. Ele não o desenvolve no momento, mas fala sobre o que Deus tinha feito "nos tempos passados", permitindo aos gentios viverem em seus próprios caminhos (v. 16). Este fato implica que agora Deus fez algo de uma nova maneira para se revelar. Ele o fez pelo Filho Jesus Cristo.

As palavras de Paulo impedem que a multidão preste honra divina a ele e a Barnabé oferecendo sacrifícios (v. 18), mas contê-la não é tarefa fácil. Eles estão profundamente entrincheirados na superstição pagã, e a cura do homem incapacitado causou forte impressão sobre eles. Eles ainda não estão certos de quem são Paulo e Barnabé.

5.1.6. De Derbe para Antioquia (14.19-28). Enquanto Paulo e Barnabé estão enfrentando a situação em Listra, notícias sobre as atividades dos missionários alcançam os ouvidos dos inimigos, e logo os judeus que forçaram Paulo e Barnabé a deixar Icônio e Antioquia chegam a Listra. A distância de Antioquia a Listra era de cerca de duzentos quilômetros, e de aproximadamente sessenta e cinco quilômetros de Icônio a Listra. Estes judeus percorreram grande distância para causar dificuldades aos missionários.

A cena em Listra muda abruptamente. Paulo e Barnabé se tornam objetos de ódio dos judeus que querem matá-los. Em Icônio, judeus e gentios estavam preparados para apedrejá-los (v. 5), mas os missionários fugiram. Tão persistente e intenso é o ódio, que os judeus de Antioquia e Icônio estão determinados a pôr em execução os planos feitos. Desejando silenciar o evangelho, estes judeus, junto com a cooperação de cidadãos de Listra, apedrejam Paulo e arrastam o corpo para fora da cidade, onde eles o deixam como morto. Não há dados na narrativa para explicar por que só Paulo foi vítima do apedrejamento, e não Barnabé com ele.

O ministério de Paulo em Listra foi frutífero. Os indivíduos que se tornaram discípulos se reúnem ao redor dele depois que os atacantes saem. Nada é dito sobre quanto tempo eles têm de esperar até que Paulo mostrasse sinais de vida. Sua recuperação implica que Paulo pode ter morrido e voltado à vida. Bruce diz que a recuperação "tem cheiro de milagre" (1952, p. 296). Mais tarde Paulo escreve que ele traz no corpo as marcas da paixão e morte de Jesus (Gl 6.17) — possível referência aos efeitos do apedrejamento brutal que ele sofreu em Listra. Os crentes gálatas teriam sabido em primeira mão das "marcas". Assim que pode caminhar, ele se levanta e volta à cidade. A recuperação de Paulo vindica o evangelho. Oposição e violência não diminuem o compromisso desses homens cheios do Espírito para com a missão designada por Deus.

No dia seguinte, Paulo e Barnabé vão para Derbe. Em contraste com Antioquia, Icônio e Listra, os apóstolos não sofrem perseguição aqui. Eles têm êxito em evangelizar as pessoas, enchendo a cidade das boas-novas de Cristo e ganhando muitos novos discípulos. A primeira viagem missionária alcança seu clímax com uma colheita abundante de almas.

Uma característica importante da missão de Paulo é a revisitação de igrejas recentemente estabelecidas. Colocando a vida nas mãos, Paulo e Barnabé voltam a Listra, Icônio e Antioquia da Pisídia (v. 21). Nestes lugares eles provêem cuidado pastoral fortalecendo a alma dos crentes e encorajando-os a permanecerem fiéis ao que eles crêem. Os crentes têm de estar preparados para enfrentar hostilidade e perseguição. Só por meio de muitas tribulações e sofrimentos é que eles entram no Reino de Deus. Aqui, o Reino de Deus é o futuro governo de Deus na era vindoura, na Segunda Vinda de Cristo. O caminho para esse Reino não é fácil. Os que andam no caminho que conduz à vida porvir devem esperar sofrer (cf. Lc 21.12-19; 1 Ts 3.2-4; 2 Ts 1.5). Sofrer não é apenas a sorte dos cristãos primitivos, mas dos cristãos em geral. É parte da jornada ao Reino. O prêmio ao término da jornada faz com que valha a pena resistir os sofrimentos.

O ministério de "confirmar o ânimo" (v. 22) envolve mais que só cuidado pastoral. Também inclui alguma estrutura organizacional e consiste na nomeação de anciãos "em cada igreja" (v. 23). A organização de Paulo e Barnabé dos líderes da Igreja é semelhante à liderança da sinagoga judaica. Os anciãos serviam como líderes de igrejas locais, como os que supervisionavam a sinagoga e seu culto. Os anciãos designados nestas novas igrejas eram responsáveis pelo culto, instrução, administração e disciplina da congregação (ct. 1 Tm 3.1-7; Tt 1.5-9).

Para Paulo e Barnabé a designação de anciãos é de grande importância, e por isso o fazem "orando com jejuns" (v. 23). Como vimos, os sete diáconos da Igreja em Jerusalém foram separados para o ministério com oração e a imposição de mãos (At 6.6). Quando o Espírito Santo designou Paulo e Barnabé como missionários, a igreja em Antioquia orou e jejuou, e depois impôs as mãos sobre eles e os enviou na primeira viagem missionária (At 13.2,3). A verdadeira designação ao ministério envolve mais que a aprovação de seres humanos. O Espírito Santo chama os indivíduos ao ministério e os capacita de forma que possam cumprir a chamada. Depois que os anciãos são designados nas igrejas recentemente estabelecidas, Paulo e Barnabé entregam os novos-convertidos ao cuidado do "Senhor em quem haviam crido" quando se tornaram cristãos (v. 23).

Tendo fortalecido espiritualmente as novas igrejas e organizando-as de forma adequada, os missionários descem de Antioquia da Pisídia para Perge, que foi o primeiro lugar que visitaram quando chegaram de Chipre (At 13.14). Na primeira visita em Perge eles tinham passado sem pregar. Esperando por um navio que ia a Antioquia da Síria, eles evangelizam a cidade pela primeira vez. Nada é dito a respeito do fruto do trabalho ali. Paulo e Barnabé navegam do porto de Atália, que ficava perto dali, para irem a Antioquia da Síria.

Ao voltarem a Antioquia, os missionários dão um relatório para a congregação que os tinha comissionado. Provavelmente ninguém tinha tido notícias de Paulo e Barnabé desde que a Igreja os enviara durante um culto especial de oração e jejum. Estes apóstolos estão ansiosos em contar à Igreja sobre o progresso do evangelho entre os gentios. Eles querem que a congregação saiba o que foi feito e como.

No relatório, Paulo e Barnabé não se detêm nos sofrimentos e violências que enfrentaram, nem se vangloriam da dedicação e força em face da perseguição. O relatório enfatiza duas coisas:

1) "Quão grandes coisas Deus fizera por eles". É expressiva que a ênfase caia no que Deus fez. O sucesso foi devido a Deus, porque Ele operou por eles. O Espírito Santo deu início, capacitou e os sustentou na missão. Os apóstolos suportaram grande adversidade, mas o trabalho do Espírito por meio deles é a razão do sucesso.

2) Deus "abrira aos gentios a porta da fé". Uma porta de fé aberta significa que os gentios têm acesso às bênçãos do evangelho (cf. 1 Co 16.9; 2 Co 2.12; Cl 4.3). Quando Deus abre uma porta, ninguém a fecha (cf. Ap 3.7). A fé em Jesus Cristo é a única porta para o Reino de Deus. O fato de Deus abrir a porta da fé sempre tem conseqüências de longo alcance. Uma duração de tempo considerável, provavelmente semanas, e não anos, passa entre o relatório de Paulo e Barnabé e a viagem deles ao Concílio de Jerusalém (v. 28; cf. At 15.2).

5.1.7. Resultado: O Concílio de Jerusalém (15.1-35). Na primeira viagem missionária, muitos gentios entraram na Igreja. O sucesso inicial da missão gentia estava sujeito a suscitar preocupações entre os cristãos judeus conservadores, especialmente considerando que os gentios foram recebidos com pleno *status* cristão, sem que lhes fosse exigido observarem quaisquer rituais judaicos. Judeus crentes rígidos insistiam que os gentios convertidos tivessem de passar pela circuncisão, o principal distintivo do judaísmo, para a completa admissão ao povo de Deus. Eles começaram a ensinar: "Se vos não circuncidardes, conforme o uso de Moisés, não podeis salvar-vos" (v. 1). A salvação somente pela graça se tornou um problema pastoral, que se centraliza em torno de diferenças doutrinárias e culturais.

Por conseguinte, a aceitação dos gentios sem a circuncisão tornou-se questão teológica que a Igreja achou necessária tratar numa reunião em Jerusalém. Pedro já defendera com sucesso a aceitação dos gentios incircuncisos da casa de Cornélio, mas aquela discussão não resolveu bem a questão (At 11.18). O problema ficou sério e tornou necessário o esclarecimento da mensagem. Uma reunião é convocada em Jerusalém para resolver a questão teológica da relação dos gentios crentes com a lei de Moisés. Esta reunião é conhecida como Concílio de Jerusalém. Presentes na reunião estão os representantes das duas igrejas locais — Antioquia e Jerusalém.

A reunião está registrada em Atos 15, que é significativo ponto decisivo no Livro de Atos. Neste capítulo, Pedro é mencionado pela última vez, e depois deste capítulo, Lucas enfoca exclusivamente Paulo e seu ministério. Porém, mais importante é a decisão do concílio que remete à igreja oficialmente a pregar o evangelho aos gentios e a admiti-los na comunhão cristã somente com base na fé.

A importância desta decisão pode ser difícil para os cristãos de hoje entenderem. À luz do Novo Testamento, os proponentes da circuncisão tinham um caso fraco. Na época do Concílio de Jerusalém não havia cânon do Novo Testamento ao qual eles poderiam recorrer. Além disso, os líderes do povo de Deus, de Abraão aos dias de Paulo, tinham sido circuncidados, e o Antigo Testamento ensina que a circuncisão era uma exigência perpétua (Gn 17.9-14). O próprio Jesus nunca ensinou explicitamente que a circuncisão não era mais necessária. O peso destas evidências não deveria ser negado.

Não obstante, a Igreja no Concílio de Jerusalém decide que a circuncisão — a obra da lei — já não é necessária. O Espírito Santo guia e dirige os assuntos desta importante reunião. O relato de Lucas sobre o Concílio de Jerusalém tem várias características: (1) Introdução do tema da circuncisão em Antioquia (vv. 1,2); (2) a cena do conflito em Jerusalém (vv. 3-5); (3) os discursos (vv.6-21); (4) a carta do concílio aos crentes gentios (vv. 22-29); e (5) o relatório para a Igreja (vv. 30-35).

1) O relato de Lucas sobre a controvérsia da circuncisão começa em Antioquia da Síria (vv. 1,2). A unidade da Igreja naquela localidade está ameaçada pela chegada de alguns judeus cristãos que querem que todos os cristãos sigam a lei de Moisés. Este incidente pode ser o mesmo referido em Gálatas 2.12. Estes judeus cristãos eram chamados "judaizantes", porque eles criam que todo aquele que recebesse o evangelho deveria se converter ao judaísmo e guardar a lei de Moisés, particularmente a circuncisão.

O ensino dos judaizantes cria divisão na Igreja. Eles entram num espírito de exclusivismo judaico e pronunciam que os crentes gentios incircuncisos não são salvos, e que a fé em Cristo não é o bastante para a salvação. Estes agitadores dogmaticamente insistem que a circuncisão deve ser acrescentada à fé no Salvador. O versículo 24 indica que eles afirmam ser uma delegação oficial de Jerusalém e agem no interesse dos apóstolos e anciãos; mas Lucas não dá a impressão de que eles sejam representantes oficiais, porque ele identifica a Judéia, em vez de Jerusalém, como lugar do qual eles vieram (v. 1).

Estes mestres não-autorizados encontram forte resistência em Antioquia. O esforço para judaizar a Igreja cria acalorado debate e tem o potencial de dividir a Igreja em duas facções, uma com sede em Jerusalém e outra, em Antioquia. A integridade do evangelho e a unidade da Igreja estão em jogo. A palavra traduzida por "não pequena discussão" (*stasis*) significa literalmente "insurreição, facção, discórdia", ao passo que a palavra traduzida por "contenda" (*zetesis*) quer dizer "disputa, discussão". Estas duas palavras descrevem uma situação dominada por conflito que é provocada por raiva, desunião e discussão. Paulo e Barnabé parecem estar no centro da controvérsia. A questão não pode ser solucionada deixando-a em estado latente ou varrendo-a para debaixo do tapete, na esperança de que venha a desaparecer. Por causa do perigo de cisão e da importância da mensagem missionária, uma delegação é enviada a Jerusalém para resolver o assunto. Entre os representantes estão Paulo e Barnabé cujo trabalho missionário poderia ser especificamente afetado pela tentativa dos judaizantes de impor a lei judaica sobre os crentes gentios. Eles devem apresentar a disputa "aos apóstolos e aos anciãos" — grupo mencionado cinco vezes no capítulo (vv. 2,4,6,22,23). Eles servem como parte estabelecida da estrutura organizacional da igreja.

No grego, a frase "aos apóstolos e aos anciãos" é modificada por um só artigo "os", indicando que eles deveriam ser considerados como um grupo em vez de dois, embora as funções possam se sobrepor. Este grupo é o corpo mais alto de líderes na Igreja. Não há dúvida de que no ministério que cumpriram houve manifestações dos dons espirituais. Sendo guiados pelo Espírito, eles e os outros terão a sabedoria para solucionar a questão de forma que a integridade do Evangelho seja mantida.

2) Os delegados partem para Jerusalém (v. 2). Quando viajam, Paulo e Barnabé aproveitam a oportunidade para informar o progresso do evangelho entre os gentios. Ainda que Lucas não nos tenha dito nada sobre a pregação do evangelho na Fenícia, evidentemente há comunidades cristãs na Fenícia e Samaria. Esta omissão é um lembrete de que Lucas é seletivo no que registra. Em vez de apresentar um relato

exaustivo do crescimento da Igreja no século I, ele mostra a natureza universal da fé e enfatiza a expansão do evangelho de Jerusalém a Roma.

À medida que os representantes recontam vezes sem conta que os gentios se voltam para Deus, as notícias trazem grande alegria ao coração dos crentes. Em contraste com os judaizantes, as congregações da Fenícia e Samaria regozijam-se com o triunfo do evangelho no mundo gentio. As igrejas na Fenícia (compostas por judeus crentes) e os cristãos samaritanos partilham a atitude de Paulo para com a circuncisão. Apoio para a missão gentia é muito difundido. Com certeza a alegria destas igrejas dá a Paulo e Barnabé a garantia de apoio para o Evangelho enquanto eles o pregam, e para suas atividades missionárias.

A delegação de Antioquia recebe calorosa recepção da Igreja e seus líderes (v 4). A palavra "recebidos" (*paradechomai*) significa "receber como convidados". Tais boas-vindas entusiásticas não seriam possíveis se os líderes em Jerusalém já tivessem concordado com os judaizantes. Paulo e Barnabé fazem um relatório sobre a primeira viagem missionária, a qual eles empreenderam sob a direção do Espírito Santo (At 13.2). Eles enfatizam "quão grandes coisas Deus tinha feito com eles". A aprovação divina do ministério foi atestada por milagres poderosos e a conversão de numerosos gentios. O relatório deve ter alegrado o coração desses simpatizantes da missão gentia.

Mas na audiência estão crentes que pertencem ao partido dos fariseus (v. 5). Como os judaizantes que tinha ido a Antioquia, estes fariseus convertidos crêem que os gentios devem passar pela circuncisão para que sejam salvos. No Evangelho de Lucas, os fariseus, em sua maioria, estão entre os oponentes de Jesus, e nos primeiros capítulos de Atos eles também manifestam hostilidade para com a Igreja. Mas agora alguns deles se tornaram crentes, e exercem forte influência. Eles se apegaram tenazmente a algumas de suas antigas convicções sobre a lei, e não causa surpresa que eles estejam no lado errado do debate.

Enquanto ouvem o relatório de Paulo e Barnabé, os ex-fariseus aproveitam a oportunidade para destacar o que eles consideram sério defeito na instrução dos missionários. Eles insistem que os gentios convertidos devem ser circuncidados. Depois que os ex-fariseus declaram sua posição, os apóstolos e anciãos se encarregam da situação. Eles adiam a reunião sem discutir a questão, mas dão a entender que querem dar à questão consideração mais formal.

3) A segunda reunião parece ser mais formal. Os apóstolos e anciãos se reúnem para esclarecer a mensagem missionária. Parece ser uma reunião geral, incluindo a liderança e também a congregação (vv. 12,22). No centro da controvérsia está a questão teológica fundamental: O que se exige para a salvação — os gentios têm de se tornar judeus para serem salvos ou só a fé é suficiente? Quando a reunião começa, as coisas ficam tensas; várias argumentações são dadas sobre cada lado do assunto. As manifestações expressam convicções fortes e adversárias. "Havendo grande contenda", o debate atinge um cume. É então que Pedro se levanta e faz o primeiro de três discursos cruciais para a resolução do assunto.

a) O discurso de Pedro (At 15.5-11). Pedro enfatiza que há um só meio de salvação — "pela graça do Senhor Jesus Cristo" (v. 11). Ele sustenta esta verdade apelando para a experiência de Cornélio (At 10.1—11.18). Seu argumento contém três pontos:

(i) O próprio Deus tomou a iniciativa de fazer conhecido o evangelho aos gentios. No começo da missão para os gentios, Deus o escolheu a pregar o evangelho a Cornélio e seus amigos e garantir-lhes que eles são aceitos na Igreja. Em certo nível muito prático, a conversão dos gentios se deve a esta iniciativa divina.

(ii) Evidência visível da aprovação de Deus é que a família de Cornélio recebeu o batismo com o Espírito. Pedro insiste que Deus deu à casa de Cornélio o Espírito Santo "assim como também a nós" no Dia de Pentecostes (v. 8). Os crentes gentios em Cesaréia falaram em línguas como sinal de serem capacitados pelo Espírito (At 10.45,46). Deus conhecia os corações desses gentios como conhece os corações de todas as pessoas; é por isso que Ele os encheu do Espírito. Essa experiência os equipou a serem testemunhas, da mesma maneira que o derramamento do Espírito fez nos discípulos no Dia de Pentecostes.

(iii) Deus não fez distinção entre "nós" (os judeus) e "eles" (os gentios) (v. 9). Pela fé, os corações dos crentes judeus e gentios foram limpos de pecado. Cornélio e seus amigos foram purificados do pecado do mesmo modo que os cristãos judeus. Os crentes judeus e os crentes gentios não foram salvos pela circuncisão e obediência à lei (v. 11). Deus lhes concedeu pureza interior pelo ato da fé e também os encheu do Espírito. Tudo o que importava aos olhos de Deus era a fé em Jesus Cristo. Igualmente, não devemos fazer distinção entre judeus e gentios.

Pedro prossegue advertindo contra tentar Deus procurando adicionar exigências à salvação (v. 10). Tentar Deus é ir contra sua vontade revelada (cf. At 5.9; Êx 17.2; Dt 6.16), e Deus revelou que aceita os gentios só pela fé. Demandar observância da lei põe Deus em teste e desafia sua aceitação dos gentios pela fé em Cristo. Qualquer tentativa em modificar o plano divino de salvação provocará a ira de Deus. Como a Igreja pode pôr um "jugo" desnecessário no pescoço dos gentios?

Pedro sabe que guardar a lei para salvação é um fardo intolerável. Sobre este assunto, ele faz duas observações:

a) Os judeus descobriram que a lei é muito pesada para ser observada e impossível de ser guardada. Ninguém jamais foi salvo pela obediência à lei, nem mesmo judeus que dedicaram a vida tentando guardá-la; (b) Há somente um meio de salvação — "pela graça do Senhor Jesus Cristo". Deus salva pela graça e fé, não pela lei.

b) O discurso de Paulo (At 15.12). A evidência apresentada por Pedro é importante, e os fariseus começam a abrandar. Indubitavelmente Lucas registrou apenas um resumo do que foi dito. Todos falaram livremente. Mas à medida que Pedro fala, o Espírito Santo aquieta os corações, pois na reunião, altamente carregada de dissensão, estabelece-se o silêncio (v. 12). Com os fariseus mantendo a paz, o Espírito Santo incita Barnabé e Paulo a se levantarem e falarem sobre o assunto. Eles contam novamente a história de como Deus lhes abençoou o ministério entre os gentios e lhes deu a aprovação nos trabalhos que fizeram mediante a execução de "grandes sinais e prodígios" feitos pelas mãos deles. Eles contam a história de como Deus feriu de cegueira um mágico cipriota (At 13.8-11), curou um homem incapacitado em Listra (At 14.8-10) e livrou Paulo de um apedrejamento (At 14.19,20). Deus tem guiado a missão gentia.

O testemunho de Barnabé e Paulo não se limitava a milagres, mas também incluía como a graça salvadora de Deus tinha visitado os gentios. Deus tinha trabalhado por Barnabé e Paulo para fazer os gentios aceitarem Cristo como Salvador (At 13.12,44,48). À medida que os missionários pregam aos gentios e os organizam em congregações, eles o fazem sem circuncisão e sem exigir que os convertidos guardassem a lei.

c) O discurso de Tiago (At 15.13-21). Depois que o discurso de Pedro acalma o concílio, e Barnabé e Paulo fazem um relatório do que Deus "havia feito por meio deles entre os gentios", Tiago, dirigido pelo Espírito Santo, propõe uma solução decisiva (vv. 13-21). Ele parece ter sido o principal líder na Igreja (At 12.17; 21.18), ainda que Lucas não o identifique como tal. Ele mostra-se ser Tiago, o irmão do Senhor. Tiago era uma coluna da Igreja (Gl 2.9) e preside a reunião. O silêncio de Lucas concernente às suas credenciais indica autoridade inconcussa.

Como Pedro, Tiago também chama a atenção à iniciativa divina (cf. vv. 7,14), expressando sua aprovação do que Simão (o nome judaico de Pedro) dissera sobre a visitação de Deus aos gentios. Ele declara o tema do discurso no versículo 14; o propósito de Deus é "tomar deles um povo para o seu nome". Ele insiste que a idéia de os gentios serem incluídos entre o povo de Deus não é uma verdade nova. Os profetas tinham predito a conversão deles, e presença dos gentios na Igreja é cumprimento de profecias do Antigo Testamento (cf. Is 56.3-8; Zc 2.11). A tarefa de Tiago é dupla:

mostrar pela Escritura que Deus sempre quis salvar os gentios, e propor uma solução prática ao problema levantado pelos fariseus crentes.

(i) Como prova bíblica, Tiago cita a versão grega (LXX) de Amós 9.11,12 (cf. também Jr 12.15; Is 45.21) que mostra que a profecia do Antigo Testamento concorda com a mensagem do evangelho. Nos versículos prévios, Amós predisse a destruição de Israel, que seria a subversão do tabernáculo ou casa de Davi. Pelo profeta, Deus prometeu reconstruir "o tabernáculo de Davi, que está caído". Os descendentes de Davi reinaram como reis, e assim a construção da casa só pode ser feita por um descendente de Davi, que subirá uma vez mais ao trono. Depois da destruição de Jerusalém em 586 a.C., ninguém da família de Davi ocupou o trono até que Jesus foi ressuscitado e entronizado no céu. Deus cumpriu a promessa pela ressurreição do crucificado Filho de Davi. Pelo triunfo sobre a morte, a casa de Davi (*skene*, "tenda, barraca, tabernáculo") é reconstruída desde as ruínas. Esta reconstrução foi seguida pelo "resto dos homens" (os gentios) que busca ao Senhor, que tem acontecido desde que Pedro visitou a casa de Cornélio. Pelo Salvador, Deus criou um novo povo, a Igreja Cristã, a qual inclui gentios e judeus. Um novo tempo de salvação amanheceu. "Desde toda a eternidade" Deus tornou conhecido pela Escritura sagrada seu propósito de chamar todos os povos à salvação (v. 18). Tiago acredita que Amós estava confiante de que Deus faria o que Ele prometera (v. 19).

(ii) Com base em Amós 9.11,12, Tiago submete duas propostas de solução para a controvérsia. A primeira é que ninguém interfere com o plano de Deus aceitar os gentios. Tiago enfatiza sua autoridade com suas surpreendentes palavras de abertura: "Pelo que julgo que" (v. 19). A base de seu julgamento autorizado é o testemunho de Pedro, a Escritura e a direção especial do Espírito Santo (cf. v. 28). Determinado a não comprometer o evangelho, ele convoca o concílio a não atender as demandas dos fariseus. Deve-se parar de perturbar os discípulos gentios requerendo-lhes a circuncisão e a guarda da lei. Pela pregação do evangelho, os gentios foram salvos e batizados com o Espírito sem observar a lei de Moisés. Como Pedro declarou, impor a lei imponente sobre os gentios se mostrará um fardo opressivo e lhes dificultará voltarem-se para Deus. Assim, Tiago rejeita os judaizantes que exigem que os crentes gentios se tornem judeus (prosélitos) a fim de serem salvos.

A segunda proposta de Tiago revela um entendimento mais profundo da lei do que demonstra os fariseus crentes. A própria lei provê uma solução, porque impôs certos regulamentos aos gentios que vivem entre os judeus (Lv 17—18). Tiago apela para estas proibições. Ele não exorta os crentes gentios a se submeterem à circuncisão ou guardarem as muitas prescrições legais da lei, mas com base em Levítico 17 e 18, ele recomenda que eles evitem certas práticas pagãs. Estas práticas são:

[a] A abstinência de comida usada na adoração de ídolos. Muitos gentios comiam carne que havia sido oferecida a deuses pagãos. Como crentes, eles devem evitam comer carne sacrificial (cf. Lv 21.25), que era considerada imunda por sua conexão com a idolatria. Eles devem ser sensíveis às convicções dos judeus.

[b] A abstinência de imoralidade sexual. Esta proibição tem implicações morais fortes, proibindo relações promíscuas que faziam parte de adoração e festas pagãs. Incluir sexo ilícito como parte de religião torna o pecado mais repulsivo, embora esta proibição se refira mais às relações sexuais ilícitas de Levítico 18.6-20. Muitos gentios não viam o sexo ilícito como pecado, mas só como uma função do corpo. É uma transgressão moral. A abstinência de tal coisa é requerida para pureza de vida.

[c] A abstinência de carne de animais não apropriadamente mortos, e

[d] a abstinência de sangue. Estes duas proibições podem ser tratadas juntas, visto que estão proximamente relacionadas. Em conformidade com certas leis dietéticas (Lv 17.10-15;

cf. Dt 12.16,23), os judeus evitavam comer animal do qual o sangue não tinha sido escoado. Entre os gentios, os animais usados na adoração sacrifical eram estrangulados ou sufocados até morrer (*New International Dictionary of New Testament Theology*, ed. C. Brown, 4 vols., Grand Rapids, 1975-1985, vol. 1, p. 226). Os animais mortos desta maneira retêm o sangue e não seriam comidos. Por causa dos sentimentos de muitos cristãos judeus, os gentios devem se privar de carne de animais que foram estrangulados.

No tratamento das exigências para os cristãos gentios, note que Tiago não propõe que eles sejam circuncidados. Ele pede apenas que eles evitam certas práticas que ofendem os judeus e declara que certas exigências devam ser condições de comunhão para os gentios que se associam com cristãos judeus. Reconhecendo que Deus aceitou ambos, Tiago recomenda que os dois grupos façam concessões um ao outro para preservar a unidade da Igreja. A solução não abole a lei, mas pela ajuda do Espírito ele interpreta a lei mais corretamente.

Jesus prometera que "o Espírito Santo [...] vos ensinará todas as coisas e vos fará lembrar de tudo quanto vos tenho dito" (Jo 14.26; cf. Jo 16.13). O Espírito inspira *insights* na Escritura. Suas obras e poder são fundamentais para a pregação do evangelho aos gentios (At 8.29,39; 10.19,20,44-46; 11.12; 13.2; 15.28). Pelo fato de os *insights* de Tiago serem inspirados pelo Espírito, os crentes gentios não devem ficar ofendidos pelos regulamentos ou vê-los como arbitrários e penosos. Para os judeus dispersos entre os gentios, as Escrituras mosaicas eram lidas e pregadas semanalmente nas sinagogas. Como resultado, estes regulamentos serão bem conhecidos pelos gentios, e eles devem estar dispostos a observá-los por respeito aos crentes judeus. Fazendo assim, eles evitam criar cisma no corpo de Cristo.

Levando em conta o restante do Novo Testamento, estes regulamentos, com exceção do regulamento que requer abstinência de imoralidade, nunca estavam sujeitos aos cristãos gentios. Paulo, por exemplo, deixa com a consciência cristã a questão de comer comida sacrificada a ídolos (1 Co 8). Por outro lado, porque nenhum princípio está em jogo, ele mesmo se submeteu à purificação ritual para evitar ofender os cristãos judeus (At 21.17-36).

4) As propostas de Tiago têm firme base na Escritura e são motivadas pelo Espírito Santo. Elas prevalecem. Como Tiago recomendou ao concílio (v. 20), é feita uma carta às igrejas gentias para anunciar a decisão dos apóstolos e anciãos (v. 23). A comunidade de crentes escolhe dois homens altamente respeitados entre eles, Judas e Silas, para acompanhar Paulo e Barnabé a Antioquia. A carta é enviada aos crentes em Antioquia, Síria e Cilícia, mostrando o âmbito da influência de Jerusalém. É dirigida principalmente a Antioquia, a cidade na qual a circuncisão tinha se tornado um assunto. Antioquia também era a sede da Igreja que era a fortaleza para a missão gentia (At 11.20-26). A carta contém três pontos significantes.

a) Os judaizantes que foram a Antioquia não tinham autoridade para dizer às outras igrejas o que fazer (v. 24). O repúdio de terem responsabilidade pelo ensino dos judaizantes sugere que eles não devem ser relacionados com os fariseus crentes em Jerusalém. Os crentes entre os fariseus obedecem a decisão do concílio. Porém, os judaizantes que saíram de Jerusalém e causaram dificuldade em outras igrejas tinham agido por iniciativa própria; suas demandas eram estranhas ao Evangelho. Estes autonomeados emissários tinham feito grande dano. A palavra traduzida por "transtornaram" (*anaskeuazo*) significa "destruir" ou "demolir o que foi construído". Esses falsos ensinos tinham mal representado a Igreja em Jerusalém e levados os crentes a duvidar que a salvação é só uma questão de graça e fé.

b) A comunidade de crentes envia representantes oficiais para explicar as decisões feitas em Jerusalém (vv. 25-27). Entre os escolhidos para irem com Paulo e Barnabé estão Judas e Silas. A Igreja em Antioquia tinha enviado Paulo e Barnabé a Jerusalém como representantes; agora é a vez de a Igreja em Jerusalém enviar os dois homens como representantes. Os cristãos em Jerusalém descrevem Paulo e Barnabé como "amados" (*agapetos*), expressando a alta estima que eles gozavam entre eles. Como estes cristãos também reconhecem, Paulo e Barnabé tinham enfrentado grandes perigos na primeira viagem missionária (At 13.50; 14.2,5,19). O risco de vida por causa de Jesus Cristo os fez mais queridos à igreja-mãe. Não há que duvidar que os judaizantes mantinham opinião completamente diferente dos dois missionários, mas nada é dito na carta apostólica sobre isso.

A Igreja manifesta grande sabedoria ao enviar homens altamente respeitados, Judas e Silas. Ambos são descritos como profetas (v. 32), o que indubitavelmente é a base do seu ministério. Eles devem ter tido forte influência profética como líderes na igreja de Jerusalém (v. 22). Além de serem portadores da carta, estes profetas recebem ordens rígidas para explicar oralmente seu conteúdo. A carta é breve e precisará de pouca explicação adicional se alguém tiver perguntas. Judas e Silas também poderão atestar o acordo e afirmar que os crentes estão unidos no tratamento do assunto.

c) A decisão que o Concílio de Jerusalém tomou foi inspirada pelo Espírito Santo (v. 28). Desde o Dia de Pentecostes, Ele tinha capacitado e guiado as ações e decisões dos cristãos primitivos. Aqui Lucas fornece outro exemplo — a direção do Espírito Santo na Igreja com respeito à doutrina que afeta a salvação de almas. A decisão acatada em Jerusalém foi aprovada pelo Espírito Santo e pela Igreja. O trabalho do Espírito é descrito em termos de deliberação. As palavras "pareceu bem ao Espírito Santo e a nós" sugerem que o Espírito Santo tomou esses crentes em deliberação consigo mesmo.

Jesus tinha prometido que o Espírito conduziria os discípulos nas suas decisões (Jo 16.13). Tiago está perfeitamente correto chamando a atenção à função ativa do Espírito no processo de tomada de decisão da Igreja. A carta é produto da combinação de autoridade divina e humana, embora a ênfase esteja na direção e autoridade do Espírito Santo. O próprio Espírito levou a Igreja a tomar esta decisão (Shepherd, 1994, p. 218). O Espírito dirigiu a comunidade a ir além de Jerusalém e Judéia através do ministério de Filipe (At 8.29,39); dirigiu Pedro a Cesaréia e batizou Cornélio com o poder profético para testemunhar, e foi diretamente responsável pela excursão missionária de Paulo e Barnabé (At 13.1-3). O Espírito abriu a porta da Igreja aos gentios sem exigir que eles se tornassem judeus.

As exigências mínimas são repetidas na carta enviada a Antioquia (v. 29). Atendê-las é ação endossada pelo Espírito, embora o Espírito nunca aprove comprometimento com coisas básicas e essenciais. Com a exceção da proibição de imoralidade sexual, as outras são fardos secundários necessários para a comunhão na Igreja. A carta tem um tom firme de autoridade. Se observada, esta política ajudará a manter e enriquecer a comunhão dentro da comunidade cristã.

A mensagem é concluída com um apelo cortês para seguir a deliberação do concílio. As palavras "fareis bem" podem ser consideradas com o sentido de fazer o que é correto e recomendável. Como resultado, estes crentes que fazem o que é certo podem esperar ser abençoados.

5) Depois que os representantes autorizados recebem a instrução da Igreja, eles partem para Antioquia (v. 30). Quando chegam, reúnem a congregação local e apresentam a carta. Ao lerem-na para a Igreja, os crentes alegram-se sobremaneira pela exortação (v. 31). A resposta alegre está tipicamente associada com a obra do Espírito (Lc 1.41-44; 10.21; At 8.8; 13.52); sua grande alegria é uma alegria inspirada pelo Espírito. Além disso, a mensagem encoraja os crentes. Eles reconhecem a carta como *paraklesis*, uma "exortação". Ela lhes dá a garantia de que eles podem permanecer incircuncisos e ainda ser aceitos como cristãos plenos, mantendo a unidade com os crentes judeus (Haenchen, 1971, p. 454).

Igualmente, Judas e Silas exortam (*parakaleo*, mesma raiz que *paraklesis*) os cristãos (v. 32). Estes homens são profetas cujas instruções e exortações inspiradas pelo Espírito encorajam e fortalecem a Igreja. Pelo poder profético, eles podem dar uma explicação detalhada da carta e exortar os crentes a cumpri-la. Não há dúvida de que eles declaram que a circuncisão é desnecessária e confirmam o significado espiritual da lei de Moisés. Suas exortações autorizadas concernentes a este assunto servem para formar os cristãos na fé do Senhor.

Judas e Silas ficam em Antioquia por "algum tempo" e encorajam os crentes em numerosas ocasiões. Quando eles decidem voltar a Jerusalém, Igreja os envia "em paz" (v. 33) e com suas orações. A controvérsia passou; a carta trouxe paz e selou relacionamentos harmoniosos no corpo de Cristo. Paulo e Barnabé ficam em Antioquia, e com muitos outros cristãos eles continuam pregando a palavra do Senhor. Por causa dos vários mestres e pregadores na congregação, Paulo e Barnabé estão livres para retomar ao trabalho deles em outro lugar, mas, ao que nos é dado saber, eles nunca mais trabalham juntos novamente.

Desta narrativa do ministério do Concílio de Jerusalém, aprendemos que o Espírito Santo guia a Igreja e capacita os cristãos em cada geração a lidar com problemas e assuntos novos à medida que eles surgem. Ao mesmo tempo em que se apoiava na direção do Espírito, a decisão do concílio se apoiava na Escritura. Tudo o que os profetas do Antigo Testamento tinham dito e foi resumido por Amós (At 15.16-18) concorda com o convite de salvação para todos. Tiago foi conduzido claramente pelo Espírito na aplicação da profecia dos últimos dias à mensagem missionária. Sua interpretação reúne a experiência cristã (At 15.7-11), a Escritura (At 15.15-19) e o Espírito (At 15.28), mostrando que tudo é indispensável para a Igreja no tratamento de novos assuntos pastorais e doutrinais.

5.2. A Segunda Viagem Missionária (15.36—18.23)

A Segunda Viagem Missionária leva Paulo para a Europa. Ele viaja em direção oeste, à área do Egeu, concentrando-se primeiramente nas duas províncias da Grécia: Macedônia e Acaia, e depois movimentando-se brevemente para a Ásia Menor, principalmente Éfeso. A narrativa da missão européia começa com ênfase na direção do Espírito Santo (At 16.6-10). Como na primeira viagem, Paulo, dirigido pelo Espírito Santo, continua seu trabalho como apóstolo e profeta carismático.

5.2.1. Acentuada Discordância entre Paulo e Barnabé (15.36-41). A missão de Paulo na Europa começa com uma proposta modesta feita "alguns dias depois" a Barnabé (v. 36) para eles revisitarem as igrejas estabelecidas na Ásia Menor na primeira viagem (At 13.13—14.20), a fim de verem como os convertidos estão se comportando espiritualmente. Paulo e Barnabé tinham permanecido em Antioquia depois de voltarem de Jerusalém (v. 35). Nada é dito sobre pregar o Evangelho em novas regiões.

Esta proposta provoca disputa amarga entre Paulo e Barnabé. Sabemos que os melhores amigos podem diferir em assuntos de preferência pessoal, mas agora observamos que pessoas cheias do Espírito também podem ter tais diferenças. Os dois missionários discordam em relação a João Marcos, sobrinho de Barnabé, que os tinha desertado na primeira viagem a Panfília (cf. At 13.13). Por causa da retirada de Marcos naquela ocasião (não sabemos por que ele o fez), Paulo se recusa a tê-lo como parte integrante da nova missão.

Porém, Barnabé quer dar a Marcos uma segunda chance. Por seu lado, Paulo se preocupa com o efeito que Marcos dará ao trabalho. Ele está pouco disposto a arriscar levar Marcos pela segunda vez, o que pode provar a falta de coragem e abnegação necessárias para um missionário. Em virtude deste argumento, os dois missionários tomam caminhos diferentes.

Este conflito ilustra o problema de qual interesse deve vir em primeiro lugar: o do indivíduo ou o do trabalho como um todo. Não há modo simples de lidar com tais discordâncias, e nenhuma solução fácil é oferecida aqui. Apesar de forte discordância e separação, Paulo e Barnabé não permitem que a causa do evangelho sofra. Decidindo revisitar os cristãos em Chipre, Barnabé veleja com Marcos para a ilha. Paulo toma Silas como companheiro, um daqueles que tinha ido de Jerusalém a Antioquia levando a carta apostólica (v. 32).

Alguns estudiosos pensam que a forte influência exercida pelos judaizantes legalistas sobre Barnabé em Antioquia (Gl 2.11-13) contribuiu para a discordância sobre a conveniência de João Marcos como companheiro missionário. Mas é incerto se havia uma fricção prolongada entre os dois homens depois do incidente em Antioquia, no qual a Igreja fora dividida sobre assuntos concernentes ao papel da lei. Certamente não se estabeleceu ruptura permanente, embora não tenhamos registro de que Paulo e Barnabé tenham se encontrado novamente. Depois, Paulo se associa com Barnabé de maneira positiva (1 Co 9.5,6). Ele também reconhece o valor de Marcos e o vê como colega de ministério (Cl 4.10; 2 Tm 4.11). Barnabé age sabiamente amparando Marcos e dando-lhe a oportunidade de se desenvolver como missionário.

Antes de Paulo e Silas partirem, a comunidade cristã os recomenda à graça de Deus pela oração e provavelmente pela imposição de mãos. Eles vão para o norte e revisitam as igrejas gentias na Síria e Cilícia. Eles levam consigo a carta do Concílio de Jerusalém que tinha sido especificamente dirigida às igrejas na região (At 15.23). Enquanto Paulo e Silas viajam, fortalecem os crentes na fé mediante instrução e exortação. Este período de ajudar as pessoas a serem fortes na fé começa o período mais frutífero no ministério de Paulo e é um ponto decisivo na história da Igreja (Hengel, 1979, p. 123).

A revisitação de áreas já evangelizadas conduz a uma campanha missionária completa sob a direção do Espírito Santo. Não é feita menção sobre a direção do Espírito durante a primeira fase desta jornada. Não é provável que Lucas queira unir o Espírito com a disputa sobre Marcos, entende que o Espírito está em ação mesmo quando não é especificamente mencionado.

5.2.2. Listra: Timóteo se une a Paulo (16.1-5). Paulo e Silas vão em direção oeste, revisitando Derbe e Listra. Lucas omite os detalhes do ministério na Síria e Cilícia e inicia o relato com a chegada a Derbe, a última cidade na província da Galácia, que Paulo e Barnabé alcançaram na primeira viagem missionária. Depois os missionários vão para Listra, onde Paulo também pregou e estabeleceu uma igreja.

Neste ponto da narrativa Lucas introduz uma nova pessoa — Timóteo, que já é cristão. Paulo o chama "meu filho amado e fiel no Senhor" (1 Co 4.17), o que implica que ele já era um dos convertidos de Paulo. Timóteo foi convertido durante a primeira visita de Paulo em Listra. Ele era filho de um casamento misto. Sua mãe era judia cristã e seu pai, gentio. De 2 Timóteo ficamos sabendo que o nome de sua mãe cristã era Eunice, e que sua avó, Lóide, também era cristã (2 Tm 1.5).

Durante a infância de Timóteo, estas duas mulheres religiosas o tinham instruído nas Escrituras (2 Tm 3.14,15). Timóteo fora criado na religião de sua mãe, mas o pai permaneceu gentio e não tinha se convertido ao judaísmo. Os judeus não se casavam com gentios. Quando o faziam, os filhos eram considerados legalmente judeus e normalmente circuncidados logo ao nascer. Mas Timóteo nunca fora circuncidado. Talvez seu pai tenha se recusado a concedê-lo. Qualquer que tenha sido a razão, não ser circuncidado deu a Timóteo um *status* irregular.

Apesar de sua criação irregular, o jovem Timóteo tinha boa reputação entre os cristãos de Listra e Icônio (v. 2). Ser bem falado é qualificação indispensável para liderança cristã (At 1.21; 6.3; 1 Tm 3.7). Paulo discerne que Timóteo poderia ser valioso companheiro e assistente, talvez fazendo o trabalho que fora designado a Marcos na primeira viagem. Mas Paulo sabe que nas suas viagens eles estão propensos a entrar em contato com judeus e que os judeus não olharão favoravelmente um homem de sangue judeu que seja incircunciso. Assim, para dar credibilidade a Timóteo e a si mesmo entre os judeus, Paulo circuncida o jovem.

Este ato mostra a sensibilidade de Paulo para com as preocupações judaicas e põe em prática o princípio de 1 Coríntios 9.20: "Fiz-me como judeu para os judeus, para ganhar os judeus". Paulo não está insistindo que Timóteo seja circuncidado para que ele seja salvo. Seu propósito não é colocá-lo debaixo da lei como meio de salvação. No caso de Tito, os judaizantes tinham insistido que a circuncisão era necessária para receber a salvação (Gl 2.3), e eles promoveram a circuncisão no Concílio de Jerusalém como exigência para todos os crentes gentios. Em ambas as situações, Paulo recusou tolerar o rito como base para a relação da pessoa com Cristo e para a salvação.

Mas tal princípio não está em jogo no caso de Timóteo. O que Paulo faz está no interesse da influência maior do evangelho entre os judeus não-salvos, esperando evitar alguma ofensa desnecessária para eles. Visto que Timóteo é meio-judeu, ele sabe que os judeus verão o jovem como crente gentio, o que pode se tornar impedimento ao progresso do evangelho. Paulo faz com que Timóteo seja circuncidado, de forma que ele seja recebido pelos judeus como missionário aprovado.

Continuando a narrativa, Lucas relata sobre outro trabalho feito pelos missionários nas cidades que eles visitam (vv. 4,5). As decisões tomadas pelos apóstolos e anciãos em Jerusalém (At 15.22-29) são dirigidas a todas as igrejas gentias, não apenas à Síria e Cilícia — as duas regiões que compunham a área à qual a carta apostólica fora inicialmente enviada (At 15.23). À medida que Paulo e Silas viajam de igreja em igreja, eles explicam aos crentes o que o concílio decidiu e os exortam a obedecer estas decisões. Não há dúvida de que eles contam que a circuncisão é desnecessária para a salvação e declaram as concessões que são exigidas dos cristãos gentios.

As decisões do Concílio de Jerusalém são necessárias para unir em comunhão harmoniosa os crentes judeus e gentios. A explicação dos missionários sobre as decisões tem um efeito tremendo. A fé dos crentes é fortalecida, e diariamente as igrejas recebem novos membros. O resultado é um verdadeiro sucesso: Os crentes são fortalecidos na doutrina e na prática, e as igrejas ficam mais eficazes no evangelismo.

5.2.3. Chamada à Macedônia (16.6-10). Lucas oferece poucos detalhes da parte da jornada da Frígia/Galácia, embora a viagem por essa área deva ter levado meses. Ele não indica onde Paulo prega ou a rota precisa que ele toma "pela Frígia e pela província da Galácia". O original grego indica que só uma região está em vista, pois as palavras deveriam ser traduzidas por "a região da Frigia e Galácia". Presumivelmente, os missionários viajam por uma área fronteiriça compartilhada pela Frígia e Galácia (cf. At 18.23).

Evidentemente Paulo e seu grupo tencionavam evangelizar as grandes cidades da Ásia (o nome oficial da parte ocidental da Ásia Menor). Sendo Éfeso a capital, esta província abarcava a região mais rica e densamente povoada do Império Romano oriental. Mas iniciativa e planos humanos não são o bastante, pois o Espírito Santo os impede de pregar ali. O verbo "impedidos" (*koluo*, v. 6) significa "interromper abruptamente, obstar, conter". Significa enérgica intervenção, como se o Espírito tivesse arremessado uma barreira na estrada para a Ásia. As grandes cidades de Éfeso e Laodicéia teriam sido campos frutíferos para a obra evangelística, mas a orientação do Espírito Santo é mais importante que condições favoráveis e a iniciativa humana. Pela primeira vez os missionários são dominados pelo Espírito Santo. A missão da Igreja sempre deve ser dirigida pelo Espírito.

Paulo então se dirige para o norte, pretendendo entrar na Bitínia, rica e importante província romana. Uma vez mais seus planos são dominados pelo Espírito. Aqui, o Espírito é chamado "o Espírito de Jesus". Em nenhum outro lugar no Novo Testamento esta frase é usada. O Espírito Santo é o Espírito de Jesus (v. 6) muito provavelmente porque o Espírito ungiu Jesus no rio Jordão (Lc 3.22) e estava ativo no seu ministério terreno (Lc 4.1,18,19). Além disso, o Jesus exaltado dá o Espírito sobre os crentes a fim de

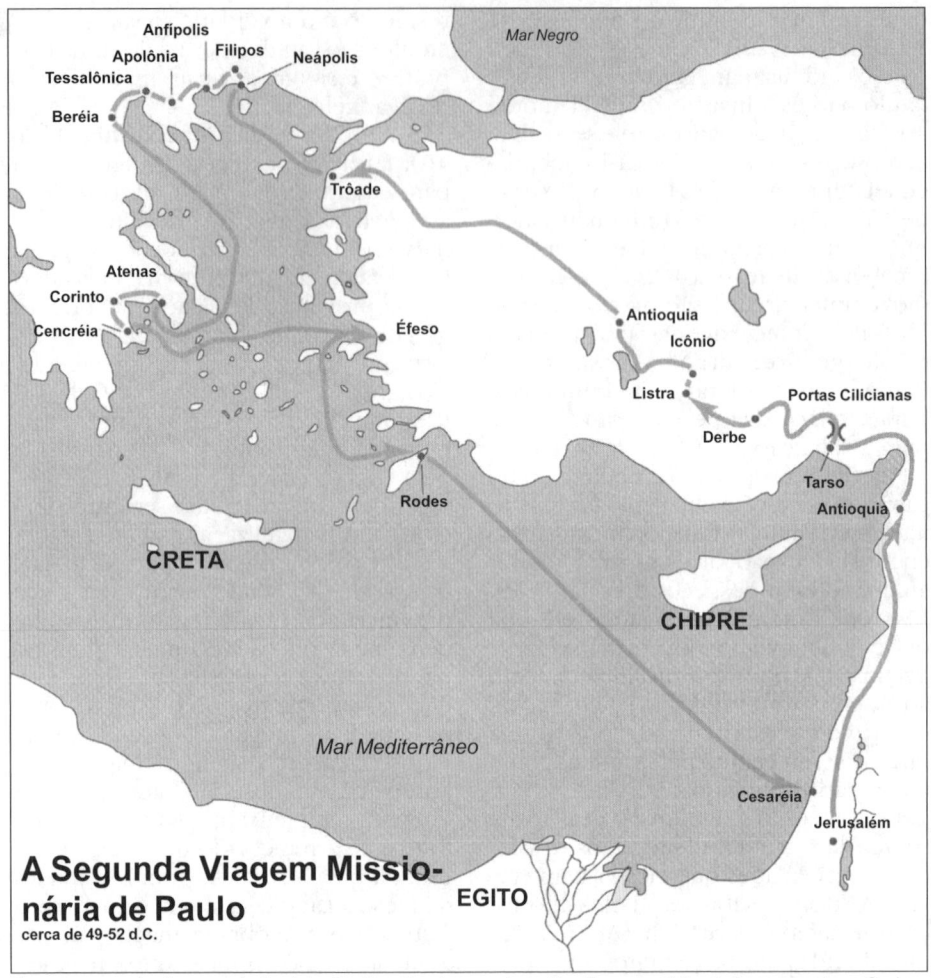

A Segunda Viagem Missionária de Paulo
cerca de 49-52 d.C.

Em sua segunda viagem missionária, Paulo estende sua obra até a Europa, viajando bem a oeste, a Corinto, no que hoje é a Grécia. Em Filipos, na Macedônia, ele e Silas são mantidos na prisão por uma noite.

equipá-los para o ministério (Lc 24.49; At 2.33). Ao longo do seu ministério terreno, o Espírito capacitou o próprio Jesus; mas desde sua ascensão ao céu, Jesus trabalha e continuará trabalhando pelo poder e presença do Espírito.

Os missionários então tomam a direção noroeste e atravessam sem escalas a província da Mísia. Eles descem a Trôade, na costa do mar Egeu, próximo do antigo local de Tróia. Eles devem ter ficado confusos por que o Espírito Santo os afastou destes campos convidativos, e eles estão incertos sobre onde o Senhor os está conduzindo.

Durante a permanência em Trôade, ocorre uma terceira intervenção dramática, desta feita na forma de visão pela qual eles recebem a chamada de Deus para a Macedônia. Na visão, Paulo vê um homem macedônio convocando os missionários a ir ao seu país para ajudá-los. Paulo e seus companheiros de viagem interpretam a visão com o significado de que Deus os está chamando para levar o evangelho para a Macedônia, dessa forma iniciando uma nova área de trabalho: a missão européia.

As primeiras mensagens do Espírito podem ter vindo pela voz profética de Silas.

Essas mensagens tinham sido negativas e os prepararam para a direção graciosa de Deus mediante a visão do macedônio. Por vezes, as visões são concedidas à luz do dia (At 10.11), mas Paulo teve várias visões enquanto dormia (At 18.9; 23.11; 27.23). Não são meros sonhos, mas meios sobrenaturais de comunicação divina. Paulo e seus companheiros prontamente obedecem à chamada para a Macedônia. A visão não torna a decisão supérflua, mas mostra que eles irem para a Macedônia é um ato de obediência.

Neste ponto, Lucas indica sua própria presença mudando dos pronomes da terceira pessoa "ele" e "eles" para o pronome da primeira pessoa "nós" (v. 10, oculto). Evidentemente Lucas se junta com os missionários em Trôade. O versículo 10 começa o primeiro de quatro passagens "nós" em Atos (At 16.10-17; 20.5-15; 21.1-18; 27.1—28.16). Os companheiros de Paulo são Silas, Timóteo e Lucas. Como integrante do grupo, Lucas escreve da perspectiva de uma testemunha ocular.

5.2.4. Paulo Visita Filipos (16.11-40).
Determinados a obedecer à visão divina, os missionários não desperdiçam tempo e partem de Trôade.

5.2.4.1. O Senhor Converte Lídia (16.11-15).
Paulo e seus companheiros navegam diretamente para Samotrácia, uma ilha montanhosa a meio caminho entre Trôade e Neápolis. Depois de passarem a noite lá, eles prosseguem e chegam ao porto de Neápolis. De lá, havia apenas dezesseis quilômetros em direção ao interior até chegar a Filipos, a principal cidade do distrito da Macedônia e "uma colônia", onde o imperador Augusto tinha assentado grande número de veteranos.

Ao entrar numa cidade, era habitual Paulo começar sua missão pregando numa sinagoga judaica, mas não havia sinagoga em Filipos. A maioria da população de Filipos é gentia e há ali somente uma pequena população judaica (menos de dez adultos judeus). Pelo fato de não haver sinagoga, os poucos judeus da região se reúnem para adoração "fora das portas" (v. 13). A estratégia de Paulo é fundar primeiro uma igreja em Filipos, para que dela o evangelho se espalhe nas áreas circunvizinhas.

No primeiro sábado depois de chegarem à cidade, eles visitam um lugar de oração fora da cidade. Eles provavelmente devem ter sabido que algumas mulheres iam a esse lugar perto do rio para adorar todo o sétimo dia. Lá, Paulo e seus cooperadores as encontram. Depois que se sentam, a conversa se volta para o evangelho.

Entre os presentes está Lídia, mulher que negociava pano de púrpura usado pelos ricos e que era da cidade de Tiatira, o centro de comércio para este caro artefato. Embora seja mulher de negócios e gentia, Lídia é adoradora devota do Deus de Israel. Visto que Filipos não tem sinagoga, ela observa o sábado como dia santo em oração à margem do rio. Sua fidelidade a Deus não foi diminuída por circunstâncias desfavoráveis. De modo misterioso, o Espírito Santo dirigiu a viagem dos missionários por terra e mar para chegar a esta negociante de púrpura.

Quando Lídia ouve a mensagem de Paulo, o Senhor lhe abre o coração, significando que Ele remove qualquer interpretação errônea que a impeça de receber Cristo. Por conseguinte, ela presta atenção ao que Paulo diz e é convertida. Outro modo de dizer é que o evangelho chega a ela pelo Espírito Santo, e ela o recebe com alegria (cf. 1 Ts 1.6). Sua conversão é devido à ação de Deus, mas esta ênfase de nenhum modo nega a responsabilidade do ouvinte arrepender-se e crer em Jesus Cristo. Na profissão de fé, Lídia e as pessoas que vivem com ela são batizadas (At 16.15).

O batismo é uma expressão visível da salvação que ela recebeu; ela morreu com Cristo e ressuscitou para uma nova vida. Aqueles que defendem o batismo de crianças apelam para o versículo 15 e outros versículos (At 11.14; 16.33; 18.8; 1 Co 1.16). Em nenhuma destas passagens há indicação de que as casas incluíam crianças pequenas. Considerando que Lídia é mulher de negócios, ela pode ser solteira ou viúva. Os membros da sua casa podem ser parentes ou criados. Mas uma coisa é certa: Imediatamente depois da conversão ela oferece hospitalidade a Paulo e seus companheiros. Ela insiste que fiquem com ela se eles julgam que ela tem a fé genuína.

5.2.4.2. Paulo Expulsa um Demônio (16.16-18). No lugar onde os judeus regularmente se reúnem para oração (cf. v. 13), Paulo e seus companheiros confrontam uma escrava. Esta menina tinha sido vendida em escravidão e é descrita por Lucas como tendo um "espírito de adivinhação". Literalmente, o original grego indica que ela tem "um espírito de píton" (*pneuma pythona*). A palavra píton era usada originalmente na mitologia grega para se referir à serpente que guardava o lugar sagrado em Delfos onde eram dadas profecias divinas. O píton havia sido morto por Apolo, o deus da profecia. Depois, a palavra era usada para designar a pessoa que tinha poder para predizer o futuro, a qual se pensava que era inspirada pela serpente chamada píton (cf. 1 Sm 28.7, LXX).

Lucas reconhece que a escrava tem um espírito maligno que a capacita a ler a sorte e predizer o futuro. Não há dúvida de que este caso é um exemplo de possessão demoníaca. Pelo fato de ela poder "profetizar", ela está em grande demanda e provê renda lucrativa para seus senhores. A escrava se comporta como os endemoninhados na presença do Senhor (Mc 1.24; Lc 4.41; 8.28). Inspirada pelo espírito maligno, todos os dias ela segue Paulo e os outros missionários enquanto eles ministram. Ela reconhece quem são os missionários e repetidamente proclama: "Estes homens, que nos anunciam o caminho da salvação, são servos do Deus Altíssimo" (v. 17).

O poder profético e o *insight* da escrava procedem do espírito maligno que a inspira a falar oráculos. Este espírito do mal anuncia a verdade às pessoas, pois os missionários são servos obedientes de Deus que proclamam o modo de salvação (cf. v. 31). O título "Deus Altíssimo" também foi usado por um gentio (Lc 8.28) e pelo endemoninhado gadareno (Mc 5.7). A frase era freqüentemente usada por judeus e gentios para aludir ao Deus de Israel. Os gentios tomaram emprestado dos judeus para se referir ao Deus de Israel, que é mais alto e mais importante que todos os outros deuses.

A proclamação da escrava se repete por vários dias. Nenhuma explicação é dada sobre por que Paulo espera muitos dias antes de lidar com ela. Pode ser que a princípio, ele a tenha considerado inofensiva, ou é possível que o Espírito Santo não o tenha direcionado a expulsar o espírito maligno. Quando ela persiste em seguir os missionários, Paulo fica profundamente perturbado. Cheio do Espírito ele expulsa o espírito de píton "em nome de Jesus Cristo" (v. 18). Como no caso de outras curas (At 3.6,12,16; 4.10), a escrava é milagrosamente livre pelo poder de Jesus Cristo. O Salvador ressurreto continua trabalhando como o fizera durante seu ministério terreno (Lc 4.35,41; 8.29), e expulsa o espírito maligno.

O exercício de Paulo do dom espiritual de discernimento e o exorcismo acabam com a exploração da menina que dava lucro a seus senhores. O que é feito com ela, não nos é informado; mas em gratidão por tão grande libertação ela deve ter ficado sob a influência de Paulo e mulheres como Lídia (vv. 13-15). O interesse de Lucas é mostrar que o Senhor continua trabalhando por Paulo como trabalhou pelos outros apóstolos em anos anteriores (cf. At 3.6; 4.10). Lucas também usa o relato para chamar a atenção às repercussões que o milagre terá sobre Paulo e seus associados.

5.2.4.3. Paulo e Silas São Presos e Soltos (16.19-40). A libertação da escrava resulta em dificuldades para Paulo e seus companheiros missionários. Não sabemos se os senhores da escrava estão presentes quando ela é livre do espírito maligno, mas eles logo descobrem que "a esperança do seu lucro estava perdida". Lucas faz um humorístico jogo de palavras. O verbo "saiu" (*exelthen*) que Lucas usa quando o espírito sai da menina é o mesmo que ele usa para descrever que a esperança dos senhores por lucro monetário "estava perdida". Quer dizer, quando o espírito maligno "saiu", os senhores viram que a esperança de lucro "estava saindo". Eles percebem que o negócio de explorar a menina visando lucro estava arruinado, e sabem quem é o responsável pela perda.

Como num caso posterior em Éfeso (At 19.23-29), os não-convertidos são propensos a reagir violentamente quando o evangelho ameaça a renda deles. Assim, estes senhores ficam enfurecidos com Paulo e Silas. Com a ajuda de alguns espectadores (cf. v. 22), eles prendem os dois homens e os arrastam na praça diante das autoridades. A praça da cidade era onde se dava o tribunal público. A vida da cidade se centrava ao redor da praça, e era usada regularmente para reuniões políticas, audições judiciais e negócios. Os senhores da menina apresentam o caso contra Paulo e Silas perante os magistrados (*strategoi*), os principais oficiais romanos de Filipos.

Os dois missionários são chamados pelos acusadores de judeus, e não de cristãos. Eles suprimem a verdadeira causa da reclamação: a libertação da menina endemoninhada, o que tinha dado um fim ao empreendimento lucrativo. Eles levantam falsa acusação contra Paulo e Silas, a qual se divide em duas partes.

1) Os missionários perturbaram a cidade. Para apoiar isto, eles identificam Paulo e Silas como judeus, dessa forma apelando para sentimentos antijudaicos. Naqueles dias, era fácil numa cidade predominantemente gentia como Filipos o despertamento de fortes sentimentos contra os judeus. Os acusadores sabem que há preconceito contra esta minoria religiosa, assim eles os acusam de criar confusão pública. A perturbação da paz é séria o bastante, mas a implicação de que os judeus causaram perturbação torna a acusação pior.

2) Os missionários também são acusados de introduzir costumes ilícitos (*ethe*, v. 21). Não está claro que costumes são estes, mas muito provavelmente esta acusação se refere aos missionários converterem cidadãos romanos. Embora os romanos tolerassem os judeus a praticarem sua religião, eles não permitiam que os cidadãos romanos fossem evangelizados. Os romanos eram proibidos pela lei de se converterem ao judaísmo. Assim toda pregação evangelística feita pelos missionários seria visto como contrária a essa lei. Como as acusações feitas contra Jesus pelo Sinédrio, as acusações contra Paulo e Silas foram motivadas por ira e vingança.

O clamor dos senhores de escravos contra Paulo e Silas tem um efeito na multidão que havia se reunido na praça da cidade para acompanhar os trâmites legais. Instigado por estas acusações, a multidão antijudaica se junta aos senhores de escravos e brada contra Paulo e Silas. Ninguém dá aos missionários a oportunidade de se defender.

Depois que os senhores da menina fazem esta reclamação formal, as autoridades romanas os prendem. O original grego sugere que os magistrados rasgaram com as próprias mãos as roupas dos prisioneiros, mas é mais provável que eles ordenaram que os soldados os despojassem das roupas. Depois que as roupas dos prisioneiros foram tiradas (de acordo com a prática romana), os corpos desnudos foram açoitados com varas pelos litores, que regularmente acompanhavam os magistrados. No seu catálogo de adversidades apostólicas em 2 Coríntios 11.25, Paulo diz: "Três vezes fui açoitado com varas". Indubitavelmente esta é uma das ocasiões.

Um açoite não deveria ter sido imposto a um cidadão romano, sobretudo sem julgamento. Nem Paulo nem Silas afirmam seus direitos de cidadãos romanos. Como Atos 22.25 destaca, os litores não ignorariam as reivindicações à cidadania romana. Os magistrados são desconhecedores do *status* dos missionários (cf. vv. 35-39). A lei judaica restringia o castigo a quarenta açoites menos um; na lei romana não havia tal limite, de modo que a severidade do castigo dependia das autoridades. O original grego declara apenas que estes homens receberam "muitos açoites" (v. 23). O açoite severo seguido de encarceramento mostra que os magistrados presumem a culpa dos missionários inocentes. Paulo e Silas estão sofrendo por fazerem o bem — libertar uma escrava de ser aproveitada pelos seus senhores.

O carcereiro recebe ordens das autoridades para trancar os prisioneiros e guardá-los cuidadosamente de modo a tornar impossível que eles fujam (v. 23). Ele os prende "no cárcere interior", a cela mais bem guardada da prisão. Além disso, ele lhes aumenta a tortura prendendo-os no tronco. Os romanos usavam tronco como instrumento de tortura. Era feito de madeira com dois buracos para as pernas do prisioneiro. Os buracos eram colocados de forma que as pernas do prisioneiro ficassem em posição forçada causando grande dor. Colocando Paulo e Silas em tal instrumento, o carcereiro torna humanamente impossível que Paulo e Silas escapem.

Apesar do encarceramento e dor, Paulo e Silas manifestam confiança firme em Deus. Não podendo dormir, eles expressam alegria por Deus os considerar dignos de sofrer por causa do evangelho. À meia-noite, os outros prisioneiros ouvem os missionários oferecendo orações a Deus e cantando hinos para Ele. Aqui temos um exemplo concreto da prática cristã da alegria em meio ao sofrimento (cf. Rm 5.3; Cl 1.24; Tg 1.2; 1 Pe 1.6).

As orações que Paulo e Silas oferecem devem ter sido simplesmente louvores a Deus; não há sugestão de que eles estejam orando por libertação, embora os outros prisioneiros possam ter considerado a vinda do terremoto como resposta às orações dos missionários. Este incidente de sofrimento e oração mostra que Paulo aprendeu por experiência o que ele ensinou depois aos crentes desta mesma cidade: "Não estejais inquietos por coisa alguma; antes, as vossas petições sejam em tudo conhecidas diante de Deus, pela oração e súplicas, com ação de graças. E a paz de Deus, que excede todo o entendimento, guardará os vossos corações e os vossos sentimentos em Cristo Jesus" (Fp 4.6,7).

Enquanto Paulo e Silas oram e cantam, os outros prisioneiros ouvem atentamente. Em resposta a seus joviais hinos-oração ocorre um terremoto, que sacode as fundações da prisão e arrebenta as portas (vv. 25,26). Então ocorre outro milagre no qual as cadeias dos prisioneiros são desatadas. Esta direta intervenção divina tem um efeito paralisante, pois nenhum prisioneiro tenta fugir.

O carcereiro é acordado à meia-noite pelo terremoto violento e pelo estrondo das portas. Despertado do sono, ele fica confuso pelo milagre, e seu coração enche-se de medo. Ele sabe que se os prisioneiros escaparem, ele será acusado de negligência de dever e receberá o mesmo castigo devido aos prisioneiros (cf. At 12.19; 27.42). Muito provavelmente alguns dos prisioneiros estavam na lista para serem executados, e o carcereiro presume que ele será morto se eles fugirem. Muito preocupado, ele está a ponto de fincar a espada em si mesmo e cometer suicídio, quando Paulo grita: "Não te faças nenhum mal, que todos aqui estamos". Como Paulo sabe que nenhum dos prisioneiros fugiu e que o carcereiro está prestes a se matar? Este pode ser outro exemplo de *insight* sobrenatural, ou Lucas pode ter achado desnecessário incluir todos os detalhes do milagre.

Assim que o carcereiro volta à razão, ele lembra que Paulo e Silas são pregadores do "Deus Altíssimo" (v. 17). Eles ganharam reputação de pregar o caminho da salvação, e agora ele vê que Deus livrou milagrosamente seus servos. O carcereiro ouviu que o poder sobrenatural trabalha por meio de Paulo e Silas, e percebe que foi o Deus deles que provocou o acontecimento extraordinário. Considerando que é meia-noite, o carcereiro ordena que sejam trazidas tochas.

Tremendo de medo, o carcereiro cai aos pés dos missionários, desejando saber o que ele tem de fazer para ser salvo (v. 30). Exatamente o que ele quer dizer com esta pergunta é incerto, mas Paulo e Silas encaram a pergunta em seu pleno significado teológico. Eles lhe dão um resumo da doutrina da salvação: "Crê no Senhor Jesus Cristo e serás salvo, tu e a tua casa" (v. 31). Se ele tivesse ouvido os missionários antes, ele saberia o que fazer para a salvação. Alguns pregadores modernos podem deixar suas congregações em dúvida em relação a esta pergunta suprema, mas não os primeiros pregadores do evangelho. Eles informam ao carcereiro que a salvação só acontece pela fé em Jesus como Senhor.

A princípio, os missionários dão ao carcereiro o evangelho em poucas palavras: A salvação é somente pela fé em Jesus. Então eles falam a palavra do Senhor a todos os membros da casa do carcereiro. Eles explicam quem é Jesus e como a pessoa pode ser salva crendo nEle como Senhor. Da mesma maneira que o carcereiro fez, sua família põe a fé e confiança em Jesus. A promessa de salvação para sua casa não significa que uma pessoa possa crer por outra. Antes, a salvação está disponível à sua família nos mesmos termos que ao carcereiro. As relações de parentesco oferecem circunstâncias favoráveis ao evangelismo.

O carcereiro mostra mudança de coração e autenticidade de discipulado recebendo os missionários em casa. Ele cuida das feridas dos pregadores, que é resultado do açoite que eles receberam no dia anterior. Depois que o carcereiro e sua casa são batizados, o carcereiro dá de comer aos missionários como expressão de hospitalidade e apreciação pela salvação dele e de sua família. Eles estão cheios de alegria e celebram a fé em Deus. Esta alegria é prova certa da presença e obra do Espírito Santo em seus corações.

Anteriormente Deus intervira e libertara Pedro da prisão por meio de um anjo (At 12.5-9); agora Paulo e Silas foram libertos por um violento terremoto do Senhor. Este milagre serve de plano de fundo para a conversão do carcereiro e sua casa e mostra que Deus pode frustrar tentativas em deter o evangelho. Paulo e Silas sofreram pela causa de Cristo, mas seu sofrimento não foi em vão, pois um carcereiro e sua família se converteram. As autoridades romanas que tinham mandado açoitar e prender Paulo e Silas não têm conhecimento do que aconteceu durante a noite. O terremoto provavelmente não se estendeu além da prisão.

Depois da libertação milagrosa de Paulo e Silas da prisão, eles são vindicados na cidade gentia durante a cena final do relato (vv. 35-40). Só um dia antes, eles haviam sido severamente açoitados e mantidos em prisão (v. 24). Na manhã seguinte, as autoridades romanas, convencidas de que os missionários tinham sido adequadamente castigados, enviam litores para ordenar que o carcereiro solte Paulo e Silas da prisão. O carcereiro tem o prazer de dizer aos missionários, que por insistência própria tinham voltado à prisão, que eles podem ir em paz. Usando a palavra "paz", ele toma a forma judaica de saudação, pronunciando sobre Paulo e Silas as bênçãos de Deus à medida que eles continuam a viagem (cf. Lc 8.48).

Mas Paulo e Silas são cidadãos romanos, e as autoridades governantes violaram seu direito sob a lei romana. Nenhum cidadão devia ser açoitado e preso sem julgamento. Os missionários não foram achados culpados de crime algum. As autoridades tinham excedido sua autoridade por tratamento arbitrário dos cidadãos romanos. No dia anterior, Paulo e Silas não protestaram ao serem açoitados e encarcerados com base na cidadania romana. Talvez eles não quiseram dar a impressão de que desejavam evitar o sofrimento pela causa de Cristo. Mas agora, o conhecimento de sua cidadania romana pode assegurar que os crentes na cidade receberão melhor tratamento.

Paulo fala diretamente com os oficiais e se recusa a sair sem a desculpa pessoal dos próprios magistrados. O apóstolo lembra os oficiais que o tratamento das autoridades violaram os direitos pessoais dele e de Silas como cidadãos romanos. Eles sofreram sério erro ao serem açoitados e encarcerados como se fossem criminosos. Paulo recusa ser despedido às escondidas sem qualquer reconhecimento público do mal que as autoridades fizeram. Paulo exige que os magistrados vão pessoalmente e admitam o erro que cometeram com os prisioneiros.

Quando as autoridades tomam conhecimento da exigência de Paulo e do fato de que os missionários são cidadãos romanos, eles ficam justificadamente alarmados, pois sabem que pessoas que violam os direitos de cidadãos romanos receberam castigo severo. Para fazer o melhor numa situação ruim, eles vão pessoalmente à prisão e humildemente pedem que Paulo

Em Filipos, Paulo e Silas são presos, açoitados e encarcerados depois que Paulo ordena que um demônio saia de uma escrava. Dizem que estas ruínas são a cela da prisão interior, onde os dois homens foram mantidos com os pés presos no tronco. Um terremoto sacudiu a prisão, abrindo as fechaduras e cadeias, mas eles não saíram, sendo soltos na manhã seguinte.

e Silas deixem a cidade. Os dois homens não se apressam em obedecer ao pedido. Eles fazem uma parada final na casa de Lídia, cujo lar até então se tornara sede dos cristãos em Filipos. Eles encorajam os membros da infante congregação. A missão foi vindicada contra as ações hostis das autoridades romanas, e eles partem de Filipos em triunfo. O padrão de triunfo pelo sofrimento, que se estabeleceu no Senhor Jesus, é reproduzido na experiência dos seus servos.

5.2.5. Paulo Visita Tessalônica (17.1-9).

Depois de partir de Filipos, os missionários viajam a sudoeste ao longo de uma estrada bem-estabelecida (a Via Egnatia) até à capital da Macedônia, Tessalônica (moderna Salônica). A cidade ficava cerca de cento e sessenta quilômetros de Filipos. Lucas não indica se os missionários viajaram a pé ou por animal, mas diz que eles passam por Anfípolis, aproximadamente cinqüenta quilômetros a sudoeste de Filipos, e Apolônia, mais ou menos cinqüenta quilômetros a sudoeste de Anfípolis. Lucas fica para trás a fim de dar continuidade ao trabalho em Filipos (veja comentários sobre At 16.10). Considerando que nem ele nem Timóteo foram presos em Filipos com Paulo e Silas, ambos podem ter permanecido para trás.

A estratégia de Paulo de divulgar o Evangelho fica clara quando os missionários atravessam as duas cidades e param em Tessalônica. Esta cidade era um centro de comércio, onde as pessoas iam e vinham. Portanto, um lugar estratégico para fundar uma igreja. Capacitado pelo Espírito, Paulo prega o evangelho a judeus e gentios e estabelece igrejas em centros metropolitanos estratégicos.

Quando os missionários chegam a Tessalônica, de acordo com sua prática normal, Paulo vai primeiramente à sinagoga judaica. A sinagoga indica a presença de considerável população judaica, com muitos gentios tementes a Deus e prosélitos. Esse local proporciona uma porta aberta para a introdução do evangelho na cidade. Por três sábados seguidos, Paulo debate na sinagoga com os judeus sobre as Escrituras e explica como Cristo cumpriu o Antigo Testamento (v. 2).

As cartas de Paulo sugerem que ele passou mais de três semanas na cidade. Sabemos que ele teve de trabalhar para prover a própria subsistência (1 Ts 2.9; 2 Ts 3.7-9). Também sabemos que os cristãos em Filipos por várias vezes lhe enviaram dinheiro para seu sustento, porque eles lhe tinham enviado ajuda "uma e outra vez" enquanto ele estava em Tessalônica (Fp 4.16).

Na pregação na sinagoga Paulo enfoca três temas: a necessidade do sofrimento de Cristo, a necessidade da sua ressurreição e o messiado de Jesus.

1) A necessidade do sofrimento de Cristo. O sofrimento de Jesus incluía sua morte na cruz, de acordo com o plano de Deus. Nos seus escritos, Lucas enfatiza a necessidade da morte de Cristo (Lc 9.22; 17.25; 24.7,26,46; At 2.23). Os judeus esperavam que o Messias fosse um conquistador. A pregação de Paulo de que Cristo tinha de sofrer os ofendia, porque era incompatível com o reinado glorioso do Messias segundo eles interpretavam pelos profetas (cf. Dn 7.13,14). Mas Paulo abre as Escrituras, mostrando aos judeus que o Messias prometido tinha de sofrer (cf. Sl 2.1,2; Is 53).

2) A necessidade da ressurreição de Cristo. O Messias conquistou a morte, mas só depois de Ele ter estado debaixo do poder da morte. Como outros primitivos pregadores apostólicos, Paulo também enfatiza a necessidade da ressurreição de Cristo, que estava na vontade de Deus e no seu plano de redenção (cf. Sl 16; 110). Sem dúvida Paulo também proclama a evidência do triunfo de Jesus sobre a morte, como os testemunhos das testemunhas oculares originais, que o viram vivo depois da crucificação. A morte e a ressurreição de Jesus cumpriram a profecia.

3) Jesus é o Messias. Visto que Jesus cumpriu as condições das Escrituras, Paulo declara que Jesus é o Messias. Paulo destaca indubitavelmente os milagres e sinais extraordinários que foram feitos em nome de Jesus, demonstrando que Ele é o Senhor divino e vivo; repare em 1 Tessalonicenses 1.5: "O nosso evangelho não foi a vós somente em palavras, mas também em poder, e no Espírito Santo". Quer dizer, o Espírito operou milagres diante dos tessalonicenses e lhes deu a garantia da ressurreição e glorificação de Jesus, em cujo nome os milagres foram feitos. A vida e ministério de Jesus produziram um novo entendimento do Messias como o Senhor crucificado e ressurreto.

Paulo convence só "alguns deles [dos judeus]" de que Jesus é o Messias. Essa resposta está em nítido contraste com a conversão dos gentios, o que incluía algumas mulheres importantes da cidade (v. 4). A grande maioria dos convertidos é gentios devotos, que tinham aprendido a adorar o Deus dos judeus, mas não estavam completamente convertidos ao judaísmo. Estes convertidos se unem a Paulo e Silas e formam um novo grupo distinto da sinagoga, o qual se reunia evidentemente na casa de Jasom (v. 5).

O sucesso de Paulo entre os gentios locais desperta a raiva e o ciúme dos judeus incrédulos. Eles se orgulhavam da relação dos gentios devotos com a sinagoga e vêem Paulo e Silas como roubadores de ovelhas. Os judeus reúnem os vadios e encrenqueiros, que perambulavam pela praça, e os incitam a causar dificuldades a Paulo e seus amigos. Estes vadios, sendo extremamente hostis aos missionários, formam uma turba e começam um alvoroço na cidade. Eles se reúnem fora da casa de um homem chamado Jasom, pensando que Paulo e Silas estão lá. Quando a turba incontrolável não acha os dois missionários, em sua frustração eles arrastam Jasom e alguns outros cristãos diante dos magistrados da cidade.

A turba acusa Jasom de abrigar estes homens "que têm alvoroçado o mundo" e violar os decretos de César. Nenhuma destas duas acusações foi previamente levantada contra os missionários pelos judeus e talvez pelos gentios. A primeira acusação é verdade. O evangelho estava causando impacto nos indivíduos e na sociedade de modo revolucionário mediante o poder redentor. Havia uma tendência consistente de o evangelho perturbar a paz onde quer que fosse pregado (At 16.20; 24.5,12). Talvez tenham vindo notícias de Filipos (e de outros lugares) sobre a ação hostil tomada contra os missionários (At 16.20-24).

A segunda acusação é que os missionários pregaram sedição contra Roma. Eles declararam que há "outro rei" além de César (Cláudio), isto é, Jesus. Ao proclamá-lo Rei, eles não agem intencionalmente contra os decretos de César, que incluíam as leis romanas contra rebelião e traição. As afirmações dos missionários do reinado de Jesus levaram as autoridades romanas a perceber o cristianismo como ameaça política.

Note que semelhante acusação de sedição fora maliciosamente feita pelos judeus contra Jesus perante Pilatos. Eles o acusaram de alta traição — pervertendo as pessoas da lealdade a César e declarando-se a Si mesmo como "Cristo, o rei" (Lc 23.2). Uma prática comum dos imperadores romanos era reivindicar honras divinas. Assim a proclamação de Jesus como rei facilmente poderia ser mal interpretada pelos inimigos de Paulo como ataque ao imperador e incompatível com suas reivindicações. Os missionários não têm intenção de incitar rebelião em resposta às acusações maliciosas dos judeus. As cartas de Paulo aos tessalonicenses relevam que sua pregação lidava com o Reino de Deus (1 Ts 2.12; 2 Ts 1.5), e não com questões políticas. O Reino de Jesus não é deste mundo. Ele é um Rei espiritual, não político; seu Reino é radicalmente diferente do imperador romano.

Embora falsa, a acusação de traição contra o imperador tem sérios efeitos. Uma multidão se junta em resultado da violência feita a Jasom e outros cristãos pela turba anterior. As autoridades da cidade e a multidão reconhecem as graves implicações políticas da acusação. Sabendo quais seriam as conseqüências das conspirações contra César, as autoridades estão alarmadas pela acusação feita contra Paulo e Silas.

Neste caso, os líderes da cidade não se apressam a fazer julgamento, presumindo que os missionários são agitadores políticos. Ao invés disso, eles conduzem uma investigação na qual eles determinam que a acusação apresentada pelos judeus contra os pregadores cristãos carece de real substância. Por causa das falsas acusações e da prisão, as autoridades tentam assegurar que Jasom e seus amigos cristãos não estão inclinados à insurreição política. Os líderes da cidade exigem que eles depositem fiança, presumivelmente em dinheiro, e depois os soltam. Esta ação vindica os missionários uma vez mais.

Paulo e seus amigos pregaram que Jesus é o Cristo (v. 3), e seu sucesso entre os gentios tementes a Deus na sinagoga os levou a serem falsamente acusados de apregoar revolução política. No meio disso tudo, Paulo e seus amigos pregaram o evangelho no poder do Espírito. Embora a conversão dos cristãos tessalonicenses envolvesse grande sofrimento, estas pessoas receberam o evangelho com alegria inspirada pelo Espírito Santo (1 Ts 1.5,6). A oposição ao evangelho parece ter sido um exercício fútil.

5.2.6. Paulo Visita Beréia (17.10-15).

Os cristãos em Tessalônica percebem que a permanência de Paulo e Silas na cidade poderia trazer violência pessoal para eles e talvez resultar no confisco da fiança depositada por Jasom e pelos outros. Jasom deu sua palavra às autoridades de que os missionários deixariam de pregar na cidade. Em algum lugar em Tessalônica os cristãos se encontram secretamente à noite, o que dá a entender que eles ainda estão em perigo. Paulo e Silas são enviados para Beréia, cidade a oitenta quilômetros a sudoeste (hoje chamada Véroia).

Quando Paulo e os missionários chegam a Beréia, fica claro que as recentes experiências em Filipos e Tessalônica não os desencorajaram. Beréia tem uma florescente comunidade judaica. De acordo com seu padrão ministerial, eles acham uma sinagoga e a tornam ponto de partida para a pregação do evangelho. Paulo descobre que os judeus em Beréia eram "mais nobres", o que indica que eles têm a mente mais aberta que os judeus em Tessalônica e estão propensos a ouvir o evangelho e examiná-lo como seres humanos maduros. A prova de sua compreensibilidade é o forte desejo de ouvir a mensagem de Paulo e seu exame diário do Antigo Testamento, a fim de verem se a pregação de Paulo é a verdade.

A mensagem de Paulo, que deve ter incluído a cruz de Cristo, teria sido perturbadora para os judeus, pois de acordo com a tradição judaica todo o crucificado é amaldiçoado de Deus (Dt 21.23). Mas o apóstolo apela para o Antigo Testamento para provar que a crucificação é bíblica (Is 53). Muitos judeus como também vários homens e mulheres gregas de alta posição social aceitam a mensagem de Paulo e crêem em Cristo. Não é surpreendente que muitos dos judeus tenham crido no Senhor Jesus, visto que eles investigaram pensativa e criticamente as Escrituras, mantendo a mente aberta enquanto examinavam as afirmações do evangelho.

A resposta deste povo ao evangelho faz importante ponto teológico: A fé vem pelo ouvir a Palavra de Deus. A resposta imparcial dos judeus à mensagem missionária corresponde à boa disposição de eles darem às Escrituras uma audição justa. Erro comum dos incrédulos é tapar os ouvidos quando Deus fala e fechar os olhos à verdade da Escritura. A resposta impressionante dos judeus e gregos bereanos deve não só ser altamente recomendada, mas também cuidadosamente imitada.

Em Beréia parece não ter havido obstáculo sério ao evangelho. Os missionários podem ter esperado converter a cidade inteira a Cristo. Mas em breve os inimigos do evangelho os atacam pelas costas. Os judeus em Tessalônica ouvem acerca do sucesso de Paulo em Beréia. Como os judeus de Antioquia e Icônio que perseguiram Paulo em Listra (At 14.19), eles vão à cidade e repetem a tática de incitar as multidões para tumultuar ação contra os missionários. Como em Tessalônica, eles os acusam de apregoar insurreição e rebelião política, esperando deter o trabalho de Paulo. Os resultados são os mesmos — um alvoroço popular na cidade e a formação de turbas. Paulo, que está obviamente no centro do ataque, tem de fugir para salvar a vida. Os judeus continuam perseguindo-o enquanto ele está na Macedônia.

Sentindo que é sensato que Paulo deixe a cidade, os cristãos o enviam juntamente com os outros para o litoral a fim de navegar até Atenas. Porém, Timóteo e Silas ficam para trás para que possam instruir e encorajar os cristãos em Beréia (v. 15). Timóteo pode ter permanecido anteriormente com Lucas em Filipos (At 16.40), mas visto que ele aparece aqui na narrativa, ele alcançou os missionários. Ele e Silas são instruídos a seguir Paulo o mais cedo possível. Logo em seguida, Paulo parte. Timóteo e Silas vão a Atenas, mas ao chegarem, são mandados de volta para a Macedônia a fim de encorajar os crentes tessalonicenses (1 Ts 3.1-3). Eles se reúnem com Paulo depois que ele vai de Atenas a Corinto (At 18.1,5).

Paulo deixou para trás três congregações: Filipos, Tessalônica e Beréia. Se os cristãos nestas igrejas forem compromissados com o evangelismo, o evangelho poderia se espalhar prosperamente por toda a província. Depois, Paulo escreve o seguinte a respeito do testemunho cristão dos tessalonicenses: "Por vós soou a palavra do Senhor, não somente na Macedônia e Acaia, mas também em todos os lugares a vossa fé para com Deus se espalhou" (1 Ts 1.8). Não há dúvida de que grande parte do zelo e fidelidade desses crentes foi devido ao fato de Timóteo e Silas terem permanecido para trás com esse propósito.

5.2.7. Paulo Visita Atenas (17.16-34).

Lucas não nos fala quanto tempo Paulo permanece em Atenas, mas ele mostra como o apóstolo se encaixa com a popular religião pagã e prega a pagãos educados. Na época da chegada de Paulo (c. 50 d.C.), Atenas ainda era um centro cultural e intelectual importante. Era "uma cidadezinha de cerca de cinco mil cidadãos" (Haenchen, 1971, p. 517). A Grécia já não era uma superpotência militar, e Atenas era politicamente insignificante. Apesar disto, a cidade ainda servia de lugar de vivaz interesse intelectual.

Não há dúvida de que Paulo conhece a reputação de Atenas. Mas não temos registro de ele dizer qualquer coisa acerca das realizações culturais e intelectuais da cidade, muito notavelmente representadas por filósofos como Sócrates, Platão e Aristóteles. O interesse de Paulo não está nas antigas glórias de Atenas. O que o surpreende é o quanto as pessoas são dedicadas à idolatria. O apóstolo cheio do Espírito prega o evangelho naquela cidade a despeito de sua mensagem ser rejeitada pelos sábios. A experiência de Paulo em Atenas focaliza a atenção em dois incidentes: a pregação na praça (vv. 16-21) e um sermão diante do conselho do Areópago (vv. 22-31).

1) Paulo espera que Timóteo e Silas cheguem logo. Enquanto espera por eles, ele observa que a cidade está "tão entregue à idolatria" (*kateidolon*), que significa literalmente "carregado de imagens". Paulo está muito aborrecido ao ver ídolos por toda parte da cidade e ao perceber o quanto completamente idólatras os atenienses são. Ele reconhece sua condição espiritual pelo que é. A princípio, ele divide seu ministério entre a sinagoga, onde ele disputa com judeus e gentios tementes a Deus acerca de Jesus, e na praça, onde ele prega aos que estão presentes. Diariamente ele fala na praça onde filósofos, ociosos e pessoas passeando se reúnem para conversar e debater. Por causa dos persistentes esforços de Paulo, ele chama a atenção dos epicureus e estóicos, representantes de duas escolas de filosofia.

Os epicureus ensinavam que o supremo bem da existência humana era o prazer, mas para eles o prazer poderia ser melhor garantido evitando o excesso. Eles interpretavam os prazeres não como a satisfação prudente de todos os desejos e inclinações, mas como a ausência de perturbação das paixões e emoções. A vida ideal era uma vida de tranqüilidade que não causava dor e estava baseada na prudência, honra e justiça. Eles atacavam fortemente a crença supersticiosa em deuses, mas reconheciam a existência de certos deuses. Mesmo assim, eles eram materialistas em perspectiva e ateístas na prática.

Por outro lado, os estóicos acreditavam que a boa vida era atingida por uma indiferença total às tristezas e prazeres do mundo. Para eles, Deus era uma força viva corporificada na natureza e não na pessoa, e tudo havia sido predeterminado. Deus está em todas as coisas, e tudo o que acontece tem de ser aceito como a vontade de Deus. A razão humana determina o que é bom e o que é mau. Assim, os estóicos eram racionalistas e fatalistas em suas visões religiosas, advogando a aceitação apática do curso natural dos acontecimentos.

A persistência de Paulo em pregar o evangelho instiga os epicureus e estóicos a engajar-se em debate com ele (v. 18). Alguns dos filósofos zombeteiramente caracterizam Paulo de "paroleiro" (*spermologos*, "um apanhador de sementes"). Esta palavra era usada primeiramente para aludir a pássaros que apanham semente e depois a pessoas que reúnem informação e verdade sem realmente entender o significado. Para eles, Paulo nada mais é que um plagiário incompetente, que ensina fragmentos de conhecimento de segunda mão que não podem formar um sistema filosófico.

Outros filósofos em Atenas afirmam que Paulo prega "deuses estranhos", porque ele prega Jesus e a ressurreição (incluindo não só a ressurreição de Jesus, mas também a esperança da ressurreição dos mortos para a vida eterna). Esta acusação indica que os filósofos pensam que ele está falando sobre duas deidades: Jesus e *Anastasis* (*anastasis* é a palavra grega para "ressurreição"). Ainda que Paulo possa ter sido mal-entendido, ele prega uma nova mensagem maravilhosa relativa a Jesus e à ressurreição. Ele não apresenta deuses estrangeiros, mas o único verdadeiro Deus, que se revelou em Jesus Cristo.

2) Apesar do desprezo por Paulo, alguns desejam saber mais sobre seu ensino para satisfazer a curiosidade. Eles não o prendem, mas o conduzem da multidão ruidosa da praça para uma reunião no "Areópago". "Areópago" quer dizer "colina de Ares", chamada Ares, o deus da guerra a quem os romanos chamavam Marte. É incerto se Lucas tem em mente a colina onde o conselho ateniense se reunia ou à reunião do conselho em si. A última opção sugere que Paulo expõe seu ensino perante esse conselho venerável. Este antigo conselho, que perdeu grande

parte do seu poder no século V a.C., com o crescimento da democracia ateniense, tinha recobrado muito de sua autoridade sob os romanos. No século I, exercia controle sobre conferencistas públicos.

Era de se esperar que Paulo em Atenas com uma nova mensagem fosse convidado a explicá-la perante o conselho (Bruce, 1943, p. 88). A menção de "Dionísio, o areopagita" (v. 34), dá a entender que Paulo comparece perante o conselho em sessão pública. Ainda que a acusação de que ele advogava deuses estranhos possa ter sido séria, Lucas não dá sugestão de que a presença de Paulo perante o conselho envolvesse um julgamento formal. Este conselho é responsável por ouvir e avaliar conferencistas públicos em Atenas e permite que o apóstolo cheio do Espírito explique sua mensagem.

Como indicado por sua declaração parentética no versículo 21, Lucas tem opinião desfavorável da discussão e debate religioso que ocorria nas reuniões do Areópago. O conselho buscava meramente satisfazer a curiosidade e tirava vantagem de toda oportunidade para discutir qualquer nova idéia sobre filosofia. Mas o caráter informal dos procedimentos legais dá a Paulo a oportunidade de pregar um sermão, detalhando suas visões (vv. 22-31). Nisto, ele ataca fortemente os atenienses e sua religião. A defesa que Paulo faz da fé cristã contém uma declaração clássica no que é descrito como "teologia natural" (cf. At 14.15-17), o que enfatiza a distinção entre a revelação na criação e a providência e revelação especiais nas Escrituras e em Jesus Cristo.

Paulo começa dirigindo-se à sua audiência por "Varões atenienses". Ele admite que estes indivíduos são "um tanto supersticiosos [religiosos]", cuja observação ele quer que seja entendida como um elogio à devoção dessa gente. Tal devoção religiosa não pode ser negada, pois qualquer um que visita Atenas pode ver os muitos ídolos e santuários existentes na cidade, entre os quais Paulo viu um altar erigido em honra de um deus desconhecido (v. 23). Os gregos comumente dedicavam altares a deuses desconhecidos por medo de negligenciar um deus que ficaria ofendido. O altar a um deus desconhecido era um tipo de "seguro" para se precaver do julgamento de um deus que exigisse atenção sobre quem eles nada sabiam. Têm sido descobertas inscrições "a deuses desconhecidos", mas até agora não foi achado um altar dedicado "a um deus desconhecido". Não há dúvida de que tal altar existia em Atenas nos dias de Paulo.

Esta inscrição dá a Paulo a chance de apresentar o Deus verdadeiro e vivo, a quem os atenienses não conhecem. Eles procuram adorá-lo embora desconheçam quem seja Ele (v. 23). Obviamente Paulo não está tentando estabelecer uma conexão direta entre o deus desconhecido e o verdadeiro Deus, mas ele usa a inscrição do altar como meio para começar a falar aos atenienses sobre o Deus vivo, o Criador — excelente estratégia para não ofender a sensibilidade pagã.

Considerando que os atenienses não aceitam a autoridade das Escrituras, que falam sobre o tão esperado Messias, e não

Na sua viagem à Macedônia, Paulo teria passado por esta escultura funerária do século IV a.C., o Leão de Anfípolis, que guarda uma ponte sobre o rio Estrimom, a leste de Tessalônica.

conhecem a história judaica, Paulo tem de adaptar a mensagem para a audiência. Para familiarizar os atenienses com o Senhor Deus, ele arrazoa a partir da revelação de Deus na criação. O sermão está firmemente arraigado no Antigo Testamento, sobretudo sua representação de Deus como Criador e soberano Senhor do céu e da terra. O alvo de Paulo é apresentar aos atenienses os propósitos salvadores de Deus, e levar a eles a alegria da salvação. O sermão fornece um padrão para apresentar o evangelho aos que não estão ancorados na tradição bíblica.

Paulo faz várias declarações acerca de Deus, cada uma das quais apresenta Deus como o Deus verdadeiro e vivo em contraste notável com os deuses dos gregos.

1) Deus é Criador e "Senhor do céu e da terra" (v. 24). Ele trouxe o universo à existência e o governa. Ele não pode viver em santuários feitos por mãos humanas, como o magnífico Pârtenon, onde os deuses gregos de Atenas habitavam. A despeito de quão esplêndidos sejam os templos, nenhum edifício pode conter o Senhor do universo (cf. At 7.49,50). Este pensamento eleva o Senhor Deus acima das deidades dos atenienses.

2) Deus é auto-suficiente (v. 25; Is 42.5). Visto que Deus criou tudo, Ele não é servido por seres humanos como se eles pudessem prover-lhe algo de que necessite. Os impotentes ídolos artificiais, diferente de Deus, tombam a menos que sejam firmados, e os sacerdotes lhes apresentam dádivas sacrificais, até ofertas de comida e bebida. Em contraste, Deus não está em falta de nenhuma destas coisas. Ele é o absoluto Criador auto-suficiente e é completamente independente. Todas as pessoas são dependentes dEle como fonte última de toda a vida e respiração. Nossa própria existência é um presente que emana do Criador e Preservador de toda a vida.

3) Deus criou a humanidade (v. 26). A ênfase de Paulo se dá no modo como Ele criou a humanidade; Ele fez todas as nações de uma única pessoa: Adão. Todos os seres humanos compartilham a mesma natureza, porque têm um antepassado comum (Gn 1.26-28). A unidade da família humana jaz nesse fato. O Criador do gênero humano também rege a história humana. Sua mão tem se evidenciado na história das nações individuais, fazendo-as povoar a terra inteira. Ele deu à humanidade a terra para habitação e em sua sábia providência tem "determinando os tempos já dantes ordenados e os limites da sua habitação" — significando as estações do ano e indicando a continuação da benevolência e favor de Deus. Além disso, Ele estabeleceu as fronteiras nacionais, determinando exatamente onde cada nação deve viver na terra. É errado identificar Deus com uma cidade em particular ou com uma única nação. Ele é o único Criador e Regente infinito, e sua mão e obras foram reveladas na história e ainda o são.

Neste ponto Paulo explica o propósito supremo da revelação do próprio Deus na criação e seu procedimento providencial para com a humanidade: "Para que buscassem ao Senhor, se, porventura, tateando, o pudessem achar, ainda que não está longe de cada um de nós" (v. 27). Deus se revelou de forma que os seres humanos o busquem e o achem, que é exatamente o que Paulo deseja que os atenienses façam. O verbo "tatear" (*pselaphao*) expressa a idéia de sentir ao redor em busca de Deus na escuridão como o cego sente o que está à volta para identificar um objeto ou determinar onde ele está. Um tom de incerteza é introduzido com a expressão *ei ara ge* ("porventura, talvez", lit., "se talvez, se porventura"); mas encontrar Deus é uma real possibilidade, visto que Ele "não está longe de cada um de nós".

Os atenienses estão tateando cegamente para encontrar o Deus vivo, que está tão perto deles e deseja ser achado; mas achá-lo não é inevitável, nem é algo que acontece automaticamente. Embora eles busquem Deus, até agora eles não o acharam. Mas ainda é possível eles o conhecerem, porque, apesar de sua grandeza e transcendência, ele está perto de todos. Na criação, o Deus vivo revela sua glória, poder, sabedoria e bondade (cf. Rm 1.19-22). A revelação na criação expõe a existência de Deus, mas isso não pode salvar. Somente a revelação de Deus em Jesus Cristo pode livrar do pecado.

Da revelação de Deus na criação, pessoas como os atenienses podem chegar a um conhecimento do seu poder ilimitado e governo beneficente. Paulo apela para a literatura grega a fim de ilustrar a relação do Deus vivo para com a humanidade. Sua primeira citação é presumivelmente retirada do poeta e filósofo cretense Epimênides (século VI a.C.) e enfatiza a proximidade de Deus: "Porque nele vivemos, e nos movemos, e existimos" (v. 28). Em contraste com os ídolos que não têm vida e carecem de real existência, Deus é o Criador e Sustentador da vida. Sem Ele não podemos viver, nos mover e existir. Esta verdade nos faz lembrar da providência como também da presença maravilhosa de Deus em todos os tempos e em todos os lugares. Ele não está afastado do mundo, como os epicureus acreditam, mas está sempre presente na criação.

A segunda citação, atribuída ao poeta ciliciano Arato (século III a.C.), declara que, como criaturas de Deus, "somos também sua geração". Este poeta reconhece uma semelhança entre os seres humanos e Deus. Assim, a relação não é simplesmente de Criador para criatura, mas de Pai para filho. Os seres humanos não são divinos, mas como descendência de Deus, somos criados à sua imagem (Gn 1.26). Visto que somos criaturas vivas, Deus deve ser muito maior que sua criação e, portanto, diferente dos ídolos inanimados. Ele é o Deus vivo. Todas as pessoas estão unidas por parentesco com Ele.

Considerando que os seres humanos são geração de Deus, Paulo conclui que os ídolos são representações inadequadas de Deus. Não devemos pensar em Deus como sendo algo feito por mãos humanas. Os ídolos inanimados de ouro, prata e pedra — pouco importando quão hábil e formosamente foram trabalhados — são meras produções humanas. Eles não podem representar Deus verdadeiramente nem são apropriados para a adoração do Criador vivo. Por amor-próprio, não deveríamos pensar nEle, de quem derivamos a vida, como algo semelhante a obras mortas que nossas mãos produziram. Aquele que fez o céu e a terra e é a fonte de toda vida não pode ser adorado por imagens artificiais.

Neste momento, Paulo dirige a atenção da audiência da revelação na criação para o plano de salvação revelado em Cristo (v. 30). A vinda de Jesus Cristo ao mundo foi um acontecimento decisivo. Antes desse tempo, Deus não leva em conta a ignorância da humanidade sobre Ele. Na era da ignorância, Ele não os tinha castigado como mereciam. Deus tomou em consideração seus esforços extraviados em adorá-lo, não porque eles fossem inocentes, mas porque Ele era misericordioso e paciente.

Mas as coisas mudaram. Agora a era da salvação para toda a humanidade despontou em Cristo. Pela vinda de Cristo, Deus "agora" exige uma mudança fundamental, para que "todos os homens, em todo lugar, que se arrependam". A menção de arrependimento implica a idéia cristã de pecado. As pessoas têm de se arrepender da idolatria e caminhos maus e se voltar ao verdadeiro Deus. A mensagem do evangelho é para todas as pessoas em todos lugares (At 28.22).

Paulo então apresenta a motivação para o arrependimento, o fato solene do julgamento futuro (v. 33). Todos os seres humanos têm uma responsabilidade moral a Deus e estão sob seu julgamento. Assim, como Paulo lembra aos atenienses, Deus "tem determinado um dia em que com justiça há de julgar o mundo" (v. 31). Todas as pessoas podem ter a garantia de que no momento designado por Deus elas serão julgadas "com justiça" e eqüidade. Ele não cometerá engano ao julgar os pecados e idolatrias dos impenitentes.

O destino das pessoas estará nas mãos de Jesus Cristo, um ser humano designado por Deus para julgar o mundo. É por meio dEle que a justiça será mediada a todas as pessoas (Jo 5.22-29). A prova de que Jesus será o juiz é que Deus o ressuscitou dos mortos. Em contraste com os ídolos inanimados, Jesus, como Deus Pai, está vivo agora. Ele morreu para que todos se arrependam e sejam salvos, mas sua ressurreição, um monumento à sua deidade (Rm 1.4), o sela como juiz no último dia.

A audiência de Paulo na reunião do Areópago ouve o sermão do apóstolo até que ele menciona a ressurreição. A doutrina cristã da ressurreição é uma pedra de tropeço para eles (vv. 32-34). Os gregos acreditaram na imortalidade da alma, mas em geral eles recusaram acreditar que alguém ressuscite dos mortos. Eles consideraram o corpo tão terreno e mau em contraste com a alma, a qual eles viam como o assento da vida divina nos seres humanos. Os presentes à reunião toleram a referência de Paulo à loucura da adoração idólatra, mas eles o interrompem quando ele fala a respeito da ressurreição corpórea. Essa idéia lhes é ofensiva.

Lucas registra três respostas ao sermão de Paulo:
1) Alguns integrantes da audiência são negativos, zombando do pensamento de que os mortos ressuscitem. Eles despedem a ressurreição como prepóstera, convencidos, sem dúvida, de que a alma viverá, mas não o corpo.
2) Outros são mais positivos, dizendo a Paulo que eles querem ouvi-lo falar mais sobre o assunto. Não está claro se eles são sérios sobre querer ouvi-lo falar mais sobre esta doutrina ou se, de modo cortês, eles despedem o apóstolo.
3) Uns crêem e recebem Cristo como Salvador. Lucas no seu relato identifica dois destes crentes por nome: Dionísio, membro do Areópago, e Dâmaris, uma mulher. Nenhum dos dois é mencionado em outro lugar no Novo Testamento, mas eles têm a honra de estarem entre os primeiros convertidos da província da Acaia (1 Co 15.16).

Paulo conclui o sermão abruptamente e parte do Areópago. Seu ministério não foi tão próspero em Atenas como em outros lugares, mas produz alguns frutos naquela fortaleza de cultura grega. Quando Paulo parte, ele deixa para trás alguns adoradores do Deus verdadeiro e vivo.

5.2.8. Paulo Visita Corinto (18.1-17).
Quando Paulo deixa Atenas, ele viaja em direção sudoeste, a Corinto. Esta cidade tinha um ar romano como também grego. Era a capital da província meridional da Grécia, conhecida como Acaia. Corinto estava localizada na costa ocidental de um istmo estreito que conectava a Grécia setentrional e meridional. Esta língua de terra estava na rota marítima entre a Ásia Menor e a Itália, e a distância para atravessá-la era de somente cerca de quinze quilômetros. Corinto oferecia muitas vantagens comerciais e estava situada entre os dois portos de Cencréia e Lechaeum.

Sendo importante centro comercial, Corinto também tinha notória reputação de moral promíscua. Muitos cultos acharam lugar de expressão nessa cidade. Em 146 a.C., a cidade fora completamente destruída pelo general romano Lucio Múmio, mas Júlio César, reconhecendo seu valor militar estratégico, a reconstrói em 46 a 44 a.C. A nova Corinto ficava a aproximadamente cinco quilômetros e meio a nordeste da cidade velha.

Mais é sabido sobre a igreja que Paulo estabeleceu nesta cidade do que de quaisquer das outras igrejas paulinas. Ele escreveu quatro cartas à congregação coríntia, tendo só duas, 1 e 2 Coríntios, sobrevivido. Pouco é conhecido sobre as outras duas cartas (veja 1 Co 5.9; 2 Co 2.4; 7.8). Atos 18.1-17 conta sobre o estabelecimento da igreja e ilustra o trabalho de Paulo em outra situação na segunda viagem missionária. Certas características do seu ministério são familiares, como começar a pregar na sinagoga para os judeus e depois testemunhar para os gentios; mas alguns aspectos da sua experiência no centro urbano de Corinto foram distintamente diferentes dos de outras cidades.

5.2.8.1. Paulo se Une a Áqüila como Fabricante de Tendas (18.1-4). O apóstolo chega a Corinto em cerca de 50 d.C. Lá, ele conhece Áqüila e Priscila, um casal judeu que desempenha papel vital como cooperador no evangelho (Rm 16.3; 1 Co 16.19; 2 Tm 4.19). Em 49 d.C., o imperador Cláudio tinha emitido um decreto expulsando os judeus de Roma por causa de revoltas na cidade. A dificuldade concentrava-se sobre os ensinos de Cresto (forma latinizada de "Cristo"). Entre os expulsos estavam Áqüila e Priscila, que se converteram sob a pregação de judeus romanos que tinham estado em Jerusalém no derramamento do Espírito no Dia de

Pentecostes (At 2.10).

Lucas apresenta Áqüila como sendo de Ponto, na Ásia Menor, mas evidentemente Áqüila mais tarde se torna residente de Roma. Quando Cláudio fez o decreto que compeliu os judeus a deixar Roma, Áqüila e Priscila se estabeleceram em Corinto. Assim que a dificuldade se acalmou em Roma, muitos judeus voltaram à cidade. Depois que Áqüila e Priscila visitam Corinto e Éfeso (At 18.18-28), eles retornam a Roma e moram lá quando Paulo escreve aos romanos (Rm 16.3).

O ministério de Paulo em Atenas parece tê-lo desencorajado, mas é certo que a imediata comunhão cristã de Áqüila e Priscila lhe dá tremendo ânimo. Não somente Paulo e eles compartilham a mesma fé, mas também a mesma profissão — eles são fabricantes de tendas. A expressão "fabricante de tendas" (*skenopoios*) é traduzida com mais precisão por "trabalhadores em couro". Tendas são feitas de pêlos ou couro de cabra. Paulo acha necessário ganhar o sustento próprio, então ele mora com Áqüila e Priscila, desfrutando de comunhão cristã com eles e tomando parte no seu trabalho. Ao mesmo tempo, ele também começa a evangelizar a cidade ímpia.

Como sempre, Paulo prega primeiro na sinagoga, mas ele limita seu ministério a "todos os sábados". Durante a semana, ele trabalha em seu ofício, mas a cada sábado ele prega aos judeus e aos tementes a Deus na sinagoga. Por muitos sábados ele debate com os judeus, e, desde o início, seu ministério em Corinto proclama o Evangelho simples em completa confiança no poder do Espírito Santo (cf. 1 Co 2.2-5). O verbo "convencer" (*epeithen*) pode ser traduzido como imperfeito conativo ("tentando convencer"), ou por "estava convencendo" — quer dizer, Paulo convence judeus e gentios que freqüentam a sinagoga a crer no evangelho.

5.2.8.2. Paulo Ensina por um Ano e Meio (18.5-11). Enquanto Paulo continua seu ministério, Silas e Timóteo vêm da Macedônia para Corinto. Eles tinham ficado para trás em Beréia (At 17.15). Rever estes amigos deve ter encorajado o apóstolo. Em conseqüência da chegada, Paulo começa a se dedicar completamente à pregação da palavra (At 18.5). É provável que Silas e Timóteo tenham trazido apoio financeiro dos crentes filipenses, o que permitiu que Paulo se entregasse totalmente à proclamação do evangelho. A substância da mensagem é "Jesus era o Cristo [Messias]". Os judeus sabem sobre as predições do Messias do Antigo Testamento, mas a nova informação para eles é que "Jesus" é o Messias. A questão é se Jesus, que sofreu e morreu na cruz e ressuscitou, é ou não é o Messias.

O aumento no evangelismo, as afirmações de Paulo sobre o Cristo mostram-se frutíferas e levantam intensa oposição dos judeus (cf. At 13.45; 17.5,13). Uma vez mais, eles rejeitam o evangelho. Quando Paulo sai da sinagoga, ele sacode as vestes como sinal de que ele está rompendo a comunhão com os insensíveis judeus em Corinto e que os judeus em Corinto têm a plena responsabilidade por rejeitarem o evangelho (cf. At 13.46; 28.28). Para Paulo, os judeus incrédulos não fazem mais parte do verdadeiro povo de Deus do que os gentios que rejeitam o evangelho. Ele se desincumbiu de sua responsabilidade em pregar o evangelho aos judeus. A culpa por serem condenados e separados de Deus não pode ser colocada no apóstolo. Com límpida consciência ele declara solenemente: "O vosso sangue seja sobre a vossa cabeça" (v. 6).

Paulo dedica as energias a pregar aos gentios. Obviamente, Paulo já não pode ministrar na sinagoga. Mas vizinho à sinagoga mora Tito Justo, um gentio temente a Deus, que deve ter se convertido sob o ministério de Paulo. Paulo aceita a hospitalidade deste homem e começa a administrar sua missão nessa casa. A reunião rival bem próxima à sinagoga dificilmente deve ter ajudado as relações entre Paulo e os líderes dela, mas sem dúvida é uma localização estratégica para influenciar os adoradores na sinagoga.

Esta aventura ousada comprova ser altamente bem-sucedida. Muitos coríntios crêem e são batizados nas águas. Entre eles está Crispo, principal da sinagoga, com toda a sua casa. Junto com Gaio, em

1 Coríntios 1.14, Crispo é mencionado como sendo batizado por Paulo. O fato de tal proeminente funcionário da sinagoga ter se tornado cristão deve ter atormentado os judeus incrédulos. Sua conversão ocorre num momento em que os judeus são intensamente opostos e abusivos para com os cristãos (At 18.6); também deve ter sido influente nos tementes a Deus, pois o número de gentios convertidos ao evangelho continua aumentando (v. 8). Apesar de forte oposição, muitos — judeus e gentios — crêem em Jesus como Salvador.

Pelo poder do Espírito Santo, Paulo deu passos corajosos no estabelecimento de uma missão vizinha à sinagoga. Mas apesar do sucesso desde que ele deixou a sinagoga, sendo fonte de consolo para ele, ele sabe que dificuldades estão à vista e que ele enfrentará represálias dos judeus por afastar o líder e outros adeptos da sinagoga. Além disso, quando o apóstolo chegou a Corinto, foi "em fraqueza, e em temor, e em grande tremor" (1 Co 2.3). Ele ainda pode estar se sentindo assim. Nesse caso, Paulo precisa de encorajamento espiritual para continuar o ministério em Corinto.

Cristo aparece a Paulo numa visão de noite, a fim de fortalecê-lo para seu trabalho futuro e qualquer nova circunstância que ele venha a enfrentar. Nessa visão, o Senhor o exorta a não ficar calado, mas a continuar proclamando o evangelho conforme ele vem fazendo sem medo dos oponentes judeus. Paulo recebe a garantia da presença divina e promete que a mão protetora do Senhor não permitirá que ninguém o fira. Este tipo de garantia pessoal com certeza dispersa o medo de Paulo.

O Senhor também dá uma segunda razão para que Paulo seja confiante: "Pois tenho muito povo nesta cidade" (v. 10). O termo "povo" aqui não se refere ao povo judeu, como é tão freqüentemente aludido no Antigo Testamento, mas às pessoas que receberão o evangelho. Considerando que estas pessoas ainda não são convertidas, o Senhor fala com base na presciência de que muitos estão prontos a ouvir a mensagem de salvação do evangelho. Ele prevê que sob a pregação de Paulo muitos crerão. Agora Paulo tem a garantia de ser protegido da perseguição (cf. vv. 12-17) e que seu trabalho não será em vão (v. 11).

Esta mensagem do Senhor instila coragem no espírito de Paulo, de modo que ele continua o trabalho em Corinto por dezoito meses. Esta duração de tempo constitui o tempo total que ele passou na cidade ou é o período de tempo depois que ele recebeu a visão. Alguns percebem que ele ficou lá durante dois anos. Em todo caso, está claro que por causa dessa visão Paulo tem uma permanência inusitadamente longa nesta cidade. Muitos dos coríntios respondem ao evangelho. Talvez a congregação coríntia tenha se tornado a maior igreja de Paulo.

5.2.8.3. Paulo É Levado a Julgamento Perante Gálio (18.12-17). Como predito na visão, Paulo tem sucesso no evangelismo, mas também a mão do Senhor o protege quando os judeus tentam suprimir a pregação do evangelho (vv. 12-16). Quando Gálio torna-se procônsul da província romana da Acaia, os oponentes judeus de Paulo tiram vantagem da chegada de um novo governador atacando Paulo. Gálio era irmão de Sêneca, filósofo estóico e tutor de Nero. De acordo com certa inscrição coberta em Delfos, outra cidade da província da Acaia, ele serviu como governador entre 51 e 53 d.C. Esta inscrição foi registrada na forma de carta do imperador Cláudio.

No começo do governo de Gálio (ao redor de julho de 51 d.C.), os judeus em Corinto tentam arregimentar o poder de Roma ao seu lado contra o movimento cristão. Juntos, os oponentes de Paulo o arrastam perante o tribunal de Gálio. O tribunal (*bema*) era uma plataforma elevada na praça da cidade, da qual Gálio presidia e julgava (cf. vv. 16,17). Os judeus acusam Paulo de seduzir as pessoas "a servir a Deus contra a lei".

Não está claro no versículo 13 se Paulo está sendo acusado de quebrar a lei romana ou a lei judaica, mas essa acusação tem a ver com a lei dos judeus. Se as leis romanas tivessem em questão, poderia se esperar ouvi-los e sentenciá-los. O governador vê as acusações contra o apóstolo como brigas sobre a religião judaica (vv. 14,15). A vindicação de Paulo é rápida. Antes que ele sequer possa falar em sua defesa, Gálio mostra sua impaciência para com os judeus, lembrando-os que Paulo não cometeu crime contra a lei romana. Seus alegados crimes não envolvem fraude ou logro do ponto de vista da justiça romana. Os oponentes de Paulo não têm um caso legal contra ele. Até onde o governador vê, a disputa é religiosa e se centraliza em palavras teológicas e afirmações como "Jesus é o Messias".

Gálio explica que se a acusação dos judeus enfocasse em crimes contra o Estado, então ele lidaria com o caso. Como oficial romano, não é seu dever investigar assuntos que concernem à religião judaica. Ele não está propenso a se envolver em assuntos nos quais ele não tem interesse. Assim o governador prontamente rejeita a acusação e fala aos judeus que ele não se aborrecerá em tentar resolver esta disputa religiosa. Tais assuntos devem ser solucionados pelos judeus mesmos.

Gálio fica impaciente com os judeus. Sua ação vigorosa e pronta contra eles é indicada pelo verbo "expulsou" (*apelauno*). Ele manda os soldados expulsarem os judeus do tribunal. O palco está armado para o que se segue. Visto que o tribunal é ao ar livre, a audiência excitou o interesse público e uma turba de espectadores se aglomera. Até agora não há indicação de como os gentios na cidade se sentiram acerca de Paulo, mas a multidão de coríntios que testemunham a decisão do governador percebe que eles podem tiram proveito de sua recusa em interferir nos assuntos judaicos.

A multidão favorece seus sentimentos contra os judeus batendo em Sóstenes, principal da sinagoga e provavelmente sucessor de Crispo (v. 8). Ele tinha assumido papel principal em levantar acusações contra Paulo. Sóstenes é surrado perante o tribunal de Gálio, ato que demonstra o ódio aos judeus prevalecente no mundo antigo. Este ato flagrante acontece na presença de Gálio, mas "nada destas coisas o incomodava" (v. 17). Ele tinha expulsado os judeus do tribunal e agora permitia esmagadora humilhação do líder dos adversários de Paulo.

5.2.9. Paulo Volta a Antioquia (18.18-23). O apóstolo fica na cidade "muitos dias" depois da acusação perante Gálio (v. 18). Pelo fato de o governador ter recusado apoiar os judeus contra o evangelho, Paulo é incentivado a continuar. Quando ele sente que seu trabalho está completo, ele decide voltar à Antioquia da Síria. Nos versículos 18 a 22, Lucas condensa a viagem de Paulo de Corinto a Éfeso, depois a Jerusalém e finalmente a Antioquia.

Acompanhado por Áquila e Priscila, Paulo vai a Cencréia, o porto oriental próximo de Corinto. Na narrativa aqui, a ordem dos nomes do casal sugere que Priscila fora mais importante para o trabalho da igreja coríntia. Antes de se unir a Paulo, o destino deste casal tinha sido Éfeso, o que parece explicar por que Paulo navega para Éfeso em vez de ir diretamente a Cesaréia. O apóstolo deixou o cabelo crescer. Parece que ele fez um voto nazireu, durante o qual o cabelo é deixado crescer. Quando chega a Cencréia, ele corta o cabelo, o qual, junto com uma oferta, marca a conclusão do voto. Para uma pessoa tomar um voto nazireu, o corte de cabelo era permissível em qualquer lugar (m. *Nazir* 3b; 5.4), mas o sacrifício só poderia ser oferecido no templo em Jerusalém, para onde Paulo está indo.

Este voto nazireu mostra que Paulo não hesita em observar as práticas judaicas e continuar sendo fiel à herança judaica, contanto que tais práticas não sejam insistidas como base para salvação (cf. At 21.23-26). Lucas não dá sugestão direta sobre a razão de Paulo ter feito o voto, mas provavelmente a bondade de Deus para com ele em Corinto o instiga a fazer o voto e expressar gratidão pelo sucesso do Evangelho entre os gentios. Tal ação não coloca os cristãos sob a obrigação de fazer semelhantes votos, mas demonstra a devoção judaica de Paulo. Sua ação também ilustra que ele está preparado para se tornar "como judeu para os judeus, para ganhar os judeus" (1 Co 9.20).

Paulo navega para Éfeso, a principal cidade da província romana da Ásia e que tinha grande população judaica. Quando ele e seus companheiros chegam, ele vai à sinagoga. Não sabemos se havia cristãos em Éfeso antes deste tempo, mas não há corpo organizado de crentes na cidade. Na sinagoga, Paulo fala aos judeus e proclama Jesus como Messias. Embora ele seja livre para pregar em Éfeso, ele não aproveita a oportunidade para evangelizar a grande cidade.

Anteriormente o Espírito Santo tinha impedido Paulo de pregar o evangelho na Ásia (onde estava localizada Éfeso; veja At 16.6). Ele decide agora que é tempo de voltar a Antioquia. Quando as pessoas na sinagoga o convidam para ficar mais tempo, ele recusa, mas promete que voltará, se for da vontade de Deus (At 18.20,21). Assim, sua visita aqui é breve.

O apóstolo embarca num navio no porto de Éfeso. Indo na companhia de Priscila e Áqüila, ele navega para a Palestina. Desembarca em Cesaréia, "sobe" para a Jerusalém e saúda a igreja. Jerusalém não é especificamente mencionada aqui (v. 22), mas os verbos "subir" e "descer" eram regularmente usados para viajar para e de Jerusalém, considerando que a cidade antiga foi construída numa colina. Esta localização também se ajusta à sugestão de que Paulo só pudesse terminar seu voto oferecendo um sacrifício em Jerusalém. Ele provavelmente chega lá perto da celebração da Páscoa em abril de 52 d.C., e evidentemente apresenta um relatório do seu trabalho para a Igreja.

De Jerusalém, Paulo volta a Antioquia, de onde começara, completando desta forma a segunda viagem missionária. Lá, ele faz um relatório do progresso do evangelho para a igreja que tinha recomendado a ele e Silas "à graça de Deus" (At 15.40). Depois de um período de tempo em Antioquia, este apóstolo cheio do Espírito começa sua próxima campanha — a terceira viagem missionária. Anteriormente ele tinha recusado um convite para ficar em Éfeso (v. 21), mas agora essa cidade é sua meta. Ele aproveita a oportunidade primeiramente para visitar a região da Galácia e Frígia pela terceira vez. Esta região é provavelmente a área no sul da Galácia, que ele tinha evangelizado na sua primeira campanha missionária (At 13—14). O apóstolo encontra as igrejas em boas condições e faz uma pequena visita que consistia em dar encorajamento espiritual aos crentes. Lucas retoma esta terceira viagem missionária em Atos 19.1 a 22.21.

5.3. Apolo Ensina em Éfeso e Acaia (18.24-28)

Priscila e Áqüila permanecem em Éfeso depois que Paulo parte para Jerusalém e Antioquia. Antes de voltar a Éfeso, Apolo entra em cena. Mais tarde Apolo se torna pessoa importante na Igreja em Corinto (1 Co 3.1-9), mas na Igreja em Éfeso há uma controvérsia que se centraliza nele. Quando Apolo chega, embora fosse "instruído no caminho do Senhor" (v. 25), seu conhecimento parece imperfeito. Priscila e Áqüila explicam "mais pontualmente o caminho de Deus" (v. 26), e ele vem a compartilhar a perspectiva teológica de Paulo. Aqui, vemos como os cristãos primitivos lidavam com aqueles em falta de uma compreensão mais plena da fé.

Lucas descreve Apolo em condições positivas.

1) Ele é judeu de Alexandria. Nascido em Alexandria, Egito, ele provém de uma das principais cidades do mundo antigo e importante centro de aprendizagem. Pouco é conhecido sobre o começo do cristianismo em Alexandria, embora presumivelmente tenha começado durante o derramamento do Espírito no Dia de Pentecostes, no qual estavam presentes pessoas do Egito (At 2.10). O primeiro cristianismo registrado em Alexandria foi caracterizado por tendências gnósticas. Talvez a instrução recebida por Apolo não tenha sido na linha do cristianismo apostólico e, portanto, pode responder por sua compreensão inadequada.

2) Apolo é homem instruído, que conhece as Escrituras do Antigo Testamento. É difícil decidir com certeza o significado exato de "instruído" (*logios*). Alguns estudiosos consideram que esta palavra signifique "elo-

qüente", enfatizando a grande capacidade de Apolo como orador; outros entendem que significa "literato", acentuando a extensão do seu conhecimento. É possível combinar os dois significados e entender que Apolo é um alexandrino eloqüente e culto, especialmente levando em conta seu conhecimento do Antigo Testamento.

3) Apolo fala fervorosamente no Espírito. Algumas autoridades consideram a palavra *pneuma* ("espírito") referência ao próprio espírito de Apolo e, assim, signifique que ele fala com grande entusiasmo (RC). Considerando que os dons naturais de Apolo são enfatizados no versículo 24, o 25 parece falar sobre o dom espiritual. Ele é equipado poderosamente pelo Espírito para o ministério. É sua prática pregar sob a inspiração do Espírito Santo e com a mesma autoridade profética associada com o ministério de Pedro no Dia de Pentecostes.

4) Apolo ensina com acurácia os fatos sobre Jesus e, dessa forma, está bem informado sobre a vida de Jesus e, talvez, também do seu ensino, provavelmente inteirando-se daqueles presentes durante o derramamento do Espírito no Dia de Pentecostes (At 2.10). Ele está familiarizado com o batismo de João e deve ter recebido esse batismo, o qual João Batista administrou da perspectiva do trabalho redentor de Cristo (Jo 1.29ss; cf. Mt 3.1ss; Mc 1.4ss; Lc 3.1ss). É improvável que Apolo tenha sido rebatizado, visto que Lucas não diz nada sobre isso. Lucas sabe que a experiência da plenitude carismática do Espírito não depende do batismo nas águas (At 10.44-48).

Diferente dos doze discípulos em Éfeso (At 19.1-7), Apolo já tinha sido cheio com o Espírito. Embora ele pregue a história de Jesus com precisão e grande inspiração carismática, ele pára abruptamente — pois "acerca da questão adicional de suportar as ações e obras de Jesus na vida presente, ele nada diz" (Rackham, 1953, p. 343). É possível que uma pessoa que recebeu o batismo no Espírito seja imperfeita em algum aspecto da fé. Como ilustra 1 Coríntios ao longo da carta, a experiência carismática não assegura entendimento adequado da prática e doutrina cristãs.

A princípio, Apolo cumpre a missão cristã na sinagoga. Ele prega com grande ousadia, mas fica aquém em sua compreensão da fé. Ouvindo-o, Priscila e Áqüila logo percebem que este pregador grandioso precisa de mais instrução sobre "o caminho de Deus" (v. 26). Assim, eles o levam à privacidade de sua casa e lhe explicam um entendimento mais preciso da fé. Evidentemente eles dão a Apolo mais instruções nas distintivas doutrinas paulinas, com ênfase em Jesus como Messias.

Apolo deve ter sido ávido estudante e homem de profunda espiritualidade. Seu avanço no entendimento fica aparente. Um pouco mais tarde ele soa uma nova nota em sua pregação: "Porque com grande veemência convencia publicamente os judeus, mostrando pelas Escrituras que Jesus era o Cristo" (v. 28). Entendendo melhor a fé, ele proclama que a salvação messiânica é uma experiência presente pela fé em Jesus, como também uma esperança futura. "Sua mensagem carismática torna-se messiânica" (Moody, 1968, p. 78).

Por uma razão não determinada, Apolo decide visitar as igrejas estabelecidas por Paulo na Acaia. Os cristãos, que foram convertidos sob o breve ministério de Paulo em Éfeso e o ministério de Priscila e Áqüila, expressam plena confiança em Apolo. Quando ele parte para a Acaia, eles o encorajam e têm o prazer de escrever uma carta de apresentação, exortando os crentes da Acaia a darem as boas-vindas a este homem.

Na era apostólica, as cartas de recomendação eram comuns (cf. Rm 16.1; 2 Co 3.1). Apolo vive de acordo com a recomendação. Chegando a Corinto, ele é uma grande bênção aos crentes e bem-sucedido em lhes fortalecer a fé (veja v. 28). Entre os cristãos em Corinto, Apolo se torna proeminente líder, seus seguidores tendo o mesmo nível que os de Pedro e os de Paulo (1 Co 1.12). Paulo diz que Apolo rega o que ele tinha plantado (1 Co 3.6). Ele não considera Apolo um rival, como alguns crentes coríntios presumiram, mas como um cooperador (1 Co 4.1-7). O sucesso de Apolo como pastor e evangelista mostra que ele tem uma variedade de dons espirituais.

5.4. A Terceira Viagem Missionária (19.1—22.21)

Paulo terminou sua Segunda Viagem Missionária em Antioquia da Síria e começou sua Terceira Viagem (veja comentários sobre At 18.18-23). Lucas começa sua narrativa da terceira viagem missionária de Paulo com o derramamento do Espírito Santo, quando o apóstolo impõe as mãos em alguns discípulos em Éfeso. Em Éfeso, ele argumenta com os judeus da sinagoga e discute, "persuadindo-os [i.e., através do poder do Espírito] acerca do Reino de Deus" (vv. 8-10). Seu ministério ungido pelo Espírito também é marcado por milagres extraordinários e exorcismos (vv. 11-20).

No começo de cada jornada, Lucas enfatiza a importância fundamental do poder e direção do Espírito para o ministério de Paulo, e mostra que segue o padrão programático do ministério de Jesus (Lc 3.22; 4.1,14,18) e do dos discípulos (At 1.8; 2.4,14-41). A Primeira Viagem Missionária foi iniciada pela palavra do Espírito Santo dada por um profeta (At 13.1-3). A Segunda Viagem Missionária começou pelo Espírito dirigindo os missionários de modo contrário ao que eles estavam inclinados a fazer (At 16.6-8). No início da Terceira Viagem Missionária, Paulo concede a plenitude do Espírito nos outros, fala como profeta inspirado aos judeus e faz ações proféticas. Desde o princípio ao fim do seu ministério, Paulo é apóstolo e profeta carismático, feito poderoso em palavras e ações pelo Espírito Santo.

5.4.1. Paulo Visita Éfeso (19.1-41). Depois que Apolo parte para Corinto, Paulo chega a Éfeso vindo de Antioquia, tendo visitado as igrejas na região da Galácia e Frígia (At 18.23). Ele permanece em Éfeso por aproximadamente três anos. Esta cidade era uma das mais importantes do Império Romano. Era a capital da província romana da Ásia e principal porto marítimo e centro comercial, localizado na extremidade ocidental da grande estrada que atravessava a Ásia Menor. Era famosa como centro religioso pagão e local do templo da deusa da fertilidade, Diana, cujo templo é uma das sete maravilhas do mundo antigo. Seu templo tinha a maior estrutura marmórea do mundo helenista. A magia desempenhava parte importante na vida religiosa dos efésios, como também o culto da deusa.

5.4.1.1. Paulo Encontra Doze Discípulos (19.1-7). Quando Paulo chega a Éfeso, ele encontra doze discípulos. Como Apolo, estes discípulos receberam o batismo de João Batista, mas há uma diferença distinta entre estes discípulos e a experiência de Apolo. De acordo com a profecia de Joel (Jl 2.28-32; cf. At 2.17-21), Apolo tinha recebido o batismo pentecostal no Espírito (At 18.25), mas os doze discípulos em Éfeso não tinham sido cheios com o Espírito. Contudo, Lucas ainda se refere a eles por "discípulos", quer dizer, verdadeiros cristãos.

Alguns intérpretes defendem que o fato de Lucas descrever esses doze discípulos por "alguns discípulos" (v. 1), indica que eles não pertenciam ao grupo cristão em Éfeso, mas eram um grupo dos discípulos de João Batista. Este argumento apóia-se em grande medida na ausência do artigo definido ("os") antes de "discípulos" e na suposição de que o pronome indefinido "alguns" (*tines*) implica que eles são discípulos de João Batista. O Livro de Atos não sustenta a opinião que faz passar os doze discípulos como grupo completamente distinto e separado da comunidade cristã. Com ou sem artigo, Lucas usa consistentemente "discípulos" (*mathetai*) para se referir a cristãos (At 6.1,7; 9.1,19,26; 11.26; 14.21,22). Além disso, a palavra grega *tines* não provê um comentário sobre o estado espiritual desses homens. Lucas usa o mesmo pronome em três passagens para se referir a cristãos conhecidos: Ananias (At 9.10); Tabita (At 9.36) e Timóteo (At 16.1). Quer singular ou plural, o pronome indefinido descreve os seguidores de Cristo. Estes doze homens eram cristãos pré-pentecostais. Eles eram convertidos, mas não tinham sido cheios com o Espírito.

O batismo de João ainda era prescrito e praticado em alguns lugares, mas não havia uniformidade de experiência entre os que tinham sido influenciados por esta tradição. Pela razão de Paulo se dirigir a estes discípulos efésios como crentes (*pisteusantes*, v. 2), sabemos que eles, como Apolo, já eram cristãos antes da chegada de Paulo. Contudo, eles não tinham recebido subseqüente à salvação a unção do Espírito para o ministério.

Paulo percebe a necessidade da unção e pergunta: "Recebestes vós já o Espírito Santo quando crestes?" (v. 2). Esta pergunta lida com a experiência que eles tinham no Espírito. O particípio aoristo (*pisteusantes*), que foi traduzido por "quando crestes", também pode ser traduzido por "depois que crestes". A pergunta de Paulo não trata com o fato de eles receberem o Espírito Santo no momento da conversão. Do instante em que os doze efésios foram convertidos, o Espírito Santo passou a habitar neles, como ocorre com todos os cristãos (Rm 8.9). Assim, a pergunta não é sobre receber o Espírito na salvação, mas sobre o que é básico para Lucas-Atos e para o contexto imediato, quer dizer, a unção do Espírito com poder subseqüente à experiência de salvação.

Não sabemos exatamente o que instiga Paulo a fazer a pergunta. Os sermões e conversações em Atos são resumos, e o propósito de Lucas é enfocar o poder do Espírito em vez de apresentar relatos exaustivos. Presumivelmente a pergunta de Paulo a estes discípulos foi precedida por uma conversa mais longa. Em todo caso, a resposta que dão à pergunta de Paulo é negativa. Eles não ouviram falar do derramamento do Espírito no Dia de Pentecostes. Os discípulos efésios, sem dúvida, tinham ouvido falar do Espírito Santo, visto que Ele é discutido proeminentemente no Antigo Testamento e na pregação de João Batista. O que eles desconhecem é a unção específica do Espírito para o ministério subseqüente à conversão. Influenciados pela tradição de João Batista, eles tinham ouvido falar de Jesus e creram nEle, mas não tinham sido cheios com o Espírito.

Paulo reconhece que os doze efésios carecem do dom carismático do Espírito. Como Paulo lhes explica, a pregação de João Batista foi um ministério salvador e estava de acordo com o plano de Deus. Ele chamava as pessoas ao arrependimento e à fé em Jesus, aquele que vem. O propósito desta pregação era que aqueles que a ouvissem cressem em Jesus, o mesmo foco e meta da pregação de Paulo. João administrou o batismo como símbolo da lavagem de pecados pelo Espírito Santo.

Tendo ouvido a explicação de Paulo sobre o batismo, os discípulos efésios querem ter a certeza que sua relação espiritual com o Senhor apóia-se numa fundação adequada. Eles pedem o batismo. Lucas faz apenas um breve relato deste acontecimento, mas muito provavelmente a mensagem de Paulo instiga os discípulos efésios a fazer o pedido. Paulo concorda e os batiza. Este é o único lugar onde é mencionado um rebatismo no Novo Testamento.

Da mesma maneira que Ananias impôs as mãos sobre Paulo e o apóstolo foi cheio com o Espírito (At 9.17), assim Paulo impõe as mãos nos doze homens e eles também são cheios com o Espírito: "Veio sobre eles o Espírito Santo; e falavam línguas e profetizavam" (At 19.6). Deve ser notado que os termos "veio" (derivado de *erchomai*) e "sobre" (*epi*) são paralelos à linguagem precisa de Atos 1.8. Essa linguagem conecta firmemente a experiência dos discípulos efésios com a promessa de Jesus. Este derramamento do Espírito mostra que o batismo com o Espírito é subseqüente e distinto da conversão segundo a teologia de Lucas e Paulo.

As conseqüências imediatas deste batismo com o Espírito são manifestações carismáticas de línguas e profecia. A expressão "e profetizavam" não deve ser presumida a indicar um sinal adicional. É paralela à expressão "magnificar a Deus" registrada em Atos 10.46. A atividade profética é realizada nos últimos dias (cf. os acontecimentos do Dia de Pentecostes que mostram estreita relação entre falar em línguas e profetizar via Jl 2). Semelhante aos discípulos no Dia de Pentecostes e em Cesaréia, estas pessoas em Éfeso falam em línguas e dão louvores inspirados a Deus depois de receberem o poder pentecostal do Espírito. Como os outros derramamentos do Espírito, a evidência inicial da experiência carismática dos crentes efésios é o falar em línguas (cf. At 2.4; 10.44-46). Paulo instrui, batiza e impõe as mãos sobre eles, mas pela ação soberana do Espírito profético eles são dotados com poder para o ministério.

O Pentecostes efésio não marca uma experiência de conversão, mas uma dotação do poder do Espírito para divulgar o Evangelho. O livro inteiro de Atos enfatiza esta experiência carismática de receber poder para o evangelismo. Os doze efésios recebem o novo poder vital do Espírito para que eles, como os discípulos no Dia de Pentecostes, Samaria e Cesaréia, sejam equipados a cumprir a comissão de Atos 1.8.

Paulo espera que os crentes sejam cheios com o Espírito. O derramamento do Espírito nos doze efésios deixa claro que o ensino e prática de Paulo são consistentes com a teologia carismática de Lucas. Sem dúvida, este incidente é um exemplo de como os apóstolos ministraram a muitos que tinham se tornado crentes, mas nunca tinha ouvido falar do Pentecostes.

5.4.1.2. Paulo Prega por Dois Anos (19.8-20). Depois que o apóstolo ministra aos doze discípulos, ele continua seu trabalho na sinagoga. Se os doze não fossem cristãos, então Paulo teria seguido sua prática habitual e começado seu ministério pregando primeiramente na sinagoga em vez de falar com "alguns discípulos".

Autorizado pelo Espírito Santo, Paulo vai regularmente à sinagoga para pregar. Durante um período de três meses, ele fala "ousadamente" ao povo. Esta ousadia é indicação característica de que ele é inspirado pelo Espírito (At 9.27). A abordagem de Paulo é persuasiva, sendo o tema de sua mensagem o Reino de Deus que é cumprido na vida e ministério de Jesus. Seu enfoque não mudou; permanece no Reino (At 14.22; 20.25; 28.23) e em Jesus como Messias.

O ministério de Paulo na sinagoga é interrompido pelos judeus que endurecem o coração contra o evangelho e se recusam a crer que as promessas do Reino são cumpridas em Jesus. Estes incrédulos falam contra o "Caminho", o movimento cristão que se centraliza em Cristo e nos seus ensinos (cf. At 9.2; 19.23; 22.4; 24.14,22). A oposição torna necessário que Paulo e os outros crentes se retirem da sinagoga como base para o evangelismo.

Em Corinto, quando Paulo foi perseguido, ele se mudou da sinagoga para a casa particular de Tito Justo (At 18.7), mas nesta ocasião ele se muda para a "escola de um certo Tirano", um lugar para conferências e outras reuniões. Ou Tirano é dono desse local ou é o lugar onde ele dá conferências; Paulo o usa diariamente para discutir com as pessoas sobre o Caminho cristão, durante as ocasiões em que Tirano não usa. Por dois anos ele faz discussões neste novo lugar de reunião. Incluindo os três meses na sinagoga (At 19.8), Paulo fica em Éfeso por aproximadamente três anos (At 20.31).

Durante este tempo, o ministério de Paulo e seus colegas vai além de Éfeso. Embora nem sempre entregue diretamente por Paulo, o evangelho é pregado em Colossos, Laodicéia e outros lugares, "de tal maneira que todos os que habitavam na Ásia ouviram a palavra do Senhor Jesus, tanto judeus como gregos" (v. 10). Equipado pelo Espírito para o ministério, os missionários evangelizam toda a região e são usados na influência sempre crescente do evangelho.

Além da pregação ungida, Paulo também faz milagres (vv. 11,12), descritos como "maravilhas extraordinárias", porque são manifestações carismáticas especiais do Espírito. Equipado com o poder do Espírito, ele ministra às necessidades humanas mediante milagres incríveis, curas e exorcismos (cf. Rm 15.18,19; 2 Co 12.12). Deus faz estes milagres incomuns diretamente pela imposição das mãos de Paulo sobre os doentes, mas também por lenços e aventais que tocavam o seu corpo. Pessoas impossibilitadas de ir ao apóstolo são curadas por contato indireto com ele. Tais curas são paralelo claro do ministério carismático de Jesus (Lc 8.43-45) e de Pedro (At 5.12-16). Porque Paulo é profeta e apóstolo ungido pelo Espírito, estas ações poderosas glorificam Jesus

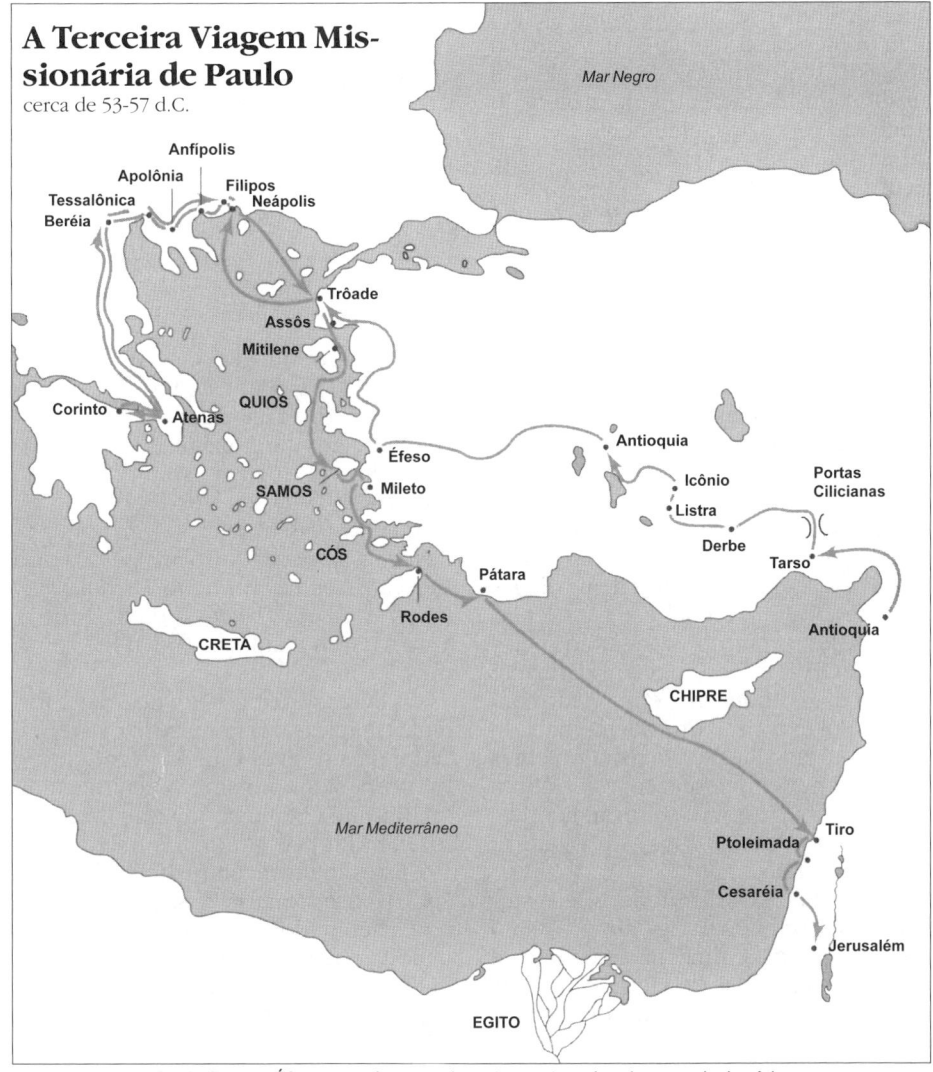

A Terceira Viagem Missionária de Paulo
cerca de 53-57 d.C.

Paulo fica em Éfeso por três anos durante sua terceira viagem missionária.

Cristo, anunciando e selando o poder salvador de "a palavra do Senhor".

Paulo ganha fama por fazer milagres e expulsar espíritos malignos. Naquela época, a prática de expulsar demônios estava difundida no mundo antigo e era realizada por pessoas que usavam vários tipos de fórmulas, encantamentos e poderes clarividentes. Os milagres de Paulo são curiosos, porque ele os faz em nome de Jesus. Alguns mágicos judeus observam os milagres que Paulo faz em nome de Cristo (vv. 13-20), e concluem que o encantamento poderoso está nesse nome. Buscando capitalizar no sucesso de Paulo, eles também tentam expulsar demônios usando esse nome. A fórmula que usam é: "Esconjuro-vos por Jesus, a quem Paulo prega" (v. 13).

Entre os que tentam expulsar os demônios no nome de Jesus estão os sete filhos de um sumo sacerdote judeu chamado Ceva. Não há registro de um sumo sacerdote em Jerusalém por nome Ceva. Pode ser que Ceva fosse membro da família sumo sacerdotal ou talvez ele tenha sido um judeu renegado que assumira o título para impressionar os outros e enganar o público. Os próprios exorcistas poderiam ter afirmado falsamente que eram filhos do sumo sacerdote. Evidentemente eles não sabem muito sobre a vida e ministério de Jesus. Estes incrédulos são simples mágicos, e não reconhecem que o nome de Jesus é poderoso somente quando é pronunciado por sua autoridade e fé nEle como Salvador (*Theological Dictionary of the New Testament*, eds. G. Kittel e G. Friedrich, Grand Rapids, 1964-1976, vol. 5, p. 463).

Em certa ocasião, estes exorcistas encontram um endemoninhado numa casa e tentam expulsar o demônio do homem "por Jesus, a quem Paulo prega". O espírito maligno confessa conhecer Jesus e Paulo, mas ele desafia o direito de eles usarem esse nome. Por que ele deveria obedecê-los? Não são discípulos de Jesus nem colegas de Paulo. Ele não reconhece o poder no nome de Jesus como foi pronunciado pelos filhos de Ceva (v. 15). Uma coisa alarmante acontece: o demônio fica enfurecido com estes falsos exorcistas e o endemoninhado pula sobre eles. Eles se acham impotentes contra tal poder demoníaco, e sozinho o homem com o espírito os surra. Feridos, sangrando e desnudos, os sete fogem da casa para a rua.

Com os filhos de Ceva feridos, as vestes rasgadas e correndo da casa afora, o relato nos soa humorístico, mas não é assunto de riso para as pessoas de Éfeso. À medida que as notícias se espalham sobre o que aconteceu, um temor santo toma conta dos corações. Eles reconhecem que este feito dos sete exorcistas vem do mau uso do nome de Jesus. Muitos efésios são devotados à prática da magia e percebem o quanto é perigoso usar o nome de Jesus levianamente. Por causa do dramático fracasso dos filhos de Ceva, as pessoas honram e magnificam o nome de Jesus mais altamente.

A exposição dos filhos de Ceva tem resultados surpreendentes. Os que já são crentes confessam suas más ações e abandonam todas as práticas pagãs. Alguns crentes tinham trazido enfeites do seu passado pagão para a experiência cristã e continuavam praticando superstições mágicas e pagãs. Agora eles se dão conta da pecaminosidade de tal prática e publicamente confessam o uso que fazem da magia para enfeitiçar as pessoas e enganá-las. Eles trazem seus livros (rolos) que lhes contam como praticar a feitiçaria e a magia e os queimam na presença do povo. A palavra "feitiçaria" (*perierga*) é um termo técnico para se referir a artes mágicas. O significado da raiz da palavra envolve interesse no negócio de outras pessoas (é traduzida por "curiosas" em 1 Tm 5.13). Assim, este termo em Atos 19.19 quer dizer interferir em outras pessoas mediante artes mágicas. Os práticos tentavam controlar o espírito para que este fizesse os desejos dos exorcistas ou procuravam desenvolver poderes psíquicos de forma a poder controlar a pessoa ou a situação (*New International Dictionary of New Testament Theology*, ed. C. Brown, 4 vols., Grand Rapids, 1975-1985, vol. 2, pp. 556-561).

Os livros de feitiços, invocações e fórmulas mágicas tornaram-se lixo carbonizado; mas se tivessem sido vendidos, o valor teria sido aproximadamente igual ao salário que cinqüenta mil trabalhadores receberiam por um dia de trabalho (v. 19). Estes crentes fizeram ruptura decisiva com o passado pagão. Essa ação mostra o poder depurador do evangelho em mudar o modo pagão de pensar sobre Deus.

Outrora, como hoje, a tendência é deixar a religião ruim e as superstições estropiadas influenciarem nossas idéias de Deus. Muitas áreas da vida moderna estão agarradas por práticas mágicas e visões filosóficas de Deus que são claramente proibidas na Escritura (Dt 18.10-14). O sucesso do ministério de Paulo em Éfeso mostra a importância de purificar o pensamento cristão do paganismo. Ungido pelo Espírito Santo, a palavra de Deus transforma vidas e a Igreja experimenta novo crescimento e força. De acordo com este relato, Paulo tem um encontro direto uma vez mais com o poder demoníaco e magia (cf. At 13.6-12; 16.16-18). Deus lhe dá tremenda vitória e demonstra que o poder de Jesus é superior ao dos demônios e magia.

5.4.1.3. Paulo Propõe Visitar Jerusalém e Roma (19.21,22).

Depois da queima pública dos livros, o triunfo da palavra de Senhor faz Paulo perceber que a Igreja efésia ganhou força. Agora ele pode pensar em deixar Éfeso e concentrar-se nos seus futuros planos de viagem. A frase: "Paulo propôs, em espírito, ir", pode ser traduzida por: "Paulo propôs, no Espírito, ir" (*en to pneumati*). Esta última tradução é consistente com a globalidade da narrativa de Lucas e estabelece o tom para a viagem de Paulo de Éfeso até ele chegar a Roma. Suas viagens futuras são propelidas pela mesma iniciativa divina como a primeira viagem missionária que iniciou de Antioquia (At 13.2,4). Os leitores têm a garantia de que o Espírito Santo está em ação nas provas e tribulações de Paulo como também nas vitórias de Paulo.

Em outras palavras, quando Paulo faz planos para viagens futuras, ele o faz com a ajuda e aprovação do Espírito Santo. Sua decisão de revisitar a Macedônia e Acaia, depois ir a Jerusalém e mais tarde a Roma é inspirada pelo Espírito. O versículo 21 resume a tônica de Atos e declara nitidamente que o objetivo de Atos é descrever a jornada de Paulo à cidade imperial de Roma. Serve como anúncio profético do que se seguirá (At 19.22—28.31).

Não há que duvidar que Paulo quer aceitar a oferta monetária que as igrejas gentias deram como dádiva para os cristãos pobres em Jerusalém (At 24.17). Como Jesus, Paulo decide ir primeiramente a Jerusalém, cidade conhecida por matar profetas (Lc 9.51; 13.34). Apesar dos avisos que recebe ao longo do caminho de que Jerusalém é um lugar perigoso para ele, Paulo continua à medida que o Espírito Santo o dirige (At 20.22,23; 21.4,11). Esta visita será a quinta e última à Cidade Santa.

Paulo sabe que é da vontade do Senhor exaltado que ele testemunhe do evangelho em Roma. É por isso que declara que ele deve ("importa", v. 21; *dei*, "é necessário") levar o evangelho a Roma. Lucas nos deixa ver que o propósito de Deus é levar Paulo à capital do mundo gentio. Sua missão culminará em Roma, a etapa final de sua extensão missionária "até aos confins da terra" (At 1.8). Lucas dedica um terço do seu relato sobre a Igreja apostólica no Livro de Atos a essa jornada. (Note que Lucas não menciona plano para o trabalho missionário na Espanha, Rm 15.23-29.)

Mas antes de ir a Jerusalém, onde como parte do plano divino ele será detido, encarcerado e apelará para Roma, Paulo planeja voltar à Grécia primeiro. Ele não quer esquecer as igrejas que estabeleceu na Macedônia e Acaia e sente que tem de, em primeiro lugar, revisitá-las e fortalecê-las. Próximo do fim de sua permanência em Éfeso, Paulo envia à frente dois dos seus colegas, Timóteo e Erasto, para a Macedônia a fim de prepararem sua visita.

5.4.1.4. Demétrio Instiga Oposição (19.23-41).

Paulo já fez preparativos para deixar Éfeso, mas antes de partir, desencadeia-se uma revolta anticristã. A revolta é liderada por Demétrio, ourives que faz modelos de prata do templo da deusa Diana, e resulta num confronto direto entre o evangelho e a religião pagã. Embora a idolatria e a superstição tenham sido estropiadas pelo poder do evangelho na região de Éfeso, os poderes das trevas ainda estão presentes. Pessoas envolvidas em religião pagã e bruxaria estão preparadas a empreender luta desesperada para proteger seus interesses financeiros.

Lucas não nos dá todos os detalhes das experiências de Paulo em Éfeso. Mas em 1 e 2 Coríntios, escritos de Éfeso, Paulo nos ajuda a entender melhor a perseguição ocorrida ali. Ele escreve que sua vida está em perigo a toda hora e até diz: "Se, como homem, combati em Éfeso contra as bestas" (1 Co 15.30-32) — o tipo de sentença condicional usado aqui sugere que Paulo está falando de alguma coisa que de fato aconteceu. Mais adiante, na mesma carta, ele escreve: "Ficarei, porém, em Éfeso até ao Pentecostes; porque uma porta grande e eficaz se me abriu; e há muitos adversários" (1 Co 16,8,9). E em 2 Coríntios, sobre o que aconteceu na Ásia, Paulo chega a ponto de dizer: "Fomos sobremaneira agravados mais do que podíamos suportar, de modo tal que até da vida desesperamos. Mas já em nós mesmos tínhamos a sentença de morte" (2 Co 1.8,9).

Muitas das dificuldades de Paulo vieram de oponentes judeus, mas o tumulto em Éfeso vem da religião pagã e do interesse adquirido dos fabricantes de santuários em miniatura. A influência crescente do evangelho prejudicou-lhes o negócio. Não há dúvida de que a queima de livros de feitiços e encantamentos mágicos diminuiu grandemente a venda de ídolos e santuários (v. 19). Os ourives de prata, liderados por Demétrio, relacionaram a queda das vendas com o "Caminho" (v. 23).

Éfeso era o centro da adoração da deusa da fertilidade, identificada pelos gregos como Ártemis e pelos romanos como Diana. Seu templo magnífico era uma das sete maravilhas do mundo antigo e a glória de Éfeso. Tinha ouro entre suas pedras em vez de argamassa e alojava algumas das magníficas esculturas da antiguidade. De todas as partes da Ásia Menor, peregrinos iam a Éfeso para ver o edifício esplêndido. Demétrio não fazia estatuetas de prata da própria deusa, mas pequenos santuários que representavam o famoso templo de Diana (v. 24). Numerosas réplicas eram vendidas para os peregrinos e levadas para casa como objetos de adoração.

Vendo os lucros da venda dos santuários em miniatura caírem, Demétrio, o cabeça do motim da oposição a Paulo, organiza uma demonstração de protesto. Ele chama os que têm o mesmo comércio que ele. Ele é astuto o bastante para saber como incitar os ourives de prata e outros contra Paulo, apelando para interesses econômicos e zelo pela magnificência e adoração de Diana. Seu apelo aos lucros adverte os ourives de prata sobre o perigo de sofrerem ruína financeira. A maioria das pessoas provavelmente não se preocuparia se Demétrio saísse dos negócios, mas para o templo deixar de ser atração popular e os adoradores perderem a fé na deusa é questão inteiramente diferente. Assim este clamor contra o perigo da grande deusa Diana cair em descrédito apela para uma audiência mais ampla.

O ministério de Paulo teve um efeito difusor e penetrante. De acordo com Demétrio, a pregação do apóstolo contra a idolatria, declarando "que não são deuses os que se fazem com as mãos" (v. 26), espalhou-se por toda a província da Ásia. A conversão de muitos adoradores de Diana ao cristianismo reduziu a venda dos santuários em miniatura. Mais do que o lucro está em perigo (v. 27). Cristo está sendo oferecido como alternativa genuína de Diana, e muitas pessoas foram convencidas a, dos ídolos, se converterem a Deus, para servirem ao Deus vivo e verdadeiro (1 Ts 1.9). O sucesso do Evangelho colocou em perigo o culto de Diana e sua "majestade". Em outras palavras, o ministério de Paulo afetou os interesses econômicos e a religião em Éfeso. Diana corre o risco de perder sua posição de honra aos olhos das pessoas.

Demétrio mostra-se porta-voz eficaz. Os artesãos ficam enfurecidos com Paulo. Eles começam a ventilar a excitação aclamando a deidade da deusa com gritos cúlticos: "Grande é a Diana dos efésios!" (v. 28). Este clamor dos fabricantes de santuário incita uma revolta volumosa. A excitação se espalha depressa e a cidade fica cheia de confusão. Uma enorme multidão simpatizante dos ourives de prata se reúne. Agindo como turba, eles agarram dois missionários, Gaio e Aristarco, "macedônios, companheiros de Paulo na viagem" (v. 29), e os arrastam ao grande anfiteatro. Este teatro ao ar livre com espaço para aproximadamente vinte e cinco mil pessoas era usado como lugar de entretenimento e também para as reuniões da cidade. Eles se reúnem nesta ocasião com o propósito de persuadir os oficiais da cidade a tomar ação contra os missionários.

Paulo ouve falar sobre o fato de a turba arrastar seus companheiros para o teatro. Ele presume que suas vidas estão em perigo sério e decide que ele deve ir perante a multidão. Ele espera argumentar com eles. Evidentemente que é Paulo que eles querem, e não os outros missionários. Seus amigos cristãos estão convencidos de que se Paulo entrar no teatro, sua vida estará em perigo.

Com medo de sua segurança, eles recusam permiti-lo (v. 30). Por amizade a Paulo, até "alguns dos principais da Ásia" (asiarcas) o advertem contra colocar a vida em perigo. Os asiarcas eram funcionários importantes nas cidades da província da Ásia, designados por Roma para vigiar os jogos atléticos e promover a adoração do imperador romano como deus. Eles formavam um conselho provinciano com responsabilidades políticas e religiosas e pertenciam às famílias mais influentes. É significativo que Paulo tenha amigos entre os asiarcas e que eles se preocupem com sua segurança perante a turba. Sua pregação e influência pessoal alcançaram os círculos mais altos da sociedade pagã.

Lucas agora se volta para a reunião no anfiteatro. Muitas pessoas na turba não têm idéia por que estão lá (v. 32); isto é típico das turbas. Alguns dos judeus presentes devem ter temido a ira da turba e querido impedir que a confusão se transformasse numa revolta antijudaica. Era do conhecimento geral que os judeus fortemente se opunham à idolatria e que Paulo era judeu. Por isso, os judeus colocaram como porta-voz Alexandre, possivelmente amigo de Demétrio. Sua tarefa é presumivelmente explicar que Paulo é apóstata da fé judaica, que os judeus não são cristãos e que eles não devem ser considerados responsáveis pelo que os cristãos dizem.

Alexandre tenta fazer a turba ouvi-lo, mas no estado mental histérico em que estavam eles não estão inclinados a ouvir um judeu. Eles lhe abafam a voz com o grito cúltico: "Grande é a Diana dos efésios!" Uma vez começado, o grito continua com ímpeto por duas horas. Típico da psicologia de turba, ninguém está pronto a ouvir argumentos.

A princípio, as autoridades municipais não interferem. Mas depois de duas horas de contínuo clamor, as autoridades intervêm. O funcionário municipal pôde finalmente restabelecer a paz. Ele era importante funcionário, responsável por emitir decretos por assembléia pública. Assim que assume o controle da assembléia e silencia a multidão, ele os adverte contra tomar ação precipitada contra os missionários (vv. 35-40). Não há necessidade de as pessoas ficarem nervosas com o declínio da reputação da deusa. Afinal de contas, todo o mundo está ciente da devoção de Éfeso à adoração da deusa, visto que a cidade é a guardiã do seu templo (o título "guardadora do templo" era aplicado originalmente a indivíduos, mas depois foi usado para indicar cidades).

Além disso, Éfeso também pode reivindicar credenciamento divino ao culto de Diana. Uma estátua foi esculpida de uma pedra que as pessoas consideravam sagrada, possivelmente o fragmento de um meteorito que tinha caído do céu naquela região. A estátua era uma figura fêmea com muitos seios, representando a fertilidade da deusa. O funcionário municipal reassegura à multidão a certeza da devoção efésia à deusa e a bem-conhecida origem da imagem. Ele enfatiza que nenhum destes fatos pode ser negado, ainda que alguns possam tentar contradizê-los. Considerando que nada pode danificar o prestígio e a adoração de Diana, as pessoas deveriam se acalmar e não fazer nada afoitamente.

Como defensor da lei e da ordem, o funcionário municipal trata da causa do alvoroço na cidade. Ele afirma que a multidão agiu precipitadamente arrastando "estes homens" (referindo-se a Gaio e Aristarco, v. 29) para o teatro. Ele não menciona que os missionários negaram que as imagens feitas por mãos humanas são deuses (cf. v. 26), mas declara que os cooperadores de Paulo não são ladrões de templo, nem falaram mal da deusa (v. 37). Aparentemente era comum os judeus serem acusados de roubar artigos sagrados de templos pagãos e de blasfemar de outros deuses. O esclarecimento destas acusações parece àqueles que "não sabiam por que causa se tinham ajuntado" (v. 32) vindicar os dois missionários.

O funcionário municipal lembra que Demétrio e seus companheiros ourives de prata que se eles têm acusações sérias e legítimas contra os cristãos, eles podem resolver estes assuntos no tribunal perante os "procônsules". Cada província romana tinha um procônsul (governador). O plural, "procônsules" é forma geral de se referir a autoridades jurídicas. Normalmente nas cidades asiáticas um representante do governador julgava em tribunal e administrava justiça. Se houvesse questões não cobertas pelas leis existentes ou acusações não adequadamente tratadas nesses tribunais, tais interesses "averiguar-se-[ão] em legítimo ajuntamento", ou seja, em assembléia legalmente convocada presidida por funcionário municipal (em contraste com o ajuntamento revoltoso descrito nos vv. 32-34). O funcionário municipal implica que as acusações contra os cristãos são infundadas, porque Demétrio e os outros que têm queixas não se serviram dos tribunais.

Finalmente, o funcionário municipal expressa seu temor de que ajuntamentos que quase se tornam em revoltas possam ter conseqüências drásticas (v. 40). Não há dúvida de que este ajuntamento proporcionou cena grotesca. Muito mais poderia ter sido perdido que lucros de vendas de santuários em miniatura, pois as pessoas estão arriscando a perder a liberdade. Como o funcionário municipal os lembra, as autoridades romanas são sensíveis a ajuntamentos incontroláveis. Nenhuma desculpa razoável pode ser lhes dada pela comoção. Como punição, as autoridades romanas poderiam limitar a liberdade da cidade. Perda de liberdade para a cidade de Éfeso significa perda de todo direito de autogovernar-se. Os missionários não são a verdadeira ameaça à paz e estabilidade, mas as próprias pessoas.

A multidão ouve os argumentos do funcionário municipal, e a razão prevalece. Sua voz moderada sossegou o alvoroço. Ele despede a multidão, que vai em silêncio para casa. Até onde sabemos, Demétrio não toma outra ação contra Paulo e os missionários. Não há que duvidar que Gaio e Aristarco percebem que suas vidas estiveram em perigo e que Deus os poupou. Novamente Paulo foi vindicado pelas autoridades.

5.4.2. Paulo Visita a Macedônia e a Grécia (20.1-6). A permanência longa de Paulo em Éfeso termina. Ele realizou muito na cidade e na província da Ásia apesar dos muitos adversários (cf. 1 Co 16.8,9). Com a direção do Espírito Santo ele fez planos para voltar a Jerusalém (At 19.21). Lucas dá apenas um breve resumo das atividades subseqüentes de Paulo na Ásia e na Grécia. Duas das cartas de Paulo, 2 Coríntios e Romanos, fornecem detalhes não incluídos em Atos.

O problema começado por Demétrio em Éfeso acabou; mas antes de Paulo deixar a cidade, ele reúne a igreja e lhes dá uma palavra de encorajamento, cujo conteúdo era provavelmente semelhante à exortação registrada em Atos 20.18-35. Então, como planejado, Paulo parte para a Macedônia (outono de 56 ou 57 d.C., porque ele planeja chegar a Jerusalém no Dia de Pentecostes, v. 16). Primeiro ele vai para o norte, a Trôade, onde espera encontra Tito que deve trazer notícias de Corinto. A porta está aberta para ele pregar o evangelho lá, mas ele fica tão desapontado porque Tito não chegou que ele adia a oportunidade (2 Co 2.12,13). O apóstolo decide tomar um navio para a Macedônia onde, de acordo com sua prática, ele revisita os cristãos provavelmente em Filipos, Tessalônica e Beréia e os fortalece na fé.

Em algum lugar na Macedônia Paulo encontra Tito, talvez em Filipos. As notícias boas de Corinto aliviam sua intensa ansiedade e preocupação. A maioria dos crentes em Corinto arrepende-se do dano feito ao apóstolo, e agora eles o hospedam (2 Co 7.5-7). Durante sua permanência na Macedônia, ele escreve 2 Coríntios e expressa sua gratidão pela "tristeza segundo Deus" para arrependimento (2 Co 7.8-16) e sua preocupação com alguns inimigos pessoais que ainda tentam minar sua autoridade como apóstolo (2 Co 10; 11.13-15). Paulo envia a carta por Tito e dois outros cujos nomes não são dados; eles devem supervisionar a coleta de dinheiro para os santos pobres em Jerusalém (2 Co 8.16-24).

Paulo passa então para a Grécia (v. 2). Aqui, "Grécia" se refere a Corinto, a principal cidade da província romana da Acaia. Ele fica lá durante três meses, provavelmente durante o inverno. Durante este período ele deve ter escrito a carta aos romanos (cf. Rm 15.22-33). Lucas não faz menção aqui da oferta para "os pobres dentre os santos que estão em Jerusalém" (mas cf. At 24.17). Paulo provavelmente dedica muito de sua energia a este projeto durante o tempo em que ele passa na Macedônia e Corinto. Antes de ele partir para entregar a dádiva monetária, o apóstolo pede que os cristãos romanos orem para que esta oferta seja recebida pelos santos em Jerusalém (Rm 15.30-32).

Uma vez mais Paulo fica sabendo de uma conspiração judaica contra ele (v. 3). Vários judeus estão rumo a Jerusalém para a Páscoa ou a Festa de Pentecostes. Considerando que estes inimigos ouvem que Paulo está a ponto de embarcar num navio que vai à Síria, Paulo sabe que seria fácil eles o atacarem e lhe roubarem o dinheiro que ele está levando para Jerusalém. Então, ele resolve mudar de planos e tomar uma rota muito mais longa indo por terra à Macedônia.

Neste ponto, Lucas alista sete companheiros de viagem de Paulo (v. 4). Estes sete eram provenientes de várias regiões da missão gentia de Paulo e poderiam testemunhar do sucesso da pregação de Paulo do evangelho. Este grupo levava consigo a oferta (provavelmente em ouro) coletada das igrejas gentias aos santos em Jerusalém. Por razões que Lucas não nos diz, os sete homens vão à frente de Paulo e chegam a Trôade, onde eles esperam que o apóstolo se junte a eles.

Sabemos que Lucas, que estava entre os companheiros de viagem de Paulo, deve ter se reunido a Paulo em Filipos, porque uma passagem "nós" começa neste ponto da narrativa (veja comentários sobre At 16.10). Parece que Lucas tinha passado vários anos ministrando em Filipos e permanecido nessa região desde a partida de Paulo e Silas (At 16.40). Agora Lucas se torna novamente um dos companheiros de viagem de Paulo e provê depoimento de testemunha ocular dos acontecimentos. Depois da Páscoa (At 20.6), Paulo, Lucas e talvez os outros deste grupo de viajantes navegam para Trôade. A viagem leva cinco dias, aparentemente por causa de ventos adversos (em ocasião anterior uma viagem de Trôade a Filipos levou só dois dias, At 16.11,12).

5.4.3. Paulo Visita Trôade (20.7-12).

Uma permanência de sete dias em Trôade termina "no primeiro dia da semana", o dia do Senhor. Conforme a contagem judaica, o primeiro dia da semana começava sábado, ao pôr-do-sol, e ia até o pôr-do-sol do domingo. Lucas não menciona como esta congregação foi fundada, mas os crentes se reuniram para "partir o pão", quer dizer, para celebrar a Ceia do Senhor (cf. 1 Co 10.16-17; 11.20-34).

Esta passagem é significativa concernente à prática de adoração da igreja primitiva. Mostra que havia três elementos centrais na adoração das igrejas paulinas: pregação do evangelho (vv. 7,11); cura (vv. 8-10) e celebração da Ceia do Senhor (vv. 7,11). O primeiro dia da semana já está sendo observado como dia de adoração (1 Co 16.2; Ap 1.10). O partir do pão se conforma com a prática apostólica anterior (At 2.42,46). Significativamente, a Igreja em Trôade parte o pão no mesmo dia em que Cristo ressuscitou (cf. Jo 20.1,19).

Exatamente como os discípulos na Última Ceia, os cristãos em Trôade celebram a Ceia do Senhor num cenáculo (v. 8). Neste culto de adoração, Paulo prega até à meia-noite. Trata-se de muito tempo segundo os padrões ocidentais, mas a duração deste sermão é provavelmente devido a seus planos de viajar no dia seguinte. Durante o sermão, "certo jovem, por nome Êutico" se senta na janela. O ar na sala está quente e sufocante por causa das "muitas luzes" (v. 8). Não conseguindo ficar acordo, Êutico adormece e cai de uma janela do terceiro andar e morre. Lucas poderia ter dito facilmente que ele parecia morto, mas diz que o jovem "foi levantado morto" (v. 9).

Paulo desce e abraça o corpo inanimado de Êutico. Da mesma forma que Elias e Eliseu (1 Rs 17.21; 2 Rs 4.34-36), o apóstolo o ressuscita. Exortando os cristãos a deixar de se alarmarem, Paulo diz: "A sua alma nele está". Com isto ele não quer dizer que Êutico não tinha morrido, mas que a vida voltou quando Paulo o abraçou. Este surpreendente milagre de Paulo ressuscitar Êutico corresponde a Pedro ressuscitar Dorcas (At 9.36-42). Também documenta

Éfeso, importante porto e centro de um culto que adorava a deusa da fertilidade, estava em declínio na época da visita de Paulo. O Templo de Vespasiano, abaixo, data do século I. A Ágora Mercantil, à esquerda, foi construído no século III a.C.

os poderes carismáticos e proféticos de Paulo.

Depois do milagre, Paulo sobe as escadas e parte o pão. Quer esta frase se refira a um culto de comunhão ou a uma refeição comum, presumivelmente toda a congregação participa. O apóstolo pode ter se alimentado porque ia viajar, mas o modo como Lucas usa a frase "partir o pão" torna mais provável que a referência seja à Ceia do Senhor ou a uma refeição de comunhão que freqüentemente a acompanhava.

Paulo continua pregando até o amanhecer e depois parte. Quando os cristãos saem, eles esperariam que Êutico fosse levado morto para casa. Mas agora eles "ficaram não pouco consolados", visto que ele ainda está vivo, e podem contar a vizinhos e amigos sobre o grande milagre.

5.4.4. Paulo Navega de Assôs a Mileto (20.13-16). O apóstolo continua suas viagens. Todos os seus companheiros (v. 4), inclusive Lucas, navegam para Assôs, cerca de trinta e dois quilômetros a pé ao sul de Trôade, mas muito mais longe de barco. Paulo escolhe viajar diretamente por terra a Assôs. Lucas não diz porque o apóstolo quer viajar a pé. Talvez ele desejasse estar só e pensar nos perigos da jornada a Jerusalém. Em diversas das cidades ele já tinha recebido avisos proféticos de laços e prisões que o esperariam (vv. 22,23). Só na solidão ele acha tempo para meditar e orar.

Em Assôs, Paulo se junta aos outros a bordo. Então eles navegam a Mitilene, a principal cidade da ilha de Lesbos. Depois de passar a noite lá, eles chegam na costa de Quios, mas não entram no porto. No dia seguinte chegam a Samos, uma ilha na costa sul de Éfeso. Um pequeno percurso de quatro dias os leva ao importante porto marítimo de Mileto. Eles passaram por Éfeso, onde Paulo tinha permanecido por três anos e onde ele também tinha encontrado grande oposição. Evidentemente ele teme que se parar em Éfeso, gastará muito tempo na Ásia e não chegará a Jerusalém a tempo para o Dia de Pentecostes. Ele está ansioso em chegar à Cidade Santa tão depressa quanto possível para apresentar a oferta aos santos pobres e também observar a Festa do Pentecostes, demonstrando aos cristãos judeus sua fidelidade à herança judaica.

5.4.5. Paulo Discursa aos Anciãos da Igreja em Éfeso (20.17-38).

O navio no qual Paulo está viajando ancora por algum tempo no porto de Mileto. Ele tira proveito da demora chamando os anciãos da Igreja em Éfeso — uma distância de cerca de cinqüenta quilômetros. Ele poderia ter ido a Éfeso, mas lá pode ter havido alguma incerteza sobre a partida de navio. Quanto tempo eles levam para chegar é desconhecido, mas Paulo pode ter esperado por tempo considerável. Sua mensagem aos anciãos enfatiza a própria integridade como pregador do evangelho, e também sua despedida a eles. Este discurso é o único em Atos no qual Paulo fala a um grupo de cristãos. Tem relevância especial, porque aqui ele ressalta aspectos de cuidado pastoral e revela sua teologia ministerial.

Este discurso serve de desafio para a Igreja e seus líderes. Sua grande mensagem pode ser dividida em quatro partes: 1) O cumprimento de Paulo dos deveres pastorais, 2) sua atual situação e futuro iminente, 3) uma exortação pastoral e 4) sua lealdade e exemplo.

1) Revisão do cumprimento fiel de Paulo dos deveres pastorais (vv. 18-21). Os anciãos cristãos são os líderes da congregação efésia. Estes homens conhecem a maneira na qual Paulo vivia e trabalhava desde o dia em que pôs os pés na Ásia, até o dia em que partiu. Ele os lembra que era ministro modelo. Sempre "servindo ao Senhor com toda a humildade e com muitas lágrimas e tentações", o que significa que ele era servo humilde da Igreja, mas que também sofria angústia e dores por se preocupar por seus convertidos.

Muitas provações lhe tinham acontecido por causa de seus compatriotas judeus. Embora sofresse grandemente nas suas mãos, ele tinha declarado toda a verdade e não retivera nada que fosse benéfico aos ouvintes. Ele pregou e ensinou em público e em casas particulares. Ele declarou o que era necessário para a salvação, advertindo fielmente judeus e gentios que, para serem salvos, eles tinham de se voltar dos pecados para Deus em arrependimento e crer em Jesus como Senhor e Messias. O apóstolo tinha se dedicado ao evangelismo e à edificação da Igreja. A revisão do seu ministério na Ásia reflete o padrão profético de serviço e sofrimento.

2) A atual situação de Paulo e seu futuro iminente (vv. 22-27). O plano de o apóstolo ir a Jerusalém foi feito no Espírito (cf. At 19.21; 23.11). Paulo caracteriza graficamente sua viagem à cidade como "ligado eu pelo espírito" (lit., "tendo sido eu ligado no Espírito"). De certo modo, ele é prisioneiro do Espírito Santo. Sob o constrangimento constante do Espírito, ele sabe que está sendo guiado por Deus e tem de obedecer. Apesar da incerteza quanto ao que o espera, ele está disposto a ir para Jerusalém. O Espírito já revelou por profetas em várias cidades alguma coisa do que lhe acontecerá, como prisões e sofrimentos. Ele entende estes avisos proféticos como a direção definida do Senhor para ir a Jerusalém. Assim, ele está confiante de que as provações e tribulações que o aguardam são parte do plano de Deus.

A revelação destas adversidades torna-se cumprimento das predições do Espírito. Ele está pronto a dar a vida pelo evangelho. Seu maior desejo é completar a missão e obra que recebeu do Senhor Jesus. Ele caracteriza seu ministério como testificar "do evangelho da graça de Deus", o que significa que a salvação é o dom gratuito de Deus. Na sua conversão, Cristo lhe tinha dado a tarefa de declarar a graça de Deus (At 9.10-16). Agora o que importa é cumprir fielmente sua parte da missão de evangelizar o mundo.

Paulo não espera que sua audiência venha a vê-lo novamente (v. 25). Ele sente que seu trabalho nesse local está completo (Rm 15.23). Ele já pregou o Reino de Deus em Éfeso e áreas circunvizinhas, e está satisfeito com o que fez. O Reino se tornou presente em Jesus Cristo e pelo derramamento do Espírito Santo (cf. At 1.6-8; 19.8; 28.23). Paulo também pregou "todo o conselho de Deus" (At 20.27). Quer dizer, ele declarou fielmente o evangelho pleno, incluindo o julgamento divino de pecado e a salvação por Cristo.

Pelo fato de Paulo ter cumprido seu dever ao extremo, ele está "limpo do sangue de todos" (v. 26). Em outras palavras, visto que foi fiel na apresentação da mensagem que traz salvação, ele não deve ser considerado responsável pela morte eterna de ninguém. O apóstolo nunca perde a visão de sua responsabilidade diante de Deus.

O Livro de Atos é concluído com Paulo pregando o evangelho em Roma durante seu encarceramento (At 28.17-31). Muito provavelmente Paulo foi solto deste encarceramento romano. Depois de solto, ele volta a Éfeso, como sugerem os movimentos de Paulo conforme registrados nas Cartas Pastorais. Ele visitou várias cidades: Éfeso (1 Tm 3.3), Creta, Nicópolis (Tt 1.5; 3.12), Corinto, Mileto, Trôade e, finalmente, Roma (2 Tm 1.17; 4.13,20). Na presente ocasião em Mileto, Paulo sente que é improvável que ele venha a revisitar Éfeso e ver estas pessoas novamente. Evidentemente, esse temor não se concretizou.

3) A exortação pastoral de Paulo aos anciãos efésios (vv. 28-31). Paulo exorta os anciãos a se preocuparem com o próprio bem-estar espiritual e cuidar do "rebanho". Paulo usa o termo familiar do Antigo Testamento "rebanho" para aludir ao povo de Deus (cf. Sl 100.3; Is 40.11; Ez 34.22,31). Cônscio de que ele já não poderá cuidar daquela congregação, Paulo exorta estes líderes eclesiásticos a darem atenção à própria espiritualidade e desempenhar fielmente os deveres pastorais.

Ele os lembra também que o Espírito Santo é responsável pelas posições de liderança que eles mantêm (v. 28). Ele os designou como bispos e lhes deu dons espirituais, equipando-os a servir como pastores da Igreja de Deus. Os mesmos líderes a quem Lucas chama "anciãos" (*presbyteroi*), no versículo 17, Paulo chama "bispos", no versículo 28. Os dois termos são intercambiáveis. *Ancião* descreve a pessoa dos líderes da Igreja; normalmente eram as pessoas mais velhas na congregação. *Bispo* indica a função que era superintender o trabalho da congregação local e exercer inspetoria sobre a vida espiritual do povo de Deus.

Anteriormente a designação de Paulo e Barnabé feita pelos anciãos ocorrera com oração e jejum — ou seja, com dependência do Santo Espírito — em cada igreja que eles estabeleceram (cf. At 14.23); mas agora Paulo atribui a designação dos anciãos efésios diretamente ao Espírito Santo (cf. At 13.1-4). Como no próprio ministério de Paulo, o Espírito Santo provê forte endosso do ministério dos anciãos efésios.

Tendo sido feito bispos pelo Espírito, estes anciãos são responsáveis em servir os líderes pastorais e proféticos da congregação. O termo "vigiai" não implica que os anciãos deveriam olhar por si mesmos, mas que deveriam se preocupar com o próprio bem-estar espiritual como também daqueles a quem o Espírito Santo lhes confiou aos cuidados. O Espírito os equipou "para apascentardes a igreja de Deus" (v. 28). Eles deviam cuidar da Igreja da mesma maneira que os pastores cuidam de rebanhos. A expressão "igreja de Deus" significa que a Igreja pertence a Deus. Pelo sangue do seu Filho, derramado na cruz para expiar os pecados, Deus comprou a Igreja, a companhia de todos os remidos de todas as eras e lugares. "Aquele que nem mesmo poupou a seu próprio Filho, antes, o entregou por todos nós" (Rm 8.32). O grande preço que Deus pagou para adquirir a Igreja deveria motivar os anciãos a fazer os sacrifícios necessários para o bem-estar dela.

Com *insight* profético, Paulo adverte os anciãos efésios de que mestres heréticos entrarão na congregação de crentes. Eles são descritos como "lobos", termo comum para hereges (Mt 7.15; 10.16; Jo 10.12). Como "lobos cruéis" eles buscarão destruir o rebanho. Virão não só de fora (v. 29), mas cristãos heréticos também se levantarão dentro da própria Igreja (v. 30) e introduzirão doutrinas perigosas nela. O propósito é perverter a verdade e afastar os crentes do rebanho para o grupo deles. As atividades dessas pessoas serão uma ameaça mortal à vida do rebanho de Deus.

Os anciãos, como os pastores, são os primeiros a guardar o rebanho destes lobos ferozes. Ficar em guarda os capacita a discernir a ameaça de dificuldades e a detê-la antes que o rebanho se espalhe. Também lhes é dito que se lembrem do exemplo de Paulo (v. 31). A palavra "lembrando" (*mnemoneuo*) se refere a mais que o ato mental de lembrar; significa prestar atenção e se encorajar. Os anciãos efésios têm de extrair força e coragem do exemplo que Paulo deu durante o tempo em que ficou com eles e imitar esse exemplo. Durante sua permanência de três anos entre eles, Paulo foi eficaz em liderar os crentes através de constantes advertências e instruções. Essa permanência não ocorreu sem adversidade e sofrimento.

4) A lealdade de Paulo para com os anciãos e seu exemplo (vv. 32-38). Antes de deixar os amigos, Paulo os dirige à única fonte de coragem e força entregando-os a Deus e "à palavra da sua graça". Ele os coloca nas mãos de Deus e os submete à mensagem do favor imerecido de Deus, o qual ele lhes pregara. A graça de Deus os fortalecerá e amadurecerá espiritualmente, e lhes dará grande herança futura, a qual pertence a todo o povo santo de Deus. Na Segunda Vinda de Cristo, todos os crentes entrarão na herança do povo de Deus (Ef 1.14; Cl 1.12; 3.24). Naquele tempo, os anciãos e o povo como um todo compartilharão a plena beneficência do reinado de Deus. A santidade é a condição para receber a herança, e essa condição é satisfeita estando sob a Palavra de Deus e sendo conduzido pelo Espírito Santo (Rm 8.14; Hb 12.14).

Durante sua permanência em Éfeso, o apóstolo tinha sido bom exemplo para os anciãos efésios. Ele não desejou nada que pertencesse aos outros (v. 33). Pelo contrário, enquanto estava entre eles, trabalhou com as próprias mãos e ganhou o bastante para prover as próprias necessidades e as de seus companheiros. Ele recusara exercer seu direito de receber recompensa financeira pelo ministério (cf. At 18.3; 1 Co 9.3-18). Sua razão para sustentar a si mesmo era evitar ser dependente dos outros, e também mostrar aos anciãos pelo exemplo que eles têm de prover para si e para os outros, especialmente para os "enfermos", quer dizer, os doentes e necessitados.

O próprio Jesus tinha ensinado cuidado responsável dos necessitados que dependem de ajuda e dádivas dos outros. Se os anciãos seguirem o exemplo de Paulo cumprirão esta declaração de Jesus: "Mais bem-aventurada coisa é dar do que receber" (v. 35). Esta declaração aparece só aqui no Novo Testamento. Pode ser um resumo do ensino de Jesus em Lucas 6.38, ou pode ter sido preservado na tradição oral. Este entesourado ensinamento do Senhor pode ser mal-entendido. Seu intento não é ensinar que os que dão são mais bem-aventurados do que os que recebem; antes, esta declaração de Jesus mostra que Paulo foi não somente fiel à missão à qual Jesus o chamou, mas, mediante o dar, ele também é fiel aos ensinos do Salvador. Os anciãos têm de se lembrar de que aqueles que dão são mais felizes do que aqueles que buscam acumular riquezas.

Paulo termina seu discurso de adeus com esta declaração de Jesus. Adequadamente, ele segue a declaração com uma oração, durante a qual todos se ajoelham e oram. Sua partida é ocasião de tristeza. A profundidade da tristeza e afeto para com Paulo é evidente. Como expressão de amor, os anciãos o abraçam e o beijam. Os corações estão cheios de tristeza e os olhos, de lágrimas. Esta hora de partida é cena comovedora, e eles não esperam ver Paulo novamente, pensando que sua viagem a Jerusalém resultará em morte certa.

Os anciãos acompanham Paulo ao navio que está a ponto de navegar de Mileto; depois, eles voltam para casa. Podemos imaginar a conversa dolorosa enquanto eles voltam a Éfeso, ao mesmo tempo em que Paulo navega para Jerusalém, onde prisões e aflições o esperam.

5.4.6. Paulo Navega de Mileto a Tiro (21.1-6). Depois que Paulo e seus companheiros se separam dos seus amigos amados de Éfeso, eles deixam Mileto de navio. De acordo com Atos, a partida marca o fim do ministério de Paulo na área egéia. Lucas narra as fases da viagem de Mileto a Tiro e nota que o navio pára em vários portos. Ele parece esboçar a jornada dia a dia.

O primeiro dia os leva à pequena ilha de Cós, cerca de sessenta e cinco quilômetros de Mileto. O vento é favorável, e o navio navega ao sul daquela ilha. No segundo dia, eles chegam à grande ilha de Rodes, à sudoeste da Ásia Menor, e no terceiro dia, navegam a leste ao porto da cidade de Pátara, na costa sudeste de Lícia. Em Pátara, eles passam para um navio maior que ia à Fenícia. Eles navegam diretamente por mar aberto ao porto de Tiro. Paulo e seus companheiros passam ao sul de Chipre, onde Paulo e Barnabé tinham pregado na primeira viagem missionária (At 13.4-12). Eles ancoram em Tiro, onde ficam durante alguns dias. Eles podem ter permanecido lá por causa das demoras causadas pela carga e descarga do navio ou por causa da necessidade de baldeação para um navio que fosse para Cesaréia.

A demora em Tiro dá a Paulo e seus companheiros a oportunidade de encontrar os crentes de lá. Provavelmente a Igreja naquela cidade tinha sido estabelecida em resultado da difusão dos cristãos por perseguição (veja At 8.1-4; 11.19; cf. Lc 6.17; 10.13,14). Talvez a comunidade cristã daquela localidade fosse pequena, visto que alguns dias depois, quando Paulo e seus amigos se preparavam para partir, "cada um com sua mulher e filhos" os acompanha até a praia para os despedir (v. 5).

Depois de achar os crentes, Paulo e seus companheiros de viagem ficam com eles durante sete dias. Alguns deles têm o dom de profecia, e eles advertem Paulo sobre o que ele vai enfrentar em Jerusalém. "Pelo Espírito" eles o exortam a não ir àquela cidade (v. 4). Estes avisos inspirados parecem opostos à direção dada anteriormente pelo Espírito Santo (At 20.22,23). O melhor modo de interpretar isto é que o Espírito revelou a estes profetas o sofrimento iminente de Paulo em Jerusalém, e eles de comum acordo o exortam a não ir. São os profetas, não o Espírito, que dizem ao apóstolo para não se apressar em ir àquela cidade que mata os profetas (Lc 13.34).

Apesar das advertências, Paulo reconhece um impulso superior a seguir. Sua decisão de ir a Jerusalém foi tomada sob a direção do Espírito, e agora o Espírito continua impelindo-o para aquela cidade perigosa. Paulo sabe que cativeiro o espera, e avalia o custo. Embora os perigos sejam grandes, ele tem de seguir a direção do Espírito.

Quando chega o momento de Paulo e seus companheiros retomarem viagem, a cena da partida está cheia de ternura e emoção. Toda a comunidade cristã — homens, mulheres e crianças — os escoltam até ao navio. Estes crentes se ajoelham com Paulo e seus companheiros e oram fervorosamente para que Paulo seja levado com segurança pelos perigos que se aproximam. Depois de uma despedida afetuosa, os dois grupos cristãos seguem caminhos separados: "Subimos ao navio; e eles voltaram para casa". A cena da partida deve ter permanecido uma memória querida para os cristãos em Tiro.

5.4.7. Paulo Viaja de Tiro a Cesaréia (21.7-14). De Tiro, Paulo navega para o sul, ao porto de Ptolemaida. Lucas não indica por que Paulo prefere esperar sete dias em Tiro para embarcar num navio, pois ele poderia ter viajado por terra em muito menos tempo. Além disso, não está claro se Paulo vai de Ptolemaida para Cesaréia por mar ou terra; o verbo grego (*dianyo*), no versículo 7, pode significar "terminar" ou "continuar". Embora seja possível terminar a viagem de barco em Ptolemaida, provavelmente eles alcançam Cesaréia por mar.

5.4.7.1. Paulo Visita Filipe, o Evangelista (21.7-9). O apóstolo e seus companheiros chegam ao porto de Ptolemaida, aproximadamente sessenta e cinco quilômetros ao sul de Tiro. Esta cidade era a antiga cidade de Aco (Jz 1.31) e foi renomeada em honra ao governante egípcio Ptolomeu II. Foi localizada diretamente em frente ao monte Carmelo, montanha relacionada com Elias e Eliseu, dois grandes profetas de Israel. Ptolemaida foi provavelmente evangelizada no mesmo tempo que Tiro (At 11.19, que indica que o Evangelho fora pregado por toda a Fenícia). Paulo também encontra uma comunidade cristã naquela cidade e passa a noite ali, desfrutando a comunhão dos crentes.

No dia seguinte, Paulo chega a Cesaréia, outros sessenta e cinco quilômetros diretamente ao sul. Aqui, o apóstolo e seus colegas de viagem se tornam convidados na casa de Filipe, o evangelista. Filipe é "um dos sete" diáconos carismáticos que tinham sido escolhidos em Jerusalém (At 6.1-6). Ele se tornara eficiente evangelista, pregando o evangelho em Samaria e em todas as cidades desde Azoto a Cesaréia (At 8.4-40). Ele provavelmente estabeleceu a Igreja em Cesaréia, onde agora reside.

Anteriormente Lucas mostrou que Filipe era um profeta cheio do Espírito (At 6.5); aqui ele indica que este profeta também tem quatro filhas solteiras, todas as quais com o dom da profecia. Nada é dito sobre elas profetizarem nesta ocasião. A tradução do particípio presente (*propheteuousai*) por "profetizavam", implica que elas exerciam os poderes proféticos ocasionalmente. Mas o tempo presente alude a uma atividade contínua ou repetida. As filhas de Filipe exerciam o dom de profecia regularmente; seu ministério profético não é uma manifestação ocasional. Sob a inspiração do Espírito, eles se dedicam a pregar o evangelho. A referência a Ágabo no contexto imediato (v. 10) pode sugerir que elas são profetisas da ordem de Ágabo e, como ele, elas profetizavam sobre acontecimentos futuros. O Novo Testamento não deixa de mencionar o ministério de mulheres na igreja primitiva.

5.4.7.2. Ágabo Profetiza a Prisão de Paulo (21.10-14).

Paulo e seus companheiros de viagem ficam vários dias na casa de Filipe. Eles tinham tempo o suficiente para ir a Jerusalém e celebrar o Dia de Pentecostes. Durante essa permanência, Paulo recebe uma advertência profética final concernente aos perigos que o esperam em Jerusalém — desta feita de Ágabo.

Ágabo tinha acabado de chegar de sua casa na Judéia. Lucas o apresenta como se ele não o tivesse mencionado antes. Mas não há que duvidar que é o mesmo profeta que, como porta-voz do Espírito, tinha predito a fome mundial durante o reinado de Cláudio, o que incitou os cristãos em Antioquia a enviar alívio para os cristãos na Judéia pelas mãos de Paulo e Barnabé (At 11.27-29). Nada mais é sabido de Ágabo do que nos é contado em Atos 11 e aqui, mas ele fica perto da tradição profética do Israel antigo. Como surpreendente paralelo a alguns dos profetas do Antigo Testamento, ele expressa a mensagem de Espírito em palavras (similar a "Assim diz o SENHOR") e ações simbólicas (cf. Is 20.2-4; Jr 27.1-11; Zc 11.7-14).

Quando este profeta espiritualmente talentoso chega a Cesaréia, ele se dirige diretamente a Paulo e, de maneira dramática, agarra-lhe o cinto e o amarra em si mesmo. Ele fala pelo Espírito (v. 11) e declara que amarrar-se com o cinto de Paulo demonstra a escravidão que o espera em Jerusalém (cf. At 20.22,23). Ágabo anuncia que os judeus o entregarão para os gentios (At 21.11). Quando Paulo chega a Jerusalém, o ódio dos judeus leva Paulo à prisão pelas autoridades romanas e ao cumprimento desta profecia. Embora os judeus na verdade não o tenham entregado aos romanos, eles são os responsáveis pelo seu aprisionamento. A profecia que Paulo será entregue aos gentios ecoa a predição de Jesus do seu próprio destino (Lc 9.44; 18.32; cf. Mc 10.33). O modo como Ágabo redige sua profecia traz à luz o estreito paralelo entre os destinos de Jesus e de seu servo, Paulo.

A profecia de Ágabo tem grandioso efeito dramático (vv. 12-14). Quando os companheiros de Paulo e os cristãos locais ficam sabendo disso, a coragem deles se exaure. Presumivelmente quando as profecias anteriores tinham sido dadas sobre o destino de Paulo, seus companheiros de viagem tinham permanecido calados. Mas nesta ocasião, eles se unem com os crentes locais insistindo que Paulo cancele a viagem. Movidos pelo grande amor que tinham por Paulo, todos suplicam que ele não vá a Jerusalém.

A tristeza que estas pessoas manifestam dificulta Paulo fazer a vontade de Deus. Ele sabe que o que ele está a ponto de fazer ferirá aqueles a quem ele ama. Ele já está suportando um fardo pesado, mas o efeito da tristeza deles torna o fardo ainda mais pesado e parte seu coração. Contudo, apesar de sua angústia pessoal, Paulo permanece firme em seu propósito. Ele não só está preparado para ser encarcerado (como foi profetizado), mas também pronto a enfrentar a morte em Jerusalém. Não é que ele veja alguma virtude em sofrer para benefício próprio, mas o que quer que ele sofra será "pelo nome do Senhor Jesus" (v. 13), isto é, como parte de sua devoção a Jesus e ao serviço cristão. O apóstolo se sente compelido a seguir o padrão profético (cf. Lc 9.51-53; 13.22,33,34; 18.31-33; At 20.22-24) e morrer em Jerusalém se for da vontade de Deus.

Entre estes crentes estão indubitavelmente os profetas cheios do Espírito. Eles e Paulo discordam quanto à questão de se ele deve ir a Jerusalém. Ambos reivindicam a inspiração do Espírito Santo. Este incidente mostra claramente que crentes cheios do Espírito podem discordar sobre o que é a vontade do Senhor. Quando aparece uma contradição na direção divina, é imperativo que a Igreja exercite o discernimento espiritual. Raramente é fácil distinguir a revelação divina da interpretação humana. Um apelo para a direção divina não proporciona escape fácil das incertezas e ambigüidades da vida humana.

O que soluciona a questão é o apelo de Paulo ao exemplo de Jesus e dos profetas que só vão a Jerusalém para sofrer e morrer. Isto convence os crentes. Este exemplo poderoso reúne novamente os dois lados da comunidade. Os amigos cristãos de Paulo deixam de tentar persuadi-lo a não ir para Jerusalém. Convencido da mão orientadora do Senhor, eles exclamam: "Faça-se a vontade do Senhor!" O Espírito ainda está guiando Paulo. É da vontade de Deus que ele vá a Jerusalém, e o que lá acontecerá estará de acordo com o plano divino.

5.4.8. Paulo Visita Jerusalém (21.15—22.21). Chegamos agora à fase final da viagem de Paulo a Jerusalém. De certo modo, esta viagem é uma miniatura da narrativa de viagem muito mais longa apresentada por Lucas em seu Evangelho da viagem de Jesus da Galiléia a Jerusalém (Lc 9.51—19.44). Alguns elementos da cena em Cesaréia são incidentes paralelos no registro de Lucas: A resolução de Paulo em ir a Jerusalém (At 21.13; cf. Lc 9.51) e o fato de Paulo ser entregue por judeus aos gentios (At 21.11; cf. Lc 18.32; 24.6,7).

Certas coisas se mostram diferentemente para Paulo do que aconteceu com Jesus. Paulo não morre em Jerusalém. O relato de Lucas não inclui todos os detalhes da chegada de Paulo e seus amigos à cidade. Nenhuma menção é feita sobre os apóstolos que estão lá, a celebração da Festa do Pentecostes e a oferta para os cristãos pobres (entretanto, veja At 24.17). Estas omissões mostram que a meta principal de Lucas é registrar os acontecimentos que orientam Paulo a Roma. Sua última visita à Cidade Santa é decisiva para levá-lo à capital do Império Romano.

5.4.8.1. Paulo Viaja de Cesaréia a Jerusalém (21.15,16). Depois de passar vários dias em Cesaréia, Paulo e seus amigos partem para Jerusalém, uma viagem de cerca de cento e cinco quilômetros. Leva aproximadamente dois dias para eles chegarem à Cidade Santa. Alguns dos cristãos em Cesaréia acompanham Paulo e seus companheiros de forma que eles podem lhes apresentar seu anfitrião, Mnasom.

Mnasom não aparece em nenhuma outra parte do Novo Testamento. Ele era membro da Igreja em Jerusalém e morava ou na cidade ou próximo dela. Como Barnabé, ele era da ilha de Chipre e "discípulo antigo" (v. 16). Como cristão de muito tempo, ele pode ter se tornado crente depois da ressurreição de Jesus e estar entre os discípulos quando o Espírito foi derramado no Dia de Pentecostes. Mnasom provê hospedagem para o grupo de Paulo durante sua permanência em Jerusalém. Os cristãos que os acompanham devem conhecer bem Mnasom e estão cientes de que ele está feliz em acomodar estes convidados.

5.4.8.2. A "Entrada Triunfal" de Paulo em Jerusalém (21.17-26). Os cristãos em Jerusalém dão a Paulo e seus companheiros calorosa recepção. No versículo 18, Lucas se refere a "Tiago, e todos os anciãos", que agora assumiram a total liderança da Igreja em Jerusalém. Mais provavelmente os anciãos são presididos por Tiago, o irmão do Senhor (At 12.17; 15.13-21; 1 Co 15.7; Gl 1.19,20). Neste momento, Pedro e os outros apóstolos não estão em Jerusalém. Acompanhado por seus companheiros de viagem, Paulo se encontra com estes líderes no dia seguinte à chegada na cidade. Na reunião, o apóstolo deve ter apresentado a oferta das igrejas gentias à Igreja em Jerusalém, mas Lucas faz somente breve alusão sobre isso (At 24.17).

Remanescente dos seus relatórios anteriores para a Igreja em Antioquia (At 14.24-28) e no Concílio de Jerusalém (At 15.4,12), Paulo faz um relatório da sua obra missionária aos líderes da Igreja em Jerusalém. Indubitavelmente ele inclui detalhes como o fato de os gentios abandonarem a adoração de ídolos, a dádiva generosa das igrejas gentias e os derramamentos do Espírito Santo sobre os gentios. Deus abençoou grandemente o trabalho do apóstolo entre os gentios. Os líderes de Igreja recebem o informe de Paulo entusiasticamente. Eles glorificam e louvam a Deus pelo que Ele fez mediante o ministério de Paulo — fato que mostra que estes líderes estão em pleno acordo com o ensino e prática de Paulo. O sucesso da missão é atribuído a Deus.

Depois que Tiago e os anciãos agradecem a Deus por ter operado por meio de Paulo, eles o exortam a reconhecer uma situação sensível: Alguns cristãos judeus ainda "são zelosos da lei" (v. 20). Eles informam que "milhares de judeus há que crêem", provavelmente na Judéia e Jerusalém, que são dedicados à lei de Moisés. Estes crentes suspeitam muito do apóstolo, porque ouviram que ele ensina, aos judeus que moram fora da Palestina, que não devem circuncidar seus filhos nem considerar costumes judaicos como as leis dietéticas e o comer com os gentios (v. 21). Além disso, rumores têm circulado sobre a pregação de Paulo sobre um evangelho livre da lei.

Os oponentes do apóstolo tinham torcido suas palavras, pois Paulo não tinha deixado de ser judeu depois de se tornar cristão. Quando a situação missionária exigia, ele estava disposto a se conformar com certas práticas judaicas por causa do evangelho (cf. At 21.26; 1 Co 9.19-23). Ele nunca tinha ensinado os cristãos judeus a não circuncidar os filhos. Ele tinha circuncidado Timóteo (At 16.3) e feito um voto nazireu enquanto estava na Acaia (At 18.18). Agora ele está em Jerusalém para a Festa do Dia de Pentecostes, uma festividade judaica. Observando tais rituais, ele nunca comprometeu o evangelho ou a liberdade cristã. Tiago e os anciãos reconhecem que tais rumores e acusações são falsos (v. 24).

Como os fariseus convertidos em Atos 15.5, estes cristãos judeus são zelosos para com a lei. Diferente deles, eles não objetavam a política de admitir gentios na Igreja ou ter comunhão com eles. Estes assuntos foram resolvidos (At 15.19-21,23-29), e as providências do Concílio de Jerusalém lhes são completamente aceitáveis. Antes, estes zelosos estão preocupados com as implicações do ensino de Paulo aos crentes que desejam permanecer fiéis ao estilo de vida judaico. Eles estão entusiasmados com a lei como presente de Deus a Israel e com o tradicional modo de vida judaico.

O próprio Paulo tinha sido "extremamente zeloso das tradições de [seus] pais" (Gl 1.14), mas depois de conhecer Jesus Cristo ele abandonou a lei como meio de obter salvação (Fp 3.8,9). Alguns crentes judeus não acharam fácil abandonar seu antigo modo de vida. Como portadores da lei de Deus revelada no Antigo Testamento, eles continuam praticando a circuncisão e seguindo os costumes judaicos. Eles vêem Paulo como ameaça à vitalidade do cristianismo judaico, especialmente entre os crentes judeus que moravam fora da Judéia (v. 21).

Sabemos de Atos e das cartas de Paulo que o apóstolo ensinava a justificação à parte da lei (Rm 3.21,22) e da circuncisão (Rm 2.25-29). É fácil ver como seus oponentes poderiam tomar algumas coisas que ele tinha dito e usá-las para convencer estes discípulos, "zelosos da lei", de que ele era uma ameaça à expressão cultural do judaísmo. Estes crentes judeus não estão tentando tornar o cristianismo gentio em judaico, mas eles querem prevenir que o cristianismo judaico se torne gentio, a fim de que eles continuem a praticar as tradições dos pais.

Tiago e os anciãos perguntam o que deve ser feito (v. 22). O que querem dizer é: "Alguma coisa pode ser feita para mostrar que os rumores são infundados?" O problema não pode ser resolvido ficando em silêncio. Os judeus cristãos que acreditam nos falsos rumores ficarão sabendo que Paulo está em Jerusalém. Não querendo arriscar ter dificuldade com eles, os líderes da Igreja propõem algo prático a fim de provar que os rumores são falsos. Paulo deve se submeter ao ritual da purificação do templo e pagar as despesas de quatro cristãos judeus que tenham feito um voto naziréu.

De acordo com o costume judaico, no fim do voto naziréu era necessário que o judeu passasse por um ritual de purificação, oferecendo sacrifícios caros e raspando a cabeça (Nm 6.2-21). O pedido não é que Paulo faça o voto junto com esses homens, mas que ele passe pelo rito de purificação com eles e lhes subscreva as despesas. Lucas não diz por que Paulo empreendeu o ritual de purificação, mas os judeus na Diáspora freqüentemente faziam purificação quando iam ao templo para adorar. Pagar por animais sacrificais pelos pobres era considerado supremo ato de devoção religiosa. Estes atos provariam aos que são "zelosos da lei" (v. 20) que os rumores não são verdadeiros e que Paulo é um judeu obediente à lei.

Tiago e os anciãos dão a Paulo a garantia de que sua observância dos costumes judaicos nesta ocasião não comprometerá a liberdade dos gentios. A liberdade fundamental dos gentios para com a lei já tinha sido estabelecida nas resoluções do Concílio de Jerusalém (At 15.20). No versículo 25, Tiago cita as condições do concílio textualmente. Visto que Paulo participou do Concílio de Jerusalém, ele está bem familiarizado com o decreto. Esta parte do discurso de Tiago deve ser em benefício dos companheiros de Paulo e muda a atenção dos crentes judeus para os crentes gentios e sua liberdade em Cristo

Paulo obedece ao pedido. No dia seguinte, para mostrar que ele está pronto a se conformar com os rituais de devoção judaica, ele vai ao templo para começar um período de purificação cerimonial e notificar quando ele e os quatro homens completarem este período. Ele paga as taxas estipuladas para que cada um dos nazireus ofereça um sacrifício. Fazendo assim, o apóstolo reassegura aos crentes em Jerusalém sua compatibilidade pessoal com as tradições judaicas, contanto que elas não envolvam pôr o evangelho em situação suspeita.

Muitos dos crentes judeus observavam as tradições como dever; Paulo não compartilha essas convicções. A morte sacrifical de Cristo tornou desnecessários os sacrifícios no templo e o rito de purificação, e expôs seu real significado. Mas, de acordo com o princípio de 1 Coríntios 9.20, Paulo estava preparado para viver sob a lei a fim de ganhar os judeus não-convertidos ao Evangelho. Nesta ocasião, ele se acomoda à ala da extrema direita do cristianismo judaico para lidar com a pressão negativa e os sentimentos severos que eles têm por ele. Ainda que o apóstolo esteja livre da lei, ele não permite que sua liberdade em Cristo se torne uma forma de escravidão. O exercício de sua liberdade serve a integridade do evangelho e a unidade da Igreja.

5.4.8.3. Paulo Entra no Templo (21.27-36). As dificuldades que se desenvolvem para o apóstolo em Jerusalém não são provenientes de crentes judeus, mas de uma segunda fonte de oposição — os judeus não-cristãos da Ásia. Ágabo tinha profetizado que os judeus ligariam Paulo em Jerusalém (v. 11). Como Estêvão, Paulo é atacado por judeus da Diáspora que visitam Jerusalém (cf. At 6.9-11; 9.29). Durante os cinco anos seguintes, ele é levado a tribunais diante de vários juízes e transferido a Roma em cadeias. O restante de Atos descreve o encarceramento e a defesa de Paulo.

Os quatro homens que fizeram voto nazireu tinham ficado cerimonialmente contaminados e precisavam passar pela purificação ritual. Antes que a pessoa pudesse ser purificada, sete dias tinham de passar depois da contaminação. No sétimo dia, a pessoa tinha de raspar a cabeça e, no oitavo, fazer uma oferta sacrifical (Nm 6.9-12). Quando os dias da purificação estão quase completados para os quatro nazireus, "os judeus da Ásia" vêem Paulo no templo. Estes judeus provavelmente são de Éfeso, porque reconhecem "Trófimo, de Éfeso" (v. 29).

Provavelmente estes judeus são peregrinos que viajaram a Jerusalém para celebrar a Festa do Pentecostes. Também é provável que Paulo já tenha passado por conspirações desses judeus durante os três anos de ministério em Éfeso (At 20.19). Eles se mostram os verdadeiros oponentes de Paulo. Quando o vêem no templo, eles incitam uma multidão para tumultuar ação contra ele e levantam acusações semelhantes às levantadas contra Estêvão (At 6.13). Exortando as pessoas a se unir a eles, eles alegam que Paulo atacou o povo de concerto de Israel, solapou a lei de Moisés e contaminou "este santo lugar": o templo (v. 28). Estas acusações fazem com que as pessoas se enraiveçam com ele. Ele é acusado de ensinar "por todas as partes [...] a todos" contra os três símbolos da unidade judaica: o povo, a lei e o templo.

Os judeus asiáticos insistem em particular que Paulo contaminou o templo. Um pouco antes eles tinham visto Trófimo, um gentio incircunciso de Éfeso, andando com Paulo em Jerusalém. Eles tiram a conclusão precipitada de que Paulo o levou ao templo (v. 29) e, assim, o contaminou. O templo era dividido em vários pátios. Os gentios tinham a permissão de entrar no pátio exterior dos gentios, mas era proibido passar para o "pátio das mulheres" e, sobretudo, para o "pátio de Israel". Havia uma cancela oficial no templo que avisava os gentios que era ofensa capital ir além do pátio dos gentios. Sua presença além da barreira tornaria o templo contaminado, e a ofensa era punível com a morte.

O Sinédrio não tinha autoridade para sentenciar a pena de morte, mas as autoridades romanas, para pacificar os judeus, normalmente ratificavam a pena de morte por esta ofensa (cf. Josefo, *Guerras Judaicas*; Bruce, 1952, p. 433). Na ocasião, as autoridades poderiam ter olhado para o lado. Mas o apóstolo Paulo não teria contaminado o templo. Ele está em processo de purificação e não teria provido aos judeus base para acusá-lo de descuido pela lei.

Os judeus asiáticos não têm evidência para acreditar que Paulo tinha de fato trazido um gentio efésio ao Lugar Santo. Estes judeus partidários vêem a acusação como o modo mais fácil de instigar a ira das pessoas contra ele. Notícias do clamor contra Paulo correm rapidamente, eles são bem-sucedidos em despertar a cidade inteira. Uma turba de linchamento agarra Paulo, mas eles não tentam matá-lo no templo. Antes, eles o arrastam para fora (provavelmente para fora do pátio dos gentios), e as portas são fechadas pelas autoridades do templo. Estas portas são provavelmente as que separavam os pátios internos do pátio dos gentios e não as portas exteriores do complexo do templo.

Quase imediatamente, as notícias sobre a perturbação violenta alcançam a guarnição romana em Jerusalém. Esta guarnição era uma coorte de mil homens, comandada por um oficial com grau semelhante a coronel. Era mantida em prontidão para emergências durante as festas. Estas tropas romanas ficavam estacionadas na torre de Antônia, que, da esquina noroeste, dava vista a toda a área do templo. Esta torre tinha um lance de escada que conduzia para baixo ao pátio dos gentios.

Assim que recebe notícias do distúrbio, o chefe da guarnição leva imediatamente uma forte tropa de soldados para a cena onde a turba furiosa está tentando ferir Paulo até que ele morra. O termo "ferir" (*typto*, v. 32) quer dizer bater descontrolada e irrestritamente em alguém com vistas a matar. Quando a turba vê o chefe e a tropa, eles param de atacar o apóstolo. Novamente, os romanos o salvam das mãos dos seus compatriotas (cf. At 18.12-16), só nesta ocasião ele quase não escapa com vida.

Embora o oficial romano salve Paulo, ele presume que Paulo é a causa do problema e ordena que cada uma das mãos seja encadeada a um soldado, cumprindo a profecia de Ágabo (v. 11). Deste ponto até ao fim de Atos, Paulo permanece prisioneiro. O chefe pergunta à multidão quem é o prisioneiro e o que ele fez, de forma que ele possa saber como tratá-lo. O resultado é nada mais que confusão: "Uns clamavam de uma maneira; outros, de outra" (v. 34).

As respostas confusas da turba enfurecida deixam claro ao chefe que ele deve buscar a verdade de outro modo. Ele ordena que os soldados façam a coisa sensata e levem o prisioneiro para o quartel, onde sob condições mais calmas a autoridade romana possa interrogá-lo. Os soldados prontamente obedecem à ordem do chefe. Quando eles alcançam a escadaria que dá acesso à fortaleza de Antônia, a violência da turba brava torna impossível Paulo subir as escadas com segurança. Então, por motivos de segurança, os soldados o carregam escada acima. A turba continua gritando: "Mata-o!", da mesma maneira que a turba bravia fizera no julgamento de Jesus (Lc 23.18). Estes gritos repetidos sublinham a intenção assassina da turba. Em vez de insistir que os romanos o sentenciem à morte, eles mesmo querem fazê-lo.

5.4.8.4. Paulo Pede para Discursar à Turba Enraivecida (21.37-40). Os soldados estão a ponto de fazer com que Paulo entre na fortaleza para que ele seja interrogado, mas o apóstolo quer falar à turba. Ele se dirige ao chefe e pergunta se ele tem permissão para lhe dizer algo. Paulo surpreende o oficial romano falando com ele em grego. No mundo antigo, o grego era uma língua franca, mas o chefe tinha julgado mal Paulo como judeu e pessoa rude sem ter recebido educação.

Ouvindo-o falar em grego fluente, o oficial muda de opinião acerca do prisioneiro e conclui que ele tem nas mãos um egípcio revolucionário, que recentemente tinha liderado um grupo de terroristas contra Jerusalém e sido derrotado pelos romanos. Não há dúvida de que o homem a quem o comandante se refere é o falso profeta egípcio mencionado por Josefo (*Guerras Judaicas*; *Antiguidades Judaicas*). De acordo com Josefo esta revolta egípcia ocorreu no tempo do governo de Félix (52-59 d.C.).

Fiel à sua famosa tendência de exagerar, Josefo relata que o egípcio tinha liderado trinta mil homens para se revoltarem contra Roma. Os terroristas eram judeus extremamente nacionalistas, inimigos dos romanos e de todos os judeus simpatizantes a Roma. Os integrantes deste grupo fanático eram conhecidos por "homens do punhal" (sicários); eles adquiriram a alcunha por causa do punhal que eles levavam para executar os inimigos. Eles eram "cortadores de garganta", dedicados terroristas políticos e assassinos. Este egípcio rebelde, colocando-se como profeta, tinha incitado um grupo de terroristas para se revoltar contra os romanos e instigado quatro mil dos seus seguidores no deserto a irem para o monte das Oliveiras e atacar Jerusalém (cf. v. 38), afirmando que eles veriam os muros da cidade caírem diante dos olhos. Félix, o governador romano da Judéia naqueles dias, acabou com a rebelião. A maioria dos seguidores do profeta foi morta ou levada prisioneira, mas ele conseguiu fugir. Considerando que a revolta aconteceu há pouco tempo, o chefe romano presume naturalmente que Paulo é aquele falso profeta, que voltou para provocar outra revolta contra o governo.

A resposta de Paulo ao chefe deixa claro que não há conexão entre os cristãos e os terroristas judeus. Ele chama a atenção para dois fatos: Ele é judeu por nacionalidade, não egípcio; e ele é cidadão de Tarso. Como judeu, Paulo tem todo o direito de entrar no pátio interno do templo. Por causa de sua herança judaica, ele certamente não é o tipo de pessoa que causaria uma revolta no templo. Ele não deve ser identificado como o falso profeta egípcio. E, como cidadão de Tarso, o apóstolo procede de uma cidade ilustre localizada fora da Palestina. Era "cidade não pouco célebre" (v. 39), pois Tarso tinha uma universidade e era cidade autônoma. A cidade era notória por seu significado cultural, intelectual e político.

Paulo tem orgulho de ser cidadão daquela cidade famosa.

Capacitado pelo Espírito, Paulo deseja falar aos que tentaram matá-lo. O chefe lhe concede o pedido. Ficando no topo da escadaria e cercado por soldados romanos, ele acena com a mão para que a turba silencie e então ele lhes fala "em língua hebraica" (v. 40). A frase que Lucas usa é *te hebraïdi dialekto* (lit., "no dialeto hebraico"), mas vários estudiosos bíblicos estão convencidos de que era a popular língua semítica conhecida como aramaica. Os Rolos do Mar Morto mostram que o hebraico era uma língua viva no século I; assim, Paulo pode ter feito o discurso em hebraico (cf. At 22.2; 26.14).

5.4.8.5. Paulo se Defende Perante a Turba (22.1-21).

Lucas registra quatro discursos que Paulo faz em defesa de si e do ministério. Estes discursos são de caráter biográfico, mas cada um é feito para uma audiência diferente:
1) A turba judaica (At 22.1-21);
2) O Sinédrio (At 23.1-6);
3) O governador romano Félix (At 24.2-23); e
4) O rei Agripa (At 26.1-29). Anterior ao seu primeiro discurso, ele fora acusado de falar contra o povo judeu, a lei e o templo (At 21.28). Como é habitual para Paulo, ele responde às acusações também levantadas contra ele, mas aproveita a oportunidade para dar testemunho do poder transformador do Evangelho.

Paulo começa dirigindo-se à audiência por "Varões irmãos e pais", a mesma saudação que Estêvão usou no seu discurso (At 7.2). "Pais" seria apropriado para os sacerdotes e membros do Sinédrio. Nada é dito sobre eles, mas talvez alguns estejam presentes nesta ocasião. Dirigindo-se a eles como "irmãos", Paulo reforça que ele é judeu; eles são irmãos. Ele fala com eles no seu próprio idioma. Quando o ouvem falar em hebraico, podem ter ficado impressionados com sua fidelidade ao judaísmo e ouvido cuidadosamente sua defesa. Anteriormente Paulo chamou a atenção da turba acenando com a mão (At 21.40); agora que começa a falar no idioma que eles entendem, ele pede atenção e eles ficam mais silenciosos.

O chefe romano tinha mostrado que se enganara com Paulo. Quando ele perguntou à turba quem era o apóstolo e o que ele tinha feito, muitos deles não sabiam (A 21.33-38). Sabendo que as pessoas acreditam na acusação, como a declaração de que Paulo se opunha à lei e tinha trazido um gentio nos pátios proibidos do templo, o apóstolo dá à audiência judaica informação de que eles precisam saber sobre ele. As três expressões — "nascido em Tarso da Cilícia", "criado nesta cidade" e "aos pés de Gamaliel, instruído conforme a verdade" — falam da formação de Paulo. Levado em conta o cenário deste discurso, "nesta cidade" refere-se a Jerusalém em vez de aludir a Tarso. Se Paulo estivesse se referindo a Tarso, ele teria usado a expressão "naquela cidade".

A pontuação do versículo 3 é uma questão aqui. A NVI põe um ponto depois de "cidade", dessa forma separando "criado" de "instruído rigorosamente por Gamaliel", e sugerindo que Paulo foi criado em Tarso. Embora nascido em Tarso, Paulo cresceu em Jerusalém. A tradução da RC vincula "criado" com o treinamento recebido sob a orientação de Gamaliel: "Criado nesta cidade aos pés de Gamaliel, instruído conforme a verdade da lei de nossos pais". Sua educação rabínica teria começado na adolescência.

Em outras palavras, Paulo veio para Jerusalém quando era muito novo e não passou, como alguns presumiram, a infância em Tarso. A palavra "criado" (*antrepho*) era usada para aludir à nutrição dentro de uma família. Deixando Tarso nos primeiros anos de vida, ele veio para Jerusalém, onde pode ter morado na casa da irmã (At 23.16). Apesar de ter passado a juventude e adolescência em Jerusalém, através de sua família ele manteve contato com Tarso. Ele concluiu sua primeira visita a Jerusalém retornando à cidade do seu nascimento (At 9.30; 11.25; Gl 1.21).

O breve esboço biográfico de Paulo chama a atenção para sua forte herança judaica. "[Eu] sou varão judeu" fixa o tom de sua defesa. Ele é um judeu leal, não um estrangeiro ou apóstata, mas um judeu, tanto quanto qualquer um da turba hostil que está diante dele. Ele tem orgulho em ter nascido na ilustre cidade de Tarso, capital da Cilícia. Embora seu local de nascimento seja fora da Palestina, ele explica que foi criado em Jerusalém e passou grande parte de sua mocidade como estudante de Gamaliel (At 5.34), renomado rabino farisaico da escola de Hillel.

Sendo fariseu, Paulo se dedicou ao estudo da lei de acordo com a exegese rabínica e farisaica (*Theological Dictionary of the New Testament*, eds. G. Kittel e G. Friedrich, Grand Rapids, 1964-1976, vol 5, p. 619). De seu mestre, ele aprendeu como observar cuidadosamente a "lei de nossos pais", significando não somente a lei de Moisés, mas também as tradições que se desenvolveram em torno da lei (cf. Gl 1.13,14). Paulo tinha sido "zeloso para com Deus", como qualquer um que o ouviam. Ele reconhece a sinceridade da devoção que eles dedicavam a Deus. Seu zelo religioso se expressava na observância meticulosa da lei e das tradições judaicas. A dedicação de Paulo ao judaísmo também é confirmada pela descrição de sua formação registrada em Filipenses 3.5,6: "Circuncidado ao oitavo dia, da linhagem de Israel, da tribo de Benjamim, hebreu de hebreus; segundo a lei, fui fariseu, segundo o zelo, perseguidor da igreja; segundo a justiça que há na lei, irrepreensível".

A seguir, Paulo falar sobre seu extremo zelo em perseguir a Igreja, o que mostra que seu zelo religioso excedia ao da audiência (At 22.4,5). Ele dava livre curso à destruição da Igreja e incansavelmente perseguia os cristãos. A persistência e horror da perseguição da Igreja são vistos em palavras como: "Persegui este Caminho até à morte" (v. 4); "E Saulo, respirando ainda ameaças e mortes contra os discípulos do Senhor..." (At 9.1); "E, quando os matavam, eu dava o meu voto contra eles" (At 26.10). Por causa de Paulo, alguns cristãos tinham sido lançados na prisão e evidentemente soltos, mas outros tinham sido executados.

O sumo sacerdote e todo o Sinédrio podem confirmar que Paulo está dizendo a verdade. Seu zelo religioso o incitou a pedir ao sumo sacerdote cartas que o autorizassem a trazer os cristãos de Damasco a Jerusalém, para que fossem punidos. Na ocasião em que Paulo fez esse pedido, Caifás era sumo sacerdote, anda que agora o sumo sacerdote seja Ananias (At 23.2; 24.1). Embora tivesse sido deposto, Caifás ainda pode estar vivo. Talvez Paulo esteja apelando à memória do Sinédrio presente sobre o que tinha acontecido.

O apóstolo descreve sua conversão e chamada profética para que a turba venha a se inteirar de como ele se tornara seguidor do Senhor Jesus. Enquanto ia a Damasco com credenciais para extraditar os cristãos daquela cidade, "quase ao meio-dia" ele experimentou uma luz divina que brilhou sobre ele. Esta luz não era ilusão; era mais brilhosa que o sol do meio-dia, dando a entender que não era visão noturna comum, mas a aparição do Senhor ressurreto. A luz miraculosa o encobriu. Ele caiu no chão e ouviu uma voz divina que falava com ele.

A conversação a seguir (vv. 7-10) é idêntica à de Atos 9.4,5, exceto que aqui Jesus se descreve como "o Nazareno" (At 2.22; 3.6; 4.10; 6.14; 26.9). A designação comum do Salvador como "Jesus, o Nazareno" só aparece neste relato da experiência de Paulo na estrada de Damasco (cf. At 26.15). Referindo-se a Jesus desta maneira, Paulo deixa claro à turba judaica a identidade precisa do orador celestial (Lc 24.19). O menosprezado e crucificado Nazareno estava vivo e era o verdadeiro objetivo da perseguição que Paulo empreendia contra a Igreja. Jesus fora ressuscitado e é o Senhor da glória. Caso contrário, ele não poderia ter falado do céu. Colocando em outras palavras, era o próprio Deus que Paulo estava atacando.

Paulo interrompe o relato de sua conversação com o Senhor ressurreto para descrever os que o acompanhavam (v. 9). Eles viram a luz, mas não entenderam a voz celestial. Seus companheiros reconheceram o fenômeno como acontecimento extraordinário, mas só Paulo recebeu a revelação divina. Eles viram a luz luminosa e ouviram só o som de uma voz, mas não ouviram as palavras específicas faladas.

Uma comparação entre as três narrativas em Atos da conversão de Paulo e de sua chamada ao ministério revela pequenas diferenças (At 9.3-19; 26.12-18). Estas variações são atribuídas a fontes tradicionais disponíveis a Lucas, mas ele pode ter variado as narrativas para manter o interesse dos leitores.

A conversação de Paulo com o Senhor prossegue. Paulo faz uma segunda pergunta: "Senhor, que farei?" (v. 10). A pergunta indica que a surpreendente experiência lhe fizera perceber o significado do que ele vinha fazendo; ele sabia que tinha de mudar de modo de vida. Chamando Jesus de "Senhor" significa que ele teve uma nova estimativa de Jesus. Paulo tinha conhecido Jesus somente como homem, mas desse momento em diante, ele já não vê Jesus como judeu renegado ou rabino revolucionário que fora crucificado com justiça. Este mesmo homem, Jesus, era agora seu Senhor.

A resposta do Senhor é semelhante a Atos 9.7. Foi dito a Paulo que fosse a Damasco, onde ele receberia instruções adicionais. A luz brilhante da glória divina o tinha cegado, assim seus companheiros tiveram de conduzi-lo pela mão a Damasco (At 22.11). Naquela cidade morava Ananias, judeu devoto e obediente à lei, que era respeitado por todos os judeus daquela cidade (v. 12). Quando Paulo conta esta história à turba judaica, ele quer que eles fiquem sabendo da devoção e obediência de Ananias à lei. Foi este tipo de homem que o Senhor enviou a Paulo (At 9.12-19) e usou para efetuar sua recuperação instantânea da visão. Foi este tipo de homem que disse ao apóstolo que "o Deus de nossos pais" o tinha comissionado para ser testemunha profética a todos os homens (At 22.14,15).

As montanhas de Tarso, terra natal de Paulo. Esta vista está na direção da passagem entre as montanhas chamada Portas Cilicianas, pelas quais Paulo, em sua segunda e terceira viagens missionárias, teria passado. Exércitos se movimentando para o norte e para o oeste também teriam se servido da passagem.

O milagre da recuperação da visão de Paulo serviu como confirmação divina de que a mensagem de Ananias provinha do Senhor. A ênfase de Paulo em "o Deus de nossos pais", por ser aquele que o tinha chamado, ressalta para a audiência judaica que sua revelação através de Jesus Cristo é compatível com a revelação de Deus registrada no Antigo Testamento. O Deus de Paulo e de outros cristãos é o Deus de Israel.

Na estrada de Damasco, Paulo ouviu a voz do Senhor (cf. At 26.16), mas viu "aquele Justo", referência direta a Jesus, destacando a inocência do Salvador (cf. At 3.14; 7.52). Deus revelou a Paulo o Salvador ressurreto, e o propósito da revelação era comissioná-lo para ser testemunha. Ele foi convocado à fé pelo Salvador vivo e a dar testemunho do "Justo", que morreu e ressuscitou para a salvação de judeus e gentios.

A chamada de Paulo nos faz lembrar de outras chamadas ao ministério profético (Jr 1.4,5; cf. Gl 1.15,16; também At 26.16).

Este ministério exigia que ele soubesse o que Deus queria que ele fizesse e que ele visse aquele Justo (At 22.14). Como os primeiros apóstolos, Paulo era uma "testemunha" qualificada do Cristo ressuscitado (v. 15), e ele proclamava o que tinha ouvido do Salvador. Assim, Paulo foi comandado a dizer a todas as pessoas o que ele tinha visto e ouvido, "com tudo o que implicava que Jesus de Nazaré, crucificado pelos homens, exaltado por Deus era o Messias de Israel, o Filho glorificado de Deus e o Salvador da humanidade" (Bruce, 1952, p. 443).

Por milagre, a visão de Paulo foi restaurada. Deus abertamente declarou sua conversão e chamada profética mediante o ministério de Ananias. Paulo foi cheio com o Espírito (At 9.17). Ananias o assegurou que era adequado que ele fosse batizado e lavado dos pecados (At 22.16). Há estreita relação entre o batismo nas águas e o perdão de pecados, mas o Novo Testamento não ensina que o batismo é um meio pelo qual os pecados são perdoados. Paulo devia se submeter ao batismo como sinal externo e visível de arrependimento e da lavagem dos seus pecados pela graça de Deus (veja comentários sobre At 2.38).

De acordo com Atos 2.38, seu batismo foi "em nome de Jesus Cristo". Aqui, envolvia também "invoca[r] o nome do Senhor". A tônica no nome do Senhor distingue o batismo cristão de outros batismos, mas significa compromisso com o paradigma do discipulado cristão. Pelo batismo, Paulo declarou sua fé em Jesus Cristo, o Justo, como Messias, e ele reconhecia sua lealdade ao Senhor através da oração.

Agora Paulo relata a terceira parte de sua experiência (vv. 17-21). Ele conta sobre sua visão no templo em Jerusalém, a qual é omitida na narrativa anterior (At 9.26-31). Quanto tempo depois ele subiu a Jerusalém depois da experiência de Damasco não é indicado por Lucas. De acordo com Gálatas 1.18, tinham se passado três anos. Quando ele chegou à Cidade Santa, sua chamada para divulgar o evangelho entre os gentios foi reafirmada. Ele ficou em Jerusalém só quinze dias, durante cujo tempo seu debate rigoroso despertou a hostilidade dos judeus gregos. Quando os discípulos ficaram sabendo que estes judeus estavam buscando oportunidade para matá-lo, eles o escoltaram para Cesaréia e o puseram num navio rumo ao seu torrão natal de Tarso (At 9.28-30).

Paulo diz ao povo que, antes de partir de Jerusalém, ele entrou no templo para adorar e lá o Senhor ressurreto lhe apareceu pela segunda vez. Enquanto orava, "arrebatado para fora de mim", em que Jesus falou com ele (At 10.10; 11.5). Esta experiência visionária tem todas as características de uma chamada profética (cf. Is 6.1-13). Anteriormente, "o Deus de nossos pais" tinha mediado a chamada por Ananias, na qual Paulo foi nomeado a testemunhar "para com todos os homens" (At 22.14,15). Agora, nesta visão no templo, foi Jesus que o dirigiu a deixar Jerusalém (v. 18) e o enviou a testemunhar aos gentios (v. 21).

O fato de ter lhe sido dito *no templo* para sair da cidade, ajuda a refutar a acusação de que o apóstolo tinha falado contra o templo (At 21.28). Ele partiu de Jerusalém, porque os judeus teriam rejeitado sua mensagem. Caracteristicamente, a incredulidade dos judeus levou Paulo a pregar o Evangelho aos gentios. É irônico que enquanto estava no templo, o centro da religião de Israel, Paulo foi especialmente instruído para pregar aos gentios, seu ministério profético.

Paulo também informa à turba que ele estava inclinado a ministrar a seu próprio povo (vv. 19,20). Estava convencido de que era o homem que os judeus deveriam ouvir, afinal, eles sabiam do seu registro como ex-perseguidor de cristãos e de seus atos terroristas contra a Igreja (At 7.54—8.3). Com certeza eles ouviriam o próprio homem que tinha encarcerado e ferido os cristãos nas sinagogas. Ademais, muitos se lembram da parte que ele desempenhou no apedrejamento de Estêvão. Aqui Estêvão é descrito como "testemunha" (*martyr*). Esta palavra já tinha adquirido o significado particular de testemunha até a morte (Ap 1.5; 2.13; 3.14). Estêvão tinha falado para o povo em Jerusalém acerca de Jesus e, em conseqüência disso, fora morto. O envolvimento de Paulo naquele assassinato e outras atrocidades contra a Igreja eram do conhecimento comum.

Como blasfemador e perseguidor convertido, Paulo presumiu que seu testemunho ao evangelho teria peso especial em Jerusalém, onde fora conhecido como principal oponente da Igreja. "Mas de fato o conhecimento do registro anterior lhes indispôs a ouvir" (Bruce, 1952, p. 443). Seus antigos colegas judeus tinham grande respeito por ele, mas agora eles o vêem como desertor e traidor da causa. Seu apelo ao Senhor, que lhe permitisse ficar em Jerusalém para pregar o evangelho aos judeus, não foi atendido. Paulo era o profeta escolhido de Jesus "para todos os homens", especificamente "para os gentios". Apesar da relutância de Paulo em deixar Jerusalém, o Senhor tinha trabalho para ele em outro lugar, entre os gentios. Os acontecimentos de Atos 9.28-30 enfatizam as circunstâncias humanas que o propeliram a sair da cidade.

6. A Prisão e Julgamentos de Paulo (22.22—26.32).

Em Atos 22.22 a 26.32, Lucas descreve o que acontece a Paulo depois de ele ter discursado para a turba raivosa. Nosso Senhor tinha fixado o rosto em direção a Jerusalém (Lc 9.51,52), e da mesma forma o apóstolo tinha resolvido ir à cidade (At 21.12,13). Paulo sabia do destino esperado dos profetas fiéis de Deus em Jerusalém (Lc 9.51-53; 18.31-33). Enquanto ele se dirigia para a cidade, estava ciente do encarceramento e dificuldades que jaziam diante dele. No caminho, o Espírito Santo o lembrou dessas adversidades em cada etapa: Mileto (At 20.22-24); Tiro (At 21.4) e Cesaréia (At 21.11). Finalmente os amigos de Paulo concordaram que sua ida a Jerusalém era "a vontade do Senhor" (At 21.14). Em Jerusalém fica evidente que seus temores são bem fundados. Embora Paulo seja preso, Lucas não deixa dúvida de que o que acontece está em concordância com o plano de Deus (At 9.15; 19.21; 23.11).

6.1. Paulo É Preso (22.22-29).

A turba estava ouvindo o discurso de Paulo; mas quando ele menciona o tópico ardente da sua chamada divina para uma missão entre os gentios, eles o interrompem e explodem de raiva. Eles o ouviram descrever sua conversão e falar sobre o Jesus crucificado e ressurreto. Mas quando ele afirma que Deus lhe ordenou pregar aos gentios, eles presumem que todas as acusações feitas contra ele são justificadas (At 21.28,29). O pensamento de igualdade religiosa entre judeus e gentios ativa-lhes a hostilidade, e já não ouvirão Paulo. Ele não merece viver. Renovando a exigência de que ele seja morto, a turba quebra o silêncio com gritos: "Tira da terra um tal homem, porque não convém que viva!" (At 22.22).

Para dar vazão à ira e aumentar a força do que exigiam, estas pessoas arrancavam de si as roupas exteriores e lançavam pó para o ar. Em Listra, Paulo e Barnabé rasgaram as roupas quando ficaram sabendo que as pessoas queriam oferecer sacrifícios para eles (At 14.14). Arrancar as roupas e lançar pó para o ar expressa o horror da turba ao que eles consideram ser blasfêmia — Paulo foi chamado por Deus para pregar aos gentios. A cena tem semelhança notável com a loucura violenta da turba que apedrejou Estêvão (At 7.54). Eles consideram Paulo blasfemador e judeu renegado, e exigem que ele seja retirado da terra. "Não convém que [um blasfemador] viva!" Por sorte não havia pedras soltas no pátio exterior do templo.

O chefe romano não entende a situação. Visto que ele provavelmente não fala hebraico nem aramaico, ele ficou mais que confuso com o discurso de Paulo. Mesmo que ele tivesse entendido a essência da defesa de Paulo, é improvável que ele teria compreendido a verdadeira questão do caso. A raiva violenta da turba assustou o chefe. Ele decide interrogar o prisioneiro no quartel e extrair a verdade mediante tortura. Ele instrui os soldados a levar Paulo para o quartel e, como Pilatos tinha batido em Jesus, ordena que Paulo seja açoitado. A verdade será extraída a chicoteadas por um açoite feito de correias de couro com pedaços de osso e metal nas pontas. A forma típica do castigo romano tinha efeitos terríveis nas costas da vítima e era muito mais severo que o procedimento de açoite dos judeus (veja comentários sobre At 16.22).

Enquanto os soldados estão preparando Paulo para o açoite, ele percebe o que está a ponto de acontecer. De acordo com a lei romana, era ilegal submeter um cidadão romano a este tipo de tortura, especialmente antes de um julgamento formal. Ciente disso, Paulo reivindica seus direitos como cidadão romano. Ele pergunta ao centurião encarregado do açoite: "É-vos lícito açoitar um romano, sem ser condenado?" (v. 25).

O fato de Paulo reivindicar cidadania romana provoca um atraso no procedimento. Imediatamente o centurião se dirige ao comandante romano e o informa o que Paulo tinha dito. O comandante conhece e respeita a lei romana. Na mesma hora ele vai a Paulo e o interroga sobre sua declaração de ser cidadão romano. O oficial não duvida de Paulo, mas ele observa sarcasticamente que ele teve de pagar alta soma de dinheiro por sua cidadania. A implicação é que o privilégio de cidadania está perdendo seu valor e qualquer um pode se dar ao luxo de comprar o direito. O ponto é que o apóstolo não parece ser o tipo de pessoa que pudesse pagar muito. Nesta ocasião, Paulo deve ter apresentado "um espetáculo maltratado e sem dignidade" (Bruce, 1952, p. 446). Ele foi arrastado para o pátio exterior do templo e estava a ponto de ser torturado. Ele sofreu muitas das dignidades que haviam sido infligidas no seu Senhor.

O custo mencionado pelo comandante não se refere a uma quantia paga ao governo romano, mas aos funcionários do governo como propina. Mas Paulo não teve necessidade de comprar a cidadania, pois ele é cidadão romano por nascimento (v. 28). O jogo é virado em relação ao comandante. Em respeito à cidadania, o prisioneiro é superior ao oficial que está a ponto de açoitá-lo. Cidadania comprada inclina-se diante de cidadania natural.

A revelação da cidadania de Paulo prontamente pára os esforços em interrogá-lo mediante tortura (v. 29), e o soldado designado a açoitá-lo se retira. O comandante percebe que ele pôs em cadeias um cidadão romano e estava prestes a cometer séria violação da lei romana, o que o deixa temeroso. Ele sabe que o que ele já fez poderia custar-lhe caro, especialmente se o procurador fica sabendo disso. Uma vez mais os romanos tremem diante deste cidadão romano (At 16.38). Não há que duvidar que a experiência de Paulo encorajou os leitores cristãos de Lucas, que eram cidadãos romanos, a reivindicar o mesmo direito.

A família de Paulo tinha obtido legalmente a distinção da cidadania romana de um de três modos:

1) O senado romano a conferia por serviços meritórios;
2) a pessoa poderia recebê-la como herança de pai que era cidadão; e
3) a pessoa poderia obtê-la como direito de nascimento por ter nascido em cidade livre, isto é, em cidade que tinha feito algum serviço especial ao império e fora recompensada com a concessão da cidadania a todos os nascidos ali.

6.2. Paulo se Defende Perante o Sinédrio (22.30—23.10)

O comandante romano ainda está confuso sobre as acusações precisas feitas contra Paulo. Ele inquiriu a turba (At 21.33,34) e ouviu o discurso de Paulo (At 22.1-21). Ele reconhece que Paulo é impopular com os judeus e que as acusações envolvem questões da lei judaica. O oficial quer "saber ao certo" (At 21.34; cf. At 25.26,27) e determina fazer mais um esforço para descobrir a natureza categórica das acusações.

Embora o comandante saiba da cidadania romana de Paulo, ele o mantém em custódia durante a noite. No dia seguinte, o oficial o solta da prisão e o leva perante o Sinédrio. Não está claro se este chefe romano tem autoridade para convocar uma reunião oficial deste conselho judaico. Pode ser que ele tenha autoridade para convocar tal reunião na ausência do procurador, ou a reunião não é oficial. A meta principal do comandante é enviar algum tipo de relatório ao seu oficial superior. O que Paulo fez para provocar os judeus a se revoltarem não está claro para ele, mas se os líderes religiosos decidirem que não há base real para as acusações contra Paulo, então o oficial pode libertá-lo. É por isso que ele consulta o Sinédrio para descobrir por que os judeus reagiram com tanta violência.

Quando Paulo se coloca perante o Sinédrio, esperaríamos que os acusadores declarassem o caso contra Paulo. Mas eles não fazem isso. Talvez Lucas queira concentrar-se em Paulo e omite as acusações, visto que já as sabemos (At 21.28). O apóstolo não mostra ansiedade perante o Sinédrio, mas manifesta ousadia profética. Ele olha diretamente para os juízes e começa sua defesa declarando que, até aquele momento, tem desincumbido seus deveres para com Deus com boa consciência (At 23.1). Paulo não deve estar pensando em incidentes há muito tempo ocorridos, como o assassinato de Estêvão e outros cristãos, mas em acontecimentos do passado mais recente. Ele está rejeitando as acusações de falar contra o povo judeu, a lei de Moisés e o templo (At 21.28). Com Deus como testemunha, Paulo tem sido fiel à esperança messiânica e da ressurreição que ele adotou como fariseu. As acusações trazidas contra ele não têm fundamento; Paulo é inocente.

Naqueles dias, Ananias era o sumo sacerdote. Ele foi nomeado em 47 d.C. e destituído do ofício em 59 d.C. No começo da guerra judaica contra os romanos (66-70 d.C.), ele foi assassinado (provavelmente por zelotes) como político escrupuloso e partidário da política romana. Enquanto Paulo está falando perante o Sinédrio (c. 58 d.C.), Ananias o interrompe e ordena aos que estão perto dele que o batam. Com esta ação, o sumo sacerdote protesta a declaração ousada que Paulo fez de ser inocente. Pois o prisioneiro declarar que vive com boa consciência diante de Deus lhe parece afirmação mentirosa. Não há dúvida de que é mais fácil bater na boca de Paulo do que desaprovar o que ele disse.

A interrupção rude e o golpe enfurecem Paulo. Com coragem profética, o apóstolo proclama: "Deus te ferirá, parede branqueada!" (v. 3). Este pronunciamento é uma maldição profética e indica a autoridade de Paulo como profeta de Deus ungido pelo Espírito. Descrever Ananias como "parede branqueada" é declarar que ele é hipócrita (cf. Mt 23.27,28). Seu verdadeiro caráter está escondido por generosas capas branqueadas. Suas ações revelam sua hipocrisia e mostram que sua lealdade à lei é somente um espetáculo exterior. Como sumo sacerdote, Ananias deveria dispensar justiça de acordo com a lei, mas ele violou as prescrições bíblicas de julgamento imparcial quando tratou Paulo severamente (Lv 19.15; Dt 1.16,17). O apóstolo renuncia a santidade superficial deste homem em nome de Deus (cf. At 13.10).

Os membros do conselho ficam alarmados quando ouvem Paulo pronunciar uma maldição sobre o sumo sacerdote. Segundo eles entendiam, este homem foi nomeado por Deus para o ofício. Eles perguntam como Paulo ousa insultar este servo escolhido de Deus (v. 4). Ele responde que não sabia que estava falando com o sumo sacerdote. O fato de ele não reconhecer o sumo sacerdote é explicado como resultado de suposta vista ruim, o sumo sacerdote não está usando seu vestuário distintivo ou o desconhecimento de Paulo de que Ananias era agora o sumo sacerdote.

A resposta de Paulo é provavelmente falada com sarcasmo (v. 5). Ele não quer dizer que é ignorante de pronunciar julgamento sobre o sumo sacerdote, mas sarcasticamente ele lembra Ananias que sua conduta é desmerecedora do ofício que desempenha. O apóstolo nunca o insultaria se Ananias se comportasse como sumo sacerdote. Este homem quer aparecer como observador devoto da lei, mas quebra a lei ao mandar bater na face de um homem não-condenado. O comportamento de Ananias não reflete o verdadeiro caráter de um sumo sacerdote, e Paulo se recusa a lhe mostrar o devido respeito a um verdadeiro sumo sacerdote.

Paulo sabe que a Escritura ensina a importância de respeitar os líderes de Israel, pois ele cita Êxodo 22.28: "O príncipe dentre o teu povo não maldirás". Em contraste com a desobediência de Ananias à lei, Paulo expressa sua boa vontade em viver por ela. O apóstolo teria mostrado respeito por qualquer sumo sacerdote que exercesse seu ofício corretamente. Ter denunciado um sumo sacerdote que fosse reto seria equivalente a blasfêmia (*New International Dictionary of New Testament Theology*, ed. C. Brown, 4 vols., Grand Rapids, 1975-1985, vol. 3, p. 347). Mas dar a ordem para golpear Paulo estava fora do caráter de um sumo sacerdote. Isso torna Ananias irreconhecível como sumo sacerdote e mostra que não é provável que Paulo receba justiça.

O Sinédrio é composto de saduceus e fariseus (veja comentários sobre At 4.1). Os saduceus eram a aristocracia sacerdotal e em teologia eram os mais conservadores, aceitando só o Pentateuco. Politicamente eles estavam alinhados com Roma. Por outro lado, os fariseus eram oponentes silenciosos de Roma e os progressivos teológicos. Eles aceitavam a interpretação escribal da Lei e viam os Profetas tão autorizados quanto o Pentateuco. Eles acreditavam na ressurreição dos mortos, ao passo que os saduceus não.

Embora Paulo introduza o conceito geral de ressurreição nesta reunião do Sinédrio, o verdadeiro assunto é a ressurreição de Jesus. Em Atos 4.1,2, os saduceus objetaram o apóstolo proclamar que a ressurreição tinha começado com o triunfo de Jesus sobre a morte. As crenças fundamentais dos cristãos têm vínculo íntimo com a teologia dos fariseus. Na verdade, o entendimento legalista que os fariseus tinham da lei era diferente do entendimento cristão da lei. Não negando estas diferenças, havia similaridades na crença farisaica sobre a ressurreição e nas promessas de Deus a Israel, que encontraram cumprimento no Messias ressurreto.

Paulo percebe que alguns dos integrantes do Sinédrio são saduceus e outros, fariseus. Ele sabe acerca do sentimento doentio que existe entre os dois partidos e os feudos partidários que caracterizam as deliberações do conselho. Cônscio de que não é provável que ele receba julgamento justo perante este corpo, Paulo declara que é fariseu e que ele acredita na doutrina central do farisaísmo — na doutrina da ressurreição (v. 6). É porque ele tem a esperança confiante e paciente de que as pessoas ressuscitarão, destaca Paulo, que ele está sendo julgado.

Claro que a esperança da ressurreição cultivada por Paulo não era a causa imediata de ele estar preso (veja At 21.27-29), mas esta esperança era a base última para os saduceus odiarem o apóstolo. Sua meta aqui é arregimentar a simpatia dos fariseus e se defender com base em sua crença na ressurreição. A expectativa farisaica da ressurreição o tinha preparado para crer no seu Salvador ressurreto. Paulo permanece fariseu porque achou cumprimento da esperança messiânica da ressurreição na ressurreição de Jesus. A vitória do Salvador sobre a morte é a doutrina central do seu evangelho apostólico e tem fortes implicações com a ressurreição do gênero humano (At 13.30,34; 1 Co 15; cf. At 2.32; 3.15; 4.10).

Paulo testemunha corajosamente que ainda é fariseu com herança farisaica. Ele não fala que é "filho de fariseu", mas que é "de fariseu" (*pharisaion*), significando que ambos os pais eram farisaicamente inclinados. (Não se admitiam, é claro, mulheres como membros dos fariseus.) O Sinédrio sabe que Paulo é cristão, mas ele ainda se considera judeu (At 22.3) e fariseu. Como ele admite em outro lugar, seu passado farisaico já não tem verdadeiro significado para ele. Ele está preparado para se considerar inútil pela causa de Cristo (Fp 3.7).

A afirmação de Paulo ser fariseu provoca controvérsia dentro do conselho (v. 7). Ele está com os fariseus nos seus pontos de antagonismo com os saduceus. Em conseqüência, os fariseus na reunião depressa se colocam a favor do apóstolo. A disputa que começa entre os dois partidos produz cisma. O comandante romano convocou o conselho para descobrir por que eles exigiam a morte de Paulo. Mas agora o conselho se acha numa posição desajeitada, em divisão e alvoroço.

Para benefício dos leitores, Lucas descreve os saduceus como céticos que são racionalistas e mundanos em sua perspectiva: Eles "dizem que não há ressurreição, nem anjo, nem espírito; mas os fariseus reconhecem uma e outra coisa" (v. 8). É incerto o que significa a referência a "anjos" e "espíritos". "Anjos" aparecem no Pentateuco, o qual os saduceus adotavam como Escritura autorizada; a alusão a "espíritos" não pode incluir o Espírito de Deus (também ocorre no Pentateuco). Os fariseus podem ter argumentado que a ressurreição ocorre num corpo espiritual semelhante a um anjo ou espírito puro, presumindo que "anjos" e "espíritos" são sinônimos. Visto que os saduceus rejeitam a esperança da ressurreição, eles naturalmente também negam a possibilidade de uma existência pós-ressurreição em qualquer uma destas formas (Marshall, 1980, p. 365). Embora os fariseus não endossem o entendimento de Paulo sobre a ressurreição de Jesus, eles são mais tolerantes dos cristãos do que o são os saduceus (cf. At 5.34-40).

À medida que o debate no Sinédrio se desdobra, as linhas são nitidamente traçadas entre os fariseus e os saduceus. Os fariseus se privam de reconhecer Jesus como o Messias ressurreto, mas alguns deles apóiam vigorosamente Paulo; insistem que este homem não fez mal pelo qual possa ser condenado e defendem-no com base na possibilidade de que um espírito ou um anjo lhe tenha falado (v. 9; cf. At 27.23; também At 13.2; 16.6; 21.11). Considerando que os saduceus não acreditam em ambos, este comentário só aumentou a comoção e diferença de opinião. A reunião irrompe-se em disputa violenta, e o tumulto quase se torna uma cena de linchamento. O comandante romano percebe que a vida de Paulo está em sério perigo e que ele está a ponto de ser despedaçado membro por membro. Para salvá-lo da fúria do Sinédrio, o oficial ordena que os soldados o levem à força de volta para o quartel.

Novamente o comandante fica desapontado, pois seus esforços em descobrir a verdade sobre o caso de Paulo foram infrutíferos. Pouco progresso foi feito para ajudar o oficial a entender as acusações contra o apóstolo.

6.3. O Senhor Anima Paulo (23.11)

Em tempos críticos no ministério de Paulo, ele recebe direção divina por visões (At 9.5; 18.9; 22.17,18). Tal ocasião acontece na noite seguinte a que Paulo foi liberto das mãos do Sinédrio pelos soldados romanos. Depois do estresse e tensão dos dois últimos dias, o Senhor ressurreto lhe aparece e o reafirma como testemunha. Anteriormente Paulo tinha expressado o desejo de pregar o evangelho em Roma (At 19.21; Rm 1.11-13). Agora, o Senhor exaltado lhe assegura de que assim como ele testemunhou do Senhor em Jerusalém, o centro do judaísmo, assim pregará em Roma.

Esta profecia do Senhor ressurreto é programática, até que Paulo compareça diante de César em Roma. O que acontece nos próximos anos segue o plano divino. As palavras "tem ânimo!" olham para os acontecimentos a seguir: Paulo encontrará todo o tipo de perigo, oposição, opressão e aflição em sua viagem a Roma e durante sua permanência na cidade. Por causa do que ele já tem sofrido — prisão em Jerusalém, ameaça de morte e açoite, rejeição pelos membros do Sinédrio —, ele precisa de encorajamento. A visão deve ter-lhe dado novo ânimo para o presente e o futuro. No tempo e modo do Senhor, ele escapará deste perigo vigente e pregará o evangelho na capital do Império Romano.

6.4. Conspiração para Assassinar Paulo (23.12-22)

Embora a visão de Paulo do Senhor ressurreto o tenha encorajado, na manhã seguinte torna-se claro que ele não deve esperar receber justiça das mãos dos judeus. Um grupo de judeus fanáticos planeja assassinar Paulo. Lucas não os identifica.

Eles não são membros do sacerdócio ou do Sinédrio, mas têm a disposição de zelotes que são inclinados à violência para alcançarem seus fins. Estas conspirações podem ter pertencido à sociedade secreta de terroristas conhecida por sicários (cf. comentários sobre At 21.37,38).

O ódio que este grupo sentia de Paulo os impulsiona a fazerem um voto comum contra a vida do apóstolo. Eles se comprometem em se abster de comida e bebida até que eles o tenham matado. Este grupo, formado por mais de quarenta conspiradores, coloca-se sob maldição divina ou voluntariamente declararam a própria vida confiscada como castigo, se não aplicarem todo o esforço em cumprir o voto (*Theological Dictionary of the New Testament*, eds. G. Kittel e G. Friedrich, Grand Rapids, 1964-1976, vol. 1, p. 355). Para estes fanáticos, a Misná tornava afortunadamente possível se liberar de tal jura. Não é provável que estas pessoas tenham morrido de fome ou de sede por não terem conseguido aniquilar Paulo.

Depois de fazerem o voto solene, os conspiradores apelam aos principais sacerdotes e anciãos para os ajudar a executar o enredo. No dia anterior, os saduceus no conselho tinham ficado enfurecidos com Paulo (vv. 6-10). Membros sem escrúpulos do Sinédrio estão prontos a se unir com os fanáticos religiosos no esforço de assassinar o apóstolo. O plano é dizer ao comandante romano que o conselho deseja obter mais informação de Paulo, de forma que eles possam chegar a uma decisão mais abalizada sobre o caso. Sob este pretexto, os conspiradores tirarão Paulo da fortaleza de Antônia. Enquanto Paulo estiver sendo conduzido ao conselho por soldados que não desconfiam de nada, o grupo de mais de quarenta conspiradores emboscará e assassinará o apóstolo.

Esta conspiração é conhecida por muitas pessoas. O caso vaza, e alcança os ouvidos do sobrinho de Paulo que, por razão desconhecida, está em Jerusalém. Esta referência à família de Paulo é a única feita por Lucas. A presença da irmã e do sobrinho de Paulo dá a entender que moravam em Jerusalém, mas eles podem ter estado entre os que tinham ido celebrar a Festa de Pentecostes. Quando o jovem ouve o que os conspiradores estão planejando, vai diretamente a Paulo e lhe conta a história (v. 16). Paulo quer que o comandante saiba sobre o enredo e pede que um dos centuriões leve o menino ao comandante, de forma que ele se inteire da urgência da situação. As instruções abruptas de Paulo ao centurião podem indicar que ele goza do favor do comandante.

Imediatamente o centurião leva o jovem ao seu superior. Mostrando-lhe consideração amável, o oficial toma o rapaz pela mão e o conduz. Em particular, o romano pergunta o que o sobrinho de Paulo tem a lhe falar. A mensagem é essencialmente igual já que é conhecida sobre o enredo. Ele fala que os conspiradores são "os judeus", significando um grupo de fanáticos e o Sinédrio. Também sabemos que eles pretendem executar o plano no dia seguinte (v. 20). Os conspiradores não têm intenção de jejuar por longo período. Antes de despedir o menino, este insiste que o comandante recuse o pedido para entregar Paulo aos judeus, e deixa claro que o oficial deve fazer tudo o que é necessário para garantir a segurança de Paulo. Seus oponentes estão prontos para matá-lo, e só estão esperando o comandante conceder-lhes o pedido (v. 21).

O enredo é abortado pelos esforços do jovem informante e o chefe (v. 22). O chefe romano acredita no que lhe foi contado e decide que o curso de ação adequado é remeter o caso de Paulo a seu oficial superior. Falta-lhe autoridade judicial para lidar com o caso. Mas desejando que os conspiradores não saibam o que ele está a ponto de fazer, ele despede o rapaz com a instrução de que "a ninguém [ele] dissesse que lhe havia contado aquilo". Além disso, se o jovem desse com a língua nos dentes, ele poderia perder a vida.

6.5. *Paulo É Transferido de Jerusalém a Cesaréia (23.23—26.32)*

Tendo recebido a informação do sobrinho de Paulo, o comandante procura proteger o apóstolo e evitar matança. Prontamente ele dá instruções para enviar o prisioneiro a Cesaréia, sede da autoridade romana na Palestina. Como soldado romano, ele não tem autoridade para lidar judicialmente com prisioneiros uma vez que a ordem tenha sido restabelecida, mas escolhe um curso de ação que é justa e prudente. A fim de evitar arriscar a vida de um cidadão romano não-condenado que está sob sua custódia, o oficial dispõe em formação de combate a metade da guarnição da cidade para proteger Paulo.

As instruções do comandante aos dois centuriões refletem que ele quer tomar toda precaução para anular o enredo e evitar que Paulo caia nas mãos dos judeus fanáticos. Os centuriãos dispõem em tropas quatrocentos e setenta soldados a pé e em cavalos. As tropas devem estar prontas para marchar às nove horas da noite, de forma que a partida de Jerusalém seja sob a cobertura da escuridão. Tamanha escolta numerosa pode ser devido à revolta que aconteceu no templo (At 21.35) ou ao número de conspiradores (At 23.13). Enviando formidável corpo de guardas armados, ele garante a segurança de Paulo mesmo se sua partida fosse descoberta pelos judeus. Não há que duvidar que o chefe romano fica grandemente aliviado quando Paulo chega com segurança a Cesaréia.

6.5.1. Paulo e Félix (23.23—24.27).

O apóstolo deve ser transferido para a custódia do governador da Judéia (v. 24). Nessa época, é Antônio Félix (52-59 d.C.), que mantém o mesmo cargo que Pôncio Pilatos manteve de 26 d.C. a 36 d.C. Ele é retratado pelo historiador romano Tácito como arrogante e corrupto (*Anais*; *Histórias*). O imperador Nero o liberou de suas funções na Judéia, por causa de reclamações bem fundamentadas levantadas pelos judeus sobre má administração e injustiças. Por causa da corrupção, crueldade e luxúria de Félix, Tácito resumiu seu caráter num único comentário mordaz: Ele exerceu o poder de um rei com a mente de um escravo. Até que Félix fosse solto, ele tinha sido escravo de Antônia, a mãe do imperador Cláudio. Evidentemente ele nunca subiu acima das suas origens humildes.

6.5.1.1. A Carta Anexa Endereçada a Félix (23.23-30).

Uma carta formal endereçada a Félix acompanha Paulo a Cesaréia, escrita pelo chefe romano Cláudio Lísias. Pela primeira vez, o oficial é identificado por nome. A forma da carta exprime a forma de carta característica do século I. Nisto, Lísias explica a Félix por que ele está lhe enviando o prisioneiro. O oficial quer que o governador entenda o que o levou a esta ação e inclui os elementos importantes da história:

- Ele põe a culpa firmemente nos judeus pela ação hostil contra Paulo.
- O oficial salvou Paulo porque ele era cidadão romano. Aqui, Lísias torce a verdade ligeiramente; no sentido exato, ele não reconheceu que Paulo fosse cidadão romano, senão quando já estava a ponto de açoitá-lo. Sem dúvida este é um relatório preciso do que Lísias escreveu, mas este pequeno embelezamento faz Lísias parecer bom e é típico da correspondência burocrática.
- Lísias seguiu o procedimento formal procurando determinar a natureza das acusações contra este cidadão romano. Assim, ele levou o prisioneiro perante o Sinédrio para que os acusadores o encarassem diretamente. O trâmite judicial judaico resultou em alvoroço violento.
- Lísias descobriu que as acusações contra Paulo feitas pelos judeus eram devido a diferenças teológicas que se centralizavam na lei judaica. (A princípio, Paulo foi acusado de levar um gentio para dentro do templo [At 21.28], mas os judeus asiáticos que fizeram esta acusação desapareceram da narrativa [cf. At 24.18-21]. As acusações levantadas diante do Sinédrio tinham a ver com os ensinos de Paulo sobre a ressurreição, anjos e espíritos [At 23.6-9].)
- O comandante declara categoricamente a inocência de Paulo com respeito a qualquer ofensa capital. Ele não fez nada que o torne merecedor de ser lançado em prisão ou sentenciado à morte. Convencido de que Paulo

não tinha cometido crime político, o romano logo o soltaria se não fosse descoberto o enredo dos judeus.
- Notícias desse enredo o incitaram a enviar Paulo ao governador de forma que o caso seja devidamente resolvido. Os acusadores tinham sido informados por Lísias que, se os judeus desejam levantar acusações contra Paulo, eles podem apresentá-las melhor ao governador (v. 30) e resolvê-las de uma vez por todas num tribunal.

6.5.1.2. Paulo É Transferido para a Custódia de Félix (23.31-35). As instruções do comandante são executadas conforme esboçadas nos versículos 23 e 24. A escolta militar com Paulo parte de Jerusalém, à noite, e na manhã seguinte chega a Antipátride, cidade cerca de cinqüenta e cinco quilômetros a noroeste de Jerusalém. Essa cidade recebeu o nome em honra do pai de Herodes, o Grande, Antípater, e ficava mais que a meio caminho de Cesaréia. Lucas deixa a impressão de que a distância de cinqüenta e cinco quilômetros é coberta durante a noite. Esta distância seria difícil para soldados a pé percorrem em uma marcha à noite. A marcha de um dia normal para um grupo de soldados era de quarenta quilômetros, mas uma marcha forçada a passos rápidos e no frescor da noite possibilitaria as tropas cobrirem mais distância.

Claro que talvez não tenhamos todos os detalhes da viagem. Possivelmente, depois que as tropas estivessem além do perigo de ataque, os soldados retornaram, deixando a cavalaria completar a jornada. O perigo dos conspiradores era muito crítico em Jerusalém e arredores. Uma vez que eles estivessem além da possibilidade de ameaça, o exército total não seria necessário. Setenta cavaleiros seriam a escolta suficiente para o resto do caminho para Cesaréia.

Em todo caso, a infantaria eventualmente retrocede e volta a Jerusalém. De Antipátride, a escolta viaja ao longo da planície litorânea. Esta parte da viagem não é tão perigosa, e Paulo só é protegido ligeiramente nesse tempo. Paulo chega com segurança a Cesaréia e é entregue pela cavalaria nas mãos de Félix (v. 33). Depois que o governador lê a carta, ele manda que o prisioneiro seja trazido à sua presença para interrogatório preliminar.

Durante o breve interrogatório, Félix faz perguntas a Paulo acerca de sua província natal. Esta pergunta pode ter sido incitada pela curiosidade de Félix, mas provavelmente ele pretende enviar o prisioneiro ao governador daquela província para julgamento. Desse modo, ele podia se livrar da responsabilidade de lidar com este caso difícil. Mas Félix não escolhe este curso de ação. Quando ele fica sabendo que o apóstolo é da Cilícia, resolve ouvir o caso. Se decidisse de outro modo, então "não só teria instigado más relações com os judeus (que teriam de viajar a Cilícia para fazer as acusações), mas também a Cilícia nessa época não era uma província plena. Fazia parte da Síria e ficou sob a jurisdição do legado da Síria, que não quereria se aborrecer com ofensas secundárias" (Marshall, 1980, p. 373).

Félix não tem meio de evitar o dever sem ofender os outros. Assim, ele promete ouvir o caso de Paulo com a chegada dos acusadores. Enquanto isso, ele confina Paulo ao palácio construído por Herodes, o Grande, mas agora usado como sede do governador. Paulo é mantido no palácio com soldados a guardá-lo. Félix seguiu protocolo romano cuidadosamente.

6.5.1.3. Paulo É Acusado perante Félix (24.1-9). Ainda que os judeus tenham fracassado em executar o enredo, eles ainda esperam conseguir matar Paulo. Cinco dias depois da chegada dele, uma delegação do Sinédrio, liderada pelo sumo sacerdote Ananias, chega a Cesaréia para apresentar o caso contra o apóstolo. Eles são representados por um advogado chamado Tértulo. Este homem conhece a lei romana e judaica. Ele pode ter sido um judeu que morou no estrangeiro e recebeu nome romano. Note que ele se identifica com os clientes usando os verbos na terceira pessoa do plural e os pronomes "nós" e "nos" (vv. 2-4) — ou porque ele é judeu ou simplesmente porque ele é advogado deles. A delegação judaica precisa dos serviços de um homem como Tértulo. Eles estão agora num tribunal romano, e eles têm de ter alguém familiarizado com os trâmites legais de tal tribunal para os representar.

Os trâmites legais contra Paulo lembram muito nossos tribunais dos dias de hoje. O apóstolo é levado ao tribunal. O procurador, Tértulo, faz uma declaração formal das acusações (vv. 2-8). Sua declaração é seguida por resposta igualmente formal de Paulo (vv. 10-21). O relato de Lucas da fala de abertura de Tértulo é breve. Como outras falas e sermões registrados em Atos, temos só um resumo do que foi dito.

Agindo em benefício dos acusadores de Paulo, Tértulo começa suas palavras do modo habitual de tratar funcionários governamentais. Suas observações introdutórias compõem quase a metade do discurso e são nada mais que pura lisonja, projetada para ganhar o favor de Félix. Dedicando parte grande do discurso à lisonja, Tértulo sugere que os judeus têm realmente um caso fraco contra Paulo. Tértulo louva o governador por suprimir o terrorismo e estabelecer a paz. Ironicamente, a administração de Félix tinha sido marcada por desassossego, em vez de paz e reformas importantes. As condições de vida não tinham melhorado sob seu governo, e a relação entre os judeus e Roma continuaram a deteriorar. Sem dúvida, os leitores de Lucas, que conhecem a incompetência e reputação escandalosa de Félix reconhecem as palavras de abertura de Tértulo pelo que elas são.

Depois da introdução insinuante, Tértulo declara as acusações dos judeus contra Paulo. Ele tenta denegrir o apóstolo em três enquadramentos de crime:
1) Paulo é "uma peste", isto é, um revolucionário messiânico que instiga à insurreição dos judeus de muitos lugares. Ele é retratado como a causa de desassossego e revoltas, não apenas na Palestina, mas também alhures. Esta acusação torna Paulo responsável pelas dissensões e insurreições em todo o mundo romano entre os judeus. Tértulo dá a entender que Paulo é como o revolucionário egípcio que liderou quatro mil terroristas (At 21.38) — note que foi Félix quem derrotou o egípcio. Paulo é, em outras palavras, uma ameaça à estabilidade e paz romanas.

2) Paulo é "promotor de sedições entre todos os judeus". Esta acusação tem amplas implicações religiosas. Descreve que Paulo é o líder de uma religião nova e, portanto, ilegal. O apóstolo tinha estado na vanguarda do movimento cristão, pregando o evangelho em todos os lugares aonde ia. Mesmo agora ele está na prisão por divulgar o que Tértulo descreve como a "seita dos nazarenos". Em nenhum outro lugar no Novo Testamento os seguidores de Jesus são chamados nazarenos. Os judeus se referiam a Jesus como "nazarenos", procurando desacreditar sua reivindicação de ser o Messias. Era opinião amplamente mantida que nada de bom poderia sair da humilde aldeia de Nazaré (cf. Jo 1.46). Assim, com semelhante desacato, Tértulo designa o movimento cristão como "seita dos nazarenos".

3) As primeiras duas acusações foram gerais, mas agora Tértulo faz uma acusação específica: Paulo tentara profanar o templo. A referência aqui é ao rumor de que Paulo tinha levado o gentio Trófimo para dentro do pátio dos israelitas (At 21.28,29). Quer dizer, Paulo tinha tentado profanar o centro de devoção judaica e o símbolo da nação. Tértulo tenta dar um exemplo concreto para mostrar que Paulo é um renegado judeu que é insensível aos costumes e práticas de uma religião bem-estabelecida. Com esta acusação, os judeus prenderam Paulo para evitar que o templo fosse profanado (v. 6). O que Tértulo não diz é que os judeus estavam prontos a linchar Paulo.

A NVI omite o versículo 7, mas alguns editores e comentaristas pensam que faz parte do texto autorizado. Este versículo explica a situação em maiores detalhes, indicando que Tértulo coloca a culpa da violência no comandante romano, Lísias. O leitor deduz isto pelo contexto e a evidência de manuscrito não é forte o bastante para incluir o versículo 7. A inclusão do versículo está de acordo com o desejo de os judeus se apresentarem sob luz favorável.

Tértulo conclui suas palavras com um apelo a Félix para examinar as evidências (v. 8). É assegurado ao governador que um exame do prisioneiro comprovará a verdade das acusações. A delegação de judeus se une e apóia as acusações contra Paulo, afirmando que são verdadeiras (v. 9). A audição do caso não envolve a chamada formal de testemunhas pelo demandante. Os judeus não têm evidência sólida para fundamentar o caso contra Paulo. As três acusações têm fortes implicações religiosas e teológicas, e são calculadas de modo que Paulo pareça ao governador um agitador político e um perigo para a ordem civil e a paz.

6.5.1.4. Paulo se Defende Perante Félix (24.10-22).

O apóstolo faz a própria defesa. Ponto por ponto, ele pretende convencer Félix de que é inocente de todas as acusações políticas, e que a verdadeira questão entre ele e os judeus é teológica, centralizando-se em torno da doutrina da ressurreição (vv. 20,21). Paulo limita suas observações à sua conduta em Jerusalém, notando que veio para a cidade como peregrino devoto, a fim de adorar a Deus. Sua defesa é elaborada cuidadosamente, mas ele não teve notificação prévia das acusações para que pudesse preparar uma defesa contra elas. Nesta e em semelhantes crises, o apóstolo inspirado pelo Espírito percebe que as palavras de Jesus são cumpridas: "Porque eu vos darei boca e sabedoria a que não poderão resistir, nem contradizer todos quantos se vos opuserem" (Lc 21.15). Ele confia nessa promessa.

Com o aceno de cabeça, Félix convida Paulo a falar (v. 10). Em nítido contraste com a introdução lisonjeira de Tértulo (vv. 2-4), Paulo simplesmente reconhece que Félix teve vários anos de experiência em assuntos judaicos como governador da Judéia. Na Judéia, o governador teve de tratar de sedições e insurreições. Assim, o apóstolo está contente em comparecer diante de alguém que está bem familiarizado com a Judéia e seus problemas.

Na resposta às acusações, Paulo observa que já fazia doze dias que ele estava em Jerusalém, alguns dos quais sob custódia romana. Ele não tinha tido tempo para instigar sedição e insurreição, pelo menos não em Jerusalém. Ele não teria tido tempo suficiente para conspirar contra o governo, e, portanto, nega qualquer responsabilidade como desordeiro. Seu propósito em ir a Jerusalém foi por assuntos legais: adorar a Deus (v. 11) e entregar o dinheiro coletado das igrejas gentias para os crentes necessitados da cidade (v. 17). Enquanto estava em Jerusalém, ele não se ocupou em discussões com qualquer pessoa no templo, nas sinagogas ou em outro lugar da cidade (v. 12). Nenhum dos acusadores pode provar que ele rompeu a paz. Nesta visita em particular a Jerusalém, ele não pregou ou evangelizou ninguém.

Paulo se identifica alegremente como adorador do Deus de seus pais de acordo com o "Caminho", o qual seus inimigos chamam desdenhosamente "seita" (v. 14), mas ele não se identifica como cabeça de motim (cf. v. 5). O "Caminho" é usado em sentido técnico para descrever o movimento cristão (cf. At 9.2; 18.25,26; 19.9,23; 22.4; 24.22), mas ecoa a expectativa do Antigo Testamento para o verdadeiro povo de Deus andar no caminho da obediência (cf. Êx 32.8; Dt 5.33; 9.12,16). Como cristão, ele crê que adora o Deus de Israel corretamente. Para ele, há uma unidade essencial entre a mensagem do Antigo Testamento e a fé cristã. A Lei e os Profetas acham seu cumprimento na mensagem do evangelho (Lc 24.44). Sua lealdade à Escritura permanece firme, como é demonstrado no diálogo com Ananias (At 23.1-5).

Crendo na Lei e nos Profetas, como os fariseus, ele tem esperança na ressurreição e no julgamento "tanto dos justos como dos injustos" (v. 15). Por implicação, ele se alinha novamente aos fariseus contra os saduceus (At 23.8; cf. Lc 20.27-40). Por causa de sua esperança da ressurreição, ele se esforça para ter uma consciência inocente diante de Deus e da humanidade. A doutrina bíblica da ressurreição inclui a esperança da transformação, renovação e bem-aventurança finais, e também a expectativa de julgamento. Na Escritura, o julgamento está ligado inseparavelmente com a ressurreição (Mt 25.31-46; Jo 5.28-39; Ap 20.12), em cujo tempo os justos serão recompensados e os injustos, castigados. Paulo se esforça para "ter uma consciência sem ofensa", isto é, ter uma consciência que não o condene. Ele vive uma vida circunspeta na presença de Deus, e tem uma consciência clara concernente à acusação de ser um encrenqueiro político.

Continuando sua defesa, Paulo menciona que vários anos transcorreram desde que ele visitou Jerusalém (cf. At 15.1-29). Neste ponto, fala de "esmolas" (v. 17). Ele trouxe soma significativa de dinheiro para os cristãos pobres de Jerusalém, coletada das igrejas gentias como prova de amor e expressão de unidade da Igreja (Rm 15.25,26; 1 Co 16.1-4; 2 Co 8.9) — esta é a única referência em Atos sobre a coleta. Esta coleta é uma doação para a "minha nação" (*to ethnos mou*), o que pode significar um presente dos judeus em geral. A referência não deve ser a fundos para a nação em geral, mas ao fundo de alívio para os cristãos pobres em Jerusalém. Em outras palavras, Paulo não veio à cidade para provocar revoltas; ele não era um sedicioso e não tinha desejo de agir irresponsavelmente e destruir as crenças dos seus antepassados.

Enquanto estava em Jerusalém, ele também apresentou "ofertas" (v. 17), referindo-se ao pagamento de despesas para quatro homens, de forma que eles completassem o voto nazireu oferecendo sacrifícios apropriados (At 21.23-26). Naquela ocasião, os judeus asiáticos o acharam no templo depois que ele tinha completado o ritual de purificação para evitar contaminar o Lugar Santo (vv. 18,19). Paulo menciona este incidente para refutar a acusação final de profanar

Paulo foi levado a Cesaréia quando foi descoberta uma conspiração para o matar. Ele fora preso sob a acusação de que seus ensinos violavam a lei judaica. Construída por Herodes, o Grande, Cesaréia era importante porto marítimo no mediterrâneo. Parte do aqueduto é do tempo de Herodes, assim como o teatro. A fortaleza no porto foi construída mais tarde.

o templo (v. 6; cf. At 21.28). Quando os judeus da Ásia o descobriram, ele estava cerimonialmente puro (v. 18). Contrário à alegação dos oponentes de que ele tinha contaminado o templo, eles o acharam em um estado santo. Ele estava quietamente participando do ritual da purificação, e não reunindo pessoas ao redor de si ou causando perturbação. A clara implicação é que os judeus da Ásia foram os verdadeiros perturbadores da paz.

Certos judeus asiáticos tinham declarado ser testemunhas oculares do suposto crime de Paulo. Eles são os únicos que afirmam seu testemunho da profanação do templo. Mas estes judeus asiáticos nem mesmo estão no tribunal hoje para testemunhar o que viram. A conclusão de Paulo é que eles não têm um processo contra ele (v. 19). Caso contrário, eles estariam presentes.

De fato, ninguém tem evidência de que Paulo cometeu algum crime. Até Ananias e sua delegação não o acharam culpado de acusação alguma. Quando ele compareceu perante o sumo sacerdote no Sinédrio, a única coisa de que ele "era" culpado foi a declaração: "Hoje, sou julgado por vós acerca da ressurreição dos mortos!" (v. 21). Isso não era crime, embora envolvesse um ponto de doutrina e tivesse criado confusão no Sinédrio. Ananias e os amigos saduceus se ressentiram com a confissão farisaica da crença na ressurreição. O resultado foi uma disputa feroz entre os saduceus e os fariseus. Diferentes grupos judeus tinham diferentes crenças sobre a esperança da ressurreição.

Em outras palavras, no centro da disputa entre Paulo e os judeus está o conflito sobre a interpretação da Escritura (vv. 14,15). É um debate teológico, com o enfoque na ressurreição. Por que Paulo deveria ser julgado sobre um assunto doutrinário acerca do qual o próprio Sinédrio está dividido? Está fora da autoridade romana lidar com questões teológicas e condenar um homem por heresia. A referência de Paulo à ressurreição acentua um elo vital entre o judaísmo e o cristianismo. Crendo que os mortos ressuscitarão, os fariseus estão a curto passo da doutrina cristã central da ressurreição de Jesus. O triunfo sobre a morte demonstra que Ele é o Messias e Salvador de Israel e o cumprimento das promessas proféticas do Antigo Testamento (v. 14).

6.5.1.5. Paulo É Detido sob Custódia (24.23-27).

Félix pospõe o caso de Paulo e não toma decisão formal. Esta decisão não é por falta de informação; ele está bem inteirado sobre este Caminho (v. 22, ARA) e não é enganado por Ananias e sua delegação. Ele não ouviu nada que indicasse que o apóstolo fosse criminoso. As acusações contra ele poderiam ser rejeitadas, mas, para evitar aborrecer os judeus (cf. v. 27), Félix adia o julgamento.

Os motivos atribuídos ao fato de ele adiar os trâmites legais sem tomar uma decisão são duplos:

1) Ele tem uma compreensão acurada do movimento cristão. Como ele obteve esta informação é incerto. Félix pode ter sido informado por sua esposa Drusila, mas o governador tem estado na Judéia tempo o bastante para inteirar-se dos partidos religiosos entre os quais seus súditos estão divididos, e saber em que os cristãos crêem. Como afirma o relato de Lucas, a decisão de Félix sugere que ele esteja reagindo com simpatia pelos cristãos e não quer que os judeus os maltratem. Ele parece ser simpático aos cristãos, embora seu último comportamento revele que ele não está disposto a tratá-los com justiça se houver o perigo de repercussão das autoridades judaicas (v. 27).

2) Félix quer consultar Lísias, o comandante que lhe enviou Paulo, antes de tomar uma decisão. Talvez tenha sido seu desejo genuíno obter mais detalhes sobre o caso, mas não temos evidência de que o governador tenha chamado Lísias ou buscado sua opinião.

A decisão para adiar o caso implica que Félix está convencido da inocência de Paulo. Mas ele não o solta, como deveria. Ele o trata como cidadão romano cuja culpa ainda não foi comprovada. Como prisioneiro, Paulo desfruta de certa medida de liberdade. É-lhe permitido receber visitas e atenção médica. Os cristãos que moram em Cesaréia e em outros lugares podem visitá-lo e trazer-lhe comida, cartas e materiais de escrita. Este tratamento humanitário revela a que ponto a simpatia de Félix chegou.

Depois de adiar o julgamento de Paulo, Félix deixa Cesaréia. Quando volta, traz consigo sua esposa judia Drusila. Ela era a filha mais nova de Herodes Agripa I (cf. At 12.18-23), que com a idade de quatorze tinha casado com Aziz, rei do pequeno estado sírio de Emesa. Dois anos depois, ela foi induzida por Félix a abandonar o primeiro marido.

O governador manda buscar Paulo da prisão, de forma que ele e Drusila possam ouvir este cristão missionário falar sobre o que significa crer em Cristo (v. 24). Paulo tinha sido o defensor, mas agora ele se torna o pregador. Para falar "acerca da fé em Cristo", Paulo escolhe tópicos para a mensagem que tenham referência direta com a condição espiritual de Félix e Drusila. Ele nunca compromete o evangelho diante de pessoas que têm poder para o libertar. Sua mensagem é exatamente o que o casal precisa ouvir — as demandas morais do Evangelho com o enfoque na justiça, na temperança e no juízo vindouro (v. 25).

A "justiça" requer que todos sejam tratados com eqüidade, mas a administração de Félix tinha sido marcada por injustiça. Ele fora um governante cruel, tirânico e injusto, que não praticara a "temperança", mas se entregara à luxúria desenfreada. Ele fora cativado pela beleza de Drusila, e o casamento com ela fora resultado de ele seduzi-la para ela largar o primeiro marido. Junto com todos os que não se arrependem, Félix ficará sob condenação no "Juízo vindouro" pela não administração de justiça, por seu amor ao dinheiro e por suas paixões descontroladas.

Ainda resta bastante consciência no governador para que as demandas morais do evangelho lhe metam medo no coração. A verdade revela a culpa, mas embora esteja profundamente transtornado pela mensagem de Paulo, ele não se arrepende e se afasta dos seus maus caminhos da injustiça, cobiça, deslealdade, paixões mundanas e matança. Félix fica terrificado diante do prospecto de julgamento, mas sufoca a consciência e não crê no Evangelho que oferece o perdão de pecados.

Quão genuíno é o interesse de Félix no evangelho? É difícil dizer, mas ele não manifesta um interesse profundamente espiritual, especialmente levando em conta sua conduta subseqüente de esperar receber suborno de Paulo (v. 26) e de querer conceder um favor aos judeus (v. 27). O governador só teve um interesse superficial nos "estranhos ensinos" dos cristãos (Marshall, 1980, p. 381). Mas a mensagem que ele e Drusila ouviram é longe de ser superficial. É uma mensagem instigante; ele não quer mais saber disso por enquanto. Assim, com pressa despacha Paulo e explica que encontrará tempo para o chamar novamente.

Félix continua tendo freqüentes entrevistas com Paulo, mas não são devido a um interesse genuíno na fé cristã. Ele espera que Paulo venha a lhe oferecer suborno para o soltar (v. 26). No julgamento, Paulo relatara que tinha trazido dinheiro dos gentios para os cristãos pobres em Jerusalém e pago as despesas de purificação para quatro homens. Félix espera que o pregador corajoso levante grande soma de dinheiro para ser solto da prisão. Ele presume que Paulo tem recursos ou pode obtê-los de amigos ou parentes. A lei romana proibia o suborno, mas não era incomum funcionários do governo receberem peitas. Paulo não tomará parte em tal crime.

Paulo passa dois anos na prisão em Cesaréia (v. 27). Festo sucedeu Félix como governador da Judéia. Durante esses dois anos, Paulo permanece prisioneiro, porque Félix quer ganhar o favor dos judeus e, assim, manter sua posição como governador. A fim de evitar antagonizá-los mais, ele está propenso a sacrificar um homem inocente, mas não tem sucesso em seus esforços. Quando ele volta para Roma, o imperador Nero o substitui por Festo.

6.5.2. Paulo e Festo (25.1—26.32). Lucas mostrou que Paulo é inocente de qualquer acusação séria. A próxima fase do procedimento acontece diante de Pôrcio Festo, o sucessor de Félix. Este homem foi nomeado por Nero, provavelmente em cerca de 59 d.C. Como contraste desejável ao seu predecessor, Festo foi um governador sábio e justo, que morreu no cargo em 62 d.C.

A sorte de Paulo permanece inalterada perante Festo. Há interessante contraste com respeito aos personagens. Félix tinha tido pouco a dizer, e Paulo tinha falado em defesa própria. Mas agora, nos trâmites legais diante de Festo, Paulo permanece mais em segundo plano, e o governador romano fala e age em defesa dele.

Notamos muitos paralelos entre Jesus e Paulo, mas estes paralelos alcançam o ponto alto nos trâmites legais registrados em Atos 25 e 26. As semelhanças são surpreendentes entre o comparecimento de Jesus perante Pilatos e Herodes Antipas (Lc 23.1-25) e o comparecimento de Paulo perante Festo e Agripa II. Como seu Salvador, o apóstolo cheio do Espírito é declarado inocente pelo governador romano: "Achando eu que nenhuma coisa digna de morte fizera" (At 25.25; cf. Lc 23.13-15). Agripa deseja ouvir Paulo (At 25.22), exatamente como Herodes Antipas tinha desejado ver Jesus (Lc 23.8). Assim, Paulo comparece diante dos governadores e reis da mesma maneira que seu Senhor o fez.

6.5.2.1. Os Judeus Renovam as Acusações Levantadas contra Paulo (25.1-5).

Quando Festo se torna governador da Judéia, ele imediatamente sobe para Jerusalém. No terceiro dia depois de assumir o cargo, ele resolve visitar a cidade, vindo de Cesaréia, a sede do governo civil. Esta é uma visita de cortesia ao centro religioso dos judeus, embora Festo deva ter sabido que as relações entre Félix e o povo de Jerusalém não tinham sido das melhores. Não há dúvida de que o novo governador quer se encontrar com os líderes judeus para que eles o informem dos assuntos que precisam de sua atenção.

Os membros do Sinédrio tiram proveito da ocasião para informar Festo das acusações deles contra Paulo (v. 2). O longo encarceramento não moderou nem mesmo o ódio que sentiam do apóstolo. Estando tão determinados como sempre a aniquilá-lo, eles renovam a Festo as acusações. Eles solicitam que ele pressione o caso contra o apóstolo. Os líderes judeus não apenas solicitam, mas "pedem como favor" que Festo traga Paulo a julgamento em Jerusalém (v. 3).

Como os arquiinimigos de Paulo sugerem, se lhes fosse concedido, seria um favor especial ou generosidade para com eles. Mas um julgamento em Jerusalém entre os inimigos de Paulo não seria em seu favor. Quer em Cesaréia, quer em Jerusalém, o apóstolo podia ser julgado num tribunal romano, embora talvez os líderes judeus entretenham a possibilidade de julgamento perante o Sinédrio, sem que Festo tenha qualquer participação. Claro que o verdadeiro intento do pedido para a transferência do prisioneiro é que desta forma eles tenham a oportunidade de matá-lo a caminho de Jerusalém.

Anteriormente, mais de quarenta homens tinham conspirado tirar a vida de Paulo (At 23.12-15), e agora seus inimigos esperam que eles tenham outra oportunidade de executar o plano. É óbvio que Festo não sabe de nada sobre o plano para emboscar Paulo, mas o governador se recusa a ser conduzido pelos judeus. Paulo permanece prisioneiro em Cesaréia, e o governador insiste que o julgamento seja feito naquela cidade. Assim, de modo cortês, ele recusa o pedido e lhes fala que eles têm de ajustar o plano deles ao seu.

Mas, considerando que os principais sacerdotes e os líderes judeus deixaram a impressão de que eles querem concluir o julgamento tão depressa quanto possível, o governador convida os líderes judeus a acompanhá-lo a Cesaréia (v. 5). "Os que [...] dentre vós têm poder" (*hoi en hymin dunatoi*) significa literalmente "os homens de poder entre vós". Essa expressão pode sugerir a habilidade para debate como também o poder de agir como representantes do Sinédrio. Tal delegação pode declarar as acusações contra o prisioneiro de modo público e formal.

6.5.2.2. Paulo se Defende Perante Festo (25.6-12).

Festo permanece em Jerusalém por oito ou dez dias e depois retorna a Cesaréia (v. 6). Sem perder tempo, ele faz os preparativos para o julgamento. No dia seguinte, Paulo é levado perante Festo. Quando comparece na sala do tribunal, os acusadores apresentam "muitas e graves acusações" contra ele (v. 7), mas, pelo fato de a causa já ter dois anos, é difícil, senão impossível, garantir que testemunhas oculares apóiem qualquer acusação específica. Assim, a delegação de Jerusalém tem de ser satisfeita com generalidades.

Nesta ocasião, os acusadores não têm um advogado para falar no interesse deles, como Tértulo, que estava no julgamento de Paulo perante Félix (At 24.1-22). Com sua curta declaração, Tértulo tinha feito o melhor que podia no caso. Perante Festo, os inimigos de Paulo são bem-sucedidos em fazer com que as acusações soem muito sérias, mas eles não conseguem fundamentá-las com provas concretas (v. 7). Esta falta de provas mostra a loucura dos acusadores de Paulo e o extremo a que vão para conseguir o que querem. Lucas não declara quais são as "graves acusações", mas considerando a defesa de Paulo, elas são semelhantes às antigas acusações feitas por Tértulo perante Félix, com a diferença de serem declaradas com mais vigor.

Como réu, Paulo se declara "inocente" de cada uma das acusações apresentadas contra ele (v. 8):
1) Ele não fez nada contra a lei dos judeus (At 24.14-16; cf. At 21.21; 23.5), e não há base sobre a qual acusá-lo de heresia. Ele é fariseu, fiel à herança farisaica, especialmente a crença no Messias ressurreto (At 23.6; 26.4-23).
2) Ele não profanou o templo (At 21.28; 24.7,18). Ele não fez nada que violasse a santidade daquele lugar de adoração.
3) Ele nega ter cometido qualquer ofensa "contra César" (cf. At 16.21). Originalmente "César" era nome próprio, mas depois passou a ser usado como título do imperador romano. Como conceito teológico no Novo Testamento, refere-se ao poder legítimo de autoridade política (*New International Dictionary of New Testament Theology*, ed. C. Brown, 4 vols., Grand Rapids, 1975-1985, vol. 1, p. 269).

Esta última acusação é uma nova formulação de Atos 24.5, onde Paulo foi acusado de ser "uma peste e promotor de sedições entre todos os judeus, por todo o mundo". As acusações de sedição contra o imperador de Roma têm sérias implicações políticas. Paulo pregou Jesus como o Messias. Esta mensagem poderia ser entendida por Festo como ameaça à paz e submissão a César. Mesmo assim, o apóstolo está tão confiante de que não é culpado de causar rebelião contra Roma que apela seu caso a César (v. 11). Os judeus fazem alegações, mas não mostram ser verdade o que dizem sobre Paulo.

Depois de Festo ter ouvido ambos os lados, ele deveria ter soltado o prisioneiro incondicionalmente. Mas como o seu predecessor (At 24.27), ele vê o caso de Paulo como uma oportunidade para ganhar o favor dos judeus. Neste ponto, o caso vai para outra direção. Festo, como recém-chegado à Judéia, quer agradar os judeus, e está perplexo sobre como lidar com estas acusações que são de natureza religiosa (cf. v. 20). Assim, ele pergunta a Paulo se ele está disposto a ser julgado em Jerusalém (v. 9), visto que era o lugar onde os acusadores de Paulo disseram que ele cometeu os crimes. Pode ter parecido a Festo que mais fatos sobre o caso e sua formação poderiam ser reunidos lá.

Anteriormente Festo tinha recusado fazer o julgamento em Jerusalém (vv. 4,5); agora ele está disposto a julgar o caso naquela cidade. Se o julgamento fosse transferido a Jerusalém, o governador assegura a Paulo que o caso não seria entregue às autoridades judaicas. Como cidadão romano, Paulo só pode ser julgado por um tribunal romano ("perante mim", v. 9), e não perante o Sinédrio. O governador provavelmente não sabe sobre o enredo judaico para matar Paulo (v. 3), mas não podemos desculpá-lo ainda que ele siga cuidadosamente os procedimentos legais dos romanos. Ele se rende à pressão dos judeus e, portanto, tem a responsabilidade de continuar o julgamento do apóstolo.

Entretanto, Paulo está pouco disposto a se submeter a julgamento em Jerusalém perante Festo. Se concordar em ir, estará dando vantagem aos seus amargos inimigos, sugerindo que talvez tenham uma demanda contra ele. Além disso, sua vida estará em perigo sério, e ele provavelmente suspeita de que a insistência dos judeus em julgar em Jerusalém é instigada por um enredo sinistro. Como indicado nos versículos 18 e 19, Festo está convencido de que as acusações feitas contra Paulo são inteiramente devido ao preconceito teológico dos seus oponentes.

O apóstolo lembra ao governador que ele (Festo) sabe que ele é inocente, com base no julgamento em Cesaréia. Esta lembrança mostra que Paulo suspeita que Festo está tentando ganhar o favor dos judeus. Como o governador sabe, o prisioneiro não fez nenhum mal aos judeus, nem cometeu qualquer crime contra Roma, pelo qual a pena seja a morte. O apóstolo cheio do Espírito mostra-se resoluto, convencido de seus direitos e recusando-se a ser intimidado por funcionários governamentais propensos à pressão política. Ele insiste que deve ser julgado perante o atual tribunal, que é romano.

Temendo que ele venha a se tornar um peão político nas mãos de Festo, Paulo recusa qualquer tipo de julgamento perante o governador em Jerusalém. Assim, para que a justiça seja feita, ele tem apenas uma opção: apelar para o caso como cidadão romano a César (v. 11). Consultando seus conselheiros (v. 12), Festo percebe que o apelo pára os procedimentos locais e transfere o processo para o tribunal imperial em Roma. Os detalhes exatos do processo de apelos são desconhecidos (veja Sherwin-White, 1963, pp. 57-70). Mas, por causa do apelo, é necessário que Festo envie o prisioneiro a Roma para julgamento.

Mediante este procedimento legal, o plano de Deus em fazer com que Paulo dê testemunho em Roma está sendo executado. Por causa da vontade de Deus, Paulo sentiu que ele tinha de levar o evangelho a Roma (At 19.21). Já numa visão, o Senhor confirmou a missão de Paulo pregar o evangelho em Roma (At 23.11). Honrando o apelo de Paulo, sem saber Festo torna possível o apóstolo ser testemunha naquela grande cidade. A mão de Deus está dirigindo o curso dos acontecimentos.

6.5.2.3. Festo Revê o Caso de Paulo com Agripa (25.13-22).

Antes que Paulo seja enviado a Roma, Agripa chega a Cesaréia para fazer ao recentemente nomeado Festo uma visita de cortesia. Este era Herodes Agripa II, o filho único de Herodes Agripa I, que tinha mandado matar o apóstolo Tiago (At 12.1,2). Ele também era neto de Herodes, o Grande, e irmão de Drusila, esposa de Félix (At 24.24), e Berenice, que o acompanha a Cesaréia. Depois que o marido de Berenice, o rei de Cálcida e seu próprio tio, morreu, ela morou durante algum tempo na casa do irmão. Mais tarde, ela se tornou amante do general romano Tito.

Os romanos tinham dado a Agripa II o direito de nomear o sumo sacerdote e supervisionar o templo e seus capitais. Ele também era o rei de alguns distritos no norte da Palestina e considerado perito em questões judaicas. Assim, para uma figura política um tanto quanto importante, ele vai a Cesaréia para dar as boas-vindas oficiais a Festo. Esta visita dá a Festo a oportunidade de mencionar o caso de Paulo e apelar ao conhecimento do rei sobre a religião e costumes judaicos. O processo está agora fora da autoridade do governador: ele só quer obter informação para ser enviada ao tribunal imperial.

Festo tem uma conversa particular com o rei Agripa II, quando ele conta ao rei sobre um homem interessante a quem Félix tinha deixado como prisioneiro. Explicando a situação de Paulo ao rei, Festo reconta os acontecimentos desde o tempo em que ele tinha subido a Jerusalém, inclusive o julgamento de Paulo ocorrido em Cesaréia. Festo tomou conhecimento pela primeira vez das acusações dos judeus contra Paulo naquela visita que fez a Jerusalém (v. 15). Os judeus insistiram que ele resolvesse este caso existente há tanto tempo, condenando o apóstolo. De certo ponto de vista romano, Festo enfatizara aos acusadores de Paulo a imparcialidade da lei romana nos trâmites legais (v. 16). A lei romana exigia um julgamento justo para o réu, no qual o acusado e os acusadores pudessem apresentar seu caso.

Seu predecessor, Félix, tinha sido relaxado em tratar o caso; em contraste, Festo lembra Agripa de que ele não perdera tempo (v. 17). Assim que as autoridades judaicas chegaram a Cesaréia, ele agiu tão rápido quanto possível e trouxe o prisioneiro perante seu tribunal. Festo tinha esperado que os opositores de Paulo trouxessem acusações de crimes sérios contra ele (v. 18), mas as acusações só revelaram a má vontade deles para com o prisioneiro e uma determinação em tratá-lo como criminoso.

Festo está convencido de que os acusadores de Paulo exageraram a seriedade das acusações. Quando examinado pela lei romana, ele se mostrou inocente. Pode ser que ele tenha sido considerado louco, mas criminoso. O julgamento de Festo é que Paulo não cometeu crimes graves e que a disputa é sobre assuntos religiosos judaicos. O governador percebe que Paulo e seus oponentes pertencem ao mesmo grupo e que a disputa é a respeito de assuntos concernentes à fé judaica. Em outras palavras, Paulo não é uma pessoa de fora que vive provocando dificuldades, mas uma pessoa de dentro, que quer ser ouvida.

Festo também apresenta uma característica distintiva da posição de Paulo. Ele discerne que uma questão específica da disputa não é a ressurreição geral dos mortos que os fariseus afirmam e os saduceus negam. A verdadeira questão é a ressurreição de uma pessoa em particular — Jesus. A acusação de que Paulo tinha profanado o templo (At 21.28,29) desapareceu de vista. Agora, a questão é se Jesus está vivo ou morto.

A verdade cristã fundamental da ressurreição de Jesus era uma aplicação específica da doutrina dos fariseus acerca da ressurreição geral dos mortos. Mesmo assim, esta aplicação demandava mais que o que os fariseus poderiam acreditar ou permitir. Estes grandes defensores da ressurreição geral negavam a fé pascal — que Jesus, que tinha morrido na cruz, hoje está vivo (v. 19). Paulo tinha descrito a uma multidão em Jerusalém seu encontro com o Jesus ressurreto na estrada de Damasco (At 22.6-21).

Quando Paulo compareceu perante o Sinédrio ou diante de Félix, nenhum dos seus oponentes levantou a questão sobre a ressurreição de Jesus (At 23.1-10; 24.1-27). Contudo, Festo conseguiu ver qual é a questão central. Este pagão ouviu Paulo falar sobre Jesus, um homem que tinha morrido, mas que afirmavam que estava vivo. Ele sabe que o apóstolo tentou convencer os judeus de que o Senhor ressurreto é o cumprimento do Redentor prometido nas próprias Escrituras deles. Aqui temos um exemplo de uma pessoa de fora que tem melhor entendimento da verdade do que os inimigos de Paulo (cf. At 5.38,39). A verdade cardeal da ressurreição de Jesus penetrou sua mente.

Como homem do mundo, Festo admite estar confuso sobre este debate religioso, afirmando que ele não sabe como investigar tal questão (v. 20). Ele diz que é ignorante das idéias religiosas dos judeus e implica que o debate produziu mais faíscas que luz. Sua confusão não é por causa de ignorância, mas por sua pouca vontade em libertar um homem inocente. Bastante luz fora lançada no caso para Festo declarar Paulo livre de culpa, e ter mandado de volta a Jerusalém seus acusadores. Claro que Festo quer se apresentar sob luz favorável para seu convidado real. Assim, ele não admite a Agripa que transfira o julgamento para Jerusalém a fim de ganhar o favor dos acusadores de Paulo, mas fala ao convidado que fez a Paulo a proposta de ele ser julgado em Jerusalém.

Festo conta a Agripa que Paulo recusou a oferta de transferir o julgamento a Jerusalém e exerceu seu direito de apelar ao imperador (v. 21). Quando o apóstolo insistiu que o caso fosse ouvido no tribunal superior do império, Festo ordenou que seus soldados o mantivessem em custódia até que ele fosse enviado a Roma.

A descrição de Festo do caso de Paulo intriga Agripa. Provavelmente o rei já tinha ouvido falar sobre Paulo e Jesus. O seu pai, Herodes Agripa I, tinha tentado suprimir a fé cristã matando o apóstolo Tiago e encarcerando Pedro com a finalidade de matá-lo (At 12.1-19). Em At 25.22, o verbo "quisera" significa literalmente "eu estava desejando" (tempo imperfeito), sugerindo que Agripa tinha entretido o desejo de ouvir Paulo durante algum tempo (cf. Lc 23.8).

Festo terá o prazer de satisfazer a curiosidade do convidado real concedendo-lhe uma audiência com o prisioneiro. Além disso, tal reunião pode ser de alguma ajuda para Festo e fornecer informação para seu relatório oficial ao imperador (At 25.26,27). Assim como seu Senhor, Paulo comparece diante de um governador romano e de um rei judeu; claro que, diferente do seu Senhor, Paulo apela para César a fim de se proteger contra a perseguição religiosa (*New International Dictionary of New Testament Theology*, ed. C. Brown, 4 vols., Grand Rapids, 1975-1985, vol. 1, p. 269).

6.5.2.4. Paulo se Defende Perante Agripa (25.23—26.32).

O palco está armado para o maior discurso dado por Paulo, no qual o apóstolo faz outra narrativa de sua conversão e chamada ao ministério. Ele acentua novamente que sua fé em Cristo está em linha com suas crenças judaicas como fariseu, e que o Senhor ressurreto o comissionou a oferecer a salvação a judeus e gentios. Nesta ocasião, Paulo comparece perante o rei Agripa II, o dignitário mais importante diante de quem ele fala formalmente em Atos. Como judeu proeminente, Agripa, bem-versado na religião e costumes judaicos, pode dar conselhos sobre o caso (Marshall, 1980, p. 387).

O encontro de Paulo com Agripa ocorre no dia seguinte, depois de Festo ter falado sobre ele ao rei. Esta ocasião é de pompa e cerimônia, com uma audiência esplêndida e toda a fanfarra de reis orientais em ajuntamentos públicos. O acontecimento se dá no "auditório" (v. 23), que estava localizado no palácio construído por Herodes, o Grande, para ajuntamentos magníficos. Agripa e Berenice estão trajados com suas vestes reais. Os oficiais militares e os dignitários civis também estão presentes. A cena está armada, ao que Festo ordena que os soldados tragam o prisioneiro à sal de reuniões.

O apóstolo humilde é um contraste brilhante à pompa e orgulho desta audiência dignificada. Não obstante, ele está no palco central como ator principal nesta ocasião auspiciosa, e para os leitores cristãos ele é a pessoa mais importante. Sem pretender honrar Paulo, Festo lhe proporciona uma audiência de dignitários a quem ele prega o evangelho.

Os procedimentos são administrados com formalidade e dignidade. Festo abre a reunião com uma declaração breve. Ele acusa a presença do convidado real, o rei Agripa, e então apresenta o caso do apóstolo à respeitável audiência. Esta cena cumpre a profecia de Jesus registrada em Lucas 12.11,12. Na introdução, Festo declara que "toda a multidão dos judeus", não somente os líderes judeus, levantaram acusações contra este homem (v. 24). Turbas judaicas pediam a execução de Paulo (At 21.36; 22.22). Com base nisto, Festo afirma que o Sinédrio tinha representado os sentimentos do povo judeu na exigência de que Paulo fosse morto.

Festo responde à petição da comunidade judaica que dizia que Paulo deveria morrer. No julgamento, Paulo não tinha feito nada que merecesse a morte. Esta declaração não-qualificada da inocência de Paulo confirma as declarações anteriores feitas pelo próprio Paulo (At 22.25; 23.1; 24.12,13,16,19,20; 25.8, 10,11). Festo admite que o apóstolo deveria ter sido solto quando seus acusadores não apresentaram provas de más ações. Ele até mesmo sugere que ia soltá-lo; mas por causa do apelo de Paulo a César, Festo se sente politicamente obrigado a enviá-lo a Roma (Sherwin-White, 1963, p. 65).

O apelo de Paulo agora apresenta um problema difícil para o governador. Ele tem de submeter ao imperador acusações fundamentadas contra o prisioneiro (v. 26), mas a ausência de provas mais uma vez confirma a inocência de Paulo. Festo não sabe o que escrever ao seu "senhor" (*sebastos* — designação ao imperador romano com um tom mais oficial que "César"). Qualquer declaração terá de apresentar as acusações contra o prisioneiro; caso contrário, Festo se meterá em dificuldades com Roma.

ATOS DOS APÓSTOLOS 25

Claro que Festo poderia descrever os procedimentos feitos anteriormente os quais incluiriam as acusações dos judeus contra Paulo. Mas se ele afirma a inocência do prisioneiro a César, então por que não o soltou? Festo se exporá à acusação de incompetência e terá de explicar no tribunal imperial por que ele manteve o prisioneiro em custódia. O problema é real, e a audiência pode ver que o governador está em predicamento ruim, um problema que ele mesmo fez; ele manteve como prisioneiro um homem que tem o direito à liberdade.

Para se livrar do dilema, Festo espera receber conselho de Agripa sobre o caso. Como ele explica, o prisioneiro foi trazido perante o rei Agripa para que ele examine Paulo com o intento de descobrir outros fatos sobre os supostos crimes de Paulo. Festo sabe que o prisioneiro não cometeu crime algum, mas Agripa se livrará de grande embaraço pessoal se o rei determinar que Paulo é culpado de algum crime. Se este fosse o resultado destes procedimentos legais, Festo poderia escrever uma carta sensata ao imperador, completa e com acusação (v. 27).

Pela cortesia de Festo, o rei Agripa assume o controle da reunião. Agindo mais ou menos como o presidente dos procedimentos legais, o rei dá permissão a Paulo para falar (At 26.1). O apóstolo estende a mão, talvez como gesto de respeito para com a distinta audiência, e começa a falar. Como era habitual em tais procedimentos, ele educadamente acusa a presença do rei Agripa e indica que ele se considera afortunado por ter a oportunidade de ser ouvido por tal perito nos costumes e questões judaicas (vv. 2,3). Diferente de Lísias, Félix e Festo, o rei está familiarizado com a fé dos judeus. De fato, o imperador o confiou com a supervisão dos assuntos religiosos em Jerusalém. Paulo dá a entender que o conhecimento que Agripa tem da religião judaica o capacitará a entender o caso e a ver que ele é inocente. O apóstolo não quer ser perturbado por explosões e interrupções de raiva; assim ele pede que Agripa o escute com paciência (v. 3), visto que sua defesa será um tanto longa.

Depois desta breve introdução, segue-se a defesa de Paulo que é de estilo autobiográfico e consiste em três seções: O passado de Paulo (vv. 4-11), sua conversão (vv. 12-15) e sua comissão e ministério (vv. 16-23). Depois disso, segue-se um dialogo entre Festo e Paulo (vv. 24,25) e um entre Paulo e Agrippa (vv. 26-29). A reunião é encerrada com o julgamento da distinta audiência (vv. 30-32).

Quando Paulo começa sua defesa, ele está ciente de que a audiência é formada principalmente por gentios, mas dirige seu discurso a Agripa e, depois, primariamente aos judeus. Seu intento não é lidar com as acusações dos judeus. Ele não tem necessidade de negar as acusações levantadas nesta ocasião. O próprio Festo declarou que o apóstolo não transgrediu a lei romana e em essência o achara inocente. A ocasião dá a Paulo a oportunidade de confirmar sua lealdade ao que ele considera ser o verdadeiro judaísmo e sublinhar a herança farisaica.

Com este propósito em mente, Paulo resume sua vida e trabalho, enfatizando a vitória do Cristo ressurreto sobre a morte (v. 23). A história de sua antiga vida é em geral conhecida por seu povo (v. 4). Desde que era moço, as pessoas sabem como ele passou a vida "entre o [seu] povo e em Jerusalém" (ARA). Aqui, "povo" pode se referir à Cilícia, cobrindo sua vida na comunidade de Tarso; entretanto, é mais provável que ele se refira à terra da Judéia, sobretudo considerando que Paulo foi criado em Jerusalém (veja comentários sobre At 22.3). Todo este versículo se aplica à residência de Paulo em Jerusalém, e a nação judaica que vive na Judéia é definida mais sensatamente por "em Jerusalém". É difícil entender como a maioria dos judeus poderia ter sabido da vida de Paulo se ele está se referindo à distante cidade de Tarso.

Ser conhecido entre sua gente como homem zeloso das tradições ancestrais (cf. Gl 1.14) deu a Paulo proeminência entre os judeus. Muitos dos seus compatriotas o conhecem há bastante tempo e podem testemunhar que ele foi fariseu. Os fariseus eram um grupo que se empenhava em viver estritamente de acordo com as tradições, costumes e observâncias religiosas dos judeus (At 26.5; cf. At 22.3; 23.6).

Agora Paulo está sendo julgado, mas ele não cometeu apostasia. Como ele tinha crido quando era fariseu, ele ainda crê no que Deus prometeu "a nossos pais" e a "as nossas doze tribos". É por esta esperança pessoal no cumprimento das promessas divinas dadas aos antepassados dos judeus que ele está sendo julgado (v. 6). Mantendo a fidelidade à herança farisaica como cristão, ele se agarra firmemente à mesma esperança messiânica que Deus deu a Israel nas promessas e profecias do Antigo Testamento. Ele crê nas promessas dadas aos pais — Abraão, Isaque e Jacó —, e para ele estas promessas estão sendo e serão cumpridas em Jesus Cristo.

Quando ele vivia como fariseu zeloso, ninguém teria pensado que mais tarde ele estaria sendo julgado por crer no cumprimento das promessas de Deus, mas isso o pôs nas circunstâncias atuais. Mais uma vez Paulo declara que lhe é uma paródia ele ser posto em julgamento pelos judeus por "esta esperança" (v. 7). Toda a nação judaica, a qual Paulo se refere como "nossas doze tribos", esperava ardentemente receber o que Deus prometera. A devoção judaica é expressa quando as pessoas habitualmente adoram a Deus dia e noite, especialmente no templo.

A esperança tem inspirado muitas pessoas devotas a observar fielmente os mandamentos e práticas religiosas do judaísmo (Lc 1.6; 2.25; 23.50,51; At 10.2). Ana, exemplo soberbo de tal devoção, buscava o Messias avidamente e, sem deixar o templo, adorava a Deus com jejuns e oração noite e dia (Lc 2.37). O fato de os judeus condenarem um dos seus por manter-se fiel à grande esperança da fé, põe em dúvida se eles crêem no cumprimento das promessas de Deus (Marshall, 1980, p. 392). O modo como Paulo foi tratado implica que eles negam "esta esperança".

Paulo é defensor da esperança da ressurreição e torna a vitória do Cristo ressurreto sobre a morte a base de sua mensagem. Tomando a ofensiva, ele faz a pergunta por que se pensa que é incrível para Deus ressuscite dos mortos (v. 8). Até este momento, Paulo estava se dirigindo a Agripa, mas agora ele fala para o grupo inteiro de judeus presentes ("vós", v. 8). Muitos judeus, especialmente os fariseus, esperavam a ressurreição dos mortos. Mas a verdadeira questão não é a ressurreição geral de todas as pessoas ao término da história, mas a ressurreição de Jesus. Para Paulo, negar que Deus ressuscitou Jesus é equivalente a negar a crença na ressurreição geral.

A referência de Paulo à ressurreição define o conteúdo da sua esperança e indica que a esperança de Israel está nas promessas de ressurreição feitas por Deus. Esta esperança foi cumprida pela ressurreição de Jesus, provando que Ele é o Messias. Os judeus não têm razão válida para negar a ressurreição de Jesus. O ato de Deus tê-lo ressuscitado pode parecer incrível para os gentios, mas não deve ser para os judeus. Como cristão, a fé de Paulo se centraliza na ressurreição de Jesus. Assim, por que ele deveria ser estigmatizado pelos judeus como herético?

Continuando a descrever sua vida, Paulo faz breve revisão de sua carreira como perseguidor da Igreja (vv. 9-11). Antes da conversão, ele tinha mantido o mesmo ponto de vista sobre Cristo e os cristãos que seus oponentes agora mantêm. A declaração acerca da perseguição dos que confessavam o Cristo ressurreto é descrita em mais detalhes aqui do que nos outros relatos feitos anteriormente em Atos (cf. At 9.1,2; 22.4,5). Quando ele ficou sabendo que os cristãos pregavam que Jesus tinha ressuscitado e é o Senhor e Messias, ele fez todo o possível para detê-los. Conforme declara, sua meta era opor-se "contra o nome de Jesus, o Nazareno". Ele agiu como seus oponentes estão fazendo agora, procurando condená-lo como criminoso; e da mesma maneira que eles, ele rejeitou o que os cristãos diziam sobre Jesus.

Naquela época, Paulo partilhava com eles a cegueira de coração. No zelo de buscar suprimir o movimento cristão em Jerusalém, e com a autoridade dos principais sacerdotes, ele pôs na prisão muitas pessoas do povo de Deus. Como oponente agressivo do cristianismo, ele não era simplesmente um espectador constante, como na morte de Estêvão (At 8.1; 22.20), mas ele também dava seu voto na morte de muitos cristãos em Jerusalém. Estas palavras sugerem fortemente que Paulo não apenas dava seu voto a favor da morte de cristãos, mas ele também tinha sido membro do Sinédrio em Jerusalém.

Esta interpretação suscita um problema. Os judeus normalmente não tinham a autoridade de sentenciar as pessoas à morte (Jo 18.31). Uma morte isolada, como no caso de Estêvão, é concebível, mas não sabemos como o Sinédrio poderia executar muitos cristãos sem intervenção das autoridades romanas. Talvez Paulo esteja falando figuradamente e só signifique que ele era favorável à execução deles, como na morte de Estêvão. Contudo, a declaração: "Eu dava o meu voto contra eles", dá a entender que ele não apenas aprovava, mas votava pela sentença de morte.

Em todo caso, está claro que Paulo era inflexível em sua perseguição dos cristãos em Jerusalém. Muitas vezes ele ia a todas as sinagogas de Jerusalém para punir os crentes e forçá-los a "blasfemar", quer dizer, negar a fé em Jesus Cristo. Quer ele tenha tido sucesso ou não, não sabemos; a única coisa que Paulo diz é que ele os forçava a "blasfemar". Não há que duvidar que os que ficavam firmes eram sentenciados à morte (v. 10), mas aqueles que blasfemavam tinham a vida poupada. Paulo não limitou seus esforços a Jerusalém. Estando obcecado com o desejo de prejudicar os seguidores de Cristo, ele empreende campanha não só em Damasco, mas também "até nas cidades estranhas". Sabemos que ele visitou Damasco, mas quais são as outras cidades não sabemos dizer.

Como o pai do rei Agripa, Herodes Agripa I (At 12.1-19), e seu avô Herodes, o Grande (Mt 2.1-18), Paulo tinha procurado suprimir a causa de Jesus Cristo. Ele não está testemunhando para se vangloriar sobre as más ações de vida, como alguns convertidos fazem. Seu intento é magnificar a graça salvadora de Cristo. Este cruel ex-inimigo de Cristo e ex-perseguidor sangrento de cristãos agora está na presença de Agripa como dedicado apóstolo de Jesus. Desejando explicar o que ocasionou a reversão radical em sua vida, Paulo faz um terceiro relato de sua conversão (vv. 12-18; cf. At 9.3-19; 22.6-16).

Os detalhes deste relato variam ligeiramente dos outros. Como os outros relatos, este começa com a viagem de Paulo a Damasco. Ele recebera sua comissão dos principais sacerdotes e estava munido com autoridade para prender os cristãos (At 9.2 fala sobre estas "cartas" oficiais). Enquanto ia pela estrada de Damasco, cerca do meio-dia, quando o sol está em seu fulgor mais forte, ele viu uma luz do céu mais radiante que a luz solar brilhando ao redor dele e de seus companheiros de viagem (At 26.13). A luz era uma revelação do Senhor (*Theological Dictionary of the New Testament*, eds. G. Kittel e G. Friedrich, Grand Rapids, 1964-1976, vol, 5, pp. 542-543). Paulo e seus companheiros foram subjugados pela luz milagrosa e caíram no chão. Nada é dito sobre os companheiros caindo ao chão em Atos 9.4 e 22.7, nem Paulo diz qualquer coisa aqui sobre o fato de ele ter ficado cego.

Paulo chama a atenção ao que o Senhor lhe disse. Uma voz lhe falou em aramaico, como nos outros relatos: "Saulo, Saulo, por que me persegues?" Aqui é acrescentado: "Dura coisa te é recalcitrar contra os aguilhões" (v. 14). Estas palavras refletem um provérbio bastante comum, sobre um boi teimoso que futilmente escoiceia uma ponta de ferro afiada e pontuda que seu dono usa para guiá-lo. O ponto é que Paulo estava lutando contra persistentes dúvidas de consciência e a memória de Estêvão, mas o provérbio, tanto no grego como no latim, significava lutar contra a vontade dos deuses. Então, o provérbio se refere à resistência de Paulo à vontade de Deus. A voz celestial implicava que o perseguidor não ia fazer as coisas a seu modo. Ele tinha encontrado o Senhor, mas sua obstinação é desafiada pela voz do céu.

Como em Atos 9.5, a resposta de Paulo à voz foi: "Quem és, Senhor?" A resposta para ele também foi a mesma: "Eu sou Jesus, a quem tu persegues" (At 26.15). Jesus revelou o verdadeiro significado da perseguição que Paulo empreendia contra os cristãos. Nos seus ataques contra eles, Paulo estava ferindo o próprio Cristo, uma realidade que ele nunca esqueceu (1 Co 8.11-13) e uma base para sua compreensão da Igreja como corpo de Cristo (1 Co 12.12). Aqui, o perseguidor identificou Jesus como "Senhor". Visto que Jesus se dirigiu a Paulo desde os céus, era prova de que Ele era o Senhor ressurreto e glorificado que agora ocupa posição de autoridade junto com Deus. O apóstolo condensa o relato dos acontecimentos que se seguem. Ele omite as instruções do Jesus exaltado para entrar na cidade de Damasco, e o que Deus lhe disse por meio de Ananias (At 9.6-19).

O encontro dramático de Paulo com o Deus vivo lhe transformou a vida. A experiência foi o julgamento de sua vida e um novo começo, o qual ele descreve em outro lugar como "nova criatura" (2 Co 5.17). Na sua ignorância e zelo mal-intencionado, Paulo e os companheiros foram levados a cair ao chão pelo Senhor ressurreto. A resistência do perseguidor zeloso foi quebrada, mas ele não devia permanecer na postura de humildade. O ressurreto Salvador o ensinou a pôr-se de pé e a fazer a suas obra, da mesma forma que foi dito ao Ezequiel prostrado quando Deus o comissionou para pregar a Israel (Ez 2.1-3). Assim, como parte da sua experiência na estrada de Damasco, Paulo recebeu uma comissão divina na ordem das chamadas proféticas do Antigo Testamento (Jr 1.6-10; Ez 2.1).

O propósito do Senhor em aparecer a Paulo era nomear o perseguidor como "ministro e testemunha". A combinação de "testemunha" (*martys*) com "ministro" (*hyperetes*) é provavelmente explicativa, de forma que "testemunha" define o papel de Paulo mais especificamente como servo de Jesus Cristo. As primeiras "testemunhas oculares e ministros da palavra" (ARA) transmitiram as coisas sobre Cristo (Lc 1.2). Entre as testemunhas oculares do Senhor ressurreto estava Paulo, que não tinha sido numerado entre os discípulos durante o ministério terreno de Jesus.

O testemunho de Paulo se apoiava em quem ele tinha visto — o Cristo glorificado — e no que ele veria por meio de visões no futuro (At 18.9; 22.17-21; 23.11; 27.23; 2 Co 12.1-4,7). Como os profetas de antigamente, foi-lhe prometida proteção divina dos judeus (At 26.17; cf. At 9.23-25; 14.19,20; 17.10) e gentios (At 26.17; cf. At 16.19-40; 19.23-41).

A missão profética de Paulo era pregar o evangelho a judeus e gentios, com atenção especial aos gentios. Ele devia abrir os olhos das pessoas, afastando-as do âmbito das trevas para a luz, e fazer com que elas deixem a área do poder de Satanás e entrem no âmbito onde Deus reina (v. 18). A conversão cristã envolve dois aspectos:

1) Um afastamento das trevas e do poder de Satanás, e
2) Uma virada para a luz e para Deus. A conversão é uma entrega da vida a Deus. A saída das trevas para a luz requer uma mudança de senhores. Na conversão, a pessoa sob o senhorio de Satanás passa para o senhorio de Deus.

Deus perdoa os pecados daqueles que são convertidos e lhes dá "sorte entre os santificados pela fé em mim" (v. 18). Agripa não compreende o pleno significado da linguagem teológica, mas ela reflete a natureza fundamental da conversão. Aqueles que crêem em Cristo encontram seu lugar entre os que são santificados. A ênfase na fé em Cristo como condição de perdão mostra que a santificação (*hegiasmenois*, tempo perfeito) deve ser vista em sentido lato da separação para Deus. Denota o estado de santidade no qual os cristãos são consagrados a Deus. Envolve tudo o que nos livra das trevas e do poder de Satanás: arrependimento, justificação, perdão de pecados, viver santo e um lugar entre o povo escolhido de Deus.

O pensamento de Paulo é revolucionário no ponto em que, agora, pela fé em Cristo, os gentios podem ter um lugar igual entre o povo escolhido de Deus. A conversão conduz à transformação completa de toda a vida do crente e a um lugar na nova sociedade do povo de Cristo. Da experiência da conversão sai uma nova perspectiva e poder para viver, mas tudo é resultado do trabalho do Espírito Santo (*New International Dictionary of New Testament Theology*, ed. C. Brown, 4 vols., Grand Rapids, 1975-1985, vol. 1, p. 355).

Paulo descreveu a Agripa a visão do Cristo ressurreto, na qual ele recebeu a comissão divina de pregar o evangelho. Em seguida, ele conta ao rei como executou as ordens divinas (vv. 19-23). De fato, a obediência à chamada o levou a estar na presença de Agripa. Paulo não desobedeceu à chamada de Deus, o que é um modo enfático de dizer que ele obedeceu à revelação que lhe foi dada na estrada de Damasco. Para ele, a visão era uma experiência compelidora e decisiva. Em conseqüência disso, ele se tornou servo fiel e começou a cumprir a missão que lhe fora dada.

Seu ministério começou em Damasco, continuou em Jerusalém (At 9.20-29) e por toda a terra da Judéia e alcançou as terras gentias, um campo especial de trabalho (At 22.19-21). Gramaticalmente, a frase "por toda a terra da Judéia" não parece se ajustar à sentença. Esta frase está no caso acusativo e não é, como se esperava, paralelo de Damasco e Jerusalém, ambos no caso dativo. Talvez "por toda a terra da Judéia" seja a glosa de um escriba, mas a narrativa do ministério de Paulo em Atos não rege esta pregação na Judéia. Atos 9.30 sugere que ele foi enviado a Tarso e, no caminho, passou pela Judéia, embora nada seja dito sobre uma missão na Judéia. Gálatas 1.22, onde Paulo declara que não era conhecido pessoalmente das igrejas na Judéia, parece negar tal missão, ainda que seu trabalho evangelístico possa ter sido feito mais tarde que o período coberto por Gálatas 1.18-24.

Em todo caso, o apóstolo cumpriu a comissão profética ao pregar a judeus e gentios para que se arrependessem e se voltassem para Deus. A salvação foi oferecida a ambos os grupos na mesma base — arrependimento e conversão a Deus pela fé em Jesus. O ímpeto da mensagem de Paulo era a conversão — uma mudança fundamental da vida inteira. Tal mudança exigia ações que demonstrassem arrependimento genuíno (v. 20). Esta expectativa é remanescente da pregação de João Batista (Lc 3.7-9) e indica que uma vida caracterizada por boas obras é o sinal de uma fé salvadora.

A narrativa de Atos mostra que os judeus resistiram aos esforços missionários de Paulo. Como exemplo de tal resistência, Paulo se refere ao incidente no templo (v. 21). Por causa de sua dedicação à missão, os judeus o prenderam no templo e na verdade tentaram matá-lo (At 21.27-35). A razão última para eles procurarem aniquilá-lo era a pregação do evangelho. Mas os judeus fracassaram em seus esforços de matá-lo no templo, pois ele foi salvo pela intervenção dos romanos. Por trás da libertação de Paulo do ataque dos judeus, estava a ajuda especial de Deus. Os seres humanos não puderam feri-lo mais do que Deus permitira. A proteção de Deus continua "ainda até ao dia de hoje", como Paulo testemunha diante Agripa.

Através do seu ministério, o apóstolo tem sido capacitado por Deus a dar "testemunho, tanto a pequenos como a grandes". No presente momento, ele está cumprindo sua comissão como testemunha para o povo de todos os níveis da sociedade, e ele prega a mesma verdade para pequenos em importância e grandes em importância, até a governadores e reis. O que ele prega concorda com o que Moisés e os profetas predisseram que ia acontecer: a redenção, o derramamento do Espírito Santo, o novo concerto e o julgamento final.

Paulo enfatiza dois temas proeminentes em sua pregação:

1) Deus ordenou a morte do Messias (cf. At 2.23; Lc 24.25-26). A promessa divina foi cumprida no sofrimento e na morte de Cristo. Paulo não está declarando onde esta promessa aparece em Moisés e nos Profetas, mas ele tem em mente o Servo Sofredor de Isaías 53. Considerando que a crucificação de Cristo foi prometida na Escritura, foi da vontade de Deus e era uma necessidade divina.

2) Como o primeiro a ressuscitar dos mortos, Cristo proclamou a luz a judeus e gentios. Sua ressurreição também é uma questão de profecia inspirada e reflete o ensino paulino de que Cristo é o primeiro

fruto da ressurreição (1 Co 15.4,20). Mais uma vez o apóstolo implica que Cristo é identificado com o Servo Sofredor, que, embora "cortado da terra dos viventes" (Is 53.8), "prolongará os dias" (v. 10). Como o Senhor ressurreto, Ele apresenta suas testemunhas para proclamar a salvação a todo o mundo (cf. Is 9.2).

O triunfo de Cristo sobre a morte era em si a mensagem de liberdade e é um penhor da vitória dos crentes sobre o pecado e a morte. Assim, como o primeiro a experimentar a ressurreição, Ele foi proclamado como "o Autor da vida" (At 3.15, ARA). Na morte e ressurreição, Jesus, o Nazareno, cumpriu a expectativa messiânica do Antigo Testamento. Por implicação, Paulo identifica o Messias e o Servo Sofredor com Jesus, que morreu, ressuscitou e iluminou judeus e gentios. O apóstolo não é apóstata, mas seus oponentes judeus são. Ele pregou exatamente o que fora predito no Antigo Testamento e aceita que as profecias foram cumpridas em Jesus, ao passo que seus acusadores repudiam o testemunho de Moisés e os profetas, e a esperança do povo de Deus.

A mensagem de Paulo desperta forte acesso em Festo (v. 24). Parece que Paulo foi interrompido de repente enquanto falava. Mais provavelmente a mensagem alcançou seu clímax com a ênfase na ressurreição. Como pagão, Festo ainda não entende a teologia judaica com sua referência à ressurreição (cf. At 25.19,20). O que Paulo disse sobre o Jesus crucificado e ressurreto, e sobre sua comissão para pregar o evangelho está além do seu entendimento. A crença que um morto ressuscitou dos mortos lhe é inacreditável. Em voz alta, o governador declara que Paulo está fora do juízo, completamente enlouquecido, sendo nada mais que um fanático religioso.

Na realidade, Paulo é sábio e instruído, mas Festo afirma que "as muitas letras" são um perigo para a sanidade. Será que alguém que pensa corretamente pode endossar um ensino como a ressurreição dos mortos? Festo acha que não. Não se sabe exatamente o que ele quer dizer ao sugerir que o muito aprendizado pode ser ruim para a pessoa, mas talvez ele pense que Paulo é insano, por causa de sua aprendizagem do Antigo Testamento e seus esforços em penetrar nos mistérios últimos da vida. Festo mostra que ele está desnorteado atribuindo a suposta insanidade de Paulo ao muito estudo. É evidente que o governador não está aberto ao Evangelho e, assim, ele se desqualifica para fazer um julgamento formal sobre o assunto.

Paulo nega a acusação de loucura (v. 25). O que ele disse a respeito dos ensinos e experiências cristãs são "palavras de verdade e de um são juízo". Quer dizer, ninguém, senão uma pessoa em são juízo, pode pronunciar palavras que são marcadas pela verdade e confirmadas pela razão. O evangelho não afirma ser irracional no sentido de ser contrário à razão. Mas há muito no evangelho que está acima da razão humana e que só pode ser conhecido pela fé.

A mensagem de Paulo é um enigma para Festo, mas o conhecimento de Agripa sobre assuntos judaicos o capacita a apreciar o que o apóstolo disse. Paulo apela ao rei em busca de confirmação (vv. 26,27). Ele está confiante de que Agripa sabe sobre "estas coisas" — a morte e ressurreição de Jesus, e a resultante missão da Igreja. Considerando que o rei sabe sobre Jesus e os apóstolos, Paulo pode lhe "fal[ar] com ousadia", quer dizer, ele pode falar com plena franqueza e confiança em Agripa. Nenhum dos eventos escapou do conhecimento de Agripa. Estes eventos são de conhecimento público, e o rei está completamente ciente deles. De fato, usando a famosa expressão grega, Paulo insiste com Agripa que estes acontecimentos não ocorreram "em qualquer canto".

O relato de Lucas do movimento cristão mostra que se deu no domínio público. Desde o início, o cristianismo não ocorreu numa localização desconhecida. Antes, aconteceu na história mundial e está aberto a exame; não está envolto em mitos vagos e lendas, nem é o resultado de especulações de uma mente desvairada. O movimento cristão não era segredo na

Palestina, e muitos tinham conhecimento da afirmação dos crentes de que o Jesus crucificado tinha ressuscitado. No Dia de Pentecostes milhares de pessoas testemunharam o derramamento do Espírito e aceitaram o evangelho (At 2.41).

Sendo judeu, Agripa estava muito bem inteirado dos acontecimentos que se centralizavam em torno de Jesus. Paulo pressiona seu apelo ao rei perguntando se ele crê nos profetas. Paulo nunca diz que Agripa é judeu, mas suas observações dão a entender que o rei é judeu. Portanto, ele acredita nos profetas e em seus oráculos sobre a morte e ressurreição do Messias. A pergunta de Paulo no versículo 27 demanda que Agripa preste testemunho da verdade dos oráculos proféticos e aceite a visão cristã que eles tiveram seu cumprimento em Jesus. Não é informação que Paulo busca de Agripa. Ele presume que o rei é judeu devoto e responde a própria pergunta com as palavras: "Bem sei que crês". Estas palavras não significam que Agripa aceitou Jesus como Messias. Paulo afirma apenas que o rei crê no que os profetas predisseram sobre a vinda do Messias.

Os cristãos entendem que estas profecias foram cumpridas em Jesus de Nazaré, mas Agripa está pouco disposto a vê-las como os cristãos. Para evitar a resposta exigida pela pergunta de Paulo, Agripa a coloca de parte com observação despreocupada sobre a pronta tentativa do apóstolo em lhe fazer cristão: "Por pouco me queres persuadir a que me faça cristão!" (v. 28). A tradução exata é difícil. Estas palavras podem ser traduzidas como declaração séria, como pergunta ou como sarcasmo, mas a frase "ou por pouco ou por muito" (v. 29), retomando a resposta de Agripa, indica que num tempo de pregação relativamente curto o apóstolo tenta fazer que o rei seja cristão.

Usando a palavra "cristão", Agripa revela que sabe algo sobre o Caminho (At 9.2; 19.9,23; 22.4; 24.14,22), mas ele escolhe permanecer incrédulo. O rei sabe que é inconcebível que um judeu leal negue a crença nos profetas. Se ele afirmar sua crença no que eles dizem, então o seguimento óbvio será: "Com certeza tu aceitas Jesus como Messias, não é?" Agripa vê claramente o alvo de Paulo e se safa do dilema com um gracejo sobre a tentativa de convertê-lo. A resposta do rei não é uma rejeição sincera ao testemunho de Paulo.

Paulo não nega o que o rei disse sobre o apóstolo querer que ele se tornasse crente, mas expressa o desejo de que todos na audiência ilustre se tornassem cristãos como o apóstolo (v. 29). Ele ora para que eles recebam as bênçãos que ele desfruta em Cristo, mas sem ter que usar cadeias por causa disso. Novamente o apóstolo não deixa dúvida de que é insensato tratar as pessoas como criminosas por serem cristãs. Ainda que ele esteja em cadeias na presença de Agripa e de uma audiência distinta, na verdade ele está em melhor situação do que eles, porque ele encontrou o Senhor, que lhe perdoou os pecados, lhe abriu os olhos e o livrou da tirania de Satanás. Conhecendo a bem-aventurança de ser cristão, Paulo está pronto a despender energias para fazer da audiência verdadeiros crentes em Jesus como Salvador, quer tome "pouco" ou "muito" tempo para os persuadir.

Agripa conclui a entrevista. Quando o rei e outros na plataforma se levantam, a reunião termina (vv. 30-32). Pessoas de posição social e poder ouviram o apóstolo. Enquanto estes dignitários saem, eles se ocupam em conversar com vivacidade sobre o que ouviram, sobretudo acerca do tom de sinceridade e de honestidade do discurso de Paulo. Agripa e Berenice confirmam o que Festo já tinha declarado (At 25.25), que eles também estão fortemente convencidos da inocência do prisioneiro de qualquer coisa meritória de morte ou encarceramento.

Falando de certo ponto de vista judaico, Agripa expressa tristeza por Paulo não ter sido solto antes de ter apelado a César. Trata-se da lembrança de que Festo não tinha agido sabiamente ao propor a continuação do julgamento (At 25.9). O governador se acha no mesmo predicamento quando apresentou o caso à audiência ilustre (At 25.24-27). Ele está sob a obrigação de enviar o prisioneiro ao imperador, mas não sabe como declarar as acusações contra Paulo.

Ninguém sabe o que Festo escreveu a César, mas ele deve ter sido compelido a dizer que Paulo foi achado inocente por ele e outros que ouviram as acusações contra ele. A pergunta ainda permanece: Então, por que Festo não soltou Paulo? Ele não o soltara antes, porque desejava ganhar o favor dos judeus, mas por que ele ainda o manteve na prisão? Só um obstáculo técnico está no caminho de Paulo à liberdade. Este detalhe técnico é político em vez de ser legal: Festo tinha formalmente aceitado o apelo de Paulo ao imperador (At 25.12).

Se um prisioneiro não tinha feito nada merecedor para ser enviado a Roma, era como se o imperador tivesse preferido não ter a preocupação de um julgamento. A lei romana não proibia a absolvição depois de um apelo a César, mas absolver Paulo teria ofendido o imperador e a província da Judéia (Sherwin-White, 1963, p. 65). O apóstolo não culpa ninguém por não ser solto, mas seu apelo a César retirou o caso das mãos de Festo. O governador não está a ponto de ofender o imperador e cometer suicídio político.

O apóstolo é ministro e testemunha designados por Deus (At 26.16). Durante algum tempo ele desejou ir a Roma, a capital do mundo gentio, embora, com certeza, sob circunstâncias diferentes (Rm 1.10-13; 15.25-28). Ele vai em cadeias como prisioneiro de Roma. Numa visão, lhe fora prometido que ele testemunharia de Jesus naquela cidade (At 23.11). Por causa da direção divina das circunstâncias, Paulo está a ponto de começar a viagem a Roma. Ele entrará na cidade como prisioneiro que apelou o caso a César, e não como criminoso condenado. O apóstolo fora achado totalmente inocente por Festo e Agripa.

7. Paulo É Enviado a Roma (27.1—28.31).

Logo depois do discurso na presença de Agripa, Paulo enceta viagem a Roma. A viagem da Palestina à Itália, inclusive o naufrágio em Malta, é uma das partes mais dramáticas de Atos. Uma característica distintiva da narrativa são os detalhes geográficos e náuticos, mas o verdadeiro significado do relato é a ênfase na direção de Deus e proteção de Paulo. É da vontade de Deus que Paulo venha a ser julgado em Roma e testemunhe do Evangelho ali (At 23.11; 27.24). Interpretando a história logicamente, Lucas discerne que a mão de Deus traz Paulo à capital do mundo gentio. O mesmo poder pentecostal que ungiu seu ministério nas viagens missionárias o capacitará a ser testemunha eficaz em Roma.

7.1. A Viagem e Naufrágio de Paulo (27.1-44)

Enquanto está a caminho de Roma, Paulo demonstra grande fé e coragem. Deus o comissionara a pregar o evangelho ao mundo, mas ele aprendeu por experiência pessoal que Deus permite que seus servos passem por grande adversidade antes de libertá-los (1 Co 1.8-11). Passando pela adversidade de uma tempestade marítima e um naufrágio, Deus leva Paulo em segurança a Roma. Ele descobre que Deus é o mesmo que outrora, alguém que mantém as promessas e responde orações (Rm 15.30-32).

7.1.1. Paulo Navega de Cesaréia a Bons Portos (27.1-8). Festo decidiu que Paulo fosse enviado a Roma. Dois amigos, Lucas e Aristarco, empreendem a viagem por iniciativa própria. Lucas não é identificado por nome, mas o significativo "nós" (v. 1, oculto) mostra que ele está em companhia de Paulo enquanto navegam para Roma. A palavra "nós" não aparece desde que Paulo chegou a Jerusalém (At 21.19). A forte probabilidade é que Lucas estava entre os companheiros de Paulo em Jerusalém e tinha permanecido perto dele durante o encarceramento de dois anos em Cesaréia. Lucas pode ter escrito seu Evangelho durante a primeira parte do encarceramento de Paulo.

Aristarco, macedônio de Tessalônica (At 19.29), também tinha estado entre os que acompanharam Paulo a Jerusalém (At 20.4). Depois que o apóstolo chega a Roma, ele se refere a Aristarco na carta aos Colossenses como companheiro prisioneiro (Cl 4.10), e na carta a Filemom como cooperador (Fm 24). Julga-se que ambas as cartas sejam do período da prisão romana de Paulo.

O relato vívido da viagem começa com Paulo e alguns outros prisioneiros sendo embarcados num navio que tinha vindo de Adramítia, porto próximo de Trôade. Festo "entreg[ou] Paulo e alguns outros presos a um centurião por nome Júlio, da Coorte Augusta" (v. 1) e a alguns dos seus soldados (v. 42). Nada mais é conhecido sobre a identidade do centurião, exceto que pertencia à Coorte Augusta. Este regimento era composto de soldados auxiliares que tinham estacionado na Síria no século I. Normalmente não se dava a coortes regulares semelhante título honorário como "Augusta" (*sebastos*, "merecedor de reverência"), mas era freqüentemente dado a tropas auxiliares (Bauer, W. F. Arndt e F. W. Gingrich, *A Greek-English Lexicon of the New Testament and Other Early Christian Literature*, Chicago, 1979, p. 745).

Os romanos tratam Paulo amavelmente. Enquanto navegam, ele deixa impressão favorável em Júlio. No dia seguinte ao começo da viagem, chegam a Sidom, na costa da Síria, há cerca de cento e vinte e sete quilômetros de Cesaréia. Por causa da amizade de Júlio com Paulo, lhe é dada permissão para visitar "os amigos" (*tous philous*) na cidade — provavelmente designação técnica para aludir a cristãos, como em 3 João 15: "Os amigos te saúdam. Saúda os amigos pelos seus nomes". Tal designação sugere a intimidade de comunhão entre os crentes em Sidom.

Lucas não registrou nada sobre o estabelecimento de uma igreja em Sidom. Enquanto Paulo passa algumas horas na praia com os crentes, os outros prisioneiros são mantidos no navio por motivos de segurança; presumivelmente Paulo vai à praia sob guarda militar. Ele é consolado pela hospitalidade dos cristãos, e eles lhe dão, talvez, uma refeição e o que mais ele precise.

De Sidom, o navio vai em direção noroeste e evita se lançar a mar aberto. O próximo lugar em que aportam é Mirra, a principal cidade da província da Lícia. Uma rota mais direta a essa cidade pelo mar Mediterrâneo teria sido a oeste de Chipre; porém, por causa de ventos vindos do oeste e norte, os marinheiros escolhem a rota menos perigosa ao redor do lado oriental da ilha. Mantendo-se perto da costa do mar Mediterrâneo, eles esperam que a ilha quebre a força dos ventos provenientes do oeste e facilitem navegar a oeste em direção de Chipre no lado de sotavento, isto é, no lado abrigado da ilha. No final desta estação, os barcos regularmente tomam esta rota e depois se voltam em direção oeste ao longo da costa meridional da Ásia Menor. Brisas do continente também ajudam a compensar qualquer turbulência tempestuosa.

Mirra é provavelmente o porto destino do navio, e o navio seria uma nau pequena. Normalmente navios graneleiros eram postos neste porto a fim de evitar uma rota direta pelo mediterrâneo na estação tempestuosa. O centurião encarregado de Paulo e dos outros prisioneiros pretende embarcar em tal navio para o restante da viagem a Roma. Quando eles chegam a Mirra, um navio de Alexandria está a ponto de navegar para a Itália. Este navio tinha navegado em direção norte proveniente de Alexandria para Mirra a fim de tirar vantagem da costa da Ásia Menor para o próximo estágio da viagem. Júlio transfere Paulo e os outros prisioneiros para este graneleiro egípcio que rumava à Itália (v. 6).

Júlio e os prisioneiros navegam em direção a Cnido, porto na extremidade sudoeste da Ásia Menor, há cerca de duzentos e quarenta quilômetros de Mirra. Desde o começo eles encontram condições climáticas adversas. Por causa de fortes e prevalecentes ventos vindos do noroeste, a navegação é vagarosa e turbulenta. Como resultado, levam vários dias até eles chegarem a Cnido. De lá o navio continua tendo dificuldades em prosseguir. A rota normal de Cnido os teria levado para o norte de Creta, mas as condições de vento impedem o navio de continuar para oeste. Os marinheiros mudam de curso e voltam nitidamente para o sul, navegando ao redor da extremidade oriental de Creta e ao longo da costa meridional.

Depois que eles contornam a extremidade oriental de Creta, o vento constantemente ameaça a empurrar o navio para o mar aberto. Mas procurando manter-se perto da costa, com dificuldade eles se deslocam gradativamente. Usando as brisas provenientes da terra, eles conseguem entrar na pequena baía de Bons Portos, poucos quilômetros a oeste da cidade de Laséia (v. 8). Bons Portos era uma baía aberta e servia de porto para proteger navios, mas com mau tempo oferecia pouca proteção.

7.1.2. O Aviso de Paulo e o Temporal (27.9-26). Até agora, a viagem tem sido difícil e consumido muito tempo. O inverno está se aproximando, e não é seguro tentar completar a viagem antes da primavera. A questão é passar o inverno em Bons Portos ou tentar alcançar um porto mais desejável para passar o inverno.

O "jejum" mencionado no versículo 9 é o jejum judaico no Dia da Expiação (Lv 16.29-31; 23.27-32). O dia exato no qual o Dia da Expiação era celebrado diferia de ano em ano, mas ou seria em fins de setembro ou começo de outubro — o começo da estação de tormentas. Navegar no mar mediterrâneo era arriscado depois de meado de setembro e impossível depois de meado de novembro (Haenchen, 1971, pp. 699-700). Muito provavelmente o ano era 59 d.C., e o jejum caiu nesse ano em 5 de outubro.

Paulo conhece por experiência pessoal os perigos de um naufrágio (2 Co 11.25). Ciente de que continuar significaria desastre, ele dá um aviso profético, sem dúvida, é inspirado pelo Espírito, e prediz resultados desastrosos se a viagem continuar. Sua referência à certeza do desastre indica que o aviso é resultado de revelação divina. Ele exorta os homens responsáveis pela viagem a permanecer em Bons Portos durante o inverno, em vez de arriscar a perder a carga e o navio, como também talvez as vidas dos que estão a bordo (v. 10).

A tripulação e os passageiros discutem o que fazer. O centurião ouviu o conselho de Paulo, mas ele é responsável somente pelos prisioneiros e não tem palavra decisiva no assunto. Não sabendo o quão digno de confiança o conselho de Paulo é, o oficial romano concorda com o piloto, o oficial encarregado da navegação, e com o dono do navio, homem que serve como capitão do próprio navio. Estes dois homens presumivelmente pedem a opinião do centurião. Não há que duvidar que ele reconhece que eles têm mais conhecimento especialista sobre condições de navegação, assim suas palavras têm maior peso que o conselho de Paulo.

O que pesa na decisão de continuar a viagem é que Bons Portos não é porto satisfatório para proteção das tempestades de inverno (v. 12). Evidentemente eles querem chegar logo à Itália, mas a maioria da tripulação é a favor de um plano mais cauteloso para alcançar um porto cômodo, a fim de passar o inverno em algum lugar na costa de Creta. Eles têm em mente Fenice, localizada cerca de sessenta e cinco quilômetros a oeste. A descrição de Lucas sobre este porto como "que olha para a banda do vento da África e do Coro" tem gerado acirrado debate sobre sua identidade. Há os que o identificam com a moderna Lutro, mas o original grego significa literalmente "em direção a sudoeste e em direção a noroeste". Este é o caminho que a moderna Fenice faz frente — porto à oeste de Lutro logo depois de um espinhaço que se sobressai no mar. Embora não esteja longe de Bons Portos, navegar até o porto se mostra extremamente arriscado.

Depois que a maioria decidiu passar o inverno no porto de Fenice em vez de Bons Portos, um vento suave vindo do sul começa a soprar. Com esta mudança de vento, eles presumem que é seguro navegar até Fenice a qual pode ser alcançada facilmente em um dia, esperando chegar lá antes de anoitecer. Eles levantam âncora e navegam tão próximo quanto possível à costa de Creta a fim de evitar ser levados pelo vento ao mar aberto (v. 14).

O navio navega calmamente por algum tempo, mas isto é apenas um prelúdio para a mudança temerosa. Há poucos quilômetros a oeste de Bons Portos, um vigoroso pé de vento vindo do nordeste de repente sopra de forma impiedosa dos cumes das montanhas de Creta. O nome deste vento forte é "Euroaquilão" (*eurakylon*), termo marítimo que indica a direção do vento. O navio é castigado pelo vento forte e arrastado do curso para o mar. O mar fica muito encrespado, e os marinheiros tentam direcionar o navio no vento que sopra na direção de Fenice. Achando que é impossível, eles têm de deixar que o vento carregue o navio para longe da terra.

Propelido por ventos violentos e grandes ondas, o navio passa no lado sul da ilha pequena de Cauda, distante da costa sudoeste de Creta. Naquele lado da ilha, o navio é abrigado brevemente do vento. Os marinheiros aproveitam para tomar medidas de emergência. Um barco salva-vidas que estava a reboque ficou cheio d'água ou estava em perigo de colidir contra o navio. Os marinheiros têm dificuldade de puxar o barco salva-vidas para bordo, e também passam cordas por baixo do próprio navio para cingi-lo (v. 17).

A palavra grega traduzida por "cingir" (*hypozonnymi*, "ser cingido") é um termo náutico técnico para aludir a abraçar ou reforçar um navio, mas não está claro exatamente como os marinheiros fortalecem o navio. O ato de cingir consistia talvez em passar cordas em volta da armação do navio e apertá-las bem para impedir que as balizas quebrassem. Duas outras explicações são:
1) Estender firmemente cabos de lado a lado debaixo do convés, e
2) Estender cabos de popa a popa e apertá-los com pilares firmados no convés. Os peritos discordam, mas o verbo grego traduzido por "cingindo" favorece a colocação de cordas muito bem apertadas debaixo do navio, para impedir que a quilha se despedace com a tempestade.

Como o navio é carregado pelo vento forte no mar Mediterrâneo, os marinheiros têm medo de que eles sejam levados para sudoeste, para a costa norte da África até Sirte. Esta região imediatamente pegada à costa da Líbia tinha terríveis bancos de areia e areia movediça, e era notória por oferecer perigo à navegação. O navio ainda está a mais de seiscentos quilômetros da área, mas os marinheiros, cientes do grande perigo, não querem se arriscar (Marshall, 1980, p. 409). Eles arriam "as velas", cujo significado é incerto. Pode se referir a arriar a vela mestra ou lançar os aparelhos sobressalentes ao mar (ARA), mas provavelmente os marinheiros tentam reduzir a velocidade do navio em direção aos perigosos bancos de areia deixando cair uma tábua arrastada a ângulos certos na direção das velas do navio.

O navio continua sendo levado por ventos impetuosos, mas é carregado mais para o norte do que para a área de perigo. Não obtendo alívio da tempestade, a tripulação começa a aliviar o navio jogando a carga ao mar (v. 18). Todas as medidas tomadas até aqui são inadequadas, e o navio permanece em perigo. No terceiro dia, eles se livram do equipamento do navio, as cordas, as polias, as balizas, a mobília e o material sobressalente para fins de conserto. A frase "com as próprias mãos" pode parecer estranha, visto que os marinheiros não têm outro meio, senão as mãos, para aliviar o navio. Provavelmente é uma maneira de enfatizar a declaração de que eles lançam ao mar tudo o que lhes cai nas mãos.

Apesar dos esforços, a situação continua piorando. Os marinheiros dependem do sol e das estrelas para saber a direção na qual o navio está indo. Por causa das pesadas nuvens que cobrem o céu por vários dias, eles não têm pontos de navegação para determinar onde estão, e, por conseguinte, perdem o rumo. A tempestade continua a fustigar, e todos a bordo perdem a esperança de sobreviver. Esta situação difícil confirma a precisão do aviso de Paulo (v. 10). Eles já perderam a carga, e agora o navio e as vidas estão em sério perigo.

Medo e desânimo se instalam no navio. Eles têm comida (cf. v. 36), mas por causa de um jejum deliberado, ou desespero ou preocupação em tentar se proteger, ficam muito tempo sem comer. Os homens a bordo estão mais inclinados a ouvir Paulo, visto que sua predição quase se cumpriu totalmente. Na direção de Deus, Paulo se coloca no meio da tripulação e passageiros e lhes dá uma palavra divina de conforto. Mais uma vez ele fala como profeta, insistindo que se sua recomendação de passar o inverno em Bons Portos tivesse sido atendida, eles teriam sido poupados do risco e sofrimento (v. 21). Em conseqüência do engano, agora eles se encontram nesta situação desesperadora, mas ele os exorta a não se desesperarem. Ele prediz que ninguém a bordo morrerá, mas só o navio será perdido (cf. vv. 41-44).

Esta qualificação de sua profecia anterior sobre a possibilidade de perda de vidas o capacita a animar todos no navio. Numa visão na noite anterior, um anjo de Deus apareceu a Paulo, exortando-o a parar de temer e confirmando uma promessa dada anteriormente: "Importa que sejas apresentado a César" (v. 24; cf. At 28.14). "Importa" (*dei*) mais uma vez enfatiza o plano de Deus para Paulo prestar testemunho na presença do imperador (At 23.11). Esta ocasião é pelo menos a terceira vez que um anjo apareceu a Paulo durante uma crise (At 18.9; 23.11). Paulo e seus companheiros de viagem serão poupados de forma que ele possa chegar a Roma para cumprir o plano de Deus. De fato, o anjo assegura ao apóstolo que Deus graciosamente concedeu as vidas daqueles que navegam com ele (v. 24). A implicação é que Deus respondeu as orações de Paulo por eles e as vidas foram poupadas.

O apóstolo enfatiza aos corações desesperados dos marinheiros e passageiros a importância de manter a coragem. Ele está completamente confiante de que o que Deus prometeu irá acontecer, e é seu desejo que todos a bordo compartilhem a convicção que ele tem (v. 25). Paulo não só prediz que nenhuma vida vai se perder, mas também que eles darão numa ilha e que o navio será destruído (v. 26). Eles encalharem numa ilha também está de acordo com o plano de Deus (cf. "é [..] necessário", *dei*). Somente pela intervenção direta de Deus é que serão poupadas a vida de Paulo e a dos seus companheiros de viagem. Quando a esperança humana se exaure, somente há esperança no Todo-Poderoso.

7.1.3. O Naufrágio (27.27-44).

A profecia de Paulo sobre a segurança não resulta em livramento imediato do perigo, mas o cumprimento do que ele predisse começa a acontecer. Na décima quarta noite, presumivelmente depois que o navio saiu de Bons Portos, o vento continuava a carregar Paulo e seus companheiros de viagem pelo mar Adriático. Nos tempos antigos, o mar Adriático era o mar entre a Sicília e Creta, a totalidade da área do meio do mediterrâneo. Não é o mesmo que os dias atuais, o qual se refere às águas entre a Itália e Iugoslávia.

À medida que o navio faz alguns progressos no forte pé de vento nordeste, por volta da meia-noite os marinheiros se dão conta de que estão próximos da terra. Eles provavelmente ouvem o rugido de ondas quebrando numa praia rochosa. A princípio, o ruído das ondas se quebrando é tão lânguido que os marinheiros não estão certos do que seja. Eles lançam uma corda com um peso amarrado na ponta para determinar a profundidade das águas. Na primeira avaliação, eles descobrem que a profundidade das águas é de aproximadamente trinta e seis metros; na segunda sondagem, é só de vinte e sete metros. A profundidade decrescente indica que o navio está se aproximando da terra. Por causa da pouca profundidade das águas, o navio está a perigo de dar nas rochas. Em tal tempestade poderosa, isso resultaria na destruição do navio e na perda de tudo o que está a bordo.

A pouca profundidade das águas e o som das ondas se quebrando exigem que os marinheiros tomem medidas de segurança. Eles lançam da popa quatro âncoras (v. 29). Abaixando estes quatro instrumentos pesados da parte de trás do navio, eles esperam reduzir a velocidade e manter a proa direcionada à terra no vento motriz. Se a tempestade girar o navio e colocar o costado do lado das ondas, o resultado será fatal (Haenchen, 1971, p. 705). Com estas medidas de segurança feitas às escuras, só lhes resta esperar e orar para que a luz do dia venha logo. São momentos de grande ansiedade, à medida que eles se aproximam da ilha de Malta (At 28.1). Esta ilha mediterrânea situa-se diretamente ao sul da Sicília, a cerca de duzentos e quarenta quilômetros do "dedão do pé" da Itália.

Pensando somente na própria segurança, os marinheiros decidem abaixar o barco salva-vidas para fugir do navio (v. 30). As circunstâncias os convencem de que eles estarão mais seguros num barco pequeno numa tempestade furiosa do que ficar a bordo no navio na escuridão. Sentindo que o navio muito provavelmente estará destruído antes que amanheça, os marinheiros resolvem arriscar a vida numa tentativa de chegar à praia. Por causa das condições tempestuosas e por estar escuro, eles devem ter perdido a cabeça e estão dispostos a fazer uma tolice, a qual poderia resultar na própria morte. A tentativa da tripulação em chegar à praia é feita sob a pretensão de lançar âncoras pela proa. Eles querem dar a entender que vão lançar âncoras do barco salva-vidas na frente do navio. Talvez se pensasse que fosse mais eficaz que lançar as âncoras da própria proa.

Paulo, porém, não é ludibriado. Depois que os marinheiros abaixam o barco salva-vidas, ele percebe a intenção tola de eles escaparem em condições tempestuosas e escuras para alcançarem uma costa desconhecida. Os passageiros do navio são agora da responsabilidade do apóstolo. Ele adverte o centurião que a menos que a tripulação permaneça a bordo, ele e os soldados vão perecer — desta forma apelando para o senso de autopreservação (v. 31; aqui, a palavra "salvar" significa libertação de perigo físico). Se a tripulação deixar o navio, não haverá ninguém que o pilote para a praia. Com certeza ocorreria um desastre se o navio ficasse sem marinheiros hábeis para manobrá-lo à praia em meio a uma tempestade (cf. vv. 39-41).

No momento em que o centurião fica sabendo do aviso de Paulo, a tripulação já abaixou o pequeno barco e está a ponto de embarcar. As cordas que prendem o barco ao navio são cortadas pelos soldados,

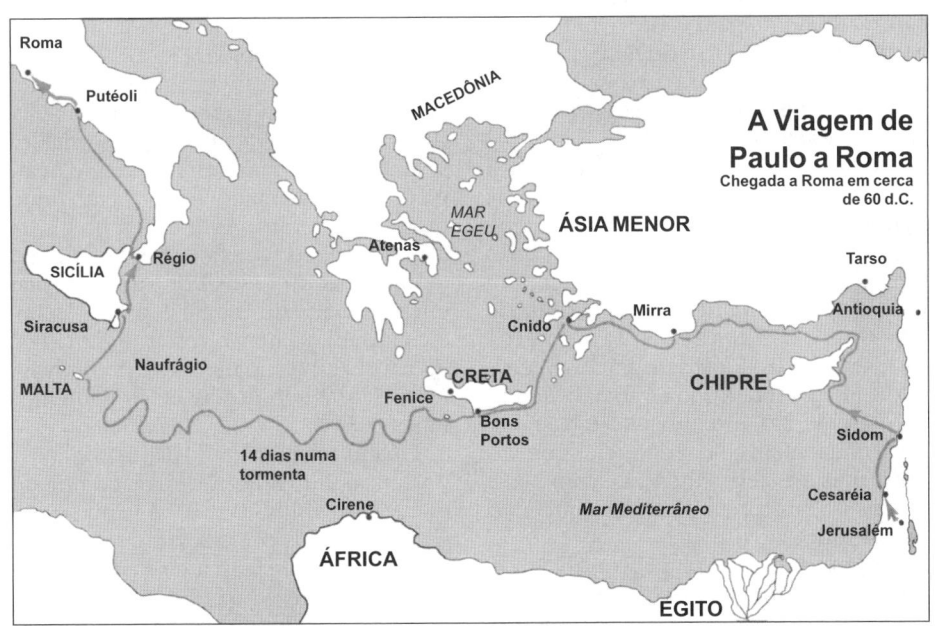

A Viagem de Paulo a Roma
Chegada a Roma em cerca de 60 d.C.

Depois de ter permanecido preso em Cesaréia por dois anos, Paulo é enviado a Roma, ainda prisioneiro, embora não tivesse sido achado culpado de qualquer coisa. Atingido por violenta tempestade, o navio naufraga num banco de areia em Malta. Todos chegam a salvo à praia.

e o barco salva-vidas foi carregado pela tempestade. Esta pronta ação impede que os marinheiros abandonem o navio.

À medida que o dia começa a amanhecer, o navio permanece ancorado, mas o perigo não passou. Paulo lembra a todos a bordo que eles não comeram nada por duas semanas. Ao longo desse período de tempo, eles só se preocuparam com a própria segurança. É difícil determinar exatamente qual é o significado da declaração de que eles não comeram durante quatorze dias. Por medo e ansiedade as pessoas do navio podem ter jejuado para satisfazer a ira dos deuses pagãos. O mar estivera encapelado, e muitos a bordo podem ter ficado mareados e comido pouco. A observação de Paulo pode ser uma maneira forte de declarar que eles não tinham comido corretamente durante vários dias. Outrossim, o desespero se instalara no navio, e o fato de eles não se alimentarem adequadamente pode ter sido a conseqüência do estado de espírito deles. Em todo caso, ciente de que precisam de força para a tarefa estrênua de chegar à praia, Paulo os exorta que comam um pouco de comida. Eles precisam do alimento para sobreviver ("é para a vossa saúde", v. 34); o original grego diz: "Isto é necessário para a vossa salvação [soteria]", significando a segurança ou sobrevivência física.

Novamente Paulo garante a todos a bordo que nenhum dano virá sobre eles, lembrando a promessa profética de que só o navio será perdido (v. 22). Usando um provérbio bíblico, ele diz: "Nem um cabelo cairá da cabeça de qualquer de vós" (v. 34; cf. 1 Sm 14.45; 2 Sm 14.11; 1 Rs 1.52; Lc 21.18). Deus tem graciosamente dado a Paulo todos que estão navegando com ele (v. 24), e o apóstolo é bastante determinado em cuidar daqueles que são entregues aos seus cuidados, como se a promessa profética de livramento não tivesse sido dada.

Depois de lhes garantir a proteção de dano, Paulo toma o pão como os judeus e cristãos normalmente fazem e dá graças a Deus na presença da tripulação e passageiros (v. 35). Como prática judaica de devoção, ele parte um pedaço de pão e começa a comer. Todos ficam encorajados com as palavras e ações de Paulo, e também comem. Em tempos de grande perigo pessoas com coração forte vencem o medo, mas o apóstolo manifesta grande coragem na presença de todos no navio. Fortalecido pelo Espírito Santo, ele se porta como homem de Deus sob as circunstâncias mais difíceis. Ele é uma verdadeira testemunha de Deus no navio.

A linguagem de dar graças e partir o pão levou vários comentaristas a pensar que Paulo está dispensando a Ceia do Senhor. Suas ações nos fazem lembrar da Última Ceia (Lc 22.19; cf. 1 Co 11.17-34), mas esta deve ser vista como uma refeição comum, já que todos eles participam. Lucas e os outros cristãos estão presentes, mas a ação de Paulo não vai além da prática judaica normal às refeições. A maioria das duzentas e setenta e seis pessoas a bordo do navio não é crente. Considerando que um grupo misturado das pessoas está presente e muitas delas não têm entendimento da Ceia do Senhor, Lucas está descrevendo uma refeição comum.

O fato de Paulo dar graças é uma expressão adequada de gratidão a Deus pela comida e bebida. Depois de todos comerem uma comida robusta, eles fazem preparativos para encalhar o navio, deixando-o tão leve quanto possível. Eles já lançaram ao mar grande parte da carga (v. 18), mas mantiveram o grão tanto quanto puderam. Agora eles precisam tomar medidas para fazer o navio flutuar tão alto quanto possível, de forma que não encalhe antes de chegar à praia. Assim, eles atiram ao mar o restante da carga. Para tornar o navio mais leve precisavam ter as forças renovadas pelos alimentos ingeridos.

Quando chega a luz do dia, as predições proféticas de Paulo são mais completamente percebidas (v. 39). A tripulação e os passageiros podem ver a terra, mas eles não reconhecem a costa. Isto não é surpreendente, visto que a tempestade os levou para longe da habitual rota de navegação; os navios não passavam pela ilha de Malta. A luz revela uma baía com uma praia de areia. Hoje, esta enseada é chamada baía de São Paulo, localizada na costa nordeste da ilha. Vendo a baía e a praia, os marinheiros sentem que sob as circunstâncias atuais é o melhor lugar para aportar o navio.

A tarefa de manobrar o navio com segurança até a praia exige habilidades de navegação. A dificuldade de manobrar o navio revela a sabedoria de Paulo em manter os marinheiros a bordo quando eles tentaram abandonar o navio à noite. Os marinheiros se preparam para manobrar o navio em direção à praia (v. 40). Eles cortam as cordas que prendem as âncoras, deixando-as no mar e colocando o navio à deriva. Ao mesmo tempo, lançam os dois grandes lemes semelhantes a remos. Estes lemes de direção, um em cada lado na parte de trás do navio, tinham sido erguidos da água e fixados no convés e amarrados com cordas para a segurança durante a tempestade. Agora eles são deslizados para as águas a fim de darem direção. Os marinheiros também levantam uma vela no mastro dianteiro, o que dá ao navio um movimento para frente.

Tendo se preparado para controlar o navio pelo uso de vela e leme, os marinheiros direcionam o navio à praia no vento forte. Apesar de serem habilidosos, as coisas não saem como planejadas. Enquanto manobram o navio em direção à praia, ele encalha num banco de areia à entrada da baía. A frente do navio afunda-se firmemente na areia de forma que ninguém consegue movê-lo (v. 41). Enquanto a proa do navio está firme no banco de areia, a parte de trás está em águas profundas e exposta à força violenta das ondas. O navio ainda está a distância considerável da praia e as ondas fortes pressionam intensamente as madeiras do navio, colidindo contra a popa e causando grande dano (v. 41). A quebra da popa em pedaços confirma as predições de Paulo de que o navio seria destruído (v.22).

Se a tripulação e os passageiros esperam escapar, não podem perder tempo em abandonar o navio. Antes de os soldados nadarem para a praia, eles querem matar os prisioneiros (v. 42). Sob as condições do naufrágio, os prisioneiros provavelmente não estão em cadeias. Se eles nadarem para a praia, podem fugir para o interior da ilha dificultando a recaptura pelos soldados. Sendo responsáveis pelos prisioneiros, os soldados sabem que eles podem ser acusados de negligência.

Mas o centurião está amavelmente disposto para com Paulo. Então, uma vez mais Paulo é a razão de a vida dos passageiros serem salvos. Querendo impedir que Paulo seja morto, o oficial romano detém os soldados de pôr em prática o plano de matar os prisioneiros (v. 43). Nada é indicado sobre a atitude do centurião para com os outros prisioneiros, mas ele se recusa a pôr a vida de Paulo em perigo. Evidentemente os acontecimentos da viagem devem ter aumentado sua admiração pelo apóstolo. Ele desenvolveu uma gratidão genuína pela conduta de Paulo a bordo sob circunstâncias tão medonhas.

O navio ainda está em águas muito profundas para as pessoas poderem andar nas águas. Por causa das ondas e da profundidade das águas, não é tarefa fácil chegar à praia. Mas o centurião ordena que todos tentem chegar à praia, ou nadando ou agarrando-se a destroços do navio. A tripulação do navio e todos os passageiros chegam à praia (v. 44). Sua segurança é verdadeiramente notável, ainda mais que cumpre a profecia do versículo 24: "Deus te deu todos quantos navegam contigo".

A chegada segura da tripulação e passageiros à ilha é um tributo à fidelidade de Deus, que levou seu servo Paulo ao triunfo. Deus tinha declarado que nem uma única pessoa se perderia; mas como comumente faz para cumprir seu propósito, Ele usou pessoas como Paulo, o centurião, os soldados e a tripulação. Não é incomum Deus usar indivíduos para cumprir suas promessas. Devemos executar diligentemente a promessa e missão de Deus como se não tivéssemos promessa de sermos ajudados por Ele. Por outro lado, sempre devemos estar confiantes de sua ajuda como se tudo fosse feito por Deus.

7.2. Paulo Passa o Inverno em Malta (28.1-10)

Assim que aparece a luz do dia, muitas pessoas da ilha vêem o navio em apuros e observam os marinheiros tentando dirigi-lo à praia. Os náufragos ficam sabendo pelos habitantes que o nome da ilha é Malta. Situa-se a aproximadamente noventa e cinco quilômetros ao sul da Cicília; sua extensão é de vinte e sete quilômetros, com uma largura máxima de quinze quilômetros. A chegada com segurança cumpre a profecia de Paulo de que eles iam encalhar numa ilha (At 27.26). Cada palavra profética que ele falou no navio mostrou-se verdadeira. Enquanto ele está em Malta, vemos aspectos do retrato de Paulo: A proteção que Deus lhe dá e uma demonstração de suas ações proféticas.

7.2.1. Paulo Sobrevive à Picada de uma Víbora (28.1-6).

Lucas chama as pessoas em Malta de *hoi barbaroi* (lit., "os bárbaros"). Esta designação não significa que eles eram selvagens, mas que não falavam grego. Eles eram descendentes dos antigos fenícios, um povo altamente civilizado, e provavelmente falavam um dialeto púnico ou fenício. Com exceção de si mesmos, os gregos consideravam todos os outros povos bárbaros; mas estes bárbaros, povo rústico e simples, estão longe de serem selvagens. Poderia se esperar que tais pessoas suspeitassem de estranhos e até fossem hostis a eles. Paulo e seus companheiros viajantes ficam agradavelmente surpresos pela hospitalidade dos nativos que os recebem de maneira amigável.

Quando Paulo e seus companheiros chegam à praia, está chovendo e faz frio. Os nativos mostram generosidade fazendo uma fogueira e dando-lhes as boas-vindas à ilha (v. 2). Não é tarefa pequena fazer uma fogueira na chuva, e uma grande o bastante para que duzentas e setenta e seis pessoas cheguem perto. A generosidade extraordinária dos malteses os incita a fazer a fogueira e a cuidar dos viajantes náufragos por cerca de três meses (v. 11).

Entre aqueles que juntavam gravetos para a fogueira está Paulo. Fazendo-se útil, ele apanha uma braçada de gravetos. Enquanto ele está pondo os galhos no fogo, uma serpente venenosa sai do fogo quente, pica a mão do apóstolo e fica dependurada nela. Quando os nativos malteses vêem o que acontece, logo concluem que Paulo deve ser um assassino (v. 4). Embora tivesse escapado do navio, eles estão convencidos de que ele é um homem marcado, e agora foi colhido por um destino mais terrível. O ataque pela serpente, assim pensam, é a visita de um deus chamado Justiça (*dike*).

A mitologia grega tem uma deusa da Justiça. O povo de Malta provavelmente tem uma deidade semelhante. Eles estão cônscios de que pessoas boas podem ser mordidas por uma serpente, mas também sabem que Paulo escapou de se afogar no mar, e ficaram sabendo que ele é um prisioneiro. O que eles sabem sobre ele contribui para a convicção de que este homem é assassino e que a mordida da serpente é um ato de julgamento divino. Aparentemente tranqüilo, Paulo sacode a serpente e não mostra nenhum efeito colateral de sua mordida. Não obstante, os nativos pensam que o ataque se mostrará fatal; assim, esperam que ele venha a inchar e cair morto de repente (v. 6).

Percebendo muito tempo depois que Paulo não apresenta nenhum efeito colateral pela picada da serpente, os malteses mudam de idéia e concluem que ele é um deus, em vez de um assassino. Em Listra, julgou-se primeiramente que Paulo fosse um deus e depois ele foi apedrejado (At 14.8-20). Aqui ele é considerado primeiramente como um assassino e depois como um deus. O que eles viram é uma maravilha aos seus olhos.

Embora não haja retratação de Paulo ser um "deus", obviamente ele não se considera deus (At 14.15). O poder milagroso de Deus trabalha por meio dele, e sua sobrevivência da picada da serpente confirma claramente que ele está sob proteção divina. Essa proteção não é proveniente dos deuses da religião pagã, mas do Deus que se revelou em Cristo, a quem Paulo pertence e a quem ele serve (cf. At 27.23,24). Protegendo Paulo do veneno da serpente, o Senhor chama a atenção para seu servo e cumpre nele a promessa de Lucas 10.19.

7.2.2. Paulo Cura Muitos Malteses (28.7-10). Paulo e seus companheiros viajantes são felizes por terem aportado onde eles chegaram, porque eles são tratados amavelmente pelas pessoas da ilha. Próximo de onde eles estão na praia fica a propriedade do funcionário principal da ilha. Seu nome é Públio, e o título lhe dado em grego sugere que ele seja o governador de Malta. Ele é o principal funcionário romano na ilha ou é um funcionário nativo. Provavelmente é um romano encarregado da ilha.

O governador manifesta a mesma afabilidade para com Paulo e os outros como os malteses fazem. Se "nos" (v. 7) se refere ao grupo de náufragos, o governador acolhe com comida e hospedagem duzentas e setenta e seis pessoas. Esse tipo de hospitalidade é digno de elogio. Se o governador estende o convite a todos não podemos estar certos, mas certamente inclui Paulo e Lucas. Pode ser que Públio forneça hospedagem e comida para o grupo de náufragos durante três dias.

Enquanto Paulo está em Malta, muitos doentes são curados milagrosamente. Seu poder profético é demonstrado primeiramente curando o pai de Públio. Nesta época, o pai do governador acha-se doente, sofrendo de ataques de febre e disenteria (v. 8). Paulo vai ao quarto do doente. Pela oração da fé e imposição de mãos, Deus o cura (cf. a própria cura de Paulo em At 9.17). Esta cura mostra que o apóstolo é capacitado pelo Espírito e que o poder milagroso de Jesus continua a se manifestar por meio deste profeta carismático (cf Lc 4.40; 13.13; At 5.12; 14.3; 19.11).

Notícias sobre o milagre espalham-se por toda a ilha. Os doentes de Malta vão a Paulo, e quando o apóstolo cheio do Espírito ora e impõe as mãos, muitos são curados. A ilha inteira se beneficia da presença e ministério de Paulo. Aqueles que são curados mostram gratidão e respeito por Paulo e seus companheiros oferecendo-lhes presentes. Eles também expressam gratidão atendendo as necessidades do grupo quando chega a hora de eles retomarem a viagem a Roma. Essas expressões de gratidão confirmam a realidade das ações proféticas de Paulo.

Lucas não informa nada sobre Paulo pregar o evangelho em Malta, mas é difícil imaginar que ele tenha curado o povo de suas doenças sem ter mencionado o nome de Jesus. Durante a estadia de três meses na ilha, o nome e o poder de Jesus devem ter ficado conhecidos por toda a ilha. Os milagres são o selo do Evangelho.

7.3. A Chegada de Paulo a Roma (28.11-15)

Paulo e seus companheiros náufragos passam três meses em Malta, provavelmente de meado de novembro a meado de fevereiro. Assim que as condições de navegação são consideradas seguras, eles prosseguem viagem. No início da primavera, eles embarcam num navio alexandrino, o qual deve ter ancorado em Malta durante a parte mais severa do inverno. Como o navio naufragado, deve estar carregado com trigo para o mercado italiano. É caracterizado pela insígnia dos irmãos gêmeos Castor e Pólux, filhos de Zeus. Na mitologia grega, estes deuses gêmeos eram considerados guardiões especiais dos marinheiros e adorados por eles. O Egito tinha um culto muito difundido para eles. Tal insígnia deve ser considerada como encantamento protetor.

Na fase final da viagem, o apóstolo procede com notável liberdade. Eles param primeiramente em Siracusa, florescente cidade na costa sudeste da Sicília, a cerca de cento e sessenta quilômetros de Malta (v. 12). O navio fica ancorado três dias por causa de ventos adversos ou pela descarga do navio. Depois eles navegam para Régio, no dedão do pé da Itália, no estreito de Messina (v. 13). Da extremidade sul da Itália navegam para o norte com ventos favoráveis até a cidade de Putéoli, próximo da atual Nápoles. Esta cidade cosmopolita era o porto marítimo regular para os navios vindo do leste e o lugar onde navios graneleiros de Alexandria descarregavam.

Uma igreja já tinha sido estabelecida em Putéoli, prova de que o Evangelho já fora pregado na Itália antes de Paulo chegar a Roma. Tais igrejas nos lembram que o Evangelho se espalhou a partes do Império Romano, inclusive Roma, por missionários desconhecidos. Paulo e seus companheiros ficam por uma semana com os cristãos em Putéoli (v. 14). Não é dada explicação sobre a razão de eles ficarem ali por sete dias, mas Paulo deve ter desfrutado de uma semana de descanso e comunhão com os cristãos dali, incluindo um dia de adoração no dia do Senhor. Enquanto isso, os cristãos em Roma ficam sabendo da chegada de Paulo a Putéoli.

É confuso encontrar Lucas ter escrito: "E depois nos dirigimos a Roma" antes de eles na verdade terem chegado (v. 14). O efeito é que ele se refere duas vezes à chegada a Roma (v. 16), Provavelmente a tradução "depois" (houtos) no versículo 14 é a mais indicada, visto que dá a entender que sob tais circunstâncias eles abrem caminho para Roma, a meta da viagem.

A rota que Paulo pega de Putéoli para Roma é de aproximadamente duzentos e quarenta quilômetros. Os cristãos vindo de Roma viajam ao sul pela famosa Via Ápia, uma antiga estrada pavimentada de Putéoli a Roma. Para dar as boas-vindas ao apóstolo, alguns cristãos romanos viajam para Três Vendas, freqüente ponto de encontro de viajantes. Três Vendas ficava pouco mais de cinqüenta quilômetros de Roma. Outros andaram mais dezesseis quilômetros à Praça de Ápio, uma cidade mercantil. Em outras palavras, antes de Paulo chegar a Roma ele foi recebido por dois grupos de cristãos provenientes de Roma. Quando os vê, ele agradece a Deus e fica animado por saber que ele tem amigos na cidade de Roma. Estes crentes romanos o recebem como "ministro e testemunha" de Deus (At 26.16).

Paulo tem muitas razões para agradecer a Deus. Entre elas, a chegada segura depois de uma viagem longa e difícil. No mar ele passou por muitos perigos, e deve ter ficado ansioso sobre o que encontrará em Roma. Ele entrará na cidade como prisioneiro em cadeias. Até que os cristãos romanos o encontrem na parte final da viagem, ele está apreensivo sobre como eles o receberão.

Mas os crentes romanos mostram que são pessoas de verdadeira compaixão cristã e tornam-se para Paulo uma fonte de consolo. O vínculo mútuo "em Cristo" os fez conhecer o autor da carta escrita para eles. Ele deve ter percebido que a carta fora bem recebida pela igreja romana. Agora ele tem uma história emocionante para contar a estes cristãos fiéis sobre o que o trouxe finalmente a Roma e como na jornada o Deus soberano o protegera de uma tempestade e da picada de uma serpente venenosa.

7.4. Paulo sob Prisão Domiciliar (28.16-31)

O apóstolo chegou a Roma para o julgamento. A narrativa da viagem em Atos chega ao fim. A chegada de Paulo a Roma está de acordo com o padrão profético estabelecido por Jesus e se conforma com o esboço programático de Atos 1.8: "Até aos confins da terra". O âmbito da tarefa da Igreja é mundial. Para a realização desta tarefa de evangelismo, os discípulos, inclusive Paulo, tinham recebido o poder prometido do Espírito Santo (Lc 24.49; At 1.4,8; 9.17-19). O Espírito Santo os dirigiu e os capacitou para o ministério desde o centro do judaísmo até a cidade imperial do mundo gentio.

7.4.1. Paulo É Colocado sob a Custódia de um Soldado (28.16). Paulo é entregue às autoridades romanas, mas em vez de ser colocado numa prisão comum, elas lhe oferecem uma cortesia incomum: permitem-lhe morar sozinho, numa casa particular sob a guarda de um único soldado. Também lhe é dada liberdade considerável, inclusive permissão para receber visitas. O tratamento que ele recebe do governo romano pode ser devido ao relatório do centurião Júlio sobre a conduta de Paulo na viagem.

7.4.2. O Primeiro Encontro de Paulo com os Principais dos Judeus (28.17-22). A entrada de Paulo a Roma foi diferente do que ele imaginara (Rm 15.24,30-32). Ele chegara à cidade como prisioneiro e permanece prisioneiro por dois anos. Embora os romanos lhe colocassem sob prisão domiciliar e lhe dado certa medida de liberdade, ele não tinha permissão para visitar as sinagogas ou participar de fórum público. Ele é mantido sob guarda militar dia e noite.

Não obstante, a estratégia missionária de Paulo não muda em Roma. Seu primeiro enfoque é nos judeus incrédulos. Ao longo de seu trabalho missionário, ele sempre fez seu primeiro apelo aos judeus; quando eles rejeitavam o evangelho, ele se voltava aos gentios. Assim, três dias depois de Paulo estar em Roma, ele convida os judeus não-cristãos a se reunir com ele, de forma que o apóstolo possa lhes explicar a natureza do evangelho. O breve relato de suas atividades na cidade durante dois anos centraliza-se na sua relação com estes líderes judeus. Ele lhes dá a oportunidade para responder ao evangelho como vinha pregando durante anos. Não há dúvida de que já estão familiarizados com a mensagem falada por aqueles em Roma, que estavam presentes em Jerusalém no derramamento do Espírito Santo (At 2.10).

OS MILAGRES DOS APÓSTOLOS	
Milagre	Atos
A Cura do Coxo (por Pedro)	3.6-9
A Morte de Ananias e Safira	5.1-10
O Restabelecimento da Visão de Saulo	9.17,18
A Cura de Enéias	9.33-35
A Ressurreição de Dorcas	9.36-41
Elimas Fica Cego	13.8-11
A Cura do Paralítico (por Paulo)	14.8-10
A Expulsão de um demônio de uma Menina	16.16-18
A Ressurreição de Êutico	20.9,10
A Picada da Víbora não Causa Efeitos Colaterais	28.3-5
A Cura do Pai de Público	28.7-9

Ninguém realmente sabe por que o julgamento de Paulo demora tanto a suceder. Talvez os acusadores judeus de Paulo provenientes da Palestina tenham demorado a chegar, ou havia dificuldade em achar uma abertura no calendário de César para o julgamento. Os documentos enviados por Festo especificando as acusações podem ter-se perdido no naufrágio (At 27.27-41). Duplicatas de segurança teriam levado tempo e causado a demora (Blaiklock, 1959, p. 194). Qualquer que seja a razão, Lucas não dá indicação de que Paulo tenha ficado desanimado durante os dois anos de encarceramento. Antes, tirou vantagem de sua estada em Roma para fazer a obra de um evangelista entre os que visitavam a sua pousada.

Aqueles que atendiam ao convite de Paulo não sabiam do seu caso, por isso ele explica por que o levaram a Roma como prisioneiro. Ele se dirige a estes representantes de um grande corpo de judeus na cidade como "Varões irmãos" (v. 17; cf. At 22.1). O que ele lhes conta pode ser esboçado em quatro pontos.

1) Ele não fez nada para prejudicar o povo judeu ou violar as práticas religiosas passadas por seus antepassados. Porém, foi "entregue nas mãos dos romanos" pelos líderes de Jerusalém. Alguns estudiosos pensam que esta declaração contradiz a declaração anterior do salvamento romano de Paulo das mãos dos judeus, que queriam matá-lo (At 21.30-36). Mas o discurso de Paulo aos judeus em Roma é altamente abreviado. Lucas está preocupado com o essencial, e não procura dar todos os detalhes.

2) Depois que os romanos o questionam, Paulo insiste que eles queriam soltá-lo (v. 18). Eles concluem que ele não fizera nada que o tornasse digno de morte. Aqui, Paulo deixa mais claro as intenções dos romanos do que ele previamente tinha dito. O rei Agripa era um dos que tinham declarado que Paulo deveria ser solto, e Festo concordava com ele (At 26.32). Os judeus insistiam em pressionar as acusações contra ele.

3) A oposição dos judeus o forçou a apelar para César (v. 19). Ainda que eles tivessem sido contrários à libertação dele, o apelo de Paulo não foi devido à amargura ou

acusação contra o seu povo. Ele está em Roma para pregar o evangelho e se defender, não para fazer acusações contra os judeus. Ele procura ser conciliatório para com eles e quer que eles saibam por que ele está preso em Roma (v. 20). É por isso que ele os chamou.

4) Concluindo suas observações, declara que é "pela esperança de Israel" que ele está em cadeias (cf. At 23.6; 26.6,7). Esta é a verdadeira questão do julgamento. Ele quer que os líderes judeus tomem conhecimento em primeira mão de que ele é um judeu leal, e que é prisioneiro. Como qualquer judeu devoto, ele acredita na vinda do Messias e na ressurreição. O triunfo de Jesus sobre a morte é a prova convincente do messiado e da doutrina da ressurreição. Ele está em cadeias porque aceita o Jesus crucificado e ressurreto como cumprimento da esperança maior de sua nação.

Os líderes judeus sabem que não é incomum o seu povo ser perseguido por causa da fé, ainda que o judaísmo fosse legalmente permitido pelos romanos. Quando Paulo conclui sua explicação, os judeus romanos declaram francamente que eles não sabem de nada sobre o caso de Paulo. Eles não receberam nenhum relatório escrito da Judéia que pudesse ser usado no tribunal contra Paulo. Nem havia chegado um relatório oral, denunciando o apóstolo. Evidentemente as autoridades em Jerusalém não tinham investigado o caso. Eles devem ter percebido que tiveram pouca base na qual fundamentar o caso contra Paulo em Roma.

Não obstante, os judeus romanos querem ouvir o que Paulo tem a dizer. Eles sabem algo sobre "esta seita" que ele representa. Os judeus romanos presentes no derramamento do Espírito em Jerusalém no Dia de Pentecostes voltaram para casa com o evangelho, e a Igreja em Roma tem alguns cristãos judeus (Rm 2.17). Mas a informação que estes judeus não-convertidos têm é geral. Eles também sabem que a Igreja em Roma está freqüentemente sob ataque, e que o movimento cristão é falado desfavoravelmente em todos os lugares (At 28.22). A maior parte do que ouviram é negativo e prejudicial. Assim, eles querem saber mais sobre o porquê que o cristianismo não conta com a aprovação geral, especialmente das autoridades em Jerusalém.

7.4.3. O Segundo Encontro de Paulo com os Principais dos Judeus (28.23-29). Paulo tratou os judeus romanos com cortesia. Ele falou com eles de maneira conciliatória, e eles parecem inclinados a ouvir novos pontos de vista. Antes de saírem, eles marcam novo encontro para ouvi-lo longamente sobre o assunto do evangelho de Jesus Cristo. "Muitos" comparecem no dia aprazado (v. 23) ao lugar onde Paulo está para uma segunda reunião.

Lucas nos oferece somente um resumo sucinto do testemunho que Paulo lhes deu. O discurso é longo, pois o apóstolo dedica o dia inteiro explicando-lhes o Reino de Deus. A expressão "Reino de Deus" significa essencialmente o reinado de Deus, embora possa se referir à totalidade da mensagem cristã (cf. também At 19.8; 20.25; 28.31), incluindo o futuro reinado de Deus, a ser cumprido na Segunda Vinda de Cristo (At 14.22; cf. Lc 22.30; 23.42). Para seus judeus visitantes, Paulo enfatiza o irrompimento do novo reinado de Deus na pessoa de Jesus Cristo. O governo de Deus foi estabelecido por seus atos poderosos na morte e ressurreição de Jesus.

Como sempre, em sua pregação aos judeus, ele apela para o Antigo Testamento. Paulo representa Jesus como o cumprimento das promessas de Deus na Escritura (Lc 24.27; At 2.25-36; 3.18; 10.43). O que a Lei de Moisés e os Profetas tinham predito sobre o Messias é realizado na morte e ressurreição de Jesus. Estas Escrituras provêem a principal evidência dos seus argumentos, mas alguns dos judeus não estão convencidos de que sua interpretação esteja correta.

Como Paulo freqüentemente tinha experimentado em outras ocasiões, a resposta dos judeus ao evangelho é mista (At 28.24,25; 13.43; 14.4; 17.4,12; 18.4-8). Alguns são favoráveis ao evangelho e crêem que o que ele disse é verdadeiro. Outros rejeitam a mensagem inteiramente. Mais uma vez, o povo de Deus é dividido em dois partidos. A reunião se separa com os judeus discutindo entre si. Como eles estão a ponto de partir, Paulo aplica a profecia de Isaías 6.9,10 à porção incrédula de sua audiência, um texto que indica fortemente a rejeição judaica do evangelho (At 28.25-28). A referência ao "Espírito Santo" (v. 25) resume a função profética do Espírito ao inspirar as Escrituras. A ação direta do Espírito levou Isaías a profetizar, e agora o Espírito está falando aos judeus incrédulos pelas palavras do profeta.

A profecia de Isaías explica por que muitos judeus não aceitaram o evangelho. Deus derramou seu julgamento sobre eles porque eles recusam ouvir a mensagem e crer. Aqueles que rejeitam o evangelho não compreendem a mensagem; "de ouvido, ouvireis e de maneira nenhuma entendereis; e, vendo, vereis e de maneira nenhuma percebereis". Se eles estivessem verdadeiramente abertos ao evangelho, teriam visto com os olhos, ouvido com os ouvidos e entendido com o coração (v. 27; cf. Mt 13.13-15). Por outro lado, seus olhos e ouvidos não estão fechados por algum poder que esteja acima deles. Eles escolheram voluntariamente não entender e perceber o que Deus está lhes dizendo.

O insight espiritual é trabalho do Espírito Santo, mas a falta de insight dos judeus incrédulos é devido à teimosia. Eles mesmos fizeram os corações calosos à Palavra de Deus. Se eles abrirem os olhos e ouvidos ao que Paulo apresenta, eles realmente se voltarão para o Senhor e serão salvos. A palavra autorizada é dolorosa de perceber e ouvir porque pronuncia julgamento sobre o pecado e a incredulidade. Assim como a palavra condena o pecado e fere a consciência, também tenciona nos curar — não apenas a cura física, mas também a transformação espiritual. Receber o evangelho faz com que fiquemos bem novamente, mas as conseqüências de rejeitá-lo podem ser desastrosas. "Quando o indivíduo recusa a palavra deliberadamente, chega a um ponto em que é privado da capacidade de recebê-la. É dura advertência aos que não levam a sério o evangelho" (Marshall, 1980, p. 425).

Deus não faz acepção de pessoas. A todos que ouvem o evangelho ele oferece pelo Espírito Santo o dom da salvação. Ninguém pode atribuir sua ruína final a Deus. A rejeição inflexível dos judeus ao Evangelho cumpre a profecia de Isaías. Eles recusam ouvir os profetas, mas Deus continua lhes falando pelo Espírito profético, exortando-os e chamando-os a se arrepender e aceitar a salvação. O Espírito faz isto não porque eles o mereçam, mas porque Deus é fiel.

A incredulidade dos compatriotas de Paulo o instiga a fazer um pronunciamento solene, consistente com seu padrão ao longo do Livro de Atos: "Seja-vos, pois, notório que esta salvação de Deus é enviada aos gentios, e eles a ouvirão" (v. 28). Em resultado da resistência judaica ao evangelho em Atos 13.46-48 e 18.6, Paulo se volta dos judeus para os gentios. Aqui, a quebra de relações de Paulo com seus companheiros judeus parece mais acentuada do que as outras vezes em que ele se volta para os gentios. A mensagem de salvação vai agora para os gentios, e eles responderão mais favoravelmente. Ele já não sente que a mensagem de salvação de Deus deva ser pregada primeiramente aos judeus (cf. Rm 11.11-24). Nada pode deter o evangelho em sua marcha "até aos confins da terra" — nem mesmo a incredulidade persistente do povo escolhido do Senhor, os judeus. Paulo prevê a conversão de Israel mais tarde (Rm 11.25-32), mas por agora a verdadeira esperança acha-se na missão aos gentios.

O versículo 29 é omitido em traduções como a NVI. Aparece no Texto Ocidental e é simplesmente repetição do versículo 25.

7.4.4. Paulo Prega o Evangelho por Dois Anos (28.30,31).

A narrativa do Livro de Atos finda abruptamente com Paulo ainda preso. Se Lucas sabe o que aconteceu depois deste período (inclusive o resultado do julgamento perante César), ele não nos conta. Esta conclusão não satisfaz a curiosidade de muitos leitores modernos nem o seu gosto literário. Referências como Atos 20.25,38; 21.13 e 25.11 podem implicar que Paulo morreu como mártir pela causa do evangelho. Alguns estão convencidos de que depois de dois anos Paulo foi julgado e executado, mas parece mais provável que ele foi absolvido e solto. Evidências nas Cartas Pastorais sugerem que ele teve um ministério pós-Atos e depois foi preso de novo (provavelmente durante a perseguição promovida por Nero).

Lucas mostrou como o evangelho se espalhou de Jerusalém a Roma pelo poder do Espírito Santo. Muitos gentios aceitaram a mensagem de salvação, mas o povo judeu como um todo torna-se cada vez mais hostil ao evangelho. Contudo, sua oposição não pára o avanço das Boas-Novas. Atos traçou o poder do Espírito Santo trabalhando na Igreja até que Paulo chega a Roma. O Espírito capacitou os servos de Deus a pregar o evangelho e levou soberanamente o "apóstolo dos gentios" àquela cidade imperial.

Lucas oferece poucos detalhes dos dois anos que Paulo passou em Roma. Enquanto o apóstolo mora numa casa às suas próprias custas, ele espera por julgamento no tribunal de César, e "com toda a liberdade", "sem impedimento algum", prega o evangelho a todos que vão a ele. A última palavra do texto grego de Atos é "sem impedimento". Esta palavra se refere à liberdade teológica que o evangelho goza das constrições judaicas e à sua pregação "sem impedimento" algum na cidade de

O ANTIGO TESTAMENTO NO NOVO TESTAMENTO

NT	AT	ASSUNTO
At 1.20	Sl 69.25	O julgamento de Judas
At 1.20	Sl 109.8	A substituição de Judas
At 2.17-21	Jl 2.28-32	O Espírito de Deus é derramado
At 2.25-28,31	Sl 16.8-11	A ressurreição de Cristo
At 2.34,35	Sl 110.1	À mão direita de Deus
At 3.22,23	Dt 18.15,18,19	O profeta
At 3.25	Gn 22.18; 26.4	As nações são abençoadas em Abraão
At 4.11	Sl 118.22	A pedra de esquina é rejeitada
At 4.24	Êx 20.11; Sl 146.6	Deus, o Criador
At 4.25,26	Sl 2.1,2	Reis contra o Senhor
At 7.3	Gn 12.1	A chamada de Abraão
At 7.6,7	Gn 15.13,14	A profecia para Abraão
At 7.18	Êx 1.8	O rei que não conhecia José
At 7.27,28,35	Êx 2.14	Moisés no Egito
At 7.32	Êx 3.6	O Deus vivo
At 7.33	Êx 3.5	Moisés na sarça ardente
At 7.34	Êx 3.7,8,10	Deus promete libertar Israel
At 7.37	Dt 18.15	O profeta
At 7.40	Êx 32.1,23	Pedindo por ídolos
At 7.42,43	Am 5.25-27	Pecado e julgamento
At 7.49,50	Is 66.1,2	Nenhum templo contém Deus
At 8.32,33	Is 53.7,8	Jesus como o cordeiro que morre
At 13.33	Sl 2.7	Tu és meu Filho
At 13.34	Is 55.3	As bênçãos de Davi
At 13.35	Sl 16.10	A ressurreição de Cristo
At 13.41	Hc 1.5	Julgamento pelo pecado
At 13.47	Is 49.6	Salvação dos gentios
At 14.15	Êx 20.11; Sl 146.6	Deus, o Criador
At 15.16,17	Am 9.11,12	Restauração para todos
At 23.5	Êx 22.28	Príncipes que maldizem
At 28.26,27	Is 6.9,10	Vendo, mas não percebendo

Roma. A Palavra de Deus entra livremente nos corações daqueles que crêem: "Todo aquele que invocar o nome do Senhor será salvo" (At 2.21; cf. At 13.39). Todos os obstáculos e impedimentos da salvação são removidos em Cristo.

Como Lucas mostrou, o evangelho é as Boas-Novas para todo o mundo, independente de onde a pessoa venha. Não é para uma só nação, mas para os crentes de todas as nações na graça perdoadora de Cristo (Lc 24.47). Apesar de obstáculos e impedimentos, o evangelho permanece sem impedimento ao que nele crêem. É uma mensagem irreprimível; Paulo tem confiança nela e prega-a "com toda a liberdade" a todos os que vão vê-lo.

A proclamação desimpedida no centro do mundo gentio tange poderosa nota de triunfo da missão cristã. A despeito das cadeias, Paulo está livre para pregar a salvação do evangelho. No começo do seu ministério, Jesus declarou: "O Espírito do Senhor é sobre mim, pois que me ungiu para evangelizar [pregar as boas-novas] os pobres" (Lc 4.18). O Salvador capacitado pelo Espírito dedicou todo seu ministério a proclamar o evangelho. Imediatamente antes de ascender ao Pai, Jesus, como conseqüência de sua morte e ressurreição, instrui os discípulos a pregar "o arrependimento e a remissão dos pecados, em todas as nações" (Lc 24.47). O terceiro Evangelho é concluído com Jesus falando sobre o que o Pai lhe tinha prometido e dando instruções para os discípulos ficarem "até que do alto [eles sejam] revestidos de poder" (Lc 24.49).

O Livro de Atos continua a história do Evangelho de Lucas. Ele começa com a promessa de poder para testemunhar e um programa para espalhar o evangelho até aos confins da terra (At 1.8). O restante do Livro de Atos mostra o avanço permanente da pregação do evangelho. Nada pode impedir seu progresso e vitória última. Perseguição e encarceramento não puderam deter a marcha do evangelho. Pedro e Paulo foram libertos da prisão (At 5.19; 12.6-11; 16.26-40). Barreiras humanas de preconceito racial e separação não pararam o evangelho.

Os gentios receberam o batismo com o Espírito exatamente como os crentes judeus o receberam no Dia de Pentecostes. Cônscios de que Deus dera sobre os gentios o poder do Espírito, Pedro desafiou a quem quer que fosse a "recusar a água, para que não sejam batizados estes que também receberam, como nós, o Espírito Santo" (At 10.47). O verbo grego traduzido por "recusar" (kolysai) deriva da mesma raiz da última palavra de Atos, "sem impedimento" (akolytos). Não permitindo que o evangelho seja impedido, o Espírito abriu as portas da igreja para todos, e apesar das diferenças sexuais e de idade os crentes foram batizados com seu poder (At 2.17). O homem fisicamente desvantajoso não podia ir além da porta do templo (At 3.2-11), e o etíope eunuco, por causa de sua condição física, não podia ser aceito pelos judeus como convertido pleno (At 8.26-39), mas o poder salvador de Deus estava disponível a ambos.

Sem estar limitada pela estreita perspectiva nacionalista, a Igreja, capacitada pelo Espírito, pregou o evangelho além das fronteiras da Palestina. O evangelho continuou triunfando sobre todas as barreiras quando Paulo, missionário e apóstolo inspirado pelo Espírito, chegou como prisioneiro a Roma. Perto do fim de sua vida ele permaneceu confiante no triunfo do evangelho. Assim, ele escreveu que sofre "até prisões, como um malfeitor; mas a palavra de Deus não está presa" (2 Tm 2.9). Durante seu encarceramento, o evangelho continuou se espalhando e alcançou "os que são da casa de César" (Fp 4.22). As Boas-Novas que começaram no templo de Jerusalém (Lc 1.5-20) marcharam para a cidade imperial de Roma — "até aos confins da terra". Que conclusão poderia ser mais apropriada para Lucas-Atos do que uma afirmação de que o poder do evangelho triunfa sobre toda a oposição e barreiras?

BIBLIOGRAFIA

F. L. Arrington, "The Indwelling, Baptism, and Infilling With the Holy Spirit: A Differentiation of Terms", *Pneuma* 3/2 (1981), pp. 1-10; idem,

Christian Doctrine, vol. 3 (1994); idem, *The Acts of the Apostles* (1988); D. E. Aune, *The New Testament in Its Literary Environment* (1987); C. K. Barrett, *Luke the Historian in Recent Study* (1961); E. M. Blaiklock, *The Acts of the Apostles* (1959); D. L. Bock, *Luke* (1994); R. G. Bratcher, *A Translation Guide to the Gospel of Luke* (1982); R. E. Brown, "Luke's Description of the Virginal Conception", *TS* (1974), pp. 360-362; F. F. Bruce, *Are the New Testament Documents Reliable?* (19431); idem, *The Acts of the Apostles: The Greek Text With Introduction and Commentary* (1952); idem, *Commentary on the Book of Acts* (1956); G. B. Caird, *The Gospel of St. Luke* (1990); F. B. Craddock, *Luke* (1990); H. L. Dana e J. R. Mantey, *A Manual Grammar of the Greek New Testament* (1955); W. D. Davies, *Invitation to the New Testament* (1966); R. J. Dean, *Layman's Bible Book Commentary* (1983); D. S. Dockery, K. A. Matthews e R. B. Sloan, editores, *Foundations for Biblical Interpretation* (1994); H. M. Ervin, *Spirit Baptism* (1987); J. A. Fitzmyer, *The Gospel of According to Luke I-IX* (1981); H. Flender, *St. Luke: Theologian of Redemptive History* (1967); E. Franklin, *Christ the Lord: A Study of the Purpose and Theology of Luke-Acts* (1975); W. W. Gasque e R. P. Martin, editores, *Apostolic History and the Gospel* (1970); W. W. Gasque, *An History of the Criticism of the Acts of the Apostles* (1975); N. Geldenhuys, *Commentary on the Gospel of Luke* (1951); T. George, *Galatians* (1994); E. Haenchen, *The Acts of the Apostles* (1971); C. J. Hemer, *The Book of Acts in the Setting of Hellenistic History* (1990); M. Hengel, *Acts and the History of Earliest Christianity* (1979); idem, *The Acts of the Apostles* (1951); idem, *Between Jesus and Paul* (1983); S. Horton, *What the Bible Says About the Holy Spirit* (1976); A. M. Hunter, *Interpreting the Parables* (1960); J. Jervell, *Luke and the People of God* (1972); D. Juel, *Luke-Acts* (1983); R. J. Karris, *What Are They Saying About Luke and Acts?* (1979); L. E. Keck e J. L. Martyn, editores, *Studies in Luke-Acts* (1966); G. M. Lee, "Walk to Emmaus", *ExpTim* 77 (Setembro de 1966), pp. 380-381; R. C. H. Lenski, *The Interpretation of St. Luke's Gospel* (1946); I. H. Marshall, *The Acts of the Apostles* (1980); idem, *Commentary on Luke* (1978); R. P. Martin, *New Testament Foundations*, vol. 1 (1975) e vol. 2 (1978); G. B. McGee, editor, *Initial Evidence* (1991); D. P. Moessner, *Lord of the Banquet* (1989); D. Moody, *Spirit of the Living God* (1968); L. Morris, *Luke* (1974); A. Q. Morton e G. H. C. Macgregor, *The Structure of Luke-Acts* (1964); L. Morris, "Luke and Early Catholicism", in *Studying the New Testament Today*, editor J. H. Skilton, 1974; W. Neil, *The Acts of the Apostles* (1973); B. M. Newman e E. A. Nida, *A Translator's Handbook on the Acts of the Apostles* (1972); K. F. Nickle, *The Synoptic Gospels* (1980); J. C. O'Neill, *Theology of Acts in Its Historical Setting* (1961); R. F. O'Toole, *The Unity of Luke's Theology: An Analysis of Luke-Acts* (1984); A. Plummer, *A Critical and Exegetical Commentary on the Gospel According to St. Luke* (1896); R. B. Rackham, *The Acts of the Apostles* (1953); J. Reiling e J. L. Swellengrebel, *A Translation's Handbook on the Gospel of Luke* (1971); A. T. Robinson, *A Grammar of the Greek New Testament in the Light of Historical Research* (1934); E. Schweizer, *The Good News According to Luke* (1984); W. G. Scroggie, *The Acts of the Apostles* (1976); W. H. Shepherd, *The Narrative Function of the Holy Spirit As a Character in Luke-Acts* (1994); A. N. Sherwin-White, *Roman Society and Roman Law in the New Testament* (1963); S. Soderlund, "Burning Hearts and Open Minds: Exposition on the Emmaus Road", *Crux* 23 (Março de 1987), pp. 2-4; R. Stronstad, The Charismatic Theology of St. Luke (1984); idem, "The Influence of the Old Testament on the Charismatic Theology of Luke", Pneuma 2 (1980), pp. 32-50; C. H. Talbert, Literary Patterns, Theological Themes, and the Genre of Luke-Acts (1974); W. C. van Unnik, "The 'Book of Acts': The Confirmation of the Gospel", NovT 4 (1960), pp. 26-59; C. N. Weisiger III, The Gospel of Luke (1966).